मध्यएसिया का इतिहास

खण्ड १

मध्यएसिया का इतिहास
खण्ड १

दो खण्डो मे
खण्ड १

GYAN

Published by

Gyan Publishing House
5, Ansari Road
Daryaganj, New Delhi-110002
Phone: 011-47034999, 9811692060
E-mail: books@gyanbooks.com

Distribution Network
gyanbooks.com
India, USA, Canada, UK, Australia

ISBN: 978-93-7097-453-1 (Set)
978-93-7097-868-3 (HB)
First Published, 1942

2nd Impression 2025

Printed at: Gyan Press, Delhi.

मध्यएसिया का इतिहास खण्ड १
Author: राहुल सांकृत्यायन

मध्यएसिया का इतिहास

खण्ड १

महापण्डित राहुल सांकृत्यायन

समर्पण

परगत डॉ० काशीप्रसाद जायसवाल को
जिनकी स्मृति अट्ठारह वर्षों के अनन्त वियोग के वाद भी
मेरे जीवन की प्रिय निधि है

वक्तव्य

हमे प्रसन्नता है कि अन्तरराष्ट्रीय ख्यातिलब्ध विद्वान् महापण्डित श्रीराहुल साकृत्यायन (अब स्वर्गीय) द्वारा लिखित 'मध्यएसिया का इतिहास' नामक महत्त्वपूर्ण ऐतिहासिक ग्रन्थ के प्रथम भाग का द्वितीय सस्करण परिमार्जित रूप मे विज्ञ पाठकों के समक्ष प्रस्तुत हो रहा है। इस ग्रन्थ ने न केवल इतिहास-साहित्य के एक वडे अभाव की पूर्त्ति की है, वल्कि अपनी अद्वितीयता भी सिद्ध कर दी है। अद्यावधि यह ग्रन्थ 'एकश्चन्द्रस्तमो हन्ति' की भाँति ऐतिहासिक साहित्य-गगन मे अपनी प्रोज्ज्वल प्रभा के कारण ऐकान्तिक रूप मे उपादेय माना जाता है। उल्लेख्य है कि यह जिस भूखण्ड-विशेष का इतिहास है, उसके सम्बन्ध मे शृखलावद्ध ऐतिहासिक सामग्री वहुत कम सुलभ है और हिन्दी-भाषा मे तो उसका अभाव-सा ही है। परिषद् द्वारा प्रकाशित गौरव-ग्रन्थो मे पाक्तेय यह कृति अपनी सारस्वत विशिष्टता के कारण भारत-सरकार की 'साहित्य-अकादमी' द्वारा पुरस्कृत हुई है। ज्ञातव्य है कि इसका प्रथम संस्करण सन् १९५६ ई० मे ही प्रकाशित हुआ था और पिछले कई वर्षों से इसकी प्रतियाँ अनुपलब्ध थी।

प्रथम सस्करण मे परिषद् की स्वीकृत नीति के अनुसार वर्त्तनी का निर्वाह सम्भव नही हो सका था, क्योकि उसके प्रारम्भिक कुछ पृष्ठो का मुद्रण विहार से वाहर हुआ था। इस द्वितीय सस्करण मे उसका सम्यक् निर्वाह कर दिया गया है। प्रथम सस्करण की भूमिका मे विद्वान् लेखक ने लिखा था कि 'त्रुटियो के वारे मे विषय-सूची के हेडिंगो और उच्चारणो को अन्तिम मानना चाहिए।' प्रस्तुत संस्करण मे यथासम्भव तदनुरूप सशोधन कर दिया गया है और स्थानो एव व्यक्तियो के नामो मे एकरूपता रखने का प्रयास किया गया है। फिर भी, यदि त्रुटियाँ रह गई होगी, तो वे नगण्य ही होगी और उनका परिमार्जन आगामी सस्करण मे सम्भव हो सकेगा।

हम आश्वस्त है कि मध्यएसिया के इतिहास पर रोचक और सरल भाषा-शैली मे प्रामाणिक ढग से प्रकाश-निक्षेप करनेवाले इस ग्रन्थ का प्रस्तुत सस्करण यथापूर्व उपयोगी माना जायगा और इसका व्यापक स्वागत होगा।

तुलसी-सप्तमी, स० २०४२ वि०
२२ अगस्त, १९८५ ई०, गुरुवार

(पं०) रामदयाल पाण्डेय
(उपाध्यक्ष-सह-निदेशक)

वक्तव्य

(प्रथम संस्करण)

'विद्वानेव विजानाति विद्वज्जनपरिश्रमम् ।'

बिहार-राज्य के शिक्षा-विभाग के अन्तर्गत यह परिषद् एक साहित्यिक सस्था है। अबतक इसके द्वारा दो दर्जन महत्त्वपूर्ण पुस्तको का प्रकाशन हो चुका है। उन्हें समस्त हिन्दी-ससार ने पसन्द भी किया है।

सन् १९५४ ई० मे बिहार के तत्कालीन शिक्षा-सचिव श्रीजगदीशचन्द्र माथुर, आइ० सी० एस्० के अनुरोध से, परिषद् ने इस पुस्तक का प्रकाशन स्वीकृत किया था। किन्तु, परिषद् की स्वीकृति से पूर्व ही इसके दूसरे खण्ड के कई फॉर्म लखनऊ मे छप चुके थे। तब भी, हिन्दी मे ऐसी पुस्तक का अभाव और एक अधिकारी विद्वान् द्वारा उस अभाव की पूर्त्ति का सत्प्रयास देखकर, परिषद् ने अपने नियमो के अपवाद-स्वरूप, विशेष परिस्थिति मे वह स्वीकृति दी थी। इसलिए कि लेखक ने इस पुस्तक के दूसरे खण्ड की छपाई पहले ही शुरू करा दी थी, इस पहले खण्ड की पाण्डुलिपि भी दोनो खण्डो की एक-सी छपाई कराने के विचार से लखनऊ भेज दी गई। परन्तु, कुछ अनिवार्य कारणो से जब दूसरे खण्ड की ही छपाई मे विलम्ब होने लगा, तब प्रस्तुत खण्ड को पहले ही प्रकाशित करना आवश्यक समझ प्रयाग मे इसकी छपाई का प्रबन्ध करना पड़ा, क्योकि इसके लिए लखनऊ मे खरीदा हुआ कागज भी प्रयाग भेजना था।

हम चाहते थे कि दोनो खण्ड एक साथ ही प्रकाशित हो। पर, दूसरा खण्ड इससे कुछ बडा है। फिर भी, हम उसे अविलम्ब प्रकाशित करने मे प्रयत्नशील हैं। आशा है कि वह भी शीघ्र ही पाठको की सेवा मे पहुँचेगा। तबतक इस खण्ड का पहले निकल जाना उचित ही हुआ।

इस पुस्तक मे विभक्तियो के चिह्न सर्वत्र शब्दो के साथ लगे हुए हैं। परिषद् की अन्य पुस्तको मे ऐसा नही है। किन्तु इस पुस्तक के दूसरे खण्ड के कई फॉर्म जैसे पहले छप चुके थे, वैसे ही इस खण्ड के भी छपवाने पड़े। कारण, दोनो खण्डो की छपाई मे समता रखना आवश्यक प्रतीत हुआ। विभक्तियो को शब्दो से हटाकर या सटाकर लिखने-छापने की परिपाटी आज भी हिन्दी-जगत् मे प्रचलित है। अत:, पहले के छपे हुए पृष्ठो को नष्ट करके परिषद् की परम्परा के अनुसार पुन नये सिरे से छपाई शुरू कराना हमने अनावश्यक समझा, क्योकि पुस्तक के महत्त्व मे इससे कोई बाधा नही पडी है।

अस्तु। भारत का इतिहास पढने पर प्राय ऐसा अनुभव होता है कि मध्यएसिया के इतिहास से भारत के इतिहास की कितनी ही घटनाएँ सम्बद्ध हैं। परन्तु, हिन्दी मे मध्यएसिया के कुछ देशो के भौगोलिक एव ऐतिहासिक विवरण तो मिलते हैं, सम्पूर्ण मध्यएसिया का क्रमबद्ध इतिहास नही मिलता। इसलिए, अनेक ऐतिहासिक जिज्ञासाओ

का समाधान नहीं हो पाता था । आशा है कि अब यह पुस्तक भारत और उसके पड़ोसी देशों के इतिहास की शृखला को अटूट सिद्ध करके पाठको को सन्तुष्ट करेगी ।

इस पुस्तक के समर्थ लेखक महापण्डित **श्रीराहुल सांकृत्यायनजी** अन्तरराष्ट्रीय ख्याति के विद्वान् हैं । इस युग के आप एक धुरन्धर साहित्यकार हैं । साहित्य-शोध का क्षेत्र आपके अनवरत अनुसन्धानात्मक परिश्रम एव लेखनी-सचालन से बहुत उर्वर हुआ है । आपकी अथक लेखनी ने कितने ही ऐसे विषयो को सनाथ किया है, जिनकी ओर हिन्दी-ससार के विद्वज्जनो का ध्यान आकृष्ट नही हुआ था । अत , हिन्दी-साहित्य आपकी खोज की लगन और देन से बहुत लाभान्वित हो रहा है । विश्वास है कि यह पुस्तक भी हिन्दी-साहित्य के एक चिर-अनुभूत अभाव की पूर्त्ति करेगी तथा ऐतिहासिक शोध के कामो मे भी सहायक होगी ।

दीपावली, सवत् २०१३ वि०

शिवपूजन सहाय
(सचालक)

भूमिका

(प्रथम सस्करण)

भारत के इतिहास की जगह मध्यएसिया के इतिहास पर मैंने क्यो कलम उठाई, यह प्रश्न हो सकता है। उत्तर आसान है। भारत के इतिहास पर लिखनेवाले बहुत है। जिसका अभाव है, उसकी पूर्ति करना जरूरी था, यही विचार इस प्रयास का कारण हुआ। अपनी यात्राओ मे मैं रूस और मध्यएसिया के सम्पर्क मे आया, उनके ऊपर कितनी ही पुस्तकें लिखी और अनुवादित की। उसी समय विचार आया, आधुनिक ऐतिहासिक घटनाओ को पिछले इतिहास की पृष्ठभूमि मे देखना चाहिए। इस तरफ आगे बढा, तो यह भी मालूम हुआ, मध्यएसिया का इतिहास हमारे देश के इतिहास से बहुत घनिष्ठ सम्बन्ध रखता है। द्रविड़ (फिनो-द्रविड़) जाति—जिसने मोहेनजोदड़ो और हड़प्पा के भव्य नगर और यशस्वी सिन्धु-सभ्यता प्रदान की—का सम्बन्ध मध्यएसिया से भी था। हाल के पुरातात्त्विक अनुसन्धान बतलाते है कि आर्यों का सम्पर्क द्रविड जाति से सबसे पहले सिन्धु-उपत्यका मे नही, बल्कि ख्वारेज्म मे हुआ था। वहाँ पराजित करके उनका स्थान ले आर्य भारत की ओर बढे। उनका बढाव पिछली विजित भूमि को बिना छोडे आगे की तरफ होता रहा, इसलिए भारतीय आर्यों की परम्परा मे अपने पुराने छोडे हुए स्थान का उल्लेख नही पाया जाता। आर्यों की अनेक लहरो के बाद ग्रीक लोगो ने भी बाख्त्रिया से आकर भारत के कुछ भाग पर शासन किया। शक-कुषाण भी वहाँ से ही होकर आये। तथाकथित हूण—हेफताल—भी मध्यएसिया से भारत की ओर बढे। तुर्क और इस्लाम भी वहाँ से चलकर भारत आया। इन शासको और उनकी जातियो के इतिहास का एक भाग मध्यएसिया मे पडा रहा, जिसे जाने बिना हम अपने इतिहास को समझने मे गलती कर बैठते हैं। इस दृष्टि से भी मुझे इस पुस्तक के लिखने की प्रेरणा मिली।

यद्यपि मैं अपने इतिहास को मध्यएसिया—अर्थात् मुख्य चीन, भारत-अफगानिस्तान, ईरान, कॉस्पियन समुद्र और रूस द्वारा घिरी हुई भूमि—तक ही सीमित रखना चाहता था, लेकिन इतिहास की नदी बहुत टेढी-मेढी बहती है, जिसके कारण मुझे इन सीमान्त देशो के इतिहास मे भी कही-कही भटकना पडा। वैसा न करने से विषय के समझने मे कठिनाई होती।

नामो के उच्चारण मे हिन्दी मे अभी हमारी कोई परम्परा नही बनी है, विशेषकर उन नामो के बारे मे, जो कि पहली बार इस पुस्तक मे आ रहे हैं। अँगरेजो और अँगरेजी का उच्चारण सबसे भ्रष्ट होता है, इसलिए मैंने उससे बचने की कोशिश की है। जर्मन इसके बारे मे ज्यादा अच्छे रहते हैं और अपनी अधिक उच्चारणानुरूप लिपि के कारण रूसी सबसे अच्छे हैं। पर, मूल भाषाओ की लिपियो मे जो दोष है, उसे वह कैसे दूर कर सकते हैं? मंगोल-लिपि मे मुश्किल से डेढ दर्जन अक्षर हैं। वहाँ क, ग और ह मे कोई अन्तर नही है। कगान, खगान, हगान, हकान चाहे जिस तरह एक ही लिखे शब्द को पढ

लीजिए। चीनी नामों के उच्चारण में भी ऐसी कठिनाई है। इसके अतिरिक्त, पुस्तक की छपाई जिन निराशाजनक परिस्थितियों में वर्षों एक-एक कर होती रही, उनके कारण मैं नामों के एक समान उच्चारण को बराबर इस्तेमाल नहीं कर सका। इस तथा दूसरी बातों में भी विषय-सूची में दिये गये रूप को अन्तिम मानना चाहिए।

पुस्तक की सामग्री का बहुत बड़ा भाग मैंने रूस में अपने दो साल के प्रवास (सन् १९४५–४७ ई०) में जमा किया। इसमें शक नहीं, मध्यएसिया के इतिहास की जितनी सामग्री रूस और रूसी-भाषा में है, उतनी अन्यत्र नहीं मिल सकती। जिस तत्परता से वहाँ ऐतिहासिक और पुरातात्त्विक अनुसन्धान हो रहे हैं, उनके कारण हर साल नई-नई सामग्री प्राप्त हो रही है। अफसोस है, सन् १९४७ ई० के बाद की उपलब्ध सामग्री में बहुत कम का ही इस्तेमाल मैं कर सका। प्रो० तोलस्तोफ कई वर्षों से पुरातात्त्विक अभियानों के नेता होते रहे हैं। उस विषय में, विशेषकर ख्वारेज्म, कराकुम और किजिलकुम की भूमि के सम्बन्ध में उनका ज्ञान अद्भुत है। सप्तनद के बारे में डॉ० बेर्नस्ताम का अध्ययन गम्भीर है। इन दोनों विद्वानों से जब-जब मुझे मिलने का मौका मिला, उन्होंने समय और श्रम का कुछ भी ख्याल न करके दिल खोलकर अपने ज्ञान से लाभ उठाने का मुझे अवसर दिया। इसका उल्लेख मैं अपनी यात्रा-पुस्तक 'रूस में पच्चीस मास' में कर चुका हूँ। मैं अपनी कुछ कल्पनाओं में इतना आग्रहवान् न होता, यदि उनके साथ विचार-विनिमय के बाद उसमें सार न रहता। 'मध्यएसिया का इतिहास' लिखने के अधिकारी सोवियत विद्वान् ही हो सकते हैं, लेकिन अभी वे भिन्न-भिन्न कालों और अंशों पर ही अनुशीलन कर रहे हैं। न मालूम कबतक वे उस अनुशीलन को क्रमबद्ध इतिहास के महाग्रन्थ के रूप में परिणत करेंगे। उस ग्रन्थ के तैयार होने तक मेरे इस प्रयास का मूल्य रहेगा ही।

दो सालों के बाद रूस से भारत चले आने का एक बड़ा कारण संगृहीत सामग्री और प्रस्तुत की पुस्तक के रूप में लाने का ख्याल था। मैंने वहाँ चार-पाँच मन पुस्तकें जमा की थीं। उनके अतिरिक्त, दो वर्षों में पढ़ी पुस्तकों से बहुत-से नोट लिये थे। वहाँ रहते पुस्तक लिखने पर वह प्रेस का मुँह देख सकती, इसमें पीछे के तजर्बे ने भी सन्देह पैदा कर दिया। उन्हीं पुस्तकों को सुरक्षित लाने के ख्याल से मैं अफगानिस्तान के छोटे रास्ते को छोड़ ईरान होते भारत लौटा। यदि सीधे रास्ते लौटा होता, तो अगस्त, १९४७ ई० में पश्चिमी पाकिस्तान से आता, फिर न मालूम सामग्री और संग्राहक पर क्या बीतती?

इतनी बड़ी पुस्तक को छापनेवाला मिलना मुश्किल था। एक प्रकाशक ने पहली जिल्द के [illegible] कुछ [illegible] दिये और दूसरी जिल्द को नेशनल हेरल्ड प्रेस में छपने के लिए [illegible] यह भार उनकी अपनी शक्ति से बाहर मालूम हुआ। [illegible] ने अपनी जिम्मेदारी पर इस जिल्द को छापना शुरू किया, जिसके [illegible] हो चुके थे। [illegible] करने पर यह [illegible] मुझे [illegible] पड़ा — और यह [illegible] नहीं, इतना स्पष्ट था। श्रीजगदीशचन्द्र माथुर ने पुस्तक की पाण्डुलिपि देखकर इसे बिहार-राष्ट्रभाषा-परिषद्

को देने के लिए कहा। पर, पहले तो पहलेवाले प्रकाशक को तैयार करना था, जिन्हे मैं वचन दे चुका था। वह राजी हुए। बिहार-राष्ट्रभापा-परिषद् ने प्रकाशित करने की इच्छा प्रकट की, जिसमे **श्रीजगदीशचन्द्र माथुर** और परिषद् के सचालन-मण्डल ने जो प्रयत्न किया, वह न होता, तो पुस्तक की सद्गति कीडे-मकोडे ही करते।

पुस्तक की पहली जिल्द सम्मेलन मुद्रणालय, प्रयाग मे छपी है और दूसरी नेशनल हेरल्ड प्रेस, लखनऊ मे। सम्मेलन मुद्रणालय के अध्यक्ष **श्रीसीताराम गुण्ठे** अपनी चुस्ती और कार्य-क्षमता के लिए प्रसिद्ध है। उन्होने इसको जिस तत्परता से छापा, उसके लिए मैं उनका हृदय से कृतज्ञ हूँ। पहले नेशनल हेरल्ड प्रेस ने फुरती से छापना शुरू किया था, फिर उसने वर्षों तक चुप्पी साध ली। हर्ष है, नये प्रवन्धक ने तत्परता दिखलाई है। आशा है, दूसरा खण्ड भी जल्दी निकल जायगा।

लिखावट खराव होने और अभ्यास छूट जाने के कारण, मै पुस्तक को टाइपराइटर पर बोलकर लिखवाता हूँ। मुझे परिश्रम का अभ्यास है और वाहरी वाधा उपस्थित न हो, तो सारा समय लिखने-पढने मे बिता सकता हूँ। मेरे साथ चलनेवाले सहायक वहुत कम मिल सकते है। **श्रीमगलदेव परियार** इस विषय मे मेरी ही तरह निरलस है। उनकी सहायता और द्रुतगति ने इस पुस्तक मे वड़ी सहायता की है।

त्रुटियो के वारे मे विपय-सूची के हेडिंगो और उच्चारणो को अन्तिम मानना चाहिए।

मसूरी
४-६-१९५६ ई०

राहुल सांकृत्यायन

विषय-सूची

भाग १

प्रागैतिहासिक मानव (१ लाख वर्ष—३००० वर्ष पूर्व)

भाग २

धातुयुग (३०००—७०० ई० पू०)

भाग ३

उत्तरापथ (६०० ई० पू० से ७२० ई०)

भाग ४

दक्षिणापथ (ई० पू० ५५० से ६७३ ई०)

●

मध्यएसिया का इतिहास

खण्ड १

भाग १

प्रागैतिहासिक मानव (१ लाख वर्ष—३००० ई० पू०)

अध्याय १

पुराकल्प

§१. पृथ्वी पर प्राणी

वैज्ञानिक खोजो से पता लगता है कि हमारी पृथ्वी का जन्म आज से दो या चार अरब वर्ष पहले हुआ था। लेकिन, उस समय अपनी उष्णता के अधिक होने और दूसरे साधनो के अभाव से कोई वनस्पति या प्राणी न पैदा हो सकता और न जी सकता था। मनुष्य तो पृथ्वी की आयु से मिलाने पर बिलकुल हाल मे आया हुआ प्राणी है। पन्द्रह लाख वर्ष पहले भी उसका बहुत मुश्किल से पता लगता है और एक तरह हम कह सकते हैं कि उसकी सत्ता का भान दस लाख वर्ष से पहले नही जाता। आगे हम देखेंगे कि इस दस लाख वर्ष मे भी साढे नौ लाख वर्ष तक वह मनुष्य कहलाने का पूरी तौर से अधिकारी नही हो सका था और जिसे हम मानवता कहते हैं, उसका आरम्भ तो आज से पन्द्रह हजार वर्ष से भी पीछे नही होता।

मध्यएसिया मे मानव का इतिहास लिखते समय मानव की पृष्ठभूमि पर भी एक सरसरी दृष्टि डाल देना अनावश्यक नही होगा। दो या चार अरब वर्ष की पृथ्वी की आयु में तीन-चौथाई अथवा १४२५ करोड वर्ष तो अजीव-कल्प के हैं। इस सारे समय मे पृथ्वी पर किसी तरह का कोई जीवधारी नही था। ५७५ करोड वर्ष पहले ही सर्वप्रथम हमे प्राणी के फॉसिल (पथराये शरीर) का पता लगता है। इसी समय से जीव-कल्प आरम्भ होता है, अर्थात् पृथ्वी पर प्रथम जीवधारी को आये अभी साढे सत्तावन करोड वर्ष हुए हैं। जीव-कल्प के पहले प्राक्-केम्ब्रियन चट्टाने एक लाख अस्सी हजार तथा पच्चीस हजार फुट मोटी मिलती हैं। जीव-कल्प भी पुरा-जीवक (पेलियोजोइक्), मध्य-जीवक (मेसो-जोइक्) और नव-जीवक (किनोजोइक्), इन तीन कल्पो मे विभक्त हैं। पुरा-जीवक कल्प के छह भेद हैं, जिनके नाम फलक (१) से मालूम होगे। पुरा-जीवक कल्प मे हम अत्यारम्भिक तथा मीन प्राणी तक को ही देख पाते हैं, प्रथम मीन का अस्तित्व ३२ करोड वर्ष से पहले नही मिलता। पुरा-जीवक को आदिकल्प भी कह सकते हैं।

मध्य-जीवक (द्वितीय कल्प) मे विशालकाय शरटो (छिपकली मगर की जाति), दन्तधारी पक्षियो तथा प्रथम शुद्ध पक्षी तक के जीवन का विकास हो जाता है। शरट-युग को त्रियासिक युग कहते हैं और दन्तधारी पक्षी जुरासिक युग मे हुए थे। जहाँ पुरा-जीवकल्प २० करोड वर्ष तक रहा, वहाँ मध्य-जीवक कल्प साढे १४ करोड वर्ष मे समाप्त हो गया। इसके बाद नवजीवक (किनोजोइक) कल्प आज से ६ करोड वर्ष पहले आरम्भ हुआ, जो अबतक चल रहा है। नवजीवक कल्प के तृतीयक और चतुर्थक दो युग-भेद हैं। यदि जीव-कल्प के आरम्भ से इस तरह के विभाजन को स्वीकार करें, तो पुरा-जीवक आदियुग हुआ, मध्य-जीवक

द्वितीयक युग, नवजीवक तृतीयक और चतुर्थक दो युगो मे विभक्त हुआ। नवजीवक के तृतीयक और चतुर्थक युग भी अनेक भागो मे विभक्त है। इसी युग मे प्राय पाँच करोड वर्ष पूर्व प्रथम स्तनधारी प्राणी का प्रादुर्भाव हुआ। इससे पहले के प्राणी (शुद्ध पक्षी, दन्तधारी पक्षी) अण्डज थे। अण्डज प्राणी का उत्पादन उतना सुरक्षित नहीं होता, क्योकि माता को अण्डे बाहर कही रख देने होते हैं, जहाँ पर उनके खानेवालो की संख्या कम नहीं होती। उनकी रक्षा मे मीन और शरट जैसे जल-थल उभयजीवी प्राणियो, विशेषकर अण्डे से बाहर निकलने के बाद पानी और भोज्य-पत्तियो के लिए वृक्ष सहायक होता है। स्तनधारी प्राणियो को सबसे बडी सुविधा यह है कि उनका अण्डा बाहर नहीं, बल्कि माँ के पेट के भीतर परिपुष्ट होता है और काफी शक्ति-सचय के बाद बाहर आता है। उस वक्त भी तुरन्त वह अपने पैर पर खडा होकर स्वावलम्बी नही हो जाता, किन्तु उसकी रक्षा के लिए जहाँ माँ की बच्चे के प्रति ममता सहायक होती है, वहाँ माता के स्तन से दूध निकलकर भोजन से उसे निश्चिन्त कर देता है। नवजीवक कल्प एक तरह स्तनधारियो का कल्प था।

जैसा कि अभी कहा, नवजीवक कल्प तृतीयक और चतुर्थक दो युगो मे विभक्त है। इस सारे नवजीवक को जीवन की उषा मानकर पाँच भागो मे विभक्त किया गया है, जिनमे उषा (एओसेन), लघुउषा (ओलिगोसेन), मध्यउषा (मिओसेन) और अतिउषा (प्लिओसेन) के चार युगो को तृतीय युग कहा जाता है। मध्यउषा-युग आज से साढे तीन करोड वर्ष पहले था और अतिउषा-युग पन्द्रह लाख वर्ष पहले। मियोसेन (मध्यउषा)-युग के अन्त के करीब प्राग्मानव का आरम्भ माना जाता है। इसे स्पष्ट करने के लिए यह समझ लेना आवश्यक है कि उषायुग मे ही लेमूर और नर-वानर-वंश का अलग विभाजन हुआ था। लघुउषा-युग मे अभी नर-वानर-वंश अलग नही हुआ था। यह मध्यउषा-युग ही था, जिसमे नर और वानर दोनो वंश अलग होने लगे। अतिउषा-युग के सारे समय तक हम कल्पना से ही कह सकते हैं कि मानव का पूर्वज किसी रूप मे अवस्थित था। हमारे यहाँ शिवालिक मे इस जन्तु की फॉसिल हड्डियाँ मिली हैं। तो भी इसमे भारी सन्देह है कि मनुष्य जिधर बनने की ओर बढने मे सफल हुआ था, उधर बढ रहा था, इसमे तो सन्देह नहीं, क्योंकि वनमानुषो से उसके शरीर और कपाल का विकास अधिक मानवोचित था।

तृतीय कल्प के अन्त मे चाहे मानव का प्रथम पूर्वज किसी रूप मे अस्तित्व मे आया हो, किन्तु उसका स्पष्ट पता हमे चतुर्थ युग या अतिउषा-युग मे ही मिलता है, जबकि उसे हम जावा-मानव, पेकिंग-मानव, हैडलबर्ग-मानव, नियण्डर्थल (मुस्तेर)-मानव आदि के रूप मे पाते हैं। तो भी हमारे वंश (सपियन-मानव) का पता बहुत पीछे लगता है।

मानव और उससे सम्बन्ध रखनेवाले प्राणियो के विकास का परिचय यहाँ दिये फलको से अच्छी तरह हो जायगा। लेकिन, मध्यएसिया मे मानव-विकास को वहाँ प्राप्त सामग्री के आधार पर बतलाने के लिए यह जरूरी होता कि वहाँ के प्राकृतिक भूगोल और जलवायु के इतिहास पर भी कुछ कहा जाय, क्योंकि मानव-विकास मे इनका भारी हाथ रहा है।

फलक १ : भूतत्त्वीय कल्प[1]

कल्प	उपकल्प	युग	स्तर की मुटाई (फुट)	काल (वर्ष)	शरीर-विशेष
जीव-कल्प	नवजीवक	अधिउषा	४८००	१० लाख	मानव
		अतिउषा	१३०००	१५ "	मानव
		मध्यउषा	२१०००	३'५ करोड़	
		लघुउषा	१२०००		स्तनधारी
		उषा	२३०००	६ करोड	
	मध्यजीवक	क्रैतासस्	४६०००		शुद्ध पक्षी
		जुरासिक	२००००		दन्तधारी पक्षी
		त्रियासिक	२२०००		शरट
	पुरा-जीवक	पैंमीरिन	१३०००		
		कार्वनभक्षीय	४००००	३० करोड	
		प्राचीन रक्त	३७०००		प्रथम मीन
		सिलूरियन	१५०००		
		ओर्दोविचियन	४००००		
		केम्ब्रियन	४००००	५७ ५ करोड	प्रथम फॉसिल
अजीव-कल्प		प्राक्-केम्ब्रियन	१८०००		
			२५०००	२ अरब	

२. प्राकृतिक भूगोल

तृतीय कल्प ऐसा समय था, जबकि पृथ्वी लगातार कॉप रही थी, भूकम्पो का तॉता लगा हुआ था। पृथ्वी की ऊपरी पपडी सिकुड रही थी, जिसके कारण एक विशाल पर्वत-श्रेणी पृथ्वी के भीतर से ऊपर की ओर उठने लगी। यह उठी पर्वत-श्रेणी यूरोप और एसिया (यूरेसिया महाद्वीप) को दो भागो मे विभक्त करती आज भी मौजूद है। इसी सुदीर्घ पर्वत-श्रेणी के अलग-अलग भाग हैं: पेरिनेस, काकेसस, हिमालय और उसके आगे मध्यचीन के पर्वत। यूरेसिया द्वीप का रूप आज की तरह पहले नही था। इसके भीतर एक वडा समुद्र लहरें मार रहा था, जो कि अतलान्तिक को भूमध्यसागर और कालासागर से मिलाते कॉस्पियन, अरालसमुद्र तथा वलकाश को लेते तियेनशान-पर्वतमाला तक फैला हुआ था। उत्तर से दक्षिण की ओर फैली अल्ताई और तियेनशान-पर्वतमाला इस महासमुद्र को और पूर्व बढने मे वाधक थी। इससे यह भी मालूम होगा कि मध्यएसिया के पूर्वी और पश्चिमी भागो में विभाजन कृत्रिम और राजनीतिक नही, वल्कि प्राकृतिक है। तियेनशान

१ Geology in the Life of Man (Duncan Leith, 1945), 39

और पामीर की पर्वतमालाएँ दक्षिण मे हिमालय-श्रेणी से मिलकर पश्चिमी मध्यएसिया को पूर्वी मध्यएसिया से अलग करती हैं।

यह अवस्था तृतीय कल्प के आरम्भ मे थी। तृतीय कल्प के मध्य मे पहुँचने तक यूरेसियन महासागर कई स्थानो मे छिन्न-भिन्न हो गया और उसके स्थान पर आस्ट्रिया से वल्काश सागर तक एक महासागर दिखाई पडने लगा। वल्कान से कालासागर, कॉस्पियन सागर, अराल और वल्काश तक को अपने पेट मे रखनेवाली इस जलनिधि को भूतत्त्व-विशारद सरमातिक सागर कहते हैं। लेकिन, भू-परिवर्त्तन का काम अभी समाप्त नहीं हुआ था, तृतीय कल्प के अन्त मे सरमातिक सागर भी कई स्थानो से विलुप्त हो गया और उसके स्थान पर कालासागर, कॉस्पियन सागर तथा अराल और वल्काश के महासरोवर बच रहे।

तृतीय कल्प का अन्त हो रहा था और चतुर्थ का आरम्भ, जबकि एक और प्राकृतिक परिस्थिति उपस्थित हुई। तियेननशान के पश्चिमवाले मध्यएसिया मे महासमुद्र के बहुत सूख जाने के कारण जलवायु मे सूखापन होना जरूरी था, उधर भूमध्य-रेखा के ऊपर जमी महाजलराशि से आशा हो सकती थी कि वह इस सूखी प्यासी भूमि के लिए बादल भेजकर सहायता करेगी। लेकिन, बादलो के रास्ते में हिमालय से काकेसस तक फैली अति उच्च पर्वतमाला वैसा करने नहीं देती थी, बल्कि वह समय-समय उचक-कर अभी और भी ऊपर उठती जा रही थी। आकाश मे सिर उठाकर बादलो का रास्ता रोकने के लिए तैयार इस महापर्वत-श्रेणी ने पश्चिमी मध्यएसिया की वर्षा को बहुत कम कर दिया। इसका परिणाम मध्यएसिया की भूमि पर यही हुआ कि वहाँ के बचे-खुचे समुद्र या महासरोवर और क्षीण होने लगे, नदियो की धाराएँ पतली हो चलीं, भूमि और शुष्क होने लगी। पानी और नमी के अभाव मे वनस्पतियो और उनपर अवलम्बित प्राणियो की स्थिति मे क्रान्ति होना आवश्यक था। कजाकिस्तान की प्यासी भूमि, उजबेकिस्तान तथा तुर्कमानिस्तान के काराकुम (कालामरु) एव किजिलकुम (लालमरु) उसी के परिणाम हैं। चतुर्थ कल्प के आरम्भ से आजतक मध्यएसिया की यह सूखी प्यासी भूमि इसी अवस्था मे चली आई है, बीच मे कभी-कभी सूखा और नमी के कारण जलवायु मे थोडा-सा अन्तर देखने मे आया। आज भी इस भूमि मे जाडो मे थोडी-सी हिमवर्षा हो जाती है और वर्षा के नाम पर गरमियो मे कभी-कभी कुछ छीटे पड जाते हैं। अत्यन्त ऊँचे पर्वत-शिखरो या पर्वत-पृष्ठो को छोडकर मध्यएसिया की सारी भूमि साल-भर प्यासी ही रहती है।

पूर्वी और पश्चिमी, दोनो मध्यएसिया को लेकर देखें, तो मालूम होगा कि मंचूरिया की पश्चिमी सीमा से कालासागर या अजोफसागर के पूर्वी छोर तक के दक्खिन की भूमि ऊँची धरती या पर्वतो से घिरी एक विशाल खलार है। यहाँ का पानी वासफोरस (तुर्की) के एक सँकरे से मार्ग को छोडकर महासागरो से कोई सम्बन्ध नहीं रखता। बल्कि कालासागर मध्यएसिया से बाहर होने के कारण हम कह सकते है कि उसके वर्षा या समुद्र के पानी का पृथ्वी के महासागरो से कोई सम्बन्ध नही है।

ब्रासफोरस का जलमार्ग भी बहुत समय तक बन्द था और वह अन्तिम हिमयुग (प्राय १००००० वर्ष पूर्व) के बल के कम होने पर पिघली अपार जलराशि के फूट निकलने के कारण ही खुला। मध्यएसिया की यह जलनिर्गमहीन खलार अल्ताई-तियेनशान की पर्वतश्रेणियो द्वारा दो भागो मे विभक्त है, जिसमे १ पूर्वी मध्यएसिया गोबी से तरिम-उपत्यका तक पश्चिम मे तियेनशान और दक्षिण मे क्वेलुन-पर्वतमाला से घिरा है। २. पश्चिमी मध्यएसिया पूर्व मे तियेनशान और पामीर, दक्षिण मे अफगानिस्तान और ईरान की पर्वतमाला तथा पश्चिम मे काकेशस-गिरिमेखला से घिरा है। इसका पश्चिमी भाग, अर्थात् कॉस्पियन समुद्र के पास की भूमि समुद्रतल से ६०० फुट नीची है। यदि कालासागर से कॉस्पियन सागर के बीच की पार्वत्य भूमि को तोडकर जलमार्ग बना दिया जाय, तो कालासागर का पानी बडे वेग से कॉस्पियन सागर मे गिरने लगेगा और कॉस्पियन तथा अरालसमुद्र मिलकर एक बहुत बडे सागर के रूप मे परिणत हो जायेंगे, जिसका प्रभाव मध्यएसिया की जलवायु पर भी बहुत भारी पड़ेगा। दूसरी ओर यदि तियेनशान-पामीर के हिमाच्छादित पहाडो से निकलनेवाली इली, चू, सिर, जरफशाँ और वक्षु (आमू) नदियाँ दक्षिण से मुर्गाब आदि, और पश्चिम (काकेशस)-गिरिमाला से किरा आदि छोटी-बड़ी नदियाँ पानी लाना बन्द कर दें, तो सारा पश्चिमी मध्यएसिया पूर्णतया रेगिस्तान हो जायगा।[1]

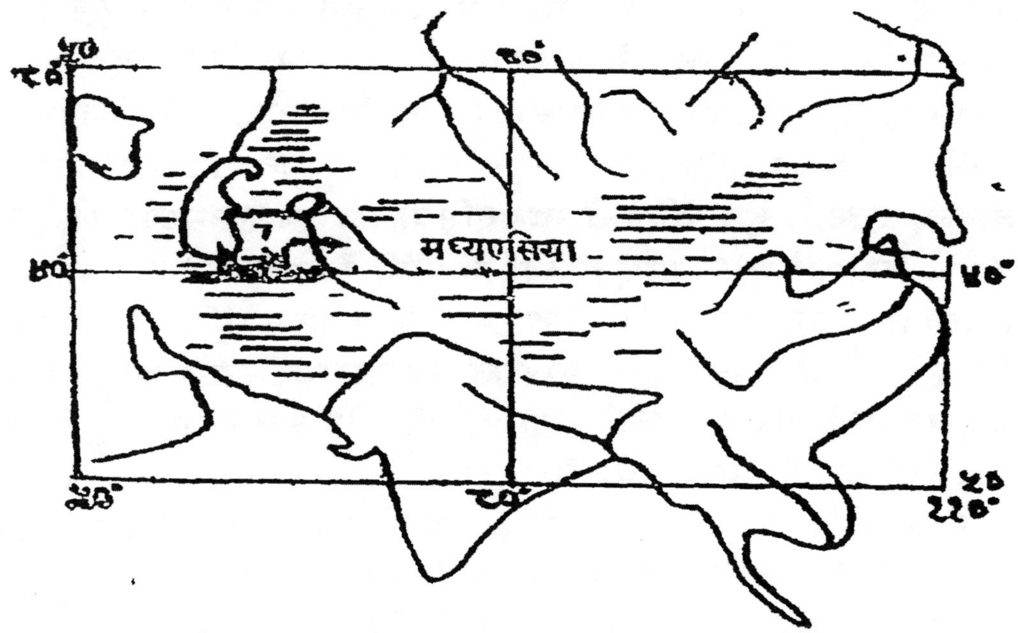

१. जलनिर्गमरहित

३. जलवायु-परिवर्त्तन[2]

यद्यपि मध्यएसिया के तीन तरफ खडे उन विशाल पर्वतो ने वर्षा को रोककर उसका बहुत अहित किया है, तथापि साथ ही इस भूमि को बिलकुल प्यासा मरने भी नहीं दिया।

१ Exploration in Turkistan (R. Pumpelly, 1903) vol. I, pp 1-4
२ Expl in Turkistan, vol. I, pp. 2-8

इनसे निकलनेवाली नदियाँ कम या अधिक परिमाण मे हिमगलित पानी बराबर लाती रहीं। मानव का प्रादुर्भाव तृतीय कल्प के अन्त मे उषापाषाण-युग मे हुआ। उस समय मध्यएसिया मे मानव के अस्तित्व का कोई पता नही लगता और जैसा कि हम आगे बतलायेंगे, जावा नर-वानर की विचरण-भूमि मध्यएसिया से तीस डिग्री से भी अधिक दक्षिण मे है। मध्यएसिया मे बीस हजार वर्ष पहले चतुर्थ हिमयुग के समय मानव अवश्य मौजूद था। निर्मानव-काल से मानव-काल को लेते हुए आजतक मध्यएसिया की भूमि प्रकृति के निष्ठुर हाथो मे खेल रही थी, जिसके साथ मनुष्य भी अपनी बेबसी दिखलाने के सिवा कोई चारा नहीं रखता था। आज वहाँ मानव अपने भव्य सामाजिक उत्कर्ष मे पहुँचकर प्रकृति की बाधा को हटाने के लिए कटिबद्ध हुआ है। कॉस्पियन सागर को अजोफ-कालासागर से मिलाने के लिए वोल्गा-दोन की विशाल नहर तैयार हो गई है, जिसके द्वारा बम्बई से चला जहाज बाकू के तैलक्षेत्र मे आसानी से पहुँच सकता है। लेकिन, यह परिवर्त्तन उससे बहुत कम है, जो कि मध्यएसिया की तीन विशाल मरुभूमियो (प्यासी भूमि, काराकुम और किजिलकुम) को सस्यश्यामला भूमि मे परिणत करने के लिए किया जा रहा है। वक्षु (आमू दरिया) को एक विशाल नहर द्वारा किजिलकुम-मरुभूमि के भीतर ही कॉस्पियन समुद्र से मिलाने का काम बडे जोर-शोर से चल रहा है। इससे किजिलकुम की करोडो एकड बालुका-भूमि मेवे के बागो और गेहूँ के खेतो के रूप मे परिणत हो जायगी। इस नहर के कारण बम्बई का कपडा लालसागर, भूमध्यसागर, कालासागर, अजोफसागर, दोन नदी, दोन-वोल्गा नदी और कॉस्पियन सागर होते वक्षु नहर और वक्षु नदी द्वारा अफगानिस्तान पहुँच सकता है। लेकिन, इतने से हम पश्चिमी मध्यएसिया की जल-समस्या को पूरा हल हुई नहीं देखते। सिर, जरफशाँ और आमू दरिया के पानी से बनी अनेक महान् जलनिधियो तथा उनसे निकलनेवाली नहरो द्वारा सिंचित करोडो एकड़ भूमि रेगिस्तान के पेट से निकालकर जो हरे-भरे खेतो के रूप मे परिणत की जायगी, उसके कारण सूर्य-किरणें इस भूमि के जल को मनमानी तौर से सोखने नहीं पायगी और उससे जलवायु मे भी अनुकूल परिवर्त्तन होगा। लेकिन, सोवियत विज्ञानवेत्ता इतने से ही सन्तोष नही करना चाहते। वह सोच रहे हैं कि वैसे जिब्राल्टर और बासफोरस को जल-प्रणालियो द्वारा सम्बद्ध पृथ्वी के महासागरो को अजोफ और कॉस्पियन के कृत्रिम मार्ग द्वारा मिलाकर मध्यएसिया की जलराशि को बढाया जा सकता है। परमाणु-शक्ति और परमाणु-बम का आविष्कार कर मनुष्य का मस्तिष्क बैठ नहीं सकता, वह आशा रख रहा है कि एक दिन मध्यएसिया के जलाभाव को हम दूर करके छोडेंगे। सोवियत राष्ट्र ओब नदी के पानी के बहुत-से भाग को मध्यएसिया रेगिस्तान की ओर मोड़कर इसे करना चाहता है। प्रसंगवश, यह कह देना आवश्यक है कि हमारे यहाँ भी, जहाँ वर्षा करने में प्रकृति बहुत उदार है, अपने प्राकृतिक जलमार्गो मे अनुकूल परिवर्त्तन करने की बहुत सम्भावना है। कटक या उडीसा से हमे समुद्र द्वारा बम्बई या सूरत जाने की अनिवार्यता नही होगी, यदि महानदी और नर्मदा के ऊपरी भागो को कुछ ही मील लम्बी नहर द्वारा मिला दिया जाय।

§४. वनस्पति-क्षेत्र में परिवर्त्तन

तृतीय कल्प का अतिउषा-युग आया, जबकि जावा मे प्रथम मनुष्य का दर्शन होने लगा। उस समय पश्चिमी मध्यएसिया मे समुद्र के पास जहाँ-तहाँ थोडा-सा रेगिस्तान था, अर्थात् प्यासी भूमि, काराकुम और किजिलकुम का अभी शिलान्यास भर ही हो पाया था, वाकी भूमि या तो तृण-वनस्पति से आच्छादित मैदान अथवा भारी जगलो से आच्छादित पहाड और उसकी तराइयाँ थी। भूकम्प समय-समय आये, जिनसे ये पर्वत उचककर और ऊपर उठ गये, वादल का रास्ता और रुका, वर्षा की और कमी हुई, जिससे वनस्पति-क्षेत्र समुद्रो के तट से पहाडो की ओर सिकुडने लगा।

मध्यउषा-युग (साढ़े तीन करोड वर्ष पूर्व) के वाद महासागरो से सरमातिक सागर का सम्वन्ध टूट गया। उसका जल भाप वनकर उडता गया, समुद्र सूखता और उसका जल अधिक खारा होता गया। इसके अवशेष के रूप मे जिप्सम और लवण की राशि जमा होती गई, जो आज भी वहाँ मिलती है। प्रकृति ने सूर्य-किरणो द्वारा ही जल सुखाकर अपना काम समाप्त नही कर दिया, वल्कि यह युग भीषण आँधियो का भी था। आज वैसी प्रचण्ड आँधियो के न होने पर भी वायुदेवता अपने पूर्व पौरुष को रेगिस्तानो मे किसी जगह वालू के पहाडो को वनाकर और किसी जगह विगाडकर दिखाते है। उस समय, जवकि वनस्पति-हीन[१] होते मैदान मे अभी वालू नही, साधारण मिट्टी की प्रधानता थी, इन प्रलयकर झझावातो ने मिट्टी के अतिसूक्ष्म रेणुओ (त्रसरेणुओ) को आकाश मे वहुत ऊपर उठा ले गया और उन्हे ऊँचे पर्वतो के मस्तक पर जमा करना शुरू किया। इन त्रसरेणुओ की भारी मोटी तह वनस्पतियो के लिए वडी ही उर्वर है, जिससे वायु ने मैदानो को वचित कर पहाडो का घर भरा।

५. हिमयुग[१]

सूर्य-किरणो और झझावातो का प्रभाव मध्यएसिया की भूमि मे वहुत पडा, किन्तु उससे कम प्रभाव चारो हिमयुगो का इस भूमि पर नही पडा। तृतीय कल्प के अतिउषा-युग के वाद ये हिमयुग आने शुरू हुए। एक-एक हिमयुग हजारो नही, लाखो वर्षो तक रहा। इनके समय मे मनुष्य पृथ्वी पर आ चुका था, यद्यपि अभी वह उसका एक दुर्लभ प्राणी था और पृथ्वी के कुछ ही स्थानो मे देखा जाता था। ये हिमयुग आज के परमाणु-वम से भी अधिक भयानक सावित हुए थे। मानव प्रकृतिमाता पर वहुत विश्वास करके वहुत-कुछ आलसी की जिन्दगी विताने लगा था, न उसे तन ढकने की फिक्र थी, न छत ढूँढने की। हिमयुग उनसे कहने लगा, या तो हमारे प्रहार को सहन करने लायक वनो, नहीं तो पृथ्वी से लुप्त होने के लिए तैयार हो जाओ। आज भी यदि यूरोप का वार्षिक मध्यम तापमान पाँच ही डिग्री सेण्टीग्रेड नीचे गिर जाय, तो हिमयुग की अवस्था पैदा हो जायगी। सारे अतिउषा-काल मे तापमान गिरता गया, सरदी वढती गई, जिसके परिणामस्वरूप हिम-युगो का आरम्भ हुआ। चारो हिमयुगो मे यूरोप की भूमि पर इगलैण्ड से उरालपर्वत तक

---

१. General Anthropology (Franz Boas and others, New York, 1938), p 116, Expl Turk, pp. 1–4

हजारो फुट मोटी वरफ की तह जम गई थी। लेकिन, उराल से पूर्व, अर्थात् मध्यएसिया मे वैसा नही हुआ। वरफ की तह मोटी न होने पर भी जलवायु अत्यन्त भीषण रूप से शीतल हो गई थी। हिमयुगो की उग्र सरदी के कारण पशु-वनस्पति के क्षेत्र क्षीण होते गये। हर दो हिमयुगो के बीच के सन्धिकाल (हिमसन्धि) मे जलवायु की अवस्था कुछ नरम जरूर हो जाती और प्राणी-वनस्पति फिर अपनी खोई हुई भूमि को प्राप्त करने की कोशिश करते। यह स्मरण रखना चाहिए कि ये सन्धिकाल भी हजारो वर्ष के थे।

मान लें, हम आज से लाखो वर्ष पूर्व के प्रथम हिमयुग मे जाकर मध्यएसिया को देख रहे हैं। उस समय इसके पश्चिमोत्तर मे उराल से परे हजारो फुट मोटी वर्फ से ढकी रूस की भूमि है। मध्यएसिया की भूमि में एक अति विशाल समुद्र (सरमातिक) लहरें मार रहा है, जिसमे पूर्व, दक्षिण और पश्चिम के हिम-पर्वतो की हिमानियो से निकलकर बडी-बडी नदियाँ गिर रही हैं, जो अपने सागर-सगमो पर डेल्टा और कछारो मे मिट्टी के स्तर जमा करती जा रही हैं। हजारो वर्ष बाद प्रथम हिमयुग समाप्त हो गया। अब हिम-सन्धिकाल आ गया। पश्चिमोत्तर भाग मे दुरन्तव्यापी हिम-मालिका रूस से लुप्त हो गई। पूर्व, दक्षिण और पश्चिम के हिम-पर्वतो की दूर तक विस्तृत हिमानियाँ भी सकुचित होने लगी, इसके कारण नदियो की धाराएँ क्षीण होती गईं। सरमातिक समुद्र मे जल की आय कम और व्यय अधिक होने लगा—नदियो से जितना जल आता था, उससे कही अधिक घूप मे भाप होकर उडता जा रहा था। विशाल सरमातिक समुद्र और भी छिन्न-भिन्न होने लगा। सहस्राब्दियाँ वीत गई, नदियो की धाराएँ और भी कृश हो गईं। पानी की कमी और रेगिस्तान की वृद्धि के कारण चू, तलस, जरफशाँ और मुर्गाव की भाँति कितनी ही धाराएँ समुद्र मे पहुँचने से पूर्व ही अपने को मरुभूमि मे खोने लगी। झझावात नदियो की लाई मिट्टी के साथ खिलवाड करने लगा। मोटे कण, अर्थात् वालू एक जगह से दूसरी जगह टीलो के रूप मे वनते-विगडते रहे और सूक्ष्म कण (त्रसरेणु) टिड्डी-दल की भाँति उडते-सुस्ताते, घास के मैदानो, तराई और पहाडो के जंगलो पर पडकर उन्हें ढकते जा रहे थे।

इस प्रकार, हिमयुगो और हिमसन्धियो ने मध्यएसिया के भूतल को बडी निर्दयता-पूर्वक दलित-मर्दित कर दूसरा ही रूप दे दिया। प्रकृति की इस निष्ठुर क्रीडा ने केवल धरातल के ही आकार-प्रकार मे परिवर्तन नही किये, वल्कि वनस्पतियो और प्राणियो की अवस्था मे भी भीषण उथल-पुथल मचाई।

●

स्रोतग्रन्थ :

१ पेर्वोवित्नोये ओव्श्चेस्त्वो (प० प० येफिमेको), लेनिनग्राद, सन् १९३८ ई०
२. Geology in the Life of Man (Duncan Leith, London, 1945)
३. Exploration in Turkistan (R. Pumpelly, 1903), vol I-II
४. General Anthropology (Franz Boas and others, New York, 1938)
५. Everyday Life in the Old Stone Age (Marjorie and C. H. B, Quennell, London, 1945)

अध्याय २

पुरा-पाषाणयुग[1]

§१. मानव-जातियाँ

चतुर्थ युग अधिउषा (प्लेस्तोसेन) और अतिउषा (होलोसेन), इन दो उपयुगो में विभक्त है। अधिउषा-युग हमारी सपियन-मानवजाति की प्रधानता का है, जिसमे नव-पाषाण-युग प्रथम है, जो आज से ७००० हजार वर्ष पहले शुरू हुआ था, यद्यपि उसका यह अर्थ नही कि वह पृथिवी पर सभी जगह एक ही समय आरम्भ हुआ। तस्मानिया के मूल निवासी, जो यूरोपीय लोभी नर-राक्षसो के कारण अब ससार से लुप्त हो चुके हैं, उन्नीसवी सदी तक पुरा-पाषाणयुग मे विचरण कर रहे थे। चतुर्थ युग के आदिम भाग पुरा-पाषाणयुग के आदिम या निम्न पुरा-पाषाणयुग मे और भी कितनी ही मानव-जातियाँ अस्तित्व मे आई थी, जिनमे नियण्डर्थल (मुस्तेर)-मानव का ही अभी तक मध्यएसिया मे पता लगा है। हो सकता है, इससे पहले की हैडलबर्ग और पेकिंग-मानव जैसी जातियो के भी अवशेष आगे मिलें। मानव-इतिहास को क्रमबद्ध करने के लिए यह आवश्यक है कि उजबेकिस्तान मे मिले मुस्तेर-मानव की कडी को पीछे से मिलाने के लिए दूसरे मानवो का भी कुछ वर्णन कर दिया जाय।

सभी मानव-जातियाँ उसी समय विद्यमान थी, जबकि पृथ्वी पर चार महान् हिमयुग आये थे। ये हिमयुग निम्नांकित प्रकार थे[2]

		मानव-जाति
पश्च-हिमयुग	१३००० वर्ष	ओरिन्यक
चतुर्थ हिमयुग (वर्म)	५०००० ,,	मुस्तेर
तृतीय हिमसन्धि	१५० लाख	अश्योल
तृतीय (रिस्)	२ ,,	प्राग्-अश्योल
द्वितीय हिमसन्धि	३ ,,	शैल (हैडलबर्ग)
द्वितीय हिमसन्धि (मिदेल)	४ ,,	पेकिंग
प्रथम हिमसन्धि	५ ,,	
प्रथम हिमसन्धि (गुज)	६ ,,	

उपरि-पुरा-पाषाणयुग चारो हिमयुगो के समाप्त होने के साथ आज से प्राय. १५ हजार वर्ष पूर्व आरम्भ होता है। कुछ विद्वान् पुरा-पाषाणयुग मे एक मध्य-पुरा-पाषाणयुग

१ Our Early Ancesters (M C Burkitt, 1929), pp 3-6, Prehistoric India (P. Mitra, Calcutta, 1928)

२. पेर्वोवित्नोये ओब्श्चेस्त्वो (प० प० येफिमेको), पृ० ३०, Everyday Life in the Old Stone Age (Marjorie and C. H B Quennell, 1945), p. 11, Progress and Archaeology (V. Gordon Childe), p. 9

को भी मानते हैं, जो ३५ से ५० हजार वर्ष पूर्व मौजूद था और इसी समय चतुर्थ हिमयुग के भीतर से मुस्तेर (नियण्डर्थल)-मानव जीवन-संघर्ष कर रहा था। उपरि-पुरा-पाषाणयुग के ६ हजार वर्षों मे निम्नांकित प्राचीन जातियो का पता लगा है :

वर्ष पूर्व	जाति	उपजाति
१५०००	ओरिन्यक	ग्रिमाल्दी, क्रोम्योन
१४०००	सोलूत्रे	
१३०००	मद्लेन	
११०००	अजिल	

यहाँ जो काल दिया गया है, उसे एकदम निश्चित नही समझना चाहिए। उदाहरणार्थ, जहाँ मद्लेन-मानव को कोई-कोई विद्वान् १२००० हजार वर्ष पहले मानते हैं, वहाँ दूसरे उसे २५-२६ हजार वर्ष पहले स्वीकार करते हैं। इनको स्पष्ट करने के लिए यहाँ दिये हुए दूसरे, तीसरे और चौथे फलको को देखें। पाँचवें फलक से ताम्र और लौह-युग की सभ्यता भारतवर्ष मे किस रूप मे रही, इसका पता लगेगा।

फलक २ : नवजीवक-कल्प का विवरण

	युग			सभ्यता	काल		जलवायु
नवजीवक	इदउपा			लौह	१००० ई० पू०		नरम
				ताम्र	१५०० ई० पू०		
				नव-पाषाण	५००० ई० पू०	गुहावासी	आर्द्र
चतुर्थ कल्प	अविउपा	पुरा-पाषाण	मध्य-पा०	अजिल	११००० ई० पू०		ठण्डा-गरम
			उपरि-पुरा-पाषाण	मद्लेन	१३००० ई० पू०		
				सोलूत्रे	१४००० ,,		
				ओरिन्यक	१५००० ,,		पश्चाद्-हिम
							चतुर्थ हिम (वर्म)
			निम्न-मध्य-पु०	मुस्तेर	२०००० ई० पू०	जलतीरवासी	तृ० हिमसन्धि
							तृ० हिम (रिस्)
				अश्योल्	२०००० ,,		द्वि० हिमसन्धि
				प्राग्-अश्योल्	२६००० ,,		द्वि० हिम (मिन्देल)
				शैल			प्र० हिमसन्धि
				क्लैपी			प्र० हिमसन्धि (गुज)
							नरम
तृतीय कल्प	अतिउपा				६ लाख		उष्ण
	मध्यउपा						गरम
	लघुउपा						
	उपा						

फलक ३ : चतुर्थ युग[1]

युग		हिमयुग		पुरातत्त्वीय युग	मानव-जाति	समाज
चतुर्थ युग	इदउषा			लौह		
				पित्तल		
				ताम्र		
	अधिउषा		मध्य-पा०	नव-पाषाण		
				अजिल		
		वर्म	उपरि-पुरा-पा०	मद्लेन	सपियन	मातृसत्ताक
					क्रोमेञो	
				सोलूत्रे	ग्रिमाल्दी	
				ओरिन्यक		
		रिस्		मुस्तेर	नेयण्डर्थल	सगोत्र विवाह
		मिन्देल	निम्न-पुरा-पा०	अश्योल्		
		प्राग्हिम		शेल		
					हैडलवर्ग	आदिम साम्यवाद

—प० प० एफिमेको 'पेर्वोबित्नोये ओव्श्चेस्त्वो', पृ० ९९

फलक ४ : मानव-जातियाँ[2]

	मानव-जातियाँ	वर्ष	हिमयुग	उद्योग	आविष्कार (मिश्र)
		१५०० ई० पू०			लौह
		२००० ,,			पित्तल
		३००० ,,			इतिहासारम्भ
		४००० ,,			लौह-उपयोग
		५५०० ,,			ताम्र
		६५०० ,,			
पुरा-पाषाण	क्रोमेञो	८५०० ,,			
	ग्रिमाल्दी	१३५०० ,,			
	मुस्तेर	७५०० ,,	रिस् उतार प्राचीन	मुस्तेर	आग, धनुष
	हैडलवर्ग			मिन्देल अश्योल्	
	पेकिंग			गुज सन्धि शेल	
	जावा	५०००० ,,			
		१० लाख	अधिउषा		

---

१. पे० ओव्०, पृ० ११२

२. उपरिवत्, पृ० ९९; General Anthropology (Franz Boas and others, 1938), pp 174-75

फलक ५ : भारत मे इदउषा-युग

काल	वर्ष
इस्लाम	१००० ई०
गुप्त	४०० ,,
शक	०
मौर्य	३०० ई० पू०
बुद्ध	५०० ,,
उपनिषद्	७०० ,,
ऋग्वेद	१२०० ,,
सिन्धु-सभ्यता	३००० ,,

§२. निम्न-पुरा-पाषाणयुग[1]

१. जावा-मानव[2] :

अभी तक जितने मानव-अवशेषो का पता लगा है, उनमे जावा-मानव[3] सबसे पुराना है। इसे त्रिनील मानव या पिथक-अन्थ्राप भी कहते हैं। सन् १८९१ ई० मे डच-विद्वान

२. पुरापाषाणयुग का मानव

प्रोफेसर ई० दुब्वा को मध्यजावा की सोलो नदी के किनारे त्रिनील स्थान मे इस मानव-खोपड़ी का ऊपरी भाग, दाढ के दो दाँतो और जांघ की एक हड्डी के साथ प्राप्त हुआ।

१. काल एक लाख वर्ष से पूर्व, Gen Anth , p 227

२. पेर्वोबित्नोये ओब्श्चेस्त्वो (प० प० येफिमेको, सन् १९३८ ई०, पृ० २७)

३. Pithecanthropus, इसके समकालीन मानव नर्मदा-उपत्यका (होशगाबाद और जबलपुर के जिले) मे मिले हैं।—Prehistoric India (Stuart Piggot, 1950), p 29

यह फॉसिल जिस स्तर में मिली थी, उससे वह अतिउषा-काल की मालूम होती थी। इसी स्तर मे सूअर, जलीय अश्व, हिरन तथा विलुप्त स्टेगोडन गज जैसे प्राणियो की फॉसिलायित हड्डियाँ मिली थी, जिससे मालूम होता है कि जावा-मानव को भोजन के लिए इन जानवरो को मारना पड़ता था। जावा-मानव का कपाल-क्षेत्र ९४० घन सेन्तीमीतर है, जो सभी वनमानुषो से अधिक है, क्योकि उनका कपाल-क्षेत्र ६५५ घन सेन्तीमीतर से अधिक नही होता। लेकिन, यह आधुनिक मानव के कपाल-क्षेत्र १६०० घन सेन्तीमीतर का दो-तिहाई है, अथवा उतना ही, जितना कि आधुनिक मानव के अत्यल्प विकसित वेद्दा (लंका) लोगों का कपाल-क्षेत्र होता है। जावा-मानव बाहर से दीर्घकपाल (७१ २), किन्तु खोपडी के भीतर वह आयतकपाल (८०) था। इलियट स्मिथ के मत से वह नि सन्देह मानव-वंश का था और कुछ थोडी-सी वाणी (भाषा) की शक्ति भी रखता था, किन्तु वह खांसने जैसी ध्वनि से अधिक विकसित नही थी। खडा होकर चलने मे वह बहुत कुछ मनुष्य जैसा था, किन्तु दाँत वनमानुष से अधिक समानता रखते थे। ऊँचाई मे वह ५ फुट ६ या ७ इंच था, अर्थात् बहुत कुछ आजकल के साधारण मनुष्य जितना लम्बा था। भय उपस्थित होने पर वह आसानी से वृक्षो पर चढ जाता था और शायद रहने के लिए वही घास-फूस के नीड जैसी झोपडी भी बना लेता था। जावा-मानव[१] उसी समय जावा के

२ जावा मानव

सदाहरित जगलो मे निवास करता था, जबकि यूरोप प्रथम हिमयुग से गुजर रहा था। उस समय सुमात्रा और मलाया से मिला हुआ जावा, एसिया का एक अभिन्न अग था।]

१ विशेष के लिए पठनीय General Anthropology, History of Anthropology (A C Haddon), 56-57, Man the Verdict of Science (G N. Ridley, 1946), p. 41, Progress and Archaeology.

जावा-मानव के काल के विषय मे मतभेद होना स्वाभाविक है। कोई-कोई उसे हैडनवर्गीय मानव का समकालीन मानते हैं और कोई उसे पेकिंग-मानव से पीछे का।[१]

२. पेकिंग-मानव :

प्रोफेसर ओसबोर्न तथा दूसरे कितने ही नृतत्त्वविशारदो का मत है कि मानव-जाति का उद्‌गम एसिया ही मे कही होना चाहिए। जावा-मानव एसिया मे मिला। पेकिंग-मानव भी एसिया मे ही प्राप्त हुआ। चीन और मगोलिया मे पुरा-पाषाणयुग के बहुत-से पुराने पाषाणनिर्मित हथियार मिले हैं, किन्तु उनके साथ मानव-अवशेप नहीं मिले, जिससे मानव की आकृति आदि के बारे मे कुछ कहना मुश्किल है। वर्त्तमान शती के शुरू मे फॉसिल के रूप मे कुछ मानव-दन्त भी मिले थे। लेकिन, सबसे महत्त्वपूर्ण प्राप्ति सन् १९२६ ई० मे हुई थी, जबकि चीन की राजधानी पेकिंग से ३७ मील दक्षिण-पश्चिम चूकूतीयान की एक गुहा मे अधिउपा (प्लेस्तोसेन) के दो मानव-दन्त प्राप्त हुए। सन् १९२७ ई० मे एक और दाँत तथा निचली दाढ का फॉसिल मिला, जो कि किसी तरुण का बिना घिसा हुआ दाँत था। यह जावा-मानव से अधिक विकसित रहा होगा। २ दिसम्बर, १९२९ ई०, को सभी सन्देहो को दूर करनेवाली प्राप्ति एक तरुण चीनी विद्वान् को हुई। यह खोपडी प्राय पूरी है और इसका कपाल-क्षेत्र जावा-मानव से कुछ अधिक बडा है। इसका काल प्राय ५ लाख वर्ष पूर्व बतलाया जाता है। बडा होने पर भी पेकिंग-मानव का कपाल जावा-मानव से बहुत समानता रखता है खोपडी अधिक चिपटी, सँकरी और पीछे की ओर नीचे होती, ललाट तथा आँखो के ऊपर उभरी हुई हड्डी दोनो मे एक-सी है। किन्तु, पेकिंग-मानव की अपेक्षा जावा-मानव का ललाट अधिक ऊँचा है, इसलिए कितने ही विद्वान् उसे नेयण्डर्थल (मुस्तेर)-के पास खीच लाना चाहते हैं। इसका कपाल-क्षेत्र ९०० घन सेन्तीमीतर तक, अर्थात्

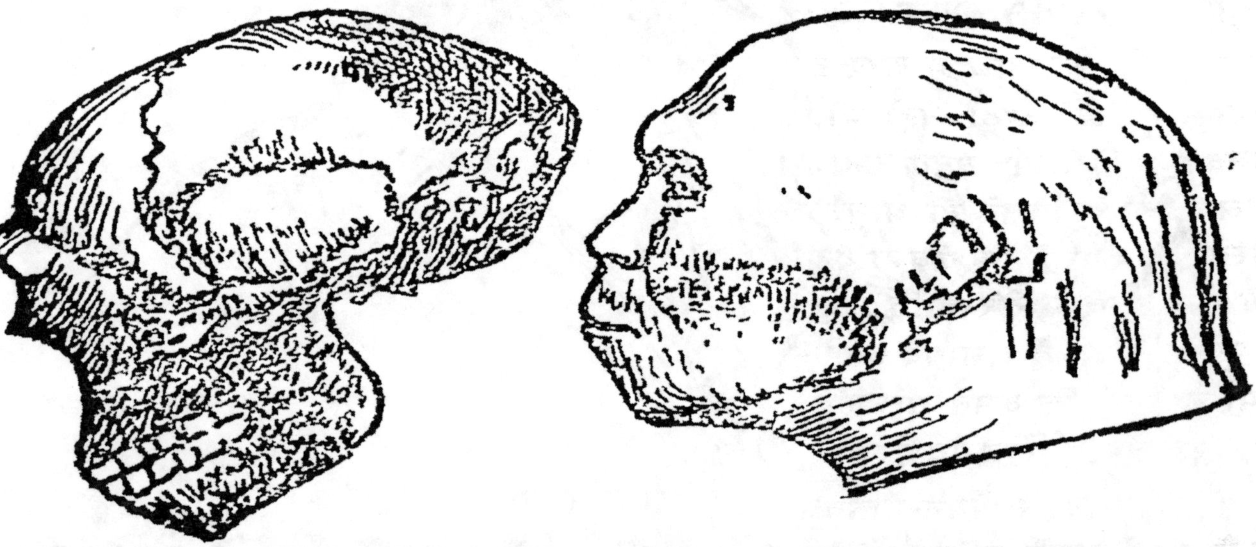

पेकिंग-मानव

जावा-मानव मे ४० सेन्तीमीतर ही कम है। जून, १९३० ई० मे उसी गुहा से एक और खोपडी मिली, जिसका कपाल-क्षेत्र प्रथम से अधिक तथा आकृति मुस्तेर-मानव से बहुत

१ History of Anthropology (A. C. Haddon), p. 53

समानता रखती है। नवम्बर, १९३६ ई० मे, उसी गुफा मे तीन और खोपड़ियाँ मिली, जिनमे दो १२०० और ११०० घन सेन्तीमीतरवाली दो पुरुषो की थीं और तीसरी १०५० घन सेन्तीमीतर की एक स्त्री की थी। स्टाइहाइम को मिली नियण्डर्थल स्त्री की खोपडी ११०० घन सेन्तीमीतर की थी। इन पिछली खोपडियो के साथ गाल की हड्डियाँ भी मिली, जिनसे पता लगता है कि पेकिंग-मानव गाल और नाक की हड्डियो मे आधुनिक मगोलायित जातियों से समानता रखता था, यह समानता उसके दाँतो मे भी थी। इस प्रकार, यह कहा जा सकता है कि यह मगोलीय जातियो का पूर्वज था। प्रोफेसर ब्लैक का कहना है: "पेकिंग-मानव के दाँतो की विशेषता बतलाती है कि वह उस मानवित (होमोनिद) से बहुत अन्तर नही रखता था, जिससे कि पीछे नियण्डर्थल (मुस्तेर) और सपियन-मानव-जातियों का विकास हुआ।" पेकिंग-मानव अग्नि का उपयोग करता था, यद्यपि यह नहीं कहा जा सकता कि वह अग्नि बना भी सकता था। उसके हथियार पत्थर और हिरन के सींग के होते थे, लकडी के भी होगे।

३. हैडलबर्ग-मानव[1]

आज से डेढ लाख वर्ष पहले प्रथम या द्वितीय हिमसन्धि मे एक मानव रहता था, जिसे हैडलबर्ग-मानव कहा जाता है। सन् १९०७ ई० मे जर्मनी के हैडलबर्ग नगर के समीप मावर मे इस मानव का सबसे पहले जबडा मिला था। स्थान के कारण इस मानव-जाति का नाम हैडलबर्ग पड गया। इससे पहले जावा और पेकिंग-मानव यद्यपि मौजूद थे, तथापि उनपर अब भी नर या वनमानुष के बीच मे होने का सन्देह हो सकता था। हैडलबर्ग-मानव पहला असन्दिग्ध मानव है। इसका वह जबडा आज के धरातल से ७९ फुट नीचे एक प्राचीन नदी की बालुका मे चिपका हुआ मिला था। उसी स्तर मे अधिउपा-युग के स्तनधारियो की हड्डियाँ भी मिली थी, जिनमे सरलदन्त गज, सिंह और लोमधारी गैडा भी थे। हैडलबर्ग-मानव के ये ही खाद्य थे और इन्ही से उसका सघर्ष था। उस समय हिमसन्धि के कारण जलवायु अधिक ठण्डी नही थी, जिससे उसे गुहा मे रहने की आवश्यकता नही थी। इस मानव का जबडा बहुत बडा और भारी, और उसकी ठुड्डी का एक तरह अभाव था। वह आजकल के कितने ही आधुनिक मानवो से अधिक बडा नही था। कितने ही शरीर-शास्त्रियोने कहा है कि जबडा यद्यपि वनमानुष जैसा भारी है, किन्तु कुछ दूसरे शरीर-लक्षण आगे आनेवाली मुस्तेर-जाति जैसे हैं। इसलिए, कितने ही विद्वान् इसे मुस्तेर (नियण्डर्थल) का पूर्वज मानते हैं। शायद इसके हथियार शेल-कालीन हथियारो जैसे थे। यह भी अनुमान किया जाता है कि अपने सांस्कृतिक विकास मे हैडलबर्ग-मानव पेकिंग-मानव जैसा ही था।

४. मुस्तेर (नियण्डर्थल)[2]

वर्त्तमान सपियन-मानववश से भिन्न जिन पुरातन मानव-वशो के चिह्न प्राप्त हुए हैं, उनमे सबसे अधिक इसी मानव के हैं। सर्वप्रथम सन् १८४५ ई० मे जिब्राल्टर मे

१. Man : The Verdict of Science (G. N. Ridley), p 41

२. काल ५०००० वर्ष (V. Gordon Childe : Progress and Archeology, p. 79), ५००००–३०००० वर्ष (Gen. Anth.)

इसकी एक खोपडी मिली थी, किन्तु उस समय विद्वानो का ध्यान उसकी ओर नही गया। उससे आठ वर्ष बाद डुसेलडोर्फ (जर्मनी) के पास नियण्डर्थल की घाटी की एक गुहा मे खुदाई करते समय मजदूरो को एक खण्डित ककाल मिला, जिसमे ऊपरी कपाल, बाँह, पैर एवं कन्धे और कूल्हे की हड्डियाँ थी। खोपडी अधिक चिपटी तथा बाँहो की हड्डी अधिक उभरी हुई थी, जो कि आगे चलकर इस जाति का विशेष शरीर-लक्षण माना गया, इसी कारण इसका नाम नियण्डर्थल-मानव पडा। लेकिन, नियण्डर्थल के अतिरिक्त इसका दूसरा अधिक प्रसिद्ध नाम मुस्तेर है। सन् १९०८ ई० मे फ्रास के दोरदोएँ इलाके के मुस्तेर स्थान मे एक नियण्डर्थल-ककाल प्राप्त हुआ था, जिसके नाम पर यह मानव और उसकी संस्कृति मुस्तेर के नाम से प्रसिद्ध हुई। इस मानव की हड्डियाँ बेल्जियम, इग्लिश चेनल के द्वीपसमूह (सन् १८४८ ई०), युगोस्लाविया (सन् १८९९ ई०), क्रिमिया (सन् १९२३ ई०), फिलस्तीन (सन् १९२५ ई०), इताली (सन् १९२९ ई०), क्रिमिया, दोनेतस उपत्यका[1]; उजबेकिस्तान (सन् १९३८ ई०) आदि बहुत जगहो मे मिली है। यह मानव तृतीय हिमयुग (रिस्) के बाद की तृतीय हिमसन्धि मे मौजूद था, जिसका काल एक लाख से २५ हजार वर्ष पूर्व तक आँका गया है। मुस्तेरीय सस्कृति के हथियार मगोलिया और चीन (शेनुसी) तक मिले हैं, किन्तु शरीर-अवशेष न मिलने से यह कहना मुश्किल है कि वे मुस्तेर-मानव के हैं।

मुस्तेर (नियण्डर्थल मानव)

मुस्तेर की गुहा मे प्राप्त हड्डी १५ वर्ष के एक बालक की थी, जो ५ फुट से कम लम्बी थी। आम तौर से यह जाति छोटे कद के लोगो की थी, जिनकी लम्बाई ५ फुट २ इंच

१ पेर्वो० ओव्०, पृ० २९०, २९६ और २२०, ३०० मे भी।

से ५ फुट ४ इंच तक पाई जाती है। जिब्राल्तर की स्त्री-खोपडी का कपालक-क्षेत्र १२८० घन सेन्तीमीतर था और शापेल-ओ-मेन्त की खोपडी १६०० घन सेन्तीमीतर। मुस्तेर-मानव दीर्घकपाल (७० और ७६ के बीच) था। बाँहो की हड्डी का उभरा होना इसकी अपनी विशेषता थी, यह हम बतला आये हैं। इसका चेहरा बहुत लम्बोतरा और नाक अधिक चौड़ी होती थी। चौड़ी होने का यह अर्थ नही कि नाक चिपटी होती थी। इसकी ठुड्डी नहीं के बराबर थी। नियण्डर्थल-मानव के पैर आजकल के बच्चो जैसे थे, जिससे जान पड़ता है कि उसकी घुट्टी के जोड़ ऐसे थे कि वह पैरो पर अधिक चक्कर काट सकता था। कन्धे पर सिर कुछ आगे को निकला रहता था।[1]

मुस्तेर-मानव तेशिकताश (मध्यएसिया) मे भी मिला है, इसे हम आगे बतलायेंगे। इसका मूलस्थान एसिया माना जाता है।[2]

चतुर्थ हिमयुग का उतार आरम्भ होने के बाद कुछ सहस्राब्दियो (२५ हजार वर्ष पूर्व) तक मुस्तेर मौजूद रहा। आज से २५-३० हजार वर्ष पूर्व सपियन (उत्तम)-मानव की पुरातन शाखा क्रोमेन्यो आ मौजूद हुई। कितने ही नृतत्त्वविशारद मानते हैं कि विशेष परिस्थितियो के कारण मुस्तेर-मानव का ही सपियन-मानव के रूप मे जाति-परिवर्त्तन हुआ।[3] दूसरो का कहना है कि सपियन-विजेताओ ने मुस्तेर को पराजित कर उन्हे अपने मे हजम कर लिया। अन्तिम उपरि-पुरा-पाषाणयुग के क्रोमेन्यो, ग्रिमाल्दी और मद्‌लेन मानव सपियन-जाति के थे। आज से २५-३० हजार वर्ष पहले मुस्तेर-मानवजाति लुप्त हो गई। सबसे पुरातन अवशेष मुस्तेर-जाति का ही मध्यएसिया मे मिला है, इसलिए उसके बारे मे और विस्तार के साथ हम आगे लिखेंगे। यहाँ मानव-विकास की कडी को स्पष्ट करने के लिए सपियन-मानव की कुछ पुरानी जातियो का वर्णन कर देना उचित है।

●

---

१. आग का उपयोग यह जानता था (General Anthropology, p 239); विशेष के लिए Le' Humanite Prehistorique (G) acques de Morgan, Paris (924)

२ 10 Hist of Anth, p. 58

३. Gen Anth, p. 78

स्रोतग्रन्थ .

१ पेर्वो० ओव्०

२. Our Early Ancesters (M. H Burkitt, Cambridge, 1929)

३. Prehistoric India (Paggot)

४ Prehistoric India (P. Mitra, Cal., 1924)

५. General Anthropology

६ History of Anthropology (A C Haddon, London, 1945)

७ Man : The Verdict of Science (G N. Ridley, London, 1946)

८ Progress and Archaeology (V G Childe, London, 1944)

९. Stone Age in India (P. T. S. Ayyangar)

अध्याय ३

उपरि-पुरा-पाषाण और मध्य-पाषाणयुग

§१. ओरन्यक (१५००० वर्ष पूर्व)

तूलून् (फ्रास) से ४० मील दक्षिण-पश्चिम ओरन्यक नामक स्थान है। यहीं पर इस मानव के शरीर-अवशेष मिले थे, जिसके कारण इस जाति तथा इसकी शाखाओ का नाम ओरन्यक पड़ा। इसी जाति के अन्तर्गत क्रोमेञो, सोलूत्रे, मद्लेन और अजिल-जातियाँ हैं, जो आज से १५ हजार वर्ष पूर्व तक मौजूद थीं। मुस्तेर-मानव के साथ पुरा-पाषाणयुग का निम्न स्तर खतम हो जाता है और ओरन्यक से हम उपरि-पुरा-पाषाणयुग मे पहुँचते है।

१. क्रोमेञो[1]

फ्रांस की वेजेर नदी की उपत्यका मे, जहाँ कि पूर्वोक्त मुस्तेर-गुहा है, एक दूसरी लटकी हुई चट्टान है, जिसे क्रोमेञो कहते हैं। सन् १८६८ ई० मे क्रोमेञो की शैल-गुहा में पाँच मानव-कंकाल मिले, जिनका नाम प्राप्तिस्थान के कारण क्रोमेञो पड़ गया। उपरि-पुरा-पाषाणयुग मे यूरोप का सबसे अधिक प्रसिद्ध मानव यही था। मुस्तेर-मानव जहाँ खर्वकाय था, वहाँ क्रोमेञो अधिकतर ६ फुट का कद्दावर मनुष्य था। यह दीर्घ-कपाल था और इसका कपाल-क्षेत्र १५९० से १७१५ घन सेन्तीमीतर तक होता था। चेहरा शरीर की अपेक्षा छोटा और चौड़ा था। क्रोमेञो-स्त्रियाँ पुरुषो की अपेक्षा अधिक नाटी होती थीं। इस मानव का शरीर-लक्षण कितनी ही बातो मे आधुनिक एस्किमो—विशेषकर ग्रीनलैण्डवालो—से इतनी समानता रखता है कि कितने ही विद्वान् मानते हैं कि मध्यएसिया से नव-पाषाणयुग के मानव के आने पर क्रोमेञो उत्तर की ओर हटते दूर चले गये, वही आजकल एस्किमो हैं। इस बात मे तो सभी सहमत हैं कि यह मानव-वंश मुस्तेर की भाँति उच्छिन्न नहीं हो गया, बल्कि उसकी सन्तान या रक्त आधुनिक मानव मे मौजूद है।[2]

२. ग्रिमाल्दी[3]

भूमध्यसागर के तट पर फ्रांस के माने प्रदेश में ग्रिमाल्दी नाम की नौ गुफाएँ हैं, जिनमें अधिकांश ध्वस्त हो चुकी हैं। इन्हीं मे एक शिशु-गुहा मे सन् १९०१ ई० मे माँ और बेटे

---

१ पेर्वो० ओर्व्०, पृ० ४३; Gen. Anth., pp 78-82

२. Gen Anth , pp 76, 78

३ Everyday Life in the Old Stone Age, p 73

के दो सम्पूर्ण कंकाल मिले। स्त्री प्रौढा रही होगी और पुत्र १४ वर्ष के करीब का। स्त्री का कद ५ फुट ३-इच था और लडके का ५ फुट से थोडा ही अधिक। दोनो ककाल ओरन्यक-काल के हैं, यद्यपि इनका सम्बन्ध उनसे नही है। नृतत्त्वविशारद इसे निग्रोयित जाति का बतलाते है। इसकी खोपडी दीर्घकपाल, ठुड्डी थोडी-सी विकसित, दाँत बहुत बडे और नाक की हड्डियाँ चिपटी थी। बड़े नथुने विशेष तौर से निग्रो जैसे थे। इसके निग्रो-सम्बन्ध को अपेक्षाकृत लम्बी टाँगें तथा बाहु के ऊपरी भाग भी बतलाते हैं। ग्रिमाल्दी ककाल अफ्रीका के श्मेस लोगो से अधिक समानता रखते हैं। यद्यपि यह प्रश्न जटिल है कि निग्रोयित आकार के ये लोग यूरोप मे कैसे पहुँचे। कुछ विद्वानो का कहना है कि ग्रिमाल्दी-मानव क्रोमेञो-मानव का पूर्वज था। प्रोफेसर इलियट स्मिथ का मत है कि ग्रिमाल्दी-जाति का शरीर-लक्षण, निग्रो की अपेक्षा आस्ट्रेलायित मानव से ज्यादा मिलता है।

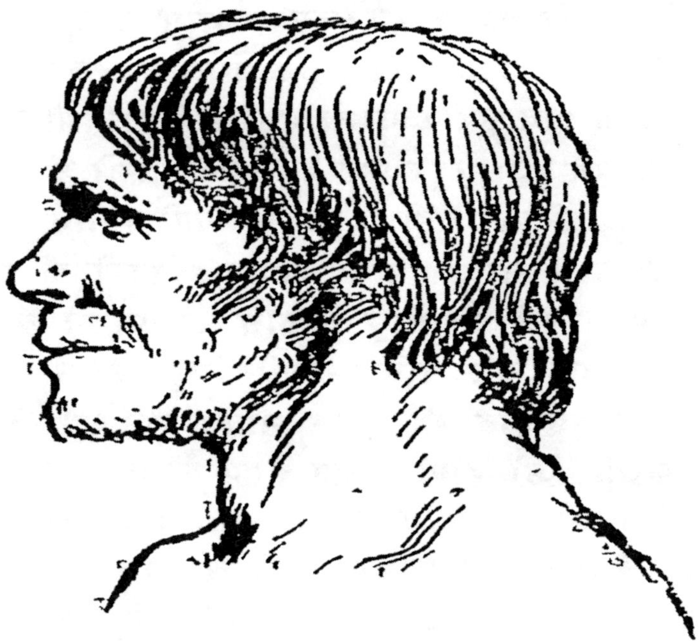

क्रोमञों मानव

ग्रिमाल्दी-मानव यद्यपि ओरन्यक-काल मे था, तथापि उस जाति मे इसे सम्मिलित करने के लिए अधिकाश विद्वान् तैयार नही हैं।

ओरन्यक-मानव सास्कृतिक विकास मे मुस्तेर-मानव से आगे बढा था। उसके चकमक पत्थर के हथियार अधिक सुधरे तथा कार्यकारी थे। उसके हथियारो के भेद भी अधिक थे। यद्यपि हथियार पत्थर के अतिरिक्त कुछ हड्डी के भी थे, लेकिन इसमे सन्देह नहीं कि उसके हथियारो मे बहुत-से लकडी के भी रहे होंगे, जो १०-१५ हजार वर्षों तक सुरक्षित नही रह सकते थे। अपने पत्थर के हथियारो से वह बारहसिंगे के सींगो को काटकर बाण और भाले के फल बनाता था। हड्डी के हथियारो का बनाना शायद इसी मानव ने पहले-पहल आरम्भ किया। हड्डी की सूइयो से वह चमड़े की सिलाई भी करने लगा था, यद्यपि इस सुई से मोची की सुई की तरह सूत खींचा जाता था। ओरन्यक-मानव धनुष और बाण का इस्तेमाल जानता था। इसने हड्डियो पर अपनी कलाभिरुचि का प्रदर्शन किया है,

साथ ही गुफाओ मे उसके हाथ के चित्र भी मिलते हैं। स्पेन के अल्तमीरा गुफा की छत और दीवारो पर उसके हाथ के बनाये हुए कितने ही बैल, बिसौन, हिरन और घोडे के अत्यन्त सजीव चित्र हैं। अल्तमीरा की गुफा बहुत अँधेरी है। यह २८० मीतर लम्बी है (एक मीतर ३ फुट पौने ४ इच का होता है)। गुफा के भीतर रोशनी बिलकुल नही जा सकती और चित्र भीतर की दीवार मे सब जगह बने हुए हैं। आज भी प्रकाश के बिना उन्हे देखा नही जा सकता, इसलिए चित्रकारो ने अवश्य दिये की सहायता ली होगी। ओरन्यक-मानव ४-५ इच की मिट्टी की मूर्त्तियाँ भी बना लेता था, जो काफी अच्छी थी।

३. सोलूत्रे[1] (१४००० वर्ष पूर्व)

फ्रास मे मासो के पास सोलूत्रे नामक स्थान है, जहाँ उपरि-पुरा-पाषाणयुग के मानव के शरीरावशेष मिले हैं, जिसके कारण उसका नाम सोलूत्रे पडा। इस मानव के अवशेष इंगलैण्ड, उत्तरी स्पेन और मध्य यूरोप तक मिले हैं। वह घोडो का शिकारी था और हिमयुग के समाप्त होने के बाद यूरोप मे जो घास के मैदान मौजूद हुए थे, उनमे घूमा करता था। चकमक पत्थर के बने हुए सुन्दर फल वह अपने भालो और बाणो मे लगाता था, जो शिकार के लिए ही भयकर हथियार नही थे, बल्कि उनके बनाने मे कला और सुरुचि का भी भारी परिचय दिया गया था। सोलूत्रे-मानव की दस्तकारी के रूप मे चकमक पत्थर की छिलाई और सफाई अपने जिस उच्चतम विकास पर पहुँची थी, उसका मुकाबिला नव-पाषाणयुग के पहलेवाले नही कर पाये। इन्होने हड्डी की सच्ची सूई बनाई, इससे पहले मोचियो की तरह ही सिलाई होती थी। इस मानव की सूई के लिए सूत का काम अँतडियो के रेशे या नसें करती रहीं होगी। इस समय मानव ने अपने चमडे के परिधान और जूता आदि के बनाने मे बहुत तरक्की की होगी, इसमे सन्देह नहीं। इस मानव के रहने के समय यूरोप की जलवायु वैसी गरम नही थी, जैसी ओरन्यक-मानव के समय मे। वह कुछ अधिक सरद था। इस समय यूरोप मे मम्मथगज भी मौजूद थे।

४. मद्‌लेन[2] (१२००० वर्ष पूर्व)

सोलूत्रे-मानव की दो सहस्राब्दियो के बाद मद्‌लेन-मानव का पता लगता है। फ्रास की वेजेर नदी की उपत्यका मे मद्‌लेन कैसल (गढ) के करीब ही इस मानव का अवशेष मिला था। अपने पत्थर के हथियारो मे यह सोलूत्रे-मानव का मुकाबिला नही कर सकता था। हड्डी और हाथी-दाँत के हथियारो को यह ज्यादा पसन्द करता था और चकमक को बहुत कठोर हथियारो[3] के तौर पर ही इस्तेमाल करता था। ओरन्यक-वंश का इसे नालायक उत्तराधिकारी कह सकते हैं। यह फ्रास ही नहीं, स्पेन, जर्मनी, बेल्जियम और इंगलैण्ड मे भी रहता था। इसके समय शायद हिमयुग की स्मृति भी लुप्त हो चुकी थी। मद्‌लेन-मानव

---

१. पेर्वो० ओव्० , पृ० ३५०–६३
२ Gen Anth , p. 242
३ पेर्वो० ओव्० , पृ० ४६९–८३, Gen. Anth., pp. 77, 143

अपने भालो और वाणो के फल हाथी-दाँत तथा हरिन की सीगो का वनाता था। इन फलो मे कुछ काँटेदार भी होते थे, जिनसे आगे मछली मारने की वशी का विकास हुआ। हड्डी के अपने हथियारो पर यह चित्रकारी भी करना जानता था। मद्लेन-मानव के चित्रो मे सील और सामोन मछली की आकृतियाँ काफी मिलती है। एस्किमो से उनके शरीर-लक्षणो मे भारी समानता है। एस्किमो लोग भी हड्डी और लकडी पर कारुकार्य करने मे बहुत दक्ष होते हैं। हो सकता है, मद्लेन-मानव लकडी के वोटो को चमडे से वाँधकर एक तरह की नाव वनाता था। वह धनुही के सहारे वरमा द्वारा लकडी और हड्डी मे गोल छेद कर सकता था। वह जाडे के दिनो मे गुफाओ या चट्टानो की छाया के नीचे शरण लेता और गरमियो मे फूस या चमडे की झोपडी मे। आधुनिक एस्किमो लोगो से आकृति और हस्त-शिल्प मे ही वह भारी समानता नही रखता था, वल्कि दीपक से प्रकाश और खाना पकाने का भी शायद काम लेता था। चित्रकला के विकास मे, प्रागैतिहासिक मानवो मे इसे सर्वश्रेष्ठ माना जाता है। उसके चित्रो मे मम्मथगज का सजीव चित्रण यदि कही देखा जाता है, तो कही विसौन और सिंह का आकार, कही लाल और दूसरे हिरनो का शिकार अकित मिलता है। वह लाल, भूरे, काले और पीले रगो को इतनी सुन्दरता के साथ इस्तेमाल करता था कि चित्र बहुत सजीव और भावपूर्ण हो जाता था। उसके चित्रो मे कितने ही पूर्ण आकार के हैं। वह ब्रुश का अवश्य इस्तेमाल करता था। रगो को शायद हिरन के सीगो की बनी नलियो मे रखता था।[१]

§२. मध्य-पाषाणयुग

अजिल, अश्योल्[२] (११००० वर्ष पूर्व)

मद्लेन से दो सहस्राब्दी वाद इस मानव का पता लगता है, जो कि पुराण मानव-जातियो का अन्तिम प्रतिनिधि था, और अपनी विशेषताओ के कारण इसे पुरा-पाषाण और नव-पाषाण के वीचवाले मध्य-पाषाणयुग का मानव कहते हैं। दक्षिणी फ्रास मे लूद के समीप मा-द-अजिल की गुफा मे उसके हाथ की चीजें मिली थी। इँगलैण्ड मे भी उसका पता लगता है। अजिल-मानव की एक विशेषता यह थी कि वह मुरदे की वहुत सी खोपडियो को अलग करके अण्डे की तरह एक जगह गाडा जाता था। ववेरिया मे नोर्दलिंगेन के पास ओफनेत गुहा मे एक ही जगह १७ खोपडियाँ गाडी मिली थी, जिनके साथ गेरू के टुकडे भी थे, जिससे मालूम होता है कि वह गेरू से रँगकर शरीर का शृगार किया करता था। उन खोपड़ियो मे एक छोटे वच्चे की भी थी, जिसके पास वहुत से घोघे आदि रखे हुए थे, जो मरने पर भी लडके को खेलने के लिए थे। जान पडता है, शरीर के वाकी भाग को वे लोग जला दिया करते थे। पीछे जव शरीर का जलाना आम हो गया, तव

१. दक्षिण भारत मे कुर्नूल के पास एक गुहा मे इस जैसे हथियार सन् १८८१ ई० मे मिले थे।—Prehistoric India (Paggot, p 35)

२ पेर्वो० ओय्०, पृ० १९०; Gen Anth, p 45

भस्म को मिट्टी के बरतन मे रखकर गाड दिया जाता था, लेकिन यह नव-पाषाणयुग की बात हैं। हिमयुग के बीते बहुत दिन हो गये थे, यूरोप की जलवायु इस वक्त नरम थी। मद्लेन के समय घासवाले मैदानो का स्थान घने जगलों ने ले लिया था। अजिल-मानव अच्छे मछुए थे, साथ ही शिकार भी उनकी जीविका का बड़ा साधन था। पालतू पशु का पहले-पहल इन्ही के समय पता लगता है, जो कि कुत्ता था। अभी कृषि का कही पता नही था। अजिल-मानव को मछली या जानवर के शिकार पर गुजारा करना पडता था। कुत्ते की घ्राणशक्ति का उपयोग करके वह शिकार के जानवरो का अच्छी तरह पीछा कर सकता था और शायद कुत्ते जानवर का घरने म भी सहायता करते थे। अभी फल जमा करने और शिकार से प्राप्त मांस के सिवाय आहार का कोई दूसरा साधन मानव को प्राप्त नहीं हुआ था।

§३. मानवशरीर-लक्षण

प्राचीन मानवों का फॉसिल-भूत हड्डियो के सिवा और कोई शरीरावशेष नहीं मिला, इसलिए उनके केशों की बनावट कैसी थी, चमड़े, आँख और केश का रंग कैसा था, रुधिर किस वर्ग का था, इत्यादि बातों के जानने का हमारे पास साधन नहीं है। आजकल की मानव-जाति के मुख्यत चार भेद हैं: आस्ट्रेलायित, निग्रोयित, मंगोलायित और श्वेतांग। रगों का अन्तर दिखलाई पड़ते भी मंगोलायित और श्वेताग जातियो के शिशुओं की नासाकृति मे पहले अन्तर नही रहता, नासा-सेतु (बाँसा) का विकास वयस्कता के साथ होता है।

१. शरीर-लक्षण[1]

केश की बनावट, चमड़े का वर्ण और नासाकृति को देखकर आज हम मानव-जातियो के भिन्न-भिन्न भेद को समझ लेते हैं। निग्रोयित जातियो के चमड़े का रंग काला, बाल काले तथा ऊन जैसे फूले होते हैं। आस्ट्रेलायित लोगो का चमडा काला और बाल काले तथा लहरदार होते हैं। मगोलायित, जिसमें अमेरिकन इण्डियन भी शामिल हैं, हल्का रंग, सीधे बाल तथा उन्नत-नासा-सेतु के होते हैं। श्वेताग बहुत हल्का रंग, पतली नाक तथा भिन्न-भिन्न वर्ण और बनावट के केशोंवाले होते हैं। नेत्र की आकृति में भी भेद देखा जाता है, किन्तु वह अधिक स्थिर लक्षण नहीं है। श्वेतागों और निग्रोयितों की आँखें अधिक विस्फारित होती हैं, जबकि मगोलायितों की ऊपरी पपनी मे एक भारी परत पड़ी रहती है, जिसके कारण वह पूरे तौर से खुल नहीं सकती। निग्रोयितों और आस्ट्रेलायितो के ओठ बहुत मोटे होते हैं, मंगोलायितों के उनसे कम और श्वेतागों के ओठ बहुत पतले होते हैं। कभी-कभी शरीराकृति में भिन्न प्रकार के विकास भी देखे जाते हैं। अमेरिकन इण्डियन नियमित-रूपेण काले बालों और आँखो तथा हल्के रंगवाले होते हैं, किन्तु अलास्का और ब्रिटिश-कोलम्बिया के विशालतम मस्तिष्क और अल्पतम रोमवाले लिगित और हैदा एस्किमो इसके अपवाद हैं। इनका चमड़ा बहुत सफेद, केश लाल और आँखें हल्की भूरी होती है, जिनके कारण इन्हें कपिल (ब्लौण्ड) एस्किमो कहा जाता है। आजकल भी देखा जाता है,

१. Gen Anth., p. 102

भिन्न-भिन्न जाति के लोग प्राय अपनी ही जाति मे विवाह या सन्तानोत्पत्ति करते हैं, जिसके कारण उनकी शरीराकृति मे आनुवंशिकता कायम हो जाती है। अर्थात्, एक जाति मे एक ही रूपरग के व्यक्ति पैदा होते हैं। मानव-आकृति और रग के परिवर्त्तन मे जलवायु भी कारण होती है। अधिक गरम देशो मे रहनेवाले लोगो का रग श्याम होने लगता है, चाहे उनके माता-पिता श्वेताग ही हो, तो भी जलवायु का प्रभाव उतना अधिक और शीघ्रता से नही देखा जाता, जितना कि जोडा-निर्वाचन या एस्किमो की भाँति अज्ञात कारणो द्वारा देखा जाता है।

भिन्न-भिन्न मानव-जातियो मे वर्ण-भेद और रूप-भेद किस तरह हुआ, इसके बारे मे विद्वानो ने बहुत-सी कल्पनाएँ दौड़ाई है। ऑर्थर कीथ के मतानुसार वर्ण-भेद का कारण मनुष्य-शरीर के भीतर की निष्प्रणालिक ग्रन्थियो का हारमोन (जीवन-रस) है। मस्तिष्क के ललाट की बगल मे अवस्थित 'पिट्युटरी'-ग्रन्थि अधिक बढी हो, तो उससे हारमोन का भी अधिक स्राव होगा, जिसके कारण नाक[1], चिबुक (ठुड्डी), हाथ और पैर अधिक लम्बे हो जायेंगे। शरीर की वृद्धि पर 'थाइराइड'-ग्रन्थि नियन्त्रण करती है। यदि इसका हारमोन कम निकले, तो नासा और केश बहुत कम विकसित हो पाते हैं और चेहरा चिपटा हो जाता है। इस हारमोन की कमी से निग्रो जाति के लोगो के शरीर पर बाल की कमी है। जल मे आइडिन का अभाव होने से थाइराइड-ग्रन्थि हारमोन-स्राव के लिए अधिक प्रयत्न करके स्वय बढकर घेघे का रूप धारण कर लेती है। बचपन से बौना होना बकलोल भी बना देता है। इसका अर्थ यह हुआ कि बाहरी प्रकृति (जल मे आइडिन का अभाव) भी मनुष्य की भीतरी निष्प्रणालिक ग्रन्थियो पर प्रभाव डालती है और उसके द्वारा (अर्थात्, प्राकृतिक वातावरण के कारण) शरीर-लक्षणो मे परिवर्त्तन होता है। केवल रग आदि मे ही नही, बल्कि शरीर के ढाँचे पर भी इस तरह के प्रभाव देखे जाते हैं, जिससे मालूम होता है कि शरीर-लक्षण कोई स्थिर चीज नही है। पूर्वी यूरोप से अमेरिका आये हुए यहूदियो की कपालभित्ति ८३ सें० मी० होती है, किन्तु उनके पुत्र-पुत्रियो की ८१४ और पौत्र-पौत्रियो की ७८.७ सें० मी० बन जाती है। शरीर-दीर्घता की बात तो यह है कि हार्वर्ड-विश्वविद्यालय के छात्र अपने माता-पिता से ३४ सेन्तीमीतर अधिक ऊँचे हो जाते हैं।

२. जातियों का सम्मिश्रण

प्राचीन मानव-जातियो मे भी जाति-सम्मिश्रण हुआ, क्योकि मानव सदा से घुमन्तू रहा है—कृपियुग से पहले तो घुमन्तू छोडकर और कुछ था ही नही। हम आज की मानव-जाति के इतिहास मे भी ऐसे बहुत-से उदाहरण पाते हैं, जिनमे दो-चार व्यक्ति नही, बल्कि जातियो का सम्मिश्रण हुआ। ईसापूर्व द्वितीय शताब्दी के अन्त मे ग्रीक लोग आक्रमण कर भूमध्यसागर के तट पर बस गये। थ्रेस (बल्कान)-वासी क्षुद्र-एसिया मे चले गये, इसी तरह केल्ट भी इताली तक फैलते क्षुद्र-एसिया मे पहुँच गये। रोमन औपनिवेशिक यूरोप के बहुत-से

---

१ Gen. Anth., p. 102 शैशव के बाद नाक स्पष्ट होती है, Gen Anth , p 101, तत्रैव और p 106

की अधिकता का कारण वहाँ के लोगो का यूरेसियाई (स्लाव) लोगो के साथ अधिक सम्मिश्रण है। रक्त का वर्गीकरण चिकित्साशास्त्र से बाहर नृतत्त्वीय अनुसन्धान मे भी उपयोगी हो चला है, किन्तु उससे हम प्राचीनतम मानव-जातियो के बारे मे बहुत अधिक नही बतला सकते। हाँ, मुस्तेर, क्रोमेञो आदि कितनी ही प्राचीन जातियो की मगोलायित आकृति शायद उन्हे ए. वर्ग का बतलाती है।

●

स्रोतग्रन्थ :

१. History of Anthropology, pp. 36-37
२ Le' Humanite Prehistorique (J. de Morgan)
३. General Anthropology (Boas)
४ Our Early Ancestors (M C. Burkitt)
५. Progress and Archaeology (V. G. Childe)
६. Anthropology, I, II (E. B. Taylor, London, 1946)
७ In the Beginning (G Elliot Smith, London, 1946)
८ Geology in the life of man (Duncan Leith, London, 1945)
९ Man the Verdict of Science (G. N. Ridley, London, 1946)
१० History of Anthropology (A C. Haddon)

अध्याय ४

मध्यएसिया के आदिम मानव

मध्यएसिया की अपार वालुका-राशि (प्यासी भूमि, काराकुम, किजिलकुम तकला-मकान और गोवी) का पूरी तौर से अनुसन्धान अभी ही शुरू हुआ है, जवकि ये रेगिस्तान कम्युनिस्त शासन मे आये। नृतत्त्वविशारदो को वहुत आशा है कि मानव के आरम्भिक इतिहास की कुजी शायद इन्ही रेगिस्तानो से मिले, जो कि किसी समय हरे-भरे घास के मैदान अथवा वृक्ष-वनस्पति से आच्छादित वनखण्ड थे। पश्चिमी मध्यएसिया मे सवसे प्राचीन मानव मुस्तेर के अवशेप दो जगह मिले हैं। इरतिस के तट पर कुरदाइ मे मध्य-पुरा-पाषाणयुग का मानव रहता था, लेकिन सवसे अधिक महत्त्वपूर्ण है दक्षिणी उजवेकिस्ताम मे तेशिकताश का गुहा-मानव।

१. मध्य-पुरा-पाषाणयुग

१ तेशिकताश-मानव

पामीर का ही पश्चिम की ओर वढा हुआ पर्वतीय भाग उजवेकिस्तान-गणराज्य में समरकन्द से तिरमिज के उत्तर तक फैला हुआ है। इसी पर्वतमाला के दक्षिणी भाग मे दरवन्द का प्रसिद्ध गिरिद्वार है, जो स्वेनचाग की यात्रा के समय (सन् ६३० ई०) देश की प्रतिरक्षा का वहुत जवरदस्त साधन समझा जाता था। इस सँकरे गलियारे मे लोहे का फाटक लगा हुआ था। अव उसका वह सैनिक महत्त्व नही रह गया है, और न समरकन्द बुखारा से आनेवाले यात्री के लिए दरवन्द से गुजरना आवश्यक है। लेकिन, दरवन्द होकर जानेवाली शीरावाद की छोटी नदी अपना एक दूसरा महत्त्व रखती है। दरवन्द से कुछ मील उत्तर इसी नदी के दाहिने किनारे पर कत्ताकुर्गन का विशाल गाँव है, जिससे कुछ और ऊपर जाने पर नदी के वाँयें तटपर अमीर-तैमूर स्थान है। शायद अमीर-तैमूर यहाँ आया हो, किन्तु अमीर-तैमूर के आने से पचासो हजार वर्प पहले एक दूसरी ही मानव-जाति का यहाँ डेरा था, जो तैमूर से कही ज्यादा खूनखार थी। अमीर-तैमूर के विलकुल पास की पहाडी में तेशिकताश की गुहा है। यही मुस्तेर-मानव के अवशेप जून, १९३८ ई० मे मिले।[१] यह स्थान उजवेकिस्तान के वाइसून जिले मे है। अमीर-तैमूर मे भी मध्य-पुरा-पाषाणयुग के अस्त्र मिले हैं, किन्तु वहाँ मानव-शरीरावशेप नहीं मिले। एसिया मे यहाँ से पूरव मुस्तेर-मानव का अवशेप और कहीं नहीं मिला है। यह गुफा १५-१६ सौ मीतर लम्वी और १५ से २० मीतर चौडी है। सोवियत-पुरातत्त्ववेत्ताओ ने इसकी सुव्यवस्थित रीति से खुदाई करके वहुत-सी ऐतिहासिक सामग्री प्राप्त की है, जिनमे पाषाण-अस्त्र (नुकलेयस, छुरे) तथा वहुत प्रकार के जानवरो की हड्डियाँ हैं। जंगली वकरियो के विशाल सीग काफी परिमाण मे प्राप्त

१ वुदी उजवेकिस्तान्स्कओ अकदमी नाउक (ताशकन्द, सन् १९४० ई०, पृ० ५४२-४)

हुए हैं। इस गुफा के वर्त्तमान धरातल के नीचे दस स्तरो का पता लगा है। ऊपर से तीसरे तल मे ५० मीतर लम्बा एक चबूतरा-सा मिला, जिसपर बहुतेरे बड़े-बड़े पत्थर पड़े हुए थे। यहाँ बकरी के सीग तथा पत्थर के हथियार बनाने के साधन प्राप्त हुए। नवें स्तर के तीसरे, चौथे तथा दसवें स्तर के भी तीसरे-चौथे चतुष्कोणो मे सबसे अधिक सामग्री मिली,

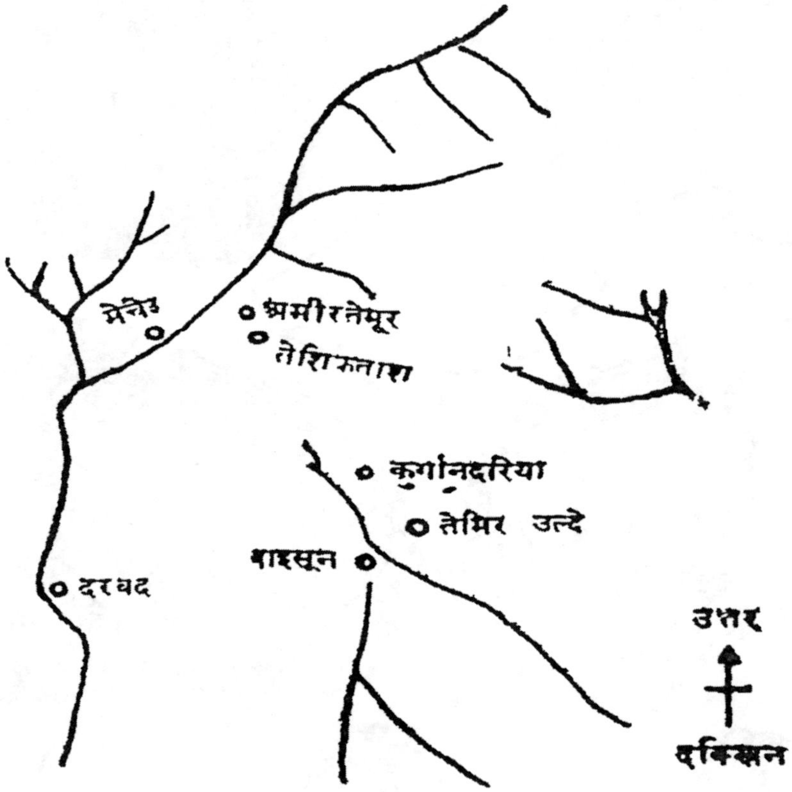

७. तेशिकताश-गुहा।

जिसमे पाषाण-अस्त्रो के साथ दो बकरी के सीग तथा बहुत-से जगली जानवरो की हड्डिया मिली। मालूम होता है, पत्थर के हथियारो का मिस्त्रीखाना यही पर था। सबसे महत्त्व की चीज जो यहाँ मिली, वह थी आदमी की हड्डी, खोपड़ी, जिसमे नेयण्डर्थल या मुस्तेर-मानव के शरीर-लक्षण स्पष्ट दिखाई पडते हैं। खोपडी बहुत मोटी थी, इसका ललाट नीचा था, भौं की हड्डी उभरी हुई थी, दाँतो मे कुकुरदन्त छोटा था, यद्यपि और दाँत बहुत बडे थे। मुँह बहुत बडा था, पर ठुड्डी का अभाव था।

तेशिकताश की गुफा मे मिली हड्डियो के देखने से पता चलता है कि वहाँ सबसे ज्यादा सिबेरीय बकरी का इस्तेमाल होता था, जिसकी ६४९ संख्या का पता लगा है। इसके अतिरिक्त ५ पक्षी, २ घोडे, २ सूअर, १ पार्दसिंग तथा पाँच-सात और जानवरो का पता लगा है। हड्डियो से मालूम होता है कि तेशिकताश-मानव का सबसे प्रधान खाद्य सिबेरीय बकरी थी, उसी का शिकार उसकी प्रधान जीविका थी।

इस खोपड़ी का कपालक-क्षेत्र १४९० घन सेन्तीमीतर था, जबकि आजकल के शिशु का ११५० से १५०५ घन सेन्तीमीतर होता है (चिम्पाजी का कपालक-क्षेत्र ३५०, ओराङ-

ऊतानं का ३८० और गुरिल्ला का ४०० घन सेन्तीमीतर होता हैं)। यह खोपडी १५-१६ साल के लडके की थी। गुहा मे वहुत सारे पाषाणास्त्र और हड्डियाँ मिली, इसलिए आशा हो सकती थी कि वहाँ और भी खोपडियाँ या शरीरावशेष होंगे। किन्तु, मुस्तेर-मानव

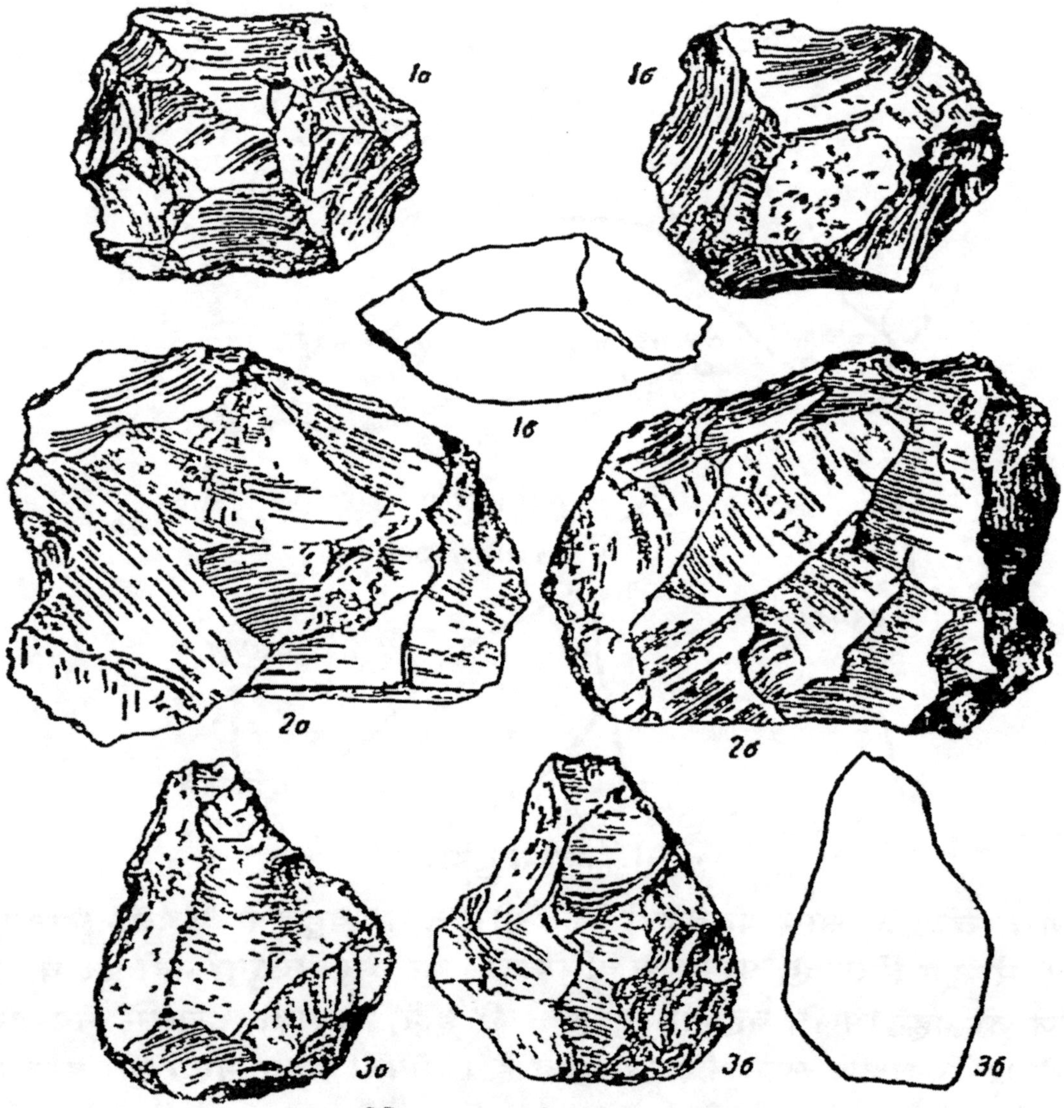

८ तेशिकताश मानवके पाषाणास्त्र p १८

कें अवशेष उतने सुलभ कही भी नही हैं। नृतत्त्वविशारदो का कहना है कि तेशिकताश-मानव पेकिंग-मानव और आधुनिक मानव के वीच का था।

१. जीवन-चर्या

आज से २५-३० हजार वर्ष पहले चतुर्थ हिमयुग के अन्त मे लुप्त इस मुस्तेर-मानव की जीवन-यात्रा कैसी थी, इसका कुछ पता उसकी गुफा मे मिली हड्डियाँ वतलाती है और कुछ का अनुमान हम तस्मानिया के मूल निवासियो की जीवन-यात्रा से कर सकते हैं। तस्मानिया के लोग दक्षिणी उजवेकिस्तान के वरावर ही शीतोष्ण (प्राय ४० डिग्री अक्षांश)

में रहते थे, यद्यपि एक-दूसरे से भिन्न (दक्षिणी और उत्तरी गोलार्द्ध) मे होने के कारण उनकी ऋतु एक दूसरे से उलटे काल मे पडती थी। तेशिकताश-मानव को जहाँ हिमयुग की कठोर सरदी मे जीवन-सघर्ष करना पड रहा था, वहाँ पिछली शताब्दी मे अँगरेजो की कृपा से जीवन से मुक्त हो जानेवाले तस्मानियन लोगो को उतनी सरदी का मुकाबिला नही करना पडता था, तो भी वह ऐसी जगह पर थे, जहाँ कभी-कभी जाडो मे बरफ पड जाती थी। आबेल तस्मन ने सन् १६४२ ई० मे अस्ट्रेलिया के दक्षिण मे अवस्थित इस द्वीप का पता लगाया था, जिसके नाम पर ही उसका नाम तस्मानिया[1] पडा। सन् १७७७ ई० मे कप्तान कूक जब तस्मानिया पहुँचा, तब उसने वहाँ के लोगो को पुरा-पाषाणयुग मे पाया। जान पडता है, तस्मानियन लोग एसिया से मलाया-जावा होते अस्ट्रेलिया पहुँचे थे। उस समय अस्ट्रेलिया शायद एसिया से स्थल द्वारा मिला हुआ था। प्रबल मानव-शत्रुओ के भय से तस्मानियन लोग भागते-भागते इस द्वीप मे पहुँच हजारो वर्षों से अपना सरल जीवन बिता रहे थे। दूसरे बर्बर मानव-शत्रुओ ने उन्हे भागकर जान बचाने का अवसर दिया था, किन्तु सभ्य अँगरेज उतनी दया दिखलाने के लिए तैयार नही थे। अस्तु, तस्मानिया द्वीप मे पहुँचकर ये मानव-सम्पर्क से वचित हो अपना पुराना जीवन बिता रहे थे, जबकि श्वेताग नई भूमियो की खोज करते उनके पास पहुँचे। उस समय वह लोहा या किसी धातु का हथियार इस्तेमाल नही करते थे। पुरा-पाषाणयुगीन मानव की तरह उनके हथियार छिले चकमक पत्थर के होते थे। पाषाण-युग के मानव कुठार भी बनाना नही जानते थे, जिसे कि शेल-मानव बना सकता था। वे आम तौर से नगे रहा करते थे, किन्तु कभी-कभी चमडे भी पहनते थे। काँगरू के चमडे से बिछौने का काम लेते थे। वर्षा और गरमी से उनके स्वास्थ्य पर कोई बुरा प्रभाव नही पडता था। उनका घर खाली शाखाओ और घासो की बनाई हुई आड होता था, जिसके ऊपर छत डालने की आवश्यकता नही समझी जाती थी। अँगरेजो ने धीरे-धीरे तस्मानिया के सुन्दर द्वीप को निगलकर अधिकाश निवासियो को अकाल ही काल-कवलित कर दिया। बचे हुए निवासियो को सन् १८३१ ई० मे पास के फिलण्डर द्वीप मे निर्वासित कर दया दिखाते हुए झोपडियो मे रख दिया गया। खुली जगह मे वर्षा मे भीगते और जाडे मे काँपते उन्हे कोई रोग नही हुआ था, किन्तु अब उन्हे सरदी और जुकाम होने लगा। अपनी प्राकृतिक अवस्था मे ये लोग शरीर पर चरबी और गेरू पोता करते थे, जिससे शायद सरदी-गरमी का बुरा प्रभाव नही पडता था।

तस्मानियन लोगो के जीवन से हमे पता लगता है कि आज से ५० हजार वर्ष पहले मध्यएसिया के प्राचीन निवासी कैसे रहते थे। तस्मानीय लोग घोघे-कौडी आदि की माला के बडे शौकीन थे और तेज चकमक पत्थर से काटकर गोदना भी गोदाते थे। आहार की खोज मे वह बराबर एक जगह से दूसरी जगह घूमते रहते थे। कितनी ही बार बच्चों को भी आहार की कमी के कारण भूखो मरने के लिए छोड दिया जाता था, वही बात बियल्लाँगों और अधिक बूढे आदमियो की भी थी। कडी लकडी के बने हुए सीधे-सादे भाले से वह काँगरू का शिकार करते थे। लकडी को काटकर उसे चकमक से छील लेते थे। यदि लकडी

[1] Everyday Life in the Old Stone Age, pp 40–44

टेढी होती, तो उसे आग से गरमाकर सीधा करते थे। एक छोर को आग से जला लेते थे, फिर उसे छीलकर तेज बना लेते। यह छोर उसी ओर होता था, जिधर लकडी ज्यादा मोटी, अतएव भारी होती थी। उनके भाले ११-१२ फुट लम्बे होते थे। एक ओर भारी होने की वजह से उस ओर सामने करके फेंका हुआ भाला लक्ष्य पर सीधे जाता था। तस्मानीय शिकारी ४०-५० गज के फासले से कांगरू को मार सकता था। वह जिस तरह चिर अभ्यास के कारण भाले का ठीक निशाना लगा सकता था, वैसे ही ढाई फुट लम्बे मोटे डण्डे या पत्थरो को भी फेंककर शिकार कर सकता था। उनकी आँख, कान और घ्राण की शक्ति बडी तीव्र थी, जिससे वे अपने शिकार का अच्छी तरह पीछा कर सकते थे। जो भी पशु-पक्षी उनके हाथ मे आता, उसे लकडी की आग मे डाल अधपका करके बालो और पखो को झुलसाकर चकमक के चाकू से काटकर टुकडे-टुकडे कर देते। नमक का काम थोडी-सी लकडी की सफेद राख देती थी। वह केवल भुना हुआ मास खाते थे, उबालने के लिए उनके पास कोई बरतन नही था।

भोजन के बारे मे तेशिकताश-मानव की भी यही अवस्था रही होगी। तेशिकताश-मानव गरमियो मे अपनी गुफा से बहुत दूर-दूर तक भटकता रहा होगा। उसको ऐसी नदी और जलाशय भी मिलते होंगे, जिनमे मछलियाँ रहती थीं। शायद उनकी स्त्रियाँ भी तस्मानीय स्त्रियो की भाँति पानी मे गोता लगाकर या वैसे ही मछलियाँ पकड़ती रही होगी। बशी या जाल का पता तस्मानीय लोगो को नही था। पुरुषो का काम शिकार खेलना था। तस्मानीय स्त्रियाँ दूसरा काम करती थीं। वह अपने पुरुषो के पास खाते वक्त बैठ जातीं, वह अपनी आज्ञाकारिणी स्त्रियो को अपने खाद्य मास मे से काटकर एक टुकडा थमा दिया करते थे। तस्मानीय पुरुष लकड़ी के बोटो को नाव की तरह इस्तेमाल करते थे। तीन-चार आदमी उसपर बैठकर लकडी के भालो से मछली मारते थे। यही भाले नाव की लग्गी का भी काम देते थे।

वह व्यापार या चीजो की अदला-बदली का ज्ञान नही रखते थे, न कृषि जानते थे और न पशुओ का पालन ही। उनके यहाँ न कोई सामन्त-राजा था, न कानून और न ही कोई नियमित सरकार। अगर बीमारी होती, तो थोडा-सा खून निकालकर चिकित्सा कर लेते थे। मुरदो को कभी-कभी वह गाड देते थे और कभी-कभी किसी पेड के कोटर मे रख देते थे। यदि जलाते, तो अवशेष को गाड देते, लेकिन खोपडी को या तो सस्मारक के तौर पर रख लिया जाता या पीछे से कही अलग गाड दिया जाता था। उनका विश्वास था कि मनुष्य मरने के बाद अपने पितरो के साथ एक आनन्दमय द्वीप मे रहता है। झगड़ा खडा होने पर उनके न्याय तरीका बड़ा विचित्र था. 'दोनो पक्षवाले पास आकर आमने-सामने से छाती के ऊपर अपने दोनो हाथो को रखे अपने सिर को एक-दूसरे के चेहरे पर हिलाते बहुत क्रोधपूर्ण चीखने की आवाज तबतक करते रहते, जबतक कि उनमे से एक थक नहीं जाता या उसका क्रोध शान्त नही हो जाता था।" शायद सहस्राब्दियो के तजर्बे के बाद उन्हें युद्ध की जगह यह तरीका पसन्द आया। तस्मानीय जाति का अन्तिम पुरुष तृगनिनि सन् १८७७ ई० मे मरा, जिसके साथ पुरा-पाषाणयुग की इस प्राचीन जाति का खातमा हो गया।

२. भाषा[१]

प्राचीन मानव ने अपने पत्थर के हथियारो या हड्डियो के रूप मे जो अवशेष छोडे है, उनसे उनके इतिहास पर सबसे अधिक प्रकाश पडा है। पर, भाषा द्वारा मानव के प्रागैतिहासिक काल पर उससे भी अधिक प्रकाश पड़ा है, जितना कि शरीर के ढाँचे या हथियारो के अध्ययन से। शरीर के ढाँचे, मे भिन्न-भिन्न जातियो के सभी व्यक्तियो मे वह भिन्नता नही देखी जाती, जो कि भाषा के अध्ययन से स्पष्ट दिखाई पडती है। भाषा ने एक-दूसरे से बहुत दूर निवास करनेवाली जातियो के पुराने सम्बन्ध का पता दिया। अफ्रीका के पास के मदगास्कर द्वीप के निवासियो का सम्बन्ध मलय लोगो से है, इसका किसको पता लगता, यदि भाषा ने इसकी सूचना न दी होती। भारतीय आर्यों का, अँगरेजो, जर्मनो और रूसियो से वंश-सम्बन्ध है, इसका पता नही लग सकता था, यदि भाषा ने इसका सकेत न किया होता। लेकिन जिह्वा, तालु और ओठ के अतिरिक्त स्वरयन्त्र के काफी विकास होने पर ही मानव ठीक से वर्ण-उच्चारण कर सकता है। स्वरयन्त्र के विकास का पता मस्तिष्क के भीतर के उस क्षेत्र के विकास से लगता है, जहाँ से भाषण-यन्त्र पर नियन्त्रण होता है। निम्न-पुरा-पाषाणयुग के मानव—जावा पेकिंग और हैडलवर्ग—के स्वरयन्त्र का विकास इतना नही हुआ था कि वह वर्णों का अच्छी तरह उच्चारण कर सकते। मुस्तेर-मानव इस विषय मे कुछ आगे बढा हुआ था, किन्तु वर्त्तमान भाषा-वशो मे से किसी का उसके साथ सम्बन्ध जोडना बहुत कठिन है। भाषा भावो के सकेत का साधन है। शब्द, स्पर्श और गति (अग-परिचालन) द्वारा प्राणी एक-दूसरे को अपने भावो से अवगत कराते हैं। कुत्ता अपने स्पर्श और भिन्न-भिन्न प्रकार की अग-गति से ही अपने भावो को नही व्यक्त करता, बल्कि उसके शब्दो मे भी दुःख, रुवाँसे होने, प्रार्थना, आग्रह, खतरा या आक्रमण के भावो को प्रकट करनेवाले भिन्न-भिन्न स्वर होते हैं। तो भी, वनमानुष जैसे बहुत ही विकसित प्राणियो मे भी किसी प्रकार की भाषा का पता नही लगता। मनुष्य अन्य प्राणियो की तरह सकेत द्वारा भी अपने भावो को व्यक्त करता है और वचन द्वारा भी। यह कहना कठिन है कि इन दोनो मे पहले किसका विकास हुआ। आज भी एक-दूसरे की भाषा से अपरिचित व्यक्ति अथवा गूँगे-बहरे सकेत द्वारा अपने भावो को प्रकट करते हैं। भाषा के विकास के लिए स्वरयन्त्रो का अधिक विकसित होना आवश्यक है। लेकिन, स्वरयन्त्र के भी विकसित होने पर भाषा का विकास तबतक नही हो सकता या भाषा तबतक नहीं फूट निकल सकती, जबतक कि मस्तिष्क मे उसका नियन्त्रक यन्त्र भी विकसित न हो चुका होता। तोता-मैना इसके उदाहरण हैं। अपने स्वरयन्त्रों के विकास के कारण वे मनुष्य-जैसी भाषा बोल तो सकते हैं, किन्तु नियन्त्रक स्थान के अभाव के कारण केवल मनुष्य के स्वरो की नकल-भर है। धीरे-धीरे बोलता आदमी ० ०७ (१/१००) सेकेण्ड मे एक स्वर बोल सकता है, जल्दी बोलने मे और भी कम समय लगता है। इतनी जल्दी और बारीकी से शब्द को निकालना मनुष्य के उपर्युक्त यन्त्र की करामात है।[२]

---

१. Gen. Anth , pp 135-40

२ Language its Nature, Development and Origin (O Jasperson, 1923)

भाषा का लिपिबद्ध होना बहुत पीछे हुआ। मिस्र और असीरिया की भाषाएँ आज से ४-५ हजार वर्ष पहले लिपिबद्ध हुईं। मिस्र मे अक्षर-सकेत न होकर अर्थ-सकेत रहने के कारण उच्चारण का पता नही लग सकता। उच्चारण का पता तो आज की हमारी लिपिबद्ध भाषाओ की पुस्तको द्वारा भी पूरा नही हो सकता। एक-एक स्वर के उच्चारण मे जहाँ व्यक्ति मे अन्तर देखा जाता है, वहाँ स्वरो के उतार-चढाव आदि के सम्बन्ध मे तो आज भी हमारी लिपियो मे कोई विशेष सकेत नही है। देश और काल मे दूरस्थ एक वश की भाषाओ के तुलनात्मक अध्ययन से हमे उनका सम्बन्ध मालूम होता है, तथा यह भी कि उनमे कितना परिवर्त्तन हुआ है। भाषाओ का इतिहास यह स्पष्ट बतलाता है कि उनका उच्चारण, अर्थ और व्याकरण-नियम सभी परिवर्त्तनशील हैं। सास्कृतिक स्तर में जब भारी परिवर्त्तन आता है, तब इस परिवर्त्तन की गति भी तीव्र हो जाती है। सास्कृतिक विकास जब एक तल पर रुक-सा जाता है, तब भाषा मे परिवर्त्तन भी बहुत कम होता है। हिन्दी-यूरोपीय भाषा-वश की स्लाव-जैसी भाषाओ का सश्लिष्ट (सेन्थेटिक) रूप अबतक मौजूद रहना यही बतलाता है कि काफी समय तक वह उसी सास्कृतिक स्तर पर रह गई। हम जानते हैं कि स्लाव जातियो के पूर्वज (शक) बहुत पीछे तक घुमन्तू पशुपाल रहे और अपने दक्षिण के पडोसियो के लौह-युग मे चले जाने के बाद भी कुछ शताब्दियो तक पित्तल-युग मे ही रहे। भिन्न-भिन्न भाषा बोलनेवाले लोगो के साथ घनिष्ठ सम्पर्क होने पर भी भाषा मे तेजी से परिवर्त्तन होता है। यह गलत धारणा है कि लिपिबद्ध भाषा मे ही परिवर्त्तन की गति मन्द होती है। ग्रीनलैण्ड और मेकेंजी नदी के एस्किमो लोग अत्यन्त प्राचीन समय से एक दूसरे से अलग हो गये, किन्तु उनकी आजकल की बोलियो मे बहुत कम अन्तर पाया जाता है। अफ्रीका की बन्तू-बोलियाँ भी देश और काल के भारी अन्तर के बाद भी बहुत कम परिवर्त्तित हुईं। यह भी इसी तत्त्व को बतलाती हैं कि सास्कृतिक विकास की गति मन्द होने पर भाषा मे परिवर्त्तन की गति भी धीमी हो जाती है। दूसरी तरफ हम हिन्दी-यूरोपीय भाषाओ को देखते हैं कि यूरोप से एसिया तक की उनकी भिन्न-भिन्न भाषाओ और बोलियो मे कितनी तेजी के साथ परिवर्त्तन हुआ।

परिवर्त्तन मे स्वर सबसे आगे रहती हैं, लेकिन व्यजन भी कम परिवर्त्तित नही होते। भाषा के यह बाहरी कलेवर ही तेजी से परिवर्त्तित नही होते, बल्कि उनके अर्थों मे भी भेद हो जाता है और कभी-कभी तो वह बिलकुल उल्टा अर्थ देने लगते है। हिन्दी और बँगला मे उपन्यास से हम 'कथाग्रन्थ' का अर्थ लेते हैं, किन्तु दक्षिण भारत की बोलियो मे उसका अर्थ है 'भाषण'।

जिस तरह यह कल्पना अवैज्ञानिक है कि एक ही जोडे से दुनिया की सभी मानव-जातियाँ पैदा हुईं, उसी तरह एक भाषा से दुनिया की भाषाओ का विकास मानना भी गलत है। यद्यपि आज चार पाँच भाषा-वश ही पृथ्वी के अधिकाश देशों और लोगो में बोले जाते हैं यूरोप, अमेरिका और एसिया के भी बडे भाग मे हिन्दी-यूरोपीय भाषा वश की बोलियाँ चलती हैं। तुर्की-चीनी तुर्किस्तान से तुर्की तक में बोली जाती है। चीनी भाषा तो एसिया के बहुत बड़े भूखण्ड मे बोली जाती है। मलय-भाषावश फिलिपाइन से

मदगास्कर तक फैला हुआ है। अफ्रिका के बहुत बडे भाग मे वन्तू-भाषावश का राज्य है। लेकिन, एक-एक भाषा का इतना विस्तार नव-पाषाणयुग ही नही, बल्कि और पीछे की घटना है। यूरोप के बहुत-से भागो तथा भूमध्यसागर के निकटवर्त्ती देशो मे बहुत पीछे तक अ-हिन्दी-यूरोपीय भाषाएँ वोली जाती थी। दक्षिण अफ्रिका मे वन्तू-भाषा का प्रचार हाल के समय मे हुआ है। तुर्की-भाषावश पाँचवी सदी ई० मे पश्चिमी मध्यएसिया मे जरा-जरा फैलने लगा और आधुनिक तुर्की, विशेषकर उसके यूरोपीय भाग मे तो, पन्द्रहवी सदी मे उसका प्रवेश हुआ। अरवी का मिस्र और मराको की भाषा होना पैगम्बर मुहम्मद (मृत्यु सन् ६२२ ई०) के बाद की बात है। अनुसन्धान से पता लगता है कि प्राचीन काल मे भाषाओ का बहुत अधिक विकेन्द्रीकरण था और आज से कही अधिक भाषाएँ उस समय वोली जाती थी। उनमे कुछ सदा के लिए लुप्त होकर किसी एक भाषा के अधिक फैलने मे सहायक हुई। सास्कृतिक इतिहास हमें वतलाता है कि उच्च सस्कृतियाँ अल्पविकसित सस्कृतियो को अपने जैसा वनाने मे सफल होती है। उच्च सस्कृति पर जल्दी पहुँचने के लिए अल्पविकसित लोगो को जो परिवर्त्तन करना पडता है, उसमे पराई भाषा का स्वीकार भी शामिल है। भाषा वस्तुत सास्कृतिक अवस्था के विकास का दर्पण है। सास्कृतिक विकास के साथ भाषा का विकास अनिवार्य है, और इसी परिवर्त्तन मे जातियो की तरह कितनी ही भाषाओ का नामशेष हो जाना भी आवश्यक है। भाषा-वश वतलाता है कि उसकी भाषाओ को वोलनेवाले खास मानव-वश रहे होगे, अर्थात् एक मानव-वश की एक भाषा रही होगी, किन्तु भाषा रक्त के सम्बन्ध को सर्वदा निश्चित नही वतलाती। कितनी ही जातियाँ अपनी भाषा छोड दूसरी भाषा स्वीकार कर लेती हैं। अमेरिका के निग्रो अपनी भाषा भूल गये हैं, और वे अव अँगरेजी बोलते हैं। पूर्वी जर्मनी के अधिकाश निवासी स्लाव-जाति के है, लेकिन अव वे जर्मन-भाषा वोलते हैं।

§२. मध्य-पाषाणयुग (१२००० वर्ष पूर्व)

पहले युगो की अपेक्षा इस युग के मानव के अवशेष पश्चिमी मध्यएसिया मे बहुत जगहो पर मिले हैं। निम्न सिरदरिया मे, तुर्किस्तान शहर मे इसका पता लगा है। करातांउ और म्यूकम (जंवुलिजिला), वेतपक् दला (अलमाअता) भी मध्य-पाषाणयुग के अवशेषो के लिए मशहूर हैं। अरालसमुद्र के पास भी इस युग के मानव के अवशेष पाये गये हैं। किजिलकुम और काराकुम की विशाल मरुभूमियाँ आज सोवियत पुरातत्त्ववेत्ताओ की आखेट-भूमि वन गई हैं। कोई आश्चर्य नही, यदि वहाँ ऐसे मध्य-पाषाणयुगीन मानव के अवशेष और भी मिल जायँ, जिनसे उस युग के इतिहास पर काफी प्रकाश पडे। यह तो हमे मालूम है कि आज से १०-१२ हजार वर्ष पहले से ही, जिस समय मध्य-पाषाणयुग का मानव मध्यएसिया मे रहता था, उस समय की जलवायु वहाँ के मानव के लिए अत्यन्त प्रतिकूल सिद्ध हो रही थी। हिमयुग के पश्चात् समुद्र और नदियो के सूखते जाने से यहाँ की भूमि अत्यन्त सूखी होती। जगलो और घास के मैदानो को विकराल रेगिस्तान अपने पेट मे हजम करते गये। मध्यएसिया के मानवो के लिए यह सत्यानाश की घडी थी। उनके लिए दो

ही रास्ते थे, या तो वहाँ रहकर लुप्त हो जायँ अथवा अन्यत्र चले जायँ। यूरोप की अवस्था इस वक्त बडी अनुकूल थी, इसलिए उनका उधर जाना स्वाभाविक था। भारत मे इस युग के अवशेप ऊपरी गगा के कच्छ तक मिले हैं।[१]

जैसा कि नाम से ही पता लगता है, मध्य-पाषाणयुग पुरा-पापाण और नव-पाषाण के बीच का समय है। यह मानव-प्रगति मे वहुत शिथिल-सा समय था। इस समय प्रवाह रुक-सा गया था, उसका खुलना नव-पापाणयुग ही मे देखा जाता है (यह वही समय था, जवकि यूरोप मे अजिल-मानव रहता था) मध्य-पापाणयुगीन मानव की जीविका का साधन फलसचय तथा पशु और मछली का शिकार था। अभी केवल कुत्ता मनुष्य का पालतू साथी वन सका था। ग्राम्य पशुओ मे यही वह जानवर था, जो मनुष्य के घनिष्ठ सम्पर्क मे सवसे पहले आयो और आज भी उसकी स्वामिभक्ति वैसी ही देखी जाती है।

मध्य-पापाणयुगीन मानव उस समय के प्रतिकूल वातावरण मे वेत्पकदला (अलमाअता) से अराल और कॉस्पियन तट तक किसी तरह अपना जीवन व्यतीत करता रहा। प्रकृति की निष्ठुरता के कारण उसके लिए जीवन-सघर्ष वहुत कठिन था, जिसके कारण वह यूरोप की अनुकूल भूमि की ओर गया। हिमयुग के अवसान हुए देर होने के कारण वहुत-से पहाड हिममुक्त हो गये थे, जिसके कारण यातायात का वहुत सुभीता था। मध्य-पापाणयुग के वाद मध्यएसिया के अनौ जैसे कितने भागो मे, हम जिस मानव को पाते हैं, उसका सम्वन्ध यदि खोपड़ी मे अल्पाइन जाति से मिलता है, तो सस्कृति मे उसकी मसोपोतामिया और सिन्धु-उपत्यका से अधिक घनिष्ठता दिखाई पडती है। ऐसी अवस्था मे यह कहना कठिन है कि यहाँ रहनेवाली जाति मध्य-पापाणयुगीन मानवो की सन्तान थी, अथवा पश्चिमी मध्य-एसिया के दक्षिणी भाग को अधिक अनुकूल पाकर भूमध्य-जातीय मेसोपोतामिया और सिन्धु उपत्यका के लोगो का यह स्थायी प्रवेश हो गया। सिन्धु-उपत्यका या मसोपोतामिया से अनौ या अरालतट तक भूमध्यजातीय लोगो और उनकी संस्कृति के अवशेप मिलते हैं। हो सकता है, मध्य-पापाणयुग मे पश्चिमी मध्यएसिया के पुराने निवासी यूरोप की ओर प्रवास कर गये हो और पीछे उनकी जगह भूमध्यीय लोग अपनी नवीन संस्कृति के साथ आ गये हो। यदि पहले के निवासियो मे कुछ रह गये हो, तो वह भी धीरे-धीरे भूमध्यीय जाति के भीतर मिल गये।

---

१ Gen Anth. p 252 Le' Humenite Prehistorique, p 594, Our Early Ancestors, pp 10, 75, Prehistroic India (S Paggot), p 36

स्रोतग्रन्थ .

१ तुदी उजबेकिस्तान्स्कओ अकदमी नाउक (ताशकन्द, सन् १९४० ई०)
२. Everyday Life in the Old Stone Age (Quinnell)
३. General Anthropology (Boas)
४. Language its Nature, Development and Origin (O. Jasperson, 1923)
५. Le' Humenite Prehistorique (J. De Morgan)
६. Prehistoric India (S. Paggot)
७ Prehistoric India (P Mitra)
८ Language (L. Bloomfield, 1933)
९. Les Langues du Monde (A Meillet and M Cohen, Paris, 1924)
१० Researches to the Early History of Mankind (E. B Taylor, London, 1878)

अध्याय ५

नव-पाषाणयुग, अ-नव-पाषाणयुग

मध्यएसिया मे मानव पाषाण-युग से नव-पाषाणयुग मे ईसा-पूर्व ५०००, अर्थात् आज से ७००० वर्ष पूर्व आया। सिरदरिया की उपत्यका, सोग्द (जरफशाँ-उपत्यका), तुषार (मध्यवक्षु-उपत्यका), ख्वारेज्म (निम्न वक्षु-उपत्यका) और अराल, मेर्व (मुर्गाव-उपत्यका) आदि बहुत-से स्थानो मे नव-पाषाणयुग के अवशेष मिले हैं।

§१. नव-पाषाणयुग (५००० ई० पू०)

मध्य-पाषाणयुग मे जलवायु के अत्यन्त सूखे होने के कारण यहाँ के मानव को बहुत कष्ट हुआ। नव-पाषाणयुग मे उसमे थोडा परिवर्त्तन अवश्य हुआ था, जिसके कारण प्रगति का अवरुद्ध मार्ग फिर से खुला। नव-पाषाणयुग की विशेषता है १. कृषि, २. पशुपालन, ३ मृत्पात्र-निर्माण और ४. पीस-घिसकर बने पाषाणास्त्र। कृषि और पशुरक्षा के कारण अब मानव निरा घुमन्तू नहीं रह सकता था। उसे अब एक जगह बसने की आवश्यकता हुई—इसी समय पहले-पहल ग्राम आबाद हुए। मनुष्य सामाजिक जीवन की उस अवस्था मे पहुँचा, जबकि वह एक जगह रहते हुए सामूहिक काम कर सकता था और सामूहिक तौर से अपने शत्रुओं से रक्षा भी कर सकता था। अब शिकार और फल-संचय ही जीविका के साधन नहीं रह गये थे। कृषि और पशुपालन मे स्त्री का अब प्रधान भाग नही रह गया था, इसलिए सारे पुरा-पाषाणयुग मे चली आई मातृसत्ता का लोप हुआ और उसकी जगह पुरुष-प्रधानता या पितृसत्ता की स्थापना हुई। शिकार (चाहे मछली का हो या प्राणियो का) ही मध्यएसिया के मानव की पिछले युग मे प्रधान जीविका थी। पहाड़ो में जंगल था और वहाँ आज जैसे तब भी जगली सेब, नासपाती, अगूर आदि फल होते थे। मानव को फल-संचय का भी अधिक सुभीता था, किन्तु जिन जगहो पर नव-पाषाणयुग के मानव के अवशेष मिले हैं, वहाँ फल-संचय का सुभीता कम ही रहा।

१. कृषि[१]

गेहूँ और जौ मध्यएसिया के पहाडो मे जगली अवस्था मे मौजूद थे। आज भी लाहुल की सीमा के पार लद्दाख के रास्ते मे नदी के कछारो के पास जगली गेहूँ और चने मिलते हैं और लद्दाख जानेवाले अपने घोडे-खच्चरो को वहाँ दो-चार दिन ठहरकर चराना आवश्यक समझते हैं। गद्दी लोग तो हर साल वहाँ अपनी भेडों को मोटी करने के लिए ले जाते हैं। कोई आश्चर्य नहीं, यदि कृषि के लिए नव-पाषाणयुग के मानव ने गेहूँ और जौ को स्वीकार किया। आरम्भिक गेहूँ-जौ जगली गेहूँ-जौ की तरह ही पतले होते रहे होंगे।

१. Gen Anth , pp 90-99

जंगली अवस्था मे पशु, जलवायु अनुकूल होने पर अधिक मोटे होते है, किन्तु पालतू बनने के बाद उनकी हड्डियाँ पतली तथा उनके कण सूक्ष्म हो गये। पर, अनाज और फल मनुष्य के हाथो मे पडकर अधिक बडे और स्वादु बने।

कृषि का आविष्कार कैसे हुआ, इसके बारे मे विद्वान् कहते हैं शिकारी आदमी ने घास के अभाव मे शिकार के पशुओ को दूसरी जगह जाने से रोकने के लिए पहले घास के तौर पर अनाज बोना शुरू किया, जिसके खाद्य होने का परिचय उसे पीछे मिला। सूखे फल यद्यपि देर तक सुरक्षित रखे जा सकते हैं, तथापि जैसा कि पहले बताया, मध्यएसिया मे उसकी सुलभता बहुत कम जगहो पर थी। शिकार के मास को जाडो मे भले ही कुछ महीनो तक रखा जा सके, नही तो जल्दी न खतम करने पर उसके सडकर खराब हो जाने का डर रहता है। उस समय के मानव को मास की दुर्गन्ध आज की जितनी नापसन्द नही थी, तो भी मास सडाकर खाना स्वास्थ्य के लिए हानिकर है, इसका पता तो उसको था ही। अनाज ऐसी चीज थी, जिसको बहुत समय तक रखा जा सकता था। करतल-भिक्षा तरुतल-वास बिलकुल अनिश्चिन्तता का जीवन है। कृषि ने मानव को इसके बारे मे बहुत कुछ निश्चिन्त कर दिया। चाहे मास के बराबर स्वाद और शक्ति अनाज मे भी हो, किन्तु उसके द्वारा महीनो के लिए आहार की चिन्ता का दूर हो जाना मानव-प्रगति के लिए बहुत उपयोगी सिद्ध हुआ। शिकारी मानव को प्राय रोज शिकार की चिन्ता मे दौडते रहना पडता था। अपने पत्थर के हथियारो द्वारा शिकार करने मे सफल होना रोज-रोज नही हो सकता था। कितनी ही बार उसे सपरिवार भूखे रहना पडता था।

खेती करने के लिए अब उसे विशेष हथियारो की आवश्यकता हुई, जो सभी हथियार पत्थर के होते थे। पुरा-पाषाणयुग के मानव अपने पत्थर के हथियारो से पेडो को काट लेते थे, डालियो को काट-छीलकर लकडी के भाले या डण्डे बना लेते थे। मई, १९५१ ई० मे (परमाणु-युग के भीतर) मुझे निम्न-पुरा-पाषाणयुग के शिल्प का परिचय मिला। केदारनाथ चार मील के करीब रह गया था। मेरे भारवाहक तरुण नेपाली बलबहादुर ने पहिले डण्डा रखने की आवश्यकता नही समझी थी, लेकिन जब ९००० फुट से ऊपर की चढाई मे साँस फूलने लगी, तब उसे डण्डे की आवश्यकता मालूम हुई। वृक्षो के क्षेत्र मे हमलोग ऊपर थे, किन्तु झाडियाँ अभी खतम नही हुई थी। झाडियो मे डेढ-दो इच मोटे डण्डे का मिलना आसान था, किन्तु हमारे पास फल खाने के छोटे-से चाकू के अतिरिक्त यदि कोई दूसरा हथियार था, तो रिवाल्वर, जिससे डण्डा नही काटा जा सकता था। बलबहादुर अपने पूर्वजो की तरह चौबीस घण्टे खुकुरी बाँधना धर्म नही समझता था। लेकिन, डण्डे की भारी आवश्यकता थी। पुरा-पाषाण-मानव का चकमक का पास मे किसी तरह का छिना हथियार भी नही था। उसने नाले मे पडे बहुत-से पाषाण-खण्डो मे से एक धारदार पत्थर उठा लिया, और कुछ ही मिनटो मे झाडी मे से एक अच्छा लम्बा मोटा डण्डा काट लाया। उसी पाषाणास्त्र से उसने डण्डे की कमचियाँ काटकर गाँठो को भी चिकना कर दिया, फिर छाल को छीलने लगा। मुझे डर लगा, कही वह उनमे अपनी कला न दिखाने लगे। मैं केदारनाथ जल्दी पहुँचना चाहता था। आकाश का कोई ठिकाना नही था, न जाने कब धूप छिप जाय

और मैं फोटो लेने से वंचित हो जाऊँ। उसने ऊपर के थोड़े-से भाग को छीलकर अपना काम खत्म कर दिया और हम वहाँ से चल पड़े। मैं अपने पूर्वजों के इस युग से परिचित था, किन्तु बलबहादुर को इतिहास से क्या काम था, उसे तो काला अक्षर भैंस बराबर था। आवश्यकता आविष्कार की माँ होती है, इसका ही यहाँ पता नहीं लगा, बल्कि यह भी मालूम हुआ कि पाषाण-युग के सिद्धहस्त मानव ने और भी अच्छी तरह से काटने, फाड़ने, छीलने आदि कामों को अपने पत्थर के हथियारों से किया होगा। कृषि-युग के लिए आवश्यक हल को उसने पहले ही बना लिया होगा, इससे सन्देह है, किन्तु वर्षा से भीगी धरती को पत्थर की कुदाल से वह खोद सकता था। आगे चलकर उसने लकड़ी के किसी तरह के हल में चकमक पत्थर का फाल लगाया होगा। फसल काटने के लिए उसका पत्थर का हँसिया मध्य-एसिया और दूसरी जगहों में बहुत मिला है। टेढ़ी लकड़ी में दाँत की तरह तेज धारवाले छोटे-छोटे पत्थरों को जड़ दिया जाता था, यही उस समय का हँसिया था। डण्ठल काटने के कारण पत्थर के दाँत धीरे-धीरे अधिक चिकने हो जाते हैं, ऐसे दाँत बहुत-से मिले हैं। कृषि के साथ तीसरा आवश्यक हथियार था, आटा पीसने का ओखल-मूसल। आजकल ओखल-मूसल अधिकतर चावल कूटने या अनाज के छिलके को छुड़ाने के लिए इस्तेमाल किया जाता है। मैदान में लकड़ी और पत्थर दोनों के ओखल होते हैं, किन्तु मूसल लकड़ी का ही होता है। पहाड़ में पत्थर का ही ओखल होता है, जो प्राय किसी चट्टान में गढा खोद-कर बनाया जाता है। आटा पीसने का साधन उस समय ओखल-मूसल नहीं, बल्कि खरल से अधिक समानता रखता था। ११वीं शताब्दी में भी तिब्बत के घुमन्तू लोग किसानों से बदल के लाये अपने अनाज को पत्थर की बड़ी कुण्डी में मोटे लोढे से पीसा करते थे। भारतीय विद्वान् स्मृतिज्ञानकीर्त्ति (सन् १०४० ई०) भेस बदलकर किसी पशुपाल के यहाँ चाकरी करते थे। एक दिन बड़ी रात तक मालकिन के हुक्म से आटा पीसते हुए उनको झपकी लग गई, और शिर लोढे से जाकर टकरा गया। सत्तू के लिए भूना जौ कुछ बिखर गया, जिसके लिए मालकिन ने गालियाँ देना जितना आवश्यक समझा, उतना बेचारे स्मृति के शिर में लगी चोट के लिए सान्त्वना देना जरूरी नहीं समझा। नव-पाषाणयुग में अभी न हाथ की चक्की का पता था, न पनचक्की का। उस समय यही पत्थर का कुण्डी-लोढा या ओखल-मूसल का काम देता था। आज भी तिब्बत आदि देशों में सत्तू खाने का रिवाज है। इससे आदमी रोटी बनाने के झंझट से ही नहीं बच जाता, बल्कि जहाँ रोटी बनाने के लिए रोज-रोज लकड़ी जमा करने और चूल्हा फूँकने की तरद्दुत है, वहाँ एक दिन भूनकर सत्तू पीस लेने पर महीनों के लिए छुट्टी हो जाती है। भारतीय आर्य ईसा से डेढ हजार वर्ष पहले भारत पहुँचे। उनके प्राचीनतम ग्रन्थ 'ऋग्वेद' में ही नहीं, बल्कि पीछे के भी पुराने सस्कृत-ग्रन्थों में रोटी का पता बहुत कम लगता है। सत्तू (सक्तु) और छलनी तो वैदिक काल में दृष्टान्त-रूप में मशहूर हो गये थे। अनौ की खुदाई में[1] तन्दूर का भी पता लगा है, जिससे मालूम होता है कि मध्यएसिया के नव-पाषाणयुगीन मानव तन्दूरी रोटी से अपरिचित नहीं थे। शायद मिट्टी या पत्थर के तवों पर भी वे रोटी बना लेते थे।

---

१ Exploration in Turkistan, pp 16–27

२. पशुपालन

तिब्वत के ऊँचे पथारो मे गदहे की जाति का एक जानवर (क्याङ) पाया जाता है, जो खच्चर के जितना बडा होता है। तिब्वती लोगो ने क्याङ को पालतू बनाने की बहुत कोशिश की, किन्तु वह उसमे सफल नही हुए। पालतू बनाने का मतलब केवल साथ रहना ही नही, बल्कि जानवर से काम लेना भी है। साक्या के लामा के खच्चरो के साथ मैंने एक क्याङ को देखा था। क्याङ का छोटा बच्चा कही से मिल गया था, जिसे अपने खच्चरो के साथ लामा ने पाल लिया और अब वह बडा होने पर भी खच्चरो के साथ रहता था। लेकिन, उसपर भला कौन बोझ लाद सकता था ? वह प्राण देने के लिए तैयार हो जाता, यदि कोई पीठ पर कुछ बाँधने की कोशिश करता। नव-पाषाणयुग मे ही नही, बल्कि उससे पहले भी मनुष्य के पास किसी जगली जानवरो के बच्चे का पल जाना मुश्किल नही था, और ऐसे हिरन, कुत्ते, भेड या दूसरी जाति के छोटे बच्चे को कभी किसी ने पाल लिया हो, तो कोई आश्चर्य नही। लेकिन, असली पशुपालन तब कहते हैं, जबकि मनुष्य अपने घर मे नर-मादा पशुओ को रखकर उनकी सन्तान बढाता है। मध्य-पाषाणयुग मे कुत्ता पालतू हो गया था, यह हम बता आये हैं। विस्तार के साथ पशुपालन का व्यवस्थित प्रबन्ध नव-पाषाणयुग मे ही हुआ। यह बतला चुके हैं कि पालतू जानवरो की हड्डियाँ पतली और-सूक्ष्म होती हैं, जब कि हम उसी जाति के जगली प्राणियो मे उससे उल्टा पाते हैं। यदि भूमि अत्यन्त हरी-भरी हो, तो जगली जानवर बडे कद्दावर होते हैं। बारहसिंगे तो वनस्पति की कमी के कारण जहाँ शरीर मे छोटे होते जाते हैं, वहाँ उनके सीग छोटे तथा शाखाएँ कम होती जाती हैं, तो भी उनकी हड्डियो की बनावट पालतू जानवरो-जैसी नही होती। भेड, गाय और सूअर मध्यएसिया मे इस समय पालतू बनाये गये। घोडे के पालतू बनने मे कुछ सन्देह है। मध्यएसिया मे ही पालतू बनाई गई भेडें, यहाँ से गये लोगो के साथ यूरोप गई। यद्यपि जगली गदहा मध्यएसिया मे भी रहा होगा, तथापि गदहे और बिल्ली को सबसे पहले पालतू बनाया मिस्रियो ने। मध्यएसिया का ऊँट दो कोहानो का होता है, जब कि अरब और दूसरी जगह के ऊँटो के पीठ पर एक ही कोहान होता है। ऊँट नव-पाषाणयुग के पीछे मध्यएसिया मे पालतू बनाया गया।

३. मृत्पात्र

मिट्टी के बरतन बनाना भी नव-पाषाणयुग की एक विशेषता है। आग का पता निम्न-पुरा-पाषाणयुग मे ही लग गया था। उसी समय (युग के पिछले भाग मे) लकडी या पत्थर से घिसकर आग पैदा करना भी आदमी को मालूम हो गया था। वह मास को आग पर भूनकर खाना जानता था। अनाज की उत्पत्ति से उसे मिट्टी के बरतनो की अधिक आवश्यकता मालूम हुई, इसीलिए उस समय मृत्पात्रो के बनने और उनके उपयोग का विशेष प्रचार हुआ। कई-कई प्रकार और रग के मिट्टी के बरतन बनने लगे—पानी रखने के बरतन, पानी पीने के बरतन, पकाने के बरतन आदि नाना प्रकार के भेद उसी समय प्रकट हुए। अभी कुम्हार का चक्का नही बन पाया था। श्रम का विभाजन भी उतना नहीं हुआ था

और एक ही आदमी या परिवार पीर-ववर्ची-भिश्ती-खर सवका काम देता था। तिब्वत मे आज भी कुम्हार की अलग जाति या पेशा नही है, लोग स्वय मिट्टी के वरतन वना लेते हैं। कितने ही वरतन वहाँ आज भी कुम्हार के चक्के की सहायता से नहीं वनते। चाय रखने की खोटी (टोंटीवाली हैण्डलदार सैंकी) तो वहुधा हाथ से वनाई जाती, और कितने ही हाथ उसमे अद्‌भुत कला का चमत्कार दिखलाते। नव-पाषाणयुग के मानव भी अपने हाथो से ही मिट्टी के वरतन वनाया करते थे। गोलाई लाने के लिए वह मिट्टी की गोल-गोल मेखलाएँ बनाकर एक के ऊपर एक रख देते और फिर गीले हाथो से भीतर-वाहर उन्हें चिकना कर देते। यदि मिट्टी के वरतनो को खुले आँवे मे पकाया जाय, तो हवा का प्रवेश निर्वाध हो जाता है। मिट्टी मे लौहकण मौजूद रहते हैं, पकते वक्त हवा के साथ उनके सीधे सम्वन्ध से वरतन लाल हो जाते हैं। यदि वन्द हवा के साथ भट्ठी के भीतर वरतन को पकाया जाय, तो हवा के सम्पर्क से वहुत-कुछ वचित रहने के कारण वरतन लाल न हो, भूरा या राख के रंग का हो जाता है। यदि मिट्टी मे कुछ कोयला पीसकर मिला दिया जाय, तो वरतन का रंग काला हो जाता है। ये वातें नव-पाषाणयुग के मानव को मालूम थीं ?

४. पाषाणास्त्र[१]

पुरा-पाषाणयुग के मानव के हथियार वहुत कुछ फ्लिण्ट (चकमक) पत्थर के होते थे, जो मामूली पत्थर से ज्यादा कडा होता है, इसीलिए उसकी माँग वहुत अधिक थी और वह हर जगह सुलभ नही था। खडिया की खानो मे, खडिया के स्तर मे हड्डी की तरह ये मिला करते हैं। नव-पाषाणयुग का मानव अपने पत्थर के हथियार से खोदकर कुआँ-सा वनाते हुए चकमक के स्तर पर पहुँचता था। कभी-कभी इसके लिए उसे वीस-वीस फुट गहरी खुदाई करनी पडती थी। चकमक को निकाल लेने के वाद कुएँ फिर उसी गड्ढे मे कभी-कभी ढह जाते थे। वेल्जियम मे स्पीनेस की चकमक खान मे पुरा-पाषाणयुग के दो पिता-पुत्र खनक खान के नीचे उतरकर अपना काम कर रहे थे, उसी समय उनपर छत गिर गई और दोनो दवकर मर गये। आज भी उनका शरीर ब्रुसेल्स के राष्ट्रीय म्यूजियम मे रखा हुआ है। चकमक पत्थर की दुर्लभता ही कारण थी, जिसने कि नई तरह के हथियारो के वनाने का दिशा-निर्देश किया। खतरा शायद कभी-ही-कभी होता था। खडिया की खानो मे चकमक की रीढ ढूँढना और निकालना इतना समय और श्रमसाध्य था कि आदमी ने उसकी जगह साधारण पत्थरो का भी इस्तेमाल किया। उसने देखा कि रगडकर पॉलिश करने से दूसरे पत्थरो मे भी धार आ जाती है। रगडकर पॉलिश करके पत्थर के हथियार वनाना नव-पाषाणयुग के मानव के हथियार की सवसे वडी विशेषता थी। सन् १८६९ ई० मे डेनमार्क के कुछ प्रागैतिहासिकों ने नव-पाषाणयुग की कुल्हाडी की परीक्षा ली। उन्हें मालूम हुआ कि केवल इन्ही हथियारों से जगल के कैल और दयार जैसे दरख्तो को काटा जा सकता है और इनके सहारे पेड के तने को खोदकर नाव वनाई जा सकती है। नव-पाषाणयुग के मानव ने घिसे, पॉलिश किये हथियारो के वनाने के साथ-साथ पुराने ढग के चकमकवाले पाषाणास्त्रो

१. Gen Anth, pp 152-62

को, जो कि छाँट और चैली निकालकर बनाये जाते थे, छोडा नही। पाषाणास्त्रो के अतिरिक्त, उस समय लकड़ी और सीग के हथियार भी इस्तेमाल किये जाते थे।

५. जलवायु

पुरा-पाषाणयुग के मानव के लिए तापमान की अनुकूलता-प्रतिकूलता सबसे अधिक ध्यान देने की बात थी। तापमान गिरने से सरदी बढती, जिसके कारण शिकार के जानवर दक्षिण की ओर अधिक गरम जगहो मे चले जाते। इसलिए, शिकारी को भी दक्षिणाभिमुख यात्रा करनी पड़ती। इसके अतिरिक्त, अपने शरीर के लिए भी उसे अधिक चमडा पहनने की अवश्यकता होती। नव-पाषाणयुग का मानव अब कृषिजीवी भी था। कृषि के तापमान से भी अधिक नमी अथवा वर्षा के न्यूनाधिक होने पर ध्यान देना पड़ता। मध्यएसिया मे जहाँ मध्य-पाषाणयुग वर्षा और जल के अभाव का समय था, वहाँ नव-पाषाणयुग अपेक्षाकृत अधिक आर्द्र था। इसके कारण मानव वहाँ वर्षा के भरोसे खेती कर सकता था। अभी नहरों द्वारा सिंचाई करने का समय नही आया था। इस नमी के कारण मनुष्य के स्वास्थ्य पर बुरा असर पडता था। जहाँ यह वनस्पति के लिए अधिक लाभदायक सिद्ध होती थीं, वहाँ उसके कारण मक्खियो और मच्छरो को भी बहुत सुभीता था, जिनकी भरमार से तरह-तरह की बीमारियाँ होती थी। मृत्यु का तुलनात्मक अध्ययन भी हमे इसी परिणाम पर पहुँचाता है। भिन्न-भिन्न युगो के, भिन्न-भिन्न आयु के लोगो मे प्रतिशत मृत्यु-सख्या निम्नाकित थी[१].

युग आयु .	०—१४	१५—२०	२१—४०	४१—६०	६० से ऊपर
मध्य-पुरा-पाषाण	४०	१५	४०	५	
उपरि-पुरा-पाषाण	२४.५	९.८	५३ ९	११.८	
मध्य-पाषाण	३० ८	६ २	५८ ५	३	१ ५
नव-पाषाण	,,	,,	,,	,,	,,
प्राचीन-पित्तल (आस्ट्रिया)	७ ९	१७.२	३९ ९	२८ ६	७.३
१९वी सदी (,,)	५० ७	३ ३	१२.१	१२ ८	२१
२०वी सदी (,,)	१५ ४	२ ७	११.९	२२ ६	४७ ४

यद्यपि यह विवरण मध्यएसिया नही, मध्ययूरोप (आस्ट्रिया) का है, तथापि हम मध्यएसिया के नव-पाषाणयुग के बारे मे भी कह सकते हैं कि उसके अधिकाश मानव २१ से ४४ वर्ष की उम्र मे मर जाते थे, उसके बाद १४ वर्ष से नीचे के लडके ज्यादा मरते थे। ४० वर्ष से ऊपर जीनेवाले बहुत थोडे ही आदमी होते थे।

६. अनौ में नव-पाषाणयुग[२]

पश्चिमी मध्यएसिया के दक्षिण-पश्चिम कोण पर तुर्कमानिया सोवियत-गणराज्य की राजधानी अश्काबाद से थोड़ी दूर पश्चिम अनौ के प्राचीन ध्वंसावशेष है, जिनकी खुदाई

१. Progress and Archaeology, p 111

२. Exploration in Turkistan, vol. I, p. 16

सन् १९०३ ई० मे अमेरिकन पुरातत्त्ववेत्ता रॉफेल पम्पेली ने की थी। यह स्थान ईरान और सोवियत की सीमा पर अवस्थित कोपेतदाग-पर्वतमाला से थोडा उत्तर मे है। पम्पेली ने यहाँ ध्वसावशेषो की खुदाई के अतिरिक्त अश्काबाद के एक पाताल-कूप के भिन्न-भिन्न स्तरो की भूस्थिति का भी परिचय दिया है। इस कुएँ मे वाईस सौ फुट तक नल धँसाया गया था, तो भी चट्टान का पता नही लगा था। इक्कीस सौ फुट पर भूरे रग की चिकनी मिट्टी मिली थी। उसके ऊपर कभी पत्थर के ढोके, कभी भूरी मिट्टी, अट्ठारह सौ फुट पर वालू, सत्रह सौ फुट पर गोल-गोल पत्थर, इसी तरह आगे इन्ही चीजो को पाया गया। ६०० से ८०० फुट की गहराई मे हिमयुग का प्रभाव दिखाई पडा। इन स्तरो से पता लगा कि मध्यएसिया की जलवायु मे समय-समय परिवर्त्तन होता रहा। अनौ मे खुदाई तीन जगहो पर हुई थी, जिसमे उत्तरी कुर्गान (उत्तरी डीह) की खुदाई वर्त्तमान तल से वीस फुट नीचे तक की गई। यह कुर्गान आसपास के धरातल से वीस फुट ऊँचा है। उत्तरी कुर्गान मे नव-पाषाणयुग और अ-नव-पाषाणयुग के अवशेष मिले थे। अनौ के नव-पाषाणयुगीन लोग कच्ची ईटो के आयताकार मकानों मे रहते थे। घरो की छतें आज की तरह मिट्टी की नहीं, वल्कि फूस की होती थीं। आजकल वर्षा के अत्यन्त कम होने के कारण सारे मध्यएसिया मे मिट्टी की छते होतीं हैं। ये मिट्टी की छतें कौशाम्बी और रायवरेली से पच्छिम उराल-पर्वतमाला तक चली जातीं हैं। पूरव मे मिट्टी की छतो का स्थान फूस की झोपडियाँ या खपडैल के मकान लेते हैं। यही अवस्था प्रागैतिहासिक काल से चली आ रही है। पूरव मे मिट्टी की छतो का रिवाज नही है, उसका कारण मिट्टी का कमजोर होना नही, वल्कि वर्षा का आधिक्य है। अनौं मे फूस की झोपडियाँ यही वतलाती हैं कि छह हजार वर्ष पूर्व वहाँ आज की अपेक्षा वर्षा अधिक होती थी। तो भी वह वहुत अधिक नही होती थी, नही तो कच्ची ईटो का स्थान मिट्टी की रद्देवाली दीवारें लेती। पक्की ईटो का वनाना तभी सुकर था, जवकि आसपास मे जंगल काफी होता। करीव-करीव उसी समय से थोड़ा पीछे मोहनजोदडो मे पक्की ईटो का उपयोग होता था।

अनौ के मानव हाथ से मिट्टी के वरतन भी वनाते थे, जो पतले, किन्तु देखने मे भद्दे होते थे। अपने वरतनो पर वे भिन्न-भिन्न ज्यामितीय आकृतियाँ वनाते थे। मिट्टी की तकली पर वह ऊन कातते थे, लोढे और कुण्डी से अनाज पीसते थे। उनकी खेती गेहूँ और जौ की थी, जिसकी भूसी को मोटे वरतनो के वनाने की मिट्टी मे सान लेते थे। उनके शिकार के जन्तुओ मे सूअर, लोमडी, भेडिया, हिरन आदि थे। सीने के लिए हड्डी का सूआ इस्तेमाल करते थे। उनके हथियार छिले हुए चकमक पत्थर के होते थे। लकडी के डण्डे और पत्थर की मुण्डी की गदा उनके युद्ध के हथियार थे। तीर और भाले के फल या गोफन (ढेलवाँस) के पत्थर का भी उपयोग उन्हें मालूम नहीं था। उनके शिकार किये हुए पशु ऐसी आयु और आकार के थे, जिन्हें आसानी से मारा जा सकता। घर के भीतर मिट्टी के फर्श के नीचे वे अपने वच्चो को दफना देते थे, साधारण मुरदे को वाहर फर्श के नीचे दवाते थे। शव के साथ गुरिया, अन्य उपभोग की चीजें और खान-पान की वस्तुएँ भी दफनाते थे। शायद वच्चे देवता को प्रसन्न करने के लिए घर की फर्श के भीतर वलि-रूप मे

दबाये जाते हो। अन्दमन के आदिनिवासी भी बच्चो को घर के भीतर और बडो को बाहर दफनाते हैं। दाँत न निकले बच्चे रोएँ मे भी दफनाये जाते थे, जबकि सयानो को आग मे जलाना होता था। भारत के हिन्दुओं मे यह प्रथा आज भी देखी जाती है। सबसे नीचे दस फुट मोटाईवाले प्राचीनतम स्तर मे पालतू पशुओ का पता नही लगता, बल्कि हाँ, शिकार किये हुए जगली पशुओ की हड्डियाँ मिलती हैं। पम्पेली ने नव-पाषाणयुगीन स्तर मे निम्नाकित चीजो का भाव और अभाव उल्लिखित किया है[1]।

भाव	अभाव
हस्तनिर्मित रेखा-रजित मृत्पात्र	पॉलिश किया गया पात्र या गुरिया
गेहूँ-जौ की खेती	पक्की ईटें
कच्ची ईंट के आयताकार गृह	बरतन की मुठिया
हड्डी का सूआ	उत्कीर्ण पात्र
चकमक के सीधी धारवाले हथियार	सोना-रूपा
मिट्टी की तकली	राँगा
ताँबे-सीसे का हलका-सा ज्ञान	लोहा
पीसने का पत्थर	धातु के फल
फीरोजे की मणियाँ	पशु, मनुष्य या वृक्ष के चित्र
दीर्घश्रृंग गाय, सूअर, घोडे	कुत्ता
घर मे सिकुडे शिशु की समाधि	ऊँट
गौ, भेड, हिरन, बारहसिंगा, घोडा, भेडिया और सूअर का शिकार	बकरी

इस स्तर मे जिन चीजो का अभाव था, उनमे कितनी ही ऊपर के स्तरो मे मिली।

§२. अ-नव-पाषाणयुग[2] (३००० ई० पू०)

जैसा कि नाम से प्रकट है, यह एक अवान्तर युग था, जबकि पाषाण-युग का अन्त हुआ, किन्तु धातुयुग का आरम्भ नही हो पाया। अनौ की खुदाई मे हम देख आये हैं कि इससे पहले के युग मे भी ताँबे-सीसे का हलका-सा परिचय था, किन्तु असली धातुयुग के आरम्भ होने के लिए आवश्यक है कि आदमी धून (धातुपाषाण) को गलाकर धातु बना सके। यह भी याद रखना चाहिए कि पाषाण-युग का अन्त दुनिया के सभी देशो मे एक समय नही हुआ। जहाँ मेसोपोतामिया मे पाषाण-युग का अन्त सन् ३५०० ई० पू० मे होता है, वहाँ डेनमार्क मे १६०० ई० पू० मे और न्यूजीलैण्ड मे उसका अन्त सन् १८०० ई० मे ही जाकर होता है, जबकि वहाँ के आदिम निवासियो का यूरोपियन जाति से सम्पर्क होता है। अनौ मे इस स्तर को पम्पेली ने द्वितीय सस्कृति कहा है, जो कि ऊपर के तल से पच्चीस फुट नीचे है। पम्पेली ने इसका काल ६०००–५००० ई० पू० माना है, लेकिन

१ Exploration in Turkistan, p 60

२. Le' Humanite Prihistorique, pp 590–95

अधिकाश विद्वानो के मत से यह समय ४००० ई० पू० से अधिक पुराना नही हो सकता। उस काल मे निम्नाकित वस्तुओ का भाव और अभाव देखा जाता है

भाव	अभाव
मृत्पात्र पूर्ववत्	कुम्हार का चक्का
तन्दूर-पात्र	पक्की ईंटें
घर पूर्ववत्	बरतन मुठिया
चकमक का हँसिया, सूआ, गदा और गोफन	उत्कीर्ण पात्र
मिट्टी की तकली	सोना-रूपा
ताँबे और सीसे का थोडा-सा ज्ञान	राँगा-पीतल
पीसने का पत्थर	लोहा
छोटे-बडे सीगवाली गायें, सूअर, घोडे,	धातु के फल
बकरी, ऊँट, कुत्ता और मुण्डिया भेड	पशु और मनुष्य के चित्र
घर मे शिशु-समाधि	—

अ-नव-पाषाणयुग मे खेती के अतिरिक्त पशुओ को पालतू बनाने का भी प्रयास देखा जाता है, यद्यपि हथियारो मे अभी कोई परिवर्त्तन नही हुआ था। हत्थे के बिना मिट्टी के बरतन अब भी बनते थे, लेकिन उनको लाल और दूसरे रग की रेखाओ से अलकृत किया जाता था। ताँबे के छुरे का होना सन्दिग्ध-सा मालूम होता है। कुत्ता, बकरी, ऊँट और बिना सीग की भेड को इस समय पालतू बना लिया गया था। अनौ मे इससे पहले के स्तर मे भी फीरोजे की मणियाँ मिली हैं। तरह-तरह के आभूषणो से शरीर को सजाना और पहले से चला आता था। फीरोजा की खानें अनौ से थोडा ही दक्खिन ईरान के भीतर मिलती हैं। ऊँट शायद पूरब से लाकर पालतू किये गये।

§३. मानव-जाति

मुस्तेर-मानव आज के सपियन-मानव से बहुत भेद रखता था। उसको आज की किसी जाति से मिलाना सम्भव नही है। यद्यपि प्रकृति के और स्थानो की तरह प्राणियो मे भी विकास सर्प की गति से ही नहीं होता, बल्कि कभी-कभी मेढक-कुदान की तरह एकाएक जाति-परिवर्त्तन भी हो जाता है। इस नियम के अनुसार हजारो वर्षों मे एक मानव-जाति से विलक्षण शरीर-लक्षणवाली दूसरी मानव-जाति पैदा हो सकती है। इस प्रकार, तेशिकताश-मानव ३०-३५ हजार वर्ष बाद मध्य-पाषाणयुग के मानव के रूप मे परिणत हो सकता है, किन्तु तो भी इसका कोई ठोस प्रमाण नही मिलता। मध्य-पाषाणयुग के अन्त मे जो मानव अपने पालतू कुत्तो के साथ मध्यएसिया से पहले-पहल यूरोप की ओर गया, वह हिन्दू-यूरोपीय जातियों का पूर्वज था। इसका यह अर्थ नहीं समझना चाहिए कि हिन्दू-यूरोपीय जातियों के निर्माण में किसी और रक्त का सम्मिश्रण नहीं हुआ है। अनौ मे मिली नव-पाषाणयुग की खोपडियाँ दीर्घकपाल थी। विशेषज्ञ बतलाते हैं कि इन खोपडियों मे वे ही सारे लक्षण मिलते हैं, जिन्हें कि भूमध्यीय जाति की विशेषता माना जाता है। उनमे मगोलायित खोपडी से कोई

समानता नही है। ये खोपड़ियाँ बतलाती है : 'भूमध्यीय मानव-जाति की एक शाखा मध्य-एसिया के भीतर घुस गई थी।'

मध्यएसिया के भिन्न-भिन्न भागो मे जिन जातियो के अवशेष मिले हैं, उनपर एक विहगम दृष्टि डालने से मालूम होगा कि अन्तिम हिमयुग के बीच तथा उसके कई सहस्राब्दियो पीछे तक मुस्तेर (नेयण्डर्थल)-मानव यहाँ रहता था। जीवन-निर्वाह का जबतक स्थायी साधन नही प्राप्त हो और जबतक प्रकृति और प्राणिशत्रुओ से अपनी रक्षा करने मे सफल नही हो जाय, तबतक प्रजनन की अपार क्षमता रहने पर भी मानव-वंश तेजी से नही बढ़ सकता। अपने घातक शत्रुओ पर कुछ हद तक विजय करके ही मानव फल-फूल सकता है। गुहाओ मे रहनेवाला मुस्तेर-मानव मध्यएसिया मे बहुत ही कम सख्या मे रहा होगा, यद्यपि इसका यह अर्थ नही कि उसके अवशेष अभी जिन दो-चार जगहो मे मिले हैं, उन्हे छोड और स्थानो मे वे नही मिल सकते। मध्य-पाषाणयुगीन मानव भी बहुसंख्य नही हो पाया होगा, तो भी मुस्तेर से उसकी सख्या अवश्य बडी होगी। मध्य-पाषाणयुग का मानव आधुनिक सपियन-मानववश से सम्बन्ध रखता था और वही शायद हिन्दू-यूरोपीय जातियो का पूर्वज था। यह भी बतलाया जा चुका है कि इसी मानव ने नव-पाषाणयुगीन संस्कृति को अपने साथ ले जाकर यूरोप मे इसकी नीव डाली। यूरोप मे जो खोजें हुई है, उनसे यह बात मान ली गई है कि मध्यएसिया से आया यही मानव यूरोप की पुरानी जातियो को अपनी सस्कृति और शस्त्र से पराजित करने मे सफल हुआ, जिसके परिणामस्वरूप पुराने निवासियो मे कितने ही या तो मर-हर गये, या अपने पुराने निवासस्थान को छोडकर एस्किमो लोगों के रूप मे दूर किनारो पर भाग गये, अथवा विजेताओ मे घुल-मिल गये। मध्यएसिया मे मध्य-पाषाणयुगीन मानवो (हिन्दू-यूरोपीय जातियो के पूर्वजो) के कुछ भाग रह गये या नही ? अभी तक जो अनुसन्धान हुआ है, उनसे यही पता लगता है कि अगले नव-पाषाणयुग में अनौ या ख्वारेज्म के नव-पाषाणयुगीन ध्वसावशेषो से जिस मानव का पता लगता है, वह भूमध्यीय जाति का था। साथ ही, यह भी स्वीकार किया जाता है कि मध्यएसिया से जाने-वाले हिन्दू-यूरोपीय जाति के पूर्वज यूरोप मे जाकर नव-पाषाणयुगीन संस्कृति का प्रचार करते हैं, अर्थात् नव-पाषाणास्त्रो के साथ जौ-गेहूँ की खेती और गाय-भेड के पालन करने का काम इन्ही के द्वारा वहाँ आरम्भ होता है। इससे सिद्ध होता है कि नव पाषाणयुग मे पुरातन हिन्दू-यूरोपीय मानव का सम्बन्ध मध्यएसिया से था। भूमध्यीय जाति का ख्वारेज्म तक घुस जाना क्या यह नही बतलाता कि पुरातन हिन्दू-यूरोपीय लोग केवल जलवायु की प्रतिकूलता के कारण ही पश्चिम की ओर भागने के लिए मजबूर नही हुए, बल्कि भूमध्यीय जाति के ये मानव-शत्रु भी उनके पीछे पडे हुए थे ?

मुस्तेर, प्राग्-हिन्दू-यूरोपीय और दीर्घकपाल भूमध्यीय इन्ही तीन जातियो का इस समय तक मध्यएसिया मे होना सिद्ध होता है। इन तीनो का सम्बन्ध किस तरह का रहा, यह अभी अन्धकार मे है। नव-पाषाणयुग से भी पहले से मध्यएसिया की भूमि की अपनी विशेषता चली आती है, जिसके कारण उसके गर्भ से ऐसे प्रकाश के निकलने की सम्भावना है, जो मानव के भूले हुए इतिहास को अँधेरे से उजाले में ला दें। अतीत काल मे प्यासी भूमि,

किजिलकुम और काराकुम के विशाल रेगिस्तान मानव के लिए सबसे बडे शत्रु रहे। इन रेगिस्तानो के भीतर भूलकर हजारो ने अपने प्राण गँवाये। इतना ही नही, रेगिस्तान हमेशा मानव की भूमि पर आक्रमण करता रहा, साल-साल वह खेती की भूमि ही नही, गाँव और नगरो को उदरसात् करता रहा। आज केवल ख्वारेज्म के रेगिस्तानो मे ही २०० नगरो और बस्तियो के ध्वसावशेषो का पता लगा है। सोवियत-इतिहासज्ञ और पुरातत्त्ववेत्ता इन ध्वसाविशेषो के महत्त्व को समझते हैं। वे जानते हैं कि जिस तरह बालू ने अपनी ध्वसलीला दिखाने मे कोई कसर उठा नही रखी, उसी तरह उसने बहुत-सी अनमोल ऐतिहासिक सामग्री को अपने नीचे सुरक्षित रखा है। सोवियत-सरकार दूसरे सास्कृतिक कार्यों की तरह पुरातत्त्व के अनुसन्धानो पर भी बडी उदारता से पैसे खर्च करती है। पिछले १४-१५ वर्षों से ख्वारेज्म के रेगिस्तान मे यह अनुसन्धान जारी है। सन् १९४९ ई० मे इसके लिए हवाई जहाजो ने दस हजार मीलो की उडान की। मोटरो और लारियो का बडे व्यापक रूप मे उपयोग किया गया। उस साल सात दर्जन के करीब चर्मपत्र पर लिखे अभिलेख इस मरुभूमि ने दिये। यह अभिलेख उस भाषा मे लिखे हुए है, जो लुप्त हो चुके हैं। १७०० वर्ष पुरानी भाषा का नमूना प्राप्त करना पुरातत्त्ववेत्ताओ के लिए कम प्रसन्नता की बात नही है। पुरातात्त्विक अभियानो के अतिरिक्त रेगिस्तान की भूमि मे करोडो एकड जमीन को खेत और बगीचे के रूप मे परिणत करने के लिए वक्षु नदी को कॉस्पियन सागर से मिलानेवाली महानहर की खुदाई हो रही है। इससे जहाँ निर्जन मरुभूमि पर मानव-बस्तियाँ बसेंगी, वहाँ पुराने ध्वसावशेषो के भीतर से मानव-इतिहास के रहस्य को ढूँढ निकालना आसान होगा।

अ-नव-पाषाणयुग के बाद हम धातुयुग मे प्रवेश करते है। कृषि और धातुशिल्प मिलकर ग्रामो और नगरो को स्थायित्व प्रदान करते है, किन्तु मध्यएसिया मे घुमन्तू जीवन का सर्वथा उच्छेद हाल तक नहीं हो पाया था। नव-पाषाणयुग मे भी घुमन्तू और स्थायी निवासियो का सघर्ष रहा, जो सघर्ष सोवियत-क्रान्ति के बाद ही खतम हुआ। बीच का सारा मध्यएसिया का इतिहास घुमन्तुओ और अ-घुमन्तुओ के सघर्ष का इतिहास है। अ-घुमन्तू दासता और अर्धदासता से होते सामन्तवाद तक पहुँच गये थे, जबकि घुमन्तू जातियाँ बहुत-कुछ जनयुग अथवा जनसामन्त-युग तक ही अपने जीवन को सीमित रखती रही।

स्रोतग्रन्थ :

१ General Anthropology (Boas)
२ Exploration in Turkistan (R Pumpelly), vols 1, 11
३ Progress and Archaeology (V G Childe)
४ Le' Humanite Prehistorique (J de Morgan)
५ Our Early Ancestors (M C Burkitt)
६ Geology in the Life of Man (Duncan Leith)
७ The Evolution of Man (G Elliot Smith, London, 1927)
८ The Skeletan Remain of Early Man (G. E Smith)
९ Antiquity of Man, 2 vols (Arthur Keith, 1925)
१० New Discovery relating to the Antiquity of Man (A. Keith, 1931)

भाग २

धातुयुग (३०००–७०० ई० पू०)

अध्याय १

ताम्रयुग (२५००-१५०० ई० पू०)

१. युग की विशेषता

पाषाण-युग मानव का प्रथम युग है, जो भिन्न-भिन्न विद्वानो के मतानुसार तीन लाख या एक लाख वर्ष तक रहा। ताम्रयुग के साथ मानव धातुयुग मे प्रवेश करता है, जो आज से पहले ७००० से ४५०० वर्ष तक भिन्न-भिन्न देशो मे चला आया। सभी देशो मे ताम्रयुग एक साथ नही शुरू हुआ। मिस्र और मेसोपोतामिया मे उसका आरम्भ सबसे पहले (३५०० ई० पू०) हुआ। हो सकता है, भूमध्यीय जाति के मध्यएसिया मे घुस आने के समय हिन्दू-यूरोपीय-पूर्वजो ने धातु की कला सीखी। किसी देश मे ताम्रयुग और पित्तल-युग मे अन्तर रहा है, जैसा कि मध्यएसिया मे २५०० से १५०० ई० पू० तक ताम्रयुग रहा और १५०० से ७०० ई० पू० तक पित्तल-युग, परन्तु कई देशो मे दोनो का अन्तर इतना कम रहा कि पाषाण-युग से सीधे पित्तल-युग मे मानव का प्रवेश माना जा सकता है।[1] पाषाण-युग के अन्त मे कही-कही प्राकृतिक रूप मे ताँबे के कठोर डले (ओहायो-भाँति) आदमी को मिल जाते थे, जिन्हे विना आग मे गरम किये वह ठोक-पीटकर तेज वना लेता था, किन्तु ऐसे वनाये हुए हथियारो के कारण इसे हम ताम्रयुग नही मानते। ताम्रयुग तव शुरू होता है, जव आदमी ताँबे की धून (धातु-पाषाण) को लेकर उसे कोयले की आग मे पिघले द्रव्य को अपने भिन्न-भिन्न उपयोग के हथियारो के रूप मे ढालने लगा। यह विद्या आदमी को वहुत पीछे मालूम हुई। प्राचीन मानव धधकते लकडी के कोयले को एक गढे की पेंदी मे रख देता, और उसके ऊपर एक तह धून और एक तह कोयले को रखकर ऊपर तक भर देता। फिर फूँकने की फोफियाँ लगाकर कई आदमी हवा देने लगते, जैसा कि आज भी कही-कही सोनार करते देखे जाते हैं। पीछे आदमी को मालूम हुआ कि मुँह से फूँकने की जगह चमडे की भाथी से हवा देना ज्यादा अच्छा है। इस प्रक्रिया से वह धून से धातु अलग करने लगा। उन्नीसवी शती के मध्य तक कुमाऊँ-गढवाल और मध्यप्रदेश मे आज भी कही-कही जनजातियो ने धून से धातु निकालने की यही विधि अपना रखी है। भाथी मे अवश्य इन लोगो ने कुछ विकास किया, और कही-कही आदमी हाथ की जगह पैर से चलने-वाली वडी-वडी भाथियो का इस्तेमाल करने लगे।[2]

---

१ किसी-किसी का कहना है कि भारत मे नव-पाषाण के वाद सीधे लोहयुग आया। (Gen Anth , pp 199, 201) पर, ताँबे के हथियार मोहनजोदडो और ब्रह्मादुरगन (हरद्वार) मे मिले हैं।

२ Our Early Ancestors, pp 185–94

२. ताम्र-उद्योग

ताँबा बनाना पत्थर, हड्डी या लकडी को छीलकर हथियार बनाने जैसा नही था। ताँबे की धून मे ओषिद, सलफिद और सिलिकेत (कार्वोनेत) मिला रहता है। उनसे बहुत तेज तापमान मे पिघलाकर ही ताँबे को अलग किया जा सकता है। ताँबा पिघलाने के लिए भारी गरमी की आवश्यकता होती है। १०८३° सेण्टीग्रेट के तापमान मे ताँबा पिघलकर पानी हो जाता है और अपने अन्य साथियो की अपेक्षा अधिक भारी होने के कारण उसका पानी नीचे चला जाता है, जिसे नीचे के छेद से अलग करते हुए भिन्न-भिन्न प्रकार के साँचो मे ढाल लिया जाता है। ताँबे के इस प्रकार के निर्माण के साथ-साथ मानव पाषाण-युग से धातुयुग मे ही नही आया, वलिक वह अब वैज्ञानिक-युग का मानव बन गया। ताँबा बनाना रसायनशास्त्र का बाकायदा प्रयोग है। इसके साथ मानव के शिल्प मे विशेष परिवर्त्तन हुआ। सस्कृत और पालि के पुराने ग्रन्थो मे लौह का अर्थ ताँबा होता है। सिंहलद्वीप (लका) मे अशोक के पुत्र भिक्षु महेन्द्र के लिए जो महाविहार बनाया गया था, उसमे एक निवास का लोह-महाप्रासाद (लोहे का महल) नाम इसलिए पडा था कि उसकी छतें ताँवें की थीं। इससे पता लगता है कि आज से २१-२२ सौ वर्ष पहले भी ताँबे के लिए लौह शब्द प्रयुक्त होता था। आजकल लोहार लोहे के काम करनेवाले को कहा जाता है। पहाड मे ताँबे के बरतन बनानेवालो को तमोटा या टमटा कहते हैं। नीचे मैदान मे ताम्रकार नाम की कोई जाति नही मिलती। उसके स्थान पर वहाँ कसेरे हैं, जो काँसे-पीतल के बरतनो को बनाते हैं। ताम्रयुग मे लोहार या लौहकार जैसे शब्द का प्रयोग ताम्रकार के लिए होता था।[१]

इस प्राचीनतम धातु के लिए भारतीय आर्यों की भाषा मे अयस् शब्द का भी प्रयोग होता था, जो कि पीछे केवल लोहे के लिए बरता जाने लगा। फिर, ताँबे और लोहे मे भेद करने के लिए ताँबे को लोह-अयस् और ताम्र-अयस् तथा लोहे के लिए कृष्णायस् (काला अयस्) शब्द का प्रयोग होने लगा। भारत मे आने के कई शताब्दियो बाद हिन्दी-आर्य असली लोहे से परिचित हुए।

ताम्र के आविष्कार के साथ-साथ हम एक नये उद्योग को स्वतन्त्र रूप से स्थापित होते देखते हैं। पत्थर, लकडी या हड्डी के हथियार के लिए कच्चे माल को विशेष प्रयत्न से तैयार करने की आवश्यकता नही होती, उनको छील-घिसकर किसी हथियार का रूप देना, उस युग का हर एक आदमी थोडा-बहुत जानता था। हाँ, अधिक कुशल और अभ्यस्त शिल्पी की बनाई चीजें अधिक सुन्दर और उपयोगी होती थी। इसके कारण भले ही लोग उसकी खुशामद करते रहे हो। लेकिन, वह ऐसी स्थिति मे नहीं था कि शिकार और पीछे कृषि और पशुपालन की जीविका को छोडकर पत्थर छीलने का ही व्यवसाय करने लगना। यह भी स्मरण रखने की बात है कि जिस तक्ष (छेदने, छीलने)-धातु का प्रयोग

---

१ ४००० और ३००० ई० पू० के बीच नियरएसिया मे ताँबा पिघलाकर ढालने का आविष्कार हुआ। (Progress and Archaeology, p 32)

संस्कृत मे केवल लकडी के छीलने-छेदने के लिए ही होता है, वह रूसी-भाषा मे केवल पत्थर छीलने-छेदने के लिए इस्तेमाल होता है। आरम्भिक ताम्रयुग मे हिन्दू-यूरोपीय जाति की वह शाखा पूर्वी-यूरोप से मध्यएसिया मे लौट आई थी, जिसके वंशज आज आर्य और शक के नाम से प्रसिद्ध हुए, यह सन्दिग्ध-सा है। किन्तु, ताम्रयुग के मध्य या पित्तल-युग के आरम्भ मे (२००० ई० पू० के करीब) वह अवश्य वहाँ पहुँच गये थे।

३. व्यापार[१]

ताम्रयुग के साथ लोहारो का स्वतन्त्र पेशा स्थापित हुआ। गाँवो मे अलग लोहार-शाला कायम हुई और कुछ आदमी नियमित रूप से ताम्र-उत्पादन के व्यवसाय मे लग गये। इसके साथ ही ताँबे की माँग बहुत बढ गई। पत्थर के हथियारो के सामने ताँबे के हथियार उतने ही शक्तिशाली थे, जितने तलवार के सामने बारूद से चलनेवाले हथियार। ताँबे के हथियार केवल युद्ध और शिकार के लिए ही उपयोगी नही थे, बल्कि कृषि मे भी उनका अधिकाधिक उपयोग होने लगा। जगलो और झाडियो को साफ करके खेत बनाना पाषाण-युग मे मुश्किल काम था, लेकिन ताँबे के कुल्हाडे उसको बहुत आसानी से कर सकते थे। यदि मनुष्य को आवश्यकता होती, तो जगलो और झाडियो के लिए उस समय खैरियत नही थी। हल के फाल और हँसिये मे भी ताँबे का उपयोग अधिक होने लगा। इतनी माँग होने के कारण अगर ताँबे ने व्यापार का स्थायी रास्ता निकाला, तो इसमे आश्चर्य करने की आवश्यकता नहीं। ताँबा उस वक्त की बहुत दुर्लभ चीज थी, और उसके बनाने की विद्या तथा आवश्यक कच्चे माल सब जगह सुलभ नही थे। ऐसे महँगे उद्योग का सब जगह जल्दी फैलना आसान काम नहीं था। इसीलिए, दुनिया के भिन्न-भिन्न भागो मे ताम्रयुग के फैलने मे २५०० ई० पू० से १८०० ई० पू० तक का समय लगा। इससे पहले खाने-पीने की चीजो का आदान-प्रदान भले ही होता रहा हो, किन्तु वह बाकायदा व्यापार नही था। शिकारी-अवस्था मे जहाँ आदमी को कभी कभी शिकार के न प्राप्त होने के कारण भूखे रहना पडता, वहाँ शिकार मिल जाने पर मास को खतम करने की जल्दी भी पड़ जाती थी, जिसमे कि वह सडने न पाये। कनौर (किन्नर) तथा कितने ही दूसरे प्रदेशो मे आज भी यह प्रथा देखी जाती है : शिकार को मार लेने पर शिकारी जोर से चिल्लाकर पुकारता—'है कोई यहाँ, तो आकर अपना हिस्सा ले।' आज यद्यपि शिकारी अपनी पलीते-वाली बन्दूक का इस्तेमाल करते हुए वैयक्तिक रूप से शिकार करता है, तथापि उसके पुराने संस्कार उसे सामूहिक शिकार के युग का स्मरण दिलाते हैं, इसलिए वह आसपास मे खडे किसी आदमी को भी उसमें भागीदार बनाना चाहता है। शिकारी समझता था कि यदि उसका शिकार बडा जानवर है, तो वह और उसका परिवार अकेले जल्दी मास को खा नही सकता, वह सड जायगा। ऐसे मास के साथ क्रय-विक्रय क्या, अदला-बदली करने का भी कहाँ सुभीता हो सकता था ? इसीलिए, व्यापार करने की जगह पर, हमारी पुरानी विवाह आदि प्रथाओ के अवसरो पर न्यौता के रूप मे चीजो के भेजने जैसा रिवाज था, जिससे यही

१ *Progress and Archaeology*, p 59

अर्थ था कि इस वक्त आपके कार्य-प्रयोजन मे हम सहायता करते हैं, हमारे कार्य-प्रयोजन मे, यदि क्षमता हो, तो आप भी इसी तरह सहायता करें।

कृषि-युग और पशुपालन के साथ वैयक्तिक सम्पत्ति की स्थापना हुई। सम्पत्ति भी रोज-रोज के खाने से अधिक जमा होने लगी, इसीलिए उधार देने या अदला-वदली करने का रिवाज चला। लेकिन, अदला-वदली से, विशेषकर जवकि उतनी ही चीजे मिलती हो, वाकायदा व्यापार-प्रथा स्थापित नही हो सकती और न सारे समय व्यापार करनेवाला वणिग्वर्ग स्थापित हो सकता था। ताम्रयुग ने व्यापार के लिए सवसे अधिक सुभीता प्रदान किया, क्योंकि ताँवे के हथियार केवल विलास की चीज नही थे। वह युद्ध और जीविका, दोनो के सवसे उपयोगी साधन थे, उनकी हर जगह माँग थी और माँग के अनुसार ही उनका मूल्य भी अधिक था। अव अनाज, मास या पशुओ का मूल्याकन ताँवे के टुकडो या हथियारों में किया जाने लगा और वरावर के भार के खाद्य को ढोने की जगह छोटे-से ताँवे के टुकडे का विनिमय कर वहुत-सी खाद्य-सामग्री लाई जा सकती थी। ताम्रयुग ने देशो की छोटी-छोटी सीमाओ को व्यापार के लिए तोड़ दिया। व्यापार के लिए अव यातायात का सुभीता ढूँढा जाने लगा। मानव-मस्तिष्क सोचने लगा कि कैसे थोडे समय मे अधिक-से-अधिक चीजों को दूर-से-दूर जगहो मे पहुँचाया जा सकता है। इसी का परिणाम हुआ, नदियो और समुद्रो मे नौका-सचालन और धरती पर गाडी या रथ का सचार।

४. हथियार

ताँवे के हथियारो के वनने के पहले पाषाण-युग मे भी वहुत तरह के पत्थर, हड्डी या लकडी के हथियार वनने लगे थे। काटने के लिए जहाँ कुल्हाडे वनते थे, वहाँ मास काटने या छीलने आदि के लिए पत्थर की छुरियाँ भी वनती थी। तीर और भाले के फल भी वहुत वना करते थे। ताँवे के हाथ मे आने पर आदमी पाषाण-युग के हथियारो की नकल करने लगा। ताँवे के कुठारो की शक्ल वही थी, जो कि पत्थर के कुल्हाडो की। हाँ, समय वीतने के साथ उसमे और कितने ही भेद शुरू किये गये। भाले और तीर के फल भी पाषाण-युग की नकल पर ही वने। पत्थर का हथियार छुरे या कटारी वनाने के लिए नमूना हो सकता था, लेकिन ताँवे के हथियार को काफी लम्वा वनाया जा सकता था, इसलिए इसी युग मे पहले-पहल लम्वी-सीधी तलवारें वनने लगी। पाषाण-युग के मानव को अस्तुरे की आवश्यकता नहीं थी। उसको अपनी दाढी-मूँछ वढाने मे कोई शौक का खयाल नहीं था, वल्कि वह उसे सहजात समझकर वुरा नही समझता था। लेकिन, ताम्रयुग मे आकर अव इच्छानुसार दाढी-मूँछ वनाने के लिए अस्तुरा भी आ उपस्थित हुआ। हँसिया फरसा, दोहरा फरसा, वसूना आदि वहुत तरह के हथियार वनने लगे।

मानव को आदिकाल से ही शरीर को सजाने का शौक था। वह पहले फूलो-पत्तो, दाँतो, कौडियो, हड्डियों आदि से शृगार किया करता था। नव-पाषाणयुग मे मध्यएसिया का मानव फीरोजा और दूसरे कितने ही तरह के रंग-विरगे पत्थरो के आभूषण वनाता था। ताम्रयुग मे अव ताँवे के वहुत तरह के आभूषण वनने लगे। लौहयुग मे लोहे के आभूषण

उतने नही बने, जितने कि ताम्रयुग मे ताँबे और पित्तल-युग मे काँसे-पीतल के। इसमे एक कारण यह भी था कि ताँबा लोहे की तरह मोर्चा खानेवाली धातु नही थी। ताम्रयुग के बहुत तरह के ककण, कुडल, हँसली आदि आभूषण मिले हैं।

५. राजव्यवस्था

लाखो वर्षों से मनुष्य प्रकृति का स्वतन्त्र पुत्र था। उसका सामाजिक सगठन पहले परिवार के रूप मे हुआ। परिवार जहाँ अपने व्यक्तियो के आहार एकत्रित करने के लिए मिलकर प्रयत्न करता रहा, वहाँ उनके झगडो को भी शान्त करता था, साथ ही वाहर से आक्रमण होने पर सारे नर-नारी अपनी रक्षा के लिए लडने जाते थे। उसी युग मे मानव मातृसत्ता के आदिम साम्यवाद से निकलकर जनयुग मे पहुँचा, जबकि सामाजिक सगठन कई परिवारो से मिलकर बने जन के रूप मे हुआ। नव-पाषाणयुग मे कृषि और पशुपालन ने मातृसत्ता हटाकर पुरुषसत्ता स्थापित करते हुए जन के प्रधान नेता महापितर की सृष्टि की। यद्यपि वह आगे आनेवाले राजा का अकुर था, तथापि वह अभी उनसे ऊपर नही समझा जाता था, और उसकी प्रतिष्ठा इसीलिए अधिक थी कि वह योग्य सैनिक, नेता और जन के भीतर शान्ति रखनेवाला योग्य पच था। ताम्रयुग मे अब महत्त्वाकाक्षी व्यक्तियो को आगे बढकर सर्वेसर्वा बनने का अच्छा मौका मिला। कृषि और पशुपालन द्वारा कुछ व्यक्तियो के पास अधिक सम्पत्ति जमा होने लगी। इन्ही व्यक्तियो ने आरम्भिक जनयुग के दासताहीन समाज मे दासता का आरम्भ किया। पहले यदि जनो मे युद्ध होता, तो वह बहुत क्रूर होता था (क्रूरता तो आज भी पूँजीवादी युद्ध की एक विशेषता है, कोरिया मे सैनिको से अधिक गाँव के निरीह नर-नारी, बच्चे-बूढे अमेरिकन बमो के शिकार हो रहे हैं)। आदिम जनो के युद्ध मे हारे हुए जन को या तो नि शेष नष्ट हो जाना पडता, या अपनी शिकार-भूमि को छोड बचे-खुचे आदमियो को लेकर दूर भाग जाना पडता था। उस वक्त पराजित को दास बनाने की प्रथा नही थी, बहुत हुआ, तो उनकी कितनी ही स्त्रियो को पकडकर अपनी स्त्री बना लिया। मातृसत्ता-युग मे विवाह की प्रथा नही थी, इसलिए पिता का पता लगना आसान नही था, पर माता को पहचानने मे कोई कठिनाई नही थी। इससे भी माता का नाम और शासन चल पडा, यद्यपि शरीर मे उस वक्त की स्त्री पुरुष से अधिक बलवान् नही होती थी। आदिम जनयुग मे भी विवाह की प्रथा यही तक पहुँच सकी थी कि पुरुषो का एक झुण्ड पति माना जाय और स्त्रियो का एक झुण्ड पत्नी। कृषि और पशुपालन के साथ सम्पत्ति का उत्पादन बढ चला। अधिक हाथो के होने पर अधिक काम तथा उससे अधिक सम्पत्ति के उत्पादन का रास्ता निकल आया था, इसलिए वैयक्तिक सम्पत्ति के उत्पादन और स्वामित्व के बल पर जहाँ पुरुष समाज का नेता बन गया, वहाँ इस पितृसत्ता-युग के युद्धो मे पकडे गये शत्रुओ को मारने की जगह दास बनाकर जीवित रहने का अधिकार दिया गया। युद्ध की पहले की क्रूरता मे इसके द्वारा कुछ कमी हुई, इसमे सन्देह नही। दासो का श्रम अधिक धन उत्पादन करने लगा।

ताम्रयुग मे दासता-प्रथा ज्यादा बढ चली—दासो की संख्या अधिक बढने लगी; क्योकि खेती और दूसरे व्यवसायो मे उनके श्रम की बडी माँग थी। दास वही लोग रख

सकते थे, जिनके पास काफी सम्पत्ति थी, जिनके पास काफी काम था। युद्ध रोज-रोज नहीं हुआ करता कि दास बिना मूल्य के मिलते रहें। इसलिए, फुसला-बहका या डरा-धमकाकर और प्रलोभन देकर दास-दासी बनाये जाने लगे। दासो के श्रम ने धनिको के हाथ मे और भी सम्पत्ति एकत्रित कर दी। वे धन के बल पर और भी लोगो को हाथ मे करने लगे। इस प्रकार, ताम्रयुग के साथ एक और बडी सामाजिक क्रान्ति यह हुई कि जनयुग के स्वतन्त्र मानव-समाज के स्थान पर सामन्त-युग की घोर विषमता का समाज स्थापित हुआ। तांबे के हथियार, उस समय ऐसे ही महँगे थे, जैसे कि आजकल के लडाई के बारूदी हथियार। जहाँ सामन्त अपनी सम्पत्ति से महँगे हथियारो को खरीद या बनवाकर, उनके चलानेवाले आदमियो को भाडे पर रखकर शक्तिशाली हो सकता था, वहाँ साधारण आदमी इसकी क्षमता नहीं रखता था। ताम्रयुग के सामन्तो के सामने उनके पिछडे हुए स्वच्छन्द जन (कबीले) टिक नहीं सकते थे, क्योंकि उनके हथियार निकम्मे थे, चाहे लडने मे वह अधिक वीर थे। शस्त्रबल के अतिरिक्त सख्याबल भी सामन्तो के पक्ष मे था, क्योंकि उनके पास सम्पत्ति-बल अधिक था।

ताम्रयुग ने व्यापार के लिए छोटी-छोटी जन-सीमाओ को तोड फेंका और अपने क्षेत्र को व्यापक बनाया। मिस्र कहाँ, मेसोपोतामिया कहाँ, सिन्धु-उपत्यका कहाँ, अनौ और ख्वारेज्म कहाँ? आजकल नक्शे मे देखने से भले ही वह नजदीक-नजदीक मालूम हो, और विमान द्वारा पहुँचने मे भी दूर न मालूम होते हों, लेकिन आज से साढे चार हजार वर्ष पहले वे दुनिया के छोर पर अवस्थित थे। लेकिन, ताम्रयुग मे हम एक जगह की बनी हुई चीजो को समुद्रों, पहाडो और रेगिस्तानो को पारकर दूसरी जगह पहुँचते देखते हैं। व्यापारिक एकता की तरह देशो के एकीकरण मे भी इस युग ने बडा काम किया। अपने ताम्र के हथियारो के बल पर सामन्त दूसरो को अपने अधीन करने, जन-सीमाओ को मिटाकर राज्यो और महाराज्यों की स्थापना करने मे सफल हुए। ताम्रयुग ने मनुष्य को बतला दिया कि अब छोटे-छोटे जन अपनी रक्षा नहीं कर सकते। मध्यएसिया का दक्षिणापथ इस समय नव-पाषाणयुग से ताम्रयुग मे आकर ग्राम-नगरो मे बसे स्थायी निवासियो का देश था, किन्तु इसका उत्तरापथ वर्तमान (कजाकस्तान) अब भी पूर्णतया घुमन्तुओं की विचरण-भूमि था। जैसे पिछली शताब्दियो मे हम उत्तरापथिक घुमन्तुओ का दक्षिणापथिक निवासियो के साथ बराबर संघर्ष देखेंगे, यही अवस्था ताम्रयुग मे भी थी। उत्तर के घुमन्तू जन (कबीले) अपने सरदारो के नेतृत्व मे दक्षिण के समृद्ध नगरो और ग्रामो को लूटने के लिए आते, और पीछे उनमे से कितने ही यहाँ बसकर शासन करते और जातियो के सम्मिश्रण एवं संस्कृतियो के आदान-प्रदान का काम करते थे।

६. अनौ मे

ऐतिहासिक काल मे पश्चिमी मध्यएसिया का दक्षिणापथ और उत्तरापथ इन दो भागो मे विभक्त देखा जाता है। दक्षिणापथ से हमारा मतलब है, सिरदरिया और अराल-समुद्र से दक्षिण का भाग जिसमें आजकल तुर्कमानिस्तान, उज्बेकिस्तान और ताजिकिस्तान

के गणराज्य मौजूद हैं। उत्तरापथ मे किरगिजिस्तान का कुछ भाग और कजाकस्तान सम्मिलित हैं। दक्षिणापथ मे काराकुम और किजिलकुम जैसे दो महान् रेगिस्तान है, जिनमे किजिलकुम पुरानी सस्कृतियो की सुरक्षित समाधि-सा है। उत्तरापथ मे प्यासी भूमि का भारी रेगिस्तान है। यही पश्चिम मे तलस नदी से पूरव मे इली नदी तक, फैला सप्तनद भू-भाग है, जो उत्तरापथ का सबसे अधिक आबाद तथा ऐतिहासिक महत्त्व की भूमि है।

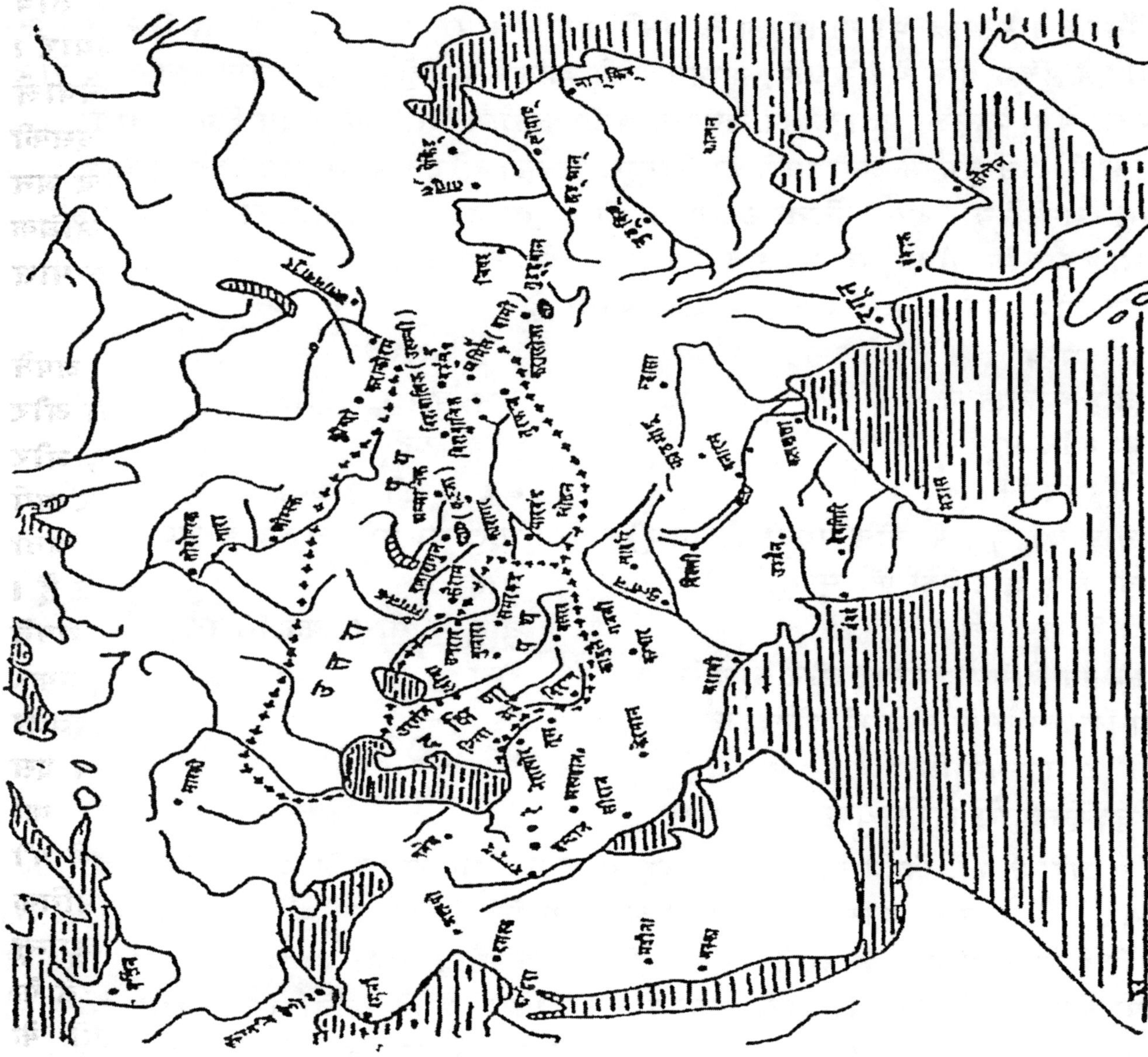

११. मध्यएशिया (उत्तर, दक्षिण पथ)

इसिककुल और बलकाश के दो महासरोवर भी इसी मे हैं। तियेनशान तथा अल्ताई की पर्वतमालाएँ इसके दक्षिण-पूर्वी तथा पूर्वी छोर पर हैं। सप्तनद उत्तरापथ का एक छोटा भाग है। तियेनशान-पर्वतमाला ही इली नदी मे टूटकर उत्तर मे अल्ताई का रूप ले लेती है, जो कि अपने ताँबे और सोने की खानो के लिए सदा से प्रसिद्ध है। एक समय सारा एसिया इसी के सोने के ऊपर निर्भर करता था—तुर्की और मगोल-भाषा का अल्ताई-नाम 'सुवर्णगिरि' यथार्थ ही है।

७. अनौ मे ताम्रयुग[१]

दक्षिणी कुर्गान की स्थापना के साथ ईसा-पूर्व तृतीय सहस्राब्दी के मध्य मे यहाँ ताम्रयुग की स्थापना होती देखी जाती है। यह समय मध्यएसिया के लिए जलवायु के अनुकूल था। अनौ के दक्षिण खुरासान में तांबा मौजूद था, पामीर तथा अल्ताई तो अपने तांबे की महान् निधियों के लिए प्रसिद्ध हैं ही। अनौ में इस युग मे कुम्हार के चक्के का उपयोग दिखाई देता है। मृत्पात्र भी नाना रूप के बनने लगे थे। पात्रो पर मनुष्य, प्राणी और वृक्ष-लता आदि के चित्र होते थे। यद्यपि, आभूषणों मे बहुत भेद नही हुआ, तथापि अब वह अधिक सुन्दर बनते थे। बहुमूल्य पत्थरों का उपयोग बडी कलात्मकता के साथ किया जाता था। पता लगता है, इस युग मे अनौवालो का सिन्धु-उपत्यका और मेसोपोतामिया से सम्बन्ध था। काल्दिया, असीरिया और सिन्धु-उपत्यका मे बहुपूजित मातामाई का सम्मान यहाँ भी अधिक था। घर के भीतर अब भी मृत शिशुओं को दफनाया जाता था। इस युग मे निम्नांकित चीजों का भाव और अभाव देखा जाता है :

भाव	अभाव
कुम्हार का चक्का	कलईवाला मृत्पात्र
तांबा और मामूली चित्र	पक्की ईंटें
घर (पूर्ववत्)	बरतन की मुठिया
किवाड़ की चूल के नीचे पथरी (पूर्ववत्)	धातु या पाषाण का कुल्हाडा
गाय, बैल और देवी की मृण्मूर्तियां	लोहा
हड्डी के शर-फल	धातु मे सीसा का मिश्रण
तांबे का हंसिया, भाला और बाण के फल	लेख
जानकर तांबे में सीसे की मिलावट	—
करवट शव-समाधि	—

८. ख्वारेज्म में ताम्रयुग

ख्वारेज्म की, किजिलकुम की मरुभूमि मे नव-पाषाणयुग से बारहवीं-तेरहवीं सदी ईसवी तक के बहुत-से ध्वंसावशेष मिलते हैं, जिनमे ई० पू० चौथी सहस्राब्दी से तीसरी सहस्राब्दी के आरम्भ तक केल्त-मीनार-संस्कृति का अस्तित्व पाया जाता है। यह संस्कृति मुख्यतया मत्स्यजीवी तथा शिकारी मानवों की थी। इसके अतिरिक्त, ये लोग खेती भी किया करते थे। कई बातों में वे अनौ के नव-पाषाणयुग से समानता रखते थे। ईसा-पूर्व तृतीय सहस्राब्दी के मध्य मे ख्वारेज्म ताम्रयुग मे अथवा स्थानीय पित्तल-युग मे चला गया। वस्तुतः सारे मध्यएसिया मे ताम्रयुग और पित्तल-युग का भेद स्पष्ट नही पाया जाता।

ख्वारेज्म में पित्तल-युग का परिचय ताजाबागयाब (ई० पू० दूसरी सहस्राब्दी) और अमीराबाद (१०००-६०० ई० पू०) की संस्कृतियों मे मिलता है।[२]

---

१ Exploration in Turkistan, pp. 18-19

२ सोवियत आर्खेओलोगिया, vol. 13, pp. 46–50, देखें आगे ४ २

अनौ और ख्वारेज्म के रहनेवाले एक ही जाति के मालूम होते है, जो उस समय अराल से सिङकियाङ (पूर्वी तुर्किस्तान) तक फैली हुई थी। रूसी विद्वान् स० प० ताल्मतोफ का मत है कि यह जाति मुण्डा-द्रविड-जाति से सम्बन्ध रखती थी। ख्वारेज्म की इस सस्कृति का सिन्धु-उपत्यका (मोहनजोदडो) की सस्कृति से इतना सादृश्य है कि दोनो को आकस्मिक न समझ एक मानना ही अधिक युक्तियुक्त है।

९. लिपि

ताम्रयुग सभी देशो मे लिपि के प्रचार का युग है। व्यापार और राज्य के विस्तार के कारण लिखित सकेतो द्वारा सूचना देना अत्यावश्यक था। हम मोहनजोदडो मे इस युग मे लिपि का उपयोग देखते है, यद्यपि वह अभी तक पढी नही जा सकी है। मेसोपोतामिया और मिस्र मे तो हजारो अभिलेख मिले हैं। ख्वारेज्म मे भी कुछ चिह्न मिले हैं, लेकिन कहा नही जा सकता कि वह लिपि है या शिल्पियो के संकेत-मात्र। कुछ भी हो, धातुयुग मे प्रवेश करने के बाद किसी तरह की लिपि का होना आवश्यक हो जाता है। उसके साथ ही गणित और नाप-तौल भी राज्य और व्यापार के संचालन के लिए आवश्यक होते हैं, इसी लिए यह कल्पना करना गलत नही होगा कि ताम्र-पित्तलयुग मे मध्यएसिया मे इन चीजो का उपयोग होने लगा था।

●

स्रोतग्रन्थ :

१ General Anthropology (Franz Boas)
२ Our Early Ancestors (M C. Burkitt)
३ Exploration in Turkistan, 2 vols (R. Pumpelly)
४. क्रत्किये सोओव्श्चेनिया, vol. XIII (लेनिनग्राद)
५. अर्खेओलोगिचेस्किये रस्कोप्कि व् त्रिअलोति (गुर्जी, त्विलिसि, सन् १९४१ ई०)
६ The Most Ancient East (V G. Childe, London, 1928)
७ The Primitive Society (R. H Lowie, 1920)

अध्याय २

पित्तल-युग (७०० ई० पू०)

१. युग की विशेषता[1]

तांबे मे दशांश रांगा (टिन) मिला देने से पीतल बन जाता है। ईसा-पूर्व २००० मे मानव को यह सूत्र मालूम हो गया था। रांगा मिला देने से जहां धातु का रंग बदल जाता है, वहां वह अधिक कड़ी भी हो जाती है। तांबे मे रांगा सम्भवत अकस्मात् ही मिला। आजकल टिन पैदा करनेवाले देश मलाया, दक्षिणी अफ्रीका, खुरासान (ईरान), टस्कनी (जर्मनी) चेकोस्लोवाकिया, स्पेन दक्षिणी फ्रांस, कार्नवाल (इंगलैण्ड) आदि हैं। काकेशस और स्याम मे भी रांगा मिलता है। काकेशस, चेकोस्लोवाकिया, स्पेन और कार्नवाल मे पास ही-पास रांगे और तांबे, दोनो की खानें हैं। जान पडता है, ताम्रकारो ने कभी गलती से रांगे की धून भी ताम्रधून के साथ मिला दी, जिससे चमत्कारपूर्ण एक नई धातु तैयार हो गई और फिर काफी तजुर्बे के बाद मालूम हुआ कि दशांश रांगा मिलने से अच्छा पीतल बनता है। शायद रांगे का सुलभ न होना ही मिस्र और मेसोपोतामिया मे ताम्रयुग के देर तक रहने का कारण हुआ। सिन्धु-उपत्यका और सुमेरिया (मेसोपोतामिया) मे जो तांबे की चीजें मिली हैं, उनमे निकल का भी अंश है। उसे जान-बूझकर मिलाया नहीं गया था, बल्कि उसका कारण इन देशो मे उस्मां की ताम्रधूनो का उपयोग होना था, जिनमे काफी निकल होता है।

पीतल के आविष्कार के साथ धातुविज्ञान और आगे बढा। यह उस महान् धातुयुग का आरम्भ था, जिसका विकास आधुनिक धातुयुग मे हजारो तरह की मिश्रित धातुओ के रूप मे देखा जा रहा है। काकेशस दक्षिणापथ ने कास्पियन समुद्र के परले पार है, जहां पहुँचने के लिए उसके दक्षिण से सुगम स्थल-मार्ग भी था। काकेशस मे पीतल बनाने के लिए रांगे की जगह सुरमे का इस्तेमाल होता था। सुमेरियन लोग सीसा मिलाकर पीतल बनाते थे। यह स्मरण रखना चाहिए कि जस्ता (जिंक) और तांबे के मिश्रण से तैयार हुआ पीतल बहुत पीछे बनने लगा, जबकि मानव लोहयुग मे पहुँच चुका था। नव-पाषाणयुग और ताम्र-पित्तलयुग की बस्तियो मे एक और महत्त्वपूर्ण भेद देखा जाता था : नव-पाषाणयुगीन बस्तियां हर बात मे स्वावलम्बी देखी जाती थीं, किन्तु ताम्र-पित्तलयुग के आरम्भ होते ही यह स्वावलम्ब खतम हो गया, क्योंकि अब धातुओं के हथियारो या उसके कच्चे माल के लिए दूसरे देशों पर निर्भर रहना पडता था।

---

१. The Bronze Age (V G Childe), p 2 (मिस्र, मेसोपोतामिया और सिन्धु-उपत्यकाएँ ३५००–२००० ई० पू० तक)

२. ख्वारेज्म मे पित्तल-युग[1]

ताजावागयाव-सस्कृति पित्तल-युग की संस्कृति मानी जाती है, जो कि ईसा-पूर्व दूसरी सहस्राब्दी मे मौजूद थी। अजका-कला, तेशिक-कला आदि के ध्वंसावशेष इस सस्कृति से सम्बन्ध रखते हैं। इस युग का मानव कृपक और पशुपाल था। उसका समाज मातृसत्ताक जन था। गाँव किस तरह के होते थे, इसका अच्छी तरह पता नहीं लगा, जिसका कारण निर्माण-सामग्री का स्थायित्व-हीन होना हो सकता है। इस समय के मृत्पात्र विना मुठिया के होते थे, लेकिन काले-लाल रगो के सजाने के अतिरिक्त कच्चे वरतन पर खोदकर भी उन्हें अलंकृत किया जाता था।

इसी युग मे अमीरावाद की सस्कृति (ई० पू० प्रथम सहस्राब्दी का पूर्वार्द्ध) भी है, जिसे प्राग्लोह-सस्कृति भी कहा जाता है। यह मानव भी मातृसत्ताक जनसमाज मे पहुँचा था। कृपि और पशुपालन इसकी मुख्य जीविका थी। जानवास-कला आदि के ध्वसावशेष इसी के हैं।

३. सप्तनद

ईसा-पूर्व द्वितीय सहस्राब्दी के अन्त मे उत्तरापथ का सप्तनद-प्रदेश भी पित्तल-युग मे पहुँचा। तलस्, चू, इली आदि सात नदियो के कारण इम प्रदेश का यह नाम पडा। हो सकता है, सप्तसिन्धु जैसा ही कोई इसका मूल नाम रहा हो, जिसे कि तुर्की और मगोल-भापाओ से रूसी मे अनूदित होकर आजकल सेमि-रेच्ये (सात नदी) कहा जाता है। इस प्रदेश को यह भी वडा लाभ था कि अल्ताई की तांवे की खानें इमके पास थी। आजकल भी वल्काश सरोवर के उत्तर मे अवस्थित करागन्दा के कारखाने सोवियत-रूस के तांवा वनाने के सवसे वडे कारखाने हैं। हाल मे सप्तनद के कितने ही पुराने नगरो के ध्वसावशेपो की खुदाई हुई है, जिनमे तरज (जम्वूल), सरिग वालासगून (दोनो किरगिजिस्तान की चू-उपत्यका मे) तथा कोइलूक (इली-उपत्यका) खास महत्त्व रखते हैं। सन् १९४१ ई० मे महा-चू नहर तैयार हुई, जो प्राचीन काल की परित्यक्त वस्तियो के भीतर होकर गुजरी। यहाँ खोदते समय हजारो पुरातत्त्व-सामग्री प्राप्त हुई। चू और इली के द्वावे मे पित्तल-युग का केन्द्र था। यहाँ के लोग कृपि, मछुवाई और शिकारी का जीवन विताते थे।

१. अन्द्रोनीय पित्तल-युग मे उत्तरापथ मे अन्द्रोनी, करासुक और मिनूसून लोगो की जिन सस्कृतियो का पता लगा है, वह भी शिकारी, मछुवाई और कृपि से जीविका करते थे। अन्द्रोनीय-सस्कृति का समय १७००–१२०० ई० पू० माना जाता है। यह उत्तरापथ के उत्तरी भाग मे येनेसेइ नदी से उराल तक फैली थी। उस्त-एरवा के पास अन्द्रोनीय संस्कृति से सम्बन्ध रखनेवाली कितनी ही चीजें मिली हैं। इसके मृत्पात्रो मे ज्यामितीय आकृतियो का अलकरण देखा जाता है।

---

१. क्रतिकये सोओब्श्चेनिया, XII, 110–18

२ करासुक ई० पू० १२००–८०० मे उत्तरापथ मे हम करासुक-संस्कृति का पता पाते है। अल्ताई-पर्वतमाला के पश्चिमोत्तर मे इसकी कितनी ही कब्रें मिली हैं, जिनकी चीजें अन्द्रोनीय जैसी हैं।

३ **मिनूसून** पित्तल-युग मे उत्तरापथ मे एक और सस्कृति का पता लगा है, जिसे मिनूसून कहते हैं। इसकी भी बहुत-सी कब्रे मिली हैं, जिनमे मुरदो के साथ पीतल के आभूषण, छूरे, तलवार, कुल्हाडे आदि रखे प्राप्त हुए हैं। येनेसेइ नदी के किनारे तक इसका पता लगता है। शायद इस जाति का केन्द्र उत्तरापथ के पूर्वोत्तर था और बेकाल के पास तक फैले खकासी लोगो के साथ इनका सम्बन्ध था।[1]

उत्तरापथ की उपर्युक्त तीन सस्कृतियाँ जिस समय समाप्त होती हैं, उसके अनन्तर ही शक लोगो का उत्तरापथ मे स्पष्ट पता लगता है। इससे अनुमान होता है कि यही शको के पूर्वज थे। नव-पाषाणयुग और अ-नव-पाषाणयुग मे दक्षिणापथ ही नही, उत्तरापथ और सिङक्याङ (तरिम-उपत्यका) तक मे हम मुण्डा-द्रविडजाति का पता पाते हैं। ईसा-पूर्व ७वी और ८वीं शताब्दी से हम देखते हैं कि सारे मध्यएसिया मे हिन्दू-यूरोपीय वश की शक-आर्य-शाखा का ही प्राधान्य है। पर कोई आश्चर्य नही, मुण्डा-द्रविड और हिन्दू-यूरोपीय काल के बीच मे उत्तरापथ मे रहनेवाली पित्तल-युग की उक्त तीनों जातियाँ वही हो, जिन्होंने मध्यएसिया से मुण्डा-द्रविडवश के प्राधान्य को खतम किया, और स्वय उनका स्थान लेकर आगे उत्तरापथ और सिङक्याङ मे शक और दक्षिणापथ मे आर्य के रूप मे अपने को प्रकट किया। इससे यह भी मालूम होता है कि मध्यएसिया मे हिन्दू-यूरोपीय जन ईसा-पूर्व तीसरी सहस्राब्दी के मध्य से पहले नही थे। ऐसा होने पर उनकी एक शाखा हिन्दू-आर्यों का ईसा-पूर्व दूसरी सहस्राब्दी के मध्य मे भारत मे पहुँचना अधिक युक्तियुक्त मालूम होता है।

४ अनौ मे[2]

अनौ मे दक्षिणी कुर्गान ताम्र-पित्तलयुग का अवशेष है, तो भी इस स्तर मे हम पित्तल की जगह ताम्र की ही प्रधानता देखते है। लोगो के बारे मे भी हम निश्चित नही बतला सकते कि वह नव-पाषाणयुग की तरह मुण्डा-द्रविडजाति थे अथवा हिन्दू-यूरोपीय आर्य।

५. जातियाँ

मध्य-पाषाणयुग से पित्तल-युग के अन्त तक हमे मध्यएसिया मे चार मानव-जातियो का पता लगता है। मध्य-पुरा-पाषाणयुग मे उत्तरापथ की प्यासी भूमि और अल्ताई मे मुस्तेर-मानव के अवशेष मिले हैं, इसी तरह दक्षिणापथ मे सोग्द और तुखार (मध्यवक्षु-उपत्यका) मे भी मुस्तेर-मानव का पता लगता है। बारह हजार वर्ष पूर्व मध्य-पाषाणयुगीन मानव के अवशेष उत्तरापथ मे किपचक (प्यासी भूमि) और सप्तनद मे तथा दक्षिणापथ मे सिर-उपत्यका, सोग्द और ख्वारेज़्म मे मिलते है।

---

१ 'नेकतोरिये इतगी आर्खेआलोगिचेस्किख रवोत् व् सेमिरेच्ये' (अन० बेर्नश्तम), 'क्रतिये सोओब०', XIII, 110–18

२ Expl in Turk , p 18-19

ताम्रयुग मे अनौ और ख्वारेज्म से सप्तनद तक मुण्डा-द्रविडजाति की प्रधानता थी। पित्तल-युग मे आर्यों और शको के पूर्वज सारे उत्तरापथ और दक्षिणापथ मे फैले। मुस्तेर और मध्य-पाषाणयुगीन मानव के सम्वन्ध मे हम निश्चयपूर्वक कुछ नही कह सकते। मध्य-पाषाणयुगीन मानव, हो सकता है, नव-पाषाणयुग के मुण्डा-द्रविड के ही पूर्वज हो, और यह भी हो सकता है कि वे ही, उन हिन्दू-यूरोपीयो के पूर्वज हो, जो कि नव-पाषाणयुग के आरम्भ में यूरोप की ओर भागने के लिए मजबूर हुए। ऐसी अवस्था मे मुण्डा-द्रविडवश के लोग भूमध्यीय वश के होने के कारण दक्षिण या दक्षिण-पूर्व से मध्यएसिया मे घुसे होंगे। पित्तल-युग मे मध्यएसिया खाली करके जानेवाले हिन्दू-यूरोपीय वश की एक शाखा को फिर हम उनके पूर्वजो की भूमि मे लौटते देखते हैं। ये ही शको और आर्यों के जनक थे। इनके आने के बाद मुण्डा-द्रविड लोगो का क्या हुआ, शायद वहाँ भी वही इतिहास पहले ही दोहरा दिया गया, जो कि भारत मे पीछे हुआ, अर्थात् कुछ मुण्डा-द्रविड पराधीन होकर वही रह गये और धीरे-धीरे विजेताओ ने उन्हे आत्मसात् कर लिया, कुछ लोग पराधीनता न स्वीकार कर खाली पडी हुई भूमि मे आगे खिसक गये। अल्ताई से सिङ-क्याङ तक फैले मुण्डा-द्रविड-जातियो के इन्ही भागे हुए अवशेषो को हम आज वोल्गा के उत्तर के वनखण्डो मे रहनेवाली कोमी और वाल्तिक के पूर्वी तट पर वसनेवाली एस्तोनी और फिनलैण्ड मे वसनेवाली फिन-जाति के रूप मे पाते हैं। किसी समय मास्को और लेनिन-ग्राद का सारा भू-भाग उसी जाति का था, जिसकी शाखाएँ वर्त्तमान कोमी, एस्तोनी और फिन हैं। फिन-भाषा का द्रविड-भाषा से सम्वन्ध भी इसी बात की पुष्टि करता है कि शकार्यों और द्रविडो के सघर्ष के ही परिणामस्वरूप उनका एक भाग जो उत्तर की ओर भागा, वही फिन जाति है। इस प्रकार, मुण्डा-द्रविड कहने की जगह हम नव-पाषाणयुग की मध्यएसियाई प्राचीन जाति को फिनो-द्रविड कह सकते हैं। उत्तर की उक्त तीनो जातियो मे कोमी दूसरो के सम्पर्क मे सबसे कम आई। यद्यपि, आज इन फिनो-द्रविड-जातियो का रग यूरोपियनो जैसा गोरा ही नही होता, वल्कि इनके वाल पिंगल होते हैं—काले केशो का तो उनमे कही पता नही लगता। लेकिन, यदि कोमी-नरनारियो का फोटो देखें, तो मालूम होता है कि हम दक्षिण के किसी शुद्ध द्रविड व्यक्ति का फोटो देख रहे हैं। कद मे भी ये लोग नाटे और इकहरे शरीर के होते हैं।

फिनो-द्रविड नृतत्त्व के अध्ययन के लिए उपयोगी सामग्री भारत मे ही नही, सोवियत-रूस मे भी वहुत है, जिसकी ओर हमारे देश के विद्वानो का ध्यान जाना चाहिए।

स्रोतग्रन्थ :

१ The Bronze Age (V G Childe, Cambridge, 1930)
२ क्रत्किये सोओदश्चेनिया, vol XIIII (लेनिनग्राड), 1946
३ Exploration in Turkistan (R Pumpelly)
४ General Anthropology (F Boas)
५ In the Beginning (G Elliot Smith, London, 1946)
६ Le' Humanite Prehistorique (J de Morgan)

अध्याय ३

लौहयुग (७०० ई० पू०)

ईसा-पूर्व द्वितीय सहस्राब्दी मे पित्तल-युग मे पहुँचने पर भौगोलिक तौर से हमे शको और आर्यों का भेद स्पष्ट दिखाई पडता है। इस समय शक यक्सर्त नदी (सिरदरिया) और अरालसमुद्र से उत्तर रहते थे। उनके दक्षिण मे आर्यों का निवास था। सुग्ध (जरफशाँ-उपत्यका), ख्वारेज्म (ख्वारेज्म) से लेकर पहले हिन्दूकुश और खुरासान के पर्वतो तक और थोडे ही समय बाद फारस की खाडी और सिन्धु तथा गगा के कछारो तक आर्य पहुँच गये। ग्रीक-इतिहासकारो के अनुसार, हम यह भी जानते हैं कि दुनाई (डेन्यूब) से तियेनशान तक फैली घुमन्तू जाति को शक, स्कुथ अथवा सिथ कहते थे।[1] ग्रीक और उसका अनुसरण करनेवाली अँगरेजी-भाषा मे उसका चाहे कितना ही बुरा अर्थ हो, किन्तु शक शब्द मे ऐसा कोई बुरा भाव नहीं है। ग्रीक-लेखको के अनुसार, शक लोग अपने को स्कोल या सकोल कहते थे। दारयोश ने अपने बहिस्तून के अभिलेख मे उन्हें शक नाम से पुकारा है। भारत भी ईरान की इस राय से सहमत है। बहुत-से लेखक कालासागर के उत्तर मे रहनेवाले सिथियो और सिरदरिया के उत्तर मे घूमनेवाले शको मे अन्तर करना चाहते हैं। इतने दूर तक फैले हुए घुमन्तू जन मे कुछ स्थानीय भेद हो सकता है, लेकिन इससे उन्हे हम अलग नहीं मान सकते। ग्रीक-इतिहासकार ई० पू० ५वीं शताब्दी मे भी यह मानने के लिए तैयार थे कि कालासागर से सिरदरिया तक के घुमन्तुओ मे रीति-रिवाज, खान-पान और वस्त्र-भूषा मे अन्तर नहीं था। उनके हथियार भी एक तरह के होते थे। दोन नदी को पूर्वी और पश्चिमी शको की सीमा माना जाता था।

१. शकद्वीप

यूरेसिया द्वीप मे एक समय दुनाइ (डेन्यूब) से तियेनशान-अल्ताई (पर्वत-श्रेणी) तक फैली शकजाति की भूमि को हम पित्तल-युग के आरम्भ मे भारतीय परिभाषा के अनुसार, शकद्वीप कह सकते हैं, पुराने ईरानी शब्दानुसार शकानवेइजा या पीछे की भाषा के अनुसार शकस्तान भी कह सकते हैं। लेकिन, ई० पू० द्वितीय शताब्दी मे शको के बस जाने के कारण ईरान के पूर्वी भाग को शकस्तान या सीस्तान कहा जाने लगा। इस भाग को हम यादि-शकस्तान कह सकते हैं, इसी परिभाषा के अनुसार हम अराल और सिरदरिया के दक्षिण की भूमि को आर्यद्वीप, आर्यानवेइजा या आर्यस्थान कह सकते हैं। पीछे अवेस्ता मे

---

१ 'अल्ताई व् स्किफस्कोये व्रेमिया' (स० व० किसेलेफ), वेस्निक द्रेव्नेइ इस्तोरिइ, सन् १९४७ ई०, पृ० १५७–७२, क्रत्किये सोओब्श्चेनिया, XIII, p 112 मे बेर्नश्तम का लेख भी इसी विषय पर। इसका समर्थन पुन बेर्नश्तम ने किया है - 'इस्तोरिको-कुल्तुर्नये प्रोश्लोये सेवेर्नोइ किर्गिजिइ पो मतेरिलियाम् बोल्शवो चुइस्कवो कनाला' में (फ्रु जे, सन् १९४३ ई०)

आर्यानवेइजा एक छोटा-सा प्रदेश था, जिसे आधुनिक इतिहासकार कभी खुरासान, कभी वाह्लीक (वाख्तर), आजुर्वाइजान या कभी ख्वारेज्म मानते हैं। इसलिए, भ्रम से वचने के लिए हम इसे आर्यद्वीप ही कहे, तो अच्छा।

शकद्वीप और आर्यद्वीप का यह भेद वहुत दिनो तक नही चला। हूणो के प्रहार से १७४ ई० पू० से ही शक पूरव के शकद्वीप को छोडने के लिए मजवूर हुए और अगली पौने छह शताव्दियो मे शको को छिन्न-भिन्न करते हुए हूण और उनके वशज डेन्यूव के तट तक पहुँच गये। उनके इस महाभियान के कारण ईसा की चौथी शताव्दी मे पूर्वी शकद्वीप हूणद्वीप के रूप मे परिणत हो गया, और दोन नदी से पश्चिम के शकद्वीप मे भी काला-सागर के करीव वसनेवाली गाथ और सरमात (शक-वशज)-जातियो को अपने पुराने स्थानो को छोडकर उत्तर या पश्चिम मे भागना पडा। हम यह भी जानते हैं कि पूर्वी शकद्वीप को पूर्णतया खाली करने का ही परिणाम हुआ—ग्रीक-वाख्तर-राज्य का ध्वस, भारत मे ग्रीक (यवन)-राज्य का विनाश और भारत के राजनीतिक तथा सामाजिक जीवन पर शको की स्थायी छाप।

शको और आर्यों का भेद आपस मे चाहे कितना ही हो, किन्तु विशाल हिन्दू-यूरोपीय वश पर विचार करने से वह भेद वहुत नगण्य-सा है। मध्य-पापाणयुग के अन्त अथवा नव-

पापाणयुग के आरम्भ मे, जव प्रकृति के प्रकोप तथा फिनो-द्रविड़ (मोहनजोदडो) जाति के प्रहार के कारण हिन्दू-यूरोपीय जनगण मध्यएसिया छोडकर यूरोप की ओर जाने के लिए मजवूर हुआ, उस समय अभी उनके भीतर केन्तम् और शतम् वाला भाषा-भेद हुआ था

और न शकार्य तथा पश्चिमी हिन्दू-यूरोपीय का ही भेद। ग्रीक, रोमक, गाथ, केल्ट आदि के सम्मिलित जनगण का कोई एक नाम निश्चित न होने से हम उसे पश्चिमी हिन्दू-यूरोपीय जनगण कहते हैं। मध्यएसिया से हिन्दू-यूरोपीय जनो का यूरोप मे जाना सभी स्वीकार करते हैं, और इसमे भी सहमत हैं कि वह नव-पाषाणयुग मे हुआ। नव-पाषाणयुग की एक विशेषता है कृषि, लेकिन कृषि के हथियारो और धान्यो के लिए एक प्रकार की शब्दावली हम केन्तम् और शतम् भाषाओ मे नही पाते। केन्तम् की बात तो दूर, शतम्-भाषाओ मे भी कृषि-सम्बन्धी एक तरह के शब्द नही मिलते। इससे यह कहना उचित नही जँचता कि नव-पाषाणयुग मे हिन्दू-यूरोपीय मध्यएसिया से पश्चिम मे गये, शतम् और केन्तम् का भेद हुआ तथा शक और आर्य दो स्वतन्त्र जनो मे विभक्त हुए। यदि हम नव-पाषाणयुग से पहले इन विभाजनो को मानें, तो भाषाशास्त्र के अनुसार इसमे कोई हरज नही पडता, किन्तु काल के अनुसार बहुत लम्बा समय भाषाओ के परिवर्त्तन के लिए देना पडता है। इस शतम्-केन्तम् और शक-आर्यभेद के समय को निर्धारित करने के लिए शायद मध्यएसिया की मरुभूमि इतिहासवेत्ताओ की सहायता करे।

उपर्युक्त आर्यद्वीप मे भूमध्यीय जाति चली आई, यह अनौ (दक्षिणी तुर्कमानिया) और ख्वारेज्म की पुरातात्त्विक खोजो से सिद्ध है, किन्तु शकद्वीप मे भूमध्यीय जाति का कोई इस तरह का हस्तक्षेप नही दिखाई पडता। मध्य-पाषाणयुग हो या नव-पाषाणयुग, इसी समय पश्चिम की ओर भागे हिन्दू-यूरोपीय जनगण की शाखा शकार्य मध्यएसिया मे पहुँचकर फिर से अपना द्वीप कायम करने मे सफल हुई। यहाँ आर्यों का सम्पर्क उसी भूमध्यीय जाति से हुआ, जिसकी समुन्नत सस्कृति के अवशेष सिन्धु-उपत्यका और मेसोपोतामिया मे मिलते हैं। इस सम्पर्क के कारण आगे बढने मे बहुत सहायता मिली और आर्य जल्दी-जल्दी पित्तल-युग को पार कर लोहयुग मे पहुँच गये। एक सम्पर्क के अभाव के कारण शकद्वीप के शक सामाजिक विकास मे उतने नही बढ सके। ई० पू० छठी-पाँचवी शताब्दी मे, जबकि आर्यों के स्थान मे लोहे का खूब प्रचार था, शक-लोग अभी पीतल की ही तलवारो, बाण और भाले के फलो को इस्तेमाल करते थे। दारयोश की सेना मे सम्मिलित ग्रीक लोगो से लडते इन शक-सैनिको के बारे मे लिखते हुए ग्रीक-इतिहासकार कहते हैं कि उनके देश मे चाँदी और लोहा नहीं होता, इसलिए इन धातुओ का प्रचार उनमे नही है, साथ ही सोने और ताँबे की बहुतायत है, इसीलिए वह हथियारो के लिए पीतल और सौन्दर्य के लिए सोने का मुक्तहस्त ही उपयोग करते हैं। इस समय के पीछे तथा हूणो के प्रहार से पहले ही कास्पियसागर के तट पर रहनेवाले शक भी पशुपाल घुमन्तू जीवन को पूर्णतया या अंशत. छोडकर कृषिजीवी ग्रामवासी बन गये। शकद्वीप का सारा पूर्वी भाग तबतक अपने पशुपाल-घुमन्तू जीवन को छोडने के लिए तैयार नही हुआ, जबतक कि हूण शको को इस भूमि से भागने मे समर्थ नही हुए। ई० पू० १२८ मे चीनी सैनिक-पर्यटक चाङक्यान् जब उनके केन्द्र बाख्तर मे पहुँचा, तब एक विशाल वैभवशाली राज्य के स्वामी होने के बाद भी अभी शको को उसने तम्बुओं मे रहते और अपने घोडो और भेडो को जगह-जगह चराते-घूमते देखा, अर्थात् अब भी वह अपने पुराने जीवन से चिपके रहना चाहते थे। स्थायी निवासियो को

लडाकू घुमन्तू जातियाँ आम तौर से डरपोक कहकर घृणा की दृष्टि से देखती है। डरपोक न होने देने के लिए तैमूर विश्वविजेता बनने के बाद तथा नवीन समरकन्द जैसी बडे-बडे प्रासादो की नगरी का सस्थापक होते हुए भी घुमन्तू जीवन का अभिनय करता था। यह अभिनय बिलकुल बेकार की चीज नही थी। वस्तुत, घुमन्तू जीवन युद्ध के लिए सदा तैयार सैनिक जीवन जैसा है। अन्तर इतना ही है कि सैनिक जहाँ घूमने के लिए स्वतन्त्र होने पर भी स्त्री और बाल-बच्चो के सम्बन्ध से वचित रहता है, वहाँ घुमन्तू का सारा परिवार (नर-नरियो और बच्चे-बूढो सहित सारा जन) सेना का अभिन्न अग होता है। वह जैसे आक्रमण के लिए एक क्षण की सूचना मे तैयार हो सकता है, वैसे ही सैनिक आवश्यकता पडने पर भागने के लिए भी तैयार हो सकता है। घुमन्तू विजेता को जहाँ शत्रु के समस्त नगर और गाँव लूटपाट के लिए खुले मिलते है, वहाँ उनपर विजय प्राप्त करनेवाले नागरिको को कुछ भी हाथ नही आता। यही कारण है कि घुमन्तू लोग सहस्राब्दियो तक अजेय साबित हुए। चीन ने हूणो को बार-बार मार भगाते जब सफलता नही पाई, तब अपनी प्रतिरक्षा के लिए महादीवार खडी की। कुरव महान् मसागेत घुमन्तुओ के साथ लडते-लडते मारा गया। उसके उत्तराधिकारी दारयोश को भी ५१३ ई० पू० मे पश्चिमी शको पर आक्रमण करके पछताना पडा। ग्रीक-लोगो का तजुर्बा इसमे बेहतर नही था।

२. शक

घुमन्तू जीवन मे जहाँ सैनिक और राजनीतिक दृष्टि से कितने ही सुभीते है, वहाँ सामाजिक और सास्कृतिक दृष्टि से यह घाटे का सौदा है। दूसरी जातियो के लौहयुग मे चले जाने के बाद भी शको का पित्तल-युग मे पडा रहना सामाजिक गतिरोध ही था। हम जानते हैं, सामाजिक विकास के अनुसार भाषा का विकास होता है। शक-भाषा के बहुत कम ही नमूने हमारे पास तक पहुँचे हैं, और जो पहुँचे भी हैं, ईसवी-सन् के आरम्भ होने के बाद के हैं। लेकिन, शको के उत्तराधिकारियो की भाषा देखने से मालूम होता है कि उनकी भाषा जो विश्लेषात्मक न होकर सश्लेषात्मक ही रह गई, उसका कारण पूर्वजो का सामाजिक गतिरोध था। भारतीय आर्यो की भाषा मे परिवर्त्तन भारत मे आते ही होने लगा, जबकि अपने सारे शतम्-वश मे अपरिचित टवर्ग का 'ऋग्वेद' तक मे प्रयोग होने लगा। हमारी भाषा मे मौलिक परिवर्त्तन (सश्लेषात्मक से विश्लेषात्मक होना) जहाँ ईसा की छठीं-सातवी शताब्दी मे हो चुका, वहाँ शको के आधुनिक वशज स्लावो (रूसी आदिजातियो) की भाषा आज भी सश्लेषात्मक है। उसमे क्रिया तथा शब्द के रूपो मे प्रत्यय संस्कृत की भाँति अभिन्न अग के तौर पर प्रयुक्त होते हैं और सहायक क्रियाओ का उपयोग आज भी नही देखा जाता। इससे उनमे यह विशेषता देखी जाती है कि भाषा के ढाँचे की दृष्टि से स्लाव-भाषाएँ सस्कृत से जितनी नजदीक है, उतनी हमारे यहा की कोई भी जीवित भाषा नही है।

दारयोश एक आर्यराजा था। उसने ५१३ ई० पू० मे यूरोप के भीतर से [illegible]ना-सागर के किनारे-किनारे उत्तर मे बढ़कर शकों के ऊपर असफल आक्रमण किया था। गोर-

इतिहासकारो द्वारा उद्धृत शक-परम्परा के अनुसार इस आक्रमण से १००० वर्ष पूर्व वह शको का प्रथम राजा हुआ था। इसमे सन्देह है कि जबतक शको की भूमि मे शक रहे, तब-तक कोई उनका वास्तविक राजा हुआ होगा। शक घुमन्तूओ के सरदार या नेताओ को भी दूसरो की देखादेखी राजा माना गया होगा। शको मे स्त्रियो का विशेष स्थान था, बल्कि ई० पू० चौथी-पाँचवीं शताब्दी मे दोन से पूर्व रहनेवाले शक जनगण का नाम सरमात या सर्वमात इसलिए पडा था कि उनमे माता (स्त्री) सर्वेसर्वा होती थी। स्त्रियाँ मृत जन—पति का स्थानापन्न ही नही होती थी, बल्कि वह सेना-सचालन भी करती थी।

इतिहास के आरम्भ मे शको मे, जो रीति-रिवाज, वेष-भूषा देखी जाती थी, वह बहुत पुराने काल से चली आई थी। चीनी और ग्रीक दोनो लेखक इस बात मे सहमत है कि शको का मुख्य भोजन मास और मुख्य पान दूध था। मास के साथ ताजा खून पीना भी उनमे प्रचलित रहा होगा, तभी तो युद्ध मे प्रथम गिरे शत्रु का गरम-गरम खून वह पाण्डव-भीम की तरह पीते थे, शत्रु-सरदार की खोपडी का कटोरा बनाकर बडी सावधानी से रखते थे। ये दोनो प्रथाएँ हूणा मे भी देखी जाती है, यद्यपि वह मगोलायित थे। चगेज खान के मगोल-सैनिको के इतने सफल होने मे एक कारण उनका घोटा था, जिसपर चढकर बाण चलाते हुए वह जहाँ युद्ध कर सकते थे, वहाँ आवश्यकता पडने पर घोडे की नस मे छेदकर उसके खून से भूख को शान्त कर फिर लडने के लिए ताजा हो जाते थे। विवाह-प्रथा शको मे बहुत प्रारम्भिक रूप मे थी। कई भाइयो की एक स्त्री हो सकती थी और स्त्रियो के एक समूह का पुरुषो का एक समूह पति समझा जाता था, अर्थात् यूथ-विवाह उनमे प्रचलित था। किसी सरदार के मरने पर उसकी एक पत्नी को अवश्य कब्र मे अपने पति का साथ देना पडता था। मिस्री सामन्तो की तरह शको मे भी शवक्रिया बडी शान से सम्पन्न होती थी। मृत सरदार के साथ उन सभी चीजो को कब्र मे रख दिया जाता था, जिनकी उसे जीवन मे जरूरत पडती थी। सभी तरह के हथियार, आभूषण, खान-पान की चीजें और घोडो को ही कब्र मे नही रखा जाता था, बल्कि दास-दासियो को भी स्वामी के साथ जाना पडता था। पुराने शको मे मुरदे (विशेष कर सामन्त के मुरदे) को दफनाने का रिवाज था। उनकी कब्रें काकेशस के उत्तर मे मिली हैं, और अल्ताई भी उनसे खाली नहीं है। साधारण कब्रो मे भी खानपान-सहित बरतनो का रखा जाना आवश्यक समझा जाता था। यह प्रथा शक की एक शाखा खसो मे ईसवी-सन् के आरम्भ से पीछे तक भी पाई जाती थी, यह लद्दाख से कुमाऊँ तक मिलनेवाली खस-समाधियो से सिद्ध है। दफनाने के अतिरिक्त शक मुरदे को पेड के ऊपर टाँग देते थे, जिसमे पक्षी मास खा जायें। उसके बाद हड्डी को इकट्ठा करके गाड दिया जाता था। पारसियो में अब भी इसी प्रथा का अनुसरण किया जाता है, और वृक्ष की जगह दख्मा मे शव को गिद्धो द्वारा खाने के लिए छोड दिया जाता है। यूनानी लेखको से यह भी मालूम होता है कि पक्षियो के लिए छोड देने की जगह कभी-कभी मनुष्य अपने हाथो मे मृतक के मास को हड्डी से अलग कर देता और इस तरह बिना चिर प्रतीक्षा के ही हड्डी को दफनाने का मौका मिल जाता था। मुरदा दफनाने के साथ-साथ शको मे मुरदा जलाने का भी रिवाज था। उस समय पत्नी को साथ भेजने के

लिए जिन्दा जलाने की जरूरत पडती थी। आठवी और नवी शताब्दी मे, जबकि रूसी लोग अभी ईसाई नही हुए थे, उनमे सती-प्रथा मौजूद थी, जिसे एक अरब पर्यटक ने अपनी आँखो देखा था। भारत मे सती-प्रथा का रिवाज शको के आने के साथ हुआ।

शको की पोशाक सारे यूरेसिया द्वीप मे एक-सी थी। उनके सिर पर एक नुकीली टोपी होती थी, जो शक-सिक्को से मथुरा और अमरावती की दूसरी-तीसरी शताब्दियो तक की मूर्त्तियो मे भी पाई जाती है। पैरो मे पायजामा और देह पर लम्बा चोला, साथ ही घुटने या उसके पास तक पहुँचनेवाला चमडे या नम्दे का बूट उनकी विशेष पोशाक थी। कमर में कमरबन्द के साथ सीधी लम्बी तलवार लटका करती थी। उनकी लम्बी नाक और भूरे बालो का चीनी लेखकों ने विशेष तौर से उल्लेख किया है। संस्कृत के लेखको ने शको, यवनो, पह्लवो और बाह्लीको को रक्तमुख कहा है। शक-सुन्दरियाँ अपने सौन्दर्य के लिए भारत मे अधिक विख्यात थी। हमारे वैद्यो ने उनके सौन्दर्य का कारण प्याज अधिक खाना बतलाया है। वाग्भट ने अपने 'अष्टांगहृदय' (उत्तरतन्त्र) मे लिखा है

'यस्योपयोगेन शकाङ्गनाना लावण्यसाराविविनिर्मितानाम्।'

शको के परम देवता सूर्य थे, इसका पता ग्रीक-पुस्तको से ही नही मिलता, बल्कि भारत मे शको जैसी बूटधारी सूर्य-प्रतिमाओ का व्यापक प्रसार तथा ईसाई-धर्म स्वीकार करने

से पहले रूसियो की सूर्य मे एकान्त भक्ति भी इसी बात को बतलाती है। सूर्य के अतिरिक्त, 'दिवु' शको का पूज्य देवता था, जो कि वैदिक 'द्यौ' और ग्रीक 'जेउस' है। 'अपिया' (आप्या) के नाम से पृथ्वीमाता पूजी जाती थी। सूर्य को वह 'स्यग्नितु' कहते थे, जिसमे

र के स्थान मे ल के साथ शको के अत्यन्त प्रेम को हटा देने पर 'सूर्य' शब्द साफ दिखाई पडेगा। स्वलियु देवता दिवु पिता और अपिया माता का (द्यावापृथिवी) पुत्र था। 'पक' भी एक प्रधान देवता था; जो वेद मे भग, ईरानी मे 'वग' (वगदाद=भगदत्त) और रूसी मे 'बोग' के रूप मे मौजूद है। राजा या बडे सरदार को शकलोग 'पकपूर' कहते थे, जोकि 'भगपूर' (भगपुत्र) का ही रूपान्तर है। फारसी और अरबी मे चीन के सम्राट् को 'फगफूर' कहा जाता है, जो कि इसी 'पकपूर' से निकला है। चीनी-सम्राट् देवपुत्र (स्वर्गपुत्र) कहे जाते थे, यह हमे मालूम ही है। चन्द्रमा देवता को शकलोग 'अरतिम्पत' (अर्थी पति) कहते थे। 'वृन्दू' भी उनकी एक देवी थी और 'थमी-मसद' तथा 'विरोपत' (वीरपति) उनके देवता थे। शक-भाषा के पुराने नमूने बहुत ही कम मिले हैं। उनमे से कुछ इस प्रकार हैं[1]

तविती=अग्नि	स्वलियु=सूर्य
शक=शक	पर्थ=पृथक्कृत
जरिना=हरिना	कनग=राजा (रूसी कन्याग)
महकनग=महाराजा	तवितवरू=जनपाल
तमूरी=समुद्रीय (रानी)	स्परोत्र=स्वरएथ

●

१ Les Scythes, p 539

स्रोतग्रन्थ :

१ Les Scythes (F G Bergmann, Halles, 1860)
२. वेस्लिक द्रेव्नेइ इस्तोरिइ, सन् १९४७ ई०
३ ऋत्कि० सोओद्०, XIII

भाग ३

उत्तरापथ (६०० ई० पू० से ७०० ई०)

अध्याय १

शक (६००-१७४ ई० पू०)

§१. शक-जातियाँ[1]

हम देख चुके है, ई० पू० तीसरी सहस्राब्दी से प्रथम सहस्राब्दी के प्राय मध्य तक सप्तनद और अल्ताई मे क्रमश अफनास (२५००–१७०० ई० पू०), अन्द्रोन (१७००–१२०० ई० पू०), करासुक (१७००–८०० ई० पू०) और अन्तिम के समकालीन मिनिसुन जातियाँ रहती थी। कोई प्रमाण नही है कि ये लोग शको के पूर्वज छोड किसी दूसरी जाति के थे। ईसा-पूर्व सातवी शताब्दी मे हम उत्तरी मध्यएसिया मे शक-जातियो का प्रसार यथानिर्दिष्ट रूप मे पाते हैं १ दोन से पूरब कॉस्पियन के उत्तर होते अरालसमुद्र और यक्सर्त (सिरदरिया) के मध्य तक मसागित-जाति का विस्तार था, अरालसमुद्र के पास यह जाति निम्न वक्षु-उपत्यका मे, अर्थात् ख्वारेज्म मे भी फैली हुई थी। इसके दक्षिण मे कॉस्पियन के किनारे दहा घुमन्तू शक-जाति थी, जिसने पीछे पार्थ-जाति को जन्म दिया। मसागित से पूरब यक्सर्त की ऊपरी उपत्यका के उत्तरी भाग, तरिम नदी और इस्सिकुल तक शकरौका (प्राग्-सइवङ) जाति रहती थी। सइवङ-जन पीछे इसी से निकला। अल्ताई मे उस समय प्राग्-वूसून जाति थी, जिसके पीछे वूसून-जन पैदा हुआ। इससे पूरब ह्वाङ-हो नदी के पास कान्सु तक यूची-जन के पूर्वज रहते थे। तरिम-उपत्यका या सिङकियाङ मे शको की ही एक शाखा खश रहते थे, जो ई० पू० सातवी सदी से पहिले ही कराकुरम-गिरिमाला को पार कर गिल्गित और कश्मीर मे फैल गये थे। फिर, आगे चलकर उन्होने नेपाल तक सारे हिमालय को खशभूमि बना दिया। ये सारी शक-खश जातियाँ ई० पू० ५वी सदी तक पित्तल-युग मे थी। दारयोश के अभिलेख मे तिग्राखौदा, हौमवर्क और त्याई नाम के तीन शकजनो का पता लगता है, किन्तु उनके स्थान के बारे मे कुछ कहना मुश्किल है। मसागित के पूरब मे शकरौका का विचरण-स्थान सप्तनद का पश्चिमी भाग था। ये जातियाँ अभी प्रागैतिहासिक काल मे विचर रही थी। इनके बारे मे ग्रीक और ईरानी लोगो ने जो कुछ वर्णन किया है, उसके अतिरिक्त और पता नही लगता। इनमे से कुछ जातियो के बारे मे निम्नांकित बातें मालूम होती हैं

१. मसागित[2]. मसागित शब्द मसाग या महाशक से निकला है। सचमुच ही, उस समय यह शकजनो मे सबसे बडा जन था। दोन से यक्सर्त नदी के मध्य तक तथा ख्वारेज्म मे फैले ये महाजन महाशक कहे जाने के अधिकारी थे। इनका सबसे प्रिय हथियार कुल्हाडा था। दूसरे शको की तरह ये घोडे पर चढकर तीर का निशाना लगा सकते थे।

---

१. Les Scythes

२ उपरिवत्, पृ० ५४०

तीर और भाले के फल ही नही, इनके कुल्हाडे और लम्वी सीधी तलवारे भी पीतल की होती थी। पशुओ का मास और दूध इनका मुख्य भोजन था। तम्बू के डेरो को छोडकर कोई इनका स्थायी निवास नही होता था। ये पक्के यायावर थे। इनकी स्त्रियाँ पुरुपो की भाँति युद्ध मे लडती थी और कितनी ही वार सेना का नेतृत्व भी करती थी। यद्यपि, महाशक पुरुप अलग-अलग विवाह करते थे, किन्तु तो भी दूसरी स्त्रियो के साथ सम्वन्ध रखने की स्वतन्त्रता थी। इससे मालूम होता है कि अभी ये यूथ-विवाह से आगे नही वढे थे। वृद्ध-वृद्धाओ को मार डालने की प्रथा इनमे प्रचलित थी। एस्किमो लोगो मे अभी हाल तक वृद्धावस्था मे पहुँचने पर वुजुर्गों को मार डालने का आम रिवाज था, जिसका कारण उनका परिवार के ऊपर भारस्वरूप होना था। मसागित या महाशक जन के साथ अखामनशी (ईरानी) शासको का वरावर सघर्ष रहा, जिसके वारे मे हम आगे कहेगे। मसागित के पश्चिमी कवीलो को सरमात भी कहते थे। वल्कि कभी-कभी इस सारे कवीले का नाम मसागित-सरमात वतलाया जाता है। हम यह वतला चुके है कि स्त्रियो की प्रधानता के कारण ही इस कवीले का सरमात या सर्वमात नाम पडा। शायद यह यूनानियो का दिया हुआ नाम हो।

२ शकरौका महाशक जन से पूरव, किन्तु यक्सर्त नदी के उत्तर-उत्तर सप्तनद-भूमि के पश्चिमी भाग मे यह घुमन्तू जन पशुचारण करता था। शकरौका वस्तुत शक-ओक (शकस्थान) का ही परिचायक है। इनकी भूमि सोग्द के उत्तर मे थी। ये एक समय दारयोश प्रथम की प्रजा थे। इनके दक्षिण मे सोग्द लोग सोग्द (जरफशाँ) नदी से वक्षु नदी तक रहते थे। इनकी टोपी लम्वी नुकीली होती थी। कुछ विद्वानो का मत है कि शकरौका और शक-हौमवर्क एक ही थे। दारयोश के समय यह यक्सर्त नदी के दाहिने किनारे पर वसते थे, किन्तु ई० पू० द्वितीय सदी मे इनके ओर्दू खोजन्द की पश्चिमी पहाडियो मे रहते थे। यह भी सन्देह किया जाता है कि चीनियो ने जिन्हे सइवाङ लिखा है, वह वस्तुत यही शकरौका थे।

३ दाहै : ये सम्भवत: शकरौका और महाशक के वीच मे यक्सर्त नदी की पहाडियो के निवासी थे, जो पीछे कॉस्पियन के किनारे ईरान की सीमा तक पहुँच गये। चीनियो ने इनका नाम 'अनसी' वतलाया है। ये अच्छे घुडसवार धनुर्धर होते थे। इन्ही के एक कवीले पार्थी ने २४८-४७ ई० पू० मे मामूली राज्य स्थापित करके अन्त मे ईरानी ग्रीकों के सारे राज्य को अपने कब्जे मे कर लिया।

४ खस : इस जन का ग्रीक या ईरानी स्रोतो से पता नही लगता। तालमी और दूसरे लेखको ने हिमालय के खसो का वर्णन किया है और हमारे लिए आज भी यह एक जीवित जाति है। गिल्गित-चित्राल मे कमकर, कश्मीर मे कश, काशगर मे ख़शगिरि और कश्मीर से पूरव नेपाल तक खस या खसिया जाति तथा नेपाली-भाषा का दूसरा नाम खसकुरा (खस-भाषा) यही वतलाते हैं। पित्तल-युग मे तरिम-उपत्यका इनका निवास थी। हूणो से भगाये जाने के वाद जवतक कि लघु-यूची इनकी भूमि मे छा न गये, तवतक सारी तरिम-उपत्यका खसभूमि थी।

५-६ वूसुन : यूची : इन दोनो शक-जातियो को आगे हम तियेनशान से ह्वाङ-हो तक देखेगे। जिस समय के बारे मे हम यहाँ लिख रहे हैं, उस समय चाहे जिस नाम से हो, इन्हीं के पूर्वज इस भूमि के स्वामी थे।

सारे उत्तरापथ के शक घुमन्तू पशुपाल थे, इसीलिए उनके अवशेषो मे गाँवो, गढों और मकानो का पता मिलना सम्भव नही है। लेकिन, घुमन्तू होने पर भी शक-सरदारो की कब्रें बहुत शान-शौकत से बनाई जाती थीं, जिनमे उनके उपयोग की कितनी ही सामग्री दफना दी जाती थी। ऐसी कब्रों से उनके बारे मे बतलानेवाली कितनी ही समाग्री प्राप्त हो सकती है।

§२. अल्ताई के शक[१]

सोवियत-पुरातत्त्ववेत्ताओ की खोजो से अल्ताई के शको के इतिहास पर पर्याप्त रोशनी पडती है। क० मोइसेवा ने अपने एक लेख मे लिखा है :

"साफ-सुथरी और बल खाती हुई सडक अधिकाधिक ऊँचाई पर चढती चली गई है। चट्टानी कगारों को पार कर मोटरो का एक दल इस सडक पर से आगे बढ रहा है। सोवियत-सघ की विज्ञान-अकादमी और देश के एक सबसे बडे म्यूजियम लेनिनग्राद एर्मीतेज ने पाजीरिक घाटी मे पुरातत्त्व-सम्बन्धी खोज का सगठन किया है। पश्चिमी साइबेरिया मे अल्ताई पहाडो के बीच स्थित यह स्तपीय घाटी चालू पथो और बस्तियो से बहुत दूर है।

ऐसा मालूम होता है, मानो अल्ताई-पहाडो का सारा सौन्दर्य पाजीरिक घाटी के इस रास्ते मे केन्द्रित हो गया है। सदा मौजूद रहनेवाली बरफ से ढकी पहाडी चोटियाँ नीले आसमान की पृष्ठभूमि मे बहुत भली लगती हैं। निस्तब्ध जगलो के बाद चरागाहो की ताजा हरियाली आँखो के सामने आती है। कातूना नदी का हरा पानी धीमी गति से घाटी से बहता पहाड के कगार पर पहुँचता है। वहाँ से वह जब नीचे गिरता है, तब फुहारो के सिवा और कुछ नही दिखाई देता। नदी के किनारे भेडो के रेवड, ढोर तथा घोडो के दल चरते रहते हैं।

यह एक समृद्ध और सुन्दर प्रदेश है।

मोटरें इस समय चिवित दर्रे से गुजर रही हैं, फिर पाजीरिक घाटी से जानेवाली घूमती हुई सडक पर मुड जाती हैं। शोध-दल के मुखिया प्रोफेसर रुदेन्को और उनके सभी साथी खुदाई-स्थल पर पहुँचने और अपना काम शुरू करने के लिए उत्सुक हैं। उन्हे पाँच बडे पाजीरिक टीलो की खुदाई का काम पूरा करना है। दो की खुदाई और पुरातत्त्वविदो द्वारा उनका अध्ययन हो चुका है। प्राचीन शको के जीवन और रीति-रिवाजो के बारे मे यहाँ से अत्यधिक मूल्यवान् सामग्री मिली है।

आखिर, महाउलगान नदी के पानी पर सूरज की किरणो की चमक दिखाई देती है। इसके एक बाजू भीमाकार कगारो के समूह से घिरी एक तलहटी है। यहीं पाजीरिक

१. 'सोवियत-भूमि' (दिल्ली, सन् १९५८ ई०)

घाटी है। इसके रहस्यमय दिखाई पडने का कारण शायद यह है कि यहाँ कोई नही रहता। यहाँ इसलिए कोई नही रहता कि घाटी मे पानी का एकदम अभाव है। यहाँ पानी कई किलोमीतर दूर से लाना पडता है।

पुरातत्त्वविदो के कैम्प के साथ निस्तब्ध घाटी मे मानवीय आवाजो तथा हथौडियों, कुदालों और लट्ठो की ध्वनियाँ गूँजने लगती हैं। टीलो की बगल मे तम्बू लग जाते हैं और अलावों का धुआँ उठने लगता है। खनक मुरदों के प्राचीन टीलो पर से पत्थरो को हटाने लगते हैं।

टीलो पर छाई मिट्टी और लट्ठो के साफ हो जाने पर सामने वडी चतुराई से वने लकडी के तहखाने का दृश्य आ जाता है। यह तहखाना एक वडे घर के समान मालूम होता है, सिवा इसके कि उसमे दरवाजे या खिडकियाँ नहीं हैं।

तहखाने को खोला जाता है, लेकिन कुछ दिखाई नही देता। हर चीज पर बरफ की मोटी तह जमी है। टीले पर से कुछ भी हटाना कठिन है। चिर-आच्छादक वरफ ने तहखाने और उसके भीतर की चीजो को हजारो सालो से सुरक्षित रखा है।

क्यों टीलों की प्रत्येक चीज वरफ-वन्द दिखाई देती है? विद्वान् एक मुद्दत से इस सवाल मे दिलचस्पी ले रहे है। अल्ताई पहाडो की भूमि सदा वरफ से जमी नही रहती। फिर भी, चट्टानी टीलो के नीचे उसे अक्सर वैसा देखा गया है। पूरी खोजवीन के वाद विद्वान् इस नतीजे पर पहुँचे हैं कि टीलो मे वरफ का चिर-जमाव कृत्रिम रूप से पैदा किया गया है। उनका कहना है कि टीलो का पतझड मे निर्माण किया गया होगा, ताकि नमी और पाला टीलो मे प्रवेश कर प्रत्येक चीज को वरफ से ढक दे। गरमी के दिनो मे तहखानो पर स्थित चट्टानो के कारण धूप उनमे प्रवेश नही कर पाती और वरफ के पिघलने की नौवत नही आती। इस प्रकार, वरफ दीर्घकालीन युगो तक—पुरातत्त्वविदो द्वारा टीलो की निस्तब्धता के भग होने तक—जैसी-की-तैसी बनी रही।

अव समस्या यह थी कि टीलो से चीजो को कैसे हटाया जाय। इसका एक ही तरीका था कि वरफ को गरम पानी से धीरे-धीरे पिघलाया जाय। वरफ के पिघलने पर पुरातत्त्वविदो की आँखों मे चमक दौड गई। कितनी अप्रत्याशित निधि यहाँ जमा थी? कारु-कार्य युक्त चमडे की चीजें, रेशम और फर से वने महिलाओ के समूचे कपडे और प्राचीन योद्धाओ के सिर पर पहनने के कवच। शोध-दल की कलाकार वेरा कुन्त्सोवा ने तुरन्त इन चीजो के चित्र बनाने शुरु कर दिये, ताकि चमडे, फर और फैल्ट से वनी इन चीजो के सजीव रगो का रिकार्ड रह सके। वरफ के चिर-जमाव ने अवतक उन्हे अपने असली रूप मे पूर्णतया सुरक्षित रखा था। लेकिन, कौन जाने अव, प्रकाश मे आने के वाद भी, उनकी पहलेवाली शोभा बाकी रह सकेगी?

पुरातत्त्व के इतिहास मे ऐसी एक भी मिसाल नही मिलती, जहाँ हजारों साल पुरानी, चमडे, फर, कपडे या फैल्ट की चीजें सही-सलामत अवस्था मे उपलब्ध हुई हो। मिस्र के फाराओ के समाधि-स्थानो मे अनेक सुन्दर चीजे मिली थी। लेकिन, वहाँ के महीन कपडो और

चमडे तथा लकडी की चीजो को जैसे ही बाहर निकाला गया, वे पुरातत्त्वविदो के हाथ का स्पर्श पाते ही राख का ढेर हो गई और उनके चित्र तक नही लिये जा सके। लेकिन, यहाँ सभी चीजें इतने अच्छे ढग से सुरक्षित थी कि वे आज भी उतनी ही मजबूत और सुन्दर दिखती थी, जितनी कि पहले,—लगता था, जैसे उन्हे अभी-अभी बनाया गया है।

दृढ देवदार से बनी शव-पेटिका इतनी भारी थी कि उसे बिना अलग-अलग किये बाहर निकालना असम्भव था। सबसे पहले मजबूती से फिट किये हुए ऊपर के ढक्कन को हटाया गया। पुरातत्त्वविदो की नजर अल्ताई के प्राचीन निवासियो के शरीरो पर टिक गई। वे इतनी अच्छी हालत मे थे कि लगता था, मानो उन्हे अभी कुछ ही दिन पहले शव-पेटिका मे रखा गया हो। उनकी सख्या दो थी—एक शक-सैनिक का शरीर, दूसरा उसकी पत्नी। सैनिक का रँग साँवला था और गालो पर हड्डियाँ अपेक्षाकृत ऊँची थी। स्त्री का चेहरा सफेद और छोटा तथा हाथ कमनीय था। दोनो शरीर मसाले से सुरक्षित थे।

पुरुष की छाती और कन्धो पर गोदना गुदा हुआ था, इसकी ओर ध्यान गया। बिल्ली की भाँति मालूम होता परदार गिद्ध और एक हिरन बाज जैसी चोचवाला और बिल्ली की एक लम्बी दुम का चित्र गुदा हुआ था। यह कल्पनातीत पेचीदा डिजाइन साँवली चमडी पर साफ नजर आता था। प्राचीन शको का ख्याल था कि इस तरह के गोदने क्रूर पिशाचो से उनकी रक्षा करते है और साहस तथा ऊँचे वश के सूचक है।

उपलब्ध चीजो की पूर्णतया जाँच करने, उनका वर्णन करने तथा चित्र बनाने मे कई दिन लग गये। इस बीच तहखाने मे भी काम होता रहा। प्रतिदिन अधिकाधिक आश्चर्यकर चीजो का पता लगता था। फैल्ट का एक बहुत बडा कालीन मिला। इसपर सम्पन्नता और समृद्धि की देवी का रगीन चित्र बना था, जो अपने हाथो मे जीवन का वृक्ष लिये थी। उसके सामने काले घुँघराले बालो से युक्त एक घुडसवार खडा था। कालीन के चारो ओर तेज रग के फूलो की किनारी थी। प्राचीन प्रथा के अनुसार घर की सबसे बढिया चीजो को भी मृत व्यक्ति के साथ दफना दिया जाता था।

नम्दे के बराबर मे ही एक मखमली कालीन भी मिला, जो बहुत ही मूल्यवान् सिद्ध हुआ। इसपर घुडसवारो, शेर के शरीर और बाज की चोचवाले विचित्र जन्तुओं और हिरन के चित्र बने थे। कालीन के डिजाइन से पुरातत्त्वविदो को शकयोद्धा के दफनाने की तिथि का पता लगाने मे मदद मिली। अल्ताई के मखमली कालीन पर अकित घुडसवार की छवि ईरान की प्राचीन राजधानी के खण्डहरो से मिली छवियो और मुहरो के डिजाइन से मिलती है। यह खण्डहर ईसवी-सन् से पूर्व छठी या पाँचवी शती के हैं, अर्थात् आज से २४०० या २५०० साल पुराने है।

टीलो मे चीनी कपडे भी निकले। एक प्राचीन चीनी आइना तथा अन्य कितनी ही चीजे मिलीं, जिनसे पता चलता है कि टीलो के निर्माण करनेवाले अल्ताई के प्राचीन लोग ईसा से पहले पाँचवी शती के निवासी थे।

अबतक हुई खुदाई से पुरातत्त्वविदो को यह मालूम हो गया कि कब्र की दीवार के पीछे उन्हे घोडे मिलेंगे। सचमुच, उन्होंने एक लकडी की दीवार देखी, जिसके पीछे चौदह

सुन्दर घोडे दफनाये हुए थे। ये सब-के-सब, अपने शानदार साज-सामान के साथ बहुत बढिया स्थिति मे सुरक्षित थे। लकडी पर नक्काशी के काम और सोने के पत्तर से सुसज्जित जीन, विविध रंगो से युक्त घोडे के लबादे और चीनी रेशम की बनी ओहारें—सभी बहुत सुन्दर थी।

घोडो के विशेषज्ञो को ऐसा मौका शायद ही मिलता है, जबकि उन्हें दो हजार साल से भी ज्यादा पहले मारे गये घोडो के सुनहरे ताम-झाम को अपने हाथ से स्पर्श करने का सौभाग्य प्राप्त हो। हां, मारे गये, क्योकि ये घोडे युद्ध या किसी दुर्घटना मे पडकर नही, बल्कि योद्धा की कब्र मे दफनाने के लिए मरे थे।

पाजीरिक टीलो की अन्तिम निधियो को बक्सो मे पैक करने के बाद शोध-दल घाटी से विदा हो गया। प्राचीन शकों के मृत शरीरो को लेनिनग्राद के एर्मीतेज म्यूजियम के लिए रवाना कर दिया गया।

सोवियत-विज्ञान ने अल्ताई के टीलो के रहस्यो का उद्‌घाटन कर लिया। सुदूर अतीत को उन्होंने फिर से हमारे लिए मूर्त्त कर दिया। पाजीरिक घाटी से मिली चीजें उन लोगो के जीवन, धार्मिक विश्वासो और कला की कहानी हमे बताती हैं, जो किसी जमाने मे अल्ताई पहाडो मे रहते थे। इन्हें देखने से पता चलता है कि ये लोग चिरकाल से ही सस्कृति मे हीन तथा अविकसित नही थे। इन चीजो से पता चलता है कि शक-जाति के लोगो की सस्कृति ऊँची थी। ये चीजें प्राचीन शको के इतिहास मे एक नया पृष्ठ जोडने मे मदद देती हैं।"

●

स्रोतग्रन्थ :

१ Les Scythes (F G Bergmann)

२ 'आर्खेआलेगिचेस्किइ ओचेर्क सेवेर्नोइ किर्गिजिइ' (अ० न० बेर्नश्तम, फ्रु़जे, सन् १९४१ ई०)

३ 'इस्तोरिको-कुल्तुर्नोये प्रोश्लोये सेवेर्नोइ किर्गिजिइ पो मतेरियलाम् बोल्शवो चुइस्कओ कनाला' (बेर्नश्तम, फ्रु़जे, सन् १९४३ ई०)

४ 'अल्ताई व् स्किफस्कोये व्रेमिया' (स० व० किसेलेफ), 'वेस्तिक् द्रेव्नेइ इस्तोरिइ', 1947, II, pp 157–72

५ स्त्र्का० सोओव्०, XIII, p 112

६ 'सोवियत-भूमि' (दिल्ली, सन् १९५३ ई०)

अध्याय २

हूण (३०० ई० पू० से ३०० ई०)

शको के उनके मूलस्थान से निकालकर उस समय अपना अधिकार जमाना हूणो का काम था। यही नही, बल्कि मध्यएसिया के उत्तरापथ और दक्षिणापथ दोनो मे जो आज सभी जगह मगोलायित चेहरे देखे जाते हैं, यह भी हूणो का ही देन है। तुर्क हूणो से ही निकले और मगोल भी हूणो की ही सन्तान है।

१. प्राचीन हूण

शको की तरह हूण भी घुमन्तू पशुपाल थे। मध्यएसिया मे दोनो एक दूसरे के पडोसी थे। यूची के निकाले जाने से पहिले शकभूमि तियेनशान और अल्ताई से पूरब हूणो की गोचर-भूमि से मिल जाती थी। इसलिए, अन्तिम सघर्ष के पहिले भी इनका कभी-कभी आपस मे युद्ध या वस्तु-विनिमय के लिए सम्बन्ध हो जाया करता था। चीन के इतिहास से पता लगता है कि वहाँ पर भी धातुयुगीन सास्कृतिक विकास मे पश्चिम से जानेवाली जाति का विशेष हाथ रहा। यह जाति शको से सम्बन्ध रखनेवाली थी, इसमे सन्देह नही। चीनियो के उत्तर मे रहनेवाले हूणो का भी यदि शको के साथ सम्बन्ध रहा और उनके द्वारा वह धातुयुग मे आये, तो कोई आश्चर्य नहीं। तातार और तुर्क ये दोनो शब्द हूणो के वशजो के लिए इस्तेमाल हुए हैं, लेकिन चीनी इस्तेमाल मे ईसा की दूसरी सदी के पूर्व 'तातार' शब्द का पता नही है, और पाँचवी सदी के पहिले 'तुर्क' शब्द भी उनके लिए अज्ञात था। ग्रीक और ईरानी स्रोत जिस समय सूखने लगते है, उसी समय से चीनी स्रोत हमारे लिए खुल जाते हैं। शको के बारे मे चीनी इतिहासकारो ने बहुत कुछ लिखा है। लेकिन, अभी तक उसमे से थोडा ही यूरोप की भाषाओ मे आ सका है। रूसी विद्वानो का इस सामग्री को प्रकाश मे लाने तथा व्यवस्थित रूप से छानबीन करने का काम बहुत सराहनीय है। किन्तु, वह रूसी-भाषा मे बद्ध होने से हमारे लिए बहुत उपयोगी नही हुआ। नवीन चीन और सोवियत-रूस आज सारी शकभूमि के स्वामी है। वहाँ इतिहास के अनुसन्धान में जितनी दिलचस्पी दिखाई जाती है, उससे आशा है कि उनके बारे मे पुरातत्त्व-सामग्री तथा लिखित सामग्री से बहुत-सी बातें मालूम होगी। तियेनशान (किरगिजिया) मे नरीन् की खुदाई मे शको के विशेष तरह के बाण के फन्न तथा मिट्टी के गोल कटोरे और दूसरी चीजें भी मिली हैं। इस्सिकुल सरोवर के किनारे त्यूप स्थान मे भी इस काल की कुछ चीजें मिली हैं, जो कि मास्को के राजकीय ऐतिहासिक म्यूजियम मे रखी हुई हैं। कजाक-गण-राज्य के बेरकारिन स्थान मे निकली कब्र मे भी कुछ चीजें मिली है, जो पाँचवी-चौथी सदी ई० पू० की मानी जाती हैं। वहीं कराचोको (इली-उपत्यका) मे खुदाई करने पर शकों के पीतल के बाणफल मिले। ये मिनिमुन और उनके उत्तराधिकारियो से सम्बन्ध रखनेवाले हैं। प्राकजनो के पीतल के हथियार पूर्वी यूरोप (चेरतोम लिक) से बैकाल और मचूरिया की

सीमा तक प्राप्त हैं। इनकी गोचर-भूमि समय-समय बहुत दूर तक फैली हुई थी। डॉक्टर बेर्नश्तम तथा सप्तनद, अरताई और तियेनशान के प्राचीन इतिहास और पुरातत्त्व के विशेषज्ञ विद्वानों का कहना है कि ई० पू० छठी शताब्दी में इस सारे इलाके में घुमन्तू शकजनों का निवास था। यह भी पता लगा है कि शकों ने कुछ खेती का भी काम सीखा था, तब भी वह प्रधानतया पशुपाल थे।[१]

चीन में भी अपने इतिहास को बहुत अधिक प्राचीन दिखलाने का आग्रह रहा है, किन्तु चीन का यथार्थ इतिहास ई० पू० छठी सदी से शुरू होता है। उसके पहिले की सारी बातें पौराणिक जनश्रुतियों से अधिक महत्त्व नहीं रखतीं। चीन का प्रथम ऐतिहासिक राजवंश चिन (२५५–२०६ ई० पू०) है। इस वंश के संस्थापक चिन-शी-ह्वाङ-ती (२५५–२५० ई० पू०) ने बहुत-सी छोटी-छोटी सामन्तियों में बँटे चीन को एक राज्य में संगठित किया। इससे पहिले उत्तर के घुमन्तू हूण चीन को अपनी लूटपाट का क्षेत्र बनाये हुए थे। ये अश्वारूढ, मांसभक्षक, कूमिशपायी लड़ाके बराबर अपने दक्षिण के चीनी गाँवों और नगरों पर आक्रमण किया करते थे। इनकी सम्पत्ति घोड़ा, ढोर और भेड़ें थीं, और कभी-कभी ऊँट, गदहे, खच्चर भी इनके पास देखे जाते थे। वर्तमान मंगोलिया, मंचूरिया तथा इनके उत्तर के साइबेरिया के भू-भाग इनकी चरभूमि थे। हूण कबीलों को चीनी ह्यू-ङ-नू कहते थे। तुर्क, किरगिज, मगयार (हुंगर) आदि पीछे इनके ही उत्तराधिकारी हुए। ह्यू-ङ-नू के अतिरिक्त चीनी-इतिहास एक और भी घुमन्तू मंगोलायित जन का पता देता है, जिन्हें तुङ-हू कहते थे। इन्हीं के उत्तराधिकारी पीछे कित्तन (खताई), मंचू आदि हुए। विशाल हूणजन के बहुत छोटे-छोटे उपजन थे, जिनके अपने-अपने सरदार हुआ करते थे। हमारे यहाँ तथा दूसरे देशों में भी 'ओर्दू' (उर्दू) शब्द सेना का पर्याय माना जाता है। इन घुमन्तुओं में एक पूरे जन—जिसमें उसके सभी नरनारी, बालवृद्ध सम्मिलित थे—को ओर्दू कहा जाता था। इनका शासन जनतान्त्रिक था, और सरदार को जन के ऊपर अपना स्वतन्त्र दरजा कायम करने का अधिकार नहीं था। हूण बच्चे जहाँ बचपन से ही पशुओं का चराना सीखते थे, वहाँ उसमें भी पहिले वह छोटी-छोटी धनुही से पहिले चूहे का शिकार करते, फिर सियार और खरगोश का। घोड़े की नंगी पीठ पर घुड़सवारी करना भी बचपन से ही इन्हें सिखाया जाता था और अधिक क्षमता प्राप्त करने पर वे घोड़े पर बैठे-बैठे धनुष चलाने लगते थे। दूध और मांस का भोजन तथा चमड़े की पोशाक के लिए इन्हें अपने पशुओं के ऊपर निर्भर करना पड़ता था। ऊन के नम्दे भी ये बना लेते थे। जवानों, अर्थात् योद्धाओं का इनके यहाँ बहुत मान था, और खानपान में सबसे पहिले उनकी ओर ध्यान दिया जाता था। बूढ़े और निर्बल सिर्फ जूठ-काँठ पाने के अधिकारी थे। मरे पिता की रखी या छोड़ी हुई स्त्रियों के पति बेटे हुआ करते थे। छोटे भाई की विधवा भी दूसरे भाई की पत्नी बनती थी। शकों या इनकी स्थिति में रहनेवाले दूसरे जनों की तरह लड़ाई में पीठ दिखाकर भागना इनके यहाँ बुरा नहीं समझा जाता था, बल्कि वह युद्ध-कौशल का एक अंग था। दया-माया

१ आर्ख० ओचेर्क०, पृ० २४-२५

की इनके यहाँ कम गुंजाइश थी। इनके हथियार धनुष-वाण, तलवार और छुरे थे। साल मे तीन बार इनकी जनसभा होती थी, जबकि सारा ओर्दू एकत्रित होकर जहाँ धार्मिक और सामाजिक कृत्यो को पूरा करता, वहाँ साथ ही राजनीतिक और दूसरे झगडे भी मिटाता। वहुत-से सरदारो के ऊपर निर्वाचित राजा को शान्-यू कहा जाता था।

अन्दाज लगाया जाता है कि १४००–२०० ई० पू० तक चीन मे उत्तर के इन घुमन्तुओ की लूटपाट बराबर होती रहती थी। ईसा-पूर्व तीसरी शताब्दी मे शान्-शी, शेन्-शी, ची-ह्ली मे इनके ओर्दू विचरा करते थे। इसी समय ह्वाङ-हो नदी के मुडाव पर भी इनका ओर्दू रहा करता था, जिसके कारण आज भी उस प्रदेश को ओर्दुस् कहते हैं। चिन-शी-ह्वाङ-ती (२५५–२०६ ई० पू०) ने चीन के वडे भाग को एक राज्य मे परिणत कर सोचा कि हूणो की लूटमार से कैसे चीन की रक्षा की जाय। इसके लिए उसने चीन की महान् दीवार के कितने ही भाग को एक रक्षा-प्राकार के तौर पर निर्मित कराया और ओर्दू तथा शान्-शी आदि प्रदेशो मे घुस आये हूणो को निकालकर उत्तर की ओर भगा दिया। समुद्रतट से पश्चिम मे लन्चाउ तक की इस दीवार को वनाने मे पाँच लाख आदमी मर-मरकर वर्षो तक कोडो के नीचे काम करते रहे। निर्माण-काल से हजार वर्षों तक उत्तर के घुमन्तुओ और चीन का जो खूनी संघर्ष होता रहा, उसके प्रमाणस्वरूप लाखो खोपडियाँ दीवार के किनारे जमा होती गईं। चीन के उत्तर मे जहाँ हूणो से मुकाविला करना पडता था, वहाँ पश्चिम मे यूची-पूर्वज शक भी कम खून-खरावी नही करते थे।

२. हूण-राजावलि

१	तूमन शान्-यू	२५० ई० पू०
२.	माउदून, तत्पुत्र	१८३ ,,
३	ची-यू, तत्पुत्र	१७२ ,,
४	चू-चेन्, तत्पुत्र	१७२–१२७ ,,
५	इचिसे, तद्भ्राता	१२७–११७ ,,
६.	अच्वी	११७–१०७ ,,
७	चान्-सीलू	१०७–१०४ ,,
८.	शूली-हू	१०४–१०३ ,,
९	शूती-हू	१०३–९८ ,,
१०	हू-लू-हू	९८–८७ ,,

१ तूमन शान्-यू (२५० ई० पू०)[1] जिस समय चिन-वंश के नेतृत्व मे चीन एकताबद्ध हो रहा था, उसी समय (२५० ई० पू०) हूणो मे भी एकता उत्पन्न हुई। चीन-सम्राट् की मृत्यु के बाद जो अराजकता पैदा हुई, उससे हूणो के प्रथम तूमन शान्-यू ने लाभ उठाया और डेढ हजार वरस पीछे होनेवाले अपने योग्य उत्तराधिकारी चिंगिज खान् की तरह ओर्दू तथा दूसरे प्रदेशो मे लूटमार की और ओर्दूस् को फिर से अपने जन की गोचर-

१. A thousand years of Tatars (E H Parker, Shanghai, 1895)

भूमि बना लिया। उत्तर से हूण आकर अब फिर पश्चिमी कान्-सू के निवासी यूचियो के पडोसी बन गये। तूमन का प्रभाव अपने जन पर बहुत था, किन्तु हूणो का सबसे बडा शान् यू, उसका पुत्र माउदून हुआ। बुढापे मे पिता ने अपनी तरुणी पत्नी के फेर मे पडकर ज्येष्ठ पुत्र माउदून को राज्य से वचित करके छोटे पुत्र को राज्य देना चाहा। माउदून को रास्ते से अलग करने के लिए उसने अपने पश्चिमी पडोसी (यूची लोगो के) पास अमानत रखा और फिर उनपर आक्रमण कर दिया। जिसका अर्थ यही था कि यूची माउदून को मार डालें। लेकिन, माउदून एक तेज घोडे पर चढकर भाग निकला। पिता ने प्रसन्नता प्रकट करने के लिए उसे दसहजारी सरदार बना दिया, किन्तु माउदून अपने पिता की करनी को भूलनेवाला नहीं था। कहते हैं, माउदून ने मिङ-ली (गानेवाले बाण) का आविष्कार किया। वह शब्दवेधी बाण मे अभ्यस्त था। एक दिन उसने बूढे पिता को बाण का लक्ष्य बनाकर बदला लिया।

१ माउदून (१८३ ई० पू०)[1] शान्-यू बनते ही माउदून ने अपने पिता के परिवार को कत्ल कर डाला और केवल पिता की एक स्त्री को अपने लिए जीवित रहने दिया। इस समय तक चीन और यूची ही नही, बल्कि पुराने तुगुस (तुङ-हू, ह्वान) भी अपने जन का एक बडा सगठन कर चुके थे। हूणो की उनके साथ भी लडाई होने लगी। गोबी की बालुका-भूमि के बीच मे दोनो जनो का एक भीषण सघर्ष हुआ। वे माउदून का मुकाबला कर बुरी तरह से हारे। बहुत-से तुगुसो को हूणो ने अपना दास बनाया। उनमे से कुछ भागकर मगोलिया के उत्तर-पूर्व मे जाने मे सफल हुए, जो आगे धीरे-धीरे शक्ति-सचय करके फिर हूणो के प्रतिद्वन्द्वी बन गये। माउदून एक चतुर सेनानायक था। जन के सगठन और शासन मे भी उसने वैसी ही प्रतिभा दिखलाई। उसने अपने तीन प्रतिद्वन्द्वी जनो को परास्त कर हूणो की शक्ति को बढाया। उसे कोरोम, दारयोश और सिकन्दर की श्रेणी का विजेता माना जा सकता है। उसने तुगुसो को परास्त करके उत्तर से अपने को सुरक्षित कर पश्चिमी पडोसी यूचियो की खबर लेने की ठानी। यूची भी बडे वीर योद्धा थे, हूणो की तरह ही वह घुमन्तू पशुपाल थे तथा घुडसवारी के साथ धनुष चलाना जानते थे। यह बहुत सम्भव है, हथियार और युद्ध की शिक्षा मे हूणो के गुरु इन्ही शको के पूर्वज हो। यूची माउदून की सेना से कितने ही समय तक मुकाबिला करते रहे, किन्तु अन्त मे (१७६ या १७४ ई० पू०) उन्हें हूणो के सामने पराजय स्वीकार कर कोकोनोर और लोबनोर की अपनी पितृभूमि को छोडने के लिए मजबूर होना पडा। माउदून ने चीन-सम्राट् वेन्-ती (१६९-५६ ई० पू०) को लिखा था "जितनी जातियाँ (तातार) घोडे पर चढे धनुप को झुका सकती हैं, उन्हे एकताबद्ध कर मैंने एक राज्य कायम कर लिया। यूचियो और तरबगताइयो को भी मैंने नष्ट कर दिया। लोबनोर तथा आसपास के छब्बीस राज्य अब मेरे हाथ मे हैं। अगर तुम नही चाहते कि ह्यु-ङ नू महादीवार को पार करे, तो तुम्हे चीनियो को महादीवार के पास हरगिज नही आने देना चाहिए। साथ ही, मेरे दूत को नजरबन्द न कर तुरन्त मेरे पास लौटा देना चाहिए।"

---

१ A thousand years of Tatars (E H Parker, Shanghai, 1895), p. 347, वेनंश्तम (आर्खे० ओचेर्क०, पृ० ४२)

(क) शासन :

माउदून का राज्य पूरब मे कोरिया से पश्चिम मे वल्काश तक और उत्तर मे बैकाल से दक्षिण मे क्विनलन-पर्वतमाला तक फैला हुआ था। उसके पिता के समय हूण-राज्य केवल अपने कबीले तक सीमित था और दक्षिण मे चीन के भीतर हूण जब-तब लूटमार-भर कर लिया करते थे। इतने बडे राज्य के सचालन के लिए पुरानी व्यवस्था उपयुक्त नही हो सकती थी, इसीलिए माउदून को नई व्यवस्था कायम करनी पडी। यह स्मरण रहना चाहिए कि हूणो का समाज पितृसत्ताक था, अभी वहाँ सामन्तशाही नही फैली थी। चीन मे किसान अर्धदास और दास जैसे थे। उनके बाल-बच्चे सामन्तो की चल सम्पत्ति थे। हूण-शासनयन्त्र निम्नांकित प्रकार का था :

५२. माउदुनका हूणसाम्राज्य (१८३ ई०)

१. शान्-यू राजावाची चीनी शब्द शान्-यू का हूण-भाषा का रूप 'जेंगी' कहा जाता है। शायद इसी का रूपान्तर 'चगीज' हुआ। राजा की पूरी उपाधि थी 'तेंग्री-कुट्टू शान्-यू' (देव-पुत्र महान्)। आज भी मगोल और तुर्की-भाषाओ मे देवता का वाचक 'तेंग्री' शब्द मौजूद है। शान्-यू प्रभावशाली योद्धा और नेता होता था, लेकिन उसके ऊपर हूण-ओर्दू का नियन्त्रण रहता था।

२. दूगी इसका अर्थ है धर्मात्मा या न्यायी। शान्-यू के नीचे दो दूगी हुआ करते थे, जिनमे एक को पूर्व-दूगी और दूसरे को पश्चिम-दूगी कहते थे। पूर्व-दूगी का दरजा ऊँचा समझा जाता था, और आम तौर से वह युवराज माना जाता था। हूण-साम्राज्य के पूर्वभाग पर पूर्व-दूगी का शासन था और पश्चिम पर पश्चिम-दूगी का। राज्य के मध्य-भाग, अर्थात् हूण-जनक्षेत्र पर स्वय शान्-यू सीधे शासन करता था।

३. कुन्ले (कुनलू) यह भी दक्षिण और वाम दो होते थे, जिनमे वाम का दरजा ऊँचा था।

४ इनके नीचे वाम और दक्षिण के दो सेनापति थे।

५ इनके नीचे वाम और दक्षिण के दो दीवान होते थे। आगे भी दो वाम-दक्षिण कुनलू जैसे दसहजारी और हजारी तक से चौबीस सैनिक अधिकारी होते थे। हूण-शासन मे सैनिक-असैनिक अधिकार का भेद नही था।

इनके अतिरिक्त हूण-शासको की उपाधि, शृगो से समझी जाती थी, जो शायद समय-समय पर उनके शृ गार होते हो। दोनो द्रूगी और दोनो रुक-ले चतु शृ ग कहे जाते थे। उनके नीचे पट्शृग अधिकारी थे। दोनो कुनलू शासन-प्रवन्ध को देखते थे। द्रूगी आदि चौबीस श्रेष्ठ अधिकारियो के अपने क्षेत्र थे, जिनके भीतर ही वह अपने ओर्दू तथा पशुओ को लेकर विचरण कर सकते थे। उनको अपने हजारी, शतिक, दशिक आदि अफसरो को नियुक्त करने का अधिकार था।

शान्-यू की रानी की पदवी इन्-ची (येङ-ची) थी। हूणो के तीन-चार ऊँचे कुलो मे मे उसे लिया जाता था। शान्-यू का अपना कुल वहुत ही सम्मानित समझा जाता था। हूणो ने जो श्रेणियाँ और पदवियाँ स्थापित की थी, वह तुर्को और मगोलो के समय तक मानी जाती रही। तैमूर ने भी हजारी, पचहजारी और दसहजारी दरजे स्वीकार किये थे, जो उसके वशज वाबर के साथ पीछे भारत मे आये।

(ख) नववर्षोत्सव.

यह उत्सव हूणो का सवसे वडा राष्ट्रीय मेला था, जिसे शान्-यू वडी शान-शौकत से मनाता था। पितरो, तिङरी (देव), पृथिवी और भूत-प्रेतो के लिए वलि इसी समय दी जाती थी। शरद् मे दूसरा महोत्सव मनाया जाया था, जिसमे ओर्दू की जनगणना तथा सम्पत्ति और पशुओ पर कर लगाने का काम किया जाता था। हूण-जनो मे अपराध कम था और उसके लिए दण्ड देने मे देर नही की जाती थी। वह दोनो महोत्सवो के समय किया जाता था। महोत्सव मे घुडदौड, ऊँटो की लडाई तथा दूसरे कितने ही सैनिक और नागरिक मनोरजन के खेल होते थे। उनके अपराध-दण्ड मे मृत्युदण्ड तथा घुटना तोड़ देना भी शामिल था। सम्पत्ति के विरुद्ध अपराध का दण्ड था—सारे परिवार को दास वना दिया जाना।

नववर्षोत्सव और शरदुत्सव दोनो सामाजिक, राजनीतिक और धार्मिक महा-सम्मेलन थे। इसके अतिरिक्त भी शान्-यू को कुछ धार्मिक कृत्य रोज करने पडते थे। दिन मे शान्-यू सूर्य को नमस्कार करता और सन्ध्या को चन्द्रमा की पूजा और नमस्कार। चीनियो की भाँति हूण भी पूर्व और वाम दिशा को श्रेष्ठ मानते थे। शान्-यू सभा मे उत्तर की ओर मुँह करके वैठता, जवकि चीन-सम्राट् का वैठना दक्षिणाभिमुख होता था। चान्द्रमास की तिथियो को प्रधानता दी जाती था। सेना-अभियान के लिए शुक्लपक्ष और अभियान से लौटने के लिए कृष्णपक्ष प्रशस्त माना जाता था। लूट मे सम्पत्ति और वन्दी हुए दासो का स्वामी वही होता था, जो दुश्मन से उन्हे छीनता था। दुश्मन का सिर काट लेना, वहुत वडी वीरता मानी जाती थी।

जान पडता है, शको का प्रभाव हूणो पर भी पडा था। शको की भाँति ही हूणो मे भी मृत सरदार की वहुत-सी मूल्यवान् सम्पत्ति कब्र मे गाड दी जाती थी। समाधि के ऊपर कोई स्तूप या वृक्ष आदि चिह्न नहीं लगाये जाते थे और न मरे के लिए वहुत रोना-धोना किया जाता था।

(ग) युद्ध :

हूण पशुजीवी ही नही, आयुधजीवी भी थे। लूटमार उनका पेशा था। उनकी लडाई की एक वडी चाल थी, दुश्मन के सामने पराजित होने का अभिनय करके भाग पडना। जब दुश्मन उनका पीछा करते कुछ दूर निकल जाता, तो सुशिक्षित-सुसगठित जहाँ-तहाँ छिपे हूण-दस्ते शत्रु की पीठ पर आक्रमण कर देते। माउदून ने चीन के युद्ध मे एक वार इस तरह तीन लाख वीस हजार चीनी-सैनिको को अपने जाल मे फँसा लिया था। चीन-सम्राट् अपनी सेना के साथ आधुनिक ता-तुङ-फू (शेनसी) से एक मील दूर एक दृढ दुर्गबद्ध स्थान पर पहुँच चुका था, लेकिन उसकी अधिकाश सेना पीछे रह गई थी। माउदून अपने तीन लाख चुने हुए सैनिको के साथ चीनियो पर टूट पडा और सम्राट् को घेर लिया। सेना सात दिनो तक घिरी रही। वडी मुश्किल से चीनी अपने सम्राट् को घेरे से निकाल पाये। समझौते मे उन्हें कितनी ही अपमानजनक वाते करनी पडी। माउदून के घेरे का एक कोना ढीला था। इसी निर्वल कोने से सम्राट् सेना के साथ भागने मे समर्थ हुआ। माउदून ने पीछा नही किया। चीन को अपनी एक राजकुमारी, रेशम तथा वहुमूल्य धातु, रत्न, चावल, अगूरी शराव तथा वहुत तरह के खाद्य की भेंट देने के लिए मजबूर होना पडा। इस तरह चीनी-राजकुमारियो का शक्तिशाली घुमन्तू राजाओ से विवाह करने की प्रथा चली। समझा गया, राजकुमारी का लडका मातृकुल का पक्षपाती होगा।

चीन-सम्राट् हुङ-ती के मरने के वाद उसकी विधवा रानी कौ-ठू अपने पुत्र (वेन्-ती) को गद्दी पर वैठाकर वारह साल (१८७–७९ ई० पू०) तक स्वय राज्य करती रही। हूणो मे पितृसत्ताक समाज होने के कारण कुछ सुभीता था, जिसके कारण कितने ही चीनी भागकर उनके राज्य मे चले जाते थे। ऐसे ही किसी दरवारी की वात मे पडकर माउदून ने रानी को सन्देश-पत्र भेजकर अपने हाथ और हृदय को देने का प्रस्ताव किया। दरवारियो ने युद्ध की आग भडकाने की कोशिश की, लेकिन किसी समझदार ने रानी को समझाया 'अब भी लडके हमारी सडको पर सम्राट् के भागने की गीत गाते फिरते हैं।' रानी ने वहुत नरम-सा पत्र लिखा—'मेरे दाँत और केश परमभट्टारक (आप) के प्रेम को प्राप्त करने के योग्य नही हैं।' साथ ही, उसने दो राजकीय रथ, वहुत-से अच्छे-अच्छे घोडे तथा दूसरी भेटें भेजी। माउदून इससे कुछ लज्जित-सा हुआ और उसने वहुत-से हूणी घोडे भेजकर क्षमा माँगी। माउदून ने वहुत लम्वे काल (छत्तीस साल) तक राज्य किया।

चौ-यू[१] (कूयुक् १६२ ई० पू०) यह माउदून का पुत्र था, जिसे चीनी-लेखक लाऊ-शान् शान्-यू (महान् वृद्ध जेङ-गी) के नाम से याद करते हैं। सम्राट् ने शान्-यू के लिए नई राजकुमारी भेजी, जिसके साथ वहाँ से एक हिजडा (ख्वाजासरा) भी आया, जो जल्दी ही शान्-यू का विश्वासपात्र वन गया। चीनी-भेंटो और राजकुमारियो के प्रभाव मे आकर हूण ज्यादा विलासी होते जा रहे थे। ख्वाजासरा इसे पसन्द नही करता था। उसने हूणों को समझाया "तुम्हारे ओर्दू की सारी जनसख्या मुश्किल से चीन के कुछ परगनो के वरावर

---

१ A thousand years of Tatars, p. 348

होगी, किन्तु तब भी तुम चीन को दबाने मे समर्थ होते रहे। इसका रहस्य है, तुम्हारा अपनी वास्तविक आवश्यकताओ के लिए चीन मे स्वतन्त्र होना। मैं देखता हूँ कि तुम दिन-पर-दिन अधिक और अधिक चीनी चीजो के प्रेमी बनते जा रहे हो। सोच लो, चीनी सम्पत्ति का पाँचवाँ भाग तुम्हारे सारे लोगो को पूरे तौर से खरीद लेने के लिए काफी है। तुम्हारी भूमि के कठोर जीवन के लिए रेशम और साटन उतने उपयुक्त नही हैं, जितना की ऊनी नम्दा। चीन के तुरन्त नष्ट हो जानेवाले व्यजन उतने उपयोगी नही हो सकते, जितनी तुम्हारी कूमिश और पनीर।" इस तरह वह बराबर हूणो को सजग करता रहा। चीन के जवाब मे शान्-यू की ओर से जो चिट्ठी उसने लिखवाई थी, वह चर्मपत्र की लम्बाई-चौडाई मे ही अधिक बडी नहीं थी, बल्कि उसमे शान्-यू की अधिक लम्बी उपाधि भी लिखी गई थी 'हूणो के महान् शान्-यू जैंगी, और पृथिवी के पुत्र, सूर्य-चन्द्र-समान' आदि-आदि।

चीनी राजदूत ने एक बार 'हूणो मे वृद्धो का सम्मान नही होता', कहकर ताना मारा था, इसपर उसने जवाब दिया 'जब चीनी सेना लडाई के लिए निकलती है, तब मैं नहीं देखता कि उनके सम्बन्धी अपनी सेना के लिए कितनी ही अच्छी चीजो से अपने को वचित न करते हो। हूणो का व्यवसाय है युद्ध। बूढे और निर्बल युद्ध नही कर सकते, इसीलिए सबसे अच्छा आहार लडनेवालो को दिया जाता है।' 'लेकिन, पिता और पुत्र एक ही तम्बू को इस्तेमाल करते हैं, पुत्र अपनी सौतेली माँ से विवाह करता है। भाई अपनी भ्रातृबन्धुओ के साथ कोई विशेष विचार नही रखता।' यह कहने पर उसने कहा . "हूणो का रिवाज है, अपनी भेडो और ढोरो के मांस को खाना और उनके दूध को पीना। वे ऋतु के अनुसार अपने पशुओ को लेकर भिन्न-भिन्न चरभूमियो में घूमा करते हैं। हर एक हूणपुरुष दक्ष धनुर्धर होता है, शान्ति के समय भी उसका जीवन सरल और सुखी होता है। उनके शासन के नियम बिलकुल सरल हैं। शासक और जनता का सम्बन्ध उचित और चिर-स्थायी है। यद्यपि, पुत्र या भाई अपने पिता या भाइयो की स्त्रियो को रख लेते हैं, किन्तु इसका कारण यही है कि वे अपने खानदान को सुरक्षित रख सकें। चीनी विचार के अनुसार यह पाप हो सकता है, लेकिन इसमे कुल और वश की रक्षा होती है।" यह कहते हुए यह भी कहा 'लेकिन चीन मे दिखावे के लिए, चाहे पुत्र या भाई ऐसे पाप के भागी न होते हो, किन्तु इसका परिणाम होता है विद्रोह, शत्रुता और परिवार का ध्वस। तुम्हारे यहाँ आचार और अधिकार की ऐसी गन्दी व्यवस्था है, जिसने एक वर्ग को दूसरे वर्ग के खिलाफ खडा कर दिया है, एक आदमी दूसरे आदमी के विलास के लिए दास बनने के लिए मजबूर है। आहार और कपडा केवल खेत के जोतने और रेशम-कीट पालने से मिलता है। वैयक्तिक सुरक्षा के लिए प्राकारबद्ध नगर बनाना पडता है। सकट के समय तुम्हारे यहाँ कोई नहीं जानता कि कैसे लडना चाहिए और शान्ति के समय तुम्हारा हर एक आदमी एँडी से चोटी तक खून-पसीने को एक करते जीता है। अपने ढकोसलो की बढ-बढकर बात मेरे सामने मत करो।" फिर उसने कहा . "चीनी दूत, तुम्हें बोलना कम चाहिए और अपने को इतने तक ही सीमित रखना चाहिए, जिसमे अच्छी किस्म और अच्छी नाप का रेशम, चावल, शराब आदि हमारी ओर से भेंटें भेजी जायें। यदि भेंट की चीजें सन्तोषजनक हो, तो बात करना

बेकार है। हमलोग बात बिलकुल नही करेंगे। यदि हमे सन्तुष्ट नही करोगे, तो हम तुम्हारी सीमाओ पर आक्रमण करेंगे।"

सात साल राज्य करने के बाद ची-यू को चीन पर आक्रमण करने की आवश्यकता पडी। वह एक लाख चालीस हजार हूण-सेना के साथ लूटपाट करता वर्त्तमान सियान्-फू तक चला आया और बडी भारी सख्या मे लोगो, पशुओ और धन-सम्पत्ति को अपने साथ ले गया। चीनी बडी तैयारी करने मे लगे थे, किन्तु तबतक ची-यू अपना काम करके लौट चुका था। कई साल तक यह आतंक छाया रहा, फिर इस बात पर सुलह हुई—'महा-दीवार से उत्तर की सारी भूमि धनुर्धरो (हूणो) की है और उससे दक्षिण की भूमि टोपी और कमरबन्दवालो की।'

यूची-पलायन ची-यू की सबसे बडी विजय थी, कान्-सू से यूची शको को भगाना। माउदून उन्हे सिर्फ परास्त-भर कर पाया था। उस समय लोबनोर से ह्वाङ-हो के मुडाव तक यूचियो की विचरण-भूमि थी। लोबनोर से उत्तर-पूरब साइवाङ (शक) रहते थे। ची-यू ने अपनी सुसगठित सेना से यूचियो पर लगातार ऐसे जबरदस्त आक्रमण किये, जिसके कारण यूचियो की भारी क्षति हुई और १७६ या १७४ ई० पू० मे वह अपनी भूमि छोडकर पश्चिम की ओर भागने के लिए मजबूर हुए। साइवाङ की भूमि मे थोडी दूर जाने के बाद उनका एक भाग तरिम-उपत्यका की ओर चला गया और दूसरा इली-उपत्यका के रास्ते आगे बढा। पहले भाग को लघु-यूची कहते हैं और दूसरे को महायूची। लघु-यूचियो के आने से पहले तरिम-उपत्यका उन्ही खसो (कशो) की थी, जो उस समय भी कश्मीर और पश्चिमी हिमालय तक फैले हुए थे। अब कुछ शताब्दियो के लिए तरिम-उपत्यका लघु-यूचियो की हो गई। महायूचियो ने साइवाङ को खदेडकर उनकी जगह अपने हाथ मे ले ली। साइवाङ अपने पश्चिमी पडोसी तथा तियेनशान और सप्तनद के निवासी वूसून (वू-सुन्) पर पडे। महायूचियो को हूणो ने यहाँ भी चैन से नही रहने दिया और वह बराबर पश्चिम की ओर बढते हुए सिरदरिया और अरालसमुद्र तक फैल गये। फिर, वहाँ से दक्षिण की ओर घूमे। कुछ समय तक उनका केन्द्र वक्षुनदी के उत्तर मे था। इसी समय ग्रीको-बाख्त्री राजा हेलियोक मरा था। कॉस्पियन-तटवासी पार्थिया और सोग्द-उपत्यका मे पहुँचे यूचियो ने उसके राज्य को आपस मे बाँटकर इस यवन-राजवश को खतम कर दिया। आगे १२८ ई० पू० मे, जिस समय चाङ-क्यान् बाख्तर पहुँचा, उस समय तक वह यूचियो का केन्द्र बन चुका था। आगे हम बतलायेगे कि कैसे यूची अपनी शक्ति को आगे बढाते हुए भारत तक पहुँचे।

§२ पीछे के हूण-शासक

चू-चेन = चो-यू (१७०-१२७ ई० पू०) अपने पिता के स्थान पर शान्-यू राजा बना। चीनी हिजडा अब भी प्रभावशाली मन्त्री था। चो-यू के पास भी चीन से नई राजकुमारी आई। तत्कालीन चीन-सम्राट् वू-ती ने उसे धोखे से पकडना चाहा। भारी युद्ध हुआ, अन्त मे शान्-यू जाल से एक बार आकर भी निकल भागने मे समर्थ हुआ। अब चीन और हूणो के निरन्तर संघर्ष होने लगे और चीनी सीमान्त हूणो की आक्रमण-भूमि बना रहा।

इचिसे[1] (१२७-११७ ई० पू०) : यह पाँचवाँ शान्-यू चौथे का भाई था। इसने भी चीन के सीमान्त पर लूटमार जारी रखी, लेकिन वह वहुत दिनो तक नही चल सकी। वू-ती वडा शक्तिशाली सम्राट् था। उसने हूणो का वल तोडने के लिए वहुत भारी तैयारी की। इसकी वडी-वडी सेनाओ ने एक के वाद एक हूणभूमि पर लगातार आक्रमण किये, लाखो हूणो को वेदर्दी से मारा और उनकी भेडो को वडी संख्या मे पकड लिया। इस प्रकार, हूण उत्तर की ओर भगाये जाते रहे। यूचियो की भूमि (कान्-सू) हूणो से खाली करा ली गई। कान्-सू मे ही एक नगर चाङ-ये था, जहाँ कोई हूण-सरदार रहता था। इस नगर की विजय के समय चीनी सेना को एक सोने की मूर्त्ति मिली, जिसकी पूजा हूण किया करते थे। अन्दाज लगाया जाता है कि यह 'सुवर्णपुरुष' बुद्ध की प्रतिमा थी। तरिम-उपत्यका मे वुद्धधर्म अशोक के समय मे पहुँचा वतलाया जाता है। हो सकता है, वहाँ से यूचियो मे होते हुए वह हूणो मे पहुँचा हो। यूचियो की पुरानी भूमि की विजय के वाद चीन को भारत का परिचय वहाँ प्रचलित वौद्धधर्म के कारण ही मिला। लेकिन, चीन मे वौद्धधर्म पहुँचने का प्रमाण अभी और पीछे मिलता है।

यद्यपि चीनी सेना हूणो को उत्तर मे ढकेलने मे सफल हुई थी, तथापि वह उसे सदा की विजय नही समझती थी। इसलिए, सम्राट् वू-ती ने अपने सेनापति चाङ-क्यान् को अपने शत्रु हूणो के शत्रु यूचियो के पास भेजा कि पश्चिम से यूची भी उनके ऊपर आक्रमण करें। सम्राट् ने यूचियो को उनकी पुरानी भूमि मे आकर वसने का निमन्त्रण दिया। चाङ-क्यान् ई० पू० १३८ मे अपनी यात्रा पर चला। यह चीन का प्रथम महान् यात्री है, जिसका यात्रा-विवरण वडा ज्ञानवर्द्धक है। चाङ-क्यान् दस साल हूणो का वन्दी रहा। जव वूसूनो ने अपने को हूणो से स्वतन्त्र कर लिया, तव वह हूणो की नजरवन्दी से भागकर वूसून-भूमि मे होते हुए खोकन्द पहुँचा। वहाँ के निवासी घुमन्तू नही, वल्कि नगरो और ग्रामो के निवासी थे। वहाँ से समरकन्द होते वह यूचियो के केन्द्र वाख्तर मे पहुँचा। चाङ-क्यान् ने यूचियो को वहुत समझाने की कोशिश की कि सम्राट् वू-ती ने तुम्हारी जन्मभूमि खाली करा ली है, वह चाहते हैं कि तुम लौटकर उसे सँभाल लो। लेकिन, यूची भली भाँति जानते थे कि घुमन्तुओ का जीतना वैसा ही अचिरस्थायी है, जैसा कि ढेला फेंकने पर काई का फटना। वह वाख्तर के विशाल राज्य के स्वामी होकर आनन्द से जीवन विता रहे थे। इसलिए, हूणो से झगडा मोल लेने के लिए तैयार नही थे। चाङ-क्यान् को वदख्शाँ, पामीर और सिङ-क्याङ होकर लौटना था, जहाँ वह हूणो की पहुँच से वाहर नही रह सकता था। उसे फिर उनकी कैद मे रहना पडा और वारह वर्ष (१३८–१२६ ई० पू०) के वाद चीन लौटने का मौका मिला। ई० पू० ११५ मे फिर उसे वूसूनो के पास भेजा गया, जो इस्सिकुल महासरोवर के पास तियेनशान मे रहा करते थे। चीन पश्चिम जानेवाले रेशम-पथ को सुरक्षित तौर से अपने हाथ मे रखना चाहता था, इसलिए चाङ-क्यान् को दूसरी वार भेजा गया था। उसने पार्थिया आदि दूसरे देशो मे पता लगाने के लिए अपने दूत भेजे। लौटकर उसने सम्राट् को पश्चिमी देशो के वारे मे रिपोर्ट दी। मूल रिपोर्ट प्राप्य नही है, लेकिन

१ A Thousand years of Tatar, p 349

सूमा-च्याङ ने ९९ ई० पू० मे अपनी पुस्तक 'शी-की' और पाङ-की ने सन् ९२ ई० मे 'च्यान्-शान्-शू-की' मे (अपूर्ण पुस्तक, जिसे पीछे उसकी बहिन ने पूरा किया) उपयोग किया है। पिछली पुस्तक मे २०६ ई० पू० से सन् २४ ई० तक का वर्णन है। चाङ-क्यान् पश्चिम से लौटने के बाद ११४ ई० पू० मे मर गया। उसके विवरण के जो अश मिलते हैं, उससे बहुत-सी बातो का पता लगता है। पार्थियन लोग चर्मपत्र पर आडी लाइन मे लिखते थे। फर्गाना से पार्थिया तक शक-भाषा बोली जाती थी।

इशी-ज्या (१२७—११७ ई० पू०), अच्वी (११७—१०७ ई० पू०), चान्-सी-लू (१०७—१०४ ई० पू०), शू-न्नी-हू (१०४—१०३ ई० पू०), शू-ती-हू (१०३—९८ ई० पू०), हू-लू-हू (९८—८७ ई० पू०) ये सभी हूणो के पाँचवें के बाद के शान्-यू हैं, जिनका समकालीन हान्वंशी-सम्राट् वू-ती (१४०—८६ ई० पू०) था। चिन-वश ने हूणो की शक्ति को तोडने के लिए जो प्रयत्न किया था, उसकी समाप्ति हान-वश ने की।

(क) वू-ती और हूण :

वू-ती का ५४ वर्ष का शासन हूणो की पराजय, चीन की शक्ति के चरम उत्कर्ष और रेशम-पथ को सुरक्षित करने के लिए बहुत महत्त्व रखता है। १२९ ई० पू०, ११९ ई० पू० और ९९ ई० पू० मे चीन ने हूणो के ऊपर तीन जबरदस्त आक्रमण करके उनके उर्दू को छिन्न-भिन्न कर दिया। जेनरल वेइ-सिन् के आक्रमण १२९ और ११९ ई० पू० मे हुए थे। इन आक्रमणो के फलस्वरूप हूणो की सैनिक शक्ति ही नही तोड दी गई, बल्कि तीन सालो के भीतर चीन को क्रमश १९ हजार, ७० हजार और १० हजार हूण बन्दी मिल गये, जिन्होने दास बनकर चीन के आर्थिक विकास मे भारी काम किया। इधर फर्गाना तक का वणिक्-पथ भी चीन के हाथ मे आ गया, इसलिए रोम के साथ खूब व्यापार होने लगा। इससे पहले ही अल्ताई के उत्तर-पूरब के घुमन्तू तिङ-ली और सप्तनद तथा तियेनशान के वू-सुन्-हूणो के अधीन थे। वे समय पडने पर सैनिक सहायता भी देते थे।

वू-ती की सफलता का एक कारण यह भी था कि धीरे-धीरे हूण-सरदार विलासी होते जाते थे और उनमे शक्ति हथियाने के लिए आपस मे घोर वैमनस्य था। ची-यू ने १७६ या १७४ ई० पू० मे यूचियो को देश छोडने के लिए मजबूर किया। यह हूण-शक्ति के चरम उत्कर्ष का समय था। अब जब कि वू-ती की शक्ति से मुकाबिला करना था, तो हूणो का सगठन बहुत खोखला था। चीन के भीतर घुसकर लूटपाट करना हूणो की आजीविका का एक प्रधान साधन था और इसी वजह से कितने ही समय भिन्न-भिन्न सामन्तो के ओर्दू एक हो जाया करते थे। यह एकता स्थायी नही होती थी। इसी से लाभ उठाकर ईसा-पूर्व द्वितीय शताब्दी के अन्त तक फर्गाना तक का सारा मध्यएसिया चीन के हाथ मे चला गया। दसवें शान्-यू हू-लू-हू (९८—८७ ई० पू०) के समय इस वैमनस्य ने हूणो मे गृहयुद्ध का रूप ले लिया। ९० ई० पू० मे चीन ने हूणो पर एक बहुत बडा सैनिक अभियान भेजा। इस समय सिङ-क्याङ के कराखोजा और पीजाग के इलाके चीनियो के हाथ मे थे। इतिहास के आरम्भ से ही तरिम-उपत्यका मे कराशर से काशगर और काशगर से खोतन तक बहुत-से

समृद्ध नगर बसे हुए थे, जिनमे खम और शकजातीय लोग रहा करते थे। चीनियो ने हूणो को बहुत दूर उत्तर भगा दिया था, किन्तु इतने पर भी हूणो की शक्ति बिलकुल खतम नहीं हुई थी। यह उस जवाब से मालूम होता है, जिसे कि सन्धि करने के लिए भेजे गये दूत को उन्होंने दिया था "दक्षिण हान के महान् वंश का है और उत्तर हूणो का। हूण प्रकृति के स्वच्छन्द पुत्र हैं। वह कठिनाइयो तथा छोटी-मोटी बातों की परवाह नही करते। चीन-के साथ एक बडे पैमाने पर सीमान्ती व्यापार करने के लिए हमारा प्रस्ताव है कि एक चीन-राजकुमारी विवाह करने के लिए आये, प्रतिवर्ष दस हजार समूरी चमडे, उच्च श्रेणी के रेशम के दस हजार थान और इनके अतिरिक्त पहले सन्धि-पत्रो से मिलनेवाली भेंट भी, हमारे पास भेजी जाय। यदि यह कर दिया जाय, तो हम फिर सीमान्त पर लूटपाट नही करेंगे।"

शान्-यू की माँ बीमार थी। शकुनशास्त्रियो ने बतलाया कि देवता बलि चाहते हैं। खोकन्द के विजेता तथा चीन का सर्वश्रेष्ठ सेनापति स्यन्-वी दरबारी षड्यन्त्र के कारण भागकर हूणो की शरण मे चला आया था, उसी की बलि देवता को दी गई। जान पडता है, देवता उससे और रुष्ट हो गये। कई महीने तक लगातार हिम-वर्षा हुई। पशु और उनके बच्चे मर गये, लोगो मे महामारी फैल गई। अन्न की फसल जहाँ होती थी, वहाँ पकने न पाई। इसके साथ युद्ध-क्षेत्र मे भारी पराजय हुई, जिसमे बडे-बडे सेनापति मारे गये। इससे हूणो की कमर क्यो न टूट जाती ?

(ख) हूण-पराभव

ख्-ग्वन्, हू-हान्-ये या खू-गन्-जा (५९–३१ ई० पू०) चौदहवाँ शान्-यू था। इस समय मचूरिया से इस्सिकुल तक की हूणभूमि मे प्रचण्ड गृहकलह चल रहा था। एक नही, पाँच-पाच शान्-यू बन गये थे, जिनमे हू-हान्-ये का अपना बडा भाई ची-ची उसका जबरदस्त प्रतिद्वन्द्वी था। आपसी सघर्ष तथा चीन के प्रहार के कारण कितने ही हूण-सरदार चीन की अधीनता स्वीकार करने मे ही कल्याण समझते थे। कराकोरम (मगोलिया) प्रदेश मे हू-हान्-ये ने ची-ची को जबरदस्त हार दी। हू हान्-ये का दूसरा प्रतिद्वन्द्वी वो-यान था, जिस पर उसने पचास हजार सेना के साथ आक्रमण किया। अन्त मे, वो-यान को निराश होकर आत्महत्या कर लेनी पडी। हू-हान्-ये का शासन बहुत मजबूत हो चला। इतने प्रति-द्वन्द्वियो के खिलाफ हू-हान्-ये की विजय का एक कारण यह भी था कि सरदारो के प्रभाव के बढने के बाद भी हूणो मे अभी सामरिक जनतन्त्रता का लोप नही हुआ था और वह जन-निर्वाचित था। किन्तु, भोग और सम्पत्ति ने हूणो मे भेद अवश्य प्रकट कर दिया था।

हू-हान्-ये ने परिषद् के सामने चीन की अधीनता स्वीकार करने का प्रस्ताव रखा। बहुत-से सरदारो ने असहमति प्रकट की। उनका कहना था "हमारा प्राकृतिक जीवन है केवल पशुबल और क्रियापरायणता। अपमानपूर्ण अधीनता तथा सुखी जीवन हमारे लिए उपयुक्त नहीं है, बल्कि उसके प्रति हम घृणा करते हैं। घोडे की पीठ पर चढकर लडना यही हमारी राजनीतिक शक्ति का मूल मन्त्र है। यही वह चीज है, जिससे कि हम सदा बर्बर जातियो मे अपनी प्रधानता कायम रखते आये हैं। युद्ध मे मरना हमारे हर एक वीर योद्धा

Missing Page

लग्गं च दक्खिणायविसुवे सुवि अस्स उत्तरं अयणे ।
लग्ग साई विसुवेसु पंचसु वि दक्खिणे अयणे ॥

अर्थात्—अस्स यानी अश्विनी और साई—स्वाति ये नक्षत्र विषुवके लग्न बताये गये है । यहाँ विशिष्ट अवस्थाकी राशिके समान विशिष्ट अवस्थाके नक्षत्रोको लग्न माना है ।

इस ग्रन्थमे कृत्तिकादि, धनिष्ठादि, भरण्यादि, श्रवणादि, एव अभिजितादि नक्षत्र गणनाओकी समालोचना की गयी हैं ।

कल्प, सूत्र, निरुक्त और व्याकरणमे ज्योतिषचर्चा

आश्वलायन सूत्र, पारस्कर सूत्र, हिरण्यकेशी सूत्र, आपस्तम्ब सूत्र आदि सूत्र ग्रन्थोमें फुटकल रूपसे ज्योतिपचर्चा मिलती है । आश्वलायन सूत्रमे **"श्रावण्यां पौर्णमास्या श्रावणकर्म," "सीमन्तोन्नयन' यदा पुसा नक्षत्रेण चन्द्रमा युक्त. स्यात्"** इत्यादि अनेक वाक्य विभिन्न कार्योंके विभिन्न मूहूर्त्तोंके लिए आये है । पारस्कर सूत्रमें विवाहके नक्षत्रोका वर्णन करते हुए लिखा है—**"त्रिषु त्रिषु उत्तरादिषु स्वातौ मृगशिरसि रोहिण्या ।"** अर्थात् उत्तराफाल्गुनी, हस्त, चित्रा, उत्तराषाढा, श्रवण, धनिष्ठा, उत्तराभाद्रपद, रेवती और अश्विनी विवाह नक्षत्र बताये गये हैं । इन सूत्र ग्रन्थोमें विभिन्न कार्योंके विधेय नक्षत्रोका वर्णन मिलता है । बौधायन सूत्रमें—**"मीनमेषयोर्मेषवृषभयोर्वसन्त."** इस प्रकार लिखा मिलता है । इससे सिद्ध है कि सूत्र ग्रन्थोके समयमे राशियोका प्रचार भारतमें हो गया था ।

निरुक्तमे दिन-रात्रि, शुक्ल-कृष्ण पक्ष, उत्तरायण-दक्षिणायनका कई स्थानोपर चामत्कारिक वर्णन आया है । इसमें युगपद्धतिकी पूर्व मध्यकालीन ज्योतिष ग्रन्थोके समान सुन्दर मीमासा मिलती है ।

पाणिनीय व्याकरणमें सवत्सर, हायन, चैत्रादि मास, दिवस विभागात्मक मुहूर्त्त शब्द, पुष्य, श्रवण, विशाखा आदि नक्षत्रोकी व्युत्पत्ति की गयी है । **"विभाषा ग्रहः"** ३। १। १४३ में ग्रह शब्दसे नवग्रहोका अनुमान

करना भी असगत नही कहा जा सकेगा ।

स्मृति एवं महाभारतकी ज्योतिषचर्चा

मनुस्मृतिमे सैद्धान्तिक ग्रन्थोके समान युग और कल्पनाका वर्णन मिलता है । याज्ञवल्क्य स्मृतिमे नवग्रहोका स्पष्ट कथन है—

सूर्य सोमो महीपुत्र. सोमपुत्रो बृहस्पति ।
शुक्र शनैश्चरो राहु· केतुश्चैते ग्रहा स्मृता ॥

—आचाराध्याय

इस श्लोकपर-से सातो वारोका अनुमान भी सहजमे किया जा सकता है । याज्ञवल्क्य स्मृतिमें क्रान्तिवृत्तके १२ भागोका भी कथन है, जिससे मेषादि १२ राशियोकी सिद्धि हो जाती है । श्राद्धकाल अध्यायमे वृद्धियोग-का भी कथन है, इससे ज्योतिप शास्त्रके २७ योगोका समर्थन होता है । वास्तविक योग शब्दके अर्थमें व्यवहृत योग सर्वप्रथम अथर्व ज्योतिपमे ही मिलता है ।

याज्ञवल्क्य स्मृतिके प्रायश्चित्त अध्यायमे "ग्रहसयोगजै फलै" इत्यादि वाक्यो-द्वारा ग्रहोंके सयोगजन्य फलोका भी कथन किया गया है । इस स्मृतिमें अमुक नक्षत्रमे अमुक कार्य विधेय है इसका कथन बहुत अच्छी तरहसे किया है ।

महाभारतमे ज्योतिपशास्त्रकी अनेक वातोका वर्णन मिलता है । इसमे युगपद्धति मनुस्मृति-जैसी ही है । सतयुगादिके नाम, उनमे विधेय कृत्य कई जगह आये है । कल्पकालका निरूपण शान्तिपर्वके १८३वें अध्यायमे विस्तारसे किया गया है । पचवर्षात्मक युगका भी कथन उप-लब्ध होता है । सवत्सर, परिवत्सर, इदावत्सर, अनुवत्सर एव इद्वत्सर इन ५ युगसम्बन्धी ५ वर्षोमे क्रमश पाण्डव उत्पन्न हुए थे—

अनुसवत्सर जाता अपि ते कुरुसत्तमा ।
पाण्डुपुत्रा व्यराजन्त पञ्चसवत्सरा इव ॥

—आ० प०, अ० १२४-२५

पाण्डवोको वनवास जानेके वाद कितना समय हुआ, इसके सम्बन्धमे भीष्म दुर्योधनसे कहते हैं—

तेषा कालातिरेकेण ज्योतिषां च व्यतिक्रमात् ।
पञ्चमे पञ्चमे वर्षे द्वौ मासावुपजायत. ॥
एषामभ्यधिका मासा· पञ्च च द्वादश क्षपा ।
त्रयोदशानां वर्षाणामिति मे वर्तते मति. ॥

—वि० प०, अ० ५२-३-४

पाँच वर्षमे दो अधिमास यह वेदाग-ज्योतिप पद्धति है और अधिमास आदिकी कल्पना भी वेदाग-ज्योतिषके अनुसार ही महाभारतमे है ।

महाभारतके अनुशासन पर्वके ६४वें अध्यायमे समस्त नक्षत्रोकी सूची देकर वतलाया गया है कि किस नक्षत्रमे दान देनेसे किस प्रकारका पुण्य होता है । महाभारतकालमें प्रत्येक मुहूर्त्तका नामकरण भी व्यवहृत होता था तथा प्रत्येक मुहूर्त्तका सम्बन्ध भिन्न-भिन्न धार्मिक कार्योंसे शुभाशुभके रूपमे माना जाता था । २७ नक्षत्रोके देवताओंके स्वभावानुसार विधेय नक्षत्रसे भावी शुभ एव अशुभका निर्णय किया गया है । शुभ नक्षत्रोमें ही विवाह, युद्ध एव यात्रा करनेकी पद्धति थी । युधिष्ठिरके जन्म-समयका वर्णन करते हुए वताया गया है कि—

ऐन्द्रे चन्द्रसमारोहे मुहूर्त्तेऽभिजिदष्टमे ।
दिवो मध्यगते सूर्ये तिथौ पूर्णेति पूजिते ॥

अर्थात्—आश्विन सुदी पचमीके दोपहरको अष्टम अभिजित् मुहूर्त्तमे सोमवारके दिन ज्येष्ठा नक्षत्रमें जन्म हुआ । महाभारतमे कुछ ग्रह अधिक अनिष्टकारक वताये गये है, विशेषत शनि और मगलको अधिक दुष्ट माना है । मगल लाल रगका समस्त प्राणियोको अशान्ति देनेवाला और रक्तपात करनेवाला समझा जाता था । केवल गुरु ही शुभ और समस्त प्राणियोको सुख-शान्ति देनेवाला वताया गया है । ग्रहोका शुभ नक्षत्रोके साथ योग होना प्राणियोके लिए कल्याणदायक माना जाता था । उद्योग पर्वके

१४३वें अध्यायके अन्तमें ग्रह और नक्षत्रोंके अशुभ योगोका विस्तारसे वर्णन किया गया है। श्रीकृष्णने जब कर्णसे भेंट की, तब कर्णने इस प्रकार ग्रह-स्थितिका वर्णन किया है—"शनैश्चर, रोहिणी नक्षत्रमे मंगलको पीडा दे रहा है, ज्येष्ठा नक्षत्रमें मंगल वक्री होकर अनुराधा नामक नक्षत्रसे योग कर रहा है। महापात संज्ञक ग्रह चित्रा नक्षत्रको पीडा दे रहा है। चन्द्रमाके चिह्न विपरीत दिखलाई पडते है और राहु सूर्यको ग्रसित करना चाहता है।" शल्य-वधके समय प्रात कालका वर्णन निम्न प्रकार किया है—

भृगुसूनुधरापुत्रौ शशिजेन समन्वितौ ॥ —श० प०, अ० ११.१८

अर्थात्—शुक्र और मंगल इन दोनोंका योग बुधके साथ अत्यन्त अशुभ-कारक बताया गया है। आज भी बुध और शनिका योग अशुभ माना जाता है। महाभारतमें १३ दिनका पक्ष अत्यन्त अशुभ बताया गया है—

चतुर्दशीं पञ्चदशीं भूतपूर्वां तु षोडशीम्।
इमां तु नाभिजानेऽहममावास्यां त्रयोदशीम् ॥
चन्द्रसूर्यावुभौ ग्रस्तावेकमासीं त्रयोदशीम् ॥

अर्थात्—व्यासजी अनिष्टकारी ग्रहोंकी स्थितिका वर्णन करते हुए कहते हैं कि १४, १५ एवं १६ दिनोंके पक्ष होते थे, पर १३ दिनोका पक्ष इसी समय आया है तथा सबसे अधिक अनिष्टकारी तो एक ही मासमे सूर्यग्रहण और चन्द्रग्रहणका होना है और यह ग्रहण योग भी त्रयोदशीके दिन पड रहा है, अत समस्त प्राणियोंके लिए भयोत्पादक है। महाभारतसे यह भी सिद्ध होता है कि उस समय व्यक्तिके सुख-दु ख, जीवन-मरण आदि सभी ग्रह-नक्षत्रोंकी गतिसे सम्बद्ध माने जाते थे।

उपर्युक्त ज्योतिष-चर्चाके अतिरिक्त ई० १०० के लगभग स्वतन्त्र ज्योतिषके ग्रन्थ भी लिखे गये, जो रचयिताके नामपर उन सिद्धान्तोंके नामसे ख्यात हुए। वराहमिहिराचार्यने अपने पंचसिद्धान्तिका नामक संग्रह ग्रन्थमें पितामह सिद्धान्त, वसिष्ठ सिद्धान्त, रोमक सिद्धान्त, पौलिश

सिद्धान्त और सूर्य सिद्धान्त इन ५ सिद्धान्तोका सग्रह किया। डॉक्टर थीबो साहबने पंचसिद्धान्तिकाको अँगरेजी भूमिकामे पितामह सिद्धान्तको सूर्यप्रज्ञप्ति और ऋक्ज्योतिपके समान प्राचीन बताया है, लेकिन परीक्षण करनेपर इसकी इतनी प्राचीनता मालूम नही पडती है। ब्रह्मगुप्त और भास्कराचार्यने पितामह सिद्धान्तको ही आधार माना है। पितामह सिद्धान्त-मे सूर्य और चन्द्रमाके अतिरिक्त अन्य ग्रहोका गणित नही आया है।

वसिष्ट सिद्धान्त—पितामह सिद्धान्तकी अपेक्षा यह सशोधित और परिवर्द्धित रूपमे है। इसमे सिर्फ १२ श्लोक हैं, सूर्य और चन्द्रके सिवा अन्य ग्रहोका गणित इसमे भी नही हैं। ब्रह्मगुप्तके कथनसे ज्ञात होता है कि पचसिद्धान्तिकामे सग्रहीत वसिष्ठ सिद्धान्तके कर्ता कोई विष्णुचन्द्र नामके व्यक्ति थे। डॉ० थीबो साहबने वतलाया हैं कि विष्णुचन्द्र इसके निर्माता नही, वल्कि सशोधक हैं। श्री शकर वाल्कृष्ण दीक्षितने ब्रह्मगुप्तके समयमे ही दो प्रकारका वासिष्ठ वतलाया है, एक मूल, दूसरा विष्णुचन्द्र-का। वर्तमानमे लघुवसिष्ट सिद्धान्त नामक ग्रन्थ मिलता हैं जिसमे ९४ श्लोक हैं। इसका गणित पचसिद्धान्तिकाके वसिष्ठ सिद्धान्तकी अपेक्षा परि-मार्जित और विकसित हैं।

रोमक सिद्धान्त—इसके व्याख्याता लाटदेव हैं। इसकी रचना-शैलीसे मालूम पडता है कि यह किसी ग्रीक सिद्धान्तके आधारपर लिखा गया है। कुछ विद्वानोका अनुमान है कि अलकजेण्ड्रियाके प्रसिद्ध ज्योतिषी टालमीके सिद्धान्तोके आधारपर सस्कृतमे रोमक सिद्धान्त लिखा गया है, इसका प्रमाण वे यवनपुरके मध्याह्नकालीन सिद्ध किये गये अहर्गणको रखते है। ब्रह्मगुप्त, लाट, वसिष्ठ, विजयनन्दी और आर्यभट्टके ग्रन्थोके आधारपर कुछ अन्य विद्वान् इसे श्रीपेण-द्वारा लिखा गया वतलाते हैं। डॉ० थीबो साहब श्रीपेण-को मूल ग्रन्थका रचयिता नही मानते है, वल्कि उसका उसे वह सशोधक वतलाते हैं। इसका गणित पूर्वके दो सिद्धान्तोकी अपेक्षा अधिक विकसित है। इसमे सैद्धान्तिक विपयोका निम्न वर्णन गणित-सहित किया है—

महायुगान्त	(४३२०००० वर्षोका),	युगान्त (२८५० वर्षोका) ।
नक्षत्र भ्रम	१५८२११८५६००	१०४३८०३
रवि भ्रम	४३२००००	२८५०
सावन दिवस	१५७७८६५६४०	१०४०९५३
चन्द्र भगण	५७७५१५७८$\frac{१}{९}\frac{८}{९}$	३८१००
चन्द्रोच्च भगण	४८८२५८$\frac{१}{५}\frac{३}{७}\frac{७}{५}\frac{०}{८}\frac{८}{६}$	३२२$\frac{२}{३}\frac{२}{०}\frac{८}{३}\frac{}{९}$
चन्द्रपात भगण	२३२१६५$\frac{१}{९}\frac{०}{६}\frac{९}{३}\frac{०}{९}\frac{८}{९}\frac{७}{९}$	१५३$\frac{२}{९}\frac{६}{६}\frac{८}{३}\frac{८}{९}\frac{९}{९}\frac{}{९}$
सौर मास	५१८४००००	३४२००
अधिमास	१५९१५७८$\frac{१}{९}\frac{८}{६}$	१०५०
चन्द्रमास	५३४३१५७८$\frac{१}{९}\frac{८}{९}$	३५२५०
तिथि	१६०२९४७३६८$\frac{}{९}\frac{८}{०}$	१०५७५००
तिथिक्षय	२५०८१७६८$\frac{५}{९९}$	१६५४७

ब्रह्मगुप्तने इस सिद्धान्तकी खूब खिल्ली उडायी है। वास्तवमे इसका गणित अत्यन्त स्थूल है। कुछ विद्वानोंने इसका रचनाकाल ई० १००-२०० के मध्यमें माना है। इसके विषयको देखनेसे उपर्युक्त रचनाकाल युक्तियुक्त भी जँचता है।

पौलिश सिद्धान्त—इसका ग्रहगणित भी अकों-द्वारा स्थूल रीतिसे निकाला गया है। एलबेरुनीका मत है कि अलकजेण्ड्रियावासी पौलिशके यूनानी सिद्धान्तोके आधारपर इसकी रचना हुई है। डॉ० कर्न साहबने इस मतका खण्डन किया है। उनका कहना है कि प्राचीन भारतीयोको 'यवनपुर' ज्ञात था, तथा वे वहाँके अक्षाश, देशान्तर आदिमे पूर्ण परिचित थे। वर्तमानमे वराह और भट्टोत्पलका पृथक्-पृथक् सग्रहीत पौलिश सिद्धान्त मिलता है, लेकिन दोनोमे कोई समानता नही है। वराहमिहिर-द्वारा संग्रहीत पौलिश सिद्धान्तोमे चर निकालनेके लिए निम्न श्लोक आया है—

यवनाच्चरजा नाड्य सप्तावन्त्यास्त्रिभागसयुक्ता ।
वाराणस्या त्रिकृति साधनमन्यत्र वक्ष्यामि ॥

अर्थात्—उज्जैनीमे चर ७ घटी २० पल और बनारसमे ९ घटी है, अन्य स्थानोके चरका साधन गणित-द्वारा किया गया है। डॉ० थीबो साहबने इस सिद्धान्तका विवेचन करते हुए बताया है कि प्राचीन पौलिश सिद्धान्त उपलब्ध नही है। वराहके पौलिश सिद्धान्तसे मालूम पडता है कि इसके ग्रहगणितमे अति स्थूलता है। आज जो पौलिशके नामसे सिद्धान्त उपलब्ध है, वह अपने मूल रूपमे नही है।

सूर्य सिद्धान्त—इसके कर्त्ता कोई सूर्य नामके ऋषि बतलाये जाते है। इसमे आयी हुई कथाके आधारपर इसका रचनाकाल त्रेता युगका प्रारम्भिक भाग बताया गया है। पर उपलब्ध सूर्य सिद्धान्त इतना प्राचीन नही जँचता है। कुछ लोगोका कथन है कि स्वय सूर्य भगवान्ने मयकी तपस्यासे प्रसन्न होकर उस असुरको ज्योतिष ज्ञान दिया था। श्री महावीरप्रसाद श्रीवास्तवने सूर्य सिद्धान्तकी भूमिकामें असुर नामकी एक भौतिकवादी जाति बतलायी है, शिल्प और यन्त्रविद्यामे यह जाति निपुण होती थी। सूर्य नामक ऋषिने इसी जातिको ज्योतिषशास्त्रकी शिक्षा दी थी। पाश्चात्त्य विद्वानोने सूर्य सिद्धान्तकी स्थूलताका परीक्षण कर इसका रचनाकाल ई० पू० १८० या ई० १०० बताया है। यह ग्रन्थ ज्योतिषशास्त्रकी दृष्टिसे अत्यन्त महत्त्वपूर्ण है। यद्यपि वर्तमानमें उपलब्ध सूर्य सिद्धान्त प्राचीन सूर्य सिद्धान्तसे भिन्न है, फिर भी इतना तो मानना पडेगा कि सैद्धान्तिक ग्रन्थोमें यह सबसे प्राचीन है। इसमे युगादिसे अहर्गण लाकर मध्यम ग्रह सिद्ध किये गये है और आगे सस्कार देकर स्पष्टग्रहविधि प्रतिपादित की है। इसके प्रारम्भमें ग्रहोकी गति सिद्ध करते हुए लिखा गया है—

पश्चात् व्रजन्तोऽतिजवान्नक्षत्रै सततं ग्रहाः।
जीयमानास्तु लम्बन्ते तुल्यमेव स्वमार्गगाः॥
प्राग्गतित्वमतस्तेषां भगणै. प्रत्यह गति.।
परिणाहवशाद्भिन्नः तद्वशाद्भानि भुञ्जते॥

अर्थात्—शीघ्रगामी नक्षत्रोके साथ सदैव पश्चिमकी ओर चलते हुए ग्रह

अपनी-अपनी कक्षामे समान परिमाणमे हारकर पीछे रह जाते हैं, इसीलिए वह पूर्वकी ओर चलते हुए दिखलाई पडते हैं और कक्षाओकी परिधिके अनुसार उनकी दैनिक परिधि भी भिन्न दिखाई पडती है, इसलिए नक्षत्र चक्रको भी यह भिन्न समयमे—शीघ्रगामी ग्रह थोडे समयमें और मन्दगति अधिक समयमे पूरा करते है। तात्पर्य यह है कि आकाशमे जितने तारे दिखलाई पडते है, वे सब ग्रहोके साथ पश्चिमकी ओर जाते हुए मालूम पडते है, परन्तु नक्षत्रोके बहुत शीघ्र चलनेके कारण ग्रह पीछे रह जाते है और पूर्वको चलते हुए दिखलाई पडते हैं। इनकी पूर्वकी ओर बढनेकी चाल तो समान हैं, पर इनकी कक्षाओका विस्तार भिन्न होनेसे इनकी गति भी भिन्न देख पडती है। इस कथनसे ग्रहोकी योजनात्मिका और कलात्मिका, दोनो प्रकारकी गतियाँ सिद्ध हो जाती है।

इस ग्रन्थमे मध्यमाधिकार, स्पष्टाधिकार, त्रिप्रश्नाधिकार, चन्द्रग्रहणाधिकार, सूर्यग्रहणाधिकार, परलेखाधिकार ग्रहयुत्यधिकार, नक्षत्रग्रहयुत्यधिकार उदयास्ताधिकार, शृगोन्नत्यधिकार, पाताधिकार और भूगोलाध्याय नामक प्रकरण है।

उपर्युक्त पचसिद्धान्तोंके अतिरिक्त नारदसहिता, गर्गसहिता आदि दो-चार सहिता ग्रन्थ और भी मिलते है, परन्तु इनका रचनाकाल निर्धारित करना कठिन है। गर्गसहिताके जो फुटकर प्रकरण उपलब्ध है, वे बडे उपयोगी हैं, उनसे भारतीय सस्कृतिके सम्बन्धमें बहुत-कुछ ज्ञात हो जाता है। युगपुराण नामक अशसे उस युगकी राजनीतिक और सामाजिक दशापर पर्याप्त प्रकाश पडता है। इस ग्रन्थकी भाषा प्राकृत मिश्रित सस्कृत है, भाषाकी दृष्टिसे यह ग्रन्थ जैन मालूम पडता है। परन्तु निश्चित प्रमाण एक भी नही है। ज्योतिष शास्त्र विज्ञानमूलक होनेके कारण इसमे समय-समयपर परिवर्तन होते रहते हैं। अतएव प्राचीन ग्रन्थोंमे अनेक सशोधन हुए है, इसी कारण किसी भी ग्रन्थका सबल प्रमाणोके अभावमे रचनाकाल ज्ञात करना कठिन ही नही, बल्कि असम्भव है।

कौटिल्यके अर्थशास्त्रमे ऐसे कई प्रकरण है जिनसे पता चलता है कि उस कालमे ज्योतिषी हर प्रकारके ज्योतिष-गणितसे पूर्ण परिचित थे। तथा ज्योतिषशास्त्रका पर्यवेक्षण आलोचनात्मक ढगसे होने लग गया था। इसके एक-दो स्थल ऐसे भी है, जिनसे वसिष्ठ सिद्धान्त और पितामह सिद्धान्तके प्रचारका भी भान होता है। आर्यभट्टसे कुछ पूर्व ऋपिपुत्र नामके एक ज्योतिर्विद् हुए है। इनकी गणितविषयक रचनाएँ तो नही मिलती है, पर सहिताशास्त्रके यह प्रथम लेखक जँचते है।

पराशर—नारद और वसिष्ठके अनन्तर फलित ज्योतिषके सम्बन्धमे महर्षिपद प्राप्त करनेवाले पराशर हुए है। कहा जाता है कि "कलौ पाराशर स्मृत" अर्थात् कलियुगमे पराशरके समान अन्य महर्पि नही हुए। उनके ग्रन्थ ज्योतिष विषयके जिज्ञासुओके लिए बहुत उपयोगी है। वृहत्पाराशरहोराशास्त्रके प्रारम्भमें बताया है —

अथैकदा मुनिश्रेष्ठं त्रिकालज्ञं पराशरम्।
पप्रच्छोपेत्य मैत्रेय प्रणिपत्य कृताञ्जलिः॥

एक समय मैत्रेयजीने महर्षि पराशरके समीप उपस्थित होकर साष्टाग प्रणाम करके हाथ जोडकर पूछा—

भगवन्! परमं पुण्यं गुह्यं वेदाङ्गमुत्तमम्।
त्रिस्कन्धं ज्यौतिषं होरा गणित संहितेति च॥
एतेष्वपि त्रिषु श्रेष्ठा होरेति श्रूयते मुने।
त्वत्तस्तां श्रोतुमिच्छामि कृपया वद मे प्रभो॥

हे भगवन्! वेदागोमें श्रेष्ठ ज्योतिषशास्त्रके होरा, गणित और सहिता इस प्रकार तीन स्कन्ध है। उनमे भी सबसे होरा शास्त्र ही श्रेष्ठ है, वह मै आपसे सुनना चाहता हूँ। कृपाकर मुझे बतला दिया जाये।

पराशरका समय कौन-सा है तथा इन्होने अपने जन्मसे किस स्थानको पवित्र किया था, यह अभीतक अज्ञात है। पर इनकी रचना 'वृहत्पाराशरहोरा'के अध्ययनसे इतना स्पष्ट है कि इनका समय 'वराहमिहिरसे कुछ

पूर्व है। वराहमिहिरने वृहज्जातकमे ग्रहोके उच्चनीचस्थान, मूलत्रिकोण, नैसर्गिकमित्रता प्रभृति विपय वृहत्पाराशरहोरासे ग्रहण किये प्रतीत होते है, भापा शैली और विपय निरूपण वराहमिहिरसे पूर्ववर्त्ती प्रतीत होता है। सृष्टितत्त्वका निरूपण सूर्य सिद्धान्तके समान है। पौराणिक साहित्यमें भी सृष्टिका निरूपण इसी प्रकार उपलब्ध होता है। मनुस्मृति और सूर्य सिद्धान्तके सृष्टिक्रमकी अपेक्षा भिन्न है। वताया है—

एकोऽव्यक्तात्मको विष्णुरनादिः प्रभुरीश्वर ।
शुद्धसत्त्वो जगत्स्वामी निर्गुणस्त्रिगुणान्वित ॥
ससारकारकः श्रीमान्निमित्तात्मा प्रतापवान् ।
एकांशेन जगत्सर्वं सृजत्यवति लीलया ॥

—सृष्टिक्रम श्लो० १२–१३

स्पष्ट है कि उक्त कथन पौराणिक है अत वृहत्पाराशरहोराका समय ७–८वी शती होना चाहिए।

कौटिल्यमे पराशरका नाम आता है। पर यह नही कहा जा सकता कि ये पराशर 'वृहत्पाराशरहोराशास्त्र'के रचयितासे भिन्न है या वही है। पराशरकी एक स्मृति भी उपलब्ध है। गरुडपुराणमे पराशर स्मृतिके ३९ श्लोकोको सक्षिप्त रूपमे अपनाया है, इससे इस स्मृतिकी प्राचीनता सिद्ध है। कौटिल्यने पराशर और पराशरमतोकी छह वार चर्चा की है। पराशरका नाम प्राचीनकालसे ही प्रसिद्ध है। तैत्तिरीयारण्यक एव वृहदारण्यकमे क्रमसे व्यास पाराशर्य एवं पाराशर्य नाम आये है। निरुक्तने 'पाराशर'के मूलपर लिखा है। पाणिनिने भी भिक्षुसूत्र नामक ग्रन्थको पाराशर्य माना है। पराशर स्मृतिकी भूमिकामें आया है कि ऋषि लोगोने व्यासके पास जाकर उनसे प्रार्थना की कि वे कलियुगके मानवोंके लिए आचारसम्वन्वी धर्मकी वातें लिखें। व्यासजी उन्हें वदरिकाश्रममें शक्तिपुत्र अपने पिता पराशरके पास ले गये और पराशरने उन्हें वर्णधर्मके विपयमें वताया। पराशर स्मृतिमें अन्य १९ स्मृतियोंके नाम आये है। पराशर स्मृतिमें कुछ

नयी और मौलिक बातें भी पायी जाती है। पराशरने मनु, उशना, वृहस्पति आदिका उल्लेख किया है। इस स्मृतिमें विनायक स्तुति भी पायी जाती है। पाराशर सहिताका मिताक्षरा, विश्वरूप या अपरार्कने उद्धरण नही दिया है, किन्तु चतुर्विशतिमतके भाष्यमे भट्टोजिदीक्षित तथा दत्तकमीमासामें नन्दपण्डितने इससे उद्धरण लिये है। अतएव स्पष्ट है कि वृहत्पाराशरहोराके रचयिता यदि स्मृतिकार पराशर ही है, तो इनका समय ईसवी पूर्व होना चाहिए। हमारा अनुमान है कि वृहत्पाराशरहोराके रचयिता पराशर ईसवी सन्की ५-६वी शतीके है। ग्रन्थकी भाषा और शैलीके साथ विपय-विवेचन भी वराहमिहिरसे पूर्ववर्त्ती है। अत. ग्रन्थका रचनाकाल ई० सन् ५वी शती और रचनास्थल पश्चिम भारत है।

वृहत्पाराशरहोरा ९७ अध्यायोमें है। उपसहाराध्यायमे समस्त विषयोकी सूची दे दी गयी है। इसमे ग्रहगुणस्वरूप, राशिस्वरूप, विशेपलग्न, पोडशवर्ग, राशिदृष्टि कथन, अरिष्टाध्याय, अरिष्टभग, भावविवेचन, द्वादशभावोका पृथक्-पृथक् फलनिर्देश, अप्रकाशग्रहफल, ग्रहस्फुट-दृष्टिकथन, कारक, कारकाशफल, विविधयोग, रवियोग, राजयोग, दारिद्र्ययोग, आयुर्दाय, मारकयोग, दशाफल, विशेप नक्षत्र दशाफल, कालचक्र, सूर्यादि ग्रहोकी अन्तर्दशाओका फल, अष्टकवर्ग, त्रिकोणशोधन, पिण्डसाधन, रश्मिफल, नष्टजातक, स्त्रीजातक, अगलक्षणफल, ग्रहशान्ति, अशुभजन्म-निरूपण, अनिष्टयोगशान्ति आदि विपय वर्णित हैं। सहिता और जातक दोनो ही प्रकारके विषय इस ग्रन्थमें आये है। यह ग्रन्थ फलितकी दृष्टिसे वहुत उपयोगी है। ग्रन्थके अन्तमें बताया है—

इत्थ पराशरेणोक्तं होराशास्त्रचमत्कृतम्।
नवं नवजनप्रीत्यै विविधाध्यायसयुतम्॥
श्रेष्ठ जगद्धितायेद मैत्रेयाय द्विजन्मने।
तत प्रचरितं पृथ्व्यामादृतं सादरं जनै.॥

—उपसहाराध्याय श्लो० ८–९

इस प्रकार प्राचीन होरा ग्रन्थोमे विलक्षण अनेक अध्यायोंसे युक्त अति श्रेष्ठ इस नवीन होराशास्त्रको संसारके हितके लिए महर्षि पराशरने मैत्रेयको बतलाया। पश्चात् समस्त जगत्‌में इसका प्रचार हुआ और सभीने इसका आदर किया। उडुदाय प्रदीप (लघुपाराशरी) का प्रणयन पराशर मुनिकृत होरा ग्रन्थका अवलोकन कर ही किया गया है।

ऋषिपुत्र—यह जैन धर्मानुयायी ज्योतिषके प्रकाण्ड विद्वान् थे। इनके वंशादिका सम्यक् परिचय नही मिलता है, पर Catalogus Catalogorum के अनुसार यह आचार्य गर्गके पुत्र थे। गर्ग मुनि ज्योतिषके धुरन्धर विद्वान् थे, इसमें कोई सन्देह नही। इनके सम्बन्धमे लिखा मिलता है-

जैन आसीज्जगद्वन्द्यो गर्गनामा महामुनि.।
तेन स्वयं हि निर्णीत य सत्पाशात्रकेवली॥
एतज्ज्ञानं महाज्ञान जैनर्षिभिरुदाहृतम्।
प्रकाश्य शुद्धशीलाय कुलीनाय महात्मना॥

सम्भवत इन्ही गर्गके वंशमें ऋषिपुत्र हुए होगे। इनका नाम भी इस बातका साक्षी है कि यह किसी मुनिके पुत्र थे। ऋषिपुत्रका वर्तमानमें एक निमित्तशास्त्र उपलब्ध है। इनके द्वारा रची गयी एक संहिताका भी मदनरत्न नामक ग्रन्थमें उल्लेख मिलता है। इन आचार्यके उद्धरण बृहत्संहिताकी भट्टोत्पली टीकामें भी मिलते हैं।

ऋषिपुत्रका समय वराहमिहिरके पूर्वमे है। इन्होने अपने बृहज्जातकके २६वें अध्यायके ५वें पद्यमें कहा है—"मुनिमतान्यवलोक्य सम्यग्घोरा वराहमिहिरो रुचिरा चकार।" इसी परम्परामें ऋषिपुत्र हुए है। ऋषिपुत्रका प्रभाव वराहमिहिरकी रचनाओपर स्पष्ट लक्षित होता है। उदाहरणके लिए एक-दो पद्य दिये जाते हैं—

ससल्लोहिवण्णहोवरि संकुण इत्ति होइ णायव्वो।
संगामं पुण घोर खग्ग सूरो णिवेदेइ॥

—ऋषिपुत्र

शशिरुधिरनिभे भानौ नभःस्थले भवन्ति सङ्ग्रामाः ।

—वराहमिहिर

जे दिट्ठभुविरसण्ण जे दिट्ठा कहमेणकत्ताणं ।
सदसकुलेन दिट्ठा वऊसट्ठिय ऐण वाणविया ॥

—ऋषिपुत्र

भौमं चिरस्थिरभवं तच्छान्तिभिराहतं शममुपैति ।
नाभसमुपैति मृदुतां क्षरति न दिव्य वदन्त्येके ॥

—वराहमिहिर

उपर्युक्त अवतरणोसे ज्ञात होता है कि ऋषिपुत्रकी रचनाओका वराहमिहिरके ऊपर प्रभाव पडा है ।

सहिता विषयकी प्रारम्भिक रचना होनेके कारण ऋषिपुत्रकी रचनाओमें विषयकी गम्भीरता नही है । किसी एक ही विपयपर विस्तारसे नही लिखा है, सूत्ररूपमे प्राय सहिताके प्रतिपाद्य सभी विषयोका निरूपण किया है । शकुनशास्त्रका निर्माण इन्होने किया है, अपने निमित्तशास्त्रमें इन्होने पृथ्वीपर दिखाई देनेवाले, आकाशमे दृष्टिगोचर होनेवाले और विभिन्न प्रकारके शब्द-श्रवण-द्वारा प्रकट होनेवाले इन तीन प्रकारके निमित्तो-द्वारा फलाफलका अच्छा निरूपण किया है । वर्पोत्पात, देवोत्पात, रजोत्पात, उल्कोत्पात, गन्धर्वोत्पात इत्यादि अनेक उत्पातो-द्वारा शुभाशुभत्वकी मीमासा वडे सुन्दर ढगसे इनके निमित्तशास्त्रमें मिलती है ।

आर्यभट्ट प्रथम—ज्योतिपका क्रमवद्ध इतिहास आर्यभट्टके समयसे मिलता है । इनका जन्म ई० सन् ४७६ मे हुआ था, इन्होने ज्योतिपका प्रसिद्ध ग्रन्थ 'आर्यभटीय' लिखा है । इसमे सूर्य और तारोके स्थिर होने तथा पृथ्वीके घूमनेके कारण दिन और रात होनेका वर्णन है । पृथ्वीकी परिधि ४९६७ योजन वतायी गयी है ।

आर्यभट्टने सूर्य और चन्द्रग्रहणके वैज्ञानिक कारणोकी व्याख्या की है । कालक्रियापादमे युगके समान २ भाग करके पूर्व भागका उत्सर्पिणी और

उत्तर भागका अवसर्पिणी नाम बताया है तथा प्रत्येकके सुषमासुषमा, सुषमा आदि छह-छह भेद बताये हैं—

उत्सर्पिणी युगार्द्धं पश्चादवसर्पिणी युगार्द्धं च ।
मध्ये युगस्य सुषमाऽऽदावन्ते दुःषमाग्न्यंशात् ॥

कालक्रिया पादमें क्षेपक विधिसे ग्रहोंके स्पष्टीकरणकी विधि विस्तारसे बतलायी है तथा बुध, शुक्रको विलक्षण संस्कारसे संस्कृत कर स्पष्ट किया है। गोलपादमें मेरुकी स्थितिका सुन्दर वर्णन किया है तथा अक्षक्षेत्रोंके अनुपात-द्वारा लम्बज्या, अक्षज्याका साधन सुगमतासे किया है।

आर्यभट्टने १, २, ३ आदि अंक संख्याके द्योतक क, ख, ग आदि वर्ण कल्पना किये हैं अर्थात् अ, आ इत्यादि स्वर वर्ण और क, ख, ग आदि व्यंजन वर्णोंका १-१ संख्या वाचक अर्थ देकर बड़ी-बड़ी संख्याओंको प्रकाशित किया है। गीतिकापादमें कहा है—

वर्गाक्षराणि वर्गेऽवर्गेऽवर्गाक्षराणि कात् ङ्मौ यः ।
खद्विनवके स्वरा नववर्गेऽवर्गे नवान्त्यवर्गे वा ॥

क = १, ख = २, ग = ३, घ = ४, ङ = ५, च = ६, छ = ७, ज = ८, झ = ९, ञ = १०, ट = ११, ठ = १२, ड = १३, ढ = १४, ण = १५, त = १६, थ = १७, द = १८, ध = १९, न = २०, प = २१, फ = २२, ब = २३, भ = २४, म = २५, य = ३०, र = ४०, ल = ५०, व = ६०, श = ७०, ष = ८०, स = ९०, ह = १००। क = १, कि = १००, कु = १००००, कृ = १००००००, क्लृ = १००००००००, के = १००००००००००, कै = १००००००००००००, को = १०००००००००००००००, कौ = १००००००००००००००००००, ख = २, खि = २००, खु = २००००, खृ = २००००००, ख्लृ = २००००००००, खे = २००००००००००, खै = २०००००००००००००, खो = २००००००००००००००००, खौ = २००००००००००००००००००; इसी प्रकार आगेकी अंक संख्याएँ दी गयी हैं।

कुछ पाश्चात्त्य विद्वान् आर्यभट्टकी इस अक संख्यापर-से अनुमान करते है कि उन्होने यह संख्याक्रम ग्रीकोसे लिया है। चाहे जो हो, पर इतना निश्चित है कि आर्यभट्टने पटनामे, जिसका प्राचीन नाम कुसुमपुर था, अपने अपूर्व ग्रन्थकी रचना की है। इनकी गणितविषयक विद्वत्ताका निदर्शन यही है कि उन्होने गणितपादमे वर्ग, वर्गमूल, घन, घनमूल एव व्यवहार श्रेणियोके गणितका सुन्दर विवेचन किया है।

अंगविज्जा—अगविद्या भारतवर्षमें प्राचीनकालसे प्रसिद्ध रही है। प्रस्तुत ग्रन्थमे प्राचीन अगविद्याके नियम सकलित है। अष्ट प्रकारके निमित्तज्ञानमे अगनिमित्तको प्रधान और महत्त्वपूर्ण बताया है। आचार्यने लिखा है —

जधा णदीओ सव्वाओ ओवरंति महोदधिं।
एवं ३ गोदधिं सव्वे णिमित्ता ओतरंति'ह ॥ १।६ पृ० १

अर्थात् जिस प्रकार समस्त नदियाँ समुद्रमें मिल जाती है, उसी प्रकार स्वर, लक्षण, व्यजन, स्वप्न, छिन्न, भौम और अन्तरिक्षनिमित्त अगनिमित्त रूपी समुद्रमे मिल जाते है। इस ग्रन्थके अध्ययनसे जय-पराजय, लाभ-हानि, जीवन-मरण आदिको सम्यक् जानकारी प्राप्त की जा सकती है। बताया है—

अणुरत्तो जय पराजय वा राजमरण वा आरोग्गं वा रण्णो आतंकं वा उवद्दव वा मा पुण सहसा वियागरिज्ज णाणी। लाभाऽलाभं सुह-दुक्खं जीवितं मरण वा सुभिक्खं दुब्भिक्खं वा अणावुट्ठिं सुवुट्ठि वा धणहाणि अज्झप्पवित्तं वा कालपरिमाणं अगहियं तत्तत्थणिच्छियमई सहसा उ ण वागरिज्ज णाणी। पृ० ७

यह ग्रन्थ साठ अध्यायोमें समाप्त किया गया है। इसकी ग्रन्थसख्या नौ हजार श्लोक प्रमाण है। गद्य और पद्य दोनोका प्रयोग किया गया है। यह फलादेशका विशालकाय ग्रन्थ है। इसमें हलन-चलन, रहन-सहन, चर्या-चेष्टा प्रभृति मनुष्यकी सहज प्रवृत्तिसे निरीक्षण-द्वारा फलादेशका निरूपण

किया गया है। यह प्रश्नशास्त्रका ग्रन्थ है और प्रश्नकर्त्ताकी विभिन्न प्रवृत्तियोंके आधारपर फलादेशका कथन करता है। अतएव गम्भीर अध्ययनके अभावमे वास्तविक फलादेशका निरूपण नही किया जा सकता है। ग्रन्थकर्त्ताने अगोके आकार-प्रकार, वर्ण, संख्या, तोल, लिग, स्वभाव आदिकी दृष्टिसे उनको २७० विभागोमें विभक्त किया है, विविध चेष्टाएँ, पर्यस्तिका, आमर्श, अपश्रय-आलम्बन, खडे रहना, देखना, हँसना, प्रश्न करना, नमस्कार करना, सलाप, आगमन, रुदन, परिवेदन, क्रन्दन, पतन, अभ्युत्थान, निर्गमन, जँभाई लेना, चुम्बन, आलिंगन, प्रभृति नाना चेष्टाओका निरूपण कर फलादेशका प्रतिपादन किया गया है।

इस ग्रन्थके नवम अध्यायमे २७० विषयोका निरूपण किया है। प्रथम द्वारमें शरीरसम्बन्धी ७५ अगोके नाम और उनका फलादेश वर्णित है। यथा—

एताणि आमसं पुच्छे अत्थलाभं जयं तधा।
पराजयं वा सत्तूणं मित्तसपत्तिमेव य॥ ६। ८ पृ० ६०
समागमं घरावासं थाणमिस्सरियं जसं।
णिव्वुतिं वा पतिट्ठं वा भोगलाभ सुहाणि य॥ २। ९ पृ० ६०
दासी-दास जाण-जुग्ग गो-माहिसमडयाऽविल।
धण-धण्ग खेत्त-वत्थु च विज्जा सपत्तिमेव य॥ ९। १० पृ० ६०

मस्तक, सिर, सीमन्तक, ललाट, नेत्र, कान, कपोल, ओष्ठ, दाँत, मुख, ममूडा, कन्धा, बाहु, मणिबन्ध, हाथ, पैर प्रभृति ७५ अगोका एक बार स्पर्श कर प्रश्नकर्त्ता प्रश्न करे तो अर्थलाभ, जय, शत्रुओके पराजय, मित्र-सम्पत्ति प्राप्ति, समागम, घरमे निवास, स्थानलाभ, यशप्राप्ति, निवृत्ति, प्रतिष्ठा, भोगप्राप्ति, सुख, दासी-दास, यान–सवारी, गाय-भैस, धन-धान्य, क्षेत्र, वास्तु, विद्या एव सम्पत्ति आदिकी प्राप्ति होती है। उक्त अगोका एक बारसे अधिक स्पर्श करे तो फल विपरीत होता है। वस्त्र और आभूषणोंके स्पर्शका फलादेश भी वर्णित है। इस सन्दर्भमे

विभिन्न प्रकारके मनुष्य, देवयोनि, नक्षत्र, चतुष्पद, पक्षी, मत्स्य, वृक्ष, गुल्म, पुष्प, फल, वस्त्र, आभूषण, भोजन, शयनासन, भाण्डोपकरण, धातु, मणि एव सिक्कोके नामोकी सूचियाँ दी गयी है। वस्त्रोमे पटशाटक, क्षौम, दुकूल, चीनाशुक, चीनपट्ट, प्रावार, शाटक, श्वेतशाट, कौशेय और नाना प्रकारके कम्वलोका उल्लेख आया है। पहननेके वस्त्रोमे उत्तरीय, उष्णीप, कंचुक, वारवाण, सन्नाह पट्ट, विताणक, पच्छत–पिछौरी एवं मल्लसाडक—पहलवानोके लगोटका उल्लेख है। आभूपणोकी नामावली विशेष रोचक है। किरीट और मुकुट सिरपर पहननेके आभूषण है। सिंह-भण्डक वह सुन्दर आभूपण था, जिसमें सिहके मुखकी आकृति वनी रहती थी और उस मुखमे-से मोतियोके झुग्गे लटकते हुए दिखाये जाते थे। गरुडकी आकृतिवाला आभूषण गरुडक और दो मकरमुखोकी आकृतियोको मिलाकर बनाया गया आभूपण मगरक कहलाता था। इसी प्रकार वैलकी आकृतिवाला वृपभक, हाथीकी आकृतिवाला हत्यिक और चक्रवाक मिथुन-की आकृतिवाला चक्रमिथुनक कहलाता था। इन वस्त्र और आभूपणोंके स्पर्श और अवलोकनसे विभिन्न प्रकारके फलादेश वर्णित है।

५५वें अध्यायमें पृथ्वीके भीतर निहित धनको जाननेकी प्रक्रिया वर्णित है। "तत्थ अत्थि णिधितं ति पुव्त्रमाधारिते णिधितमट्ठविधमादिसे। तं जधा–भिण्णसतपमाण भिण्णसहस्सपमाण सयसहस्सपमाण कोडिपमाणं अपरिमियपमाणमिति। कायमतेसु उम्मट्ठेसु परिमियणिहाण वूया। तत्थ अपुण्णामेसु अब्भंतरामासे दढामासे णिद्धमासे सुद्धामासे पुण्णामासे य सम वूया। भिण्णे दसक्खे पुव्वाधारिते दो वा चत्तारि वा अट्ठ वा वूया। समे पुव्वाधारिते दसक्खेवीसं वा [चत्तालीसं वा] सट्ठि वा असीतिं वा वूया।"—पृ० २१३। स्पष्ट है कि पृथ्वीमे निहित निधिका आनयन एव तत्सम्वन्धी विभिन्न जानकारी प्रश्नोके द्वारा की जा सकती है। निधिकी प्राप्ति किस देशमे होगी, इसका विचार भी किया गया है। नष्ट धनके आनयनका विचार ५७वें अध्यायमें किया है। सूर्य, चन्द्र, नक्षत्र, तारागण

आदिके विचार-द्वारा नष्टकोपका विचार किया गया है। इस ग्रन्थकी प्रश्न-प्रक्रिया एक प्रकारसे शकुन और चर्या-चेष्टापर अवलम्बित है। प्रसगवश दी गयी विभिन्न सूचियोके आधारसे सस्कृति और सम्यताकी अनेक महत्त्व-पूर्ण बातें जानी जा सकती है। बरतन, भोजन, भक्ष्य पदार्थ, वस्त्राभूषण, सिक्के प्रभृतिका विस्तारपूर्वक निर्देश किया है। इस ग्रन्थके परिशिष्टके रूपमे 'सटीक अगविद्याशास्त्र' दिया गया है। इसमें अग-प्रत्यगके स्पर्शन पूर्वक शुभाशुभ फलोका निरूपण किया है। सस्कृतमे श्लोक लिखे गये है और टीका भी सस्कृतमे निबद्ध है। ४४ पद्य है और टीकामे अनेक महत्त्वपूर्ण बातें लिखी गयी हैं। इस छोटे-से ग्रन्थका विषय प्राचीन है, पर भाषा-शैली प्राचीन प्रतीत नही होती। इसके रचयिताका भी नाम ज्ञात नही है, पर इतना स्पष्ट है कि अगविद्या भारतका पुरातन ज्ञान है। ग्रन्थके आरम्भमें टीकामें बताया है—

"कालोऽन्तरात्मा सर्वदा सर्वदर्शी शुभाशुभै फलसूचकै सविशेषेण प्राणिनामपराङ्गेषु स्पर्श-व्यवहारेङ्गितचेष्टादिभिर्निमित्तै. फलमभिदर्शयति।" अर्थात् अगस्पर्श, व्यवहार और चर्या-चेष्टादिके द्वारा शुभाशुभ फलका निरूपण किया गया है। इस लघुकाय ग्रन्थमें अगोकी विभिन्न सज्ञाओके उपरान्त फलादेश निबद्ध किया गया है।

कालकाचार्य—यह निमित्त और ज्योतिषके प्रकाण्ड विद्वान् थे। इन्होने अपनी प्रतिभासे शककुलके साहिको स्ववश किया था तथा गर्दभिल्ल-को दण्ड दिया था, जैन परम्परामे ज्योतिषके प्रवर्तकोमे इनका मुख्य स्थान है, यदि यह आचार्य निमित्त और सहिताका निर्माण न करते तो उत्तरवर्ती जैन लेखक ज्योतिषको पापश्रुत समझकर अछूता ही छोड देते।

कालक कथाओमे पता चलता है कि यह मध्य देशान्तर्गत, 'धारावास' नामक नगरके राजा वयरसिंहके पुत्र थे। इनकी माताका नाम सुरसुन्दरी और बहनका नाम सरस्वती था। एक बार यह घोडेपर वनमें घूमने गये, वहाँ इनकी जैन मुनि गुणाकरसे मुलाकात हुई और उनका धर्मोपदेश सुन-

कर ससारसे विरक्त हो गये और बहुत समय तक जैन शास्त्रोका अभ्यास करते रहे तथा थोडे समयके पश्चात् आचार्य पदको प्राप्त हुए। पाटन (उत्तर गुजरात) के एक ताडपत्रीय पुस्तक भण्डारमे ताडपत्रपर लिखे गये एक प्रकरणमे एक प्राकृत गाथा मिली है, जिसमे बताया गया है कि—"कालका सूरिने प्रथमानुयोगमे जिन, चक्रवर्ती, वासुदेव आदिके चरित्र और उनके पूर्व भवोका वर्णन किया है। तथा लोकानुयोगमे बहुत बडे निमित्त शास्त्रकी रचना की है।" भोजसागर गणि नामक विद्वान्ने सस्कृत भाषामे रमल विद्याविषयक एक ग्रन्थ लिखा है, उसमे उन्होने कालकाचार्य-द्वारा यवन देशसे लायी गयी इस विद्याको बताया है। इस घटनामे चाहे तथ्य हो या नही, पर इतना स्पष्ट है कि ईसवी सन्की तीसरी शताब्दीके ज्योतिर्विदोमे इनका गौरवपूर्ण स्थान था। वराहमिहिराचार्यने बृहज्जातकमे कालकसहिताका उल्लेख किया है। इससे स्पष्ट है कि उन्होने एक सहिता ग्रन्थ भी लिखा था, जो आज उपलब्ध नही है, पर निशीथचूर्णि, आवश्यकचूर्णि आदि ग्रन्थोसे इनके ज्योतिष-ज्ञानका पता सहजमे लगाया जा सकता है। ईसवी सन्की प्रथम और द्वितीय शताब्दीके मध्यमे होनेवाले आचार्य उमास्वामी भी ज्योतिषके आवश्यक सिद्धान्तोंसे अभिज्ञ थे।

द्वितीय आर्यभट्ट—इनका सिद्धान्त 'महाआर्यभट्टीय'के नामसे प्रसिद्ध है। इस ग्रन्थका दूसरा नाम 'महाआर्यसिद्धान्त' भी बताया जाता है। इसमे १८ अध्याय एव ६२५ आर्या—उपगीति है, पाटीगणित, क्षेत्र-व्यवहार और बीजगणित भी इसमे सम्मिलित है। पाराशर सिद्धान्तसे इसमे ग्रह भगण लिये है। इसने प्रथम आर्यभट्टके सिद्धान्तमें कई तरहसे सशोधन किया है। कुछ लोग द्वितीय आर्यभट्टका काल ब्रह्मगुप्तके बाद बतलाते है, पर निश्चित प्रमाणके अभावमे कुछ नही कहा जा सकता है। भास्कराचार्यने अपने सिद्धान्तशिरोमणिके स्पष्टाधिकारमे द्रेष्काणोदय आर्यभट्टीयका दिया है, अत यह भास्करके पूर्ववर्ती है, इतना निश्चित है। महाआर्यसिद्धान्त ज्योतिषकी दृष्टिसे अत्यन्त महत्त्वपूर्ण है। इसकी परम्परा पीछेके अनेक

ज्योतिर्विदोने अपनायी है। इनके जीवन-वृत्तके सम्बन्धमें निश्चित रूपसे कुछ भी ज्ञात नही, पर इनके पाण्डित्यका अनुमान महाआर्यसिद्धान्त-मे किया जा सकता है।

लल्लाचार्य—इनके पिताका नाम भट्टत्रिविक्रम और पितामहका नाम शाम्ब था। लल्लाचार्यके गुरुका नाम प्रथम आर्यभट्ट बताया गया है। इनका जन्म श० स० ४२१ मे हुआ था। इन्होने अपने 'शिष्यधीवृद्धि' नामक ज्योतिष ग्रन्थकी रचना आर्यभट्टकी परम्पराको लेकर की है—

आचार्याऽऽर्यभटोदित सुविषम व्योमौकसा कर्म य-
च्छिष्याणामभिधीयते तदधुना लल्लेन धीवृद्धिदम् ॥
विज्ञाय शास्त्रमलमार्यभटप्रणीतं तन्त्राणि यद्यपि कृतानि तदीयशिष्यै ।
कर्मक्रमो न खलु सम्यगुदीरितस्तै कर्म ब्रवीम्यहमत क्रमशस्तु सूक्तम् ॥

लल्लाचार्य गणित, जातक और सहिता इन तीनो स्कन्धोमे पूर्ण प्रवीण थे। यद्यपि यह आर्यभट्टके सिद्धान्तोको लेकर चले है, पर तो भी अनेक विशेष विषय इनके ग्रन्थोमे पाये जाते है। शिष्यधीवृद्धिमे प्रधान रूपसे गणिताध्याय और गोलाध्याय, ये दो प्रकरण है। गणिताध्यायमे मध्यमाधिकार, स्पष्टाधिकार, त्रिप्रश्नाधिकार, चन्द्रग्रहणाधिकार, सूर्यग्रहणाधिकार, पर्वसम्भवाधिकार, ग्रहयुत्यधिकार, भग्रहयुत्यधिकार, महापाताधिकार और उत्तराधिकार नामक उपप्रकरण है। गोलाध्यायमे छेदाधिकार, गोलबन्धाधिकार, मध्यगतिवासना, भूगोलाध्याय, ग्रहभ्रमसस्थाध्याय, भुवनकोश, मिथ्याज्ञानाध्याय, यन्त्राध्याय और प्रश्नाध्याय नामक उपप्रकरण है। इनका 'रत्नकोष' नामक सहिता ग्रन्थ भी मिलता है। भास्कराचार्यने यद्यपि इनके सिद्धान्तोका खण्डन किया है, पर तो भी इनकी विद्वत्ताका लोहा उन्होने माननेसे इनकार नही किया है।

त्रिस्कन्धविद्याकुशलैकमल्लो लल्लोऽपि यत्राऽप्रतिमो बभूव।
यातेऽपि किञ्चिद् गणिताधिकारे पाताधिकारे गमनाऽधिकार ॥

उपर्युक्त श्लोकसे स्पष्ट है कि भास्कराचार्य भी लल्लकी विद्वत्ताके कायल थे ।

यदि सूक्ष्मनिरीक्षण-द्वारा भास्करकी रचनाओंका परीक्षण किया जाये तो स्पष्ट ज्ञात होगा कि लल्लाचार्यकी अनेक बातें ज्योंकी त्यों अपना ली गयी हैं । उत्क्रमज्या-द्वारा साधित ग्रहप्रणाली इनकी मौलिक विशेषता है ।

पूर्वमध्यकाल (ई० ५०१–१००० तक)

सामान्य परिचय

इस युगमें ज्योतिषशास्त्र उन्नतिकी चरम सीमापर था । वराहमिहिर-जैसे अनेक धुरन्धर ज्योतिर्विद् हुए, जिन्होंने इस विज्ञानको क्रमबद्ध किया तथा अपनी अद्वितीय प्रतिभा-द्वारा अनेक नवीन विषयोंका समावेश किया । इस युगके प्रारम्भिक आचार्य वराहमिहिर या वराह हैं, जिन्होंने अपने पूर्वकालीन प्रचलित सिद्धान्तोंका पंचसिद्धान्तिकामें संग्रह किया । इस कालमें ज्योतिषके सिद्धान्त, संहिता और होरा ये तीन भेद प्रस्फुटित हो गये थे । ग्रहगणितके क्षेत्रमें सिद्धान्त, तन्त्र एवं करण इन तीन भेदोंका प्रचार भी होने लग गया था । सिद्धान्तगणितमें कल्पादिसे, तन्त्रमें युगादिसे और करणमें शकाब्दपर-से अहर्गण बनाकर ग्रहादिका आनयन किया जाता है । सिद्धान्तमें जीवा और चापके गणित-द्वारा ग्रहोंका फल लाकर आनीत मध्यमग्रहमें संस्कार कर देते हैं तथा भौमादि ग्रहोंका मन्द और शीघ्रफल लाकर मन्दस्पष्ट और स्पष्ट मान सिद्ध करते हैं ।

इस कालमें उदयास्त, युति, शृंगोन्नति आदिका गणित भी प्रचलित हो गया था । ब्रह्मगुप्त और महावीराचार्यने गणित विषयके अनेक सिद्धान्तोंको साहित्यका रूप प्रदान किया । महावीराचार्यकी असीमाबद्ध संख्याओंके समाधानकी क्रिया बड़ी विलक्षण है । उपर्युक्त दोनों आचार्योंके बीज-गणित-विषयक सिद्धान्तोंपर दृष्टिपात करनेसे ज्ञात होगा कि इस युगमें—(१) ऋण राशियोंके समीकरणकी कल्पना, (२) वर्ग समीकरणको हल

करना, (३) एक वर्ग, अनेक वर्गसमीकरण कल्पना, (४) वर्ग, घन और अनेक घातसमीकरणोको हल करना, (५) अकपाश, सख्याके एकादि भेद और कुट्टकके नियम, (६) केन्द्रफलको निकालना, (७) असीमावद्ध समीकरण, (८) द्वितीय स्थानकी राशियोका असीमावद्ध समीकरण, (९) अर्द्धच्छेद, त्रिकच्छेद आदि लघुरिक्थ सम्बन्धी गणित, (१०) अभिन्न राशियो-का भिन्न राशियोके रूपमे परिवर्तन करना, आदि सिद्धान्त प्रचलित थे।

पूर्वमध्यकालमे अकगणितके भी निम्न सिद्धान्त आविष्कृत हो चुके थे—

(१) अभिन्न गुणन, (२) भागहार, (३) वर्ग, (४) वर्गमूल, (५) घन, (६) घनमूल, (७) भिन्न-समच्छेद, (८) भागजाति, (९) प्रभागजाति, (१०) भागानुवन्ध, (११) भागमातृजाति, (१२) त्रैराशिक, (१३) पच-राशिक, (१४) सप्तराशिक, (१५) नवराशिक, (१६) भाण्ड-प्रतिभाण्ड, (१७) मिश्रव्यवहार, (१८) सुवर्ण गणित, (१९) प्रक्षेपक गणित, (२०) समक्रय-विक्रय गणित, (२१) श्रेणीव्यवहार, (२२) क्षेत्रव्यवहार, (२३) छायाव्यवहार, (२४) स्वाशानुवन्ध, (२५) स्वाशापवाह, (२६) इष्टकर्म, (२७) द्वीष्टकर्म, (२८) चितिघन, (२९) घनातिघन, (३०) एकपत्रीकरण एव (३१) वर्गप्रकृति आदि सिद्धान्तोका अकगणितमे प्रयोग होने लग गया था।

रेखागणितके भी अनेक सिद्धान्तोका प्रयोग उस कालमे व्यापक रूपसे होता था। तथा इस विपयका वर्णन इस युगके प्राय सभी ज्योतिर्विदोने विस्तारसे किया है। सिद्धान्त गणित, जिसके लिए जीवा-चापके गणितकी नितान्त आवश्यकता होती है और जिसका प्रचार आदिकालसे ही चला आ रहा था, इस युगमे उसमे अनेक सशोधन किये गये। लल्लाचार्यने उत्क्रमज्या-द्वारा ही ग्रहगणितका साधन किया था, पर इस कालके आचार्योंने यूनान और ग्रीसके सम्पर्कसे क्रमज्या, कोटिज्या, कोट्युत्क्रमज्या आदि-द्वारा ग्रहगणितका साधन किया। पूवमध्यकालके ज्योतिप-साहित्यमे रेखागणितके निम्न सिद्धान्तोका उल्लेख मिलता है—

१ समकोण त्रिभुजमे कर्णका वर्ग दोनो भुजाओके जोडके बरावर होता है।

२ दिये हुए दो वर्गोका योग अथवा अन्तरके समान वर्ग बनाना।

३ आयतको वर्ग या वर्गको आयतमे बदलना।

४ करणो-द्वारा राशियोका वास्तविक वर्गमूल निकालना।

५ वृत्तको वर्ग और वर्गको वृत्तोमे बदलना।

६ शकु और वर्तुलके घनफल निकालना।

७ विषमकोण चतुर्भुजके कर्णानियनकी विधि और उसके दोनो कर्णोके ज्ञानसे भुज-साधन करना।

८ त्रिभुज, विपमकोण चतुर्भुज और वृत्तका क्षेत्रफल निकालना।

९ सूचीव्यास वलयव्यास और वृत्तान्तर्गत वृत्तका व्यास निकालना।

१० वृत्त परिधि, वृत्त सूची और उसके घनफलको निकालना।

रेखागणित और भूमिति गणितके साथ-साथ कोणमितिके ज्योतिपत्रिविषयक गणितोका प्रचार भी ई० सन् ७००-८०० के मध्यमे हुआ था तथा ब्रह्मगुप्तने इस सम्बन्धमें अनेक सिद्धान्त निर्धारित कर त्रिकोणमिति गणितको ग्रहसाधनके लिए व्यवहृत किया था।

वृहत्सहितामें दैवज्ञकी विद्वत्ताकी समालोचना करते हुए लिखा है—

तत्र ग्रहगणिते पौलिशरोमकवासिष्ठसौरपैतामहेषु पञ्चस्वेतेषु सिद्धान्तेषु युगवर्षायनर्तुमासपक्षाहोरात्रयाममुहूर्त्तनाडीविनाडीप्राणत्रुटित्रुट्यवयवाद्यस्य कालस्य क्षेत्रस्य च वेत्ता।

चतुर्णां च मासानां सौरसावननाक्षत्रचान्द्राणामधिमास्कावमसम्भवस्य च कारणाभिज्ञः।

षष्ट्यब्दयुगवर्षमासदिनहोराधिपतीनां प्रतिपत्तिविच्छेदवित्।

सौरादीनाञ्च मानानां सदृशासदृशयोग्यायोग्यत्वप्रतिपादनपटुः॥

सिद्धान्तभेदेऽप्ययननिवृत्तौ प्रत्यक्ष सममण्डलरेखासम्प्रयोगाभ्युदितांशकानाञ्च छायाजलयन्त्रदृग्गणितसाम्येन प्रतिपादनकुशल। सूर्या-

दीनाञ्च ग्रहाणा शीघ्रमन्दयाम्योत्तरनीचोच्चगतिकारणाभिज्ञ.।

अर्थात्—पौलिश, रोमक, वासिष्ट, सौर, पितामह इन पाँचो सिद्धान्त-सम्बन्धी युग, वर्ष, अयन, ऋतु, मास, पक्ष, अहोरात्र, प्रहर, मुहूर्त्त, घटी, पल, प्राण, त्रुटि और त्रुटिके सूक्ष्म अवयव काल विभाग, कला, विकला, अश और राशि रूप सूक्ष्म क्षेत्रविभाग, सौर, सावन, नाक्षत्र और चान्द्र मास, अधिमास तथा क्षयमासका सोपपत्तिक विवरण, सौर एव चान्द्र दिनोका यथार्थ मान और प्रचलित मान्यताओके परीक्षणका विवेक, सममण्डलीय छायागणित, जलयन्त्र-द्वारा दृग्गणित, सूर्यादि ग्रहोकी शीघ्रगति, मन्दगति, दक्षिणगति, उत्तरगति, नीच और उच्च गति तथा इनकी वासनाएँ, सूर्य और चन्द्रमाके ग्रहणमे स्पर्श और मोक्षकाल, स्पर्श और मोक्षकी दिशा, ग्रहणकी स्थिति, विमर्द, वर्ण और देश, ग्रहयुति, ग्रह-स्थिति, ग्रहोकी योजनात्मक कक्षाएँ, पृथ्वी, नक्षत्र आदिका भ्रमण, अक्षाश, लम्बाश, द्युज्या, चरखण्डकाल, राशियोके उदयमान एव छाया-गणित आदि विभिन्न विषयोमे पारगत ज्योतिषीको होना आवश्यक बताया गया है।

उपर्युक्त वाराही सहिताके विवेचनसे स्पष्ट है कि पूर्वमध्यकालके प्रारम्भमे ही ग्रहगणित उन्नतिकी चरम सीमापर था। ई० सन् ६००में इस शास्त्रके साहित्यका निर्माण स्वतन्त्र आकाश-निरीक्षणके आधारपर होने लग गया था। आदिकालीन ज्योतिषके सिद्धान्तोको परिष्कृत किया जाने लगा था।

फलित ज्योतिष—पूर्वमध्यकालमे फलित ज्योतिषके सहिता और जातक अगोका साहित्य अधिक रूपसे लिखा गया है। राशि, होरा, द्रेष्काण, नवाश, द्वादशाश, त्रिशाश, परिग्रह स्थान, कालबल, चेष्टाबल, ग्रहोंके रग, स्वभाव, धातु, द्रव्य, जाति, चेष्टा, आयुर्दाय, दशा, अन्तर्दशा, अष्टकवर्ग, राजयोग, द्विग्रहादियोग, मुहूर्त्तविज्ञान, अगविज्ञान, स्वप्नविज्ञान, शकुन एव प्रश्नविज्ञान आदि फलितके अगोका समावेश होरा शास्त्रमें

होता था। सहितामें सूर्यादि ग्रहोकी चाल, उनका स्वभाव, विकार, प्रमाण, वर्ण, किरण, ज्योति, सस्थान, उदय, अस्त, मार्ग, पृथक् मार्ग, वक्र, अनवक्र, नक्षत्रविभाग और कूर्मका सब देशोमे फल, अगस्त्यकी चाल, सप्तर्षियोकी चाल, नक्षत्रव्यूह, ग्रहशृगाटक, ग्रहयुद्ध, ग्रहसमागम, परिवेष, परिघ, वायु, उल्का, दिग्दाह, भूकम्प, गन्धर्वनगर, इन्द्रधनुष, वास्तुविद्या, अगविद्या, वायसविद्या, अन्तरचक्र, मृगचक्र, अश्वचक्र, प्रासादलक्षण, प्रतिभालक्षण, प्रतिभाप्रतिष्ठा, घृतलक्षण, कम्बललक्षण, खड्गलक्षण, पट्टलक्षण, कुक्कुट-लक्षण, कूर्मलक्षण, गोलक्षण, अजालक्षण, अश्वलक्षण, स्त्री-पुरुषलक्षण एवं साधारण, असाधारण सभी प्रकारके शुभाशुभोका विवेचन अन्तर्भूत होता था। कही-कहीपर तो कुछ विषय होराके—स्वप्न और शकुन सहिता-में गर्भित किये गये है। इस युगका फलित ज्योतिष केवल पचाग ज्ञान तक ही सीमित नही था, किन्तु समस्त मानव जीवनके विषयोकी आलोचना और निरूपण करना भी इसीमे शामिल था।

ईसवी सन् ५००के लगभग ही भारतीय ज्योतिषका सम्पर्क ग्रीस, अरब और फारस आदि देशोके ज्योतिषके साथ हुआ था। वराहमिहिरने यवनोके सम्बन्धमे लिखा है कि—

म्लेच्छा हि यवनास्तेषु सम्यक् शास्त्रमिद स्थितम्।
ऋषिवत्तेऽपि पूज्यन्ते किं पुनर्दैवविद् द्विज ॥

अर्थात्—म्लेच्छ—कदाचारी यवनोके मध्यमे ज्योतिषशास्त्रका अच्छी तरह प्रचार है, इस कारण वे भी ऋषि-तुल्य पूजनीय है, इस शास्त्रका जानने-वाला द्विज हो तो बात ही क्या ?

इससे स्पष्ट है कि वराहमिहिरके पूर्व यवनोका सम्पर्क ज्योतिष-क्षेत्रमे पर्याप्त मात्रामे विद्यमान था। ईसवी सन् ७७१ मे भारतका एक जत्था बगदाद गया था और उन्हीमे-से एक विद्वान्ने 'ब्रह्मस्फुटसिद्धान्त' का व्याख्यान किया था। अरबमे इस ग्रन्थका अनुवाद 'अस सिन्द हिन्द' नामसे हुआ है। इब्राहीम इब्नहबीब अलफजारीने इस ग्रन्थके आधारपर मुसलिम

चान्द्रवर्षके स्पष्टीकरणके लिए एक सारणी बनायी थी। अरबमें और भी कई विद्वान् ज्योतिषके प्रचारके लिए गये थे, जिससे वहाँ भारतके युगमानके अनुकरणपर हज़ारो और लाखो वर्षो की युगप्रणालीकी कल्पना कर ग्रन्थ लिखे गये।

भारतका ग्रीसके साथ ईसवी सन् १००के लगभग ही सम्पर्क हो गया था, जिससे ज्योतिष शास्त्रमें परस्परमे बहुत आदान-प्रदान हुआ। भारतीय ज्योतिषमे अक्षांश, देशान्तर, चरसस्कार और उदयास्तकी सूक्ष्म विवेचना मुसलिम और ग्रीक सभ्यताके सम्पर्कसे इस युगमें विशेष रूपसे हुई। पर सिद्धान्त और सहिता इन दो अंगोको साहित्यिक रूप प्रदान करनेका सौभाग्य भारतको ही है। यद्यपि जातक अंगको जन्म इस देशने दिया था, पर लालन-पालनमे विदेशीय सभ्यताका रंग चढनेमे भारत माँकी गोदमें पलनेपर भी कुछ सस्कार पूर्वमध्य कालमें ग्रीक लोगोके पड गये, जो आज तक अक्षुण्ण रूपसे चले आ रहे हैं।

आजके कुछ विद्वान् ईसवी सन् ६००–७०० के लगभग भारतमे प्रश्न अंगका ग्रीक और अरबोके सम्पर्कसे विकास हुआ बतलाते है तथा इस अंगका मूलाधार भी उक्त देशोके ज्योतिषको मानते हैं, पर यह ग़लत मालूम पड़ता है। क्योकि जैन ज्योतिष जिसका महत्त्वपूर्ण अंग प्रश्नशास्त्र है, ईसवी सन्की चौथी और पाँचवी शताब्दीमें पूर्ण विकसित था। इस मान्यतामे भद्रबाहुविरचित अर्हच्चूडामणिसार प्रश्नग्रन्थ प्राचीन और मौलिक माना गया है। आगेके प्रश्न ग्रन्थोका विकास इसी ग्रन्थकी मूल भित्तिपर हुआ प्रतीत होता है।

जैन मान्यतामे प्रचलित प्रश्न-शास्त्रका विश्लेषण करनेसे प्रतीत होता है कि इसका बहुत-कुछ अंग मनोविज्ञानके अन्तर्गत ही आता है। ग्रीकोंसे जिस प्रश्न-शास्त्रको भारतने ग्रहण किया है, वह उपर्युक्त प्रश्नशास्त्रसे विलक्षण है।

ईसवी सन्की ७वी और ८वी सदीके मध्यमे 'चन्द्रोन्मीलन' नामक

प्रश्न-ग्रन्थ बहुत प्रसिद्ध था, जिसके आधारपर 'केरलप्रश्न' का आविष्कार भारतमे हुआ है। अतएव यह मानना पडेगा कि प्रश्न अगका जन्म भारतमे हुआ और उसकी पुष्टि ईसवी सन् ७००–९०० तकके समयमे विशेष रूपसे हुई।

उद्योतन सूरिकी कृति कुवलयमालामे ज्योतिष और सामुद्रिकविषयक पर्याप्त निर्देश पाया जाता है। इस ग्रन्थका रचनाकाल शक सवत् ७०० में एक दिन न्यून है अर्थात् शक सवत् ६९९ चैत्र कृष्णा चतुर्दशीको समाप्त किया गया है। उद्योतनने द्वादश राशियोमे उत्पन्न नर-नारियोके भविष्यका निरूपण करते हुए लिखा है—

णिच्चं जो रोगभागी णरवइ-सयणे पूइओ चक्खुलोलो,
धम्मत्थे उज्जमंतो सहियण-वलिओ ऊरुजंघो कयण्णू।
सूरो जो चंडकम्मे पुणरवि मउओ वल्लहो कामिणीणं,
जेट्ठो सो भाउयाण जल-णिचय-महा-भीरुओ मेस-जाओ"

—कुवलयमाला पृ० १९

अर्थात्—मेष राशिमें उत्पन्न हुआ व्यक्ति रोगी, राजा और स्वजनोसे पूजित, चचल नेत्र, धर्म और अर्थकी प्राप्तिके लिए उद्योगशील, मित्रोसे विमुख, स्थूल जाँघवाला, कृतज्ञ, शूरवीर, प्रचण्ड कर्म करनेवाला, अल्पधनी, स्त्रियोका प्रिय, भाइयोमें वडा, एव जलसमूह—नदी, समुद्र आदिसे भीत रहनेवाला होता है।

अट्ठारस-पणुवीसो चुक्को सो कह वि मरइ सय-बरिसो।
अगार-चोद्दसीए कित्तिय तह अड्ढ-रत्तम्मि ॥ —वही, पृ० १९

मेष राशिमे जन्मे व्यक्तिको १८ और २५ वर्षकी अवस्थामे अल्पमृत्युका योग आता है। यदि ये दोनो अकालमरण निकल जाते है तो सौ वर्षकी आयुमें मरणकाल आता है और कार्तिक मासकी शुक्ला चतुर्दशीकी मध्यरात्रिमे मरण होता है।

वृष राशिमे जन्म लिये हुए व्यक्तियोका फलादेश वतलाते हुए

लिखा है—

भोगी अत्थस्स दाया पिहुल-गल-महा-गडवासो सुमित्तो
दक्खो सच्चो सुई जो सललिय-गमणो दुट्ट-पुत्तो कलत्तो।
तेयंसी भिच्च-जुत्तो पर-जुवइ-महाराग-रत्तो गुरूण
गंडे खंधे व चिण्हं कुजण-जण-पिओ कंठ-रोगी विसम्मि ॥
चुक्को चउप्पयाओ पणुवीसो मरइ सो सय पत्तो।
मग्गसिर-पहर-सेसे-बुह-रोहिणि पुण्ण-खेत्तम्मि ॥—वही, पृ० १६

वृष राशिमे उत्पन्न हुआ व्यक्ति भोगी, धन देनेवाला, स्थूल गलेवाला, बड़े-बड़े गालवाला—कपोलवाला, अच्छे मित्रवाला, दक्ष, सत्यवादी, शुचि, लीलापूर्वक गमन करनेवाला, दुष्ट, पुत्र-स्त्रीवाला, तेजस्वी, भृत्ययुक्त, परस्त्रियोका अनुरागी, कन्धे और गलेपर तिल या मस्सेके चिह्नसे युक्त तथा लोगोंके लिए प्रिय होता है। इसका चतुष्पद—पशु आदिके कारण पच्चीस वर्षकी अवस्थामे अकालमरण सम्भव होता है। यदि इस अकाल मरणमे बच गया तो मार्गशीर्ष शुक्लपक्षमे बुधवार रोहिणी नक्षत्रमे सौ वर्षकी आयुमे किसी पुण्यक्षेत्रमे इसका मरण होता है।

इसी प्रकार अन्य राशियोंमे जन्मग्रहण किये हुए व्यक्तियोका फला देश भी इस ग्रन्थमे वर्णित है। इस फलादेशकी सत्यतासत्यताके सम्बन्धमें बताया है—"जइ रासी बलिओ रासी-सामी-गहो तहेव, सव्व सच्चं। अह पुण ण बलिया कूरग्गह-णिरिक्खिया य होंति ता किंचि सच्चं किंचि मिच्छं' ति। अर्थात् राशि और राशीशके बलवान् होनेपर पूर्वोक्त सभी फल सत्य होता है। यदि राशि और राशीश बलवान् न हो और क्रूरग्रहकी राशि हो या राशीश भी क्रूर हो अथवा पापग्रहसे वह राशि और राशीश दृष्ट हो तो फलादेश कुछ सत्य और कुछ मिथ्या होता है।

सामुद्रिक शास्त्रके सम्बन्धमे बताया है—

पुव्व-कय-कम्म-रइय सुह च दुक्खं च जायए देहे।
तत्थ वि य लक्खणाइ तेणेमाइ णिसामेह ॥

अंगाइँ उवगाइ अगोवंगाइँ तिण्णि देहम्मि ।
ताणं सुहमसुह वा लक्खणमिणमो णिसामेहि ॥
लक्खिज्जइ जेण सुहं दुक्ख च णराण दिट्ठि-मेत्ताण ।
तं लक्खण ति भाणेय सव्वेसु वि होइ जीवेसु ॥
रत्त सिणिद्ध-मउय पाय-तल जस्स होइ पुरिसस्स ।
ण य सेयण ण वंक सो राया होइ पुहईए ॥
ससि-सूर-वज्ज-चक्कुसे य संखं च होज्ज छत्त वा ।
अह वुड्ढ-सिणिद्धाओ रेहाओ होंति णरवइणो ॥
भिण्णा संपुण्णा वा मरवाइं देंति पच्छिमा सोगा ।
अह खर-वराह-जंवुय-लक्खका दुक्खिया होंति ॥
वट्टे पायंगुट्ठे अणुकूला होइ भारिया तस्स ।
अगुलि-पमाण-मेत्ते अगुट्ठे भारिया दुट्ठया ॥
जइ मज्झिमाएँ सरिसो कुलवुड्ढी अह अणामिया सरिसो ।
सो होइ जमल-जणओ पिउणो मरणं कणिट्ठीए ॥
पिहुलगुट्ठे पहिओ विणयग्गेणं च पावए विरह ।
भग्गेण णिच्च-दुहिओ जह भणिय लक्खणण्णूहि ॥

—कुवलयमाला, पृ० १२९, प्रघट्टक २१६

पूर्वोपार्जित कर्मोके कारण जीवधारियोको सुख-दु खकी प्राप्ति होती है। इस सुख-दु खादिको लक्षणोके द्वारा जाना जा सकता है। शरीरमे अग, उपाग और अगोपाग ये तीन होते है, इन तीनोके लक्षण कहे जाते है। जिसके द्वारा मनुष्योंके सुख-दु ख अवलोकनमात्रसे जाने जायें, उसे लक्षण कहते है। जिस मनुष्यके पैरका तलवा लाल, स्निग्ध और मृदुल हो तथा स्वेद और वक्रतासे रहित हो तो वह इस पृथ्वीका राजा होता है। पैरमें चन्द्रमा, सूर्य, वज्र, चक्र, अकुश, शख और छत्रके चिह्न होनेपर व्यक्ति राजा होता है। स्निग्ध और गहरी रेखाएँ भी नृपतिके पैरके तलवे-मे होती है। शखादि चिह्न भिन्न अपूर्ण या अस्पष्ट अथवा पूर्ण-स्पष्ट हो तो

उत्तरार्द्ध अवस्थामें सुख-भोगोकी प्राप्ति होती है। खर-गर्दभ, वराह-शूकर, जवुक-श्रृगालकी आकृतिके चिह्न हो तो व्यक्तिको कष्ट होता है। समान पदागुष्ठोंके होनेपर मनोनुकूल पत्नीकी प्राप्ति होती है। अँगुलीके समान अँगूठेके होनेपर दो पत्नियोकी प्राप्ति होती है। यदि मध्यमा अँगुलीके समान अँगूठा हो तो कुलवृद्धि होती है। अनामिकाके समान अँगूठाके होने-पर यमल सन्तानकी प्राप्ति एव कनिष्ठाके समान होनेपर पिताकी मृत्यु होती है। स्थूल अँगूठा होनेपर पथिक—यात्रा करनेवाला होता है। आगेकी ओर अगूठाके झुका रहनेपर विरह वेदनाका कष्ट होता है। भग्न अँगूठाके होनेपर नित्य दु खकी प्राप्ति होती है।

जिस व्यक्तिकी तर्जनी अँगुली दीर्घ होती है, वह व्यक्ति महिलाओ-द्वारा सर्वदा तिरस्कृत किया जाता है। वह नाटा होता है, कलहप्रिय होता है और पिता-पुत्रसे रहित होता है। जिसकी मध्यमा अँगुली दीर्घ होती है, उसके वनका विनाश होता है और घरमे स्त्रीका भी विनाश या निर्वास होता है। अनामिकाके दीर्घ होनेसे व्यक्ति विद्वान् होता है तथा कनिष्ठाके दीर्घ होनेसे नाटा होता है। हाथकी अँगुलियोकी परीक्षाका विषय इस ग्रन्थमे अत्यन्त विस्तारपूर्वक दिया है। सामुद्रिक शास्त्रका ग्रन्थ न होनेपर भी सामुद्रिक शास्त्रकी अनेक महत्त्वपूर्ण बातें आयी है।

कुवलयमालामें अँगुली और अँगूठेके विचारके अनन्तर हाथकी हथेली-का विचार किया है। हथेलीके स्पर्श, रूप, गन्ध एव लम्बाई-चौडाईका विस्तारपूर्वक विचार किया गया है। वृपण और लिंगके ह्रस्व, दीर्घ एव विभिन्न आकृतियोका पर्याप्त विचार किया है। वक्षस्थल, जिह्वा, दाँत, ओष्ठ, कान, नाक आदिके रूप-रग, आकृति, स्पर्श आदिके द्वारा शुभाशुभ फल वर्णित है। अगज्ञानके सम्बन्धमें लेखकने इस कथाग्रन्थमे पर्याप्त सामग्री सकलित कर दी है। दीर्घायुका विचार करते हुए लिखा गया है—

कण्ठ पिट्ठी लिंग जंघे य हवति ह्रस्सया एए।
पिहुला हत्थ पाया दीहाऊ सुत्थिओ होइ॥

चक्खु-सिणेहे सुहओ दतसिणेहे य भोयण मिट्ठं ।
तय-णेहेण उ सोक्खं णह-णेहे होइ परम-धणं ॥

—कुवलयमाला पृ० १३१, अनु० २१६

कण्ठ, पीठ, लिंग और जाँघका ह्रस्व—लघु होना शुभ है। हाथ और पैरका दीर्घ होना भी शुभ फलका सूचक है। आँखोंके चिकने होनेसे व्यक्ति सुखी, दाँतोंके चिकने होनेसे मिष्ठान्नप्रिय, त्वचाके चिकना होनेसे सुख एव नाखूनोंके चिकने होनेसे अत्यधिक धनकी प्राप्ति होती है।

इस प्रकार नेत्र, नाखून, दाँत, जाँघ, पैर, हाथ आदिके रूप-रग, स्पर्श, सन्तुलित प्रमाण—वजन एव आकार-प्रकारके द्वारा फलादेशका निरूपण किया गया है।

प्रमुख ज्योतिर्विद् और उनके ग्रन्थोका परिचय

वराहमिहिर—यह इस युगके प्रथम धुरन्धर ज्योतिर्विद् हुए, इन्होंने इस विज्ञानको क्रमवद्ध किया तथा अपनी अप्रतिम प्रतिभा-द्वारा अनेक नवीन विशेषताओंका समावेश किया। इनका जन्म ईसवी सन् ५०५ मे हुआ था। बृहज्जातकमे इन्होंने अपने सम्बन्धमें कहा है—

आदित्यदासतनयस्तदवाप्तबोध· काम्पिल्लके सवितृलब्धवरप्रसादः।
आवन्तिको मुनिमतान्यवलोक्य सम्यग्घोरा वराहमिहिरो रुचिरां चकार॥

अर्थात्—काम्पिल्ल (कालपी) नगरमे सूर्यसे वर प्राप्त कर अपने पिता आदित्यदाससे ज्योतिपशास्त्रकी शिक्षा प्राप्त की, अनन्तर उज्जैनीमे जाकर रहने लगे और वहींपर बृहज्जातककी रचना की। इनकी गणना विक्रमादित्यकी सभाके नवरत्नोंमे की गयी है। यह त्रिस्कन्ध ज्योतिपशास्त्रके रहस्यवेत्ता, नैसर्गिक कविता-लताके प्रेमाश्रय कहे गये है। इन्होंने ज्योतिप शास्त्रको जो कुछ दिया है, वह युग-युगोंतक इनकी कीर्ति-कौमुदीको भासित करता रहेगा।

इन्होंने अपने पूर्वकालीन प्रचलित सिद्धान्तोंका पचसिद्धान्तिकामे

संग्रह किया है। इसके अतिरिक्त बृहत्संहिता, बृहज्जातक, लघुजातक, विवाह-पटल, योगयात्रा और समाससंहिता, नामक ग्रन्थोंकी रचना की है।

वराहमिहिरके जातक ग्रन्थोंका विषय सर्वसामान्य, गम्भीर और मत-मतान्तरोंके विचारोंसे परिपूर्ण है। बृहज्जातकमें मेषादि राशियोंकी यवन संज्ञा, अनेक पारिभाषिक शब्द एवं यवनाचार्योंका भी उल्लेख किया है। मय, शक्ति, जीवशर्मा, मणित्थ, विष्णुगुप्त, देवस्वामी, सिद्धसेन और सत्याचार्य आदिके नाम आये हैं। इनकी संहिता भी अद्वितीय है, ज्योतिष-शास्त्रमें यों अनेक संहिताएँ हैं, पर इनकी संहिता-जैसी एक भी पुस्तक नहीं। डॉक्टर कर्नने बृहत्संहिताकी बड़ी प्रशंसा की है। वास्तविक बात तो यह है कि फलित ज्योतिषका इनके समान कोई अद्वितीय ज्ञाता नहीं हुआ है। यह निष्पक्ष ज्योतिषी और भारतीय ज्योतिष साहित्यके निर्माता माने जाते हैं। पाश्चात्य विद्वानोंका कथन है कि वराहमिहिराचार्यने भारतके ज्योतिषको केवल ग्रह-नक्षत्र ज्ञान तक ही मर्यादित न रखा, वरन् मानव जीवनके साथ उसकी विभिन्न पहलुओं-द्वारा व्यापकता बतलायी तथा जीवनके सभी आलोच्य विषयोंकी व्याख्याएँ की। सचमुच वराहमिहिरा-चार्यने एक खासा साहित्य इसपर तैयार किया है।

कल्याणवर्मा—इनका समय ईसवी सन् ५७८ माना जाता है। इन्होंने यवनोंके होराशास्त्रका सार संकलित कर सारावली नामक जातक ग्रन्थकी रचना की है। यह सारावली वराहमिहिरके बृहज्जातकसे भी बड़ी है, जातकशास्त्रकी दृष्टिसे यह अत्यन्त महत्त्वपूर्ण है। भट्टोत्पलने बृहज्जातक-की टीकामें सारावलीके कई श्लोक उद्धृत किये हैं। कल्याणवर्माने स्वतः अपने सम्बन्धमें लिखा है—

> देवग्रामपयः प्रपोषणबलाद् ब्रह्माण्डसत्पञ्जरं
>
> कीर्तिः सिंहविलासिनीव सहसा यस्येह भित्त्वा गता।
>
> होरां व्याघ्रभटेश्वरो रचयति स्पष्टां तु सारावलीं
>
> श्रीमान् शास्त्रविचारनिर्मलमनाः कल्याणवर्मा कृती॥

इससे स्पष्ट है कि वराहमिहिरके होराशास्त्रको संक्षिप्त देख यवन-होराशास्त्रोंका सार लेकर इन्होंने सारावलीकी रचना की है। इस ग्रन्थकी श्लोक-संख्या ढाई हज़ारसे अधिक बतायी जाती है।

ब्रह्मगुप्त—यह वेधविद्यामें निपुण, प्रतिष्ठित और असाधारण विद्वान् थे। इनका जन्म पंजाबके अन्तर्गत 'भिलनालका' नामक स्थानमें ईसवी सन् ५९८ में हुआ था। ३० वर्षकी अवस्थामें इन्होंने 'ब्रह्मस्फुट सिद्धान्त' नामक ग्रन्थकी रचना की। इसके अतिरिक्त ६७ वर्षकी अवस्थामें 'खण्ड-खाद्यक' नामक एक करण ग्रन्थ भी इन्होंने बनाया था। कहते हैं कि इस ग्रन्थका यह नाम अर्थात् ईखके रससे बना हुआ मधुर, रखनेका कारण यह बताया जाता है कि उस समयमें इस देशमें बौद्ध और सनातनियोंमें धार्मिक झगड़ा बराबर चला करता था, इससे इन दोनोंमें शास्त्रार्थ भी खूब होता था। सनातनियोंके खण्डनके लिए बौद्ध और जैन ग्रन्थ लिखा करते थे और इन दोनोंके खण्डनके लिए सनातनी। ज्योतिषमें भी यह खण्डन-मण्डनकी प्रथा प्रचलित थी। किसी बौद्ध पण्डितने 'लवणमुष्टि' अर्थात् एक मुष्टि नमक नामक ग्रन्थ लिखा था, जिसका तात्पर्य यही था कि सनातनियोंपर छिड़कनेके लिए एक मुट्ठी-भर नमक। इसीके उत्तरमें ब्रह्मगुप्तने 'खण्ड-खाद्यक' रचा अर्थात् मुट्ठी-भर नमकके बदले इन्होंने लोगोंको मधुरता दी।

ब्रह्मगुप्त ज्योतिषके प्रौढ विद्वान् थे। इन्होंने बीजगणितके कई नवीन नियमोंका आविष्कार किया, इसीसे यह इस गणितके प्रवर्त्तक कहे गये हैं। अरबवालोंने बीजगणित ब्रह्मगुप्तसे ही लिया है। इनके गणित ग्रन्थोंका अनुवाद अरबी भाषामें भी हुआ सुना जाता है। ब्रह्मस्फुट सिद्धान्तका 'असिन्द हिन्द' और 'खण्डखाद्यक' का 'अलर्कन्द' नाम अरबवालोंने रखा है।

इन्होंने पृथ्वीको स्थिर माना है, इसलिए आर्यभट्टके पृथ्वी-चलन सिद्धान्तकी जी-भर निन्दा की है। ब्रह्मगुप्तने अपने पूर्वके ज्योतिषियोंकी गलतीका समाधान विद्वत्ताके साथ किया है। वैसे तो यह आर्यभट्टके निन्दक

थे, पर अपना करण ग्रन्य खण्डखाद्यक उसीके अनुकरणपर लिखा है। इस ग्रन्थके आरम्भके आठ अध्याय तो केवल आर्यभट्टके अनुकरणमात्र हैं, उत्तर भागके तीन अध्यायोमे आर्यभट्टकी आलोचना है। अलबरूनीने ब्रह्मगुप्तके ज्योतिप ज्ञानकी बहुत प्रशसा की है।

मुजाल—इनका बनाया हुआ 'लघुमानस' नामक करण ग्रन्थ हैं, जिसमे ५८४ शकाब्दका अहर्गण सिद्ध किया गया है। इस ग्रन्थमें मध्यमाधिकार, स्पष्टाधिकार, तिथ्यधिकार, त्रिप्रश्नाधिकार, ग्रहयुत्यधिकार, सूर्यग्रहणाधिकार, चन्द्रग्रहणाधिकार और शृगोन्नत्यधिकार ये आठ प्रकरण हैं। गणित ज्योतिपकी दृष्टिसे ग्रन्थ अच्छा मालूम पडता है। विपय-प्रतिपादनकी शैली सरल और हृदयग्राह्य है। पाठक पढते-पढते गणित-जैसे शुष्क विपयको भी रुचि और धैर्यके साथ अन्त तक पढता जाता है और अन्त तक जी नही ऊबता है। ग्रन्थकारकी यह शैली प्रशसा योग्य है।

महावीराचार्य—ब्रह्मगुप्तके पश्चात् जैन सम्प्रदायमें महावीराचार्य नामके एक धुरन्धर गणितज्ञ हुए। यह राष्ट्रकूट वशके अमोघवर्प नृपतुगके समयमे हुए थे, इसलिए इनका समय ईसवी सन् ८५० माना जाता है। इन्होने ज्योतिपपटल और गणितसारसंग्रह नामके ज्योतिप ग्रन्थोकी रचना की है। ये दोनो ही ग्रन्थ गणित ज्योतिपके हैं, इन ग्रन्थोसे इनकी विद्वत्ताका ज्ञान सहजमें ही लगाया जा सकता है। गणितसारके प्रारम्भमें गणित विपयकी प्रशसा करते हुए लिखा है—

कामतन्त्रेऽर्थशास्त्रे च गान्धर्वे नाटकेऽपि वा।
सूपशास्त्रे तथा वैद्ये वास्तुविद्यादिवस्तुपु॥
छन्दोऽलङ्कारकाव्येपु तर्कव्याकरणादिपु।
कलागुणेपु सर्वेपु प्रस्तुत गणित परम्॥
सूर्यादिग्रहचारेपु ग्रहणे ग्रहसयुतौ।
त्रिप्रश्ने चन्द्रवृत्तौ च सर्वत्राङ्गीकृत हि तत्॥

इस ग्रन्थमें सज्ञाधिकार, परिकर्मव्यवहार, कलासवर्ण व्यवहार, प्रकीर्ण-

व्यवहार, त्रैराशिकव्यवहार, मिश्रक व्यवहार, क्षेत्र गणितव्यवहार, खात-व्यवहार एव छायाव्यवहार नामके प्रकरण है। मिश्रक व्यवहारमे सम-कुट्टीकरण, विषमकुट्टीकरण और मिश्रकुट्टीकरण आदि अनेक प्रकारके गणित हैं। पाटीगणित और रेखागणितकी दृष्टिसे इसमे अनेक विशेपताएँ है। इनके क्षेत्रव्यवहार प्रकरणमे आयतको वर्ग और वर्गको आयतके रूपमे वदलनेकी प्रक्रिया वतायी है। एक स्थानपर वृत्तोको वर्ग और वर्गोंको वृत्तोमे परिणत किया गया है। समत्रिभुज, विषमत्रिभुज, समकोण चतुर्भुज, विपमकोण चतुर्भुज, वृत्तक्षेत्र, सूचीव्यास, पचभुजक्षेत्र एव बहुभुजक्षेत्रोका क्षेत्रफल, घनफल निकाला है। ज्योतिषपटलमे ग्रह, नक्षत्र और ताराओके स्थान, गति, स्थिति और सख्या आदिका प्रतिपादन किया है। यद्यपि ज्योतिषपटल सम्पूर्ण उपलब्ध नही है, पर जितना अश उपलब्ध है उससे ज्ञात होता है कि गणितसारका उपयोग इस ग्रन्थके ग्रहगणितमे किया गया है।

भट्टोत्पल—यह प्रसिद्ध टीकाकार हुए है। जिस प्रकार कालिदासके लिए मल्लिनाथ सिद्धहस्त टीकाकार माने जाते है, उसी प्रकार वराह-मिहिरके लिए भट्टोत्पल एक अद्वितीय प्रतिभाशाली टीकाकार है। यदि सच कहा जाये तो मानना पडेगा कि इनकी टीकाने ही वराहमिहिरको इतनी ख्याति प्रदान की है। वराहमिहिरके ग्रन्थोके अतिरिक्त वराहमिहिरके पुत्र पृथुयशाकृत पट्पचाशिका और ब्रह्मगुप्तके खण्डखाद्य नामक ग्रन्थोपर इन्होने विद्वत्तापूर्ण समन्वयात्मक टीकाएँ लिखी है। टीकाओके अतिरिक्त प्रश्न-ज्ञान नामक स्वतन्त्र ग्रन्थ भी इनका रचा बताया जाता है। इस ग्रन्थके अन्तमे लिखा है—

> **भट्टोत्पलेन शिष्यानुकम्पयावलोक्य सर्वशास्त्राणि।**
> **आर्यासप्तशत्यैव प्रश्नज्ञान समासतो रचितम्॥**

इससे स्पष्ट है कि सात-सौ आर्या श्लोकोमें प्रश्नज्ञान नामक ग्रन्थकी रचना की है। भट्टोत्पलने अपनी टीकामें अपनेसे पहलेके सभी आचार्योंके वचनोको उद्धृत कर एक अच्छा तद्विपय समन्वयात्मक सकलन किया है। इसके

आधारपर-से प्राचीन ज्योतिपशास्त्रका महत्त्वपूर्ण इतिहास तैयार किया जा सकता है। इनका समय श० ८८८ है।

चन्द्रसेन—इनका रचा गया केवलज्ञानहोरा नामक महत्त्वपूर्ण विशालकाय ग्रन्थ है। यह ग्रन्थ कल्याणवर्माके पीछेका रचा गया प्रतीत होता है, इसके प्रकरण सारावलीसे मिलते-जुलते हैं, पर दक्षिणमें रचना होनेके कारण कर्णाटक प्रदेशके ज्योतिपका पूर्ण प्रभाव है। इन्होने ग्रन्थके विपयको स्पष्ट करनेके लिए वीच-वीचमे कन्नड भापाका भी आश्रय लिया है। यह ग्रन्थ अनुमानत तीन-चार हजार श्लोकोमें पूर्ण हुआ है। ग्रन्थके आरम्भमें कहा गया है—

होरा नाम महाविद्या वक्तव्यञ्च भवद्धितम्।
ज्योतिर्ज्ञानैकसार भूपणं वुधपोषणम्॥

इन्होंने अपनी प्रशंसा भी प्रचुर परिमाणमें की है—

आगमैः सदृशो जैनः चन्द्रसेनसमो मुनिः।
केवलीसदृशी विद्या दुर्लभा सचराचरे॥

इस ग्रन्थमे हेमप्रकरण, दाम्यप्रकरण, शिलाप्रकरण, मृत्तिकाप्रकरण, वृक्षप्रकरण, कार्पास-गुल्म-वल्कल तृण-रोम-चर्म-पट-प्रकरण, सख्याप्रकरण, नष्टद्रव्यप्रकरण, निर्वाहप्रकरण, अपत्यप्रकरण, लाभालाभप्रकरण, स्वप्रकरण, स्वप्नप्रकरण, वास्तुविद्याप्रकरण, भोजनप्रकरण, देहलोहदीक्षाप्रकरण, अजन-विद्याप्रकरण एव विपविद्याप्रकरण आदि है। ग्रन्थको आद्योपान्त देखनेसे ज्ञात होता है, कि यह सहिता विपयक रचना है, होरा-सम्वन्धी नही। होरा जैसा कि इसका नाम है, उसके सम्वन्वमे कुछ भी नही कहा गया है।

श्रीपति—यह अपने समयके अद्वितीय ज्योतिर्विद् थे। इनके पाटी गणित, वीजगणित और सिद्धान्तशेखर नामके गणित ज्योतिपके ग्रन्थ तथा श्रीपतिपद्धति, रत्नावली, रत्नसार, रत्नमाला ये फलित ज्योतिपके ग्रन्थ है। इनके पाटीगणितके ऊपर सिंहतिलक नामक जैनाचार्यकी एक 'तिलक' नामक

टीका है। इनकी विशेषता यह है कि इन्होने ज्या खण्डोके विना ही चाप मानसे ज्याका आनयन किया है—

दो कोटिभागरहिताभिहता खनागचन्द्रास्तदीयचरणोनशरार्कदिग्भि:।
ते व्यासखण्डगुणिता विहृता फलं तु ज्याभिर्विनापि भवतो भुजकोटिजीवा॥

इनकी रचनाशैली अत्यन्त सरल और उच्चकोटिकी है। इन्हे केवल गणितका ही ज्ञान नही था, प्रत्युत ग्रहवेध क्रियासे भी यह पूर्ण परिचित थे। इन्होने वेध-क्रिया-द्वारा ग्रह-गणितकी वास्तविकता अवगत कर उसका अलग सकलन किया था, जो सिद्धान्तशेखरके नामसे प्रसिद्ध है। ग्रह-गणितके साथ-साथ जातक और मुहूर्त्त विषयोके भी यह प्रकाण्ड पण्डित थे। इनका जन्म समय ईसवी सन् ९९९ वताया जाता है।

श्रीधर—यह ज्योतिपशास्त्रके मर्मज्ञ विद्वान् थे। इनका समय दसवी सदीका अन्तिम भाग माना जाता है। इन्होने गणितसार और ज्योतिर्ज्ञान-विधि सस्कृत भाषामे तथा जातकतिलक कन्नड भाषामें लिखे है। इनके गणितसारपर एक जैनाचार्यकी टीका भी उपलव्ध है।

गणितसारमे अभिन्न गुणक, भागहार, वर्ग, वर्गमूल, घन, घनमूल, भिन्न, समच्छेद, भागजाति, प्रभागजाति-भागानुवन्ध, भागमातृजाति, त्रैराशिक, सप्तराशिक, नवराशिक, भाण्ड-प्रतिभाण्ड, मिश्रकव्यवहार, भाव्यकव्यवहार-सूत्र, एकपत्रीकरणसूत्र, सुवर्णगणित, प्रक्षेपकगणित, समक्रयविक्रयसूत्र, श्रेणी-व्यवहार, क्षेत्रव्यवहार, खातव्यवहार, चितिव्यवहार, काष्ठव्यवहार, राशि-व्यवहार, छायाव्यवहार आदि गणितोका निरूपण किया गया है। इसमे "व्यासवर्गाद्दशगुणात्पद परिधि" वाला परिधि आनयनका नियम वताया है। वृत्त क्षेत्रका क्षेत्रफल परिधि और व्यासके घातका चतुर्थांश वताया गया है, लेकिन पृष्ठ फलके सम्बन्धमे कही भी उल्लेख नही है।

ज्योतिर्ज्ञानविधि प्रारम्भिक ज्योतिषका ग्रन्थ है। इसमे व्यवहारोपयोगी मुहूर्त्त भी दिये गये है। आरम्भमे सवत्सरोके नाम, नक्षत्रनाम, योगनाम, करणनाम, तथा उनके शुभाशुभत्व दिये गये है। इसमें मासशेप, मासा-

विपतिशेष, दिनशेष, दिनाविपतिशेष आदि अर्थगणितकी अद्भुत और विलक्षण क्रियाएँ भी दी गयी हैं। यो तो मासशेष आदिका वर्णन अन्यत्र भी है, इस ग्रन्थके विषय एक नये तरीकेसे लिखे गये हैं, तिथियोंके स्वामी नन्दा, भद्रा आदिका स्वरूप तथा उनका शुभाशुभत्व विस्तारसहित बताया गया है।

जातकतिलककी भाषा कन्नड है, यह ग्रन्थ भी जातक शास्त्रकी दृष्टिसे महत्त्वपूर्ण सुननेमें आया है। दक्षिण भारतमे इनके ग्रन्थ अधिक प्रामाणिक माने जाते हैं तथा सभी व्यावहारिक कार्य इन्हींके ग्रन्थोंके आधारपर वहाँ सम्पन्न किये जाते है।

श्रीधराचार्य कर्णाटक प्रान्तके निवासी थे। इनकी माताका नाम अब्बोका और पिताका नाम बलदेव शर्मा था। इन्होने बचपनमें अपने पितासे ही सस्कृत और कन्नड साहित्यका अध्ययन किया था। प्रारम्भमें यह शैव थे, किन्तु बादमें जैनधर्मानुयायी हो गये थे। अपने समयके ज्योतिर्विदोंमें इनकी अच्छी ख्याति थी।

भट्टवोसरि—इनके गुरुका नाम दामनन्दि आचार्य था। इन्होने आयज्ञानतिलक नामक एक विस्तृत ग्रन्थकी रचना प्राकृत भाषामें की है। मूल गाथाओंकी विवृति सक्षिप्त रूपसे सस्कृतमे स्वय ग्रन्थकारने लिखी है। ग्रन्थके पुष्पिका वाक्यमे **"इति दिगम्बराचार्यपण्डितदामनन्दिशिष्य-भट्टवोसरिविरचिते सायश्रीटीकायज्ञानतिलके कालप्रकरणम्"** कहा है। इस ग्रन्थका रचनाकाल विषय और भाषाकी दृष्टिसे ईसवी सन् १०वीं शताब्दी मालूम पडता है। जिस प्रकार मल्लिषेणने ग्रन्थके प्रारम्भमें सुग्रीवादि मुनीन्द्रो-द्वारा प्रतिपादित आयज्ञानको कहा है, इसी प्रकार इन्होंने आयकी अधिष्ठात्री देवी पुलिन्दिनीकी स्तुतिमें—**"सुग्रीवपूर्वमुनिसूचितमन्त्रबीजं· तेषां वचांसि न कदापि मुधा भवन्ति"** कहा है। इससे स्पष्ट है कि मल्लिषेणके समयके पूर्वमें ही इस ग्रन्थकी रचना हुई होगी। प्रश्नशास्त्रकी दृष्टिसे यह ग्रन्थ अत्यन्त महत्त्वपूर्ण है। इसमें ध्वज, धूम, सिंह, गज, खर, श्वान, वृष और ध्वाक्ष इन आठ आयों-द्वारा प्रश्नोंके फलका

सुन्दर वर्णन किया है।

इन प्रधान ज्योतिर्विदोके अतिरिक्त भोजराज, ब्रह्मदेव आदि और भी दो-चार ज्योतिपी हुए हैं, जिन्होने इस युगमे ज्योतिष साहित्यकी श्रीवृद्धि करनेमे पर्याप्त सहयोग प्रदान किया है। इस कालमे ऐसे भी अनेक ज्योतिषके ग्रन्थ लिखे गये है जिनके रचयिताओके सम्वन्धमे कुछ भी ज्ञात नही है।

उत्तर मध्यकाल (ई० १००१–१६००):

सामान्य परिचय

इस युगमें ज्योतिपशास्त्रके साहित्यका बहुत विकास हुआ है। मौलिक ग्रन्थोके अतिरिक्त आलोचनात्मक ज्योतिपके अनेक ग्रन्थ लिखे गये हैं। भास्कराचार्यने अपने पूर्ववर्त्ती आर्यभट्ट, ब्रह्मगुप्त, लल्ल आदिके सिद्धान्तोंकी आलोचना की और आकाशनिरीक्षण-द्वारा ग्रहमानकी स्थूलता ज्ञात कर उसे दूर करनेके लिए वीजसस्कारकी व्यवस्था बतलायी। ईसवी सन्‌की १२वी सदीमें गोलविषयके गणितका प्रचार बहुत हुआ था, इस समय गोलविपयके गणितसे अनभिज्ञ ज्योतिषी मूर्ख माना जाता था। भास्कराचार्यने समीक्षा करते हुए बताया है—

> वादी व्याकरण विनैव विदुषां धृष्टः प्रविष्ट सभां
> जल्पन्नल्पमति स्मयात्पटुवटुभ्रूभङ्गवक्रोक्तिभिः।
> ह्रीणः सन्नुपहासमेति गणको गोलानभिज्ञस्तथा
> ज्योतिर्वित्सदसि प्रगल्भगणकप्रश्नप्रपञ्चोक्तिभिः॥

अर्थात्—जिस प्रकार तार्किक व्याकरण ज्ञानके विना पण्डितोकी सभामें लज्जा और अपमानको प्राप्त होता है, उसी प्रकार गोलविषयक गणितके ज्ञानके अभावमें ज्योतिपी ज्योतिर्विदोकी सभामें गोलगणितके प्रश्नोका सम्यक् उत्तर न दे सकनेके कारण लज्जा और अपमानको प्राप्त करता है।

उत्तरमध्यकालमे पृथ्वीको स्थिर और सूर्यको गतिशील स्वीकार किया गया है। भास्करने बताया है कि जिस प्रकार अग्निमे उष्णता, जलमें शीतलता, चन्द्रमे मृदुता स्वाभाविक है उसी प्रकार पृथ्वीमे स्वभावत स्थिरता है। पृथ्वीकी आकर्पण-शक्तिकी चर्चा भी इस समयके ज्योतिप-शास्त्रमे होने लग गयी थी। इस युगके ज्योतिप-साहित्यमे आकर्पण-शक्तिकी क्रियाको साधारणत पतन कहा गया है, और बताया है कि पृथ्वीमे आकर्पण-शक्ति है, इसलिए अन्य द्रव्य गिराये जानेसे पृथ्वीपर आकर गिरते हैं। केन्द्राभिकर्पिणी और केन्द्रापसारिणी ये दो शक्तियाँ प्रत्येक वस्तुमे मानी हुई हैं तथा यह भी स्वीकार किया गया है कि प्रत्येक पदार्थमें आकर्पण-शक्ति होनेसे ही उपर्युक्त दोनो प्रकारकी क्रियात्मक शक्तियाँ अपने कार्यको सुचारु रूपसे करती है।

भास्करने पृथ्वीका आकार कदम्बकी तरह गोल बताया है, कदम्बके ऊपरके भागमे केशरकी तरह ग्रामादि स्थित हैं। इनका कथन है कि यदि पृथ्वीको गोल न माना जाये तो शृगोन्नति, ग्रहयुती, ग्रहण, उदयास्त एव छाया आदिके गणित-द्वारा साधित ग्रह दृक्तुल्य सिद्ध नही हो सकेंगे। उदयान्तर, चरान्तर और भुजान्तर सस्कारोकी व्यवस्था कर ग्रहगणितमे सूक्ष्मताका प्रचार भी इन्हीके द्वारा हुआ है।

उत्तरमध्यकालकी प्रमुख विशेपता ग्रहगणितके सभी अगोके सशोधनकी है। लम्बन, नति, आयनवलन, आक्षवलन, आयनदृक्कर्म, आक्षदृक्कर्म, भूमाविम्व साधन, ग्रहोंके स्पष्टीकरणके विभिन्न गणित और तिथ्यादिके साधनमे विभिन्न प्रकारके सस्कार किये गये, जिससे गणित-द्वारा साधित ग्रहोका मिलान आकाश-निरीक्षण-द्वारा प्राप्त ग्रहोसे हो सके।

इस युगकी एक अन्य विशेपता यन्त्र-निर्माणकी भी है। भास्कराचार्य और महेन्द्रसूरिने अनेक यन्त्रोंके निर्माणकी विधि और यन्त्रो-द्वारा ग्रहवेधकी प्रणालीका निरूपण सुन्दर ढगसे किया है। यद्यपि इस कालके प्रारम्भमें ग्रहगणितका बहुत विकास हुआ, अनेक करण ग्रन्थ तथा सारणियाँ लिखी

गयी, पर ई० सन्‌की १५वी शताव्दीसे ही ग्रहवेधकी परिपाटीका ह्रास होने लग गया है। यो तो प्राचीन ग्रन्थोको स्पष्ट करने और उनके रहस्यो-को समझानेके लिए इस युगमें अनेक टीकाएँ और भाष्य लिखे गये, पर आकाश-निरीक्षणकी प्रथा उठ जानेसे मौलिक साहित्यका निर्माण न हो सका। ग्रहलाघव, करणकुतूहल और मकरन्द-जैसे सुन्दर करण ग्रन्थोका निर्मित होना भी इस युगके लिए कम गौरवकी वात नही है।

फलित ज्योतिपमे जातक, मुहूर्त्त, सामुद्रिक, रमल और प्रश्न इन अगोके साहित्यका निर्माण भी उत्तरमध्यकालमें कम नही हुआ है। मुस-लिम संस्कृतिके अति निकट सम्पर्कके कारण रमल और ताजिक इन दो अगोका तो नया जन्म माना जायेगा। ताजिक शव्दका अर्थ ही अरबदेशसे प्राप्त शास्त्र है। इस युगमे इस विषयपर लगभग दो दर्जन ग्रन्थ लिखे गये है। इस शास्त्रमें किसी व्यक्तिके नवीन वर्प और मासमे प्रवेश करनेकी ग्रह-स्थितिपर-से उसके समस्त वर्पऔर मासका फल बताया जाता है। वलभद्र-कृत ताजिक ग्रन्थमें कहा है—

यवनाचार्येण पारसीकभाषायां प्रणीतं ज्योति शास्त्रैकदेशरूप वार्षि-कादिनानाविधफलादेशफलकशास्त्रं ताजिकफलवाच्यं तदनन्तरभूतै समर-सिंहादिभि· ब्राह्मणै तदेव शास्त्र संस्कृतशब्दोपनिबद्धं ताजिकशब्द-वाच्यम्। अत एव तैस्ता एव इक्कवालादयो यावत्यः सज्ञा उपनिवद्धा·।

अर्थात्—यवनाचार्यने फारसी भाषामें ज्योतिष शास्त्रके अगभूत वर्प, मासके फलको नाना प्रकारसे व्यक्त करनेवाले ताजिक शास्त्रकी रचना की थी। इसके पश्चात् समरसिंह आदि विद्वानोने सस्कृत भाषामे इस शास्त्रकी रचना की और इक्कबाल, इन्दुवार, इशराफ आदि यवनाचार्य-द्वारा प्रति-पादित योगोकी सज्ञाएँ ज्योकी-त्यो रखी।

कुछ विद्वानोका मत है कि ईसवी सन् १३०० मे तेजसिंह नामके एक प्रकाण्ड ज्योतिषी भारतमे हुए थे, उन्होने वर्प-प्रवेश-कालीन लग्नकुण्डली-द्वारा ग्रहोका फल निकालनेकी एक प्रणाली निकाली थी। कुछ कालके

पश्चात् इस प्रणालीका नाम आविष्कर्त्ताके नामपर ताजिक पड गया। ग्रन्थान्तरोमें यह भी लिखा मिलता है कि—

गर्गाद्येर्यवनैश्च रोमकमुखै सत्यादिभिः कीर्तितम्।
शास्त्र ताजिकसञ्ज्ञक ॥

अर्थात्—गर्गाचार्य, यवनाचार्य, सत्याचार्य और रोमकने जिस फलादेश-सम्वन्धी शास्त्रका निरूपण किया था, वह ताजिक शास्त्र था। अतएव यह स्पष्ट है कि ताजिक शास्त्रका विकास स्वतन्त्र रूपसे भारतीय ज्योतिषतत्त्वोके आधारपर हुआ है। हाँ, यवनोके सम्पर्कसे उसमें सशोधन और परिवर्द्धन अवश्य किये गये है, पर तो भी उसकी भारतीयता अक्षुण्ण वनी हुई है।

प्रश्न-अगके साहित्यका निर्माण भी इस युगमें अधिक रूपसे हुआ। आचार्य दुर्गदेवने स० १०८९ मे रिष्टसमुच्चय नामक ग्रन्थमे अगुलिप्रश्न, अलक्तप्रश्न, गोरोचनप्रश्न, प्रश्नाक्षरप्रश्न, शकुनप्रश्न, अक्षरप्रश्न, होराप्रश्न और लग्नप्रश्न इन आठ प्रकारके प्रश्नोका अच्छा प्रतिपादन किया है। इसके अतिरिक्त पद्मप्रभ सूरिने वि० स० १२९४ में भुवनदीपक नामक एक छोटा-सा ग्रन्थ १७० श्लोकोका वनाया है, जो प्रश्न-शास्त्रका उत्कृष्ट ग्रन्थ है। ज्ञानप्रदीपिका नामका एक प्रश्न-ग्रन्थ भी निराला है, इसमें अनेक गूढ ओर मानसिक प्रश्नोके उत्तर देनेकी प्रक्रियाका वर्णन किया गया है। लग्नको आधार मानकर भी कई प्रश्न-ग्रन्थ लिखे गये हैं, जिनका फल प्राय जातक-ग्रन्थोके मूलाधारपर स्थित है। ईसवी सन्की १५वी और १६वी शताव्दीमें भी कुछ प्रश्न-ग्रन्थोका निर्माण हुआ है।

रमल—यह पहले ही लिखा जा चुका है कि रमलका प्रचार विदेशियोंके ससर्गसे भारतमें हुआ है। ईसवी सन् ११वी और १२ वी शताव्दीकी कुछ फ़ारसी भाषामें रची गयी रमलकी मौलिक पुस्तकें खुदावख्शखाँ लाइब्रेरी पटनामें मौजूद है। इन पुस्तकोमें कर्त्ताओके नाम नही हैं। सस्कृत भाषामें रमलकी पाँच-सात पुस्तकें प्रधान रूपसे मिलती हैं। रमलनवरत्नम् नामक ग्रन्थमें पाशा वनानेकी विधिका कथन करते हुए वताया है कि—

वेदतत्त्वोपरिकृतं रम्लशास्त्रं च सूरिभि. ।
तेषां भेदाः षोडशैव न्यूनाधिक्यं न जायते ॥

अर्थात्—अग्नि, वायु, जल और पृथ्वी इन चार तत्त्वोपर विद्वानोने रमलशास्त्र वनाया है तथा इन चार तत्त्वोके सोलह भेद कहे है, अत रमलके पाशेमें सोलह शकल वतायी गयी हैं ।

ई० १२४६ में सिंहासनारूढ होनेवाले नासिरुद्दीनके दरवारमें एक रमलशास्त्रके अच्छे विद्वान् थे । जव नासिरुद्दीनकी मृत्युके वाद वलवन शासक वन बैठा था, उस समय तक वह विद्वान् उनके दरबारमें रहा था । इसने फारसीमें रमल साहित्यका सृजन भी किया था । सन् १३१४ मे सीताराम नामके एक विद्वान्ने रमलसार नामका एक ग्रन्थ संस्कृतमें रचा है, यद्यपि इनका यह ग्रन्थ अभीतक मुद्रित हुआ मिलता नही है, पर इसका उल्लेख मद्रास यूनिवर्सिटीके पुस्तकालयके सूचीपत्रमें है ।

किंवदन्ती ऐसी भी है कि वहलोल लोदीके साथ भी एक अच्छा रमलशास्त्रका वेत्ता रहता था, यह मूक प्रश्नोका उत्तर देनेमें सिद्धहस्त वताया गया है । रमल-नवरत्नके मगलाचरणमे पूर्वके रमलशास्त्रियोको नमस्कार किया गया है—

नत्वा श्रीरमलाचार्यान् परमाद्यसुखाभिधै. ।
उद्धृतं रमलाम्भोधेर्नवरत्न सुशोभनम् ॥

अर्थात्—प्राचीन रमलाचार्योंको नमस्कार करके परमसुख नामक ग्रन्थकर्त्ताने रमलशास्त्ररूपी समुद्रमें-से सुन्दर नवरत्नको निकाला है ।

इस ग्रन्थका रचनाकाल १७वी शताव्दी है । अतः यह स्वय सिद्ध है कि उत्तरमध्यकालमें रमलशास्त्रके अनेक ग्रन्थोका निर्माण हुआ है ।

मुहूर्त्त—यो तो उदयकालमें ही मुहूर्त्त-सम्बन्धी साहित्यका निर्माण होने लग गया था तथा आदिकाल और पूर्वमध्यकालमे सहिताशास्त्रके अन्तर्गत ही इस विषयकी रचनाएँ हुई थी, पर उत्तर मध्यकालमें इस

अगपर स्वतन्त्र रचनाएँ दर्जनोकी सख्यामें हुई है। शक सवत् १४२० में नन्दिग्रामवासो केशवाचार्य कृत मुहूर्त्ततत्त्व, शक सवत् १४१३ में नारायण कृत मुहूर्त्त-मार्त्तण्ड, शक सवत् १५२२ में रामभट्ट कृत मुहूर्त्तचिन्तामणि, शक सवत् १५४९ मे विट्ठल दोक्षित कृत मुहूर्त्त कल्पद्रुम आदि मुहूर्त्त-सम्वन्धी रचनाएँ हुई है। इस युगमे मानवके सभी आवश्यक कार्योके लिए शुभाशुभ समयका विचार किया गया है।

शकुनशास्त्र—इसका विकास भी स्वतन्त्र रूपसे इस युगमे अधिक हुआ है। वि० स० १२३२ में अह्लिलपट्टणके नरपति नामक कविने नरपति-जयचर्या नामक एक शुभाशुभ फलका वोव करानेवाला अपूर्व ग्रन्थ रचा है। इस ग्रन्थमें प्रवानरूपसे स्वर-विज्ञान-द्वारा शुभाशुभ फलका निरूपण किया गया है। वसन्तराज नामक कविने अपने नामपर वसन्तराज शकुन नामका एक महत्त्वपूर्ण ग्रन्थ रचा है। इस ग्रन्थमे प्रत्येक कार्यके पूर्वमें होने-वाले शुभाशुभ शकुनोका प्रतिपादन आकर्पक ढगसे किया गया है। इन ग्रन्थोके अतिरिक्त मिथिलाके महाराज लक्ष्मणसेनके पुत्र वल्लालसेनने श० म १०९२ मे अद्भुतसागर नामका एक सग्रह ग्रन्थ रचा है, जिसमे अपने समयके पूर्ववर्त्ती ज्योतिर्विदोकी सहिता-सम्वन्धी रचनाओका सग्रह किया है। कई जैन मुनियोने शकुनके ऊपर वृहद् परिमाणमें रचनाएँ लिखी है। यद्यपि शकुनशास्त्रके मूलतत्त्व आदिकालके ही थे, पर इस युगमें उन्ही तत्त्वोको विस्तृत विवेचनाएँ लिखी गयी हैं।

उत्तरमध्यकालमे भारतीय ज्योतिपने अनेक उत्थानो और पतनोको देखा है। विदेशियोके सम्पर्कसे होनेवाले सशोधनोको अपनेमें पचाया है ओर प्राचोन भारतीय ज्योतिपकी गणित-विपयक स्थूलताओको दूर कर सूक्ष्मताका प्रचार किया है।

यदि मक्षेपमे उत्तरमध्यकालके ज्योतिप-साहित्यपर दृष्टिपात किया जाये तो यही कहा जा सकता है कि इम कालमें गणित-ज्योतिपकी अपेक्षा फलित-ज्योतिपका साहित्य अधिक फला-फूला है। गणित-ज्योतिपमे भास्कर-

के समान अन्य दूसरा विद्वान् नही हुआ, जिससे विपुल परिमाणमे इस विपयकी सुन्दर रचनाएँ नही हो सकी ।

उत्तरमध्यकालके ग्रन्थ और ग्रन्थकारोका परिचय

सिद्धान्त ज्योतिपका विकास इस कालमे विशेप रूपसे हुआ है । यद्यपि देशकी राजनैतिक परिस्थिति साहित्यके सृजनके लिए पूर्वमध्यकालके समान अनुकूल नही थी, फिर भी भास्कर आदिने गणित-साहित्यके निर्माणमे अपूर्व कौशल दिखलाया है । यहाँ इस युगके प्रमुख ज्योतिर्विदोका परिचय दिया जाता है—

भास्कराचार्य—वराहमिहिर और ब्रह्मगुप्तके बाद इनके समान प्रतिभाशाली, सर्वगुणसम्पन्न दूसरा ज्योतिर्विद् नही हुआ । इनका जन्म ईसवी सन् १११४ में विज्जडविड नामक ग्राममें हुआ था । इनके पिताका नाम महेश्वर उपाध्याय था । इन्होने एक स्थानपर लिखा है—

आसीन्महेश्वर इति प्रथित. पृथिव्यामाचार्यवर्यपदवीं विदुषा प्रपन्न· ।
लब्धावबोधकलिकां तत एव चक्रे तज्जेन बीजगणितं लघुभास्करेण ॥

इससे स्पष्ट है कि महेश्वर इनके पिता और गुरु दोनो ही थे । इनके द्वारा रचित लीलावती, बीजगणित, सिद्धान्तशिरोमणि, करणकुतूहल और सर्वतोभद्र ग्रन्थ हैं ।

ब्रह्मगुप्तके ब्रह्मस्फुटसिद्धान्त और पृथूदक स्वामीके भाष्यको मूल मानकर इन्होने अपना सिद्धान्तशिरोमणि बनाया है, तथा आर्यभट्ट, लल्ल, ब्रह्मगुप्त आदिके मतोकी समालोचना की है । शिरोमणिमें अनेक नये विपय भी आये हैं, प्राचीन आचार्योके गणितोमे सशोधन कर वीज सस्कार निर्धारित किये । इन्होने सिद्धान्तशिरोमणिपर वासना भाष्य भी लिखा है, जिससे इनके सरल और सरस गद्यका भी परिचय मिल जाता है । ज्योतिपी होनेके साथ-साथ भास्कराचार्य ऊँचे दर्जेके कवि भी थे । इनकी कविताशैली अनुप्रासयुक्त है, ऋतु वर्णनमें यमक और श्लेषकी सुन्दर

वहार दिखलायी पडती हैं। गणितमें वृत्त, पृष्ठघनफल, गुणोत्तरश्रेणी, अकक्षाप, करणीवर्ग, वर्गप्रकृति, योगान्तर भावना-द्वारा कनिष्ठ-ज्येष्ठा-नयन एव सरल कल्पना द्वारा एक और अनेक वर्ण मानायन आदि विपय इनकी विशेपताके द्योतक है। सिद्धान्तमे भगणोपपत्ति लघुज्याप्रकारसे ज्यानयन, चन्द्रकलाकर्ण-साधन, भूमानयन, सूर्यग्रहणका गणित, स्पष्ट शर-द्वारा स्पष्ट क्रान्तिका साधन आदि बातें इनकी पूर्वाचार्योकी अपेक्षा नवीन है। इन्होने फलितका कोई ग्रन्थ लिखा था, पर आज वह उपलब्ध नही है, कुछ उद्धरण इनके नामसे मुहूर्त्तचिन्तामणिकी पीयूषधारा टीकामें मिलते है।

दुर्गदेव—ये दिगम्बर जैन धर्मानुयायी थे। इनका समय ईसवी सन् १०३२ माना जाता है। ये ज्योतिप-शास्त्रके मर्मज्ञ विद्वान् थे। इन्होने अर्घकाण्ड और रिट्ठसमुच्चय नामक दो ग्रन्थ लिखे हैं। रिट्ठसमुच्चयके अन्तमे लिखा है—

> रइयं बहुसत्थत्थं उवजीवित्ता हु दुग्गएवेण।
> रिट्ठ समुच्चयसत्थं वयणेण संजमदेवस्स॥

अर्थात्—इस शास्त्रकी रचना दुर्गदेवने अपने गुरु सयमदेवके वचनानुसार की है। ग्रन्थमे एक स्थानपर सयमदेवके गुरु सयमसेन और उनके गुरु माधवचन्द्र बताये गये हैं। दुर्गदेवने रिट्ठसमुच्चय जैन शौरसेनी प्राकृतमें २६१ गाथाओका शकुन और शुभाशुभ निमित्तोके सकलन रूपमें रचा है। इस ग्रन्थकी रचना कुम्भनगर अनगामें की गयी है। लेखकने रिट्ठो-रिष्टोके पिण्डस्थ, पदस्थ और रूपस्थ नामक तीन भेद किये हैं। प्रथम श्रेणीमे अँगुलियोका टूटना, नेत्रज्योतिकी हीनता, रसज्ञानकी न्यूनता, नेत्रोसे लगातार जलप्रवाह एव अपनी जिह्वाको न देख सकना आदिको परिगणित किया है। द्वितीय श्रेणीमें सूर्य और चन्द्रमाका अनेक रूपोमे दर्शन, प्रज्वलित दीपकको शीतल अनुभव करना, चन्द्रमाको त्रिभगी रूपमे देखना, चन्द्रलाछनका दर्शन न होना इत्यादिको लिया है। तृतीयमें निजच्छाया,

परच्छाया तथा छायापुरुपका वर्णन है और आगे जाकर छायाका अगविहीन दर्शन आदि विपयोपर तथा छायाका सछिद्र और टूटे-फूटे रूपमे दर्शन आदिपर अनेको मत दिये हैं। अनन्तर ग्रन्थकर्त्ताने स्वप्नोका कथन किया है जिन्हें उसने देवेन्द्र कथित तथा सहज इन दो रूपोमें विभाजित किया है। अरिष्टोकी स्वाभाविक अभिव्यक्ति करते हुए प्रश्नारिष्टके आठ भेद—अगुलि-प्रश्न, अलक्तप्रश्न, गोरोचनाप्रश्न, प्रश्नाक्षरप्रश्न—आलिगित, दग्ध, ज्वलित और शान्त, एव शकुनप्रश्न बताये हैं। प्रश्नाक्षरारिष्टका अर्थ वतलाते हुए लिखा है कि मन्त्रोच्चारणके अनन्तर पृच्छकसे प्रश्न कराके प्रश्नवाक्यके अक्षरोका दूना और मात्राओको चौगुना कर योगफलमें सातसे भाग देना चाहिए। यदि शेप कुछ न रहे तो रोगीकी मृत्यु और शेष रहने-से रोगीका चगा होना फल जानना चाहिए। सक्षेपमे यह कहा जा सकता है कि इस ग्रन्थमें आचार्यने वाह्य और आन्तरिक शकुनोके द्वारा आनेवाली मृत्युका निश्चय किया है। ग्रन्थका विषय रुचिकर है।

उदयप्रभदेव—इनके गुरुका नाम विजयसेन सूरि था। इनका समय ईसवी सन् १२२० वताया जाता है। इन्होने ज्योतिप-विपयक आरम्भ-सिद्धि अपर नाम व्यवहारचर्या नामक ग्रन्थकी रचना की है। इस ग्रन्थपर वि० स० १५१४में रत्नेश्वर सूरिके शिष्य हेमहस गणिने एक विस्तृत टीका लिखी है। इस टीकामे इन्होने मुहूर्त्त-सम्बन्धी साहित्यका अच्छा सकलन किया है। लेखकने ग्रन्थके प्रारम्भमे ग्रन्थोक्त अध्यायोका सक्षिप्त नामकरण निम्न प्रकार दिया है—

दैवज्ञदीपकलिका व्यवहारचर्यामारम्भसिद्धमुदयप्रभदेव एनाम्।
शास्तिक्रमेण तिथिवारभयोगराशिगोचर्यकार्यगमवास्तुविलग्नमेभि· ॥

हेमहस गणिने व्यवहारचर्या नामकी सार्थकता दिखलाते हुए लिखा है—

व्यवहार· शिष्टजनसमाचार· शुभतिथिवारभादिपु शुभकार्यकरणादि-रूपस्तस्य चर्या।

अर्थात्—इस ग्रन्थमे प्रत्येक कार्यके शुभाशुभ मुहूर्त्तोका वर्णन है। मुहूर्त्त

अगकी दृष्टिसे ग्रन्थ मुहूर्त्तचिन्तामणिके समान उपयोगी और महत्त्वपूर्ण है। उपर्युक्त ११ अध्यायोमें सभी प्रकारके मुहूर्त्तोंका वर्णन किया है। ग्रन्थको आद्योपान्त देखनेपर लेखककी ग्रहगणित-विपयक योग्यता भी ज्ञात हो जाती है। हेमहस गणिने टीकाके मध्यमे प्राकृतकी यह गणित-विषयक गाथाएँ उद्धृत की है, जिनसे पता लगता है कि इनके समक्ष कोई प्राकृतका ग्रह-गणित मम्बन्धी ग्रन्थ था। इस ग्रन्थमे अनेक विशेषताएँ है।

मल्लिषेण—यह मस्कृत और प्राकृत दोनो भापाओके प्रकाण्ड विद्वान् थे। इनके पिताका नाम जिनसेन सूरि था, यह दक्षिण भारतके धारवाड जिलेके अन्तर्गत गदग तालुका नामक स्थानके रहनेवाले थे। इनका समय ईसवी सन् १०४३ माना गया है। इनका ज्योतिपका ग्रन्थ 'आयसद्भाव' नामक है। ग्रन्थके आदिमें लिखा है—

सुग्रीवादिमुनीन्द्रैः रचित शास्त्रं यदायसद्भावम्।
तत्सम्प्रत्यार्याभिविरच्यते मल्लिपेणेन॥
ध्वजधूमसिंहमण्डलवृषखरगजवायसा भवन्त्यायाः।
ज्ञायन्ते ते त्रिद्विरिहैकोत्तरगणनया चाष्टौ॥

इन उद्धरणोसे स्पष्ट है कि इनके पूर्वमें भी सुग्रीव आदि जैन मुनियोके द्वारा इस विपयकी और रचनाएँ भी हुई थी, उन्हीके साराशको लेकर इन्होने 'आयमद्भाव' की रचना की है। इस ग्रन्थके प्रारम्भमे आयकी अधिष्ठात्री देवी पुलिन्दिनीको माना है और उसका स्मरण भी किया है। इस ग्रन्थमें कुल १९५ आर्याएँ तथा अन्तमे एक गाथा, इस तरह १९६ पद्य हैं। ग्रन्थके अन्तमे ग्रन्थकर्त्ताने कहा है कि इस ग्रन्थके द्वारा भूत, भविष्यत् और वर्तमान इन तीनो कालोका ज्ञान हो सकता है। तथा अन्यको इस विद्याको न देनेके लिए ज़ोर दिया है—

अन्यस्य न दातव्य मिथ्यादृष्टेस्तु विशेषतोऽवधेयम्।
शपथ च कारयित्वा जिनवरदेव्या पुर सम्यक्॥

ग्रन्थकर्त्ताने इममें ध्वज, धूम, सिंह, मण्डल, वृप, खर, गज और

वायस इन आठो आयोका स्वरूप तथा उनके फलाफलका सुन्दर विवेचन दिया है ।

राजादित्य—इनके पिताका नाम श्रीपति और माताका नाम वसन्ता था। इनका जन्म कोण्डिमण्डलके 'यूविनवाग' नामक स्थानमे हुआ था। इनके नामान्तर राजवर्म, भास्कर और वाचिराज वताये जाते है । यह विष्णुवर्धन राजाकी सभाके प्रधान पण्डित थे, अत इनका समय ईसवी सन् ११२० के लगभग है । यह कवि होनेके साथ-साथ गणित ज्योतिपके माने हुए विद्वान् थे । कर्णाटक कविचरितके लेखकका कथन है कि कन्नड साहित्यमें गणितका ग्रन्थ लिखनेवाला यह सबसे पहला विद्वान् था । इनके द्वारा रचित व्यवहारगणित, क्षेत्रगणित, व्यवहाररत्न और जैनगणितसूत्रटीकोदाहरण, चित्रहसुगे और लीलावती ये गणित ग्रन्थ प्राप्य है । इनके ये समस्त ग्रन्थ कन्नड भाषामे है । इनके ग्रन्थोमें अकगणितके सभी विषयके अतिरिक्त बीजगणित और रेखागणितके भी अनेक विपय आये है । इन सब गणितोका ग्रहगणितमे अत्यधिक उपयोग होता है । इनके गुरुका नाम शुभचन्द्रदेव बताया जाता है ।

वल्लालसेन--मिथिलाके महाराज लक्ष्मणसेनके पुत्र थे । इन्हे ज्योतिपशास्त्रसे बहुत प्रेम था । राज्याभिपेकके आठ वर्प वाद ईसवी सन् ११६८ मे सहितारूप अद्भुत-सागर नामक ग्रन्थकी रचना की है । इस ग्रन्थमे गर्ग, वृद्धगर्ग, वराह, पराशर, देवल, वसन्तराज, कश्यप, यवनेश्वर, मयूरचित्र, ऋषिपुत्र, राजपुत्र, ब्रह्मगुप्त, महवलभद्र, पुलिश, सूर्यसिद्धान्त, विष्णुचन्द्र और प्रभाकर आदिके वचनोका सग्रह है । ग्रन्थ बहुत बडा है । लगभग ७-८ हज़ार श्लोक प्रमाणमे पूरा किया गया है । सूर्य, चन्द्र, मगल, वुध, गुरु, भृगु, शनि, केतु, राहु, ध्रुव, ग्रहयुद्ध, सवत्सर, ऋक्ष, परिवेप, इन्द्रधनुष, गन्धर्वनगर, निर्घात, दिग्दाह, छाया, तमोधूमनीहार, उल्का, विद्युत्, वायु, मेघ, प्रवर्पण, अतिवृष्टि, कबन्ध, भूकम्प, जलाशय, देवप्रतिमा, वृक्ष, गृह, वस्त्रोपानहासनाद्य, गज, अश्व, विडाल आदि अनेक

अद्भुत वार्त्ताओका निरूपण इस ग्रन्थमें विस्तारसे किया गया है। वास्तवमे यह ग्रन्थ अपना यथार्थ नाम सिद्ध कर रहा है। इस ग्रन्थकी सबसे बडी विशेषता यह है कि ज्योतिष विद्याके ज्ञानके अतिरिक्त इससे अनेक इतिहासकी बातें भी ज्ञात की जा सकती हैं। ज्योतिषका इतिहास लिखनेमे इससे बहुत बडी सहायता मिलती है। इस ग्रन्थमे पद्योके अतिरिक्त बीच बीचमे गद्य भी दिया गया है।

पद्मप्रभसूरि—नागौरकी तापगच्छीय पट्टावलीसे पता चलता है कि यह वादिदेव सूरिके शिष्य थे। इन्होंने भुवन-दीपक या ग्रहभावप्रकाश नामक ज्योतिषका ग्रन्थ लिखा है। इस ग्रन्थपर सिंहतिलकसूरिने, जो सफल टीकाकार और ज्योतिषके मर्मज्ञ थे, वि० स० १३२६में एक 'विवृति'नामक टीका लिखी है। इनकी तिलक नामकी टीका श्रीपतिके पाटी गणितपर बहुत महत्त्वपूर्ण है। 'जैन साहित्यनो इतिहास' नामक ग्रन्थमे इनके गुरुका नाम विबुधप्रभ सूरि बताया है। इनके द्वारा रचित मुनिसुव्रतचरित, कुन्थुचरित और पार्श्वनाथस्तवन भी कहे जाते हैं। भुवन-दीपकका रचना काल वि० स० १२९४ है। यह ग्रन्थ छोटा होते हुए भी अत्यन्त महत्त्वपूर्ण है। इसमें ३६ द्वार-प्रकरण हैं। राशिस्वामी, उच्चनीचत्व, मित्रशत्रु, राहुका गृह, केतुस्थान, ग्रहोंके स्वरूप, द्वादश भावोंसे विचारणीय बातें, इष्टकालज्ञान, लग्न-सम्बन्धी विचार, विनष्टग्रह, राजयोगोका कथन, लाभालाभ विचार, लग्नेशकी स्थितिका फल, प्रश्न-द्वारा गर्भविचार, प्रश्न-द्वारा प्रसव ज्ञान, यमजविचार, मृत्युयोग, चौर्यज्ञान, द्रेष्काणादिके फलोका विचार विस्तारसे किया है। इस ग्रन्थमे कुल १७० श्लोक हैं। इसकी भाषा सस्कृत है, ज्योतिषकी ज्ञातव्य सभी बातें इस ग्रन्थके द्वारा जानी जा सकती हैं।

नरचन्द्र उपाध्याय—यह कासद्रहगच्छके सिंहसूरिके शिष्य थे। इन्होंने ज्योतिषशास्त्रके अनेक ग्रन्थोकी रचना की है। वर्त्तमानमे इनके बेडाजातकवृत्ति, प्रश्नशतक, प्रश्नचतुर्विशतिका, जन्मसमुद्र सटीक, लग्न-

विचार, ज्योतिपप्रकाश उपलब्ध हैं। इनके सम्बन्धमे एक स्थानपर कहा गया है—

देवानन्दमुनीश्वरपदपङ्कजसेवकै षट्चरणः।
ज्योतिःशास्त्रमकार्षीन् नरचन्द्राख्यो मुनिप्रवरः॥

इस श्लोक-द्वारा देवानन्द नामक मुनि इनके गुरु मालूम पडते हैं। दिगम्वर समुदायमे 'नारचन्द्र' नामक ज्योतिप ग्रन्थ जो उपर्युक्त ग्रन्थोसे भिन्न है, नरचन्द्र-द्वारा रचित माना जाता है। इनके सम्बन्धमे एक स्थानपर यह भी उल्लेख मिलता है—

श्रीकाशहृद्गणेशोद्योतन-सूरीष्टसिंहसूरिभृत·।
नरचन्द्रोपाध्यायः शास्त्रं चन्द्रेऽर्थबहुलमिदम्॥

नरचन्द्रने स० १३२४मे माघ सुदी ८ रविवारको वेडाजातकवृत्तिकी रचना १०५० श्लोक प्रमाणमे की है। इनकी ज्ञानदीपिका नामक एक अन्य रचना भी ज्योतिपकी वतायी जाती है। वेडाजातकवृत्तिमे लग्न और चन्द्रमासे ही समस्त फलोका विचार किया गया है। यह जातक ग्रन्थ अत्यन्त उपयोगी है। प्रश्नचतुर्विंशतिकाके प्रारम्भमें ज्योतिपका महत्त्वपूर्ण गणित लिखा है। ग्रन्थ अत्यन्त गूढ और रहस्यपूर्ण है।

पञ्चवेदयामगुण्ये रविभुक्तदिनान्विते।
त्रिंशदभुक्ते स्थितं यत्तत् लग्नं सूर्योदयर्क्षत.॥

उपर्युक्त श्लोकमे अत्यन्त कौशलके साथ दिनमान सिद्ध किया है। ज्योतिष-प्रकाश फलित ज्योतिपका मुहूर्त्त और सहिता-विषयक सुन्दर ग्रन्थ है। इसके दूसरे भागमे जन्मकुण्डलीके फलका वडी सरलतासे विचार किया है। फलित ज्योतिषका आवश्यक ज्ञान केवलज्योतिपप्रकाश-द्वारा प्राप्त किया जा सकता है।

अट्ठकवि या अर्हद्दास—यह जैन ब्राह्मण थे। इनका समय ईसवी सन् १३०० के लगभग माना जाता है। अर्हद्दासके पिता नागकुमार थे। यह कन्नड भाषाके प्रकाण्ड विद्वान् थे, इन्होने कन्नडमे अट्ठमत नामक ज्यो-

तिपका एक महत्त्वपूर्ण ग्रन्थ लिखा है। शक सवत्‌की चौदहवी शताब्दीमें भास्कर नामके आन्ध्रकविने इस ग्रन्थका तेलुगु भाषामें अनुवाद किया है। अद्भुमतमें वर्पाके चिह्न, आकस्मिक लक्षण, शकुन, वायु, चन्द्र, गोप्रवेश, भूकम्प, भूजातफल, उत्पातलक्ष्य, परिवेपलक्षण, इन्द्रधनुर्लक्षण, प्रथमगर्भ-लक्षण, द्रोणसख्या, विद्युत्लक्षण, प्रतिसूर्यलक्षण, सवत्सरफल, ग्रहद्वेप, मेघोके नाम, कुल-वर्ण, ध्वनिविचार, देशवृष्टि, मासफल, राहुचक्र, नक्षत्रफल, सक्रान्तिफल आदि विपयोका प्रतिपादन किया गया है।

महेन्द्रसूरि—यह भृगुफर निवासी मदनसूरिके शिष्य फीरोजशाह तुगलकके प्रधान सभापण्डित थे। इन्होने नाडीवृत्तके धरातलमें गोल-पृष्ठस्थ सभी वृत्तोका परिणमन करके यन्त्रराज नाम ग्रह-गणितका उपयोगी ग्रन्थ वनाया है। इनके शिष्य मलयेन्दुसूरिने सोदाहरण टीका लिखी है। इस ग्रन्थकी प्रशसा करते हुए स्वय ग्रन्थकारने लिखा है—

> यथा भट प्रौढरणोत्कटोऽपि शस्त्रैर्विमुक्त परिभूतिमेति।
> तद्वन्महाज्योतिपनिस्तुषोऽपि यन्त्रेण हीनो गणकस्तथैव॥

इस ग्रन्थमे अनेक विशेपताएँ है, परमाक्रान्ति २३ अश ३५ कला मानी गयी है। इस ग्रन्थकी रचना शक स० ११९२ मे हुई है। इसमे गणिताध्याय, यन्त्रघटनाध्याय, यन्त्ररचनाध्याय, यन्त्रशोधनाध्याय और यन्त्रविचारणाध्याय ये पांच अध्याय है। क्रमोत्क्रमज्यानयन, भुजकोटिज्याका चापसाधन, क्रान्ति-साधन, द्युज्याखण्डसाधन, द्युज्याफलानयन, सौम्य यन्त्रके विभिन्न गणितोका साधन, अक्षाशसे उन्नताश साधन, ग्रन्थके नक्षत्र ध्रुवादिसे अभीष्ट वर्पके ध्रुवादिका साधन, नक्षत्रोके दृक्‌कर्मसाधन, द्वादश राशियोके विभिन्न वृत्त-सम्वन्धी गणितोका साधन, इष्टशकुसे छायाकरण-साधन, यन्त्रशोधन प्रकार और उसके अनुसार विभिन्न राशि और नक्षत्रोके गणितका साधन, द्वादश भाव और नवग्रहोके स्पष्टीकरणका गणित एव विभिन्न यन्त्रो-द्वारा सभी ग्रहोके साधनका गणित बहुत सुन्दर ढगसे इस ग्रन्थमें वताया गया है। इसपर-से पचाग बहुत सरलतासे वनाया जा

सकता है।

मकरन्द—इन्होने सूर्यसिद्धान्तके अनुसार तिथ्यादि साधनरूप सारणो अपने नामसे (मकरन्द) वनारसमे शक सं० १४०० मे तैयार की है। ग्रन्थके आदिमें लिखा है—

श्रीसूर्यसिद्धान्तमतेन सम्यक् विश्वोपकाराय गुरूपदेशात्।
तिथ्यादिपत्रं वितनोति काश्यां आनन्दकन्दो मकरन्दनामा॥

मकरन्दके ऊपर दिवाकर ज्योतिपी-द्वारा लिखा गया विवरण है। इनकी इस सारणी-द्वारा पंचाग अनेक ज्योतिषी वनाते हैं। इस समय ग्रहलाघव सारणी और मकरन्द सारणीका खूव प्रचार है। मकरन्द सारणीका जॉन वेण्टली साहवने अँगरेजीमें भी अनुवाद किया हैं। यह ग्रन्थ ज्योतिषियोके लिए बडा उपयोगी है।

केशव—इनके पिताका नाम कमलाकर और गुरुका नाम वैद्यनाथ था। इनका जन्म पश्चिमी समुद्रके किनारे नन्दिग्राममे ईसवी सन् १४५६ में हुआ था। यह ज्योतिप शास्त्रके वडे भारी विद्वान् थे। इन्होने ग्रहकौतुक, वर्पग्रहसिद्धि, तिथिसिद्धि, जातकपद्धति, जातकपद्धतिविवृति, ताजिकपद्धति, सिद्धान्तवामना पाठ, मुहूर्त्ततत्त्व, कायस्थादि धर्म पद्धति, कुण्डाष्टकलक्षण एव गणितदीपिका इत्यादि अनेक ग्रन्थ वनाये है। इनके पुत्र गणेशदैवज्ञने इनकी प्रशसा करते हुए लिखा है—

सोमाय ग्रहकौतुकं खगकृतिं तच्चालनाख्यं तिथे
सिद्धिं जातकपद्धतिं सविवृतिं तत्ताजिके पद्धतिम्।
सिद्धान्तेऽप्युपपत्तिपाठनिचयं मौहूर्त्ततत्त्वाभिधं
कायस्थादिजधर्मपद्धतिमुखं श्रीकेशवार्योऽकरोत्॥

इससे सिद्ध होता है कि केशव ज्योतिपशास्त्रके पूर्ण पण्डित थे। ग्रहगणित और फलित इन दोनो विपयोका इन्हे अच्छा ज्ञान था।

गणेश—इनके पिताका नाम केशव और माताका नाम लक्ष्मी था। इनका जन्म ईसवी सन् १५१७ माना जाता है। यह अपूर्व प्रतिभासम्पन्न

ज्योतिषी थे, इन्होंने १३ वर्षकी उम्रमें ग्रहलाघव-जैसे अपूर्व करण ग्रन्थकी रचना की थी। इनके द्वारा रचित अन्य ग्रन्थोंमें लघुतिथिचिन्तामणि, बृहत्तिथिचिन्तामणि, सिद्धान्तशिरोमणि टीका, लीलावती टीका, विवाहवृन्दावन टीका, मुहूर्त्ततत्त्वटीका, श्राद्धादिनिर्णय, छन्दार्णवटीका, सुधीरजनीतर्जनीयन्त्र, कृष्णजन्माष्टमी निर्णय, होलिका निर्णय आदि बताये जाते हैं।

ग्रहलाघवमें ज्या-चापके बिना अंकों-द्वारा ही सारा ग्रहगणित किया गया है। इसमें कल्पादिसे अहर्गणके तीन खण्ड कर ध्रुवक्षेप-द्वारा ग्रह सिद्ध किये गये हैं। वर्त्तमानमें जितने करण ग्रन्थ उपलब्ध हैं, उनमें सबसे सरल और प्रामाणिक ग्रहलाघव ही माना जाता है। यद्यपि इसके ग्रहगणितमें कुछ स्थूलता है, पर काम चलाने लायक यह अवश्य है।

ढुण्ढिराज—यह पार्थपुराके रहनेवाले नृसिंह दैवज्ञके पुत्र और ज्ञानराजके शिष्य थे। इनका समय ईसवी सन् १५४१ है। इन्होंने जातकाभरण नामक फलित ज्योतिषका एक सुन्दर ग्रन्थ बनाया है। यह ग्रन्थ फलित ज्योतिषमें अपने ढंगका निराला है, जन्मपत्रीका फलादेश इसमें बहुत सुन्दर ढंगसे बताया गया है। जातकाभरणकी श्लोक-संख्या दो हजार है, केवल इस ग्रन्थके सम्यक् अध्ययनसे फलित-ज्योतिषका अच्छा ज्ञान प्राप्त किया जा सकता है।

नीलकण्ठ—इनके पिताका नाम अनन्तदैवज्ञ और माताका नाम पद्मा था। इनका जन्म-समय ईसवी सन् १५५६ बताया जाता है। इन्होंने अरबी और फारसीके ज्योतिष-ग्रन्थोंके आधारपर ताजिकनीलकण्ठी नामक एक फलित-ज्योतिषका महत्त्वपूर्ण ग्रन्थ बनाया है। विदेशी भाषाके साहित्यसे केवल शरीर-भर ग्रहण किया है, आत्मा भारतीय ज्योतिषकी है। नीलकण्ठीमें तीन तन्त्र—संज्ञातन्त्र, वर्षतन्त्र और प्रश्नतन्त्र हैं। इसमें इक्कबाल, इन्दुवार, इत्थशाल, इशराफ, नक्त, यमया, मणऊ, कम्बूल, गैरकम्बूल, खल्लासर, रद्द, दुफालीकुत्थ, दुत्थोत्थदवीर, तुम्बीर, कुत्थ और दुरफा ये सोलह योग अरबी ज्योतिषमें लिये गये प्रतीत होते हैं। इन योगों-द्वारा वर्षकुण्डलीमें

प्राणियोके शुभाशुभका निर्णय किया जाता है ।

रामदैवज्ञ—यह अनन्तदैवज्ञके पुत्र और नीलकण्ठके भाई थे । इनका जन्म समय ईसवी सन् १५६५ माना जाता है । इन्होने शक संवत् १५२२मे मुहूर्त्तचिन्तामणि नामक एक महत्त्वपूर्ण मुहूर्त्त ग्रन्थ वनाया है । इस समय सर्वत्र इसीके आधारपर विवाह, द्विरागमन, यात्रा, यज्ञोपवीत आदि सस्कारोके मुहूर्त्त निकाले जाते हैं । यह ग्रन्थ श्रीपति-द्वारा रचित रत्नमालाका एक सस्कृत रूप हैं । इन्होंने अकवरकी आज्ञासे शक स० १५१२में एक रामविनोद नामका करण ग्रन्थ भी बनाया हैं । रामदैवज्ञने टोडरमलको प्रसन्न करनेके लिए टोडरानन्द नामक एक सहिता-विषयक ज्योतिषका ग्रन्थ वनाया है, लेकिन आज यह ग्रन्थ उपलब्ध नही है ।

मल्लारि—इनके पिताका नाम दिवाकरनन्दन और वडे भाइयोका नाम कृष्णचन्द्र और विष्णुचन्द्र था। इन्होने अपने पितासे ही ज्योतिपशास्त्रका अध्ययन किया था । इनकी ग्रहलाघवके ऊपर उपपत्तिसहित एक सुन्दर टीका हैं । इस टीका-द्वारा इनकी गोल और गणित-सम्बन्धी विद्वत्ताका पता सहजमे लग जाता हैं । वक्र केन्द्राश निकालनेके लिए की गयी समीकरणकी कल्पना इनकी अत्यन्त महत्त्वपूर्ण है । वापूदेव शास्त्रीने सिद्धान्तशिरोमणिके स्पष्टाधिकारकी टिप्पणीमें वक्र केन्द्राश निकालनेके लिए मल्लारिकी कल्पनाका प्रयोग किया है ।

नारायण—यह टापर ग्रामनिवासी अनन्तनन्दनके पुत्र थे। इनका समय ईसवी सन् १५७१ माना गया है । इन्होने शक सवत् १४९३ मे विवाहादि अनेक मुहूर्त्तोसे युक्त मुहूर्त्तमार्तण्ड नामक मुहूर्त ग्रन्थ वनाया था । ग्रन्थके देखनेसे इनकी ज्योतिप-सम्बन्धी निपुणताका पता सहजमें लग जाता है। इस ग्रन्थमें अनेक विशेपताएँ है, इसकी रचना शार्दूलविक्रीडित छन्दोमे हुई है ।

इस नामके एक दूसरे विद्वान् ईसवी सन् १५८८ मे हो गये हैं । इन्होने केशवपद्धतिके ऊपर टीका लिखी है तथा एक वोजगणित भी वनाया है । इसमें अवर्गरूप प्रकृतिका रूप क्षेपीय कनिष्ठ, ज्येष्ठ-द्वारा आसन्न मूल

निकाला गया है, जिससे ग्रन्थकर्त्ताकी गणित-विषयक योग्यताका अनुमान लगाया जा सकता है। कारण सूत्र इस प्रकार है—

मूलं ग्राह्यं यस्य च तत्र प्रक्षेपजे पदे तत्र।
ज्येष्ठं ह्रस्वपदेनोद्धरेद्भवेन्मूलमासन्नम्॥

रंगनाथ—इनका जन्म काशीमें ईसवी सन् १५७५ मे हुआ था। इनके पिताका नाम बल्लाल और माताका गोजि था। इन्होंने सूर्यसिद्धान्तकी गूढार्थ-प्रकाशिका नामक टीका लिखी है। इस टीकासे इनकी ज्योतिष-विषयक विद्वत्ताका पता लग जाता है। इन्होंने उक्त टीकामें अनेक नवीन बातें लिखी है।

इन प्रधान ज्योतिर्विदोंके अतिरिक्त इस युगमें शतानन्द, केशवार्क, कालिदास, महादेव, गंगाधर, भक्तिलाभ, हेमतिलक, लक्ष्मीदास, ज्ञानराज, अनन्तदैवज्ञ, दुर्लभराज, हरिभद्रसूरि, विष्णुदैवज्ञ, सूर्यदैवज्ञ, जगदेव, कृष्ण-दैवज्ञ, रघुनाथशर्मा, गोविन्ददैवज्ञ, विश्वनाथ, नृसिंह, विट्ठलदीक्षित, शिव-दैवज्ञ, समन्तभद्र, बलभद्रमिश्र और सोमदैवज्ञ भी हुए हैं। इन्होंने स्वतन्त्र मौलिक ग्रन्थ लिखकर तथा पूर्वाचार्योंके ग्रन्थोकी टीकाएँ लिखकर ज्योतिष शास्त्रको समृद्धिशाली बनाया है। गोविन्ददैवज्ञने मुहूर्त्तचिन्तामणिकी पीयूष-धारा टीका लिखकर इस ग्रन्थको सदाके लिए अमर बना दिया है। यह केवल टीका ही नही है बल्कि मुहूर्त्तसम्बन्धी साहित्यका एक संग्रह है। इसी प्रकार नृसिंहदैवज्ञने सूर्यसिद्धान्त और सिद्धान्तशिरोमणिकी सौरभाष्य और वासनावार्तिक नामकी टीकाएँ रची। इन टीकाओसे तद्विषयक एक नया साहित्य ही खडा हो गया। उत्तरमध्यकालके अन्तिमके ज्योतिषियोंमें ग्रहवेधकी प्रणाली उठती हुई-सी नजर आती है। नवीन ग्रह-गणित संशो-धक भी इस कालमें भास्करके बाद इने-गिने ही हुए हैं। जातक और मुहूर्त्तविषयक साहित्य इस कालमें खूब पल्लवित हुआ है। मुहूर्त्त अगपर स्वतन्त्र रूपसे पूर्वमध्यकालके ज्योतिर्विदोने नाम मात्रको लिखा था किन्तु इस कालमें यह अग खूब पुष्ट हुआ है।

अर्वाचीन काल (ई० १६०१ से १९५१) :

सामान्य परिचय

अर्वाचीन कालके आरम्भमें मुसलिम सस्कृतिके साथ-साथ पाश्चात्त्य सभ्यताका प्रचार भी भारतमे हुआ। यो तो उत्तरमध्यकालमें ही ज्योतिषियोने आकाशावलोकन त्याग कर पुस्तकोका पल्ला पकड लिया था और पुस्तकीय ज्ञान ही ज्योतिष माना जाने लगा था। सच बात तो यह है कि भास्कराचार्यके वाद मुसलिम राज्योके कारण हिन्दूधर्म, सम्पत्ति, साहित्य और ज्योतिप आदि विपयोकी उन्नतिपर आपत्तिके पहाड गिरे जिससे उक्त विपयोका विकास रुक गया। कुछ धर्मान्ध साम्प्रदायिक पक्षपाती मुसलिम वादशाहोने सम्प्रदायकी तेज शरावके नशेसे चूर होकर भारतीय ज्ञान-विज्ञानको हिन्दू समाजकी वपौती समझकर नष्ट-भ्रष्ट करनेमे जरा भी सकोच नही किया। विद्वानोको राजाश्रय न मिलनेसे ज्योतिपके प्रसार और विकासमें कुछ कम बाधाएँ नही आयी। नवीन सशोधन और परिवर्द्धन तो दरकिनार रहा, पुरातन ज्योतिष ज्ञान-भण्डारका सरक्षण भी कठिन हो गया। यद्यपि कुछ हिन्दू, मुसलिम विद्वानोने इस युगमें फलित ग्रन्थोकी रचनाएँ की, लेकिन आकाश-निरीक्षणकी प्रथा उठ जानेसे वास्तविक ज्योतिप तत्त्वोका विकास नही हो सका।

शकुन, प्रश्न, मुहूर्त्त, जन्मपत्र एव वर्पपत्रके साहित्यकी अवश्य वृद्धि हुई है। कमलाकर भट्टने सूर्यसिद्धान्तका प्रचार करनेके लिए 'सिद्धान्ततत्त्वविवेक' नामक गणित-ज्योतिषका महत्त्वपूर्ण ग्रन्थ रचा है। इस अर्वाचीन कालके प्रारम्भमे प्राचीन ग्रन्थोपर टीका-टिप्पण वहुत लिखे गये।

ई० सन् १७८० मे आमेराधिपति महाराज जयसिहका ध्यान ज्योतिपकी ओर विशेप आकृष्ट हुआ और उन्होने काशी, जयपुर एव दिल्लीमें वेधशालाएँ वनवायी, जिनमे पत्थरोकी ऊँची और विशाल दीवालोके रूपमें वडे-वडे यन्त्र वनवाये। स्वय महाराज जयसिह इस विद्याके प्रेमी थे,

इन्होने युरॅपकी प्रचलित तारासूचियोमें कई भूलें निकाली तथा भारतीय ज्योतिपके आधारपर नवीन सारणियाँ तैयार करायी।

सामन्त चन्द्रशेखरने अपने अद्वितीय वुद्धिकौशल-द्वारा ग्रहवेध कर प्राचीन गणित-ज्योतिपके ग्रन्थोमे सशोधन किया तथा अपने सिद्धान्तो-द्वारा ग्रहोकी गतियोके विभिन्न प्रकार वतलाये।

इधर अँगरेज़ी सभ्यताके सम्पर्कसे भारतमें अँगरेज़ी भाषाका प्रचार हो गया। इस भाषाके प्रचारके साथ-साथ अँगरेज़ी आधुनिक भूगोल और गणितविपयक विभिन्न ग्रन्थोके पठन-पाठनकी प्रथा भी प्रचलित हुई। सन् १८५७के पश्चात् तो आधुनिक नवीन आविष्कृत विज्ञानोका प्रभाव भारत-के ऊपर विशेप रूपसे पडा है। फलत अँगरेज़ी भाषाके जानकार सस्कृतके विद्वानोने इस भाषाके नवीन गणित ग्रन्थोका अनुवाद सस्कृतमे कर ज्योतिप-की श्रीवृद्धि की है। वापूदेव शास्त्री और प० सुधाकर द्विवेदीने इस ओर विशेष प्रयत्न किया है। आप महानुभावोके प्रयासके फलस्वरूप ही रेखा-गणित, वीजगणित और त्रिकोणमितिके ग्रन्थोसे आजका ज्योतिष धनी कहा जा सकेगा। केतक नामक विद्वान्ने केतकी ग्रह-गणितकी रचना अँगरेज़ी ग्रह-गणित और भारतीय गणित-सिद्धान्तोके समन्वयके आधारपर की है। दीर्घवृत्त, परिवलय, अतिपरवलय इत्यादिके गणितका विकास इस नवीन सभ्यताके सम्पर्ककी मुख्य देन माना जायेगा।

पृथ्वी, चन्द्रमा, सूर्य, सौर-चक्र, वुध, शुक्र, मगल, अवान्तर ग्रह, वृहस्पति, यूरेनस, नेपच्यून, नभस्तूप, आकाशगगा और उल्का आदिका वैज्ञानिक विवेचन पश्चिमीय ज्योतिपके सम्पर्कसे इधर तीस-चालीस वर्षोंके वीचमें विशेप रूपसे हुआ है। डॉ० गोरखप्रसादने आधुनिक वैज्ञानिक अन्वेपणोके आधारपर इस विपयकी एक विशालकाय सौरपरिवार नामकी पुस्तक लिखी है, जिसमे सौर-जगत्के सम्वन्धमे अनेक नवीन वातोका पता लगता है। श्री० वा० सम्पूर्णानन्दजी ज्योतिर्विनोद नामक पुस्तकमे कापर्निकस, जिओर्दानो, गैलेलियो और केप्लर आदि पाश्चात्त्य ज्योतिपियो-

के अनुसार ग्रह, उपग्रह और अवान्तर ग्रहोका स्वरूप वतलाया है। श्री महावीरप्रसाद श्रीवास्तवने सूर्य-सिद्धान्तका आधुनिक सिद्धान्तोके आधार-पर विज्ञानभाष्य लिखा है, जिससे सस्कृतज्ञ ज्योतिपके विद्वानोका वहुत उपकार हुआ है। अभिप्राय यह है कि आधुनिक युगमे पाश्चात्य ज्योतिप-के सम्पर्कसे गणित ज्योतिपके सिद्धान्तोका वैज्ञानिक विवेचन प्रारम्भ हुआ है। यदि भारतीय ज्योतिषी आकाश-निरीक्षणको अपनाकर नवीन ज्योतिपके साथ तुलना करें तो पूर्वमध्यकालसे चली आयी ग्रह-गणितकी सारणियोकी स्थूलता दूर हो जाये और भारतीय ज्योतिपकी महत्ता अन्य देशवासियोके समक्ष प्रकट हो जाये।

आधुनिककाल या अर्वाचीन प्रमुख ज्योतिर्विदोका परिचय

मुनीश्वर—यह रगनाथके पुत्र थे। इनका समय ईसवी सन् १६०३ माना जाता है। इन्होने शक सवत् १५६८ भाद्रपद शुक्ला पचमी सोमवार-के भगणादिको सिद्ध कर सिद्धान्तसार्वभौम नामक एक ज्योतिप ग्रन्थ वनाया है। इन्होने भास्कराचार्यके सिद्धान्तशिरोमणि और लीलावती नामक ग्रन्थोपर विस्तृत टीकाएँ लिखी हैं। यह काव्य, व्याकरण, कोश और ज्योतिष आदि अनेक विषयोके प्रकाण्ड विद्वान् थे।

दिवाकर—इनके पिताका नाम नृसिह था। इनका जन्म ईसवी सन् १६०६ में हुआ था। इन्होने अपने चाचा शिवदैवज्ञसे ज्योतिपशास्त्रका अध्ययन किया था। यह अत्यन्त प्रसिद्ध ज्योतिषी, काव्य, व्याकरण, न्याय आदि शास्त्रोंमें प्रवीण और अनेक ग्रन्थोके रचयिता थे। १९ वर्पकी अव-स्थामें इन्होने फलित-विषयक जातकपद्धति नामक एक महत्त्वपूर्ण ग्रन्थ लिखा है। मकरन्दविवरण, केशवीय पद्धतिकी प्रौढ मनोरमा नामकी महत्त्वपूर्ण टीका और अपने-द्वारा रचित पद्धतिप्रकाशके ऊपर सोदाहरण टीका भी इन्होने रची है।

कमलाकर भट्ट—यह दिवाकरके भाई थे। इन्होने अपने भाई दिवा-

करसे ही ज्योतिपशास्त्रका अध्ययन किया था। यह गोल और गणित दोनो ही विपयोंके प्रकाण्ड विद्वान् थे। इन्होने प्रचलित सूर्यसिद्धान्तके मतानुसार 'सिद्धान्ततत्त्वविवेक' नामक ग्रन्थ शक स० १५८० मे काशीमें वनाया है। सौरपक्षकी श्रेष्ठता परम्परागत मानकर अन्य ब्रह्मपक्ष आदिको इन्होने नही माना, इसी कारण भास्कराचार्यका स्थान-स्थानपर खूब खण्डन किया है। इन्होंने तत्त्वविवेकके आदिमें लिखा है—

प्रत्यक्षागमयुक्तिशालि तद्धि शास्त्र विहायान्मया
यत्कुर्वन्ति नराधमास्तु तदसत् वेदोक्तिशून्या भृशम्॥

कमलाकरने ज्योतिपके अनेक सिद्धान्तोको तत्त्वविवेकमें वडी कुशलताके साथ रखा है, यदि यह निष्पक्ष होकर इन सिद्धान्तोकी समीक्षा करते तो वास्तवमें 'सिद्धान्ततत्त्वविवेक' एक अद्वितीय ग्रन्थ होता।

नित्यानन्द—यह इन्द्रप्रस्थपुरके निवासी गौड ब्राह्मण थे। इनके पिताका नाम देवदत्त था। सन् १६३९ में इन्होने सायन गणनाके अनुसार 'सिद्धान्तराज' नामक महत्त्वपूर्ण ज्योतिपका ग्रन्थ वनाया। इन्होंने चन्द्रमाको स्पष्ट करनेकी सुन्दर रीति वतायी है। 'सिद्धान्तराज' में मीमांसाध्याय, मध्यमाधिकार, स्पष्टाधिकार, त्रिप्रश्नाधिकार, चन्द्रग्रहणाधिकार, सूर्यग्रहणाधिकार, शृगोन्नत्यधिकार, भ-ग्रहयुत्यधिकार, भ-ग्रहोंके उन्नतांशसाधनाधिकार, भुवनकोश, गोलवन्धाधिकार एवं यात्राधिकार है। ग्रहगणितकी दृष्टिसे यह महत्त्वपूर्ण है।

महिमोदय—इनके गुरुका नाम लब्धिविजय सूरि था और इनका समय वि० स० १७२२ वताया गया है। यह गणित और फलित दोनो प्रकारके ज्योतिपके मर्मज्ञ विद्वान् थे। इनके द्वारा रचित ज्योतिप-रत्नाकर, गणित साठ सौ, पचागानयनविधि ग्रन्थ कहे जाते है। ज्योतिपरत्नाकर ग्रन्थ फलितका है और अवशेप दोनो ग्रन्थ गणितके हैं। ज्योतिपरत्नाकरमें सहिता, मुहूर्त्त और जातक इन तीनो ही अगोपर प्रकाश डाला गया है। छोटा होते हुए भी ग्रन्थ उपयोगी है। पचागानयनविधिके

नामसे ही उसका विषय प्रकट हो जाता है। इस ग्रन्थमे अनेक सारणियाँ है, जिनसे पंचागके गणितमे पर्याप्त सहायता मिलती है। यदि सूक्ष्मताकी तहमे प्रवेश किया जाये तो इस गणितमे सस्कारकी आवश्यकता प्रतीत होगी। इसके गणित-द्वारा आगत ग्रहोमे दृग्गणितैक्य नही होगा। गणित साठ सौ गणितका ग्रन्थ है।

मेघविजयगणि—यह ज्योतिपशास्त्रके प्रकाण्ड विद्वान् थे। इनका समय वि० सं० १७३७ के आसपास माना जाता है। इनके द्वारा रचित मेघ-महोदय या वर्पप्रवोध, उदयदीपिका, रमलशास्त्र और हस्तसजीवन आदि मुख्य है। वर्पप्रवोधमे १३ अधिकार और ३५ प्रकरण हैं। इसमे उत्पात-प्रकरण, कर्पूरचक्र, पद्मिनीचक्र, मण्डलप्रकरण, सूर्य और चन्द्रग्रहणका फल, प्रत्येक महीनेका वायु-विचार, संवत्सरका फल, ग्रहोंके राशियोपर उदयास्त और वक्री होनेका फल, अयन-मास-पक्ष-विचार, सक्रान्तिफल, वर्पके राजा, मन्त्री, धान्येश, रसेश आदिका निरूपण, आय-व्यय विचार, सर्वतोभद्रचक्र, शकुन आदि विपयोका सुन्दर वर्णन है। हस्तसजीवनमें तीन अधिकार हैं। प्रथम अधिकार दर्शनाधिकार है, जिसमे हाथ कैसे देखना, हाथ ही पर-से मास, दिन, घटी, पल आदिका शुभाशुभ फल, रेखा और लग्नचक्र वनाकर कहना, द्वितीय अधिकार स्पर्शनाधिकार है, जिसमें हाथको स्पर्श करनेसे ही समस्त शुभाशुभ फलोका निरूपण, जैसे इस वर्षमें कितनी वर्षा होगी, विना किसी मन्त्रादिकके इस समय कितना दिन या रात गत है, इसका ज्ञान कर लेना, तृतीय विमर्शनाधिकारमें रेखाओपर-से ही आयु, सन्तान, स्त्री, भाग्योदय, जीवनकी प्रमुख घटनाएँ, सासारिक सुख आदि वातोका ज्ञान गवेषणापूर्ण रीतिसे वताया गया है। इनके फलित ग्रन्थोको देखनेसे सहिता और सामुद्रिक शास्त्र सम्वन्धी प्रकाण्ड विद्वत्ताका पता सहजमे लग जाता है।

उभयकुशल—इनका समय वि० स० १७३७ के लगभग माना जाता है। यह फलित ज्योतिषके अच्छे ज्ञाता थे, इन्होने विवाह-पटल और

चमत्कार-चिन्तामणि नामक दो ज्योतिप ग्रन्थोकी रचना की है। यह मुहूर्त्त और जातक दोनो अगोके ज्ञाता थे।

लब्धिचन्द्रगणि—यह खरतरगच्छीय कल्याणनिधानके शिष्य थे। इन्होने वि० स० १७५१ के कार्त्तिक मासमें ज्योतिपका जन्मपत्रीपद्धति नामक एक व्यवहारोपयोगी ग्रन्थ वनाया है। इस ग्रन्थमे इष्टकाल, भयात, भभोग, लग्न एव नवग्रहोका स्पष्टीकरण आदि गणितके विषय भी है। जन्मपत्रीके सामान्य फलका वर्णन भी इस ग्रन्थमें किया है।

वाघजी मुनि—यह पार्श्वचन्द्रगच्छीय शाखाके मुनि थे। इनका समय वि० सं० १७८३ माना जाता है। इन्होने तिथिसारणी नामक ज्योतिपका एक महत्त्वपूर्ण ग्रन्थ लिखा है। इसके अतिरिक्त इनके दो-तीन फलित ज्योतिपके भी मुहूर्त्त-सम्वन्धी ग्रन्थोका पता लगता है। तिथिसारणीमें पचाग वनानेकी प्रक्रिया है। यह मकरन्द-सारणीके समान उपयोगी है।

यशस्वतसागर—इनका दूसरा नाम जसवन्तसागर भी वताया जाता है। यह ज्योतिप, न्याय, व्याकरण और दर्शनशास्त्रके धुरन्धर विद्वान् थे। इन्होने ग्रहलाघवके ऊपर वार्त्तिक नामकी टीका लिखी है। वि० स० १७६२मे जन्मकुण्डली विपयको लेकर 'यशोराजपद्धति' नामक एक व्यवहारोपयोगी ग्रन्थ लिखा है। यह ग्रन्थ जन्मकुण्डलीकी रचनाके नियमोके सम्वन्वमें विशेप प्रकाश डालता है, उत्तरार्द्धमे जातकपद्धतिके अनुसार सक्षिप्त फल वतलाया है।

जगन्नाथ सम्राट्—यह तैलग व्राह्मण, जयपुरनरेश जयसिंह महाराजके सभापण्डित थे। इन्होने महाराज जयसिहकी आज्ञासे अरवी भापामे लिखित 'इजास्ती' नामक ज्योतिप ग्रन्थका सस्कृतमे अनुवाद किया है। इसके अतिरिक्त युक्लेदके रेखागणितका भी अरवीसे सस्कृतमे अनुवाद किया है। इस रेखागणितमे १५ अध्याय है। रेखागणितके अनुवादका समय शक स० १६४० है। कुछ लोगोका कहना है कि रेखागणितके मूल रचयिता युक्लेद नही थे, किन्तु मिलिटस नगर निवासी थेलस हैं। रेखा

गणितके पहले अध्यायमे ४८, दूसरेमे १४, तीसरेमे ३७, चौथेमें १६, पाँचवेंमे २५, छठेमे ३३, सातवेंमें ३९, आठवेंमे २५, नौवेंमे ३८, दसवें में १०९, ग्यारहवेंमे ४१, बारहवेंमे १५, तेरहवेंमें २१, चौदहवेंमे १० और पन्द्रहवेंमें ६ क्षेत्र हैं। इसमें प्रतिज्ञा या साध्य शब्दके स्थानपर क्षेत्र शब्दका प्रयोग किया गया है।

बापूदेव शास्त्री—इनका जन्म ईसवी सन् १८२१ मे पूना नगरमे हुआ था। इनके पिताका नाम सीताराम था। भारतीय ज्योतिप और युरॅपियन गणित इन दोनोके यह अद्वितीय विद्वान् थे। वर्त्तमानमे नवीन गणितकी जागृतिके मूल कारण शास्त्रीजी हैं। इनके त्रिकोणमिति, बीजगणित और अव्यक्त गणितके तीन ग्रन्थ प्रसिद्ध हैं। शास्त्रीजीने अनेक वर्षों तक गवर्नमेण्ट सस्कृत कॉलेजमें अध्यापकी की और सैकडो देश-देशान्तरके शिष्योको विद्यादान देकर अपनी कीर्त्तिरूपी चन्द्रिकाका विस्तार किया। सिद्धान्तशिरोमणिके सशोधनके बाद शास्त्रीजीका नाम 'सशोधक' प्रसिद्ध हो गया। वास्तवमे यह थे भी सच्चे सशोधक। गणितविपयक युरॅपके उच्च सिद्धान्तोका भारतीय सिद्धान्तोके साथ इन्होने बहुत कुछ सामजस्य किया हैं। ईसवी सन् १८९० मे इनका स्वर्गवास हो गया।

नीलाम्बर झा—ईसवी सन् १८२३ में प्रतिष्ठित और विद्वान् मैथिल ब्राह्मण-कुलमे आपका जन्म हुआ था। यह पटनाके निवासी और अलवरके राजा श्री शिवदासर्सिहके आश्रित थे। इन्होने क्षेत्रमिति और त्रिकोणमितिके आधारपर 'गोलप्रकाश' नामक ग्रन्थ बनाया है। इस ग्रन्थमे प्राचीन सिद्धान्तोके अनेक प्रकार, उपपत्ति और बहुत-से प्रश्नोके उत्तर बडी उत्तमता और नवीन रीतिसे दिखलाये है। वास्तवमें इस ग्रन्थसे इनकी ज्योतिपविषयक प्रगाढ विद्वत्ता प्रकट होती है।

सामन्त चन्द्रशेखर—इनका जन्म उडीसाके अन्तर्गत कटकसे २५कोस खण्डद्वारा राज्यमे सन् १८३५ मे हुआ था। यह व्याकरण, स्मृति, पुराण, न्याय, काव्य और ज्योतिपके मर्मज्ञ विद्वान् थे। पन्द्रह वर्षकी अवस्थामें

इनको ज्योतिप गणना करनेकी योग्यता प्राप्त हो गयी थी। लेकिन थोडे ही दिनोमें इन्हें ज्ञात हुआ कि जिस ग्रह या नक्षत्रको गणनानुसार जिस स्थानपर होना चाहिए, वह उस स्थानपर नही है अतएव इन्होने नियमित रूपसे आकाशका अवलोकन करना आरम्भ किया। इस कार्यके लिए यन्त्रोकी आवश्यकता थी, पर यन्त्र मिलना असम्भव था। इसलिए इन्होने प्राचीन ग्रन्थोके आधारपर कुछ यन्त्र वनाये। यद्यपि ये यन्त्र अनगढ और स्थूल थे, किन्तु यह अपनी प्रतिभाके वलपर इनसे सूक्ष्म काम कर लेते थे। वेध-द्वारा ग्रहोको निश्चित कर इन्होने 'सिद्धान्त-दर्पण' नामक ज्योतिपका महत्त्वपूर्ण ग्रन्थ वनाया है। इस ग्रन्थको देखकर इनके ज्योतिप ज्ञानकी जितनी प्रशसा की जाये, थोडी है।

सुधाकर द्विवेदी—इनका जन्म काशीमें ईसवी सन् १८६० में हुआ था। यह ज्योतिप ज्ञानके सिवा अन्य विषयोंके भी अद्वितीय विद्वान् थे। फ्रेंच, अँगरेज़ी, मराठी, हिन्दी आदि विभिन्न भापाओके साहित्यके ज्ञाता थे। वर्तमान ज्योतिपशास्त्रके ये उद्धारक हैं। इन्होने प्राचीन जटिल गणित ज्योतिप-विपयक ग्रन्थोको भाष्य, उपपत्ति, टीका आदि लिखकर प्रकाशित किया। चलनकलन, दीर्घवृत्त, गणकतरगिणी, प्रतिभावोधक, पचसिद्धान्तिकाकी टीका, सूर्यसिद्धान्तकी सुधावर्पिणी टीका, ग्रहलाघवकी उपपत्ति, व्रह्मस्फुट सिद्धान्तका तिलक इत्यादि अनेक रचनाएँ इनकी मिलती है। वृहत्सहिताका सशोधन कर प्रामाणिक सस्करण इन्होने प्रकाशित कराया था। इस कालमें प्राचीन ज्योतिपशास्त्रका उद्धार करनेवाला सुधाकरजी-जैसा अन्य नही हुआ है। इनकी प्रतिभा सर्वतोमुखी थी।

इन उपर्युक्त प्रसिद्ध ज्योतिर्विदोके अतिरिक्त इस युगमें, रगनाथ, शकरदैवज्ञ, शिवलाल पाठक, परमानन्द पाठक, लक्ष्मीपति, ववुआज्योतिपी, मथुरानाथ शुक्ल, परमसुखोपाध्याय, वालकृष्ण ज्योतिपी, कृष्णदेव, शिवदैवज्ञ, दुर्गाशकर पाठक, गोविन्दाचारी, जयराम ज्योतिपी, सेवाराम शर्मा, लज्जाशकर शर्मा, नन्दलाल शर्मा, देवकृष्ण शर्मा, गोविन्ददेव शास्त्री,

केतक, दुर्गाप्रसाद द्विवेदी, रामयत्न ओझा, मानसागर, विनयकुशल, हीरकलश, मेघराज, सूरचन्द्र, जयविजय, जयरत्न, जिनपाल, जिनदत्तसूरि, श्यामाचरण ओझा, हृषीकेश उपाध्याय आदि अन्य लब्धप्रतिष्ठ ज्योतिषी हुए हैं। इन्होने भी अनेक प्रकारसे ज्योतिपशास्त्रकी अभिवृद्धिमें सहायता प्रदान की हैं। वर्तमान ज्योतिषियोमे श्रीरामव्यास पाण्डेय, सूर्यनारायण व्यास, श्रीनिवास पाठक, विन्ध्येश्वरीप्रसाद आदि उल्लेखनीय है। मिथिलामे अनेक अच्छे ज्योतिर्विद् हुए है। पद्मभूपण प० बिष्णुकान्त झा ज्योतिपके अच्छे विद्वान् हैं। सस्कृत भाषामे कविता भी करते है। देशरत्न डॉ० राजेन्द्रप्रसादका जीवनवृत्त संस्कृत पद्योमे लिखा है। वर्तमानमें पटनामे आपका ज्योतिप-कार्यालय भी है।

समीक्षा

यदि समग्र भारतीय ज्योतिप शास्त्रके इतिहासपर दृष्टिपात किया जाये तो अवगत होगा कि प्राचीन कालमें भारत सभ्यता और सस्कृतिमे कितना आगे बढा हुआ था। प्राचीन ऋपियोने अपने दिव्यज्ञान और योगजन्य शक्तिसे ग्रह और नक्षत्रोके सम्बन्धमे सब कुछ जान लिया था। वे आँखोसे राशि, नक्षत्र, ताराव्यूह, चन्द्र, सूर्य और मगलादि ग्रहोकी गति, स्थिति और सचार आदिको देखकर योगके बलसे अपने शरीरस्थित सौरमण्डलसे तुलना कर आन्तरिक ग्रहोकी गति, स्थिति तथा उसके द्वारा होनेवाले फलाफलका निरूपण करते रहे। ज्योतिपका पूर्णज्ञान उन्हें वैदिककालमें ही था, पर उसकी अभिव्यक्ति साहित्यके रूपमे क्रमश हुई है। पृथ्वीकी आकर्पण शक्तिके विपयमे भारतीयोने न्यूटन और गैलेलिओसे सैकडो वर्प पहले ज्ञात कर लिया था। भास्कराचार्यने 'सिद्धान्तशिरोमणि'-के गोलाध्यायमें कहा है—

आकृष्टशक्तिश्च महीतया यत्
स्वस्थं गुरु स्वाभिमुखं स्वशक्त्या।

आकृष्यते तत्पततीति भाति
समे समन्तात् क्व पतत्विय खे ॥

अर्थात् पृथ्वीमें आकर्षण शक्ति है, इससे वह अपने आसपासके पदार्थोंको खींचा करती है। पृथ्वीके समीपमे आकर्षण-शक्ति अधिक होती है और जिस प्रकार दूरी बढती जाती है, वैसे ही वह घटती जाती है। भास्कराचार्यने इसके कारणका विवेचन करते हुए लिखा है कि किसी स्थानपर भारी और हलकी वस्तु पृथ्वीपर छोडी जाये तो दोनो समान कालमे पृथ्वीपर गिरेंगी, यह न होगा कि भारी वस्तु पहले गिरे और हलकी बादको। अतएव ग्रह और पृथ्वी आकर्षण-शक्तिके प्रभावसे भ्रमण करते है।

पृथ्वीकी गोलाईका कथन करते हुए प्राचीन आचार्योंने लिखा है कि "गोलेकी परिधिका १००वाँ भाग समतल दिखाई पडता है, पृथ्वी एक बहुत बडा गोला है तथा मनुष्य बहुत ही छोटा है, अत उसकी पीठपर स्थित उसे वह सम––चपटी जान पडती है। यह एक आश्चर्यकी बात है कि भारतीय ऋषि-महर्षि दूरवीनके बिना केवल अपनी आँखोंसे देखकर ही आकाशकी सारी स्थितिको जान गये थे। फलित-ज्योतिषका अनुभव उन्होंने अपने दिव्य ज्ञानसे किया। यद्यपि बेबिलोनिया और यूनानके सम्पर्कसे फलित और गणित दोनो ही प्रकारके भारतीय ज्योतिषमें अनेक नयी बातोका समावेश हुआ, परन्तु मूलतत्त्व ज्योके-त्यो अविकृत रहे। ताजिकपद्धतिका श्रीगणेश यवनोके कारण ही हुआ है।

अर्वाचीन ज्योतिषमे जो शिथिलता आयी है, उसका कारण दिव्य ज्ञानवाले ऋषियोकी कमी है। आज हमारे देशमें न तो बडी-बडी वेधशालाएँ है और न योग-क्रियाके जानकार ऋषि-महर्षि ही। इसलिए नवीन विवृत्तियाँ ज्योतिषमे नही हो रही हैं।

द्वितीयाध्याय

भारतीय ज्योतिषके सिद्धान्त

यह पहले ही लिखा जा चुका है कि भारतीय ज्योतिपका मुख्य प्रयोजन आत्म-कल्याणके साथ लोक-व्यवहारका सम्पन्न करना है। लोक-व्यवहारके निर्वाहके लिए ज्योतिषके क्रियात्मक दो सिद्धान्त है—गणित और फलित। गणित ज्योतिषके शुद्ध गणितके अतिरिक्त करण, तन्त्र और सिद्धान्त ये तीन भेद एव फलितके जातक, ताजिक, मुहूर्त्त, प्रश्न एव शकुन ये पाँच भेद किये गये है। यो तो भारतीय ज्योतिपके सिद्धान्तोका वर्गीकरण और भी अनेक भेद-प्रभेदोमे किया जा सकता है, परन्तु मूल विभागोका उक्त वर्गीकरण ही अधिक उपयुक्त है। प्रस्तुत ग्रन्थको अधिक लोकोपयोगी वनानेकी दृष्टिसे इसमे गणित-ज्योतिपके सिद्धान्तोपर कुछ न लिखकर फलित ज्योतिपके प्रत्येक अगपर प्रकाश डालनेका प्रयत्न किया जायेगा। यद्यपि भारतीय ज्योतिपके रहस्यको हृदयंगम करनेके लिए गणित-ज्योतिप-का ज्ञान अनिवार्य है, पर साधारण जनताके लिए आवश्यक नही। क्योकि प्रामाणिक ज्योतिर्विदो-द्वारा निर्मित तिथिपत्रो—पचागोपर-से कतिपय फलितसे सम्वद्ध गणितके सिद्धान्तो-द्वारा अपने शुभाशुभका ज्ञान प्राप्त किया जा सकता है। अतएव यहाँपर प्रयोजनीभूत आवश्यक ज्योतिप तत्त्वोका निरूपण किया जा रहा है। हर एक व्यक्तिके लिए यह जरूरी नही कि वह ज्योतिपी हो, किन्तु मानव-मात्रको अपने जीवनको व्यवस्थित करनेके नियमोंको जानना वाजिब हो नही, अनिवार्य है।

फलित-ज्योतिपके ज्ञानके लिए तिथि, नक्षत्र, योग, करण और वारके सम्वन्धमे आवश्यक जानकारी प्राप्त कर लेनी चाहिए। अतएव जातक अंगपर लिखनेके पूर्व उपर्युक्त पाँचोके सक्षिप्त परिचयके साथ आव-

श्यक परिभाषाएँ दी जाती हैं—

तिथि—चन्द्रमाकी एक कलाको तिथि माना गया है। इसका चन्द्र और सूर्यके अन्तरांशोंपर-से मान निकाला जाता है। प्रतिदिन १२ अंशोंका अन्तर सूर्य और चन्द्रमाके भ्रमणमें होता है, यही अन्तरांशका मध्यम मान है। अमावास्याके बाद प्रतिपदासे लेकर पूर्णिमा तककी तिथियाँ शुक्लपक्षकी और पूर्णिमाके बाद प्रतिपदासे लेकर अमावास्या तककी तिथियाँ कृष्ण पक्षकी होती हैं। ज्योतिषशास्त्रमें तिथियोंकी गणना शुक्लपक्षकी प्रतिपदासे आरम्भ होती है।

तिथियोंके स्वामी—प्रतिपदाका स्वामी अग्नि, द्वितीयाका ब्रह्मा, तृतीयाकी गौरी, चतुर्थीका गणेश, पंचमीका शेषनाग, षष्ठीका कार्तिकेय, सप्तमीका सूर्य, अष्टमीका शिव, नवमीकी दुर्गा, दशमीका काल, एकादशीके विश्वेदेवा, द्वादशीका विष्णु, त्रयोदशीका काम, चतुर्दशीका शिव, पौर्णमासीका चन्द्रमा और अमावास्याके पितर हैं। तिथियोंके शुभाशुभत्वके अवसरपर स्वामियोंका विचार किया जाता है।

अमावास्याके तीन भेद हैं—सिनीवाली, दर्श और कुहू। प्रातःकालसे लेकर रात्रि तक रहनेवाली अमावास्याको सिनीवाली, चतुर्दशीसे विद्धको दर्श एवं प्रतिपदासे युक्त अमावास्याको कुहू कहते हैं।

तिथियोंकी संज्ञाएँ—१।६।११ नन्दा, २।७।१२ भद्रा, ३।८।१३ जया, ४।९।१४ रिक्ता और ५।१०।१५ पूर्णा संज्ञक हैं।

पक्षरन्ध्र—४।६।८।९।१२।१४ तिथियाँ पक्षरन्ध्र संज्ञक हैं।

मासशून्य तिथियाँ—चैत्रमें दोनों पक्षोंकी अष्टमी और नवमी, वैशाखमें दोनों पक्षोंकी द्वादशी, ज्येष्ठमें कृष्णपक्षकी चतुर्दशी और शुक्लपक्षकी त्रयोदशी, आषाढ़में कृष्णपक्षकी षष्ठी और शुक्लपक्षकी सप्तमी, श्रावणमें दोनों पक्षोंकी द्वितीया और तृतीया, भाद्रपदमें दोनों पक्षोंकी प्रतिपदा और द्वितीया, आश्विनमें दोनों पक्षोंकी दशमी और एकादशी, कार्तिकमें कृष्ण पक्षकी पंचमी और शुक्लपक्षकी चतुर्दशी, मार्गशीर्षमें दोनों पक्षोंकी सप्तमी

और अष्टमी, पौषमें दोनो पक्षोकी चतुर्थी और पचमी, माघमे कृष्णपक्षकी पंचमी और शुक्लपक्षकी षष्ठी एव फाल्गुनमें कृष्णपक्षकी चतुर्थी और शुक्लपक्षकी तृतीया मासशून्य सज्ञक है। मासशून्य तिथियोमें कार्य करनेसे सफलता प्राप्त नही होती।

सिद्धा तिथियाँ—मगलवारको ३।८।१३, वुधवारको २।७।१२, वृहस्पतिवारको ५।१०।१५, शुक्रवारको १।६।११ एवं शनिवारको ४।९।१४ तिथियाँ सिद्धि देनेवाली सिद्धासज्ञक है। इन तिथियोमे किया गया कार्य सिद्धिप्रदायक होता है।

दग्ध, विष और हुताशन सज्ञक तिथियाँ—रविवारको द्वादशी, सोमवारको एकादशी, मगलवारको पचमी, वुधवारको तृतीया, वृहस्पतिवारको पष्ठी, शुक्रको अष्टमी और शनिवारको नवमी दग्धा सज्ञक, रविवारको चतुर्थी, सोमवारको पष्ठी, मगलवारको सप्तमी, वुधवारको द्वितीया, वृहस्पतिवारको अष्टमी, शुक्रवारको नवमी और शनिवारको सप्तमी विप सज्ञक एवं रविवारको द्वादशी, सोमवारको पष्ठी, मगलवारको मप्तमी, वुधवारको अष्टमी, वृहस्पतिवारको नवमी, शुक्रवारको दशमी और शनिवारको एकादशी हुताशन सज्ञक है। नामानुसार इन तिथियोमे कार्य करनेसे विघ्न-वाधाओका सामना करना पडता है।

दग्ध-विप-हुताशनयोगसज्ञावोधकचक्र

रविवार	सोमवार	मगलवार	वुधवार	गुरुवार	शुक्रवार	शनिवार	वार
१२	११	५	३	६	८	९	दग्ध
४	६	७	२	८	९	७	विप
१२	६	७	८	९	१०	११	हुताशन

नक्षत्र—कई ताराओंके समुदायको नक्षत्र कहते हैं। आकाश-मण्डलमें जो असख्यात तारिकाओंसे कहीं अश्व, शकट, सर्प, हाथ आदिके आकार बन जाते हैं, वे ही नक्षत्र कहलाते हैं। जिस प्रकार लोक-व्यवहारमें एक स्थानसे दूसरे स्थानकी दूरी मीलों या कोशोंमें नापी जाती है, उसी प्रकार आकाश-मण्डलकी दूरी नक्षत्रोंसे ज्ञात की जाती है। तात्पर्य यह है कि जैसे कोई पूछे कि अमुक घटना सड़कपर कहाँ घटी, तो यही उत्तर दिया जायेगा कि अमुक स्थानसे इतने कोश या मील चलनेपर, उसी प्रकार अमुक ग्रह आकाशमें कहाँ है, तो इस प्रश्नका भी वही उत्तर दिया जायेगा कि अमुक नक्षत्रमें। समस्त आकाश-मण्डलको ज्योतिषशास्त्रने २७ भागोंमें विभक्त कर प्रत्येक भागका नाम एक-एक नक्षत्र रखा है। सूक्ष्मतासे समझानेके लिए प्रत्येक नक्षत्रके भी चार भाग किये गये हैं, जो चरण कहलाते हैं। २७ नक्षत्रोंके नाम निम्न हैं[१]—(१) अश्विनी (२) भरणी (३) कृत्तिका (४) रोहिणी (५) मृगशिरा (६) आर्द्रा (७) पुनर्वसु (८) पुष्य (९) आश्लेषा (१०) मघा (११) पूर्वाफाल्गुनी (१२) उत्तराफाल्गुनी (१३) हस्त (१४) चित्रा (१५) स्वाति (१६) विशाखा (१७) अनुराधा (१८) ज्येष्ठा (१९) मूल (२०) पूर्वाषाढा (२१) उत्तराषाढा (२२) श्रवण (२३) धनिष्ठा (२४) शतभिषा (२५) पूर्वाभाद्रपद (२६) उत्तराभाद्रपद (२७) रेवती।

१ अश्विनी भरणी चैव कृत्तिका रोहिणी मृगः।
आर्द्रा पुनर्वसु पुष्यस्तथाश्लेषा मघा ततः॥
पूर्वाफाल्गुनिका चैव उत्तराफाल्गुनी ततः।
हस्तश्चित्रा तथा स्वाती विशाखा तदनन्तरम्॥
अनुराधा ततो ज्येष्ठा ततो मूलं निगद्यते।
पूर्वाषाढोत्तराषाढा त्वभिजिच्छ्रवणा ततः॥
धनिष्ठा शतताराख्यं पूर्वाभाद्रपदा ततः।
उत्तराभाद्रपदा चैव रेवत्येतानि भानि च॥

ध्रुवसंज्ञक नक्षत्र और उनमें विधेय कार्य—

उत्तरात्रयरोहिण्यो भास्करश्च ध्रुवं स्थिरम्।

अभिजित्को भी २८वाँ नक्षत्र माना गया है। ज्योतिर्विदोका अभिमत है कि उत्तराषाढकी आखिरी १५ घटियाँ और श्रवणके प्रारम्भकी चार घटियाँ, इस प्रकार १९ घटियोके मानवाला अभिजित् नक्षत्र होता है। यह समस्त कार्योंमें शुभ माना गया है।

नक्षत्रोंके स्वामी—अश्विनीका अश्विनीकुमार, भरणीका काल, कृत्तिका-

---

तत्र स्थिरं बीजगेहशान्त्यारामादिसिद्धये ॥

मुहूर्त्तचिन्तामणि, नक्षत्रप्रकरण श्लो० २

चरसंज्ञक नक्षत्र और उनमें विधेय कार्य—

स्वात्यादित्ये श्रुतेस्त्रीणि चन्द्रश्चापि चरं चलम् ॥
तस्मिन् गजादिकारोहो वाटिकागमनादिकम् ॥ वही, पद्य ३

क्रूर और उग्रसंज्ञक नक्षत्र और उनमें विधेय कार्य—

पूर्वात्रयं याम्यमघे उग्रं क्रूरं कुजस्तथा ।
तस्मिन् घाताग्निशाठ्यानि विषशस्त्रादि सिद्धयति ॥—वही, ४ श्लो०

मिश्रसंज्ञक नक्षत्र और उनमें विधेय कार्य—

विशाखाग्नेयभे सौम्यो मिश्रं साधारणं स्मृतम् ।
तत्राग्निकार्यं मिश्रं च वृषोत्सर्गादि सिद्धयति ॥—वही, ५ श्लो०

क्षिप्र और लघु संज्ञक नक्षत्र और उनमें विधेय कार्य—

हस्ताश्विपुष्याभिजितः क्षिप्रं लघुगुरुस्तथा ।
तस्मिन्पण्यरतिज्ञानभूषाशिल्पकलादिकम् ॥ वही, श्लो० ६

मृदु और मैत्री संज्ञक नक्षत्र और उनमें विधेय कार्य—

मृगान्त्यचित्रामित्रर्क्षं मृदुमैत्रं भृगुस्तथा ॥
तत्र गीताम्बरक्रीडामित्रकार्यं विभूषणम् ॥—वही, श्लो० ७

तीक्ष्ण और दारुणसंज्ञक नक्षत्र और उनमें विधेय कार्य—

मूलेन्द्रार्द्राहिभं सौरिस्तीक्ष्णं दारुणसंज्ञकम् ।
तत्राभिचारघातोग्रभेदाः पशुदमादिकम् ॥ वही, श्लो० ८

अधोमुखादि संज्ञाएँ—

मूलाहिमिश्रोग्रमधोमुखं भवेदूर्ध्वास्यमार्द्रेज्यहरित्रयं ध्रुवम् ।
तिर्यङ्मुखं मैत्रकरानिलादितिज्येष्ठाश्विभानीदृशकृत्यमेषु सत् ॥ वही, श्लो० ९

का अग्नि, रोहिणीका ब्रह्मा, मृगशिरका चन्द्रमा, आर्द्राका रुद्र, पुनर्वसुका अदिति, पुष्यका बृहस्पति, आश्लेषाका सर्प, मघाका पितर, पूर्वाफाल्गुनीका भग, उत्तराफाल्गुनीका अर्यमा, हस्तका सूर्य, चित्राका विश्वकर्मा, स्वातिका पवन, विशाखाका शुक्राग्नि, अनुराधाका मित्र, ज्येष्ठाका इन्द्र, मूलका निर्ऋति, पूर्वाषाढाका जल, उत्तराषाढाका विश्वेदेव, अभिजित्का ब्रह्मा, श्रवणका विष्णु, धनिष्ठाका वसु, शतभिषाका वरुण, पूर्वाभाद्रपदका अजैकपाद, उत्तराभाद्रपदका अहिर्बुध्न्य एव रेवतीका पूषा स्वामी हैं। नक्षत्रोंका फलादेश भी स्वामियोंके स्वभाव-गुणके अनुसार जानना चाहिए।

पचक सज्ञक नक्षत्र—धनिष्ठा, शतभिषा, पूर्वाभाद्रपद, उत्तराभाद्रपद, और रेवती इन नक्षत्रोंमे पचक दोष माना जाता है।

मूलसंज्ञक नक्षत्र—ज्येष्ठा, आश्लेषा, रेवती, मूल, मघा और अश्विनी ये नक्षत्र मूलसज्ञक है। इनमें यदि बालक उत्पन्न होता है तो २७ दिनके पश्चात् जब वही नक्षत्र आ जाता है तब शान्ति करायी जाती है। इन नक्षत्रोंमे ज्येष्ठा और मूल गण्डान्त मूलसज्ञक तथा आश्लेषा सर्पमूलसज्ञक हैं।

ध्रुव-चर-उग्र-मिश्र-लघु-मृदु तीक्ष्णसज्ञक नक्षत्र—उत्तराफाल्गुनी, उत्तराषाढा, उत्तराभाद्रपद और रोहिणी ध्रुवसज्ञक, स्वाति, पुनर्वसु, श्रवण, धनिष्ठा और शतभिषा चर या चलसज्ञक, विशाखा और कृत्तिका मिश्रसंज्ञक, हस्त, अश्विनी, पुष्य और अभिजित् क्षिप्र या लघुसज्ञक, मृगशिरा, रेवती, चित्रा और अनुराधा मृदु या मैत्रसज्ञक एव मूल, ज्येष्ठा, आर्द्रा और आश्लेषा तीक्ष्ण या दारुणसज्ञक है। कार्यकी सिद्धिमें नक्षत्रोंकी सज्ञाओंका फल प्राप्त होता है।

अधोमुखसज्ञक—मूल, आश्लेषा, विशाखा, कृत्तिका, पूर्वाफाल्गुनी, पूर्वाषाढा, पूर्वाभाद्रपद, भरणी और मघा अधोमुखसज्ञक है। इनमें कुआँ या नींव खोदना शुभ माना जाता है।

ऊर्ध्वमुखसज्ञक—आर्द्रा, पुष्य, श्रवण, धनिष्ठा और शतभिषा ऊर्ध्वमुखसज्ञक है।

तिर्यङ्मुखसंज्ञक—अनुराधा, हस्त, स्वाति, पुनर्वसु, ज्येष्ठा और अश्विनी तिर्यङ्मुख सज्ञक है।

दग्धसंज्ञक नक्षत्र—रविवारको भरणी, सोमवारको चित्रा, मगलवारको उत्तराषाढा, बुधवारको धनिष्ठा, बृहस्पतिवारको उत्तराफाल्गुनी, शुक्रवारको ज्येष्ठा एव शनिवारको रेवती दग्धसज्ञक है। इन नक्षत्रोमे शुभ कार्य करना वर्जित है।

मासशून्य नक्षत्र—चैत्रमे रोहिणी और अश्विनी, वैशाखमे चित्रा और स्वाति, ज्येष्ठमे उत्तरापाढा और पुष्य, आपाढमे पूर्वाफाल्गुनी और धनिष्ठा, श्रावणमे उत्तरापाढा और श्रवण, भाद्रपदमे शतभिषा और रेवती; आश्विनमें पूर्वाभाद्रपद, कार्त्तिकमे कृत्तिका और मघा, मार्गशीर्षमे चित्रा और विशाखा, पौषमें आर्द्रा, अश्विनी और हस्त, माघमे श्रवण और मूल एव फाल्गुनमे भरणी और ज्येष्ठा शून्य नक्षत्र है।

योग—सूर्य और चन्द्रमाके स्पष्ट स्थानोको जोडकर तथा कलाएँ बनाकर ८०० का भाग देनेपर गत योगोकी सख्या निकल आती है। शेपसे यह अवगत किया जाता है कि वर्त्तमान योगकी कितनी कलाएँ बीत गयी है। शेपको ८०० मे-से घटानेपर वर्तमान योगकी गम्य कलाएँ आती हैं। इन गत या गम्य कलाओको ६० से गुणाकर सूर्य और चन्द्रमाकी स्पष्ट दैनिक गतिके योगसे भाग देनेपर वर्तमान योगकी गत और गम्य घटिकाएँ आती है। अभिप्राय यह है कि जब अश्विनी नक्षत्रके आरम्भसे सूर्य और चन्द्रमा दोनो मिलकर ८०० कलाएँ आगे चल चुकते है तब एक योग बीतता है, जब १६०० कलाएँ आगे चलते है तब दो, इसी प्रकार जब दोनो १२ राशियाँ—२१६०० कलाएँ अश्विनीसे आगे चल चुकते हैं तब २७ योग बीतते हैं।

२७ योगोके नाम ये हैं[1]—(१) विष्कम्भ (२) प्रीति (३) आयुष्मान्

---

१. विष्कम्भः प्रीतिरायुष्मान् सौभाग्य. शोभनस्तथा।
अतिगण्ड. सुकर्मा च धृतिः शूलस्तथैव च॥

(४) सौभाग्य (५) शोभन (६) अतिगण्ड (७) सुकर्मा (८) धृति (९) शूल (१०) गण्ड (११) वृद्धि (१२) ध्रुव (१३) व्याघात (१४) हर्षण (१५) वज्र (१६) सिद्धि (१७) व्यतीपात (१८) वरीयान् (१९) परिघ (२०) शिव (२१) सिद्ध (२२) साध्य (२३) शुभ (२४) शुक्ल (२५) ब्रह्म (२६) ऐन्द्र (२७) वैधृति।

योगोंके स्वामी—विष्कम्भका स्वामी यम, प्रीतिका विष्णु, आयुष्मान्का चन्द्रमा, सौभाग्यका ब्रह्मा, शोभनका बृहस्पति, अतिगण्डका चन्द्रमा, सुकर्माका इन्द्र, धृतिका जल, शूलका सर्प, गण्डका अग्नि, वृद्धिका सूर्य, ध्रुवका भूमि, व्याघातका वायु, हर्षणका भग, वज्रका वरुण,

---

गण्डो वृद्धिर्ध्रुवस्चैव व्याघातो हर्षणस्तथा।
वज्रसिद्धिर्व्यतीपातो वरीयान् परिघः शिवः॥
साध्यः सिद्ध शुभः शुक्लो ब्रह्मेन्द्रो वैधृतिस्तथा॥

योगोंका त्याज्यकाल—

परिघस्य त्यजेदर्द्धं शुभकर्म तत परम्।
त्यजादौ पञ्च विष्कम्भे सप्त शूले च नाडिका॥
गण्डव्याघातयो. षट्क नव हर्षणवज्रयो.।
वैधृतिं च व्यतीपात समस्त परिवर्जयेत्॥
विष्कम्भे घटिकास्तिस्र शूले पञ्च तथैव च।
गण्डाऽतिगण्डयो. सप्त नव व्याघातवज्रयोः॥

परिघ योगका आधा भाग त्याज्य है, उत्तरार्ध शुभ है। विष्कम्भयोगकी प्रथम पाँच घटिकाएँ, शूलयोगकी प्रथम सात घटिकाएँ, गण्ड और व्याघात योगकी प्रथम छह घटिकाएँ, हर्षण और वज्र योगकी नौ घटिकाएँ एव वैधृति और व्यतिपात योग समस्त परित्याज्य है। मतान्तरसे विष्कम्भके तीन दण्ड, शूलके पाँच दण्ड, गण्ड और अतिगण्डके सात दण्ड एव व्याघात और वज्रयोगके नौ दण्ड शुभकार्य करनेमें त्याज्य है।

कृत्यचिन्तामणिके अनुसार शुभ कार्योंमें साध्य योगका एक दण्ड, व्याघात योगके दो दण्ड, शूलयोगके सात दण्ड, वज्रयोगके छह दण्ड एव गण्ड और अतिगण्डके नौ दण्ड त्याज्य है।

सिद्धिका गणेश, व्यतीपातका रुद्र, वरीयान्‌का कुबेर, परिघका विश्वकर्मा, शिवका मित्र, सिद्धका कार्त्तिकेय, साध्यकी सावित्री, शुभकी लक्ष्मी, शुक्लकी पार्वती, ब्रह्मका अश्विनीकुमार, ऐन्द्रका पितर एव वैधृतिकी दिति हैं।

करण —तिथिके आधे भागको करण कहते हैं, अर्थात् एक तिथिमे दो करण होते हैं। ११ करणोके नाम निम्न हैं— (१) बव (२) बालव (३) कौलव (४) तैतिल (५) गर (६) वणिज (७) विष्टि (८) शकुनि (९) चतुष्पद (१०) नाग (११) किंस्तुघ्न। इन करणोमें पहलेके ७ करण चरसञ्ज्ञक और अन्तिम ४ करण स्थिरसञ्ज्ञक हैं।

---

१. ववबालवकौलवतैतिलगरवणिजविष्टयः सप्त।
शकुनिचतुष्पदनागकिंस्तुघ्नानि ध्रुवाणि करणानि॥

करणोंके स्वामी—

ववबालवकौलवतैतिलगरवणिजविष्टिसञ्ज्ञानाम्।
पतय· स्युरिन्द्रकमलजमित्रार्यमभूश्रिय सयमाः॥

वव, बालव, कौलव, तैतिल, गर, वणिज और विष्टि इन सात करणों के क्रमशः इन्द्र, ब्रह्मा, मित्र, अर्यमा, पृथ्वी, लक्ष्मी और यम स्वामी हैं।

कृष्णचतुर्दश्यन्तार्द्धाद्ध्रुवाणि शकुनिचतुष्पदनागाः।
किंस्तुघ्नमथ च तेषा कलिवृषफणिमारुताः पतय· ॥

तिथ्यर्द्ध भोग क्रमसे कृष्णा चतुर्दशीके शेषार्द्धसे आरम्भ होकर शुक्लप्रतिपदाके पूर्वार्द्ध पर्यन्त शकुनि, चतुष्पद, नाग और किंस्तुघ्न ये चार करण होते हैं। इन्हें ध्रुव कहते हैं। इनके कलि, वृष, फणी और मारुत स्वामी हैं।

तृतीयादशमीशेषे तत्पञ्चम्योस्तु पूर्वत।
कृष्णे विष्टि· सिते तद्वत्तासा परतिथिष्वपि॥

कृष्णपक्षमें विष्टि—भद्रा तृतीया और दशमीतिथिके उत्तरार्द्धमें होता है। कृष्ण पक्षकी पञ्चमी, सप्तमी और चतुर्दशी तिथिके पूर्वार्द्धमें विष्टि (भद्रा) करण होता है। शुक्ल पक्षमें चतुर्थी और एकादशीके परार्द्धमें तथा अष्टमी और पौर्णमासीके पूर्वार्द्धमें विष्टि (भद्रा) करण होता है। भद्राका समय समस्त शुभ कार्योंमें त्याज्य है।

करणोंके स्वामी—ववका इन्द्र, वालवका ब्रह्मा, कौलवका सूर्य, तैतिलका सूर्य, गरका पृथ्वी, वणिजका लक्ष्मी, विष्टिका यम, शकुनिका कलियुग, चतुष्पादका रुद्र, नागका सर्प एव किंस्तुघ्नका वायु है।

विष्टि करणका नाम भद्रा है, प्रत्येक पचाङ्गमें भद्राके आरम्भ और अन्तका समय दिया रहता है। भद्रामें प्रत्येक शुभकर्म करना वर्जित है।

वार—जिस दिनकी प्रथम होराका जो ग्रह स्वामी होता है, उस दिन उसी ग्रहके नामका वार रहता है। अभिप्राय यह है कि ज्योतिपशास्त्रमें शनि, वृहस्पति, मगल, रवि, शुक्र, बुध और चन्द्रमा ये ग्रह एक दूसरेसे नीचे-नीचे माने गये है। अर्थात् सवसे ऊपर शनि, उससे नीचे वृहस्पति, उससे नीचे मगल, मगलके नीचे रवि, इत्यादि क्रमसे ग्रहोकी कक्षाएँ है। एक दिनमे २४ होराएँ होती है—एक-एक घण्टेकी एक-एक होरा होती है। दूसरे शब्दोमे यह कहा जा सकता है कि घण्टेका दूसरा नाम होरा है। प्रत्येक होराका स्वामी अध कक्षाक्रमसे एक-एक ग्रह होता है। सृष्टि-आरम्भमें सवसे पहले सूर्य दिखलाई पडता है, इसलिए १ली होराका स्वामी माना जाता है। अतएव १ले वारका नाम आदित्य वार या रविवार है। इसके अनन्तर उस दिनकी २री होराका स्वामी उसके पासवाला शुक्र, ३रीका वुध, ४र्थीका चन्द्रमा,

मेषोक्षकौर्पमिथुने घटसिंहमीनकर्कपु चापमृगतौलिसुतासु सूर्ये।
स्वर्मर्त्यनागनगरी क्रमश· प्रयाति विष्टिः फलान्यपि ददाति हि तत्र देशे॥

सार वैशाख, ज्येष्ठ, मार्गशीर्ष और आषाढमें भद्राका निवास स्वर्गलोकमें, फाल्गुन, भाद्रपद, चैत्र और श्रावणमें मृत्युलोकमें एव पौष, माघ, कार्तिक और आश्विन मासमे भद्राका निवास नागलोकमें होता है।

स्वर्गे भद्रा शुभ कुर्यात्पाताले च धनागमम्।
मर्त्यलोके यदा भद्रा सर्वकार्यविनाशिनी॥

स्वर्गमें भद्राके निवास करनेसे शुभफलकी प्राप्ति, पाताल लोकमें निवास करनेसे धन-सचय और मृत्युलोकमें निवास करनेसे समस्त कार्योंका विनाश होता है।

५वीका शनि, ६ठीका वृहस्पति, ७वीका मगल, ८वीका रवि, ९वीका शुक्र, १०वीका बुध, ११वीका चन्द्रमा, १२वीका शनि, १३वीका वृहस्पति, १४वीका मगल, १५वीका रवि, १६वीका शुक्र, १७वीका बुव, १८वीका चन्द्रमा, १९वीका शनि, २०वीका वृहस्पति, २१वीका मगल, २२वीका रवि, २३वीका शुक्र और २४वीका बुध स्वामी होता है। पश्चात् २रे दिनकी १ली होराका स्वामी चन्द्रमा पडता है, अत दूसरा वार सोमवार या चन्द्रवार माना जाता है। इसी प्रकार ३रे दिनकी १ली होराका स्वामी मगल, ४थे दिनकी १ली होराका स्वामी वुध, ५वें दिनकी १ली होराका स्वामी वृहस्पति, छठे दिनकी १ली होराका स्वामी शुक्र एव ७वें दिनकी १ली होराका स्वामी शनि होता है। इसीलिए क्रमशः मगल, वुध, वृहस्पति, शुक्र और शनि ये वार माने जाते है।

वार-संज्ञाएँ—वृहस्पति, चन्द्र, वुध और शुक्र ये वार सौम्यसज्ञक एव मगल, रवि और शनि ये वार क्रूर-सज्ञक माने गये है। सौम्यसज्ञक वारोसे शुभकार्य करना अच्छा माना जाता है।

रविवार स्थिर, सोमवार चर, मगलवार उग्र, वुधवार सम, गुरुवार लघु, शुक्रवार मृदु एवं शनिवार तीक्ष्णसज्ञक है। शल्यक्रियाके लिए शनिवार उत्तम माना गया है। विद्यारम्भके लिए गुरुवार और वाणिज्य आरम्भ करनेके लिए वुधवार प्रशस्त माना गया है।

नक्षत्रोके चरणाक्षर

चू चे चो ला = अश्विनी, ली लू ले लो = भरणी, आ ई उ ए = कृत्तिका, ओ वा वी वू = रोहिणी, वे वो का की = मृगशिर, कू घ ङ छ = आर्द्रा, के को हा ही = पुनर्वसु, हू हे हो डा = पुष्य, डी डू डे डो = आश्लेषा, मा मी मू मे = मघा, मो टा टी टू = पूर्वाफाल्गुनी, टे टो पा पी = उत्तराफाल्गुनी, पू प ण ठ = हस्त, पे पो रा री = चित्रा, रू रे रो ता = स्वाति,

ती तू ते तो = विशाखा, ना नी नू ने = अनुराधा, नो या यी यू = ज्येष्ठा, ये यो भा भी = मूल, भू धा फा ढा = पूर्वाषाढा, भे भो जा जी = उत्तराषाढा, खी खू खे खो = श्रवण, गा गी गू गे = धनिष्ठा, गो सा सी सू = शतभिषा, से सो दा दी = पूर्वाभाद्रपद, दू थ झ ञ = उत्तराभाद्रपद, दे दो चा ची = रेवती।

अक्षरानुसार राशिज्ञान

	राशि	अक्षर	
१	मेष	= चू चे चो ला ली लू ले लो आ	आ ला
२	वृष	= ई उ ए ओ वा वी वू वे वो	उ वा
३	मिथुन	= का की कू घ ङ छ के को हा	का छा
४	कर्क	= ही हू हे हो डा डी डू डे डो	डा हा
५	सिंह	= मा मी मू मे मो टा टी टू टे	मा टा
६	कन्या	= टो पा पी पू ष ण ठ पे पो	पा ठा
७	तुला	= रा री रू रे रो ता ती तू ते	रा ता
८	वृश्चिक	= तो ना नी नू ने नो या यी यू	नो या
९	धनु	= ये यो भा भी भू धा फा ढा भे	भू धा फा ढा
१०	मकर	= भो जा जी खी खू खे खो गा गी	खा जा
११	कुम्भ	= गू गे गो सा सी सू से सो दा	गो सा
१२	मीन	= दी दू थ झ ञ दे दो चा ची	दा चा

{ राशिज्ञान करनेकी संक्षिप्त प्रकारविधि यह है }

राशियोंका परिचय

आकाशमें स्थित भचक्रके ३६० अंश अथवा १०८ भाग होते हैं। समस्त भचक्र १२ राशियोंमें विभक्त है, अतः ३० अंश अथवा ९ भागकी एक राशि होती है।

मेष—पुरुष जाति, चरसंज्ञक, अग्नितत्त्व, पूर्व दिशाकी मालिक, मस्तकका बोध करानेवाली, पृष्ठोदय, उग्र प्रकृति, लाल-पीले वर्णवाली,

कान्तिहीन, क्षत्रियवर्ण, सभी समान अंगवाली और अल्प सन्तति है। यह पित्तप्रकृतिकारक है, इसका प्राकृतिक स्वभाव साहसी, अभिमानी और मित्रोंपर कृपा रखनेवाला है।

वृष—स्त्री राशि, स्थिरसंज्ञक, भूमितत्त्व, शीतल स्वभाव, कान्ति-रहित, दक्षिण दिशाकी स्वामिनी, वातप्रकृति, रात्रिवली, चार चरण-वाली, श्वेत वर्ण, महाशब्दकारी, विषमोदयी, मध्यम सन्तति, शुभकारक, वैश्यवर्ण और शिथिल शरीर है। यह अर्द्धजल राशि कहलाती है। इसका प्राकृतिक स्वभाव स्वार्थी, समझ-बूझकर काम करनेवाली और सासारिक कार्योंमे दक्ष होती है। इससे मुख और कपोलोंका विचार किया जाता है।

मिथुन—पश्चिम दिशाकी स्वामिनी, वायुतत्त्व, तोतेके समान हरित-वर्णवाली, पुरुष राशि, द्विस्वभाव, विषमोदयी, उष्ण, शूद्रवर्ण, महाशब्द-कारी, चिकनी, दिनवली, मध्यम सन्तति और शिथिल शरीर है। इसका प्राकृतिक स्वभाव विद्याध्ययनी और शिल्पी है। इससे शरीरके कन्धो और वाहुओंका विचार किया जाता है।

कर्क—चर, स्त्री जाति, सौम्य और कफ प्रकृति, जलचारी, समोदयी, रात्रिवली, उत्तर दिशाकी स्वामिनी, रक्त-धवल मिश्रितवर्ण, वहुचरण एवं सन्तानवाली है। इसका प्राकृतिक स्वभाव, सासारिक उन्नतिमे प्रयत्न-शीलता, लज्जा, कार्यस्थैर्य और समयानुयायिताका सूचक है। इससे वक्ष-स्थल और गुर्देका विचार किया जाता है।

सिंह—पुरुष जाति, स्थिरसज्ञक, अग्नितत्त्व, दिनवली, पित्त प्रकृति, पीत वर्ण, उष्ण स्वभाव, पूर्व दिशाकी स्वामिनी, पुष्ट शरीर, क्षत्रिय वर्ण, अल्पसन्तति, भ्रमणप्रिय और निर्जल राशि है। इसका प्राकृतिक स्वरूप मेषराशि-जैसा है, पर तो भी इसमे स्वातन्त्र्य प्रेम और उदारता विशेष रूपसे वर्तमान है। इससे हृदयका विचार किया जाता है।

कन्या—पिंगल वर्ण, स्त्री जाति, द्विस्वभाव, दक्षिण दिशाकी स्वामिनी, रात्रिवली, वायु और शीत प्रकृति, पृथ्वीतत्त्व और अल्प सन्तान-

वाली है। इसका प्राकृतिक स्वभाव मिथुन-जैसा है, पर विशेपता इतनी है कि अपनी उन्नति और मानपर पूर्ण ध्यान रखनेकी यह कोशिश करती है। इससे पेटका विचार किया जाता है।

तुला—पुरुप जाति, चरसंज्ञक, वायुतत्त्व, पश्चिम दिशाकी स्वामिनी, अल्पसन्तानवाली, श्यामवर्ण, शीर्पोदयी, शूद्रसंज्ञक, दिनवली, क्रूर स्वभाव और पाद जल राशि है। इसका प्राकृतिक स्वभाव विचारशील, ज्ञानप्रिय, कार्य-सम्पादक और राजनीतिज्ञ है। इससे नाभिके नीचेके अंगोंका विचार किया जाता है।

वृश्चिक—स्थिरसंज्ञक, शुभ्रवर्ण, स्त्री जाति, जलतत्त्व, उत्तर दिशाकी स्वामिनी, रात्रिवली, कफ प्रकृति, वहु सन्तति, ब्राह्मण वर्ण और अर्द्ध जल राशि है। इसका प्राकृतिक स्वभाव दम्भी, हठी, दृढप्रतिज्ञ, स्पष्टवादी और निर्मल है। इससे जननेन्द्रियका विचार किया जाता है।

धनु—पुरुप जाति, काचन वर्ण, द्विस्वभाव, क्रूरसंज्ञक, पित्त प्रकृति, दिनवली, पूर्व दिशाकी स्वामिनी, दृढ शरीर, अग्नितत्त्व, क्षत्रिय वर्ण, अल्प सन्तति एव अर्द्ध जल राशि है। इसका प्राकृतिक स्वभाव अधिकारप्रिय, करुणामय और मर्यादाका इच्छुक है। इससे पैरोकी सन्धि तथा जंघाओंका विचार किया जाता है।

मकर—चरसंज्ञक, स्त्री जाति, पृथ्वीतत्त्व, वात प्रकृति, पिंगल वर्ण, रात्रिवली, वैश्यवर्ण, शिथिल शरीर और दक्षिण दिशाकी स्वामिनी है। इसका प्राकृतिक स्वभाव उच्च दशाभिलापी है। इससे घुटनोंका विचार किया जाता है।

कुम्भ—पुरुप जाति, स्थिरसंज्ञक, वायुतत्त्व, विचित्र वर्ण, शीर्पोदय, अर्द्धजल, त्रिदोप प्रकृति, दिनवली, पश्चिम दिशाकी स्वामिनी, उष्ण स्वभाव, शूद्र वर्ण, क्रूर एव मध्यम सन्तानवाली है। इसका प्राकृतिक स्वभाव विचारशील, शान्तचित्त, धर्मवीर और नवीन वातोंका आविष्कारक है। इससे पेटके भीतरी भागोंका विचार किया जाता है।

मीन—द्विस्वभाव, स्त्री जाति, कफ प्रकृति, जलतत्त्व, रात्रिबली, विप्रवर्ण, उत्तर दिशाकी स्वामिनी और पिंगल रंग है। इसका प्राकृतिक स्वभाव उत्तम, दयालु और दानशील है। यह सम्पूर्ण जलराशि है। इससे पैरोंका विचार किया जाता है।

राशि स्वरूपका प्रयोजन

उपर्युक्त बारह राशियोंका जैसा स्वरूप बतलाया है, इन राशियोंमें उत्पन्न पुरुष और स्त्रियोंका स्वभाव भी प्रायः वैसा ही होता है। जन्म-कुण्डलीमें राशि और ग्रहोंके स्वरूपके समन्वयपर-से ही फलाफलका विचार किया जाता है। दो व्यक्तियोंकी या वर-कन्याकी शत्रुता और मित्रता अथवा पारस्परिक स्वभाव मेलके लिए भी राशि स्वरूप उपयोगी है।

शत्रुता और मित्रताकी विधि

पृथ्वीतत्त्व और जलतत्त्ववाली राशियोंके व्यक्तियोंमें तथा अग्नितत्त्व और वायुतत्त्ववाली राशियोंके व्यक्तियोंमें परस्पर मित्रता रहती है। पृथ्वी और अग्नितत्त्व, जल और अग्नितत्त्व एवं जल और वायुतत्त्ववाली राशियों-के व्यक्तियोंमें परस्पर शत्रुता रहती है।

राशियोंके स्वामी

मेष और वृश्चिकका मंगल, वृष और तुलाका शुक्र, कन्या और मिथुन-का बुध, कर्कका चन्द्रमा, सिंहका सूर्य, मीन और धनुका बृहस्पति, मकर और कुम्भका शनि, कन्याका राहु एवं मिथुनका केतु है।

शून्यसंज्ञक राशियाँ—चैत्रमें कुम्भ, वैशाखमें मीन, ज्येष्ठमें वृष, आषाढमें मिथुन, श्रावणमें मेष, भाद्रपदमें कन्या, आश्विनमें वृश्चिक, कार्त्तिकमें तुला, मार्गशीर्षमें धनु, पौषमें कर्क, माघमें मकर एवं फाल्गुनमें सिंह शून्यसंज्ञक है।

राशियोंका अंग-विभाग

द्वादश राशियाँ काल-पुरुषका अंग मानी गयी हैं। मेषको सिरमें, वृषको मुखमें, मिथुनको स्तनमध्यमें, कर्कको हृदयमें, सिंहको उदरमें, कन्याको कमरमें, तुलाको पेड़ूमें, वृश्चिकको लिंगमें, धनुको जंघामें, मकरको दोनों घुटनोंमें, कुम्भको दोनों जाँघोंमें एवं मीनको दोनों पैरोंमें माना है।

चर सारणी—मिनिट, सेकेण्ड रूप फल

क्रान्त्यंश

अक्षांश	१	२	३	४	५	६	७	८	९	१०	११	१२	१३	१४	१५	१६	१७	१८	१९	२०	२१	२२	२३	२४
१	०	०	०	०	०	०	०	०	०	०	०	०	०	१	१	१	१	१	१	१	१	१	१	१
	४	८	१३	१७	२१	२५	३०	३४	३८	४२	४६	५१	५५	०	४	९	१३	१८	२२	२७	३२	३७	४२	४७
२	०	०	०	०	०	०	०	१	१	१	१	१	१	२	२	२	२	२	२	२	३	=	३	३
	८	१७	२५	३४	४२	५०	५९	८	१६	२४	३३	४२	५१	०	८	१७	२६	३६	४५	५५	४	१४	२४	३४
३	०	०	०	०	१	१	१	१	१	२	२	२	२	३	३	३	३	३	४	४	४	४	५	५
	१३	२५	३८	५०	३	१६	२८	४१	५४	७	२०	३३	४६	०	१३	२६	४०	५४	८	२२	३७	५१	६	२०
४	०	०	०	१	१	१	१	२	२	२	३	३	३	४	४	४	४	५	५	५	६	६	६	७
	१७	३४	५०	७	२४	४१	५८	१५	३२	५०	७	२४	४२	०	१८	३६	५४	१२	३१	५०	९	२८	४८	८
५	०	०	१	१	१	२	२	२	३	३	३	४	४	५	५	५	६	६	६	७	७	८	८	८
	२१	४२	३	२४	४५	६	२८	४९	१०	३२	५४	१६	३८	०	२२	४४	७	३०	५४	१८	४२	६	३६	५६
६	०	०	१	१	२	२	२	३	३	४	४	५	५	६	६	६	७	७	८	८	९	९	१०	१०
	२५	५०	१६	४१	६	३२	५८	२३	४९	१४	४१	७	३४	०	२७	५४	२२	४९	१८	४६	१५	४४	१४	४४
७	०	०	०	१	२	२	३	३	४	४	५	५	६	७	७	८	८	९	९	१०	१०	११	११	१२
	२९	५८	२८	५८	२८	५८	२७	५७	२७	५८	२८	५९	३०	१	३२	४	३७	९	४२	१५	४८	२१	५३	२६

८	०	१	१	२	२	३	३	४	५	५	६	६	७	८	८	९	९	१०	११	११	१२	१३	१३	१४
	३४	८	४१	१५	४९	२३	१७	३२	६	४१	१६	५१	२६	२	३८	१४	५१	२८	६	४४	२२	१	४१	२१
९	०	१	१	२	३	३	४	५	५	६	७	७	८	९	९	१०	११	११	१२	१३	१३	१४	१५	१६
	३८	१६	५४	३२	१०	४९	२७	६	४५	२४	३	४३	२३	३	४४	२४	६	४८	३०	१३	५६	४०	२५	१०
१०	०	१	२	२	३	४	४	५	६	७	८	८	९	१०	१०	११	१२	१३	१३	१४	१५	१६	१७	१८
	४२	२४	७	५०	३१	१४	५८	४१	२४	८	१	३६	२०	५	५०	३६	२२	८	५५	४३	३२	२०	१०	०
११	०	१	२	३	३	४	५	६	७	७	८	९	१०	११	११	१२	१३	१४	१५	१६	१७	१८	१८	१९
	४६	३३	२०	७	५४	४१	२८	१६	३	५१	४०	२८	१७	७	५६	४७	३८	२९	२१	१४	७	१	५६	५२
१२	०	१	२	३	४	५	५	६	७	८	९	१०	११	१२	१३	१३	१४	१५	१६	१७	१८	१९	२०	२१
	५१	४२	३३	२४	१६	७	५९	५१	४३	३६	२८	२१	१५	९	४	५८	५४	५०	४४	४५	४३	४२	४२	४३
१३	०	१	२	३	४	५	६	७	८	९	१०	११	१२	१३	१४	१५	१६	१७	१८	१९	२०	२१	२२	२३
	५५	५१	४६	४२	३८	३४	३०	२७	२३	२०	१७	१५	१३	१२	११	११	१२	१४	१७	२०	२४	३०	३७	४६
१४	१	२	३	४	५	६	७	८	९	१०	११	१२	१३	१४	१५	१६	१७	१८	१९	२०	२१	२३	२४	२५
	०	०	०	०	०	०	१	२	३	५	७	९	१२	१५	१९	२३	२९	३५	४१	४८	५७	८	१८	३०
१५	१	२	३	४	५	६	७	८	९	१०	११	१३	१४	१५	१६	१७	१८	१९	२१	२२	२३	२४	२६	२७
	४	८	१३	१८	२२	२७	३२	३८	४४	५०	५६	४	११	१९	२८	३८	४७	५८	१०	२२	३६	५२	७	२४
१६	१	२	३	४	५	६	८	९	१०	११	१२	१३	१५	१६	१७	१८	२०	२१	२२	२३	२५	२६	२७	२९
	९	१८	२६	३६	४५	५४	४	१४	२५	३६	४७	५९	११	२४	३८	५२	७	२३	४०	५८	१६	३७	५८	२०
१७	१	२	३	४	६	७	८	९	११	१२	१३	१४	१६	१७	१८	२०	२१	२२	२४	२५	२६	२८	२९	३१
	१३	२७	४०	५४	८	२२	३६	५१	६	२२	३८	५४	१२	२९	४८	७	२७	४८	११	३४	५७	२३	५०	१९

	१	२	३	४	५	६	७	८	९	१०	११	१२	१३	१४	१५	१६	१७	१८	१९	२०	२१	२२	२३	२४
१८	१	२	३	५	६	७	९	१०	११	१३	१४	१५	१७	१८	१९	२१	२२	२४	२५	२७	२८	३०	३१	३३
	१८	३६	५४	१२	३१	५०	९	२८	४८	८	३०	५०	१२	३५	५९	२३	४८	१४	४२	८	३७	१०	४२	२०
१९	१	२	४	५	६	८	९	११	१२	१३	१५	१६	१८	१९	२१	२२	२४	२५	२७	२८	३०	३१	३३	३५
	२३	४५	८	३१	५४	१८	४२	६	३०	५५	२१	४६	१४	४७	१०	३९	९	४१	१४	४८	२४	५९	३७	१६
२०	१	२	४	५	७	८	१०	११	१३	१४	१६	१७	१९	२०	२२	२३	२५	२७	२८	३०	३२	३३	३५	३७
	२७	५५	२२	५०	१८	४६	१५	४४	१३	४३	१४	४५	१८	५०	२३	५५	३०	८	४७	२७	८	५०	३३	१८
२१	१	३	४	६	७	९	१०	१२	१३	१५	१७	१८	२०	२१	२३	२५	२६	२८	३०	३२	३३	३५	३७	३९
	२३	४	३७	९	४२	१५	८	२२	५६	३२	७	४३	२०	५८	३६	१६	५६	३७	१९	२	५०	४१	३०	२२
२२	१	३	४	६	८	९	११	१३	१४	१६	१८	१९	२१	२३	२४	२६	२८	३०	३१	३३	३५	३७	३९	४१
	३७	१४	५१	२८	६	४४	२३	१	४०	२०	१	४२	२४	८	५२	३७	२३	१०	५८	२०	४१	३५	३०	२७
२३	१	३	५	६	८	१०	११	१३	१५	१७	१८	२०	२२	२४	२६	२७	२९	३१	३३	३५	३७	३९	४१	४३
	४२	२४	६	४८	३१	१४	५७	४१	२५	१०	५६	४२	३०	१८	७	५८	४९	४२	३७	३३	३०	२७	३५	३५
२४	१	३	५	७	८	१०	१२	१४	१६	१८	१९	२१	२३	२५	२७	२९	३१	३३	३५	३७	३९	४१	४३	४५
	४७	३४	२१	८	५६	४४	३२	२१	१०	०	५२	४३	३६	३०	२४	२०	१९	२०	२१	२३	२५	२९	३४	४०
२५	१	३	५	७	९	११	१३	१५	१६	१८	२०	२२	२४	२६	२८	३०	३२	३४	३६	३९	४१	४३	४५	४७
	५२	४४	३६	२८	२१	१४	८	२	५६	५२	१४	४५	४३	४२	४३	४४	४७	४१	५८	५	१५	२६	४०	५३
२६	१	३	५	७	८	११	१३	१५	१७	१९	२१	२३	२५	२७	३०	३२	३४	३६	३८	४०	४३	४५	४७	५०
	५७	५४	५२	४९	३७	४५	४३	४३	४३	४४	४६	४८	५२	५६	२	९	१८	२८	४०	५४	१०	२८	४८	१०

२७	२	४	६	८	१०	१२	१४	१६	१८	२०	२२	२४	२७	२९	३१	३३	३५	३८	४०	४२	४५	४७	४९	५२
	२	५	७	१०	१३	१७	२१	२६	३१	३७	४४	५२	१	१२	२३	३६	५०	७	२५	४५	७	३२	५८	२७
२८	२	४	६	८	१०	१२	१४	१७	१९	२१	२३	२५	२८	३०	३२	३५	३७	३९	४२	४४	४७	४९	५२	५४
	७	१५	२३	३१	४०	४९	५८	८	१९	३१	४४	५७	१२	२८	४६	४	२५	४९	१२	३६	२	३०	४	३८
२९	२	४	६	८	११	१३	१५	१७	२०	२२	२४	२७	२९	३१	३४	३६	३९	४१	४४	४६	४९	५१	५४	५७
	१३	२६	४०	५३	७	२२	३६	५२	९	२६	४४	४	२४	४६	१०	३५	१	३०	०	३२	८	४६	२६	९
३०	२	४	६	९	११	१३	१६	१८	२०	२३	२५	२८	३०	३३	३५	३८	४०	४३	४५	४८	५१	५३	५६	५९
	१८	३७	५६	१५	३५	५५	१६	३७	५९	२२	४६	१२	३८	५	३४	७	४४	१५	४२	३१	१३	५८	४६	३५
३१	२	४	७	९	१२	१४	१६	१९	२१	२४	२६	२९	३१	३४	३७	३९	४२	४५	४७	५०	५३	५६	५९	६२
	२४	४८	१३	३८	३	२९	५६	२२	५०	२०	५०	२१	५४	२८	४	४१	२१	२	४६	३२	२०	१२	६	२
३२	२	५	७	१०	१२	१५	१७	२०	२२	२५	२७	३०	३३	३५	३८	४१	४४	४६	४९	५३	५५	५८	६१	६४
	३०	०	३०	१	३२	४	३६	९	४३	१८	५४	३२	१८	५२	३३	१७	३	५२	४२	३६	३१	३०	३३	३७
३३	२	५	७	१०	१३	१५	१८	२०	२३	२६	२९	३१	३४	३७	४०	४२	४५	४८	५१	५४	५७	६०	६३	६७
	३६	१२	४८	२४	१	३९	१८	५७	३८	१८	०	४४	३०	१६	५	५६	४९	४४	४१	४१	४४	४८	५४	४
३४	२	५	८	१०	१३	१६	१९	२१	२४	२७	३०	३२	३५	३८	४१	४४	४७	५०	५३	५६	६०	६३	६६	६९
	४२	२४	६	४९	३२	१२	०	४६	३४	१९	८	५८	५०	४४	३९	३६	३६	३८	४३	५१	१	१५	३३	५४
३५	२	५	८	११	१४	१६	१९	२२	२५	२८	३१	३४	३७	४०	४३	४६	४९	५२	५५	५९	६२	६५	६९	७२
	४८	३६	२५	१४	३	५३	४४	३५	१८	२२	१७	१३	१३	१३	१५	२०	२७	३६	४७	०	२२	४४	१०	४०
३६	२	५	८	११	१४	१७	२०	२३	२६	२९	३२	३५	३८	४१	४४	४८	५१	५४	५७	६१	६४	६८	७१	७५
	५४	४९	४४	३९	३४	३१	२८	२६	२६	२७	२८	३२	३८	४४	५४	६	२०	३७	५७	२०	४६	१७	५१	३०

आवश्यक परिभापाएँ

६०	प्रतिपल	=	१ विपल		६०	प्रतिविकला	=	१ विकला
६०	विपल	=	१ पल		६०	विकला	=	१ कला
६०	पल	=	१ घटी या दण्ड		६०	कला	=	१ अश
२८	मिनिट	=	१ घटी		३०	अश	=	१ राशि
२½	पल	=	१ मिनिट		१२	राशि	=	१ भगण
२½	विपल	=	१ सेकेण्ड		८	यव	=	१ अगुल
२½	घटी	=	१ घटा		२४	अगुल	=	१ हाथ
६०	घटी	=	एक अहोरात्र		४	हाथ	=	१ दण्ड या बाँस
					२०००	बाँस	=	१ कोश

जातक

जातक अगमे प्रधान रूपसे जन्मपत्रीके निर्माण-द्वारा व्यक्तिकी उत्पत्तिके समयके ग्रह-नक्षत्रोंकी स्थितिपर-से जीवनका फलाफल निकाला गया है।

जन्मकुण्डलीका गणित प्रधान रूपसे इष्टकालपर आश्रित है। इष्टकाल जितना सूक्ष्म और शुद्ध होगा, जन्मपत्रीका फलादेश भी उतना ही प्रामाणिक निकलेगा। इष्टकाल—सूर्योदयसे लेकर जन्म समय या अभीष्ट समय तकके कालको इष्टकाल कहते है।

जहाँका इष्टकाल वनाना हो उस स्थानका सूर्योदय वनाकर प्रचलित स्टैण्डर्ड टाइमको इष्ट स्थानीय (लोकल) सूर्य घडीका टाइम वना लें।

स्थानीय सूर्योदय निकालनेकी विधि—पचागमें प्रति दिनकी सूर्यक्रान्ति लिखी रहती है। जिस दिनका सूर्योदय वनाना हो उस दिनकी क्रान्ति और इष्ट स्थानीय अक्षाशका फल आनेवाली चरसारणीमे देखकर निकाल लेना चाहिए, और जो मिनिट, सेकेण्ड रूप फल आवे उसे उत्तरा क्रान्ति होनेपर ६ घण्टेमे जोड देने और दक्षिणा क्रान्तिमें ६ घण्टेमे-से घटा देनेपर सूर्यास्तका समय निकलता है। इसे १२ घण्टेमे-से घटानेपर सूर्योदय होता है, सूर्यास्तकालको ५ से गुणा कर देनेपर घटयादि दिनमान होता है।

उदाहरण—वि० सं० २००१ वैशाख शुक्ला द्वितीयाके दिन विश्व-पंचागमे सूर्यकी उत्तरा क्रान्ति १२ अश ५४ कला है। आरामे इस दिन-का सूर्योदय निकालना है। आगे दी गयी अक्षाश-देशान्तर बोधक सारणीमें आराका अक्षाश २५°|३०′ दिया गया है। इन दोनोपर-से चर सारणीके अनुसार मिनिट, सेकेण्ड रूप फल निकालना है।

सारणीमें २५ अश अक्षाशका १२ अशके क्रान्तिवाले कोठेमें २२ मिनिट ४५ सेकेण्ड फल दिया है, यहाँ अभीष्ट अक्षाग २५°|३०′ है अत २५ और २६ अश अक्षाशवाले १२ अशके क्रान्तिके कोठोका अन्तर किया—

२३।४८—२६ अश अक्षाशका फल
२२।४५—२५ अश अक्षाशका फल

१।३ इस मिनिटादि अन्तरके सेकेण्ड बनाये

$१ \times ६० = ६० + ३ = ६३$ सेकेण्ड। यहाँ अनुपात किया कि ६० कलाका फल ६३ सेकेण्ड है तो ३० कलाका कितना ?

$$\frac{६३ \times ३०}{६०} = \frac{६३}{२} = ३१\frac{१}{२}$$

२२।४५
$३१\frac{१}{२}$ से० इसे २५ अश अक्षाशके फलमें जोडा तो—०।३१
२३।१६

यहाँ २३।१६ फल १२ अश क्रान्तिका आया है,
किन्तु १२।५४ का निकालनेके लिए क्रिया की—

२४।४३—१३ अंश क्रान्तिके कोठेका फल
२२।४५—१२ अश क्रान्तिके कोठेका फल

१।५८ मिनिटादि फल एक अशका

$१ \times ६० = ६० + ५८ = ११८$ सेकेण्ड

अनुपात किया कि ६० कलाका फल ११८ सेकेण्ड है तो ५४ कलाका कितना ?

. $\frac{\text{११८} \times \text{५४}}{\text{६०}} = \frac{\text{५३१}}{\text{५}} = \text{१०६}\frac{\text{१}}{\text{५}}$ सेकेण्ड

१०६ से० = १ मिनिट ४६ सेकेण्ड, पहलेवाले फलमे जोडा तो

२३।१६
१।४६
______
२५।२, = २५ मिनिट २ सेकेण्ड फलको उत्तरा क्रान्ति होनेके कारण ६ घण्टेमें जोडा तो—६ । ० । ०

२५ । २
______
६ । २५ । २ सूर्यास्तका समय अर्थात्

६ वजकर २५ मिनट २ सेकेण्डपर आरामें सूर्यास्त होगा। इसे १२ घण्टेमें-से घटाया—१२ । ० । ०

६ । २५ । २
______
५ । ३४ । ५८ सूर्यास्त काल ६ । २५ । २ सूर्यास्त × ५ = ३२ घटी ५ पल १० विपल दिनमान आरा नगरका हुआ। (६०।०।०—३२।५।१०)—२७।५४।५० रात्रिमान आराका।

स्टैण्डर्ड टाइमको लोकल टाइम वनानेकी विधि—स्टैण्डर्ड टाइम (Standard time) प्राय समस्त भारतमे एक ही होता है। क्योकि ये प्रचलित घडिया एक ही साथ मिलायी जाती हैं, इनमें हर जगह एक ही साथ १२ वजते है और एक ही साथ दो। लेकिन धूपघडीका समय प्रत्येक स्थानका भिन्न-भिन्न होता है। आरामे धूपघडीके अनुसार जिस समय १२ वजते हैं उस समय आगरेमें ११ बजकर ३५ मिनिट ही समय होता है। इस अन्तरको दूर करनेके लिए ज्योतिपमें दो सस्कारोकी व्यवस्था की गयी है। एक वेलान्तर और दूसरा देशान्तर।

जव स्थानीय धूपघडीमें १२ वजते है तव मध्याह्न कालमे सूर्य ठीक सिरके ऊपर नहीं रहेगा, कुछ पूर्व या पश्चिमकी ओर रहेगा। वर्षमे केवल चार वार ही सूर्यघडीमे १२ वजनेपर सूर्य ठीक सिरके ऊपर आवेगा,

अवशेष दिनोमे मध्यम मध्याह्न और स्पष्ट मध्याह्नका अन्तर जाननेके लिए वेलान्तर सस्कार किया जाता है।

स्टैण्डर्ड टाइमसे लोकल टाइम (स्थानीय समय) ज्ञात करनेके लिए देशान्तर सस्कार करना पडता है। स्टैण्डर्ड टाइम भारतवर्षमे ८२°।३०′ रेखाश (तूलाश) का है। इससे अधिक (Longitude) मे एक अश अन्तरमे ४ मिनिटके हिसाबसे स्टैण्डर्ड टाइममें धन अथवा ऋण—स्टैण्डर्ड टाइमके रेखाशसे इष्ट स्थानका रेखाश अधिक हो तो धन और कम हो तो ऋण कर देनेसे इष्ट स्थानीय समय आ जाता है। लेकिन यहाँ वेलान्तर सस्कार करना भी आवश्यक है।

नवम्बर मासमे मध्यम मध्याह्न और स्पष्ट मध्याह्नका अन्तर १६ मिनिटके लगभग हो जाता है। यदि ज्योतिषी इष्टकालमें इन दोनो सस्कारोको न करे तो बडी भारी भूल रह जायेगी। आगे दी गयी वेलान्तर सारणीमे जहाँ धन लिखा हो वहाँ उन महीनोकी उन तारीखोंमें जोडना और जहाँ ऋण हो, वहाँ घटाना चाहिए।

वि० सं० २००१ वैशाख शुक्ला द्वितीया सोमवारको दिनके २ वजकर २५ मिनिटपर आरामे किसी बालकका जन्म हुआ है। इस स्टैण्डर्ड टाइमका आराको धूपघडीके अनुसार समय निकालना है।

आराका रेखाश (Longitude) आगेवाली अक्षाश-देशान्तर बोधक सारणीमे ८४°।४०′ दिया है और स्टैण्डर्ड टाइमका रेखाश ८२°।३०′ है, दोनोका अन्तर किया—(८४°।४०′—८२°।३०′) = २°।१०′ अन्तर हुआ। इसे ४ मिनिट प्रति अशके हिसाबसे गुणा किया तो ८ मिनिट ४० सेकेण्ड हुआ।

स्टैण्डर्ड टाइमके रेखाशसे आराका रेखाश अधिक है, अतएव स्टैण्डर्ड टाइममे इस आगत फलको जोडना चाहिए। २।२५। ०

८।१०

२।३३।१० हुआ। वेलान्तर

सस्कार करनेके लिए आगे दी गयी वेलान्तर सारणीमे जन्मदिन—२४ अप्रैलका फल देखा तो २ मिनिट धन फल मिला, इस फलको भी इस सस्कृत समयमे जोड दिया तो—२|३३|१०

०| २| ०

२|३५|१० अर्थात् २ वजकर ३५ मिनिट १० सेकेण्ड वालकका आराका जन्म-समय हुआ। इष्टकाल वनानेके लिए इसी समयको वास्तविक जन्म-समय मानेंगे।

अक्षाश और देशान्तर-वोधक सारणी

क्रम स०	नाम नगर	प्रान्त	अक्षाश	रेखाश
१	अकलेश्वर	गुजरात	२१.३८	७३ ३०
२	अकालकोट	वम्वई	१७.३१	७६ १५
३	अकोला	वरार	२०.४२	७६.५९
४	अगरतल्ला	त्रिपुरा	२३.५०	९१ १५
५	अछनेरा	यू० पी०	२७.१२	७२ ४५
६	अजन्ता	हैदरावाद	२०.३३	७५ ४८
७	अजमेर	अजमेर	२६.७२	७४ ३९
८	अजयगढ	म० प्र०	२४.५३	८०.१३
९	अटक	पंजाव	३३.५३	७२.१७
१०	अण्डमन	अण्डमन	१२ ०	९२ ४०
११	अनन्तापुर	मैसूर	१४.५	७५.१७
१२	अनूपगढ	पंजाव	२९.१०	७३ ५
१३	अमरावती	वरार	२० ५६	७७ ४७
१४	अम्वर	राजस्थान	२६.५९	७५ ५३
१५	अम्वाला	पंजाव	३० २१	७६ ५०
१६	अम्विकापुर	म० प्र०	२३.१०	८२.५

१७	अमरोहा	यू० पी०	२८ ५४	७८ २५
१८	अमृतसर	पजाब	३१ ३७	७४ ४८
१९	अयोध्या	यू० पी०	२६ ४८	८२ १९
२०	अरान्तक	मद्रास	१०.१०	७९ २
२१	अरावली	राजस्थान	२५ ०	७३.१०
२२	अलमोडा	यू० पी०	२९ ३५	७९ ४१
२३	अलवर	राजस्थान	२७ ३४	७६.४०
२४	अलीगढ	यू० पी०	२७.५५	७८ २५
२५	अलीपुर	वगाल	२२.३२	८४ २४
२६	अलीबाग	वम्वई	१८ ३९	७२ ५५
२७	अलीराजपुर	म० प्र०	२२ ११	७४ २४
२८	अल्लूर	आन्ध्र	१६ ४३	८१.९
२९	अवध	यू० पी०	२६.४५	८२ ०
३०	अवर	राजपूताना	२४ ३६	७२ ४५
३१	अवोर	आसाम	२८ २०	९५.०
३२	असय्य	हैदरावाद	२० १५	७५ ५८
३३	अहमदनगर	वम्वई	१९ ५	७४ ४०
३४	अहमदावाद	,,	२३ ०	७३ ३०
३५	अहमादपुर	पजाव	२९.६	७१ १६
३६	आगरा	यू० पी०	२७ ०	७८ १३
३७	आजमगढ	यू० पी०	२६ १५	८३ १६
३८	आन्ध्र प्रदेश		१७ ०	८१ ०
३९	आरकट	मद्रास	१२ ५०	७९ २६
४०	आरनी	,,	१२ ४०	९९ १९
४१	आरा	विहार	२५ ३०	८४ ०
४२	आसनसोल	वगाल	२३ ४२	८७ १

४३	आसाम	आसाम	२५ २०	९३ ३०
४४	इटारसी	म० प्र०	२० ३०	७७ ५५
४५	इन्द्रवती	मद्रास	१९ ३	८१ ०
४६	इन्दौर	म० प्र०	२२ ४४	७५ ५०
४७	इम्फाल	असम	२४ ४४	९३ ५८
४८	इलाहाबाद	यू० पी०	२५ २८	८१ ५०
४९	उडीसा	उडीसा	२१ १०	८५.०
५०	उज्जैन	मध्य प्रदेश	२३ ९	७५ ४३
५१	उटकमण्ड	मद्रास	११.२४	७६ ४४
५२	उदयपुर	राजस्थान	२४ ३५	७३ ४३
५३	उन्नाव	यू० पी०	२६ ४८	८० ४३
५४	उरई	यू० पी०	२५ ५९	७९ ३०
५५	एटा	यू० पी०	२७ ३५	७८ ४०
५६	एलौरा	आन्ध्र प्रदेश	१६ ४२	८१ १०
५७	ओस्मानाबाद	महाराष्ट्र	१८ ८	७६ ६
५८	औरगाबाद	हैदराबाद	१९.५५	७५ ३०
५९	कच्छ	गुजरात	२२ ३५	६९ ४०
६०	कटक	उडीसा	२० ५८	८५ ५४
६१	कटनी	म० प्र०	२३ ४७	८० २७
६२	कटिहार	बिहार	२५ ३०	८७ ४०
६३	काठियावाड	गुजरात	२२ ०	७१ ०
६४	कन्नौज	यू० पी०	२७ ३	७९ ५८
६५	करनाल	पजाब	२९ ४२	७७ २०
६६	कर्नूल	आन्ध्र प्र०	१५ ५०	७८ ५०
६७	कर्नाटक	दक्षिण भारत	१३ ०	७८ ०
६८	करांची	सिन्ध	२४ ५१	६७ ४

६९	करीमनगर	हैदराबाद	१८ २८	७९ ६
७०	करूर	मद्रास	१० ५८	७८ ७
७१	करौली	राजस्थान	२६ ३०	७७ ४
७२	कल्याण	महाराष्ट्र	१९ १४	७३.१०
७३	कलकत्ता	बगाल	२२ ३८	८८ २१
७४	कलिंगपट्टम्	मद्रास	१८ २०	८४.१०
७५	कसौली	पजाब	१८ २०	८४.१०
७६	कागरा	पंजाब	३० ५३	७७ १
७७	काजीवरम्	मद्रास	१२ ५०	७९ ४५
७८	काथर	विहार	२५ ३०	८७ ४०
७९	कादिरी	मद्रास	१४ ७	७८ १२
८०	काधला	यू० पी०	२३ ०	७० १०
८१	कानपुर	यू० पी०	२४ २८	८० २४
८२	कामवेलपुर	पंजाब	३३ ४७	७२ २३
८३	काम्बे	बम्बई	२२ १९	७२ ३८
८४	कारकल	मद्रास	१० ३४	७९ ४०
८५	कालका	पंजाब	३० ५०	७६ ५९
८६	कालाबाघ	पजाब	३२ ५८	७१ ३६
८७	काश्मीर	काश्मीर	३४ ०	७७ ०
८८	कावली	मद्रास	१४ ५५	८० ३
८९	कालीकट	मद्रास	११ १५	७५ ५९
९०	कालेमियर	मद्रास	१० १८	७९ ५२
९१	किसनगज	विहार	२६ १०	८७ २
९२	किसनगढ	राजस्थान	२७ ५३	७० ४७
९३	किसनगढ	राजस्थान	२६ ३४	७४.५५
९४	कुन्दापुर	मद्रास	१३ ३८	७४ ४४

९५	कुद्दप्पा	मद्रास	१४ ३०	७८ ४५
९६	कुद्दालोर	मद्रास	११ ३०	७९ ४५
९७	कुन्नूर	मद्रास	११ २०	७६ ५०
९८	कुमता	बम्बई	१४ २६	७४ २७
९९	कुमारी अन्तरीप	मद्रास	८ ४०	७७ ३६
१००	कुमिल्ला	बगाल	२३ २५	९१ १३
१०१	कुरनूल	मद्रास	१५ ५०	७८ ५
१०२	कुर्ग	दक्षिण भारत	१२ २०	७६ १०
१०३	कृष्णराजधाम	मैसूर	१२ २०	७६ ३२
१०४	केनेनर	मद्रास	११ ५२	७५ २५
१०५	केरल	दक्षिण भारत	१० ०	७६ २५
१०६	कोकोनाडा	मद्रास	१६ ५७	८२.१५
१०७	कोचीन	केरल	९ ५८	७६ १७
१०८	कोटाराज्य	राजस्थान	२५ १०	७५ ५२
१०९	कोटद्वार	यू० पी०	२९ ४३	७८ ३३
११०	कोडिकनाल	मद्रास	१० १३	७६ ३२
१११	कोलार	मैसूर	१३ ९	७८ ११
११२	कोलूर	मद्रास	१३ ५३	७४ ५३
११३	कोल्हापुर	महाराष्ट्र	१६ ४२	७४ १६
११४	कोहिमा	आसाम	२५ ३८	९४ १०
११५	क्वामटोर	मद्रास	११ ०	७७ ०
११६	खण्डवा	म० प्र०	२१ ५०	७६.२३
११७	खदरो	बम्बई	२६ ९	६८ ४७
११८	खनियाधाना	म० प्र०	२५ १	७८ ७
११९	खुरजा	यू० पी०	२८ १५	७७ ५०
१२०	खुलना	बंगाल	२२ ४९	८९ ३७

१२१	खेरकी	बम्बई	११ ३३	७३.५४
१२२	खेरलू	बरौदा	२३ ५४	७२ ४०
१२३	खैरपुर	बम्बई	२७ २८	६८ ४४
१२४	गढवाल	यू० पी०	३० १५	७९.३०
१२५	गया	बिहार	२४ ४५	८५ ०
१२६	ग्वालियर	म० प्र०	२६ १४	७८.१०
१२७	ग़ाजियाबाद	यू० पी०	२८ ४०	७७ २८
१२८	गाज़ीपुर	यू० पी०	२५.३४	८३ ३५
१२९	गारो	असम	२५ ३०	९० ३०
१३०	गुजरात	गुजरात	२३ ०	७२ ३०
१३१	गुजरानवाला	पंजाब	३२ १०	७४ १४
१३२	गुटकुल	आन्ध्र	१५ ११	७७ २५
१३३	गुडगॉव	पंजाब	२८ ३७	७७ ४०
१३४	गुना	म० प्र०	२४ ४०	७७ २०
१३५	गुन्तूर	आन्ध्र प्र०	१६ १८	८० २९
१३६	गुरदासपुर	पजाब	३२ ३०	७५ २७
१३७	गोआ	भारत	१५ ३०	७३.५७
१३८	गोडा	यू० पी०	२६ २८	८२ १०
१३९	गोरखपुर	यू० पी०	२६ ४५	८३ २४
१४०	गोलका	बंगाल	२३ ५०	८९ ४६
१४१	गोलपारा	असम	२६ ११	९० ४१
१४२	गोलकुण्डा	हैदराबाद	१७ २३	७८ २७
१४३	गोहाटी	आसाम	२६ ११	९१ ४७
१४४	गगानगर	राजस्थान	२९ ४९	७३.५०
१४५	गजाम	उडीसा	१९ २०	८५.६
१४६	चकराता	यू० पी०	३० ४३	७७ ५४

१४७	चटगाँव	वंगाल	२२ २१	९२ ५३
१४८	चण्डीगढ	पजाव	३०.४२	७६ ५४
१४९	चतरापुर	मद्रास	१९ २१	८५ ३
१५०	च दौमी	उ० प्र०	२८ २७	७८ ४९
१५१	चन्द्रनगर	वगाल	२२ ५२	८८ २५
१५२	चाइंवामी	विहार	२२ ३३	८५ ५१
१५३	चाँदपुर	वगाल	२३ १२	९० ४०
१५४	चाँदवाडी	विहार	२२ ४६	८६ ४८
१५५	चाँदा	म० प्र०	१९ ५७	७९ २१
१५६	चाँदोद	वम्बई	२० २०	७४ १९
१५७	चिकमागालूर	मैसूर	१३ १८	७५ ४९
१५८	चिकाकोल	मद्रास	१८ १७	८३ ५७
१५९	चित्तरजन	विहार	२३ ५२	८६ ३९
१६०	चित्तूर	केरल	१० ४३	७६ ०७
१६१	चित्तौर	राजपूताना	२४ ५४	७८ ५२
१६२	चित्र	मैसूर	१४ १४	७६ २६
१६३	चिदम्बरम्	मद्रास	११ २४	७९ ४८
१६४	चिलाग	काश्मीर	३५ २६	७४ १५
१६५	चुनार	यू० पी०	२५ ८	८२ ५६
१६६	चेरापुजी	असम	२५ १७	९१.४७
१६७	छपरा	विहार	२५ ४६	८४ ४९
१६८	छतरपुर	म० प्र०	२४.५४	७९ ३८
१६९	छिंदवाडा	म० प्र०	२२ २३	७८ ५९
१७०	छोटानागपुर	विहार	२३ ०	८५.०
१७१	जगन्नाथगज	वंगाल	२४ ३९	८९.५०
१७२	जगदलपुर	म० प्र०	१८ ०	८२ ७

१७३	जनकपुर	म० प्र०	२३ ४३	८१ ५०
१७४	जब्बलपुर	म० प्र०	२३.१०	८० ०
१७५	जमशेदपुर	बिहार	२२ ५०	८६.१०
१७६	जमालपुर	बिहार	२५ १९	८६.३२
१७७	जलगाँव	महाराष्ट्र	२१.५०	७५ ४०
१७८	जयनगर	बिहार	२६ ४३	८६ ९
१७९	जागरीन	पजाब	३०.४०	७५ ४०
१८०	जामपुर (जम्बू)	पंजाब	२९ ३९	७० ३८
१८१	जामनगर	गुजरात	२२ ३२	७० ५
१८२	जम्बू	काश्मीर	३२ ४४	७५ ५४
१८३	जालन	हैदराबाद	१९ ५१	७५ ५६
१८४	जालन्धर	पंजाब	३१ १९	७५ १८
१८५	जालपागोडी	बगाल	२६.३२	८८.४६
१८६	जालियानवाला	पंजाब	३२ ४०	७३.३९
१८७	जालौन	यू० पी०	२६ ८	७९ २३
१८८	जूनागढ	काठियावाड	२१ ३१	७० ३६
१८९	जैकोबाबाद	बम्बई	२८ १७	६८ ३९
१९०	जैपुर राज्य	राजस्थान	२६ ५५	७५.५२
१९१	जैसलमेर राज्य	राजस्थान	२६ ५५	७०.५७
१९२	जैसूर	बगाल	२३ १०	८९ १०
१९३	जोधपुर राज्य	राजस्थान	२६ १८	७३ ४
१९४	जौनपुर	यू० पी०	२५ ४२	८२ ५५
१९५	जौरा	म० प्र०	२३ ४२	७५ ५
१९६	झालरापाटन	राजस्थान	२४ ३२	७६ १२
१९७	झालावार	राजस्थान	२४ ३५	७६ १०
१९८	झांसी	यू० पी०	२५ ४०	७८ ४९

१९९	टाटानगर	विहार	२२ ५०	८६ १०
२००	टीकमगढ	म० प्र०	२४ ४५	७८ ५३
२०१	टोंक राज्य	राजस्थान	२६ ११	७५ ५०
२०२	ट्रावंकोर	ट्रावकोर स्टेट	९ ०	७७ ०
२०३	डलहौजी	पजाव	३२ ३२	७६ ०
२०४	डालटेनगंज	विहार	२४ २	८४ १०
२०५	डिवरूगढ	आसाम	२७ ३८	९४ ५५
२०६	डीमापुर	आसाम	२५ ५१	९३ ४८
२०७	डेगइसमाईलखाँ	पजाव	३१ ४९	७० ५२
२०८	डेरागाजीखाँ	पजाव	३० ५	७० ५२
२०९	ढाका	पू० व० पाकि०	२३ ४३	९० २६
२१०	तिरुपती	मद्रास	१३ ४०	७९ २०
२११	त्रिचनापल्ली	मद्रास	१० ५०	७८ ४६
२१२	त्रिपुरा	वगाल	२६ ४५	९१ ३०
२१३	तेंजौर	मद्रास	१० ४७	७९ १०
२१४	दतिया	म० प्र०	२५ ३९	७८ २१
२१५	दरभगा	विहार	२६ १०	८५ ५७
२१६	दानापुर	विहार	२५ ५८	८५.५
२१७	दार्जिलिंग	वगाल	२७ ३०	८८ १८
२१८	दिनाजपुर	वगाल	२५ ३७	८८ ४०
२१९	दिल्ली	दिल्ली	२८ ३८	७७ १२
२२०	दुमका	विहार	२४ ३०	८७ २०
२२१	दुमदुम	वगाल	२७ ३५	९४ ४०
२२२	द्रुग	म० प्र०	२१ १५	८१ १७
२२३	देमन	वम्बई	२२ २५	७२ ५३
२२४	देवघर	विहार	२४ ३०	८६ ४५

२२४	देहरादून	उ० प्र०	३० २०	७८ ५
२२५	दोहद	म० प्र०	२२ ५७	७४ २०
२२६	दौलताबाद	हैदराबाद	१९ ५७	७५ १५
२२७	धनबाद	बिहार	२३ ४७	८६ ३०
२२८	धर्मपुरी	मद्रास	१२ १०	७८ ५
२२९	धार	म० प्र०	२२ ४०	७५ ५
२३०	धारनपुर	बम्बई	२० ३२	७३ १३
२३१	धारवाड	मैसूर	१५ ३९	७५ ५९
२३२	धूलिया	बम्बई	२१ ०	७४ ५६
२३३	धूबडी	आसाम	२६ २	९० ०
२३४	धेनकानल	उडीसा	२० ३५	८५ ३०
२३५	धौलपुर राज्य	राजस्थान	२६ ४५	७७ ५८
२३६	नागपुर	महाराष्ट्र	२१ ५	७९ ५
२३७	नरसिंहपुर	म० प्र०	२२ ५७	७९ १५
२३८	नारायणगज	बगाल	२३ २७	९० ३२
२३९	नासिक	बम्बई	२० २	७३ ५०
२४०	नीमच	म० प्र०	२४ २७	७४.५२
२४१	नेरौल	मद्रास	१४ २७	८२ २
२४२	नैनीताल	उ० प्र०	२९ २३	७९ ३०
२४३	पचमढी	म० प्र०	२२ ३०	७८ २२
२४४	पटना	बिहार	२५ ३५	८५ १०
२४५	पटियाला	पंजाब	३० २०	७६ २५
२४६	पलामू	बिहार	२३ ५२	८४ १७
२४७	पाटन	बडौदा	२३ ५२	७२ १०
२४८	पालघाट	मद्रास	१० ४६	७६ ४२
२४९	पाण्डुचेरी	मद्रास	११ ५६	७९ ५३

२५०	पानीपत	पजाव	२९ २३	७७ १
२५१	पारसनाथ	विहार	२४ ०	८६ ११
२५२	पालामऊ	विहार	२३ ५२	८४ १७
२५३	पोलीभीत	उ० प्र०	२८ ३८	७९ ५१
२५४	पुलिया	विहार	२३ २०	८५ २५
२५५	पुरी	उ० प्र०	३० ९	७८ ४९
२५६	पुरी	विहार	१९ ४८	८५ ५२
२५७	पुड्डुकोट्टे	मद्रास	१० २३	७८ ५२
२५८	पूणिया	विहार	२५ ४९	८७ ३१
२५९	पूना	वम्वई	१९ ०	७२ ५५
२६०	पेशावर	सीमाप्रान्त	३४ १५	७६ २५
२६१	प्रतापगढ	राजस्थान	२४ २	७४.४०
२६२	फतेहगढ	उ० प्र०	२७ २३	७९ ४०
२६३	फतेहपुर	राजस्थान	२८ ०	७५ २
२६४	फतेहपुर सीकरी	उ० प्र०	२७ ६	७७ ४२
२६५	फरीदकोट	पंजाव	३० ४०	७४.५७
२६६	फरीदपुर	वंगाल	२३ ३६	८९ ५३
२६७	फरूखावाद	उ० प्र०	२७ २४	७९ ३७
२६८	फलटन	वम्वई	१८ ०	७४ २९
२६९	फिरोज़पुर	पंजाव	३० ५५	७४ ४०
२७०	फैजावाद	उ० प्र०	२६ ४७	८२ १२
२७१	वक्सर	विहार	२५ ३४	८४ १
२७२	वखसार	राजस्थान	२४ ४३	७१.९
२७३	वघेलखण्ड	म० प्र०	२४ १०	८२ ०
२७४	वटोच	वम्वई	२१ ४५	७३ ०
२७५	वडोदा	वम्वई	२२ ०	७३ ३०

२७६	वद्रीनाथ	उ० प्र०	३०.४५	७३.२५
२७७	वनारस	उ० प्र०	२५ १५	८३ ०
२७८	वम्वई	वम्वई	१८ ५५	७२ ५४
२७९	वर्द्धमान	वंगाल	२३ १६	८७ ५४
२८०	वर्धा	म० प्र०	२४ ४५	७८ ३९
२८१	वरहमपुर	वंगाल	२४ ५	८८ १०
२८२	वरहमपुर	मद्रास	१९ १८	८४ ४८
२८३	वरार	म० प्र०	२० १५	७७ ३०
२८४	वरौदा	म० प्र०	२२ २२	७३ १७
२८५	वरेली	उ० प्र०	२८ १५	७९ ३०
२८६	वलिया	उ० प्र०	२४ ४४	८४ ११
२८७	वलैरी	मद्रास	१५ ४५	७४ ३०
२८८	वस्तर	म० प्र०	१९ ३०	८१ ३०
२८९	वस्ती	उ० प्र०	२६ ४५	८२ ५८
२९०	वहराइच	उ० प्र०	२७.३४	८१ ३८
२९१	वाकरगज	वगाल	२२ २९	९० १८
२९२	वारकपुर	वंगाल	२२.४६	८८ २४
२९३	वारमेर	राजस्थान	२५ ४९	७१ ३२
२९४	वारन	राजस्थान	२५ ३	७६ ३०
२९५	वारपेट	आसाम	२६ २०	९१ ३
२९६	वारमूला	काश्मीर	३४.१५	७४ २५
२९७	वारसी	वम्वई	१८ १३	७५.४४
२९८	वारौनी	म० प्र०	२२.३	७४ २७
२९९	वालासोर	विहार	२१.३०	८६ ५४
३००	वालाघाट	म० प्र०	१८ ५८	७६ ०
३०१	वालगिर	उडीसा	२० ५०	८३ २५

३०२	वालोचा	राजस्थान	२५ ४९	७२.२१
३०३	वामवा	मद्रास	१८ ५३	८४ ३८
३०४	वासिईम	वरार	२०.३	७७.०
३०५	विमलीपट्टम्	मद्रास	१७ ५३	८३ ३०
३०६	विलासपुर	म० प्र०	२२ ५	८२ १३
३०७	विलोचिस्तान	सीमाप्रान्त	२८ ०	६५ ०
३०८	वीकानेर	राजस्थान	२१ ४३	७३.२
३०९	वीजापुर	वम्बई	१६ ५०	७५ ४७
३१०	वुकुर	वम्वई	२७ ४०	६८ ५६
३११	वुन्देलखण्ड	उ० प्र०	२४ ४०	८० ०
३१२	वुरहानपुर	म० प्र०	२१ १७	७६ १६
३१३	वुलसार	वम्वई	२० ३६	७२ ५९
३१४	वूँदी	राजस्थान	२५ २७	७५ ४१
३१५	वेतिहा	विहार	२६ ५९	८४ ३८
३१६	वेरहमपुर	वगाल	२४ १०	८८ २०
३१७	वेल्लरे	मद्रास	१५ १२	७७ ५
३१८	वेलगांव	वम्बई	१५ ४२	७४ ४०
३१९	वेंगलोरु	मैसूर	१२ ५८	७७ ३०
३२०	वोगरा	वगाल	२४ ५१	८८ २६
३२१	वेलोनिया	त्रिपुरा	२३ १५	९१ २५
३२२	वोनीगढ	विहार	२१ ४५	८५ ०
३२३	वोव्वली	मद्राम	१८ ३४	८३ ४५
३२४	व्रह्मनी राज्य		२० ५२	८५ ४०
३२५	भटिण्डा	पजाव	३० ११	७५ ०
३२६	भण्डारा	म० प्र०	२१ ८	७९ ४०
३२७	भदोरा	म० प्र०	२४ ४८	७०.२६

३२८	भद्रक	उडोसा	२१ ०	८५.३३
३२९	भरतपुर राज्य	राजस्थान	२७ १९	७७.५०
३३०	भमरगढ	,,	१९ ३०	८० ३०
३३१	भागलपुर	विहार	२५ १२	८६ ५२
३३२	भावनगर	बम्वई	२१ ५९	७२ १९
३३३	भीमा	मैसूर	१७ २५	७६ ०
३३४	भुज	कच्छ	२३ १०	६९ ४५
३३५	भुवनेश्वर	उड़ोसा	२० १०	८५ ५०
३३६	भुसावल	बम्वई	२१ १०	७५ ५८
३३७	भेलसा	म० प्र०	२३.३२	७७ ५१
३३८	भोपाल	म० प्र०	२३ १५	७७ ३०
३३९	मसूरी	उ० प्र०	३० २३	७८.१०
३४०	मऊ	उ० प्र०	२५ १५	७९.११
३४१	मन्दसौर	म० प्र०	२४.५	७५ ०
३४२	मछलीपट्टम्	मद्रास	१६ २	८१ १२
३४३	मथुरा	उ० प्र०	२७ ३९	७७ ४८
३४४	मण्डला	म० प्र०	२२ ४५	८० २६
३४५	मदारीपुर	वगाल	२३ १४	९० १५
३४६	मद्रास	मद्रास	१३ ४	८८ १७
३४७	मदुरा	मद्रास	९ ५०	७८ ५०
३४८	मधुपुर	विहार	२४ १८	८६ ३७
३४९	मधुवनी	विहार	२६ २१	८६ ७
३५०	मनीपुर	आसाम	२४ ४४	९ ४०
३५१	मलावार	बम्बई	१२ ०	७५ २५
३५२	महावलेश्वर	वम्बई	१७ ५८	७३.४३
३५३	महोवा	उ० प्र०	२५ १८	७९.५५

३५४	महवूवनगर	मैसूर	१६ ४५	७७ ५५
३५५	मानिकपुर	उ० प्र०	२५ ४	८१ ८
३५६	मालिकपुर	वरार	२० ५३	७६ १७
३५७	मालवा	म० प्र०	२३ ४०	७५ ३०
३५८	मालखान	मैसूर	१६.०	७३ ५०
३५९	मिर्जापुर	उ० प्र०	२५.७	८२ २
३६०	मुकामा	विहार	२५ २४	८५ ५५
३६१	मुगलपुरा	पजाव	३१.३१	७४ २४
३६२	मुगेर	विहार	२५.२३	८६ ३०
३६३	मुजफ्फरगढ	पजाव	३० ५	७१.१४
३६४	मुजफ्फरनगर	उ० प्र०	२९ २७	७७ ४०
३६५	मुजफ्फरपुर	विहार	२६ ५	८५ २९
३६६	मुर्शिदावाद	वगाल	२४ ११	८८.१९
३६७	मुरादावाद	उ० प्र०	२८ ५१	७८ ४९
३६८	मुरार	म० प्र०	२६ १३	७८.११
३६९	मुलतान	पजाव	३० १२	७१ ३१
३७०	मुसलीपट्टम	आन्ध्र	१६ १२	८१ १२
३७१	मेदनीपुर	वगाल	२२ २५	८७ २१
३७२	मेरठ	उ० प्र०	२९ १	७७.४५
३७३	मेवाड	राजस्थान	२५ ४०	७३ ३०
३७४	मेंगलूर	मद्रास	१२ ५८	७५.०
३७५	मैनपुरी	उ० प्र०	२७ १४	७९ ३
३७६	मैसूर	मैसूर	१२ १८	७६ ३७
३७७	मोतिहारी	विहार	२६ ४०	८४ १७
३७८	रतलाम	म० प्र०	२३ ३१	७५ ७
३७९	राजकोट	वम्बई	२२.१८	७०.५६

३८०	राजनादगाँव	म० प्र०	२१ ५	८१ ५
३८१	रानीगज	बगाल	२३ ३६	८७ ९
३८२	रामगढ	राजस्थान	२७ २५	७० २०
३८३	रामगढ	विहार	२३ २३	८५ ३०
३८४	रामटेक	महाराष्ट्र	२१ २०	७९ १५
३८५	रामपुर	उ० प्र०	२८ ४८	७९ ५
३८६	रायगढ	म० प्र०	२१ ५४	८३ २६
३८७	रायपुर	म० प्र०	२१ १५	८१ ४१
३८८	रायबरेली	उ० प्र०	२६ १४	८१ १६
३८९	रावलपिण्डी	पजाव	३३ ३७	७३.६
३९०	राँची	विहार	२३ २३	८५.२३
३९१	रुडकी	उ० प्र०	२९ ५२	७७ ५३
३९२	रुहेलखण्ड	उ० प्र०	२८ ३०	७९ ०
३९३	लखनऊ	उ० प्र०	२६ ५५	८० ५९
३९४	ललितपुर	उ० प्र०	२४ २२	७८ २८
३९५	लश्कर	म० प्र०	२६ १०	७८.१०
३९६	लारकन	बम्बई	२७ ३३	६८ १५
३९७	लाहौर	पजाब	३१ २७	७४ २६
३९८	लुधियाना	पजाब	३० ५५	५.५४
३९९	लोदराना	पजाब	२९ ३२	७१ ४७
४००	विजगापट्टम्	मद्रास	१७ ४२	८३ २०
४०१	विजयनगरम्	मद्रास	१५ २०	७६ ३०
४०२	ब्यावर	राजस्थान	२६ ६	७४ २१
४०३	शाहजहाँपुर	उ० प्र०	७० ५४	७९.२७
४०४	शिमला	पजाब	३१ ६	७७ १३
४०५	शिवपुरी	म० प्र०	२५.४०	७७ ४४
४०६	शोलापुर	महाराष्ट्र	१७ ४०	७५ ५६
४०७	श्रीनगर	काश्मीर	३४.६	७४ ५१
४०८	सतारा	बम्बई	१७ ४१	७४ १

४०९	नमराम	विहार	२४.५७	८४ ३
४१०	महारनपुर	उ० प्र०	२९ ५८	७७.२३
४११	सागर	म० प्र०	२३.५०	७८ ५०
४१२	साँगली	वम्बई	१६.५२	७४ ३६
४१३	स्यालकोट	पजाव	३२.३१	७४ ३६
४१४	मिरोही	राजस्थान	२४ ५३	७२ ५४
४१५	मिलहट	आसाम	२४.५३	९१ ५४
४१६	मिलीगुडी	वगाल	२६.४२	८८ २५
४१७	सिवान	विहार	२६ २	८४.७
४१८	मिवनी	म० प्र०	२२ ६	७९ ३५
४१९	मीतापुर	उ० प्र०	२७.३२	८०.४३
४२०	सीतामढी	विहार	२६.३५	८५ ३२
४२१	सुन्दरवन	वगाल	२२ ०	८९.०
४२२	सुलतानपुर	उ० प्र०	२६.१६	८२.७
४२३	मूरत	वम्वई	२१.१२	७२.५२
४२४	मोमनाथ	वम्वई	२१ ४	७०.२६
४२५	शोलापुर	वम्वई	१७.४०	७५ ५६
४२६	हरदोई	उ० प्र०	२७.३०	८०.५
४२७	हरद्वार	उ० प्र०	३०.०	७८°०९
४२८	हापुड	उ० प्र०	२८ ४५	७७.४०
४२९	हासी	पंजाव	२९ ५	७५ ५५
४३०	हिम्मतनगर	गुजरात	२३ ३७	७२ ५७
४३१	हिमाचल प्रदेश		३१ ३०	७७.०
४३२	हुव्वली	वम्वई	१५.२०	७२ १२
४३३	हैदरावाद	दक्षिण भारत	१७ २०	७८ ३०
४३४	होशगावाद	म० प्र०	२२ ४६	७० ४५

नोट—यहाँ २२ ६ का अर्थ २२ अंश ६ कला तथा ७९ २५ का अर्थ ७° अंश २५ कला है। अर्थात् जो नगरोंके अक्षांश और रेखांशोके अंक दिये गये हैं, वे अंश और कला है।

वेलान्तर सारणी

	जनवरी	फरवरी	मार्च	अप्रैल	मई	जून	जुलाई	अगस्त	सितम्बर	अक्तूबर	नवम्बर	दिसम्बर
	मि०	मि०	मि०	मि०	मि०	मि०	मि०	मि०	मि०	मि०	मि०	मि०
१	—४	—१४	—१२	—४	+३	+२	—४	—६	+०	+१०	+१६	+११
२	—४	—१४	—१२	—४	+३	+२	—४	—६	+०	+११	+१६	+१०
३	—५	—१४	—१२	—३	+३	+२	—४	—६	+१	+११	+१६	+१०
४	—५	—१४	—१२	—३	+३	+२	—४	—६	+१	+११	+१६	+१०
५	—६	—१४	—१२	—३	+४	+२	—४	—६	+१	+१२	+१६	+९
६	—६	—१४	—११	—२	+४	+२	—४	—६	+२	+१२	+१६	+९
७	—७	—१४	—११	—२	+४	+१	—५	—६	+२	+१२	+१६	+८
८	—७	—१४	—११	—२	+४	+१	—५	—५	+२	+१२	+१६	+८
९	—७	—१४	—११	—२	+४	+१	—५	—५	+३	+१३	+१६	+७
१०	—८	—१४	—१०	—१	+४	+१	—५	—५	+३	+१३	+१६	+७
११	—८	—१४	—१०	—१	+४	+१	—५	—५	+३	+१३	+१६	+६
१२	—९	—१४	—१०	—१	+४	+०	—५	—५	+४	+१४	+१६	+६
१३	—९	—१४	—१०	—०	+४	+०	—५	—५	+४	+१४	+१६	+६
१४	—९	—१४	—९	—०	+४	—०	—६	—४	+५	+१४	+१५	+५
१५	—१०	—१४	—९	+०	+४	—०	—६	—४	+५	+१४	+१५	+५
१६	—१०	—१४	—९	+०	+४	—०	—६	—४	+५	+१४	+१५	+४

	जनवरी	फरवरी	मार्च	अप्रैल	मई	जून	जुलाई	अगस्त	सितम्बर	अक्तूबर	नवम्बर	दिसम्बर
१७	—१०	—१४	—८	+१	+४	—१	—६	—४	+६	+१५	+१५	+४
१८	—११	—१४	—८	+१	+४	—१	—६	—४	+६	+१५	+१५	+३
१९	—११	—१४	—८	+१	+४	—१	—६	—३	+६	+१५	+१४	+३
२०	—११	—१४	—८	+१	+४	—१	—६	—३	+७	+१५	+१४	+२
२१	—१२	—१४	—७	+१	+४	—२	—६	—३	+७	+१५	+१४	+२
२२	—१२	—१४	—७	+२	+४	—२	—६	—३	+७	+१५	+१४	+१
२३	—१२	—१४	—७	+२	+३	—२	—६	—२	+८	+१६	+१३	+१
२४	—१२	—१३	—६	+२	+३	—२	—६	—२	+८	+१६	+१३	+०
२५	—१३	—१३	—६	+२	+३	—२	—६	—२	+८	+१६	+१३	+०
२६	—१३	—१३	—६	+२	+३	—३	—६	—२	+९	+१६	+१२	—१
२७	—१३	—१३	—५	+२	+३	—३	—६	—१	+९	+१६	+१२	—१
२८	—१३	—१३	—५	+३	+३	—३	—६	—१	+९	+१६	+१२	—२
२९	—१३	—१२	—५	+३	+३	—३	—६	—१	+१०	+१६	+११	—२
३०	—१४	×	—४	+३	+३	—३	—६	—०	+१०	+१६	+११	—३
३१	—१४	×	—४	×	+३	×	—६	—०	×	+१६	×	—३

इष्टकाल बनानेके नियम—स्थानीय सूर्योदय, सूर्यास्त और दिनमान बनानेके पश्चात् जन्मसमयको स्थानीय धूपघडीके अनुसार बना लेना चाहिए। अनन्तर निम्न चार नियमोसे जहाँ जिसका उपयोग हो, उसके अनुसार घटचादिरूप इष्टकाल निकाल लेना चाहिए।

१—सूर्योदयसे लेकर १२ बजे दिनके भीतरका जन्म हो तो जन्म-समय और सूर्योदयकालका अन्तर कर शेपको ढाई गुना (२$\frac{१}{२}$) करनेसे घटयादि इष्टकाल होता है जैसे मान लिया कि आरा नगरमें वि० सं २००१ वैशाख शुक्ला द्वितीया सोमवारको प्रात काल ८ बजकर १५ मिनिटपर किसीका जन्म हुआ है। पहले इस स्टैण्डर्ड टाइमको स्थानीय समय बनाना है। अत आराके रेखाश और स्टैण्डर्ड टाइमसे रेखाशका अन्तर कर लिया तो—(८४।४०)—(८२। ३०) = (२'+१०) इसे ४ मिनिटसे गुणा किया तो—८ मिनिट ४० सेकेण्ड आया। स्टैण्डर्ड टाइमके रेखाशसे आराका रेखाश अधिक है, इसलिए इस फलको स्टैण्डर्ड टाइममे जोडा—

८।१५।०
 ८।४०
―――――
८।२३।४० देशान्तर सस्कृत समय

२४ अप्रैलको वेलान्तर सारणीमे दो मिनिट धन सस्कार लिखा है, अत उसे जोडा तो—(८।२३।४०) + (०।२।०) = ८।२५।४० आराका समय हुआ, यही बालकका जन्मसमय माना जायेगा। उपर्युक्त नियमके अनुसार इष्टकाल बनानेके लिए आराका सूर्योदय इस जन्मदिनका निकालना है, पहले उदाहरणमे इस दिनका सूर्योदय ५।३४।४८ बजे आया है। अतएव—

८।२५।४० जन्मसमयमें-से
५।३४।४८ सूर्योदयको घटाया
―――――
२।५०।५५—इसे ढाई गुना किया—(२।५०।५२) × $\frac{५}{२}$ = ७।७।१० घटयादि इष्टकाल हुआ।

२—यदि १२ वजे दिनसे सूर्यास्तके अन्दरका जन्म हो तो जन्मसमय और सूर्यास्तकालका अन्तर कर शेपको ढाई गुना कर दिनमानमें-से घटाने-पर इष्टकाल होता है। उदाहरण—वि० म २००१ वैशाख शुक्ला द्वितीया सोमवारको २ वजकर २५ मिनिटपर आरामें जन्म हुआ है। समय शुद्ध करनेके लिए देशान्तर और वेलान्तर दोनो सस्कार किये—(२।२५) +(०।८।४० देशान्तर)+(०।२।० वेलान्तर) = २।३५।४० आराका जन्मसमय। सूर्यास्त पहले उदाहरणमे ६।२५।१२ और दिनमान ३२ घटी ६ पल निकाला गया है अत ६।२५।१२ सूर्यास्तमें-से

२।३५।४० जन्मसमयको घटाया

३।४९।३२ इसे ढाई गुना किया

(३।४९।३२) × $\frac{5}{2}$ = ९।३३।५० फल आया, इमे दिनमानमें-से घटाया—

३२। ६ दिनमानमें-से

९।३३।५० को घटाया

२२।३२।१०

३—सूर्यास्तसे १२ वजे रात्रिके भीतरका जन्म हो तो जन्मसमय और सूर्यास्तकालका अन्तर कर गेपको ढाई (२$\frac{1}{2}$) गुना कर दिनमानमे जोड देनेसे इष्टकाल होता है। उदाहरण—वि० स० २००१ वैशाख शुक्ला द्वितीया मोमवारको रातके १० वजकर ४५ मिनिटपर आरा नगरमें किसी वच्चेका जन्म हुआ है। पूर्ववत् यहांपर भी देशान्तर और वेलान्तर सस्कार किये—(१०।४५) + (०।८।४०) + (०।२।०) = १०।५५।४० जन्मसमय—१०।५५।४० जन्मसमयमें-से

६।२५।१२ सूर्यास्तकालको घटाया

४।३०।२८ इसे ढाई गुना किया—(४।३०।२८) × $\frac{5}{2}$

११।१६।१० फल आया, इमे दिनमानमे जोडा—३२। ६। ० दिनमान

११।१६।१० फल

इष्टकाल घट्यादि हुआ। ४३।२२।१०

४—यदि रातके १२ बजेके पश्चात् और सूर्योदयके पहलेका जन्म हो तो सूर्योदयकाल और जन्मसमयका अन्तर कर शेषको ढाई (२½) गुना कर ६० घटीमें-से घटानेपर इष्टकाल होता है। उदाहरण—वि० स० २००१ वैशाख शुक्ला द्वितीया सोमवारको रातके ४ बजकर १२ मिनिटपर जन्म हुआ है। अतएव (४।१५।०) + (०।८।४० देशान्तर) + (०।२।० वेलान्तर) = ४।२५।४० संस्कृत जन्मसमय हुआ।

५।३४।४८ सूर्योदयमें-से
४।२५।४० जन्मसमयको घटाया

१। ९।८ (१।९।८) × ५/२ = २।५२।५० फल,
६०। ०। ० मे-से घटाया
२।५२।५०

५७। ७।१० इष्टकाल हुआ।

५—सूर्योदयसे लेकर जन्मसमय तक जितने घण्टा, मिनिट और सेकेण्ड हो, उन्हे ढाई गुना कर देनेसे घट्यादि इष्टकाल होता है। उदाहरण—वैशाख शुक्ला द्वितीया सोमवारको दिनके ४ बजकर १५ मिनिटपर आरामें जन्म हुआ है। अतएव—

(४।१५।०) + (०।८।४० देशान्तर) + (०।२।० वेलान्तर) = ४।२५।४० जन्मसमय। सूर्योदय ५।३४।४८ पर होता है, इसलिए गणना करनेपर सूर्योदयसे लेकर जन्मसमय तक १० घण्टे ५० मिनिट ५२ सेकेण्ड हुए। इनको ढाई गुना किया—(१०।५०।५२) × ५/२ = २७।७।१० घट्यादि इष्टकाल हुआ।

भयात[1] और भभोग साधन

यदि पचाग अपने यहाँका नही हो तो पचागके तिथि, नक्षत्र,

---

१ गतर्क्षघट्या गगनाङ्कशुद्धा. द्विष्ठा. क्रमादिष्टघटीप्रयुक्ता॰।
इष्टर्क्षनाडीसहिताश्च कार्या भयातभोगौ भवतः क्रमण ॥
—दशामञ्जरी, नि० ब० १६२२ ई०, श्लो० २।

योग और करणके घटी, पलोंमें देशान्तर संस्कार करके अपने स्थान—जहाँकी जन्मपत्री बनानी हो, वहाँके नक्षत्रका मान निकाल लेना चाहिए।

यदि इष्टकालसे जन्मनक्षत्रके घटी, पल कम हो तो जन्मनक्षत्र गत और आगामी नक्षत्र जन्मनक्षत्र कहलाता है तथा जन्मनक्षत्रके घटी, पल इष्टकालके घटी, पलोंमे अधिक हो तो जन्मनक्षत्रसे पहलेका नक्षत्र गत और वर्तमान नक्षत्र जन्मनक्षत्र कहलाता है। गत नक्षत्रके घटी, पलोको ६० मे-से घटानेपर जो शेष आवे उसे दो जगह रखना चाहिए, एक स्थानपर इष्टकालको जोड देनेसे भयात और दूसरे स्थानपर जन्मनक्षत्र जोड देनेपर भभोग होता है।

उदाहरण—वि० स० २००१ वैशाख शुक्ला द्वितीयाको आरामे दिनके २ बजकर २५ मिनिटपर किसी बच्चेका जन्म हुआ है। इस समयका पूर्व नियमके अनुसार इष्टकाल २२।३२।१० है। इस दिन भरणी नक्षत्रका मान बनारसके विश्वपचांगमें ६।२७ लिखा है। पहले इस नक्षत्रमानको आराका बना लेना है।

८४।४० आरा रेखांशमें-से
८३। ० बनारसका रेखांश घटाया
१।४०

१।४० को ४ मिनिटमे गुणा किया अर्थात् अंशोको गुणा करनेपर मिनिट और कलाओंको गुणा करनेपर सेकेण्ड होते हैं। (१।४०) × ४ = ६।८० यह मिनिटादि है, इसे घटचादि बनानेकी विधि यह है कि मिनिटोको २½ से गुणा करनेपर पल और सेकेण्डोको २½ से गुणा करनेपर विपल होते हैं। अतएव—(६।४०) × $\frac{5}{2}$ = १६।४० पलादिमान। यह बनारसमे आराका देशान्तर संस्कार धनात्मक हुआ। क्योंकि बनारसके रेखांशसे आरा रेखांश अधिक है। इस संस्कार-द्वारा तिथि, नक्षत्र, योग आदिका मान आरामें निकाला जायेगा—

६।२७।० बनारसमे भरणीका प्रमाण
१६।४० देशान्तर सस्कार
६।४३।४० भरणी नक्षत्र आरामे हुआ।

प्रस्तुत उदाहरणमें इष्टकाल २२।३२।१० है, इसके घटो, पल जन्म-नक्षत्र भरणीके घटी, पलोसे अधिक है, अतएव भरणी गत नक्षत्र और कृत्तिका जन्मनक्षत्र माना जायेगा।

६०। ०। ० मे-से
६।४३।४० भरणीके मानको घटाया।
५३।१६।२०—इसे दो स्थानोमे रखा।

५।११।० बनारसमे कृत्तिकाका मान
१६।४० देशान्तर
५।२७।५० आरामें कृत्तिका नक्षत्रका मान

५३।१६।२० मे	५३।१६।२० मे
२२।३२।१० इष्टकाल जोडा	५।२७।४० जन्मनक्षत्र कृत्तिका जोडा
१५।४८।३० भयात	५८।४४। ० भभोग[1]

लग्न निकालनेकी प्रक्रिया

जन्म समयमें क्रान्तिवृत्तका जो प्रदेश—स्थान क्षितिजवृत्तमें लगता है, वही लग्न कहलाता हैं। दूसरे शब्दोमे यह भी कहा जा सकता है कि दिनका उतना अंश जितनेमे किसी एक राशिका उदय होता है, लग्न कहलाता है। अहोरात्रमे बारह राशियोका उदय होता है, इसीलिए एक दिन-रातमें बारह लग्नोकी कल्पना की गयी है। 'फलदीपिका'में 'राशीनामुदयो लग्नं' अर्थात् एक राशिके उदयकालको लग्न बतलाया है। लग्न-साधनके लिए अपने स्थानका उदयमान जानना आवश्यक है। अत चरखण्डोका साधन निम्न प्रकार करना चाहिए।

---

१ भभोगका मान ६७ घटी तक हो सकता है। ६७ घटीसे अधिक होनेपर हो इसमें ६० का भाग देना चाहिए। भयात सदा भभोगसे कम आता है।

सायन मेष संक्रान्ति या सायन तुला सक्रान्तिके दिन मध्याह्नकालमे १२ अंगुल शंकुकी छाया जितनी हो, उतना ही अपने स्थानकी पलभाका प्रमाण समझना चाहिए। इस पलभाको तीन स्थानोमें रखकर प्रथम स्थानमें १० से, दूसरेमें ८ से और तीसरे स्थानमे $\frac{१०}{३}$ से गुणा करनेपर तीन राशियोके चरखण्ड होते हैं। इनको मेषादि तीन राशियोमे ऋण, कर्कादि तीन राशियोमें धन, तुलादि तीन राशियोमें धन एव मकरादि तीन राशियोमे ऋण करनेसे उदयमान आता है।

आराकी पलभा ५ अगुल ४३ प्रत्यगुल है। इसे तीन स्थानोमें रखकर क्रिया की तो—

(५।४३) × १० = ५७।१०

(५।४३) × ८ = ४५।४४

(५।४३) × $\frac{१०}{३}$ = १९।३

इन चरखण्डोका वेधोपलब्ध पलात्मक राशि-मानमे सस्कार किया तो आराका उदयमान आया—

मेष[1]	२७८—५७।१०	=	२२०।५०	=	मीन
वृष	२९९—४५।४४	=	२५३।१६	=	कुम्भ
मिथुन	३२३—१९।३	=	३०३।५७	=	मकर
कर्क	३२३ + १९।३	=	३४२।३	=	धनु
सिंह	२९९ + ४५।४४	=	३४४।४४	=	वृश्चिक
कन्या	२७८ + ५७।१०	=	३३५।१०	=	तुला

प्रत्येक नगरकी पलभा अपने स्थानके अक्षांशोपर-से आगे दी गयी सारणीपर-से ज्ञात की जा सकती है।

---

१ लङ्कोदयादिघटिका गजभानि २७८ गोङ्क—
दस्रा २९९ स्त्रिपक्षदहनाः ३२३ क्रमगोत्क्रमस्थाः ॥
हीनान्विताश्चरदलैः क्रमगोत्क्रमस्थै—
मेषादिता ३-न उत्क्रमगास्त्विम स्यु ॥—ग्रहलाघव त्रि० प्र० श्लो० ? ।

पलभा ज्ञान सारणी

अक्षाश	पलभा (अगुलात्मक)	अक्षाश	पलभा (अगुलात्मक)
५	१। ३। ०	२२	४।५०।५२
६	१।१५।४४	२३	५। ५।३८
७	१।२८।२३	२४	५।२०।३१
८	१।४१।१०	२५	५।३५।४२
९	१।५४।०	२६	५।५१। ७
१०	२। ६।५४	२७	६। ६।५०
११	२।१९।५५	२८	६।२२।४८
१२	२।३३।०	२९	६।३९। ४
१३	२।४६।१२	३०	६।५५।४१
१४	२।५९।२८	३१	७।१२।३६
१५	३।१२।५४	३२	७।२९।५३
१६	३।२६।२४	३३	७।४७।३१
१७	३।४०। ५	३४	८। ५।३८
१८	३।५३।५६	३५	८।२४। ७
१९	४। ७।५५	३६	८।४३। ५
२०	४।२२। १	३७	९। २।३५
२१	४।३६।२२	३८	९।२२।३०

उदाहरण—आराका अक्षाश २५।३० है, पलभा सारणीमे २५ अक्षाशकी पलभा ५।३५।४२ लिखी है। ३० कलाकी पलभा निकालनेके लिए २५ अश और २६ अशके पलभा कोष्ठकोका अन्तर कर अनुपात-द्वारा ३० कलाकी पलभा निकालकर २५ अक्षाशकी पलभामे जोड देनेसे आराकी पलभा आ जायेगी।

५।५१।७—२६ अशकी पलभामे-से

५।३५।४२—२५ अशकी पलभाको घटाया

१५।२५—एक अश अर्थात् ६० कलाकी पलभा हुई, इसे ३० से गुणा कर ६०का भाग देनेपर ३० कलाकी पलभा आ जायेगी।

१५।२५ × ३० = ४५०।७५० − ६० = ७।४२

५।३५।४२—२५ अशकी पलभामे
  ७।४२—३० कलाकी पलभा जोडी
५।४३।२४। आराकी पलभा हुई

अव जिम समयका लग्न वनाना हो उस समयके स्पष्ट सूर्यमे तात्कालिक स्पष्ट अयनाश जोड देनेसे तात्कालिक सायन सूर्य होता है। इस तात्कालिक सायन मूर्यके भुक्त या भोग्य अशादिको स्वदेशीय उदयमानसे गुणा करके ३० का भाग देनेपर लब्ध पलादि भुक्त या भोग्यकाल होता है—भुक्ताशको स्वोदयसे गुणाकर ३० का भाग देनेपर भुक्तकाल और भोग्याशको स्वोदयसे गुणा कर ३० का भाग देनेपर भोग्यकाल आता है। इम भुक्त या भोग्यकालको इष्ट घटी-पलोमें घटानेसे जो शेप रहे उसमें भुक्त या भोग्य राशियोके उदयमानोको जहाँतक घटा सकें, घटाना चाहिए। शेपको ३० से गुणा कर अशुद्धोदयमान (जो राशि घटी नही है उसके उदयमान) से भाग देनेपर जो अशादि लब्ध आयें, उनको क्रमसे अशुद्ध[1] राशिमें घटाने और शुद्ध राशिमें जोडनेसे सायन स्पष्ट लग्न होता है। इसमें-से अयनाश घटानेपर स्पष्टलग्न आता है।

सूर्य स्पष्ट प्राय पचागोमें प्रतिदिनका दिया रहता है। यद्यपि यह सूर्य-स्पष्ट जन्मसमयके इष्टकालका नही होता है, लेकिन लग्न वनानेका काम साधारणतया इससे चलाया जा सकता है। यहाँ सिर्फ विचार इतना ही करना है कि यदि दिनका जन्म हो तो पहले दिनका सूर्य-स्पष्ट और रातका जन्म हो तो उसी दिनका सूर्य-स्पष्ट काममे लाना चाहिए। इस सूर्य-स्पष्टमें अयनाश जोडकर सायन सूर्य वना लेना चाहिए, तव पूर्वोक्त नियमानुसार क्रिया करनी चाहिए।

उदाहरण—वि० सं० २००१ वैशाख शुक्ला द्वितीया मोमवारको रात्रिमें २२ घटी २२ पल इष्टकालपर किमी वालकका जन्म हुआ है। इम

---

१ जो राशि नष्ट न सके उसे अशुद्ध और जिस राशि तकके उदयमान इष्टकालके पलोंमें नष्ट जायें वह शुद्ध राशि कहलाती है।

इष्टकालका लग्न निकालनेके लिए इस दिनका सूर्य-स्पष्ट ०।१०।२८।५७ लिया । इसमें अयनाश अर्थात्—

२३ अश ४६ कला जोडा तो—

०।१०।२८।५७ सूर्य-स्पष्ट

२३।४६। ० अयनाश

१।४।१४।५७ सायन सूर्य

यहाँ वृपराशिके सूर्यका भुक्ताश ४।१४।५७ है और भोग्याश—

=१।०।०।०—एक राशिमें-से

०।४।१४।५७—भुक्ताश घटाया

२५।४५। ३ भोग्याश

वृप राशिका भोग्याश होनेसे, आराके वृपराशिके उदयमानसे गुणा किया—

२५।४५।३ × २५४ = ६५४०।०।४२।४२ इस सख्याकी प्रथम अंक राशिमे ३०से भाग दिया तो २१८।०।४२।४२ यहाँ पहली अकराशि पल है, आगेवाली राशियाँ विपलादि है। गणित क्रियामें केवल पलोका उपयोग होता है, इसलिए और राशियोका त्याग कर दिया तो—२१८ ही राशि रह गयी ।

इष्टकाल २३।२२के पल वनाये— × ६०

१३८०

२२

१४०२ पल-हुए, इनमे-से

२१८ भोग्य पल घटाये

११८४

३०३ मिथुन

८८१

३४१ कर्क

५४०

{ यहाँ वृपराशिके उदयमानसे गुणा कर निकाला गया था, अत उसमें आगेवाली राशियोके उदयमान घटाये है ।

५८० ३४४ सिंह १९६	यहाँ सिंह तक राशियोके उदयमान इष्टकालके पलोमे-से घट गये है, अत सिंह शुद्ध और कन्या अशुद्ध कहलायेगी ।

१९६ × ३० = ५८८०, इसमे अशुद्ध राशिके उदयमानसे भाग दिया

३३६) ५८८० (१७ अश
　　३३६
　　२५२०
　　२३५२
　　१६८ × ६० =
३३६) १००८० (३०कला
　　१००८
　　×

५।१७।३०।० सायन लग्नमें-से २३।४६।० अयनाश घटाया ४।२३।४४।० यह स्पष्ट लग्न है।	सिंह राशि घट गयी थी, अतएव लग्नके राशि स्थानमें ५ माना जायगा ।

अयनाश निकालनेकी विधि

अयनाश निकालनेकी कई विधियाँ प्रचलित हैं । वर्तमानमे साधारणतया ज्योतिर्विद् ग्रहलाघव, मकरन्द और सूर्यसिद्धान्त इन तीन ग्रन्थोंके आधारपर-से निकालते है । किन्तु मुझे ग्रहलाघव-द्वारा निकाला गया अयनाश ठीक जँचता है । वेध क्रिया-द्वारा भी लगभग इतना ही अयनाश आता है । ग्रहलाघवकी विधि निम्न प्रकार है—

इष्ट शक वर्ष, जो पचागमे लिखा रहता है, उसमें-से ४४४ घटाकर शेपमे ६० का भाग देनेसे अयनाश होता है ।

उदाहरण—शक स० १८६६—४४४ = १४२२ ÷ ६० = २३।४६

मकरन्द-विधि—इष्ट शक वर्षमे-से ४२१ घटाकर शेपको दो स्थानोमे रखे, एक स्थानमे १०से भाग देकर लब्धिको द्वितीय स्थानमे-से घटावे ।

[1] शक वेदाब्धिवेदोन ४४४ षष्टिभक्तोऽयनाशका. ॥ अथवा वेदाब्ध्यब्ध्यून. खरसहृत. शकोऽयनाशा. ।—ग्रहलाघव रविचन्द्र० श्लो० ७ ।

जो शेष आवे उसमे ६० का भाग देनेसे अयनाश आता है।

उदाहरण—शक सं० १८६६ – ४२१ = १४४५,

१४४५ – १० = १४४।३०

१४४५। ० मे-से

१४४।३० को घटाया

१३००। ३० शेष रहा,

१३००।३० – ६० = २१।४० अयनाश हुआ।

लग्नशुद्धिका विचार

जन्मकुण्डलीका सारा फल लग्नके ऊपर आश्रित है, यदि लग्न ठीक न बना हो तो उस कुण्डलीका फल सत्य नही हो सकता है। यद्यपि शहरोमें घडियाँ रहती है, परन्तु उन घडियोके समयका कुछ ठीक नहीं, कोई घडी तेज़ रहती है तो कोई सुस्त। इसके अतिरिक्त जब लग्न एक राशिके अन्त और दूसरी राशिके आदिमे आता है, उस समय उसमे सन्देह हो जाता है। प्राचीन आचार्योंने लग्नके शुद्धाशुद्ध विचारके लिए निम्न नियम बतलाये है, इन नियमोके अनुसार लग्नकी जाँच कर लेना अत्यावश्यक है।

१—प्राणपद एव गुलिकके साधन-द्वारा इष्टकालके शुद्धाशुद्धका निर्णय कर गणितागत लग्नके साथ तुलना करनी चाहिए।

२—इष्टकाल, सूर्य स्थित नक्षत्र, जन्मकालीन चन्द्रमा, मान्दि एव स्त्री-पुरुप-जन्म योग-द्वारा लग्नका विचार करना चाहिए।

३—प्रसूतिका-गृह, प्रसूतिका-वस्त्र एवं उपसूतिका-सख्या आदि उत्पत्ति कालीन वातावरणके निर्णय-द्वारा लग्नका निर्णय करना चाहिए।

४—जातकके शारीरिक चिह्न, गठन, रूप-रग इत्यादि शरीरकी बनावट-द्वारा लग्नका निर्णय करना। जिन्हें ज्योतिप शास्त्रकी लग्नप्रणालीका अनुभव होता है, वे जातकके शरीरके दर्शन मात्रसे लग्नका निर्णय कर लेते हैं।

लग्न

	०	१	२	३	४	५	६	७	८	९	१०	११	१२	१३
मे ०	२ ५० ९	२ ५७ ४७	३ ५ २५	३ १३ ५	३ २० ४८	३ २८ ३५	३ ३६ १८	३ ४८ ६	३ ५२ ०	३ ५९ ४८	४ ७ ४२	४ १५ ३९	४ २३ ४७	४ ३१ ३९
वृ. १	६ ५४ ५९	७ ३ ५२	७ १२ ४९	७ २१ ४७	७ ३० ५२	७ ३९ ५९	७ ४९ ११	७ ५८ २४	८ ७ ४०	८ १७ १	८ २६ २५	८ ३५ ४३	८ ४५ २४	८ ५४ ५९
मि २	११ ४६ ४१	११ ५७ १६	१२ ७ ५५	१२ १८ ३७	१२ २९ ४२	१२ ४० ९	१२ ५१ १९	१३ १ ५१	१३ १२ ४७	१३ २३ ४५	१३ ३४ ४५	१३ ४५ ४८	१३ ५६ ५२	१४ ८ ०
क. ३	१७ २१ १३	१७ ३२ ४४	१७ ४४ १६	१७ ५५ ४९	१८ ७ २२	१८ १८ ५६	१८ ३० २९	१८ ४२ ३	१८ ५३ ३८	१९ ५ ११	१९ १६ ४४	१९ २८ २०	१९ ३९ ५२	१९ ५१ २५
सिं. ४	२३ ६ ३४	२३ १७ ५७	२३ २९ २७	२३ ४० ३९	२३ ५१ ५९	२४ ३ १९	२४ १४ ३९	२४ २५ ५५	२४ ३७ १२	२४ ४८ २८	२४ ५९ ४४	२५ १० ५८	२५ २२ १२	२५ ३३ २५
क ५	२८ ४२ ३६	२८ ५३ ४०	२९ ४ ४६	२९ १५ ४७	२९ २६ ५०	२९ ३७ ५९	२९ ४८ ५७	३० ० २०	३० ११ ५३	३० २२ २१	३० ३३ ८	३० ४४ १३	३० ५५ ४	३१ ६ २०

सारणी

१४	१५	१६	१७	१८	१९	२०	२१	२२	२३	२४	२५	२६	२७	२८	२९	
४ ३९ ४१	४ ४७ ४९	५ ५५ ५७	५ ४ ९	५ १२ २३	५ २० ३९	५ २९ १	५ ३७ २१	५ ४५ ५८	५ ५४ ३५	६ २ ४६	६ ११ २०	६ १९ ५८	६ २८ ३८	६ ३७ २२	६ ४६ ९	मे-०
९ ४ ३७	९ १४ १९	९ २४ ४	९ ३३ ५३	९ ४३ ४६	९ ५३ ४२	१० ३ ४३	१० १३ ४५	१० २३ ५१	१० ३४ ०	१० ४४ १४	१० ५४ ३०	११ ४ ४९	११ १५ १३	११ २५ ३९	११ ३६ ९	वृ०१
१४ १९ ९	१४ ३० २०	१४ ४१ ३२	१४ ५२ ४९	१५ ४ ५	१५ १५ २४	१५ २६ ४४	१५ ८ ६	१५ ४९ २९	१६ ० ५३	१६ १२ १७	१६ २३ ४५	१६ ३५ १४	१६ ४६ ४२	१६ ५८ ११	१७ ९ ४२	मि० २
२० २ ५८	२० १४ ३०	२० २६ ३	२० ३७ ३७	२० ४९ ६	२१ ० ३७	२१ १२ ८	२१ २३ ३७	२१ ३५ १७	२१ ४६ ३५	२१ ५८ ४	२२ ९ ३०	२२ २० ५६	२२ ३२ २२	२२ ४३ ३७	२२ ५५ ११	क० ३
२५ ४४ ३८	२५ ५५ ४९	२६ ७ ०	२६ १८ १०	२६ २९ २५	२६ ४० ३६	२६ ५१ ४९	२७ २ ५१	२७ १३ ५३	२७ २४ ५९	२७ ३६ ६	२७ ४७ १२	२७ ५८ १७	२८ ९ २२	२८ २० २७	२८ ३१ ३२	सिं० ४
३१ १७ २४	३१ २८ २८	३१ ३९ ३३	३१ ५० ३७	३२ १ ४३	३२ १२ ४८	३२ २३ ५४	३२ ३५ ०	३२ ४६ ७	३२ ५७ १९	३३ ९ १०	३३ १९ २६	३३ ३० ३५	३३ ४१ ४९	३३ ५२ २९	३४ ४ ११	क० ५

लग्न

	०	१	२	३	४	५	६	७	८	९	१०	११	१२	१३
तु ६	३४ १५ २२	३४ २६ ३४	३४ ३७ ४८	३४ ४९ २	३५ ० १६	३५ ११ ३१	३५ २२ ४६	३५ ३४ ५	३५ ४५ २१	३५ ५६ ४१	३६ ८ ६	३६ १९ २०	३६ ३० ३३	३६ ४२ ३
वृ० ७	३९ ५७ २	४० ८ ३५	४० २० ८	४० ३१ ४०	४० ४३ १६	४० ५४ ४९	४१ ६ ५२	४१ १७ ५६	४१ २९ ३१	४१ ४१ ४	४१ ५२ ३८	४२ ४ ११	४२ १५ ४३	४२ २७ १६
ध० ८	४५ ४० ५१	४५ ५२ ०	४६ ३ ७	४६ २४ १२	४६ २५ १५	४६ ३६ १५	४६ ४७ १३	४६ ५८ ८	४७ ८ ४१	४७ १९ ५१	४७ ३० १८	४७ ४१ २३	४७ ५२ ४	४८ २ ४४
म० ९	५० ५५ २२	५१ ५ १	५१ १४ ३६	५१ २४ १७	५१ ३३ ३५	५१ ४२ ५९	५१ ५२ १९	५२ १ ३६	५२ १० ४९	५२ २० १	५२ २९ ८	५२ ३८ १३	५२ ४७ ११	५२ ५६ ८
कु० १०	५५ २० १७	५५ २८ २१	५५ ३६ १३	५५ ४४ २१	५५ ५२ १८	५५ ० १२	५६ ७ ५३	५६ १५ ५४	५६ २३ ४२	५६ ३१ २८	५६ ३९ १२	५६ ४६ ५४	५६ ५४ ३४	५७ २ १३
मी० ११	५९ ८ ५२	५९ १६ ११	५९ २३ १७	५९ ३० ४८	५९ ३८ ६	५९ ४५ १९	५९ ५२ ४२	० ० ०	० ७ १८	० १४ ४०	० २१ ५४	० २९ १२	० ३६ ४३	० ४३ ४९

सारणी

१४	१५	१६	१७	१८	१९	२०	२१	२२	२३	२४	२५	२६	२७	२८	२९	
३६ ५३ २५	३७ ४ ४९	३७ १६ १३	३७ २७ ३८	३७ ३९ ३	३७ ५० ३०	३८ १ ५६	३८ १३ २५	३८ २४ ४३	३८ ३६ २३	३८ ४७ ५२	३८ ५९ २३	३९ १० ५४	३९ २२ २५	३९ ३३ ५७	३९ ४५ २९	तु. ६
४२ ३८ ४७	४२ ५० १८	४३ १ ४३	४३ १३ १८	४३ २४ ४७	४३ ३६ १५	४३ ४७ ४३	४३ ५९ ७	४४ १० ३१	४४ २१ ५४	४४ ४३ ३६	४४ ४४ ३६	४४ ५५ ५४	४५ ७ १३	४५ १८ ३६	४५ २९ ३९	वृ ७
४८ १३ १९	४८ २३ ५१	४८ ३४ २१	४८ ४४ ४७	४८ ५५ १०	४९ ५ २९	४९ १५ ४६	४९ २५ ५९	४९ ३६ ९	४९ ४६ १५	४९ ५६ १७	५० ६ १८	५० १६ १४	५० २६ ६	५० ३५ ५५	५० ४५ ४१	ध. ८
५३ ५ १	५३ १३ ५१	५३ २२ ३८	५३ ३१ २२	५३ ४० २	५३ ४८ ३९	५३ ५७ १४	५४ ५ ४७	५४ १४ २	५४ २२ ३८	५४ ३० ५९	५४ ३९ २०	५४ ४७ ३७	५४ ५५ ५१	५५ ४ ३	५५ १२ ५१	म ९
५७ ९ ५०	५७ १७ १७	५७ २४ ५९	५७ ३२ ३२	५७ ३९ ५८	५७ ४८ २८	५७ ५५ ४९	५८ २ ३३	५८ ९ ५४	५८ १७ १९	५८ २४ ४४	५८ ३२ ७	५८ ३९ २४	५८ ४६ ५१	५८ ५४ २	५९ १ ३२	कुं. १०
० ५१ ८	० ५८ २८	१ ५ ५८	१ १३ ९	१ २० ३१	१ २७ ५३	१ ३५ १६	१ ४२ ४०	१ ५० ५	१ ५७ २७	२ ४ ११	२ ११ ३२	२ २० २०	२ २७ २८	२ ३५ ०	२ ४२ ३४	मी ११

लग्न निकालनेकी सुगम विधि—सारणी-द्वारा जिस दिनका लग्न बनाना हो, उस दिनके सूर्यके राशि और अश पचागमे देखकर लिख लेने चाहिए। आगे दी गयी लग्न-सारणीमें राशिका कोष्ठक बायी ओर और अशका कोष्ठक ऊपरी भागमे है। सूर्यके जो राशि, अश लिखे है उनका फल लग्न-सारणीमें अर्थात् सूर्यकी राशिके सामने और अशके नीचे जो अक संख्या मिले उसे इष्टकालके घटी, पलोमे जोड दे, वही योग या उसके लगभग जिस कोष्ठकमें मिले, उसके बायी ओर राशिका अक और ऊपरी अशका अक होगा, यही राश्यादि लग्न मान होगा। त्रैराशिक-द्वारा कला विकलाका प्रमाण भी निकाल लेना चाहिए।

उदाहरण—वि० स० २००१ वैशाख शुक्ला २ सोमवारको २३ घटी २२ पल इष्टकालका लग्न बनाना है। इस दिन पचागमे सूर्य ०।१०। २८।५७ लिखा है। इसको एक स्थानपर लिख लिया। लग्न-सारिणीमे शून्य राशि अर्थात् मेष राशिके सामने और १० अशके नीचे ४।७।४२ सख्या लिखी है, इसे इष्टकालमें जोडा—

२३।२२।० इष्टकालमे
४।७।४२ फलको जोडा
२७।२९।४२

इस योगको पुन लग्न-सारणीमे देखा पर २७।२९।४२ तो कही नही मिले, किन्तु सिंह राशिके २३वें अशके कोष्ठकमे २७।२४।५९ सख्या मिली। इसी राशिके २४वें अशके कोष्ठकमे २७।३६।१६ अकसख्या है, यह अकसख्या अभीष्ट योगकी अकसख्यासे अधिक है, अत २३ अश सिंह राशिके ग्रहण करना चाहिए। अतएक लग्नका मान ४।२३ राश्यादि हुआ। कला, विकला निकालनेके लिए २३वें और २४वें कोष्ठकके अकोका एव पूर्वोक्त योगफल और २३वें अशके कोष्ठकके अशोका अन्तर कर लेना चाहिए। द्वितीय अन्तरकी सख्याको ६०से गुणा कर गुणनफलमे प्रथम

अन्तर-संख्याका भाग देनेपर कलाएँ आयेंगी, शेषको पुन ६० से गुणा कर उसी सख्याका भाग देनेसे विकला आयेगी । प्रस्तुत उदाहरणमे—

२७।३६। ६—२४ अशके को० मे-से

२७।२४।५९—२३ अशके को० को घटाया

१।१।७ इसे एकजातीय किया

१।१।७ × ६० =

६६० + ७ =

६६७

२७।२९।४२ योगफलमें-से

२७।२४।५९—२३ अंशके को० को घटाया

४।४३ इसे एकजातीय किया

४।४३ × ६०

= २४० + ४३ = २८३,

२८३ × ६० = १६९८० – ६६७ = २५।२७, अतएव लग्नमान ४।२३°।२५'।२७'' हुआ ।

इसी प्रकार अन्य उदाहरणोका गणित किया जा सकता है । यद्यपि यह गणित-प्रक्रिया सरल है, लेकिन स्वदेशीय उदयमान-द्वारा साधित गणित क्रियाकी अपेक्षा स्थूल है ।

प्राणपदसाधन और उसके द्वारा लग्नशुद्धि

यद्यपि कुछ विशेषज्ञोका मत है कि प्राणपद-द्वारा इष्टकालकी शुद्धि नही करनी चाहिए, क्योकि पराशर आदि प्राचीन ज्योतिर्विदोने प्राणपद-को एक अप्रकाशक ग्रहके रूपमे मानकर उसका द्वादश भावोमे फल बतलाया है । इसके द्वारा इष्टकालकी शुद्धि करनेकी जो प्रक्रिया प्रचलित है, वह आर्ष नही है । इस सम्बन्धमें मेरा यह मत है कि यह प्रणाली आर्ष हो या नही, किन्तु इष्टकालका शोधन इसके द्वारा उपयुक्त है । ज्योतिष-शास्त्रकी प्रत्यक्ष-गणित-क्रिया ही इसमें प्रमाण है ।

१५ पल समयको प्राण कहते हैं, इस प्रकार एक घटीमे चार प्राण होते हैं। क्रिया करनेके लिए इष्टकालकी घटियोको चारसे गुणा करना चाहिए और पलोंमे १५ का भाग देकर लब्धिको चतुर्गुणित[1] घटी सख्यामें जोड देना चाहिए। इस योगफलमे १२ का भाग देनेपर जो शेष बचे वही प्राणपदकी राशि होगी, शेप पलोको २ से गुणा करनेपर अश होगे।

प्राणपद साधनका दूसरा नियम यह है कि इष्टकालको पलात्मक बनाकर १५ का भाग देनेपर लब्ध राशि और शेपमे २ का गुणा करनेपर अश होगे। पर यहाँ इतनी विशेपता और समझनी चाहिए कि राशिसख्या यदि १२ से अधिक हो तो उसमें १२ का भाग देकर लब्धको जोड शेपको राशिसख्या माननी चाहिए। यह प्राणपद साधनकी मध्यम विधि है। स्पष्ट करनेके लिए यदि सूर्य चर[2] राशिमे हो तो उसके राशि, अशमे प्राणपदके राशि, अशोको जोड देनेसे स्पष्ट प्राणपद होता है और सूर्य स्थिर या द्विस्वभाव राशिमे हो तो उससे पचम या नवम राशियोमे जो चरराशि हो उस राशि और सूर्यके अशोमें गणितागत मध्यम प्राणपदके राशि अशोको जोड देनेमे स्पष्ट प्राणपद होता है।

यदि गणितागत लग्नके अश और प्राणपदके अश बराबर हो तो लग्नको शुद्ध समझना चाहिए। अशोमें अतुल्यता होनेपर इष्टकालको सशोधित करना—कुछ पल घटाना या बढाना चाहिए लेकिन यह सशोधन भी इस प्रकारका हो जिससे लग्नाशोमे न्यूनता न आये।

उदाहरण—इष्टकाल २३ घटी २२ पल है और सूर्य ०।१० है २३।२२—इष्टकालके पल बनाये—

---

१ घटी चतुर्गुणा कार्या तिथ्याप्तैश्च पलैर्युता। दिनकरेणापहृतं शेष प्राणपद स्मृतम्॥ शेषात्पलान्ताद् द्विगुणीविधाय राश्यशसूर्येर्नियोजिताय। तत्रापि तद्राशिचरान् क्रमेण लग्नाशप्राणाशपदैक्यता स्यात्॥

२ चर—मेष, कर्क, तुला, मकर, स्थिर—वृष, सिंह, वृश्चिक, कुम्भ और द्विस्वभाव—मिथुन, कन्या, धन, मीन।

१३८० + २२ = १४०२ पलात्मक इष्टकाल
१४०२ – १५ = ९३ लब्धि ७ शेष। शेषको २ से गुणा किया तो ७ × २ = १४ हुआ। ९३ ÷ १२ = ७ लब्धि ९ शेप आया। यहाँ लब्धिका त्याग कर दिया तो गणितागत मध्यम प्राणपद ९ राशि १४ अश हुआ।

सूर्य मेप राशिके १० अंशपर है। मेप राशि चर है, अत सूर्यके राशि अशोमे ही आगत प्राणपदको जोडा।

०।१० सूर्यके राशि अशमे ९।१४ प्राणपदको जोडा तो =
९।२४ स्पष्ट प्राणपद हुआ।

पहले इसी इष्टकालका लग्नाश २३ आया है और प्राणपदका अंश २४ है। ये दोनो अशात्मक मान मिलते नही है अत इष्टकालको कुछ कम या अधिक करना चाहिए जिससे लग्नाश मिल जाये। प्राणपदाश संख्यामे १ अश अधिक है, इसलिए इष्टकालको कुछ कम करना होगा। यदि इष्टकालमें $\frac{1}{2}$ पल कम कर दिया जाये तो प्राणपदाश लग्नाशसे मिल जायेगा, क्योकि १ पलमे २ अश होते है, अत इष्टकाल २३ घटी २१$\frac{1}{2}$ मानना होगा। इस इष्टकालपर-से पूर्वोक्त प्रक्रियाके अनुसार लग्नके राश्यादि निकाल लेने चाहिए। प्राणपदसे लग्न निश्चय करनेमें एक रहस्यपूर्ण बात यह है कि प्राणपदकी राशि या उससे ५वी, ७वी और ९वी लग्नकी राशि आती हो अथवा प्राणपदकी ७वी राशिसे ५वी और ९वी लग्नकी राशि हो तो मनुष्यका जन्म समझना चाहिए। यदि प्राणपदकी राशिसे २री, ६ठी और १०वी राशि लग्न-राशि हो तो पशुका जन्म, प्राणपदकी राशिसे ३री, ७वी और ११वी राशि लग्न-राशि हो तो पक्षीका जन्म एव प्राणपदकी राशिसे ४ थी, ८वी और १२वी राशि लग्न-राशि हो तो कीट, सर्पादिका जन्म समझना चाहिए।

लडके या लडकीकी जन्मकुण्डली वनाते समय प्राणपदसे मनुष्य-जन्म सिद्ध न हो तो उस इष्टकालको कुछ घटा-वढाकर शुद्ध करना चाहिए।

गुलिकसाधन

अपने स्थानके दिनमानमे ८का भाग देकर प्रत्येक भागमे एक-एक अधिपतिकी कल्पना की जाती है और जिस भागका अधिपति शनि होता है—शनिके खण्डको, गुलिक कहते हैं। प्रतिदिनके खण्डोंके अधिपतियोकी गणना उम दिनके वाराधिपतिसे क्रमश की जाती है। जैसे मगलवारके दिन गुलिक वनाना हो तो १ले खण्ड्का अधिपति मगल, २रेका वुध, ३रेका वृहस्पति, ४थेका शुक्र, ५वेंका शनि, ६ठेका रवि और ७वेंका चन्द्रमा होगा। ८वें खण्डका कोई अधिपति नही होता है। इस दिन शनिका ५वाँ खण्ड है, अत ५वाँ गुलिक कहलायेगा।

रातमें जन्म होनेपर रात्रिमानके समान ८ भागोमे-से प्रथम भाग-खण्डका वाराधिपतिसे पचमग्रह अधिपति होता है। इसी प्रकार क्रमश आगे गणना करनेपर जिस खण्डका अधिपति शनि होगा, वही गुलिक खण्ड कहलायेगा। जैसे—सोमवारकी रात्रिको गुलिक जाननेके लिए रात्रिमानमें ८का भाग देकर पृथक्-पृथक् खण्ड निकाल लिये। यहाँ प्रथम खण्डका स्वामी चन्द्रमासे पचम ग्रह शुक्र होगा। द्वितीय खण्डका शनि, तृतीयका रवि, चतुर्थ-का चन्द्रमा, पचमका, मगल, पष्ठका वुध और सप्तमका वृहस्पति होगा। यहाँ सुविधाके लिए नीचे गुलिक-चक्र दिया जाता है जिससे प्रतिदिनके दिवाखण्ड और रात्रिखण्डके गुलिकका विना गणना किये ज्ञान हो सके।

गुलिक-ज्ञापक चक्र

रवि	सोम	मगल	वुध	गुरु	शुक्र	शनि	वार
७	६	५	४	३	२	१	दिनके इष्टकालमे गुलिक खण्ड
३	२	१	७	६	५	४	रात्रिके इष्टकालमें गुलिक खण्ड

गुलिक इष्ट बनानेकी प्रक्रिया यह है कि जिस दिनका गुलिक बनाना हो उस दिन दिनका जन्म होनेपर दिनमानमे और रातका जन्म होनेपर रात्रिमानमें ८का भाग देनेसे जो लब्ध आवे, उसमें गुलिक-ज्ञापक चक्रमे लिखित उस दिनके अकसे गुणा कर देनेपर इष्टकाल हो जाता है। इस गुलिक इष्टकालपर-से लग्न-साधनकी प्रक्रियाके अनुसार लग्न बनाना चाहिए, यही गणितागत गुलिक लग्न होगा।

उदाहरण—वि० स० २००१ वैशाख शुक्ल द्वितीया सोमवारको दिनके २-४५ मिनिटपर जन्म हुआ है। इस दिनका गुलिक इष्टकाल—

सोमवारके दिनमान ३२ घटी ६ पलमें ८का भाग दिया—३२।६ – ८ = ४।०।४५ एक खण्डका मान हुआ। इसे गुलिक-ज्ञापक चक्रमें अकित सोमवारको अंक सख्या ६ से गुणा किया—

४।०।४५ × ६ = २४।४।३० गुलिक इष्टकाल हुआ। लग्न बनानेके लिए सोमवारके सूर्यके राश्यश (०।१०) लग्न-सारणीमे देखें तो ४।७।४२ फल मिला। २४।४।३० इष्टकालमे

४।७।४२ प्राप्त फलको जोडा

२८।१२।१२ इसे पुन लग्न-सारणीमे देखा तो ४।२७ लग्न आया। अर्थात् सिंह राशिके २७वें अशपर गुलिक लग्न है।

गुलिक लग्नका उपयोग

गुलिक लग्नसे पूर्व साधित जन्म-लग्न राशि १ली, ३री, ५वी, ७वी, ९वी और ११वी हो तो मनुष्यका जन्म समझना चाहिए तथा गणितागत लग्नको शुद्ध मानना चाहिए।

लग्नके शुद्धाशुद्ध अवगत करनेके अन्य उपाय

(१) इष्टकालमें २ का भाग देनेसे जो लब्ध आवे, उसमे सूर्य जिस नक्षत्रमे हो उस नक्षत्रकी सख्याको मिला दे। इस योगमे २७ का भाग

देनेसे जो शेष रहे उसी सख्यक नक्षत्रकी राशिमे लग्न होता है ।

उदाहरण—२३।२२ इष्टकाल है और सूर्य अश्विनी नक्षत्रमे है ।

२३।२२ − २ = ११।४१, यहाँ अश्विनी नक्षत्रसे सूर्य नक्षत्र तक गणना की तो १ सख्या आयी, इसे फलमे जोडा—११।४१ + १।० = १२।४१ − २७ = ० लब्ध, १२।४१ शेष रहा । अश्विनीसे १२वी सख्या तक गणना करनेपर उत्तराफाल्गुनी नक्षत्र आया । उत्तराफाल्गुनी नक्षत्रकी सिंह राशि है, यही लग्न राशि १ले भी आयी है, अत यह लग्न शुद्ध है ।

(२) इष्टकालको ६से गुणा कर गुणनफलमे जन्मदिनके सूर्यके अश जोड दे । इस योगफलमें ३० का भाग देकर लब्धि ग्रहण कर लेनी चाहिए तथा १५ से अधिक शेष रहनेपर लब्धिमें एक और जोड देना चाहिए । यदि ३० से भाग न जाये तो लब्धि एक मान लेनी चाहिए । सूर्य राशिकी अगली राशिसे भागफलके अकोको गिन लेनेसे जो राशि आवे वही लग्नकी राशि होगी । यदि यह गणितागत लग्नसे मिल जाये तो लग्नको शुद्ध समझना चाहिए ।

उदाहरण—इष्टकाल २३।२२ × ६ = १४०।१२

१४०।१२ इसमे

१०।० सूर्यके अश जोडे

१५०।१२ − ३० = ५ लब्धि, ०।१२ शेष ।

सूर्य मेष राशिपर है, उससे अगली राशि वृष है, अत वृषसे पाँच अक आगे गिननेपर कन्या राशि आती है । प्रस्तुत उदाहरणका लग्न सिंह आया है, इसका निर्णय पहले दो-तीन नियमोंसे भी किया गया है, अत यहाँपर एक घटाकर लग्न निकालना चाहिए । ज्योतिषके गणितमे कभी-कभी एक घटाकर या एक जोडकर भी क्रिया की जाती है ।

(३) यदि दिनमें दिनमानके अर्द्ध भागसे पहले जन्म हो तो जन्म-कालीन रविगत नक्षत्रमे ७वें नक्षत्रकी राशि, दिनके अवशेष भागमें जन्म

हो तो रविगत नक्षत्रसे १२वें नक्षत्रकी राशि एव रात्रिके पूर्वार्द्धमे जन्म होनेसे १७वें नक्षत्रकी राशि और शेप रात्रिमें जन्म होनेसे २४वें नक्षत्रकी राशि लग्नराशि होती है।

उदाहरण—इष्टकाल २३।२२ घट्यात्मक है। दिनमान ३२।६ है, इसका आधा १६।३ हुआ, प्रस्तुत इष्टकाल दिनके पूर्वार्द्धसे आगेका है, अतः रवि-नक्षत्रसे १२वें नक्षत्रकी राशि लग्नकी राशि होनी चाहिए। रवि नक्षत्र यहाँ अश्विनी है, अश्विनीसे १२ नक्षत्र उत्तराफाल्गुनी आता है, इस नक्षत्रकी राशि सिंह है, यही लग्नकी राशि हुई।

(४) चन्द्रमासे पंचम या नवम स्थानमे लग्न-राशिका होना सम्भव है। चन्द्रमाके नवमाशके सप्तम स्थानसे नवम और पचम स्थानमे लग्न राशिका होना सम्भव है। चन्द्रमा जिस स्थानमे हो उस स्थानके स्वामीसे विपम स्थानोमे लग्नका होना सम्भव है। लग्नमे भी चन्द्रमा रह सकता है।

नवग्रह स्पष्ट करनेकी विधि

जिस इष्टकालकी जन्मपत्री बनानी हो, उसके ग्रह स्पष्ट अवश्य कर लेने चाहिए। क्योकि ग्रहोके स्पष्ट मानके ज्ञान विना अन्य फलादेश ठीक नही घट सकता है। यहाँ ग्रह स्पष्टीकरणका तात्पर्य ग्रहोंके राश्यादि मानसे है। दूसरी वात यह है कि कुण्डलीके द्वादशभावोमें ग्रहोका स्थापन ग्रहमान—राश्यादि ग्रह ज्ञात हो जानेपर ही सम्यक् हो सकता है। अतएव प्रत्येक जन्मकुण्डलीमे जन्माग चक्रके पूर्व ग्रहस्पष्ट चक्र लिखना अनिवार्य है। चन्द्रमाको छोड शेप आठ ग्रहोके स्पष्ट करनेकी विधि एक-सी है।

पचागोमे ग्रहस्पष्टकी पक्ति लिखी रहती[1] है। लेकिन किसीमे

---

१ प्रस्तारस्तु यदाग्रे स्यादिष्ट सशोधयेदृणम्।
इष्टकालो यदाग्रे स्यात्प्रस्तार सशोधयेद्धनम्॥

पचागमें आठ-आठ दिनके ग्रह स्पष्ट किये लिखे रहते है, इसे पक्ति या प्रस्तार कहते हैं। प्रस्तार यदि इष्टकालसे आगे हो तो प्रस्तारके वार-घटी-पलमें इष्ट समयके वार-घटी पल घटा दें। जो शेष रहे वह वारादि ऋणचालन होता है और जो इष्टकाल

अथवा, अमावास्या और पूर्णिमाकी गणना रहती है और विशेष विद्यमान-कालिक या आकाशकालिक। जिस पंचांगमें दैनिक विद्यमानकालिक या आकाशकालिक स्पष्टग्रहोंकी गणना रहती है, उसके अनुसार विद्यमान और उदयकाल अथवा गत काल और उदयकालका अन्तर का 'दैनिक' गतिसे गुणाकर ६० का भाग देनेसे जो फल, ऋण, विकलात्मक फल आये उसे विद्यमानकालिक या आकाशकालिक स्पष्टग्रह [illegible] ऋण, तब इष्टकालिक उदयकालिक स्पष्टग्रह आ जाते हैं। परन्तु जिस पंचांगमें साप्ताहिक, स्पष्टग्रह दिये रहते हों उसके अनुसार यदि अभीष्ट इष्ट समयमें दिये [illegible] वारोंसे [illegible] [illegible] बाद, वही, [illegible] उदयकालिक वार, वही, धन वर्तमान [illegible] ऋण-धनात्मक होता है। यदि [illegible] पहले हो और उदयकाल [illegible] तो उदयकालिक वार, वही, [illegible] [illegible] वार, वही, [illegible] वर्तमान धन-ऋणात्मक होता है। इस ऋण या धनात्मकको [illegible] [illegible] [illegible] गुणा करनेपर जो [illegible] आये उसे ऋण-धनात्मक अनुसार पंचांग-स्थित स्पष्टमान [illegible] या वर्तमान स्पष्ट हो जाते हैं।

[illegible], [illegible] [illegible] [illegible] [illegible], [illegible] ऋण-धनात्मक [illegible] [illegible]

[illegible] [illegible] [illegible] [illegible] [illegible] [illegible] [illegible] [illegible] [illegible] [illegible] [illegible] [illegible] [illegible]-[illegible] होता है।

[illegible] [illegible] [illegible] [illegible] [illegible] ।

[illegible] [illegible] [illegible] [illegible] [illegible] ॥

धन-ऋणात्मक या ऋण-धनात्मक [illegible] [illegible] [illegible] [illegible], [illegible] [illegible] [illegible] [illegible] [illegible] [illegible], [illegible], [illegible] [illegible] [illegible]। [illegible] [illegible] [illegible] [illegible] [illegible] [illegible] [illegible] [illegible] [illegible] [illegible] [illegible] हैं। [illegible] [illegible] [illegible] है कि [illegible] [illegible] [illegible] [illegible] और [illegible] [illegible] चाहिए।

१, [illegible] [illegible] [illegible] [illegible] [illegible] [illegible] [illegible] [illegible] है।

२, [illegible] [illegible] [illegible] [illegible] हैं, [illegible] [illegible] / [illegible] [illegible] [illegible] २, [illegible] ६ ७ आदि।

फलको जोडने और धनचालनमें आगत अशादि फलको घटानेसे स्पष्टमान होता है ।

उदाहरण—वि० स० २००१ वैशाख शुक्ला २ सोमवारको २३।२२ इष्टकालके ग्रह स्पष्ट करने हैं । पचागमें वैशाख शुक्ला पचमी शुक्रवारके ५।५१ इष्टकालकी ग्रहस्पष्ट पक्ति लिखी है । यहाँ इष्टकाल सोमवारका है और ग्रहपक्ति शुक्रवारकी है, अत इष्टकालसे ग्रहपक्ति आगेकी हुई तथा ग्रह पक्तिमे-से इष्टकालको घटाना है, इसलिए यहाँ ऋणसस्कार हुआ—

६।५।५१ पक्तिके वारादि, २।२३।२२ इष्टकालके वारादि ।

ग्रहपंक्ति वै० शु० ५ शुक्रवार इष्टकाल ५।५१

सूर्य	मगल	बुध	गुरु	शुक्र	शनि	राहु	केतु	ग्रह
०	२	०	३	११	२	३	९	राशि
१३	२३	२२	२४	२७	०	८	८	अश
४३	०	१६	१६	२०	२३	५४	५४	कला
२२	३३	५	४४	१०	४६	५०	५०	विकला
५८	३४	१७	३	७४	५	३	३	गति कला
१२	२८	३९	४	१२	४८	११	११	गति वि०
		व						

६।५।५१ पक्तिके वारादिमे-से २।२३।२२ इष्टकालके वारादिको घटाया तो ३।४२।२९ ऋण चालन आया ।

सूर्यसाधन

चालन | सूर्यगति
५८।१२

३ | १७४।३६—तीनके अकका गुणनफल
४२ | २४३६।५०४ ब्यालीसके अकका गुणनफल
२९ | १६८२।३४८ उन्तीसके अकका गुणनफल

१७४।२४७२।२१८६।३४८ – ६० (६० से भाग देकर लब्धि ५, शेष ४८ आगेकी राशियोमे जोडा)

१७४।२४७२।२१९१ – ६०
लब्ध ३६, शेष ३१

१७४।२५०८ – ६०।३१।४८
लब्ध ४१, शेष ४८

२१५ – ६०।४८।३१।४८
३'।३५'।४८''।३१'''।४८''''

प्रक्रिया यह है कि गुणा करते समय एक-एक अक दाहिनी ओर बढा कर रखते जायेंगे और सब कलादिको जोड देंगे। फिर सब अकोमे ६०का भाग देते हुए लब्धिको बायी ओरकी सख्यामे जोडनेसे अशादि फल होगा।

०।१३।४३।२२ पवितके सूर्यमें-से
३।३५।४७ आगतफलको घटाया
०।१०।७।३४ स्पष्ट सूर्य हुआ

{ ऋण चालन होनेसे फलको घटाया है।

मंगलसाधन

चालन

	३४।२८ मंगल गति
३	१०२।८४
४२	१४२८।११७६
२९	९८६।८१२
	१०२।१५१२।२१६२।८१२ — ६०
	लब्ध १३ शेष ३२

१०२।१५१२।११७५ — ६२।३२

लब्ध ३६ शेष १५

१०२।१५४८ — ६०।१५।३२

लब्ध २५ ४८ शेष

१२७ — ६०।४८।१५।३२

२°।७′।४८″।१५″।३२‴ यहाँ केवल विकला तक ही फल इष्ट है।

२।२३।०।३२ पंक्तिके मगलमें-से

२।७।४८ आगत फलको घटाया

२।२१।५२।४४ स्पष्ट मगल

बुधसाधन

	१७।३९ बुध गति
३	५१।११७
४२	७१४।१६३८
२९	४९३।११३१
	५१।८३१।२१३१।११३१

(पूर्ववत् ६०का भाग देनेके पश्चात् अशादिका फल निकाला)

१°।५'।२६"।४८"'।५१"" बुध फल आया। यह बुध वक्री है, अत ऋणचालन होनेसे इस फलको पंक्तिके बुधमें जोड़ा —

०।२२।१६। ५

  १। ५।२६

०।२३।२१।३१ स्पष्ट बुध हुआ

इसी तरह चन्द्रमाके सिवा अन्य सभी ग्रहोंका स्पष्टीकरण किया जाता है।

चन्द्रस्पष्टकी विधि

भयातकी घटियोंको ६० से गुणाकर पल जोड़नेसे पलात्मक भयात और भभोगकी घटियोंको ६०से गुणाकर पल जोड़ देनेसे पलात्मक भभोग होता है। पलात्मक भयातको ६०से गुणाकर पलात्मक भभोगका भाग दें, शेषको पुन ६०से गुणाकर उसी पलात्मक भभोगका भाग दें, तीसरी बार शेषको फिर ६०से गुणाकर पलात्मक भभोगका भाग दें, तो लब्ध वर्तमान नक्षत्रके भुक्त घटी, पल होंगे। अश्विनी नक्षत्रसे गत नक्षत्रतक गिनकर ६०से गुणाकर भुक्त घटी, पलादिमें जोड़ दें और इस योगफलको २ से गुणाकर गुणनफलमें ९ से भाग देनेपर लब्ध अंश, कला, विकला फल होगा। यदि अंशसंख्या ३०से अधिक आवे तो ३०का भाग देकर राशि बना लेना चाहिए।[1]

---

१ गता भघटिका खतर्कगुणिता भभोगोद्धृता,
युता च भगतेन षष्टि ६०गुणितेन द्विघ्नीकृता।
नवाप्तलवपूर्वके शशिभवेत्तु तत्पूर्वकै-
र्नभोऽम्बरवियद्गजाब्धि ४८००० युग्मवेज्जवा कीर्त्तिता॥

भयात घटी पलको साठसे गुणा करके भभोगके पलोंसे भाग देनेपर जो अंक मिलें, उन घटी-पल-विपलात्मक तीन अंकोंको स्पष्ट भयात जानना चाहिए। अनन्तर इन

उदाहरण—भयात १६।३९ और भभोग ५८।४४ है।

१६।३९
६०

९६० + ३९ = ९९९ पलात्मक भयात

५८।४४
६०

३४८० + ४४ = ३५२४ पलात्मक भभोग

९९९ × ६० = ५९९४० – ३५२४ = १७।०।३२ अर्थात् १७ घटी ० पल ३२ विपल लब्धि हुई। यहाँ जन्मनक्षत्र कृत्तिका है, अत उसके पहलेका नक्षत्र भरणी हुआ। अश्विनीसे गणना करनेपर भरणी तक दो सख्या हुई अत २ × ६० = १२०

(१२०) + (१७।०।३२) = १३७।०।३२ इसे २से गुणा किया—

१३७।०।३२ × २ = २७४।१।४

२७४।१।४ ÷ ९ = ३०।२६।४७ अशात्मक लब्धि हुई अत अशोमें ३०का भाग दिया तो १।०।२६।४७ राश्यादि चन्द्र स्पष्ट हुआ।

चन्द्रगतिसाधन

२८८००००मे पलात्मक भभोगसे भाग देनेपर लब्ध चन्द्रमाकी गति-की कलाएँ आयेंगी, शेपमें ६०का गुणाकर पलात्मक भभोगका भाग देने-पर लब्ध गतिकी विकलाएँ आवेंगी।

उदाहरण—पलात्मक भभोग ३५२४ है।

अर्कोको साठसे गुणे हुए अश्विनी आदि गतनक्षत्र सख्यामें जोड़कर दूना करे। पश्चात् नौ से भाग देकर अश, कला और विकला रूप फल आता है। अशों में तीसका भाग देनेसे राशि आती है। इस प्रकार राश्यशादि रूप चन्द्रमा होता है।

२८८०००० – ३५२४ = ८१७ लब्धि, शेष ८९२ × ६० = ५३५२० – ३५२४ = १५ लब्धि, शे० ५६०, अतएव चन्द्रस्पष्ट गति ८१७।१५ हुई ।

चन्द्रसारणी-द्वारा चन्द्रस्पष्ट करनेकी विधि

जिस नक्षत्रका जन्म हो उसके पहलेके नक्षत्रके नीचेकी राश्यादि अकसख्या 'सत्ताईस नक्षत्रोपरि स्पष्ट राश्यादि चन्द्रसारणी'में देखकर लिख लेना चाहिए । पश्चात् भयातकी घटियोकी राश्यादि अकसख्याको 'भयात गतघटीपर चन्द्रसारणी'मे देखकर लिख लेना चाहिए । अनन्तर आगेवाले कोष्ठकके साथ अन्तर कर अनुपातसे पलोका फल निकालना चाहिए अथवा अन्तरको पलोसे गुणा कर ६०का भाग देनेसे अंशादि लब्ध उसे पहलेवाले फलमें जोट देनेपर भयातका अशादि फल आ जायेगा, पुन नक्षत्र और इस भयातके फलको जोड देनेसे चन्द्र स्पष्ट हो जायेगा । यहाँ स्मरण रखनेकी एक बात यह है कि १३ अश २० कलाका विभाजन भभोगमें करना चाहिए । कारण भभोग ६० घटीसे प्राय सर्वदा ही ज्यादा या कम होता है अत भयातके पलोको १३ अश २० कलासे गुणा कर भभोगके पलोका भाग देकर जो अशादि फल आये उसे नक्षत्रफलमे जोटनेसे स्पष्ट चन्द्रमा होता है ।

उदाहरण—भयात १६।३९ कृत्तिका, भभोग ५८।४४ । यहाँ जन्म-नक्षत्रके पहलेका नक्षत्र भरणी है । अत भरणीके नीचेकी अकसख्या ०।२६।४०।० है । पलात्मक भयात ९९९ और पलात्मक भभोग ३५२४ है । अतएव १३ अश २० कला = $१३\frac{२०}{६०}$ = १३ + $\frac{१}{३}$ = $\frac{४०}{३}$ × $\frac{९९९}{३५२४}$ = $\frac{४१२२०}{८८१}$ = $\frac{४०}{३}$ × $\frac{९९९}{३५२४}$ = $\frac{३३३०}{८८१}$ = $३\frac{६८७}{८८१}$ × $\frac{६०}{१}$ = $४७\frac{२१३}{८८१}$ × $\frac{६०}{१}$ = $\frac{१२७८०}{८८१}$ = ०, ७८०—०, ३।४७।० अंशादि ।

०।२६।४०।० भरणीकी अकसंख्या

०। ३।४७।० भयातका फल

१। ०।२७।० स्पष्ट चन्द्रमा

नक्षत्रोपरि स्पष्ट राश्यादि चन्द्र सारणी

अ०	भ०	कृ०	रो०	मृ०	आ०	पु०	पु०	श्ले०	म०	पू०	उ०	ह०
१	२	३	४	५	६	७	८	९	१०	११	१२	१३
०	०	१	१	२	२	३	३	४	४	४	५	५
१३	२६	१०	२३	६	२०	३	१६	०	१३	२६	१०	२३
२०	४०	०	२०	४०	०	२०	४०	०	२०	४०	०	२०
०	०	०	०	०	०	०	०	०	०	०	०	०

चि०	स्वा०	वि०	अनु०	ज्ये०	मू०	पू०	उ०	श्र०	ध०	श०	पू०	उ०	रे०
१४	१५	१६	१७	१८	१९	२०	२१	२२	२३	२४	२५	२६	२७
६	६	७	७	८	८	८	९	९	१०	१०	११	११	१२
६	२०	३	१६	०	१३	२६	१०	२३	६	२०	३	१६	०
४०	०	२०	४०	०	२०	४०	०	२०	४०	०	२०	४०	०
०	०	०	०	०	०	०	०	०	०	०	०	०	०

भयात गतघटीपर चन्द्र सारणी

१	२	३	४	५	६	७	८	९	१०	११	१२	१३	१४	१५	१६	१७	१८	१९	२०	२१	२२	२३	२४	२५	२६	२७	२८	२९	३०
०	०	०	०	०	०	०	०	०	०	०	०	०	०	०	०	०	०	०	०	०	०	०	०	०	०	०	०	०	०
०	०	०	०	१	१	१	१	२	२	२	२	२	३	३	३	३	४	४	४	४	४	५	५	५	५	६	६	६	६
१३	२६	४०	५३	६	२०	३३	४६	०	१३	२६	४०	५३	६	२०	३३	४६	०	१३	२६	४०	५३	६	२०	३३	४६	०	१३	२६	४०
२०	४०	०	२०	४०	०	२०	४०	०	२०	४०	०	२०	४०	०	२०	४०	०	२०	४०	०	२०	४०	०	२०	४०	०	२०	४०	०

३१	३२	३३	३४	३५	३६	३७	३८	३९	४०	४१	४२	४३	४४	४५	४६	४७	४८	४९	५०	५१	५२	५३	५४	५५	५६	५७	५८	५९	६०
०	०	०	०	०	०	०	०	०	०	०	०	०	०	०	०	१	०	०	०	०	०	०	०	०	०	०	०	०	०
६	७	७	७	७	८	८	८	८	८	९	९	९	९	१०	१०	१०	१०	१०	११	११	११	११	१२	१२	१२	१२	१२	१३	१३
५३	६	२०	३३	४६	०	१३	२६	४०	५३	६	२०	३३	४६	०	१३	२६	४०	५३	६	२०	३३	४६	०	१३	२६	४०	५३	६	२०
२०	४०	०	२०	४०	०	२०	४०	०	२०	४०	०	२०	४०	०	२०	४०	०	२०	४०	०	२०	४०	०	२०	४०	०	२०	४०	०

सर्वर्क्षपर गति बोधक स्पष्ट सारणी

५४	५५	५६	५७	५८	५९	६०	६१	६२	६३	६४	६५	६६	६७
८८८	८७२	८५७	८४२	८२७	८१३	८००	७८६	७७४	७६१	७५०	७३८	७२७	७१६
४८	४०	८	६	३४	३३	०	५४	१२	५७	०	३०	१८	२८

स्पष्ट ग्रहचक्र

सूर्य	चन्द्र	मगल	वुध	गुरु	शुक्र	शनि	राहु	केतु	
०	१	२	०	३	११	२	३	९	रा०
१०	०	२१	२३	२४	२३	७	९	९	अं०
७	३४	५२	२१	७	२०	७	५	५	क०
३४	३४	४४	३१	३२	१०	४५	१५	१५	वि०

सारणी-द्वारा चन्द्रगति स्पष्ट करनेका नियम भभोगकी घटियोंके नीचे-को अक-सख्या देखकर लिख लेनी चाहिए। पश्चात् आनेवाले कोष्ठकके साथ अन्तर कर पलोसे गुणाकर ६०का भाग दें। जो लव्ध आये उसे पूर्वोक्त फलमे जोड या घटा देनेसे चन्द्रकी स्पष्टगति आ जाती है।

उदाहरण—भभोग ५८।४४ है। 'सर्वर्क्षपर गतिका स्पष्ट' नामक चक्रमे ५८के नीचे अकसख्या ८२७।३४ है। आगेकी कोष्ठक-सख्या ८१३।३३ है, दोनो सख्याओका अन्तर किया—

८२७।३४
८१३।३३
______
१४। १ इसे ४४ से गुणा किया

१४। १ को एकजातीय वनाया तो १४।१
६०
______
८४० + १ = ८४१

८४१ × ४४ = ३७००४ − ६० = ६१६ विकला

६१६ − ६० = १०।१६ इसे पहलेवाले फलमे-से घटाया अत

८२७।३४
१०।१६
______
८१७।१८ चन्द्रकी गति

अन्य ग्रहोकी गति पचागमें लिखी रहती है अत उसीको जन्मपत्रीमे लिख देते है। जिन पचागोमें दैनिक ग्रह स्पष्ट रहते हैं उनमें दो दिनके

ग्रहोका अन्तर कर निकाल लेना चाहिए। परन्तु चन्द्रमाकी स्पष्ट गति उपर्युक्त विधिसे ही निकालनी चाहिए।

जन्मपत्रीमे नवग्रह स्पष्ट चक्र लिखनेके पश्चात् जो लग्न आया हो उसीको पहले रखकर द्वादश कोठोमें अक स्थापित कर दें। पश्चात् जो ग्रह जिस राशिपर हो उसे वहाँ स्थापित कर देना चाहिए, उदाहरण—यहाँ लग्न ४।२३।२५।२।७ आया है, अत लग्नस्थानमें ५ का अक रखा जायेगा भारतीय पद्धतिके अनुसार जन्मपत्री लिखनेकी प्रक्रिया निम्न प्रकार है।

आदित्याद्या ग्रहा· सर्वे नक्षत्राणि च राशय· ।
सर्वान् कामान् प्रयच्छन्तु यस्यैषा जन्मपत्रिका ॥१॥
स्वस्तिश्रीसौख्यधात्री सुतजयजननी तुष्टिपुष्टिप्रदात्री
माङ्गल्योत्साहकर्त्री गतभवसदसत्कर्मणा व्यञ्जयित्री ।
नानासम्पद्विधात्री धनकुलयशसामायुषा वर्द्धयित्री
दुष्टापद्विघ्नहर्त्री गुणगणवसतिर्लिख्यते जन्मपत्री ॥२॥

श्रीमान् नृपति विक्रम संवत् २००१, शक सवत् १८६६, वैशाख मास, कृष्णपक्ष सोमवारको द्वितीया तिथिमे, जिसका घटयादि मान विश्वपचागके अनुसार आरामें देशान्तर सस्कृत ४५ घटी ९ पल, भरणी नक्षत्रका मान ६ घटी ४३ पल तदुपरि कृत्तिका नक्षत्र, आयुष्मान् योगका मान १७ घटी ८ पल, बालव नाम करणका मान घटयादि १६।४७, जन्मसमयका सस्कृत इष्टकाल २३।२२।२३ है। इस दिन दिनमान घटयादि ३२।६ रात्रिमान २७।५४ उभयमान ६०।० मे आरा नगरनिवासी श्रीमान् चित्रगुप्तवशमे श्रेष्ठ बाबू हनुमानदासके पुत्र बाबू हरिप्रसादके चिरजीवि पुत्र हरिमोहन सेनकी वैदिक विधिपूर्वक परिणीता भार्या मोहनदेवीकी दक्षिण कुक्षिसे पुत्र उत्पन्न हुआ। होराशास्त्रानुसार भयात १६।३९ भभोग ५८।४४ है, अत-एव कृत्तिका नक्षत्रके द्वितीय चरणमें जन्म हुआ और इसका राशि नाम 'ई' अक्षरपर ईश्वरदेव रखा गया। यह पुत्र गुरुजन और पुण्यके प्रसादसे दीर्घ-जीवी हो।

संस्कृत भाषामे लिखनेकी विधि

अथ श्रीमन्नृपतिविक्रमार्कराज्यात् २००१ सवत्सरे १८६६ शाके वसन्तर्तौ शुभे वैशाखमासे कृष्णपक्षे चन्द्रवासरे द्वितीयाया तिथौ घटचादय ४५।९ भरणीनक्षत्रे घटचादय ६।४३ तदुपरि कृत्तिकानक्षत्रे, आयुष्मान्-योगे घटचादय १७।८ वालवकरणे घटचादय १६।४७ अत्र सूर्योदयादिष्ट-काल घटचादय २३।२२।२३ मेपराशिस्थिते सूर्ये वृषराशिस्थिते चन्द्रे एव पुण्यतिथौ पञ्चाङ्गशुद्धौ शुभग्रहनिरीक्षितकल्याणवत्या वेलाया सिंह-लग्नोदये दिनप्रमाण घटचादय ३२।६ रात्रिप्रमाण घटचादय २७।५४ उभयप्रमाण ६०।० आरानगरे चित्रगुप्तवशावतसस्य श्रीमत हनुमान-दासस्य पुत्र हरिप्रसादस्तस्य पुत्र बाबू हरिमोहनसेनस्य गृहे सुशीलवती-भार्याया दक्षिणकुक्षौ द्वितीयपुत्रमजीजनत्। अत्रावकहोडाचक्रानुसारेण भयातम् १६।३९ भभोग ५८।४४ तेन कृत्तिकानक्षत्रस्य द्वितीयचरणे जायमानत्वात् ईकाराक्षरे 'ईश्वरदेव' इति राशिनाम प्रतिष्ठितम्। अय च देवगुरुप्रसादा-द्दीर्घायुर्भूयात्।

इसके पश्चात् जो पहले नवग्रहस्पष्ट चक्र लिखा गया है, उसे लिखना चाहिए, पश्चात् जन्मकुण्डली चक्रको अकित करना। पहले उदाहरणानुसार जन्मकुण्डली चक्र निम्न प्रकार हुआ—

जन्मकुण्डली चक्र

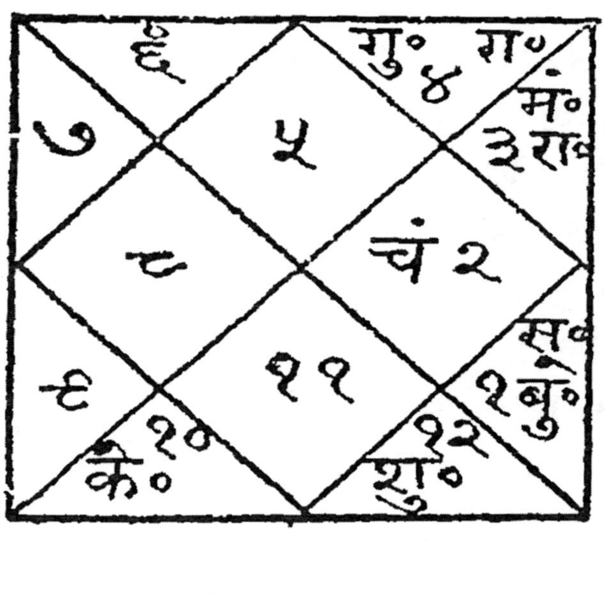

चन्द्रकुण्डली चक्र

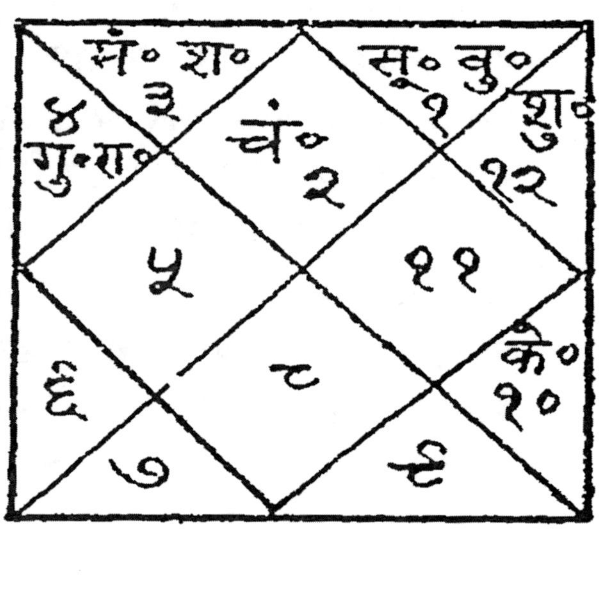

द्वादश भाव स्पष्ट करनेकी विधि[1]

भाव स्पष्ट करनेके लिए प्रथम दशम भावका साधन किया जाता है। इस भावका गणित करनेके लिए नतकाल जाननेकी आवश्यकता होती है, क्योंकि दशम भावकी साधनिकाके लिए नतकाल ही इष्टकाल होता है। नतकाल ज्ञात करनेके निम्न चार प्रकार हैं—

१—दिनार्धसे पहलेका इष्टकाल हो तो इष्टकालको दिनार्धमें-से घटाने-से पूर्वनत होता है।

२—दिनार्धके बादका इष्टकाल हो तो दिनमानमें-से इष्टकाल घटाकर जो अवशेष बचे, उसको दिनार्धमें घटानेसे पश्चिमनत होता है।

३—रात्रि अर्धसे पहलेका इष्टकाल हो तो दिनमानको इष्टकालमें घटानेसे जो शेष आवे उसमें दिनार्ध जोडनेसे पश्चिमनत होता है।

---

1. पूर्वं नतं स्याद्दिनरात्रिखण्डं दिवोनिशोरिष्टघटीविहीनम्।
दिवानिशोरिष्टघटीषु शुद्धं द्युरात्रिखण्डं त्वपरं नतं स्यात्॥
तत्काले सायनार्कस्य भुक्तभोग्यांशसङ्गुणात्।
स्वोदयात्खाग्नि ३० लब्धं यद्भुक्तं भोग्यं रवेस्त्यजेत्।
इष्टनाडीपलेभ्यश्च गतगम्यान्निजोदयात्।
शेषं खत्र्या ३० हतं भक्तमशुद्धेन लवादिकम्॥
अशुद्धशुद्धभे हीनं युक्तनुर्व्ययनांशकम्।
एवं लङ्कोदयैर्भुक्तं भोग्यं शोध्यं पलीकृतात्॥
पूर्वपश्चान्नतादन्यत्प्राग्वत्तद्दशमं भवेत्।
सषड्भलग्नखे जायातुर्या लग्नौ न तुर्यतः॥
अग्रे त्रयः षडेवं ते भार्द्धयुक्ताः परेऽपि षट्।
खेटे भावसमं पूर्णं फलं सन्धिसमे तु खम्॥
षष्ठांशयुक्तनुः सन्धिरग्रे षष्ठांशयोजनात्।
त्रयः ससन्धयो भावाः षष्ठांशो नैकयुक्सुखात्॥
—ताजिकनीलकण्ठी, बनारस सं० १९९६, संज्ञातन्त्र श्लो० २०–२६

४—रात्रि अर्धके बाद इष्टकाल हो तो ६० घटीमें-से इष्टकालको घटानेसे जो शेष आवे उसमे दिनार्ध जोडनेसे पूर्वनत होता है।

यदि पश्चिमनत हो तो भोग्य प्रकारसे और पूर्वनत हो तो भुक्त प्रकारसे लकोदयमान-द्वारा लग्न साधनके समान दशम भावका साधन करना चाहिए।

उदाहरण—इष्टकाल २३।२२, दिनमान ३२।६ रात्रिमान २७।५४ है। दिनमान ३२।६ का आधा किया तो दिनार्ध = ३२।६ – २ = १६।३; इस उदाहरणमें इष्टकाल दिनार्धके बादका है अत नतकाल साधनके द्वितीय नियमानुसार—

३२।६ दिनमानसे
२३।२२ इष्टकालको घटाया

८।४४ शेप, इसे दिनार्धमें-से घटाया तो (१६।३)–(८।४४) = ७।१९ पश्चिमनत हुआ।

उदाहरण २—इष्टकाल ६।४५, दिनमान ३२।६, रात्रिमान २७।५४ दिनार्ध १६।३ है।

इस उदाहरणमें इष्टकाल दिनार्धसे पहलेका है, अत १६।३ दिनार्ध-में-से ६।४५ इष्टकालको घटाया तो ९।१८ पूर्वनत हुआ।

उदाहरण ३—इष्टकाल ४२।४८, दिनमान ३२।६, रात्रिमान २७।५४, दिनार्ध १६।३ रात्र्यर्ध १३।५७ है।

इस उदाहरणमें पहले यह विचार करना होगा कि यह इष्टकाल रातका है या दिनका ? प्रस्तुत उदाहरणमें दिनमान ३२।६ है और इष्ट-काल ४२।४८ है, अत दिनमानसे इष्टकाल अधिक होनेके कारण रातका इष्टकाल कहलायेगा। अब रातमे रात्र्यर्धसे पहलेका या रात्र्यर्धके बादका ? इस निश्चयके लिए दिनमानमे रात्र्यर्ध जोडकर इष्टकालसे मिलान करना चाहिए। अत ३२।६ दिनमानमे रात्र्यर्ध जोडा तो—(३२।६)

+ (१३।५७) = ४६।३ रात्र्यर्व तकका मिश्रकाल । प्रस्तुत उदाहरणका इष्टकाल रात्र्यर्वके पहलेका है, अत ४२।४८ इष्टमें-से

३२। ६ दिनमान घटाया तो

१०।४२ शेष

१६। ३ दिनार्धमे

१०।४२ शेपको जोडा

२६।४५ पश्चिमनत

इस उदाहरण ४—इष्टकाल ५२।४५, दिनमान ३२।६, रात्रिमान २७।५४, दिनार्व १६।३ अर्धरात्रि तकका मिश्रकाल ४६।३ है ।

उदाहरणमें अर्धरात्रिके बाद इष्टकाल है अतः नतकाल साधनके चतुर्थ नियमानुसार ६०। ०में

५२।४५ इष्ट घटाया

७।१५ अवशेष

७।१५ अवशेषमें

१६। ३ दिनार्व जोडा

२३।१८ पूर्वनत हुआ ।

दशम साधनका उदाहरण

सूर्य ०।१०। ७।३४ (प्रथम उदाहरणमे पश्चिमनत होनेसे भोग्य अयनाश ०।२३।४६। ० प्रकारसे साधन करना होगा)

१। ३।३३।३४ सायन सूर्य ।

भोग्याश निकालनेके लिए सूर्यके इन भुक्ताशोको ३० अशमें-से घटाया—

३०। ०। ०

३।५३।३४

२४। ६।२६

२४।६।२६ भोग्याशको लंकोदय राशिमानसे गुणा करना है। लकोदयका प्रमाण निम्न प्रकार है—

मेष	=	२७८	=	मीन
वृष	=	२९९	=	कुम्भ
मिथुन	=	३२३	=	मकर
कर्क	=	३२३	=	धनु
सिंह	=	२९९	=	वृश्चिक
कन्या	=	२७८	=	तुला

प्रस्तुत उदाहरणमे सूर्य वृष राशिका है, अत वृषके राशिमानसे भोग्याशोको गुणा किया—

२४।७।२६ × २९९ = २४०।१६।३।३४ { इस गुणनफलके दो अकोमे ६० का भाग और तीसरेमे ३० का भाग दिया गया है।

नतकाल ७।१९ के पल बनाये, ७ × ६० + १९ = ४३९ नतपल

४३९ नतकालके पलोमे-से

२४०।१६ भोग्य पलादिको घटाया

१९८।४४ यहाँ मिथुन राशिके पल नही घटते है, अत मिथुन राशि ही अशुद्ध कहलायेगी—

१९८।४४ × ३० = ५९६२।० इसमे अशुद्ध राशिमानका भाग दें—

५९६२।० ÷ ३२३ = १८।२९।२१ अशादि हुआ। उदाहरणमे वृष-राशिका मान घट गया था, अत इस अशादिमे दो राशि और जोडी—

१८।२९।२१

२। ०। ०। ०

२।१८।२९।२१ सायन दशम

१६

२।१८।२९।२१ सायन दशममें-से
०।२३।४६। ० अयनांश घटाया

१।२४।४३।२१ दशम स्पष्ट

भुक्तांश साधन-द्वारा दशमका उदाहरण

सायन सूर्य १।३।५३।३४, पूर्वनत १७।९ है। सायन सूर्य वृष राशिका होनेसे भुक्तांशोंको वृषके लंकोदय मानसे गुणा किया—भुक्तांश
३।५३।३४ × २९९ = ३८।२३।६।३६ भुक्त पल हुआ
१७।९ नतकालके पल बनाये, १७ × ६० + ९ = १०२९ नतपल

१०२९ नतकालके पलोंमें
२७८।० मेषका मान घटाया

{ भुक्तांशपर-से लग्न या दशमका साधन करते समय उल्टा राशिमान घटाया जाता है।

७५१।०
२७८।० मीनका मान घटाया

४७३।०
२९९। ० कुम्भका मान घटाया

१७४।० इसमें-से मकरका राशिमान नहीं घटा है, अतः मकर अशुद्ध हुई।
१७४।० × ३० = ५२२०।० इसमे अशुद्ध राशिमानका भाग दिया—
५२२०।० ÷ ३२३ = १६।९।३५ अंशादि, इसमे शुद्ध राशियाँ जहाँतक घट सकी हैं, उस राशिपर्यन्त सख्याको इस फलमें जोड़ा—

१२।३५।३९
११। ०। ०। ०

११।१२।३५।३९ सायन दशममे-से
०।२३।४६। ० अयनांश घटाया

१०।१८।४९।३९ स्पष्ट दशम

दशम भाव साधन करनेके अन्य नियम

१—नतकालको इष्टकाल मानकर जिस दिनका दशम भाव साधन करना हो, उस दिनके सूर्यके राशि, अंश पंचांगमे देखकर लिख लेने चाहिए। आगे दी गयी दशमसारणीमे राशिका कोष्ठक बायी ओर और अंशका कोष्ठक ऊपरी भागमें है। सूर्यके जो राशि अंश लिखे हैं उनका फल दशमसारणीमें—सूर्यकी राशिके सामने और अंशके नीचे जो अंक-संख्या मिले, उसे पश्चिमनत हो तो नतरूप इष्टकालमे जोड देनेसे और पूर्वनत हो तो सारणीके अंकोमें घटा देनेसे जो अंक आवें उनको पुन दशमसारणीमें देखें तो बायी ओर राशि और ऊपर अंश मिलेंगे। ये राशि, अंश ही दशमके राश्यादि होंगे। कला, विकला फल त्रैराशि-द्वारा निकलता है।

२—इष्टकालमें-से दिनार्ध घटाकर जो आये वह दशम भावका इष्ट होगा। यदि इष्टकालमें-से दिनार्ध न घट सके तो इष्टकालमे ६० घटी जोडकर दिनार्ध घटानेसे दशमका इष्टकाल होता है। इष्टकालपर-से प्रथम नियमके अनुसार दशमसारणी-द्वारा दशमसाधन करना चाहिए।

३—लग्नसारणी-द्वारा लग्न बनाते समय सूर्यफलमे इष्टकाल जोडने-से जो घट्यादि अंश आये, उसमे १५ घटी घटानेसे शेष अंक दशम-सारणीमें जिस राशि, अंशका फल हो, वही दशम लग्न होगा।

दशम लग्न

	०	१	२	३	४	५	६	७	८	९	१०	११	१२	१३
	३	३	३	४	४	४	४	४	४	४	५	५	५	५
मे ०	३२	४२	५१	१	१०	२०	२९	३९	४८	५८	७	१७	२७	३८
	४६	११	३६	४	३२	२	३३	५	४४	१४	५१	२१	१०	३१
	८	८	८	८	९	९	९	९	९	९	१०	१०	१०	१०
वृ १	२६	३६	४६	५६	७	१७	२७	३८	४८	५९	०	२०	३०	४१
	०	१३	२९	४३	४	२४	४७	१०	३५	७	३१	२०	३४	५९
	१३	१३	१४	१४	१४	१४	१४	१५	१५	१५	१५	१५	१५	१६
मि २	४३	५४	५	१६	२७	३८	४९	०	१०	२१	३२	४३	५४	५
	४६	३८	३१	२५	१८	१२	६	०	५४	३८	४१	३५	२८	२२
	१९	१९	१९	१९	१९	२०	२०	२०	२०	२०	२०	२१	२१	२१
क ३	८	१८	२०	३०	५०	०	११	२१	३२	४२	५२	३	१३	२३
	१८	५३	२६	५८	२९	५७	२४	४९	१३	३६	५६	१७	३१	४६
	२४	२४	२४	२४	२४	२५	२५	२५	२५	२५	२५	२५	२६	२६
सिं ४	१३	२३	३२	४२	५२	१	११	२०	३०	३९	४९	५८	८	१७
	२६	९	५०	३१	९	४६	१८	५५	२७	५८	२८	५५	२३	४९
	२८	२९	२९	२९	२९	२९	२९	३०	३०	३०	३०	३०	३०	३०
क ५	५५	४	१४	२३	३२	४१	५०	०	९	१८	२७	३६	४५	५५
	४४	५५	७	१८	२८	३९	४९	०	१०	२१	३२	४२	५३	४

सारणी

१४	१५	१६	१७	१८	१९	२०	२१	२२	२३	२४	२५	२६	२७	२८	२९	
५	५	६	६	६	६	६	६	७	७	७	७	७	७	८	८	
४६	५६	६	१५	२५	३५	४५	५५	५	१५	२५	३५	४५	५५	५	१५	मे ०
३४	१९	५	५३	४३	३५	३०	२३	२०	१९	१९	२१	२६	३१	३९	४९	
१०	११	११	११	११	११	११	१२	१२	१२	१२	१२	१३	१३	१३	१३	
५१	२	१२	२३	३४	४४	५५	६	१७	२७	३८	४९	०	११	२२	३२	वृ १
४२	१९	५७	३६	१६	५८	४३	२६	११	५७	४५	३३	२२	१४	३	५४	
१६	१६	१६	१६	१६	१७	१७	१७	१७	१७	१८	१८	१८	१८	१८	१८	
१६	२७	३७	४८	५९	१०	२१	३२	४२	५३	४	१५	२५	३६	४७	५७	मि. २
१४	६	५७	४८	३८	२७	१५	३	४९	३४	१७	२	४३	२४	३	४१	
२१	२१	२१	२२	२२	२२	२२	२२	२२	२३	२३	२३	२३	२३	२३	२४	
३३	४४	५५	४	१४	२४	३४	४४	५४	४	१४	२४	३४	४४	५३	३	क. ३
५८	११	२१	२८	३४	३८	४१	४१	३९	३७	२९	२५	१७	७	५५	४१	
२६	२६	२६	२६	२७	२७	२७	२७	२७	२७	२८	२८	२८	२८	२८	२८	
२७	३६	४५	५५	४	१४	२३	३२	४१	५१	०	९	१८	२८	३७	४६	सिं ४
१४	३७	५९	२१	४१	१	१९	३७	५४	१०	२५	३९	५३	७	१९	३२	
३१	३१	३१	३१	३१	३१	३१	३२	३२	३२	३२	३२	३२	३३	३३	३३	
४	१३	२२	३१	४१	५०	५९	८	१८	२७	३६	४५	५५	४	१४	२३	क ५
१६	२८	४०	५३	७	२१	३५	५०	६	२३	४१	५९	१८	३९	०	२२	

दशम लग्न

	०	१	२	३	४	५	६	७	८	९	१०	११	१२	१३
तु ६	३३ ३२ ४६	३३ ४२ ११	३३ ५१ ३६	३४ १ ४	३४ १० ३२	३४ २० २	३४ २९ ३३	३४ ३९ ५	३४ ४८ ४४	३४ ५८ १४	३५ ७ ५१	३५ १७ २९	३५ २७ १०	३५ ३६ ५१
वृ० ७	३८ २६ ०	३८ ३६ १३	३८ ४६ २८	३८ ५६ ४३	३९ ७ ४	३९ १७ २४	३९ २७ ४७	३९ ३८ १०	३९ ४८ ३५	३९ ५९ २	४० ९ ४१	४० २० २०	४० ३० ३४	४० ४१ ७
ध० ८	४३ ४३ ४६	४३ ५४ ३८	४४ ५ ३१	४४ १६ २५	४४ २७ १८	४४ ३८ १२	४४ ४९ ६	४५ ० ०	४५ १० ५४	४५ २१ ४८	४५ ३२ ४१	४५ ४३ ३५	४५ ५४ २८	४६ ५ २२
म० ९	४९ ८ १८	४९ १८ ५३	४९ २९ २६	४९ ३९ ५८	४९ ५० २९	५० ० ५७	५० ११ २४	५० २१ ४९	५० ३२ १३	५० ४२ ३६	५० ५२ ५६	५१ ३ १७	५१ १३ ३१	५१ २३ ४८
कु० १०	५४ १३ ३६	५४ २३ ९	५४ ३२ ५०	५४ ४२ ३०	५४ ५२ ९	५५ १ ४६	५५ ११ ४६	५५ २० ५५	५५ ३० २७	५५ ३९ ५८	५५ ४९ २८	५५ ५८ ५६	५६ ८ २३	५६ १७ ४९
मी० ११	५८ ५५ ४४	५९ ४ ५५	५९ १४ ७	५९ २३ १७	५९ ३२ २८	५९ ४१ ३९	५९ ५० ४९	० ० ०	० ९ १०	० १८ २१	० २७ ३२	० ३६ ४२	० ४५ ५३	० ५५ ४

सारणी

१४	१५	१६	१७	१८	१९	२०	२१	२२	२३	२४	२५	२६	२७	२८	२९	
३५	३५	३६	३६	३६	३६	३६	३६	३७	३७	३७	३७	३७	३७	३८	३८	
४६	५६	६	१५	२५	३५	४५	५५	५	१५	२५	३५	४५	५५	५	१५	तु. ६
३४	१०	५	५३	४३	३५	३०	२३	२०	१९	२१	२६	२६	२१	३९	४८	
४०	४१	४१	४१	४१	४१	४१	४२	४२	४२	४२	४२	४३	४३	४३	४३	
५१	२	१२	२३	३४	४४	५५	६	१७	२७	३८	४९	०	११	२२	३२	वृ ७
४२	१९	५७	३६	१६	५८	४३	२६	११	५७	४५	४३	२२	१४	३	५४	
४६	४६	४६	४६	४६	४७	४७	४७	४७	४७	४८	४८	४८	४८	४८	४८	
१६	२७	३७	४८	५९	१०	२१	३२	४२	५३	४	१५	२५	३६	४७	५७	ध. ८
१४	६	५७	४८	३८	२७	१५	३	४९	३४	१७	२	४३	२४	३	४१	
५१	५१	५१	५२	५२	५२	५२	५२	५२	५३	५३	५३	५३	५३	५३	५४	
३३	४४	५४	४	१४	२४	३४	४४	५४	४	१४	२४	३४	४४	५३	३	म. ९
५९	११	२०	२८	३४	३८	११	४१	३९	३७	२९	२५	१७	७	५५	४१	
५६	५६	५६	५६	५७	५७	५७	५७	५७	५७	५८	५८	५८	५८	५८	५८	
२७	३६	४५	५५	४	१४	२३	३२	४१	५१	०	९	१८	२८	३७	४६	कुं. १०
१४	३७	५९	२१	४१	१	१९	३७	१४	१०	२५	३९	५३	६	१९	३२	
१	१	१	१	१	१	१	२	२	२	२	२	२	३	३	३	
४	१३	२२	३१	४१	५०	५९	८	१८	२७	३६	४५	५५	४	१४	२३	मी. ११
१६	२८	४०	५३	७	२१	३५	५०	६	२३	४१	५९	१८	३९	०	२२	

लग्नसे दशमभाव

		०	१	२	३	४	५	६	७	८	९	१०	११	१२	१३
मेष	०	८	८	८	८	८	८	८	८	८	९	९	९	९	९
		२३	२४	२५	२५	२६	२७	२८	२८	२९	०	०	१	२	३
		५६	३७	१८	५९	४०	२१	२	४३	२४	५	४०	२८	१५	५
		२६	५६	२६	३८	४३	४२	४७	२२	२७	५२	११	५९	२६	३
वृष	१	९	९	९	९	९	९	९	९	९	९	९	९	९	९
		१६	१७	१८	१९	२०	२१	२१	२२	२३	२४	२५	२६	२७	२८
		४३	२३	२३	१९	१०	१	५२	४२	३३	२४	१८	६	८	९
		३९	२१	६	२४	४२	२४	६	५४	४४	३०	१८	२	५४	५४
मिथुन	२	१०	१०	१०	१०	१०	१०	१०	१०	१०	१०	१०	१०	१०	११
		१५	१६	१७	१९	२०	२१	२२	२३	२४	२५	२६	२७	२९	०
		४६	५२	५७	३	९	१५	२०	२९	३१	२७	४१	५१	५	९
		४८	४२	५८	२	२७	३	३८	१३	५१	२४	२०	२३	१२	८
कर्क	३	११	११	११	११	११	११	११	११	०	०	०	०	०	०
		२१	२२	२३	२४	२६	२७	२८	२९	१	२	३	४	६	७
		१४	१७	४१	५५	९	२३	३६	५०	४	१८	३२	४७	२	१९
		०	४५	३५	२३	१६	२४	४१	२६	५३	१९	७	५१	२२	४१
सिंह	४	०	०	०	१	१	१	१	१	१	१	१	१	१	१
		२७	२८	२९	०	१	२	४	५	६	७	८	९	१०	१२
		९	१८	५७	३७	४६	५५	४	१४	२३	३२	२२	६	२०	३५
		२५	३९	५२	६	१९	३३	४८	२	१६	३०	५४	३२	५	८
कन्या	५	१	२	२	२	२	२	२	२	२	२	२	२	२	२
		२९	०	१	२	३	४	५	६	७	८	१०	११	१२	१३
		३८	४१	४३	४५	४७	५०	५२	५४	५९	५९	१	३	५	७
		२	८	१०	१२	१	०	५	८	३	७	१३	२१	३५	५२

साधन सारणी

१४	१५	१६	१७	१८	१९	२०	२१	२२	२३	२४	२५	२६	२७	२८	२९	
९	९	९	९	९	९	९	९	९	९	९	९	९	९	९	९	मे ०
३	४	५	६	६	७	८	९	१०	११	११	१२	१३	१४	१५	१५	
४६	३६	२३	१०	५७	४४	३१	१८	५	७	४२	३२	२४	२४	६	५६	
३८	४९	१०	४६	४६	४८	४०	५१	१	१४	५०	४३	४८	५०	१	४८	
९	१०	१०	१०	१०	१०	१०	१०	१०	१०	१०	१०	१०	१०	१०	१०	वृ १
२९	०	१	२	३	४	५	६	७	८	९	१०	११	१२	१३	१४	
१०	११	१२	१३	१३	१५	१६	१७	१८	१८	२०	२१	२४	२३	३५	४१	
५४	५४	५४	५४	५४	५४	५४	५४	५४	५४	५४	५४	३४	३०	४०	१७	
११	११	११	११	११	११	११	११	११	११	११	११	११	११	११	११	मि २
१	२	४	५	६	७	८	१०	११	१२	१३	१५	१६	१७	१८	२०	
३२	४६	०	१४	२८	४१	५५	९	२३	३७	५१	४	१८	३१	४६	०	
५३	३७	३८	२४	१०	५५	५५	४०	२९	१७	२	५७	४२	२७	२१	१३	
०	०	०	०	०	०	०	०	०	०	०	०	०	०	०	०	क ३
८	९	११	१२	१३	१४	१५	१६	१७	१९	२०	२१	२२	२३	२४	२६	
३१	४५	०	९	१८	२७	३७	४६	५५	४	१४	२३	३२	४१	५०	०	
१५	४२	१३	३५	३९	५२	६	१९	३५	४८	१२	१६	२९	४३	५६	१२	
१	१	१	१	१	१	१	१	१	१	१	१	१	१	१	१	सिं ४
१३	१४	१५	१६	१७	१८	१९	२०	२१	२२	२३	२४	२५	२६	२७	२८	
४४	३५	४४	१०	१२	१४	१६	१८	२७	३०	३२	३४	३६	३८	४०	५२	
१२	१२	१९	२०	५५	४	८	९	१०	१५	५५	७	२	५	८	१	
२	२	२	२	२	२	२	२	२	२	२	२	२	२	२	२	क. ५
१४	१५	१६	१७	१८	१९	२०	२१	२२	२३	२४	२५	२६	२७	२८	२९	
१०	१२	१४	१६	१४	२१	२१	२९	२७	३०	३२	३५	३७	४०	४२	४३	
८	१	०	७	१४	२२	३०	३२	१	५	८	९	७	२५	५०	५९	

लग्नसे दशमभाव

	०	१	२	३	४	५	६	७	८	९	१०	११	१२	१३
तुला ६	३	३	३	३	३	३	३	३	३	३	३	३	३	३
	०	१	२	३	४	५	६	८	९	१०	११	१२	१३	१४
	४५	४	५०	५२	५४	५९	५९	१	२	५	८	१५	२३	२४
	७	५	८	१३	१५	१९	२२	२	५	१४	३८	५५	१७	१२
वृश्चिक ७	४	४	४	४	४	४	४	४	४	४	४	४	४	४
	४	५	६	७	८	९	११	१२	१३	१४	१६	१७	१८	१९
	१०	१९	२९	३८	४३	५३	३	२०	३५	४९	४	१६	३०	४४
	७	५	३	२	०	१	५	१३	२५	३५	४५	८	३	१०
धनु ८	५	५	५	५	५	५	५	५	५	५	५	५	५	५
	१०	११	१३	१४	१५	१६	१८	१९	२०	२१	२२	२४	२५	२६
	३९	५३	६	२०	३४	४८	२	१५	२९	४३	५७	११	२४	३९
	२४	१	५	३	१५	२२	११	३	२९	२०	१५	२५	४८	३७
मकर ९	६	६	६	६	६	६	६	६	६	६	६	६	६	६
	१४	१५	१६	१७	१८	१९	२०	२१	२२	२३	२४	२५	२६	२७
	३८	३९	४०	४१	४२	४३	४४	४५	४६	४७	४८	४९	५०	५२
	१	२	५	२	१	०	३	१	५०	२२	११	८	१५	३
कुम्भ १०	७	७	७	७	७	७	७	७	७	७	७	७	७	७
	११	१२	१३	१४	१४	१५	१६	१७	१८	१८	१९	२०	२१	२१
	४०	५	२२	९	५६	४३	३०	२१	१४	५१	३८	२४	५	४६
	५१	३२	३२	३३	३०	२२	७	५	९	१०	५२	८	३	१५
मीन ११	८	८	८	८	८	८	८	८	८	८	८	८	८	८
	३	४	४	५	६	६	७	८	९	९	१०	१०	११	१२
	२४	५	४९	२८	९	५०	३२	१२	३	३४	१५	५६	२७	१३
	३९	१२	५	३	०	८	२	६	७	५	३	४५	४७	३६

सारणी

१४	१५	१६	१७	१८	१९	२०	२१	२२	२३	२४	२५	२६	२७	२८	२९	
३	३	३	३	३	३	३	३	२	३	३	३	३	४	४	४	
१५	१६	१८	१९	२०	२१	२२	२३	२४	२६	२७	२८	२९	०	१	३	
४२	५०	१	१०	५९	२८	३८	४८	५६	९	१५	२४	३३	४२	५२	१	तु.६
३	०	१	८	१५	२२	८	९	३५	४२	५६	२	८	५	३	७	
४	४	४	४	४	४	४	४	५	५	५	५	५	५	५	५	
२०	२२	२३	२४	२५	२७	२८	२९	०	२	३	४	५	६	८	९	वृ०. ७
५८	१२	२५	३८	५५	७	१९	३४	४८	२	१६	३०	४३	५३	११	२५	
१	२	५	३	५७	१२	२५	१८	२१	७	४	५	३	१	१५	०	
५	५	५	६	६	६	६	६	६	६	६	६	६	६	६	६	
२७	२८	२९	०	१	२	३	५	६	७	८	९	१०	११	१२	१३	
२७	३०	३०	४२	४७	५३	५८	४	१०	१५	२१	२६	३२	३४	३६	४०	ध. ८
३७	३७	४२	३	४	५	३	१५	१२	२०	३०	५	८	३	४५	०	
६	६	७	७	७	७	७	७	७	७	७	७	७	७	७	७	
२८	२९	०	०	१	२	३	४	५	५	६	७	८	९	१०	११	
१०	१	१	५२	४३	३३	२४	१५	६	५७	४६	३८	२९	२०	१०	७	म० ९
३२	४०	४५	५०	७	३	४	९	१३	२१	२७	३५	४०	४५	५०	५०	
७	७	७	७	७	७	७	७	७	७	७	७	८	८	८	८	
२२	२३	२४	२४	२५	२५	२६	२७	२७	२८	२९	२९	०	११	२	२	
३८	३९	१६	५९	१२	५६	३४	१५	५६	३७	१८	५९	४०	२१	३०	३	कु. १०
२७	३७	४८	५९	१	२	३	६	८	१०	१२	५	३०	१५	१६	४	
८	८	८	८	८	८	८	८	८	८	८	८	८	८	८	८	
१२	१३	१४	१५	१५	१६	१७	१७	१८	१९	१९	२०	२१	२१	२२	२३	
५९	४०	२०	०	३५	२४	५	४६	२८	९	५७	३१	१२	५३	३४	१५	मी. ११
२६	१२	४२	३५	१	२	८	५	७	३	५३	५९	१	५	३	४	

लग्नसे दशम भाव साधन—लग्नके राशि अंशों-द्वारा फल लेकर—लग्न राशिके सामने और अंशके नीचे जो अंकसंख्या 'लग्नसे दशम भाव साधनसारणी'में मिले वही दशम भाव होगा।

उदाहरण १—पश्चिमनतकाल ७।१९, सूर्य ०।१० इस सूर्यके राशि, अंशोंको दशमसारणीमें देखा तो शून्य राशि और दश अंशके सामनेका फल ५।७।५१ मिला। पश्चिमनत होनेके कारण इसे इष्टकाल स्वरूप नतमें जोड़ा—५। ७५१ आगत फल

७।१९। ० नत-इष्टकाल

१२।२६।५१ इसे पुन दशमसारणीमें देखा तो इस सख्याके लगभग १ राशि २३ अंशका फल मिला, अत दशम भाव १।२३ हुआ।

उदाहरण २—इष्टकाल १०।१५, दिनमान ३२।६, दिनार्ध १६।३, सूर्य०।१० है।

यहाँ इष्टकालमें-से दिनार्ध घटाना है, लेकिन इष्टकाल कम होनेके कारण दिनार्ध घटता नहीं है, अत ६० जोड़कर घटाया—६० + (१०।१५)

७०।१५ योगफलमें-से

१६। ३ दिनार्ध घटाया

५४।१२ दशम साधनका इष्टकाल। पूर्ववत् सूर्यके राश्यादिको दशम-सारणीमें देखा तो फल ५।७।५१ मिला। ५।७।५१ आगतफलमें

५४।१२। ० इष्टकालको जोड़ा

५९।१९।५१ इसे दशमसारणीमें देखा तो ११।२ आया, यही दशम भाव हुआ।

उदाहरण ३—लग्नमान ४।२३।२५।२७ है। इसके राशि अंशोको 'लग्नसे दशम भाव साधनसारणी'में देखा तो ४ राशिके सामने और २३ अंशके नीचे १।२२।३०।१५ फल प्राप्त हुआ, यही दशम भाव हुआ।

अन्य भाव साधन करनेकी प्रक्रिया

दशम भावकी राशिमे छह जोडनेसे चतुर्थ भाव आता है। चतुर्थ भावमे-से लग्नको घटानेसे जो आये उसमे छहका भाग देकर लब्धको लग्नमे जोडनेसे लग्नकी सन्धि, लग्नकी सन्धिमे इस षष्ठाशको जोडनेसे द्वितीय भाव, द्वितीय भावमे इस षष्ठाशको जोडनेसे धनभावकी सन्धि, इस सन्धिमें षष्ठाशको जोडनेसे तृतीय—सहजभाव, सहजभावमे षष्ठाश जोडनेसे तृतीय भावकी सन्धि और इस सन्धिमे षष्ठाश जोडनेसे चतुर्थभाव होता है।

३० अशमे-से इस षष्ठाशको घटाकर शेषको चतुर्थ भाव—सुहृद्भावमे जोडनेसे चतुर्थकी सन्धि, इस सन्धिमे उसी शेषको जोडनेसे पचम भाव—पुत्रभाव, पुत्रभावमें इसी शेषको जोडनेसे षष्ठ—रिपुभाव और इस षष्ठ भावमे इसी शेषको जोडनेसे—रिपुभावकी सन्धि होती है।

लग्नमे छह राशि जोडनेसे सप्तम भाव, लग्नसन्धिमे छह राशि जोडनेसे सप्तम भावकी सन्धि, द्वितीय भावमे छह राशि जोडनेसे अष्टम भाव, द्वितीय भावकी सन्धिमे छह राशि जोडनेसे अष्टम भावकी सन्धि, तृतीय भावमे छह राशि जोडनेसे नवम भाव, तृतीय भावकी सन्धिमे छह राशि जोडनेसे नवम भावकी सन्धि, चतुर्थ भावमे छह राशि जोडनेसे दशम भाव, चतुर्थकी सन्धिमे छह राशि जोडनेसे दशम भावकी सन्धि, पचम भावमे छह राशि जोडनेसे एकादश भाव, पचम भावकी सन्धिमे छह राशि जोडनेसे एकादश भावकी सन्धि, षष्ठ भावमे छह राशि जोडनेसे द्वादश भाव और षष्ठ भावकी सन्धिमे छह राशि जोडनेसे द्वादश भावकी सन्धि होती है।

उदाहरण—

१।२४।४३।२१ दशम भाव
६। ०। ०। ० जोडा
७।२४।४३।२१ चतुर्थ भावमे-से

४।२३।२५।२७ लग्नको घटाया

३। १।१७।५४ – ६ = ०।१५।१२।५९ षष्ठांश

४।२३।२५।२७ लग्नमें

०।१५।१२।५९ षष्ठांश जोड़ा

५। ८।३८।२६ लग्नकी सन्धिमें

०।१५।१२।५९ षष्ठांश जोड़ा

५।२३।५१।२५ द्वितीय भावमें

०।१५।१२।५९ षष्ठांश जोड़ा

६। ९। ४।२४ द्वितीय भावकी सन्धिमें

०।१५।१२।५९ षष्ठांश जोड़ा

६।२४।१७।२३ तृतीय भावमें

०।१५।१२।५९ षष्ठांश जोड़ा

७। ९।३०।२३ तृतीय भावकी सन्धिमें

०।१५।१२।५९ षष्ठांश जोड़ा

७।२४।४३।२१ चतुर्थ भाव

३० अंशमें-से

०।१५।१२।५९ षष्ठांशको घटाया

०।१४।४७। १ शेष

७।२४।४३।२१ चतुर्थ भावमें

०।१४।४७। १ शेषको जोड़ा

८। ९।३०।२२ चतुर्थ भावकी सन्धि

०।१४।४७। १ शेषको जोड़ा

८।२४।१७।२३ पंचम भाव

०।१४।४७। १ शेषको जोड़ा

९। ९। ४।२४ पंचम भावकी सन्धि

९। ९। ४।२४ पचम भाव सन्धि
०।१४।४७।१ शेपको जोडा
९।२३।५१।२५ षष्ठ भाव
०।१४।४७। १ शेषको जोडा
१०। ८।३८।२६ पष्ठ भावकी सन्धि
०।१४।४७। १ शेपको जोडा
१०।२३।२५।२७ सप्तम भाव

लग्न सन्धि ५।८।३८।२६ + ६ राशि = ११।८।३८।२६ सप्तम भाव-सन्धि
द्वितीय भाव ५।२३।५१।२५ + ६ राशि = ११।२३।५१।२५ अष्टम भाव
द्वितीय भावकी सन्धि ६।९।४।२४ + ६ राशि = ०।९।४।२४ अष्टम भावकी सन्धि
तृतीय भाव ६।२४।१७।५६ + ६ राशि = ०।२४।१७।३३ नवम भाव
तृतीय भाव सन्धि ७।९।३०।२२ + ६ राशि = १।९।३०।२२ नवम भावकी सन्धि
चतुर्थ भाव ७।२४।४३।२१ + ६ राशि = १।२४।४३।२१ दशम भाव
चतुर्थ भावकी सन्धि ८।९।३०।२२ + ६ राशि = २।९।३०।२२ दशम भावकी सन्धि
पचम भाव ८।२४।१७।२३ + ६ राशि = २।२४।१७।२३ एकादश भाव
पचम भावकी सन्धि ९।९।४।२४ + ६ राशि = ९।९।४।२४ एकादश भाव
सं षष्ठ भाव ९।२३।५१।२५ + ६ राशि = ३।२३।५१।२५ द्वादश भाव
षष्ठ भावकी सन्धि १०।८।३८।२६ + ६ राशि = ४।८।३८।२६ द्वादश भावकी सन्धि

द्वादश भावोके नाम

तनु, धन, महज, सुहृद्, पुत्र, रिपु, स्त्री, आयु, धर्म, कर्म, आय और व्यय ये क्रमश बारह भावोके नाम है। द्वादश भाव स्पष्ट चक्र लिखते समय प्रत्येक भावके अनन्तर उसके सन्धि मानको रखते है।

द्वादश भाव स्पष्ट चक्र

त०	स०	व०	स०	म०	म०	सु०	म०	पु०	स०	रि०	म०
४	५	५	६	६	७	७	८	८	९	९	१०
२३	८	२३	९	२४	९	२४	९	२६	९	२३	८
२५	३८	५१	५	१७	३०	४३	३०	१७	४	५१	३८
२७	२६	२५	२४	२३	२२	२१	२२	२३	२४	२५	२६

स्त्री०	म०	आ०	स०	व०	स०	क०	म०	आ०	स०	व्य०	स०
१०	११	११	०	०	१	१	२	२	३	३	४
२३	८	२३	९	२४	९	२४	९	२६	९	२३	८
२५	३८	५१	४	१७	३०	४३	३०	१७	४	५१	३८
२७	३६	२५	२४	२३	२२	२१	२२	२३	२४	२५	२६

चलित चक्र अवगत करनेका नियम

चलित चक्र ज्ञात करनेके लिए ग्रहस्पष्ट और भावस्पष्टके साथ तुलनात्मक विचार करना चाहिए। यदि ग्रहके राश्यादि भावके राश्यादिके तुल्य हो तो वह ग्रह उस भावमे और उसके राश्यादि भावसन्धिके राश्यादिके समान हो अथवा भावके राश्यादिसे आगे और भावसन्धिके राश्यादिसे पीछे हो तो भावसन्धिमे एव आगेवाले या पीछेवाले भावके राश्यादिके समान हो तो आगे या पीछेके भावमे ग्रहको समझना चाहिए[1]।

---

१ वदन्ति भावक्यदल हि सन्धिस्तत्र स्थित स्यादबलो ग्रहेन्द्र ।
ऊनेपु सन्धेर्गतभावजातमागामिज चाल्यधिक करोति ॥
भावेशतुल्य खलु वर्त्तमानो भावो हि सम्पूर्णफल विधत्ते ।
भावोनके चाप्यधिके च खेटे त्रिराशिके नामफल प्रकल्प्यम् ॥
भावप्रवृत्तौ हि फलप्रवृत्ति पूर्ण फल भावसमाशकेपु ।
ह्रास क्रमाद्भावविरामकाले फलस्य नाश कथितो मुनीन्द्रै ॥

चलित चक्रकी जन्मपत्रीमें अत्यावश्यकता रहती है। चलितके बिना ग्रहोके स्थानका ठीक ज्ञान नही हो सकता है।

प्रस्तुत उदाहरणका चलित चक्र ज्ञात करनेके लिए सर्वप्रथम सूर्यके साथ विचार किया। नवग्रहस्पष्ट चक्रमे सूर्य ०।१०।७।३४ आया है और भावस्पष्टमें अष्टम—आयुभावकी सन्धि ०।९।४।२४ है, सूर्यके अश सन्धिके अशोसे आगे है, अत सूर्य नवम—धर्मभावमें माना जायेगा। चन्द्रमा १।०।२४।३४ है, धर्मभाव ०।२४।१७।३३ और इसकी सन्धि १।९।३०।२२ है, अतएव यहाँ चन्द्रमा नवम भावकी सन्धिमे माना जायेगा। मगल २।२१।५२।४४ है, आयभाव २।९।३०।२२ से २।२४।१७।२३ तक है अत मगल आयभावमें, इसी प्रकार बुध नवममें, गुरु व्ययभावकी सन्धिमे, शुक्र अष्टम भावमे, शनि दशम भावकी सन्धिमे, राहु व्ययभावमें एव केतु रिपुभावमे माना जायेगा।

दशवर्ग विचार

ग्रहोके बलाबलका ज्ञान करनेके लिए दशवर्गका साधन किया जाता है। दशवर्गमे गृह, होरा, द्रेष्काण, सप्ताश, नवाश, दशाश, द्वादशाश, षोडशाश, त्रिंशाश और षष्टचश परिगणित किये गये है।

दो भावोंके योगार्धको सन्धि कहते है, सन्धिमें स्थित ग्रह निर्बल होता है। ग्रह सन्धिसे हीन हो तो पूर्वभावके फलको देता है और सन्धिसे अधिक हो तो आगामिभावोत्पन्न फलको उत्पन्न करता है। भावेशतुल्य वर्त्तमान भाव ही अपना पूर्ण फल देता है। भावसे हीन या अधिक होनेसे फल न्यूनाधिक होता है। ग्रहोंके भावकी प्रवृत्तिसे ही फलकी निष्पत्ति होती है और भावेशके तुल्य ग्रह पूर्ण फल देता है। हीनाधिक होनेसे फलमें ह्रास या वृद्धि होती जाती है।

ताजिकनीलकण्ठीके मतानुसार दोनों सन्धियोंके मध्यभागमें विद्यमान ग्रह बीचवाले भावका फल देता है।

गृह—जो ग्रह जिस राशिका स्वामी होता है, वह राशि उस ग्रहका गृह कहलाती है। राशियोंके स्वामी निम्न प्रकार हैं—

मेष, वृश्चिकका मंगल, वृष, तुलाका शुक्र, मिथुन, कन्याका बुध, कर्कका चन्द्रमा, धनु, मीनका गुरु, सिंहका सूर्य एवं मकर, कुम्भका स्वामी शनि होता है।

होरा—१५ अंशका एक होरा होता है, इस प्रकार एक राशिमें दो होरा होते हैं। विषम राशि—मेष, मिथुन आदिमें १५ अंश तक सूर्यका होरा और १६ अंशसे ३० अंश तक चन्द्रमाका होरा। समराशि—वृष, कर्क आदिमें १५ अंश तक चन्द्रमाका होरा, और १६ अंशसे ३० अंश तक सूर्यका होरा होता है। जन्मपत्रीमें होरा लिखनेके लिए पहले लग्नमें देखना होगा कि किस ग्रहका होरा है, यदि सूर्यका होरा हो तो होराकुण्डलीकी ५ लग्नराशि और चन्द्रमाका होरा हो तो होराकुण्डलीकी ४ लग्नराशि होती है। होराकुण्डलीमें ग्रहोंके स्थापनके लिए ग्रहस्पष्टके राश्यादिसे विचार करना चाहिए। नीचे होराज्ञानके लिए होराचक्र दिया जाता है, इसमें सूर्य और चन्द्रमाके स्थानपर उनकी राशियाँ दी गयी हैं।

मे०	वृ०	मि०	क०	सि०	क०	तु०	वृ०	ध०	म०	कु०	मी०	अ०
५	४	५	४	५	४	५	४	५	४	५	४	१५ अंश
४	५	४	५	४	५	४	५	४	५	४	५	३० अंश

उदाहरण—लग्न ४।२३।२५।२७ अर्थात् सिंह राशिके २३ अंश २५ कला २७ विकलापर है। सिंह राशिके १५ अंश तक सूर्यका होरा, १६ अंशसे आगे ३० अंश तक चन्द्रमाका होरा होता है। अतः यहाँ चन्द्रमाका होरा हुआ और होरालग्न ४ माना जायेगा।

• ग्रह स्थापित करनेके लिए स्पष्ट ग्रहोंपर-से विचार करना है। पूर्वमें स्पष्टसूर्य ०।१०।७।३४ अर्थात् मेष राशिका १० अंश ७ कला ३४ विकला

है । मेपराशिमे १५ अश तक सूर्यका होरा होता है, अत. सूर्य अपने होरा—५ मे हुआ । चन्द्रमाका स्पष्ट मान १।०।२४।३४—वृष राशिका ० अश २४ कला ३४ विकला है, वृप राशिमें १५ अश तक चन्द्रमाका होरा होता है। अतएव चन्द्रमा अपने होरा—४ में हुआ । मगलका स्पष्ट मान २।२१।५२।४४—मिथुन राशिका २१ अश ५२ कला ४४ विकला है । मिथुन राशिमें १६ अशसे ३० अश तक चन्द्रमाका होरा होता है अत मगल चन्द्रमाके होरा—४ में हुआ । वुध ०।२३।२१।३१—मेप राशिका २३ अश २१ कला ३१ विकला है । मेप राशिमें १६ अशसे चन्द्रमाका होरा होता है अत वुध चन्द्रमाके होरा—५ में हुआ । इसी प्रकार वृहस्पति सूर्यके होरा—५ में, शुक्र सूर्यके होरा—५मे, शनि सूर्यके होरा—५में, राहु चन्द्रमाके होरा—४ में और केतु चन्द्रमाके होरा—४में आया ।

होराकुण्डली चक्र

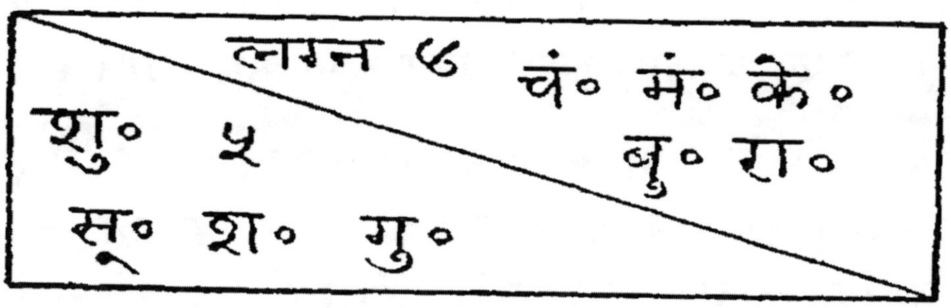

द्रेष्काण—१० अशका एक द्रेष्काण होता है, इस प्रकार एक राशिमे तीन द्रेष्काण—१ अशसे १० अश तक प्रथम द्रेष्काण, ११ से २० अश तक द्वितीय द्रेष्काण और २१ अशसे ३० अश तक तृतीय द्रेष्काण समझना चाहिए ।

जिस किसी राशिके प्रथम द्रेष्काणमे ग्रह हो तो उसी राशिका, द्वितीय द्रेष्काणमे उस राशिसे पचम राशिका और तृतीय द्रेष्काणमे उस राशिसे नवम राशिका द्रेष्काण होता है । सरलतासे समझनेके लिए द्रेष्काण चक्र नीचे दिया जाता है—

द्रेष्काण चक्र

मे०	वृ०	मि०	क०	सि०	क०	तु०	वृ०	ध०	म०	कु०	मी०	अश
१	२	३	४	५	६	७	८	९	१०	११	१२	१०
५	६	७	८	९	१०	११	१२	१	२	३	४	२०
९	१०	११	१२	१	२	३	४	५	६	७	८	३०

जन्मपत्रीमे द्रेष्काण कुण्डली बनानेकी प्रक्रिया यह है कि लग्न जिस द्रेष्काणमे हो, वही द्रेष्काण कुण्डलीको लग्नराशि होगी, ग्रहस्थापन करनेके लिए ग्रह स्पष्ट मानके अनुसार प्रत्येक ग्रहका पृथक्-पृथक् द्रेष्काण निकाल कर प्रत्येक ग्रहको उसकी द्रेष्काण राशिमे स्थापित करना चाहिए।

उदाहरण—लग्न ४।२३।२५।२७ अर्थात् सिंह राशिके २३ अंश २५ कला और २७ विकला है। यह लग्न सिंह राशिके तृतीय द्रेष्काण—मेष राशिकी हुई। अतएव द्रेष्काण कुण्डलीका लग्न मेष होगा।

ग्रहोके विचारके लिए प्रत्येक ग्रहका स्पष्ट मान लिया तो सूर्य ०।१०।७। ३४—मेष राशिका १० अश ७ कला और ३४ विकला है। मेषमे १० अश बीत जानेके कारण सूर्य मेषके द्वितीय द्रेष्काण—सिंह राशिका माना जायेगा। चन्द्रमा १।०।२४।३४—वृष राशिका ० अश २४ कला और ३४ विकला है। वृषमे १० अश तक प्रथम द्रेष्काण वृष राशिका ही होता है। अत चन्द्रमा वृष राशिमे लिखा जायेगा। मगल २।२१।५२। ५४—मिथुन राशिका २१ अश ५२ कला और ५४ विकला है। मिथुन राशिमे २१ अशसे तृतीय द्रेष्काणका प्रारम्भ होता है, अत मगल मिथुनके तृतीय द्रेष्काण कुम्भका लिखा जायेगा। इसी प्रकार बुध धनु राशिका, गुरु मीन राशिका, शुक्र वृश्चिक राशिका, शनि मिथुन राशिका, राहु कर्क राशिका और केतु मकर राशिका माना जायेगा।

द्रेष्काण-कुण्डली चक्र

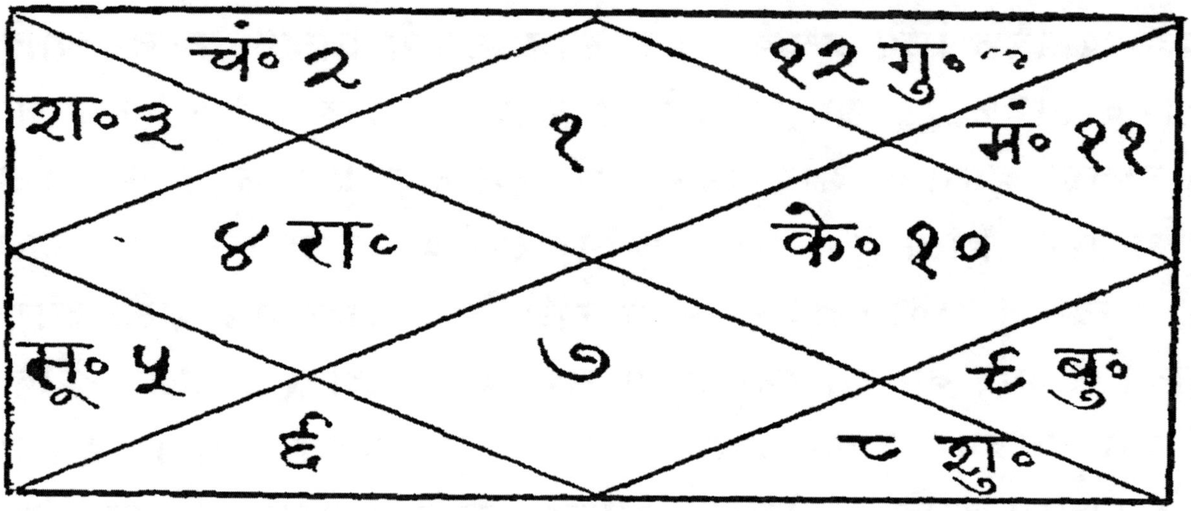

सप्ताश या सप्तमांश—एक राशिमें ३० अश होते हैं। इन अशोमे ७ का भाग देनेसे ४ अश १७ कला ८ विकलाका मप्तमाश होता है।

लग्न और ग्रहोके सप्तमाश निकालनेके लिए समराशिमें उस राशिकी सप्तम राशिमे और विपम राशिमें उसी राशिसे सप्तमाशकी गणना की जाती है।

सप्तमाश बोधक चक्र

मे०	वृ०	मि०	क०	सिं०	क०	तु०	वृ०	ध०	म०	कु०	मी०	अश कलादि
१	८	३	१०	५	१२	७	२	९	४	११	६	४।१७ ८
२	९	४	११	६	१	८	३	१०	५	१२	७	८।३४।१७
३	१०	५	१२	७	२	९	४	११	६	१	८	१२।५१।२५
४	११	६	१	८	३	१०	५	१२	७	२	९	१७। ८।३४
५	१२	७	२	९	४	११	६	१	८	३	१०	२१।२५।४२
६	१	८	३	१०	५	१२	७	२	९	४	११	२५।४२।५१
७	२	९	४	११	६	१	८	३	१०	५	१२	३०। ०। ०

उदाहरण—लग्न ४।२३।२५।२७—सिंह राशिके २३ अश २५ कला २७ विकला है। सिंह राशिमें २१ अग २५ कला ४२ विकला तकका पांचवां सप्ताश होता है, पर हमारी अभीष्ट लग्न इससे आगे है

अतः छठा सप्तांश कुम्भ राशि माना जायेगा। इसलिए सप्तांश कुण्डली-की लग्न कुम्भ होगी।

ग्रह स्थापनके लिए प्रत्येक ग्रहके स्पष्ट मानमें विचार करना चाहिए। सूर्य ०।१०।७।३८ है, मेष राशिमें ८ अंश ३४ कला १७ विकला तक द्वितीय सप्तांश होता है और इससे आगे १२ अंश ५१ कला २५ विकला तृतीय सप्तांश होता है। सूर्य यहाँपर तृतीय सप्तांश—मिथुन राशिका हुआ। चन्द्रमा १।०।२८।३४—वृष राशिके ० अंश २८ कला और ३४ विकलाका है और वृष राशिका प्रथम सप्तांश ८ अंश १७ कला ८ विकला तक है अतः चन्द्रमा वृषका प्रथम सप्तांश वृश्चिकका हुआ। इस प्रकार मंगलकी सप्तांश राशि वृश्चिक, बुधकी कन्या, गुरुकी मिथुन, शुक्रकी कुम्भ, शनिकी मिथुन, राहुकी मीन और केतुकी कन्या हुई।

सप्तमांश कुण्डली चक्र

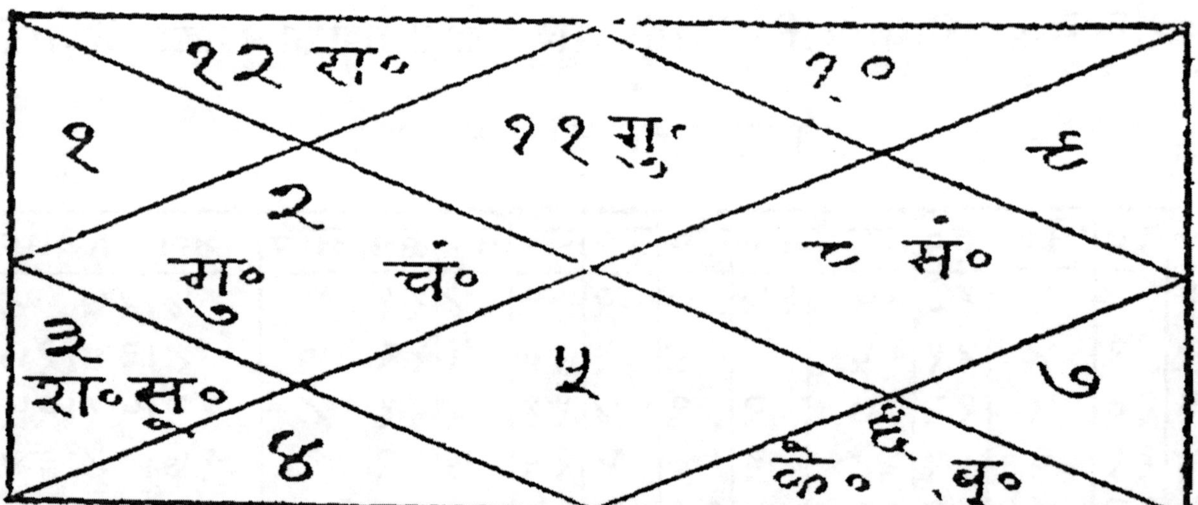

नवमांश—एक राशिके नौवें भागको नवमांश या नवांश कहते हैं, यह ३ अंश २० कलाका होता है। तात्पर्य यह है कि एक राशिमें नौ राशियोंके नवांश होते हैं, लेकिन बात जाननेकी यह रह जाती है कि ये नौ नवांश प्रति राशिमें किन-किन राशियोंके होते हैं। इसका नियम यह है कि मेषमें पहला नवांश मेषका, दूसरा वृषका, तीसरा मिथुनका, चौथा

कर्कका, पाँचवाँ सिंहका, छठा कन्याका, सातवाँ तुलाका, आठवाँ वृश्चिकका और नौवाँ धनु राशिका होता है। इस नौवें नवांशमें मेष राशिकी समाप्ति और वृष राशिका प्रारम्भ हो जाता है, अत वृष राशिमें प्रथम नवांश मेष राशिके अन्तिम नवांशसे आगेका होगा। इस प्रकार वृषमे पहला नवांश मकरका, दूसरा कुम्भका, तीसरा मीनका, चौथा मेषका, पाँचवाँ वृषका, छठा मिथुनका, सातवाँ कर्कका, आठवाँ सिंहका और नौवाँ कन्याका नवांश होता है। मिथुन राशिमें पहला नवांश तुलाका, दूसरा वृश्चिकका, तीसरा धनुका, चौथा मकरका, पाँचवाँ कुम्भका, छठा मीनका, सातवाँ मेषका, आठवाँ वृषका और नौवाँ मिथुनका नवांश होता है। इसी तरह आगे-आगे गिनकर अगली राशियोके नवांश जान लेना चाहिए।

गणित विधिसे नवांश निकालनेका नियम यह है कि अभीष्ट संख्यामें राशि अंकको ९ से गुणा करनेपर जो गुणनफल आवे, उसके अंशोमे ३।२० का भाग देकर जो नवांश मिले उसे जोड देनेसे नवांश आ जायेगा। लेकिन १२ से अधिक होनेपर १२ का भाग देनेसे जो शेष रहे वही नवांश होगा।

नवांश बोधक-चक्र

मे	वृ	मि	क	सि	क	तु	वृ	ध	म	कु	मी	अंश क
१	१०	७	४	१	१०	७	४	१	१०	७	४	३।२०
२	११	८	५	२	११	८	५	२	११	८	५	६।४०
३	१२	९	६	३	१२	९	६	३	१२	९	६	१०।०
४	१	१०	७	४	१	१०	७	४	१	१०	७	१३।२०
५	२	११	८	५	२	११	८	५	२	११	८	१६।४०
६	३	१२	९	६	३	१२	९	६	३	१२	९	२०।०
७	४	१	१०	७	४	१	१०	७	४	१	१०	२३।२०
८	५	२	११	८	५	२	११	८	५	२	११	२६।४०
९	६	३	१२	९	६	३	१२	९	६	३	१२	३०।०

नवांश कुण्डली बनानेकी विधि—लग्न स्पष्ट जिस नवांशमें आया हो वही नवांश कुण्डलीका लग्न माना जायेगा और ग्रहस्पष्ट-द्वारा ग्रहोंका ज्ञान कर जिस नवांशका जो ग्रह हो, उस ग्रहको राशिमें स्थापन करनेसे जो कुण्डली बनेगी, वही नवांश कुण्डली होगी।

उदाहरण—लग्न ४।२३।२५।२७ है। इसे नवांश बोधक चक्रमें देखनेसे सिंहका आठवाँ नवांश हुआ अतएव नवांश कुण्डलीकी लग्न राशि वृश्चिक मानी जायेगी, क्योंकि सिंहके आठवें नवमांशकी राशि वृश्चिक है।

ग्रहोंके स्थापनके लिए विचार किया तो सूर्य ०।१०।७।३४ है, इसे नवांश बोधक चक्रमें देखा तो यह मेषके चौथे नवांश—कर्क राशिका हुआ अतः कर्कमें सूर्यको रखा जायेगा। चन्द्रमा १।०।२४।३४ है, चक्रमें देखनेसे यह वृषके प्रथम नवांश मकर राशिका होगा। इसी प्रकार मंगल मिथुनका, बुध वृश्चिकका, गुरु कुम्भका, शुक्र कुम्भका, शनि तुलाका, राहु कन्याका, और केतु मीन राशिका लिखा जायेगा।

चर राशिका पहला नवांश, स्थिर राशिका पाँचवाँ और द्विस्वभाव राशिका अन्तिम वर्गोत्तम नवांश कहलाते हैं।

नवमांश कुण्डली चक्र

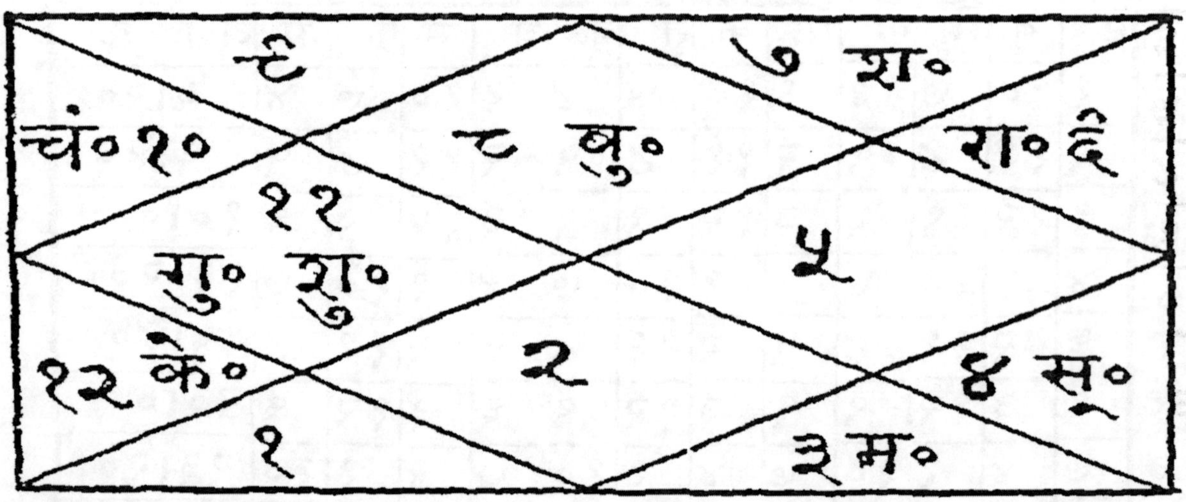

दशमांश विचार—एक राशिमें दश दशमांश होते हैं, अर्थात् ३ अंश-का एक दशमांश होता है।

विपम राशिमे उसी राशिसे और सम राशिमें नवम राशिसे दशमाशकी गणना की जाती है। दशमाश कुण्डली बनानेका नियम यह है कि लग्न-स्पष्ट जिस दशमाशमें हो, वही दशमाश कुण्डलीका लग्न माना जायेगा। और ग्रहस्पष्ट-द्वारा ग्रहोको ज्ञात कर जिस दशमाशका जो ग्रह हो उस ग्रहको उस राशिमें स्थापन करनेसे जो कुण्डली बनेगी, वही दशमाश कुण्डली होगी।

दशमाशका स्पष्ट बोध करनेके लिए आगे चक्र दिया जाता है।

दशमांश चक्र

मे	वृ	मि	क	सिं	क	तु	वृ	ध	म	कु	मी	म० क० सख्या
०	१	२	३	४	५	६	७	८	९	१०	११	
१	१०	३	१२	५	२	७	४	९	६	११	८	३।० प्रथम
२	११	४	१	६	३	८	५	१०	७	१२	९	६।० द्वितीय
३	१२	५	२	७	४	९	६	११	८	१	१०	९।० तृतीय
४	१	६	३	८	५	१०	७	१२	९	२	११	१२।० चतुर्थ
५	२	७	४	९	६	११	८	१	१०	३	१२	१५।० पचम
६	३	८	५	१०	७	१२	९	२	११	४	१	१८।० पष्ठ
७	४	९	६	११	८	१	१०	३	१२	५	२	२१।० सप्तम
८	५	१०	७	१२	९	२	११	४	१	६	३	२४।० अष्टम
९	६	११	८	१	१०	३	१२	५	२	७	४	२७।० नवम
१०	७	१२	९	२	११	४	१	६	३	७	५	३०।० दशम

उदाहरण—लग्न ४।२३।२५।२७ है, इसे दशमाश चक्रमें देखा तो सिंहमें आठवाँ दशमाश मीन राशिका मिला। अत. दशमाश कुण्डलीकी लग्न राशि मीन होगी। ग्रहोके स्थापनके लिए सूर्य ०।१०।७।३४ का दशमाश मेपका चौथा हुआ, अर्थात् सूर्यकी दशमाश कुण्डलीमें कर्क राशि-

में स्थिति रहेगी। इसी प्रकार चन्द्रमाकी दशमांश राशि कन्या मंगलकी मकर, बुधकी वृश्चिक, गुरुकी वृश्चिक, शुक्रकी मिथुन, शनिकी मिथुन, राहुकी मिथुन और केतुकी धनु होगी।

दशमांश कुण्डली चक्र

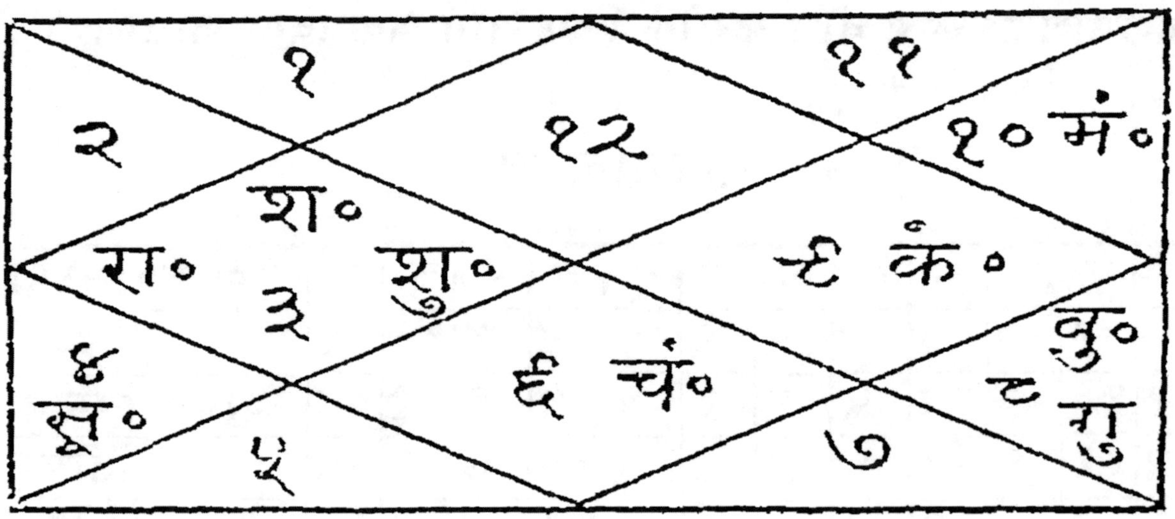

द्वादशांश—एक राशिमें १२ द्वादशांश होते हैं अर्थात् राशिके बारहवें भाग $२\frac{१}{२}$ अंशका एक द्वादशांश होता है। द्वादशांश गणना अपनी राशिसे ली जाती है। जैसे मेषमें मेषसे, वृषमें वृषसे, मिथुनमें मिथुनसे आदि। तात्पर्य यह है कि जिस राशिमें द्वादशांश जानना हो, उसमें पहला द्वादशांश अपना, दूसरा आगेवाली राशिका, इसी प्रकार १२ द्वादशांश उस राशिके होंगे।

द्वादशांश कुण्डली बनानेकी विधि नवांश, दशमांश आदिकी कुण्डलियोंके समान है—अर्थात् लग्न स्पष्टमें द्वादशांश निकाल कर द्वादशांश कुण्डलीकी लग्न बना लेनी चाहिए, अनन्तर पहलेके समान सभी ग्रहोंकी राश्यादिके द्वादशांश निकालकर ग्रहोंको द्वादशांशकी राशिमें स्थापित कर देना चाहिए।

द्वादशांश बोधक चक्र

० मे	१ वृ	२ मि	३ क	४ सिं	५ क	६ तु	७ वृ	८ ध	९ म	१० कु	११ मी	अंश	म०
१	२	३	४	५	६	७	८	९	१०	११	१२	२।३०	१
२	३	४	५	६	७	८	९	१०	११	१२	१	५। ०	२
३	४	५	६	७	८	९	१०	११	१२	१	२	७।३०	३
४	५	६	७	८	९	१०	११	१२	१	२	३	१०। ०	४
५	६	७	८	९	१०	११	१२	१	२	३	४	१२।३०	५
६	७	८	९	१०	११	१२	१	२	३	४	५	१५। ०	६
७	८	९	१०	११	१२	१	२	३	४	५	६	१७।३०	७
८	९	१०	११	१२	१	२	३	४	५	६	७	२०। ०	८
९	१०	११	१२	१	२	३	४	५	६	७	८	२२।३०	९
१०	११	१२	१	२	३	४	५	६	७	८	९	२५। ०	१०
११	१२	१	२	३	४	५	६	७	८	९	१०	२७।३०	११
१२	१	२	३	४	५	६	७	८	९	१०	११	३०। ०	१२

उदाहरण—लग्न ४।२३।२५।२७, द्वादशांश बोधक चक्रमें देखनेपर सिंहमें दसवाँ द्वादशांश वृष राशिका है। अत द्वादशांश कुण्डलीकी लग्न वृष राशि होगी। ग्रह स्थापनमें पहलेके समान किया जायेगा।

द्वादशांश कुण्डली

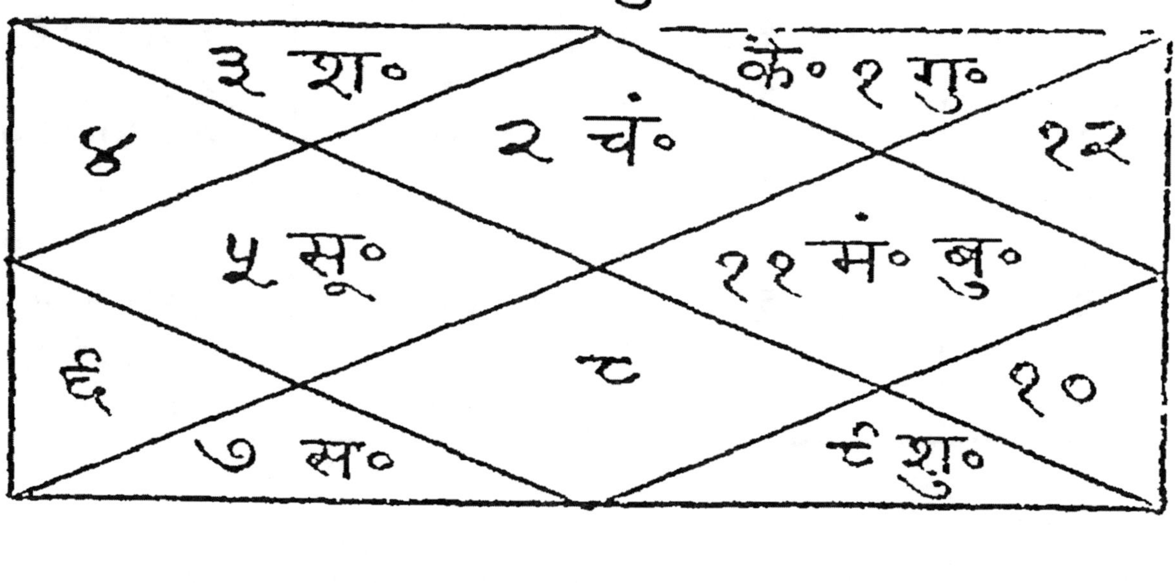

षोडशांश—एक राशिमें १६ षोडशांश होते हैं। एक षोडशांश १ अंश ५२ कला ३० विकलाका होता है। षोडशांशकी गणना चर राशियोंमें मेषादिसे, स्थिर राशियोंमें सिंहादिसे और द्विस्वभाव राशियोंमें धनु राशिसे की जाती है।

षोडशांश कुण्डलीके बनानेकी विधि यह है कि लग्नस्पष्ट जिस षोडशांशमें आया हो, वही षोडशांश कुण्डलीका लग्न माना जायेगा और ग्रहोंके स्पष्टके अनुसार ग्रह स्थापित किये जायेंगे।

षोडशांश ज्ञान करनेका चक्र

चर मे० क० तु० म०	स्थिर वृ० सि० वृ० कु०	द्विस्वभाव मि० क० ध० मी०	अंशादि
१	५	९	१।५२।३०
२	६	१०	३।४५।०
३	७	११	५।३७।३०
४	८	१२	७।३०।०
५	९	१	९।२२।३०
६	१०	२	११।१५।०
७	११	३	१३।७।३०
८	१२	४	१५।०।०
९	१	५	१६।५२।३०
१०	२	६	१८।४५।०
११	३	७	२०।३७।३०
१२	४	८	२२।३०।०
१	५	९	२४।२२।३०
२	६	१०	२६।१५।०
३	७	११	२८।७।३०
४	८	१२	३०।०।०

उदाहरण—लग्न ४।२३।२५।२७ है, लग्न सिंह राशिकी होनेके कारण स्थिर कहलायेगी। सिंहके २३ अंश २४ कला २७ विकलाका १३वाँ षोडशांश होगा, जिसकी राशि सिंह है अत यहाँ षोडशांश कुण्डली की लग्नराशि सिंह होगी। ग्रहोंके राश्यादिको भी षोडशांश चक्रमे देखकर षोडशांशकी राशिमे स्थापित कर देना चाहिए।

षोडशांश कुण्डली चक्र

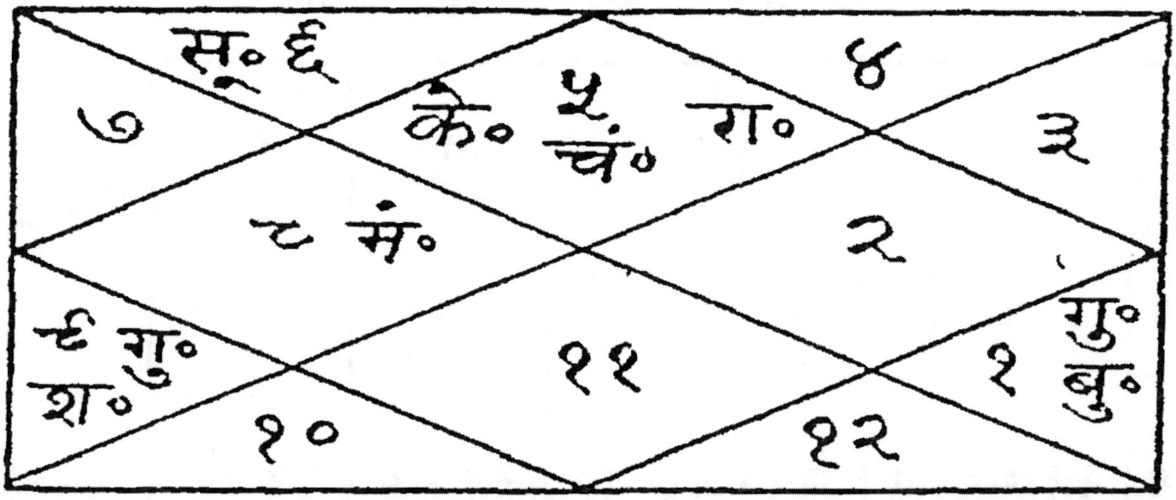

त्रिंशांश—विषम राशियो—मेष, मिथुन, सिंह, तुला, धनु और कुम्भमे १ला ५ अंश मंगलका, २रा ५ अंश शनिका, ३रा ८ अंश वृहस्पतिका, ४था ७ अंश बुधका और ५वाँ ५ अंश शुक्रका त्रिंशांश होता है। तात्पर्य यह है कि उपर्युक्त विषम राशियोमें यदि कोई ग्रह एकसे ५ अंश पर्यन्त रहे तो मंगलके त्रिंशांशमे कहा जायेगा। ६ठेसे १०वें अंश तक रहे तो शनिके, १०वेंसे १८वें अंश तक रहे तो वृहस्पतिके, १९वेंसे २५वें अंश तक रहे तो बुधके और २६वेंसे ३०वें अंश तक रहे तो शुक्रके त्रिंशांशमें वह ग्रह कहा जायेगा।

सम राशियां—वृष, कर्क, कन्या, वृश्चिक, मकर और मीन-मे १ला ५ अंश तक शुक्रका, २रा ७ अंश तक बुधका, ३रा ८ अंश तक

बृहस्पतिका, ४था ५ अंश तक शनिका और ५वाँ ५ अंश तक मंगलका त्रिंशांश है।

राशिपद्धतिके अनुसार विषम राशियोंमें ५ अंश तक मेषका, १० अंश तक कुम्भका, १८ अंश तक धनुका, २५ अंश तक मिथुनका और ३० अंश तक तुलाका त्रिंशांश होता है।

त्रिंशांश कुण्डली भी पूर्ववत् बनायी जायेगी।

विषम राशिका त्रिंशांश चक्र

मे०	मिथुन	सिं०	तु०	धनु०	कुम्भ	अंश
१ म	१ मं०	१ मं०	१ मं०	१ मं०	१ मं०	५
११श.	११ श०	११ श०	११ श०	११ श०	११ श०	१०
९ गु	९ गु०	९ गु०	९ गु०	९ गु०	९ गु०	१८
३ बु	३ बु०	३ बु०	३ बु०	३ बु०	३ बु०	२५
७ शु	७ शु०	७ शु०	७ शु०	७ शु०	७ शु०	३०

उदाहरण—लग्न ४।२३।२५।२७–सिंह राशिके २३ अंश २५ कला २७ विकला है, यह सिंह राशिके १८ अंशसे आगे और २५ अंशके पीछे है

अत मिथुनका त्रिशांश कहलायेगा। त्रिशांश कुण्डलीका लग्न मिथुन होगा। सूर्य ०।१०।७।३४—मेष राशिके १० अंशके ७ कला ३४ विकला है। मेष राशिमे १० अंशसे आगे १८ अंश तक धनु राशिका त्रिशांश होता है। अत सूर्य धनु राशिका होगा।

समराशिका त्रिशांश चक्र

वृ०	क०	क०	वृ०	म०	मी०	अंश
२ शु०	२ शु०	२ शु०	२ शु०	२ शु०	२ शु०	१ से ५ तक
६ बु०	६ बु०	६ बु०	६ बु०	६ बु०	६ बु०	६ से १२ तक
१२ गु०	१२ गु०	१२ गु०	१२ गु०	१२ गु०	१२ गु०	१३ से २० तक
१० श०	१० श०	१० श०	१० श०	१० श०	१० श०	२१ से २५ तक
८ म०	८ म०	८ म०	८ म०	८ म०	८ म०	२६ से ३० तक

त्रिशांश कुण्डली चक्र

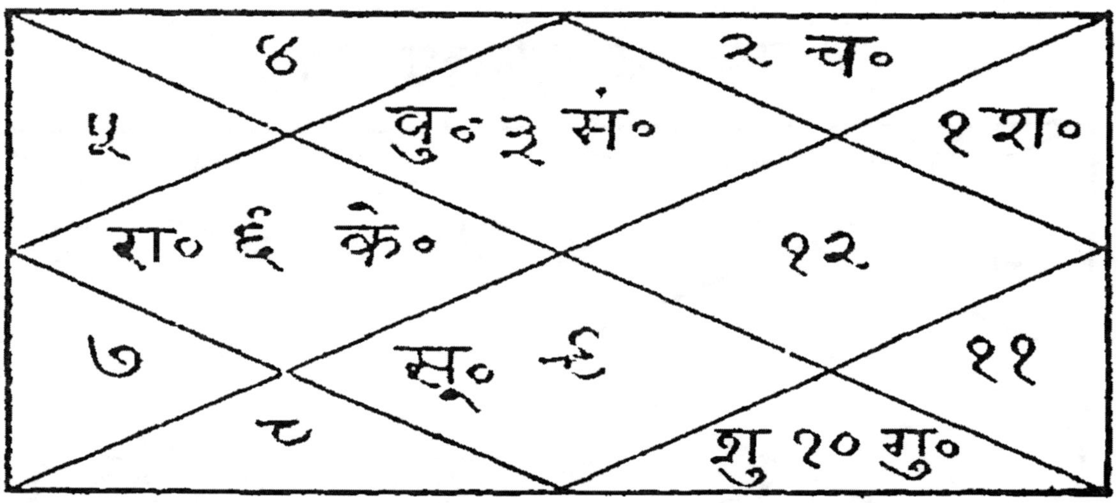

षष्ट्यंश—एक राशिमे ६० षष्ट्यंश होते हैं अर्थात् ३० कलाका एक षष्ट्यंश होता है।

जिस ग्रह या लग्नका षष्ट्यंश साधन करना हो उस ग्रहकी राशिको छोडकर अंशोकी कला बनाकर आगेवाली कलाओंको उसमें जोड देना चाहिए। इन योगफलवाली कलाओंमें ३० का भाग देनेसे जो लब्ध आवे उसमें एक और जोड दे। इस योगफलको आगे दिये गये षष्ट्यंश चक्रमें देखनेसे षष्ट्यंशकी राशि मिल जायेगी। विषम राशिवाले ग्रहका देवतांश विषम-देवतांशके नीचे और सम राशिवालेका सम देवतांशके नीचे मिलेगा।

षष्ट्यंश कुण्डली बनानेका उदाहरण—लग्न ४।२३।२५।२७ है। यहाँ राशि अंकको छोडकर अंशोकी कला बनायी तो—२३।२५
१३८० + २५ = १४०५ − ३० = ४६ शेष २५
लब्ध ४६ + १ = ४७वाँ षष्ट्यंश हुआ, चक्रमें देखा तो सिंह राशिका ४७-वाँ षष्ट्यंश मिथुन है अत षष्ट्यंश कुण्डलीकी लग्न मिथुन होगी। इस चक्रसे बिना गणित किये भी षष्ट्यंशका बोध कोष्ठकके अन्तमें दिये गये अंशादिके द्वारा किया जा सकता है। प्रस्तुत लग्न सिंहके २३ अंश २५ कला २३ अंशसे आगे है। अत २३।३० वाले कोष्ठकमें सिंहके नीचे मिथुन लिखा गया है अत षष्ट्यंश लग्न मिथुन होगा।

ग्रहोंके स्थान पहलेके समान ही स्थापित करने चाहिए।

षष्ट्यंश कुण्डली चक्र

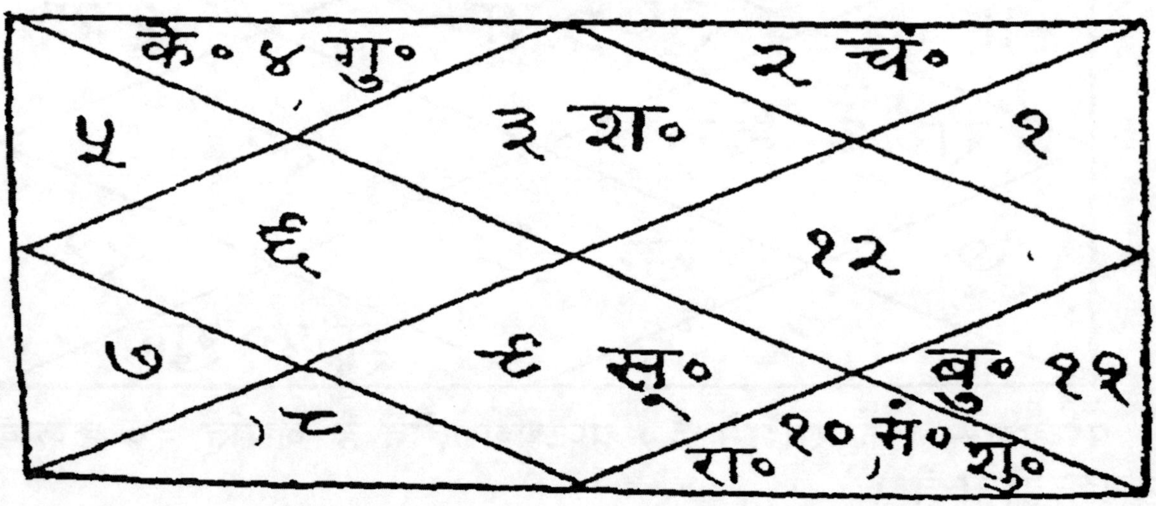

षष्टयंश चक्र

विषम-देवतांश	स	मे	वृ	मि	क	सि	क	तु	वृ.	ध	म	कु	मी	अंश	सम-देवतांश
घोर	१	१	२	३	४	५	६	७	८	९	१०	११	१२	०।३०	इन्दुरेखा
राक्षस	२	२	३	४	५	६	७	८	९	१०	११	१२	१	१।०	भ्रमण
देव	३	३	४	५	६	७	८	९	१०	११	१२	१	२	१।३०	पयोधि
कुबेर	४	४	५	६	७	८	९	१०	११	१२	१	२	३	२।०	सुधा
यक्ष	५	५	६	७	८	९	१०	११	१२	१	२	३	४	२।३०	शीत
किन्नर	६	६	७	८	९	१०	११	१२	१	२	३	४	५	३।०	क्रूर
भ्रष्ट	७	७	८	९	१०	११	१२	१	२	३	४	५	६	३।३०	सौम्य
कुलघ्न	८	८	९	१०	११	१२	१	२	३	४	५	६	७	४।०	निमल
गरल	९	९	१०	११	१२	१	२	३	४	५	६	७	८	४।३०	दण्टायुध
अग्नि	१०	१०	११	१२	१	२	३	४	५	६	७	८	९	५।०	कालाग्नि
माया	११	११	१२	१	२	३	४	५	६	७	८	९	१०	५।३०	प्रवीण
प्रेतपुरीप	१२	१२	१	२	३	४	५	६	७	८	९	१०	११	६।०	इन्दुमुख
अपाम्पति	१३	१	२	३	४	५	६	७	८	९	१०	११	१२	६।३०	दंष्ट्राकराल
देवगणेश	१४	२	३	४	५	६	७	८	९	१०	११	१२	१	७।०	शीतल
काल	१५	३	४	५	६	७	८	९	१०	११	१२	१	२	७।३०	मृदु

अहिभाग	१६	४	५	६	७	८	९	१०	११	१२	१	२	३	८। ०	सौम्य
अमृत	१७	५	६	७	८	९	१०	११	१२	१	२	३	४	८।३०	काल रूप
चन्द्र	१८	६	७	८	९	१०	११	१२	१	२	३	४	५	९। ०	पातक
मृद्वंश	१९	७	८	९	१०	११	१२	१	२	३	४	५	६	९।३०	वंशक्षय
कोमल	२०	८	९	१०	११	१२	१	२	३	४	५	६	७	१०। ०	कुलनाश
हेरम्ब	२१	९	१०	११	१२	१	२	३	४	५	६	७	८	१०।३०	विषप्रदग्ध
ब्रह्मा	२२	१०	११	१२	१	२	३	४	५	६	७	८	९	११। ०	पूर्णचन्द्र
विष्णु	२३	११	१२	१	२	३	४	५	६	७	८	९	१०	११।३०	अमृत
महेश्वर	२४	१२	१	२	३	४	५	६	७	८	९	१०	११	१२। ०	सुधा
देव	२५	१	२	३	४	५	६	७	८	९	१०	११	१२	१२।३०	कण्टक
आर्द्र	२६	२	३	४	५	६	७	८	९	१०	११	१२	१	१३। ०	यम
कलिनाश	२७	३	४	५	६	७	८	९	१०	११	१२	१	२	१३।३०	घोर
क्षितीश्वर	२८	४	५	६	७	८	९	१०	११	१२	१	२	३	१४। ०	दावाग्नि
कमलाकर	२९	५	६	७	८	९	१०	११	१२	१	२	३	४	१४।३०	काल
मान्दी	३०	६	७	८	९	१०	११	१२	१	२	३	४	५	१५। ०	मृत्यु

मृत्युकर	३१	७	८	९	१०	११	१२	१	२	३	४	५	६	१५।३०	मान्दी
काल	३२	८	९	१०	११	१२	१	२	३	४	५	६	७	१६।०	कमलाकर
दावाग्नि	३३	९	१०	११	१२	१	२	३	४	५	६	७	८	१६।३०	क्षितिज
घोर	३४	१०	११	१२	१	२	३	४	५	६	७	८	९	१७।०	कलिनाश
यम	३५	११	१२	१	२	३	४	५	६	७	८	९	१०	१७।३०	आर्द्र
कण्टक	३६	१२	१	२	३	४	५	६	७	८	९	१०	११	१८।०	देव
सुधा	३७	१	२	३	४	५	६	७	८	९	१०	११	१२	१८।३०	महेश्वर
अमृत	३८	२	३	४	५	६	७	८	९	१०	११	१२	१	१९।०	विष्णु
पूणचन्द्र	३९	३	४	५	६	७	८	९	१०	११	१२	१	२	१९।३०	ब्रह्मा
विपप्रदग्ध	४०	४	५	६	७	८	९	१०	११	१२	१	२	३	२०।०	हेरम्ब
कुलनाश	४१	५	६	७	८	९	१०	११	१२	१	२	३	४	२०।३०	कोमल
वशक्षय	४२	६	७	८	९	१०	११	१२	१	२	३	४	५	२१।०	मृद्वश
पातक	४३	७	८	९	१०	११	१२	१	२	३	४	५	६	२१।३०	चन्द्र
काल	४४	८	९	१०	११	१२	१	२	३	४	५	६	७	२२।०	अमृत
सौम्य	४५	९	१०	११	१२	१	२	३	४	५	६	७	८	२२।३०	अहिभाग

मृदु	४६	१०	११	१२	१	२	३	४	५	६	७	८	९	२३।०	काल
शीतल	४७	११	१२	१	२	३	४	५	६	७	८	९	१०	२३।३०	देवगणेश
दंष्ट्राकराल	४८	१२	१	२	३	४	५	६	७	८	९	१०	११	२४।०	अपापति
इन्दुमुख	४९	१	२	३	४	५	६	७	८	९	१०	११	१२	२४।३०	प्रेतपुरीप
प्रवीण	५०	२	३	४	५	६	७	८	९	१०	११	१२	१	२५।०	माया
कालाग्नि	५१	३	४	५	६	७	८	९	१०	११	१२	१	२	२५।३०	अग्नि
दण्डायुध	५२	४	५	६	७	८	९	१०	११	१२	१	२	३	२६।०	गरल
निर्मल	५३	५	६	७	८	९	१०	११	१२	१	२	३	४	२६।३०	कुलघ्न
शुभाकर	५४	६	७	८	९	१०	११	१२	१	२	३	४	५	२७।०	भ्रष्ट
क्रूर	५५	७	८	९	१०	११	१२	१	२	३	४	५	६	२७।३०	किन्नर
अतिशीतल	५६	८	९	१०	११	१२	१	२	३	४	५	६	७	२८।०	यक्ष
सुधा	५७	९	१०	११	१२	१	२	३	४	५	६	७	८	२८।३०	कुबेर
पयोधि	५८	१०	११	१२	१	२	३	४	५	६	७	८	९	२९।०	देव
भ्रमण	५९	११	१२	१	२	३	४	५	६	७	८	९	१०	२९।३०	राक्षस
इन्दुरेखा	६०	१२	१	२	३	४	५	६	७	८	९	१०	११	३०।०	घोर

ग्रहोंका निसर्ग-मैत्री विचार

सूर्यके मंगल, चन्द्रमा और बृहस्पति मित्र, शुक्र और शनि शत्रु एव बुध सम हैं। चन्द्रमाके सूर्य और बुध मित्र, बृहस्पति मगल, शुक्र और शनि सम हैं। मगलके सूर्य, चन्द्रमा एव बृहस्पति मित्र, बुध शत्रु, शुक्र और शनि सम हैं। बुधके सूर्य और शुक्र मित्र, शनि, बृहस्पति और मगल सम एव चन्द्रमा शत्रु हैं। बृहस्पतिके सूर्य, मगल और चन्द्रमा मित्र, शनि सम एव शुक्र और बुध शत्रु हैं। शुक्रके शनि, बुध मित्र, चन्द्रमा, सूर्य शत्रु और बृहस्पति, मगल सम हैं। शनिके सूर्य, चन्द्रमा और मगल शत्रु, बृहस्पति मम एव शुक्र और बुध मित्र हैं।

निसर्ग मैत्री बोधक चक्र

ग्रह	मित्र	शत्रु	सम (उदासीन)
सूय	चन्द्र, मगल, गुरु	शुक्र, शनि	बुध
चन्द्र	रवि, बुध	×	चन्द्र, मगल, गुरु, शनि
मगल	रवि, चन्द्र, गुरु	बुध	शुक्र, शनि
बुध	सूर्य, शुक्र	चन्द्र	मगल, गुरु, शनि
बृहस्पति	सूर्य, चन्द्र, मगल	बुध, शुक्र	शनि
शुक्र	बुध, शनि	सूर्य, चन्द्र	मगल, गरु
शनि	बुध, शुक्र	सूर्य, चन्द्र मगल	गुरु

तात्कालिक मैत्री विचार

जो ग्रह जिस स्थानमे रहता है, वह उममे दूसरे, तीसरे, चौथे, दसवें, ग्यारहवें और बारहवें भावके ग्रहोके माथ मित्रता रखता है—तात्कालिक

मित्र होता है और अन्य स्थानों—१, ५, ६, ७, ८, ९,—के ग्रह शत्रु होते है।

जन्मपत्री बनाते समय निसर्ग मैत्रीचक्र लिखनेके अनन्तर जन्मलग्न-कुण्डलीके ग्रहोंका उपर्युक्त नियमके अनुसार तात्कालिक मैत्री चक्र भी लिखना चाहिए।

पंचधा मैत्री विचार

नैसर्गिक और तात्कालिक मैत्री इन दोनोंके सम्मिश्रणसे पाँच प्रकारके मित्र, शत्रु होते हैं—(१) अतिमित्र (२) अतिशत्रु (३) मित्र (४) शत्रु और (५) उदासीन—सम।

तात्कालिक और नैसर्गिक दोनों जगह मित्र होनेसे अतिमित्र, दोनों जगह शत्रु होनेसे अतिशत्रु, एकमें मित्र और दूसरेमें सम होनेमे मित्र, एकमें सम और दूसरेमे शत्रु होनेसे शत्रु एवं एकमें शत्रु और दूसरेमे मित्र होनेसे सम–उदासीन ग्रह होते है।

जन्मपत्रीमे इस पचधा मैत्रीचक्रको भी लिखना चाहिए।

पारिजातादि विचार

पारिजातादि ज्ञात करनेके लिए पहले दशवर्ग चक्र बना लेना चाहिए। इस चक्रकी प्रक्रिया यह है कि पहले जो होरा, द्रेष्काण, सप्तांश आदि बनाये है उन्हें एक साथ लिखकर रख लेना चाहिए। इस चक्रमें जो ग्रह अपने वर्ग अतिमित्रके वर्ग या उच्चके वर्गमे हो उसकी स्वक्षादि वर्गी सज्ञा होती है।

जिस जन्मपत्रीमे दो ग्रह स्वक्षादि वर्गी हों उनकी पारिजात संज्ञा, तीनकी उत्तम, चारकी गोपुर, पाँचकी सिंहासन, छहकी पारावत, सातकी देवलोक, आठकी ब्रह्मलोक, नौकी ऐरावत और दशकी श्रीधाम सज्ञा होती है। ये सब योग विशेष है, आगे इनका फल लिखा जायेगा।

२	३	४	५	६	७	८	९	१०	वर्गैक्य
पारिजात	उत्तम	गोपुर	सिंहासन	पारावत	देवलोक	ब्रह्मलोक	ऐरावत	श्रीधाम	योग विशेष

कारकांश कुण्डली बनानेकी विधि

सूर्यादि ७ ग्रहोंमें जिसके अंश सबसे अधिक हो वही आत्मकारक ग्रह होता है। यदि अंश बराबर हो तो उनमें जिसकी कला अधिक हो वह, कलाकी भी समता होनेपर जिसकी विकला अधिक हो वह आत्मकारक होता है। विकलाओंमें भी समानता होनेपर जो बली ग्रह होगा, वही आत्मकारक उस कुण्डलीमें माना जायेगा। आत्मकारकसे अल्प अंशवाला भ्रातृकारक, उससे न्यून अंशवाला मातृकारक, उससे न्यून अंशवाला पुत्रकारक, उससे न्यून अंशवाला जातिकारक और उससे न्यून अंशवाला स्त्रीकारक होता है। किसी-किसी आचार्यके मतसे पितृकारक पुत्रकारकके स्थानमें माना गया है।

कारकांश कुण्डली निर्माणकी प्रक्रिया यह है कि आत्मकारक ग्रह जिस राशिके नवांशमें हो, उसको लग्न मानकर सभी ग्रहोंको यथास्थान रख देनेसे जो कुण्डली होती है, उसीको कारकांश कुण्डली कहते हैं।

उदाहरण—ग्रह स्पष्ट चक्रमें सबसे अधिक अंश बृहस्पतिके हैं, अतः बृहस्पति आत्मकारक हुआ। इससे अल्प अंशवाला बुध अमात्यकारक, इससे अल्प अंशवाला शुक्र भ्रातृकारक, इससे अल्प अंशवाला मंगल मातृकारक, इससे अल्प अंशवाला सूर्य पुत्रकारक, इससे अल्प अंशवाला चन्द्र जातिकारक और इससे अल्प अंशवाला शनि स्त्रीकारक होगा।

कुण्डली निर्माणके लिए विचार किया तो आत्मकारक बृहस्पति कुम्भके नवांशमें है अतः कारकांश कुण्डलीकी लग्न राशि कुम्भ होगी।

जन्म-कुण्डलीमें ग्रह जिस-जिस राशिमें हैं, उसी-उसी राशिमें उन्हें स्थापित कर देनेसे कारकांश कुण्डली बन जायेगी।

स्वांश कुण्डलीके निर्माणकी विधि—स्वांश कुण्डलीका निर्माण प्राय कारकांश कुण्डलीके समान होता है। इसमें लग्न राशि कारकांश कुण्डलीकी ही मानी जाती है, किन्तु ग्रहोंका स्थापन अपनी-अपनी नवांश राशिमें किया जाता है। तात्पर्य यह है कि नवांश कुण्डलीमें ग्रह जिस-जिस राशिमें आये हैं स्वांश कुण्डलीमें भी उस-उस राशिमें रखे जायेंगे। उदाहरण—स्वांश कुण्डलीकी लग्न ११ राशि होगी।

स्वांशकुण्डली चक्र

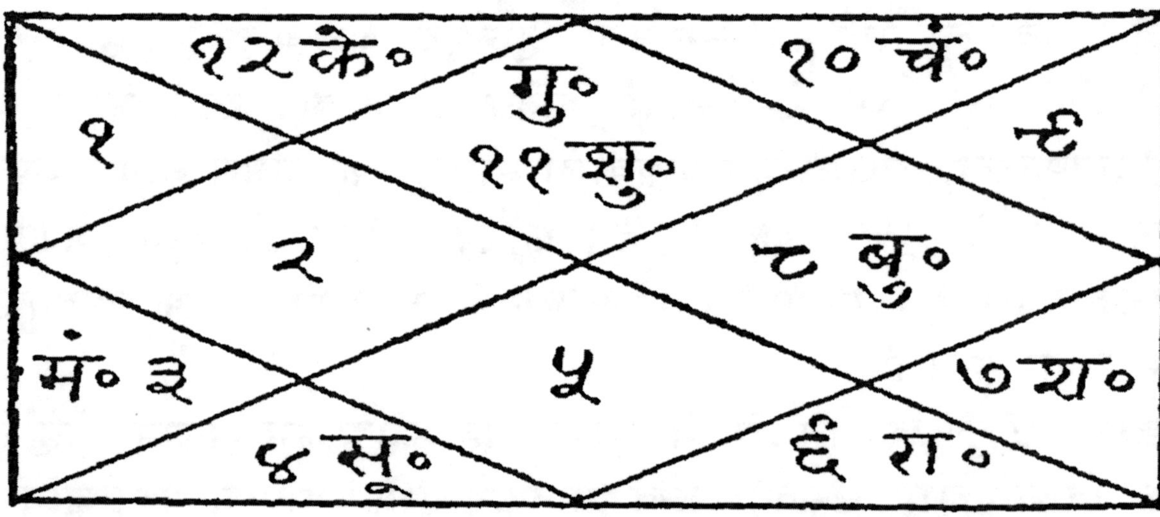

दशा विचार

अष्टोत्तरी, विंशोत्तरी, योगिनी आदि कई प्रकारकी दशाएँ होती हैं। फल अवगत करनेके लिए प्रधान रूपसे विंशोत्तरी दशाका ही ग्रहण किया गया है। जातक शास्त्रके मर्मज्ञोंने ग्रहोंके शुभाशुभत्वका समय जाननेके लिए विंशोत्तरीको ही प्रधान माना है। मारकेशका निर्णय भी विंशोत्तरी दशासे ही किया जाता है, अत नीचे विंशोत्तरी दशा बनानेकी विधि लिखी जाती है।

विंशोत्तरी—इस दशामें १२० वर्षकी आयु मानकर ग्रहोंका विभाजन

किया गया है। सूर्यकी दशा ६ वर्ष, चन्द्रमाकी १० वर्ष, भौमकी ७ वर्ष, राहुकी १८ वर्ष, वृहस्पतिकी १६ वर्ष, शनिकी १९ वर्ष, बुधकी १७ वर्ष, केतुकी ७ वर्ष एव शुक्रकी २० वर्षकी दशा बतायी गयी है।

जन्म-नक्षत्रानुसार ग्रहोंकी दशा यह होती है। कृत्तिका, उत्तराफाल्गुनी और उत्तरापाढामे जन्म होनेमे सूर्यकी, रोहिणी, हस्त और श्रवणमें जन्म होनेसे चन्द्रमाकी, मृगशिर, चित्रा और धनिष्ठा नक्षत्रमे जन्म होनेसे मंगलकी, आर्द्रा, स्वाति और शतभिपामे जन्म होनेसे राहुकी, पुनर्वसु, विशाखा और पूर्वाभाद्रपदमें जन्म होनेसे वृहस्पतिकी, पुष्य, अनुराधा और उत्तराभाद्रपदमे जन्म होनेमे शनिकी, आश्लेपा, ज्येष्ठा और रेवतीमे जन्म होनेमे वुधकी, मघा, मूल और अश्विनीमे जन्म होनेसे केतुकी एव भरणी, पूर्वाफाल्गुनी और पूर्वापाढामें जन्म होनेसे शुक्रकी दशा होती है।

जन्मनक्षत्र-द्वारा ग्रहदशा वोधक चक्र

आदित्य	चन्द्र	भौम	राहु	जीव या गुरु	शनि	वुध	केतु	शुक्र	ग्र०
६	१०	७	१८	१६	१९	१७	७	२०	वर्ष
कृ उ फा उ पा.	रो ह श्र	मृ चि ध	आर्द्रा स्वा श	पुन वि पू भा	पुष्य अनु उ भा	आश्ले ज्ये रे	म मू अश्वि	पू फा पू पा भ	नक्षत्र

दशा जाननेकी सुगम विधि—कृत्तिका नक्षत्रसे जन्मनक्षत्र तक गिनकर ९ का भाग देनेसे एकादि शेषमे क्रमसे आ०, चं०, भौ०, रा०, जी०, श०, वु०, के० और शु० की दशा होती है। उदाहरण—जन्मनक्षत्र मघा है। यहाँ कृत्तिकासे मघा तक गणना की तो ८ सख्या हुई, इसमे ९ का भाग दिया तो लव्व कुछ नही मिला, शेप ८ ही रहे। आ०, च०, भौ० आदि क्रमसे आठ तक गिना तो आठवी सख्या केतुकी हुई। अत जन्मदशा केतुकी कहलायेगी।

दशासाधन[1]

भयात और भभोगको पलात्मक बनाकर जन्मनक्षत्रके अनुसार जिस ग्रहकी दशा हो, उसके वर्षोंसे पलात्मक भयातको गुणाकर पलात्मक भभोग-का भाग देनेसे जो लब्ध आये वह वर्ष और शेषको १२ से गुणा कर पला-त्मक भभोगसे भाग देनेसे जो लब्ध आये वह मास, और शेषको पुन ३०से गुणाकर पलात्मक भभोगका भाग देनेसे जो लब्ध आये वह दिन, शेपको पुन ६० से गुणा कर पलात्मक भभोगका भाग देनेसे जो लब्ध आये वह घटी एव शेपको पुन ६०से गुणा कर पलात्मक भभोगका भाग देनेसे लब्ध पल आयेंगे। यह वर्ष, मास, दिन, घटी और पल दशाके भुक्त वर्षादि कहलायेंगे। इनको दशा वर्षमें घटानेसे भोग्य वर्षादि आ जायेंगे।

विशोत्तरी दशाका चक्र बनानेकी प्रक्रिया यह है कि पहले जिस ग्रहकी भोग्य दशा जितनी आयी है, उसको रखकर फिर क्रमसे सब ग्रहोंको स्थापित कर देंगे। बीच चक्रमें एक खाना संवत्के लिए रहेगा और नीचे एक खाना जन्मसमयके राश्यादि सूर्यके लिए रहेगा। नीचे खानेके सूर्य स्पष्टको भोग्य दशाके मासादिमें जोड देना चाहिए और इस योगफलको नीचेके खानेमें जोड देना चाहिए और इस योगफलको नीचेके खानेके अगले कोष्ठकमें रखना चाहिए। मध्यवाले कोष्ठकके संवत्को ग्रहोंके वर्षोंमें जोडकर आगे रखना चाहिए।

उदाहरण—भयात १६ घटी ३९ पल। भभोग ५८।४४

	६०		६०
	९६०		३४८०
	३९		४४
पलात्मक भयात	९९९	पलात्मक भभोग	३५२४

यहाँ जन्मनक्षत्र कृत्तिका है। जन्मनक्षत्र-द्वारा यह दशाबोधक चक्रमें

---

१ दशामान भयानघ्न भभोगेन हृत फलम्।
दशाया भुक्तवर्षाद्य भोग्य मानाद् विशोधितम्॥
—बृहत्पाराशर होरा, काशी १९५२ ई०, ४६।१६

कृत्तिका नक्षत्रकी जन्मदशा सूर्यकी लिखी गयी है। इस ग्रहकी ६ वर्षकी दशा होती है, अत पलात्मक भयातको ग्रह दशा वर्षसे गुणा किया—

१ ९ ९ भयात | ३५२४ भभोग

```
      ९९९ भयात
        ६
    -----
    ५९९४
३५२४)५९९४(   १ वर्ष
     ३५२४
     ----
     २४७०
       १२
     ------
३५२४)२९६४०(   ८ मास
     २८१९२
     -----
     १४४८
       ३०
     ------
३५२४)४३४४०(   १२ दिन
     ३५२४
     ----
     ८२००
     ७०४८
     ----
     ११५२
       ६०
     ------
३५२४)६९१२०(   १९ घटी
     ३५२४
     -----
     ३३८८०
     ३१७१६
     -----
     २१६४ × ६०
३५२४)१२९८४०(   ३६ पल
     १०५७२
     ------
      २४१२०
      २११४४
      -----
       २९७६
```

सूर्यके भुक्त वर्षादि = १।८।१२।१९।३६
इसे ग्रह वर्षमें-से घटाया तो—

६।०। ०। ०। ० ग्रह वर्ष
१।८।१२।१९।३६ भुक्त वर्षादि
४।३।१७।४०।२४ भोग्य वर्षादि

विंशोत्तरी दशा चक्र

आदित्य	चन्द्रमा	भौम	राहु	जीव	शनि	बुध	केतु	शुक्र	ग्र०
४	१०	७	१८	१६	१९	१७	७	२०	वर्ष
३	०	०	०	०	०	०	०	०	मास
१७	०	०	०	०	०	०	०	०	दिन
४०	०	०	०	०	०	०	०	०	घटी
२४	०	०	०	०	०	०	०	०	पल
सवत्	सवत्	सवत्	सवत्	सवत्	सवत्	सवत्	सवत्	सवत्	सवत्
२००१	२००५	२०१५	२०२२	२०४०	२०५६	२०७५	२०९२	२०९९	२११९
सूर्य	सूर्य	सूर्य	सूर्य	सूर्य	सूर्य	सूर्य	सूर्य	सूर्य	सूर्य
०	३	३	३	३	३	३	३	३	३
१०	२७	२७	२७	२७	२७	२७	२७	२७	२७
७	४७	४७	४७	४७	४७	४७	४७	४७	४७
३४	५८	५८	५८	५८	५८	५८	५८	५८	५८

अन्तर्दशा निकालनेकी विधि

प्रत्येक ग्रहकी महादशामें ९ ग्रहोंकी अन्तर्दशा होती है। जैसे सूर्यकी महादशामें पहली अन्तर्दशा सूर्यकी, दूसरी चन्द्रमाकी, तीसरी भौमकी, चौथी राहुकी, पाँचवी जीव (बृहस्पति)की, छठी शनिकी, सातवी बुधकी, आठवी केतुकी और नौवी शुक्रकी होती है। इसी प्रकार अन्य ग्रहोंमें समझना चाहिए। साराश यह है कि जिस ग्रहकी दशा हो उससे आ०, च०, भौ० के क्रमानुसार अन्य नव ग्रहोंकी अन्तर्दशाएँ होती है।

अन्तर्दशा निकालनेका सरल नियम यह है कि दशा-दशाका परस्पर गुणा कर १० मे भाग देनेसे लब्ध, मास और शेषको तीनसे गुणा करनेसे दिन होंगे।

अन्तर्दशा निकालनेका एक अन्य नियम यह भी है कि दशा-दशाका परस्पर गुणा करनेसे जो गुणनफल आवे उसमे इकाईके अकको छोड शेप अक मास और इकाईके अकको तीनसे गुणा करनेपर दिन आयेंगे।

उदाहरण—सूर्यकी महादशामे अन्तर्दशा निकालनी है तो सूर्यके दशा वर्प ६ का सूर्यके ही दशा वर्पोसे गुणा किया तो

६ × ६ = ३६ – १० = ३ शेप ६

६ × ३ = १८ दिन अर्थात् ३ मास १८ दिन सूर्यकी दशा

सूर्यकी महादशामे चन्द्रमाकी अन्तर्दशा = ६ × १० = ६०

६० ÷ १० = ६ मास

सूर्यमे मगलकी—६ × ७ = ४२ – १० = ४ शेप २ × ३ = ६ दिन = ४ मास ६ दिन

सूर्यमे राहुकी—६ × १८ = १०८ – १० = १० शेप ८ × ३ = २४ = १० मास २४ दिन

सूर्यमे जीव—गुरुकी अन्तर्दशा—६ × १६ = ९६ – १० = ९ शेप ६ ६ × ३ = १८ दिन, ९ मास १८ दिन

सूर्यमे शनिकी अन्तर्दशा—६ × १९ = ११४ – १० = ११ शेप ४ ४ × ३ = १२ दिन, ११ मास १२ दिन

सूर्यमे बुधकी अन्तर्दशा—६ × १७ = १०२ – १० = १० शेप २, २ × ३ = ६ दिन, १० मास ६ दिन

सूर्यमें शुक्रकी अन्तर्दशा—६ × ७ = ४२ – = १० = ४ शेप २ × ३ = ६ दिन, ४ मास ६ दिन

सूर्यमे शुक्रकी अन्तर्दशा—६ × २० = १२० – १० = १२ १२ मास अर्थात् १ वर्प

चन्द्रमाकी अन्तर्दशामे नौ ग्रहोकी अन्तर्दशा—

१० × १० = १०० ÷ १० = १० मास = चन्द्रकी महादशामे चन्द्रकी अन्तर्दशा

१० × ७ = ७० − १० = ७ मास = चन्द्रमें भौमकी अन्तर्दशा

१० × १८ = १८० − १० = १८ मास = १ वर्ष ६ मास = चन्द्रमें राहुकी अन्तर्दशा

१० × १६ = १६० − १० = १६ मास = १ वर्ष ४ मास = चन्द्रमें जीवान्तर

१० × १९ = १९० − १० = १९ मास = १ वर्ष ७ मास = चन्द्रमें शन्यन्तर

१० × १७ = १७० − १० = १७ मास = १ वर्ष ५ मास = चन्द्रमें बुधान्तर

१० × ७ = ७० − १० = ७ मास = चन्द्रमें केत्वन्तर

१० × २० = २०० − १० = २० मास = १ वर्ष ८ मास = चन्द्रमें शुक्रान्तर

१० × ६ = ६० − १० = ६ मास = चन्द्रमें आदित्यान्तर

ग्रहोंकी अन्तर्दशाके चक्र नीचे दिये जाते हैं, इन चक्रों-द्वारा बिना गणितके ही अन्तर्दशाका ज्ञान किया जा सकता है—

सूर्यान्तर्दशा चक्र

आ०	च०	भौ०	रा०	जी०	श०	बु०	के०	शु०	ग्र०
०	०	०	०	०	०	०	०	१	वर्ष
३	६	४	१०	९	११	१०	४	०	मास
१८	०	६	२४	१८	१२	६	६	०	दिन

चन्द्रान्तर्दशा चक्र

च०	भौ०	रा०	जी०	श०	बु०	के०	शु०	आ०	ग्र०
०	०	१	१	१	१	०	१	०	वर्ष
१०	७	६	४	७	५	७	८	६	मास
०	०	०	०	०	०	०	०	०	दिन

भौमान्तर्दशा चक्र

भौ०	रा०	जी०	श०	वु०	के०	शु०	आ०	च०	ग्र०
०	१	०	१	०	०	१	०	०	वर्ष
४	०	११	१	११	४	२	४	७	मास
२७	१८	६	९	२७	२७	०	६	०	दिन

राह्वन्तर्दशा चक्र

रा०	जी०	श०	वु०	के०	शु०	आ०	च०	भौ०	ग्र०
२	२	२	२	१	३	०	१	१	वर्ष
८	४	१०	६	०	०	१०	६	०	मास
१२	२४	६	१८	१८	०	२४	०	१८	दिन

जीवान्तर्दशा चक्र

जी०	श०	वु०	के०	शु०	आ०	च०	भौ०	रा०	ग्र०
२	२	२	०	२	०	१	०	२	वर्ष
१	६	३	११	८	९	४	११	४	मास
१८	१२	६	६	०	१८	०	६	२४	दिन

शन्यन्तर्दशा चक्र

श०	वु०	के०	शु०	आ०	च०	भौ०	रा०	जी०	ग्र०
३	२	१	३	०	१	१	२	२	वर्ष
०	८	१	२	११	७	१	१०	६	मास
३	९	९	०	१२	०	९	६	१२	दिन

वुधान्तर्दशा चक्र

वु०	के०	शु०	आ०	च०	भौ०	रा०	जी०	श०	ग्र०
२	०	२	०	१	०	२	२	२	वर्ष
४	११	१०	१०	५	११	६	३	८	मास
२७	२७	०	६	०	२७	१८	६	९	दिन

केत्वन्तर्दशा चक्र

के०	शु०	आ०	च०	भौ०	रा०	जी०	श०	बु०	ग्र०
०	१	०	०	०	१	०	१	०	वर्ष
४	२	४	७	४	०	११	१	११	मास
२७	०	६	०	२७	१८	६	९	२७	दिन

शुक्रान्तर्दशा चक्र

शु०	आ०	च०	भौ०	रा०	जी०	श०	बु०	के०	ग्र०
३	१	१	१	३	२	३	२	१	वर्ष
४	०	८	२	०	८	२	१०	२	मास
०	०	०	०	०	०	०	०	०	दिन

जन्मपत्रीमें अन्तर्दशा लिखनेकी विधि

जन्मकुण्डलीमें जो महादशा आयी है पहले उसकी अन्तर्दशा बनायी जाती है। अन्तर्दशा चक्रोंमें जिस ग्रहका जो चक्र है पहले कोष्ठकमें विंशोत्तरीके समान उस चक्रके वर्षादिको लिख देना, मध्यमें सवत्‌का कोष्ठक और अन्तमें सूर्यका कोष्ठक रहेगा। सूर्यके राशि अशको दशाके मास और दिनमें जोडना चाहिए। दिनसख्यामें तीससे अधिक होनेपर तीसका भाग देकर लब्धको मासमें जोड देना चाहिए और माससख्यामें १२ से अधिक होनेपर १२ का भाग देकर लब्धको वर्षमें जोड देना चाहिए। नीचे और ऊपरके कोष्ठकके जोडनेके अनन्तर मध्यवालेमें सवत्‌के वर्षोंमें जोडकर रख लेना चाहिए।

जिस ग्रहकी महादशा आयी है, उसका अन्तर निकालनेके लिए उसके भुक्त वर्षोंको अन्तर्दशाके ग्रहोंके वर्षोंमें-से घटाकर तब अन्तर्दशा लिखनी चाहिए।

प्रस्तुत उदाहरणमें सूर्यकी दशा आयी है। और इसके भुक्त वर्षादि १।८।१२।१९।३६ हैं। सूर्यकी महादशामें पहला अन्तर सूर्यका ३ मास १८ दिन, चन्द्रमाका ६ मास, भौमका ४ मास ६ दिन, इन तीनोको जोडा—

३।१८ सूर्य
६। ० चन्द्र
४। ६ भौम
१।१।२४

१।८।१२ में-से
१।१।२४ को घटाया
६।१८

१०।२४ राहु
६।१८
४। ६ राहुका भोग्य हुआ।

यहांपर राहुके पहले तक सूर्यादि ग्रहोका काल शून्य माना जायेगा और आगे चक्रके अनुसार वर्षादि लिखे जायेंगे। आगे कुण्डलीमें सूर्य महादशाकी अन्तर्दशा लिखी जाती है।

सूर्यान्तर्दशा चक्र

आ०	च०	भौ०	रा०	जी०	श०	बु०	के०	शु०	ग्र०
०	०	०	०	०	०	०	०	१	वर्ष
०	०	०	४	९	११	१०	४	०	मास
०	०	०	६	१८	२०	६	६	०	दिन
सवत्	संवत्	सवत्	सवत्	सवत्	सवत्	सवत्	सवत्	सवत्	सवत्
२००१	२००१	२००१	२००१	२००१	२००२	२००३	२००३	२००४	२००५
सूर्य	सूर्य	सूर्य	सूर्य	सूर्य	सूर्य	सूर्य	सूर्य	सूर्य	सूर्य
०	०	०	०	४	२	१	११	३	३
१०	१०	१०	१०	१६	४	१६	२२	२८	२८

चन्द्रान्तर्दशा चक्र

च०	भौ०	रा०	जी०	श०	वु०	के०	शु०	आ०	प्र०
०	०	१	१	१	१	०	१	०	वर्ष
१०	७	६	४	७	५	७	८	६	मास
०	०	०	०	०	०	०	०	०	दिन
संवत्	सवत्	सवत्	सवत्	सवत्	सवत्	सवत्	सवत्	सवत्	मवत्
२००५	२००६	२००६	२००८	२००९	२०११	२०१२	२०१३	२०१४	२०१५
सूर्य	सूर्य	सूर्य	सूर्य	सूर्य	मूर्य	सूर्य	सूर्य	सूर्य	सूर्य
३	१	८	२	६	१	६	१	९	३
२८	२८	२८	२८	२८	२८	२८	२८	२८	२८

विवरण—जिस प्रकार विंशोत्तरी दशा निकालनेमे ऊपरके वर्षादि मानको नीचेके राश्यादिमें जोडा गया था। अर्थात् विकलाओको पलोमें, कलाओको घटियोमें, अशोंको दिनोमें और राशियोको मासोमें जोडा था, इसी प्रकार अन्तर्दशा निकालते समय भी राशि और अशोको मास और दिनोंमें जोडा गया है। जैसे चन्द्रान्तर्दशा चक्रमें १०।०में ३।२८ को जोडा तो १।२८ आया है यहाँ १३ महीने योग आनेके कारण इसमें १२ का भाग दे दिया है और लव्व एकको हासिलके रूपमें सवत्के कोष्ठमें खडी रेखाका चिह्न वना देना चाहिए। इसी प्रकार आगे ७।०में १।२८को जोडा तो ८।२८ आया, ८।२८को ६।०में जोडा तो २।२८ आया, एक हासिलको पुन. खडी रेखाके रूपमें ऊपर सवत्के खानेमें + इस प्रकार लिख दिया। इस तरह आगे-आगे जोडनेपर चन्द्रान्तर्दशाका पूरा चक्र वन जाता है।

सवत्वाले कोष्ठकको भरते समय वर्षोंको जोडा जाता है और हासिलवाली सख्या जो वर्षोंकी मिलती है, उसको भी जोड दिया जाता है। अन्तर्दशाके समान ही प्रत्यन्तर और सूक्ष्मान्तर आदि दशाएं लिखी जाती है।

प्रत्यन्तर्दशा विचार

जिस प्रकार प्रत्येक ग्रहकी महादशामे नौ गहोकी अन्तर्दशा होती है, उसी प्रकार एक अन्तर्दशामें नौ ग्रहोकी प्रत्यन्तर्दशा होती है, जैसे सूर्यकी महादशामे सूर्यकी अन्तर्दशा ३ मास १८ दिन है। इस ३ मास और १८ दिनमें उसी क्रम और परिमाणानुसार प्रत्यन्तर भी होता है। प्रत्यन्तर्दशा निकालनेका नियम यह है कि महादशाके वर्षोंको अन्तर और प्रत्यन्तर्दशाके वर्षोंसे गुणा कर ४० का भाग देनेपर जो दिनादि आयेंगे वही प्रत्यन्तर्दशाके दिनादि होंगे।

उदाहरण—सूर्यकी महादशामे चन्द्रमाकी अन्तर्दशामें प्रत्यन्तर्दशा निकालनी है—

सूर्यकी महादशा ६ वर्ष × च० की अन्तर्दशा १० वर्ष = ६ × १० = ६० × १० = ६०० – ४० = १५ दिन चन्द्रमाका प्रत्यन्तर, ६० × ७ = ४२० ÷ ४० = १०, २० × ३० = १० दिन ३० घटी मगलका प्रत्यन्तर; ६० × १८ = १०८० = १०८० – ४० = २७ दिन राहुका प्रत्यन्तर; ६० × १६ = ९६० – ४० = २४ दिन जीवका प्रत्यन्तर; ६० × १९ = ११४० – ४० = २८ दिन, ३० घटी शनिका प्रत्यन्तर, ६० × १७ = १०२० – ४० = २५ दिन, ३० घटी बुधका प्रत्यन्तर, ६० × ७ = ४२० ÷ ४० = १० दिन ३० घटी केतुका प्रत्यन्तर, ६० × २० = १२०० – ४० = ३० दिन = १ मास, शुक्रका प्रत्यन्तर
६० × ६ = ३६० ÷ ४० = ९ दिन आदित्यका प्रत्यन्तर।

सूर्यकी महादशामे सूर्यकी अन्तर्दशामें प्रत्यन्तर

सूर्य	च०	भौ०	रा०	वृ०	श०	बु०	के०	शु०	ग्र०
०	०	०	०	०	०	०	०	०	मा०
५	९	६	१६	१४	१७	१५	६	१८	दि०
२४	०	१८	१२	२४	६	१८	१८	०	घ०

सू० द० चन्द्रमाकी अन्तर्दशामें प्रत्यन्तर

च०	म०	रा०	बृ०	श०	बु०	के०	शु०	सू०	ग्र०
०	०	०	०	०	०	०	१	०	मा०
१५	१०	२७	२८	२८	२५	१०	०	९	दि०
०	३०	०	०	३०	३०	३०	०	०	घ०

सू० द० मंगलकी अन्तर्दशामे प्रत्यन्तर

म०	रा०	बृ०	श०	बु०	के०	शु०	सू०	च०	ग्र०
०	०	०	०	०	०	०	०	०	मा०
७	१८	१६	१९	१७	७	२१	६	१०	दि०
२१	५४	४८	५७	५१	२१	०	१८	३०	घ०

सू० द० राहुकी अन्तर्दशामे प्रत्यन्तर

रा०	बृ०	श०	बु०	के०	शु०	र०	च०	म०	ग्र०
१	१	१	१	०	१	०	०	०	मा०
१८	१३	२१	१५	१८	२४	१६	२४	१८	दि०
३६	१२	१८	५४	५४	०	१२	०	५४	घ०

सू० द० गुरुकी अन्तर्दशामें प्रत्यन्तर

बृ०	श०	बु०	के०	शु०	सू०	च०	म०	रा०	ग्र०
१	१	१	०	१	०	०	०	१	मा०
८	१५	१०	१६	१८	१४	२४	१६	१३	दि०
२४	३६	४८	४८	०	२४	०	४८	१२	घ०

सू० द० शनिकी अन्तर्दशामे प्रत्यन्तर

श०	बु०	के०	शु०	सू०	च०	म०	रा०	बृ०	ग्र०
१	१	०	१	०	०	०	१	१	मा०
२४	१८	१९	२७	१७	२८	१९	२१	१५	दि०
९	२७	५७	०	६	३०	५७	२८	३६	घ०

सू० द० बुधकी अन्तर्दशामे प्रत्यन्तर

बु०	के०	शु०	सू०	च०	म०	रा०	बृ०	श०	ग्र०
१	०	१	०	०	०	१	१	१	मा०
१३	१७	२१	१५	२५	१७	१५	१०	१८	दि०
२१	५१	०	१८	३०	५१	५४	४५	२७	घ०

सू० द० केतुकी अन्तर्दशामे प्रत्यन्तर

के०	शु०	सू०	च०	म०	रा०	बृ०	श०	बु०	ग्र०
०	०	०	०	०	०	०	०	०	मा०
७	२१	६	१०	७	१८	१६	१९	१७	दि०
२१	०	१८	३०	२१	५४	४८	५७	५१	घ०

सू० द० शुक्रकी अन्तर्दशामे प्रत्यन्तर

शु०	सू०	च०	म०	रा०	बृ०	श०	बु०	के०	ग्र०
२	०	१	०	१	१	१	१	०	मा०
०	१८	०	२१	२४	१८	२७	२१	२१	दि०

चन्द्रमाकी दशामे चन्द्रमाकी अन्तर्दशामे प्रत्यन्तर

च०	म०	रा०	बृ०	श०	बु०	के०	शु०	सू०	ग्र०
०	०	१	१	१	१	०	१	०	मा०
२५	१७	१५	१०	१७	१२	१७	२०	१५	दि०
०	३०	०	०	३०	३०	३०	०	०	घ०

चं० द० मंगलकी अन्तर्दशामे प्रत्यन्तर

म०	रा०	बृ०	श०	बु०	के०	शु०	सू०	च०	ग्र०
०	१	०	१	०	०	१	०	०	मा०
१२	१	२८	३	२९	१२	५	१०	१७	दि०
१५	३०	०	१५	४५	१५	०	३०	३०	घ०

चं० द० राहुके अन्तरमे प्रत्यन्तर

रा०	वृ०	श०	बु०	के०	शु०	र०	च०	म०	ग्र०
२	२	२	२	१	३	०	१	१	मा०
२१	१२	२५	१६	१	०	२७	१५	१	दि०
०	०	३०	३०	३०	०	०	०	३०	घ०

चं० द० वृहस्पतिके अन्तरमे प्रत्यन्तर

वृ०	श०	बु०	के०	शु०	सू०	च०	म०	रा०	ग्र०
२	२	२	०	२	०	१	०	२	मा०
४	१६	८	२८	२०	२४	१०	२८	१२	दि०

चं० द० शनिके अन्तरमे प्रत्यन्तर

श०	बु०	के०	शु०	सू०	च०	म०	रा०	वृ०	ग्र०
३	२	१	३	०	१	१	२	२	मा०
०	२०	३	५	२८	१७	३	२५	१६	दि०
१५	४५	१५	०	३०	३०	१५	३०	०	घ०

चं० द० बुधके अन्तरमे प्रत्यन्तर

बु०	के०	शु०	सू०	च०	म०	रा०	वृ०	श०	ग्र०
२	०	२	०	१	०	२	२	२	मा०
१२	२९	२५	२५	१२	२९	१६	८	२०	दि०
१५	४५	०	३०	३०	४५	३०	०	४५	घ०

चं० द० केतुके अन्तरमे प्रत्यन्तर

के०	शु०	सू०	च०	म०	रा०	वृ०	श०	बु०	ग्र०
०	१	०	०	०	१	०	१	०	मा०
१२	५	१०	१७	१२	१	२८	३	२९	दि०
१५	०	३०	३०	१५	३०	०	१५	४५	घ०

चन्द्रमाकी दशामे शुक्रके अन्तरमे प्रत्यन्तर

शु०	सू०	च०	मं०	रा०	बृ०	श०	बु०	के०	ग्र०
३	१	१	१	३	२	३	२	१	मा०
१०	०	२०	५	०	२०	५	२५	५	दि०

चं० द० सूर्यके अन्तरमे प्रत्यन्तर

सू०	च०	मं०	रा०	बृ०	श०	बु०	के०	शु०	ग्र०
०	०	०	०	०	०	०	०	१	मा०
९	१५	१०	२७	२४	२८	२५	१०	०	दि०
०	०	३०	०	०	३०	३०	३०	०	घ०

मगलकी दशामे मंगलके अन्तरमे प्रत्यन्तर

मं०	रा०	बृ०	श०	बु०	के०	शु०	सू०	च०	ग्र०
०	०	०	०	०	०	०	०	०	मा०
८	२२	१९	२३	२०	८	२४	७	१२	दि०
३४	२	३६	१६	४९	३४	३०	२१	१५	घ०
३०	०	०	३०	३०	३०	०	०	०	प०

मं० द० राहुके अन्तरमे प्रत्यन्तर

रा०	बृ०	श०	बु०	के०	शु०	सू०	च०	मं०	ग्र०
१	१	१	१	०	२	०	१	०	मा०
२६	२०	२९	२३	२२	३	१८	१	२२	दि०
४२	२४	५१	३३	३	०	५४	३०	३	घ०

मं० द० गुरुके अन्तरमे प्रत्यन्तर

बृ०	श०	बु०	के०	शु०	सू०	च०	मं०	रा०	ग्र०
१	१	१	०	१	०	०	०	१	मा०
१४	२३	१७	१९	२६	१६	२८	१९	२०	दि०
४८	१२	३६	३६	०	४८	०	३६	२४	घ०

मं० द० शनिके अन्तरमे प्रत्यन्तर

श०	बु०	के०	शु०	सू०	चं०	म०	रा०	वृ०	ग्र०
२	१	०	२	०	१	०	१	१	मा०
३	२६	२३	६	१९	३	२३	२९	२३	दि०
१०	२१	१६	३०	५७	१५	१६	५१	१२	घ०
३०	३०	३०	०	०	०	३०	०	०	प०

मं० द० बुधके अन्तरमें प्रत्यन्तर

बु०	क०	शु०	सू०	च०	म०	रा०	वृ०	श०	ग्र०
१	०	१	०	०	०	१	१	१	मा०
२०	२०	२९	१७	२९	२०	२२	१७	२६	दि०
३४	४९	३०	५१	४५	४९	३३	३६	३१	घ०
३०	३०	०	०	०	३०	०	०	३०	प०

मं० द० केतुके अन्तरमे प्रत्यन्तर

के०	शु०	सू०	च०	म०	रा०	वृ०	श०	बु०	ग्र०
०	०	०	०	०	०	०	०	०	मा०
८	२४	७	१२	८	२२	१९	२३	२०	दि०
३४	३०	२१	१५	३४	३	३६	१६	४९	घ०
३०	०	०	०	३०	०	०	३०	३०	प०

मं० द० शुक्रके अन्तरमे प्रत्यन्तर

शु०	सू०	च०	म०	रा०	वृ०	श०	बु०	के०	ग्र०
२	०	१	०	२	१	२	१	०	मा०
१०	२१	५	२४	३	२६	६	२९	२४	दि०
०	०	०	३०	०	०	३०	३०	३०	घ०

मं० द० सूर्यके अन्तरमे प्रत्यन्तर

सू०	च०	म०	रा०	वृ०	श०	बु०	के०	शु०	ग्र०
०	०	०	०	०	०	०	०	०	मा०
६	१०	७	१८	१६	१९	१७	७	२१	दि०
१८	३०	२१	५४	४८	५७	५१	२१	०	घ०

मंगलकी दशा चन्द्रमाके अन्तरमे प्रत्यन्तर

च०	म०	रा०	वृ०	श०	बु०	के०	शु०	सू०	ग्र०
०	०	१	०	१	०	०	१	०	मा०
१७	१२	१	२८	३	२९	१२	५	१०	दि०
३०	१५	३०	०	१५	४५	१५	०	३०	घ०

राहुको दशामे राहुके अन्तरमे प्रत्यन्तर

रा०	वृ०	श०	बु०	के०	शु०	सू०	च०	म०	ग्र०
४	४	५	४	१	५	१	२	१	मा०
२५	९	३	१७	२६	१२	१८	२१	२६	दि०
४८	३६	५४	४२	४२	०	३६	०	४२	घ०

रा० द० बृहस्पतिके अन्तरमे प्रत्यन्तर

वृ०	श०	बु०	के०	शु०	सू०	च०	म०	रा०	ग्र०
३	४	४	१	४	१	२	१	४	मा०
२५	१६	२	२०	२४	१३	१२	२०	९	दि०
१२	४८	२४	२४	०	१२	०	२४	३६	घ०

रा० द० शनिके अन्तरमे प्रत्यन्तर

श०	बु०	के०	शु०	सू०	च०	म०	रा०	वृ०	ग्र०
५	४	१	५	१	२	१	५	४	मा०
१२	२५	२९	२१	२१	२५	२९	३	१६	दि०
२७	२१	५१	०	१८	३०	५१	५४	४८	घ०

रा० द० बुधके अन्तरमे प्रत्यन्तर

बु०	के०	शु०	सू०	च०	म०	रा०	बृ०	श०	ग्र०
४	१	५	१	२	१	४	४	४	मा०
१०	२३	३	१५	१६	२३	१७	२	२५	दि०
३	३३	०	५४	३०	३३	४२	२४	२१	घ०

रा० द० केतुके अन्तरमे प्रत्यन्तर

के०	शु०	सू०	च०	म०	रा०	बृ०	श०	बु०	ग्र०
०	२	०	१	०	१	१	१	१	मा०
२२	३	१८	१	२२	२६	२०	२९	२३	दि०
३	०	५४	३०	३	४२	२४	५१	३३	घ०

रा० द० शुक्रके अन्तरमे प्रत्यन्तर

शु०	सू०	च०	म०	रा०	बृ०	श०	बु०	के०	ग०
६	१	३	२	५	४	५	५	२	मा०
०	२४	०	३	१२	२४	२१	३	३	दि०

रा० द० रविके अन्तरमे प्रत्यन्तर

सू०	च०	म०	रा०	गु०	श०	बु०	के०	शु०	ग्र०
०	०	०	१	१	१	१	०	१	मा०
१६	२७	१८	१८	१३	२१	१५	१८	२४	दि०
१२	०	५४	३६	१२	१८	५४	५४	०	घ०

रा० द० चन्द्रमाके अन्तरमे प्रत्यन्तर

च०	म०	रा०	बृ०	श०	बु०	के०	शु०	सू०	ग्र०
१	१	२	२	२	२	१	३	०	मा०
१५	१	२१	१२	२५	१६	१	०	२७	दि०
०	३०	०	०	३०	३०	३०	०	०	घ०

रा० द० मंगलके अन्तरमे प्रत्यन्तर

म०	रा०	बृ०	श०	बु०	के०	शु०	सू०	च०	ग्र०
०	१	१	१	१	०	२	०	१	मा०
२२	२६	२०	२९	२३	२२	३	१८	१	दि०
३	४२	२४	५१	३३	३	०	५४	३०	घ०

बृहस्पतिकी दशामे बृहस्पतिके अन्तरमे प्रत्यन्तर

बृ०	श०	बु०	के०	शु०	सू०	च०	म०	रा०	ग्र०
३	४	३	१	४	१	२	१	३	मा०
१२	१	१८	१४	८	८	४	१४	२५	दि०
२४	३६	४८	४८	०	२४	०	४८	१२	घ०

गु० द० शनिके अन्तरमे प्रत्यन्तर

श०	बु०	के०	शु०	सू०	च०	म०	रा०	बृ०	ग्र०
४	४	१	५	१	२	१	४	४	मा०
२४	९	२३	२	१५	१६	२३	१६	१	दि०
२४	१२	१२	०	३६	०	१२	४८	३६	घ०

गु० द० बुधके अन्तरमे प्रत्यन्तर

बु०	के०	शु०	सू०	च०	म०	रा०	बृ०	श०	ग्र०
३	१	४	१	२	१	४	३	४	मा०
२५	१७	१६	१०	८	१७	२	१८	९	दि०
३६	३६	०	४८	०	३६	२४	४८	१२	घ०

गु० द० केतुके अन्तरमे प्रत्यन्तर

के०	शु०	सू०	च०	म०	रा०	बृ०	श०	बु०	ग्र०
०	१	०	०	०	१	१	१	१	मा०
१९	२६	१६	२८	१९	२०	१४	२३	१७	दि०
३६	०	४८	०	३६	२४	४८	१२	३६	घ०

गु० द० शुक्रके अन्तरमे प्रत्यन्तर

शु०	सू०	च०	म०	रा०	बृ०	श०	बु०	के०	ग्र०
५	१	२	१	४	४	५	४	१	मा०
१०	१८	२०	२६	२८	८	२	१६	२६	दि०

गु० द० सूर्यके अन्तरमे प्रत्यन्तर

सू०	च०	म०	रा०	बृ०	श०	बु०	के०	शु	ग्र०
०	०	०	१	१	१	१	०	१	मा०
१४	२४	१६	१३	८	१५	१०	१६	१८	दि०
२४	०	४८	१२	२४	३६	४८	४८	०	घ०

गु० द० चन्द्रमाके अन्तरमे प्रत्यन्तर

च०	म०	रा०	बृ०	श०	बु०	के०	शु०	सू०	ग्र०
१	०	२	२	२	२	०	२	०	मा०
१०	२८	१२	४	१६	८	२८	२०	२४	दि०

गु० द० मंगलके अन्तरमे प्रत्यन्तर

म०	रा०	बृ०	श०	बु०	के०	शु०	सू०	च०	ग्र०
०	१	१	१	१	०	१	०	०	मा०
१९	२०	१४	२३	१७	१९	२६	१६	२८	दि०
३६	२४	४८	१२	३६	३६	०	४८	०	घ०

गु० द० राहुके अन्तरमे प्रत्यन्तर

रा०	बृ०	श०	बु०	के०	शु०	सू०	च०	म०	ग्र०
४	३	४	४	१	४	१	२	१	मा०
९	२५	१६	२	२०	२४	१३	१२	२०	दि०
३६	१२	४८	२४	२४	०	१२	०	२४	घ०

शनिकी दशा और शनिके ही अन्तरमें प्रत्यन्तर

श०	बु०	के०	शु०	सू०	चं०	म०	रा०	वृ०	ग्र०
५	५	२	६	१	३	२	५	४	मा०
२१	३	३	०	२४	०	३	१२	२४	दि०
२८	२५	१०	३०	९	१५	१०	२७	२४	घ०
३०	३०	३०	०	०	०	३०	०	०	प०

श० द० बुधके अन्तरमें प्रत्यन्तर

बु०	के०	शु०	सू०	च०	म०	रा०	वृ०	श०	ग्र०
४	१	५	१	२	१	४	४	५	मा०
१७	२६	११	१८	२०	२६	२५	९	३	दि०
१६	३१	३०	२७	४५	३१	२१	१२	२५	घ०
३०	३०	०	०	०	३०	०	०	३०	प०

श० द० केतुके अन्तरमे प्रत्यन्तर

के०	शु०	सू०	च०	मं०	रा०	वृ०	श०	बु०	ग्र०
०	२	०	१	०	१	१	२	१	मा०
२३	६	१९	३	२३	२९	२३	३	२६	दि०
१६	३०	५७	१५	१६	५१	१२	१०	३१	घ०
३०	०	०	०	३०	०	०	३०	३०	प०

श० द० शुक्रके अन्तरमे प्रत्यन्तर

शु०	सू०	च०	म०	रा०	वृ०	श०	बु०	के०	ग्र०
६	१	३	२	५	५	६	५	२	मा०
१०	२७	५	६	२१	२	०	११	६	दि०
०	०	०	३०	०	०	३०	३०	३०	घ०

श० द० सूर्यके अन्तरमे प्रत्यन्तर

सू०	च०	मं०	रा०	बृ०	श०	बु०	के०	शु०	ग्र०
०	०	०	१	१	१	१	०	१	मा०
१७	२८	१९	२१	१५	२४	१८	१९	२७	दि०
६	३०	५७	१८	३६	९	२७	५७	०	घ०

श० द० चन्द्रमाके अन्तरमे प्रत्यन्तर

च०	मं०	रा०	बृ०	श०	बु०	के०	शु०	सू०	ग्र०
१	१	२	२	३	२	१	३	०	मा०
१७	३	२५	१६	०	२०	३	५	२८	दि०
३०	१५	३०	०	१५	४५	१५	०	३०	घ०

श० द० मंगलके अन्तरमे प्रत्यन्तर

मं०	रा०	बृ०	श०	बु०	के०	शु०	सू०	चं०	ग्र०
०	१	१	२	१	०	२	०	१	मा०
२३	२९	२३	३	२६	२३	६	१९	३	दि०
१६	५१	१२	१०	३१	१६	३०	५७	१५	घ०
३०	०	०	३०	३०	३०	०	०	०	प०

श० द० राहुके अन्तरमे प्रत्यन्तर

रा०	बृ०	श०	बु०	के०	शु०	सू०	च०	मं०	ग्र०
५	४	५	४	१	५	१	२	१	ना०
३	१६	१२	२५	२९	२१	२१	२५	२९	दि०
५४	४८	२७	२१	५१	०	१८	३०	५१	घ०

श० द० गुरुके अन्तरमे प्रत्यन्तर

बृ०	श०	बु०	के०	शु०	सू०	च०	मं०	रा०	ग्र०
४	४	४	१	५	१	२	१	४	मा०
१	२४	९	२३	२	१५	१६	२३	१६	दि०
३६	२४	१२	१२	०	३६	७	१२	४८	घ०

बुधकी दशा और बुधकी अन्तर्दशामें प्रत्यन्तर

बु०	के०	शु०	सू०	चं०	म०	रा०	बृ०	श०	ग्र०
४	१	४	१	२	१	४	३	४	मा०
२	२०	२४	१३	१२	२०	१०	२५	१७	दि०
४९	३४	३०	२१	१५	३४	३	३६	१६	घ०
३०	३०	०	०	०	३०	०	०	३०	प०

बु० दशा केतुके अन्तरमें प्रत्यन्तर

के०	शु०	सू०	च०	मं०	रा०	बृ०	श०	बु०	ग्र०
०	१	०	०	०	१	१	१	१	मा०
२०	२९	१७	२९	२०	२३	१७	२६	२०	दि०
४९	३०	५१	४५	४९	३३	३६	३१	३४	घ०
३०	०	०	०	३०	०	०	३०	३०	प०

बु० द० शुक्रके अन्तरमे प्रत्यन्तर

शु०	सू०	च०	म०	रा०	बृ०	श०	बु०	के०	ग्र०
५	१	२	१	५	४	५	८	१	मा०
२०	२१	२५	२९	३	१६	११	२८	२९	दि०
०	०	०	३०	०	०	३०	३०	३०	घ०

बु० द० सूर्यके अन्तरमे प्रत्यन्तर

सू०	च०	म०	रा०	बृ०	श०	बु०	के०	शु०	ग्र०
०	०	०	०	१	१	१	०	१	मा०
१५	२५	१७	१५	१०	१८	१३	१७	२१	दि०
१८	३०	५१	५४	४८	२७	२१	५१	०	घ०

बु० दशा चन्द्रमाके अन्तरमे प्रत्यन्तर

च०	म०	रा०	वृ०	श०	बु०	के०	शु०	सू०	ग्र०
१	०	२	२	२	२	०	२	०	मा०
१२	२९	१६	८	२०	१२	२९	२५	२५	दि०
३०	४५	३०	०	४५	१५	४५	०	३०	घ०

बु० दशा मगलके अन्तरमे प्रत्यन्तर

म०	रा०	वृ०	श०	बु०	के०	शु०	सू०	च०	ग्र०
०	१	१	१	१	०	१	०	०	मा०
२०	२३	१७	२६	२०	२०	२९	१७	२९	दि०
४९	३३	३६	३१	३४	४९	३०	५१	४५	घ०
३०	०	०	३०	३०	३०	०	०	०	प०

बु० द० राहुके अन्तरमें प्रत्यन्तर

रा०	वृ०	श०	बु०	के०	शु०	सू०	च०	म०	ग्र०
४	४	४	४	१	५	१	२	१	मा०
१७	२	२५	१०	२३	३	१५	१६	२३	दि०
४२	२४	२१	३	३३	०	५४	३०	३३	घ०

बु० द० गुरुके अन्तरमे प्रत्यन्तर

वृ०	श०	बु०	के०	शु०	सू०	च०	म०	रा०	ग्र०
३	४	३	१	४	१	८	१	४	मा०
१८	९	२५	१७	१६	१०	८	१७	२	दि०
४८	१२	३६	३६	०	४८	०	३६	२४	घ०

बु० द० शनिके अन्तरमे प्रत्यन्तर

श०	बु०	के०	शु०	सू०	च०	म०	रा०	बृ०	ग्र०
५	४	१	५	१	२	१	४	४	मा०
३	१७	२६	११	१८	२०	२६	२५	९	दि०
२५	१६	३१	३०	२७	४५	३१	२१	१२	घ०
३०	३०	३०	०	०	०	३०	०	०	प०

केतुकी दशामे केतुके अन्तरमे प्रत्यन्तर

के०	शु०	सू०	च०	म०	रा०	बृ०	श०	बु०	ग्र०
०	०	०	०	०	०	०	०	०	मा०
८	२४	७	१२	८	२२	१९	२३	२०	दि०
३४	३०	२१	१५	३४	३	३६	१६	४९	घ०
३०	०	०	०	३०	०	०	३०	३०	प०

के० द० शुक्रके अन्तरमे प्रत्यन्तर

शु०	सू०	च०	म०	रा०	बृ०	श०	बु०	के०	ग्र०
२	०	१	०	२	१	२	१	०	मा०
१०	२१	५	२४	३	२६	६	२९	२४	दि०
०	०	०	३०	०	०	३०	३०	३०	घ०

के० द० सूर्यके अन्तरमे प्रत्यन्तर

सू०	च०	म०	रा०	बृ०	श०	बु०	के०	शु०	ग्र०
०	०	०	०	०	०	०	०	०	मा०
६	१०	७	१८	१६	१९	१७	७	२१	दि०
१८	३०	२१	५४	४८	५७	५१	२१	०	घ०

के० द० चन्द्रमाके अन्तरमे प्रत्यन्तर

च०	म०	रा०	बृ०	श०	बु०	के०	शु०	सू०	ग्र०
०	०	१	०	१	०	०	१	०	मा०
१७	१२	१	२८	३	२९	१२	५	१०	दि०
३०	१५	३०	०	१५	४५	१५	०	३०	घ०

के० द० मगलके अन्तरमे प्रत्यन्तर

म०	रा०	बृ०	श०	बु०	के०	शु०	सू०	च०	ग्र०
०	०	०	०	०	०	०	०	०	मा०
८	२२	१९	२३	२०	८	२४	७	१२	दि०
३४	३	३६	१६	४९	३४	३०	२१	१५	घ०
३०	०	०	३०	३०	३०	०	०	०	प०

के० द० राहुके अन्तरमे प्रत्यन्तर

रा०	बृ०	श०	बु०	के०	शु०	सू०	च०	म०	ग्र०
१	१	१	१	०	२	०	१	०	मा०
२६	२०	२९	२३	२२	३	१८	१	२२	दि०
२४	२४	५१	३३	३	०	५४	३०	३	घ०

के० द० गुरुके अन्तरमे प्रत्यन्तर

बृ०	श०	बु०	के०	शु०	सू०	च०	म०	रा०	ग्र०
१	१	१	०	१	०	०	०	१	मा०
१४	२३	१७	१९	२६	१६	२८	१९	२०	दि०
४८	१२	३६	३६	०	४८	०	३६	२४	घ०

के० द० शनिके अन्तरमे प्रत्यन्तर

श०	बु०	के०	शु०	सू०	च०	म०	रा०	बृ०	ग्र०
२	१	०	२	०	१	०	१	१	मा०
३	२६	२३	६	१९	३	२३	२९	२३	दि०
१०	३१	१६	३०	५७	१५	१६	५१	१२	घ०
३०	३०	३०	०	०	०	३०	०	०	प०

के० द० बुधके अन्तरमे प्रत्यन्तर

बु०	के०	शु०	सू०	च०	म०	रा०	बृ०	श०	ग्र०
१	०	१	०	०	०	१	१	१	मा०
२०	२०	२१	१७	२९	२०	२३	१७	२६	दि०
३४	४९	३०	५१	४५	४९	३३	३६	३१	घ०
३०	३०	०	०	०	०	०	०	३०	प०

शु० द० शुक्रके अन्तरमे प्रत्यन्तर

शु०	सू०	च०	म०	रा०	बृ०	श०	बु०	के०	ग्र०
६	२	३	२	६	५	६	५	२	मा०
२०	०	१०	१०	०	१०	१०	२०	१०	दि०

शु० द० रविके अन्तरमे प्रत्यन्तर

सू०	च०	मं०	रा०	बृ०	श०	बु०	के०	शु०	ग्र०
०	१	०	१	१	१	१	०	२	मा०
१८	०	२१	२४	१८	२७	२१	२१	०	दि०

शु० द० चन्द्रमाके अन्तरमे प्रत्यन्तर

च०	म०	रा०	बृ०	श०	बु०	के०	शु०	सू०	ग्र०
१	१	३	२	३	२	१	३	१	मा०
२०	५	०	२०	५	२५	५	१०	०	दि०

शु० द० मगलके अन्तरमे प्रत्यन्तर

म०	रा०	बृ०	श०	बु०	के०	शु०	सू०	च०	ग्र०
०	२	१	२	१	०	२	०	१	मा०
२४	३	२६	६	२९	२४	४०	२१	५	दि०
३०	०	०	३०	३०	३०	०	०	०	घ०

शु० द० राहुके अन्तरमे प्रत्यन्तर

रा०	वृ०	श०	बु०	के०	शु०	सू०	च०	म०	ग्र०
५	४	५	५	२	६	१	३	२	मा०
१२	२४	२१	३	३	०	२४	०	३	दि०

शु० द० गुरुके अन्तरमे प्रत्यन्तर

वृ०	श०	बु०	के०	शु०	सू०	च०	म०	रा०	ग्र०
४	५	४	१	५	१	२	१	४	मा०
८	२	१६	२६	१०	१८	२०	२६	२४	दि०

शु० द० शनिके अन्तरमे प्रत्यन्तर

श०	बु०	के०	शु०	सू०	च०	म०	रा०	वृ०	ग्र०
६	५	२	६	१	३	२	५	५	मा०
०	११	६	१०	२७	५	६	२१	२	दि०
३०	३०	३०	०	०	०	३०	०	०	घ०

शु० द० बुधके अन्तरमे प्रत्यन्तर

बु०	के०	शु०	सू०	च०	म०	रा०	वृ०	श०	ग्र०
४	१	५	१	२	१	५	४	५	मा०
२४	२९	२०	२१	२५	२९	३	१६	११	दि०
३०	३०	०	०	०	३०	०	०	३०	घ०

शु० द० केतुके अन्तरमे प्रत्यन्तर

के०	शु०	सू०	च०	म०	रा०	वृ०	श०	बु०	ग्र०
०	२	०	१	०	२	१	२	१	मा०
२४	१०	२१	५	२४	३	२५	६	२९	दि०
३०	०	०	०	३०	०	०	३०	३०	घ०

अष्टोत्तरी दशा विचार

दक्षिण भारतमे अष्टोत्तरी दशाका विशेष प्रचार है। स्वरशास्त्रमे बताया गया है कि जिसका जन्म शुक्लपक्षमे हो उसका अष्टोत्तरी दशा-द्वारा और जिसका जन्म कृष्णपक्षमे हो उसका विंशोत्तरी दशा-द्वारा शुभाशुभ फल जानना चाहिए। दशा-द्वारा हमे किसी भी व्यक्तिके समयका परिज्ञान होता है।

अष्टोत्तरी (१०८ वर्षकी) दशामे सूर्यदशा ६ वर्ष, चन्द्रदशा १५वर्ष, भौमदशा ८ वर्ष, बुधदशा १७ वर्ष, शनिदशा १० वर्ष,, गुरुदशा १९ वर्ष, राहुदशा १२ वर्ष और शुक्रदशा २१ वर्षकी होती है।

जन्म नक्षत्र-द्वारा दशा ज्ञात करनेकी यह विधि है कि अभिजित् सहित आर्द्रादि नक्षत्रोको पापग्रहोमे चार-चार और शुभ ग्रहोमे तीन-तीन स्थापित करनेसे ग्रहदशा मालूम पड जाती है। सरलतासे अवगत करनेके लिए नीचे चक्र दिया जाता है।

जन्मनक्षत्रसे अष्टोत्तरी दशा ज्ञात करनेका चक्र

सू०	च०	म०	बु०	श०	गु०	रा०	शु०	ग्र०
आर्द्रा	म	ह	अनु	पूपा	ध	उभा	कृत्ति	
पुन	पूफा	चि		उपा	श	रे	रो०	जन्म-
पुष्य	उफा	स्वा	ज्ये	अभि		अ		
आश्ले		वि	मू	श्र	पूभा	भ	मृ	नक्षत्र

अष्टोत्तरी दशा स्पष्ट करनेकी विधि

भयात्के पलोको दशाके वर्षोंसे गुणा कर भभोगके पलोका भाग देनेसे विंशोत्तरीके समान भुक्त वर्षादि मान आता है। इसे ग्रहवर्षोमे-से घटानेपर भोग्य वर्षादि मान निकलता है।

उदाहरण—भयात १६।३९ भभोग ५८।४४

१६।३९	५८।४४
६०	६०
९६० + ३९ =	३४८० + ४४ =
पलात्मक भयात = ९९९	पलात्मक भभोग = ३५२४

इस उदाहरणमे जन्मनक्षत्र कृत्तिका होनेके कारण शुक्रकी दशामे जन्म हुआ है, अत शुक्रके दशा वर्षासे भयातके पलोको गुणा किया।

९९९ भयात | ३५२४ भभोग

२१ ग्रहवर्ष

२०९७९ – ३५२४

३५२४)२०९७९(५ वर्ष
१७६२०
३३५९
१२
३५२४)४०३०८(११ मास
३५२४
५०६८
३५२४
१५४४ × ३०
३५२४)४६३२०(१३ दिन
३५२४
११०८०
१०५७२
५०८

शुक्र दशाके भुक्त वर्षादि ५।११।१३।८, इन्हे समस्त दशाके वर्षोंमें-से घटाया तो—

२१।०।०
५।११।१३
१५। ०।१७ भोग्य वर्षादि

अष्टोत्तरी दशा चक्र

शु०	सू०	च०	म०	बु०	श०	गु०	रा०	ग्र०
१५	६	१५	८	१७	१०	१९	१२	वर्ष
०	०	०	०	०	०	०	०	मास
१७	०	०	०	०	०	०	०	दिन
संवत्	सवत्	संवत्	सवत्	सवत्	सवत्	सवत्	सवत्	सवत्
२००१	२०१६	२०२२	२०३७	२०४५	२०६२	२०७२	२०९१	२१०३
सूर्य	सूर्य	सूर्य	सूर्य	सूर्य	सूर्य	सूर्य	सूर्य	सूर्य
०	०	०	०	०	०	०	०	०
१०	२७	२७	२७	२७	२७	२७	२७	२७

अष्टोत्तरी अन्तर्दशा साधन

दशा-दशाका परस्पर गुणाकर १०८ का भाग देनेसे लब्ध वर्ष और शेपको, १२से गुणाकर १०८ का भाग देनेसे लब्ध मास, शेपको पुन ३०से गुणाकर १०८का भाग देनेसे लब्ध दिन एवं शेपको पुन ६०से गुणाकर १०८का भाग देनेसे लब्ध घटी होगी।

उदाहरण—शुक्रमे सूर्यका अन्तर निकालना है—

२१ × ६ = १२६ – १०८ = १ ल० वर्ष, १८ शेष

१८ × १२ = २१६ – १०८ = २ मास अर्थात् १ वर्ष २ मास हुआ। यहाँ सरलताके लिए अन्तर्दशाके चित्र दिये जाते हैं—

अष्टोत्तरी अन्तर्दशा—सूर्यान्तर्दशा चक्र

सूर्य	च०	भौ०	बु०	श०	गु०	रा०	शु०	ग्र०
०	०	०	०	०	१	०	१	वर्ष
४	१०	५	११	६	०	८	२	मास
०	०	१०	१०	२०	२०	०	०	दिन

चन्द्रान्तर्दशा चक्र

च०	भौ०	बु०	श०	गु०	रा०	शु०	सू०	ग्र०
२	१	२	१	२	१	२	०	वर्ष
१	१	४	४	७	८	११	१०	मास
०	१०	१०	२०	२०	०	०	०	दिन

भौमान्तर्दशा चक्र

भौ०	बु०	श०	गु०	रा०	शु०	सू०	च०	ग्र०
०	१	०	१	०	१	०	१	वर्ष
७	३	८	४	१०	६	५	१	मास
३	३	२६	२६	२०	२०	१०	१०	दिन
२०	२०	४०	४०	०	०	०	०	घटी

बुधान्तर्दशा चक्र

बु०	श०	गु०	रा०	शु०	सू०	च०	भौ०	ग्र०
२	१	२	१	३	०	२	१	वर्ष
८	६	११	१०	३	११	४	३	मास
३	२६	२६	२०	२०	१०	१०	३	दिन
२०	४०	४०	०	०	०	०	२०	घटी

शन्यन्तर्दशा चक्र

श०	गु०	रा०	शु०	सू०	च०	भौ०	बु०	ग्र०
०	१	१	१	०	१	०	१	वर्ष
११	८	१	११	६	४	८	६	मास
३	३	१	१०	२०	२०	२६	२६	दिन
२०	२०	०	०	०	०	४०	४०	घटी

गुर्वन्तर्दशा चक्र

गु०	रा०	शु०	सु०	च०	भौ०	बु०	श०	ग्र०
३	२	३	१	२	१	२	१	वर्ष
४	१	८	०	७	४	११	९	मास
३	१०	१०	२०	२०	२६	२६	३	दिन
२०	०	०	०	०	४०	४०	२०	घटी

राह्वन्तर्दशा चक्र

रा०	शु०	सु०	च०	भौ०	बु०	श०	गु०	ग्र०
१	२	०	१	०	१	१	२	वर्ष
४	४	८	८	१०	१०	१	१	मास
०	०	०	०	२०	२०	१०	१०	दिन
०	०	०	०	०	०	०	०	घटी

शुक्रान्तर्दशा चक्र

शु०	सु०	च०	भौ०	बु०	श०	गु०	रा०	ग्र०
४	१	२	१	३	१	३	२	वर्ष
१	२	११	६	३	११	८	४	मास
०	०	०	२०	२०	१०	१०	०	दिन
०	०	०	०	०	०	०	०	घटी

योगिनी दशा

योगिनी दशा ३६ वर्षमे पूर्ण होती है, इसलिए कुछ ज्योतिर्विद् इसका फल ३६ वर्षकी आयु तक ही मानते है। लेकिन कुछ लोग ३६ वर्षके वाद इसकी पुनरावृत्ति मानते हैं। आजकल जन्मपत्रीमें विंशोत्तरी और योगिनी दशा नियमित रूपसे लगायी जाती है।

योगिनी दशाओंके मगला, पिंगला, धान्या, भ्रामरी भद्रिका, उल्का, सिद्धा और सकटा ये नाम वताये गये हैं। इनकी वर्षसख्या भी क्रमश.

१, २, ३, ४, ५, ६, ७ और ८ हैं। इन दशाओंके स्वामी क्रमश चन्द्र, सूर्य, गुरु, भौम, बुध, शनि, शुक्र होते है। सकटा दशाके पूर्वार्द्ध (१ से ४ वर्ष तक) मे राहु और उत्तरार्द्ध (५ से ८ वर्ष तक)मे केतु स्वामी होता है।

जन्म नक्षत्रसे योगिनी दशा निकालनेके लिए जन्म-नक्षत्रसख्यामें तीन जोडकर आठसे भाग देनेपर एकादि शेषमे क्रमश मगला,पिंगलादि दशा एव शून्य शेषमें सकटा दशा समझनी चाहिए।

स्पष्ट दशा साधन करनेके लिए विंशोत्तरी दशाके समान भयातके पलोको दशाके वर्षोंसे गुणा कर भभोगके पलोका भाग देनेपर दशाके भुक्त वर्षादि आयेंगे। भुक्त वर्षादिको दशा वर्षमे-से घटानेपर भोग्य वर्षादि होंगे।

उदाहरण—भयात १६।३९ = ९९९ पल, भभोग ५८।४८ = ३५२४ पल।

इस उदाहरणमे जन्मनक्षत्र कृत्तिका है। अश्विनीसे कृत्तिका तक गणना करनेपर तीन सख्या हुई, अत ३ + ३ = ६

६ − ८ = ६ शेष। यहाँ मगलाको आदि कर ६ तक गिना तो उल्काकी दशा आयी। विना नक्षत्र-गणना किये जन्मनक्षत्रसे योगिनी दशा जाननेके लिए नीचे चक्र दिया जाता है—

जन्म-नक्षत्रसे योगिनी दशा बोधक चक्र

म०	पि०	धा०	भ्रा०	भ०	उ०	सि०	स०	दशा
च० १	सू २	गु ३	म ४	बु ५	श ६	शु ७	रा के ८	स्वामी वर्ष
आर्द्रा चि० श्र०	पुन० स्वा० ध०	पु० वि० श०	आश्ले० अनु० पू० भा० अश्वि०	म० ज्ये० उ०भा भ०	पू०फा मू० रे० कृ०	उ फा पू पा रो०	ह० उ०पा० मृ०	जन्म नक्षत्र

भयातके पलोंको उल्काके वर्षोंसे गुणा किया—

९९९ × ६ = ५९९४ — ३५२४ पलात्मक भभोग

३५२४)५९९४(१ वर्ष
३५२४
२४७० × १२
३५२४)२९६४०(८ मास
२८१९२
१४४८ × ३०
३५२४)४३४४०(१२ दिन
३५२४
८२००
७०४८

उल्का दशाके भुक्त वर्षादि १।८।१२ इसको ६ वर्षमे घटाया तो ४।३।१८ उल्का दशाके भोग्य वर्षादि हुए।

योगिनी दशाका चक्र विंशोत्तरी और अष्टोत्तरीके समान ही लगाया जाता है। आगे उदाहरणके लिए योगिनी दशा लिखी जा रही है।

योगिनीदशा चक्र

उ०	सि०	स०	म०	पि०	धा०	भ्रा०	भ०	दशा
४	७	८	१	२	३	४	५	वर्ष
३	०	०	०	०	०	०	०	मास
१८	०	०	०	०	०	०	०	दिन
सवत्	सवत्	सवत्	सवत्	सवत्	सवत्	सवत्	सवत्	मवत्
२००१	२००५	२०१२	२०२०	२०२१	२०२३	२०२६	२०३०	२०३५
सूर्य	सूर्य	सूर्य	सूर्य	सूर्य	सूर्य	सूर्य	सूर्य	सूर्य
०	३	३	३	३	३	३	३	३
१०	२८	२८	२८	२८	२८	२८	२८	२८

अन्तर्दशा साधन

दशा-दशाकी वर्षसंख्याको परस्पर गुणा कर ३६ मे भाग देनेपर अन्तर्दशाके वर्षादि आते है। मगला दशाकी अन्तर्दशा—

१ × १ = १ – ३६ = ० शेष १ × १२ = १२ ÷ ३६ = ० शेष १२
१२ × ३० = ३६० – ३६ = १० दिन

मगलामे पिंगलाका अन्तर = १ × २ = २ – ३६ = ०।
२ × १२ = २४ – ३६ = ०, शेष २४ × ३० = ७२० – ३६० = २० दिन

मगलामे धान्याका अन्तर = १ × ३ = ३ – ३६ = ० शेष ३ × १२ = ३६ – ३६ = १ मास

मंगलामें भ्रामरीका अन्तर = १ × ४ = ४ – ३६ = ० शेष ४ = १२ = ४८ = ४८ – ३६ = १ शेष १२ × ३० = ३६० ÷ ३६ = १०, १ मास १० दिन

मगलामें भद्रिकाका अन्तर = १ × ५ = ५ ÷ ३६ = ० शेष ५ × १२ = ६०

६० ÷ ३६ = १ शे०, २४ × ३० = ७२० – ३६ = २० दिन = १ मास २० दिन

मगलामें उल्काका अन्तर = १ × ६ = ६ – ३६ = ० शे० ६ × १२ = ७२, ७२ – ३६ = २ मास

मगलामे सिद्धाका अन्तर—१ × ७ = ७ – ३६ = ० शेष ७ × १२ = ८४

८४ ÷ ३६ = २ शेष १२ × ३० = ३६० – ३६ = १० २मास १० दिन

मगलामें सकटाका अन्तर—१ × ८ = ८ – ३६ = ० शेष ८ × १२ = ९६ ÷ ३६ = २ शेष २४ × ३० = ७२० – ३६ = २० २ मास २० दिन

मगलामे अन्तर्दशा चक्र

म०	पिं०	धा०	भ्रा०	भ०	उ०	सि०	स०	दशा
०	०	०	१	१	१	०	०	वर्ष
०	०	१	१	१	२	२	२	मास
१०	२०	०	१०	२०	०	१०	२०	दिन

पिंगलामे अन्तर्दशा चक्र

पिं०	धा०	भ्रा०	भ०	उ०	सि०	म०	म०	द०
०	०	०	०	०	०	०	०	वर्ष
१	२	२	३	४	४	५	०	मास
१०	०	१०	१०	०	२०	१०	२०	दिन

धान्यामे अन्तर्दशा चक्र

धा०	भ्रा०	भ०	उ०	सि०	स०	म०	पिं०	द०
०	०	०	०	०	०	०	०	वर्ष
३	४	५	६	७	८	१	२	मास
०	०	०	०	०	०	०	०	दिन

भ्रामरीमे अन्तर्दशा चक्र

भ्रा०	भ०	उ०	सि०	स०	म०	पिं०	धा०	द०
०	०	०	०	०	०	०	०	वर्ष
५	६	८	९	१०	१	२	४	मास
१०	२०	०	१०	२०	१०	२०	०	दिन

भद्रिकामे अन्तर्दशा चक्र

भ०	उ०	सि०	स०	म०	पिं०	धा०	भ्रा०	द०
०	०	०	१	०	०	०	०	वर्ष
८	१०	११	१	१	३	५	६	मास
१०	०	२०	१०	२०	१०	०	२०	दिन

उल्कामे अन्तर्दशा चक्र

उ०	मि०	म०	म०	पि०	धा०	भ्रा०	भ०	द०
१	१	१	०	०	०	०	०	वर्ष
०	२	४	२	४	६	८	१०	मास
०	०	०	०	०	०	०	०	दिन

सिद्धामे अन्तर्दशा चक्र

मि०	म०	म०	पि०	धा०	भ्रा०	भ०	उ०	द०
१	१	०	०	०	०	०	१	वर्ष
४	६	२	८	७	९	११	२	मास
१०	२०	१०	२०	०	१०	२०	०	दिन

सकटामे अन्तर्दशा चक्र

म०	म०	पि०	धा०	भ्रा०	भ०	उ०	मि०	द०
१	०	०	०	०	१	१	१	वर्ष
९	२	५	८	१०	१	४	६	मास
१०	२०	१०	०	२०	१०	०	२०	दिन

बलविचार

जन्मपत्रीका यथार्थ फल ज्ञात करनेके लिए षड् बलका विचार करना नितान्त आवश्यक है। क्योंकि ग्रह अपने बलाबलानुसार ही फल देते हैं। ज्योतिष शास्त्रमें ग्रहोंके स्थानबल, दिग्बल, कालबल, चेष्टाबल, नैसर्गिकबल और दृग्बल ये छह बल माने गये हैं।

स्थानबलमें उच्चबल, युग्मायुग्मबल, सप्तवर्गैक्यबल, केन्द्रबल, द्रेष्काणबल ये पाँच सम्मिलित हैं। इन पाँचो बलोंका योग करनेसे स्थानबल होता है।

उच्चबलसाधन

स्पष्ट ग्रहमें-से ग्रहके नीचको घटाना चाहिए। घटानेसे जो आवे वह ६ राशिसे अधिक हो तो १२ राशिमें उसे घटा लेना चाहिए। शेषको विकला बना ले और उन विकलाओंमें १०८०० से भाग देनेपर लब्ध कलाएँ आयेंगी। शेषको ६० से गुणा कर, गुणनफलमें १०८००से भाग देनेपर लब्ध विकलाएँ होंगी। इन कला-विकलाओंके अंशादि बना लें।

उदाहरण—स्पष्ट सूर्य ०।१०।७।३४ है, इसमें-से सूर्यके नीच राश्यंश-को घटाया तो ६।०।७।३४ आया। यहाँ राशि स्थानमें घटानेसे अधिक होनेके कारण इसे १२ राशिमें-से घटाया—

१२। ०। ०। ०
६। ०। ७।३४

५।२९।५२।२६ शेष

५ × ३० = १५० + २९ = १७९ × ६० = १०७४० + ५२ = १०७९२ × ६० = ६४७५२० + २६ = ६४७५४६ − १०८०० = ५९ शेष ५३४६ × ६० = ३२०७६० − १०८०० = २९ लब्धि, यहाँ शेषका त्याग कर दिया। अतः सूर्यका उच्चबल ०।५९।२९ हुआ।

चन्द्र स्पष्ट ११। ०।३४।३४
नीच राश्यंश ७। ३। ०।२४

५।२७।३४।१० शेष

५ × ३० = १५० + २७ = १७७ × ६० = १०६२० + २४ = १०६४४

१०६४४ × ६० = ६३८६४० + १० = ६३८६५० − १०८०० = ५९, शेष १४४० × ६० = ८६४०० − १०८०० = ८

अर्थात् ०।५९।८ चन्द्रमाका उच्चबल हुआ। इसी प्रकार अन्य

ग्रहोके उच्चबलका साधन कर जन्मपत्रीमे स्पष्ट उच्चबल चक्र लिखना चाहिए। नीचे प्रत्येक ग्रहके उच्च और नीच राश्यंश दिये जाते हैं। समस्त ग्रहोके उच्चबल सरलतापूर्वक निकालनेके हेतु सारणियाँ दी जा रही है। इनपर-से समस्त ग्रहोके उच्चबलका साधन किया जा सकेगा।

उच्च-नीच राश्यंश बोधक चक्र

सूर्य	चन्द्र	भौम	बुध	गुरु	शुक्र	शनि	राहु	केतु	ग्रह
०	०	९	५	३	११	६	२	८	उच्च
१०	३	२८	१५	५	२७	२०	०	०	राश्यंश
६	७	३	११	९	५	०	८	२	नीच
१०	३	२८	१५	५	२७	२०	०	०	राश्यंश

युग्मायुग्मबल साधन

चन्द्र और शुक्र सम राशि—वृष, कर्क, कन्या, वृश्चिक, मकर एव मीन या सम राशिके नवांशमें हों तो १५ कला बल होता है। यदि ये ग्रह सम राशि और सम नवांश दोनोमें हों तो ३० कला बल होता है और दोनोमे न हो तो शून्यकला बल होता है।

सूर्य, भौम, बुध, गुरु और शनि विषम राशि या विषम नवांशमे हो तो १५ कला बल, दोनोमें हो तो ३० कला बल और दोनोमे ही न हो तो शून्य कला युग्मायुग्म बल होता है।

उदाहरण—

सूर्य जन्मकुण्डलीमे मेष राशिका और नवांश कुण्डलीमे कर्क राशिका है। यहाँ मेष राशि विषम है और नवांश राशि सम है। अत सूर्यका युग्मायुग्म बल १५ कला हुआ।

चन्द्रमा जन्मकुण्डलीमें वृष राशि और नवांश कुण्डलीमे मकर राशिमें है, ये दोनो ही राशियाँ विषम है अत चन्द्रमाका युग्मायुग्म बल ३० कला हुआ।

भौम जन्मकुण्डलीमे मिथुन राशि और नवाश कुण्डलीमे भी मिथुन राशिका है। ये दोनो ही राशियाँ विपम है अत ३० कला युग्मायुग्म वल भौमका हुआ।

वुध जन्मकुण्डलीमे मेप राशि और नवाश कुण्डलीमे वृश्चिक राशिका है। मेप राशि विपम और वृश्चिक राशि सम है अत· १५ कला वल भौमका हुआ। इसी प्रकार समस्त ग्रहोका वल निकालकर चक्र वना देना चाहिए। कुण्डलोके वल सावन प्रकरणमे राहु-केतुका वल नही वताया गया।

उदाहरण कुण्डलोका युग्मायुग्मवल चक्र निम्न प्रकारसे है—

सू०	च०	भौ०	वु०	गु०	शु०	श०	ग्रह
०	०	०	०	०	०	०	अश
१५	३०	३०	१५	१५	१५	३०	कला
०	०	०	०	०	०	०	विकमा

केन्द्रादि वल साधन

केन्द्र—प्रथम, चतुर्थ, सप्तम और दशम भावमे स्थित ग्रहोका वल एक अश, पणफर—द्वितीय, पचम, अष्टम और एकादश स्थानमे स्थित गहोका वल ३० कला एव आपोक्लिम—तृतीय, पष्ठ, नवम और द्वादश भावमे स्थित ग्रहोका वल १५ कला होता है।

उदाहरण—इष्ट उदाहरणकी जन्म-कुण्डलीमे सूर्य लग्नसे नवम स्थानमें, चन्द्रमा दशममे, भौम एकादशमें, बुध नवममें, गुरु द्वादशमें, शुक्र अष्टममें और शनि एकादगमें है। उपर्युक्त नियमके अनुसार सूर्यके आपोक्लिममे होनेसे उसका १५ कला वल, चन्द्रमाका केन्द्रमें होनेसे एक अग वल, भौमका पणफरमें होनेसे ३० कला वल, वुधका आपोक्लिममें होनेसे १५ कला वल, गुरुका भी आपोक्लिममें होनेसे १५ कला वल, शुक्रका पणफरमे होनेमे ३० कला वल और शनिका भी पणफरमें होनेसे ३० कला वल होगा।

उदाहरण कुण्डलीका केन्द्रादि बल-चक्र

सू०	चं०	भौ०	बु०	गु०	शु०	श०	ग्र०
०	१	०	०	०	०	०	अंश
१५	०	३०	१५	१५	३०	३०	कला
०	०	०	०	०	०	३	विकला

द्रेष्काण बलसाधन

पुरुष ग्रहों—सूर्य, भौम और गुरुका प्रथम द्रेष्काणमें १५ कला बल, स्त्रीग्रहों—शुक्र और चन्द्रमाका तृतीय द्रेष्काणमे १५ कला बल एवं नपुंसक ग्रहों—बुध और शनिका द्वितीय द्रेष्काणमें १५ कला बल होता है। जिस ग्रहका जिस द्रेष्काणमे बल बतलाया गया है, यदि उसमें ग्रह न रहे तो शून्य बल होता है।

उदाहरण—अभीष्ट उदाहरण कुण्डलीमें पूर्वोक्त द्रेष्काण विचारके अनुसार सूर्य द्वितीय द्रेष्काणमें, चन्द्रमा प्रथममें, भौम तृतीयमें, बुध तृतीयमें, गुरु तृतीयमें, शुक्र तृतीयमें और शनि प्रथममें है। उपर्युक्त नियमानुसार सूर्यका शून्य बल, चन्द्रमाका शून्य, भौमका शून्य, बुधका शून्य, गुरुका शून्य, शुक्रका १५ कला और शनिका शून्य बल हुआ।

द्रेष्काण बल चक्र

सू०	चं०	भौ०	बु०	गु०	शु०	श०	ग्र०
०	०	०	०	०	०	०	अंश
०	०	०	०	०	१५	०	कला
०	०	०	०	०	०	०	विकला

सप्तवर्ग बल साधन

पहले गृह, होरा, द्रेष्काण, नवांश, द्वादशांश, त्रिंशांश और सप्तांशका

साधन कर उक्त कुण्डली चक्र बनानेकी विधि उदाहरण सहित लिखी गयी है। इन सातों वर्गोका साधन कर बल निम्न प्रकार सिद्ध करना चाहिए।

	अ०।क०।वि०
स्वगृही ग्रहका बल	०।३०।०
अतिमित्रगृही ग्रहका बल	०।२२।३०
मित्र ,, ,, ,, ,,	०।१५।०
सम ,, ,, ,, ,,	०। ७।३०
शत्रु ,, ,, ,, ,,	०। ३।४५
अतिशत्रु ,, ,, ,,	०। १।५२।३०

सव ग्रहोंके बलको जोड़कर ६० से भाग देनेपर अंशात्मक ऐक्य बल होता है।

उदाहरण—सूर्य जन्मकुण्डलीमें मेष राशिका है, अतः अतिमित्रके गृहमें होनेसे २२।३० बल गृहका प्राप्त हुआ।

चन्द्रमा—वृष राशिका होनेसे मित्र शुक्रके गृहमें है, इस कारण इसका गृह बल १५।० लिया जायेगा।

भौम—मिथुन राशिका होनेसे मित्र बुधके गृहमें है, अतः इसका गृह बल १५।० ग्रहण करना चाहिए। इस तरह समस्त ग्रहोंका गृहबल निकाल लेना चाहिए।

होरा बल—सूर्य अपने होरामें है, अतः इसका ३०।० बल, चन्द्रमा अपने होरामें है, अतः इसका ३०।० बल, भौमका चन्द्रमाके गृहमें होनेके कारण २२।३० बल, बुधका अपने सम चन्द्रमाके गृहमें रहनेके कारण ७।३० बल, गुरुका अपने अतिमित्र सूर्यके गृहमें रहनेके कारण २२।३०

१ यहाँ मित्रामित्रकी गणना पंचधा मैत्री चक्रके अनुसार ग्रहण करनी चाहिए।

वल, शुक्रका अपने सम सूर्यके गृहमे होनेके कारण ७।३० वल एव शनिका अपने सम सूर्यके गृहमें रहनेके कारण ७।३० होराका वल होगा।

द्रेष्काण वल—द्रेष्काण कुण्डलीमे अपनी राशिमे रहनेके कारण सूर्यका ३०।० वल, चन्द्रमाका समसज्ञक—उदासीन शुक्रकी राशिमे रहनेके कारण ७।३० वल, भौमका उदासीन शनिकी राशिमें रहनेके कारण ७।३० वल, वुधका मित्र गुरुकी राशिमें रहनेके कारण १५।० वल, गुरुका अपनी राशिमें रहनेके कारण ३०।० वल, शुक्रका मित्र मंगलकी राशिमें रहनेके कारण १५।० वल और शनिका अतिमित्र वुधकी राशिमें रहनेके कारण २२।३० द्रेष्काण वल होगा।

सप्ताश वल—सप्ताश कुण्डलीमें सूर्यका शत्रु वुधकी राशिमें रहनेके कारण ३।४५ सप्ताश वल, चन्द्रमाका मित्र शुक्रकी राशिमे रहनेके कारण १५।० वल, मगलका अपनी राशिमे रहनेके कारण ३०।० वल होगा। इसी प्रकार समस्त ग्रहोका सप्ताश वल वना लेना चाहिए।

गृह, होरा, द्रेष्काण, सप्ताश वल साधनके समान ही नवाश, द्वादशाश और त्रिंशाश कुण्डलीमे स्थित ग्रहोका वल-साधन भी कर लेना चाहिए। इन सातो फलोके योगफलमे ६० का भाग देनेसे सप्तवर्गैक्य वल आयेगा।

पूर्वोक्त उच्चवल, सप्तवर्गैक्यवल, युग्मायुग्मवल, केन्द्रादिवल एव द्रेष्काणवल इन पाँचो वलोका योग स्थानवल होता है। जन्मपत्रीमें स्थानवल चक्र लिखनेके लिए उपर्युक्त पाँचो वलोके योगका चक्र लिखना चाहिए।

दिग्वलसाधन

शनिमे-से लग्नको, सूर्य और मगलमे-से चतुर्थ भावको, चन्द्रमा और शुक्रमें-से दशम भावको, वुध और गुरुमे-से सप्तम भावको घटाकर शेपमे राशि ६ का भाग देनेसे ग्रहोका दिग्वल आता है। यदि शेप ६ राशिसे अधिक हो तो १२ राशिमे-से घटाकर तव भाग देना चाहिए। दूसरा

नियम यह भी है कि शेपकी विकलाओमे १०८०० का भाग देनेमे कला, विकलात्मक, दिग्वल आ जाता है ।

उदाहरण—सूर्य ०।१०।७।३४ मे-मे चतुर्थ भाव ७।२४।४३।२१ जो भाव स्पष्टमे आया है, को घटाया तो—

०।१०।७।३४
७।२४।४३।२१

८।१५।२४।१३ शेप

४ × ३० = १२० + १५ = १३५ × ६० = ८१०० + २४ = ८१२४ × ६० = ४८७४४० + १३ = ४८७४५३

४८७४५३ ÷ १०८०० = ४५, शेप १४५३ × ६० = ८७१८० – १०८०० = ८, यहाँ शेपका त्याग कर दिया गया अत सूर्यका दिग्वल ४५।८ हुआ ।

चन्द्रमाका—१।०।२४।३४ चन्द्रस्पष्टमे-से
१।२४।४३।२१ दशम भावको घटाया
११।५।४१।१३

यहाँ ६ राशिमे अधिक होनेके कारण १२ राशिमे-से घटाया ।

१२।०।०।०
११।५।४१।१३

०।२४।१८।४७ शेप

० × ३० = ० + २४ = २४ × ६० = १४४० + १४५८
१४५८ × ६० = ८७४८० + ४७ = ८७५२७
८७५२७ – १०८०० = ८ शेप ११२७ × ६० = ६७६२०
६७६२० – १०८०० = ६ । यहाँ शेपका प्रयोजन न होनेमे त्याग कर दिया गया ।

८।६ चन्द्रमाका वल हुआ । इमी प्रकार समस्त ग्रहोका दिग्वल वनाकर जन्मपत्रीमे दिग्वल चक्र लिखना चाहिए ।

कालबलसाधन

नतोन्नतबल, पक्षबल, अहोरात्रत्रिभाग बल, वर्षशादिबल, इन चारो बलोका योग कर देनेपर काल-बल आता है।

नतोन्नतबलसाधन—नत घट्यादिकोको दूना कर देनेसे चन्द्र, भौम और शनिका नतोन्नत बल एव उन्नत घट्यादिकोको दूना करनेसे सूर्य, गुरु एव शुक्रका नतोन्नत बल होता है। बुधका सदा १ अश नतोन्नत बल लिया जाता है। नतसाधनकी प्रक्रिया पहले लिखी जा चुकी है, इसे ३० घटीमे-से घटानेपर नतके समान पूर्व या पश्चिम उन्नत होता है।

उदाहरण—७।१९ पश्चिम नत है (इष्ट कालपर-से प्रथम नत-साधनके नियमानुसार आया है) इसे ३० घटीमे-से घटाया तो—३०।०

७।१९

उन्नत-पश्चिम २२।४१

उपर्युक्त नियमसे सूर्यका नतोन्नत बल उन्नत-द्वारा बनाया जाता है अत २२।४१ × २ = ४५।२२ कलादि नतोन्नत बल सूर्य, गुरु और शुक्रका हुआ।

चन्द्र, भौम शनिका—७।१९ × २ = १४।३८ कलादि बल हुआ। बुधका एक अश माना जायेगा। अत इस उदाहरणका नतोन्नत बल-चक्र निम्न प्रकार बनेगा—

नतोन्नत बलचक्र

सू०	च०	भौ०	बु०	बृ०	शु०	श०	ग्र०
०	०	०	१	०	०	०	अश
४५	१४	१४	०	४५	४५	१४	कला
२२	३८	३८	०	२२	२२	३८	विकला

पक्षबलसाधन—सूर्य चन्द्रमाके अन्तरके अशोमे ३ का भाग देनेसे शुभ ग्रहो—चन्द्र, बुध, गुरु और शुक्रका पक्षबल होता है, इसे ६० कलामे

घटानेने पापग्रहो—सूर्य, मगल, शनि और पापयुक्त बुधका पक्षवल होता है।

उदाहरण—चन्द्रमा १। ०।२४।३४ मे-से

सूर्य ०।१०। ७।३४ को घटाया

२०।१७। ०

३)२०।१७(६ कला

१८

२×६०

१२०

१७

३)१३७(४५ विकला

१२

१७

१५

२

६।४५ शुभग्रहोका पक्षवल हुआ

६०।०

६।४५

५३।१५ अशुभ ग्रहोका पक्षवल होगा।

पक्षवल चक्र

सू०	च०	भौ०	बु०	गु०	शु०	श०	ग्र०
०	०	०	०	०	०	०	अश
५३	६	५३	५३	६	६	५३	कला
१५	४५	१५	१५	४५	४५	१५	विकला

दिवारात्रि त्र्यशवल—दिनका जन्म हो तो दिनमानका त्रिभाग करे और रातका जन्म हो तो रात्रिमानका त्रिभाग करे। यदि दिनके प्रथम भागमे जन्म हो तो बुधका, दूसरे भागमे सूर्यका और तीसरे भागमे शनिका एक अश वल होता है। रातके प्रथम भागमे जन्म हो तो सूर्यका, द्वितीय भागमे शुक्रका और तृतीय भागमे भौम एव गुरुका सदा एक अश वल होता है।

इससे विपरीत स्थितिमे शून्यबल समझना चाहिए। उदाहरण—दिनमान ३२।६ है और इष्टकाल २३।२२ है, दिनमान ३२।६ – ३ = १०।४२; १०।४२ का एक भाग, १०।४२ से २१।२४ तक दूसरा भाग एव २१।२४ से ३२।६ तक तीसरा भाग होगा। अभीष्ट इष्टकाल तृतीय भागका है, अत शनिका एक अंश बल होगा। गुरुका सर्वदा एक अंश बल माना जाता है, अत उसका भी एक अंश बल ग्रहण करना चाहिए। बलचक्र नियम इस प्रकार होगा—

दिवारात्रि त्रिभाग बलचक्र

सू०	च०	भौ०	बु०	गु०	शु०	श०	ग्र०
०	०	०	०	१	०	१	अंश
०	०	०	०	०	०	०	कला
०	०	०	०	०	०	०	विकला

वर्षेशादि बल—इष्ट दिनका कलियुगाद्यहर्गण लाकर उसमें ३७३ घटाकर शेषमें २५२०का भाग देनेपर जो शेष आवे उसे दो जगह स्थापित करें। पहले स्थानमें ३६० का और दूसरे स्थानमें ३० का भाग दें। दोनों स्थानकी लब्धियोंको क्रमश तीन और दोसे गुणा करें, गुणनफलमें एक जोड दें। इस योगफलमें ७का भाग देनेपर प्रथम स्थानके शेषमें वर्षपति और द्वितीय स्थानके शेषमें मासपति होता है।

कलियुगाद्यहर्गणसाधनविधि—इष्ट शक वर्षमे ३१७९ जोड देनेसे कलिगत वर्ष होते है। कलिगत वर्षोंको १२से गुणा कर चैत्रादि गतमास जोड देना चाहिए। इस योगफलको तीन स्थानोंमें रखना चाहिए, प्रथम स्थानमें ७०से भाग देकर जो लब्ध आये उसे द्वितीय स्थानमे जोडे और इस योगफलमें ३३ का भाग देकर लब्धिको तृतीय स्थानमें जोड दें। पुन इस योगफलको ३० से गुणा कर गत तिथि जोड दें। इस योगफलको दो स्थानोंमें स्थापित करें। प्रथम स्थानकी सख्याको ११ से गुणा कर ७०३

का भाग देकर लब्धिको द्वितीय स्थानकी सख्यामें घटानेसे कलियुगाद्यहर्गण होता है।

उदाहरण—वि० स० २००१ शक १८६६ के वैशाख मास कृष्ण पक्ष द्वितीया तिथि, सोमवारका जन्म है।

१८६६ + ३१७९ = ५०४५ कलियुगादि गतवर्ष

५०४५ × १२ = ६०५४० + १ = ६०५४१ गतमास

६०५४१ − ७० = ८६४	६०५४१	६०५४१ + १८६०
	८६४	= ६२४०१
शेष ६१	६१४०५	
	− ३३	
	= १८६०	शेष २५

६२४०१ × ३० = १८७२०३० + १६ (तिथि शुक्ल प्रतिपदामे जोडनी चाहिए)

१८७२०४६ × ११ = २०५९२५०६

२०५९२५०६ − ७०३ =

२९२९२, शेष २४०

१८७२०४६
२९२९२
१८४२७५४

१८४२७५४ − ३७३ = १८४२३८१ − २५२० = ७३१, शेष २६१, यहाँ लब्धिका उपयोग न होनेसे शेषको दो स्थानोमे स्थापित किया।

२६१ − ३६० = ०
शेष = २६१

२६१ − ३० = ८, शेष २१
मासेश ८ × २ = १६ + १ = १७
१७ − ७ = २, शेष ३

वर्षेश = ० × ३ = ० + १ = १ − ७ = ०, शेष १

दिनेश साधन—जिस दिनका इष्ट काल हो, वही दिनेश होता है। प्रस्तुत उदाहरणमे सोमवारका इष्टकाल है, अत दिनेश चन्द्रमा होगा।

कालहोरेशसाधन—सूर्य दक्षिण गोलमे हो तो इष्टकालमे चर घटी-को जोडना और उत्तर गोलमे हो तो इष्टकालमें-से चर घटीको घटाना चाहिए। इस कालमे पूर्व देशान्तरको ऋण और पश्चिम देशान्तरको धन करनेसे वारप्रवृत्तिके समयसे इष्टकाल होता है। इस इष्टकालको दोसे गुणा कर ५ का भाग देनेपर जो शेष रहे उसे गुणनफलमे-से घटाना चाहिए। अब शेषमे एक जोडकर ७ का भाग देनेसे जो शेष आवे उसे दिनपतिसे आगे गणना करनेपर कालहोरेश आता है।

उदाहरण—इष्टकाल २३।२२, चर मिनिटादि २५।१७—यह पहले निकाला गया है। इसमे घटचादि–$२५\frac{१७}{६०} = २५ + \frac{१७}{६०} = \frac{१५१७}{६०} \times \frac{१}{२४} = \frac{१५१७}{१४४०} = १\frac{७७}{१४४०} = \frac{६०}{१} \times \frac{७७}{१४४०} = ३\frac{५}{२४}$ अर्थात् एक घटी ३ पल चर काल हुआ। यहाँ सूर्य मेष राशिका होनेके कारण दक्षिण गोलका है अत उपर्युक्त नियमानुसार इष्टकाल २३।२२ मे देशान्तर ८ मिनिट ४० से० के घटी पल बनाये तो { चर घटी १।३ को इष्टकाल २३।२२ मे जोडा देशान्तर २४।२५

२१$\frac{२}{३}$ पल हुए

०।२१, आरा रेखादेशसे पश्चिम होनेके कारण देशान्तर घटीका धन सस्कार किया।

२४।२५
०।२१
―――――
२४।४६ वारप्रवृत्तिसे इष्टकाल

२४।४६ × २ = ४९।३२ − ५ = ९ लब्धि, शेष ३।४७।४९।३२−३।४७ = ४५।४५ + १ = ४६।४५ − ७ = ६ लब्धि, शेष ४।४५, यहाँ वाराधिपति चन्द्रमासे ४ तक गिननेपर बृहस्पति कालहोरेश हुआ।

बल साधनका नियम यह है कि वर्षपति, मासपति, दिनपति और काल-होरापति ये क्रमश एक चरण वृद्धिसे बलवान् होते है। जैसे वर्षपतिका बल १५ कला, मासपतिका ३० कला, दिनपतिका ४५ कला और काल-

होरापतिका एक अंश बल होता है।

प्रस्तुत उदाहरणमे वर्षपति रवि, मासपति मगल, दिनपति चन्द्रमा और कालहोरापति बृहस्पति हुआ। इन सभी ग्रहोका बल चरण-वृद्धि क्रममे नीचे दिया जाता है।

वर्षेशादि बल चक्र

सू०	च०	भौ०	बु०	गु०	शु०	श०	ग०
०	०	०	०	१	०	०	अंश
१५	४५	३०	०	०	०	०	कला
०	०	०	०	०	०	०	विकला

जन्मपत्रीमे कालबल चक्र लिखनेके लिए नतोन्नतबल, पक्षबल, दिवा-रात्र्यंशबल और वर्षेशादिबल इन चारोका जोड करना चाहिए।

अयनबल—इसका साधन करनेके लिए सूक्ष्म क्रान्तिका साधन करना परमावश्यक है। गणित क्रियाकी सुविधाके लिए नीचे १० अंकोमे ध्रुवांक और ध्रुवान्तरांक सारिणी दी जाती है।

सायन ग्रहके भुजांशोमे १०का भाग देनेसे जो लब्धि हो, वह गत-क्रान्ति खण्डांक होता है। अंशादि शेषको ध्रुवान्तरांकसे गुणा कर १०का भाग देनेसे जो लब्धि हो उसे गत खण्डमे जोडकर पुन १०का भाग देनेपर अंशादि क्रान्ति स्पष्ट होती है। इस क्रान्तिकी दिशा सायन ग्रहके गोलानुसार अवगत करनी चाहिए।

तीन राशि—९० अंशोकी भुजाका ध्रुवांक चक्र

अंश	१०	२०	३०	४०	५०	६०	७०	८०	९०
	(१)	(२)	(३)	(४)	(५)	(६)	(७)	(८)	(९)
ध्रुवांक	४०	८०	११७	१५१	१८१	२०६	२२४	२३६	२४०
ध्रुवान्तरांक	४०	४०	३७	३४	३०	२५	१८	१४	४

उदाहरण—सूर्य ०।१०।७।३४ अयनाश २३।४६ है।

०।१०।७।३४ स्पष्ट सूर्य

१।३।४६।० अयनाश

१।३।५३।३४ सायन सूर्य—इसके भुजाश निकालने हैं।

भुजाश बनानेका नियम यह है कि यदि ग्रह तीन राशिके भीतर हो तो वही, उसका भुजाश और तीन राशिसे अधिक और ६ राशिसे कम हो तो ६ राशिमे-से ग्रहको घटा देनेसे भुजाश, ६ राशिसे ग्रह अधिक और ९ राशिसे कम हो तो ग्रहमे-से ६ राशि घटानेसे भुजाश एव नौ राशिसे अधिक हो तो बारह राशिमें-से घटानेसे भुजाश होता है।

प्रस्तुत उदाहरणमे सूर्य ३ राशिके भीतर है। अत उसका भुजाश १।३।५३।३४ राश्यादि ही होगा।

गणित क्रियाके लिए राशिके अश बनाकर अशोमे जोड दिये तो ३३।५३।३४ अशादि भुजाश हुआ।

३३।५३।३४ – १० = ३ लब्धि, शेष ३।५३।३४, यहाँ लब्धि ३ है। अत तीन खण्डके नीचेवाला गत ध्रुवाक ११७ हुआ। इस लब्धि खण्डका ध्रुवान्तराक ३७ इस अकके शेषके अशादिको गुणा करना चाहिए।

३।५३।३४ × ३७ = १४५।४१।५८ – १० = १४।३४।११

११७ + १४।३४।११ = १३१।३४।११ – १० = १३।११।२५

सूर्यकी उत्तरा क्रान्ति हुई। इसी प्रकार समस्त ग्रहोकी क्रान्तिका साधन कर लेना चाहिए।

बुधकी उत्तरा या दक्षिणा क्रान्तिको सर्वदा २४ में जोडना चाहिए। शनि और चन्द्रकी दक्षिणा क्रान्ति हो तो २४ मे क्रान्तिको जोडना और उत्तरा हो तो २४ मे-से घटाना चाहिए। सूर्य, मगल, बुध और शुक्रकी क्रान्तिको दक्षिणा क्रान्ति होनेसे २४ में-से घटाना और उत्तरा क्रान्ति हो तो २४ में जोडना चाहिए। इस प्रकार धन-ऋणसे जो क्रान्ति आयेगी, उसमें ४८ का भाग देनेसे अयनबल होता है। सूर्यके अयनबलको द्विगुणित

कर देनेसे उसका स्पष्ट चेष्टावल होता है।

उदाहरण—सूर्य उत्तरा क्रान्ति १३।११।२५ है, अत इसे २४ मे जोडा तो—१३।११।२५
२४
३७।११।२५ ÷ ४८ = ०।४६।१३

सूर्यका अयनवल

भौमादि पांच ग्रहोका मध्यम चेष्टावल-साधन करनेका यह नियम है। पहले इष्टकालिक मध्यम ग्रह और स्पष्ट ग्रहके योगार्धको शीघ्रोच्चमे घटानेसे भौमादि पांच ग्रहोका चेष्टाकेन्द्र होता है। चेष्टाकेन्द्र ६ राशिसे अधिक हो तो उसे १२ राशिमे-से घटाकर शेष अशादिको दूनाकर ६ का भाग देनेपर कला-विकलादि रूप मध्यम चेष्टावल होता है।

सूर्यका अयनवल और चन्द्रमाका पक्षवल हो मध्यम चेष्टावल होता है।

सभी ग्रहोके अयनवल और मध्यम चेष्टावलको जोड देनेपर स्पष्ट चेष्टावल होता है।

मध्यम ग्रह वनानेका नियम

मध्यम ग्रह ग्रह-लाघव, सर्वानन्दकरण, केतकी, करणकुतूहल आदि करण ग्रन्थो-द्वारा अहर्गण साधन कर करना चाहिए। इस प्रकरणमे ग्रह-लाघव-द्वारा मध्यम ग्रह साधन करनेकी विधि दी जाती है।

अहर्गण वनानेका नियम—इष्ट शक सख्यामे-से १४४२ घटाकर शेपमे ११ का भाग देनेसे लब्धि चक्र सज्ञक होती है। शेपको १२ से गुणा कर उससे चैत्र शुक्ल प्रतिपदासे गतमास सख्या जोडकर दो स्थानोमे स्थापित करना चाहिए। प्रथम स्थानकी राशिमे द्विगुणित चक्र और दस जोडकर ३३ का भाग देनेसे लब्धितुल्य अधिमास होते है। इन्हे द्वितीय स्थानकी राशिमें जोडकर ३० से गुणाकर वर्तमान मासकी शुक्ल

प्रतिपदासे लेकर गत तिथि तथा चक्रका पष्ठांश जोडकर इस सख्याको दो स्थानोमे स्थापित कर देना चाहिए। प्रथम स्थानमे ६४ का भाग देनेसे लब्ध दिन आते हैं। इन्हे द्वितीय स्थानकी राशिमे घटानेसे शेप इष्ट-दिनकालिक अहर्गण होता है—

उदाहरण—शक १८६६ वैशाख कृष्ण २ का जन्म है।

१४४२ को घटाया

४२८ − ११ = ३८, शेप ६,

६ × १२ = ७२ + ० = ७२ ३८ चक्र

७२ ३८ × २ = ७६

७६ ७२ + ४ = ७६ × ३० = २२८० + १६

१०

३३) १५८ (४ अधि० २२९६ + ६ = २३०२ इसे दो स्थानोमे स्थापित किया

२३०२ − ६४ = ३५, शेप ६२ २३०२ लब्ध

३५ दिन

२२६७ अहर्गण

मध्यम सूर्य, शुक्र और बुधकी साधन विधि—अहर्गणमें ७० का भाग देकर लब्ध अशादि फलको अहर्गणमे ही घटानेसे शेप अशादि रहता है, इसमें अहर्गणका १५ वा भाग कलादि फलको घटानेसे सूर्य, बुध और शुक्र अशादिक होते हैं।

मध्यम चन्द्र साधन—अहर्गणको १४ मे गुणा करके जो गुणनफल हो उसमें उसीका १७वाँ भाग अशादि घटानेसे जो शेप रहे उसमे-से अहर्गणका १४०वाँ भाग कलादि घटानेसे शेप अशादिक मध्यम चन्द्र होता है।

मध्यम मगल साधन—अहर्गणको १०मे गुणाकर दो जगह रखना चाहिए। प्रथम स्थानमें १९का भाग देनेसे अशादि और दूसरे स्थानमें

७३का भाग देनेसे कलादि फल होता है। इन दोनोका अन्तर करनेसे अशादि मगल होता है।

मध्यम गुरु साधन—अहर्गणमे १२का भाग देकर अशादि फलमे अहर्गणके ७० वें भाग कलादि फलको घटानेसे अशादि गुरु होता है।

मध्यम शनि साधन—अहर्गणमे ३०का भाग देकर अशादि फल आता है अहर्गणमे १५६का भाग देनेसे कलादि फल होता है। इन दोनो फलोको जोडनेसे अशादि शनि होता है।

मध्यम राहु साधन—अहर्गणको दो स्थानोमे रखकर प्रथम स्थानमे १९का भाग देनेसे अशादि फल और दूसरे स्थानमे ४५का भाग देनेसे कलादि फल होता है। इन दोनो फलोके योगको १२ राशिमे घटानेसे राहु होता है और राहुमे ६ राशि जोडनेमे केतु आता है।

इस प्रकार अहर्गणोत्पन्न जो ग्रह आवें उनमे चक्र गुणित अपने ध्रुवकको घटानेमे और अपने क्षेपकको जोडनेमे सूर्योदयकालिक मध्यम ग्रह होते है। चन्द्रसाधनके लिए स्वदेश और स्वरेखादेशके अन्तर योजनमे ६का भाग देनेसे लब्ध कलादि फलको पश्चिम देशमे चन्द्रमामे जोडनेसे और पूर्व देशमें चन्द्रमामे घटानेसे वास्तविक मध्यम चन्द्रमा स्वदेशीय होता है।

ध्रुवक चक्र

सू०	च०	भौ०	बु०	गु०	शु०	श०	रा०	ग्र०
०	०	१	४	०	१	७	७	राशि
१	३	२५	३	२६	१४	१५	२	अश
४९	४६	३२	२७	१८	२	४२	५०	कला
११	११	०	०	०	०	०	०	विकला

क्षेपक चक्र

सू०	च०	भौ०	बु०	गु०	शु०	श०	रा०	ग्रह
११	११	१०	८	७	७	९	०	राशि
१९	१९	७	२९	७	२०	१५	२७	कला
४१	६	८	३३	१६	९	२१	३८	विकला
०	०	०	०	०	०	०	०	अंश

उदाहरण—अहर्गण २२३७ है, मध्यम मंगल साधन करना है—

२२६७ × १० = २२६७०

२२६७० – १९ =
११९६।१८।५६ अंशादि फल

२२६७० – ७२ = ३१०।३२ कलादि फल इसे अंशादि करनेके लिए कलाओंमें ६० का भाग दिया तो ३१०।३२

६०)३१०(५।१०
३००
१०

अर्थात् ५।१०।३२

११९६।१८।५६
५।१०।३२

११९१।८।२४ इसके राश्यादि बनाये तो ३९।११।८।२४ हुए। यहाँ राशि स्थानमें १२ से अधिक है। अत १२ का भाग देकर शेप लब्धिको छोड दिया और शेषमात्रको ग्रहण कर लिया।

३।११।८।२४ अहर्गणोत्पन्न मध्यम मगल इसे प्रात कालीन बनानेके लिए—अहर्गण साधनमें जो चक्र ३८ आया है उसे मगलके ध्रुवकसे गुणा

किया तो—१।२५।३२।० × ३८ = १०।१०।१६।०

३।११।८।२४ अहर्गणोत्पन्न मगलमे-से

१०।१०।१६।० चक्र गुणित मगलके ध्रुवकको घटाया

५।०।५२।२४ मे

१०।७।८।० मगलका क्षेपक जोडा

३।८।०।२४ मध्यम मगल हुआ ।

इसी प्रकार समस्त ग्रहोका मध्यम मान निकाल लेना चाहिए ।

भौमादि ग्रहोका शीघ्रोच्च बनानेका नियम

बुध और शुक्रके शीघ्र केन्द्रमे मध्यम सूर्य युक्त करनेसे बुध और शुक्रका शीघ्रोच्च होता है। मगल, बृहस्पति और शनिका शीघ्रोच्च मध्यम सूर्य ही होता है ।

प्रस्तुत मगलका शीघ्रोच्च १२।२४।५३।४७ जो कि मध्यम सूर्य है, माना जायेगा ।

३।८।०।२४ मध्यम मगल

२।२१।५२।४४। स्पष्ट करते मगल ग्रहस्पष्ट साधन समय आया है।

५।२९।५३।८ योग

२।२९।५६।३४ योगार्ध

११।२४।५३।४७ मगलके शीघ्रोच्चमे-से

२।२९।५६।३४ योगार्धको घटाया

९। ४।५७।१३ मगलका चेष्टा केन्द्र हुआ ।

यह छह राशिमे अधिक है। अत १२ मे-से घटाया तो—

१२। ०। ०। ०।

९। ४।५७।१३

२।२५।२।४७ × २ =

५।२५।५।४४ – ६ =

२२

५ × ३० = १५० + २० = १७०।५।३४ – ६ = २८।२० यह मगलका मध्यम चेष्टाबल हुआ। इसमें मगलका अयनवल्ल जोड देनेसे स्पष्ट चेष्टाबल आ जायेगा।

नैसर्गिक-बल-साधन—एकोत्तर अकोमें पृथक्-पृथक् ७ का भाग देनेसे क्रमश शनि, मगल, बुध, गुरु, शुक्र, चन्द्र और सूर्यका नैसर्गिक बल होता है—एकमे ७ का भाग देनेसे शनिका, दोमें ७ का भाग देनेसे मगलका, तीनमे ७ का भाग देनेसे बुधका, चारमें ७ का भाग देनेसे गुरुका, पाँचमें ७ का भाग देनेसे शुक्रका, छहमे ७ का भाग देनेसे सूर्यका नैसर्गिक बल होता है।

उदाहरण—१ ÷ ७ = ०, शेष १ × ६० = ६० – ८ = ७, शेष ४ × ६० = २४० – ७ = ३४ शनिका नैसर्गिक बल हुआ। इसी प्रकार सभी ग्रहोंका बल बना लेना चाहिए।

नैसर्गिक बल चक्र

सू०	च०	भौ०	बु०	गु०	शु०	श०	ग्र०
१	०	०	०	०	०	०	अश
०	५१	१७	२५	३४	४२	८	कला
०	२६	९	४३	१७	५१	३४	विकला

दृग्बल—देखनेवाला ग्रह द्रष्टा और जिसे देखे वह ग्रह दृश्यसज्ञक होता है। द्रष्टाको दृश्यमे घटाकर एकादि शेषके अनुसार दृष्टि ध्रुवाश चक्रमें-से राशिका ध्रुवाक ज्ञात करना चाहिए। अशादि शेषको ध्रुवाकान्तरसे गुणा कर ३०का भाग दे लब्धिको गत ध्रुवाकमे धन, ऋण—गतसे ऐष्य अधिक हो तो धन, अल्प हो तो ऋण करके ४ का भाग देनेसे लब्धिरूप ग्रह दृष्टि होती है। शुभ ग्रहो—गुरु, शुक्र, चन्द्र और बुधकी दृष्टिके जोडमे ४ का भाग देनेसे जो आये उसे पहलेवाले ५ बलोके योगमे जोड देनेसे षड्बलैक्य और पाप ग्रहो—सूर्य, मगल, शनि तथा पाप ग्रह युक्त बुधकी

दृष्टिके जोड़में ४ का भाग देनेपर जो आये उसे पहलेवाले ५ बलोंके योगमें घटानेसे षड्बलैक्य बल होता है।

दृष्टि ध्रुवाक चक्र

शेष राशि	१	२	३	४	५	६	७	८	९	१०	११	०
ध्रुवाक	०	१	३	२	०	४	३	२	१	०	०	०

उदाहरण—सूर्यपर बुधकी दृष्टिका साधन करना है, अत यहाँ बुध द्रष्टा और सूर्य दृश्य होगा।

०।१०। ७।३४ दृश्यमें-से

०।२३।२१।३१ द्रष्टाको घटाया

११।१६।४६। ३ शेष, इसमें राशि संख्या ११ है, अत ११के नीचे ध्रुवाक शून्य मिला, आगेवाला ध्रुवाक भी शून्य है, अत दोनोंका अन्तर भी शून्यरूप होगा। अशादि १६।४६।३ × ० = ० − ३० = ०, ० + ० = ० ÷ ४ = ०, अत यहाँ सूर्यपर बुधकी दृष्टि शून्य रूप होगी।

इस प्रकार प्रत्येक ग्रहपर सातो ग्रहोंकी दृष्टिका साधन कर शुभाशुभ ग्रहोंकी अपेक्षासे दृष्टियोग निकालना चाहिए।

प्रत्येक ग्रहके पृथक्-पृथक् स्थानबल, दिग्बल, कालबल, चेष्टाबल, निसर्गबल और दृग्बल इन छहों बलोंका योग कर देनेसे हर एक ग्रहका षड्बल आ जाता है।

ग्रहोंके बलाबलका निर्णय

जिन ग्रहोंका बलयोग—षड्बलैक्य तीन अंशसे कम हो वे निर्बल और जिनका छह अंशसे अधिक हो वे पूर्ण बलवान् और जिनका तीन अंशसे अधिक और छह अंशसे कम हो वे मध्यबली होते हैं।

अष्ट-वर्ग विचार

फल कहनेकी प्राय तीन विधियाँ प्रचलित हैं—जन्मलग्न-द्वारा, जन्मराशि—चन्द्रलग्न-द्वारा और नवांश कुण्डली-द्वारा। मनुष्यका जन्म जिस राशिमे होता है, वह राशि उसके जीवनमे अत्यन्त महत्त्वपूर्ण होती है। जन्मलग्नसे शरीरका विचार, जन्मराशिसे मानसिक विचार, नवांश कुण्डलीसे जीवनकी विभिन्न समस्याओका विचार किया जाता है। जन्म-राशि-द्वारा जो फल कहनेकी विधि प्रचलित है, उसे गोचर विधि कहते है। लेकिन गोचरका फल स्थूल होता है। ज्योतिर्विदोने गोचर विधिको सूक्ष्मता प्रदान करनेके लिए अष्टक वर्ग विधिको निकाला है।

जिस प्रकार प्रत्येक ग्रह जन्मसमयकी स्थित राशिपर अपना शुभा-शुभ प्रभाव डालता है, उसी प्रकार जन्मलग्नका भी अपना शुभाशुभ फल होता है। तात्पर्य यह है कि सात ग्रह स्थित, राशियाँ और जन्मलग्न इन आठो स्थानोमें सातो ग्रह और लग्नका प्रभाव इष्टानिष्ट रूपमें पडता है। सूर्य कुण्डली, सूर्याष्टकवर्ग, चन्द्र कुण्डली—चन्द्राष्टक वर्ग, मगल कुण्डली—मगलाष्टक वर्ग, बुध कुण्डली—बुधाष्टक वर्ग, गुरु कुण्डली—गुरु अष्टक वर्ग आदि सात ग्रह और लग्न इन आठोके अष्टक वर्ग बना लेना चाहिए। प्रत्येक ग्रह जन्म समयकी कुण्डलीमे अपने-अपने स्थानसे जिन-जिन स्थानोमे बल प्रदान करता है, उन स्थानोमे, इस शुभ फलदायित्वको रेखा या बिन्दु कहते है। किसी-किसी आचार्यने शुभफलका चिह्न रेखा माना है तो किसीने बिन्दु। साराश यह है कि शुभ फलको यदि रेखा-द्वारा व्यक्त किया जायेगा तो अशुभ फलको शून्य-द्वारा और शुभ फलको शून्य-द्वारा व्यक्त किया जायेगा तो अशुभ फलको रेखा-द्वारा। नीचे सामान्य अष्टक वर्ग चक्र दिये जाते है। जिस अष्टक वर्गमे जो ग्रह जिन-जिन स्थानोमे बल प्रदान करते है, उन स्थानोकी सख्या दी गयी है। जैसे सूर्याष्टक वर्गमे चन्द्रमा जिस स्थानपर बैठा होगा, उससे तीसरे,

छठे, दसवें और ग्यारहवें भावमे शुभ फल देता है। शेषमे अशुभ फल देता है। इसी प्रकार अन्य स्थानोंको समझना चाहिए।

रवि रेखा ४८

सू०	च०	भौ०	बु०	बृ०	शु०	श०	ल०
१	३	१	३	५	६	१	३
२							
४							
७	६	२	५	६	७	२	४
८						४	
९			६				६
१०		४		९	१२	७	
११	१०		९			८	१०
		७	१०	११		९	
	११	८	११			१०	११
		९	१२			११	१२
		१०					
		११					

चन्द्र रेखा ४९

सू०	च०	म०	बु०	बृ०	शु०	श०	ल०
३	१	२	१	१	३	३	३
६	३	३	३	४	४	५	६
७	६	५	४	७	५	६	१०
८	७	६	५	८	७	११	११
१०	१०	९	७	१०	९		
११	११	१०	८	११	१०		
		११	१०	१२	११		
			११				

भौम रेखा ३९

सू०	च०	म०	बु०	बृ०	शु०	श०	ल०
३	३	१	३	६	६	१	१
५	६	२	५	१०	८	४	३
६	११	४	६	११	११	७	६
१०		७	११	१२	१२	८	१०
११		८				९	११
		१०				१०	
		११				११	

बुध रेखा ५४

सू०	च०	म०	बु०	बृ०	शु०	श०	ल०
५	२	१	१	६	१	१	१
६	४	२	३	८	२	२	२
९	६	४	५	११	३	४	४
११	८	७	६	१२	४	७	६
१२	१०	८	९		५	८	८
					८		
	११	९	१०		९	९	१०
		१०	११		११	१०	११
		११	१२			११	

गुरु रेखा ५६

सू०	च०	मं०	बु०	बृ०	शु०	श०	ल०
१	२	१	१	१	२	३	१
२	५	२	२	२	५	५	२
३			४		६	६	४
४	७	४		३			
७			५				५
	९	७	६	४	९	१२	६
८				७			
९		८			१०		७
	११	१०	९	८			९
१०			१०		११		
				१०			१०
११		११	११	११			११

शुक्र रेखा ५२

सू०	च०	म०	बु०	बृ०	शु०	श०	ल०
८	१	३	३	५	१	३	१
११	२						
	३	५	५	८	२	४	२
१२							
	४	६	६	९	३	५	३
	५					८	
	८	९	९	१०	४	९	४
	९	११	११	११	५		५
					८		
	११					१०	
	१२	१२			९		८
					१०	११	९
					११		११

शनि रेखा ३९

सू०	च०	म०	बु०	बृ०	शु०	श०	ल०
१		३	६	५	६	३	१
	३	५					३
२			८	६	११	५	
	६						४
४		६	९	११	१२	६	६
७	१	१०	१०	१२		११	१०
८	१	११	११				११
१०		१२	१२				
११							

लग्न रेखा ४९

सू०	चं०	म०	बु०	बृ०	शु०	श०	ल०
३	३	१	१	१	१	१	३
४	६	३	२	२	२	३	
							६
६	१०	६	४	४	३	४	
१०	११	१०	६	५	४	६	१०
११		११	८	६	५	१०	११
१२			१०	७	८	११	
			११	९	९		
				११	११		

अष्टकवर्गाक फल

जन्मलग्न और जन्मकुण्डलीमे स्थित ग्रहोके स्थानोमे सूर्यादि ग्रहोके शुभाशुभ स्थानोको निकाल लेना चाहिए। रेखा या विन्दुओके स्थानोको शुभ और शेष स्थानोको अशुभ कहते है। शुभ स्थान अधिक होनेसे ग्रह वलवान् और अशुभ स्थानोके अधिक होनेसे ग्रह निर्बल माना जाता है। यथा सूर्यका वल अवगत करना है। जन्म समयमे वृश्चिक लग्न है और कुण्डली निम्न प्रकार है।

सूर्यका	स्थान	धनु	९,	पचागमे	सूर्यका स्थान	मकर	१०
चन्द्रका	स्थान	वृश्चिक	८,	,,	चन्द्र ,,	वृष	२
मंगलका	स्थान	सिंह	५,	,,	मगल ,,	कुम्भ	११
बुधका	स्थान	मकर	१०,	,,	बुध ,,	मकर	१०
गुरुका	स्थान	मीन	१२,	,,	गुरु ,,	मिथुन	३
शुक्रका	स्थान	मकर	१०,	,,	शुक्र ,,	धनु	९
शनिका	स्थान	मिथुन	३,	,,	शनि ,,	कुम्भ	११
लग्नका	स्थान	वृश्चिक	८,				

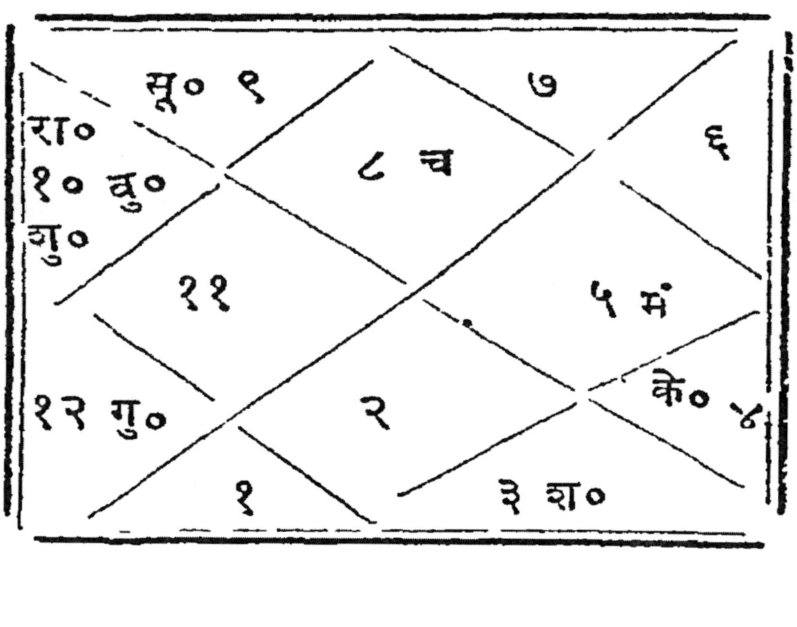

जन्मके सूर्यके स्थान धनुसे पचागके सूर्यके स्थान मकर तक गणना करनेसे दो सख्या आयी, जो विन्दु या रेखाकी है । अनन्तर सूर्यके स्थानसे चन्द्रमाके स्थानकी गणना की तो धनुसे वृपका स्थान छठाँ आया। रविरेखा-के कोष्ठकमे छठे स्थानमे विन्दु या रेखा है, अत यहाँ भी रेखा या विन्दुको रखा । पश्चात् सूर्यके धनु स्थानसे मगलके स्थान कुम्भको गणना की तो तीन सख्या आयी । तीन संख्या विन्दु या रेखाके विपरीत अशुभ भी है । अत मगल अशुभ हुआ । इसी प्रकार आगे बुधादिकी रेखाएँ निकाल लेनी चाहिए । यह रवि रेखाष्टक बनेगा । आगे चन्द्रमासे चन्द्र रेखाष्टक, मगलसे मगलरेखाष्टक, बुधसे बुधरेखाष्टक आदि रेखाष्टक बना लेने चाहिए । अब जिस ग्रहका बल जानना हो उसकी समस्त रेखाओको जोड लेना तथा उसके विपरीत विन्दुओको जोडना, अनन्तर दोनोका अन्तर कर ग्रहके बलाबल या शुभाशुभको समझ लेना चाहिए । यह रेखाष्टकका सरल विचार है, विस्तारसे अवगत करनेके लिए वृहत्पाराशर शास्त्रका वर्गाष्टकाध्याय देखना चाहिए ।

■

तृतीयाध्याय

जन्मपत्री मानवके पूर्वजन्मके सचित कर्मोका मूर्तिमान रूप है, अथवा यो कह सकते है कि यह पूर्व जन्मके कर्मोको जाननेकी कुजी है। जिस प्रकार विशाल वट वृक्षका समावेश उसके बीजमे है, उसी प्रकार प्रत्येक व्यक्तिके पूर्व जन्म-जन्मान्तरोके कृतकर्म जन्मपत्रीमें अकित हैं। जो आस्तिक हैं, आत्माको नित्य पदार्थ स्वीकार करते है, वे इस बातको माननेमे इनकार नही कर सकते कि सचित एव प्रारब्ध कर्मोके फलको मनुष्य अपनी जीवन-नौकामें बैठकर क्रियमाणरूपी पतवारके द्वारा हेर-फेर करते हुए उपभोग करता है। अतएव जन्मपत्रीसे मानवके भाग्यका ज्ञान किया जाता है। यहा इतना स्मरण सदा रखना होगा कि क्रियमाण कर्मोके द्वारा पूर्वोपार्जित अदृष्टमे हीनाधिकता भी की जा सकती है। यह पहले भी कहा गया है कि ज्योतिषका प्रधान उपयोग अपने अदृष्टको ज्ञात कर उसमे सुधार करना है। यदि हम अपने भाग्यको पहलेसे जान जायें तो सजग हो उस भाग्यको उलट भी सकते है। परन्तु जो तीव्र अदृष्टका उदय होता है, वह टाला नही जा सकता, उसका फल अवश्य भोगना पडता है। अतएव जो आज साधारण जनतामे मिथ्या विश्वास फैला हुआ है कि ज्योतिषमे अमुक व्यक्तिका भाग्य अमुक प्रकारका बताया गया है, अतएव अमुक व्यक्ति अमुक प्रकारका होगा ही, यह गलत है। यदि क्रियमाणका पलडा भारी हो गया तो सचित अदृष्ट अपना फल देनेमें असमर्थ रहेगा। हाँ, क्रियमाण यथार्थ रूपमे सम्पन्न न किया जाये तो पूर्वोपार्जित अदृष्टका फल भोगना ही पडता है, इसलिए जन्मपत्रीमे ज्योतिषी-द्वारा जिस प्रकारका फलादेश बतलाया जाता है, वह ठीक घट भी सकता है और अन्यथा भी हो सकता है। फिर भी जीवनको उन्नति-

शील बनाने एवं क्रियमाण-द्वारा अपने भविष्यको सुधारनेके लिए ज्योतिष ज्ञानकी आवश्यकता है। जन्मपत्रीके फलादेशको अवगत करनेके लिए प्रथम ग्रह और उनके सम्बन्धमें निम्न आवश्यक बातें जान लेना चाहिए। भाव, राशि और ग्रहकी स्थितिको देखकर फलका वर्णन करना एवं ग्रहोंका स्वरूप ज्ञात कर उनके सम्बन्धमें फल अवगत करना चाहिए।

सूर्य—पूर्व दिशाका स्वामी, पुरुष, रक्तवर्ण, पित्त प्रकृति और पाप ग्रह है। सूर्य आत्मा, स्वभाव, आरोग्यता, राज्य और देवालयका सूचक तथा पितृकारक है। पिताके सम्बन्धमें सूर्यसे विचार किया जाता है। नेत्र, कलेजा, मेरुदण्ड और स्नायु आदि अवयवोंपर इसका विशेष प्रभाव पड़ता है। यह लग्नसे सप्तम स्थानमें बली माना गया है। मकरसे छह राशि पर्यन्त चेष्टाबली है। इससे शारीरिक रोग, सिरदर्द, अपचन, क्षय, महाज्वर, अतिसार, मन्दाग्नि, नेत्रविकार, मानसिक रोग, उदासीनता, खेद, अपमान एवं कलह आदिका विचार किया जाता है।

चन्द्रमा—पश्चिमोत्तर दिशाका स्वामी, स्त्री, श्वेतवर्ण और जलग्रह है। वातश्लेष्मा इसकी धातु और यह रक्तका स्वामी है। माता-पिता, चित्तवृत्ति, शारीरिक पुष्टि, राजानुग्रह, सम्पत्ति और चतुर्थ स्थानका कारक है। चतुर्थ स्थानमें चन्द्रमा बली और मकरसे छह राशिमें इसका चेष्टाबल होता है। इससे शारीरिक रोग, पाण्डुरोग, जलज तथा कफज रोग, पीनस, मूत्रकृच्छ्र, स्त्रीजन्य रोग, मानसिक रोग, व्यर्थ भ्रमण, उदर एवं मस्तिष्कका विचार किया जाता है। कृष्णपक्षकी षष्ठीसे शुक्लपक्षकी दशमी तक क्षीण चन्द्रमा रहनेके कारण पाप ग्रह और शुक्लपक्षकी दशमीसे कृष्णपक्षकी पंचमी तक पूर्ण ज्योति रहनेसे शुभ ग्रह और बली माना जाता है। बली चन्द्रमा ही चतुर्थ भावमें अपना पूर्ण फल देता है।

मंगल—दक्षिण दिशाका स्वामी, पुरुष जाति, पित्त प्रकृति, रक्तवर्ण और अग्नि तत्त्व है। यह स्वभावतः पाप ग्रह है, धैर्य तथा पराक्रमका स्वामी है। तीसरे और छठे स्थानमें बली और द्वितीय स्थानमें

निष्फल होता है। दशम स्थानमे दिग्बली और चन्द्रमाके साथ रहनेसे चेष्टाबली होता है। यह भ्रातृ और भगिनी कारक है।

बुध—उत्तर दिशाका स्वामी, नपुसक, त्रिदोष प्रकृति, श्यामवर्ण और पृथ्वी तत्त्व है। यह पाप ग्रहोंके—सू० म० रा० के० श० के साथ रहनेसे अशुभ और शुभ ग्रहों—पूर्ण चन्द्रमा, गुरु शुक्रके साथ रहनेसे शुभ फलदायक होता है। यह ज्योतिष विद्या, चिकित्सा शास्त्र, शिल्प, कानून, वाणिज्य और चतुर्थ तथा दशम स्थानका कारक है। चतुर्थ स्थानमें रहनेसे निष्फल होता है, इससे जिह्वा और तालु आदि उच्चारणके अवयवोंका विचार किया जाता है। इससे वाणी, गुह्यरोग, सग्रहणी, बुद्धिभ्रम, मूक, आलस्य, वातरोग एव श्वेतकुष्ठ आदिका विचार विशेष रूपमे होता है।

गुरु—पूर्वोत्तर दिशाका स्वामी, पुरुष जाति, पीतवर्ण और आकाश तत्त्व है। यह लग्नमें बली और चन्द्रमाके साथ रहनेसे चेष्टाबली होता है। यह चर्बी और कफ धातुकी वृद्धि करनेवाला है। इससे पुत्र, पौत्र, विद्या, गृह, गुल्म एव सूजन (शोथ) आदि रोगोंका विचार किया जाता है।

शुक्र—दक्षिण पूर्वका स्वामी, स्त्रीजाति, श्याम-गौर वर्ण एव कार्य-कुशल है। इस ग्रहके प्रभावसे जातकका रग गेहुँआ होता है। छठे स्थानमे यह निष्फल एव सातवेंमे अनिष्टकर होता है। यह जलग्रह है, इसलिए कफ वीर्य आदि धातुओंका कारक माना गया है। मदनेच्छा, गानविद्या, काव्य, पुष्प, आभरण, नेत्र, वाहन, शय्या, स्त्री, कविता आदिका कारक है। दिनमें जन्म होनेसे शुक्रसे माताका विचार किया जाता है। सासारिक सुखका विचार इसी ग्रहसे होता है।

शनि—पश्चिम दिशाका स्वामी, नपुसक, वात-श्लेष्मिक प्रकृति, कृष्णवर्ण और वायुतत्त्व है। यह सप्तम स्थानमें बली और वक्रीग्रह या चन्द्रमाके साथ रहनेसे चेष्टाबली होता है। इससे अँगरेज़ी विद्याका विचार किया जाता है। रातमे जन्म होनेपर शनि मातृ और पितृ कारक होता

है। इससे आयु, शारीरिक बल, उदारता, विपत्ति, योगाभ्यास, प्रभुता, ऐश्वर्य, मोक्ष, ख्याति, नौकरी एव मूर्च्छादि रोगोका विचार किया जाता है।

राहु—दक्षिण दिशाका स्वामी, कृष्णवर्ण और क्रूर ग्रह है। जिस स्थानपर राहु रहता है, यह उस स्थानकी उन्नतिको रोकता है।

केतु—कृष्णवर्ण और क्रूर ग्रह है। इससे चर्मरोग, मातामह, हाथ-पाँव और क्षुधाजनित कष्ट आदिका विचार किया जाता है।

विशेष—यद्यपि बृहस्पति और शुक्र दोनो शुभ ग्रह है, पर शुक्रसे सासारिक और व्यावहारिक सुखोका तथा बृहस्पतिसे पारलौकिक एव आध्यात्मिक सुखोका विचार किया जाता है। शुक्रके प्रभावसे मनुष्य स्वार्थी और बृहस्पतिके प्रभावमे परमार्थी होता है।

शनि और मगल ये दोनो भी पाप ग्रह हैं, पर दोनोमें अन्तर यही है कि शनि यद्यपि क्रूर ग्रह है, लेकिन उसका अन्तिम परिणाम सुखद होता है, यह दुर्भाग्य और यन्त्रणाके फेरमें डालकर मनुष्यको शुद्ध बना देता है। परन्तु मगल उत्तेजना देनेवाला, उमग और तृष्णासे परिपूर्ण कर देनेके कारण सर्वदा दु खदायक होता है। ग्रहोमे सूर्य और चन्द्रमा राजा, बुध युवराज, मगल सेनापति, शुक्र-गुरु मन्त्री एव शनि भृत्य है। सबल ग्रह जातकको अपने समान बनाता है।

ग्रहोंके छह प्रकारके बल

स्थानबल, दिग्बल, कालबल, नैसर्गिकबल, चेष्टाबल और दृग्बल ये छह प्रकारके बल है। यद्यपि पूर्वमे ग्रहोके बलाबलका विचार गणित प्रक्रिया-द्वारा किया जा चुका है, तथापि फलित ज्ञानके लिए इन बलोको जान लेना आवश्यक है।

स्थानबल—जो ग्रह उच्च, स्वगृही, मित्रगृही, मूल-त्रिकोणस्थ, स्व-नवांशस्थ अथवा द्रेष्काणस्थ होता है, वह स्थानबली कहलाता है।

चन्द्रमा शुक्र समराशिमे और अन्य ग्रह विषमराशिमे बली होते हैं।

दिग्बल—बुध और गुरु लग्नमे रहनेसे, शुक्र और चन्द्रमा चतुर्थमे रहनेसे, शनि सप्तममे रहनेसे एव सूर्य और मगल दशम स्थानमे रहनेसे दिग्बली होते है। यत लग्न पूर्व, दशम दक्षिण, सप्तम पश्चिम और चतुर्थ भाव उत्तर दिशामे होते हैं। इसी कारण उन स्थानोमे ग्रहोका रहना दिग्बल कहलाता है।

कालबल—रातमे जन्म होनेपर चन्द्र, शनि और मगल तथा दिनमे जन्म होनेपर सूर्य, बुध और शुक्र कालबली होते है। मतान्तरसे बुधको सर्वदा कालबली माना जाता है।

नैसर्गिकबल—शनि, मगल, बुध, गुरु, शुक्र, चन्द्र और सूर्य उत्तरोत्तर बली होते है।

चेष्टाबल—मकरसे मिथुन पर्यन्त किसी राशिमे रहनेसे सूर्य और चन्द्रमा तथा मगल, बुध, गुरु, शुक्र और शनि चन्द्रमाके साथ रहनेसे चेष्टाबली होते है।

दृग्बल—शुभ ग्रहोंसे दृष्ट ग्रह दृग्बली होते हैं।

बलवान् ग्रह अपने स्वभावके अनुसार जिस भावमे रहता है, उस भावका फल देता है। पाठकोको राशिस्वभाव और ग्रहस्वभाव इन दोनोका समन्वय कर फल अवगत करना चाहिए।

ग्रहोकी दृष्टि

सभी ग्रह अपने स्थानसे तीसरे और दसवें भावको एक चरण दृष्टिसे, पाँचवें और नवें भावको दो चरण दृष्टिसे, चौथे और आठवें भावको तीन चरण दृष्टिसे एव सातवें भावको पूर्ण दृष्टिसे देखते है। किन्तु मगल चौथे और आठवें भावको, गुरु पाँचवें और नवें भावको एव शनि तीसरे और दसवें भावको भी पूर्ण दृष्टिसे देखते है।

ग्रहोंके उच्च और मूलत्रिकोणका विचार

सूर्यका मेषके १० अशपर, चन्द्रमाका वृषके ३ अशपर, मगलका मकरके २८ अशपर, बुधका कन्याके १५ अशपर, बृहस्पतिका कर्कके ५ अशपर, शुक्रका मीनके २७ अशपर और शनिका तुलाके २० अशपर परमोच्च होता है[1]। प्रत्येक ग्रह अपने स्थानसे सप्तम राशिमें इन्ही अशोपर नीचका होता है। राहु वृष राशिमे उच्च और वृश्चिक राशिमे नीच एव केतु वृश्चिक राशिमें उच्च और वृष राशिमे नीचका होता है।

उच्चग्रहकी अपेक्षा मूलत्रिकोणमे ग्रहोका प्रभाव कम पडता है, लेकिन स्वक्षेत्री—अपनी राशिमें रहनेकी अपेक्षा मूलत्रिकोण बली होता है। पहले लिखा गया है कि सूर्य सिंहमे स्वक्षेत्री है—सिंहका स्वामी है, परन्तु सिंहके १ अशसे २० अश तक सूर्यका मूलत्रिकोण[2] और २१ से ३० अश तक स्वक्षेत्र कहलाता है। जैसे किसीका जन्मकालीन सूर्य सिंहके १५वें अशपर है तो यह मूलत्रिकोणका कहलायेगा, यदि यही सूर्य २२वे अशका होता तो स्वक्षेत्री कहलाता। चन्द्रमाका वृषराशिके ३ अश तक परमोच्च है और इसी राशिके ४ अशसे ३० अश तक मूलत्रिकोण है। मगलका मेषके १८ अश तक मूलत्रिकोण है, और इससे आगे स्वक्षेत्र है। बुधका कन्याके १५ अश तक उच्च, १६ अशसे २० अश तक मूलत्रिकोण और २१ से ३० अश तक स्वक्षेत्र है। गुरुका धनराशिके १ अशसे १३ अश तक मूलत्रिकोण और १४ से ३० अश तक स्वगृह होता है। शुक्रका तुलाके १ अशसे १० अश तक मूलत्रिकोण और ११से ३० अश तक स्वक्षेत्र है। शनि-

---

१ अजवृषभमृगाङ्गनाकुलीरा झषवणिजौ च दिवाकरादितुङ्गाः।
दशशिखिमनुयुक्तिथीन्द्रियांशैस्त्रिनवकविंशतिभिश्च तेऽस्तनीचाः ॥
—बृहज्जातक, राशिभेदाध्याय, श्लो० १३

२ वर्गोत्तमाश्चरगृहादिषु पूर्वमध्यपर्यन्तगाः शुभफला नवभागसंज्ञाः। सिंहो वृषः प्रथमषष्ठहयाङ्गतौलिकुम्भास्त्रिकोणभवनानि भवन्ति सूर्यात् ॥ वही, श्लो० १४

का कुम्भके १ अशसे २० अश तक मूलत्रिकोण और २१से ३० अंश तक स्वक्षेत्र है। राहुका वृपमे उच्च, मेपमे स्वगृह और कर्कमे मूलत्रिकोण है।

द्वादश भावो—स्थानोका परिचय

जन्मकुण्डलीके द्वादश भावोके नाम पहले लिखे गये है। यहाँ द्वादश भावोकी सज्ञाएँ और उनसे विचारणीय वातोका उल्लेख किया जाता है। केन्द्र १।४।७।१०, पणफर २।५।८।११, आपोक्लिम ३।६।९।१२, त्रिकोण ५।९, उपचय ३।६।१०।११, चतुरस्र ४।८, मारक २।७, नेत्रत्रिक सज्ञक ६।८।१२ स्थान है।

प्रथम भावके नाम—आत्मा, शरीर, लग्न, होरा, देह, वपु, कल्प, मूर्त्ति, अग, तनु, उदय, आद्य, प्रथम, केन्द्र, कण्टक और चतुष्टय है।

विचारणीय वातें—रूप, चिह्न, जाति, आयु, सुख, दु ख, विवेक, शील, मस्तिष्क, स्वभाव, आकृति आदि है। इसका कारक रवि है, इसमे मिथुन, कन्या, तुला और कुम्भ राशियाँ वलवान् मानी जाती है। लग्नेशकी स्थितिके वलावलानुसार कार्यकुशलता, जातीय उन्नति-अवनतिका ज्ञान किया जाता है।

द्वितीय भावके नाम—पणफर, द्रव्य, स्व, वित्त, कोश, अर्थ, कुटुम्ब और धन है।

विचारणीय वातें—कुल, मित्र, आँख, कान, नाक, स्वर, सौन्दर्य, गान, प्रेम, सुखभोग, सत्यभापण, संचित पूँजी (सोना, चाँदी, मणि, माणिक्य आदि), क्रय एव विक्रय आदि है।

तृतीय भावके नाम—आपोक्लिम, उपचय, पराक्रम, सहज, भ्रातृ और दुश्चिक्य है।

विचारणीय वातें—नौकर-चाकर, सहोदर, पराक्रम, आभूपण, दास-कर्म, साहस, आयुष्य, शौर्य, धैर्य, दमा, खाँसी, क्षय, श्वास, गायन, योगाभ्यास आदि है।

चतुर्थ भावके नाम—केन्द्र, कण्टक, सुख, पाताल, तुर्य, हिवुक, गृह, सुहृद्, वाहन, यान, अम्बु, बन्धु, नीर आदि हैं।

विचारणीय बातें—मातृ-पितृ सुख, गृह, ग्राम, चतुष्पद, मित्र, शान्ति, अन्त करणकी स्थिति, मकान, सम्पत्ति, बाग-बगीचा, पेटके रोग, यकृत्, दया, औदार्य, परोपकार, कपट, छल एव निधि है। इस स्थानमे कर्क, मीन और मकर राशिका उत्तरार्ध बलवान् होता है। चन्द्रमा और बुध इस स्थानके कारक हैं। यह स्थान विशेषत माताका है।

पंचम भावके नाम—पचम, सुत, तनुज, पणफर, त्रिकोण, बुद्धि, विद्या, आत्मज और वाणी हैं।

विचारणीय बातें—बुद्धि, प्रबन्ध, सन्तान, विद्या, विनय, नीति, व्यवस्था, देवभक्ति, मातुल-सुख, नौकरी छूटना, धन मिलनेके उपाय, अनायास बहुत धन-प्राप्ति, जठराग्नि, गर्भाशय, हाथका यश, मूत्रपिण्ड एव बस्ती है। इसका कारक गुरु है।

षष्ठ भावके नाम—आपोक्लिम, उपचय, त्रिक, शत्रु, रिपु, द्वेष, क्षत, वैरी, रोग और नष्ट हैं।

विचारणीय बातें—मामाकी स्थिति, शत्रु, चिन्ता, शका, जमीन्दारी, रोग, पीडा, व्रणादिक, गुदास्थान एव यश आदि हैं। इसके कारक शनि और मगल हैं।

सप्तम भावके नाम—केन्द्र, मदन, सौभाग्य, जामित्र और काम हैं।

विचारणीय बातें—स्त्री, मृत्यु, मदन-पीड़ा, स्वास्थ्य, कामचिन्ता, मैथुन, अगविभाग, जननेन्द्रिय, विवाह, व्यापार, झगडे एव बवासीर रोग आदि हैं। इसमें वृश्चिक राशि बलवान् होती है।

अष्टम भावके नाम—पणफर, चतुरस्र, त्रिक, आयु, रन्ध्र और जीवन हैं।

विचारणीय बातें—व्याधि; आयु, जीवन, मरण, मृत्युके कारण, मान-

सिक चिन्ता, समुद्र-यात्रा, ऋणका होना, उतरना, लिंग, योनि, अण्डकोप आदिके रोग एव सकट प्रभृति है। इस स्थानका कारक शनि है।

नवम भावके नाम—धर्म, पुण्य, भाग्य और त्रिकोण है।

विचारणीय बातें—मानसिक वृत्ति, भाग्योदय, शील, विद्या, तप, धर्म, प्रवास, तीर्थयात्रा, पिताका सुख एवं दान आदि है। इसके कारक रवि और गुरु है।

दशम भावके नाम—व्यापार, आस्पद, मान, आज्ञा, कर्म, व्योम, गगन, मध्य, केन्द्र, ख और नभ है।

विचारणीय बातें—राज्य, मान, प्रतिष्ठा, नौकरी, पिता, प्रभुता, व्यापार, अधिकार, ऐश्वर्य-भोग, कीर्त्तिलाभ एव नेतृत्व आदि हैं। इसमे मेप, सिंह, वृप, मकरका पूर्वार्द्ध एव धनका उत्तरार्द्ध बलवान् होता है। इसके कारक रवि, बुध, गुरु एव शनि है।

एकादश भावके नाम—पणफर, उपचय, लाभ, उत्तम और आय है।

विचारणीय बातें—गज, अश्व, रत्न, मागलिक कार्य, मोटर, पालकी सम्पत्ति एवं ऐश्वर्य आदि है। इसका कारक गुरु है।

द्वादश भावके नाम—रिष्फ, व्यय, त्रिक, अन्तिम और प्रान्त्य है।

विचारणीय बातें—हानि, दान, व्यय, दण्ड, व्यसन एव रोग आदि है। इस स्थानका कारक शनि है।

फल प्रतिपादनके लिए कतिपय नियम

जिस भावमे जो राशि हो, उस राशिका स्वामी ही उस भावका स्वामी या भावेश कहलाता है। छठे, आठवें और बारहवें भावके स्वामी जिन भावो—स्थानोमे रहते हैं, अनिष्टकारक होते हैं। किसी भावका स्वामी

स्वगृही हो तो उस स्थानका फल अच्छा होता है। ग्यारहवें भावमे सभी ग्रह शुभ फलदायक होते हैं। किसी भावका स्वामी पापग्रह हो और वह लग्नसे तृतीय स्थानमें पडे तो अच्छा होता है किन्तु जिस भावका स्वामी शुभ ग्रह हो और वह तीसरे स्थानमे पडे तो मध्यम फल देता है। जिस भावमे शुभ ग्रह रहता है, उस भावका फल उत्तम और जिसमे पापग्रह रहता है, उस भावके फलका ह्रास होता है।

१।४।५।७।९।१० स्थानोमे शुभ ग्रहोका रहना शुभ है। ३।६।११ भावोमे पाप ग्रहोका रहना शुभ है। जो भाव अपने स्वामी, शुक्र, बुध या गुरु-द्वारा युक्त अथवा दृष्ट हो एव अन्य किसी ग्रहसे युक्त और दृष्ट न हो तो वह शुभ फल देता है। जिस भावका स्वामी शुभ ग्रहसे युक्त अथवा दृष्ट हो अथवा जिस भावमे शुभ ग्रह बैठा हो या जिस भावको शुभ ग्रह देखता हो उस भावका शुभ फल होता है। जिस भावका स्वामो पाप ग्रहसे युक्त अथवा दृष्ट हो या पाप ग्रह बैठा हो तो उस भावके फलका ह्रास होता है।

भावाधिपति मूलत्रिकोण, स्वक्षेत्रगत, मित्रगृही और उच्चका हो तो उस भावका फल शुभ होता है।

किसी भावके फल-प्रतिपादनमे यह देखना आवश्यक है कि उस भावका स्वामी किस भावमे बैठा है और किस भावके स्वामीका किस भावमे बैठे रहनेमे क्या फल होता है। सूर्य, मगल, शनि और राहु क्रमसे अधिक-अधिक पाप ग्रह है। ये ग्रह अपनी—पाप ग्रहोकी राशियोमे रहनेसे विशेप पापी एव शुभकी राशि, मित्रकी राशि और अपने उच्चमे रहनेसे अल्प पापी होते हैं। चन्द्रमा, बुध, शुक्र, केतु और गुरु ये क्रमसे अधिक-अधिक शुभ ग्रह है। ये शुभ ग्रहोकी राशियोमे रहनेसे अधिक शुभ तथा पाप ग्रहोकी राशियोमे रहनेसे अल्प शुभ होते है। केतु फल विचार करनेमे प्राय पाप ग्रह माना गया है। ८।१२ भावोमें सभी ग्रह अनिष्टकारक होते है।

गुरु छठे भावमे शत्रुनाशक, शनि आठवें भावमे दीर्घायुकारक एव मगल दसवें स्थानमे उत्तम भाग्यविधायक होता है। राहु, केतु और अष्टमेश जिस भावमे रहते है, उस भावको विगाडते है, गुरु अकेला द्वितीय, पचम और सप्तम भावमे होता है तो धन, पुत्र और स्त्रीके लिए सर्वदा अनिष्टकारक होता है। जिस भावका जो ग्रह कारक माना गया है, यदि वह अकेला उस भावमे हो तो उस भावको विगाडता है।

जन्मसमयमे मेषादि द्वादश राशियोमे नवग्रहोका फल

रवि—मेष राशिमे रवि हो तो जातक आत्मवली, स्वाभिमानी, प्रतापी, चतुर, पित्तविकारी, युद्धप्रिय, साहसी, महत्त्वाकाक्षी, शूरवीर, गम्भीर, उदार, वृषमे हो तो स्वाभिमानी, व्यवहारकुशल, शान्त, पापभीरु, मुख-रोगी, स्त्रीद्वेषी, मिथुनमे हो तो विवेकी, विद्वान्, वुद्धिमान्, मधुरभाषी, नम्र, प्रेमी, धनवान्, ज्योतिषी, इतिहासप्रेमी, उदार, कर्कमे हो तो कीर्ति-मान, लब्ध-प्रतिष्ठ, कार्यपरायण, चंचल, साम्यवादी, परोपकारी, इतिहासज्ञ, कफरोगी, सिहमे हो तो योगाभ्यासी, सत्सगी, पुरुषार्थी, धैर्यशाली, तेजस्वी, उत्साही, गम्भीर, क्रोधी, वनविहारी, कन्यामे हो तो मन्दाग्निरोगी, शक्ति-हीन, लेखन-कुशल, दुर्वल, व्यर्थवकवादी, तुला राशिमे हो तो आत्मवल-हीन, मन्दाग्निरोगी, परदेशाभिलाषी, व्यभिचारी, मलीन, वृश्चिकमे हो तो गुप्त उद्योगी, उदररोगी, लोकमान्य, क्रोधी, साहसी, लोभी, चिकित्सक, धन राशिमे हो तो वुद्धिमान्, योगमार्गरत, विवेकी, धनी, आस्तिक, व्यव-हारकुशल, दयालु, शान्त, मकरमे हो तो चचल, झगडालू, बहुभाषी, दुराचारी, लोभी, कुम्भमे हो तो स्थिरचित्त, कार्यदक्ष, क्रोधी, स्वार्थी एवं मीनमे रवि हो तो ज्ञानी, विवेकी, योगी, प्रेमी, वुद्धिमान्, यशस्वी, व्यापारी और श्वसुरसे लाभान्वित होता है।

चन्द्रमा—मेषमे चन्द्रमा हो तो दृढशरीर, स्थिर सम्पत्तिवान्, शूर, वन्धुहीन, कामी, उतावला, जल-भीरु, वृषमें हो तो सुन्दर, प्रसन्नचित्त,

कामी, दानी, कन्या सन्ततिवान्, शान्त, कफरोगी, मिथुनमे हो तो रति-कुशल, भोगी, मर्मज्ञ, विद्वान्, नेत्रचिकित्सक, कर्कमें हो तो सन्ततिवान्, सम्पत्तिवाली, श्रेष्ठ बुद्धि, जलविहारी, कामी, कृतज्ञ, ज्योतिषी, उन्माद रोगी, सिंहमे हो तो दृढदेही, दाँत तथा पेटका रोगी, मातृभक्त, अल्प-सन्ततिवान्, गम्भीर, दानी, कन्या राशिमें हो तो सुन्दर, मधुरभाषी, सदाचारी, वीर, विद्वान्, सुखी, तुला राशिमें हो तो दीर्घदेही, आस्तिक, अन्नदाता, धनवान, जमीन्दार, परोपकारी, वृश्चिक राशिमे हो तो नास्तिक, लोभी, बन्धुहीन, परस्त्रीरत, धनु राशिमे हो तो वक्ता, सुन्दर, शिल्पज्ञ, शत्रुविनाशक, मकर राशिमे हो तो प्रसिद्ध, धार्मिक, कवि, क्रोधी, लोभी, सगीतज्ञ, कुम्भ राशिमे हो तो उन्मत्त, सूक्ष्मदेही, मद्यपायी, आलसी, शिल्पी, दु खी एव मीन राशिमे चन्द्रमा हो तो शिल्पकार, सुदेही, शास्त्रज्ञ, धार्मिक, अतिकामी और प्रसन्नमुख जातक होता है।

मगल—मेष राशिमे मगल हो तो सत्यवक्ता, तेजस्वी, शूरवीर, नेता, साहसी, दानी, राजमान्य, लोकमान्य, धनवान्, वृष राशिमे हो तो पुत्र-द्वेषी, प्रवासी, सुखहीन, पापी, लडाकू प्रकृति, वचक, मिथुन राशिमें हो तो शिल्पकार, परदेशवासी, कार्यदक्ष, सुखी, जनहितैषी, कर्कमें हो तो सुखाभिलाषी, दीन, सेवक, कृषक, रोगी, दुष्ट, सिंह राशिमे हो तो शूरवीर, सदाचारी, परोपकारी, कार्यनिपुण, स्नेहशील, कन्या राशिमें हो तो लोक-मान्य, व्यवहारकुशल, पापभीरु, शिल्पज्ञ, सुखी, तुला राशिमें हो तो प्रवासी, वक्ता, कामी, परधनहारी, वृश्चिक राशिमें हो तो व्यापारी, चोरोका नेता, पातकी, शठ, दुराचारी, धनु राशिमें हो तो कठोर, शठ, क्रूर, परिश्रमी, पराधीन, मकर राशिमें हो तो ख्यातिप्राप्त, पराक्रमी, नेता, ऐश्वर्यशाली, सुखी, महत्त्वाकाक्षी, कुम्भ राशिमें हो तो आचारहीन, मत्सरवृत्ति, सट्टेसे धननाशक, व्यसनी, लोभी एव मीन राशिमें मगल हो तो रोगी, प्रवासी, मान्त्रिक, बन्धु-द्वेषी, नास्तिक, हठी, धूर्त और वाचाल जातक होता है।

बुध—मेष राशिमे बुध हो तो कृशदेही, चतुर, प्रेमी, नट, सत्य-प्रिय, रतिप्रिय, लेखक, ऋणी, वृषमें हो तो शास्त्रज्ञ, व्यायामप्रिय, धनवान्, गम्भीर, मधुरभाषी, विलासी, रतिशास्त्रज्ञ; मिथुन राशिमें हो तो मधुरभाषी, शास्त्रज्ञ, लब्ध-प्रतिष्ठ, वक्ता, लेखक, अल्पसन्ततिवान्, विवेकी, सदाचारी, कर्क राशिमे हो तो वाचाल, गवैया, स्त्रीरत, कामी, परदेशवासी, प्रसिद्ध कार्यकारी, परिश्रमी, सिंह राशिमे हो तो मिथ्याभाषी, कुकर्मी, ठग, कामुक, कन्या राशिमे हो तो वक्ता, कवि, साहित्यिक, लेखक, सम्पादक, सुखी, तुला राशिमे हो तो शिल्पज्ञ, चतुर, वक्ता, व्यापारदक्ष, आस्तिक, कुटुम्बवत्सल, उदार, वृश्चिक राशिमे हो तो व्यसनी, दुराचारी, मूर्ख, ऋणी, भिक्षुक; धनु राशिमे हो तो उदार, प्रसिद्ध, राज-मान्य, विद्वान्, लेखक, सम्पादक, वक्ता, मकर राशिमे हो तो कुलहीन, दुश्शील, मिथ्याभाषी, ऋणी, मूर्ख, डरपोक, कुम्भ राशिमे हो तो कुटुम्ब-हीन, दुःखी, अल्पधनी एव मीन राशिमे हो तो सदाचारी, भाग्यवान्, प्रवासमे सुखी, धन-सग्रही, कार्यदक्ष, मिष्टभाषी, सहनशील, स्वाभिमानी जातक होता है।

गुरु—मेष राशिमे गुरु हो तो वादी, वकील, ऐश्वर्यशाली, तेजस्वी, प्रसिद्ध, कीर्तिमान्, विजयी, वृष राशिमे हो तो आस्तिक, पुष्ट शरीर, सदाचारी, धनवान्, चिकित्सक, विद्वान्, बुद्धिमान्, मिथुनमे हो तो विज्ञान-विशारद, अनायास धन प्राप्त करनेवाला, लोक-मान्य, लेखक, व्यवहार-कुशल, कर्कमे हो तो सदाचारी, विद्वान्, सत्यवक्ता, महायशस्वी, साम्य-वादी, सुधारक, योगी, लोकमान्य, सुखी, धनी, नेता, सिंहमे हो तो सभा-चतुर, शत्रुजित्, धार्मिक, प्रेमी, कार्यकुशल, कन्यामे हो तो सुखी, भोगी, विलासी, चित्रकला निपुण, चचल, तुलामे हो तो बुद्धिमान्, व्यापार-कुशल, कवि, लेखक, सम्पादक, बहुपुत्रवान्, सुखी, वृश्चिकमे हो तो शास्त्रज्ञ, कार्यकुशल, राजमन्त्री, पुण्यात्मा, धनु राशिमे हो तो धर्माचार्य, दम्भी, धूर्त, रतिप्रेमी, मकरमे हो तो द्रव्यहीन, प्रवासी, व्यर्थ परिश्रमी, चचलचित्त,

धूर्त; कुम्भमे हो तो डरपोक, प्रवासी, कपटी, रोगी एव मीनमे हो तो लेखक, शास्त्रज्ञ, राजमान्य, गर्वहीन, शान्त, दयालु, व्यवहार-कुशल, साहित्य-प्रेमी जातक होता है ।

शुक्र—मेषमे शुक्र हो तो विश्वासहीन, दुराचारी, परस्त्रीरत, झगड़ालू, वेश्यागामी, वृषमे हो तो सुन्दर, ऐश्वर्यवान्, दानी, सात्त्विक, सदाचारी, परोपकारी, अनेक शास्त्रज्ञ, मिथुनमें हो तो चित्रकलानिपुण, साहित्यिक, कवि, साहित्य-स्रष्टा, प्रेमी, सज्जन, लोकहितैषी, कर्क राशिमें हो तो धार्मिक, ज्ञाता, सुन्दर, सुख और धनका इच्छुक, नीतिज्ञ, सिंहमें हो तो अल्पसुखी, उपकारी, चिन्तातुर, शिल्पज्ञ, कन्यामें हो तो सभापण्डित, अतिकामी, सुखी, भोगी, रोगी, वीर्यहीन, सट्टे-द्वारा धननाशक, तुलामें हो तो प्रवासी, यशस्वी, कार्यदक्ष, विलासी, कलानिपुण, वृश्चिकमें हो तो कुकर्मी, नास्तिक, क्रोधी, ऋणी, दरिद्री, गुह्य रोगी, स्त्रीद्वेषी, धनुमे हो तो स्वोपार्जित द्रव्य-द्वारा पुण्य करनेवाला, विद्वान्, सुन्दर, लोकमान्य, राजमान्य, सुखी, मकरमे हो तो बलहीन, कृपण, हृदय-रोगी, दु खी, मानी, कुम्भमें हो तो चिन्ताशील, रोगसे सन्तप्त, धर्महीन, परस्त्रीरत, मलीन एव मीनराशिमें शुक्र हो तो शिल्पज्ञ, शान्त, धनी, कार्यदक्ष, कृषि कर्मका मर्मज्ञ या ज़मीन्दार और जौहरी जातक होता है ।

शनि—मेष राशिमें शनि हो तो आत्मबलहीन, व्यसनी, निर्धन, दुराचारी, लम्पट, कृतघ्न, वृषमे हो तो असत्यभाषी, द्रव्यहीन, मूर्ख, वचन-हीन, मिथुनमें हो तो कपटी, दुराचारी, पाखण्डी, निर्धनी, कामी, कर्कमे हो तो बाल्यावस्थामे दु खी, मातृरहित, प्राज्ञ, उन्नतिशील, विद्वान्, सिंहमें हो तो लेखक, अध्यापक, कार्यदक्ष, कन्यामे हो तो बलवान्, मितभाषी, धनवान्, सम्पादक, लेखक, परोपकारी, निश्चितकार्यकर्त्ता, तुलामें हो तो सुभाषी, नेता, यशस्वी, स्वाभिमानी, उन्नतिशील, वृश्चिकमें हो तो स्त्रीहीन, क्रोधी, कठोर, हिसक, लोभी, धनुमें हो तो व्यवहारज्ञ, पुत्रकी कीर्त्तिसे प्रसिद्ध, सदाचारी, वृद्धावस्थामे सुखी, मकरमे हो तो मिथ्याभाषी, आस्तिक, परि-

श्रमी, भोगी, शिल्पकार, प्रवासी, कुम्भमे हो तो व्यसनी, नास्तिक, परिश्रमी एव मीनमे हो तो हतोत्साही, अविचारी, शिल्पकार जातक होता है।

राहु—मेपमें राहु हो तो जातक पराक्रमहीन, आलमी, अविवेकी, वृपमे हो तो सुखी, चचल, कुरूप, मिथुनमे हो तो योगाभ्यामी, गवैया, वलवान्, दीर्घायु, कर्कमे हो तो उदार, रोगी, धनहीन, कपटी, पराजित, सिहमे हो तो चतुर, नीतिज्ञ, मत्पुरुप, विचारक, कन्यामे हो तो लोकप्रिय, मधुरभापी, कवि, लेखक, गवैया, तुलामे हो तो अल्पायु, दन्तरोगी, मृतधनाधिकारी, कार्यकुशल, वृश्चिकमे हो तो धूर्त, निर्धन, रोगी, धन-नाशक, धनुमें राहु हो तो अल्पावस्थामे सुखी, दत्तक जानेवाला, मित्र-द्रोही, कुम्भमे राहु हो तो मितव्ययी, कुटुम्वहीन, दाँतका रोगी, विद्वान्, लेखक, मितभापी एव मीनमे राहु हो तो आस्तिक, कुलीन, शान्त, कला-प्रिय और दक्ष होता है।

केतु—मेप राशिमें केतु हो तो चचल, वहुभापी, सुखी, वृपमे हो तो दु खी, निरुद्यमी, आलसी, वाचाल, मिथुनमें हो तो वातविकारी, अल्प सन्तोपी, दाम्भिक, अल्पायु, क्रोधी, कर्कमे हो तो वातविकारी, भूत-प्रेत पीडित, दु खी, सिहमें हो तो वहुभापी, डरपोक, असहिष्णु, सर्प दशनका भय, कलाविज्ञ, कन्यामें हो तो सदा रोगी, मूर्ख, मन्दाग्निरोगी, व्यर्थवादी, तुलामे हो तो कुष्ठरोगी, कामी, क्रोधी, दु खी, वृश्चिकमें हो तो क्रोधी, कुष्ठरोगी, धूर्त्त, वाचाल, निर्धन, व्यसनी, धनुमें हो तो मिथ्यावादी, चंचल, धूर्त्त, मकरमें हो तो प्रवासी, परिश्रमशील, तेजस्वी, पराक्रमी, कुम्भमें हो तो कर्णरोगी, दु खी, भ्रमणशील, व्ययशील, साधारण धनी एव मीनमे केतु हो तो कर्णरोगी, प्रवासी, चचल और कार्यपरायण जातक होता है।

द्वादश भावोमे रहनेवाले नवग्रहोका फल

सूर्य—लग्नमे सूर्य हो तो जातक स्वाभिमानी, क्रोधी, पित्त-वातरोगी,

चचल, प्रवासी, कृशदेही, उन्नत नासिका और विशाल ललाटवाला, शूरवीर, अस्थिर सम्पत्तिवाला एव अल्पकेशी, द्वितीयमें[1] हो तो मुखरोगी, सम्पत्तिवान्, भाग्यवान्, झगडालू, नेत्र-कर्ण-दन्तरोगी, राजभीरु एव स्त्रीके लिए कुटुम्बियोसे झगडनेवाला तृतीयमें हो तो पराक्रमी, प्रतापशाली, राज्यमान्य, कवि, वन्धुहीन, लव्वप्रतिष्ठ एव वलवान्, चतुर्थमें हो तो चिन्ताग्रस्त, परमसुन्दर, कठोर, पितृधननाशक, भाइयोंसे वैर करनेवाला, गुप्त विद्याप्रिय एव वाहनसुख हीन, पचममे हो तो रोगी, अल्पसन्ततिवान्, सदाचारी, वुद्धिमान्, दु खी, शीघ्र क्रोवी एव वचक, छठे स्थानमे हो तो शत्रुनाशक, तेजस्वी, वीर्यवान्, मातुलकष्टकारक, वलवान्, श्रीमान्, न्यायवान्, निरोगी, सातवें स्थानमे हो तो स्त्रीक्लेशकारक, स्वाभिमानी, कठोर, आत्मरत, राज्यसे अपमानित एव चिन्तायुक्त, आठवें भावमे हो तो पित्तरोगी, चिन्तायुक्त, क्रोवी, वनी, सुखी और वैर्यहीन एव निर्वुद्धि, नवें भावमे हो तो योगी, तपस्वी, सदाचारी, नेता, ज्योतिषी, साहसी, वाहनसुख युक्त एवं भृत्य सुख सहित, दशम स्थानमे हो तो प्रतापी, व्यवसायकुशल, राजमान्य, लव्व-प्रतिष्ठ, राजमन्त्री, उदार, ऐश्वर्यसम्पन्न एव लोकमान्य, ग्यारहवें भावमें हो तो वनी, वलवान्, सुखी, स्वाभिमानी, मितभाषी, तपस्वी, योगी, सदाचारी, अल्पसन्तति एव उदररोगी और वारहवें हो तो उदासीन, वाम नेत्र तथा मस्तक रोगी, आलसी, परदेशवासी, मित्र-द्वेषी एव कृशशरीर होता है।

चन्द्रमा—लग्नमे हो तो जातक वलवान्, ऐश्वर्यशाली, सुखी, व्यवसायी, गान-वाद्यप्रिय एव स्थूलशरीर; द्वितीय स्थानमे हो तो मधुरभाषी, सुन्दर, भोगी, परदेशवासी, सहनशील, शान्तिप्रिय एव भाग्यवान्, तृतीय स्थानमे हो तो प्रसन्नचित्त, तपस्वी, आस्तिक, मधुरभाषी, कफरोगी एव

---

१ भाव गणना लग्नसे होती है—लग्नको प्रथम मानकर वॉयो ओर द्वितीयादि भावोंकी गणना की जाती है।

प्रेमी, चतुर्थ स्थानमे हो तो दानी, मानी, सुखी, उदार, रोगरहित, रागद्वेष वर्जित, कृषक, विवाहके पश्चात् भाग्योदयी, जलजीवी एव बुद्धिमान, पाँचवे स्थानमे हो तो चचल, कन्यासन्ततिवान्, सदाचारी, सट्टेसे धन कमानेवाला एव क्षमाशील, छठे स्थानमे हो तो कफरोगी, अल्पायु, आमवत, खर्चीलि स्वभाववाला, नेत्ररोगी एव भृत्यप्रिय; सातवें स्थानमें हो तो सभ्य, धैर्यवान्, नेता, विचारक, प्रवासी, जलयात्रा करनेवाला, अभिमानी, व्यापारी, वकील, कीर्त्तिमान्, शीतलस्वभाववाला एव स्फूर्तिवान्, आठवें भावमें हो तो विकार-ग्रस्त, प्रमेहरोगी, कामी, व्यापारसे लाभवाला, वाचाल, स्वाभिमानी, बन्धनसे दु खी होनेवाला एव ईर्ष्यालु, नवें भावमे हो तो सन्तति-सम्पत्ति युक्त, सुखी, धर्मात्मा, कार्यशील, प्रवासप्रिय, न्यायी, चचल, विद्वान्, विद्याप्रिय, साहसी एव अल्पभ्रातृवान्, दसवें भावमें हो तो कार्यकुशल, दयालु, निर्बल बुद्धि, व्यापारी, कार्यपरायण, सुखी, यशस्वी, विद्वान्, कुल-दीपक, सन्तोषी, लोकहितैषी, मानी, प्रसन्नचित्त एव दीर्घायु, ग्यारहवें भावमे हो तो चचल बुद्धि, गुणी, सन्तति और सम्पत्तिसे युक्त, सुखी, लोकप्रिय, यशस्वी, दीर्घायु, मन्त्रज्ञ, परदेशप्रिय और राज्यकार्यदक्ष एव बारहवें भावमें चन्द्रमा हो तो नेत्ररोगी, चचल, कफरोगी, क्रोधी, एकान्तप्रिय, चिन्ताशील, मृदुभाषी एव अधिक व्यय करनेवाला होता है।

मंगल—लग्नमे मगल हो तो जातक क्रूर, साहसी, चपल, विचाररहित, महत्त्वाकाक्षी, गुप्तरोगी, लौह धातु एव व्रणजन्य कष्टसे युक्त एव व्यवसायहानि, द्वितीय स्थानमे हो तो कटुभाषी, धनहीन, निर्बुद्धि, पशुपालक, कुटुम्ब क्लेशवाला, चोरसे भक्ति, धर्मप्रेमी, नेत्र-कर्ण रोगी तथा कटु-तिक्तरस प्रिय, तृतीय भावमे हो तो प्रसिद्ध, शूरवीर, धैर्यवान, साहसी, सर्वगुणी, बन्धुहीन, बलवान्, प्रदीप्त जठराग्निवाला, भ्रातृकष्टकारक एव कटुभाषी, चतुर्थमे मगल हो तो वाहन सुखी, सन्ततिवान्, मातृसुखहीन, प्रवासी, अग्निभय युक्त, अल्पमृत्यु या अपमृत्यु प्राप्त करने

वाला, कृपक, बन्धुविरोधी एवं लाभयुक्त; पाँचवें भावमें हो तो उग्रबुद्धि, कपटी, व्यसनी, रोगी, उदररोगी, कृशशरीरी, गुप्तांगरोगी, चंचल, बुद्धिमान् एवं सन्तति-क्लेश युक्त, छठे भावमें हो तो प्रबल जठराग्नि, बलवान्, धैर्यशाली, कुलवन्त, प्रचण्ड शक्ति, शत्रुहन्ता, ऋणी, पुलिस अफसर, दाद रोगी, क्रोधी, व्रण और रक्तविकार युक्त एवं अधिक व्यय करनेवाला, सातवें स्थानमें हो तो स्त्री-दुःखी, वातरोगी, राजभीरु, शीघ्र कोपी, कटुभाषी, धूर्त, मूर्ख, निर्धन, घातकी, धननाशक एवं ईर्ष्यालु, आठवें भावमें हो तो व्याधिग्रस्त, व्यसनी, मद्यपायी, कठोरभाषी, उन्मत्त, नेत्ररोगी, शस्त्रचोर, अग्निभीरु, संकोची, रक्तविकारयुक्त एवं धनचिन्ता युक्त, नौवें भावमें हो तो द्वेषी, अभिमानी, क्रोधी, नेता, अधिकारी, ईर्ष्यालु, अल्प लाभ करनेवाला, यशस्वी, असन्तुष्ट एवं भ्रातृविरोधी, दसवें भावमें हो तो धनवान्, कुलदीपक, सुखी, यशस्वी, उत्तम वाहनोंसे सुखी, स्वाभिमानी एवं सन्तति कष्टवाला, ग्यारहवें भावमें हो तो कटुभाषी, दम्भी, झगडालू, क्रोधी, लाभ करनेवाला, साहसी, प्रवासी, न्यायवान् एवं धैर्यवान् और बारहवें भावमें मंगल हो तो नेत्र रोगी, स्त्रीनाशक, उग्र, ऋणी, झगडालू, मूर्ख, व्ययशील एवं नीच प्रकृतिका पापी होता है।

बुध—लग्नमें बुध हो तो जातक दीर्घायु, आस्तिक, गणितज्ञ, विनोदी, उदार, वैद्य, विद्वान्, स्त्री-प्रिय, मिष्टभाषी एवं मितव्ययी, द्वितीयमें हो तो वक्ता, सुन्दर, सुखी, गुणी, मिष्टान्नभोजी, दलाल या वकीलका पेशा करनेवाला, मितव्ययी, संग्रही, सत्कार्यकारक एवं साहसी, (तीसरे भावमें हो तो कार्यदक्ष, परिश्रमी, भीरु, लेखक, सामुद्रिकशास्त्रका ज्ञाता, सम्पादक, कवि, सन्ततिवान, विलासी, अल्प भ्रातृवान, चंचल, व्यवसायी, यात्राशील, धर्मात्मा, मित्रप्रेमी एवं सद्गुणी, चतुर्थमें हो तो पण्डित, भाग्यवान्, वाहन-सुखी, दानी, स्थूलदेही, आलसी, गीतप्रिय, उदार, बन्धुप्रेमी, विद्वान्, लेखक, नीतिज्ञ एवं नीतिवान्, पंचममें हो तो प्रसन्न, कुशाग्रबुद्धि, गण्य-मान्य, सुखी, सदाचारी, वाद्यप्रिय, कवि, विद्वान् एवं उद्यमी, छठे स्थानमें

हो तो विवेकी, वादी, कलहप्रिय, आलसी, रोगी, अभिमानी, परिश्रमी, दुर्बल, कामी एव स्त्री-प्रिय, सातवें भावमे हो तो सुन्दर, विद्वान्, कुलीन, व्यवसायकुशल, धनी, लेखक, सम्पादक, उदार, सुखी, धार्मिक, अल्पवीर्य, दीर्घायु, अष्टम भावमे हो तो दीर्घायु, लब्धप्रतिष्ठ, अभिमानी, कृषक, राजमान्य, मानसिक दुःखी, कवि, वक्ता, न्यायाधीश, मनस्वी, धनवान् एव धर्मात्मा, नवम भावमे हो तो सदाचारी, कवि, गवैया, सम्पादक, लेखक, ज्योतिषी, विद्वान्, धर्मभीरु, व्यवसायप्रिय एव भाग्यवान्, दसवें भावमें हो तो सत्यवादी, विद्वान्, लोकमान्य, मनस्वी, व्यवहारकुशल, कवि, लेखक, न्यायी, भाग्यवान्, राजमान्य, मातृ-पितृ-भक्त एव जमीदार, ग्यारहवे भावमे हो तो दीर्घायु, योगी, सदाचारी, धनवान्, प्रसिद्ध, विद्वान्, गायनप्रिय, सरदार, ईमानदार, सुन्दर, पुत्रवान्, विचारवान् एव शत्रुनाशक और बारहवें भावमे बुध हो तो विद्वान्, आलसी, अल्पभाषी, शास्त्रज्ञ, लेखक, वेदान्ती, सुन्दर, वकील एव धर्मात्मा होता है।

गुरु—लग्नमें गुरु हो तो जातक ज्योतिषी, दीर्घायु, कार्यपरायण, विद्वान्, कार्यकर्त्ता, तेजस्वी, स्पष्टवक्ता, स्वाभिमानी, सुन्दर, सुखी, विनीत, धनी, पुत्रवान्, राजमान्य एव धर्मात्मा, द्वितीय भावमे हो तो सुन्दर शरीरी, मधुरभाषी, सम्पत्ति और सन्ततिवान्, राजमान्य, लोकमान्य, सुकार्यरत, सदाचारी, पुण्यात्मा, भाग्यवान्, शत्रुनाशक, दीर्घायु एव व्यवसायी, तृतीय भावमे हो तो जितेन्द्रिय, मन्दाग्नि, शास्त्रज्ञ, लेखक, प्रवासी, योगी, आस्तिक, ऐश्वर्यवान्, कामी, स्त्रीप्रिय, व्यवसायी, विदेश-प्रिय, पर्यटनशील एव वाहनयुक्त, चतुर्थमे हो तो भोगी, सुन्दरदेही, कार्य-रत, उद्योगी, ज्योतिर्विद, सन्तानरोधक, राजमान्य, लोकमान्य, मात-पितभक्त, यशस्वी एव व्यवहारज्ञ, पाँचवें भावमे हो तो आस्तिक, ज्यो-तिषी, लोकप्रिय, कुलश्रेष्ठ, सट्टेसे धन प्राप्त करनेवाला, सन्ततिवान एव नीतिविशारद छठे भावमें हो तो मधुरभाषी, ज्योतिषी, विवेकी, प्रसिद्ध, विद्वान, सुकर्मरत, दुर्बल, उदार, लोकमान्य, निरोगी एवं प्रतापी, सातवें

भावमें हो तो भाग्यवान्, विद्वान्, वक्ता, प्रवान, नम्र, ज्योतिपी, धैर्यवान, प्रवासी, सुन्दर, स्त्रीप्रेमो एव परस्त्रीरत, आठवे भावमें हो तो दीर्घायु, शीलसम्पन्न, सुखी, शान्त, मधुरभापी, विवेकी, ग्रन्थकार, कुलदीपक, ज्योतिपप्रेमी, लोभी, गुप्तरोगी एव मित्रो-द्वारा धननाशक, नौवें भागमे हो तो तपस्वी, यशस्वी, भक्त, योगी, वेदान्ती, भाग्यवान्, विद्वान्, राजपूज्य, पराक्रमी, बुद्धिमान्, पुत्रवान् एव धर्मात्मा, दसवें भावमें हो तो सत्कर्मी, सदाचारी, पुण्यात्मा, ऐश्वर्यवान्, साधु, चतुर, न्यायी, प्रसन्न, ज्योतिपी, सत्यवादी, शत्रुहन्ता, राजमान्य, स्वतन्त्र विचारक, मातृ-पितृभक्त, लाभवान्, धनी एव भाग्यवान्, ग्यारहवें भावमें हो तो सुन्दर, निरोगी, लाभवान्, व्यवसायी, धनिक, सन्तोपी, अल्पसन्ततिवान्, राजपूज्य, विद्वान्, बहुस्त्रीयुक्त, सद्व्ययी और पराक्रमी एव द्वादश भावमें गुरु हो तो आलसी, मितभापी, सुखी, मितव्ययी, योगाभ्यासी, परोपकारी, उदार, शास्त्रज्ञ, सम्पादक, सदाचारी, लोभी, यात्री एव दुष्ट चित्तवाला होता है। गुरुके सम्बन्धमे इतना विशेप है कि २।५।७।११ भावमें अकेला गुरु हानिकारक होता है अर्थात् उन भावोको नष्ट करता है।

शुक्र—लग्नमें शुक्र हो तो जातक दीर्घायु, सुन्दरदेही, ऐश्वर्यवान्, सुखी, मधुरभापी, प्रवासी, विद्वान्, भोगी, विलासी, कामी एव राजप्रिय, द्वितीय भावमें हो तो धनवान्, मिष्टान्नभोजी, यशस्वी, लोकप्रिय, जौहरी, सुखी, समयज्ञ, कुटुम्बयुक्त, कवि, दीर्घजीवी, साहसी एव भाग्यवान, तृतीय भाव में हो तो सुखी, धनी, कृपण, आलसी, चित्रकार, पराक्रमी, विद्वान्, भाग्यवान्, एव पर्यटनशील, चतुर्थ भावमें हो तो सुन्दर, बलवान, परोपकारी, आस्तिक, सुखी, व्यवहारदक्ष, विलासी, भाग्यवान, पुत्रवान् एव दीर्घायु, पाँचवें भावमे हो तो सुखी, भोगी, सद्गुणी, न्यायवान्, आस्तिक, दानी, उदार, विद्वान्, प्रतिभाशाली, वक्ता, कवि, पुत्रवान्, लाभयुक्त, व्यवसायी एव शत्रुनाशक, छठे भावमे हो तो स्त्रीसुखहीन, बहुमित्रवान्, दुराचारी, मूत्ररोगी, वैभवहीन, दुखी, गुप्तरोगी, स्त्रीप्रिय,

शत्रुनाशक एव मितव्ययी, सातवें भावमें हो तो स्त्रीसे सुखी, उदार, लोकप्रिय, धनिक, चिन्तित, विवाह के बाद भाग्योदयी, साधुप्रेमी, कामी, अल्पव्यभिचारी, चचल, विलासी, गानप्रिय एव भाग्यवान्, आठवें भावमे हो तो विदेशवासी, निर्दयी, रोगी, क्रोधी, ज्योतिषी, मनस्वी, दु खी, गुप्तरोगी, पर्यटनशील एव परस्त्रीरत, नौवें भाव मे हो तो आस्तिक, गुणी, गृहसुखी, प्रेमी, दयालु, पवित्र तीर्थयात्राओका कर्त्ता, राजप्रिय एव धर्मात्मा, दसवें भावमे हो तो विलासी, ऐश्वर्यवान्, न्यायवान्, ज्योतिषी, विजयी, लोभी, धार्मिक, गानप्रिय, भाग्यवान्, गुणवान् एव दयालु, ग्यारहवें भावमें शुक्र हो तो विलासी, वाहनसुखी, स्थिरलक्ष्मीवान्, लोकप्रिय, परोपकारी, जौहरी, धनवान्, गुणज्ञ, कामी एव पुत्रवान् और बारहवें भावमे शुक्र हो तो न्यायशील, आलसी, पतित, धातुविकारी, स्थूल, परस्त्रीरत, बहुभोजी, धनवान्, मितव्ययी एव शत्रुनाशक होता है।

शनि—लग्नमें शनि मकर तथा तुलाका हो तो धनाढ्य, सुखी, अन्य राशियोका हो तो दरिद्री, द्वितीय भावमे हो तो मुखरोगी, साधु-द्वेषी, कटुभाषी और कुम्भ या तुलाका शनि हो तो धनी, कुटुम्ब तथा भ्रातृवियोगी, लाभवान, तृतीय भावमे हो तो निरोगी, योगी, विद्वान्, शीघ्र कार्यकर्त्ता, मल्ल, सभाचतुर, विवेकी, शत्रुहन्ता, भाग्यवान् एव चचल, चतुर्थमें हो तो बलहीन, अपयशी, कृशदेही, शीघ्रकोपी, कपटी, धूर्त, भाग्यवान्, वातपित्तयुक्त, एव उदासीन, पाँचवें भावमें हो तो वातरोगी, भ्रमणशील, विद्वान्, उदासीन, सन्तानयुक्त, आलसी एव चंचल, छठे भावमे हो तो शत्रुहन्ता, भोगी, कवि, योगी, कण्ठरोगी, श्वासरोगी, जाति विरोधी, व्रणी, बलवान् एव आचारहीन, सातवें भावमे हो तो क्रोधी, धन-सुखहीन, भ्रमणशील, नीच कर्मरत, आलसी, स्त्रीभक्त, विलासी एव कामी, आठवें भावमें हो तो कपटी, वाचाल, कुष्ठरोगी, डरपोक, धूर्त, गुप्तरोगी, विद्वान्, स्थूलशरीरी एव उदार प्रकृति, नवें भावमें हो तो रोगी, वातरोगी, भ्रमणशील, वाचाल, कृशदेही, प्रवासी, भीरु, धर्मात्मा, साहसी, भ्रातृहीन एव शत्रुनाशक, दसवें

भावमें हो तो नेता, न्यायी, विद्वान्, ज्योतिषी, राजयोगी, अधिकारी, चतुर महत्त्वाकांक्षी, निरुद्योगी, परिश्रमी, भाग्यवान्, उदरविकार, राजमान्य एवं धनवान्; ग्यारहवें भावमें हो तो दीर्घायु, क्रोधी, चंचल, शिल्पी, दुःखी, योगाभ्यासी, नीतिवान्, परिश्रमी, व्यवसायी, विद्वान्, पुत्रहीन, कन्याप्रज, रोगहीन एवं बलवान् और बारहवें भावमें हो तो अपस्मार, उन्मादका रोगी, व्यर्थ व्यय करनेवाला, व्यसनी, दुष्ट, कटुभाषी, अविश्वासी, मातुलकष्टदायक एवं आलसी होता है।

राहु—लग्नमें राहु हो तो जातक दुष्ट, मस्तकरोगी, स्वार्थी, राजद्वेषी, नीचकर्मरत, मनस्वी, दुर्बल, कामी एवं अल्पसन्ततियुक्त, द्वितीय भावमें हो तो परदेशगामी, अल्प सन्तति, कुटुम्बहीन, कठोरभाषी, अल्प धनवान्, संग्रहशील एवं मात्सर्ययुक्त; तृतीय भावमें हो तो योगाभ्यासी, पराक्रमशून्य, दृढविवेकी, अरिष्टनाशक, प्रवासी, बलवान, विद्वान एवं व्यवसायी; चतुर्थ भावमें राहु हो तो असन्तोषी, दुःखी, मातृक्लेश युक्त, क्रूर, कपटी, उदरव्याधियुक्त, मिथ्याचारी एवं अल्पभाषी, पांचवें भावमें राहु हो तो उदररोगी, मतिमन्द, धनहीन, कुलधननाशक, भाग्यवान्, कार्यकर्ता एवं शास्त्रप्रिय, छठे भावमें हो तो विधर्मियों-द्वारा लाभ, निरोगी, शत्रुहन्ता, कमरदर्द पीड़ित, अरिष्टनिवारक, पराक्रमी एवं बड़े-बड़े कार्य करनेवाला, सातवें भावमें हो तो स्त्रीनाशक, व्यापारमें हानिदायक, भ्रमणशील, वातरोगजनक, दुष्कर्मी, चतुर, लोभी एवं दुराचारी, आठवें भावमें हो तो पुष्टदेही, गुप्तरोगी, क्रोधी, व्यर्थभाषी, मूर्ख, उदररोगी एवं कामी, नौवें भावमें हो तो प्रवासी, वातरोगी, व्यर्थ परिश्रमी, तीर्थाटनशील, भाग्योदयसे रहित, धर्मात्मा एवं दुष्टबुद्धि, दसवें भावमें हो तो आलसी, वाचाल, अनियमित कार्यकर्त्ता, मितव्ययी, सन्ततिक्लेशी तथा चन्द्रमासे युक्त राहुके होनेपर राजयोग कारक, ग्यारहवें भावमें हो तो मन्दमति, लाभहीन, परिश्रमी, अल्पसन्ततियुक्त, अरिष्टनाशक, व्यवसाययुक्त, कदाचित् लाभदायक एवं कार्य सफल करनेवाला और बारहवें भावमें हो तो

विवेकहीन, मतिमन्द, मूर्ख, परिश्रमी, सेवक, व्ययी, चिन्ताशील एव कामी होता है।

केतु—लग्नमें केतु हो तो चचल, भीरु, दुराचारी, मूर्ख तथा वृश्चिक राशिमे हो तो सुखकारक, धनी, परिश्रमी, द्वितीयमें हो तो राजभीरु, विरोधी एव मुखरोगी, तृतीय स्थानमें हो तो चचल, वातरोगी, व्यर्थवादी, भूत-प्रेतभक्त, चतुर्थमें हो तो चचल, वाचाल, कार्यहीन, निरुत्साही एव निरुपयोगी, पाँचवें स्थानमें हो तो कुवुद्धि, कुचाली, वातरोगी, छठे भावमें हो तो वात-विकारी, झगडालू, भूत-प्रेतजनित रोगोंसे रोगी, मितव्ययी, सुखी एव अरिष्टनिवारक, सातवें भावमें हो तो मतिमन्द, मूर्ख, शत्रभीरु एव सुखहीन, आठवें भावमें हो तो दुर्वुद्धि, तेजहीन, दुष्टजनसेवी, स्त्रीद्वेषी एव चालाक, नौवें भावमें हो तो सुखाभिलाषी, व्यर्थ परिश्रमी, अपयशी, दसवें भावमें हो तो पितृद्वेषी, दुर्भगी, मूर्ख, व्यर्थ परिश्रमशील एवं अभिमानी, ग्यारहवें भावमें हो तो बुद्धिहीन, निजका हानिकर्त्ता, वातरोगी एव अरिष्टनाशक और बारहवें भावमें हो तो चचल बुद्धि धूर्त, ठग, अविश्वासी एवं जनताको भूत-प्रेतोकी जानकारी-द्वारा ठगनेवाला होता है।

उच्च राशिगत ग्रहोका फल

रवि उच्च राशिमें हो तो धनवान्, विद्वान्, सेनापति, भाग्यवान्, एव नेता, चन्द्रमा हो तो माननीय, मिष्टान्नभोजी, विलासी, अलकारप्रिय एवं चपल, मगल हो तो शूरवीर, कर्त्तव्यपरायण एवं राजमान्य, बुध हो तो राजा, बुद्धिमान्, लेखक, सम्पादक, राजमान्य, सुखी, वशवृद्धिकारक एव शत्रुनाशक, गुरु हो तो सुशील, चतुर, विद्वान्, राजप्रिय, ऐश्वर्यवान्, मन्त्री, शासक एव सुखी, शुक्र हो तो विलासी, गीत-वाद्यप्रिय, कामी एव भाग्यवान्, शनि हो तो राजा, जमीन्दार, भूमिपति, कृषक

एव लब्ध-प्रतिष्ठ, राहु हो तो सरदार, धनवान्, शूरवीर एवं लम्पट और केतु हो तो राजप्रिय, सरदार एव नीच प्रकृतिका जातक होता है।

मूल-त्रिकोण राशिमे गये हुए ग्रहोका फल

रवि मूल त्रिकोणमे हो तो जातक धनी, पूज्य एवं लब्ध-प्रतिष्ठ; चन्द्र हो तो धनवान, सुखी, सुन्दर एव भाग्यवान्, मगल हो तो क्रोधी, निर्दयी, दुष्ट, चरित्रहीन, स्वार्थी, साधारण धनी, लम्पट एव नीचोंका सरदार, बुध हो तो धनवान्, राजमान्य, महत्त्वाकाक्षी, सैनिक, डॉक्टर, व्यवसायकुशल, प्रोफेसर एव विद्वान्, गुरु हो तो तपस्वी, भोगी, राजप्रिय एवं कीर्तिवान्, शुक्र हो तो जागीरदार, पुरस्कारविजेता एव कामिनीप्रिय, शनि हो तो शूरवीर, सैनिक, उच्च सेना अफसर, जहाज चालक, वैज्ञानिक अस्त्र-शस्त्रोका निर्माता एव कर्त्तव्यपरायण और राहु हो तो धनी, लुब्धक एव वाचाल होता है।

स्वक्षेत्रगत ग्रहोका फल

रवि स्वगृही—अपनी ही राशिमें—हो तो सुन्दर, व्यभिचारी, कामी एव ऐश्वर्यवान्, चन्द्रमा हो तो तेजस्वी, रूपवान्, धनवान् एव भाग्यवान्; मंगल हो तो बलवान, ख्यातिप्राप्त, कृषक एव जमीन्दार, बुध हो तो विद्वान्, शास्त्रज्ञ, लेखक एव सम्पादक, गुरु हो तो काव्य-रसिक, वैद्य एव शास्त्रविशारद, शुक्र हो तो स्वतन्त्र प्रकृति, धनी एव विचारक, शनि हो तो पराक्रमी, कष्टसहिष्णु एवं उग्र प्रकृति और राहु हो तो सुन्दर, यशस्वी एव भाग्यवान् जातक होता है।

एक स्वगृही हो तो जातक अपनी जातिमें श्रेष्ठ, दो हो तो कर्त्तव्यशील, धनवान्, पूज्य, तीन हो तो राजमन्त्री, धनिक, विद्वान्; चार हो तो श्रीमन्त, सम्मान्य, सरदार, नेता एव पाँच हो तो राजतुल्य राज्याधिकारी होता है।

मित्रक्षेत्रगत ग्रहोंका फल

सूर्य—मित्रकी राशिमें हो तो जातक यशस्वी, दानी, व्यवहारकुशल, चन्द्र हो तो सुखी, धनवान्, गुणज्ञ, मगल हो तो मित्र-प्रिय, धनिक, बुध हो तो शास्त्रज्ञ, विनोदी, कार्यदक्ष, गुरु हो तो उन्नतिशील, बुद्धिमान्; शुक्र हो तो पुत्रवान्, सुखी एवं शनि हो तो परान्नभोजी, धनवान्, सुखी और प्रेमिल होता है।

एक ग्रह मित्रक्षेत्री हो तो दूसरेके द्रव्यका उपयोगकर्त्ता; दो हो तो मित्रके द्रव्यका उपभोक्ता, तीन हो तो स्वोपार्जित धनका उपभोक्ता, चार हो तो दाता, पाँच हो तो सेनानायक, सरदार, नेता, छह हो तो सर्वोच्च नेता, सेनापति, राजमान्य, उच्च पदासीन एव सात हो तो जातक राजा या राजाके तुल्य होता है।

शत्रुक्षेत्रगत ग्रहोका फल

रवि शत्रुक्षेत्री—शत्रुग्रहकी राशिमें हो तो जातक दु खी, नौकरी करनेवाला; चन्द्रमा हो तो मातासे दु खी, हृद्रोगी, मगल हो तो विक-लागी, व्याकुल, दीन-मलीन, बुध हो तो वासनायुक्त, साधारणत. सुखी, कर्त्तव्यहीन, गुरु हो तो भाग्यवान्, चतुर; शुक्र हो तो नौकर दासवृत्ति करनेवाला और शनि हो तो दु खी होता है।

नीचराशिगत ग्रहोका फल

सूर्य नीच राशिमें हो तो जातक पापी, बन्धुसेवा करनेवाला, चन्द्रमा हो तो रोगी, अल्प धनवान् और नीच प्रकृति, मगल हो तो नीच, कृतघ्न; बुध हो तो बन्धुविरोधी, चचल, उग्र प्रकृति, गुरु हो तो खल, अपवादी, अपयशभागी; शुक्र हो तो दु खी और शनि हो तो दरिद्री, दु खी होता है।

तीन ग्रह नीचके हो तो जातक मूर्ख, तीन ग्रह अस्तगत हो तो दास और तीन ग्रह शत्रुराशि गत हो तो दु खी तथा जीवनके अन्तिम भागमें सुखी होता है।

नवग्रहोकी दृष्टिका फल

सूर्य—प्रथम भावको सूर्य पूर्ण दृष्टिसे देखता हो तो जातक रजोगुणी, नेत्ररोगी, सामान्य धनी, साधुसेवी, मन्त्रज्ञ, वेदान्ती, पितृभक्त, राजमान्य और चिकित्सक; द्वितीय भावको पूर्ण दृष्टिसे देखता हो तो धन तथा कुटुम्बसे सामान्य सुखी, नेत्ररोगी, पशु व्यवसायी, सचित धननाशक, परिश्रमसे थोडे धनका लाभ करनेवाला और कष्टसहिष्णु, तृतीय भावको पूर्ण दृष्टिसे देखता हो तो कुलीन, राजमान्य, वडे भाईके सुखसे रहित, उद्यमी, शासक, नेता और पराक्रमी, चतुर्थ भावको पूर्ण दृष्टिसे देखता हो तो २२-२३ वर्ष पर्यन्त सुखहानि प्राप्त करनेवाला, सामान्यत मातृसुखी, २२ वर्षकी आयुके पश्चात् वाहनादि सुखोको प्राप्त करनेवाला और स्वाभिमानी, पचम भावको पूर्ण दृष्टिसे देखता हो तो प्रथम सन्तान नाशक, पुत्रके लिए चिन्तित, मन्त्रशास्त्रज्ञ, विद्वान्, सेवावृत्ति और २०-२१ वर्षकी अवस्थामें सन्तान प्राप्त करनेवाला, छठे भावको पूर्ण दृष्टिसे देखता हो तो शत्रुभयकारक, दु खी, वामनेत्ररोगी, ऋणी और मातुलको नष्ट करनेवाला, सातवें भावको पूर्ण दृष्टिसे देखता हो तो जीवन-भर ऋणी, २२-२३ वर्षकी आयुमें स्त्रीनाशक, व्यापारी, उग्र स्वभाववाला और प्रारम्भमें दु खी तथा अन्तिम जीवनमें सुखी, आठवें भावको देखता हो तो ववासीर रोगी, व्यभिचारी, मिथ्याभाषी, पाखण्डी और निन्दित कार्य करनेवाला, नौवें भावको पूर्ण दृष्टिसे देखता हो तो धर्मभीरु, वडे भाई और सालेके सुखसे रहित, दसवें भावको पूर्ण दृष्टिसे देखता हो तो राजमान्य, धनी, मातृनाशक तथा उच्च राशिका सूर्य हो तो माता, वाहन और धनका पूर्ण सुख प्राप्त करनेवाला, ग्यारहवें भावको

पूर्ण दृष्टिसे देखता हो तो धन लाभ करनेवाला, प्रसिद्ध व्यापारी, प्रथम सन्ताननाशक, बुद्धिमान्, विद्वान्, कुलीन और धर्मात्मा एव बारहवें भावको पूर्ण दृष्टिसे देखता हो तो प्रवासी, नेत्ररोगी, कान या नाकपर तिल या मस्सेका चिह्न धारक, शुभ कार्योंमें व्यय करनेवाला, मामाको कष्टकारक एव सवारीका शौकीन होता है।

चन्द्रमा—लग्नको चन्द्रमा पूर्ण दृष्टिसे देखता हो तो जातक प्रवासी, व्यवसायी, भाग्यवान्, शौकीन, कृपण और स्त्रीप्रेमी, द्वितीय भावको पूर्ण दृष्टिसे देखता हो तो अधिक सन्ततिवाला, सामान्य सुखी, ८-१० वर्षकी अवस्थामे शारीरिक कष्ट युक्त, धन हानिकारक, जलमे डूबनेकी आशका-वाला और चोट, घाव, खरोंच आदिके दुःखको प्राप्त करनेवाला; तृतीय भावको पूर्ण दृष्टिसे देखता हो तो धार्मिक, प्रवासी, अधिक बहन तथा कम भाईवाला, २४ वर्षकी अवस्थासे पराक्रमी, सत्संगति प्रिय और मिलनसार, चतुर्थ भावको पूर्ण दृष्टिसे देखता हो तो २४ वर्षकी अवस्थासे सुखी होनेवाला, राजमान्य, कृषक, वाहनादि सुखका धारक और मातृसेवी; पचम भावको पूर्ण दृष्टिसे देखता हो तो व्यवहारकुशल, बुद्धिमान्, प्रथम पुत्र सन्तान प्राप्त करनेवाला और कलाप्रिय, षष्ठ भावको पूर्ण दृष्टिसे देखता हो तो शान्त, रोगी, शत्रुओसे कष्ट पानेवाला, गुप्त रोगोसे आक्रान्त, व्यय अधिक करनेवाला और २४ वर्षकी अवस्थामें जलसे हानि प्राप्त करनेवाला, सप्तम भावको पूर्ण दृष्टिसे देखता हो तो सुन्दर, सुखी, सुन्दर स्त्री प्राप्त करनेवाला, सत्यवादी, व्यापारसे धन सचित करनेवाला, और कृपण, अष्टम भावको पूर्ण दृष्टिसे देखता हो तो पितृधन नाशक, कुटुम्बविरोधी, नेत्ररोगी और लम्पट, नवम भावको पूर्ण दृष्टिसे देखता हो तो, धर्मात्मा, भाग्यशाली, भ्रातृहीन और बुद्धिमान्, दशम भावको पूर्ण दृष्टिसे देखता हो तो पशु-व्यवसायी, धर्मान्तरमें दीक्षित होनेवाला, पितृविरोधी और चिड़चिड़े स्वभावका, एकादश भावको पूर्ण दृष्टिसे देखता हो तो लाभ प्राप्त करनेवाला, कुशल व्यवसायी, अधिक कन्या सन्ततिवाला

और मित्रप्रेमी एव द्वादश भावको पूर्ण दृष्टिसे देखता हो तो शत्रु-द्वारा धन खर्च करनेवाला, चिन्तायुक्त, राजमान्य एव अन्तिम जीवनमें सुखी होता है।

भौम—लग्न भावको मगल पूर्ण दृष्टिसे देखता हो तो उग्र प्रकृति, प्रथम भार्याका २१ या २८ वर्षकी अवस्थामे नाश करनेवाला, राजमान्य और भूमिसे धन प्राप्त करनेवाला, द्वितीय भावको पूर्ण दृष्टिसे देखता हो तो बवासीर रोगी, स्वल्पधनी, कुटुम्बसे पृथक् रहनेवाला, परिश्रमी और खिन्न चित्त रहनेवाला, तीसरे भावको पूर्ण दृष्टिसे देखता हो तो बडे भाईके सुखसे रहित, पराक्रमी, भाग्यवान् और एक विधवा बहनवाला, चौथे भावको पूर्ण दृष्टिसे देखता हो तो माता-पिताके सुखसे रहित, शारीरिक कष्टधारक, २८ वर्षकी अवस्था तक दु खी पश्चात् सुखी और परिश्रमसे जी चुरानेवाला, पाँचवें भावको पूर्ण दृष्टिसे देखता हो तो अनेक भाषाओका ज्ञाता, विद्वान्, सन्तान कष्टवाला, उपदश रोगी और व्यभिचारी, छठे भावको पूर्ण दृष्टिसे देखता हो तो शत्रुनाशक, मातुल कष्टकारक, रुधिर विकारी और कीर्तिवान्, सातवें भावको पूर्ण दृष्टिसे देखता हो तो परस्त्रीरत, कामी, प्रथम भार्याका २१ या २८ वर्षकी आयुमें वियोगजन्य दु.ख प्राप्त करनेवाला, और मद्यपायी, आठवें भावको पूर्ण दृष्टिसे देखता हो तो धन कुटुम्ब नाशक, ऋण ग्रस्त, परिश्रमी, दु खी और भाग्यहीन, नवें भावको पूर्ण दृष्टिसे देखता हो तो बुद्धिमान्, धनवान्, पराक्रमी और धर्ममे अरुचि रखनेवाला, दसवें भावको पूर्ण दृष्टिसे देखता हो तो राज्यसेवी, मातृ-पितृ कष्टकारक, सुखी और भाग्यवान्, ग्यारहवें भावको पूर्ण दृष्टिसे देखता हो तो धनवान्, सन्तानकष्टमे पीडित और कुटुम्बके दु खमे दु खी एव बारहवें भावको पूर्ण दृष्टिसे देखता हो तो कुमार्गगामी, मातुलनाशक, बवासीर और भगन्दर रोगी, शत्रुनाशक और उग्रप्रकृति होता है।

बुध—लग्नभावको बुध पूर्ण दृष्टिसे देखता हो तो जातक गणितज्ञ, सुन्दर, व्यापारी, व्यवहारकुशल, मिलनसार और लब्धप्रतिष्ठ, द्वितीय

भावको पूर्ण दृष्टिसे देखता हो तो व्यापारसे धन लाभ करनेवाला, कुटुम्ब-विरोधी, स्वतन्त्र विचारक, हठी और अभिमानी, तीसरे भावको पूर्ण दृष्टिसे देखता हो तो भाग्यवान, प्रवासी, भ्रातृसुख युक्त, सत्सगी और धार्मिक, चौथे भावको पूर्ण दृष्टिसे देखता हो तो राज्यसे लाभ प्राप्त करनेवाला, भूमि तथा वाहनके सुखसे परिपूर्ण, श्रेष्ठ बुद्धिवाला और विद्वान्; पाँचवें भावको पूर्ण दृष्टिसे देखता हो तो गुणवान्, विद्वान्, धनवान, शिल्पकार और प्रथम पुत्र उत्पन्न करनेवाला, छठे भावको पूर्ण दृष्टिसे देखता हो तो वातरोगी, कुमार्गव्ययी, शत्रुओसे पीडित और अन्तिम जीवनमें धन सचय करनेवाला, सातवें भावको पूर्ण दृष्टिमे देखता हो तो सुन्दर, सुशीला भार्यावाला, व्यापारी, गणितज्ञ, चतुर और कार्यदक्ष, आठवें भावको पूर्ण दृष्टिसे देखता हो तो भ्रमणशील, दु खी, कुटुम्बविरोधी एवं प्रवासी, नौवें भावको पूर्ण दृष्टिसे देखता हो तो हँसमुख, धनोपार्जन करनेवाला, भ्रातृ-द्वेषी, राजाओसे मिलनेवाला, गायनप्रिय और विलासी, दसवें भावको पूर्ण दृष्टिसे देखता हो तो राजमान्य, कीर्त्तिमान्, सुखी, कुलीन और कुलदीपक, ग्यारहवें भावको पूर्ण दृष्टिसे देखता हो तो धनार्जन करनेवाला, सन्तानसे युक्त, विद्वान् और कलाविशारद एवं बारहवें भावको पूर्ण दृष्टिसे देखता हो तो मिथ्याभाषी, कुलकलंकी, मद्यपायी, नीच प्रकृति और व्यसनी होता है।

गुरु—लग्नभावको बृहस्पति पूर्ण दृष्टिसे देखता हो तो जातक धर्मात्मा, कीर्त्तिवान्, कुलीन, विद्वान् और पतिव्रता—शुभाचरणवाली स्त्रीका पति; दूसरे भावको पूर्ण दृष्टिसे देखता हो तो पितृ-धन नाशक, धनार्जन करने-वाला, कुटुम्बी, मित्रवर्गमे श्रेष्ठ और राजमान्य, तीसरे भावको पूर्ण दृष्टिसे देखता हो तो भाग्यवान्, पराक्रमी, भ्रातृ-सुखयुक्त, प्रवासी और शुभाचरण करनेवाला, चौथे भावको पूर्ण दृष्टिसे देखता हो तो श्रेष्ठ विद्याव्यसनी, भूमि-पति, वाहन-सुखयुक्त और माता-पिताके पूर्ण सुखको प्राप्त करनेवाला, पाँचवें भावको पूर्ण दृष्टिसे देखता हो तो धनिक, ऐश्वर्यवान्, विद्वान्,

व्याख्याता, पांच पुत्रवाला और कलाप्रिय, छठे भावको पूर्ण दृष्टिसे देखता हो तो व्याधिग्रस्त, धन नष्ट करनेवाला, क्रोधी और धूर्त, सातवें भावको पूर्ण दृष्टिसे देखता हो तो सुन्दर, धनवान्, कीर्तिवान् और भाग्यशाली, आठवें भावको पूर्ण दृष्टिसे देखता हो तो राजभय, चिन्तित, आठ वर्षकी अवस्थामें मृत्युतुल्य कष्ट भोगनेवाला और २६ वर्षकी आयुमें कारागारजन्य कष्ट पानेवाला, नवें भावको पूर्ण दृष्टिसे देखता हो तो कुलीन, भाग्यवान्, शास्त्रज्ञ, धर्मात्मा, स्वतन्त्र, सन्तानयुक्त, दानी और व्रतोपवास करनेवाला, दसवें भावको पूर्ण दृष्टिसे देखता हो तो राजमान्य, सुखी, धन-पुत्रादिसे युक्त, भूमिपति और ऐश्वर्यवान्, ग्यारहवें भावको पूर्ण दृष्टिसे देखता हो तो बुद्धिमान्, पांच पुत्रोंका पिता, विद्वान्, कलाप्रिय, स्नेही और ७० वर्षकी अवस्थासे अधिक जीवित रहनेवाला एवं बारहवें भावको पूर्ण दृष्टिसे देखता हो तो रजोगुणी, दुःखी, धन खर्च करनेवाला और निर्बुद्धि होता है।

शुक्र—लग्नस्थानको शुक्र पूर्ण दृष्टिसे देखता हो तो जातक सुन्दर, शौकीन, परस्त्रीरत, भाग्यशाली और चतुर, दूसरे भावको पूर्ण दृष्टिसे देखता हो तो धन तथा कुटुम्बसे सुखी, धनार्जन करनेवाला, परिश्रमी और विलासी, तीसरे भावको पूर्ण दृष्टिसे देखता हो तो शासक, अधिक भाई-बहनवाला, अल्पवीर्य और २५ वर्षकी आयुमें भाग्योदयको प्राप्त होनेवाला, चौथे भावको पूर्ण दृष्टिसे देखता हो तो सुखी, सुन्दर, समाजसेवी, भाग्यशाली, आज्ञाकारी और राजसेवी, पांचवें भावको पूर्ण दृष्टिसे देखता हो तो विद्वान्, धनी, एक कन्या तथा तीन या पांच पुत्रोंका पिता, प्रेमी और बुद्धिमान्, छठे भावको पूर्ण दृष्टिसे देखता हो तो पराक्रमी, शत्रुनाशक, कुमार्गगामी, वीर्यविकारी, श्वेत कुष्ठयुक्त और वाचाल, सातवें भावको पूर्ण दृष्टिसे देखता हो तो कामी, व्यभिचारी, लम्पट, सुन्दर भार्याको प्राप्त करनेवाला और २५ वर्षकी अवस्थामें स्वाधीन जीवन व्यतीत करनेवाला, आठवें भावको पूर्ण दृष्टिसे देखता हो तो प्रमेह रोगी, दुःखी,

निर्धन, कुटुम्बरहित, साधु-सेवारत और कफ तथा वात रोगसे पीडित, नौवें भावको पूर्ण दृष्टिसे देखता हो तो कुलदीपक, ग्रामाधिपति, शत्रुजयी, धर्मात्मा, कीत्तिवान् और विलक्षण, दसवें भावको पूर्ण दृष्टिसे देखता हो तो भाग्यशाली, धनी, प्रवासी, राजसेवी और भूमि-पति, ग्यारहवें भावको पूर्ण दृष्टिसे देखता हो तो नाना प्रकारसे लाभ करनेवाला, नेता, प्रमुख, परस्त्रीरत और कवि एवं बारहवें भावको पूर्ण दृष्टिसे देखता हो तो वीर्य-रोगी, विवाहादि कार्योंमे व्यय करनेवाला, शत्रुओसे पीडित, चिन्तित और स्त्री-द्वेपी जातक होता है।

शनि—लग्नस्थानको शनि पूर्ण दृष्टिसे देखता हो तो जातक श्याम वर्णवाला, नीच स्त्रीरत, स्वस्त्रीसे विमुख और लम्पट, दूसरे भावको पूर्ण दृष्टिसे देखता हो तो ३६ वर्पकी अवस्था तक धननाशक, कुटुम्ब-विरोधी, १९ वर्पकी अवस्थामे शारीरिक कष्ट प्राप्त करनेवाला और नाना रोगोका शिकार, तीसरे भावको पूर्ण दृष्टिसे देखे तो पराक्रमी, अधार्मिक, भाइयोके सुखसे रहित, नीच सगतिप्रिय और बुरे कार्य करनेवाला, चौथे भावको पूर्ण दृष्टिसे देखे तो प्रथम वर्पमे शारीरिक कष्ट पानेवाला, राजमान्य, ३५ या ३६ वर्पकी अवस्थामे राज्याधिकारमे वृद्धि प्राप्त करनेवाला और लब्धप्रतिष्ठ, पाँचवें भावको पूर्ण दृष्टिसे देखता हो तो सन्तानहानि, नीच-विद्या-विशारद, नीचजनप्रिय और नीचकार्यरत, छठे भावको पूर्ण दृष्टिसे देखता हो तो शत्रुनाशक, मातुलकष्टकारक, नेत्ररोगी, प्रमेह रोगी, धर्मसे विमुख और कुमार्गरत, सातवें भावको पूर्ण दृष्टिसे देखता हो तो कलह-प्रिय, ३६ वर्पकी अवस्थामें मृत्युतुल्य कष्ट पानेवाला, धननाशक और मलीन स्वभाववाला, आठवें भावको पूर्ण दृष्टिसे देखता हो तो कुटुम्ब-विरोधी, राज्यहानिवाला, पिताके धनका ३६ वर्पकी आयु तक नाश करने-वाला और रोगी, नौवें भावको देखता हो तो देशाटन करनेवाला, भाइयोसे विरोध करनेवाला, प्रवासी, धन प्राप्त करनेवाला, नीच कर्मरत, पराक्रमी, धर्महीन और निन्दक, दसवें भावको पूर्ण दृष्टिसे देखता हो तो पिताके

सुखसे रहित, माताके लिए कष्टकारक, भूमिपति, राज्यमान्य और सुखी, ग्यारहवें भावको पूर्ण दृष्टिसे देखता हो तो वृद्धावस्थामें पुत्रका सुख पानेवाला, नाना भाषाओंका ज्ञाता और साधारण व्यापारमे लाभ प्राप्त करनेवाला एव बारहवें भावको पूर्ण दृष्टिसे देखता हो तो अशुभ कार्योंमे धन खर्च करनेवाला, मातुलको कष्टदायक, शत्रुनाशक और सामान्य लाभ करनेवाला होता है।

राहु—लग्नभावको राहु पूर्ण दृष्टिसे देखता हो तो शारीरिक रोगी, वातविकारी, उग्रस्वभाववाला, खिन्न चित्तवाला, उद्योगरहित और अधार्मिक; दूसरे भावको पूर्ण दृष्टिसे देखता हो तो कुटुम्ब-सुखहीन, धननाशक, पत्थरकी चोटसे दु खी होनेवाला और चचल प्रकृति, तीसरे भावको पूर्ण दृष्टिमे देखता हो तो पराक्रमी, पुरुपार्थी और पुत्रसन्तान-रहित, चौथे भावको पूर्ण दृष्टिसे देखता हो तो उदररोगी, मलीन और साधारण सुखी, पांचवें भावको पूर्ण दृष्टिसे देखता हो तो भाग्यशाली, धनी, व्यवहारकुशल और सन्तानसुखी, छठे भावको पूर्ण दृष्टिसे देखता हो तो शत्रुनाशक, वीर, गुदा स्थानमे फोडोंके दु खसे पीडित, व्ययशील, नेत्रपर खरोचके निशानवाला, पराक्रमी और बलवान्, सातवें भावको पूर्ण दृष्टिसे देखता हो तो धनी, विपयी, कामी और नीच-सगतिप्रिय; आठवें भावको पूर्ण दृष्टिसे देखता हो तो पराधीन, धननाशक, कण्ठरोगसे पीडित, धर्महीन, नीचकर्मरत और कुटुम्बसे पृथक् रहनेवाला, नवें भावको पूर्ण दृष्टिसे देखता हो तो बडे भाईके सुखसे रहित, ऐश्वर्यवान्, भोगी, पराक्रमी और सन्ततिवान्, दसवें भावको पूर्ण दृष्टिसे देखता हो तो मातृसुखहीन, पितृकष्टकारक, राजमान्य और उद्योगशील, ग्यारहवें भावको पूर्ण दृष्टिसे देखता हो तो सन्ततिकष्टसे पीडित, नीच-कर्मरत और अल्पलाभ करानेवाला एव बारहवें भावको पूर्ण दृष्टिमे देखता हो तो गुप्तरोगी, शत्रुनाशक, कुमार्गमें धन व्यय करनेवाला और दरिद्री होता है। केतुकी दृष्टिका फल राहुके समान है।

ग्रहोकी युतिका फल

रवि-चन्द्र एक स्थानपर हो तो जातक लोहा, पत्थरका व्यापारी, शिल्पकार, वास्तु एव मूर्तिकलाका मर्मज्ञ, रवि-मंगल एक साथ हो तो शूरवीर, यशस्वो, मिथ्याभाषी, परिश्रमी एव अध्यवसायी, रवि-बुध हो तो मधुरभाषी विद्वान्, ऐश्वर्यवान्, भाग्यशाली, कलाकार, लेखक, सशोधक एव विचारक; रवि-गुरु एक साथ हो तो आस्तिक, उपदेशक, राजमान्य एव ज्ञानवान्, रवि-शुक्र एक साथ हो तो चित्रकार, नेत्ररोगी, विलासी, कामुक एवं अविचारक; रवि-शनि एक साथ हो तो अल्पवीर्य, धातुओका ज्ञाता, आस्तिक, चन्द्र-मंगल एक साथ हो तो विजयी, कुशल वक्ता, धीर, शूरवीर, कलाकुशल एव साहसी, चन्द्र-बुध एक साथ हो तो धर्मप्रेमी, विद्वान्, मनोज्ञ, निर्मल बुद्धि एव सशोधक, चन्द्र-गुरु एक साथ हो तो शील-सम्पन्न, प्रेमी, धार्मिक, सदाचारी एव सेवावृत्तिवाला, चन्द्र-शुक्र एक साथ हो तो व्यापारी, सुखी, भोगी एव धनी चन्द्र-शनि एक साथ हो तो शीलहीन, धनहीन, मूर्ख एव वञ्चक, मंगल-बुध एक साथ हो तो धनिक, वक्ता, वैद्य, शिल्पज्ञ एव शास्त्रज्ञ, मंगल-गुरु एक साथ हो तो गणित, शिल्पज्ञ, विद्वान् एव वाद्यप्रिय, मगल-शुक्र एक साथ हो तो व्यापारकुशल, धातुसशोधक, योगाभ्यासी, कार्यपरायण एवं विमान-चालक, मंगल शनि एक साथ हो तो कपटी, धूर्त, जादूगर, ढोंगी एव अविश्वासी, बुध-गुरु एक साथ हो तो वक्ता, पण्डित, सभाचतुर, प्रख्यात, कवि, काव्य-स्रष्टा एवं सशोधक, बुध-शुक्र एक साथ हो तो मुन्शी, विलासी, सुखी, राजमान्य, रतिप्रिय एव शासक, बुध-शनि एक साथ हो तो कवि, वक्ता, सभापण्डित, व्याख्याता एव कलाकार, गुरु-शुक्र एक साथ हो तो भोक्ता, सुखी, बलवान्, चतुर एव नीतिवान्, गुरु-शनि एक साथ हो तो लोकमान्य, कार्यदक्ष, धनाढच, यशस्वी, कीर्तिवान् एव आदरपात्र और शुक्र-शनि एक साथ हो तो चित्रकार, मल्ल, पशुपालक,

शिल्पी, रोगी, वीर्यविकारी एव अल्पधनी जातक होता है ।

तीन ग्रहोकी युतिका फल

रवि-चन्द्र-मगल एक साथ हो तो जातक शूरवीर, धीर, ज्ञानी वली, वैज्ञानिक, शिल्पी एव कार्यदक्ष, रवि-चन्द्र-बुध एक साथ हो तो तेजस्वी, विद्वान्, शास्त्रप्रेमी, राजमान्य, भाग्यशाली एव नीतिविशारद, रवि-चन्द्र-गुरु एक साथ हो तो योगी, ज्ञानी, मर्मज्ञ, सौम्यवृत्ति, सुखी, स्नेही, विचारक, कुशल कार्यकर्त्ता एव आस्तिक, रवि-चन्द्र-शुक्र एक साथ हो तो हीनवीर्य, व्यापारी, सुखी, निस्सन्तान या अल्पसन्तान, लोभी एव साधारण धनी, रवि-चन्द्र-शनि एक साथ हो तो अज्ञानी, धूर्त्त, वाचाल, पाखण्डी, अविवेकी, चचल एव अविश्वासी; रवि-मगल-बुध एक साथ हो तो साहसी. निष्ठुर, ऐश्वर्यहीन, तामसी, अविवेकी, अहकारी एव व्यर्थ वकवादी, रवि-मगल-गुरु एक साथ हो तो राजमान्य, सत्यवादी, तेजस्वी, धनिक, प्रभावशाली एव ईमानदार, रवि-मगल-शुक्र एक साथ हो तो कुलीन, कठोर, वैभवशाली, नेत्ररोगी एव प्रवीण, रवि-मगल-शनि एक साथ हो तो धन-जनहीन, दुःखी, लोभी एव अपमानित होनेवाला, रवि-बुध-गुरु एक साथ हो तो विद्वान्, चतुर, शिल्पी, लेखक, कवि, शास्त्र-रचयिता, नेत्ररोगी, वातरोगी एव ऐश्वर्यवान्, रवि-बुध-शुक्र एक साथ हो तो दुःखी, वाचाल, भ्रमणशील, द्वेषी एव घृणित कार्य करनेवाला, रवि-बुध शनि एक साथ हो तो कलाद्वेषी, कुटिल, धननाशक, छोटी अवस्थामें सुन्दर पर ३६ वर्षकी अवस्थामे विकृतदेही एव नीचकर्मरत, रवि गुरु शुक्र एक साथ हो तो परोपकारी, सज्जन, राजमान्य, नेत्रविकारी, लब्धप्रतिष्ठ एव सफल कार्य सचालक, रवि-गुरु-शनि एक साथ हो तो चरित्रहीन, दुःखी, शत्रुपीड़ित, उद्विग्न, कुष्टरोगी एव नीच सगतिप्रिय, रवि-शुक्र-शनि एक साथ हो तो दुश्चरित्र, नीचकार्यरत, घृणित रोगसे पीडित एव लोक-तिरस्कृत, चन्द्र-मगल-बुध एक साथ हो तो कठोर, पापी, धूर्त्त, क्रूर

एव दुष्टस्वभाववाला, चन्द्र-बुध-गुरु एक साथ हो तो धनी, सुखी, प्रसन्न-चित्त, तेजस्वी, वाक्पटु एव कार्यकुशल, चन्द्र बुध-शुक्र एक साथ हो तो धन-लोभी, ईर्ष्यालु, आचारहीन, दाम्भिक, मायावी और धूर्त, चन्द्र-बुध-शनि एक साथ हो तो अशान्त, प्राज्ञ, वचनपटु, राजमान्य एव कार्यपरा-यण, चन्द्र-गुरु-शुक्र एक साथ हो तो सुखी, सदाचारी, धनी, ऐश्वर्यवान्, नेता, कर्त्तव्यशील एवं कुशाग्रबुद्धि, चन्द्र-गुरु-शनि एक साथ हो तो नीति-वान्, नेता, सुबुद्धि, शास्त्रज्ञ, व्यवसायी, अध्यापक एव वकील, चन्द्र-शुक्र-शनि एक साथ हो तो लेखक, शिक्षक, सुकर्मरत, ज्योतिषी, सम्पादक, व्यवसायी एवं परिश्रमी, मंगल-बुध-गुरु एक साथ हो तो कवि, श्रेष्ठ पुरुष, गायन-निपुण, स्त्रीसुखसे युक्त, परोपकारी, उन्नतिशील, महत्त्वाकाक्षी एव जीवनमें बडे-बडे कार्य करनेवाला, मंगल बुध-शुक्र एक साथ हो तो कुलहीन, विकलागी, चपल, परोपकारी एव जल्दबाज, मगल-बुध-शनि एक साथ हो तो व्यसनी, प्रवासी, मुखरोगी एव कर्त्तव्यच्युत, मगल-गुरु-शुक्र एक साथ हो तो राजमित्र, विलासी, सुपुत्रवान्, ऐश्वर्यवान्, सुखी एवं व्यवसायी, मगल-गुरु शनि एक साथ हो तो पूर्ण ऐश्वर्यवान्, सम्पन्न, सदाचारी, सुखी एव अन्तिम जीवनमें महान् कार्य करनेवाला और गुरु-शुक्र-शनि एक साथ हो तो शीलवान्, कुलदीपक, शासक, उच्चपदाधिकारी, नवीन कार्य सस्थापक एव आश्रयदाता होता है।

चार ग्रहोकी युतिका फल

रवि-चन्द्र-मगल-बुध एक साथ हो तो जातक लेखक, मोही, रोगी, कार्यकुशल एव चतुर, रवि-चन्द्र-मगल-गुरु एक साथ हो तो भूपति, धनी, नीतिज्ञ एव सरदार, रवि-चन्द्र-मंगल-शुक्र एक साथ हो तो धनी, तेजस्वी, नीतिमान्, कार्यदक्ष, विनोदी एव गुणज्ञ, रवि-चन्द्र-मंगल-शनि एक साथ हो तो नेत्ररोगी, शिल्पकार, स्वर्णकार, धनी, धैर्यवान् एव शास्त्रज्ञ, रवि-चन्द्र-बुध-गुरु एक साथ हो तो सुखी, सदाचारी, प्रख्यात, पण्डित एव

धनी, पराक्रमी, मलिन, परस्त्रीरत एवं व्यवहारशून्य, रवि-चन्द्र-बुध गुरु-शुक्र एक साथ हो तो मंत्री, धनवान्, बलवान्, यशस्वी एव प्रतापवान्, रवि-चन्द्र-बुध-गुरु-शनि एक साथ हो तो भिक्षुक, डरपोक, उग्रस्वभाववाला, परान्नभोजी एव पापी, रवि-चन्द्र-बुध शुक्र-शनि एक साथ हो तो दरिद्री, पुत्रहीन, रोगी, दीर्घदेही एव आत्मघाती, रवि-चन्द्र-गुरु-शुक्र-शनि एक साथ हो तो स्त्रीमुखयुक्त, बली, चतुर, निर्भय, जादूगर एव अस्थिर चित्त-वृत्ति, रवि-मगल-बुध-गुरु-शुक्र एक साथ हो तो सेनानायक, सरदार, परकामिनी-रत, विनोदी, सुखी, प्रतापी एवं वीर, रवि-मगल-बुध-गुरु-शनि एक साथ हो तो रोगी, नित्योद्वेगी, मलिन एवं अल्पधनी, रवि-बुध-गुरु-शुक्र शनि एक साथ हो तो ज्ञानी, धर्मात्मा, शास्त्रज्ञ, विद्वान् एव भाग्यवान्, चन्द्र-मगल बुध-गुरु-शुक्र एक साथ हो तो सज्जन, सुखी, विद्वान्, बलवान्, लेखक, सशोधक एव कर्त्तव्यशील, चन्द्र-मगल-बुध-शुक्र शनि एक साथ हो तो दु खी, रोगी, परोपकारी, स्थिरचित्त एव यशस्वी, चन्द्र-बुध-गुरु-शुक्र-शनि एक साथ हो तो पूज्य, यन्त्रकर्त्ता (नवीन मशीन बनानेवाला), लोकमान्य, राजा या तत्तुल्य ऐश्वर्यवान् एव नेत्ररोगी और मंगल-बुध गुरु-शुक्र-शनि एक साथ हो तो सदा प्रसन्नचित्त, सन्तोषी, एव लब्धप्रतिष्ठ होता है।

षड्ग्रह योग-फल

रवि-चन्द्र-मगल बुध-गुरु-शुक्र एक साथ हो तो तीर्थयात्रा करनेवाला, सात्त्विक, दानी, स्त्री पुत्रयुक्त, धनी, अरण्य-पर्वत आदिमें निवास करनेवाला एव सत्कीर्त्तिवान्, रवि-चन्द्र-बुध-गुरु-शुक्र-शनि एक साथ हो तो शिररोगी, परदेशी, उन्माद प्रकृतिवाला, देवभूमिमें निवास करनेवाला एवं शिथिल चारित्र धारक, रवि-मगल-बुध-गुरु शुक्र-शनि एक साथ हो तो बुद्धिमान्, भ्रमणशील, परसेवी, बन्धुद्वेषी एव रोगी, रवि-चन्द्र मंगल-बुध गुरु-शनि एक साथ हो तो कुष्ठरोगी, भाइयोंमें निन्दित, दुःखी, पुत्ररहित एव परसेवी,

रवि-चन्द्र-मगल गुरु-शुक्र-शनि एक साथ हो तो मन्त्री, नेता, मान्य, नीच-कर्मरत, क्षय तथा पीनसके रोगसे दु खी एव स्वल्पधनी, रवि-चन्द्र-मगल-गुरु-शुक्र-शनि एक साथ हो तो शान्त, उदार, धनी मानी एव शासक और चन्द्र मगल-बुध-गुरु-शुक्र-शनि एक साथ हो तो धनिक, धर्मात्मा, ऐश्वर्य-वान् एव चरित्रवान् होता है। किसी भी ग्रहके साथ मगल-बुधका योग, वक्ता, वैद्य, कारीगर और शास्त्रज्ञ होनेकी सूचना देता है।

द्वादश भाव विचार

लग्न विचार—पहले ही कहा गया है कि प्रथम भावसे शरीरकी आकृति, रूप आदिका विचार किया जाता है। इस भावमे जिस प्रकारकी राशि और ग्रह होगे जातकका शरीर भी वैसा ही होगा। शरीरकी स्थिति-के सम्बन्धमे विचार करनेके लिए ग्रह और राशियोके तत्त्व नीचे लिखे जाते है।

सूर्य	शुष्कग्रह	अग्नितत्त्व	सम (कद)
चन्द्र	जलग्रह	जलतत्त्व	दीर्घ ,,
भौम	शुष्कग्रह	अग्नितत्त्व	ह्रस्व
बुध	जलग्रह	पृथ्वीतत्त्व	सम
गुरु	जलग्रह	आकाश या तेजतत्त्व	मध्यम या ह्रस्व
शुक्र	जलग्रह	जलतत्त्व	,,
शनि	शुष्कग्रह	वायुतत्त्व	दीर्घ

राशि सज्ञाएँ

मेप	अग्नि	पादजल (१/४)	ह्रस्व (२४ अश)
वृप	पृथ्वी	अर्द्धजल (१/२)	ह्रस्व (२४ अश)
मिथुन	वायु	निर्जल (०)	सम (२८ अश)
कर्क	जल	पूर्णजल (१)	सम (३२ अश)

सिंह	अग्नि	निर्जल	(०)	दीर्घ	(३६ अंश)
कन्या	पृथ्वी	निर्जल	(०)	दीर्घ	(४० अंश)
तुला	वायु	पादजल	(१/४)	दीर्घ	(४० अंश)
वृश्चिक	जल	पादजल	(१/४)	दीर्घ	(३६ अंश)
धनु	अग्नि	अर्द्धजल	(१/२)	सम	(३२ अंश)
मकर	पृथ्वी	पूर्णजल	(१)	सम	(२८ अंश)
कुम्भ	वायु	अर्द्धजल	(१/२)	ह्रस्व	(२४ अंश)
मीन	जल	पूर्णजल	(१)	ह्रस्व	(२० अंश)

उपर्युक्त संज्ञाओपर-से शारीरिक स्थिति ज्ञात करनेके नियम

१—लग्न जलराशि हो और उसमे जलग्रहकी स्थिति हो तो जातकका शरीर मोटा होगा।

२—लग्न और लग्नाधिपति जलराशिगत होनेसे शरीर खूब स्थूल होगा।

३—यदि लग्न अग्निराशि हो और अग्निग्रह उसमे स्थित हो तो मनुष्य बली होता है, पर शरीर देखनेमे दुबला मालूम पडता है।

४—अग्नि या वायुराशि लग्न हो और लग्नाधिपति पृथ्वी राशिगत हो तो हड्डियाँ साधारणतया पुष्ट और मजबूत होती है, और शरीर ठोस होता है।

५—यदि अग्नि या वायुराशि लग्न हो, लग्नाधिपति जलराशिगत हो तो शरीर स्थूल होता है।

६—यदि लग्न वायुराशि हो और उसमे वायु ग्रह स्थित हो तो जातक दुबला, पर तीक्ष्ण बुद्धिवाला होता है।

७—यदि लग्न पृथ्वीराशि हो और उसमे पृथ्वीग्रह स्थित हो तो मनुष्य नाटा होता है।

८—पृथ्वीराशि लग्न हो और लग्नाधिपति पृथ्वीराशिगत हो तो शरीर स्थूल और दृढ होता है।

९—पृथ्वीराशि लग्न हो और उसका अधिपति जलराशिमे हो तो शरीर साधारणतया स्थूल होता है।

लग्नकी राशि ह्रस्व, दीर्घ या सम जिस प्रकारकी हो, उसीके अनुसार जातकके शरीरकी ऊँचाई समझनी चाहिए। शरीरकी आकृति निर्णयके लिए निम्न नियम उपयोगी है—

(१) लग्नराशि कैसी है ? (२) लग्नमें ग्रह है तो कैसा है ? (३) लग्नेश कैसा ग्रह है ? और किस राशिमे है ? (४) लग्नेशके साथ कैसे ग्रह है ? (५) लग्नपर किसकी दृष्टि है ? (६) लग्नेश अष्टम या द्वादश भावमे तो नही है ? (७) गुरु लग्नमे है अथवा लग्नको देखता है। कैसी राशिमे बृहस्पतिकी स्थिति है।

इन सात नियमो-द्वारा विचार करनेपर ज्ञात हो जायेगा कि जल, पृथ्वी, अग्नि, वायु तत्त्वोमे किसकी विशेषता है। अन्तमे अन्तिम निर्णयके लिए पहलेवाले नौ नियमोका आश्रय लेकर निश्चय करना चाहिए।

लग्नेश और लग्नराशिके स्वरूपके अनुसार जातकके रूप-रगका निश्चय करना चाहिए। मेष लग्नमे लालमिश्रित सफेद, वृषमें पीला मिश्रित सफेद, मिथुनमें गहरा लालमिश्रित सफेद, कर्कमे नीला, सिंहमे धूसर, कन्यामें घनश्याम रग, तुलामें कृष्णवर्ण लाली लिये, वृश्चिकमे बादामी, धनुमें पीत वर्ण, मकरमे चितकबरी, कुम्भमे आकाश सदृश नीला और मीनमे गौरवर्ण होता है।

सूर्यसे रक्त-श्याम, चन्द्रसे गौरवर्ण, मगलसे समवर्ण, बुधसे दूर्वादलके समान श्यामल, गुरुसे काचन वर्ण, शुक्रसे श्यामल, शनिसे कृष्ण, राहुसे कृष्ण और केतुसे धूम्र वर्णका जातकको समझना चाहिए। लग्न तथा लग्नेशपर पापग्रहकी दृष्टि होनेसे मनुष्य कुरूप होता है, बुध-शुक्र एक साथ

कहीं भी हो तो गौरवर्ण न होते हुए भी सुन्दर होता है। शुभग्रह युत या दृष्ट लग्न होनेपर जातक सुन्दर होता है। रवि लग्नमे हो तो आँखें सुन्दर नही होती, चन्द्रमा लग्नमे हो तो गौरवर्ण होते हुए भी सुडौल नही होता। मगल लग्नमे हो तो शरीर सुन्दर होता है, पर चेहरेपर सुन्दरतामे अन्तर डालनेवाला कोई निशान होता है। बुध लग्नमे हो तो चमकदार सांवला रग होता है तथा कम या अधिक चेचकके दाग होते हैं। बृहस्पति लग्नमे हो तो गौर रग, सुडौल शरीर होता है, किन्तु कम आयुमे ही वृद्ध बना देता है, बाल जल्द सफेद होते है, ४५ वर्षकी उम्रमे ही दाँत गिर जाते है। मेदवृद्धिसे पेट बडा हो जाता है। शुक्र लग्नमे हो तो शरीर सुन्दर और आकर्षक होता है। शनि लग्नमे हो तो मनुष्यके रूपमे कमी होती है और राहु-केतुके लग्नमे रहनेसे चेहरेपर काले दाग होते है।

शरीरके रूपका विचार करते समय ग्रहोकी दृष्टिका अवश्य आश्रय लेना चाहिए। लग्नमें कुरूपता करनेवाले क्रूर ग्रहोंके रहनेपर भी लग्न स्थानपर शुभ ग्रहकी दृष्टि होनेसे जातक सुन्दर होता है। इसी प्रकार पापग्रहोकी दृष्टि होनेसे जातककी सुन्दरतामे कमी आती है।

शरीरके अगोका विचार

अगोके परिमाणका विचार करनेके लिए ज्योतिषशास्त्रमे लग्नस्थान गत राशिको सिर, द्वितीय स्थानकी राशिको मुख और गला, तृतीय स्थानकी राशिको वक्षस्थल और फेफडा, चतुर्थ स्थानकी राशिको हृदय और छाती, पचम स्थानकी राशिको कुक्षि और पीठ, षष्ठ स्थानकी राशिको कमर और आँतें, सप्तम स्थानकी राशिको नाभि और लिङ्गके बीचका स्थान, अष्टम स्थानकी राशिका लिङ्ग और गुदा, नवम स्थानकी राशिको ऊरु और जघा, दशम स्थानकी राशिको ठेहुना, एकादश स्थानकी राशिको पिडुलियाँ और द्वादश स्थानकी राशिको पैर समझना चाहिए।

जिस अगपर विचार करना हो उस अगकी राशि जिस प्रकारकी ह्रस्व

या दीर्घ हो तथा उस अगसज्ञक राशिमे रहनेवाला जैसा ग्रह हो, उस अगको वैसा ही ह्रस्व या दीर्घ अवगत करना चाहिए। अग-ज्ञानके लिए कुछ नियम निम्न प्रकार है—

(१) अगकी राशि कैसी है। (२) उस राशिमे ग्रह कैसा है। (३) अग निर्दिष्ट राशिका स्वामी किस प्रकारकी राशिमे पडा है। (४) अग निर्दिष्ट राशिमे कोई ग्रह है तो वह किस प्रकारकी राशिका स्वामी है। यदि अगस्थान राशिमें एकमे अधिक ग्रह हो तो जो सबसे बलवान् हो उसमे विचार करना चाहिए।

कालपुरुष

ज्योतिषशास्त्रमें फलनिरूपणके हेतु काल—समयको पुरुष माना गया है और इसके आत्मा, मन, बल, वाणी एव ज्ञान आदिका कथन किया है। बताया है कि इस कालपुरुषका सूर्य आत्मा[1], चन्द्रमा मन, मगल बल, बुध वाणी, गुरु ज्ञान, शुक्र सुख, राहु मद और शनि दु ख है। जन्म समयमें आत्मादिकारक ग्रह बली हो तो आत्मा आदि सबल, और दुर्बल हो तो निर्बल समझना चाहिए, पर शनिका फल विपरीत होता है। शनि दु ख-कारक माना गया है, अत यह जितना हीन बल रहता है, उतना उत्तम होता है।

तात्कालिक लग्नके पीछेकी छ राशियाँ जो उदित रहती है, वे काल या जातकके वाम अग तथा अनुदित—क्षितिजसे नीचे अर्थात् लग्नसे आगे-की छ राशियाँ दक्षिण अग कहलाती है।

यदि लग्नमें प्रथम द्रेष्काण (त्र्यश) हो तो लग्न १ मस्तक, २, १२ नेत्र, ३, ११ कान; ४, १० नाक, ५, ९ गाल, ६, ८ ठुड्डी और सप्तम

१ आत्मा रविः शीतकरस्तु चेत. सत्त्व धराजः शशिजोऽथ वाणी।
गुरु॰ सितो ज्ञानमुखे मद च राहु. शनि कालनरस्य दु खम्॥
—सारावली, बनारस १९५३ ई०, अ० ४ श्लो० १

भाव मुख होता है। द्वितीय द्रेष्काण हो तो लग्न १ ग्रीवा, २, १२ कन्धा, ३, ११ दोनो भुजाएँ, ४, १० पजरी, ५, ९ हृदय, ६, ८ पेट और सप्तम भाव नाभि है। तृतीय द्रेष्काण लग्नमे हो तो लग्न १ वस्ति, २, १२ लिंग और गुदामार्ग, ३, ११ दोनो अण्डकोश, ४, १० जाँघ, ५, ९ घुटना, ६, ८ दोनो घुटनोके नीचेका हिस्सा और सप्तम भाव पैर होता है। इस प्रकार लग्नके द्रेष्काणके अनुसार अग विभागको अवगत कर फलादेश समझना चाहिए।

जिस अग स्थित भावमे पाप ग्रह हो उसमें व्रण (घाव), जिसमे शुभ ग्रह हो उसमें चिह्न कहना चाहिए। यदि ग्रह अपने गृह या नवाशमें हो तो व्रण या चिह्न जन्मके समय (गर्भसे ही) से समझना चाहिए, अन्यथा अपनी-अपनी दशाके समयमे व्रण या चिह्न प्रकट होते है।

सूर्य और चन्द्रमाको ज्योतिषमे राजा माना गया है। बुध युवराज, मगल सेनापति, गुरु और शुक्र मन्त्री एव शनिको भृत्य माना है। जन्म समय जो ग्रह सबल होता है, जातकका भविष्य उसके अनुसार निर्मित होता है।

द्वादश राशियोमे-से सिंह, कन्या, तुला, वृश्चिक, धनु और मकर इन छ राशियोका भगणाधिपति सूर्य और कुम्भ, मीन, मेष, वृष, मिथुन और कर्कका भगणाधिपति चन्द्रमा है। सूर्यके भगणार्ध चक्रमें अधिक ग्रह हो तो जातक तेजस्वी और चन्द्रके चक्रमे हो तो मृदु स्वभाव जातक होता है।

---

१ राजा रवि शशधरस्तु बुध कुमार
सेनापति क्षितिसुत सचिवौ सितेज्यौ।
भृत्यस्तथार्कश्च रवि सबला नराणा
कुर्वन्ति जन्मसमये निजमेव रूपम्॥
—सारावली, बनारस १९५३ ई०, अध्याय ४, श्लो० ७

जिस[1] जातकके जन्मलग्नमें मगल हो और सप्तम भावमे गुरु या शुक्र हो उसके सिरमे व्रण—दाग होता है। जब जन्मलग्नमे मगल, शुक्र और चन्द्रमा हो तो व्यक्तिको जन्मसे दूसरे या छठे वर्प सिरमे चोट लगनेसे घावका चिह्न प्रकट होता है। जन्मलग्नमे शुक्र और आठवें स्थानमे राहु हो तो मस्तक या वायें कानमे चिह्न होता है। यदि लग्नमे वृहस्पति, सप्तम स्थानमे राहु और आठवें स्थानमें पाप ग्रह हो तो व्यक्तिके वायें हाथ-मे चिह्न होता है। लग्नमें गुरु या शुक्र और अष्टममे पाप ग्रह हो तो भी वायें हाथमे चिह्न समझना चाहिय। ग्यारहवें, तीसरे और छठें भावमे शुक्र युक्त मगल हो तो वामपार्श्वमें व्रणका चिह्न होता है।

लग्नमे मगल और त्रिकोण—५।९ मे शुक्रकी दृष्टिसे युक्त शनि हो तो लिंग या गुदाके समीप तिलका चिह्न होता है। पचम या नवम भावमें शुक्र और वुध हो, अष्टम स्थानमें गुरु और चतुर्थ या लग्नमे शनि हो तो

---

१ जनुषि लग्नगतो वसुधासुतो मदनगोऽपि गुरु कविरेव वा।
भवति तस्य शिरो व्रणलाञ्छित निगदित यवनेन महात्मना॥
भवति लग्नगते क्षितिनन्दने भृगुसुतेऽपि विधाविह जन्मिनाम्।
शिरसि चिह्नमुदाहृतमादिभिर्मुनिवरैर्द्विरसाब्दमभासत.॥
भार्गवे जनुरङ्गस्थे चाष्टमे सिंहिकासुते।
मस्तके वामकर्णे वा चिह्नदर्शनमादिशेत्॥
मदनसदनमध्ये सिंहिकानन्दने वा,
सुरपतिगुरुणा चेदङ्गराशौ युते नु।
प्रकथितमिह चिह्न चाष्टमे पापखेटे,
कविरपि गुरुरङ्ग वामवाहौ मुनीन्द्रै.॥
लाभारिसहजे भौमे व्यये वा शुक्रसयुते।
वामपार्श्वे गत चिह्न विज्ञेय व्रणज वुधैः॥
सुतालये भाग्यनिकेतने वा कवियंदा चाष्टमगौ ज्ञजीवौ।
शनौ चतुर्थे तनुभावगे वा तदा सचिह्न जठर नरस्य॥
—भावकुतूहल, वम्बई सन् १९२५ ई०, अध्याय २ श्लो० १६ २२

पेट पर चिह्न होता है। द्वितीय स्थानमें शुक्र, अष्टम स्थानमे सूर्य और तृतीयमे मगल हो तो जातकके कटि प्रदेशमे चिह्न होता है। चतुर्थ स्थानमे राहु-शुक्र दोनोमे-से एक ग्रह स्थित हो और लग्नमे शनि या मगल स्थित हो तो पैरके तलवेमें चिह्न होता है। बारहवें भावमे बृहस्पति, नवम भावमे चन्द्रमा और तृतीय तथा एकादशमें बुध हो तो गुदा स्थानमे चिह्न होता है।

जातकके शरीरमे तिल, मस्सा, चिह्न आदिका विचार लग्न राशि, लग्नस्थित द्रेष्काण राशि एव शीर्षोदय राशि आदिके द्वारा भी किया जाता है।

जन्मसमयके वातावरणका परिज्ञान

जन्मसमयमें मेष, वृष लग्न हो तो घरके पूर्व भागमे शय्या, मिथुन हो तो घरके अग्निकोणमे, कर्क, सिंह लग्न हो तो घरके दक्षिण भागमें, कन्या लग्न हो तो घरके नैऋत्यकोणमें, तुला, वृश्चिक लग्न हो तो घरके पश्चिम भागमे, धनु राशिका लग्न हो तो घरके वायुकोणमे, मकर, कुम्भ लग्न हो तो घरके उत्तर भागमें एव मीन राशिका लग्न हो तो घरके ईशान भागमें प्रसूतिकाकी शय्या जाननी चाहिए।

जो ग्रह सबसे बलवान् हो अथवा १।४।७।१० में स्थित हो उस ग्रहकी दिशामें सूतिका गृहका द्वार ज्ञात करना चाहिए। रविकी पूर्व दिशा, चन्द्रकी वायव्य, मगलकी दक्षिण, बुधकी उत्तर, गुरुकी ईशान, शुक्रकी आग्नेय, शनिकी पश्चिम और राहुकी नैऋत्य दिशा है।

जन्मसमय लग्नमे शीर्षोदय ३।५।६।७।८।११ राशियोका नवाश हो तो मस्तककी तरफसे जन्म, लग्नमे उभयोदय राशि—मीनका नवाश हो तो प्रथम हाथ निकला होगा, और लग्नमे पृष्ठोदय १।२।३।४।९।१० राशियोका नवाश हो तो पाँवकी ओरसे जन्म जानना चाहिए।

लग्न और चन्द्रमाके बीचमें जितने ग्रह स्थित हो उतनी ही उपसूति-

काओकी सख्या जाननी चाहिए। मीन, मेप लग्नमे जन्म हो तो दो, वृप, कुम्भमें जन्म हो तो चार, कर्क, सिहमे हो तो पाँच; शेप लग्नो—मिथुन, कन्या, तुला, वृश्चिक, धनु और मकर लग्न हो तो तीन उपसूतिकाएँ जाननी चाहिए।

अरिष्ट विचार

उत्पत्तिके समय जातकके ग्रहारिष्ट, गण्डारिष्ट और पातकी अरिष्टका विचार करना चाहिए।

१—लग्नमें चन्द्रमा, बारहवेंमे शनि, नौवेंमे सूर्य और अष्टममे मगल हो तो अरिष्ट होता है।

२—लग्नमे पापग्रह हो और चन्द्रमा पापग्रहके साथ स्थित हो तथा शुभग्रहोकी दृष्टि लग्न और चन्द्रमा दोनोपर न हो तो अरिष्ट समझना चाहिए।

३—बारहवें भावमे क्षीण चन्द्रमा स्थित हो और लग्न एवं अष्टममे पापग्रह स्थित हो तो बालकको अरिष्ट होता है।

४—क्षीण चन्द्रमापर पापग्रह या राहुकी दृष्टि हो तो बालकको अरिष्ट होता है।

५—चन्द्रमा ४।७।८ में स्थित हो और उसके दोनो ओर पापग्रह स्थित हो तो बालकको अरिष्ट होता है।

६—चन्द्रमा ६।८।१२ में हो और उसपर राहुकी दृष्टि हो तो अरिष्ट होता है।

७—चन्द्रमा कर्क, वृश्चिक और मीन राशिका हो तथा राशिके अन्तिम नवाशमे हो, शुभग्रहोकी दृष्टि चन्द्रमापर न हो एव पचम स्थान-पर पापग्रहोकी दृष्टि हो अथवा पापग्रह स्थित हो तो बालकको अरिष्ट होता है।

८—मेप राशिका चन्द्रमा २३ अशका अष्टम स्थानमें हो तो २३ वर्षके

भीतर जातककी मृत्यु होती है। वृषके २१ अंशका, मिथुनके २२ अंशका, कर्कके २२ अंशका, सिंहके २१ अंशका, कन्याके १ अंशका, तुलाके ४ अंशका, वृश्चिकके २१ अंशका, धनुके १८ अंशका, मकरके २० अंशका, कुम्भके २० अंशका एवं मीनके १० अंशका चन्द्रमा अरिष्ट करनेवाला होता है।

९—पापग्रहसे युक्त लग्नका स्वामी ७वें स्थानमें स्थित हो तो एक वर्ष तक परम अरिष्ट होता है।

१०—जन्मराशिका स्वामी पापग्रहसे युक्त होकर आठवें स्थानमें हो तो अरिष्ट होता है।

११—शनि, सूर्य, मंगल आठवें अथवा बारहवें स्थानमें हो तो जातकको एक महीने तक परम अरिष्ट होता है।

१२—लग्नमें राहु तथा छठे या आठवें भावमें चन्द्रमा हो तो जातकको अत्यन्त अरिष्ट होता है।

१३—लग्नेश आठवें भावमें पापग्रहसे युत या दृष्ट हो तो चार महीने तक जातकको अरिष्ट होता है।

१४—शुभ तथा पापग्रह ३।६।९।१२ स्थानोंमें निर्बली होकर स्थित हों तो ६ मास तक जातकको अरिष्ट होता है।

१५—पापग्रहोंकी राशियाँ १।५।८।१०।११ स्थानोंमें हों तथा सूर्य, चन्द्र, मंगल, पाँचवें स्थानमें हों तो जातकको ६ महीनेका अरिष्ट होता है।

१६—पापग्रह छठे, आठवें स्थानमें स्थित हों और अस्त पापग्रहोंकी दृष्टि भी हो तो एक वर्षका अरिष्ट होता है।

१७—चन्द्र, बुध दोनों केन्द्रमें स्थित हों और अस्त शनि या मंगल उनको देखते हों तो एक वर्षके भीतर मृत्यु होती है।

१८—शनि, रवि और मंगल छठे, आठवें भावमें गये हों तो जातकको एक वर्ष तक अरिष्ट होता है।

१९—अष्टमेश लग्नमें और लग्नेश अष्टम भावमें गया हो तो पाँच वर्ष तक अरिष्ट होता है।

२०—कर्क या सिंह राशिका शुक्र ६।८।१२ मे स्थित हो तथा पाप-ग्रहोसे देखा जाता हो तो छठे वर्षमे मृत्यु जानना।

२१—लग्नमे सूर्य, शनि और मंगल स्थित हो और क्षीण चन्द्रमा सातवें भावमें हो तो सातवें वर्षमे मृत्यु होती है।

२२—सूर्य, चन्द्र और शनि इन तीनो ग्रहोका योग ६।८।१२ स्थानो मे हो तो ९ वर्ष तक जातकको अरिष्ट रहता है।

२३—चन्द्रमा सातवें भावमे और अष्टमेश लग्नमें स्थित हो तो ९ वर्ष तक अरिष्ट रहता है। परन्तु इस योगमे शनिकी दृष्टि अष्टमेशपर आवश्यक है।

२४—चन्द्रमा और लग्नेश ६।७।८।१२ स्थानोमे स्थित हो तो १२ वर्ष तक अरिष्ट रहता है।

२५—चन्द्र और लग्नेश शनि एव सूर्यसे युत हो तो १२ वर्ष तक अरिष्ट रहता है।

गण्ड-अरिष्ट

आश्लेषाके अन्त और मघाके आदिके दोषयुक्त कालको रात्रिगण्ड, ज्येष्ठा और मूलके दोषयुक्त कालको दिवागण्ड एव रेवती और अश्विनीके दोषयुक्त कालको सन्ध्यागण्ड कहते हैं। अभिप्राय यह है कि आश्लेषा, ज्येष्ठा और रेवती नक्षत्रकी अन्तिम चार घटियाँ तथा मघा, मूल और अश्विनी नक्षत्रके आदिकी चार घटियाँ गण्डदोष युक्त मानी गयी है। इस समयमे उत्पन्न होनेवाले बालकोको अरिष्ट होता है। मतान्तरसे ज्येष्ठाके अन्तकी एक घटी और मूलके आदिकी दो घटीको अभुक्त मूल कहा गया है। इन तीन घटियोके भीतर जन्म लेनेवाले बालकको विशेष अरिष्ट होता है।

यहाँ स्मरण रखनेकी बात यह है कि बालकका प्रातःकाल अथवा सन्ध्याके सन्धि समयमे जन्म हो तो सान्ध्यगण्ड विशेष कष्टदायक, रात्रि-

कालमे जन्म हो तो रात्रिगण्डदोप विशेप कष्टदायक एव दिनमे जन्म होने-पर दिवागण्ड कष्टकारक होता है। मान्ध्यगण्ड वालकके लिए, रात्रिगण्ड माताके लिए और दिवागण्ड पिताके लिए कष्टदायक होता है।

अरिष्टभग योग

१—शुक्ल पक्षमें रात्रिका जन्म हो और छठे, आठवें स्थानमे चन्द्रमा स्थित हो तो सर्वारिष्ट नाशक योग होता है।

२—शुभग्रहोकी राशि और नवमाश २।७।९।१२।३।६।४ मे हो तो अरिष्टनाशक योग होता है।

३—जन्मराशिका स्वामी १।४।७।१०। स्थानोमे स्थित हो अथवा शुभग्रह केन्द्रमें गये हो तो अरिष्टनाश होता है।

४—सभी ग्रह ३।५।६।७।८।११ राशियमे हो तो अरिष्टनाश होता है।

५—चन्द्रमा अपनी राशि, उच्चराशि तथा मित्रके गृहमें स्थित हो तो सर्वारिष्ट नाश करता है।

६—चन्द्रमासे दसवें स्थानमे गुरु, वारहवेंमें बुध, शुक्र और वारहवें स्थानमे पापग्रह गये हो तो अरिष्टनाश होता है।

७—कर्क तथा मेप राशिका चन्द्रमा केन्द्रमें स्थित हो और शुभ ग्रहसे दृष्ट हो तो सर्वारिष्ट नाश करता है।

८—कर्क, मेप और वृप राशि लग्न हो तथा लग्नमे राहु हो तो अरिष्ट भग होता है।

९—सभी ग्रह १।२।४।५।७।८।१०।११ स्थानोमे गये हो तो अरिष्ट-नाश होता है।

१०—पूर्ण चन्द्रमा शुभग्रहकी राशिका हो तो अरिष्टभग होता है।

११—शुभग्रहके वर्गमे गया हुआ चन्द्रमा ६।८ स्थानमें स्थित हो तो सर्वारिष्टनाश होता है।

१२—चन्द्र और जन्म-लग्नको शुभग्रह देखते हो तो अरिष्ट भग होता है।

१३—शुभग्रहकी राशिके नवांशमे गया हुआ चन्द्रमा १।४।५।७।९।१० स्थानोंमे स्थित हो और शुक्र उसको देखता हो तो सर्वारिष्ट नाश होता है।

१४—वलवान् शुभग्रह १।४।७।१० स्थानोंमे स्थित हो और ग्यारहवें भावमे सूर्य हो तो सर्वारिष्ट नाश होता है।

१५—लग्नेश वलवान् हो और शुभग्रह उसे देखते हो तो अरिष्टनाश होता है।

१६—मगल, राहु और शनि ३।६।११ स्थानोंमे हो तो अरिष्टनाशक होते है।

१७—वृहस्पति १।४।७।१० स्थानोंमे हो या अपनी राशि ९।१२ मे हो अथवा उच्च राशिमे हो तो सर्वारिष्टनाशक होता है।

१८—सभी ग्रह १।३।५।७।९।११ राशियोमे स्थित हो तो अरिष्ट-नाशक होते है।

१९—सभी ग्रह मित्रग्रहोकी राशियोमे स्थित हो तो अरिष्टनाश होता है।

२०—सभी ग्रह शुभग्रहोके वर्गमें या शुभग्रहोके नवांशमे स्थित हो तो अरिष्टनाशक होते है।

जारज योग

१—१।४।७।१० स्थानोंमे कोई भी ग्रह नही हो, सभी ग्रह २।६।८।१२ स्थानमे स्थित हो, केन्द्रके स्वामीका तृतीयेशके साथ योग हो, छठे या आठवें स्थानका स्वामी चन्द्र-मगलसे युक्त होकर चतुर्थ स्थानमे स्थित हो, छठे और नौवें स्थानके स्वामी पापग्रहोसे युक्त हो, द्वितीयेश, तृतीयेश, पचमेश और षष्ठेश लग्नमे स्थित हो, लग्नमे पापग्रह, सातवेंमे शुभ-

गह और दसवें भावमें शनि हो, लग्नमे चन्द्रमा, पचम स्थानमे शुक्र और तीसरे स्थानमें भौम हो, लग्नमें सूर्य, चतुर्थमे राहु हो, लग्नमें राहु, मगल और सप्तम स्थानमे सूर्य, चन्द्रमा स्थित हो, सूर्य, चन्द्र दोनो एक राशिमे स्थित हो और उनको गुरु नही देखता हो एव सप्तमेश धनस्थानमे पापग्रहसे युक्त और भौमसे दृष्ट हो तो जातक जारज होता है।

बधिर योग

१—शनिसे चतुर्थ स्थानमे बुध हो और षष्ठेश ६।८।१२वें भावमें स्थित हो।

२—पूर्ण चन्द्र और शुक्र ये दोनो शत्रुग्रहसे युक्त हो।

३—रात्रिका जन्म हो, लग्नसे छठे स्थानमें बुध और दसवें स्थानमें शुक्र हो।

४—बारहवें भावमे बुध, शुक्र दोनो हो।

५—३।५।९।११ भावोमे पापग्रह हो और शुभग्रहोकी दृष्टि इनपर नही हो।

६—षष्ठेश ६।१२वें स्थानमें हो और शनिकी दृष्टि न हो।

मूक योग

१—कर्क, वृश्चिक और मीन राशिमे गये हुए बुधको अमावस्याका चन्द्रमा देखता हो।

२—बुध और षष्ठेश दोनो एक साथ स्थित हो।

३—गुरु और षष्ठेश लग्नमे स्थित हो।

४—वृश्चिक और मीन राशिमे पापग्रह स्थित हो एव किसी भी राशिके अन्तिम अंशोंमें व वृष राशिमें चन्द्र स्थित हो और पापग्रहोसे दृष्ट हो तो जीवन-भरके लिए मूक तथा शुभग्रहोसे दृष्ट हो तो पाँच वर्षके उपरान्त बालक बोलता है।

५—क्रूरग्रह सन्धिमें गये हो, चन्द्रमा पापग्रहोसे युक्त हो तो भी गूँगा होता है।

६—शुक्लपक्षका जन्म हो और चन्द्रमा, मगलका योग लग्नमे हो।

७—कर्क, वृश्चिक और मीन राशिमे गया हुआ बुध, चन्द्रसे दृष्ट हो, चौथे स्थानमें सूर्य हो और छठे स्थानको पापग्रह देखते हो।

८—द्वितीय स्थानमे पापग्रह हो और द्वितीयेश नीच या अस्तगत होकर पापग्रहोसे दृष्ट हो एव रवि, बुधका योग सिह राशिमे किसी भी स्थानमे हो।

९—सिह राशिमे रवि, बुध दोनो एक साथ स्थित हो तो जातक मूक होता है।

नेत्ररोगी योग

१—वक्रगतिस्थ ग्रहकी राशिमे छठे स्थानका स्वामी हो तो नेत्ररोगी होता है।

२—लग्नेश ३।६।१।८ राशियोमे हो और बुध, मगल देखते हो। लग्नेश तथा अष्टमेश छठे स्थानमें हो तो बाये नेत्रमें रोग होता है।

३—छठे और आठवें स्थानमें शुक्र हो तो दक्षिण नेत्रमे रोग होता है।

४—धनेश शुभग्रहसे दृष्ट हो एव लग्नेश पापग्रहसे युक्त हो तो सरोग नेत्र होते है।

५—दूसरे और बारहवें स्थानके स्वामी शनि, मगल और गुलिकसे युक्त हो तो नेत्रमें रोग होता है।

६—नेत्र स्थान २।१२ के स्वामी तथा नवाशका स्वामी पापग्रहकी राशिके हो तो नेत्ररोगसे पीडित होता है।

७—लग्न तथा आठवें स्थानमे शुक्र हो और उसपर क्रूरग्रहकी दृष्टि हो तो नेत्ररोगसे पीडित होता है।

८—शयनावस्थामे गया हुआ मगल लग्नमे हो तो नेत्रमे पीडा होती है।

९—शुक्रसे ६।८।१२वें स्थानमे नेत्र-स्थानका स्वामी हो तो नेत्ररोगी होता है।

१०—पापग्रहसे दृष्ट सूर्य ५।९ मे हो तो निस्तेज नेत्र होते है।

११—चन्द्रसे युक्त शुक्र ६।८।१२वें स्थानमे स्थित हो तो निशान्ध—रतौंधी रोगसे पीडित होता है।

१२—नेत्र-स्थान (२।१२) के स्वामी शुक्र, चन्द्रसे युक्त हो लग्नमे स्थित हो तो निशान्ध योग होता है।

१३—मगल या चन्द्रमा लग्नमे हो और शुक्र, गुरु उसे देखते हो या इन दोनोमे कोई एक ग्रह देखता हो तो जातक काना होता है।

१४—सिह राशिका चन्द्रमा सातवें स्थानमे मगलसे दृष्ट हो या कर्क राशिका रवि सातवें स्थानमें मगलसे दृष्ट हो तो जातक काना होता है।

१५—चन्द्र और शुक्रका योग सातवें या बारहवें स्थानमे हो तो बायीं आँखका काना होता है।

१६—बारहवें भावमे मगल हो तो वाम नेत्रमे एव दूसरे स्थानमें शनि हो तो दक्षिण नेत्रमे चोट लगती है।

१७—लग्नेश और धनेश ६।८।१२वें भावमे हो और चन्द्र, सूर्य सिंह राशिके लग्नमे स्थित हो तथा शनि इनको देखता हो तो नेत्र ज्योतिहीन होते है।

१८—लग्नेश सूर्य, शुक्रसे युत होकर ६।८।१२वें स्थानमे गया हो, नेत्र स्थान (२।१२) के स्वामी और लग्नेश ये दोनों सूर्य, शुक्रसे युत होकर ६।८।१२वें स्थानमें हो तो जन्मान्ध जातक होता है।

१९—चन्द्र-मगलका योग ६।८।१२वें स्थानमे हो तो गिरनेसे जातक अन्धा होता है। गुरु और चन्द्रमाका योग ६।८।१२वें भावमे हो तो ३० वर्षकी आयुके पश्चात् अन्धा होता है।

२०—चन्द्र और सूर्य दोनो तीसरे स्थानमे अथवा १।४।७।१०वें स्थानमे हो या पापग्रहकी राशिमे गया हुआ मगल १।४।७।१०वें स्थानमे हो तो रोगसे अन्धा होता है।

२१—मकर या कुम्भका सूर्य ७वें स्थानमे हो या शुभग्रह ६।८।१२वें स्थानमे गये हो और उनको क्रूरग्रह देखते हो तो जातक अन्धा होता है।

२२—शुक्र और लग्नेश ये दोनो दूसरे और वारहवे स्थानके स्वामीसे युक्त हो और ६।८।१२वे स्थानमे स्थित हो तो जातक अन्धा होता है।

२३—चौथे, पाँचवेंमे पापग्रह हो या पापग्रहसे दृष्ट चन्द्रमा ६।८।१२वें स्थानमे हो तो जातक २५ वर्षकी आयुके वाद काना होता हैं।

२४—चन्द्र और सूर्य दोनो शुभग्रहोसे अदृष्ट होते हुए बारहवें स्थानमे स्थित हो या सिह राशिका शनि या शुक्र लग्नमे हो तो जातक मध्यावस्थामे अन्धा होता हैं।

२५—शनि, चन्द्र, सूर्य ये तीनो क्रमश १२।२।८ मे स्थित हो तो नेत्रहीन तथा छठे स्थानमें चन्द्र, आठवेमे रवि और मगल वारहवेंमे हो तो वात और कफ रोगसे जातक अन्धा होता है।

सुख विचार—लग्नेश निर्बल होकर ६।८।१२वें भावमे हो तो सुखकी कमी तथा ६।८।१२वें भावोके स्वामी कमज़ोर होकर लग्नमे बैठे हो तो सुखकी कमी समझना चाहिए। षष्ठेश और व्ययेश अपनी राशिमे हो तो भी जातकको सुखका अभाव या अल्पसुख होता है। लग्नेशके निर्बल होनेसे शारीरिक सुखोका अभाव रहता है। लग्नमे क्रूरग्रह शनि और मगलके रहनेसे शरीर रोगी रहता है।

साहस विचार—लग्नेश वलवान् हो या ३।६।११वें भावोमे क्रूरग्रहोकी राशियाँ हो तो जातक साहसी अन्यथा साहसहीन होता है।

नौकरी योग—व्ययेश १।२।४।५।९।१० भावोंमें-से किसी भी भावमें हो तो नौकरी योग होता है। इस योगके होनेपर ३।६।११ भावोंमे सौम्य ग्रह—बलवान् चन्द्रमा, बुध, गुरु, शुक्र, केतु हो या इन ग्रहोंकी राशियाँ हो तो दीवानी महकमेकी नौकरीका योग होता है। ३।६।११ भावोंमें क्रूर-ग्रहोंकी राशियाँ हों और इन भावोंमे-से किसी भी भावमें स्वगृही ग्रह हो तो पुलिस अफसरका योग होता है। ३।६।११ भावोंमें-से किन्हीं भी दो भावोंमें क्रूरग्रहोंकी राशियाँ हों और शेष स्थानोंमे सौम्य ग्रहोंकी राशियाँ हों, तथा इन स्थानोंमे भी कोई ग्रह स्वगृही हो और लग्नेश बलवान् हो तो जज या न्यायाधीशका योग होता है। ३।६।११ भावोंमे क्रूर ग्रहोंकी राशियाँ हों और इन भावोंमे कोई ग्रह उच्चका हो तो मजिस्ट्रेट होनेका योग होता है।

राज योग

जिस जन्मकुण्डलीमे तीन अथवा चार ग्रह अपने उच्च या मूल-त्रिकोणमें बली हो तो प्रतापशाली व्यक्ति मन्त्री या राज्यपाल होता है। जिस जातकके पाँच अथवा छह ग्रह उच्च या मूलत्रिकोणमे हों तो वह दरिद्रकुलोत्पन्न होनेपर भी राज्यशासनमे प्रमुख अधिकार प्राप्त करता है।

पापग्रह उच्च स्थानमे हो अथवा ये ही ग्रह मूलत्रिकोणमें हो तो व्यक्तिको शासन-द्वारा सम्मान प्राप्त होता है।

जिस व्यक्तिके जन्मसमय मेष लग्नमे चन्द्रमा, मंगल और गुरु हों अथवा इन तीनों ग्रहोंमें-से दो ग्रह मेष लग्नमें हों तो निश्चय ही वह व्यक्ति शासनमें अधिकार प्राप्त करता है। मेष लग्नमें उच्चराशिके ग्रहों-द्वारा दृष्ट गुरु स्थित होनेसे शिक्षामन्त्री पद प्राप्त होता है। मेषलग्नमे उच्चका सूर्य हो, दशममे मंगल हो और नवमभावमें गुरु स्थित हो तो व्यक्ति प्रभावक मन्त्री या राज्यपाल होता है।

गुरु[1] अपने उच्च (कर्क) मे तथा मगल मेषमें होकर लग्नमें स्थित हो अथवा मेप लग्नमे ही मगल और गुरु दोनो हो तो व्यक्ति गृहमन्त्री अथवा विदेशमन्त्री पदको प्राप्त करता है। मेप लग्नमे जन्मग्रहण करनेवाला व्यक्ति निर्बल ग्रहोके होनेपर पुलिस अधिकारी होता है। यदि इस लग्नके व्यक्तिकी कुण्डलीमें क्रूर ग्रह—शनि, रवि और मगल उच्च या मूलत्रिकोणके हो और गुरु नवम भावमे हो तो रक्षामन्त्रीका पद प्राप्त होता है।

एकादश भावमे चन्द्रमा,[2] शुक्र और गुरु हो, मेपमे मगल हो, मकरमे शनि हो और कन्यामे बुध हो तो व्यक्तिको राजाके समान सुख प्राप्त होता है। उक्त प्रकारकी ग्रहस्थितिमे मेप या कन्या लग्नका होना आवश्यक है।

कर्क लग्न हो और उसमे पूर्ण चन्द्रमा स्थित हो, सप्तम भावमे बुध हो; षष्ठ भावमे सूर्य हो, चतुर्थमे शुक्र, दशममे गुरु और तृतीय भावमे शनि-मगल हो तो जातक शासनाधिकारी होता है। दशम भावमे मगल और गुरु एक साथ हो और पूर्ण चन्द्रमा कर्क राशिमे अवस्थित हो तो जातक मण्डलाधिकारी या अन्य किसी पदको प्राप्त करता है।

जन्म-समयमे वृप लग्न हो और उसमे पूर्ण चन्द्रमा स्थित हो तथा कुम्भमे शनि, सिंहमे सूर्य एव वृश्चिकमे गुरु हो तो अधिक सम्पत्ति, वाहन

---

१ स्वोच्चे गुरावबनिजे क्रियगे विलग्ने, मेषोदये च सकुजे वचसामधीशे।
भूपो भवेदिह स यस्य विपक्षसैन्य तिष्ठेन्न जातु पुरत· सचिवा वयस्याः॥
—सारावली, बनारस, सन् १९५३, राजयोगाध्याय, श्लो० ८

२ निशाभर्ता चाये भृगुतनयदेवेड्यसहित.,
कुज. प्राप्त स्वोच्चे मृगमुखगत सूर्यतनय.।
विलग्ने कन्याया शिशिरकरसूनुर्यदि भवेत्,
तदावश्य राजा भवति बहुविज्ञानकुशल॥
—वही, श्लो० ९

एव प्रभुताकी उपलब्धि होती है। जन्मकुण्डलीमे उच्चराशिका चन्द्रमा और मगल शासनाधिकारी बनाते हैं।

जन्मस्थानमें मकर लग्न हो और लग्नमे शनि स्थित हो तथा मीनमे चन्द्रमा, मिथुनमे मगल, कन्यामे बुध एव धनुमे गुरु स्थित हो तो जातक प्रतापशाली शासनाधिकारी होता है। यह उत्तम राजयोग है। मीन लग्न होनेपर लग्नस्थानमे चन्द्रमा, दशममे शनि और चतुर्थमें बुधके रहनेसे एम० एल० ए० का योग बनता है। यदि उक्त योगमे दशम स्थानमें गुरु हो और उसपर उच्चग्रहकी दृष्टि हो तो एम० पी० का योग बनता है।

जातककी मीन लग्न[2] हो और लग्नमे चन्द्रमा, मकरमे मगल, सिंहमे सूर्य और कुम्भमे शनि स्थित हो तो वह उच्च शासनाधिकारी होता है। मकर लग्नमे मगल और सप्तम भावमे पूर्ण चन्द्रमाके रहनेसे जातक विद्वान् शासनाधिकारी होता है। यदि स्वोच्च स्थित[3] सूर्य चन्द्रमाके साथ लग्नमें स्थित हो तो जातक महनीय पद प्राप्त करता है। यह योग ३२ वर्षकी अवस्थाके अनन्तर घटित होता है। उच्च राशिका सूर्य मगलके साथ रहनेसे जातक भूमि प्रबन्धके कार्योमें भाग लेता है। खाद्यमन्त्री या भूमि-

---

१ मृगे मन्दे लग्ने कुमुदवनबन्धुश्च तिमिग-
स्तथा कन्यां त्यक्त्वा बुधभवनसंस्थः कुतनयः।
स्थितो नार्यां सौम्यो धनुषि सुरमन्त्री यदि भवेत्,
तदा जातो भूपः सुरपतिसमः प्राप्तमहिमा॥
—सारावली, राजयोगाध्याय, श्लो० ३२

२ उदयति नाने राशिनि नरेन्द्रः सकलकलाढ्यः शिशिरसुत उच्चे।
मृगगतिमस्थे दशमगतरम्यो रुधरगे स्यात्सितकरपुत्रे॥—वही, श्लो० ३३

३. कर्क्युच्चस्थोऽर्धदिनकृद्धनाधारार्या.न.
स्थितस्सा ह्यनप मकरनयनानन्दजनकः।
सूर्यः [illegible] नयनजलमिश्रोऽपि सकल
रिपुस्त्रीणा कान्तिर्जगति हृदयेऽन्यत्र मुनराम्॥ —वही, श्लो० ३५

सुधार मन्त्री होनेके लिए जन्म-कुण्डलीमे मंगल या शुक्रका उच्च होना या मूलत्रिकोणमे स्थित रहना आवश्यक है।

तुला राशिमें शुक्र, मेष राशिमे मगल और कर्क राशिमें गुरु स्थित हो तो राज योग होता है। इस योगके होनेसे प्रादेशिक शासनमे जातक भाग लेना है और उसका यश सर्वत्र व्याप्त रहता है। मकर जन्मलग्न-वाला जातक तीन उच्चग्रहोके रहनेसे राजमान्य होता है।

धनुमें चन्द्रमासहित गुरु हो, मगल मकर राशिमें स्थित हो अथवा बुध अपने उच्चमे स्थित होकर लग्नगत हो तो जातक शासनाधिकारी या मन्त्री होता है। धनुके पूर्वार्द्धमे सूर्य और चन्द्रमा तथा स्वोच्चगत शनि लग्नमे स्थित हो और मगल भी स्वोच्चमे हो तो जातक महाप्रतापी अधि-कारी होता है।

सब ग्रह बली होकर[१] अपने-अपने उच्चमे स्थित हो और अपने मित्रसे दृष्ट हो तथा उनपर शत्रुकी दृष्टि न हो तो जातक अत्यन्त प्रभावशाली मन्त्री होता है। चन्द्रमा परमोच्चमे स्थित हो और उसपर शुक्रकी दृष्टि हो तो जातक निर्वाचनमे सर्वदा सफल होता है। इस योगके होनेपर पाप ग्रहोका आपोक्लिम स्थानमे रहना आवश्यक है।

जन्मलग्नेश और जन्मराशीश दोनो केन्द्रमें हो तथा शुभग्रह और मित्रसे दृष्ट हो, शत्रु और पापग्रहोकी दृष्टि न हो तथा जन्मराशीशसे नवम स्थानमें चन्द्रमा स्थित हो तो राजयोग होता है। इस योगमें जन्म लेनेवाला व्यक्ति एम० एल० ए० या एम० पी० बनता है।

---

१. अत्युच्चस्था रुचिरवपुषः सर्व एव ग्रहेन्द्रा
मित्रैर्दृष्टा यदि रिपुदृशा गोचरं न प्रयाताः।
कुर्युर्नूनं प्रसभमरिभिर्गर्जितैर्वारणाग्र्यैः
सेनाश्वीयैश्चलति चलितैर्यस्य भूः पार्थिवेन्द्रम्॥ —वही श्लो० ३२

यदि पूर्ण चन्द्रमा[1] जलचर राशिके नवांशमें चतुर्थ भावमे स्थित हो और शुभ-ग्रह अपनी राशिके लग्नमे हो तथा केन्द्र स्थानोमे पापग्रह न हो तो जातक शासनाधिकारी होता है। इस योगमे जन्म ग्रहण करनेवाला व्यक्ति गुप्तचर या राजदूतके पदपर प्रतिष्ठित होता है।

बुध अपने उच्च[2]में स्थित होकर लग्नमे हो और मीन राशिमें गुरु एव चन्द्रमा स्थित हो तथा मगलसहित शनि मकरमे हो और मिथुनमें शुक्र हो तो जातक शासनके प्रबन्धमे भाग लेता है। उक्त योगके होनेसे निर्वाचन कार्यमें सर्वदा सफलता प्राप्त होती है। उक्त योग पचास वर्षकी अवस्थामें ही अपना यथार्थ फल देता है।

मेष लग्न[3] हो, सिंहमें सूर्यसहित गुरु, कुम्भमे शनि, वृषमें चन्द्रमा, वृश्चिकमे मगल एव मिथुनमें बुध स्थित हो तो राजयोग बनता है। इस प्रकारके योगके होनेसे व्यक्ति किसी आयोगका अध्यक्ष होता है।

गुरु, बुध और शुक्र ये तीनो शनि, रवि और मगलसहित अपने-अपने स्थान या केन्द्रमे हो और चन्द्रमा स्वोच्चमे स्थित हो तो जातक इजीनियर या इसी प्रकारका अन्य अधिकारी होता है। यह योग जितना प्रबल होता है, उसका फलादेश भी उतना ही अधिक प्राप्त होता है।

यदि शुक्र, गुरु और बुधको पूर्ण चन्द्रमा देखता हो, लग्नेश पूर्ण बली

---

१. उदकचरनवांशके सुखस्थ कमलरिपु सकलाभिराममूर्त्ति।
उदयति विहगे शुभे स्वलग्ने भवति नृपो यदि केन्द्रगा न पापा॥
—सारावली, राज० श्लो० २६

२. बुधे स्वोच्चे लग्ने तिमियुगलगौ वाक्पतिशशिनौ,
मृगे मन्दः सारो मिथुनगृहगो दानवसुहृत्।
य एवं कुमारस्स क्षितिभृदधिपत्यध्वसनिरतो,
निरालोकं लोकं चलितगजसंघातरचना॥ —वही, श्लो० २२

३ कार्मुके विदगनायकनन्दो भानुजो वृश्चिके चन्द्रसमेतः।
लग्नगस्तु तपनो यदि लग्ने भूपतिर्भवति सोऽतुलकान्तः॥ —वही, श्लो० २४

हो तथा द्विस्वभाव लग्नमें वर्गोत्तम नवांश हो तो राज योग होता है। इस योगके होनेसे जातक सरकारी उच्चपद प्राप्त करता है।

वर्गोत्तम नवांशमें तीन या चार ग्रह हो और शुभ ग्रह केन्द्रमे स्थित हो तो जातक उच्चपद प्राप्त करता है। सेनापति होनेका योग भी उक्त ग्रहोंसे बनता है। एक भी ग्रह अपने उच्च या वर्गोत्तम नवांशमे हो तो व्यक्तिको राजकर्मचारीका पद प्राप्त होता है।

यदि समस्त ग्रह शीर्षोदय[1] राशियोमे स्थित हो तथा पूर्ण चन्द्रमा कर्क राशिमे शत्रुवर्गसे भिन्न वर्गमें शुभ ग्रहसे दृष्ट लग्नमे स्थित हो तो व्यक्ति धन-वाहनयुक्त शासनाधिकारी होता है।

जन्मराशीश चन्द्रमासे उपचय—३, ६, १०, ११ मे हो और शुभ राशि या शुभ नवांशमे केन्द्रगत शुभग्रह हो तथा पापग्रह निर्बल हो तो प्रतापी शासनाधिकारी होता है। इसके समक्ष बडे-बडे प्रभावक व्यक्ति नतमस्तक होते हैं।

जिस ग्रहकी उच्च राशि लग्नमे हो, वह ग्रह यदि अपने नवांश या मित्र अथवा उच्चके नवांशमें केन्द्रगत शुभग्रहसे दृष्ट हो तो जन्मकुण्डलीमे राजयोग होता है। मकरके उत्तरार्द्धमे बलवान् शनि, सिंहमे सूर्य, तुलामें शुक्र, मेषमें मंगल, कर्कमें चन्द्रमा और कन्यामें बुध हो तो राजयोग बनता है। इस योगके होनेसे जातक प्रभावशाली शासक होता है। राजनीतिमें उसकी सर्वदा विजय होती है।

लग्नेश केन्द्रमें अपने मित्रोंसे दृष्ट हो और शुभ ग्रह लग्नमें हो तो जातकको कुण्डलीमें राजयोग होता है। इस योगके होनेसे न्यायाधीशका

---

१ शीर्षोदयर्क्षेषु गता. समस्ता नो चारिवर्गे स्वगृहे शशाङ्क ।
सौम्येक्षितोऽन्यूनकलो विलग्ने दद्यान्महीं रत्नगजाश्वपूर्णाम् ॥

—वही, श्लो० ३०

पद प्राप्त होता है। वृष लग्न[1] हो और उसमें गुरु तथा चन्द्रमा स्थित हो, बली लग्नेश त्रिकोणमें हो तथा उसपर बलवान् रवि, शनि एवं मंगल-की दृष्टि न हो तो सर्वदा चुनावमें विजय प्राप्त होती है। उक्त ग्रहवाले व्यक्तिको कभी भी कोई चुनावमें पराजित नहीं कर सकता है।

जन्मके समयमें सब ग्रह अपनी राशि, अपने नवांश या उच्च नवांशमें मित्रोंसे दृष्ट हों तथा चन्द्रमा पूर्ण बली हो तो जातक उच्च पदाधिकारी होता है। उक्त ग्रहयोगके होनेसे राजदूतका पद भी प्राप्त होता है।

वर्गोत्तम नवांशगत उच्च राशि स्थित पूर्ण चन्द्रमाको जो-जो शुभग्रह देखता है, उसकी महादशा या अन्तर्दशामें मन्त्रीपद प्राप्त होता है। यदि जन्मलग्नेश और जन्मराशीश बली होकर केन्द्रमें स्थित हों और जलचर राशिगत चन्द्रमा त्रिकोणमें हो तो जातक राज्यपालका पद प्राप्त करता है। जन्मसमयमें[2] सब ग्रह अपनी राशिमें, मित्रके नवांश या मित्रकी राशिमें तथा अपने नवांशमें स्थित हों तो जातक आयोगाध्यक्ष होता है। उक्त योग भी राजयोग है, इसके रहनेसे सम्मान, वैभव एवं धन प्राप्त होता है।

जन्मकुण्डलीमें समस्त ग्रह अपने-अपने परमोच्चमें हों और बुध अपने उच्चके नवांशमें हो तो जातक चुनावमें विजयी होता है तथा उसे राज-नीतिमें यश एवं उच्चपद प्राप्त होता है। उक्त ग्रहके रहनेसे राष्ट्रपतिका

---

१ सुरपतिगुरुः सेन्दुर्लग्ने वृषे समवस्थितो,
यदि तनुपो लग्नेशश्च त्रिकोणगृहं गतः।
रविशनिकुजैर्बलाधिपैर्न युक्तनिरीक्षितो,
भवति स नृपः कीर्त्या युक्तो हताखिलकण्टकः॥ —मा०, रा० श्लो० ३६

२ स्वर्क्षे मित्रभागेषु स्वांशे वा मित्रराशिषु।
कुर्वन्ति च नरं मन्त्री सार्वभौमं नराधिपम्॥
परमोच्चगताः सर्वे स्वोच्चांशे यदि सोमजः।
धर्मात्माधिपतिं कुर्युः संवदानवदिम्भन्॥ —वही, पद्य ४३-४४

पद भी प्राप्त होता है। चतुर्थ भावमें सप्तर्षि गत नक्षत्र, लग्नमे गुरु, सप्तममे शुक्र, दशममे अगस्त्य नक्षत्र हो तो भी राष्ट्रपतिका पद प्राप्त होता है।

पूर्ण चन्द्रमा अपने नवांश अथवा अपनी राशि या स्वोच्च राशिमें हो तथा बृहस्पति केन्द्रमें शुक्रसे दृष्ट हो और लग्नमे स्थित होकर अपने नवांशको देखता हो तो राष्ट्रपतिका पद प्राप्त होता है। पूर्ण चन्द्रमापर सब ग्रहोकी दृष्टि हो तो जातक दीर्घजीवी होता है और अधिक समय तक शासनाधिकारका उपभोग करता है।

उच्चाभिलाषी[1]—मीनके अन्तिम अंशस्थ सूर्य यदि त्रिकोणमे हो, चन्द्रमा कर्कमे हो तथा बृहस्पति भी यदि कर्कमे हो तो जातक राज्यपाल या मन्त्री होता है। यदि छह ग्रह निर्मलकिरणयुक्त सबल होकर अपने नवांशमें स्थित हो तो मण्डलाधिकारी होनेका योग होता है।

यदि समस्त शुभग्रह बलवान्, परिपूर्ण किरण होकर लग्नमे स्थित हो और पापग्रह अस्त होकर उनके साथ न हो तो जातक प्रतिष्ठित पद प्राप्त करता है। इस योगके होनेसे सम्मान अत्यधिक प्राप्त होता है।

समस्त शुभ[2] ग्रह पणफर स्थानमें हो और पापग्रह द्विस्वभाव राशिमें हो तो जातक रक्षामन्त्री होता है। लग्नेश[3] लग्नमे हो अथवा मित्रकी राशिमें मित्रसे दृष्ट हो तो जातक राज्यमे किसी उच्चपदको प्राप्त करता है। यदि उक्त योगमें शुभ राशि लग्नमे हो तो जातकको शिक्षामन्त्रीका पद प्राप्त होता है।

---

१ उच्चाभिलाषी सविता त्रिकोणे स्वर्क्षे शशी जन्मनि यस्य जन्तोः।
न शास्ति पृथ्वीं बहुरत्नपूर्णां बृहस्पतिः कर्कटके यदि स्यात्॥
—सा० रा०, श्लो० ४८

२. शुभपणफरगाः शुभप्रदा उभयगृहे यदि पापसंश्रयाः।
स्वभुजहतरिपुर्महीपतिः सुरगुरुतुल्यमतिः प्रकीर्त्तितः॥ —वही, श्लो० ५१

३ विलग्ननाथः खलु लग्नसस्थः सुहृद्गृहे मित्रदृशा यदि स्थितः।
करोति नाथं पृथिवीतलस्य दुर्वारवैरिघ्नमहोदये शुभे॥ —वही, ५२

पूर्ण चन्द्रमा यदि मेष राशिके नवांशमें स्थित हो और उसपर गुरुकी दृष्टि हो, अन्य ग्रहोंकी दृष्टि न हो तथा कोई भी ग्रह बीचमें न हो तो जातक शासनाधिकारी होता है। पूर्ण चन्द्रमा लग्नसे ३, ६, १०, ११वें स्थानोंमें गुरुसे दृष्ट हो अथवा चन्द्रराशीश १० या ७वें भावमें गुरुसे दृष्ट हो तथा अन्य किसी भी ग्रहकी दृष्टि न हो तो जातककी कुण्डलीमें राजयोग होता है। इस योगके होनेसे व्यक्ति राजनीतिमें सफलता प्राप्त करता है।

पूर्ण चन्द्रमा[1] उच्चमें हो और उसके ऊपर शुभ ग्रहोंकी दृष्टि हो तो राजयोग होता है। पूर्ण चन्द्रमा सूर्यके नवांशमें हो और समस्त शुभग्रह केन्द्रमें हों तथा पापग्रहोंका योग न हो तो भी राजयोग होता है। चन्द्र, बुध और मंगल उच्चस्थान या अपने-अपने नवांशमें हों तथा ये तृतीय और द्वादश भावमें स्थित हों और चन्द्रमासहित गुरु पंचम भावमें स्थित हो तो जातक प्रतापी मन्त्री होता है। कोई भी तीन ग्रह अपने उच्च, नवांश या स्वराशिमें स्थित हों और उनपर शुभग्रहकी दृष्टि हो तो जातक एम० एल० ए० होता है। तीन शुभग्रहोंके उच्चराशिस्थ होनेपर जातकको मन्त्रीपद प्राप्त होता है। गुरु और चन्द्रमाके उच्च होनेपर शिक्षामन्त्री तथा मंगल, गुरु और चन्द्रमा इन तीनोंके उच्च होनेपर मुख्यमन्त्रीका पद प्राप्त होता है। चार ग्रहोंके उच्च होनेपर केन्द्र या अन्य बड़ी सभामें उच्चपद प्राप्त होता है।

यदि जन्मसमयमें सभी ग्रह योगकारक हों तो जातक राष्ट्रपति होता है। दो-तीन ग्रहोंके योगकारक होनेसे राज्यपाल होनेका योग आता है। एक ग्रह भी अपने पंचमांशमें हो तो एम० एल० ए० का योग बनता है। वृष राशिस्थ चन्द्रमाको जन्मसमयमें बृहस्पति देखता हो तो जातक समस्त

१ कुमुदगहनबन्धुः श्रेष्ठमंशं प्रपन्नो यदि बलसमुपेतं पश्यति व्योमचारी।
उदगमवनमस्य पापसङ्गो न चेद् भवति मनुजनाथः सार्वभौमः सुदेवः॥

—वही, श्लो० ५६

पृथिवीका शासक होता है और राजनीतिमे उसकी कीर्ति वढती है।

अपने उच्च, त्रिकोण या स्वराशिमे स्थित होकर कोई भी ग्रह चन्द्रमाको देखता हो तो मन्त्रीपद प्राप्त करनेमे कठिनाई नही होती। उक्त योग राजयोग कहा जाता है और इसके रहनेसे व्यक्ति राजनीतिमे सफलता प्राप्त करता है।

यदि चन्द्रमा अपनी राशि या द्रेष्काणमे स्थित हो तो व्यक्ति मण्डल-पति होता है। शुभग्रहोके पूर्ण वलवान् होनेपर यह योग अधिक शक्ति-शाली होता है। जन्मसमयमे सूर्य अपने नवाशमे और चन्द्रमा अपनी राशिमे स्थित हो तो जातक महादानी और उच्च पदाधिकारी होता है।

लग्नमे शनि और सप्तम भावमें नवोदित वृहस्पति हो और उसपर शुक्रकी दृष्टि हो तो व्यक्ति मुखिया होता है। पंचायतका प्रधान भी वनता है। शुक्र, रवि, चन्द्रमा तीनो एक स्थानमें गुरुसे दृष्ट हो तो व्यक्ति गाँव-का मुखिया होता है और उसका सम्मान सर्वत्र किया जाता है।

शुक्र, वुध और मगल ये तीनो ग्रह लग्नमे स्थित हो और चन्द्रमासे युक्त ग्रह सप्तम भावमे हो तथा उनपर शनिकी दृष्टि हो तो जातक यशस्वी शासक वनता है। पूर्ण वली वृहस्पति मगलके नवाशमे हो और उसपर मगलकी ही दृष्टि हो तथा मेप स्थित सूर्य दशम भावमे स्थित हो तो जातक मन्त्रीपद प्राप्त करता है। भूमिका प्रवन्ध एव भूमिसे आमदनी-की व्यवस्था भी उक्त योगवाला करता है। इजीनियर वननेवाले योगोमे भी उक्त योगकी गणना की गयी है।

शुक्र, चन्द्र और रवि तृतीय भावमे हो, मगल सप्तम भावमे स्थित हो, गुरु नवममें स्थित हो और लग्नमे वर्गोत्तम नवाश स्थित हो तो जातक मन्त्री होता है। यह योग गुरुकी महादशा और मगलकी अन्तर्दशामे घटित होता है। जन्मसमयमे वुध, गुरु और शुक्र वली होकर नवम भावमें स्थित हो और मित्रग्रहोकी दृष्टि इनपर हो तो जातक उच्च शासना-धिकारी होता है। नवम भावमे तीन या चार उच्चग्रहोके रहनेसे राजनीति-

में पूर्ण सफलता प्राप्त होती है। चन्द्रमा तृतीय या दशम भावमें स्थित हो और गुरु अपने उच्चमें हो तो सर्वसम्पत्तियुक्त शासनाधिकार प्राप्त होता है।

उच्चका गुरु केन्द्रस्थानमे और शुक्र दशम भावमें स्थित हो तो व्यक्ति राजनीतिमें सफलता प्राप्त करता है। चुनावमे उसे सर्वदा विजय मिलती है। पूर्ण चन्द्रमा कर्कमे हो तथा वली, वुध, गुरु और शुक्र अपने नवाशमें स्थित होकर चतुर्थ भावमे हो और इन ग्रहोपर सूर्यकी दृष्टि हो तो साधारण व्यक्ति भी मन्त्रीपद प्राप्त करता है। इस व्यक्तिके तेज एव वौद्धिक प्रखरताके कारण वडे-वडे महानुभाव इससे प्रभावित रहते है और समस्त कार्योमें इसे सफलता प्राप्त होती है। मूलत्रिकोण स्थित सूर्य दशम भावमे हो और शुक्र, गुरु तथा चन्द्र स्वराशिमें स्थित होकर तीसरे, छठे और ग्यारहवें भावोमे स्थित हो तो जातक उच्चश्रेणीका राजनीति-विशारद होता है। उसे चुनावमें स्वय ही सफलता प्राप्त होती है।

वली सूर्य यदि गुरुके साथ अपने उच्चमें स्थित होकर दशम भावमे हो, शुक्र अपने नवाशमे वली होकर नवम भावमें स्थित हो; लग्नमे शुभ-वर्ग या शुभग्रह स्थित हो और उनपर वुधकी दृष्टि हो तो व्यक्ति चुनावमें विजय प्राप्त करता है। इस योगके होनेसे उसे मन्त्रीपद भी प्राप्त होता है। पूर्ण चन्द्रमा वृषमें हो और उसको तुलराशि स्थित शुक्र पूर्ण दृष्टि-से देख रहा हो तथा वुध चतुर्थ भावमे स्थित हो तो जातक एम० एल० ए० होता है। मगल अपने उच्चमे हो और उसपर रवि, चन्द्र एव गुरुकी दृष्टि हो तो जातक उत्तम सुख प्राप्त करता है। उक्त योगके रहनेसे एम० पी० भी जातक होता है। मगल उच्च राशिका दशम भावमे हो तो जातक तेजस्वी होता है। इस प्रकारके मगल योगसे जातक भूमि-व्यवस्थापक भी बनता है।

एक राशिके अन्तरमे छह राशियोमें समस्त ग्रह हो तो चक्रयोग होता है। इसमें जन्म लेनेवाला व्यक्ति मन्त्रीपद प्राप्त करता है। यदि समस्त

ग्रह १०।७।४।१ भावोंमें हो तो नगरयोग होता है। इस योगमें उत्पन्न व्यक्ति निश्चयतः मन्त्रीपद प्राप्त करता है।

समस्त शुभग्रह १।४।७ में हों और मंगल, रवि तथा शनि ३।६।११ भावमें हों तो जातकको न्यायी योग होता है। इस योगमें जन्म लेनेवाला व्यक्ति चुनावमें सर्वदा विजयी होता है। समस्त शुभग्रह ९।११वें भावमें हों तो कलश नामक योग होता है। इस योगवाला व्यक्ति राज्यपाल या राष्ट्रपति होता है।

यदि तीन ग्रह ३।५।११वें भावमें हों, दो ग्रह षष्ठ भावमें और शेष दो ग्रह सप्तम भावमें हों तो पूर्णकुम्भ नामक योग होता है। इस योग-वाला व्यक्ति उच्च शासनाधिकारी अथवा राजदूत होता है।

लग्नमें बलवान् शुभग्रह स्थित हो तथा अन्य शुभग्रह १।२।९वें भावमें स्थित हों और शेष ग्रह ३।६।१०।११वें भावमें स्थित हों तो जातक प्रतिष्ठितपद प्राप्त करता है। स्वराशिस्थ बृहस्पति चतुर्थ भावमें और पूर्ण चन्द्रमा ९वें भावमें तथा शेष ग्रह १।३वें भावमें स्थित हों तो जातक बुद्धिमान्, धनी और वाहनोंसे युक्त होता है।

उच्चराशिका चन्द्रमा लग्नमें, गुरु धन भावमें, शुक्र तुलामें, बुध कन्यामें, मंगल मेषमें और सूर्य सिंह राशिमें स्थित हों तो जातक एम० एल० ए० होता है। चन्द्रमा और रवि दशम भावमें, शनि लग्नमें, गुरु चतुर्थमें और शुक्र, बुध तथा मंगल ११वें भावमें हों तो व्यक्ति अत्यन्त शक्तिशाली मन्त्री होता है।

मकरसे भिन्न लग्नमें बृहस्पति हो तो व्यक्तिको मोटर आदि उत्तम सवारीकी प्राप्ति होती है। लग्नमें मंगल, दशममें शनि-रवि, सप्तममें गुरु, नवममें शुक्र, एकादशमें बुध और चतुर्थ भावमें चन्द्रमा हो तो व्यक्ति यशस्वी शासक होता है। क्षीण चन्द्रमा भी उच्चस्थ हो तो व्यक्तिको राजनीतिमें प्रवीण बनाता है। पूर्ण चन्द्रमा उच्चराशिका होनेपर व्यक्ति-को उत्तम और प्रतिष्ठित पद प्राप्त होता है। अन्य ग्रह बलहीन हों तो भी

केवल चन्द्रमाके शक्तिशाली होनेसे व्यक्तिकी शक्तिका विकास होता है।

गुरु और शुक्र अपने-अपने उच्चमे स्थित होकर १।२।४।७।९।१०।११वें भावमे स्थित हो तो व्यक्ति राज्यपाल होता है। इस योगके रहनेसे जातक मुख्यमन्त्रीका भी पद प्राप्त करता है।

शुभ ग्रह दिग्बल और स्थानबलसे युक्त होकर केन्द्रमे स्थित हो और उनपर पापग्रहकी दृष्टि न हो तो जातक प्रतिष्ठित शासनाधिकारी होता है।

बलवान् गुरु लग्नमें, शुक्लपक्षकी अष्टमीके अनन्तरका चन्द्रमा ११वें भावमे बुधसे दृष्ट हो और चन्द्रमासे द्वितीय स्थानमे सूर्य हो तो जातक मुख्यमन्त्री होता है। वाहन, धन एव वैभव आदि विपुल सामग्री उसे प्राप्त होती है। उच्चका गुरु और चन्द्र मुख्यमन्त्री बनानेवाले योगोंमें सर्व प्रधान है।

मेष लग्नमें रवि, चन्द्र और मगल हो, वृषमें शुक्र, शनि और बुध हो तथा धनुराशिस्थ गुरु नवम भावमें स्थित हो अथवा सूर्य पूर्ण बली होकर अपने परमोच्चमे स्थित हो तो जातक यशस्वी और प्रतापी होता है। राजनीतिमें उसके दाँव-पेंचको समझनेवाले बहुत ही कम व्यक्ति होते हैं।

गुरुसे दृष्ट रवि, चन्द्रमासे दृष्ट शुक्र, मगलसे दृष्ट शनि चर राशियोंमें स्थित हो तो जातक रक्षामन्त्री या गृहमन्त्रीका पद प्राप्त करता है। कन्या लग्नमें बुध, मीनमे गुरु, तृतीय स्थानमें बली मगल, षष्ठ भावमें शनि और चतुर्थ स्थानमें शुक्र स्थित हो तो जातक चुनावमे निश्चयत सफलता प्राप्त करता है। सभी प्रकारके चुनावोमे वह विजयी होता है।

मकर लग्नमे शनि, सप्तममें सूर्य, अष्टममें शुक्र, वृश्चिक राशिमे मगल और कर्क राशिमे चन्द्रमा स्थित हो तो जातक उच्च शासनाधिकार प्राप्त करता है। मकरमें शनि, सप्तममें चन्द्र और गुरु, कन्यामें बुध और शुक्र अथवा कन्यामे स्थित बुध शुक्रद्वारा दृष्ट हो तो जातक मण्डलाधिकारी होता है।

शनि, मगल और रवि ३।६।११वें भावमें स्थित हो, सिंहका गुरु एकादश भावमें स्थित हो और उसपर शुभ ग्रहोकी दृष्टि हो तो जातक शासनाधिकारी होता है।

जन्मसमयमें चन्द्रमा कुम्भके १५वें अंशमे, गुरु धनुके २०वें अशमे; सूर्य या बुध सिंहके १५वें अशमें, चन्द्रमा मकरके ५वे अशमे, गुरु कर्कके ५वे अशमे, मगल मेपके ७वें अश या मिथुनके २१वें अशमें स्थित हो तो जातक राजाके तुल्य प्रतापी होता है। यदि समस्त ग्रह चन्द्रमामे ३।६। १०।११वें भावमे स्थित हो तथा मगलसे गुरु, चन्द्र और सूर्य क्रमश ३।५।९वे स्थानमे स्थित हो तो जातक कुबेरके तुल्य धनी होता है। गुरुसे शनि, सूर्य और चन्द्रमा क्रमश २।४।१०वें स्थानमे स्थित हो और शेप ग्रह ३।११वें भावमें हो तो निश्चयत जातकको शासनाधिकार प्राप्त होता है।

रज्जु योग

सब ग्रह चर राशियोमे हो तो रज्जुयोग होता है। इस योगमे उत्पन्न मनुष्य भ्रमणशील, सुन्दर, परदेश जानेमे सुखी, क्रूर, दुष्टस्वभाव एव स्थानान्तरमे उन्नति करनेवाला होता है।

मुसल योग

समस्त ग्रह स्थिर राशियोमें हो तो मुसल योग होता है। इस योगमे जन्म लेनेवाला जातक मानी, ज्ञानी, धनी, राजमान्य, प्रसिद्ध, बहुत पुत्र-वाला, एम० एल० ए० एव शासनाधिकारी होता है।

नल योग

समस्त ग्रह द्विस्वभाव राशियोमे हो तो नलयोग होता है। इस योग-वाला जातक हीन या अधिक अगवाला, धनसग्रहकारी, अतिचतुर, राज-नैतिक दाव-पेचोमे प्रवीण एव चुनावमे सफलता प्राप्त करता है।

माला योग

बुध, गुरु और शुक्र ४।७।१०वें स्थानमे हो और शेष ग्रह इन स्थानोसे भिन्न स्थानोमे हो तो माला योग होता है। इस योगके होनेसे जातक धनी, वस्त्राभूषण युक्त, भोजनादिसे सुखी, अधिक स्त्रियोसे प्रेम करनेवाला एव एम० पी० होता है। पचायतके निर्वाचनमे भी उसे पूर्ण सफलता मिलती है।

सर्प योग

रवि, शनि और मगल ४।७।१०वें स्थानमे हो और चन्द्र, गुरु, शुक्र और बुध इन स्थानोंसे भिन्न स्थानोमे स्थित हो तो सर्प योग होता है। इस योगके होनेसे जातक कुटिल, निर्धन, दुःखी, दीन, भिक्षाटन करनेवाला, चन्दा मांगकर खा जानेवाला एव सर्वत्र निन्दा प्राप्त करनेवाला होता है।

गदा योग

समीपस्थ दो केन्द्र १।४ या ७।१० मे समस्त ग्रह हो तो गदा नामक योग होता है। इस योगवाला जातक धनी, धर्मात्मा, शास्त्रज्ञ, संगीतप्रिय और पुलिस विभागमे नौकरी प्राप्त करता है। इस योगवाले जातकका भाग्योदय २८ वर्षकी अवस्थामे होता है।

शकट योग

लग्न और सप्तममे समस्त ग्रह हो तो शकट योग होता है। इस योगवाला रोगी, मूर्ख, ड्रायवर, स्वार्थी एव अपना काम निकालनेमें बहुत प्रवीण होता है।

पक्षी योग

चतुर्थ और दशम भावमे समस्त ग्रह हो तो विहग—पक्षी योग होता है। इस योगमे जन्म लेनेवाला जातक राजदूत, गुप्तचर, भ्रमणशील,

ढीठ, कलहप्रिय एव सामान्यत धनी होता है। शुभ ग्रह उक्त स्थानोमे हो और पाप ग्रह ३।६।११वें स्थानमे हो तो जातक न्यायाधीश और मण्डलाधिकारी होता है।

शृंगाटक योग

समस्त ग्रह १।५।९ वें स्थानमे हो तो शृंगाटक योग होता है। इस योगवाला जातक सैनिक, योद्धा, कलहप्रिय, राज कर्मचारी, सुन्दर पत्नीवाला एवं कर्मठ होता है। वीरताके कार्योंमे इसे सफलता प्राप्त होती है। इस योगवालेका भाग्य २३ वर्पकी अवस्थासे उदय हो जाता है।

हल योग

समस्त ग्रह २।६।१०वें स्थान या ३।७।११वे स्थान अथवा ४।८।१२वें स्थानमे हो तो हल योग होता है। इस योगमे जन्म लेनेवाला जातक बहु-भक्षी, दरिद्र, कृपक, दु खी, और भाई-बन्धुओंसे युक्त होता है। कृपि-सम्बन्धी शिक्षामे इस जातकको विशेप सफलता प्राप्त होती है।

वज्र योग

समस्त शुभ ग्रह लग्न और सप्तम स्थानमे स्थित हो अथवा समस्त पापग्रह चतुर्थ और दशम भावमे स्थित हो तो वज्र योग होता है। इस योगवाला बाल्य और वार्धक्य अवस्थामे सुखी, शूर-वीर, सुन्दर, नि स्पृह, मन्द भाग्यवाला, पुलिस या सेनामे नौकरी करनेवाला एव खल प्रकृति-वाला होता है।

यव योग

समस्त पाप ग्रह लग्न और सप्तम भावमे हो अथवा समस्त शुभ ग्रह चतुर्थ और दशम भावमे हो तो यव योग होता है। इस योगवाला जातक व्रत-नियम-सुकर्ममें तत्पर, मध्यावस्थामे सुखी, धन-पुत्रसे युक्त, दाता, स्थिरबुद्धि एव चौबीस वर्पकी अवस्थासे सुख-सम्पत्ति प्राप्त करनेवाला होता है।

कमल योग

समस्त ग्रह १।४।७।१०वें स्थानमे हो तो कमल योग होता है। इस योगका जातक धनी, गुणी, दीर्घायु, यशस्वी, सुकृत करनेवाला, विजयी, मन्त्री या राज्यपाल होता है। कमल योग बहुत ही प्रभावक योग है। इस योगमे जन्म लेनेवाला व्यक्ति शासनाधिकारी अवश्य बनता है। यह सभीके ऊपर शासन करता है। बडे-बडे व्यक्ति उससे सलाह लेते हैं।

वापी योग

समस्त ग्रह केन्द्र स्थानोको छोड पणफर २।५।८।११वें स्थान तथा आपोक्लिम ३।६।९।१२वें भावमे हो तो वापी योग होता है। इस योगमें जन्म लेनेवाला व्यक्ति धनसग्रहमे चतुर, सुखी, पुत्र-पौत्रादिसे युक्त, कला-प्रिय और मण्डलाधिकारी होता है।

यूप योग

लग्नमे लगातार चार स्थानोमे सब ग्रह हो तो यूप योग होता है। इस योगवाला आत्मज्ञानी, यज्ञकर्त्ता, स्त्रीसे सुखी, बलवान्, व्रत-नियमको पालन करनेवाला और विशिष्ट व्यक्तित्वमे युक्त होता है। यूप योगमे जन्म लेनेवाला व्यक्ति पचायती होता है अर्थात् पचायतके फैसले करनेमें उसे अधिक सफलता प्राप्त होती है। जिस स्थानपर आपसी विवाद उप-स्थित होते है, उस स्थानपर वह उपस्थित हो यथार्थ निर्णय कर देनेका प्रयास करता है।

शर योग

चतुर्थ स्थानसे आगेके चार स्थानोमे ग्रह स्थित हो तो शर योग होता है। इस योगवाला व्यक्ति जेलका निरीक्षक, शिकारी, कुत्सित कर्म करने-वाला, पुलिस अधिकारी एव नीच कर्मरत दुराचारी होता है। सैनिक अधिकारियोंकी जन्मपत्रीमें भी यह योग होता है।

शक्ति योग

सप्तम भावसे आगेके चार भावोमे समस्त ग्रह हो तो शक्ति योग होता है। इस योगके होनेसे जातक धनहीन, निष्फल जीवन, दुखी, आलसी, दीर्घायु, दीर्घसूत्री, निर्दय और छोटा व्यापारी होता है। शक्ति-योगमें जन्म लेनेवाला व्यक्ति छोटे स्तरकी नौकरी भी करता है।

दण्ड योग

दशम भावसे आगेके चार भावोमे समस्त ग्रह हो तो दण्ड योग होता है। इस योगवाला व्यक्ति निर्धन, दुखी और सब प्रकारसे नीच कर्म करनेवाला होता है। इसे जीवनमें कभी सफलता प्राप्त नही होती है।

नौका योग

लग्नसे लगातार सात स्थानोमे सातो ग्रह हो तो नौका योग होता है। इस योगमे जन्म लेनेवाला व्यक्ति नौसेनाका सैनिक, स्टीमर या जलीय जहाजका चालक, कप्तान, पनडुब्बीमे प्रवीण और मोती सीप आदि निकालनेकी कलामे प्रवीण होता है। धनिक होता है, पर अपनी कजूस प्रकृतिके कारण बदनाम रहता है।

कूट योग

चतुर्थ भावसे आगेके सात स्थानोमे सभी ग्रह हो तो कूट योग होता है। इस योगमें जन्म लेनेवाला व्यक्ति जेल कर्मचारी, धनहीन, शठ, क्रूर, पुल या भवन बनानेकी कलामे प्रवीण होता है।

छत्र योग

सप्तम भावसे आगेके सात स्थानोमे समस्त ग्रह हो तो छत्र योग होता है। इस योगवाला व्यक्ति धनी, लोकप्रिय, राजकर्मचारी, उच्चपदाधिकारी, सेवक, परिवारके व्यक्तियोका भरण-पोषण करनेवाला एव अपने कार्यमे ईमानदार होता है।

चाप योग

दशम भावसे आगेके सात स्थानोंमें सभी ग्रह हों तो चाप योग होता है। इस योगवाला व्यक्ति जेलर, गुप्तचर, राजदूत, चोर, वनका अधिकारी, भाग्यहीन और झूठ बोलनेवाला होता है। इस योगका एक प्रभाव यह भी होता है कि पुलिस विभागसे अवश्य सम्बन्ध रहता है। तन्त्र-मन्त्रकी सिद्धि भी इस योगवाले व्यक्तिको विशेष रूपसे होती है।

चक्र योग

लग्नसे आरम्भ कर एकान्तरसे छह स्थानोंमें—प्रथम, तृतीय, पंचम, सप्तम, नवम और एकादश भावमें सभी ग्रह हों तो चक्र योग होता है। इस योगवाला जातक राष्ट्रपति या राज्यपाल होता है। चक्र योग राज योगका ही एक रूप है, इसके होनेसे व्यक्ति राजनीतिमें दक्ष होता है और उसका प्रभुत्व बीस वर्षकी अवस्थाके पश्चात् बढ़ने लगता है।

समुद्र योग

द्वितीय भावसे एकान्तर कर छह राशियोंमें २।४।६।८।१०।१२वें स्थानमें समस्त ग्रह हों तो समुद्र योग होता है। इस योगके होनेसे जातक धनी, राजमान्य, भोगी, लोकप्रिय, पुत्रवान् और वैभवशाली होता है।

गोल योग

समस्त ग्रह एक राशिमें हों तो गोल योग होता है। इस योगवाला बली, पुलिस या सेनामें नौकरी करनेवाला, दीन, मलीन, विद्या-ज्ञान शून्य एवं चालाकीसे कार्य करनेवाला होता है।

युग योग

दो राशियोंमें समस्त ग्रह हों तो युगयोग होता है। इस योगवाला पाखण्डी, निर्धन, समाजसे बाहर, माता-पिताके सुखसे रहित, धर्महीन एवं अस्वस्थ रहता है।

शूल योग

तीन राशियोमे समस्त ग्रह हो तो शूल योग होता है। यह योग जातकको तीक्ष्ण स्वभाव, आलसी, निर्धन, हिंसक, शूर, युद्धमे विजयी और राजकर्मचारी वनाता है।

केदार योग

चार राशियोमें समस्त ग्रह हो तो केदार योग होता है। इस योग-के होने से जातक उपकारी, कृपक, सुखी, सत्यवक्ता, धनवान् और भूमि तथा कृपिके सम्वन्धमें नये कार्य करनेवाला होता है।

पाश योग

पांच राशियोमे ममस्त ग्रह हो तो पाश योग होता है। इस योगके होनेसे जातक वहुत परिवारवाला, प्रपची, वन्धनभागी, कारागृहका अधिपति, गुप्तचर, पुलिस या सेनाकी नौकरी करनेवाला होता है।

दाम योग

छह राशियोमे समस्त ग्रह हो तो दाम योग होता है। इस योगके होनेसे जातक परोपकारी, परम ऐश्वर्यवान्, प्रसिद्ध, पुत्र-रत्नादिसे पूर्ण होता है। दाम योग राजनीतिमें पूर्ण मफलता नही देता है।

वीणा योग

सात राशियोमे समस्त ग्रह स्थित हो तो वीणा योग होता है। इस योगवाला जातक गीत, नृत्य, वाद्यसे स्नेह करता है। धनी, नेता और राजनीतिमे सफल सचालक वनता है।

गजकेसरी योग

लग्न अथवा चन्द्रमासे यदि गुरु केन्द्रमे हो और केवल शुभ ग्रहोसे दृष्ट या युत हो तथा अस्त, नीच और शत्रु राशिमें गुरु न हो तो गज-केसरी योग होता है। इस योगवाला जातक मुख्य मन्त्री वनता है।

अमलकीर्ति योग

लग्न या चन्द्रमासे दशम भावमे केवल शुभ ग्रह हो तो अमलकीर्ति योग होता है। इस योगमे उत्पन्न मनुष्य राजमान्य, भोगी, दानी, बन्धुओंका प्रिय, परोपकारी, धर्मात्मा और गुणी होता है।

पर्वत योग

यदि सप्तम और अष्टम भावमे कोई ग्रह नही हो अथवा ग्रह हो भी तो कोई शुभ ग्रह हो तथा सब शुभ ग्रह केन्द्रमे हो तो पर्वत नामक योग होता है। इस योगमे उत्पन्न व्यक्ति भाग्यवान्, वक्ता, शास्त्रज्ञ, प्राध्यापक, हास्य-व्यग्य लेखक, यशस्वी, तेजस्वी और मुखिया होता है। मुख्यमन्त्री बनानेवाले योगोमे भी पर्वत योगकी गणना है।

काहल योग

लग्नेश बली हो, सुखेश और बृहस्पति परस्पर केन्द्रगत हो अथवा सुखेश और दशमेश एक साथ उच्च या स्वराशिमे हो तो काहल योग होता है। इस योगमे उत्पन्न व्यक्ति बली, साहसी, धूर्त, चतुर और राजदूत होता है। काहल योग राजनैतिक अभ्युदयका भी सूचक है।

चामर योग

लग्नेश अपने उच्चमे होकर केन्द्रमे हो और उसपर गुरुकी दृष्टि हो अथवा शुभ ग्रह लग्न, नवम, दशम और सप्तम भावमे हो तो चामर योग होता है। इस योगमे जन्म लेनेवाला राजमान्य, मन्त्री, दीर्घायु, पण्डित, वक्ता और समस्त कलाओंका ज्ञाता होता है।

शंख योग

लग्नेश बली हो और पंचमेश तथा षष्ठेश परस्पर केन्द्रमे हो अथवा भाग्येश बली हो तथा लग्नेश और दशमेश चर राशिमे हो तो शंख योग होता है। इस योगमे उत्पन्न व्यक्ति दयालु, पुण्यात्मा, बुद्धिमान्, सुकर्मा

और चिरजीवी होता है। मन्त्री या मुख्यमन्त्रीके पद भी इसे प्राप्त होते है।

भेरी योग

नवमेश वली हो और १।२।७।१२वे भावमे सव ग्रह हो अथवा भाग्येश वली हो और शुक्र, गुरु और लग्नेश केन्द्रमे हो तो भेरी योग होता है। इस योगके होनेसे व्यक्ति सुखी, उन्नतिशील, कीर्तिवान्, गुणी, आचारवान् और सभी प्रकारके अभ्युदयोको प्राप्त करनेवाला होता है।

मृदग योग

लग्नेश वली हो और अपने उच्च या स्वगृहमे हो तथा अन्य ग्रह केन्द्र स्थानोमे स्थित हो तो मृदग योग होता है। इस योगके होनेसे व्यक्ति शासनाधिकारी होता है।

श्रीनाथ योग

सप्तमेश दशम भावमे स्वोच्चका हो और दशमेश नवमेशसे युक्त हो तो श्रीनाथ योग होता है। इस योगमे जन्म लेनेवाला व्यक्ति एम० एल० ए०, एम० पी० तथा मन्त्री वनता है।

शारद योग

दशमेश पचममें, वुध केन्द्रमें और रवि अपनी राशिमे हो अथवा चन्द्रमा-से ९वें भावमे गुरु या वुध हो तथा मगल एकादश भावमे स्थित हो तो शारद योग होता है। इस योगमे जन्म लेनेवाला धन, स्त्री-पुत्रादिसे युक्त, सुखी, विद्वान्, राजमान्य और धर्मात्मा होता है।

मत्स्य योग

लग्न और नवम भावमे शुभ ग्रह तथा पचममे शुभ और अशुभ दोनो प्रकारके ग्रह और चतुर्थ, अष्टममे पापग्रह हो तो मत्स्य योग होता है।

कूर्म योग

शुभ ग्रह ५।६।७वें भावमें और पापग्रह १।३।११वें स्थानमे अपने-अपने उच्चमें हो तो कूर्मयोग होता है। इस योगमे जन्म लेनेवाला व्यक्ति राज्यपाल, मन्त्री, धीर, धर्मात्मा, मुखिया, गुणी, यशस्वी, उपकारी, सुखी और नेता होता है।

खड्ग योग

नवमेश द्वितीयमे और द्वितीयेश नवम भावमें तथा लग्नेश केन्द्र या त्रिकोणमें हो तो खड्ग योग होता है। इस योगमे जन्म लेनेवाला व्यक्ति बुद्धिमान्, शास्त्रज्ञ, कृतज्ञ, चतुर, धनी, वैभव-युक्त और शासनाधिकारी होता है।

लक्ष्मी योग

लग्नेश बलवान् हो और भाग्येश अपने मूलत्रिकोण, उच्च या स्वराशिमे स्थित होकर केन्द्रस्थ हो तो लक्ष्मी योग होता है। इस योगवाला जातक पराक्रमी, धनी, यशस्वी, मन्त्री, राज्यपाल एव गुणी होता है।

कुसुम योग

स्थिर राशि लग्नमें हो, शुक्र केन्द्रमे हो और चन्द्रमा त्रिकोणमें शुभ ग्रहोंसे युक्त हो तथा शनि दशम स्थानमें हो तो कुसुम योग होता है। इस योगमे उत्पन्न व्यक्ति सुखी, भोगी, विद्वान्, प्रभावशाली, मन्त्री, एम० पी०, एम० एल० ए० आदि होता है।

कलानिधि योग

बुध शुक्रसे युत या दृष्ट गुरु २।५वें भावमें हो या बुध शुक्रकी राशिमें स्थित हो तो कलानिधि योग होता है। इस योगवाला गुणी, राजमान्य, सुखी, स्वस्थ, धनी और विद्वान् होता है।

कल्पद्रुम योग

लग्नेश तथा लग्नेश जिस राशिमें हो उस राशिका स्वामी तथा वह जिस राशिमें हो उसका स्वामी और उनके नवांशपति ये सब यदि केन्द्र, त्रिकोण या अपने-अपने उच्चमें हों तो कल्पद्रुम योग होता है। इस योगमें जन्म लेनेवाला व्यक्ति ३२ वर्षकी अवस्थासे जीवनके अन्तिम क्षण तक मन्त्री पदपर प्रतिष्ठित रहता है। सेनाध्यक्षका पद भी कल्पद्रुम योगवाले व्यक्तिको प्राप्त होता है।

लग्नाधि योग

लग्नसे ७।८वें स्थानमें शुभग्रह हों और उनपर पापग्रहकी दृष्टि या योग न हो तो लग्नाधि नामक योग होता है। इस योगवाला व्यक्ति महान् विद्वान्, महात्मा, सुखी और धन-सम्पत्ति युक्त होता है। राजनीतिमें भी यह व्यक्ति अद्भुत सफलता प्राप्त करता है। लग्नाधि योगके होनेपर जातकको सांसारिक सभी प्रकारके सुख और ऐश्वर्य प्राप्त होते हैं।

अधि योग

चन्द्रमासे ६।७।८वें भावमें समस्त शुभग्रह हों तो अधियोग होता है। इस योगमें जन्म लेनेवाला मन्त्री, सेनाध्यक्ष, राज्यपाल आदि पदोंको प्राप्त करता है। अधियोगके होनेसे व्यक्ति अध्ययनशील होता है और वह अपनी बुद्धि तथा तेजके प्रभावसे समस्त व्यक्तियोंको आकृष्ट करता है।

सुनफा योग

सूर्यको छोडकर चन्द्रमासे द्वितीय स्थानमें कोई शुभ ग्रह हो तो सुनफा योग होता है। इस योगके होनेसे जातक सुखी होता है, उसे धन-धान्य-ऐश्वर्य आदि प्राप्त होते हैं।

अनफा योग

चन्द्रमासे द्वादश भावमें समस्त शुभग्रह हों तो अनफा योग होता है।

इस योगके होनेपर व्यक्ति चुनाव कार्योंमें सफलता प्राप्त करता है। यह अपने भुजबलसे धन, यश और प्रभुत्वका अर्जन करता है।

दुरधरा योग

चन्द्रमासे द्वितीय और द्वादश भावमें समस्त शुभग्रह हों तो दुरधरा योग होता है। इस योगके प्रभावसे जातक दानी, धनवाहनयुक्त, नौकर-चाकरसे विभूषित, राजमान्य एवं प्रतिष्ठित होता है।

केमद्रुम योग

यदि चन्द्रमाके साथमें या उससे द्वितीय, द्वादश स्थानमें तथा लग्नसे केन्द्रमें सूर्यको छोडकर अन्य कोई ग्रह नहीं हो तो केमद्रुम योग होता है। इस योगमें जन्म लेनेवाला व्यक्ति दरिद्र और निन्दित होता है।

महाराज योग

लग्नेश पंचममें पंचमेश लग्नमें हो, आत्मकारक और पुत्रकारक दोनों लग्न या पंचममें हों, अपने उच्च, राशि या नवांशमें तथा शुभग्रहसे दृष्ट हों तो महाराज योग होता है। इस योगमें जन्म लेनेवाला व्यक्ति निश्चयत राज्यपाल या मुख्यमन्त्री होता है।

धन-सुख योग

दिनमें जन्म होनेपर चन्द्रमा अपने या अधिमित्रके नवांशमें स्थित हो और उसे गुरु देखता हो तो धन-सुख योग होता है। इसी प्रकार रात्रिमें जन्म होनेपर चन्द्रमाको शुक्र देखता हो तो धन-सुख योग होता है। यह नामानुसार फल देता है।

द्वादश भावोंमें लग्नेशका फल

लग्नेश लग्नमें हो तो जातक नीरोग, दीर्घायु, बलवान्, जमींदार, कृषक और परिश्रमी, द्वितीयमें हो तो धनवान्, लब्धप्रतिष्ठ, दीर्घजीवी, स्थूल, सत्कर्मनिरत, नायक, नेता और कृतज्ञ, तृतीयमें हो तो सद्बन्धु-

युत, उत्तम मित्रवान्, धार्मिक, दानी, शूर, बलवान्, समाजमे आदर पानेवाला और साहसी, चौथे भावमें हो तो राजप्रिय, दीर्घजीवी, माता-पिताकी भक्ति करनेवाला, अल्पभोजी, पितासे धन पानेवाला, पुरुषार्थी और कार्यरत, पाँचवे भावमे हो तो सुन्दर पुत्रवाला, त्यागी, लब्धप्रतिष्ठ, धनिक, विनीत, विद्वान्, दीर्घायु और कर्तव्यनिष्ठ, छठे भावमे हो तो बलवान्, कृपण, धनवान्, शत्रुनाशक, नीरोग और सत्कार्यरत, सातवें भावमें हो तो तेजस्वी, शीलवान्, सुशीला, गुणवती एव सुन्दरी भार्याका पति और भाग्यवान्, आठवें भावमे हो तो कृपण, धन-सग्रहकर्त्ता, दीर्घजीवी, लग्नेश यदि क्रूर ग्रह हो तो कटुवक्ता, क्षीणशरीरी तथा सौम्य ग्रह हो तो पुष्ट देहवाला और नीरोग, नौवें भावमे हो तो पुण्यवान्, पराक्रमी, तेजस्वी, स्वाभिमानी, सुशील, विनीत, धार्मिक, व्रती और लब्धप्रतिष्ठ, दसवे भावमे हो तो विद्वान्, सुशील, गुरुजन-सेवामे रत, राज्यसे लाभ प्राप्त करनेवाला और समाज-प्रसिद्ध, ग्यारहवें भावमे हो तो श्रेष्ठ, आजीविकावाला, सुखी, प्रसिद्ध, तेजस्वी, बली, परिश्रमी और साधारण धनी, एव बारहवें भावमे हो तो कठोर प्रकृति, व्यर्थ बकवाद करनेवाला, प्रसन्नचित्त, धोखेबाज़, प्रवासी, रोगी और अविश्वासी होता है।

द्वितीय भाव विचार

इस भावका विचार द्वितीयेश, द्वितीय भावकी राशि और इस स्थानपर दृष्टि रखनेवाले ग्रहोके सम्बन्धसे करना चाहिए। द्वितीयेश शुभग्रह हो या द्वितीय भावमे शुभग्रहकी राशि और उसमें शुभग्रह बैठा हो तथा शुभग्रहोंकी द्वितीय भावपर दृष्टि हो तो व्यक्ति धनी होता है। नीचे कुछ धनी योग दिये जाते हैं—

१—भाग्येश और लाभेशका योग २—भाग्येश और दशमेशका योग

३—भाग्येश और चतुर्थेशका योग ४—भाग्येश और पंचमेशका योग

५—भाग्येश और लग्नेशका योग ६—भाग्येश और धनेशका योग

७—दशमेश और लाभेशका योग
८—दशमेश और चतुर्थेशका योग
९—दशमेश और लग्नेशका योग
१०—दशमेश और पचमेशका योग
११—दशमेश और द्वितीयेशका योग
१२—लाभेश और धनेशका योग
१३—लाभेश और चतुर्थेशका योग
१४—लाभेश और लग्नेशका योग
१५—लाभेश और पचमेशका योग
१६—लग्नेश और धनेशका योग
१७—लग्नेश और चतुर्थेशका योग
१८—लग्नेश और पचमेशका योग
१९—धनेश और चतुर्थेशका योग
२०—धनेश और पचमेशका योग
२१—चतुर्थेश और पचमेशका योग।

उपर्युक्त २१ योगवाले ग्रह २।४।५।७ भावोमे हो तो पूर्ण फल, ८।१२ भावोमें हो तो आधा फल और छठे भावमे हो तो चतुर्थांश फल देते हैं, अन्य स्थानोमे निष्फल बताये गये हैं।

दारिद्र योग[1]

१—षष्ठेश और धनेशका योग
२—षष्ठेश और लग्नेशका योग
३—षष्ठेश और चतुर्थेशका योग
४—व्ययेश और चतुर्थेशका योग
५—व्ययेश और धनेशका योग
६—व्ययेश और लग्नेशका योग
७—षष्ठेश और दशमेशका योग
८—व्ययेश और दशमेशका योग
९—षष्ठेश और पचमेशका योग
१०—षष्ठेश और सप्तमेशका योग
११—व्ययेश और पचमेशका योग
१२—व्ययेश और सप्तमेशका योग
१३—षष्ठेश और भाग्येशका योग
१४—व्ययेश और भाग्येशका योग
१५—षष्ठेश और तृतीयेशका योग
१६—व्ययेश और तृतीयेशका योग
१७—षष्ठेश और लाभेशका योग
१८—व्ययेश और लाभेशका योग
१९—षष्ठेश और अष्टमेशका योग
२०—व्ययेश और अष्टमेशका योग
२१—षष्ठेश और व्ययेशका योग

---

[1] देखें—जातकतत्त्व और जातकपारिजात।

ये दारिद्र योग धनस्थानमे हो तो पूर्ण फल, व्ययस्थानमे हो तो पादोन $\frac{3}{4}$ फल और अन्य स्थानोमें हो तो अर्द्ध फल देते है।

उपर्युक्त धनी और दरिद्र योगोका विचार करनेसे जितने जो-जो योग आवें उन्हे पृथक् लिख लेना चाहिए। यदि धनी योग कुण्डलीमे अधिक हो और दरिद्र योग कम हो तो जातक धनवान और दरिद्र योग अधिक तथा धनी योग कम हो तो जातक दरिद्री या अल्प धनी होता है। इन योगोमे रहस्यपूर्ण बात यह है कि बलवान् धनी योग कम हो और निर्बल दारिद्र योग अधिक हो तो जातक धनी, एवं दारिद्र योग बलवान् हो और उनकी अपेक्षा निर्बल धनी योग अधिक हो तो जातक धनी होते हुए भी कुछ समयके लिए दरिद्री-जैसा जीवन यापन करता है। धनी और निर्धनी-का विचार करते समय देश, काल तथा जातिका विचार अवश्य कर लेना चाहिए। यदि किसी धनी घरानेमे पैदा हुए जातककी कुण्डलीमे धनी योग हो तो जातक लक्षाधीश या योगके बलाबलानुसार कोट्यधीश होता है। यदि वही योग किसी साधारण घरके जन्मे व्यक्तिकी कुण्डलीमे हो तो वह अपनी स्थितिके अनुसार धनी होता है।

जिसकी जन्मकुण्डलीमे दो बलवान् धनी योग हो वह सहस्राधिपति, तीन हो वह लक्षाधिपति, चार या पाँच हो वह कोट्यधिपति होता है। इससे अधिक धनी योग होनेपर जातक विपुल सम्पत्तिका स्वामी होता है।

धनी योगोसे एक दरिद्री योग अधिक हो तो अल्पधनी, दो अधिक हो तो दरिद्री और तीन अधिक हो तो भिक्षुक या तत्सदृश होता है।

धनी योगोके अभावमे एक दरिद्री योग हो तो जातक दरिद्री, दो हो तो जीवन-भर धनके कष्टसे पीडित और तीन हो तो भिक्षुक होता है।

दारिद्र योगोके अभावमें एक धनी योग होनेपर जातक खाता-पीता सुखी, दो धनी योगोके होनेपर आश्रयदाता, लक्षाधीश एव तीन या इससे अधिक योगोके होनेपर जातक बहुत बडा धनी होता है। परन्तु योगोके बलाबलका विचार कर लेना नितान्त आवश्यक है।

१—राहु लग्न, द्वितीय, तृतीय, चतुर्थ, पचम, पष्ठ, अष्टम, नवम, एकादश और द्वादश भावोंमें-से किसी भावमे स्थित हो एव मेष, वृष, मिथुन, कर्क, सिंह, कन्या, वृश्चिक और मीन इन राशियोंमें-से किसी भी राशिमें स्थित हो तो जातक धनी होता है।

२—चन्द्र और गुरु एक साथ किसी भी स्थानमे बैठे हो तो जातक धनी होता है। सूर्य, बुध एक साथ सप्तम भावके अलावा अन्य स्थानोंमे हो तो जातक बडा व्यापारी होता है।

३—कारक ग्रहोंकी दशामे जन्म हुआ हो तो जातक जन्मसे धनी अन्यथा निर्धन होता है। जब कारक ग्रहकी दशा आती है, उस समय जातक अवश्य धनी होता है।

दिवालिया योग

१—अष्टमेश ४।५।९।१० स्थानोंमें हो और लग्नेश निर्बल हो तो जातक दिवालिया होता है। योगकारक ग्रहके ऊपर राहु एव रविकी दृष्टि पड़नेसे योग अधूरा रह जाता है।

२—लाभेश व्ययमे हो या भाग्येश और दशमेश व्ययमें हो तो दिवालिया होता है। यदि पचममें शनि तुलाराशिका हो तो भी यह योग बनता है।

३—द्वितीयेश ९।१०।११ भावोमे हो तो दिवालिया योग होता है, परन्तु द्वितीयेश गुरुके दशम और मगलके एकादश भावमे रहनेसे यह योग खण्डित हो जाता है।

४—लग्नेश वक्री होकर ६।८।१२वे भावमे स्थित हो तो भी जातक दिवालिया होता है।

जमींदारी योग

१—चतुर्थेश दशममे और दशमेश चतुर्थमे हो।

२—चतुर्थेश २ या ११वें भावमे हो। चतुर्थ स्थानकी राशि चर हो और उसका स्वामी भी चर राशिमे हो।

३—पचमेश लग्नेश, तृतीयेश, चतुर्थेश, षष्ठेश, सप्तमेश, नवमेश और द्वादशेशके साथ हो तो जमीदारीके साथ व्यापार भी जातक करता है।

४—चतुर्थेश, दशमेश और चन्द्रमा बलवान् हो और ये ग्रह परस्परमें मित्र हो तो जातक ज़मीदार होता है।

ससुरालसे धन-प्राप्तिके योग

१—सप्तमेश और द्वितीयेश एक साथ हो और उनपर शुक्रकी पूर्ण दृष्टि हो।

२—चतुर्थेश सप्तमस्थ हो और शुक्र चतुर्थस्थ हो तथा इन दोनोमे मित्रता हो।

३—सप्तमेश और नवमेश आपसमे सम्बद्ध हो तथा शुक्रके साथ हो।

४—बलवान् धनेश, सप्तमेश शुक्रसे युत हो।

अकस्मात् धन-प्राप्तिके साधनोका विचार पचम भावसे किया जाता है। यदि पचम स्थानमे चन्द्रमा बैठा हो और शुक्रकी उसपर दृष्टि हो तो लाट्रीसे धन मिलता है। यदि द्वितीयेश और चतुर्थेश शुभग्रहकी राशिमे शुभग्रहोंसे युत या दृष्ट होकर बैठे हो तो भूमिमें गडी हुई सम्पत्ति मिलती है। एकादशेश और द्वितीयेश चतुर्थ स्थानमें हो और चतुर्थेश शुभग्रहकी राशिमे शुभग्रहसे युत या दृष्ट हो तो जातकको अकस्मात् धन मिलता है। यदि लग्नेश द्वितीय स्थानमे और द्वितीयेश ग्यारहवें स्थानमे हो तथा एकादशेश लग्नमे हो तो इस योगके होनेसे जातकको भूगर्भसे सम्पत्ति मिलती है। लग्नेश शुभग्रह हो और धन स्थानमे स्थित हो या धनेश आठवें स्थानमें स्थित हो तो गडा हुआ धन मिलता है।

धनेशका द्वादश भावोंमें फल

धनेश लग्नमें हो तो कृपण, व्यवसायी, कुकर्मरत, धनिक, विख्यात, सुखी, अतुलित ऐश्वर्यवान् और लब्धप्रतिष्ठ, द्वितीय भावमें हो तो धनवान्, धर्मात्मा, लोभी, चतुर, धनार्जन करनेवाला, व्यापारी, यशस्वी और दानी, तृतीय भावमें हो तो व्यापारी, कलहकर्त्ता, कलाहीन, चोर, चंचल, अविनयी और ठग, चौथे भावमें हो तो पितासे लाभ करनेवाला, सत्यवादी, दयालु, दीर्घायु, मकानवाला, व्यापारमें लाभ करनेवाला और परिश्रमी, पाँचवें भावमें हो तो पुत्र-द्वारा धनार्जन करनेवाला, सत्कार्य-निरत, प्रसिद्ध, कृपण और अन्तिम जीवनमें दुःखी, छठे भावमें हो तो धन-संग्रहमें तत्पर, शत्रुहन्ता, भू-लाभान्वित, कृपक, प्रसिद्ध और सेवा-कार्यरत, सातवें भावमें हो तो भोगविलासवती धनसंग्रह करनेवाली श्रेष्ठ रमणीका भर्त्ता, भाग्यवान्, स्त्री-प्रेमी और चपल, आठवें भावमें हो तो पाखण्डी, आत्मघाती, अत्यन्त भाग्यशाली, परोपकारी, भाग्यपर विश्वास करनेवाला और आलसी, नौवें भावमें हो तो दानी, प्रसिद्ध पुरुष, धर्मात्मा, मानी और विद्वान्, दसवें भावमें हो तो राजमान्य, धन लाभ करनेवाला, भाग्यशाली, देशमान्य और श्रेष्ठ आचारवाला, ग्यारहवें भावमें हो तो प्रसिद्ध व्यापारी, परम धनिक, प्रख्यात, विजयी, ऐश्वर्यवान् और भाग्य-शाली एवं बारहवें भावमें हो तो जातक निन्द्य ग्रामवासी, कृपक, अल्प-धनी, प्रवासी और निन्द्य साधनों-द्वारा आजीविका करनेवाला होता है। उपर्युक्त भावोंमें जो धनेशका फल कहा गया है, वह शुभग्रहका है। यदि धनेश क्रूर ग्रह हो या पापी हो तो विपरीत फल समझना चाहिए। किन्तु क्रूर धनेश ३।६।११वें भावोंमें स्थित हो तो जातक श्रेष्ठ होता है।

व्यापारका विचार करनेके लिए सप्तम भावसे सहायता लेनी चाहिए। वाणिज्यका कारक बुध है, अतएव बुध, सप्तम भाव और द्वितीय इन तीनों-की स्थिति एवं बलाबलानुसार व्यापारके सम्बन्धमें फल समझना चाहिए। यदि बुध सप्तममें हो और सप्तमेश द्वितीय स्थानमें हो या द्वितीयेश बुधके

साथ सप्तम भावमे हो तो जातक प्रसिद्ध व्यापारी होता है। वुध और शुक्र इन दोनोका योग द्वितीय या सप्तममे हो तथा इन ग्रहोपर शुभग्रहोकी दृष्टि हो तो भी जातक व्यापारी होता है। यदि द्वितीयेश शुभग्रहोकी राशिमे स्थित हो तथा वुध या सप्तमेशसे दृष्ट हो तो जातक व्यापारी होता है। जिसकी जन्मकुण्डलीमे उच्चका वुध सप्तममे वैठा हो तथा द्वितीय भवनपर द्वितीयेशकी दृष्टि हो अथवा गुरु पूर्ण दृष्टिसे द्वितीयेशको देखता हो तो जातक प्रसिद्ध व्यापारी होता है।

तृतीय भाव विचार

तृतीय भावमे प्रधानत भाई और वहनोका विचार किया जाता है, लेकिन ग्यारहवें भावसे वडे भाई और वडी वहनका एव तृतीय भावसे छोटे-भाई और छोटी वहनका विचार होता है। मगल भ्रातृकारक ग्रह है। भ्रातृ सुखके लिए निम्न योगोका विचार कर लेना आवश्यक है। (क) तृतीय स्थानमे शुभग्रह रहनेसे, (ख) तृतीय भावपर शुभग्रहकी दृष्टि होनेसे, (ग) तृतीयेशके वली होनेसे, (घ) तृतीय भावके दोनो ओर द्वितीय और चतुर्थमे शुभग्रहोके रहनेसे, (ङ) तृतीयेशपर शुभग्रहोकी दृष्टि रहनेसे, (च) तृतीयेशके उच्च होनेसे और (छ) तृतीयेशके साथ शुभग्रहोके रहनेसे भाई-वहनका सुख होता है।

तृतीयेश या मगलके युग्म—समसख्यक वृष, कर्क, कन्या, वृश्चिक, मकर और मीनमे रहनेसे कई भाई-वहनोका सुख होता है। यदि तृतीयेश और मगल १२वे स्थानमे हो, उसपर पापग्रहोकी दृष्टि हो अथवा मगल तृतीय स्थानमे हो और उनपर पापग्रहकी दृष्टि हो या पापग्रह तृतीयमे हो तथा उसपर पापग्रहोकी दृष्टि हो या तृतीयेशके आगे-पीछे पापग्रह हो या द्वितीय और चतुर्थमें पापग्रह हो तो भाई-वहनकी मृत्यु होती है। तृतीयेश या मगल ३।६।१२वें भावमे हो और शुभग्रहसे दृष्ट नही हो तो भाईका सुख नही होता है। तृतीयेश राहु या केतुके साथ ६।८।१२वें भावमें हो

तो भ्रातृ-सुखका अभाव होता है।

ग्यारहवें स्थानका स्वामी पापग्रह हो या उस भावमें पापग्रह बैठे हों और शुभग्रहसे दृष्ट न हो तो बड़े भाईका सुख नहीं होता है। तृतीय स्थानमें पापग्रहका रहना अच्छा है, पर भ्रातृ-सुखके लिए अच्छा नहीं है।

भ्रातृ-संख्या

१—द्वितीय तथा तृतीय स्थानमें जितने ग्रह रहें, उतने अनुज और एकादश तथा द्वादश स्थानमें जितने ग्रह हों उतने ज्येष्ठ भ्राता होते हैं। यदि इन स्थानोंमें ग्रह नहीं हों तो इन स्थानोंपर जितने ग्रहोंकी दृष्टि हो उतने अग्रज और अनुजोंका अनुमान करना। परन्तु स्वक्षेत्री ग्रहोंके रहनेसे अथवा उन भावोंपर अपने स्वामीकी दृष्टि पड़नेसे भ्रातृसंख्यामें वृद्धि होती है।

२—भ्रातृसंख्या जाननेकी विधि यह भी है कि जितने ग्रह तृतीयेशके साथ हों, मंगलके साथ हों, तृतीयेशपर दृष्टि रखनेवाले हों और तृतीयस्थ हों उतनी ही भ्रातृसंख्या होती है। यदि उपर्युक्त ग्रह शत्रुगृही, नीच और अस्तगत हों तो भाई अल्पायुके होते हैं। यदि ये ग्रह मित्रगृही, उच्च या मूल त्रिकोणके हों तो दीर्घायुके होते हैं। अभिप्राय यह है कि भाईके सम्बन्धमें (१) तृतीय स्थानसे, (२) तृतीयेशसे, (३) मंगलसे, (४) तृतीयमें सम्बन्धित ग्रहसे, (५) तृतीयस्थके नवांश पतिसे, (६) मंगलके सम्बन्धी ग्रहोंसे, (७) तृतीयेशके साथ योग करनेवाले ग्रहोंसे, (८) एकादशेशसे, (९) एकादशस्थ ग्रहसे तथा उसकी स्थितिपरसे, (१०) एकादश स्थानके नवांशसे तथा उस नवांशके स्वामीकी स्थितिपरसे, (११) एकादशेशकी स्थिति तथा उसके सम्बन्ध आदिपरसे एवं (१२) एकादश और मंगलके सम्बन्ध तथा दृष्टिपरसे विचार करना चाहिए।

यदि लग्नेश और तृतीयेश परस्पर मित्र हों तो भाई-बहनोंका परस्पर प्रेम रहता है तथा लग्नेश और तृतीयेश शुभभावगत हों तो भी भाइयोंमें परस्पर प्रेम रहता है।

अन्य विशेष योग

१—लग्न और लग्नेशमे ३।११ स्थानोमे बुध, चन्द्र, मगल और गुरु स्थित हो तो अधिक भाई तथा केतु स्थित हो तो बहनें अधिक होती हैं।

२—तृतीयेश शुभग्रहसे युक्त १।४।७।१० स्थानोमे हो तो भाइयोका सुख होता है।

३—तृतीयेश जितनी सख्यक राशिके नवाशमे गया हो उतनी भाई-बहनोकी सख्या होती है।

४—नवम भावमे जितने स्त्रीग्रह हो उतनी बहनें और जितने पुरुष-ग्रह हो उतने भाई होते हैं।

५—तृतीय भावमे गये हुए ग्रहके नवाशकी सख्या जितनी हो उतने भाई-बहन जानने चाहिए।

६—तृतीयेश और मगल ६।८।१२ स्थानोमें हो तो भ्रातृहीन सम-झना चाहिए।

७—तृतीय भावमें पापग्रह हो अथवा पापग्रहसे दृष्ट हो तो भ्रातृ हानि करनेवाला योग होता है।

८—भ्रातृकारक ग्रह पापग्रहोके बीचमे हो या तीसरे भावपर पाप-ग्रहोकी पूर्ण दृष्टि हो तो भाईका अभाव-सूचक योग होता है।

आजीविका विचार

तृतीय स्थानसे आजीविकाका भी विचार किया जाता है। किसी-किसीका मत है कि लग्न, चन्द्रमा और सूर्य इन तीनो ग्रहोमे-से जो अधिक बलवान् हो, उससे दसवें स्थानके नवाशाधिपतिके स्वरूप, गुण, धर्मानुसार आजीविका ज्ञात करनी चाहिए।

विचार करनेपर दसवें स्थानका नवाशाधिपति सूर्य हो तो डाक्टरी,

वैद्यकमे या दवाओंके व्यापारसे एव सोना, मोती, ऊनी वस्त्र, घी, गुड, चीनी आदि वस्तुओंके व्यापारसे जातक आजीविका करता है। ज्योतिषमे एक मत यह भी है कि घास, लकडी और अनाजका व्यापारी भी उपर्युक्त योगमे जातक होता है। मुक़द्दमा लडनेमे इसकी अभिरुचि अधिक रहती है।

चन्द्र हो तो शख, मोती, प्रवाल आदि पदार्थोके व्यापारसे, मिट्टीके खिलौने, सीमेण्ट, चूना, वालू, ईंट आदिके व्यापारसे, खेती, शरावकी दूकान, तेलकी दूकान एव वस्त्रकी दूकानसे जीविका करता है।

मगल हो तो मेनसिल, हरताल, सुरमा प्रभृति पदार्थोके व्यापारसे, वन्दूक, तोप, तलवारके व्यापारसे या सैनिक वृत्तिसे, सुनार, लुहार, बढई, खटीक आदिके पेशे द्वारा एव विजलीके कारखानेमें नौकरी करके अथवा मशीनरीके कार्य-द्वारा जातक आजीविका उत्पन्न करता है।

वुध हो तो क्लर्क, लेखक, कवि, चित्रकार, जिल्दसाज, शिक्षक, ज्योतिषी, पुस्तक विक्रेता, यन्त्रनिर्माणकर्त्ता, सम्पादक, सशोधक, अनुवादक, और वकीलके पेशे-द्वारा आजीविका जातक करता है। मतान्तरसे सावुन, अगरवत्ती, पुष्पमालाएँ, कागज़के खिलौने आदि वनानेके कार्यों-द्वारा जातक आजीविका अर्जन करता है।

गुरु हो तो शिक्षक, अनुष्ठान करनेवाला, धर्मोपदेशक, प्रोफेसर, न्यायाधीश, वकील, वैरिस्टर और मुख्तार आदिके पेशे-द्वारा जातक आजीविका करता है। लवण, सुवर्ण एव खनिज पदार्थोका व्यापारी भी हो सकता है। किसी-किसीका मत है कि हाथी, घोडोका व्यापार भी यह जातक करता है।

शुक्र हो तो चाँदी, लोहा, सोना, गाय, भैस, हाथी, घोडा, दूध, दही, गुड, शृगारिक वस्तुएँ, सुगन्धित चीज़े एव हीरा, माणिक्य आदि मणियोके व्यापारसे जातक जीविका करता है। मतान्तरसे सिनेमा, नाटक आदिमे

पार्ट खेलने और शराबके व्यापारसे भी आजीविका जातक करता है।

शनि हो तो चपरासी, पोस्टमैन, हलकारा तथा जिनको रास्तेमे चलना-फिरना पड़े वैसा काम करनेवाला, चोरी, हिंसा, नौकरी आदि-द्वारा पेशा करनेवाला, प्रेस, खेती, बागवानी, मन्दिरमें नौकरी और दूतका कार्य करना प्रभृति कामोसे आजीविका करनेवाला जातक होता है। कुछ लोग दशम स्थानकी राशिके स्वभावानुसार आजीविका निर्णय करते है।

तृतीयेशका द्वादश भावोमे फल

लग्न स्थानमे तृतीयेश हो तो जातक वावदूक, लम्पट, सेवक, क्रूर-प्रकृति, स्वजनोसे द्वेष करनेवाला, अल्पधनी, भाइयोसे अन्तिम अवस्थामे शत्रुता करनेवाला और झगडालू प्रकृतिका, द्वितीय भावमे हो तो भिक्षुक, धनहीन, अल्पायु, बन्धुविरोधी तथा द्वितीयेश शुभ ग्रह हो तो बलवान्, भाग्यवान्, देशमान्य और कुलमे प्रसिद्ध, तृतीय भावमे हो तो सज्जनोसे मित्रता करनेवाला, धार्मिक, राज्यसे लाभान्वित होनेवाला तथा शुभग्रह तृतीयेश हो तो बन्धु-बान्धवोंसे सुखी, बलवान्, मान्य और क्रूर ग्रह हो तो भाइयोंको कष्टदायक, सेवक, चतुर्थ भावमें हो तो काकाको सुख देनेवाला, माता-पिताके साथ विरोध करनेवाला, अकीर्त्तिवान्, लालची और धननाश करनेवाला, पाँचवें भावमे हो तो परोपकारी, दीर्घायु, सुपुत्रवान्, भाइयोके सुखसे समन्वित, बुद्धिमान्, मित्रोकी सहायता देनेवाला और जातिमें प्रमुख, छठे स्थानमे हो तो बन्धु-विरोधी, नेत्ररोगी, ज़मीदार, भाइयोको सुखदायक और मान्य, सातवें भावमे तृतीयेश शुभ ग्रह हो तो अति रूपवती, सौभाग्यवती स्त्रीका पति, स्त्रीसे सुखी, विलासी और भाग्यवान् तथा पापग्रह तृतीयेश हो तो व्यभिचारिणी स्त्रीका पति और नीच कर्मरत, आठवें भावमे क्रूर ग्रह तृतीयेश हो तो भाइयोको कष्ट, मित्रोकी हानि, बान्धवोसे विरोध तथा शुभग्रह तृतीयेश हो तो भाइयोंसे सामान्य सुख, मित्रोसे प्रेम करनेवाला और जातिमे प्रतिष्ठा पानेवाला, नौवें भावमे क्रूर ग्रह तृतीयेश

हो तो बन्धुजित्, मित्रोका द्वेषी, भाइयो-द्वारा अपमानित और साधारण जीवन व्यतीत करनेवाला तथा शुभग्रह हो तो पुण्यात्मा, भाइयोसे सम्मानित और मित्रोंसे मान्य, दसवें भावमे हो तो राजमान्य, भाग्यशाली, उत्तम बन्धु-बान्धवोंसे सहित और यशस्वी, ग्यारहवें भावमे हो तो श्रेष्ठ बन्धुवाला, राजप्रिय, सुखी, धनी और उद्योगशील एव बारहवें भावमे हो तो मित्रोका विरोधी, बान्धवोंसे दूर रहनेवाला, प्रवासी और विचित्र प्रकृतिवाला होता है।

चतुर्थ भाव विचार

चतुर्थ भावपर शुभग्रहोकी दृष्टि होनेसे या इस स्थानमे शुभग्रहोके रहनेसे मकानका सुख होता है। चतुर्थेश पुरुषग्रह बली हो तो पिताका पूर्ण सुख और निर्बल हो तो अल्पसुख तथा चतुर्थेश स्त्रीग्रह बली हो तो माताका सुख पूर्ण और निर्बल हो तो माताका सुख अल्प होता है। चन्द्रमा बली हो तथा लग्नेशको जितने शुभ ग्रह देखते हो जातकके उतने ही मित्र होते है। चतुर्थ स्थानपर चन्द्र, बुध और शुक्रकी दृष्टि हो तो बाग-बगीचा, चतुर्थ स्थान बृहस्पतिसे युत या दृष्ट होनेसे मन्दिर, बुधसे युत या दृष्ट होनेपर रगीन महल, मगलसे युत या दृष्ट होनेसे पक्का मकान और शनिसे युत या दृष्ट होनेसे सीमेण्ट और लोहे युक्त मकानका सुख होता है।

लग्नमें शुभ ग्रह हो तथा चतुर्थ और लग्न स्थानपर शुभग्रहोकी दृष्टि हो तो जातक सुखी होता है। जन्मकुण्डलीमे पाँच ग्रह स्वराशियोके हो तो जातक परम सुखी होता है। लग्नेश और चतुर्थेश तथा लग्न और चतुर्थ पापग्रहसे युत या दृष्ट हो तो जातक दुखी अन्यथा सुखी होता है। पाचवेंमे बुध, राहु और सूर्य, चौथेमे भौम और आठवेंमे शनि हो तो जातक दुखी होता है।

कतिपय सुख योग

१—चतुर्थेशको गुरु देखता हो। २—चतुर्थ स्थानमे शुभग्रहकी राशि तथा शुभग्रह स्थित हो। ३—चतुर्थेश शुभग्रहोके मध्यमें स्थित हो। ४—बलवान् गुरु चतुर्थेशसे युत हो। ५—चतुर्थेश शुभग्रहसे युत होकर १।४।७।१०।५।९ स्थानोमें स्थित हो। ६—लग्नेश उच्च या स्वराशिमे हो। ७—लग्नेश मित्रग्रहके द्रेष्काणमे हो अथवा शुभग्रहोसे दृष्ट या युत हो। ८—चन्द्रमा शुभग्रहोके मध्यमे हो। ९—सुखेश शुभग्रहकी राशिके नवाशमे हो और वह २।३।६।१०।११वें स्थानमे स्थित हो तो जातक सुखी होता है।

दु खयोग

१—लग्नमे पापग्रह हो। २—चतुर्थ स्थानमे पापग्रह हो और गुरु अल्पबली हो। ३—चतुर्थेश पापग्रहसे युत हो तो धनी व्यक्ति भी दु खी होता है। ४—चतुर्थेश पापग्रहके नवाशमे सूर्य, मगलसे युत हो। ५—सूर्य, मगल नीच या पापग्रहकी राशिके होकर चतुर्थमे स्थित हो। ६—अष्टमेश ११वें भावमे गया हो। ७—लग्नमें शनि, आठवें राहु, छठे स्थानमे भौम स्थित हो। ८—पापग्रहोके मध्यमे चन्द्रमा स्थित हो। ९—लग्नेश बारहवें स्थानमे, पापग्रह दसवें स्थानमे और चन्द्र-मगलका योग किसी भी स्थानमे हो तो जातक दु खी होता है।

इस भावके विशेष योग

कारकाश कुण्डलीमे चतुर्थ स्थानमे चन्द्र, शुक्रका योग हो, राहु, शनिका योग हो, केतु-मगलका योग हो अथवा उच्च राशिका ग्रह स्थित हो तो श्रेष्ठ मकान जातकके पास होता है। कारकाश कुण्डलीमे चौथे स्थानमें गुरु हो तो लकडीका मकान, सूर्य हो तो फूसकी कुटिया एव बुध हो तो साधारण स्वच्छ मकान जातकके पास होता है।

लग्नेश चतुर्थ भावमे और चतुर्थेश लग्नमे गया हो तो जातकको गृहलाभ होता है। चतुर्थेश बलवान् होकर १।४।७।१० स्थानोमें शुभ ग्रहसे दृष्ट या युत होकर स्थित हो अथवा चतुर्थेश जिस राशिमें गया हो उस राशिके स्वामीका नवांशाधिपति १।४।७।१० स्थानोमें हो तो घरका लाभ होता है। धनेश और लाभेश चतुर्थ भावमे स्थित हो तथा चतुर्थेश लाभ भाव या दशममे स्थित हो तो जातकको धन-सहित घर मिलता है।

लग्नेश और चतुर्थेश दोनो चतुर्थ भावमे शुभग्रहोसे दृष्ट या युत हो तो घरका लाभ अकस्मात् होता है।

लग्नेश, धनेश और चतुर्थेश इन तीनो ग्रहोमें जितने ग्रह १।४।५।७।९।१० स्थानोमे गये हो उतने ही घरोका स्वामी जातक होता है। उच्च, मूलत्रिकोणी और स्वक्षेत्रीयमें क्रमश तिगुने, दूने और डेढ गुने समझने चाहिए।

जातकके गोद—दत्तक जानेके योग

(क) कर्क या सिंह राशिमे पापग्रहके होनेसे, (ख) चन्द्रमा या रविको पापग्रहोंसे युत या दृष्ट होनेसे, (ग) चतुर्थ और दशम स्थानमें पापग्रहोंके जानेसे, (घ) मेष, सिंह, धनु और मकर इन राशियोमें किसी भी राशिके चतुर्थ या दशम भावमे जानेसे, (ङ) चन्द्रमासे चतुर्थ स्थानमें पापग्रहोके रहनेसे, (च) रविसे नवम या दशम स्थानोमे पापग्रहोके जानेसे और (छ) चन्द्र अथवा रविके शत्रु क्षेत्रीय ग्रहोमे युत होनेसे जातक दत्तक—गोद जाता है।

किसी-किसीका मत है कि चतुर्थसे विद्याका और पचमसे बुद्धिका विचार करना चाहिए। विद्या और बुद्धिमे घनिष्ठ सम्बन्ध है। दशमसे विद्याजनित यशका तथा विश्वविद्यालयोकी उच्च परीक्षाओमे उत्तीर्णता प्राप्त करनेका विचार किया जाता है।

१—चन्द्र-लग्न एव जन्मलग्नसे पचम स्थानका स्वामी बुध, गुरु

और शुक्रके साथ १।४।५।७।९।१० स्थानोमे बैठा हो तो जातक विद्वान् होता है।

२—चतुर्थ स्थानमे चतुर्थेश हो अथवा शुभग्रहोकी दृष्टि हो या वहाँ शुभग्रह स्थित हो तो जातक विद्याविनयी होता है।

३—चतुर्थेश ६।८।१२ स्थानोमे हो या पापग्रहके साथ हो या पापग्रहसे दृष्ट हो अथवा पापराशिगत हो तो विद्याका अभाव समझना चाहिए।

चतुर्थेशका द्वादश भावोमे फल

चतुर्थेश लग्नमे हो तो जातक पितृभक्त, काकासे वैर करनेवाला, पिताके नामसे प्रसिद्धि पानेवाला, कुटुम्बकी ख्याति करनेवाला और मान्य, द्वितीयमें हो तो पिताके धनसे वचित, कुटुम्बविरोधी, झगडालू और अल्पसुखी, तीसरे स्थानमे हो तो पिताको कष्ट देनेवाला, मातासे झगडा करनेवाला, कुटुम्बियोके साथ रूखा व्यवहार करनेवाला और अपनी सन्तान-द्वारा प्रसिद्धि पानेवाला, चौथे स्थानमें हो तो राजा तथा पितासे सम्मान पानेवाला, पिताके धनका उपभोग करनेवाला, स्वधर्मरत, कर्त्तव्यनिष्ठ, धन-धान्यसे परिपूर्ण और सुखी, पाँचवें भावमे हो तो दीर्घायु, राजमान्य, पुत्रवान्, सुखी, विद्वान्, कुशाग्रवुद्धि और पिता-द्वारा अर्जित धनमे आनन्द लेनेवाला, छठे स्थानमे हो तो धनसंचयकर्त्ता, पराक्रमी, स्नेही तथा चतुर्थेश क्रूर ग्रह होकर छठे स्थानमे हो तो पितासे वैर करनेवाला, पिताके धनका दुरुपयोग करनेवाला और व्यसनी, सातवें भावमें क्रूरग्रह चतुर्थेश हो तो ससुरका विरोधी, ससुरालके सुखसे वचित तथा शुभग्रह चतुर्थेश हो तो ससुरालसे धन-मान प्राप्त करनेवाला और स्त्री-सुखसे पूर्ण, आठवें भावमें क्रूर स्वभावका चतुर्थेश हो तो रोगी, दरिद्री, दुष्कर्मकर्त्ता, अल्पायु, दु खी तथा सौम्य ग्रह हो तो मध्यमायु, सामान्यत स्वस्थ और उच्च विचारका, नौवें भावमे हो तो विद्वान्, सत्सगतिमें रहनेवाला, पिताका परम भक्त, धर्मात्मा और तीर्थस्थानोकी यात्रा करने-

वाला, दसवें स्थानमें चतुर्थेश पापग्रह हो तो पिता जातककी माताको त्यागकर अन्य स्त्रीसे विवाह करनेवाला तथा शुभग्रह हो तो पिता प्रथम स्त्रीका बिना त्याग किये अन्य स्त्रीसे विवाह करनेवाला, ग्यारहवें भावमें हो तो पिताकी सेवा करनेवाला, धनी, प्रवासी, लोकमान्य और आनन्दपूर्वक जीवन व्यतीत करनेवाला एवं बारहवें भावमें हो तो विदेशवासी, माता-पिताका सामान्य सुख पानेवाला और गृह-सुखसे वंचित अथवा जीवनमें दो-तीन घरोंका मालिक होता है। यदि चतुर्थेश क्रूर ग्रह होकर ग्यारहवें और बारहवें भावमें स्थित हो तो जातक जारज—अन्य पितासे उत्पन्न हुआ होता है। बली, सौम्य ग्रह चतुर्थेश चौथे, पाँचवें और सातवें भावमें हो तो जातक जीवनमें सब प्रकारसे सुखी होता है।

पंचम भाव विचार

१—पंचम स्थानका स्वामी बुध, शुक्रसे युत या दृष्ट हो, २—पंचमेश शुभग्रहोंसे घिरा हो, ३—बुध उच्चका हो, ४—बुध पंचम स्थानमें हो, ५—पंचमेश जिस नवांशमें हो उसका स्वामी केन्द्रगत हो और शुभग्रहोंसे दृष्ट हो तो जातक समझदार, बुद्धिमान् और विद्वान् होता है। पंचमेश जिस स्थानमें हो उस स्थानके स्वामीपर शुभग्रहकी दृष्टि हो अथवा दोनों तरफ शुभग्रह बैठे हों तो जातक सूक्ष्म बुद्धिवाला होता है। यदि लग्नेश नीच या पापयुक्त हो तो जातककी बुद्धि अच्छी नहीं होती है। पंचम स्थानमें शनि और राहु हो और शुभग्रहोंकी पंचमपर दृष्टि न हो, पंचमेशपर पापग्रहोंकी दृष्टि हो और बुध द्वादश स्थानमें हो तो जातककी स्मरण-शक्ति अच्छी नहीं होती है। पंचमेश शुभ युत या दृष्ट हो अथवा पंचम स्थान शुभ युत या दृष्ट हो और बृहस्पतिसे पंचम स्थानका स्वामी १।४।५।७।९।१० स्थानोंमें हो तो स्मरण-शक्ति तीक्ष्ण होती है। गुरु १।४।५।७।९।१० स्थानोंमें हो, बुध पंचम भावमें हो, पंचमेश बलवान् होकर १।४।५।७।९।१० स्थानोंमें हो तो जातक बुद्धिमान्

होता है। पचमेश १।४।७।१० स्थानोमे हो तो जातककी स्मरण-शक्ति अत्यन्त प्रवल होती है।

१—दमवें भावका स्वामी लग्नमे या ग्यारहवें भावका स्वामी ग्यारहवें भावमे हो तो जातक कवि होता है।

२—स्वगृही, वलवान्, मित्रगृही या उच्च राशिका पचमेश १।४।५। ७।९।१० स्थानोमे स्थित हो या पचमेश दसवें अथवा ग्यारहवें भावमे स्थित हो तो सस्कृतज्ञ विद्वान् होता है।

३—वुध शुक्रका योग द्वितीय, तृतीय भावमे हो, वुध १।४।५।७।९। १० स्थानोमें हो, कर्क राशिका गुरु धन स्थानमे हो, गुरु १।४।५।७।९।१० स्थानोमे हो, धनेश सूर्य या मगल हो और वह गुरु या शुक्रसे दृष्ट हो, गुरु स्वराशिके नवाशमे हो एव कारकाश कुण्डलीमे पाँचवें भावमे वुध या गुरु हो तो जातक फलित ज्योतिपका जाननेवाला होता है।

४—कारकाश लग्नसे द्वितीय, तृतीय और पचम भावमें केतु और गुरु स्थित हो, धनस्थानमे चन्द्र और मगलका योग हो तथा वुधकी दृष्टि हो, धनेश अपनी उच्च राशिमे हो, गुरु लग्न और शनि आठवें भावमे हो, गुरु १।४।५।७।९।१० स्थानोमे, शुक्र अपनी उच्च राशि और वुध धनेश हो या धन भावमे गया हो, द्वितीय स्थानमें शुभग्रहसे दृष्ट मगल हो एव कारकाश कुण्डलीमे ४।५ स्थानोमे वुध या गुरु हो तो जातक गणितज्ञ होता है। जिम व्यक्तिकी जन्मपत्रीमें गणितज्ञ योग होता है वह ज्योतिपी, अकाउण्टेण्ट, इजीनियर, ओवरसीयर, मुनीम, खजानची, रेवेन्यूअफसर एव पैमाइश करनेवाला होता है।

५—रविसे पचम स्थानमे मगल, शुक्र, शनि और राहु इन चारोमे-से कोई भी दो या तीन ग्रह स्थित हो, लग्नमें चन्द्रमा स्थित हो, पचम भाव और पचमेश पापग्रहसे युक्त या दृष्ट हो तो जातक अँगरेज़ी भापाका जानकार होता है।

६—शनिसे गुरु सातवें स्थानमें हो या शनि गुरुसे नवम, पचमका सम्बन्ध हो या ये ग्रह मेष, तुला, मिथुन, कुम्भ और सिंह राशिके हो अथवा शनि-गुरु १-७,२-८,३-९,५-११ में हो तो जातक वकील, बैरिस्टर, प्रोफेसर एव न्यायाधीश होता है।

७—कारकाश कुण्डलीमें पाँचवें भावमें पापग्रहसे युत चन्द्र, गुरु स्थित हो तो नवीन ग्रन्थ लिखनेवाला जातक होता है।

सन्तान विचार

सन्तानका विचार जन्मकुण्डलीमें पचम स्थान और जन्मस्थ चन्द्रमाके पचम स्थानसे होता है। बृहस्पति सन्तानकारक ग्रह है।

१—पचम भाव, पचमाधिपति और बृहस्पति शुभग्रह-द्वारा दृष्ट अथवा युत रहनेसे सन्तानयोग होता है।

२—लग्नेश पाँचवें भावमें हो और बृहस्पति बलवान् हो तो सन्तान-योग होता है।

३—बलवान् बृहस्पति लग्नेश-द्वारा देखा जाता हो तो प्रबल सन्तान-योग होता है।

४—सन्तान स्थानपर मगल और शुक्रकी एक पाद, द्विपाद या त्रिपाद दृष्टि आवश्यक है।

५—केन्द्रत्रिकोणाधिपति शुभग्रह हो और उनमें-से पचममें कोई ग्रह अवश्य हो तथा पचमेश ६।८।१२वें भावमें न हो, पापयुक्त, अस्त एव शत्रु-राशिगत न हो तो सन्तान-सुख होता है।

६—पचम स्थानमें वृष, कर्क और तुलामें-से कोई राशि हो, पचममें शुक्र या चन्द्रमा स्थित हो अथवा इनकी दृष्टि पचमपर हो तो बहुपुत्र योग होता है।

७—लग्न या चन्द्रमासे पचम स्थानमे शुभग्रह स्थित हो, पचम स्थान शुभग्रहोंसे दृष्ट हो या ५चमेशसे दृष्ट हो तो सन्तान योग होता हैं।

८—लग्नेश, पचमेश एक साथ हो या परस्पर दृष्ट हो अथवा दोनो स्वगृही, मित्रगृही या उच्चके हो तो प्रवल सन्तानयोग होता है।

९—लग्नेश, पंचमेश शुभग्रहके साथ होकर केन्द्रगत हो और द्वितीयेश वली हो तो सन्तानयोग होता हैं।

१०—लग्नेश और नवमेश दोनो सप्तमस्थ हो अथवा द्वितीयेश लग्नस्थ हो तो सन्तानयोग होता हैं।

११—पचमेशके नवाशका स्वामी शुभग्रहसे युत और दृष्ट हो तो सन्तान योग होता है। लग्नेश और पचमेश १।४।७।१० स्थानोमे शुभग्रहसे युत या दृष्ट हो तो सन्तानयोग होता है।

१२—पचमेश और गुरु वलवान् हो तथा लग्नेश पचम भावमे हो, सप्तमेशके नवाशका स्वामो, लग्नेश तथा धनेश और नवमेश इन तीनोसे दृष्ट हो तो सन्तानप्राप्तिका योग होता है।

१३—पचम भावमें २।४।६।८।१०।१२ राशियाँ और इन्ही राशियोके नवाश शनि, वुध, शुक्र या चन्द्रमासे युत हो तो कन्याएँ अधिक तथा पचम भावमें १।३।५।७।९।११ राशियाँ तथा इन राशियोके नवाशाधिपति मगल, शनि और शुक्रसे दृष्ट हो तो पुत्र अधिक होते है।

१४—पचमेश धनमें अथवा आठवें भावमे गया हो तो कन्याएँ अधिक होती हैं।

१५—ग्यारहवें भावमे वुध, शुक्र या चन्द्रमा इन तीनोमे-से एक भी ग्रह गया हो तो कन्याएँ अधिक होती हैं।

१६—वुध, चन्द्र और शुक्र इन तीनो ग्रहोमें-से एक भी ग्रह पाँचवें भावमें हो तो कन्याएँ अधिक होती है।

१७—पंचम भावमें मेष, वृष और कर्क राशिमें केतु गया हो तो सन्तानकी प्राप्ति होती है।

सन्तान प्रतिबन्धक योग

१—तृतीयेश और चन्द्रमा १।४।७।१०।५।१२ स्थानोंमें हों तो सन्तान नहीं होती।

२—सिंह राशिमें गये हुए शनि, मंगल पंचम भावमें स्थित हो और पंचमेश छठे भावमें गया हो तो सन्तान नहीं होती।

३—बुध और लग्नेश ये दोनों लग्नके बिना अन्य केन्द्र स्थानोंमें हों तो सन्तानका अभाव होता है।

४—५।८।१२वें भावमें पापग्रह गये हों तो वंशविच्छेदक योग होता है। लग्नमें चन्द्रमा, गुरुका योग हो तथा सातवें भावमें शनि या मंगल हो तो सन्तानका अभावसूचक योग होता है।

५—पाँचवें भावमें चन्द्रमा तथा ८।१२वें भावमें सम्पूर्ण पापग्रह स्थित हों; सातवें भावमें बुध, शुक्र चतुर्थमें पापग्रह और पंचम भावमें गुरु स्थित हो तो सन्तान-प्रतिबन्धक योग होता है।

६—लग्नमें पापग्रह, चतुर्थमें चन्द्रमा, पंचममें लग्नेश स्थित हो और पंचमेश अल्प बली हो तो वंशविच्छेदक योग होता है।

७—सातवें भावमें शुक्र, दसवें भावमें चन्द्रमा और चतुर्थ भावमें तीन-चार पापग्रह स्थित हों तो सन्तान-प्रतिबन्धक योग होता है।

८—लग्नमें मंगल, आठवेंमें शनि और पाँचवें भावमें सूर्य हो तो वंश-नाशक योग होता है।

विलम्बसे सन्तानप्राप्ति योग

१—लग्नेश, पंचमेश और नवमेश ये तीनों ग्रह शुभग्रहसे युत होकर

६।८।१२वें भावमे गये हो तो विलम्वसे सन्तान होती है।

२—दशम भावमें सभी शुभग्रह और पचम भावमें सभी पापग्रह हो तो सन्तान-प्रतिवन्धक योग होता है, अत विलम्वसे सन्तान होती है।

३—पापग्रह अथवा गुरु चतुर्थ या पचम भावमे गया हो और अष्टम भावमे चन्द्रमा हो तो तीस वर्षकी आयुमे सन्तान होती है।

४—पापग्रहकी राशि लग्नमे पापग्रह युक्त हो, सूर्य निर्वल हो और मगल सम राशि (२।४।६।८।१०।१२) मे स्थित हो तो तीस वर्षकी आयुके पश्चात् सन्तान होती है।

५—कर्क राशिमे गया हुआ चन्द्रमा पापग्रहसे युक्त व दृष्ट हो और सूर्यको शनि देखता हो तो ६०वें वर्षमें पुत्रकी प्राप्ति होती है। ग्यारहवें भावमें राहु हो तो वृद्धावस्थामे पुत्र होता है।

६—पचममे गुरु हो और पचमेश शुक्रसे युक्त हो तो ३२ या ३३ वर्ष की अवस्थामें पुत्र होता है।

७—पचमेश और गुरु १।४।७।१० स्थानोंमें हो तो ३६ वर्षकी आयुमें सन्तान होती है।

८—नवम भावमें गुरु हो और गुरुसे नौवें भावमें शुक्र लग्नेशसे युत हो तो ४० वर्षकी अवस्थामे पुत्र होता है।

९—राहु, रवि और मगल ये तीनो पचम भावमे हो तो सन्तान-प्रतिवन्धक योग होता है।

१०—पचमेश नीच राशिमे हो, नवमेश लग्नमें और वुध, केतु पचम भावमें गये हो तो कष्टसे पुत्रकी प्राप्ति होती है।

स्त्रीकी कुण्डलीमें निम्न योगोके होनेसे सन्तानका अभाव होता है।

१—सूर्य लग्नमे और शनि सप्तममें हो। २—सूर्य और शनि सप्तम भावमे, चन्द्रमा दसवें भावमे स्थित हो तथा वृहस्पतिसे दोनो ग्रह अदृष्ट

हो। ३—षष्ठेश, रवि और शनि ये तीनो ग्रह षष्ठ स्थानमें हो और चन्द्रमा सप्तम स्थानमें हो तथा बुधसे अदृष्ट हो। ४—शनि, मगल छठे और चौथे स्थानमे हो। ५—६।८।१२ भावोके स्वामी पचम भावमे हो या पचमेश ३।८।१२ भावोमे हो, पचमेश नीच या अस्तगत हो तो सन्तान योगका अभाव पुरुष और स्त्रीकी कुण्डलीमे समझना चाहिए। ४।९।१०। १२ इन राशियोका बृहस्पति पचम भावमे हो तो प्राय सन्तानका अभाव समझना चाहिए। तृतीयेश १।२।३।५ भावोमे-से किसी भावमे हो तथा शुभग्रहसे युत और दृष्ट न हो तो सन्तानका अभाव समझना चाहिए।

पचमेश और द्वितीयेश निर्बल हो और पचम स्थानपर पापग्रहकी दृष्टि हो ओ सन्तानका अभाव रहता है। लग्नेश, सप्तमेश, पचमेश और गुरु निर्बल हो तो सन्तानका अभाव रहता है। पचम स्थानमे पापग्रह हो और पचमेश नीच हो तथा शुभग्रहोसे अदृष्ट हो, बृहस्पति दो पापग्रहो-के बीचमें हो एव पचमेश जिस राशिमें हो उससे ६।८।१२ भावोमें पापग्रहो-के रहनेसे सन्तानका अभाव होता है।

सन्तान-सख्या विचार

१—पचममे जितने ग्रह हो और इस स्थानपर जितने ग्रहोकी दृष्टि हो उतनी सख्या सन्तानकी समझनी चाहिए। पुरुषग्रहोके योग और दृष्टिसे पुत्र और स्त्रीग्रहोके योग और दृष्टिसे कन्या-सख्याका अनुमान करना चाहिए।

२—तुला तथा वृष राशिका चन्द्रमा ५।९ भावोमें गया हो तो एक पुत्र होता है। पचममें राहु या केतु हो तो एक पुत्र होता है।

३—पचममे सूर्य शुभग्रहसे दृष्ट हो तो तीन पुत्र होते है। पचममे विषम राशिका चन्द्र शुक्रके वर्गमें हो या चन्द्र, शुक्रसे युत हो तो बहुपुत्र होते है।

४—पचमेशकी किरण[1]-संख्याके समान सन्तान-सख्या जाननी चाहिए।

५—गुरु, चन्द्र और सूर्य इन तीनो ग्रहोके स्पष्ट राश्यादि जोडनेपर जितनी राशिसख्या हो उतनी सन्तान-सख्या जानना। पचम भावसे या पचमेशसे शुक्र या चन्द्रमा जिस राशिमें गये हो उस राशि पर्यन्तकी सख्या-के बीचमें जितनी राशिसख्या हो उतनी सन्तान-सख्या जाननी चाहिए। पचम भावसे या पचमेशसे शुक्र या चन्द्रमा जिस राशिमे स्थित हो उस राशि पर्यन्तकी सख्याके बीच जितनी राशियाँ हो उतनी ही सन्तान-सख्या समझनी चाहिए।

६—५वें भावमे गुरु हो, रवि स्वक्षेत्री हो, पचमेश पचममें हो तो पाँच सन्तानें होती है।

७—कुम्भ राशिका शनि पचम भावमें गया हो तो ५ पुत्र होते है। मकर राशिमें ६ अश ४० कलाके भीतरका शनि हो तो ३ पुत्र होते है। पचम भावमे मगल हो तो ३ पुत्र, गुरु हो तो ५ पुत्र, सूर्य, मगल दोनो हो तो ४ पुत्र, सूर्य, गुरु हो तो ६ सन्तानें, मगल, गुरु हो तो ८ सन्तानें एव सूर्य, मगल, गुरु ये तीनो ग्रह हो तो ९ सन्तानें होती हैं। पचम भावमे चन्द्रमा गया हो तो ३ कन्याएँ, शुक्र हो तो ५ कन्याएँ और शनि गया हो तो ७ कन्याएँ होती है।

८—लग्नमे राहु, ५वेंमे गुरु और ९वेंमे शनि हो तो ६ पुत्र, ९वेंमे शनि और नवमेश पचममे हो तो ७ पुत्र, गुरु ५।९वें भावमे और धनेश १०वें भावमे तथा पचमेश बलवान् हो, उच्च राशिमे गया हुआ पचमेश लग्नेशसे युत हो और गुरु शुभग्रहसे युत हो तो १० पुत्र, द्वितीयेश और

---

१ सूर्य उच्च राशिका हो तो १०, चन्द्र हो तो ६, भौम ५, बुध ५, गुरु ७, शुक्र ८ और शनिकी ५ किरणें होती है। उच्चबलका साधनकर पचमेशकी किरणें निकाल लेनी चाहिए।

पचमेशका योग पचम भावमें हो तो ६ पुत्र, परमोच्च राशिका गुरु हो, द्वितीयेश राहुसे युत हो और नवमेश ९वें भावमें गया हो तो ९ पुत्र एव ५वें भावमें शनि हो तो दूसरा विवाह करनेसे सन्तान होती है।

९—कर्क राशिका चन्द्रमा पचम भावमे गया हो तो अल्पसन्तान योग होता है। पचमेश नीचका होकर ६।८।१२वें भावमे स्थित हो और पापग्रहसे युत हो तो काकवन्ध्या योग होता है, पचमेश नीचका होकर शनिसे युत हो तो भी काकवन्ध्या योग होता है।

पचमेशका द्वादश भावोमे फल

पचमेश लग्नमे हो तो जातक प्रसिद्ध पुत्रवाला, शास्त्रज्ञ, सगीत-विशारद, सुकर्मरत, विद्वान्, विचारक और चतुर, द्वितीय भावमें हो तो धनहीन, काव्यकला जाननेवाला, कष्टसे भोजन प्राप्त करनेवाला, आजीविका रहित और चालाक, तृतीयमें हो तो मधुर-भाषी, प्रसिद्ध, पुत्रवान्, आश्रयदाता और नीतिज्ञ, चौथेमे हो तो गुरुजन-भक्त, माता-पिताकी सेवा करनेवाला, कुटुम्बका सवर्द्धन करनेवाला और सुन्दर सन्तानका पिता, पाँचवें भावमे हो तो श्रेष्ठ सच्चरित्र पुत्रोका पिता, धनिक, लब्धप्रतिष्ठ, चतुर, विद्वान् और समाजमान्य, छठे भावमे हो तो पुत्रहीन, रोगी, धनहीन, शस्त्रप्रिय और दुखी, सातवें भावमें हो तो सुन्दरी, सुशीला, सन्तानवती, मधुरभाषिणी भार्याका पति, आठवें भावमें हो तो कठोर वचन बोलनेवाला, मन्दभागी, स्थानके कष्टसे दुखी और कष्ट भोगनेवाला, नौवें भावमें हो तो विद्वान्, सगीतप्रिय, राजमान्य, सुन्दर, रसिक और सुबोध, दसवें भावमे हो तो राजमान्य, सत्कर्मरत, माताके सुखसे सहित और ऐश्वर्यवान, ग्यारहवें भावमें हो तो पुत्रवान्, कलाविद्, राजमान्य, सत्कर्मरत, गायक और धन धान्यसे परिपूर्ण एव बारहवें भावमें हो तो पुत्रवान्, सुखी तथा क्रूर ग्रह चमेश हो तो सन्तान-रहित, दुखी और प्रवासी होता है।

षष्ठभाव विचार

छठे स्थानमें पापग्रहोका रहना प्राय शुभ होता है। किन्तु इस स्थानमें रहनेवाले निर्वल पापग्रह शत्रुपीडाके सूचक है। पष्ठेश छठे भावमें हो तो स्वजातिके लोग ही शत्रु होते है। पचमेश ६।१२ भावमे हो और लग्नेशको दृष्टि हो तो शत्रुपीडा जातकको होती है।

१—चतुर्थेश और एकादशेश लग्नेशके शत्रु हो तो मातासे वैर होता है। चतुर्थेश पापग्रहसे युत या दृष्ट हो या चतुर्थेश लग्नेशमे छठे भावमे स्थित हो अथवा चतुर्थेश छठे भावमे वैठा हो तो मातासे जातकका वैर होता है।

२—लग्नेश और दशमेशकी परस्पर शत्रुता हो, दशमेश लग्नेशसे छठे स्थानमें वैठा हो या दशमेश छठे भावमे स्थित हो तो जातककी पितामे अनवन रहती है। पचमेश ६।८।१२ भावोमे हो तो जातक पितासे शत्रुता करता है।

३—लग्नेश और सप्तमेश दोनो आपसमे शत्रु हो तो स्त्रीसे जातककी सदा खट-पट रहती है।

छठे स्थानमे राहु, शनि और मगलमे-से कोई ग्रह हो और छठे स्थानपर शुभग्रहोकी दृष्टि हो तो जातक विजयी और शत्रुनाशक होता है।

रोगविचार

यद्यपि लग्न स्थानसे कुछ रोगोका विचार किया गया है, किन्तु छठे स्थानसे भी कतिपय रोगोका विचार किया जाता है, अत कुछ योग नीचे दिये जाते हैं—

१—पष्ठेश सूर्यसे युत १।८ भावोमे हो तो मुख या मस्तकपर घाव निकलता है।

२—पष्ठेश चन्द्रमासे युत १।८ भावोमे हो तो मुख या तालूपर व्रण होता है। मगलसे युत होकर १।८ में हो तो कण्ठमें घाव, वुधसे युत होकर

१।८ में हो तो हृदयमें व्रण, गुरुसे युत होकर १।८ में हो तो नाभिके नीचे व्रण, शुक्रसे युत होकर १।८ मे हो तो नेत्रके नीचे व्रण, शनिसे युत होकर १।८ मे हो तो पैरमे व्रण एव राहु और केतुसे युत होकर १।८ मे हो तो मुखपर घाव होता है।

३—वारहवें भावमे गुरु और चन्द्रका योग हो और वुध ३।६।१ भावोमे हो तो गुदाके समीप व्रण होता है।

४—मगल और शनिका योग छठे या वारहवें भावमे हो और शुभग्रह न देखते हो तो गण्डमाला (कण्ठमाला) रोग होता है।

५—पापग्रहसे युत या दृष्ट षष्ठेश जिस स्थानमें हो उस स्थानके स्वामीकी दशामे तथा उस राशि-द्वारा साकेतिक अगमें घाव जातकको होता है।

६—लग्नेश और रविका योग ६।८।१२ भावोमे-से किसी भावमे हो तो गलगण्ड दाहयुक्त, चन्द्रमा और लग्नेश ६।८।१२ भावमे हो तो जलोत्पन्न गलगण्ड, लग्नेश, षष्ठेश और चन्द्रमामे-से कोई भी ६।८।१२ भावोमे-से किसी भी भावमे हो तो कफजनित गलगण्ड होता है।

७—लग्नेश और वुधका योग ६।८।१२वें भावमे हो तो पित्तरोगी, गुरु और लग्नेशका योग ६।८।१२वें भावमें हो तो वातरोगी एव शुक्र और लग्नेशका योग ६।८।१२वें भावमे हो तो जातक क्षयरोगी होता है। यहाँ स्मरण रखनेकी एक वात यह है कि इन योगोपर क्रूर ग्रहोकी दृष्टिका होना आवश्यक है। क्रूर ग्रहकी दृष्टिके अभावमे योग पूर्ण फल नही देते हैं।

८—मगल और शनि लग्नस्थान या लग्नेशको देखते हो तो श्वास, क्षय, कास रोग, कर्क राशिमें वुध स्थित हो तो कास, क्षय रोग, शनि युक्त चन्द्रमाकी दृष्टि मगलपर हो तो सग्रहणी रोग, चतुर्थ स्थानमे गुरु, रवि और शनि ये तीनों ग्रह स्थित हो तो हृदयरोगी एव लाभेश छठे स्थानमे स्थित

हो तो अनेक रोगोसे पीडित जातक होता है।

९—सूर्य, मगल, शनि जिस स्थानमे हो उस स्थानवाले अगमे रोग होता है तथा सूर्य, मगल और शनिसे देखा गया भाव रोगाक्रान्त होता है।

१०—शुक्रके पापयुक्त, पापदृष्ट तथा पापराशि स्थित होनेसे वीर्य-सम्वन्धी रोग होते हैं।

११—मगलके पापयुक्त, पापदृष्ट तथा पापराशि स्थित होनेमे रक्त-सम्वन्धी रोग होते हैं।

१२—वुधके पापयुक्त, पापदृष्ट तथा पापराशि स्थित होनेसे कुष्ट रोग होता है।

१३—सूर्यके पापयुक्त, पापदृष्ट तथा पापराशि स्थित होनेसे चर्मरोग होते है।

१४—चन्द्रमाके पापयुक्त, पापदृष्ट तथा पापराशि स्थित होनेमे मानसिक रोग होते हैं।

१५—गुरुके पापयुक्त, पापदृष्ट तथा पापराशि स्थित होनेसे मृगी, अपस्मार आदि रोग होते है। मतिविभ्रम भी इस योगके होनेसे देखा गया है।

१६—सूर्य मगल और शुक्रका योग तथा अष्टमेश और लग्नेशका योग जातकको रोगी वनाता है।

१७—छठे स्थानपर शनिकी पूर्ण दृष्टि हो तो जातकको राजयक्ष्मा होता है। चन्द्र और शनि एक साथ कर्क राशिमे स्थित हो या छठे भावमे स्थित होकर वुधसे दृष्ट हो तो जातकको कुष्ट रोग होता है।

षष्ठेशका द्वादश भावोमे फल

षष्ठेश लग्न भावमें हो तो जातक नीरोग, कुटुम्बको कष्ट देनेवाला, शत्रुनाशक, निरुत्साही, निरुद्यमी, चचल, धनी, अन्तिम अवस्थामे आलसी पर मध्यम वयमें परिश्रमी और अभिमानी, द्वितीय भावमे हो तो दुष्ट

बुद्धिवाला, चालाक, सग्रह करनेवाला, उत्तम स्थानवाला, प्रख्यात रोगी और अस्त व्यस्त रहनेवाला, तृतीय भावमे हो तो कुटुम्बियोसे मनमुटाव रखनेवाला, सग्राहक, द्वेपवुद्धि करनेवाला, स्वार्थी, अभिमानी, नीरोग और चतुर, चौथे भावमे हो तो पितामें द्वेप करनेवाला, नीच बुद्धि, अभिमानी, अभक्ष्य-भक्षक, और लालची, पाँचवें भावमें हो तो माताका भक्त, शत्रुओसे पीडित, साधारण रोगी, बवासीर और मस्तिष्क रोगसे पीडित, छठे भावमे हो तो नीरोग, कृपण, शत्रुहन्ता, अरिष्टनाशक, सुखी, साधारण धनी तथा क्रूर ग्रहोकी दृष्टि हो तो नाना रोगोका शिकार, अभिमानी और कुटुम्बियोको शत्रु समझनेवाला, सातवें भावमे क्रूर ग्रह पष्ठेश हो तो भार्या कुरूपा, लडाकू, अभिमानिनी और व्यभिचारिणी होती है तथा शुभग्रह पष्ठेश हो तो सन्तानहीन, रूपवती, गुणवती स्त्रीका पति, आठवें भावमें हो तो स्त्री-मृत्युके साधनोका ग्रहोके स्वरूपानुसार अनुमान करना चाहिए तथा जातक रोगी, अनेक व्याधियोंसे पीडित, दु खी और शत्रुओके द्वारा कष्ट पानेवाला, नौवें भावमें हो तो नीरोग, सम्माननीय, धर्मात्मा और मित्रोसे युक्त, दसवें भावमें हो तो पितासे स्नेह करनेवाला, पिता रोगी रहनेवाला, माताकी सेवा करनेवाला, नीरोग, वलवान्, ऐश्वर्यवान् और साहसी, किन्तु पष्ठेश क्रूर ग्रह हो तो इसके विपरीत फल मिलता है, ग्यारहवें भावमें हो तो शत्रुओसे कष्ट, मवेशीके व्यापारसे लाभ और नीरोग तथा पष्ठेश क्रूर हो तो रोगी, शत्रुओसे दु खी और अभिमानी एव वारहवें भावमें हो तो रोगी, दु खी और व्यापारमे धनार्जन करनेवाला होता है।

सातवें भावका विचार

सप्तम स्थानसे विवाहका विचार प्रधानत किया जाता है। विवाहके प्रतिवन्धक योग निम्न हैं—

१—सप्नमेश शुभ युक्त न होकर ६।८।१२ भावमें हो अथवा नीचका

या अस्तगत हो तो विवाह नही होता है अथवा विधुर होता है।

२—सप्तमेश बारहवें भावमे हो तथा लग्नेश और जन्मराशिका स्वामी सप्तममें हो तो विवाह नही होता।

३—षष्ठेश, अष्टमेश तथा द्वादशेश सप्तममे हो तथा ये ग्रह शुभग्रहसे युत या दृष्ट न हो अथवा सप्तमेश ६।८।१२वें भावका स्वामी हो तो स्त्री-सुख जातकको नही होता है।

४—यदि शुक्र और चन्द्रमा साथ होकर किसी भावमें बैठे हो और शनि एव भौम उनसे सप्तम भावमें हो तो विवाह नही होता।

५—लग्न, सप्तम और द्वादश भावमे पापग्रह बैठे हो और पचमस्थ चन्द्रमा निर्वल हो तो विवाह नही होता।

६—७।१२वें स्थानमें दो-दो पापग्रह हो तथा पचममे चन्द्रमा हो तो जातकका विवाह नही होता।

७—सप्तममे शनि और चन्द्रमाके सप्तम भावमे रहनेसे जातकका विवाह नही होता, यदि विवाह होता भी है तो स्त्री वन्ध्या होती है।

८—सप्तम भावमें पापग्रहके रहनेसे मनुष्यको स्त्रीसुखमे वाधा होती है।

९—शुक्र और वुध सप्तममे एक साथ हो तथा सप्तमपर पापग्रहोकी दृष्टि हो तो विवाह नहीं होता, किन्तु शुभग्रहोकी दृष्टि रहनेसे वडी आयुमें विवाह होता है।

१०—यदि लग्नसे सप्तम भावमे केतु हो और शुक्रकी दृष्टि उसपर हो तो स्त्रीसुख कम होता है।

११—शुक्र मगल ५।७।९वें भावमे हो तो विवाह नही होता।

१२—लग्नमे केतु हो तो, भार्यामरण तथा सप्तममें पापग्रह हो और सप्तमपर पापग्रहोकी दृष्टि भी हो तो जातकको स्त्रीसुख कम होता है।

विवाह योग

१—सप्तम भाव शुभयुत या दृष्ट होनेसे तथा सप्तमेशके बलवान् होनेसे विवाह होता है।

२—शुक्र स्वगृही या कन्या राशिका हो तो विवाह होता है।

३—सप्तमेश लग्नमें हो या सप्तमेश शुभग्रहसे युत होकर ११वें भावमें हो तो विवाह होता है।

४—जितने अधिक बलवान् ग्रह सप्तमेशसे दृष्ट होकर सप्तम भावमें गये हों उतनी ही जल्दी विवाह होता है।

५—द्वितीयेश और सप्तमेश १।४।७।१०।५।९वें स्थानमें हो तो विवाह होता है।

६—मंगल तथा रविके नवांशमें बुध, गुरु गये हों या सप्तम भावमें गुरुका नवांश हो तो विवाह होता है।

७—लग्नेश लग्नमें हो, लग्नेश सप्तम भावमें हो, सप्तमेश या लग्नेश द्वितीय भावमें हो तो विवाह योग होता है।

८—सप्तम और द्वितीय स्थानपर शुभग्रहोंकी दृष्टि हो तथा द्वितीयेश और सप्तमेश शुभ राशिमें हो तो विवाह होता है।

९—लग्नेश दशममें हो और उसके साथ बलवान् बुध हो एवं सप्तमेश और चन्द्रमा तृतीय भावमें हो तो जातकका विवाह होता है।

१०—गुरु अपने मित्रके नवांशमें हो तो विवाह होता है।

११—सप्तममें चन्द्रमा या शुक्र अथवा दोनोंके रहनेसे विवाह होता है।

१२—यदि लग्नसे सप्तम भावमें शुभग्रह हो या सप्तमेश शुभग्रहसे युत होकर द्वितीय, सप्तम या अष्टममें हो तो जातकका विवाह होता है।

१३—विवाह प्रतिबन्धक योगोंके न रहनेपर विवाह होता है।

विवाह-स्त्रीसंख्या विचार

१—सप्तममें बृहस्पति और बुधके रहनेसे एक स्त्री होती है। सप्तममें

मगल या रवि हो तो एक स्त्री होती है।

२—लग्नेश और सप्तमेश इन दोनो ही के लग्न या सप्तममें रहनेसे दो स्त्रियाँ होती हैं। यदि लग्नेश और सप्तमेश दोनो ही स्वगृही हो तो जातकका एक विवाह होता है।

३—सप्तमेश और द्वितीयेश शुक्रके साथ अथवा पापग्रहके साथ होकर ६।८।१२वें भावमे हो तो एक स्त्रीकी मृत्युके वाद दूसरा विवाह होता है।

४—यदि सप्तम या अष्टम स्थानमे पापग्रह और मगल द्वादश भावमें हो तथा द्वादशेश अदृश्य चक्रार्धमें हो तो जातकका द्वितीय विवाह अवश्य होता है।

५—लग्न, सप्तम स्थान और चन्द्रलग्न ये तीनो द्विस्वभाव राशिमे हो तो जातकके दो विवाह होते हैं।

६—लग्नेश, सप्तमेश और राशीश द्विस्वभाव राशिमें हो तो दो विवाह होते हैं।

७—लग्नेश द्वादश भावमें और द्वितीयेश पापग्रहके साथ कही भी हो तथा सप्तम स्थानमें पापग्रह बैठा हो तो जातककी दो स्त्रियाँ होती है।

८—शुक्र पापग्रहके साथ हो अथवा नीचका हो तो जातकके दो विवाह होते हैं।

९—अष्टमेश १।७वें भावमें हो, लग्नेश लग्नमें हो, लग्नेश छठे भावमें हो, सप्तमेश शुभ ग्रहसे युत शत्रु या नीच राशिमें गया हो एव शुक्र नीच शत्रु और अस्तगत राशिका हो तो दो विवाह होते हैं।

१०—धन स्थानमें अनेक पापग्रह हो और धनेश भी पापग्रहोंसे दृष्ट हो तो तीन विवाह होते हैं।

११—सप्तम भावमें वहुत पापग्रह हो तथा सप्तमेश पापग्रहोसे युत हो तो तीन विवाह होते है।

१२—वली चन्द्र और शुक्र एक साथ हो, वली शुक्र सप्तम भावको

पूर्ण दृष्टिसे देखता हो, लग्नेश उच्चका हो या लग्न भावमें उच्चका ग्रह एव लग्नेश, द्वितीयेश और षष्ठेश ये तीनो ग्रह पापग्रहोंसे युक्त होकर सप्तम भावमें स्थित हो तो जातक अनेक स्त्रियोंके साथ विहार करनेवाला होता है।

१३—सप्तमेशसे तीसरे स्थानमें चन्द्रमा, गुरुसे दृष्ट हो, या सप्तमेशसे तीसरे, सातवें भावमें चन्द्रमा हो, सप्तमेश शनि हो, सप्तमेश और नवमेश बली होकर ५।९वें भावमें स्थित हो एव दशमेशसे दृष्ट सप्तमेश १।४।५।७।९।१०वें भावमें स्थित हो तो जातक अनेक स्त्रीभोगी होता है।

१४—७वें या १२वें भावमें बुध हो तो वेश्यागामी होता है।

स्त्रीरोग विचार

१—लग्न स्थानमें शनि, मगल, बुध, केतु इन चारोंमें-से किसी भी ग्रहके रहनेसे स्त्री रोगिणी रहती है।

२—सप्तमेश ८।१२वें भावमें हो तो भार्या रोगिणी रहती है।

३—सप्तमेश और द्वितीयेश दोनो पापग्रहोंसे युत होकर २।१२वें भावमे हो तो स्त्री रोगिणी रहती है।

विवाह-समय विचार

१—बृहत्पाराशरीकारने बताया है कि सप्तमेश शुभग्रहकी राशिमे गया हो और शुक्र अपनी उच्च राशिमे हो तो नौ वर्षकी अवस्थामे विवाह होता है।

२—शुक्र धन स्थानमें और सप्तमेश ग्यारहवें भावमें हो तो १० या १६ वर्षकी आयुमें विवाह होता है।

३—लग्नमें शुक्र और लग्नेश १०।११ राशिमें हो तो ११ वर्षकी आयुमें विवाह होता है।

४—केन्द्र स्थानमें शुक्र हो और शुक्रसे सातवें शनि हो तो १२ या

१९ की अवस्थामे विवाह होता है।

५—सातवें स्थानमे चन्द्रमा हो और शुक्रसे सातवें स्थानमें शनि हो तो १८ वर्पकी आयुमें विवाह होता है।

६—द्वितीयेश ११वें और एकादशेश २रे भावमे हो तो १३ वर्पकी आयुमे विवाह होता है।

७—शुक्र द्वितीय स्थानमे हो और द्वितीयेश तथा मंगल इन दोनोका योग हो तो २७वें वर्पमें विवाह होता है। मतान्तरसे इस योगके रहनेपर २२ या २३ वर्पकी आयुमे विवाह होता है।

८—पचम भावमे शुक्र और चतुर्थमे राहु हो तो ३१वें या ३३वें वर्पकी आयुमे विवाह होता है।

९—तृतीय भावमे शुक्र और ९वें भावमे सप्तमेश गया हो तो ३०वें या २७वें वर्पमे विवाह होता है।

१०—लग्नेशसे शुक्र जितना नजदीक हो उतनी हो जल्दी विवाह होता है। शुक्रकी स्थिति जिस राशिमे हो उस राशिकी दशामे विवाह होता है।

११—सप्तमस्थ राशिकी जो सख्या हो उसमे आठ और जोड देनेपर विवाहकी वर्पसख्या आ जाती है। शुक्र, लग्न और चन्द्रमासे सप्तमाधिपतिकी सख्यामे विवाहका योग आता है।

१२—लग्न, द्वितीय और सप्तममे शुभग्रह हो या इन स्थानोपर शुभग्रहोकी दृष्टि हो तो छोटी अवस्थामें विवाह होता है।

१३—लग्नेश और सप्तमेशको जोडकर जो राशि हो उस राशिमे जव गोचरका गुरु पहुँचता है तव विवाहका योग होता है। अपनी जन्मराशिके स्वामी और अष्टमेशको जोडनेसे जो राशि आवे, उस राशिमे जव गोचरका गुरु पहुँचता है तव विवाह होता है।

१४—शुक्र और चन्द्रमा इन दोनोमें-से जो ग्रह वली हो उसकी महादशामें विवाह होता है।

१५—यदि सप्तमेश शुक्रके साथ हो तो सप्तमेशकी अन्तर्दशामें विवाह होता है। नवमेश, दशमेश और सप्तम भावस्थ ग्रहकी अन्तर्दशामें विवाह होता है।

स्त्रीमृत्युविचार

१—कोई पापग्रह सप्तम स्थानमें हो, पंचमेश सप्तम स्थानमें हो, अष्टमेश सप्तम स्थानमें हो, गुरु सप्तम स्थानमें हो एव पाप ग्रहसे युत शुक्र सप्तममें हो तो जातककी स्त्रीका मरण उसकी जीवित अवस्थामें होता है।

२—स्त्रीके जन्मनक्षत्रसे पुरुषके जन्मनक्षत्र तक तथा पुरुषके जन्म-नक्षत्रसे स्त्रीके जन्मनक्षत्र तक गिननेमे जो सख्या आवे उसमे अलग अलग ७ मे गुणा कर २८ का भाग देनेसे यदि प्रथम सख्यामे अधिक शेष रहे तो स्त्रीकी मृत्यु पहले और द्वितीय सख्यामें अधिक शेष रहे तो पुरुषकी मृत्यु पहले होती है।

३—शुक्रके नवाशमें या लग्नसे सप्तम स्थानमें शुक्र हो और सप्तमेश पचम स्थानमें हो तो जातकको स्त्रीमरणका दु ख सहन करना पडता है।

४—द्वितीयेश और सप्तमेश ६।८।१२वें भावमे हो तो स्त्री-मरण, छठेमे मगल, सप्तममें राहु और अष्टममे शनि हो तो भार्यामरण होता है।

५—शुक्र द्विस्वभाव राशिमें हो और सप्तममे पापग्रह स्थित हो अथवा सप्तमपर पापग्रहोकी दृष्टि हो तो जातककी स्त्रीका मरण होता है।

सप्तमेशका द्वादश भावोमे फल

सप्तमेश लग्न स्थानमे हो तो जातक स्वस्त्रीसे प्रेम करनेवाला, सदा-चारी, परस्त्री रतिसे घृणा करनेवाला, रूपवान्, स्त्रीके वशमें रहनेवाला, सुपुत्रवान् और धर्मभीरु, द्वितीय भावमे हो तो सुखरहित, दु खी, ससुरालसे

धन प्राप्त करनेवाला, स्त्रीके सुखसे रहित और रतिसुखके लिए सदा लालायित रहनेवाला, तृतीय भावमें हो तो पुत्रसे प्रेम करनेवाला, रोगिणी भार्याका पति, दु खी, रोगी और कौटुम्बिक सुखसे हीन, चौथे भावमे हो तो साधक, पितासे द्वेष करनेवाला, चचल, समाजसेवी और सुखी, पाँचवें भावमें हो तो सौभाग्ययुक्त, पुत्रवान्, हठी, दुष्ट विचारवाला, माताकी सेवा करनेवाला और दुष्ट प्रकृतिका, छठे भावमें हो तो स्त्रीसे द्वेष करनेवाला, रोगिणी भार्याका पति, स्त्रीसे हानि और कुटुम्बसे दु खी, सातवे भावमे हो तो दीर्घायु, शीलवान्, तेजस्वी, सुन्दर नारीका पति, सौभाग्यशाली, सुखी और कुटुम्बसे परिपूर्ण, आठवें भावमे हो तो वेश्यागामी, विवाहसे वचित, वास्तविक रतिसुखसे वचित और रोगी, नौवे भावमे हो तो तेजस्वी, शिल्पी, स्त्रीसुखसे परिपूर्ण, सुन्दर रमणीके साथ रमण करनेवाला, धर्मात्मा और नीतिज्ञ, दसवें भावमे हो तो राजासे दण्ड पानेवाला, लम्पट, कामी, क्रूर और नीच कर्मरत, ग्यारहवे भावमे हो तो रूपवती, सुशीला रमणीका पति, गुणवान्, दयालु और धनिक एव वारहवें भावमे हो तो गृह और वन्धुसे हीन, स्त्रीसुखरहित या अल्प स्त्रीसुख पानेवाला होता है। यदि सप्तमेश क्रूर ग्रह हो तो उसका प्रत्येक भावमे अनिष्ट फल ज्ञात करना चाहिए।

अष्टम भाव विचार

अष्टम भावसे प्रधानत आयुका विचार किया जाता है। दीर्घायुके योग निम्न हैं—

१—पचममे चन्द्रमा, नौवेंमे गुरु और दसवे भावमे मगल हो तो दीर्घायु योग होता है।

२—अष्टमेश अपनी राशिमे हो और शनि अष्टममें हो।

३—अष्टमेश, लग्नेश और दशमेश १।४।५।७।९।१०वें भावमे हो तो दीर्घायु होता है।

४—षष्ठेश और व्ययेश दोनों लग्नमें हों, दशमेश केन्द्रमें हो और लग्नेश केन्द्रमें हो तो दीर्घायु योग होता है।

५—पापग्रह ३।६।११ और शुभग्रह १।४।५।७।९।१० स्थानोंमें हो तो दीर्घायु योग होता है।

६—लग्नेश बलवान् होकर केन्द्रमें हो तो दीर्घायु और सभी ग्रह तीसरे, चौथे अथवा आठवें स्थानमें हों तो जातक दीर्घायु होता है।

अल्पायु योग

१—वृश्चिकका सूर्य गुरुके साथ लग्नमें हो और अष्टमेश केन्द्रमें हो तो २२ वर्षकी आयु होती है।

२—१।४।५।८ राशियोंका शनि लग्नमें हो, शुभग्रह ३।६।९।१२ में हों तो २६ या २७ वर्षकी आयु होती है।

३—अष्टमेश पापग्रह हो और गुरु या पापग्रहसे दृष्ट हो, लग्नेश अष्टम भावमें हो तो २८ वर्षकी आयु होती है।

४—चन्द्र या शनियुक्त सूर्य आठवें भावमें हो तो २९ वर्षकी आयु, राशीश और अष्टमेशके मध्यमें चन्द्र हो, व्यय भावमें गुरु हो तो २७ या ३० वर्षकी आयु होती है।

५—क्षीण चन्द्रमा हो, अष्टमेश पापयुक्त केन्द्र या अष्टममें हो, लग्न पापयुक्त निर्बल हो तो ३२ वर्षकी आयु होती है।

६—६।८।१२वें भावोंमें पापग्रह हों, लग्नेश निर्बल हो तथा शुभग्रहोंसे युत और दृष्ट न हो तो जातक अल्पायु होता है।

७—सभी पापग्रह ३।६।९।१२ भावोंमें हों तो अल्पायु, लग्नेश और अष्टमेश ६ठे या ८वें भावमें हों तो अल्पायु होता है।

८—द्वितीयेश नवम भावमें, शनि सातवें और गुरु, शुक्र ग्यारहवें

भावमे हो तो अल्पायु योग होता है।

९—लग्नेश निर्वल हो तथा सभी पापग्रह १।४।५।७।९।१० स्थानोमे हो और शुभग्रहोकी दृष्टि भी नही हो तो अल्पायु योग होता है।

१०—शुक्र, गुरु लग्नमे हो और पचममे मगल पापग्रहसे युत हो तथा सूर्यसहित लग्नेश लग्नमें हो तो जातक अल्पायु होता है।

मध्यमायु योग

१—सभी पापग्रह २।५।८।११वें स्थानमे हो या ३।४ स्थानोमे हो तो मध्यमायु योग होता है।

२—लग्नेश निर्वल हो, गुरु १।४।७।१०।५।९ स्थानोमे हो और पापग्रह ६।८।१२वें भावमें स्थित हो तो मध्यमायु योग होता है।

३—सभी शुभग्रह १।४।५।७।९।१० स्थानोमे हो, शनि ६।८ स्थानोमें हो और पापग्रह वलवान् होकर ७।८ स्थानोमे हो तो जातक मध्यमायु होता है।

४—१।४।५।७।९।१० स्थानोमें शुभ और पाप दोनो ही प्रकारके मिश्रित ग्रह हो तो मध्यमायु योग होता है।

५—दिनमे जन्म हो और चन्द्रमासे आठवें स्थानमे पापग्रह हो तो मध्यमायु योग होता है।

मृत्युका निर्णय करनेके लिए मारकका ज्ञान कर लेना आवश्यक है। ज्योतिष शास्त्रमे लग्नेश, षष्ठेश, अष्टमेश, गुरु और शनि इनके सम्वन्वसे मारकेशका विचार किया गया है। अष्टमेश वली होकर ३।४।६।१०।१२ स्थानोमे हो तो मारक होता है। लग्नेशसे अष्टमेश वलवान् हो तो अष्टमेशकी अन्तर्दशा मारक होती है। शनि षष्ठेश और अष्टमेश होकर लग्नेशको देखता हो तो लग्नेश भी मारक हो जाता है। अष्टमेश सप्तम भावमे वैठकर लग्नको देखता हो तो पापग्रहकी दशा-अन्तर्दशामे वह मारक

होता है। मगलकी दशामे शनि तथा शनिकी दशामें मगल सदा जातक-को रोगी वनाते हैं। अष्टमेश चतुर्थ स्थानमे शत्रुक्षेत्री हो तो मारक वन जाता है।

पाराशरके मतसे द्वितीय और सप्तम मारक स्थान है। तथा इन दोनोके स्वामी—द्वितीयेश, सप्तमेश, द्वितीय और सप्तममें रहनेवाले पाप-ग्रह एव द्वितीयेश और सप्तमेशके साथ रहनेवाले पापग्रह मारकेश होते हैं। अभिप्राय यह है कि यदि द्वितीयेश पापग्रह हो तथा पापग्रहसे दृष्ट हो तो प्रथम वही मारकेश होता है, पश्चात् सप्तमेश पापग्रह हो और पापग्रहसे दृष्ट हो, अनन्तर द्वितीयेशमे रहनेवाला पापग्रह, अनन्तर सप्तममें रहनेवाला पापग्रह, द्वितीयेशके साथ रहनेवाला पापग्रह और सप्तमेशके साथ रहनेवाला पापग्रह मारकेश होता है। शनि यदि मारकेशके साथ हो तो मारकेशको हटाकर स्वय मारक वन जाता है। द्वादशेश भी पापग्रह होनेपर मारक वन जाता है। पापग्रह षष्ठेश हो या पापराशिमे षष्ठेश वैठा हो अथवा पापग्रहसे दृष्ट हो तो षष्ठेशकी दशामें भी मरणकी सम्भा-वना होती है। मारकेशकी दशामें षष्ठेश, अष्टमेश और द्वादशेशकी अन्तर्दशामें मरण सम्भव होता है। यदि मारकेश अधिक वलवान् हो तो उसकी दशा या अन्तर्दशामें मरण होता है। राहु या केतु १।७।८।१२वें भावमे हो अथवा मारकेशसे ७वें भावमें हो या मारकेशके साथ हो तो मारक होते हैं। मकर और वृश्चिक लग्नवालोंके लिए राहु मारक वताया गया है।

जैमिनीके मतसे आयुविचार

लग्नेश-अष्टमेश, जन्मलग्न-चन्द्र एव जन्मलग्न-होरालग्न इन तीनोंके द्वारा आयुका विचार करना चाहिए। उपर्युक्त तीनो योगोवाले ग्रह अर्थात् लग्नेश और अष्टमेश, जन्मलग्न और चन्द्र, तथा जन्मलग्न और होरा-लग्न-द्वारा नीचेके चक्रसे आयुका निर्णय करना चाहिए।

दीर्घायु	मध्यमायु	अल्पायु
चरराशि-लग्नेश चरराशि-अष्टमेश	चरराशि-लग्नेश स्थिरराशि-अष्टमेश	चरराशि-लग्नेश द्विस्वभाव-अष्टमेश
स्थिरराशि-लग्नेश द्विस्वभाव-अष्टमेश	स्थिरराशि-लग्नेश चरराशि-अष्टमेश	स्थिरराशि-लग्नेश स्थिरराशि-अष्टमेश
द्विस्वभाव-लग्नेश स्थिरराशि-अष्टमेश	द्विस्वभाव-लग्नेश द्विस्वभाव-अष्टमेश	द्विस्वभाव लग्नेश चरराशि-अष्टमेश

इसी प्रकार लग्न-चन्द्र अथवा शनि-चन्द्र, जन्मलग्न तथा होरालग्न-पर-से आयुका विचार होता है। यदि तीनो प्रकारसे अथवा दो प्रकारसे एक ही प्रकारको आयु आये तो उसे ठीक समझना चाहिए। यदि तीनो प्रकारसे भिन्न-भिन्न प्रकारकी आयु आये तो जन्मलग्न और होरालग्न[1]-पर-से जो आयु निकले उसीको ग्रहण करना चाहिए।

विसवाद होनेपर लग्न या सप्तममें चन्द्रमा हो तो शनि और चन्द्रमा-परसे आयु निकालना चाहिए। अन्यथा जन्मलग्न और होरालग्नपर-से ही आयु सिद्ध करना चाहिए।

इस प्रकार आयुका योग निश्चित कर लेनेपर भी यदि लग्नेश या अष्टमेश शनि हो तो कक्षा हानि अर्थात् दीर्घायु योग आया हो तो उसको मध्यमायु योग, मध्यमायु योग आया हो तो अल्पायु योग और अल्पायु योग आया हो तो हीनायु योग होता है, परन्तु शनि ७।१०।११ राशियो-में-से किसी भी राशिमें हो तो कक्षा हानि नहीं होती है।

---

१ इष्टकालको २से गुणाकर पाँचका भाग देनेसे जो राश्यादि आवें उनमें रविस्पष्टको जोड़ देनेपर होरालग्न होता है।

लग्न या सप्तममें गुरु हो अथवा केवल शुभग्रहसे युत या दृष्ट गुरु हो तो कक्षा-वृद्धि अर्थात् अल्पायुमें मध्यमायु, मध्यमायुमे दीर्घायु और दीर्घायुमें पूर्णायु होती है।

तीनो प्रकारसे दीर्घायु आये तो १२० वर्ष, दो प्रकारसे आये तो १०८ वर्ष तथा एक प्रकारसे आये तो ९६ वर्ष होते हैं।

तीनो प्रकारसे मध्यमायुमें ८० वर्ष, दो प्रकारसे मध्यमायुमे ७२ वर्ष और एक प्रकारसे मध्यमायुमे ६४ वर्ष होते हैं।

तीनो प्रकारसे अल्पायुमें ३२ वर्ष, दो प्रकारसे अल्पायु योगमे ३६ वर्ष और एक प्रकारसे अल्पायु हो तो ४० वर्ष होते हैं।

स्पष्टायु साधनका नियम

जिन ग्रहोपर-से आयु जानना हो उन स्पष्ट ग्रहोकी राशियोको छोड अंशादिका योग करके, योगकारक ग्रहोकी सख्यासे भाग देकर जो अंशादि आयें, उनके अनुसार अंश, कला, विकला फलके कोष्ठकके नीचे जो वर्ष, मास और दिनादि हो उन्हें जोडकर दीर्घायु हो तो ९६मे-से, मध्यमायु हो तो ६४में-से और अल्पायु हो तो ३२में-से घटानेपर स्पष्टायु होती है।

मतान्तरसे योगकारक ग्रहोके अंशादि जोडनेसे जो आये उसमें योग-कारक ग्रहोकी सख्याका भाग देनेसे जो लब्ध आये उसमें तीन प्रकारसे आयु आनेपर ४०से, दो प्रकारसे आनेपर ३६से और तीन प्रकारसे आने-पर ३२मे गुणाकर ३०का भाग देनेपर लब्ध वर्षादिको पूर्वोक्त आयु खण्डमें-से घटानेपर स्पष्टायु होती है।

उदाहरण—द्वितीय अध्यायमें दी गयी उदाहरण-कुण्डली ही यहाँपर उदाहरण समझना चाहिए। यहाँ लग्नेश सूर्य है और अष्टमेश शुक्र है। सूर्य चर राशिमें और अष्टमेश द्विस्वभाव राशिमें है, अत अल्पायु योग हुआ। द्वितीय प्रकार अर्थात् चन्द्र-शनिसे विचार किया तो चन्द्रमा स्थिर राशिमें और शनि द्विस्वभाव राशिमें है अत दीर्घायु योग हुआ।

इष्टकाल २३।२२ × २ = ४६।४४ ÷ ५ = ९।१०।४८ + रविस्पष्ट
०।१०। ७।३४ सूर्य स्पष्ट
९।१०।४८। ०

९।२०।५५।३४ स्पष्ट होरालग्न

इस उदाहरणमे जन्मलग्न स्थिर और होरालग्न स्थिर राशिमे है अत अल्पायु योग हुआ।

इस उदाहरणमें दो प्रकारसे अल्पायु योग आया है, अतएव अल्पायु समझनी चाहिए।

स्पष्टायु निकालनेके लिए गणित क्रिया की—

लग्नेश सूर्य	०।१०। ७।३४	
अष्टमेश शुक्र	११।२३।२०।१०	राशियोंको
होरालग्न	९।२०।५५।३४	जोड दिया
जन्मलग्न	४।२३।२५।२७	
	—।७७।४८।४५	

७७।४८।४५ − ४ = १९।२७।११ इसे ३२ से गुणा किया और ३० का भाग दिया तो वर्षादि २३।४।३।४३ मिला। इसे अल्पायुके द्वितीय खण्डमें-से घटाया—

३६।०।०। ०
२३।४।३।४३

१२।७।२६।१७ स्पष्टायु

आयुसाधनकी दूसरी प्रकिया

जन्मकुण्डलीके केन्द्राक, त्रिकोणाक, केन्द्रस्थ ग्रहाक[१] और त्रिकोणस्थ

१ केन्द्रमें सिर्फ चन्द्रमा है, सूर्यसे चन्द्रमा दूसरी सख्याका है। अन. २ अक लिया है, इसी प्रकार मगलसे ३, बुधसे ४, गुरुसे ५, शुक्रसे ६, शनिसे ७, राहुसे ८ और केतुसे ९ अक लेते हैं।

ग्रहाङ्क इन चारो सख्याओको जोडकर योगफलको १२ से गुणाकर १० का भाग देनेसे जो वर्षादि लब्ध आयें उनमें-से १२ घटानेपर आयु प्रमाण निकलता है।

उदाहरण—दूसरे अध्यायमे जो उदाहरण-कुण्डली लिखी गयी है उसकी आयु—

केन्द्राक	५ + ८ + ११ + २	= २६
त्रिकोणाक	९ + १	= १०
केन्द्रस्थग्रहाक	२	= २
त्रिकोणस्थग्रहाक	४ + १	= ५

$$२६ + १० + २ + ५ = ४३ \mid \frac{४३ \times १२}{१०} = \frac{५१६}{१०} = ५१\frac{६}{१०}$$

$$\frac{६}{१०} \times \frac{१२}{१} = \frac{७२}{१०} = ७\frac{२}{१०} \mid \frac{२}{१०} \times \frac{३०}{१} = ६$$

५१।७।६
१२।०।०

३९।७।६ आयुमान हुआ।

नक्षत्रायु

जन्मनक्षत्रकी भुक्त घटियोको ४से गुणाकर ३का भाग देनेसे जो लब्ध आये उसे १०० वर्षमें-से घटानेसे नक्षत्रायु आती है। उदाहरण—भुक्तनक्षत्र १२।१० है।

$$१२।१० \times ४ = ४८।४० - ३ = ४८\frac{४०}{६०} = ४८ + \frac{२}{३} = \frac{१४६}{३} \times \frac{१}{३} =$$

$$\frac{१४६}{९} = १६\frac{२}{९} \times १२ = \frac{८}{३} = २\frac{२}{३} \times ३०$$

१६।२।२० को १०० वर्षमे-से घटाया
१००।०
१६।२।२०
८३।९।१० नक्षत्रस्पष्टायु हुई ।

ग्रहरश्मियो-द्वारा आयु साधन

सूर्यका रश्मि गुणाक १०, चन्द्रका ११, मगलका ५, बुधका ५, गुरुका ७, शुक्रका ८ और शनिका ५ रश्मि गुणाक है ।

ग्रहमें-से अपने-अपने उच्चको घटाना, शेष छह राशिमे कम हो तो उसे १२ राशियोमें-से घटानेपर जो शेष रहे उसकी कला बनाकर अपने गुणाकमे गुणा करना चाहिए । जो गुणनफल आवे उसमे २१६०० का भाग देनेपर ग्रहकी रश्मिज आयु आती है । इस विधिमे समस्त ग्रहोकी रश्मिज आयुका साधन कर लेना चाहिए । जो ग्रह स्वगृही, उच्चराशि, मित्रक्षेत्री और वक्री होनेवाला हो उसके वर्षोंको द्विगुणित कर लेना चाहिए । वक्री और अस्तगत ग्रहके वर्षोका आधा करनेपर ग्रहकी आयु आती है । समस्त ग्रहोकी आयुको जोड देनेपर जातककी आयु आ जाती है । रश्मिज आयुमें राहु और केतुकी आयु नही निकाली गयी है ।

लग्नायु साधन

जन्मकुण्डलीमें जिस-जिस स्थानमें ग्रह स्थित हो, उस-उस स्थानमे जो-जो राशि हो, उन सभी ग्रहस्थ राशियोके निम्न ध्रुवाकोको जोड देनेसे लग्नायु होती है । ध्रुवाक—मेष १०, वृष ६, मिथुन २०, कर्क ५, सिंह ८, कन्या २, तुला २०, वृश्चिक ६, धनु १०, मकर १४, कुम्भ ३ और मीन १० ध्रुवाक सख्यावाले है ।

केन्द्रायु साधन

जन्मकुण्डलीमें चारो केन्द्रस्थानो (१।४।७।१०) की राशियोका

योग कर भौम और राहु जिस-जिस राशिमें हो उनके अकोकी सख्याका योग केन्द्राक सख्याके योगमे-से घटा देनेपर जो शेप वचे उसे तीनसे गुणा करनेसे केन्द्रायु होती है ।

प्रकारान्तरसे नक्षत्रायु

भयातको ९० मे-से घटाकर जो शेप रहे उसको चारसे गुणाकर तीनका भाग देनेसे लब्ध वर्पादि नक्षत्रायु होते है ।

ग्रहयोगोपर-से आयु विचार

१—शनि तुलाके नवाशमे हो और उसपर गुरुकी दृष्टि हो तथा शनि, राहु वारहवेंमे हो और शनि वक्री हो तो १३ वर्पकी आयु होती है ।

२—शनि कन्याके नवाशमे हो और वुघसे दृष्ट हो, राहु, सूर्य, मगल, वुध और शनि ये पाँचो ग्रह या इनमें-से कोई चार ग्रह अष्टममे हो एव मगल-राहु या शनि-राहु वारहवें स्थानमें हो तो १४ वर्पकी आयु होती है ।

३—शनि सिंहके नवाशमे हो और राहुसे दृष्ट हो तथा चौथेमें चन्द्रमा और छठेमें सूर्य हो तो १५ वर्पकी आयु होती है ।

४—३ या ११वें भावमे शनि या ९ वेंमे रवि और गुरु, शुक्र केन्द्रमे नही हो, तथा शनि कर्कके नवाशमें, केतुसे दृष्ट हो तो १६ वर्पकी आयु होतो है ।

५—शनि मिथुनके नवाशमे लग्नेशसे दृष्ट हो, सूर्य वृश्चिक या कुम्भ राशिमे, शनि मेपमे और गृरु मकर राशिमें हो एव कर्क या कुम्भ राशिमें सूर्य, शनि और मेप राशिमे गुरु, शुक्र स्थित हो तो १७ वर्पकी आयु होती है ।

६—लग्नेश अष्टममें, अष्टमेश लग्नमे हो, छठे स्थानमें शनि, सूर्य और चन्द्रमा एकत्रित हो एव पापग्रहोसे दृष्ट चन्द्रमा ६।८।१२वे भावमे हो, लग्नेश अष्टममें पापग्रह दृष्ट या युत हो तो १८ से २० वर्प तक आयु होती है ।

७—लग्नमे वृश्चिक राशि हो और उसमे सूर्य, गुरु स्थित हो तथा अष्टमेश केन्द्रमे हो, चन्द्रमा और राहु ७।८ वे भावमे हो, पापग्रहके साथ गुरु लग्नमे हो, अष्टम स्थान ग्रहशून्य हो, अष्टमेश, द्वितीयेश और नवमेश एक साथ हों तथा लग्नेश अष्टममे हो तो २२ या २४ वर्षकी आयु होती है।

८—शनि द्विस्वभाव राशिगत होकर लग्नमे हो और द्वादशेश तथा अष्टमेश निर्बल हो तो २५ वर्षकी आयु होती है।

९—लग्नेश निर्बल हो, अष्टमेश द्वितीय या तृतीयमें हो; लग्नेश, अष्टमेश केन्द्रवर्ती हो तथा केन्द्रमे और शुभग्रह नही हो तो जातककी ३० या ३२ वर्षकी आयु होती है।

१०—गुरु और शुक्र केन्द्रमे हो और लग्नेश किसी पापग्रहके साथ आपोक्लिममे हो और जन्म सन्ध्या समयका हो तो ३६ वर्षकी आयु होती है।

११—अष्टमेश स्थिर राशिमे स्थित होकर केन्द्रमे हो और अष्टम स्थान पाप दृष्ट हो, अष्टमेश लग्नमे हो और अष्टम स्थानमे कोई शुभग्रह नही हो एव स्वक्षेत्री शुभग्रहकी दृष्टि अष्टम स्थानपर पडती हो तो जातक-की ४० वर्षकी आयु होती है।

१२—अष्टमेश लग्नमे मगलके साथ हो अथवा अष्टमेश स्थिर राशिमे स्थित होकर १।८।१२ स्थानोमे-से किसी भी स्थानमें स्थित हो तो जातक की ४२ वर्षकी आयु होती है।

१३—लग्न द्विस्वभाव राशिमे हो, बृहस्पति केन्द्रमे और शनि दसवें स्थानमे हो, सूर्य और शुक्र मकर राशिमे ३।६वें स्थानमे हो और अष्टमेश केन्द्रमें हो तो ४४ वर्षकी आयु होती है।

१४—जन्मराशीश पापग्रहके साथ अष्टम स्थानमे हो और लग्नेश किसी पापग्रहके साथ छठे स्थानमे हो तो ४५ वर्षकी आयु होती है।

१५—सभी पापग्रह केन्द्रमें हो तो ४७ वर्षकी आयु होती है।

१६—बुध चौथे या दसवें स्थानमे हो और चन्द्र लग्न अष्टम या द्वादशमे हो और बृहस्पति शुक्र किसी भी स्थानमे एकत्रित हो तो ५० वर्षकी आयु होती है।

१७—लग्न मीन राशि हो और शनि अन्य ग्रहोके साथ उसमे स्थित हो तथा चन्द्रमा ८।१२ वें स्थानमे हो, शुक्र और गुरु उच्चके हो एवं द्वादशेश और अष्टमेश उच्चके हो तो ५५ वर्षकी आयु होती है।

१८—तृतीयेश गुरुके साथ लग्नमे हो, कोई भी पापग्रह कुम्भ राशिका होकर केन्द्रमे हो, अष्टमेश लग्नमे हो, लग्नेश द्वादश भावमें हो तथा अष्टम स्थानमे पापग्रह हो, सूर्य शत्रुग्रह और मगलके साथ लग्नमे हो, लग्नेश पापग्रहके साथ ६।८।१२वें भावमें हो एव अष्टम स्थान शुभग्रहसे रहित हो और लग्नेश पापग्रहके साथ ६।८।१२ वें स्थानमे हो तो ६० वर्षकी आयु होती है।

१९—नीचका शनि केन्द्र या त्रिकोणमें हो और रवि शुभग्रहके साथ १।४।७।१० स्थानोमे किसी भी स्थानमे हो तो ६५ वर्षकी आयु होती है।

२०—मगल पाँचवें, सूर्य सातवें और शनि नीच राशिका हो तो ७० वर्षकी आयु होती है।

अष्टमेशका द्वादश भावोमे फल

अष्टमेश लग्न स्थानमे हो तो जातक सहनशील, दीर्घरोगी, राजाके द्वारा धन प्राप्त करनेवाला, अशुभ कर्मरत और दु खी, द्वितीय स्थानमे हो तो अल्पायु, शत्रुओंसे युत, नीचकर्मरत, अभिमानी और दु ख प्राप्त करनेवाला, तृतीय भावमे हो तो बन्धुविरोधी, सहोदररहित, दुर्बल, रोगी, अल्पसुखी और विकलागी, चौथे भावमे हो तो पितासे शत्रुता करनेवाला, अन्यायसे पिताके धनका हरण करनेवाला, पिताके लिए विभिन्न प्रकारके कष्ट देनेवाला, चालाक, वावदूक और उग्र प्रकृतिवाला, पाँचवें भावमे हो तो सुतहीन, अल्प सन्ततिवाला, सन्तानके द्वारा सर्वदा कष्ट पाने-

वाला और मेधावी, छठे स्थानमे हो तो रोगी, दु खी, जीवनमे अनेक प्रकारके उतार-चढाव देखनेवाला, शत्रुओसे पीडा प्राप्त करनेवाला तथा उनके द्वारा मृत्युको प्राप्त होनेवाला और सन्तप्त, सातवें भावमें हो तो दुष्ट कुलोत्पन्न स्त्रीका पति, गुल्मरोगी, कष्ट पानेवाला, स्त्रीके साथ निरन्तर कलहसे दु खी रहनेवाला और अल्पसुखी, आठवें भावमें हो तो व्यवसायी, नीरोग, व्याधिरहित, नीचोका नेता, नीचकर्मरत और धूर्तोंका सरदार; नौवें भावमे हो तो पापी, नीच, धर्मविमुख, अकेला रहनेवाला, सज्जन तथा नीच अष्टमेश होनेसे ब्राह्मणकी हत्या करनेवाला और कुरूप, दसवें भावमे हो तो नीचकर्मरत, राजाकी सेवा करनेवाला, आलसी, क्रूर प्रकृति, जारज, नीच और मातृघातक, ग्यारहवें भावमें हो तो बाल्यावस्थामे दु खी, पर अन्तिम तथा मध्यावस्थामे सुखी, दीर्घायु, सत्कार्यरत तथा पापग्रह अष्टमेश ग्यारहवेमें हो तो अल्पायु, नीचकर्मरत, हिंसक और दु खी एव बारहवें भावमें अष्टमेश क्रूरग्रह हो तो निकृष्ट, चोर, शठ, कुब्जक, रोगी, दु खी और अनेक प्रकारके कष्ट पानेवाला होता है।

अष्टमेश लग्नमे और लग्नेश अष्टममे हो तथा द्वादश, द्वितीय और तृतीय स्थानोपर पापग्रहोकी दृष्टि हो या पापग्रह इन स्थानोमे हो तो जातक नाना व्याधियोंसे पीडित होकर मृत्युको प्राप्त करता है।

नवम भाव विचार

नवमसे भाग्य और धर्म-कर्मके सम्बन्धमे विचार किया जाता है। भाग्येशके बलवान् होनेसे जातक भाग्यशाली होता है। यदि भाग्य-भवनपर अनेक ग्रहोकी दृष्टि हो तो भाग्योदयके समय अनेक व्यक्तियोकी सहायता लेनी पडती है। भाग्येश ६।८।१२वे भावमें शत्रुगृहमें बैठा हो तो भाग्य उत्तम नही होता है। भाग्यस्थानमें लाभेश बैठा हो तो नौकरीका योग होता है। धनेश लाभमें गया हो और दशमेशसे युत या दृष्ट हो तो भाग्यवान् होता है। लाभेश नौवें भावमे हो और दशमेशसे युत या दृष्ट हो

तो भाग्यवान् होता है। नवमेश धन भावमें गया हो और दशमेशसे युत या दृष्ट हो तो भाग्यवान् होता है। लाभेश नवम भावमें, धनेश लाभ भावमें, नवमेश धन भावमें हो और दशमेशसे युत या दृष्ट हो तो महाभाग्यवान् होता है। नवम भाव गुरु और शुक्रसे युत, दृष्ट हो या भाग्येश गुरु, शुक्रसे युत हो या लग्नेश और धनेश पचममें स्थित हो अथवा नवम भावमे, नवमेश लग्न भावमे गया हो तो जातक भाग्यवान् होता है।

भाग्योदय काल

सप्तमेश या शुक्र ३।६।१०।११।७वें स्थानमे हो तो विवाहके वाद भाग्योदय होता है। भाग्येश रवि हो तो २२वें वर्षमे, चन्द्र हो तो २४वें वर्षमे, मगल हो तो २८वे वर्षमे, वुध हो तो ३२वें वर्षमे, गुरु हो तो १६वें वर्षमे, शुक्र हो तो २५वे वर्षमे, शनि हो तो ३६वे वर्षमे और राहु हो तो ४२वें वर्षमे भाग्योदय होता है।

इस भावका विशेप फल

१—नवम भावमे गुरु या शुक्र स्थित हो तो मन्त्री, शासनकार्यमे सहयोग या विचार परामर्श देनेवाला, कौन्सिलका मेम्वर, पार्लमेण्ट-सेक्रेटरी और प्रधान न्यायाधीशका पेशकार होता है। पर इस योगमे ध्यान देनेकी एक वात यह है कि यह फल गुरु या शुक्रके उच्च राशिमे रहनेपर ही घटता है। नवम भावपर शुभग्रहकी दृष्टि भी अपेक्षित है।

२—नवमस्थ गुरुको सूर्य देखता हो तो राजाके समान, धारासभाओंका सदस्य, जनताके प्रतिनिधि, चन्द्र देखता हो तो विलासी, सुन्दरदेही, मगल देखता हो तो काचन, हिरण्य आदि मूल्यवान् धातुओंवाला, वुध देखता हो तो धनी, शुक्र देखता हो तो पशु, धनधान्य आदि सम्पत्तिसे युक्त, शनि देखता हो तो चल-अचल नाना प्रकारकी सम्पत्तिका स्वामी होता है।

३—गुरुको सूर्य-मगल देखते हो तो ऐश्वर्य, रत्न, स्वर्ण आदि सम्पत्तिसे युक्त, साहसी, धीरवीर, पराक्रमी और वडे परिवारवाला होता है, सूर्य-वुध देखते हो तो सुन्दर, भाग्यवान्, सुन्दर स्त्रीका पति, धनी, कवि, लेखक, सशोधक, सम्पादक और विद्वान् होता है, सूर्य-शुक्र देखते हो तो उद्यमी, कलाविद्, यशस्वी, सुरुचिसम्पन्न, सुखी और नम्र होता है, सूर्य-शनि नवमस्थ गुरुको देखते हो तो नेता, प्रतिनिधि, कोपाध्यक्ष, प्रख्यात, मजिस्ट्रेट, न्यायाधीश और सग्रहकर्त्ता होता है, चन्द्र-मगल देखते हो तो सेनापति, कीर्तिवान्, धारासभाका सदस्य, मन्त्री, सुखी, भाग्यवान्, चतुर और मान्य, चन्द्र-वुध देखते हो तो उत्तम सुख प्राप्त करनेवाला, तेजस्वी, क्षमावान्, विद्वान्, कवि, कहानीकार और सगीतप्रिय, चन्द्र-शुक्र देखते हो तो धनिक, कर्त्तव्यपरायण, सन्तानहीन और कुटुम्वसे दु खी, चन्द्र-शनि देखते हो तो अभिमानी, प्रवासी, मध्यावस्थामे सुखी, अन्तिम जीवनमे दु.खी और कष्ट प्राप्त करनेवाला, मगल-वुध देखते हो तो चतुर, सुशील, गायक, भूमिपति, विद्या-द्वारा यशोपार्जन करनेवाला, प्रतिज्ञा पूर्ण करनेवाला और मान्य, मगल-शुक्र देखते हो तो धनिक, विद्वान्, विदेश जानेवाला, तेजस्वी, सात्त्विक, चतुर, लव्धप्रतिष्ठ और शासन करनेवाला, मगल-शनि देखते हो तो नीच, पिशुन, द्वेपी, विदेश यात्रा करनेवाला, नीच प्रकृति, धन-धान्यसे परिपूर्ण होता है ।

भाग्येशका द्वादश भावोमे फल

भाग्येश लग्नमें हो तो जातक धर्मात्मा, श्रद्धालु, पराक्रमी, कृपण, राज-कार्य करनेवाला, वुद्धिमान्, विद्वान्, कोमल प्रकृतिका और श्रेष्ठ कार्योंमे अभिरुचि रखनेवाला, द्वितीय भावमें हो तो शीलवान्, प्रख्यात, सत्यप्रिय, दानी, धर्मात्मा, धनिक, ऐश्वर्यवान् और मान्य, तृतीय भावमे हो तो वन्धुओंसे प्रेम करनेवाला, अनाथोका आश्रयदाता और कुटुम्वियोको सब प्रकारसे सहायता देनेवाला, चौथे भावमे हो तो पिताका भक्त,

विद्वान्, कीर्त्तिवान्, सत्कार्यरत, दानी, मित्रवर्गको सुख देनेवाला, उद्योगी, तेजस्वी और चपल, पाँचवें भावमे हो तो पुण्यात्मा, देव-द्विज और गुरुकी सेवामें तत्पर रहनेवाला, सुपुत्रवान्, सन्तान-द्वारा यश प्राप्त करनेवाला और माताकी सेवामें सर्वदा प्रस्तुत रहनेवाला, छठे भावमें हो तो शत्रुओसे पीडित, भीरु, पापी, नीच, शौक़ीन, निद्रालु, मूर्ख और धूर्त, सातवें भावमें हो तो सुन्दर, सत्यवती, सुशीला, धनवती तथा मधुरभाषिणी नारीका पति, विलासी, रतिकर्ममें प्रवीण और सुन्दर, आठवें भावमें हो तो दुष्ट, हिंसक, कुटुम्बियोंसे विरोध करनेवाला, निर्दयी, विचित्र स्वभावका और दुराचारी, नौवें भावमे हो तो स्नेही, कुटुम्बकी वृद्धि करनेवाला, भाग्यवान्, धनिक, दानी, श्रद्धालु, सेवापरायण, सज्जन, व्यापार-द्वारा धनार्जन करनेवाला और प्रख्यात, दसवें भावमें हो तो ऐश्वर्यवान्, राजमान्य, सुखी, विलासी, कठिनसे-कठिन कार्यमें भी सफलता प्राप्त करनेवाला, लब्धप्रतिष्ठ, शासन-कार्यमें भाग लेनेवाला, धारासभाओका सदस्य और उच्च पदपर रहनेवाला, ग्यारहवें भावमें हो तो दीर्घायु, धर्मपरायण, धनिक, प्रेमी, व्यापार-द्वारा लाभ प्राप्त करनेवाला, राजमान्य, पुण्यात्मा, यशस्वी और स्व-परकार्यरत एवं बारहवें भावमें हो तो विदेशमें मान्य, सुन्दर, विद्वान्, कलाविज्ञ, चतुर, सेवा-द्वारा ख्याति प्राप्त करनेवाला और किसी महान् कार्यमें सफलता प्राप्त करनेवाला होता है। यदि भाग्येश क्रूर ग्रह हो तो जातक दुर्बुद्धि और नीचकार्यरत होता है।

दशम भाव विचार

दशम भावपर शुभग्रहोंकी दृष्टि हो तो मनुष्य व्यापारी होता है। (क) दसवें भावमें बुध स्थित हो, (ख) दशमेश और लग्नेश एक राशिमें हो, (ग) लग्नेश दशम भावमें गया हो, (घ) दशमेश १।४।५।७।९।१० में हो तथा शुभग्रहोंसे दृष्ट हो, (ङ) दशमेश अपनी राशिमें हो तथा शुभ-ग्रहकी दृष्टि हो तो जातक व्यापारी होता है।

१—६।८।१२वे भावमे पापग्रहोसे दृष्ट बुध, गुरु और शुक्र हो तो जातकको किसी भी काममें सफलता नही मिलती है। दशमेश ६।८।१२वें भावमें हो तो मन चचल रहनेसे काम ठीक नही होता।

२—दशमेश ग्यारहवें भावमें हो और एकादशेश दशम भावमें हो अथवा नवमेश दशममे और दशमेश नवम भावमें हो तो जातक श्रीमान्, प्रतापी, शासक और लोकमान्य होता है।

३—१।४।७।१०मे रवि हो, चन्द्रमा १।४।५।७।९।१०वें स्थानमें हो, १।४थे भावमे गुरु हो तो राजयोग होता है।

४—अष्टमेश छठे और षष्ठेश आठवें भावमे हो अथवा अष्टमेश और षष्ठेश ये दोनो ग्रह १।४।७।१० मे स्थित हो या छठेमे गुरु और ग्यारहवेंमें चन्द्रमा तथा लाभेश शुभग्रहकी राशि और शुभग्रहके नवाशमें स्थित हो तो जातक प्रतापी होता है।

५—बली शुभग्रह ग्यारहवे भावमें हो और किसी अन्य शुभग्रहके द्वारा देखा भी जाता हो अथवा द्वितीय स्थानमें चन्द्र, गुरु और शुक्र गये हो तो जातक श्रीमान् होता है।

६—पचम स्थानमे गुरु और दशम स्थानमे चन्द्रमा हो तो जातक राजा, बुद्धिमान् या तपस्वी होता है।

पितृसुख योग

१—(क) दशमेश शुभग्रह हो और वह शुभग्रहसे युत या दृष्ट हो, (ख) दशमेश गुरु, शुक्रसे युत हो, (ग) नवमेश परमोच्चका हो, (घ) चन्द्र-कुण्डलीमें केन्द्रस्थानमे शुक्र हो, एव (ङ) दशमेश शुभग्रहोके मध्यमे हो तो जातकको पिताका सुख अधिक होता है।

२—(क) सूर्य, मगल दसवें या नौवें भावमें हो, (ख) पापग्रहसे युत सूर्य सातवे भावमे हो, (ग) सातवेंमें सूर्य, दसवें स्थानमे मगल और बारहवें स्थानमें राहु हो, (घ) चतुर्थेश ६।८।१२वें भावमें हो, (ङ) दशमेश

रवि, मंगलसे युक्त हो, एव (च) दशम भावमें दशमेशको शत्रुराशिका ग्रह हो तो जातकके पिताकी शीघ्र मृत्यु होती है। जातक अपने पिताका बहुत कम सुख प्राप्त करता है।

२—(क) कर्क राशिमें राहु, मगल और शनि हो, (ख) चतुर्थ स्थानमें क्रूर ग्रह हो, (ग) चतुर्थेश क्रूर ग्रहोसे दृष्ट या युत हो, (घ) दशम स्थानमें समराशिगत हो और उस राशिका स्वामी क्रूर ग्रह हो, (ङ) चन्द्रमा पापग्रहके साथ हो तथा चन्द्रमासे चतुर्थ शनि और राहु हो तो जातकको माताका सुख कम मिलता है, अर्थात् छोटी ही अवस्थामें माताकी मृत्यु हो जाती है।

दशमेशका द्वादश भावोमे फल

दशमेश लग्नमें हो तो जातक पितासे स्नेह करनेवाला, बाल्यावस्थामें दु खी, मातासे द्वेप करनेवाला, अन्तिम अवस्थामें सुखी, धनिक, पुत्रवान् और देशमान्य, द्वितीय स्थानमें हो तो अल्पसुखी, जागीरदार, मातासे द्वेप करनेवाला और परिश्रमसे जी चुरानेवाला, तृतीय स्थानमें हो तो कुटुम्बियोसे विरोध करनेवाला, मामाके द्वारा सहायता प्राप्त करनेवाला और प्रत्येक कार्यमे असफलता प्राप्त करनेवाला, चौथे स्थानमें हो तो सुखी, कुटुम्बियोकी सेवा करनेवाला, राजमान्य, शासनमें भाग लेनेवाला, पच, प्रमुख, सबका प्रिय और ऐश्वर्यवान्, पाँचवें भावमे हो तो शुभ कार्य करनेवाला, पाखण्डी, राजासे धन प्राप्त करनेवाला, विलासी, माताको सर्व-प्रकारसे सुख देनेवाला और सुखी; छठे भावमें दशमेश पापग्रह होकर स्थित हो तो बाल्यावस्थामें दु खी, मध्यावस्थामे सुखी, मातासे द्वेप करनेवाला, भाग्यरहित, सामान्य धनिक और शत्रु-द्वारा हानि प्राप्त करनेवाला, सातवेंमें हो तो सुन्दर रूपवती और पुत्रवाली रमणीका भर्त्ता, कौटुम्बिक सुखसे परिपूर्ण, भोगी, ससुरालसे सुख प्राप्त करनेवाला और सुखी, आठवें भावमे हो तो क्रूर, तस्कर, पाखण्डी, धूर्त, मिथ्याभाषी,

अल्पायु, माताको सन्ताप देनेवाला, कष्टोंसे दु.खित और नीचकर्मरत, नौवें भावमें हो तो वन्धु-वान्धव समन्वित, मित्रोंके सुखमे परिपूर्ण, अच्छे स्वभाववाला, धर्मात्मा और लोकप्रिय, दसवें भावमें हो तो पिताको सुख देनेवाला, माताके कुटुम्बको प्रसन्न रखनेवाला, मातुलकी सेवा करनेवाला, राजमान्य, मुखिया, धनी, चतुर, लेखक और कार्यकुशल, ग्यारहवे भावमें हो तो माता-पिताको सम्मानित करनेवाला, धनिक, उद्योगी और व्यापार-मे अत्यन्त निपुण, एव वारहवें भावमें हो तो राजकार्यमे प्रेम रखनेवाला, मान्य, शासनके कार्योंमें सुधार करनेवाला, स्वाभिमानी और प्रवासी होता है।

एकादश भाव विचार

लाभ भावमे शुभग्रह हो तो न्यायमार्गसे धनका लाभ और पापग्रह हो तो अन्याय मार्गसे धनका लाभ होता है तथा शुभ और अशुभ दोनो प्रकारके ग्रह लाभ भावमे हो तो न्याय, अन्याय मिश्रित मार्गसे धन आता है।

लाभ भावपर शुभग्रहोकी दृष्टि हो तो लाभ और पापग्रहोकी दृष्टि हो तो हानि होती है। लाभेश १।४।५।७।९।१० भावोमे हो तो धनका वहुत लाभ होता है।

लाभेश शुभग्रहसे सम्बन्ध करता हो तो लाभ होता है।

यद्यपि ससुरालसे धन प्राप्त करनेके दो-तीन योग पहले भी लिखे गये है, किन्तु ग्यारहवें भावके विचारमे इन योगोपर कुछ विचार कर लेना आवश्यक है। निम्न योग अनुभवसिद्ध है—

१—सप्तम और चतुर्थ स्थानका स्वामी एक ही ग्रह हो तथा वह ग्रह इन्ही दोनो भावोमे-से किसी भावमे हो।

२—जायेश कुटुम्ब[1] स्थानमे और कुटुम्वेश जाया[2] स्थानमे हो।

---

१. चौथा स्थान। २ सप्तम स्थान।

३—जायेश[1] और कुटुम्वेश दोनो ग्रह सप्तममे अथवा कुटुम्व स्थानमे एकत्र स्थित हो।

४—जायेश और कुटुम्वेश दोनो ग्रह १।४।५।७।९।१०।११वें भावमें हो या चन्द्रसे ७वें अथवा चतुर्थ स्थानमें एकत्रित हो।

बहुलाभ योग—लाभेश शुभग्रह होकर दशममे और दशमेश नवम भावमे हो या लाभेश नवम भावमे हो और नवमेश लाभ भावमे हो तो जातकको प्रचुर सम्पत्तिका लाभ होता है।

द्वादश भावोमे लाभेशका फल

लाभेश लग्नमें हो तो जातक अल्पायु, रोगी, वलवान्, पराक्रमी, दानी, सत्यकार्यरत, धनिक, ऐश्वर्यवान्, लोभी, समयपर कार्य करनेकी सूझसे अनभिज्ञ और हठी, दूसरे भावमें हो तो भोगी, साधारणतया धनी, रोगी, रत्न, सोना और चाँदीके आभूषण धारण करनेवाला और आधि-व्याधिग्रस्त, तीसरे भावमें हो तो वन्धु-वान्धवसे युक्त, लक्ष्मीवान्, सर्वप्रिय और कुलमे ख्याति प्राप्त करनेवाला, चौथे भावमे हो तो दीर्घायु, समयकी गतिको पहचाननेवाला, धर्मरत, धनधान्यका लाभ प्राप्त करनेवाला और ऐश्वर्यवान्, पाँचवें भावमें हो तो पुत्रवान्, गुणवान्, अल्प लाभ प्राप्त करनेवाला, मध्यावस्थामें आर्थिक सकटसे दु खी और पितासे प्रेम करनेवाला, छठे भावमें हो तो रोगी, शत्रुओसे पीडित, पशुओंका व्यापार करनेवाला और प्रवासी, सातवें भावमे हो तो तेजस्वी, पराक्रम शाली, सम्पत्तिवान्, दीर्घायु, पत्नीसे प्रेम करनेवाला, सब प्रकारके कौटुम्बिक सुखोको प्राप्त करनेवाला और रति कर्ममे प्रवीण, आठवें भावमे हो तो अल्पायु, रोगी, दु खी, जीविकाहीन, आलसी, निस्तेज और अर्द्धमृतक समान, नौवें भावमे हो तो ज्ञानवान्, शास्त्रज्ञ, धर्मात्मा, ख्यातिवान् और श्रद्धालु, दसवें भावमे हो तो माताका भक्त, पुण्यात्मा, पितासे द्वेष करने-

---

१ सप्तम स्थानेश।

वाला, दीर्घायु, धनिक, उद्योगी, समाज-मान्य, सत्कार्यरत, राष्ट्रीय कार्यों-मे प्रमुख भाग लेनेवाला, देशकी उन्नतिमे अपने जीवन और प्राणोका उत्सर्ग करनेवाला, देशमे प्रतिनिधित्व प्राप्त करनेवाला और अमर कीर्त्तिको स्थापित करनेवाला, ग्यारहवे भावमे हो तो दीर्घायु, पुत्रवान्, सुकर्मरत, सुशील, हँसमुख, मिलनसार, साधारण धनिक एव वारहवें भावमे हो तो चचल, भोगी, रोगी, वाल्यावस्थामे दु खी, मध्यावस्थामे साधारण दु खी किन्तु अन्तिमावस्थामे आधि-व्याधियोसे पीडित, अभिमानी, अवसर आनेपर दान देनेवाला और सदा चिन्तित रहनेवाला होता है।

वारहवे भावका विचार

द्वादश भावमे शुभग्रह स्थित हो तो सन्मार्गमे धन व्यय, अशुभग्रह स्थित हो तो असत्कार्योमे धन व्यय एव शुभ और पाप दोनो ही प्रकारके ग्रह हो तो सद्-असद् दोनो ही प्रकारके कार्योमे धन व्यय होता है। रवि, राहु और शुक्र ये तीनो वारहवें भावमे हो तो राजकार्यमे तथा गुरु वारहवें भावमे हो तो टैक्स और व्याज देनेमे धन व्यय होता है। वारहवे भावमे शनि, मगल हो तो भाईके द्वारा धन खर्च और क्षीण चन्द्र एव रवि हो तो राज-दण्डमे धन खर्च होता है।

यद्यपि जातकके व्यवसायके वारेमे पहले लिखा जा चुका है किन्तु द्वादश भावकी सहायतासे भी व्यवसायका निर्णय करना चाहिए। चर राशिगत ग्रहोकी सख्या अधिक हो तो जातक किसी स्वतन्त्र व्यवसायका करनेवाला, स्थिर राशिगत ग्रहोकी सख्या अधिक हो तो डॉक्टर, वकील एव स्थायी व्यवसायवाला तथा द्विस्वभाव राशिगत ग्रहोकी सख्या अधिक हो तो जातक अध्यापक, प्रोफेसर, मास्टर, किरानी, अढतिया आदिका पेशा करता है।

राशि और ग्रहोके तत्त्व प्रथम भावके विचारमे लिखे गये है। उनके अनुसार निम्न प्रकार विचार किया जाता है—

(१) बली ग्रह (२) बली ग्रहकी राशि (३) लग्न और (४) दशम राशि इन चारोंमे यदि अग्नि तत्त्वकी विशेषता हो तो बुद्धि और मानसिक क्रियाओंमें चमत्कारपूर्ण कार्य, पृथ्वी तत्त्वकी विशेषता हो तो शारीरिक श्रमसाध्य कार्य एवं जल तत्त्वकी विशेषता हो तो जातकका व्यवसाय बदला करता है।

द्वादश भावोंमे द्वादशेशका फल

व्ययेश लग्नमे हो तो जातक विदेश भ्रमण करनेवाला, मधुरभाषी, धन खर्च करनेवाला, रूपवान्, कुसंगतिमे रहनेवाला, झगडालू, नाना प्रकारके उपद्रवोंको करनेवाला और पुंसत्व शक्तिमे हीन या अल्प पुंसत्व शक्तिवाला, द्वितीय भावमें हो तो कृपण, कठोर, कटुभाषी, रोगी, निर्धन और दुःखी, तीसरे भावमें हो तो मातृहीन या अल्प भाइयोंवाला, प्रवासी, रोगी, अल्पधनी, व्यवसायी, परिश्रमी और वाचाल, चौथे भावमें हो तो रोगी, श्रेष्ठ कार्यरत, पुत्रसे कष्ट प्राप्त करनेवाला, दुःखी, आर्थिक संकटमे परिपूर्ण और जीवनमें प्रायः असफल रहनेवाला, पाँचवें भावमें पापग्रह व्ययेश हो तो पुत्रहीन, पुत्रसुखसे वंचित, दुःखी तथा शुभग्रह व्ययेश हो तो पुत्रसुखसे अन्वित, सत्कार्यरत और अल्पसन्तति, सुखको प्राप्त करनेवाला, छठे भावमें पापग्रह व्ययेश हो तो कृपण, दुष्ट, नीचकार्यरत, अल्पायु तथा शुभग्रह व्ययेश हो तो मध्यमायु, लाभान्वित, साधारणतया सुखी और अन्तिम जीवनमे कष्ट प्राप्त करनेवाला, सातवें भावमें हो तो दुश्चरित्र, चतुर, अविवेकी परस्त्रीरत तथा क्रूरग्रह सप्तमेश हो तो अपनी स्त्रीसे मृत्यु प्राप्त करनेवाला या किसी वेश्याके जालमे फँसकर मृत्युको प्राप्त करनेवाला और व्यसनी, आठवें भावमें हो तो पाखण्डी, धूर्त, धनरहित और नीचकार्यरत, नौवें भावमें हो तो तीर्थयात्रा करनेवाला, चंचल, आलसी, दानी, धनार्जन करनेवाला और सन्तिहीन, दसवें भावमें हो तो परस्त्रीसे पराङ्मुख, सुन्दर

सन्तानवाला, पवित्र, धनिक, जीवनको सफलतापूर्वक व्यतीत करनेवाला और माताके साथ द्वेप करनेवाला, ग्यारहवें भावमें हो तो दीर्घजीवी, प्रमुख, दानी, सत्यवादी, सुकुमार, प्रसिद्ध, श्रेष्ठकार्यरत, मान्य, सेवावृत्तिके मर्मको जाननेवाला और परिश्रमी एव वारहवें भावमे हो तो ऐश्वर्यवान्, ग्रामीण, कृपण, पशु-सम्पत्तिवाला, ज़मीन्दार या मामूली जागीरका स्वामी और स्वकार्यरत होता है ।

द्वादश लग्नोका फल

मेप लग्नमे जन्म लेनेवाला जातक दुर्वल, अभिमानी, अधिक वोलनेवाला, बुद्धिमान्, तेज स्वभाववाला, रजोगुणी, चचल, स्त्रियोसे द्वेप रखनेवाला, धर्मात्मा, कम सन्तानवाला, कुलदीपक, उदारवृत्ति तथा १।३ ६।८।१५।२१।३६।४०।४५।५६।६३ इन वर्पोमे शारीरिक कष्ट, धनहानि और १६।२०।२८।३४।४१।४८।५१ इन वर्पोंमें भाग्यवृद्धि, धनलाभ, वाहन सुख आदिको प्राप्त करनेवाला, वृपमे जन्म हो तो जातक गौरवर्ण, स्त्रियोका-सा स्वभाव, मधुरभापी, शौकीन, उदारवृत्ति, रजोगुणी, ऐश्वर्यवान्, अच्छी सगतिमे वैठनेवाला, पुत्रसे रहित, लम्वे दाँत और कुचित केशवाला, पूर्णायु और ३६ वर्पकी आयुके पश्चात् दु ख भोगनेवाला, मिथुन लग्नमें जन्म हो तो गेहुँआ रग, हास्यरसमें प्रवीण, गायन-वाद्य-रसिक, स्त्रियोकी अभिलापा करनेवाला, विपयासक्त, गोल चेहरेवाला, शिल्पज्ञ, चतुर, परोपकारी, कवि, गणितज्ञ, तीर्थयात्रा करनेवाला, प्रथम अवस्थामे सुखी, मध्यमे दु खी और अन्तिम अवस्थामे सुख भोगनेवाला, ३२–३५ वर्पकी अवस्थामे भाग्योदयको प्राप्त करनेवाला, मध्यमायु और नाना प्रकारके सुखोको प्राप्त करनेवाला, कर्क लग्नमे जन्म हो तो ह्रस्वकाय, कुटिल स्वभाव, स्थूल शरीर, स्त्रियोके वशीभूत रहनेवाला, धनिक, जलाशयसे प्रेम करनेवाला, मित्रद्रोही, शत्रुओसे पीडित, कन्या सन्तति वाला, व्यापारी, सुन्दर नेत्रवाला, अपने स्थानको छोडकर अन्य स्थानमें

वास करनेवाला, १६ या १७ वर्षकी अवस्थामे भाग्योदयको प्राप्त होनेवाला और व्यसनी, सिंह लग्नमें जन्म हो तो पराक्रमी, बडे हाथ-पैरवाला, चौडे हृदयवाला, ताम्रवर्ण, पतली कमरवाला, तेज स्वभावका, क्रोधी, वेदान्त विद्याको जाननेवाला, घोडेकी सवारीसे प्रेम करनेवाला, रजोगुणी, अस्त्र चलानेमे निपुण, उदारवृत्ति, साधु-सेवामे सलग्न, प्रथमावस्थामे सुखी, मध्यमावस्थामें दु खी, अन्तिमावस्थामे पूर्ण सुखी तथा २१ या २८ वर्षकी अवस्थामे भाग्योदयको प्राप्त करनेवाला, कन्या लग्नमे जन्म हो तो जनाने स्वभावका, शृगारप्रिय, बडे नेत्रवाला, स्थूल तथा सामान्य शरीरका, अल्प और प्रियभाषी, स्त्रीके वशमें रहनेवाला, भ्रातृद्रोही, चतुर, गणितज्ञ, कन्या सन्तति उत्पन्न करनेवाला, धर्ममे रुचि रखनेवाला, प्रवासी, गम्भीर स्वभाववाला, अपने मनकी बात किसीसे भी नही कहनेवाला, बाल्यावस्थामे सुखी, मध्यावस्थामे सामान्य और अन्त्यावस्थामें दु खी रहनेवाला और २३-२४ से ३६ वर्षकी अवस्था पर्यन्त भाग्योदय-द्वारा धन ऐश्वर्यको बढानेवाला, तुला लग्नमे जन्म हो तो गौरवर्ण, सतोगुणी, परोपकारी, शिथिल गात्र, देवता, तीर्थमे प्रीति करनेवाला, मोटी नासिकावाला, व्यापारी, ज्योतिषी, प्रिय वचन बोलनेवाला, लोभरहित, भ्रमणशील, कुटुम्बसे अलग रहनेवाला, स्त्रियोंका द्रोही, वीर्य-विकारसे युक्त, प्रथमावस्थामे दु खी, मध्यमावस्थामे सुखी, अन्तिमावस्थामें सामान्य, मध्यमायु और ३१ या ३२ वर्षकी अवस्थामें भाग्यवृद्धिको प्राप्त करनेवाला, वृश्चिक लग्नमे जन्म हो तो ह्रस्वकाय, स्थूल शरीर, गोल नेत्र, चौडी छातीवाला, निन्दक, सेवाकर्म करनेवाला, कपटी, पाखण्डी, भ्राताओंसे द्रोह करनेवाला, कटु स्वभाव, झूठ बोलनेवाला, भिक्षावृत्ति, तमोगुणी, पराये मनकी बात जाननेवाला, ज्योतिषी, दयारहित, प्रथमावस्थामे दु खी, मध्यमावस्थामे सुखी, पूर्णायुष और २० या २४ वर्षकी अवस्थामे भाग्योदयको प्राप्त होनेवाला, धनु लग्नमें जन्म हो तो सतोगुणी, अच्छे स्वभाववाला, बडे दाँतवाला, धनिक, ऐश्वर्यवान्, विद्वान्, कवि, लेखक, प्रतिभावान्, व्यापारी, यात्रा करनेवाला,

महात्माओंकी सेवा करनेवाला, पिंगलवर्ण, पराक्रमी, अल्प सन्तानवाला, प्रेमके वशमें रहनेवाला, प्रथमावस्थामें सुख भोगनेवाला, मध्यावस्थामें सामान्य, अन्तमें धन-ऐश्वर्यसे परिपूर्ण और २२ या २३ वर्षकी अवस्थामें धनलाभ प्राप्त करनेवाला, मकर लग्नमें जन्म हो तो मनुष्य तमोगुणी, सुन्दर नेत्रवाला, पाखण्डी, आलसी, खर्चीला, भीरु, अपने धर्मसे विमुख रहनेवाला, स्त्रियोंमें आसक्ति रखनेवाला, कवि, निर्लज्ज, प्रथमावस्थामें सामान्य, मध्यमें दुःखी, पूर्णायु और अन्तमें ३२ वर्षकी आयुके पश्चात् सुख भोगनेवाला, कुम्भ लग्नमें जन्म हो तो रजोगुणी, मोटी गरदनवाला, अभिमानी, ईर्ष्यालु, द्वेषयुक्त, गजे सिरवाला, ऊँचे शरीरवाला, पर-स्त्रियोंकी अभिलाषा करनेवाला, प्रथमावस्थामें दुःखी, मध्यमावस्थामें सुखी, अन्तिम अवस्थामें धन, पुत्र, भूमि प्रभृतिके सुखोंको भोगनेवाला, भ्रातृद्रोही और २४ या २५ वर्षकी अवस्थामें भाग्योदयको प्राप्त करनेवाला एवं मीन लग्नमें जन्म हो तो सतोगुणी, बड़े नेत्रवाला, ठोढीमें गड्ढा, सामान्य शरीरवाला, प्रेमी, स्त्रीके वशीभूत रहनेवाला, विशाल मस्तिष्कवाला, ज्यादा सन्तान पैदा करनेवाला, रोगी, आलसी, विषयासक्त, अकस्मात् हानि उठानेवाला, प्रथमावस्थामें सामान्य, मध्यमें दुःखी और अन्तमें सुख भोगनेवाला तथा २१–२२ वर्षकी आयुमें भाग्यवृद्धि करनेवाला होता है।

होराफल

द्वितीय अध्यायमें होराका साधन किया गया है। अतएव होराकुण्डली बनाकर देखना चाहिए कि होरालग्न सूर्य-राशि हो और सूर्य उसीमें स्थित हो तो जातक रजोगुणी, उच्चपदाभिलाषी, गुरु और शुक्र होरालग्नमें सूर्यके साथ हो तो सम्पत्तिवान्, सुखी, मान्य, उच्चपदारूढ, शासक, नेता, शीलवान्, राजमान्य तथा होरेश लग्नमें पापग्रहसे युक्त हो तो नीच प्रकृतिवाला, दुश्शील, सम्पत्तिरहित, कुलके विरुद्ध आचरण करनेवाला और नीच कर्मरत होता है। यदि चन्द्रमाकी राशि होरा लग्नमें

हो और होरेश चन्द्रमा उसमें स्थित हो तो जातक शान्त स्वभाववाला, मातृभक्त, लज्जालु, व्यवसायी, कृपिकर्ममें अभिरुचि करनेवाला, अल्प लाभमें सन्तोष करनेवाला, तथा शुभग्रह गुरु शुक्र आदि भी होरालग्नमें चन्द्रमाके साथ हो तो जातक भक्ति-श्रद्धा-सदाचारयुक्त आचरण करनेवाला, शीलवान्, धनिक, सन्तानवान्, सुखी और चन्द्रमाके साथ पापग्रह हो तो विपरीत आचरणवाला, निर्धन, दु खी तथा नीच कार्योंसे प्रेम करनेवाला होता है।

सप्तमाश चक्रका फल विचार

सप्तमाश लग्नसे केवल सन्तानका विचार करना चाहिए। सप्तमाश लग्नका स्वामी पुरुषग्रह हो तो जातकको पुत्र उत्पन्न होते हैं और सप्तमाश लग्नका स्वामी स्त्रीग्रह हो तो जातकको कन्याएँ अधिक उत्पन्न होती हैं। सप्तमाश लग्नका स्वामी पापग्रह हो, पापग्रहके साथ हो या पापग्रहकी राशिमें हो तो सन्तान नीच कर्म करनेवाली होती है और सप्तमाश लग्नका स्वामी स्वराशिका शुभग्रहसे युक्त वा दृष्ट हो या शुभग्रहकी राशिमें स्थित हो तो सन्तान शुभाचरण करनेवाली, सुन्दर, सुशील और गुणी होती है।

सप्तमाश लग्नका स्वामी सप्तमाश लग्नसे ६ या ८वें स्थानमें पापग्रहसे युक्त या दृष्ट हो तो जातक सन्तानहीन होता है।

नवमाश कुण्डलीके फलका विचार

नवमाश लग्नसे स्त्रीभावका विचार किया जाता है। इससे स्त्रीका आचरण, स्वभाव, चेष्टा प्रभृतिको देखना चाहिए। नवमाश लग्नका स्वामी मगल हो तो स्त्री क्रूर स्वभावकी, कुलटा, लडाकू; सूर्य हो तो पतिव्रता, उग्रस्वभावकी, चन्द्रमा हो तो शीतलस्वभावकी, गौरवर्ण और मिलनसार प्रकृतिकी, वुध हो तो चतुर, चित्रकार, सुन्दर आकृति, शिल्पविद्यामें निपुण, गुरु हो तो पीत वर्ण, ज्ञानवती, शुभाचरणवाली, पतिव्रता, सौम्य स्वभाव, व्रत-तीर्थ करनेवाली; शुक्र हो तो चतुर, शृंगारप्रिय,

विलासी, कामक्रीडामे प्रवीण, गौरवर्ण, व्यभिचारिणी और शनि हो तो, क्रूर स्वभाववाली, कुलके विरुद्ध आचरण करनेवाली, श्यामवर्ण, नीच सगतिमे रत, पतिसे विरोध करनेवाली होती है। नवमाश लग्नका स्वामी राहु, केतुके साथ हो तो दुराचारिणी, कुटिला, दुष्टा, नवमाश लग्नका स्वामी शुभग्रह हो और स्वराशिस्थ केन्द्र त्रिकोणमे हो तो जातकको स्त्रीका पूर्ण सुख मिलता है तथा नवमाश लग्नका स्वामी भाग्येशके साथ २।११ वें भावमें उच्चका होकर स्थित हो तो स्त्रियोसे अनेक प्रकारका लाभ तथा ससुरालके धनका स्वामी होता है। नवमाश लग्नका स्वामी पापग्रहोसे युक्त या दृष्ट ६।८।१२वें भावमे स्थित हो तो जातकको स्त्रीका सुख नही होता है। यह जितने पापग्रहोसे युक्त या दृष्ट हो उतनी ही स्त्रियोका नाश करनेवाला होता है।

द्वादशाश कुण्डलीके फलका विचार

द्वादशाश लग्नपर-से माता-पिताके सुख-दु खका विचार किया जाता है। यदि द्वादशाश लग्नका स्वामी शुभग्रह हो तो जातकके माता-पिताका शुभाचरण और पापग्रह हो तो व्यभिचारयुक्त आचरण होता है। द्वादशाश लग्नका स्वामी पुरुपग्रह अपनी राशि, मित्रकी राशि या उच्चकी राशिमे स्थित होकर १।४।५।७।९।१०वें स्थानोमे स्थित हो तो जातकको पिताका पूर्ण सुख और नीच राशि, शत्रुराशि या पाप ग्रहकी राशिमें स्थित हो या ६।८।१२वें भावमे वैठा हो तो पिताका अल्प सुख होता है। द्वादशाश लग्नका स्वामी स्त्रीग्रह सौम्य हो और स्वराशि, मित्रराशि या उच्चकी राशिमे स्थित होकर १।४।५।७।९।१० भावोमे स्थित हो तो जातकको माताका सुख होता है। यही यदि स्त्रीग्रह पापयुक्त या पापदृष्ट होकर ६।८।१२ वें भावमे हो तो माताका सुख नही होता।

चन्द्रकुण्डली फल विचार

चन्द्रकुण्डलीसे जन्मकुण्डलीके समान फलका विचार करना चाहिए।

यदि चन्द्र लग्नेश उच्च राशि, स्वराशि या मित्रराशिमें स्थित होकर १।४। ५।७।९।१०वें भावमे स्थित हो तो जातक चतुर, धनिक, कार्यकुशल, ख्यातिवान्, धन धान्य समन्वित होता है तथा चन्द्र लग्नेश पाप दृष्ट या पापयुत होकर ६।८।१२वें भावमे स्थित हो तो जातकको नाना प्रकारके कष्ट सहन करने पडते हैं। चन्द्र-लग्नेश शुभग्रहोंसे युत होकर जन्म-लग्नेश-से इत्थशाल करता हो तो जातक ऐश्वर्यवान्, पराक्रमी और सहनशील होता है। चन्द्र लग्नसे चौथे मगल, दसवें गुरु और ग्यारहवें शुक्र हो तो जातक राजमान्य, नेता, प्रतिनिधि और धारासभाका मेम्बर होता है। चन्द्र लग्नसे बुध चौथे, शुक्र पाँचवें, गुरु नौवें और मगल दसवें स्थानमे हो तो जातक राजा, मन्त्री, जागीरदार, जमीन्दार, शासक या उच्च पदासीन होनेवाला होता है, चन्द्र लग्नेश चन्द्रलग्नसे नवम स्थानके स्वामीका मित्र होकर चन्द्रलग्नसे दसवें भावमे स्थित हो तो जातक तपस्वी, महात्मा, शासक या पूज्य नेता होता है। चन्द्रलग्नेशका ३।६वें भावमे रहना रोगसूचक है।

विंशोत्तरी दशा फल विचार

दशाके द्वारा प्रत्येक ग्रहकी फल-प्राप्तिका समय जाना जाता है। सभी ग्रह अपनी दशा, अन्तर्दशा, प्रत्यन्तर्दशा और सूक्ष्म दशाकालमे फल देते हैं। जो ग्रह[1] उच्चराशि, मित्रराशि या अपनी राशिमे रहता है वह अपनी दशामे अच्छा फल और जो नीचराशि, शत्रुराशि और अस्तगत हो वे अपनी दशामे धन-हानि, रोग, अवनति आदि फलोको करते हैं।

रवि दशाफल[2]—सूर्यकी दशामे परदेशगमन, राजासे धन लाभ, व्या-

---

१ ग्रहवीर्यानुसारेण फल ज्ञेय दशासु च।
आद्यद्रेष्काणगे खेटे दशारम्भे फल वदेत् ॥
दशामध्ये फल वाच्य मध्यद्रेष्काणगे खगे।
अन्ते फल तृतीयस्थे व्यस्त खेटे च वक्रगे ॥—बृहत्पाराशरहोरा दशाफल अ० श्लो० ३-८।

२ देखें बृहत्पाराशरहोरा दशाफल अध्याय श्लोक ७-१५।

पारसे आमदनी, ख्यातिलाभ, धर्ममे अभिरुचि; यदि सूर्य नीच राशिमें पापयुक्त या दृष्ट हो तो ऋणी, व्याधिपीडित, प्रियजनोके वियोगजन्य कष्टको सहनेवाला, राजासे भय और कलह आदि अशुभ फल होता है। सूर्य यदि मेपराशि हो तो नेत्ररोग, धनहानि, राजासे भय, नाना प्रकारके कष्ट; वृप राशिगत हो तो स्त्री-पुत्रके सुखसे हीन, हृदय और नेत्रका रोगी, मित्रोसे विरोध, मिथुन राशिमे हो तो अन्न-धन युक्त, शास्त्र-काव्यसे आनन्द, विलास, कर्कमें हो तो राजसम्मान, धनप्राप्ति, माता-पिता वन्धुवर्गसे पृथक्ता, वातजन्यरोग, सिहमें हो तो राजमान्य, उच्च पदासीन, प्रसन्न, कन्यामें हो तो कन्यारत्नकी प्राप्ति, धर्ममें अभिरुचि, तुलामे हो तो स्त्री-पुत्रकी चिन्ता, परदेशगमन, वृश्चिकमे हो तो प्रतापकी वृद्धि, विपअग्निसे पीडा, धनमें हो तो राजासे प्रतिष्ठा-प्राप्ति, विद्याकी प्राप्ति, मकरमें हो तो स्त्री-पुत्र धन आदिकी चिन्ता, त्रिदोप, रोगी, परकार्योमे प्रेम, कुम्भमें हो तो पिशुनता, हृदयरोग, अल्पधन, कुटुम्बियोसे विरोध और मीन राशिमें हो तो रविदशाकालमे वाहन लाभ, प्रतिष्ठाकी वृद्धि, धन-मानकी प्राप्ति, विपमज्वर आदि फलोकी प्राप्ति होती है।

चन्द्र दशाफल[1]—पूर्ण, उच्चका और शुभग्रह युत चन्द्रमा हो तो उसकी दशामें अनेक प्रकारसे सम्मान, मन्त्री, धारासभाका सदस्य, विद्या, धन आदि प्राप्त करनेवाला होता है। नीच या शत्रुराशिमें रहनेपर चन्द्रमाकी दशामें कलह, क्रूरता, सिरमे दर्द, धननाश आदि फल होता है। चन्द्रमा मेपराशिमे हो तो उसकी दशामे स्त्रीसुख, विदेशसे प्रीति, कलह, सिररोग, वृपमें हो तो धन वाहन लाभ, स्त्रीसे प्रेम, माताकी मृत्यु, पिताको कष्ट, मिथुनमें हो तो देशान्तरगमन, सम्पत्ति-लाभ, कर्कमें हो तो गुप्तरोग, धन-धान्यकी वृद्धि, कलाप्रेम, सिहमे हो तो बुद्धिमान्, सम्मान्य, धनलाभ, कन्यामें हो तो विदेशगमन, स्त्रीप्राप्ति, काव्यप्रेम, अर्थलाभ, तुलामें

---

१. वही, श्लो० १५-२६

हो तो विरोध, चिन्ता, अपमान, व्यापारसे धनलाभ, मर्म स्थानमे रोग, वृश्चिकमें हो तो चिन्ता, रोग, साधारण धन-लाभ, धर्महानि, धनुमे हो तो सवारीका लाभ, धननाश, मकरमें हो तो सुख, पुत्र-स्त्री-धनकी प्राप्ति, उन्माद या वायु रोगसे कष्ट, कुम्भमे हो तो व्यसन, ऋण, नाभिसे ऊपर तथा नीचे पीडा, दाँत नेत्रमे रोग और मीनमे हो तो चन्द्रमाकी दशामें अर्थागम, धनसग्रह, पुत्रलाभ, शत्रुनाश आदि फलोकी प्राप्ति होती है।

भौम दशाफल[1]—मगल उच्च, स्वस्थान या मूलत्रिकोणगत हो तो उसकी दशामे यशल्लाभ, स्त्री-पुत्रका सुख, साहस, धनलाभ आदि फल प्राप्त होते है। मगल मेष राशिमे हो तो उसकी दशामें धनलाभ, ख्याति, अग्निपीडा, वृषमे हो तो रोग, अन्यसे धनलाभ, परोपकाररत, मिथुनमे हो तो विदेशवासी, कुटिल, अधिक खर्च, पित्त-वायुसे कष्ट, कानमें कष्ट, कर्कमे हो तो धनयुक्त, क्लेश, स्त्री-पुत्र आदिसे दूर निवास, सिंहमे हो तो शासनलाभ, शस्त्राग्निपीडा, धनव्यय, कन्यामें हो तो पुत्र, भूमि, धन, अन्नसे परिपूर्ण, तुलामें हो तो स्त्री-धनसे हीन, उत्सव-रहित, झझट अधिक, क्लेश, वृश्चिकमें हो तो अन्न-धनसे परिपूर्ण, अग्नि-शस्त्रसे पीडा, धनुमे हो तो राजमान्य, जय-लाभ, धनागम, मकरमें हो तो अधिकार-प्राप्ति, स्वर्ण-रत्नलाभ, कार्यसिद्धि, कुम्भमें हो तो आचारका अभाव, दरिद्रता, रोग, व्यय अधिक, चिन्ता और मीनमे हो तो ऋण, चिन्ता, विसूचिकारोग, खुजली, पीडा आदि फल प्राप्त होते हैं।

बुध दशाफल[2]—उच्च, स्वराशिगत और बलवान् बुधकी दशामें विद्या, विज्ञान, शिल्पकृषि कर्ममें उन्नति, धनलाभ, स्त्री-पुत्रको सुख, कफ-वात-पित्तकी पीडा होती है। मेष राशिमें बुध हो तो बुधकी दशामे धनहानि, छल-कपटयुक्त व्यवहारके लिए प्रवृत्ति, वृष राशिमे हो तो धन, यशलाभ, स्त्रीपुत्रकी चिन्ता, विषसे कष्ट, मिथुनमे हो तो अल्पलाभ, साधारण कष्ट,

१. विशेषके लिए देखें—बृहत्पाराशरहोरा दशाफलाध्याय श्लोक २७-३३।
२ वही श्लो० ६१-७०।

माताको सुख, कर्कमे हो तो धनार्जन, काव्यसृजन योग्य प्रतिभाकी जागृति, विदेशगमन, सिंहमे हो तो ज्ञान, यश, धननाश, कन्यामे हो तो ग्रन्थोका निर्माण, प्रतिभाका विकास, धन-ऐश्वर्य लाभ, वृश्चिकमे हो तो कामपीडा, अनाचार, अधिक खर्च, धनुमे हो तो मन्त्री, शासनकी प्राप्ति, नेतागिरी, मकरमे हो तो नीचोसे मित्रता, धनहानि, अल्पलाभ, कुम्भमे हो तो वन्धुओंको कष्ट, दरिद्रता, रोग, दुर्वलता और मीन राशिमे हो तो वुधकी दशामें खाँसी, विप-अग्नि-शस्त्रसे पीडा, अल्पहानि, नाना प्रकारकी झझटें आदि फलोंकी प्राप्ति होती हैं।

गुरु दशाफल[1]—गुरुकी दशामे ज्ञानलाभ, धन-वस्त्र-वाहन लाभ, कण्ठ रोग, गुल्मरोग, प्लीहा रोग आदि फल प्राप्त होते है। मेप राशिमे गुरु हो तो उसकी दशामे अफसरी, विद्या, स्त्री, धन, पुत्र, सम्मान आदिका लाभ, वृपमें हो तो रोग, विदेशमे निवास, धनहानि, मिथुनमें हो तो विरोध, क्लेश, धननाश, कर्कमे हो तो राज्यसे लाभ, ऐश्वर्यलाभ, ख्यातिलाभ, मित्रता, उच्चपद, सेवावृत्ति, सिंहमे हो तो राजासे मान, पुत्र-स्त्री-वन्धु-लाभ, हर्प, धन-धान्य पूर्ण, कन्यामे हो तो रानीके आश्रयसे धनलाभ, शासनमे योग दान देना, भ्रमण, विवाद, कलह, तुलामे हो तो फोडा-फुन्सी, विवेकका अभाव, अपमान, शत्रुता, वृश्चिकमे हो तो पुत्रलाभ, नीरोगता, धनलाभ, पूर्व ऋणका अदा होना, धनु राशिमे हो तो सेनापति, मन्त्री, सदस्य, उच्च पदासीन, अल्पलाभ, मकरमे हो तो आर्थिक कष्ट, गुह्यस्थानोंमें रोग, कुम्भमे हो तो राजासे सम्मान, धारासभाका सदस्य, विद्या-धनलाभ, आर्थिक साधारण सुख और मीनमे हो तो विद्या, धन, स्त्री, पुत्र, प्रसन्नता, सुख आदिको प्राप्त करता है।

शुक्र दशाफल[2]—शुक्रकी दशामे रत्न, वस्त्र आभूपण सम्मान, नवीन कार्यारम्भ, मदनपीडा, वादनसुख आदि फल मिलते हैं। मेप राशिमे

१. वही, श्लो० ४४–५१।
२. वही, श्लो० ७८–८९।

शुक्र हो तो मनमे चंचलता, विदेश भ्रमण, उद्वेग, व्यसन प्रेम, धनहानि, वृषमें हो तो विद्यालाभ, धन, कन्या सुखकी प्राप्ति, मिथुनमे हो तो काव्य-प्रेम, प्रसन्नता, धनलाभ, परदेशगमन, व्यवसायमें उन्नति, कर्कमें हो तो उद्यमसे धनलाभ, आभूपणलाभ, स्त्रियोसे विशेप प्रेम, सिहमें हो तो साधारण आर्थिक कष्ट, स्त्री-द्वारा धनलाभ, पुत्रहानि, पशुओसे लाभ, कन्यामें हो तो आर्थिक कष्ट, दु खी, परदेशगमन, स्त्री-पुत्रसे विरोध, तुलामे हो तो ख्यातिलाभ, भ्रमण, अपमान, वृश्चिकमे हो तो प्रताप, क्लेश, धनलाभ, सुख, चिन्ता, धनुमें हो तो काव्यप्रेम, प्रतिभाका विकास, राज्य-से सम्मान लाभ, पुत्रोसे स्नेह, मकरमे हो तो चिन्ता, कष्ट, वात-कफके रोग, कुम्भमे हो तो व्यसन, रोग, कष्ट, धनहानि और मीनमे हो तो राजा-से धनलाभ, व्यापारसे लाभ, कारोवारकी वृद्धि, नेतागिरी आदि फलोकी प्राप्ति होती है।

शनि दशाफल[1]—बलवान् शनिकी दशामें जातकको धन, जन, सवारी, प्रताप, भ्रमण, कीर्त्ति, रोग आदि फल प्राप्त होते है। मेप राशिमे शनि हो तो शनिकी दशामे स्वतन्त्रता, प्रवास, मर्मस्थानमे रोग, चर्मरोग, वन्धु-वान्धवसे वियोग, वृषमे हो तो निरुद्यम, वायुपीडा, कलह, वमन, दस्तके रोग, राजासे सम्मान, विजयलाभ, मिथुनमें हो तो ऋण, कष्ट, चिन्ता, परतन्त्रता, कर्कमे हो तो नेत्र-कानके रोग, वन्धुवियोग, विपत्ति, दरिद्रता, सिहमे हो तो रोग, कलह, आर्थिक कष्ट, कन्यामें हो तो मकानका निर्माण करना, भूमिलाभ, सुखी होना, तुलामे हो तो धन-धान्य-का लाभ, विजय-लाभ, विलास, भोगोपभोग वस्तुओकी प्राप्ति, वृश्चिकमें हो तो भ्रमण, कृपणता, नीच सगति, साधारण आर्थिक कष्ट, धनुमे हो तो राजासे सम्मान, जनतामें ख्याति, आनन्द, प्रसन्नता, यशलाभ, मकरमे हो तो आर्थिक सकट, विश्वासघात, वुरे व्यक्तियोका साथ, कुम्भमें

१ वृहत्पाराशरहोरा, दशाफलाध्याय श्लो० ५२–६०।

हो तो पुत्र, धन, स्त्रीका लाभ, सुखलाभ, कीर्त्ति, विजय और मीनमे हो तो अधिकार-प्राप्ति, सुख, सम्मान, स्वास्थ्य, उन्नति आदि फलोकी प्राप्ति होती है।

राहु दशाफल[1]—मेष राशिमे राहु हो तो उसकी दशामे अर्थ-लाभ, साधारण सफलता, घरेलू झगडे, भाईसे विरोध, वृषमें हो तो राज्यसे लाभ, अधिकारप्राप्ति, कष्टसहिष्णुता, सफलता, मिथुनमे हो तो दशाके प्रारम्भमे कष्ट, मध्यमे सुख, कर्कमे हो तो अर्थलाभ, पुत्रलाभ, नवीन कार्य करना, धन सचित करना, सिंहमे हो तो प्रेम, ईर्ष्या, रोग, सम्मान, कार्योंमे सफलता, कन्यामे हो तो मध्यवर्गके लोगोसे लाभ, व्यापारसे लाभ, व्यसनोसे हानि, नीच कार्योंसे प्रेम, सन्तोष, तुला राशिका हो तो झझट, अचानक कष्ट, बन्धु-बान्धवोसे क्लेश, धनलाभ, यश और प्रतिष्ठाकी वृद्धि, वृश्चिक राशिका राहु हो तो आर्थिक कष्ट, शत्रुओसे हानि, नीचकार्यरत, धनुका हो तो यशलाभ, धारासभाओमे प्रतिष्ठा, उच्चपद-प्राप्ति, मकरका राहु हो तो सिरमे रोग, वातरोग, आर्थिक सकट, कुम्भका हो तो धनलाभ, व्यापारसे साधारण लाभ, विजय और मीनका हो तो विरोध, झगडा, अल्पलाभ, रोग आदि बातें होती है।

केतु दशाफल[2]—मेषमें केतु हो तो धनलाभ, यश, स्वास्थ्य, वृषमे हो तो कष्ट, हानि, पीडा, चिन्ता, अल्पलाभ, मिथुनमें हो तो कीर्त्ति, बन्धुओसे विरोध, रोग, पीडा; कर्कमे हो तो सुख, कल्याण, मित्रता, पुत्रलाभ, स्त्री-लाभ, सिंहमें हो तो अल्पसुख, धनलाभ, कन्यामें हो तो नीरोग, प्रसिद्ध, सत्कार्योंसे प्रेम, नवीन काम करनेकी रुचि, तुलामे हो तो व्यसनोमें रुचि, कार्यहानि, अल्पलाभ, वृश्चिकमे हो तो धन-सम्मान-पुत्र-स्त्रीलाभ, कफ रोग, बन्धनजन्य कष्ट, धनुमे हो तो सिरमें रोग, नेत्रपीडा, भय, झगडे, मकरमे हो तो हानि, साधारण व्यापारोसे लाभ, नवीन कार्योंमे असफलता,

१ वही श्लो० ७१–७७।
२ वही, श्लो० ४४–५१।

कुम्भमें हो तो आर्थिक संकट, पीड़ा, चिन्ता, बन्धु-बान्धवोंका वियोग और मीनमें हो तो साधारण लाभ, अकस्मात् धनप्राप्ति, लोकमें ख्याति, विद्या लाभ, कीर्त्तिलाभ आदि बातें होती है। दशाफलका विचार करते समय ग्रह किस भावका स्वामी है और उसका सम्बन्ध कैसे ग्रहोंसे है, इसका ध्यान रखना आवश्यक है।

भावेशोंके अनुसार विंशोत्तरी दशाका फल

१—लग्नेशकी दशामे शारीरिक सुख और धनागम होता है, परन्तु स्त्रीकष्ट भी देखा जाता है।

२—धनेशकी दशामे धनलाभ, पर शारीरिक कष्ट भी होता है। यदि धनेश पापग्रहसे युत हो तो मृत्यु भी हो जाती है।

३—तृतीयेशकी दशा कष्टकारक, चिन्ताजनक और साधारण आमदनी करानेवाली होती है।

४—चतुर्थेशकी दशामें घर, वाहन, भूमि आदिके लाभके साथ माता, मित्रादि और स्वयं अपनेको शारीरिक सुख होता है। चतुर्थेश बलवान्, शुभग्रहोंसे दृष्ट हो तो इसकी दशामे नया मकान जातक बनवाता है। लाभेश और चतुर्थेश दोनों दशम या चतुर्थमें हों तो इस ग्रहकी दशामें मिल या बड़ा कारोबार जातक करता है। लेकिन इस दशाकालमे पिताको कष्ट रहता है। विद्यालाभ, विश्वविद्यालयोंकी बड़ी डिग्रियाँ इसके कालमे प्राप्त होती हैं। यदि जातकको यह दशा अपने विद्यार्थीकालमें नहीं मिले तो अन्य समयमे इसके कालमें विद्याविषयक उन्नति तथा विद्या-द्वारा यशकी प्राप्ति होती है।

५—पंचमेशकी दशामें विद्याप्राप्ति, धनलाभ, सम्मानवृद्धि, सुबुद्धि, माताकी मृत्यु या माताको पीड़ा होती है। यदि पंचमेश पुरुषग्रह हो तो पुत्र और स्त्रीग्रह हो तो कन्या सन्तानकी प्राप्तिका भी योग रहता है, किन्तु सन्तान योगपर इस विचारमें दृष्टि रखना आवश्यक है।

६—षष्ठेशकी दशामे रोगवृद्धि, शत्रुभय और सन्तानको कष्ट होता है।

७—सप्तमेशकी दशामे शोक, शारीरिक कष्ट, आर्थिक कष्ट और अवनति होती है। सप्तमेश पापग्रह हो तो इसकी दशामे स्त्रीको अधिक कष्ट और शुभग्रह हो तो साधारण कष्ट होता है।

८—अष्टमेशकी दशामे मृत्युभय, स्त्री-मृत्यु एव विवाह आदि कार्य होते है। अष्टमेश पापग्रह हो और द्वितीयमे बैठा हो तो निश्चय मृत्यु होती है।

९—नवमेशकी दशामे तीर्थयात्रा, भाग्योदय, दान, पुण्य, विद्याद्वारा उन्नति, भाग्यवृद्धि, सम्मान, राज्यसे लाभ और किसी महान् कार्यमे पूर्ण सफलता प्राप्त करनेवाला होता है।

१०—दशमेशकी दशामे राजाश्रयकी प्राप्ति, धनलाभ, सम्मान-वृद्धि और सुखोदय होता है। माताके लिए यह दशा कष्टकारक है।

११—एकादशेशकी दशामे धनलाभ, ख्याति, व्यापारसे प्रचुर लाभ एव पिताकी मृत्यु होती है। यह दशा साधारणत शुभ फलदायक होती है। यदि एकादशेशपर क्रूरग्रहकी दृष्टि हो तो यह रोगोत्पादक भी होती है।

१२—द्वादशेशकी दशामे धनहानि, शारीरिक कष्ट, चिन्ताएँ, व्याधियाँ और कुटुम्बियोको कष्ट होता है।

ग्रहोकी दशाका फल सम्पूर्ण दशाकालमे एक-सा नही होता है, किन्तु प्रथम द्रेष्काणमें ग्रह हो तो दशाके प्रारम्भमें, द्वितीय द्रेष्काणमें हो तो दशाके मध्यमे और तृतीय द्रेष्काणमें ग्रह हो तो दशाके अन्तमें फलकी प्राप्ति होती है। वक्रीग्रह हो तो विपरीत अर्थात् तृतीय द्रेष्काणमें हो तो प्रारम्भमे, द्वितीयमे हो तो मध्यमें और प्रथम द्रेष्काणमे हो तो अन्तमे फल समझना चाहिए।

वक्रीग्रहकी दशाका फल—वक्रीग्रहकी दशामे स्थान, धन और सुख-का नाश होता है, परदेशगमन तथा सम्मानकी हानि होती है।

मार्गीग्रहकी दशाका फल—मार्गीग्रहकी दशामे सम्मान, सुख, धन, यशकी वृद्धि, लाभ, नेतागिरी और उद्योगकी प्राप्ति होती है। यदि मार्गीग्रह ६।८।१२वें भावमे हो तो अभीष्ट सिद्धिमें बाधा आती है।

नीच और शत्रुक्षेत्री ग्रहकी दशाका फल—नीच और शत्रुग्रहकी दशामें परदेशमें निवास, वियोग, शत्रुओंसे हानि, व्यापारसे हानि, दुराग्रह, रोग, विवाद और नाना प्रकारकी विपत्तियाँ आती है। यदि ये ग्रह सौम्य ग्रहोंसे युत या दृष्ट हो तो बुरा फल कुछ न्यून रूपमे मिलता है।

अन्तर्दशा फल

१—पापग्रहकी महादशामें पापग्रहकी अन्तर्दशा धनहानि, शत्रुभय और कष्ट देनेवाली होती है।

२—जिस ग्रहकी महादशा हो उससे छठे या आठवें स्थानमें स्थित ग्रहोंकी अन्तर्दशा स्थानच्युत, भयानक रोग, मृत्युतुल्य कष्ट या मृत्यु देने-वाली होती है।

३—पापग्रहकी महादशामे शुभग्रहकी अन्तर्दशा हो तो उस अन्तर्दशा-का पहला आधा भाग कष्टदायक और आखिरी आधा भाग सुखदायक होता है।

४—शुभग्रहकी महादशामे शुभग्रहकी अन्तर्दशा धनागम, सम्मानवृद्धि, सुखोदय और शारीरिक सुख प्रदान करती है।

५—शुभग्रहकी महादशामें पापग्रहकी अन्तर्दशा हो तो अन्तर्दशाका पूर्वार्द्ध सुखदायक और उत्तरार्द्ध कष्टकारक होता है।

६—पापग्रहकी महादशामें अपने शत्रुग्रहसे युक्त पापग्रहकी अन्तर्दशा हो तो विपत्ति आती है।

७—शनिक्षेत्रमे चन्द्रमा हो तो उसकी महादशामे सप्तमेशकी महादशा परम कष्टदायक होती है।

८—शनिमे चन्द्रमा और चन्द्रमामे शनिका दशाकाल आर्थिक रूपसे कष्टकारक होता है।

९—वृहस्पतिमे शनि और शनिमे वृहस्पतिकी दशा खराव होती है।

१०—मगलमे शनि और शनिमे मगलकी दशा रोगकारक होती है।

११—शनिमे सूर्य और सूर्यमें शनिकी दशा गुरुजनोके लिए कष्टदायक तथा अपने लिए चिन्ताकारक होती है।

१२—राहु और केतुकी दशा प्राय अशुभ होती है, किन्तु जब राहु ३।६।११वें भावमे हो तो उसकी दशा अच्छा फल देती है।

सूर्यकी महादशामे सभी ग्रहोकी अन्तर्दशाका फल

सूर्यमें सूर्य—सूर्य उच्चका हो और १।४।५।७।९।१०वें स्थानमे हो तो उसकी अन्तर्दशामे धनलाभ, राजसम्मान, विवाह, कार्यसिद्धि, रोग और यश-प्राप्ति होता है। यदि सूर्य द्वितीयेश या सप्तमेश हो तो अल्पमृत्यु भी हो सकती है।

सूर्यमें चन्द्रमा—लग्न, केन्द्र और त्रिकोणमें हो तो इस दशाकालमे धनवृद्धि, घर, खेत और वाहनकी वृद्धि होती है। चन्द्रमा उच्च अथवा स्वक्षेत्री हो तो स्त्रीसुख, धनप्राप्ति, पुत्रलाभ और राजासे समागम होता है। क्षीण या पापग्रहसे युक्त हो तो धन-धान्यका नाश, स्त्री-पुरुषोको कष्ट, भृत्यनाश, विरोध और राजविरोध होता है। ६।८।१२वें स्थानमे हो तो जलसे भय, मानसिक चिन्ता, बन्धन, रोग, पीडा, मूत्रकृच्छ्र और स्थान-भ्रंग होता है। महादशाके स्वामीसे १।४।५।७।९।१०वें भावमें हो तो सन्तोष, स्त्री-पुत्रकी वृद्धि, राज्यसे लाभ, विवाह, धनलाभ और सुख होता है। महादशाके स्वामीसे २।८।१२वे भावमें हो तो धननाश, कष्ट, रोग और झझट होता है।

सूर्यमें मंगल—उच्च और स्वक्षेत्री मगल हो या १।४।५।७।९।१०वें स्थानमें हो तो इस दशाकालमे भूमिलाभ, धनप्राप्ति, मकानकी प्राप्ति, सेनापति, पराक्रमवृद्धि, शासनसे सम्बन्ध और भाइयोकी वृद्धि होती है। दशेशमे मगल ६।८।१२वें भावमे हो या पापग्रहसे युक्त हो तो धनहानि, चिन्ता, कष्ट, भाइयोमे विरोध, जेल, क्रूरबुद्धि आदि बातें होती है।

सूर्यमे राहु—१।४।५।७।९।१०वें भावमे राहु हो तो इस दशाकालमे धननाश, सर्प काटनेका भय, चोरी, स्त्री-पुत्रोको कष्ट होता है। यदि राहु ३।६।१०।११वें स्थानमें हो तो राजमान, धनलाभ, भाग्यवृद्धि, स्त्री-पुत्रोको कष्ट होता है। दशाके स्वामीमे राहु ६।८।१२वें हो तो बन्धन, स्थान-नाश, कारागृहवास, क्षय, अतिसार आदि रोग, सर्प या घावका भय होता है। यदि राहु द्वितीय और सप्तम स्थानोका स्वामी हो तो अल्पमृत्यु होती है।

सूर्यमे गुरु—गुरु उच्च या स्वराशिका १।४।५।७।९।१०वें स्थानमे हो तो इस दशाकालमे विवाह, अधिकार-प्राप्ति, बड़े पुरुषोके दर्शन, धन-धान्य-पुत्रका लाभ होता है। गुरु नौवें या दसवें भावका स्वामी हो तो सुख मिलता है। यदि दायेश—दशाके स्वामीसे गुरु ६।८।१२वें स्थानमे हो या नीच राशि अथवा पापग्रहोंसे युक्त हो तो राजकोप स्त्री-पुत्रको कष्ट, रोग, धननाश, शरीरनाश और मानसिक चिन्ताएँ रहती है।

सूर्यमे शनि—१।४।५।७।९।१०वें भावमे शनि हो तो इस दशाकालमें शत्रुनाश, कल्याण, विवाह, पुत्रलाभ, धनप्राप्ति होती है। दायेश—दशाके स्वामीसे शनि ६।८।१२वें भावमे नीच या पापग्रहसे युक्त हो तो धननाश, पापरमरत, वातरोग, कलह, नाना रोग होते है। यदि द्वितीयेश और सप्तमेश शनि हो तो अल्पमृत्यु होती है।

सूर्यमे बुध—स्वराशि या उच्च राशिका बुध १।४।५।७।९।१०वें स्थानमे हो तो इस दशाकालमें उत्साह बढ़ानेवाली, सुखदायक और धन-

लाभ करनेवाली दशा होती है। यदि शुभ राशिमे हो तो पुत्रलाभ, विवाह, सम्मान आदि मिलते हैं। दायेशसे ६।८।१२वें भावमे हो तो पीडा, आर्थिक सकट और राजभय आदि होते है। द्वितीयेश और सप्तमेश बुध हो तो ज्वर, अर्श रोग आदि होते हैं।

सूर्यमे केतु—इस दशामे देहपीडा, धननाश, मनमे व्यथा, आपसी झगडे, राजकोप आदि बाते होती है। दायेशसे केतु ६।८।१२वें भावमे हो तो दांतरोग, मूत्रकृच्छ्र, स्थानभ्रश, शत्रुपीडा, पिताका मरण, परदेश-गमन आदि फल होते हैं। केतु ३।६।१०।११वे भावमे हो तो सुखदायक होता है। द्वितीयेश और सप्तमेश केतु हो तो अल्पमृत्युका योग करता है।

सूर्यमे शुक्र—उच्च या मित्रके वर्गमे शुक्र हो अथवा १।४।५।७।९।१० स्थानोमें-से किसीमे हो तो इस दशाकालमें सम्पत्तिलाभ, राजलाभ, यशलाभ, और नाना प्रकारके सुख होते है। यदि दायेशसे ६।८।१२वें स्थानमे हो तो राजकोप, चित्तमे क्लेश, स्त्री-पुत्र-धनका नाश होता है। यदि शुक्र लग्नसे ६।८वें भावमें हो तो अल्पमृत्यु होती है।

चन्द्रकी महादशामे सभी ग्रहोको अन्तर्दशाका फल

चन्द्रमें चन्द्र—चन्द्रमा उच्चका या स्वक्षेत्री हो या १।५।९।११वें स्थानमे हो अथवा भाग्येशसे युत हो तो इस दशाकालमे धन-धान्यकी प्राप्ति, यशलाभ, राजसम्मान, कन्यासन्तानका लाभ, विवाह आदि फल मिलते है। पापयुक्त चन्द्रमा हो, नीचका हो, या ६।८वें स्थान-में हो तो धनका नाश, स्थानच्युत, आलस, सन्ताप, राज्यसे विरोध, माताको कष्ट, कारागृहवास और भार्याका नाश होता है। यदि द्वितीयेश और सप्तमेश चन्द्रमा हो तो अल्पायुका भय होता है।

चन्द्रमे मगल—१।४।५।७।९।१०वें स्थानमें मगल हो तो इस दशा-कालमे सौभाग्य, वृद्धि, राजसे सम्मान, घर-क्षेत्रकी वृद्धि, विजयी होता है।

उच्च और स्वक्षेत्री हो तो कार्यलाभ, सुखप्राप्ति और धनलाभ होता है। यदि ६।८।१२वें स्थानमे पापयुक्त हो अथवा दायेशसे शुभ स्थानमे हो तो घरक्षेत्र आदिको हानि पहुँचाता है, बान्धवोंसे वियोग और नाना प्रकारके कष्ट होते है।

चन्द्रमे राहु— १।४।५।७।९।१०वें स्थानमे राहु हो तो इस दशाकालमे शत्रुपीडा, भय, चोर-सर्प-राजभय, बान्धवोका नाश, मित्रको हानि, अपमान, दुःख, सन्ताप होता है। यदि शुभग्रहकी दृष्टि या ३।६।१०।११वें स्थानमें राहु हो तो कार्यसिद्धि होती है। दायेशसे ६।८।१२वें स्थानमे हो तो स्थानभ्रंश, दुःख, पुत्रका क्लेश, भय, स्त्रीको कष्ट होता है। दायेशसे केन्द्रस्थानमे हो तो शुभ होता है।

चन्द्रमें गुरु—लग्नमे गुरु १।४।५।७।९।१०मे हो, उच्च या स्वराशिमें हो तो इस दशाकालमे शासनसे सम्मान, धनप्राप्ति, पुत्रलाभ होता है। यदि ६।८।१२वें भावमें हो या नीच, अस्त अथवा शत्रुक्षेत्री हो तो अशुभ फलकी प्राप्ति, गुरुजन तथा पुत्रका नाश, स्थानच्युति, दुःख और कलहादि होते है। दायेशसे १।४।५।७।९।१०।३मे हो तो धैर्य, पराक्रम, विवाह, धनलाभ आदि फल होते है। यदि दायेशसे ६।८।१२वें स्थानमें हो तो जातक अल्पायु होता है।

चन्द्रमे शनि—१।४।५।७।९।१०।११मे शनि हो, स्वक्षेत्री हो या उच्चका हो, शुभग्रहसे युत या दृष्ट हो तो इस दशाकालमे पुत्र, मित्र और धनकी प्राप्ति, व्यवसायमे लाभ, घर और खेत आदिकी वृद्धि होती है। यदि ६।८।१२वें स्थानमे हो, नीचका हो अथवा धन स्थानमे हो तो पुण्य-तीर्थमे स्नान, कष्ट, शस्त्रपीडा होती है।

चन्द्रमे बुध—१।४।५।७।९।१०।११वे स्थानमें बुध हो या उच्चका हो तो इस दशामे राजासे आदर, विद्यालाभ, ज्ञानवृद्धि धनकी प्राप्ति, सन्तान-प्राप्ति, सन्तोष, व्यवसाय-द्वारा प्रचुर लाभ, विवाह आदि फल

मिलते हैं। यदि दायेशसे बुध २।११वें स्थानमें हो तो निश्चय विवाह, धारामभाके सदस्य, आरोग्य या सुखकी प्राप्ति होती है। यदि बुध दायेशसे ६।८।१२वें स्थानमें नीचका हो तो बाधा, कष्ट, भूमिका नाश, कारागृहवास, स्त्री-पुत्रको कष्ट होता है। यदि बुध द्वितीयेश और सप्तमेश हो तो ज्वरसे कष्ट होता है।

चन्द्रमें केतु—३।१।४।५।७।९।१०।११वें स्थानमें केतु हो तो इस दशाकालमें धनका लाभ, सुखप्राप्ति, स्त्री-पुत्रसे सुख होता है। यदि दायेशसे केतु केन्द्र, लाभ और त्रिकोणमें हो तो अल्पसुख मिलता है, धनकी प्राप्ति होती है। यदि पापग्रहसे दृष्ट अथवा युत हो या दायेशसे ६।८।१२वें स्थानमें हो तो कलह होता है। द्वितीयेश और सप्तमेश हो तो आरोग्यमें हानि होती है।

चन्द्रमें शुक्र—केन्द्र, लाभ, त्रिकोणमें शुक्र हो या उच्चका हो, स्वक्षेत्री हो तो इस दशाकालमें राजशासनमें अधिकार, ख्याति, मन्त्री या अफसर, स्त्री-पुत्र आदिकी वृद्धि, नवीन घरका निर्माण, सुख, रमणीय स्त्रीका लाभ, आरोग्य आदि फल प्राप्त होते हैं। यदि दायेशसे शुक्र युत हो तो देहमें सुख, अच्छी ख्याति, सुख-सम्पत्ति, घर-खेत आदिकी वृद्धि होती है। यदि नीचका हो, अस्तगत हो, पापग्रहसे युत या दृष्ट हो तो भूमि, पुत्र, मित्र, पत्नी आदिका नाश, राजसे हानि होती है। यदि धनस्थानमें हो, अपने उच्चका हो अथवा स्वक्षेत्री हो तो निधिलाभ होता है। दायेशसे ६।८।१२वें स्थानमें हो, पापयुक्त हो तो परदेशमें रहनेमें दुःख होता है। द्वितीयेश और सप्तमेश हो तो अल्पायुका भय होता है।

चन्द्रमें सूर्य—सूर्य उच्चका हो, स्वक्षेत्री हो या १।४।५।७।९।१०वें स्थानमें हो तो इस दशामें राजसम्मान, धनलाभ, घरमें सुख, ग्राम, भूमि आदिका लाभ, सन्तानप्राप्ति होती है। यदि दायेशसे ६।८।१२वें स्थानमें हो, पापयुत हो तो सर्प, राजा एवं चोरसे भय, ज्वर रोग, परदेशगमन

और पीडा होती है। सूर्य द्वितीयेश और सप्तमेश हो तो ज्वरबाधा होती है।

मगलकी महादशामे सभी ग्रहोकी अन्तर्दशाका फल

मगलमे मगल—मगल १।४।५।७।९।१० मे हो, लग्नेशसे युत हो तो इसकी दशामें वैभवप्राप्ति, धनलाभ, पुत्रप्राप्ति, सुखप्राप्ति होती हैं। यदि अपने उच्चका हो अथवा स्वक्षेत्री हो तो घर या खेतकी वृद्धि तथा धनलाभ होता है। यदि ६।८।१२वें स्थानमें पापग्रहसे युत या दृष्ट हो तो मूत्रकृच्छ्र रोग, घाव, फोडा-फुन्सी, सर्प और चोरसे पीडा, राजासे भय होता है। द्वितीयेश और सप्तमेश हो तो शारीरिक कष्ट होते हैं।

मगलमे राहु—राहु उच्च, मूलत्रिकोणी और शुभग्रहसे दृष्ट या युत हो या १।४।५।७।९।१०वें स्थानमें हो तो इस दशाकालमे राजासे सम्मान, घर, खेतका लाभ, स्त्री-पुत्रका लाभ, व्यवसायमे सफलता, परदेशगमन आदि फल होते है। यदि पापग्रहसे युक्त ६।८।१२वें स्थानमें राहु हो तो चोर, सर्प, राजासे कष्ट, वात, पित्त और क्षयरोग, जेल आदि फल होते है। यदि धन स्थानमे राहु हो तो धनका नाश होता है। द्वितीयेश और सप्तमेश राहु हो तो अल्पमृत्युका भय होता है।

मगलमें गुरु—१।४।५।७।९।१०।११।१२ स्थानमें गुरु हो, उच्चका हो तो इस दशाकालमें यशलाभ, देशमे मान्य, धन-धान्यकी वृद्धि, शासनमे अधिकार, स्त्री-पुत्र लाभ होता है। यदि दायेश १।४।५।७।९।१०।११वें स्थानमें हो तो घर, खेत आदिकी वृद्धि, आरोग्यलाभ, यशप्राप्ति, व्यापारमें लाभ, उद्यम करनेसे फल प्राप्ति, स्त्री-पुत्रका ऐश्वर्य, राजासे आदरकी प्राप्ति होती है, ६।८।१२वें स्थानमे नीचका गुरु हो, अस्तगत हो, पापग्रहसे युत या दृष्ट हो तो चोर और सर्पसे पीडा, पित्तविकार, उन्मत्तता, भ्रातृ-नाश होता है।

मंगलमें शनि—शनि स्वक्षेत्री, मूलत्रिकोणी, उच्चका या १।४।५।७। ९।१०वें स्थानमें हो तो इस दशामें राजसुख, यशवृद्धि, पुत्र-पौत्रकी वृद्धि होती है। नीचका शत्रु क्षेत्री हो या ६।८।१२वें भावमें हो तो धन-धान्यका नाश, जेल, रोग, चिन्ता होती है। सप्तमेश और द्वितीयेश हो तो मृत्यु अथवा ६।८।१२वें भावमें पापदृष्ट हो तो मृत्यु होती है।

मंगलमें बुध—बुध १।४।५।७।९।१० में हो तो इस दशाकालमें सुन्दर कन्या सन्ततिवाला, धर्ममें रुचि, यशलाभ, न्यायसे प्रेम होता है तथा सुन्दर पदार्थ खानेको मिलते हैं। नीच या अस्तगत अथवा ६।८।१२वें भावमें हो तो हृदयरोग, मानहानि, पैरोंमें बेड़ीका पड़ना, बान्धवोंका नाश, स्त्री-मरण, पुत्रमरण और नाना कष्ट होते हैं। बुध दायेशसे पापयुक्त होकर ६।८।१२वें स्थानमें हो तो मानहानि होती है और यह द्वितीयेश और सप्तमेश हो तो महाव्याधि होती है।

मंगलमें केतु—केतु १।४।५।७।९।१०।११वें स्थानमें शुभग्रहसे युत या दृष्ट हो तो इस दशाकालमें धन, भूमि, पुत्रका लाभ, यशकी वृद्धि, सेना-पतिका पद, सम्मान आदि मिलते हैं। दायेशसे ६।८।१२वें भावमें पापयुक्त हो तो व्याधि, भय, अविश्वास, पुत्र-स्त्रीको कष्ट होता है।

मंगलमें शुक्र—शुक्र १।४।५।७।९।१०वें भावमें हो, उच्च, मूलत्रिकोणी अथवा स्वराशिका हो तो इस दशाकालमें राजलाभ, आभूषणप्राप्ति और सुखप्राप्ति होती है। यदि लग्नेशसे युत हो तो पुत्र-स्त्री आदिकी वृद्धि, ऐश्वर्यकी प्राप्ति होती है। यदि शुक्र दायेशमें १।२।४।५।७।९।१०।११वें स्थानमें हो तो लक्ष्मीकी प्राप्ति, सन्तानलाभ, सुखप्राप्ति, गीत, नृत्य आदि-का होना, तीर्थयात्राका होना आदि फल होते हैं। यदि शुक्र कर्मेशसे युक्त हो तो तालाब, धर्मशाला, कुआँ आदि बनवानेका परोपकारी काम करता है। दायेशसे ६।८।१२वें भावमें हो तो कष्ट, झंझटें, सन्तानचिन्ता, धननाश, मिथ्यापवाद, कलह आदि फल मिलते हैं।

मगलमें सूर्य—सूर्य उच्च, स्वराशि या मूलत्रिकोणी सूर्य १।४।५।७।९।१०वें स्थानमें हो तो इस दशाकालमें वाहनलाभ, यशप्राप्ति, पुत्रलाभ, धन-धान्य लाभ होता है। दायेशसे ६।८।१२वें भावमे पापग्रहसे युत या दृष्ट हो तो पीडा, सन्ताप, कष्ट, व्याधि, धननाश, कार्यबाधा आदि बातें होती हैं।

मगलमें चन्द्र—चन्द्र उच्च, मूलत्रिकोणी, स्वराशि या शुभग्रह युत हो तो इस दशाकालमें राजलाभ, मन्त्रीपद, सम्मान, उत्सवोका होना, विवाह, स्त्री-पुत्रोको सुख, माता-पितासे सुख, मनोरथसिद्धि आदि फल मिलते हैं। नीच, शत्रु राशि या अस्तगत होकर दायेशसे ६।८।१२वें स्थानमें हो तो स्त्री-पुत्रकी हानि, कष्ट, पशु, धान्यका नाश, चोरभय प्रभृति फल होते हैं। द्वितीयेश या सप्तमेश चन्द्रमा हो तो अकालमरण होता है।

राहुकी महादशामे सभी ग्रहोकी अन्तर्दशाका फल

राहुमें राहु—कर्क, वृष, वृश्चिक, कन्या और धनराशिका राहु हो तो उसकी दशामें सम्मान, शासनलाभ, व्यापारमे लाभ होता है। राहु ३।६।११वें भावमें हो, शुभग्रहसे युत या दृष्ट हो, उच्चका हो तो इस दशामें राज्यशासनमें उच्चपद, उत्साह, कल्याण एव पुत्रलाभ होता है। ६।८।१२वें भावमे पापग्रहसे युत या दृष्ट हो तो कष्ट, हानि, बन्धुओंका वियोग, झंझटें, चिन्ताएं आदि फल होते हैं। ७वें भावमे हो तो रोग होते हैं।

राहुमें गुरु—१।४।५।७।९।१०वें स्थानमें स्वगृही, मूलत्रिकोणी या उच्चका हो तो इस दशाकालमें शत्रुनाश, पूजा, सम्मान, धनलाभ, सवारी, मोटर, पुत्र आदिकी प्राप्ति होती है। नीच, अस्तगत या शत्रुराशिमें होकर ६।८।१२वें भावमें हो तो धनहीन, कष्ट, विघ्न-बाधाओंका बाहुल्य, स्त्री-पुत्रोंको पीडा आदि फल होते हैं।

राहुमें शनि—शनि १।४।५।७।९।१०।११वें भावमें उच्च या मूल-त्रिकोणी हो तो उसकी दशामें उत्सव, लाभ, सम्मान, बडे कार्य, धर्मशाला,

तालाबका निर्माण आदि बातें होती हैं। नीच, शत्रुक्षेत्री होकर ६।८।१२वें भावमें हो तो स्त्री-पुत्रका मरण, लडाई और नाना कष्टोंकी प्राप्ति होती है। द्वितीयेश या सप्तमेश शनि हो तो अकालमरण होता है।

राहुमें बुध—राहु १।४।५।७।९।१०वें स्थानमें स्वक्षेत्री, उच्चका, बलवान् हो तो इन दशाकालमें कल्याण, व्यापारसे धनप्राप्ति, विद्याप्राप्ति, यशलाभ और विवाहोत्सव आदि होते हैं। ६।८।१२वें स्थानमें शनैश्चरकी राशिसे युत या दृष्ट हो या दायेशसे ६।८।१२वें स्थानमें हो तो हानि, कलह, संकट, राजकोप, पुत्रका वियोग होता है। द्वितीयेश और सप्तमेश बुध हो तो अकालमरण होता है।

राहुमें केतु—इस दशाकालमें वातज्वर, भ्रमण और दुःख होता है। यदि शुभग्रहमें केतु युत हो तो धनकी प्राप्ति, सम्मान, भूमिलाभ और सुख होता है। १।४।५।७।९।१०।८।१२वें स्थानमें केतु हो तो उसकी दशा महान् कष्ट देनेवाली होती है।

राहुमें शुक्र—१।४।५।७।९।१०।११वें स्थानमें शुक्र हो तो उसकी दशामें पुत्रोत्सव, राजसम्मान, वैभवप्राप्ति, विवाह आदि उत्सव होते हैं। ६।८।१२वें भावमें शुक्र नीचका, शत्रुक्षेत्री, शनि या मंगलसे युत हो तो रोग, कलह, वियोग, बन्धुहानि, स्त्रीको पीडा, शूलरोग आदि फल होते हैं। दायेशसे ६।८।१२वें स्थानमें शुक्र हो तो अचानक विपत्ति, झूठे दोष, प्रमेह रोग आदि फल होते हैं। द्वितीयेश और सप्तमेश शुक्र हो तो अकाल-मरण भी इसकी दशामें होता है।

राहुमें सूर्य—सूर्य स्वक्षेत्री, उच्चका ५।९।११वें भावमें हो तो धन-धान्यकी वृद्धि, कीर्त्ति, परदेशगमन, राजाश्रयसे धनप्राप्ति होती है। दायेशसे सूर्य ६।८।१२वें भावमें नीचका हो तो ज्वर, अतिसार, कलह, राजद्वेष, अग्निपीडा आदि फल मिलते हैं।

राहुमें चन्द्र—बलवान् चन्द्रमा १।४।५।७।९।१०।११वें भावमें हो तो

इन दशाकालमे सुख-समृद्धि होती है। दायेशसे ६।८।१२वें भावमे हो तो नाना प्रकारके कष्ट, धनहानि, विवाद, मुकद्दमा आदिसे कष्ट होता है।

राहुमे मगल—१।४।५।७।९।१०।११वें भावमे मगल हो तो उसकी दशामे घर, खेतकी वृद्धि, सन्तानसुख, शारीरिक कष्ट, अकस्मात् किसी प्रकारकी विपत्ति, नौकरीमे परिवर्तन एव उच्च पदकी प्राप्ति होती है। दायेशमे मगल ६।८।१२वें स्थानमे पापयुक्त हो तो स्त्री-पुत्रको हानि, सहोदर भाईको पीडा और अनेक प्रकारकी झझटे आती है।

गुरुकी महादशामे सभी ग्रहोकी अन्तर्दशाका फल

गुरुमे गुरु—गुरु उच्च और स्वक्षेत्री होकर केन्द्रगत हो तो इस दशामे वस्त्र, मोटर, आभूषण, नवीन सुन्दर मकान आदिकी प्राप्ति होती है। यदि गुरु भाग्येश और कर्मेशसे युक्त हो तो स्त्री, पुत्र, धन, लाभ होता है। नीच राशिका बृहस्पति हो या ६।८।१२वें भावमे स्थित हो तो दुख, कलह, हानि, कष्ट और पुत्र-स्त्रीका वियोग होता है। प्राय देखा जाता है कि गुरुमे गुरुका अन्तर अच्छा नही बीतता है।

गुरुमे शनि—शनि उच्च, स्वक्षेत्री, मूलत्रिकोणी हो या १।४।५।७।९।१०।११वें भावमे स्थित हो तो इस दशामे भूमि, धन, सवारी, पुत्र आदिका लाभ, पश्चिम दिशामें यात्रा और बडे पुरुषोसे मिलना होता है। नीच, अस्तगत या शत्रुक्षेत्री शनि हो या ६।८।१२वें भावमें हो तो ज्वरबाधा, मानसिक दुख, स्त्रीको कष्ट, सम्पत्तिकी क्षति होती है। दायेशसे ६।८।१२वें भावमे हो तो नाना प्रकारसे कष्ट होता है। द्वितीयेश और सप्तमेश हो तो शारीरिक कष्ट या अकालमरण होता है।

गुरुमे बुध—बुध स्वराशि, उच्च या मूलत्रिकोणी हो अथवा १।४।५।७।९।१०।११वें भावमे बलवान् होकर स्थित हो तो इस दशामे धारासभाओका सदस्य, मन्त्री, अफसर, सुख, धनलाभ, पुत्रलाभ होता है। ६।८।१२वें भावमे हो या दायेशसे ६।८।१२वें भावमे हो तो नाना प्रकारके

कष्ट, रोग, भार्यामरण आदि फल होते है। द्वितीयेश और सप्तमेश बुध हो तो इसकी दशामे महान् कष्ट या अकालमरण होता है।

गुरुमे केतु—यदि शुभग्रहसे केतु युक्त हो तो इस दशामे सुख प्रदान करता है। दायेशसे ६।८।१२वे स्थानमे पापयुक्त हो तो राजकोप, बन्धन, धननाश, रोग आदि फल होते है। दायेशसे ४।५।९।१०वे स्थानमे हो तो अभीष्ट लाभ, उद्यमसे लाभ, पशुलाभ होता है।

गुरुमें शुक्र—बलवान् शुक्र केन्द्रेशमे युक्त होकर ५।११वे भावमे हो तो इस दशामे सुख, कल्याण, धनलाभ, धर्मशाला, तालाब, कुआँ आदिका निर्माण, पुत्रलाभ, स्त्रीलाभ, नवीन कार्य आदि फल मिलते है। शुक्र दायेशमे या लग्नसे ६।८।१२वें स्थानमे हो तो कष्ट, कलह, बन्धन, चिन्ता आदि फल होते है। द्वितीयेश और सप्तमेश हो तो अकालमरण भी होता है।

गुरुमे सूर्य—सूर्य उच्चका स्वक्षेत्री होकर १।४।५।७।९।१०।११वें भावमें हो तो इस दशामे सम्मानप्राप्ति, तत्काल लाभ, सवारीकी प्राप्ति, पुत्रप्राप्ति आदि फल होते है। लग्नेश या दायेशसे सूर्य ६।८।१२वे स्थानमें हो तो निरमे रोग, ज्वरपीडा, पापकर्म, बन्धु वियोग आदि फल मिलते है। सूर्य द्वितीयेश और सप्तमेश हो तो यह समय महाकष्टकारक होता है।

गुरुमें चन्द्र—बलवान् चन्द्रमा १।४।५।७।९।१०।११वें भावमे हो तो इस दशामे सत्कार्य, सम्मान, कीर्त्ति, पुत्र-पौत्रकी वृद्धि होती है। लग्नेश या दायेशमे (दशापति) ६।८।१२वे स्थानमे चन्द्रमा हो तो अपमान, खेद, स्थानच्युति, मातुलवियोग, माताको दु ख आदि फल होते है। द्वितीयेश हो तो महाकष्ट होता है।

गुरुमें भौम—उच्च या स्वगृही मगल १।४।५।७।९।१०वें भावमे हो तो इस दशामे भूमिलाभ, मिलोका निर्माण और कार्यसिद्धि होती है। दायेशसे केन्द्र स्थानमे शुभग्रहमे युत या दृष्ट हो तो तीर्थयात्रा, विद्वत्तासे

भूमिलाभ, नवीन कार्यों-द्वारा यश लाभ होता है। दायेशसे भौम ६।८। १२वें भावमें पापग्रहसे युत या दृष्ट हो तो धन-धान्य और घरका नाश होता है।

गुरुमें राहु—उच्च, स्वक्षेत्री या मूलत्रिकोणी राहु ३।६।११वें भावमें हो तो इस दशामें ख्याति, सम्मान, विद्यालाभ, दूरदेशगमन, सम्पत्ति और कल्याणकी प्राप्ति होती है। दायेशसे ६।८।१२वें भावमें राहु हो तो कष्ट, भय, व्याकुलता, कलह, रोग, दुःस्वप्न, शारीरिक कष्ट, अल्पलाभ आदि फल प्राप्त होते हैं।

शनि महादशामे सभी ग्रहोंकी अन्तर्दशाका फल

शनिमें शनि—स्वराशि, उच्च और मूलत्रिकोणका शनि हो अथवा १।४।५।७।९।१०।११वें भावमें स्थित हो तो इस दशामें सम्मान, ख्याति, शासन-प्राप्ति, उच्चपदकी प्राप्ति, विदेशीय भाषाओंका ज्ञान, स्त्री-पुत्रकी वृद्धि होती है। नीच या पापयुक्त होकर शनि ६।८।१२वें भावमें हो तो रक्तस्राव, अतिसार, गुल्मरोग होता है। द्वितीयेश और सप्तमेश शनि हो तो मृत्यु भी इस दशाकालमें सम्भव होती है।

शनिमें बुध—१।४।५।७।९।१०वें स्थानमें बुध हो तो इस दशामें सम्मान, कीर्त्ति, विद्या, धन, देहसुख आदिकी प्राप्ति होती है। इस दशा-में नवीन व्यापार आरम्भ करनेसे प्रचुर धन लाभ किया जा सकता है। दायेशसे ६।८।१२वें भावमें बुध हो तो अल्पसुख, बुद्धिसे कार्यसिद्धि, बड़े लोगोंका समागम, अल्पमृत्यु, भय, शीतज्वर, अतिसार आदि रोग होते हैं।

शनिमें केतु—शुभग्रहसे युत या दृष्ट केतु हो तो इस दशामें स्थानभ्रंश, क्लेश, धनहानि, स्त्री पुत्रका मरण होता है। लग्नेशसे युत या दायेशसे ६।८।१२वें भावमें केतु हो तो सुख मिलता है।

शनिमें शुक्र—उच्चका या स्वक्षेत्री शुक्र १।४।५।७।९।१०।११वें

भावमे शुभग्रहसे युत या दृष्ट हो तो इस दशामे आरोग्यलाभ, धनप्राप्ति, कल्याण, आदर, उन्नति, जीवनमे सुखकी प्राप्ति होती है। शत्रुक्षेत्री नीच या अस्तगत शुक्र ६।८।१२वे स्थानमे हो तो स्त्रीमरण, स्थानभ्रश, पद-परिवर्त्तन, अल्पलाभ होता है। शुक्र दायेशसे ६।८।१२वें भावमे हो तो ज्वर, पीडा, पायरिया रोग, वृक्षमे पतन, सन्ताप, विरोध और झगडे होते है।

शनिमें सूर्य—उच्चका, स्वराशिका या भाग्येशसे युत १।४।५।७।९। १०।११वें स्थानमे सूर्य हो तो इस दशामे घरमे दही-दूधकी प्रचुरता, पुत्रकी प्राप्ति, कल्याण, पदवृद्धि, जीवनमे परिवर्त्तन, यशकी प्राप्ति होती है। सूर्य लग्न या दायेशसे ६।८।१२वें भावमे हो तो हृदयमे रोग, मान-हानि, स्थानभ्रश, दुख, पश्चात्ताप होता है। द्वितीयेश और सप्तमेश होने-पर महान् कष्ट होता है।

शनिमे चन्द्रमा—चन्द्रमा गुरुसे दृष्ट हो, अपने उच्चका हो, स्वक्षेत्री हो, १।४।५।७।९।१०।११वें भावमे हो तो इस दशामे सौभाग्य वृद्धि, माता-पिताको सुख, कारोवारमे बढती होती है। क्षीण चन्द्रमा हो या पापग्रहसे युत चन्द्रमा हो तो धननाश, माता-पिताका वियोग, सन्तानको कष्ट, धन-का खर्च और रोग होते हैं।

शनिमें भौम—बलवान् भौम १।४।५।७।९।१०।११वें भावमे हो या लग्नेशमे युत हो तो इस दशामे सुख, धनलाभ, राजप्रीति, सम्पत्तिलाभ, नये घरका निर्माण, मिल या नवीन कारखानोका स्थापन आदि फल मिलते है। नीचका मगल हो या अस्तगत हो तो परदेशगमन, धनहानि, कारागृह-का दण्ड आदि फल मिलते है। द्वितीयेश या सप्तमेश होनेमे मगलकी दशा-मे अकालमरण भी हो सकता है।

शनिमें राहु—इस दशामे कलह, चित्तमे क्लेश, पीडा, चिन्ता, द्वेष, धननाश, परदेशगमन, मित्रोसे कलह आदि फल होते है। उच्चक्षेत्री या

स्वगृही राहु लाभस्थानमे हो तो धनलाभ, सम्पत्तिकी प्राप्ति और अन्य प्रकारके समस्त सुख होते है।

शनिमें गुरु—बलवान् गुरु शुभग्रहोमे युत होकर १।४।५।७।९।१०।११ वें भावमे हो तो इस दशामें मनोरथसिद्धि, सम्मानप्राप्ति, पुत्रलाभ, नवीन कार्योके करनेकी प्रेरणा होती है। ६।८।१२वें स्थानमे नीच अस्त-गत या पापग्रहसे युत होकर स्थित हो तो कुष्टरोग, परदेशगमन, कार्य-हानि, धन-धान्यका नाश होता है। दायेशसे ६।८।१२वे स्थानोमे निर्बल गुरु हो तो भाइयोमे द्वेष, धन-लाभ, पुत्रका नाश और राजदण्ड भोगना पडता है।

बुधकी महादशामे सभी ग्रहोकी अन्तर्दशाका फल

बुधमें बुध—इस दशामे लाभ, सुख, विद्या, कीर्त्ति, वैभवकी प्राप्ति होती है। नीच या उग्र ग्रहसे युक्त होकर बुध ६।८।१२वे स्थानमे हो तो भय, क्लेश, कलह, रोग, शोक, हानि आदि फल होते है। बुध द्वितीयेश या सप्तमेश हो तो किसी सम्बन्धीकी मृत्यु इस दशामें होती है।

बुधमें केतु—लग्नेश या दायेशसे केतु युक्त हो तो इस दशामें अल्प-लाभ, शारीरिक सुख, विद्या और यशका लाभ होता है। दायेशसे ६।८। १२वें भावमें पापग्रह युत हो तो जातकको नाना प्रकारका कष्ट सहन करना पडता है।

बुधमें शुक्र—इस दशामे धन, सम्पत्तिका लाभ, विद्या-द्वारा ख्याति, धनका सचय, व्यवसायमे लाभ, समृद्धि आदि फल होते है। दायेशसे शुक्र ६।८।१२वें स्थानोमें हो तो नाना प्रकारकी झझटें, अल्पलाभ, भार्याकष्ट, बन्धुवियोग, मनमें सन्ताप होता है। द्वितीयेश या सप्तमेश शुक्र हो तो मृत्यु भी इसकी दशामे हो सकती है।

बुधमें सूर्य—उच्चका सूर्य हो तो सुख, मगल युत हो तो इस दशामें

भूमिलाभ। लग्नेशसे युत या दृष्ट हो तो धनप्राप्ति, भूमिलाभ होता है। दायेशसे सूर्य ६।८।१२वें स्थानमें मंगल राहुसे युत हो तो चोर, अग्नि या शस्त्रसे पीड़ा, पित्तजन्य रोग, सन्ताप होते हैं। सूर्य द्वितीयेश या सप्तमेश हो तो अकालमरण भी इस दशामें होता है।

बुधमें चन्द्रमा—उच्च, स्वराशि और शुभग्रहोंसे युत चन्द्रमा हो तो इस दशामें सुख, कन्यालाभ, धनप्राप्ति, नौकरीमें तरक्की होती है। निर्बल चन्द्रमा दायेशसे ६।८।१२वें भावमें हो तो धननाश, बुरे कार्य, राजदण्ड, छल कपट-द्वारा धन हरण आदि फल होते हैं।

बुधमें भौम—उच्च, स्वराशि और शुभग्रहोंसे युत होनेपर इस दशामें मकान, भूमि, खेतकी प्राप्ति, पुस्तकोंके निर्माण-द्वारा यश, कवितामें अभिरुचि होती है। मंगल नीचका, अस्तगत या शत्रुक्षेत्री हो तो चोरसे भय, स्थानभ्रंश, पुत्र-मित्रोंसे विरोध होता है। द्वितीयेश या सप्तमेश मंगल हो तो इस दशामें अकालमरण होता है।

बुधमें राहु—राहु ६।८।१२वें स्थानमें हो तो रोग, धननाश, वातज्वर होता है। ३।६।१०।११वें भावमें हो तो सम्मान, राजासे लाभ, अल्प धनलाभ, व्यापारमें वृद्धि और कीर्ति होती है।

बुधमें गुरु—उच्च, स्वराशि या शुभग्रहोंसे युत गुरु १।४।५।७।९।१०वें स्थानमें हो तो इस दशामें प्रतिष्ठा, ग्रन्थ निर्माण, उत्सव, धनलाभ आदि फल मिलते हैं। गुरु दायेशसे ६।८।१२वें भावमें हो तो हानि, अपमान तथा शनि, मंगलसे युत हो तो कलह, पीड़ा, माताकी मृत्यु, झगड़ा, धननाश, शारीरिक कष्ट आदि फल होते हैं।

बुधमें शनि—उच्च, स्वराशि या मूलत्रिकोणका शनि हो तो इस दशामें कल्याणकी वृद्धि, लाभ, राजसम्मान, बड़प्पन आदि फल प्राप्त होते हैं। दायेशसे शनि ६।८।१२वें भावमें हो तो बन्धुनाश, दुःखप्राप्ति, कष्ट, परदेशगमन होता है। शनि द्वितीयेश या सप्तमेश होकर द्वितीय या तृतीयमें हो तो इस दशामें मृत्यु होती है।

केतुको महादशामे सभी ग्रहोकी अन्तर्दशाका फल

केतुमें केतु—केतु केन्द्र, त्रिकोण और लाभ भावमे हो तो इस दशामें भूमि, धन-धान्य, चतुष्पद आदिका लाभ, स्त्री-पुत्रसे सुख मिलता है। नीच या अस्तगत हो या ६।८।१२वें स्थानमे हो तो रोग, अपमान, धन-धान्यका नाश, स्त्री-पुत्रको पीडा, मन चचल होता है। द्वितीयेश या सप्तमेशके साथ सम्बन्ध हो तो महाकष्ट होता है।

केतुमें शुक्र—शुक्र उच्च, स्वराशिका हो या १।४।५।७।९।१०।११वें भावमे या दायेशसे युक्त हो तो इस दशामें राजप्रीति, सौभाग्य, धनलाभ होता है। यदि भाग्येश और कर्मेशसे युक्त हो तो राजासे धनलाभ, सम्मान, सुख और उन्नति होती है। दायेशसे ६।८।१२वें भावमे हो या पापयुक्त होकर इन स्थानोमें हो तो मानहानि, धनकष्ट, स्त्रीसे झगडा, पुत्रोको कष्ट और अवनति होती है।

केतुमें सूर्य—सूर्य स्वक्षेत्री, उच्चका हो या १।४।५।७।९।१०।११वें भावमें हो तो इस दशामें प्रारम्भमे सर्वसुख, मध्यमे कुछ कष्ट होता है। नीच, अस्तगत या पापग्रहसे युक्त ६।८।१२वें भावमें हो तो राजदण्ड, कष्ट, पीडा, माता-पिताका वियोग, विदेश गमन होता है। सूर्य द्वितीयेश हो तो कष्टकारक होता है।

केतुमें चन्द्रमा—चन्द्रमा उच्चका, स्वराशिका हो तो इस दशामे राज्यसे सुख, धनलाभ, कन्या सन्तानकी प्राप्ति, कल्याण, भूमिलाभ, उद्योगमे सफलता, धनसग्रह, पुत्रसे सुख आदि फल होते हैं। नीचका क्षीण चन्द्रमा ६।८।१२वें भावमें हो तो भय, रोग, चिन्ता और मुकद्दमाके झझटमे फँसना पडता है।

केतुमें भौम—भौम उच्चका, स्वराशिका या १।४।५।७।९।१०।११वें भावमे हो तो इस दशामे भूमिलाभ, विजय, पुत्रलाभ, व्यापारमे वृद्धि होती है। दायेशसे भौम केन्द्र, त्रिकोण स्थानमे हो तो देशमे सम्मान, कीर्ति,

वड्प्पन आदि फल मिलते है। दायेशसे २।६।८।१२वे स्थानमे हो तो परदेशगमन, अवनति, कारोवारमे हानि, मृत्यु, पागल, प्रमेह या अन्य जननेन्द्रिय-सम्वन्धी रोग होते है।

केतुमें राहु—राहु उच्चका, स्वराशि या मित्रक्षेत्री हो तो इस दशामे धन-धान्यका लाभ, सुख, भूमिका लाभ, नौकरीमेतरक्की होती है। ७।८।१२ वें स्थानमे पापग्रहसे युत या दृष्ट हो तो धनहानि, नौकरीमे गडवडी, प्रमेह, नेत्ररोग होते हैं। राहु द्वितीयेश या सप्तमेश हो तो शीतज्वर, कलह, शूलरोग होते है।

केतुमें गुरु—१।४।५।७।९।१०।११वे भावमे गुरु हो तो इस दशामे विद्यालाभ, कीर्त्तिलाभ, सम्मान, रक्तविकार, परदेशगमन, पुत्रप्राप्ति, स्थानभ्रंश, शान्तिलाभ होता है। गुरु, नीच, अस्तगत होकर दायेशसे ६।८।१२वें भावमें हो तो धन-धान्यका नाश, आचारकी शिथिलता, स्त्रीवियोग और अनेक प्रकारके कष्ट होते है।

केतुमें शनि—८।१२वें भावमे शनि हो तो इस दशामे कष्ट, चित्तमे सन्ताप, धननाश और भय होना है। उच्च या मूलत्रिकोणी शनि ३।६।११वे भावमे स्थित हो तो जातकको साधारणत सुख, मनोरथसिद्धि, सम्मान-प्राप्ति होती है। शनि दायेशसे ६।८।१२वें भावमें हो तो इस दशामे मृत्यु, भयकर रोग, धनहानि होती है।

केतुमे बुध—१।४।५।७।९।१०वें भावमे वलवान् बुध हो तो इस दशामे ऐश्वर्यप्राप्ति, चतुराई, यशलाभ और सत्सगतिकी प्राप्ति होती है। दायेशसे ६।८।१२वे भाव नीच या अस्तगत हो तो खर्च अधिक, वन्धन, द्वेप, झगडा होता है तथा अपना घर छोडकर अन्यत्र निवास करना पडता है।

शुक्रकी महादशामे सभी ग्रहोकी अन्तर्दशाका फल

शुक्रमें शुक्र—१।४।५।७।९।१०वें भावमें वली शुक्र वैठा हो तो इस

दशामे धनप्राप्ति, श्रेष्ठ कार्योंमें रत, पुत्रकी प्राप्ति, कल्याण, सम्मान, अकस्मात् धनप्राप्ति, नये घरका निर्माण आदि फल होते हैं। दायेशसे ६।८।१२वें भावमे नीच या अस्तगत राहु हो तो कष्ट, मृत्यु, रोग, राजासे भय और आर्थिक कष्ट आदि फल होते हैं। शुक्र स्वराशि या उच्चका होकर १।४।५वें भावमे हो तो जातक अनेक नवीन ग्रन्थोका निर्माण इसकी दशामे करता है।

शुक्रमे सूर्य—इस दशामे कलह, सन्ताप, दारिद्रय आदि होते हैं। यदि सूर्य उच्च या स्वराशिका हो अथवा दायेशसे १।४।५।७।९।१०वें भावमे हो तो धनलाभ, सम्मान, शासनकी प्राप्ति, माता-पितासे सुख, भाईसे लाभ होता है। दायेशसे ६।८।१२वें भावमें हो तो पीडा, चिन्ता, कष्ट, रोग आदि होते है।

शुक्रमे चन्द्रमा—चन्द्रमा उच्चका, स्वराशिका या मित्रवर्गका हो तो जातकको उस दशामे स्त्रीको सुख, धनलाभ, पुत्रीकी प्राप्ति, उन्नति, उच्च-पदका लाभ आदि फल प्राप्त होते है। यदि चन्द्रमा दायेशसे ६।८।१२वें भावमे हो तो नाना प्रकारके कष्ट भोगने पडते है।

शुक्रमें भौम—१।४।५।७।९।१०।११वें भावमे बलवान् भौम स्थित हो तो इस दशामे मनोरथसिद्धि, धनलाभ, स्थानभ्रंश, कलह आदि फल प्राप्त होते हैं। यदि दायेशसे ६।८।१२वें भावमे भौम हो तो जातकको रोग, कष्ट, धननाश, खेतकी हानि और मकानकी हानि भी इस दशामे सहनी पडती है।

शुक्रमे राहु—१।४।५।७।९।१०।११वें भावमें राहु बलवान् हो तो इस दशामे कार्यसिद्धि, व्यापारमे लाभ, सुख, धन-ऐश्वर्यकी प्राप्ति होती है। दायेशसे ७।८।१२वें भावमें हो तो नाना प्रकारके कष्ट होते है।

शुक्रमे गुरु—बलवान् गुरु १।४।५।७।९।१०वें भावमें हो तो इस दशामे पुत्रलाभ, कृषिमे धनप्राप्ति, यशप्राप्ति, माता-पिताका सुख और इष्ट बन्धुओंका समागम होता है। ६।८।१२वें भावमें हो तो कष्ट, चोरभय,

पीडा एवं हानि होती है ।

शुक्रमें शनि—इस दशामे क्लेश, आलस्य, व्यापारमें हानि, अधिक व्यय होता है । लग्नेश या दायेशसे शनि ६।८।१२वें स्थानमे हो तो स्त्रीको पीडा, उद्योगमें हानि होती है । द्वितीयेश या सप्तमेश शनि हो तो बीमारी या अकाल मृत्यु होती है ।

शुक्रमें बुध—बलवान् बुध १।४।५।७।९।१०वें भावमे हो, लग्नेश, चतुर्थेश या पचमेशसे युक्त हो तो इस दशामे साहित्यिक कार्यों-द्वारा धन, कीर्त्ति लाभ, सन्मार्गसे धनागम, बडे कार्योमे अधिक सफलता मिलती हैं । यदि दायेशसे ६।८।१२वें भावमे बुध हो तो अपकीर्त्ति, अल्पलाभ, कुटुम्बियोमे झगडा आदि फल प्राप्त होते है ।

शुक्रमें केतु—इस दशामे कलह, बन्धुनाश, शत्रुपीडा, भय, धननाश होता हैं । दायेशसे ६।८।१२वें भावमे पापग्रहसे युक्त केतु हो तो सिरमे रोग, घाव, फोडे-फुन्सी और बन्धुवियोग आदि फल प्राप्त होते है । उच्चका केतु ३।६।११वे भावमें हो तो धनागम, सम्मान और सुखकी प्राप्ति होती है।

स्त्रीजातक

यद्यपि पहले जितना फल पुरुष जातकके लिए बताया गया है, उसीको स्त्रीजातकके सम्बन्धमें समझ लेना चाहिए। किन्तु जो योग पुरुषकी कुण्डलीमें स्त्रीके सूचक थे, वे स्त्रीकी कुण्डलीमे पुरुष—पतिकी उन्नति-अवनति, स्वभाव, गुणके सूचक है ।

स्त्रियोकी कुण्डलीमे लग्न या चन्द्रमासे उनकी शारीरिक स्थिति, पचमसे सन्तान, सप्तमसे सौभाग्य और अष्टमसे पतिकी मृत्युके सम्बन्धमें विचार करना चाहिए ।

लग्न और चन्द्रमा १।३।५।७।९।११वी राशिमे स्थित हो तो पुरुषकी आकृतिवाली, परपुरुषरत, दुराचारिणी और लग्न तथा चन्द्रमा २।४।६।८। १०।१२वी राशिमें हो तो सुन्दरी, शीलवती, पतिव्रता स्त्री होती है । यदि

लग्न और चन्द्रमा १।३।५।७।९।११वीं राशिमें हो तथा शुभग्रहकी दृष्टि उनपर हो तो स्त्री मिश्रित स्वभावकी पापग्रह दृष्ट या युत हों तो नारी दुष्ट स्वभावकी, व्यभिचारिणी, समराशियोंमें लग्न, चन्द्रमा हों और उनपर क्रूर ग्रहोंकी दृष्टि हो तो स्त्री मध्यम स्वभावकी होती है। नारीकी कुण्डली-में उसके स्वभावका निर्णय करनेके लिए अशुभ, शुभग्रहोंकी दृष्टिका मिलान कर लेना आवश्यक है।

स्त्रीकी कुण्डलीमें २।४।३।८।१०।१२ राशियोंमें मंगल, बुध, गुरु और शुक्र हों तो वह नारी विदुषी, साध्वी, विख्यात और गुणवती होती है।

सप्तम भावमें शनि पापग्रहोंसे दृष्ट हो तो स्त्री आजन्म अविवाहित रहती है। सप्तमेश पापयुत या दृष्ट हो तथा सप्तममें पापग्रह हो तो यह योग विशेष बलवान् होता है। यदि सप्तमेश शनिके साथ हो तो बड़ी आयुमें विवाह करनेवाली होती है।

वैधव्य योग

१—सप्तम भावमें मंगल हो तथा सप्तम भावपर पापग्रहोंकी दृष्टि हो तो बालविधवा योग होता है।

२—लग्न या चन्द्रमासे सप्तम या अष्टम भावमें तीन-चार पापग्रह हों तो स्त्री विधवा होती है।

३—मंगलकी राशिमें स्थित राहु पापग्रहसे युत होकर ८ या १२वें भावमें हो तो विधवा होती है।

४—लग्न और सप्तम भावमें पापग्रह हों तो विवाहके सात-आठ वर्ष बाद विधवा होती है। चन्द्रमासे ७वें ८वें और १२वें भावमें शनि, मंगल दोनों हों तथा वे पापग्रहोंसे दृष्ट हों तो स्त्री विवाहके बाद जल्दी ही विधवा होती है।

५—क्षीणचन्द्रमा, नीच या शत्रुगत राशि, चन्द्रमा छठे या आठवें भावमें हो तो जल्दी विधवा होनेका योग होता है।

६—षष्ठेश और अष्टमेश ६।१२वें भावमें पापग्रहयुत या दृष्ट हो तो वैधव्य योग होता है।

७—अष्टमेश सप्तम भावमे और सप्तमेश अष्टम भावमें हो तथा दोनो या एक स्थान पापग्रहोंसे दृष्ट हो तो वैधव्य योग होता है।

८—चन्द्रमासे सातवें भावमें मगल, शनि, राहु और सूर्य इन चारोमें-से कोई दो ग्रह हो तो स्त्री विधवा होती है।

सप्तम स्थानमे प्रत्येक ग्रहका फल

सूर्य—सप्तम स्थानमे सूर्य हो तो नारी दुष्ट स्वभाव, पति-प्रेमसे वचित और कर्कशा होती है।

चन्द्रमा—सप्तममें चन्द्रमा हो तो कोमल स्वभावकी, लज्जाशील तथा उच्चका चन्द्रमा हो तो वस्त्र, आभूषणवाली, धनिक और सुन्दरी होती है।

मंगल—सप्तममें मगल हो तो नारी सौभाग्यहीन, कुकर्मरत तथा कर्क या सिंह राशिमें शनैश्चरके साथ मगल हो तो व्यभिचारिणी, वेश्या, धनी और बुरे स्वभावकी होती है।

बुध—सप्तममे बुध हो तो नारी आभूषणवाली, विदुषी, सौभाग्य-शालिनी और पतिकी प्यारी होती है। उच्च राशिका बुध हो तो लेखिका, सुन्दर पतिवाली, धनी और नाना प्रकारके ऐश्वर्यको भोगनेवाली होती है।

गुरु—सप्तम स्थानमें गुरु हो तो नारी पतिव्रता, धनी, गुणवती और सुखी होती है। चन्द्रमा कर्क राशिमें और गुरु सप्तममे हो तो नारी साक्षात् रति स्वरूपा होती है। उसके समान सुन्दरी कम ही नारियाँ लोकमे मिल सकेगी।

शुक्र—सप्तममे शुक्र हो तो नारीका पति श्रेष्ठ, गुणवान्, धनी, वीर, कामकलामें प्रवीण होता है तथा वह नारी स्वय रसिका और सुन्दर वस्त्रा-भूषणोवाली होती है।

शनि—सप्तममे शनि हो तो उस नारीका पति रोगी, दरिद्र, व्यसनी, निर्बल होता है। यदि उच्चका शनि हो तो पति धनिक, गुणवान्, शील-

वान् और कामकलाका विज्ञ मिलता है। शनिपर राहु या मगलकी दृष्टि हो तो विधवा होती है।

राहु—सप्तम स्थानमे राहु हो तो नारी अपने कुलको दोष लगानेवाली, दुःखी, पतिसुखसे वचित तथा राहु उच्चका हो तो सुन्दर और स्वस्थ पति मिलता है।

अल्पापत्या या अनपत्या योग

१—चन्द्रमा वृष, कन्या, सिंह और वृश्चिक इन राशियोंमें-से किसी राशिमे स्थित हो तो अल्पसन्तानवाली नारी होती है।

२—पचम भावमे धनु या मीन राशि हो, गुरु पचम भावमे स्थित हो या पचम भावपर क्रूर ग्रहोकी दृष्टि हो तो सन्तान नही होती।

३—सप्तम भावमे पापग्रहकी राशि हो अथवा सप्तम भाव पापग्रहसे दृष्ट हो तो नारीको सन्तान नही होती अथवा कम सन्तान होती है। मगल पचम भावमे हो और राहु सप्तममे हो तो सन्तानका अभाव होता है। पचमेशके नवमाशमे शनि या गुरु स्थित हो तो भी सन्तान नही होती है।

४—सप्तम स्थानमे सूर्य या राहु हो अथवा अष्टम स्थानमे शुक्र या गुरु हो तो सन्तान जीवित नही रहती।

५—सप्तम स्थानमे चन्द्रमा या बुध हो तो कन्याओको जन्म देनेवाली नारी होती है। यदि नारीकी कुण्डलीमे पचम स्थानमे गुरु या शुक्र हो तो बहुत पुत्रोको प्रजनन करती है।

६—पचम भावमे सूर्य हो तो एक पुत्र, मगल हो तो तीन पुत्र, गुरु हो तो पाँच पुत्र होते है। पचममे चन्द्रमाके रहनेसे दो कन्याएँ, बुधके रहनेसे चार और शुक्रके रहनेसे सात कन्याएँ होती है।

७—नवम स्थानमे शुक्र हो तो छह कन्याएँ, सप्तममे राहु हो तो सन्तानाभाव या दो कन्याएँ होती है।

८—जिन नारियोकी जन्मराशि वृप, सिह, कन्या और वृश्चिक हो तो उनके पुत्र कम होते है, किन्तु इन्ही राशियोमे शुभग्रह स्थित हो तो सन्तान सुन्दर उत्पन्न होती है।

९—पचम स्थानमे तीन पापगह हो या पचमपर तीन पापग्रहोकी दृष्टि हो और पंचमेश शत्रुराशिमे हो तो नारी वाँझ होती है।

१०—अष्टम स्थानमे चन्द्रमा और वुध हो तो काकवन्ध्या योग होता है। यदि अष्टममे वुध, गुरु और शुक्र हो तो गर्भनाश होता है या सन्तान होकर मर जाती है।

११—सप्तम स्थानमे मंगल हो और उसपर शनिकी दृष्टि हो, अथवा शनि, मगल दोनो ही सप्तम स्थानमे हो तो गर्भपात होता है या बहुत ही कम सन्तान उत्पन्न होती है।

प्रवासी पतियोग—जन्मलग्न चर राशिमे हो तो नारीका पति प्रवासी होता है। चर राशियोमे लग्नेश और तृतीयेश हो तो भी पति प्रवासी होता है।

पतिके गुण-दोप द्योतक योग

१—सप्तम भावमे २।७ राशि हो तथा शुक्रका नवमाश हो तो पति भाग्यवान् होता है।

२—सप्तममें सूर्यकी राशि या सूर्यका नवमाश हो तो मन्द रति करनेवाला, विद्वान्, लेखक, विचारक अफसर पति होता है।

३—सप्तम भावमे चन्द्रमा हो या चन्द्रमाका नवमाश हो तो कामी, कोमल स्वभावका, दयालु, विद्वान्, रसिक, धनी, व्यापारी पति होता है।

४—सप्तममे मगलकी राशि या मगलका नवमाश हो तो क्रोधी, जमीनदार, कृपक, धनी, हिंसक, व्यसनी और नीच प्रकृतिका व्यक्ति पति होता है।

५—सप्तम भावमें वुधकी राशि या वुधका नवमाश हो तो विद्वान्,

शोधक, इतिहासज्ञ, कवि, लेखक-सम्पादक, मजिस्ट्रेट, धनी, रतिज्ञ, कामी, मायावी और चतुर पति होता है।

६—सप्तम भावमें गुरुकी राशि या गुरुका नवमांश हो तो गुणवान्, विशेषज्ञ, त्यागी, पत्नीभक्त, सेवापरायण, मन्त्री, न्यायाधीश, लोभी, चिड़चिड़ा, धर्मात्मा और प्राचीन परम्पराका पोषक पति होता है।

७—सप्तममें शनिकी राशि या शनिका नवमांश हो तो मूर्ख, व्यसनी क्रोधी, आलसी, साधारण धनी और चिड़चिड़े स्वभावका पति होता है।

चतुर्थ अध्याय

ताजिक (वर्षफल-निर्माण-विधि)

वर्षपत्र बनानेकी प्रक्रिया ताजिक शास्त्रमे बतलायी गयी है। इस शास्त्रका प्रचार भारतमे यवनोके सम्पर्कसे हुआ है। प्राचीन भारतवर्षमें वर्षपत्र जातक ग्रन्थोके आधारपर विंशोत्तरी, अष्टोत्तरी आदि दशाओंके समय-विभागानुसार बनाया जाता था। जातक अगके विकास-क्रमपर ध्यान देनेसे ज्ञात होगा कि पहले-पहल जो ग्रह जन्मकुण्डलीके जिस भावस्थानमे पड जाता था उसीके शुभाशुभ फलके अनुसार उस भावका फल माना जाता था। अन्य ग्रहोके सम्बन्धका विचार करना आदिकालकी अन्तिम शताब्दियो तक आवश्यक नही था, परन्तु पूर्वमध्यकालमे इस सिद्धान्त-में विकास हुआ और ग्रहोकी शत्रुता, मित्रता, सबलत्व, निर्बलत्व, स्वामित्व एव दृष्टिकी अपेक्षासे फलाफलका विचार किया जाने लगा। विकसित होकर आगे यही प्रक्रिया दशाके रूपको प्राप्त हुई। इसमे १२० वर्ष या १०८ वर्षकी परमायु मानकर नवग्रहोका विभाजन किया गया है। तात्पर्य यह है कि मनुष्यके जीवन कालमे जन्मनक्षत्रके अनुसार जिस ग्रहकी दशा होती है, उसीकी अपेक्षासे सुख-दु ख आदि फल मिलते हैं। यद्यपि दशा-धिपतिके फलमें मित्र, शत्रु और समग्रहके घरमे रहनेके कारण फलमे न्यूनाधिकता हो जाती है, पर दशाधिपति निश्चित समयकी मर्यादा पर्यन्त वही रहता है।

यवनोको उपर्युक्त जातक शास्त्रकी प्रक्रिया उपयुक्त न जँची और उन्होने एक नयी प्रणाली निकाली, जिसमें एक-एक वर्षका पृथक्-पृथक् फल निकाला गया और प्रत्येक वर्षमे नव ग्रहोको फल देनेका अधिकार देते हुए भी एक प्रधान ग्रहको वर्षेश बतलाया। तत्कालीन भारतीय

ज्योतिर्विदोने इस नयी प्रणालीका स्वागत किया और इसे अपने ढाँचेमे ढालकर वर्षपत्र-विषयक अनेक ग्रन्थोकी रचना भारतीय ज्योतिषकी भित्तिपर की। इन आचार्योंने वर्षप्रवेश समयकी कुण्डलीमे बारह भावोमे स्थित नव ग्रहोंके फलका विवेचन जातक शास्त्रके अनुसार किया तथा ग्रहोंके जन्मपत्री-विषयक गणितका उपयोग भी कुछ हेर-फेरके साथ बतलाया तथा निम्न पाँच ग्रहोंमे से किसी एक बली ग्रहको वर्षका स्वामी निर्धारित करनेकी प्रक्रिया ज्ञोपित की—(१) जन्मकुण्डलीकी लग्न-राशिका स्वामी (२) वर्षप्रवेश कालकी लग्न-राशिका स्वामी, (३) वर्षका मुन्थेश, (४) त्रिराशिप एव (५) वर्षप्रवेश दिनमे हो तो वर्ष-कुण्डलीकी सूर्याधिष्ठित राशिका स्वामी और रातमें वर्षप्रवेश हो तो वर्ष-कुण्डलीकी चन्द्राधिष्ठित राशिका स्वामी।

वर्ष-कुण्डली बनानेके लिए सर्वप्रथम वर्षेष्टकालका साधन करना चाहिए। ज्योतिष ग्रन्थोमें बताया है कि अभीष्ट सवत्‌में-से जन्म सवत्‌को घटानेसे गतवर्ष आते है। गतवर्षकी सख्या जितनी हो उसमे उसका चौथाई भाग एक स्थानमे जोड दे और दूसरी जगह गतवर्ष सख्याको २१ से गुणा करे, गुणनफलमें ४० का भाग देनेमे जो घट्यात्मक लब्धि आवे उसमे जन्म समयके वार आदि इष्टकालको जोडकर ७ का भाग देनेपर शेष तुल्य वार आदि वर्षेष्ट काल होता है।

उदाहरण—जन्म स० १९६९ मे कार्त्तिक मास, शुक्ल पक्ष, १२ तिथि, गुरुवारको इष्टकाल १० घटी २२ पलपर हुआ है। इस दिन सूर्य-स्पष्ट ७।५।४२।४२ है। इस जन्मपत्रीवालेका वर्षपत्र बनाना है अत —

२००३ वर्तमान सवत्‌में-से

१९६९ जन्म सवत्‌को घटाया

३४ गतवर्ष हुए, इनका चौथाई भाग =

$$३४ - ४ = ८\frac{२}{४} = ८\frac{१}{२} \times \frac{\overset{३०}{६०}}{१} = ८।३० \text{ गत वर्षका चतुर्थांश}$$

३४ गतवर्ष + ८।३० गतवर्षका चतुर्थांश = ४२।३०

दूसरे स्थानमे—३४ × २१ = ७१४ – ४० = १७।५१

४२।३० और १७।५१ को जोडा तो =

४२।४७।५१

५।१०।२२ जन्म समयके वारादि

४७।५८।३ – ७ = ६ लब्धि, ५।५८।३ शेप। यहाँ लब्धिको छोड शेप मात्रको वर्पप्रवेशकालीन वारादि इष्टकाल समझना चाहिए, अर्थात् वृहस्पतिवारको ५८ घटी ३ पल इष्टकालपर वर्पप्रवेश हुआ माना जायेगा।

सारिणी-द्वारा वर्पप्रवेशकालीन वारादि इष्टकाल निकालनेकी विधि आगेवाली वर्प-सारिणीमें-से गतवर्पके नीचे लिखे गये वारादिको लेकर उसमे जन्मसमयके वारादिको जोड देना चाहिए। यदि वार स्थानमे ७ से अधिक आवे तो उसमे ७का भाग देकर शेपको वार स्थानमे ग्रहण करना चाहिए।

उदाहरण—गतवर्प सख्या ३४ है, इसके नीचे ०।४७।५१।० लिखा है, इसमे जन्म समयकी वारादि सख्या ५।१०।१२ को जोड दिया तो—

०।४७।५१।०

५।१०।१२।०

५।५८। ३ अर्थात् वृहस्पतिवारको ५८ घटी ३ पल इष्टकालपर वर्पप्रवेश हुआ माना जायेगा।

अन्य उदाहरण—२००३ वर्तमान सवत्मे-से

१९७२ जन्म सवत्को घटाया

३१ गतवर्प सख्या हुई, इसके नीचे वर्पप्रवेश सारिणीमे ४।१।३६।३० लिखा है, इसमें जन्म समयकी वारादि सख्याको जोड दिया तो—

४।१।३६।३० सारिणीके वारादि
५।५२।४१।५३ जन्मके वारादि

९।५४।१८।२३ यहाँ वार स्थानमें ७ से अधिक होनेके कारण ७ का भाग दिया तो शेष २।५४।१८।१३ वर्षप्रवेशकालीन वारादि इष्ट हुआ, अर्थात् सोमवारको ५४ घटी १८ पल २३ विपलपर वर्षप्रवेश माना जायेगा।

वर्षप्रवेशसारिणी

१	२	३	४	५	६	७	८	९	१०	११	१२	१३	१४	१५	१६
१	२	३	५	६	०	१	३	४	५	६	१	२	३	४	६
१५	३१	४६	२	१७	३३	४८	४	१९	३५	५०	६	२१	३७	५२	८
३१	३	३४	६	३७	९	४०	१२	४३	१५	४६	१८	४९	२१	५२	२४
३०	०	३०	०	३०	०	३०	०	३०	०	३०	०	३०	०	३०	०

१७	१८	१९	२०	२१	२२	२३	२४	२५	२६	२७	२८	२९	३०	३१	३२
०	१	२	४	५	६	०	२	३	४	५	०	१	२	४	५
२३	३९	५४	१०	२६	४१	५७	१२	२८	४३	५९	१४	३०	४५	१	१६
५५	२७	५८	३०	१	३३	४	३६	७	३९	१०	४२	१३	४५	१६	४८
३०	०	३०	०	३०	०	३०	०	३०	०	३०	०	३०	०	३०	०

३३	३४	३५	३६	३७	३८	३९	४०	४१	४२	४३	४४	४५	४६	४७	४८
६	०	२	३	४	५	०	१	२	३	५	६	०	१	३	४
३२	४७	३	१८	३४	४९	५	२१	३६	५२	७	२३	३८	५४	९	२२
१९	५१	२२	५४	२६	५७	२८	०	३१	३	३४	६	३७	९	४०	१५
०	०	३०	०	३०	०	३०	०	३०	०	३०	०	३०	०	३०	०

४९	५०	५१	५२	५३	५४	५५	५६	५७	५८	५९	६०	६१	६२	६३	६४
५	६	१	२	३	४	६	०	०	३	४	५	६	१	२	३
४०	५६	११	२७	४२	५८	१३	२९	४४	०	१५	३१	४७	२	१८	३३
४३	१५	४६	१८	४९	२१	५२	२४	५५	२७	५८	३०	१	३३	४	३६
३०	०	३०	०	३०	०	३०	०	३०	०	३०	०	३०	०	३०	०

६५	६६	६७	६८	६९	७०	७१	७२	७३	७४	७५	७६	७७	७८	७९	८०
४	६	०	१	२	४	५	६	०	२	३	४	५	०	१	२
४९	४	२०	३५	५१	६	२२	३७	५३	८	२४	३९	५५	१०	२६	४२
७	३९	१०	४२	१३	४५	१६	४८	१९	५१	२२	५४	२५	५७	२८	०
३०	०	३०	०	३०	०	३०	०	३०	०	३०	०	३०	०	३०	०

८१	८२	८३	८४	८५	८६	८७	८८	८९	९०	९१	९२	९३	९४	९५	९६
३	५	६	०	१	३	४	५	०	१	२	३	५	६	०	१
५७	१३	२८	४४	५९	१५	३०	४६	१	१७	३२	४८	३	१९	३४	५०
३१	३	३४	६	३७	९	४०	१२	४३	१५	४६	१८	४९	२१	५२	२४
३०	०	३०	०	३०	०	३०	०	३०	०	३०	०	३०	०	३०	०

वर्पप्रदेशको तिथिका सावन

गतवर्पकी सख्याको ११ से गुणा करके दो स्थानोमे रख। प्रथम स्थानकी राशिमे १७० का भाग देनेसे जो लब्धि आवे उसे द्वितीय स्थानकी राशिमे जोड दें। इस योगफलमे जन्मकालिक तिथिको शुक्लपक्षकी प्रतिपदासे गिननेपर जो सख्या हो उसे भी जोडकर ३० का भाग दें। जो शेप बचे, शुक्ल पक्षकी प्रतिपदासे गिननेपर उस सख्यक तिथिमे वर्पप्रवेश जानना चाहिए। पहले निकाले गये वारमे यह तिथि प्राय मिल जाती है, लेकिन कभी-कभी एक तिथिका अन्तर भी पड जाता है। जब-जब अन्तर आवे उस समय वारको ही प्रधान मानकर उस वारकी तिथिको ग्रहण करना चाहिए।

उदाहरण—गतवर्प सख्या ३४ है। ३४ × ११ = ३७४

३७४ − १७० = २ लब्धि ३७४ + २ = ३७६, इसमे जन्म तिथिकी
और शेप ३४ सख्या अभीष्ट उदाहरणके अनुसार
शुक्ल पक्षकी प्रतिपदासे गिनकर १२
जोड दी।

अत ३७६ + १२ = ३८८ ÷ ३० = १२ लब्धि, शेप २८। शुक्लपक्षकी प्रतिपदासे २८ सख्या तक तिथि गणना की तो यह सख्या—२८वी सख्या कृष्णपक्षकी त्रयोदशीको आयी। अत वर्पप्रवेश प्रस्तुत उदाहरणका मार्गशीर्प वदी १३ वृहस्पतिवारको ५८ घटी ३ पल इष्टकालपर माना जायेगा।

वर्पप्रवेशके तिथि, नक्षत्र, वार आदि जाननेकी एक सरल विधि

ज्योतिप-शास्त्रमें वर्पप्रवेशकालीन तिथि, वार निकालनेका एक सरल नियम यह भी वताया गया है कि, जन्मकालका सूर्य और वर्पप्रवेश-कालकी सूर्य राशि, अशादिमे समान होता है। जिस दिन उस सवत्में जन्मकालीन सूर्यके राशि, अशादि मिल जायें, उसी दिन उतने ही मिश्रमान-कालिक इष्टकालपर वर्पप्रवेश समझना चाहिए। प्रस्तुत उदाहरणमें जन्म-कालीन सूर्य ७।५।४१।४१ है, यह मार्गशीर्प कृष्ण १३ गुरुवारकी रातको ५८।३ इष्टकालपर मिल जाता है, अत इसी दिन वर्पप्रवेश माना जायेगा।

वर्पकुण्डलीका लग्न जन्मकुण्डलीके लग्नके समान ही वनाया जाता है। यहांपर लग्नसारिणीके अनुसार लग्नका उदाहरण दिखालाया जा रहा है—

५८।३ वर्पप्रवेशका इष्टकाल
८०।४३।१६ सारिणीमें प्राप्त सूर्यफल
३८।४६।१६ योगफल

इस योगफलको पुन लग्नसारिणीमें देखा तो ६।२३ का फल ३८।३६।२३ और ६।२४ का ३८।४७।५२ मिला। अभीष्ट योगफल ३८।४६।१६ है, अत इन २३ और २४ अशके मध्यका समझना चाहिए। कला, विकलाको निकालनेके लिए प्रक्रिया की—

३८।४७।५२, २४ अंशके फलमें-से
३८।३६।२३, २३ अशके फलको घटाया

११।२९ सजातीय संख्या बनायी ।
६०

६६० + २९ = ६८९
३८।४६।१६, अभीष्ट योगफलमें-से
३८।३६।३२, २३ अशके फलको घटाया

९।५३ मजातीय सत्या वनायी
६०

५४० + ५३ = ५९३

यहाँ अनुपात किया कि ६८९ प्रतिविकलामें ६० कला फल मिलता है तो ५९३ प्रतिविकलामें क्या ?

$$\frac{५९३ \times ६०}{६८९} = \frac{३५५८०}{६८९} = ५१\frac{४४१}{६८९} \times \frac{६०}{१}$$

३८ $\frac{२७८}{६८९}$ अर्थात् ५१ कला ३८ विकला । इस प्रकार वर्षप्रवेशका लग्न ६।२३।५१।३८ हुआ ।

वर्षप्रवेशकालीन इष्टकालपर-से ग्रहस्पष्ट जन्मकुण्डलीके गणितके समान ही कर लेने चाहिए । नीचे गणित कर केवल ग्रहस्पष्ट चक्र लिखा जा रहा है ।

वर्षप्रवेशकालीन ग्रहस्पष्ट चक्र

सू०	च०	भौ०	बु०	बृ०	शु०	श०	रा०	के०	ग्र०
७	६	७	७	६	६	३	१	७	राशि
५	१६	१७	०	२३	८	१२	२२	२२	अंश
४१	१२	२	३९	१०	४७	७	५३	५३	कला
४१	५१	३५	५६	२९	३९	३०	२८	२८	विकला
६०	७४५	४३	४१	३	४	०	३	३	कलाविकलात्मक गणित
४९	३६	२२	२०	१८	३३	५५	११	११	
		व०		व०	व०				

वर्षकुण्डली

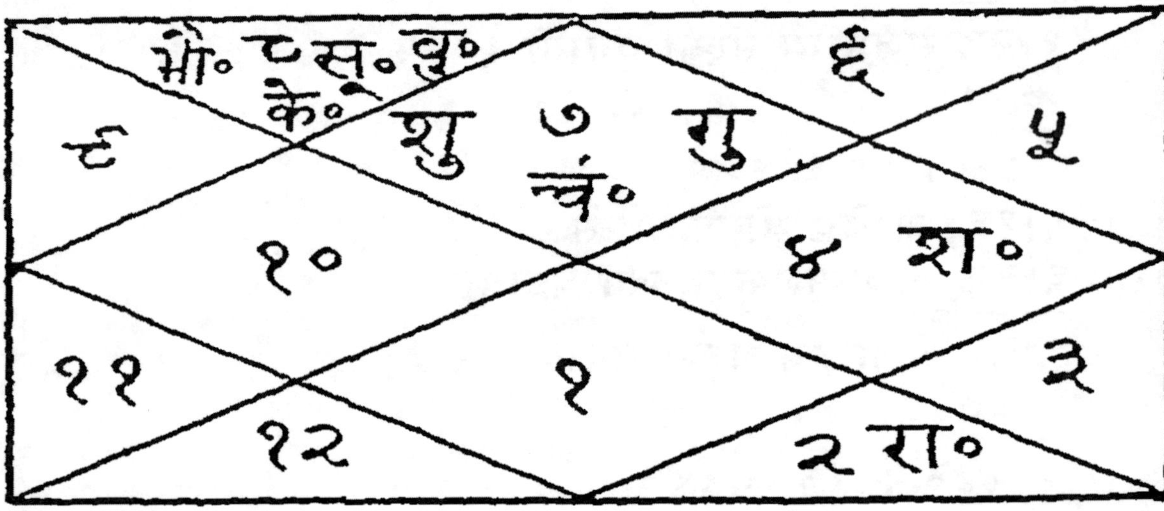

वर्षकुण्डलीके अन्य गणित, द्वादश भाव चक्र, चलित चक्र आदिका साधन जन्मकुण्डलीके गणितके समान करना चाहिए। वर्षपत्रके लिखनेकी विधि भी जन्मपत्रके लिखनेके समान ही है। सिर्फ गताब्द और प्रवेशाब्द अधिक लिखे जाते हैं तथा जन्मके स्थानपर वर्षप्रवेश लिखा जाता है।

मुन्था-साधन

नव ग्रहोंके समान ताजिक शास्त्रमें मुन्था भी एक ग्रह माना गया है। इसकी वार्षिक गति १ राशि, मासिक २॥ अंश और दैनिक ५ कला है। गणित-द्वारा इसका साधन करनेके लिए गत वर्ष-संख्यामें १ जोडकर १२का भाग देना चाहिए। जन्मलग्न राशिसे शेष संख्या तक गिननेपर मुन्थाकी राशि आती है। मुन्थालग्न स्पष्ट करनेकी यह प्रक्रिया है कि स्पष्ट जन्म-लग्नमें गत वर्ष-संख्याको जोडकर १२ का भाग देनेपर शेष तुल्य स्पष्ट मुन्थाका लग्न आता है।

उदाहरण—गत वर्ष-संख्या ३४ + १ = ३५ − १२ = २ लब्धि और शेष ११ आया। अभीष्ट कुण्डलीकी लग्नराशि मकर है, अतएव मकरसे आगे ११ राशियोंकी गणना करनेपर वृश्चिक राशि मुन्थाकी आयी।

मुन्था साधनका अन्य नियम

जन्मलग्नमे गतवर्षकी सख्याको जोडकर १२ का भाग देनेसे शेष तुल्य मुन्थालग्न होता है।

उदाहरण—९।३।१०।० जन्मलग्न
३४।०।०।० गतवर्ष सख्या
४३।३।१०।० योगफल सख्या

४३।३।१०।० — १२ = २ लब्धि और शेष ७।३।१०।० अर्थात् वृश्चिक राशि मुन्थालग्न हुई—

मुन्थाकुण्डली चक्र

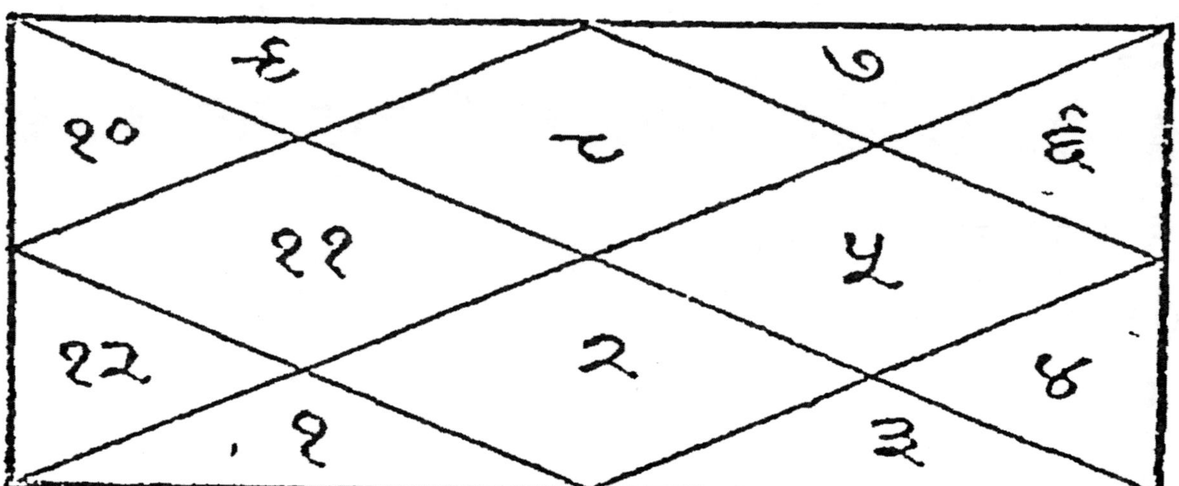

भावस्पष्ट—इस गणितकी विधि जन्मकुण्डलीके गणितमे विस्तारसे प्रतिपादित की गयी है। यहाँपर सिर्फ 'लग्नसे दशम भावसाधन सारिणी'-द्वारा वर्षलग्नके राशि, अशोका फल लेकर दशम भावका साधन किया जा रहा है। वर्षलग्न ६।२३।५१।३८ है, इसका फल उक्त सारिणीमे ३।२७।१५।५६ दशम भावका लग्न मिला।

३।२७।१५।५६ दशम भाव

६।०।०।०

९।२७।१५।५६ चतुर्थ भावमें-से

६।२३।५१।३८ लग्नको घटया

३।३।२४।१८ ÷ ६ =

६)३।३।२४।१८(०

०

---

३ × ३० = ९० + ३ =

६)९३(१५

६

३३

३०

---

३ × ६० = १८० + २४ =

६)२०४(३४

१८

२४

२४

---

० × ६० = ० × १८ =

६)१८(३

१८

×

०।१५।३४।३ पष्ठाश हुआ
६।२३।५१।३८ लग्नमें
१५।३४। ३ पष्ठाशको जोडा

७। ९।२५।४१ लग्नकी सन्धिमे
१५।३४। ३ पष्ठाशको जोडा

७।२४।५९।४४ द्वितीय भावमें
१५।३४। ३ पष्ठाशको जोडा

८।१०।३३।४७ द्वितीय भावकी सन्धिमें
१५।३४।३ पष्ठाशको जोडा

८।२६।७।५० तृतीय भावमे
१५।३४।३ पष्ठाशको जोडा

९।११।४१।५३ तृतीय भावकी सन्धिमें
१५।३४। ३ पष्ठाशको जोड़ा

९।२७।१५।५६ चतुर्थ भाव
३०।०।० में-मे
१५।३४।३ पष्ठाशको घटाया

१४।२५।५७ शेष
९।२७।१५।५६ चतुर्थ भावमें
१४।२५।५७ शेषको जोडा

१०।११।४१।५३चतुर्थ भावकी सन्धिमे
१४।२५।५७ शेपको जोडा

१०।२६।७।५० पचम भाव
१०।२६।७।५० पचम भावमे

१४।२५।५७ शेषको जोड़ा

११।१०।३३।४७ पचम भावकी सन्धिमे
१४।२५।५७ शेषको जोडा

११।२४।५९।४४ षष्ठ भावमें
१४।२५।५७ शेषको जोडा

०।९।२५।४१ षष्ठ भावकी सन्धिमें
१४।२५।५७ शेषको जोडा

०।२३।५१।३८ सप्तम भाव

लग्नमे छह राशि जोडनेपर भी सप्तम भाव आता है। यदि उपर्युक्त गणित-द्वारा साधित सप्तम भाव, इस छह राशिके योगवाले सप्तम भावसे मिल जाये तो अपना गणित शुद्ध समझना चाहिए।

६।२३।५१।३८
६।० ।० ।०

०।२३।५१।३८ यह सप्तम भाव पहलेवाले गणितसे मिल गया, अत गणित क्रिया शुद्ध है।

७।९।२५।४१ लग्न सन्धिमे
६।०। ०। ० जोडा
१।९।२५।४१ सप्तम भाव सन्धि
७।२४।५९।४४ द्वितीय भावमें
६। ०। ०। ० जोडा
१।२४।५९।४४ अष्टम भाव
८।१०।३३।४७ द्वितीय भावकी सन्धि
६। ०। ०। ० जोडा
२।१०।३३।४७ अष्टम भावकी सन्धि

८।२६।७।५० तृतीय भावमें

६। ० । ० । ० जोडा

२।२६।७।५० नवम भाव

९।११।४१।५३ तृतीय भावकी सन्धिमे

६। ०। ०। ०

३।११।४१।५३ नवम भावकी सन्धि

९।२७।१५।५६ चतुर्थ भावमे

६। ०। ०। ०

३।२७।१५।५६ दशम भाव । यह दशम भाव पहलेवाले दशम भावसे मिल जाये तो गणित शुद्ध समझना चाहिए, अन्यथा अशुद्ध ।

१०।११।४१।५३ चतुर्थ भावकी सन्धिमें

६ । ०। ०।० जोडा

४।११।४१।५३ दशम भावकी सन्धि

१०।२६।७।५० पचम भावमे

६। ०। ०। ।० जोडा

४।२६।७।५० एकादश भाव

११।१०।३३।४७ पचम भावकी सन्धिमे

६। ०। ०। ० जोडा

५।१०।३३।४७ एकादश भावकी सन्धि

११।२४।५९।४४ पष्ठ भावमे

६ । ०। ०। ० जोडा

५।२४।५९।४४ द्वादश भाव

०।९।२५।४१ पष्ठ भावकी सन्धिमे

६। ० । ० । ०। जोडा

६।९।२५।४१ द्वादश भावकी सन्धि

द्वादश भाव स्पष्ट चक्र

ल०	स०	ध०	स०	स०	स०	सु०	स०	पु०	स०	रि०	स०	भा०
६	७	७	८	८	९	९	१०	१०	११	११	०	राश्यादय
१३	९	२४	१०	२६	११	२७	११	२६	१०	२४	९	
५१	२५	५९	३३	७	४१	१५	४१	७	३३	५९	२५	
३८	४१	४४	४७	५०	५३	५६	५३	५०	४७	४४	४१	
स्त्री	**स०**	**आ**	**स०**	**ध०**	**स०**	**क०**	**स०**	**ला०**	**स०**	**व्य०**	**स०**	**भा०**
०	१	१	२	२	३	३	४	४	५	५	६	राश्यादय
२३	९	२४	१०	२६	११	२७	११	२६	१०	२४	९	
५१	२५	५९	३३	७	४१	१५	४१	७	३३	५९	२५	
३८	४१	४४	४७	५०	५३	५६	५३	५०	४७	४४	४१	

ताजिक मित्रादि-सज्ञा

प्रत्येक ग्रह अपने भावसे ३, ५, ९ और ११वें भावको मित्र दृष्टिसे, २, ६, ८ और १२वें भावको समदृष्टिसे एव १, ४, ७ और १०वें भावको शत्रु दृष्टिसे देखता है। अभिप्राय यह है कि जो ग्रह जहाँपर हो उसके ३, ५, ९ और ११वें स्थानमे रहनेवाले ग्रह मित्र २, ६, ८ और १२वें स्थानमे रहनेवाले ग्रह सम एव १, ४, ७ और १०वें भावमें रहनेवाले ग्रह शत्रु होते हैं। यह विचार वर्षकुण्डलीसे किया जाता है।

पञ्चवर्ग

वर्षपत्रमें पचवर्गका गणित लिखा जाता है। इसके पचवर्गोंमें गृह, उच्च, हद्दा, द्रेष्काण और नवांश ये पांच गिनाये गये हैं। इनमें गृह, द्रेष्काण एव नवांश साधनकी विधि पहले लिखी जा चुकी है। यहाँपर हद्दा साधनका प्रकार लिखा जाता है।

हद्दा-साधन

मेषके ६ अंश तक गुरु, ७ से १२ अंश तक शुक्र, १३ से २० अंश तक बुध, २१ से २५ अंश तक भौम और २६ से ३० अंश तक शनि हद्देश होता है। वृषके ८ अंश तक शुक्र, ९ से १४ अंश तक बुध, १५ से २२ अंश तक गुरु, २३ से २७ अंश तक शनि और २८ से ३० अंश तक मंगल हद्देश होता है। मिथुनके ६ अंश तक बुध, ७ से १२ अंश तक शुक्र, १३से १७ अंश तक गुरु, १८से २४ अंश तक मंगल और २५ से ३० अंश तक शनि हद्देश होता है। कर्कके ७ अंश तक मंगल, ८ से १३ अंश तक शुक्र, १४ से १९ अंश तक बुध, २० से २६ अंश तक गुरु और २७ से ३० अंश तक शनि हद्देश होता है। सिंहके ६ अंश तक गुरु, ७से ११ अंश तक शुक्र, १२से १८ अंश तक शनि, १९ से २४ अंश तक बुध और २५से ३० अंश तक मंगल हद्देश होता है। कन्याके ७ अंश तक बुध, ८से १७ अंश तक शुक्र, १८से २१ अंश तक गुरु, २२ से २८ अंश तक मंगल और २९ से ३० अंश तक शनि हद्देश होता है। तुलाके ६ अंश तक शनि, ७से १४ अंश तक बुध, १५से २१ अंश तक गुरु, २२से २८ अंश तक शुक्र और २९ से ३० अंश तक मंगल हद्देश होता है। वृश्चिकके ७ अंक तक मंगल, ८ से ११ अंश तक शुक्र, १२से १९ अंश तक बुध, २० से २४ अंश तक गुरु और २५ से ३० अंश तक शनि हद्देश होता है। धनुके १२ अंश तक गुरु, १३ से १७ अंश तक शुक्र, १८ से २१ अंश तक बुध, २२ से २६ अंश तक मंगल और २७ से ३० अंश तक शनि हद्देश होता है। मकरके ७ अंश तक बुध, ८ से १४ अंश तक गुरु, १५ से २२ अंश तक शुक्र, २३से २६ अंश तक शनि और २७से ३० अंश तक मंगल हद्देश होता है। कुम्भके ७ अंश तक शुक्र, ८ से १३ अंश तक बुध, १४ से २० अंश तक गुरु, २१ से २५ अंश तक मंगल और २६ से ३० अंश तक शनि हद्देश होता है। मीनके १२ अंश तक शुक्र, १३ से १६ अंश तक गुरु, १७ से १९ अंश तक बुध, २० से २८ अंश तक मंगल और २९ से ३० अंश तक शनि हद्देश होता है।

मेषादि राशियोंके हृद्देश

मेष	वृष	मिथुन	कर्क	सिंह	कन्या	तुला	वृश्चिक	धनु	मकर	कुम्भ	मीन	राशियाँ
गु० ६	शु० ८	बु० ६	म० ७	गु० ६	बु० ७	श० ६	म० ७	गु० १२	बु० ७	शु० ७	शु० १२	सग्रहांक
शु० ६	बु० ६	शु० ६	शु० ६	शु० ५	शु० १०	बु० ८	शु० ४	शु० ५	गु० ७	बु० ६	गु० ४	सग्रहांक
बु० ८	गु० ८	गु० ५	बु० ६	श० ७	गु० ४	गु० ७	बु० ८	बु० ४	शु० ८	गु० ७	बु० ३	सग्रहांक
म० ५	श० ५	म० ७	गु० ७	बु० ६	म० ७	शु० ७	गु० ५	म० ५	श० ४	म० ५	म० ९	सग्रहांक
श० ५	म० ३	श० ६	श० ४	म० ६	श० २	म० २	श० ६	श० ४	म० ४	श० ५	श० २	सग्रहांक

वर्षकालीन स्पष्टग्रहोंसे प्रत्येक ग्रहका हद्दा अवगत कर नव ग्रहोका हद्दाचक्र बना लेना चाहिए।

उदाहरण—सूर्य ७।५ है—अर्थात् वृश्चिक राशिके ५ अशका है, अत मगलके हद्दामे माना जायेगा। चन्द्रमा ६।१६—अर्थात् तुला राशिके १६ अश है तथा तुला राशिके १६ वें अशसे २१ वें अश तक गुरुका हद्दा होता है, अत चन्द्रमा गुरुके हद्दामे समझा जायेगा। मगल ७।१७—अर्थात् वृश्चिक राशिके १८ अश है तथा वृश्चिकके १२वे अशसे १९वें अश तक बुधका हद्दा होता है अत मगल बुधके हद्दामें समझा जायेगा। इसी प्रकार बुध मगलके हद्दामें, गुरु शुक्रके हद्दामे, शुक्र बुधके हद्दामे, शनि शुक्रके हद्दामे राहु शनिके हद्दामें और केतु गुरुके हद्दामे माना जायेगा। प्रस्तुत उदाहरण-का हद्देशचक्र निम्नप्रकार है—

सूर्य	चन्द्र	भौम	बुध	गुरु	शुक्र	शनि	राहु	केतु	ग्रह
मगल	गुरु	बुध	मगल	शुक्र	बुध	शुक्र	शनि	गुरु	हद्देश

उच्चबल साधन

द्वितीय अध्यायमें उच्चबल साधनकी जो प्रक्रिया बतायी गयी है, उससे प्रत्येक ग्रहका उच्चबल निकाल लेना चाहिए। जो कलात्मक उच्चबल आये उसमें तीनका भाग देनेसे ताजिकका उच्चबल आ जाता है। उदा-हरणमे पहले सूर्यका उच्चबल ५९।२९ आया है। अतएव—५९।२९ – ३ = १९।५० यह वर्षपत्रके लिए उच्चबल हुआ।

सारिणी-द्वारा उच्चबल साधन

जिस ग्रहका उच्चबल साधन करना हो उसको उच्चबल साधन-

सारिणीमे राशिके सामने और अंशके नीचे जो फल लिखा हो उसे ग्रहण कर लेना चाहिए। कला, विकलाके फलके लिए आगे और पीछेके अशोका अन्तर करनेसे जो आये, उससे कला, विकलाको गुणा कर ६० का भाग देनेसे कला, विकलाका फल आ जाता है, दोनो फलोका योग करनेसे उच्चबल हो जाता है।

उदाहरण—वर्षप्रवेशकालीन सूर्य ७।५।४१।४१ है, सूर्य उच्चबल साधन सारिणीमे सात राशिके सामने और पाँच अशके नीचे २।४६ दिया है, कला विकलाका फल निकालनेके लिए पाँच अश और छह अशवाले कोष्ठकका अन्तर किया—२।५३

२।४६

०।७

४१।४१ × ७ = २८७ । २८७ ÷ ६० = ४।५१

४।५१ विकलात्मक फल। २।४६ प्रथम फलमें

४।५१ द्वितीय फल जोडा

२।५०।५१

अर्थात् २।५०।५१ सूर्यका उच्चबल।

चन्द्रमा—६।१६।१२।५१ है, चन्द्र उच्चबल सारिणीमे ६ राशिके सामने और १६ अशके नीचे १।५३ है।

१।५३—१६ अशका फल

१।८६—१५ अशका फल

०।७

१२।५१।×७ = ८४।३५७ ÷ ६० = १।२९,

१।५३

१।२९

१।५४।२९ चन्द्र उच्चवल

मगल—७।१७।२।३५ है। मगल उच्चवल सारिणीमे ७ राशि और १७ अशके नीचे १२।६ है।

१२।१३—१८ अशका फल

१२। ६—१७ अशका फल

०। ७ २।३५ × ७ = १४।२४५ ÷ ६० = ०।१८

१२।१३

०।१८

१२।१३।१८ मंगलका उच्चवल

इसी प्रकार वुधका उच्चवल १४।५७, गुरुका ८।२, शुक्रका १।१८, शनिका ९।७ है।

पञ्चवर्गी वल सावन

अपनी राशिमे जो ग्रह हो उसका ३० विश्वावल, जो अपने उच्चमे हो उसका २० विश्वावल, जो अपने हद्दामें हो उसका १५ विश्वावल, जो अपने द्रेष्काणमे हो उसका १० विश्वावल और जो अपने नवमाशमे हो उसका ५ विश्वावल होता है। इन पाँचो अविकारियोके वलोको जोडकर चारका भाग देनेसे विश्वावल या विंशोपकवल निकलता है।

यदि कोई ग्रह अपनी राशि, अपने उच्च, अपने हद्दा, अपने द्रेष्काण

और अपने नवमाशमे न पडा हो तो उसके वलका विचार निम्न प्रकार करना चाहिए।

जो ग्रह अपने मित्रके घरमे हो वह तीन चौथाई वलवान्, समराशिमें हो तो आधा वलवान् एव शत्रुराशिमें हो तो चौथाई वलवान् होता है। यह वलभावनकी प्रक्रिया गृह, हद्दा, उच्च, नवमाश और द्रेष्काणमें एक-सौ होती है।

वल वोधक चक्र

पतय	स्व०	मि०	सम	शत्रु
गृहेश	३० ०	२२ ३०	१५ ०	७ ३०
हद्देश	१५ ०	११ १५	७ ३०	३ ४५
द्रेष्काणेश	१० ०	७ ३०	५ ०	२ ३०
नवमाशेश	५ ०	३ ४५	२ ३०	१ १५

सूर्य मगलके गृहमे है और मगल उसका शत्रु है, अत सूर्यका गृहवल ७।३० हुआ। चन्द्रमा वर्पकुण्डलीमें शुक्रके गृहमें है, शुक्र चन्द्रमाका शत्रु है, अत चन्द्रमाका गृहवल ७।३० हुआ। मगल स्वगृही है, अत. मगलका ३०।० हुआ। वुध मगलके गृहमे है और मगल वुधका शत्रु है, अत शत्रुगृही होनेसे वुधका गृहवल ७।३० हुआ। इसी प्रकार गुरुका ७।३०, शुक्रका ७।३० और शनिका ७।३० हुआ। उच्चवल—पहले साधन किया है।

सभी ग्रहोंको उच्चवल साधन-सारिणी आगे दी जाती है।

सूर्य-उच्चबल सारिणी

अंश	०	१	२	३	४	५	६	७	८	९	१०	११	१२	१३
मे	१८	१९	१९	१९	१९	१९	१९	१९	१९	१९	२०	१९	१९	१९
०	५३	००	६	१३	२०	२६	३३	४०	४६	५३	००	५३	४६	४०
वृ	१७	१७	१७	१७	१७	१७	१७	१७	१६	१६	१६	१६	१६	१६
१	४६	४०	३३	२६	२०	१३	६	००	५३	४६	४०	३३	२६	२०
मि	१४	१४	१४	१४	१४	१३	१३	१३	१३	१३	१३	१३	१३	१३
२	२६	२०	१३	६	००	५३	४६	४०	३३	२६	२०	१३	०६	००
क	११	११	१०	१०	१०	१०	१०	१०	१०	१०	१०	९	९	९
३	६	००	५३	४६	४०	३३	२६	२०	१३	६	००	५३	४६	४०
सिं	७	७	७	७	७	७	७	७	६	६	६	६	६	६
४	४६	४०	३३	२६	२०	१३	६	००	५३	४६	४०	३३	२६	२०
क	४	४	४	४	४	३	३	३	३	३	३	३	६	३
५	२६	२०	१३	६	००	५३	४६	४०	३३	२६	२०	१३	६	००

(परमोच्च ०।१०)

१४	१५	१६	१७	१८	१९	२०	२१	२२	२३	२४	२५	२६	२७	२८	२९	अ०
१९ ३३	१९ २६	१९ २०	१९ १३	१९ ६	१९ ००	१८ ५३	१८ ४६	१८ ४०	१८ ३३	१८ २६	१८ २०	१८ १३	१८ ६	१८ ००	१७ ५३	मे० ०
१६ १३	१६ ०६	१६ ००	१५ ५३	१५ ४६	१५ ४०	१५ ३३	१५ २६	१५ २०	१५ १३	१५ ०६	१५ ००	१४ ५३	१४ ४६	१४ ४०	१४ ३३	वृ० १
१२ ५३	१२ ४६	१२ ४०	१२ ३३	१२ २६	१२ २०	१२ १३	१२ ०६	१२ ००	११ ५३	११ ४६	११ ४०	११ ३३	११ २६	११ २०	११ १३	मि २
९ ३३	९ २६	९ २०	९ १३	९ ६	९ ००	८ ५३	८ ४६	८ ४०	८ ३३	८ २६	८ २०	८ १३	८ ६	८ ००	७ ५३	क० ३
६ १३	६ ६	६ ००	५ ५३	५ ४६	५ ४०	५ ३३	५ २६	५ २०	५ १३	५ ६	५ ००	४ ५३	४ ४६	४ ४०	४ ३३	सि ४
२ ५३	२ ४६	२ ४०	२ ३३	२ २६	२ २०	२ १३	२ ६	२ ००	१ ५३	१ ४६	१ ४०	१ ३३	१ २६	१ २०	१ १३	क ५

सूर्य-उच्चबल सारिणी

अंश	०	१	२	३	४	५	६	७	८	९	१०	११	१२	१३
तु. ६	१ ६	१ ००	० ५३	० ४६	० ४०	० ३३	० २६	० २०	० १३	० ६	० ०	० ६	० १३	० २०
वृ. ७	२ १३	२ २०	२ २६	२ ३३	२ ४०	२ ४६	२ ५३	३ ००	३ ६	३ १३	३ २०	३ २६	३ ३३	३ ४०
ध ८	५ ३३	५ ४०	५ ४६	५ ५३	६ ००	६ ६	६ १३	६ २०	६ २६	६ ३३	६ ४०	६ ४६	६ ५३	७ ००
म. ९	८ ५३	९ ००	९ ६	९ १३	९ २०	९ २६	९ ३३	९ ४०	९ ४६	९ ५३	१० ००	१० ६	१० १३	१० २०
कुं १०	१२ १३	१२ २०	१२ २६	१२ ३३	१२ ४०	१२ ४६	१२ ५३	१३ ००	१३ ६	१३ १३	१३ २०	१३ २६	१३ ३३	१३ ४०
मी ११	१५ ३३	१५ ४०	१५ ४६	१५ ५३	१६ ०	१६ ६	१६ १३	१६ २०	१६ २६	१६ ३३	१६ ४०	१६ ४६	१६ ५३	१७ ००

(परमोच्च ०।१०)

१४	१५	१६	१७	१८	१९	२०	२१	२२	२३	२४	२५	२६	२७	२८	२९	अ०
० २६	० ३३	० ४०	० ४६	० ५३	१ ००	१ ६	१ १३	१ २०	१ २६	१ ३३	१ ४०	१ ४६	१ ५३	२ ००	२ ६	तु. ६
३ ४६	३ ५३	४ ००	४ ६	४ १३	४ २०	४ २६	४ ३३	४ ४०	४ ४६	४ ५३	५ ००	५ ६	५ १३	५ २०	५ २६	वृ० ७
७ ६	७ १३	७ २०	७ २६	७ ३३	७ ४०	७ ४६	७ ५३	८ ००	८ ६	८ १३	८ २०	८ २६	८ ३३	८ ४०	८ ४६	व ८
१० २६	१० ३३	१० ४०	१० ४६	१० ५३	११ ००	११ ६	११ १३	११ २०	११ २६	११ ३३	११ ४०	११ ४६	११ ५३	१२ ००	१२ ६	म० ९
१३ ४६	१३ ५३	१४ ०	१४ ६	१४ १३	१४ २०	१४ २६	१४ ३३	१४ ४०	१४ ४६	१४ ५३	१५ ००	१५ ६	१५ १३	१५ २०	१५ २६	कु० १०
१७ ६	१७ १३	१७ २०	१७ २६	१७ ३३	१७ ४०	१७ ४६	१७ ५३	१८ ००	१८ ६	१८ १३	१८ २०	१८ २६	१८ ३३	१८ ४०	१८ ४६	मी ११

चन्द्र-उच्चबल सारणी

अंश	०	१	२	३	४	५	६	७	८	९	१०	११	१२	१३
मे ०	१६ २०	१६ २६	१६ ३३	१६ ४०	१६ ४६	१६ ५३	१७ ०	१७ ६	१७ १३	१७ २०	१७ २६	१७ ३३	१७ ४०	१७ ४६
वृ १	१९ ४०	१९ ४६	१९ ५३	२० ०	१९ ५३	१९ ४६	१९ ४०	१९ ३३	१९ २६	१९ २०	१९ १३	१९ ६	१९ ०	१८ ५३
मि २	१७ ०	१६ ५३	१६ ४६	१६ ४०	१६ ३३	१६ २६	१६ २०	१६ १३	१६ ६	१६ ०	१५ ५३	१५ ४६	१५ ४०	१५ ३३
क ३	१३ ४०	१३ ३३	१३ २६	१३ २०	१३ १३	१३ ६	१३ ०	१२ ५३	१२ ४६	१२ ४०	१२ ३३	१२ २६	१२ २०	१२ १३
सिं ४	१० २०	१० १३	१० ६	१० ०	९ ५३	९ ४६	९ ४०	९ ३३	९ २६	९ २०	९ १३	९ ६	९ ०	८ ५३
क ५	७ ०	६ ५३	६ ४६	६ ४०	६ ३३	६ २६	६ २०	६ १३	६ ६	६ ०	५ ५३	५ ४६	५ ४०	३ ५३

(परमोच्च १।३)

१४	१५	१६	१७	१८	१९	२०	२१	२२	२३	२४	२५	२६	२७	२८	२९	अं
१७ ५३	१८ ०	१८ ६	१८ १३	१८ २०	१८ २६	१८ ३३	१८ ४०	१८ ४६	१८ ५३	१९ ०	१९ ६	१९ १३	१९ २०	१९ २६	१९ ३३	मे. ०
१८ ४६	१८ ४०	१८ ३३	१८ २६	१८ २०	१८ १३	१८ ६	१८ ०	१७ ५३	१७ ४६	१७ ४०	१७ ३३	१७ २६	१७ २०	१७ १३	१७ ६	वृ १
१५ २६	१५ २०	१५ १३	१५ ६	१५ ०	१४ ५३	१४ ४६	१४ ४०	१४ ३३	१४ २६	१४ २०	१४ १३	१४ ६	१४ ०	१३ ५३	१३ ४६	मि २
१२ ६	१२ ०	११ ५३	११ ४६	११ ४०	११ ३३	११ २६	११ २०	११ १३	११ ६	११ ०	१० ५३	१० ४६	१० ४०	१० ३३	१० २६	क ३
८ ४६	८ ४०	८ ३३	८ २६	८ २०	८ १३	८ ६	८ ०	७ ५३	७ ४६	७ ४०	७ ३३	७ २६	७ २०	७ १३	७ ६	सि ४
५ २६	५ २०	५ १३	५ ६	५ ०	४ ५३	४ ४६	४ ४०	४ ३३	४ २६	४ २०	४ १३	४ ६	४ ०	३ ५३	३ ४६	क ५

चन्द्र-उच्चबल सारणी

अंश	०	१	२	३	४	५	६	७	८	९	१०	११	१२	१३
तु ६	३ ४०	३ ३३	३ २६	३ २०	३ १३	३ ६	३ ०	२ ५३	२ ४६	२ ४०	२ ३३	२ २६	२ २०	२ १३
वृ ७	० २०	० १३	० ६	० ०	० ६	० १३	० २०	० २६	० ३३	० ४०	० ४६	० ५३	१ ०	१ ६
ध. ८	३ ०	३ ६	३ १३	३ २०	३ २६	३ ३३	३ ४०	३ ४६	३ ५३	४ ०	४ ६	४ १३	४ २०	४ २६
म. ९	६ २०	६ २६	६ ३३	६ ४०	६ ४६	६ ५३	७ ०	७ ६	७ १३	७ २०	७ २६	७ ३३	७ ४०	७ ४६
कुं १०	९ ४०	९ ४६	९ ५३	१० ०	१० ६	१० १३	१० २०	१० २६	१० ३३	१० ४०	१० ४६	१० ५३	११ ०	११ ६
मी. ११	१३ ०	१३ ६	१३ १३	१३ २०	१३ २६	१३ ३३	१३ ४०	१३ ४६	१३ ५३	१४ ०	१४ ६	१४ १३	१४ २०	१४ २६

(परमोच्च १।३)

१४	१५	१६	१७	१८	१९	२०	२१	२२	२३	२४	२५	२६	२७	२८	२९	अं
२ ६	२ ०	१ ५३	१ ४६	१ ४०	१ ३३	१ २६	१ २०	१ १३	१ ६	१ ०	० ५३	० ४६	० ४०	० ३३	० २६	तु ६
१ १३	१ २०	१ २६	१ ३३	१ ४०	१ ४६	१ ५३	२ ०	२ ६	२ १३	२ २०	२ २६	२ ३३	२ ४०	२ ४६	२ ५३	वृ ७
४ ३३	४ ४०	४ ४६	४ ५३	५ ०	५ ६	५ १३	५ २०	५ २६	५ ३३	५ ४०	५ ४६	५ ५३	६ ०	६ ६	६ १३	ध ८
७ ५३	८ ०	८ ६	८ १३	८ २०	८ २६	८ ३३	८ ४०	८ ४६	८ ५३	९ ०	९ ६	९ १३	९ २०	९ २६	९ ३३	म ९
११ १३	११ २०	११ २६	११ ३३	११ ४०	११ ४६	११ ५३	१२ ०	१२ ६	१२ १३	१२ २०	१२ २६	१२ ३३	१२ ४०	१२ ४६	१२ ५३	कु १०
१४ ३३	१४ ४०	१४ ४६	१४ ५३	१५ ०	१५ ६	१५ १३	१५ २०	१५ २६	१५ ३३	१५ ४०	१५ ४६	१५ ५३	१६ ०	१६ ६	१६ १३	मी ११

भौम-उच्चवल सारणी

अंश	०	१	२	३	४	५	६	७	८	९	१०	११	१२	१३
मे ०	१३ ६	१३ ०	१२ ५३	१२ ४६	१२ ४०	१२ ३३	१२ २६	१२ २०	१२ १३	१२ ६	१२ ०	११ ५३	११ ४६	११ ४०
वृ. १	९ ४६	९ ४०	९ ३३	९ २६	९ २०	९ १३	९ ६	९ ०	८ ५३	८ ४६	८ ४०	८ ३३	८ २६	८ २०
मि २	६ २६	६ २०	६ १३	६ ६	६ ०	५ ५३	५ ४६	५ ४०	५ ३३	५ २५	५ २०	५ १३	५ ६	५ ०
क ३	३ ६	३ ०	२ ५३	२ ४६	२ ४०	२ ३३	२ २६	२ २०	२ १३	२ ६	२ ०	१ ५३	१ ४६	१ ४०
सिं ४	० १३	० २०	० २६	० ३३	० ४०	० ४६	० ५३	१ ०	१ ६	१ १३	१ २०	१ २६	१ ३३	१ ४०
क ५	३ ३३	३ ४०	३ ४६	३ ५३	४ ०	४ ६	४ १३	४ २०	४ २६	४ ३३	४ ४०	४ ४६	४ ५३	५ ०

(परमोच्च ९।२८)

१४	१५	१६	१७	१८	१९	२०	२१	२२	२३	२४	२५	२६	२७	२८	२९	अ.
११ ३३	११ २६	११ २०	११ १३	११ ६	११ ०	१० ५३	१० ४६	१० ४०	१० ३३	१० २६	१० २०	१० १३	१० ६	१० ०	९ ५३	मे ०
८ १३	८ ६	८ ०	७ ५३	७ ४६	७ ४०	७ ३३	७ २६	७ २०	७ १३	७ ६	७ ०	६ ५३	६ ४६	६ ४०	६ ३३	वृ १
४ ५३	४ ४६	४ ४०	४ ३३	४ २६	४ २०	४ १३	४ ६	४ ०	३ ५३	३ ४६	३ ४०	३ ३३	३ २६	३ २०	३ १३	मि २
१ ३३	१ २६	१ २०	१ १३	१ ६	१ ०	० ५३	० ४६	० ४०	० ३३	० २६	० २०	० १३	० ६	० ०	० ६	क. ३
२ ४६	२ ५३	२ ०	२ ६	२ १३	२ २०	२ २६	२ ३३	२ ४०	२ ४६	२ ५३	३ ०	३ ६	३ १३	३ २०	३ २६	सिं ४
५ ६	५ १३	५ २०	५ २६	५ ३३	५ ४०	५ ४६	५ ५३	६ ०	६ ६	६ १३	६ २०	६ २६	६ ३३	६ ४०	६ ४६	क. ५

भौम-उच्चबल सारणी

अंश	०	१	२	३	४	५	६	७	८	९	१०	११	१२	१३
तु ६	६ ५३	७ ०	७ ६	७ १३	७ २०	७ २६	७ ३३	७ ४०	७ ४६	७ ५३	८ ०	८ ६	८ १३	८ २०
वृ ७	१० १३	१० २०	१० २६	१० ३३	१० ४०	१० ४६	१० ५३	११ ०	११ ६	११ १३	११ २०	११ २६	११ ३३	११ ४०
ध. ८	१३ ३३	१३ ४०	१३ ४६	१३ ५३	१४ ०	१४ ६	१४ १३	१४ २०	१४ २६	१४ ३३	१४ ४०	१४ ४६	१४ ५३	१५ ०
म ९	१६ ५३	१७ ०	१७ ६	१७ १३	१७ २०	१७ २६	१७ ३३	१७ ४०	१७ ४६	१७ ५३	१८ ०	१८ ६	१८ १३	१८ २०
कु १०	१९ ४६	१९ ४०	१९ ३३	१९ २६	१९ २०	१९ १३	१९ ६	१९ ०	१८ ५३	१८ ४६	१८ ४०	१८ ३३	१८ २६	१८ २०
मी ११	१६ २६	१६ २०	१६ १३	१६ ६	१६ ०	१५ ५३	१५ ४६	१५ ४०	१५ ३३	१५ २६	१५ २०	१५ १३	१५ ६	१५ ०

(परमोच्च ९१२८)

१४	१५	१६	१७	१८	१९	२०	२१	२२	२३	२४	२५	२६	२७	२८	२९	अ.
८ २६	८ ३३	८ ४०	८ ४६	८ ५३	९ ०	९ ६	९ १३	९ २०	९ २६	९ ३३	९ ४०	९ ४६	९ ५३	१० ०	१० ६	तु. ६
११ ४६	११ ५३	१२ ०	१२ ६	१२ १३	१२ २०	१२ २६	१२ ३३	१२ ४०	१२ ४६	१२ ५३	१३ ०	१३ ६	१३ १३	१३ २०	१३ २६	बृ ७
१५ ६	१५ १३	१५ २०	१५ २६	१५ ३३	१५ ४०	१५ ४६	१५ ५३	१६ ०	१६ ६	१६ १३	१६ २०	१६ २६	१६ ३३	१६ ४०	१६ ४६	ध. ८
१८ २६	१८ ३३	१८ ४०	१८ ४६	१८ ५३	१९ ०	१९ ६	१९ १३	१९ २०	१९ २६	१९ ३३	१९ ४०	१९ ४६	१९ ५३	२० ०	१९ ५३	म ९
१८ १३	१८ ६	१८ ०	१७ ५३	१७ ४६	१७ ४०	१७ ३३	१७ २६	१७ २०	१७ १३	१७ ६	१७ ०	१६ ५३	१६ ४६	१६ ४०	१६ ३३	कु १०
१४ ५३	१४ ४६	१४ ४०	१४ ३३	१४ २६	१४ २०	१४ १३	१४ ६	१४ ०	१३ ५३	१३ ४६	१३ ४०	१३ ३३	१३ २६	१३ २०	१३ १३	मो ११

बुध-उच्चबल सारणी

अंश	०	१	२	३	४	५	६	७	८	९	१०	११	१२	१३
मे ०	१ ४०	१ ४६	१ ५३	२ ०	२ ६	२ १३	२ २०	२ २६	२ ३३	२ ४०	२ ४६	२ ५३	३ ०	३ ६
वृ. १	५ ०	५ ६	५ १३	५ २०	५ २६	५ ३३	५ ४०	५ ४६	५ ५३	६ ०	६ ६	६ १३	६ २०	६ २६
मि २	८ २०	८ २६	८ ३३	८ ४०	८ ४६	८ ५३	९ ०	९ ६	९ १३	९ २०	९ २६	९ ३३	९ ४०	९ ४६
क. ३	११ ४०	११ ४६	११ ५३	१२ ०	१२ ६	१२ १३	१२ २०	१२ २६	१२ ३३	१२ ४०	१२ ४६	१२ ५३	१३ ०	१३ ६
सिं ४	१५ ०	१५ ६	१५ १३	१५ २०	१५ २६	१५ ३३	१५ ४०	१५ ४६	१५ ५३	१६ ०	१६ ६	१६ १३	१६ २०	१६ २६
क ५	१८ २०	१८ २६	१८ ३३	१८ ४०	१८ ४६	१८ ५३	१९ ०	१९ ६	१९ १३	१९ २०	१९ २६	१९ ३३	१९ ४०	१९ ४६

(परमोच्च ।१५५)

१४	१५	१६	१७	१८	१९	२०	२१	२२	२३	२४	२५	२६	२७	२८	२९	अ
३ १३	३ २०	३ २६	३ ३३	३ ४०	३ ४६	३ ५३	४ ०	४ ६	४ १४	४ २०	४ २६	४ ३३	४ ४०	४ ४६	४ ५३	मे ०
६ ३३	६ ४०	६ ४६	६ ५३	७ ०	७ ६	७ १३	७ २०	७ २६	७ ३३	७ ४०	७ ४६	७ ५३	८ ०	८ ६	८ १३	वृ १
९ ५३	१० ०	१० ६	१० १३	१० २०	१० २६	१० ३३	१० ४०	१० ४६	१० ५३	११ ०	११ ६	११ १३	११ २०	११ २६	११ ३३	मि २
१३ १३	१३ २०	१३ २६	१३ ३३	१३ ४०	१३ ४६	१३ ५३	१४ ०	१४ ६	१४ १३	१४ २०	१४ २६	१४ ३३	१४ ४०	१४ ४६	१४ ५३	क ३
१६ ३३	१६ ४०	१६ ४६	१६ ५३	१७ ०	१७ ६	१७ १३	१७ २०	१७ २६	१७ ३३	१७ ४०	१७ ४६	१७ ५३	१८ ०	१८ ६	१८ १३	सि ४
१९ ५३	२० ०	१९ ५३	१९ ४६	१९ ४०	१९ ३३	१९ २६	१९ २०	१९ १३	१९ ६	१९ ०	१८ ५३	१८ ४६	१८ ४०	१८ ३३	१८ २६	क ५

बुध-उच्चबल सारणी

अंश	०	१	२	३	४	५	६	७	८	९	१०	११	१२	१३
तु ६	१८ २०	१८ १३	१८ ६	१८ ०	१७ ५३	१७ ४६	१७ ४०	१७ ३३	१७ २६	१७ २०	१७ १३	१७ ६	१७ ०	१६ ५३
वृ ७	१५ ०	१४ ५३	१४ ४६	१४ ४०	१४ ३३	१४ २६	१४ २०	१४ १३	१४ ६	१४ ०	१३ ५३	१३ ४६	१३ ४०	१३ ३३
ध. ८	११ ४०	११ ३३	११ २६	११ २०	११ १३	११ ६	११ ०	१० ५३	१० ४६	१० ४०	१० ३३	१० २६	१० २०	१० १३
म ९	८ २०	८ १३	८ ६	८ ०	७ ५३	७ ४६	७ ४०	७ ३३	७ २६	७ २०	७ १३	७ ६	७ ०	६ ५३
कु. १०	५ ०	४ ५३	४ ४६	४ ४०	४ ३३	४ २६	४ २०	४ १३	४ ६	४ ०	३ ५३	३ ४६	३ ४०	३ ३३
मी ११	१ ४०	१ ३३	१ २६	१ २०	१ १३	१ ६	१ ०	० ५३	० ४६	० ४०	० ३३	० २६	० २०	० १३

(परमोच्च ५।१५)

१४	१५	१६	१७	१८	१९	२०	२१	२२	२३	२४	२५	२६	२७	२८	२९	अं.
१६ ४६	१६ ४०	१६ ३३	१६ २६	१६ २०	१६ १३	१६ ६	१६ ०	१५ ५३	१५ ४६	१५ ४०	१५ ३३	१५ २६	१५ २०	१५ १३	१५ ६	तु ६
१३ २६	१३ २०	१३ १३	१३ ६	१३ ०	१२ ५३	१२ ४६	१२ ४०	१२ ३३	१२ २६	१२ २०	१२ १३	१२ ६	१२ ०	११ ५३	११ ४६	वृ. ७
१० ६	१० ०	९ ५३	९ ४६	९ ४०	९ ३३	९ २६	९ २०	९ १३	९ ६	९ ०	८ ५३	८ ४६	८ ४०	८ ३३	८ २६	ध ८
६ ४६	६ ४०	६ ३३	६ २६	६ २०	६ १३	६ ६	६ ०	५ ५३	५ ४६	५ ४०	५ ३३	५ २६	५ २०	५ १३	५ ६	म ९
३ २६	३ २०	३ १३	३ ६	३ ०	२ ५३	२ ४६	२ ४०	२ ३३	२ २६	२ २०	२ १३	२ ६	२ ०	१ ५३	१ ४६	कु १०
० ६	० ०	० ६	० १३	० २०	० २६	० ३३	० ४०	० ४६	० ५३	१ ०	१ ६	१ १३	१ २०	१ २६	१ ३३	मी ११

गुरु-उच्चबल सारणी

अंश	०	१	२	३	४	५	६	७	८	९	१०	११	१२	१३
मे ०	९ २६	९ ३३	९ ४०	९ ४६	९ ५३	१० ०	१० ६	१० १३	१० २०	१० २६	१० ३३	१० ४०	१० ४६	१० ५३
वृ. १	१२ ४६	१२ ५३	१३ ०	१३ ६	१३ १३	१३ २०	१३ २६	१३ ३३	१३ ४०	१३ ४६	१३ ५३	१४ ०	१४ ६	१४ १३
मि २	१६ ६	१६ १३	१६ २०	१६ २६	१६ ३३	१६ ४०	१६ ४६	१६ ५३	१७ ०	१७ ६	१७ १३	१७ २०	१७ २६	१७ ३३
क ३	१९ २६	१९ ३३	१९ ४०	१९ ४६	१९ ५३	२० ०	१९ ५३	१९ ४६	१९ ४०	१९ ३३	१९ २६	१९ २०	१९ १३	१९ ६
सिं ४	१७ १३	१७ ६	१७ ०	१६ ५३	१६ ४६	१६ ४०	१६ ३३	१६ २६	१६ २०	१६ १३	१६ ६	१६ ०	१५ ५३	१५ ४६
क ५	१३ ५३	१३ ४६	१३ ४०	१३ ३३	१३ २६	१३ २०	१३ १३	१३ ६	१३ ०	१२ ५३	१२ ४६	१२ ४०	१२ ३३	१२ २६

(परमोच्च ३।५)

१४	१५	१६	१७	१८	१९	२०	२१	२२	२३	२४	२५	२६	२७	२८	२९	अ
११ ०	११ ६	११ १३	११ २०	११ २६	११ ३३	११ ४०	११ ४६	११ ५३	१२ ०	१२ ६	१२ १३	१२ २०	१२ २६	१२ ३३	१२ ४०	मे ०
१४ २०	१४ २६	१४ ३३	१४ ४०	१४ ४६	१४ ५३	१५ ०	१५ ६	१५ १३	१५ २०	१५ २६	१५ ३३	१५ ४०	१५ ४६	१५ ५३	१६ ०	वृ १
१७ ४०	१७ ४६	१७ ५३	१८ ०	१८ ६	१८ १३	१८ २०	१८ २६	१८ ३३	१८ ४०	१८ ४६	१८ ५३	१९ ०	१९ ६	१९ १३	१९ २०	मि २
१९ ०	१८ ५३	१८ ४६	१८ ४०	१८ ३३	१८ २६	१८ २०	१८ १३	१८ ६	१८ ०	१७ ५३	१७ ४६	१७ ४०	१७ ३३	१७ २६	१७ २०	क ३
१५ ४०	१५ ३३	१५ २६	१५ २०	१५ १३	१५ ६	१५ ०	१४ ५३	१४ ४६	१४ ४०	१४ ३३	१४ २६	१४ २०	१४ १३	१४ ६	१४ ०	सि ४
१२ २०	१२ १३	१२ ६	१२ ०	११ ५३	११ ४६	११ ४०	११ ३३	११ २६	११ २०	११ १३	११ ६	११ ०	१० ५३	१० ४६	१० ४०	क. ५

गुरु-उच्चबल सारणी

अंश	०	१	२	३	४	५	६	७	८	९	१०	११	१२	१३
तु ६	१० ३३	१० २६	१० २०	१० १३	१० ६	१० ०	९ ५३	९ ४६	९ ४०	९ ३३	९ २६	९ २०	९ १३	९ ६
वृ ७	७ १३	७ ६	७ ०	६ ५३	६ ४६	६ ४०	६ ३३	६ २६	६ २०	६ १३	६ ६	६ ०	५ ५३	५ ४६
ध ८	३ ५३	३ ४६	३ ४०	३ ३३	३ २६	३ २०	३ १३	३ ६	३ ०	२ ५३	२ ४६	२ ४०	२ ३३	२ २६
म ९	० ३३	० २६	० २०	० १३	० ६	० ०	० ६	० १३	० २०	० २६	० ३३	० ४०	० ४६	० ५३
कु १०	२ ४६	२ ५३	३ ०	३ ६	३ १३	३ २०	३ २६	३ ३३	३ ४०	३ ४६	३ ५३	४ ०	४ ६	४ १३
मी ११	६ ६	६ १३	६ २०	६ २६	६ ३३	६ ४०	६ ४६	६ ५३	७ ०	७ ६	७ १३	७ २०	७ २६	७ ३३

(परमोच्च ३।५)

१४	१५	१६	१७	१८	१९	२०	२१	२२	२३	२४	२५	२६	२७	२८	२९	अ
९ ०	८ ५३	८ ४६	८ ४०	८ ३३	८ २६	८ २०	८ १३	८ ६	८ ०	७ ५३	७ ४६	७ ४०	७ ३३	७ २६	७ २०	तु. ६
५ ४०	५ ३३	५ २६	५ २०	५ १३	५ ६	५ ०	४ ५३	४ ४६	४ ४०	४ ३३	४ २६	४ २०	४ १३	४ ६	४ ०	वृ ७
२ २०	२ १३	२ ६	२ ०	१ ५३	१ ४६	१ ४०	१ ३३	१ २६	१ २०	१ १३	१ ६	१ ०	० ५३	० ४६	० ४०	ध ८
१ ०	१ ६	१ १३	१ २०	१ २६	१ ३३	१ ४०	१ ४६	१ ५३	२ ०	२ ६	२ १३	२ २०	२ २६	२ ३३	२ ४०	म ९
४ २०	४ २६	४ ३३	४ ४०	४ ४६	४ ५३	५ ०	५ ६	५ १३	५ २०	५ २६	५ ३३	५ ४०	५ ४६	५ ५३	६ ०	कु १०
७ ४०	७ ४६	७ ५३	८ ०	८ ६	८ १३	८ २०	८ २६	८ ३३	८ ४०	८ ४६	८ ५३	९ ०	९ ६	९ १३	९ २०	मी ११

शुक्र-उच्चवल सारणी

अश	०	१	२	३	४	५	६	७	८	९	१०	११	१२	१३
मे ०	१९ ४०	१९ ३३	१९ २६	१९ २०	१९ १३	१९ ६	१९ ०	१८ ५३	१८ ४६	१८ ४०	१८ ३३	१८ २६	१८ २०	१८ १३
वृ १	१६ २०	१६ १३	१६ ६	१६ ०	१५ ५३	१५ ४६	१५ ४०	१५ ३३	१५ २६	१५ २०	१५ १३	१५ ६	१५ ०	१४ ५३
मि २	१३ ०	१२ ५३	१२ ४६	१२ ४०	१२ ३३	१२ २६	१२ २०	१२ १३	१२ ६	१२ ०	११ ५३	११ ४६	११ ४०	११ ३३
क. ३	९ ४०	९ ३३	९ २६	९ २०	९ १३	९ ६	९ ०	८ ५३	८ ४६	८ ४०	८ ३३	८ २६	८ २०	८ १३
सिं ४	६ २०	६ १३	६ ६	६ ०	५ ५३	५ ४६	५ ४०	५ ३३	५ २६	५ २०	५ १३	५ ६	५ ०	४ ५३
क ५	३ ०	२ ५३	२ ४६	२ ४०	२ ३३	२ २६	२ २०	२ १३	२ ६	२ ०	१ ५३	१ ४६	१ ४०	१ ३३

(परमोच्च ११।२७)

१४	१५	१६	१७	१८	१९	२०	२१	२२	२३	२४	२५	२६	२७	२८	२९	अ.
१८ ६	१८ ०	१७ ५३	१७ ४६	१७ ४०	१७ ३३	१७ २६	१७ २०	१७ १३	१७ ६	१७ ०	१६ ५३	१६ ४६	१६ ४०	१६ ३३	१६ २६	मे० ०
१४ ४६	१४ ४०	१४ ३३	१४ २६	१४ २०	१४ १३	१४ ६	१४ ०	१३ ५३	१३ ४६	१३ ४०	१३ ३३	१३ २६	१३ २०	१३ १३	१३ ६	वृ. १
११ २६	११ २०	११ १३	११ ६	११ ०	१० ५३	१० ४६	१० ४०	१० ३३	१० २६	१० २०	१० १३	१० ६	१० ०	९ ५३	९ ४६	मि २
८ ६	८ ०	७ ५३	७ ४६	७ ४०	७ ३३	७ २६	७ २०	७ १३	७ ६	७ ०	६ ५३	६ ४६	६ ४०	६ ३३	८ २६	क ३
४ ४६	४ ४०	४ ३३	४ २६	४ २०	४ १३	४ ६	४ ०	३ ५३	३ ४६	३ ४०	३ ३३	३ २६	३ २०	३ १३	३ ६	सिं ४
१ २६	१ २०	१ १३	१ ६	१ ०	० ५३	० ४६	० ४०	० ३३	० २६	० २०	० १३	० ६	० ०	० ६	० १३	क ५

शुक्र-उच्चबल सारणी

अश	०	१	२	३	४	५	६	७	८	९	१०	११	१२	१३
तु ६	० २०	० २६	० ३३	० ४०	० ४६	० ५३	१ ०	१ ६	१ १३	१ २०	१ २६	१ ३३	१ ४०	१ ४६
वृ. ७	३ ४०	३ ४६	३ ५३	४ ०	४ ६	४ १३	४ २०	४ २६	४ ३३	४ ४०	४ ४६	४ ५३	५ ०	५ ६
ध ८	७ ०	७ ६	७ १३	७ २०	७ २६	७ ३३	७ ४०	७ ४६	७ ५३	८ ०	८ ६	८ १३	८ २०	८ २६
म. ९	१० २०	१० २६	१० ३३	१० ४०	१० ४६	१० ५३	११ ०	११ ६	११ १३	११ २०	११ २६	११ ३३	११ ४०	११ ४६
कु १०	१३ ४०	१३ ४६	१३ ५३	१४ ०	१४ ६	१४ १३	१४ २०	१४ २६	१४ ३३	१३ ४०	१८ ४६	१४ ५३	१५ ०	१५ ६
मी ११	१७ ०	१७ ६	१७ १३	१७ २०	१७ २६	१७ ३३	१७ ४०	१७ ४६	१७ ५३	१८ ०	१८ ६	१८ १३	१८ २०	१८ २६

(परमोच्च ११।२७)

१४	१५	१६	१७	१८	१९	२०	२१	२२	२३	२४	२५	२६	२७	२८	२९	अ
१ ५३	२ ०	२ ६	२ १३	२ २०	२ २६	२ ३३	२ ४०	२ ४६	२ ५३	३ ०	३ ६	३ १३	३ २०	३ २६	३ ३३	तु० ६
५ १३	५ २०	५ २६	५ ३३	५ ४०	५ ४६	५ ५३	६ ०	६ ६	६ १३	६ २०	६ २६	६ ३३	६ ४०	६ ४६	६ ५३	वृ० ७
८ ३३	८ ४०	८ ४६	८ ५३	९ ०	९ ६	९ १३	९ २०	९ २६	९ ३३	९ ४०	९ ४६	९ ५३	१० ०	१० ६	१० १३	ध० ८
११ ५३	१२ ०	१२ ६	१२ १३	१२ २०	१२ २६	१२ ३३	१२ ४०	१२ ४६	१२ ५३	१३ ०	१३ ६	१३ १३	१३ २०	१३ २६	१३ ३३	म० ९
१५ १३	१५ २०	१५ २६	१५ ३३	१५ ४०	१५ ४६	१५ ५३	१६ ०	१६ ६	१६ १३	१६ २०	१६ २६	१६ ३३	१६ ४०	१६ ४६	१६ ५३	कु १०
१८ ३३	१८ ४०	१८ ४६	१८ ५३	१९ ०	१९ ६	१९ १३	१९ २०	१९ २६	१९ ३३	१९ ४०	१९ ४६	१९ ५३	२० ०	१९ ५३	१९ ४६	मी ११

शनि-उच्चबल सारणी

अंश	०	१	२	३	४	५	६	७	८	९	१०	११	१२	१३
मे ०	२ १३	२ ६	२ ०	१ ५३	१ ४६	१ ४०	१ ३३	१ २६	१ २०	१ १३	१ ६	० ०	० ५३	० ४६
वृ १	१ ६	१ १३	१ २०	१ २६	१ ३३	१ ४०	१ ४६	१ ५३	२ ०	२ ६	२ १३	२ २०	२ २६	२ ३३
मि २	४ २६	४ ३३	४ ४०	४ ४६	४ ५३	५ ०	५ ६	५ १३	५ २०	५ २६	५ ३३	५ ४०	५ ४६	५ ५३
क ३	७ ४६	७ ५३	८ ०	८ ६	८ १३	८ २०	८ २६	८ ३३	८ ४०	८ ४६	८ ५३	९ ०	९ ६	९ १३
सिं ४	११ ६	११ १३	११ २०	११ २६	११ ३३	११ ४०	११ ४६	११ ५३	१२ ०	१२ ६	१२ १३	१२ २०	१२ २६	१२ ३३
क ५	१४ २६	१४ ३३	१४ ४०	१४ ४६	१४ ५३	१५ ०	१५ ६	१५ १३	१५ २०	१५ २६	१५ ३३	१५ ४०	१५ ४६	१५ ५३

(परमोच्च ६।२२।०)

१४	१५	१६	१७	१८	१९	२०	२१	२२	२३	२४	२५	२६	२७	२८	२९	अ
० ४०	० ३३	० २६	० २०	० १३	० ६	० ०	० ६	० १३	० २०	० २६	० ३३	० ४०	० ४६	० ५३	१ ०	मे ०
२ ४०	२ ४६	२ ५३	३ ०	३ ६	३ १३	३ २०	३ २६	३ ३३	३ ४०	३ ४६	३ ५३	४ ०	४ ६	४ १३	४ २०	वृ १
६ ०	६ ६	६ १३	६ २०	६ २६	६ ३३	६ ४०	६ ४६	७ ५३	७ ०	७ ६	७ १३	७ २०	७ २६	७ ३३	७ ४०	मि २
९ २०	९ २६	९ ३३	९ ४०	९ ४६	९ ५३	१० ०	१० ६	१० १३	१० २०	१० २६	१० ३३	१० ४०	१० ४६	१० ५३	११ ०	क ३
१२ ४०	१२ ४६	१२ ५३	१३ ०	१३ ६	१३ १३	१३ २०	१३ २६	१३ ३३	१३ ४०	१३ ४६	१३ ५३	१४ ०	१४ ६	१४ १३	१४ २०	सि ४
१६ ०	१६ ६	१६ १३	१६ २०	१६ २६	१६ ३३	१६ ४०	१६ ४६	१६ ५३	१७ ०	१७ ६	१७ १३	१७ २०	१७ २६	१७ ३३	१७ ४०	क ५

शनि-उच्चबल सारणी

अंश	०	१	२	३	४	५	६	७	८	९	१०	११	१२	१३
तु. ६	१७ ४६	१७ ५३	१८ ०	१८ ६	१८ १३	१८ २०	१८ २६	१८ ३३	१८ ४०	१८ ४६	१८ ५३	१९ ०	१९ ६	१९ १३
वृ ७	१८ ५३	१८ ४६	१८ ४०	१८ ३३	१८ २६	१८ २०	१८ १३	१८ ६	१८ ०	१७ ५३	१७ ४६	१७ ४०	१७ ३३	१७ २६
ध ८	१५ ३३	१५ २६	१५ २०	१५ १३	१५ ६	१५ ०	१४ ५३	१४ ४६	१४ ४०	१४ ३३	१४ २६	१४ २०	१४ १३	१४ ६
म ९	१२ १३	१२ ६	१२ ०	११ ५३	११ ४६	११ ४०	११ ३३	११ २७	११ २०	११ १३	११ ६	११ ०	१० ५३	१० ४६
कु १०	८ ५३	८ ४६	८ ४०	८ ३३	८ २६	८ २०	८ १३	८ ६	८ ०	७ ५३	७ ४६	७ ४०	७ ३३	७ २६
मी ११	५ ३३	५ २६	५ २०	५ १३	५ ६	५ ०	४ ५३	४ ४६	४ ४०	४ ३३	४ २६	४ २०	४ १३	४ ६

(परमोच्च ६।२२।०)

१४	१५	१६	१७	१८	१९	२०	२१	२२	२३	२४	२५	२६	२७	२८	२९	अं
१९ २०	१९ २६	१९ ३३	१९ ४०	१९ ४६	१९ ५३	२० ०	१९ ५३	१९ ४६	१९ ४०	१९ ३३	१९ २६	१९ २०	१९ १३	१९ ६	१९ ०	तु ६
१७ २०	१७ १३	१७ ६	१७ ०	१६ ५३	१६ ४६	१६ ४०	१६ ३३	१६ २६	१६ २०	१६ १३	१६ ६	१६ ०	१५ ५३	१५ ४६	१५ ४०	वृ ७
१४ ०	१३ ५३	१३ ४६	१३ ४०	१३ ३३	१३ २६	१३ २०	१३ १३	१३ ६	१३ ०	१२ ५३	१२ ४६	१२ ४०	१२ ३३	१२ २६	१२ २०	ध ८
१० ४०	१० ३३	१० २६	१० २०	१० १३	१० ६	१० ०	९ ५३	९ ४६	९ ४०	९ ३३	९ २६	९ २०	९ १३	९ ६	९ ०	म ९
७ २०	७ १३	७ ६	७ ०	६ ५३	६ ४६	६ ४०	६ ३३	६ २६	६ २०	६ १३	६ ६	६ ०	५ ५३	५ ४६	५ ४०	कु १०
४ ०	३ ५३	३ ४६	३ ४०	३ ३३	३ २६	३ २०	३ १३	३ ६	३ ०	२ ५३	२ ४६	२ ४०	२ ३३	२ २६	२ २०	मी ११

हद्दावल—सूर्य मंगलके हद्दामे है और सूर्यका मगल शत्रु है, अत शत्रुके हद्दामे होनेके कारण सूर्यका हद्दावल ३।४५ हुआ। चन्द्रमा गुरुके हद्दामे है और गुरु चन्द्रमाका शत्रु है, अत शत्रुके हद्दामे होनेके कारण चन्द्रमाका हद्दावल ३।४५ हुआ। मगल बुधके हद्दामे है और बुध मंगलका शत्रु है अत भौमका हद्दावल ३।४५ हुआ। इसी प्रकार बुधका हद्दावल ३।४५, गुरुका ३।४५, शुक्रका ३।४५ और शनिका ३।४५ हुआ।

द्रेष्काण—द्वितीय अध्यायमे बतायी गयी विधिसे द्रेष्काण लाकर तब विचार करना चाहिए। यहाँ सूर्य भौमके द्रेष्काणमे है अत उसका २।३० वल हुआ। चन्द्रमा शनिके द्रेष्काणमे है अत २।३० वल हुआ। मगल गुरुके द्रेष्काणमे है अत समगृही द्रेष्काण होनेके कारण ५।० वल हुआ। वुध मगलके द्रेष्काणमें है अत उसका २।३० वल हुआ। इसी प्रकार गुरुका द्रेष्काणवल ५।०, शुक्रका १०।० और शनिका ७।३० है।

नवमाश वल—द्वितीय अध्यायमे बतायी गयी विधिसे सूर्य अपने ही नवमाशमें है अत उसका नवमाशवल ५।० हुआ। चन्द्रमा शनिके नवमाशमें है और शनि चन्द्रमाका शत्रु है, अत शत्रुगृही नवमाश होनेसे इसका नवमाशवल १।१५ हुआ। मंगल गुरुके नवमाशमे है और गुरु मगलका सम है अत इसका वल २।३० हुआ। इसी प्रकार वुधका नवमांश वल २।३०, गुरुका २।३०, शुक्रका १।१५ और शनिका १।१५ हुआ।

वलीग्रहका निर्णय

जिस ग्रहका विशोपकवल ११ से २० अश तक हो वह पूर्णवली, जिसका ६ से १० अश तक हो वह मध्यवली, जिसका १ से ५ अश तक हो वह अल्पवली और जिसका विशोपक वल शून्य हो वह निर्वल कहलाता है। कही-कही ५ अशसे कम विशोपकवाले ग्रहको ही निर्वल माना है। स्वयका अनुभव भी यही है कि ५ अशसे कम विशोपकवाला ग्रह निर्वल होता है।

पंचाधिकारी

जन्मलग्नेश, वर्षलग्नेश, मुन्थाधिप, त्रिराशिपति और दिनमें वर्ष-प्रवेश हो तो सूर्यराशिपति तथा रात्रिमे वर्षप्रवेश हो तो चन्द्रराशिपति ये पांच ग्रह वर्षपत्रिकामें विशेषाधिकारी माने जाते है।

त्रिराशिपति विचार

नीचे चक्रमे-से दिनमे वर्षप्रवेश हो तो वर्षलग्नकी राशिके अनुसार दिवा त्रिराशिपति और रात्रिमे वर्षप्रवेश हो तो रात्रिका त्रिराशिपति ग्रहण करना चाहिए।

त्रिराशिपति चक्र

राशि	मे०	वृ०	मि	क०	सि	क०	तु०	वृ०	ध०	म०	कु०	मी०
दिवा त्रिराशिपति	सू०	शु०	श०	शु०	गु०	च०	बु०	म०	श०	म०	गु०	च०
रात्रि त्रिराशिपति	गु०	च०	बु०	म०	सू०	शु०	श०	शु०	श०	म०	गु०	च०

उदाहरण कुण्डलीके पचाधिकारी निम्न प्रकार हैं

जन्मलग्नेश	वर्षलग्नेश	मुन्थेश	त्रिराशीश	चन्द्रराशीश
भौम	शुक्र	भौम	भौम	शुक्र
१३	५	१३	७	५
२२	५७	२२	१६	५७
०	०	०	५	०
पूर्णबली	अल्पबली	पूर्णबली	मध्यबली	अल्पबली

उदाहरण–कुण्डलीका पचवर्गी बलचक्र निम्न प्रकार हुआ—

सू०	च०	भौम	बुध	गुरु	शुक्र	शनि	ग्रह
७ ३०	७ ३०	३० ०	७ ३०	७ ३०	७ ३०	७ ३०	गृहबल
२ ५०	१ ५४	१२ १३	१४ ५७	८ २	१ १८	९ ७	उच्चबल
३ ४५	३ ४५	३ ४५	३ ४५	३ ४५	३ ४५	३ ४५	हद्दाबल
२ ३०	२ ३०	५ ०	२ ३०	५ ०	१० ०	७ ३०	द्रेष्काणबल
५ ०	१ १५	२ ३०	२ ३०	२ ३०	१ १५	१ १५	नवमाशबल
२१ ३५	१६ ५४	५३ २८	३१ १२	२६ ४७	२३ ४८	२९ ७	योगबल
५ २३ ४५	४ १३ ३०	१३ २२ ०	७ ४८ ०	६ ४१ ४५	५ ५७ ०	७ १६ ४५	विश्वाबल

ताजिक शास्त्रानुसार ग्रहोकी दृष्टि

ताजिकमें ग्रहोकी दृष्टि प्रत्यक्षस्नेहा, गुप्तस्नेहा, गुप्तवैरा और प्रत्यक्ष-वैरा, इस प्रकार चार तरहकी होती है। वर्षकुण्डलीमें ग्रह जहाँ रहता है उससे नौवें और पाँचवें स्थानमे स्थित ग्रहको प्रत्यक्षस्नेहा ४५ कलावाली दृष्टिसे देखता है। यह दृष्टि सम्पूर्ण कार्योंमें सिद्धि देनेवाली, मेलापक सज्ञावाली वतायी गयी है।

कोई ग्रह अपने स्थानसे तीसरे और ग्यारहवें स्थानमे स्थित ग्रहको गुप्तस्नेहा दृष्टिसे देखता है। तीसरे भावकी दृष्टि ४० कलावाली और ११वें भावको दृष्टि १० कलावाली होती है। यह दृष्टि कार्यसिद्धि करने-वाली और स्नेहवर्द्धिनी वतायी गयी है।

चौथे और दसवें भावमें गुप्तवैरा एवं १५ कलावाली दृष्टि होती है। पहले और सातवें भावमें प्रत्यक्षवैरा एवं ६० कलावाली दृष्टि होती है। ये दोनों ही दृष्टियाँ शुभ मङ्गल कार्य नाश करनेवाली बतायी गयी हैं।

विशेष—दृश्य, द्रष्टाका अन्तर द्वादशांश (बारह भाग) से अधिक न हो तो दृष्टियोंका फल ठीक घटता है, अन्यथा नहीं घटता।

बलवती दृष्टि

वाम भागस्थ—छठेंमें बारहवें भाग तक रहनेवाले ग्रहकी दक्षिण भागस्थ—लग्नमें छठे भाग तक स्थित ग्रहके ऊपर बलवती दृष्टि होती है। दक्षिण भागस्थ ग्रहकी वाम भागस्थ ग्रहके ऊपर निर्बल दृष्टि होती है।

विशेष दृष्टि

द्रष्टा ग्रहके दीप्तांशोंके मध्यमें ही दृश्य ग्रह आगे व पीछे स्थित हो तो विशेष दृष्टिका फल होता है और दीप्तांशोंमें अधिक दृश्य ग्रह आगे-पीछे स्थित हो तो मध्यम दृष्टिका फल होता है।

दीप्तांश

सूर्यके १५ अंश, चन्द्रके १२ अंश, मंगलके ८ अंश, बुधके ७ अंश, गुरुके ९ अंश, शुक्रके ७ अंश और शनिके ९ अंश दीप्तांश होते हैं।

उदाहरण—वर्षकुण्डलीमें सूर्य, मंगल और बुधकी शनिके ऊपर प्रत्यक्ष-स्नेहा दृष्टि है। सूर्य वर्षकालीन स्पष्टग्रहमें वृश्चिक राशिके पाँच अंशका आया है और शनि वर्के राशिके बारह अंशका आया है। अंशोंके मानमें सूर्यसे शनि ७ अंश आगे है। सूर्यके दीप्तांश १५ हैं, अतः शनि सूर्यके दीप्तांशके भीतर हुआ अतएव सूर्यकी दृष्टिका पूर्ण फल समझना चाहिए।

मंगलका स्पष्टमान ७।१७ और शनिका ७।१२ है। दोनोंके अंशोंमें ५का अन्तर है। मंगलके दीप्तांश ८ हैं, अतएव दृश्यग्रह दीप्तांशके

भीतर होनेसे पूर्ण फलवाली दृष्टि मानी जायेगी। इसी प्रकार अन्य ग्रहोकी दृष्टि भी समझ लेनी चाहिए।

वर्षेशका निर्णय

वर्षके पंच अधिकारियोमे जो ग्रह बलवान् होकर लग्नको देखता हो वही वर्षेश होता है। यदि पचाधिकारियोमे कई ग्रहोका बल समान हो तो जो लग्नको देखता है, वही ग्रह वर्षेश होता है।

पचाधिकारियोकी लग्नपर समान दृष्टि हो और बल भी बराबर हो अथवा पाँचो निर्बली हो तो मुन्थेश ही वर्षेश होता है। यदि पाँचोकी ही दृष्टि लग्नपर न हो तो उनमे जो अधिक बली होता है वही वर्षेश होता है।

कई आचार्योका मत है कि पचाधिकारियोकी दृष्टि एव बल समान हो तो समयाधिपति—दिनमे वर्षप्रवेश हो तो सूर्यराशीश और रातमे वर्ष-प्रवेश हो तो चन्द्रराशीश वर्षेश होता है।

चन्द्रवर्षेशका निर्णय

ताजिक शास्त्रके आचार्योंने चन्द्रमाको वर्षेश होना नही माना है। उनका अभिमत है कि कोमल प्रकृति जलीय चन्द्र अनुशासनका कार्य नही कर सकता है। दूसरी बात यह भी है कि चन्द्रमा मनका स्वामी है, और शासन मनसे नही होता है, उसके लिए शारीरिक बलकी भी आवश्यकता होती है। इसीलिए इस शास्त्रके वेत्ताओने चन्द्रमाको वर्षेश स्वीकार नही किया है।

यदि पूर्वोक्त नियमोके अनुसार चन्द्रमा वर्षेश आता हो तो वह जिस ग्रहके साथ इत्थशाल योग करता है, वही ग्रह वर्षेश होता है, यदि चन्द्र किसी ग्रहके साथ इत्थशाल नही करता हो तो वर्षकुण्डलीका चन्द्र राशीश ही वर्षेश होता है। उदाहरण—पूर्वोक्त उदाहरण वर्षकुण्डलीके पचाधि-कारियोमे सबसे बली मगल आया है, मगलकी लग्नपर दृष्टि भी है अतएव मगल ही वर्षेश होगा।

हर्षबल साधन

ग्रहोंके हर्षस्थान चार प्रकारके होते हैं।

१—वर्ष लग्नसे सूर्य ९वें, चन्द्र ३रे, मंगल ६ठे, बुध लग्नमें, गुरु ११वें, शुक्र ५वें और शनि १२वें स्थानमें हो तो ये ग्रह हर्षित होते हैं।

२—स्वगृह और स्वोच्चमें ग्रह हर्षित होते हैं।

३—वर्ष लग्नसे १।२।३।७।८।९वें भावोंमें स्त्रीग्रह और ४।५।६।१०।११।१२वें भावोंमें पुरुषग्रह हर्षित होते हैं।

४—पुरुषग्रह—रवि, मंगल, गुरु दिनमें और स्त्रीग्रह तथा नपुंसक ग्रह—शुक्र, चन्द्र, बुध, शनि रातमें वर्षप्रवेश होनेपर हर्षित होते हैं।

जहाँ हर्षबल प्राप्त हो वहाँ ५ विश्वात्मक बल होता है।

उदाहरण—प्रस्तुत वर्ष कुण्डलीमें प्रथम प्रकारका हर्षबल किसी ग्रहका नहीं है। द्वितीय प्रकारका हर्षबल स्वगृही होनेसे शुक्र और मंगलका है। तृतीय प्रकारका हर्षबल शुक्र चन्द्र, बुधका है, और चतुर्थ प्रकारका रातमें वर्षप्रवेश होनेके कारण चन्द्र, बुध, शुक्र और शनि इन चारों ग्रहोंका है।

हर्षबल चक्र

सू०	च०	भौ०	बु०	गु०	शु०	श०	ग्रह
०	०	०	०	०	०	०	प्रथम
०	०	५	०	०	५	०	द्वितीय
०	५	०	५	०	५	०	तृतीय
०	५	०	५	०	५	५	चतुर्थ
०	१०	५	१०	०	१५	५	ऐक्य

१. यहाँ स्त्रीग्रहों में शुक्र, बुध, शनि और चन्द्र इन चारोंको ग्रहण किया है।

मध्यएसिया का इतिहास
खण्ड २

मध्यएसिया का इतिहास
खण्ड २

दो खण्डो मे
खण्ड २

GYAN

Published by

Gyan Publishing House
5, Ansari Road
Daryaganj, New Delhi-110002
Phone: 011-47034999, 9811692060
E-mail: books@gyanbooks.com

Distribution Network
gyanbooks.com
India, USA, Canada, UK, Australia

ISBN: 978-93-7097-453-1 (Set)
978-93-7097-705-1 (HB)
First Published, 1942

2nd Impression 2025

Printed at: Gyan Press, Delhi.

मध्यएसिया का इतिहास खण्ड २
Author: राहुल सांकृत्यायन

मध्यएसिया का इतिहास

खण्ड २

राहुल सांकृत्यायन

समर्पण

परंगत डा० काशीप्रसाद जायसवालको

जिनकी स्मृति अठारह वर्षोंके अनन्त वियोगके बाद भी

मेरे जीवन की प्रिय निधि है

वक्तव्य

इस पुस्तक के प्रथम खण्ड के 'वक्तव्य' में यह निवेदन किया जा चुका है कि परिषद् ने इसका प्रकाशन किस परिस्थिति में क्यों स्वीकृत किया था और इसकी मुद्रणशैली में परिषद् की नियम-परम्परा से कुछ भिन्नता होने का कारण क्या है ;

प्रस्तुत खंड की छपाई १९५४ ई० में ही शुरू हो गई थी। पहला खंड इसके बाद छपने लगा और इससे एक वर्ष पूर्व ही प्रकाशित हो गया। इस खंड के प्रकाशन में अनिवार्य कारणों से विलम्ब तो हुआ, पर कठिनाइयों को देखते हुए विलम्ब स्वाभाविक जान पड़ता है। विज्ञ पाठक इस बात का अनुमान कर सकते हैं।

पहले खण्ड से इस खण्ड का आकार डेवढ़ा है। दोनों खण्ड मिलकर यह इतिहास एक हजार पृष्ठों से अधिक का हुआ है। इसकी विशालता के अनुसार लेखक की श्रमशीलता का अनुमान भी पाठक अनायास कर सकते हैं।

श्री राहुल जी की साहित्यसेवा पर विचार करने से ऐसा प्रतीत होता है कि उन्होंने साहित्य के विभिन्न विषयों पर जितना अधिक लिखा है, उतना दूसरा कोई एक साहित्यसेवी अबतक नहीं लिख सका है। उन्हें केवल उद्‌भट लेखक न मानकर एक सुप्रतिष्ठित साहित्यिक संस्था ही मानना उपयुक्त होगा। उनकी नई खोज और नई प्रतिभा की न देसे हुई हिन्दी-साहित्य की समृद्धि सादर उल्लेखनीय है।

वर्तमान युग की अन्तरराष्ट्रीय राजनीति में एसिया का महत्त्व दिन-दिन बढ़ रहा है। उसमें भी मध्य एसिया के साथ भारत के ऐतिहासिक सम्पर्क की प्राचीनता पर ध्यान देने से इस इतिहास की उपादेयता और भी बढ़ जाती है। इसकी प्रामाणिकता का अनुभव स्वयं पाठक ही कर सकते हैं, क्योंकि श्री राहुलजी के बहुवर्षव्यापी मौलिक अनुसन्धान के परिणाम-स्वरूप यह इतिहास तैयार हुआ है। अतः आशा है कि इससे हिन्दी के चिरकालानुभूत अभाव की पूर्त्ति होगी।

कार्त्तिक-पूर्णिमा, शकाब्द १८७९
नवम्बर, १९५८ ई०

शिवपूजन सहाय
(संचालक)

प्रस्तावना

पुस्तकके अंतिम खंडको पाठकोंके हाथ में जाते देखकर, मालूम होता है, एक बड़ा भार सिर से उतर गया। इस सारे समयमें कई बार आशा और निराशाके बीचमें भटकना पड़ा था। बाधायें कभी प्रकाशककी ओरसे और कभी प्रेसकी ओरसे आ जाती थीं। एक प्रेसमें प्रथम खंडके आठ-दस फार्म कंपोज हो जानेके बाद काम रुक गया, और अंतमें प्रकाशक बदलने पर ही गाड़ी आगे चली। द्वितीय खंडको मैंने स्वयं कागज दे कर अपनी जिम्मेधारीपर प्रेसमें दे दिया, पर प्रेसकी गड़बड़ी इतनी हो गई, कि आशा नहीं थी, नैया पार होगी। खैर, "कुफ्र टूटा खुदा-खुदा करके"। ऐसी बाधायें उपस्थित न हुई होतीं, तो ग्रंथ तीन साल पहले ही प्रकाशित हो गया होता।

मध्य-एसियाके इतिहासपर किसी भी भाषामें कोई विस्तृत ग्रंथ नहीं है। जो एकाध हैं भी, वह बहुत संक्षिप्त तथा कालमें बहुत दूरतक हमें नहीं ले जाते, और न वह आधुनिकतम सामग्रीपर आधारित हैं। मध्य-एसियाके इतिहासकी सामग्रीकी गवेषणा सोवियत रूसमें बहुत हुई है। किसी-किसी कालपर ग्रंथ भी लिखे गये, पर संपूर्ण कालके ऊपर लिखनेको आगेके लिये छोड़ दिया गया। इन बातों से लेखककी कठिनाई मालूम होगी। इस ग्रंथमें अनेक त्रुटियां होनी बिल्कुल संभव है। १९४७ के बाद की उपलब्ध सामग्रीका बहुत कम उपयोग मैंने कर पाया है। भारत में सोवियतमें प्रकाशित ग्रंथ और अनुसंधान-पत्रिकायें सुलभ नहीं हैं।

मध्य-एसियामें चीनी मध्य-एसिया भी शामिल है। जिसके किसी-किसी कालपर इस ग्रंथमें काफी विवेचन हुआ है, पर पूरी तौरसे लिखना बाकी है। मेरी इच्छा तिब्बत को लेते चीनके इतिहासपर पुनः विस्तृत ग्रंथ लिखनेकी है। यदि उसके लिखनेमें सफल हुआ, तो यह कमी पूरी हो जायगी। पर, इसमें आयु और भौतिक बाधायें ही रास्ता रोके नहीं हैं, बल्कि हमारे स्वतंत्र देशकी नौकरशाही भी पूरी तौरसे रोड़ा अटकाने के लिये तैयार है। अंग्रेजी शासनमें सिर्फ पहली बार मुझे छिपकर तिब्बत जानेकी जरूरत पड़ी थी। मेरे राजनीतिक विचार उस वक्त भी वही थे, जो आज हैं। पर, अंग्रेजी सरकार और अंग्रेज नौकरशाहोंने सांस्कृतिक कार्यके महत्वको समझते बाधा नहीं दी।

१९३४ ई० में मैं दूसरी बार तिब्बत जानेके लिये ब्रिटिश पोलेटिकल एजेंट के पास गंतोकमें आज्ञापत्र लेने गया। नाम मालूम होते ही वह बड़े हर्षके साथ मिले। और आज्ञापत्र ही नहीं दिया, बल्कि अधिक आत्मीयता दिखलाने के लिये तिब्बतमें अपने लिए हुए फोटो दिखलाये, कितनी ही बातें पूछीं। उसीके स्थानपर १९५० में जो भारतीय सज्जन थे, वह मिलनेपर बिलकुल दूसरे ही साबित हुए। उन्हें तिब्बतके बारेमें कोई जिज्ञासा नहीं थी, और शिष्टाचारके नाते ही एक-दो मिनटके लिये मिले। नौकरशाही ने एक बार पासपोर्ट देनेसे इन्कार किया, खैर, दूसरी बार कोशिश करने पर वह मिल गया। उसके लिये बड़ी उत्सुकता इसी कारण है, कि तिब्बतमें भारतीय संस्कृत-ग्रंथोंकी नई तालप्रतियोंके मिलनेकी संभावना है।

ग्रंथके प्रकाशित होनेका सबसे अधिक श्रेय श्रीजगदीशचंद्र माथुर (तत्कालीन शिक्षा-सचिव, बिहार) और श्री शिवपूजन सहाय को है। शिवपूजन बाबू तो ग्रंथको प्रकाशित देखनेके लिये मुझसे भी अधिक उतावले थे।

मंसूरी,

२०-९-५७

राहुल सांकृत्यायन

विषय-सूची

भाग ३

उत्तरापथ (१५९-१८०१ ई०)

मध्य एसिया का इतिहास

खण्ड २

भाग १

उत्तरापथ (१२००–१५५० ई०)

अध्याय १

चीनमें मंगोल-वंश

(१२००-१३६८ ई०)

१. छिङ-गिस् (१२०६-२७ ई०)

मध्य-एसियामें मंगोलोंका राज्य कोई अलग-थलग नहीं था, बल्कि कितने ही समय तक चीनपर शासन करनेवाले मंगोल हगान (खाकान, खआन, खान) को ही सभी मंगोलखान अपना अधिराज मानते थे। १३ वीं सदीमें कोरियासे पोलंद और साइबेरियासे पंजाब तक मंगोलोंका साम्राज्य फैला हुआ था। छिङ-गिस्ने अपने विशाल साम्राज्यको अपने जीवन हीमें चारों पुत्रोंमें बांट दिया था, लेकिन साथ ही यह व्यवस्था की थी, कि सभी खान अपनेमेंसे एकको अपने ऊपर मानते हुये साम्राज्यमें एक तरहकी एकता कायम रक्खें। घुमन्तू जातियोंमें एक तरहकी जनतंत्रता स्वाभाविक है। घुमन्तू राजा घुमन्तुओंकी अपनी जिस सेनाके बलपर देश-विजय करते हैं, उसे अपने पक्षमें रखनेके लिये सैनिक जनतंत्रता कायम रखना जरूरी है। अपने पूर्वज घुमन्तू-राज्योंकी भांति छिङ-गिस्के साम्राज्यमें भी सैनिक जनतंत्रता थी। कोई बड़े सवालका हल, या खानका निर्वाचन कूरिल्ताईमें होता था, जो सभी राजकुमारों, सैनिक सरदारों और जन-नायकोंसे मिलकर बनी थी।

मध्य-एसियामें मंगोलोंके शासनके इतिहासके समझनेके लिये जरूरी है, कि हम चीनके मंगोल-राजवंशके इतिहासको भी समझें, साथ ही सुवर्ण-ओर्दू, और ईरानके खुलागू-वंशको भी हम नहीं छोड़ सकते। इन सबका मैत्री या शत्रुताके रूपमें बहुत घनिष्ठ सम्बन्ध रहा। तंगुत नगरके विजयके वक्त छिङ-गिस् आहत हुआ था, जिससे ही अपने चलते-फिरते प्रासाद या महा-गाड़ीपर ही वह १८ अगस्त १२२७ ई० को मर गया। दुनियामें और राजाओंको भी अपने पुत्रोंमें राजका बंटवारा करते हम देखते हैं, लेकिन उसका एकमात्र परिणाम उनका जल्दी ही छिन्न-भिन्न हो नष्ट होनेके सिवा और कुछ नहीं होता। छिङ-गिस् युद्ध और शासनकी व्यवस्थामें अद्भुत प्रतिभा रखता था, इसलिये उसके बंटवारेने कोई उस तरहका दुष्परिणाम तुरंत नहीं दिखलाया और करीब-करीब १२९४ ई० तक खुबिलेके शासनके अन्त तक मंगोल-साम्राज्य बहुत शक्तिशाली और एकताबद्ध रहा, जिसमें छिङ-गिस्की दूरदर्शिताका हाथ भी था, इसमें संदेह नहीं। छिङ-गिस्के मरनेके बादही मंगोल-विजययात्रा मन्द नहीं हुई। १२७९ ई० से सम्पूर्ण चीन, हिन्द-चीन और बर्मापर खुबिले (कुबिलेइ) का शासन स्थापित हुआ। पश्चिम-दक्षिणमें कितना राज्य-विस्तार हुआ, उसके बारेमें हम आगे कहेंगे। छिङ-गिस्के मरनेके एक साल बाद (१२२८ ई० में) मंगोल-सेना ईरानमें अस्पहान तक पहुंची थी।

छिङ-गिस्की मृत्युके बाद तुरंत ही नये हगान (खान) का चुनाव नहीं हुआ। दो साल (१२२९-ई०) तक छिङ-गिस्-पुत्र तू-लुइ और उसकी रानीकी देख-रेखमें शासन होता रहा और इस सारे समयमें मंगोलोंकी शक्ति घटनेकी जगह बढ़ती ही रही, यह छिङ-गीसी व्यवस्थाका चमत्कार था।

चीनमें निम्न मंगोल खाकान हुये—

१. छिङ-गिस् (चिङ-गीस, ताइ-चुङ)	१२०६-२७ ई०
२. उगेताइ (ताइ-चुङ छिङ-गिस्)-पुत्र	१२२९-४६ "
३. गू-युग (गोदन, उगेताइ-पुत्र चिङ-चुङ)	१२४६-५१ "
४. मुङ-खे (मङ-गू थोलोइ-पुत्र स्यान्-चुङ)	१२५१-५९ "
५. कुबिलइ (ह्वो-बिलइ तू-लोइ-पुत्र, छिङ-गिस्-पौत्र शिचुङ)	१२६०-९४ "

६. थु-बू-थेमुर (ह्वो-बिलइ-पौत्र छिङ-येन्-पुत्र चेङ-चुङ) १२९४-१३०७ "
७. खू-लुग (धर्मपाल-पुत्र वू-चुङ) १३०७-११ ,,
८. बोयन्-थू (धर्मपाल-पुत्र जुन्-चुङ) १३११-२० ,,
९. गे-गेन् (शुद्धफल, बोयन्-थू-पुत्र यिङ-चुङ) १३२०-२३ ई०
१०. यि-सु-थेमुर, (ताइ-चिङ-ती कमल-पुत्र) १३२३-२८ ,,
११. रिन्-छेन्-फग् (यिसु-पुत्र यू-चू) १३२८ ,,
१२. कुसलइ, (मिङ-चुङ खू-लुग-पुत्र) १३२८-२९ ,,
१३. थुग्-थेमुर, (वेङ-चुङ बोयन्-थू-पुत्र) १३२९-३२ ,,
१४. रिन्-छेन्-पल् (कुशल-पुत्र मिङ-चुङ) १३३२-३३ ,,
१५. थेगन्-थेमुर, (शुङ-त थुग्-थेमुर-पुत्र) १३३३-६८ ,,

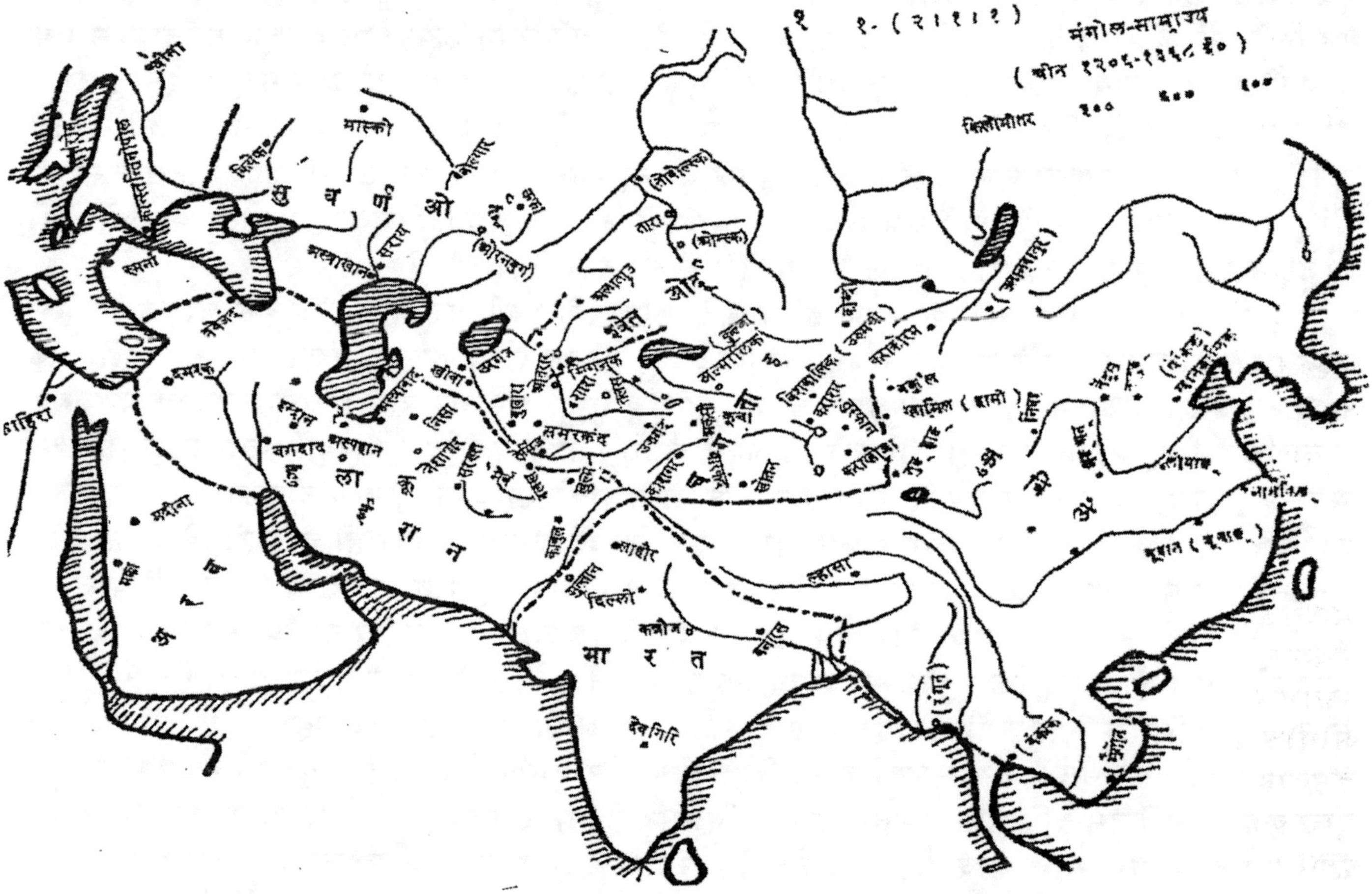

२. उगेताइ, ओगोताइ, ताइ-चुङ (१२२९-४६ ई०)

१२२९ ई० में नये हगानके चुननेके लिये कूरिल् ताई (महापरिषद्) बैठी। तीन दिन तक खूब भोजन-पान होता रहा। कूरिल्ताई एक रायसे उगेताइको हगान निर्वाचित करना चाहती थी, लेकिन उगेताइ इसके लिये तैयार नहीं था। ज्येष्ठ-पुत्र जू-छिके मर जानेसे द्वितीय पुत्र चगताइ अपनेको उत्तराधिकारी समझता था, इसलिये वह उगेताइको क्यों पसंद करता? लेकिन कूरिल्ताईके निर्णयके विरुद्ध जाना उसके मानकी बात नहीं थी। अन्तमें उगेताइको हगान निर्वाचित कर उसे नम्देके ऊपर बैठा सरदारोंने कंधेपर उठाकर घुमाते हुये राजगद्दी देनेकी रसम अदा की। खूब घोड़ेके मांस और कूमिस-पान की दावत हुई, विजयकी अपार धन-राशिको उत्तराधिकारियोंमें बांटा गया। कूरिल्ताईने येल्यु चुत्साइको कोषाध्यक्ष बनाया, जो कित्तन-राजवंशी तथा बड़ा ही प्रतिभाशाली व्यक्ति था। योग्य राजनीतिज्ञ होते हुये वह ज्योतिष, गणित, भूगोल और वैद्यकका भी अच्छा पंडित था, और पहले ही पेकिङ नगरका

वह राज्यपाल रह चुका था। येल्युका जन्म ११९० ई० में हुआ था, इस प्रकार राज्य-शासकके इस सर्वोच्च पदपर वह ३९ वर्षके उमरमें पहुंच गया। कूरिल्ताईने जू-छि-पुत्र सुन्ताइको बातूके साथ यूरोप-विजयके लिये भेजा। मध्य-एसियाकी मंगोल-सेनाने आगे बढ़कर मेसोपोतामिया, दियारबेकर, और आसपासकी भूमिका सर्वसंहार किया। चीनमें अपने बचे-खुचे राज्यके लिये खैरियत मनाते किन्-सम्राट्ने मंगोलोंसे सुलह करनी चाही, लेकिन मंगोल एक समय दो सम्राट् माननेके खिलाफ थे। किनोंने जानपर खेलकर मुकाबिला किया और मंगोलोंको १२३० ई० में दो बार करारी हार दी। किन्-खतरा इतना बढ़ गया, कि उगेताइ और उसके भाई तू-लुइने स्वयं सेनाकी बागडोर अपने हाथमें ली। इस समय शेन्सी सारा मंगोलोंके हाथमें था और किन् (सुवर्ण) केवल होनान्के शासक रह गये थे। मंगोल कोरियापर भी हाथ साफ करना चाहते थे, इसलिये वहांके राजाने मंगोल-राजदूतको मार डाला। इसपर मंगोल-सेनाने आक्रमण करके १२३२ ई० में कोरियापर अधिकार कर लिया। १२३२ ई० में सफल अभियानके बाद दोनों भाई मंगोलिया लौट आये, वहीं अक्तूबरमें तू-लुइका देहांत हो गया। अब छिङ-गिस्-पुत्रोंमें जगतइ और चीन-सम्राट् उगेतइ बच रहे थे।

छिङ-गिस् (चंगेज) के जीवनमें ही एक बार मंगोल-सेना रूसके भीतर तक विजय-यात्रा कर आई थी। लेकिन वह बहुत कुछ लूट-मारका अभियान था। अब वह विजय करके वहां अपना दृढ़ शासन स्थापित करनेके लिये बढ़ी थी। सुन्ताइने बोल्गाके किनारे अवस्थित बोल्गारोंकी राजधानी बोल्गार नगरको जीतना चाहा। बोल्गारोंसे पश्चिममें रहनेवाले रूसी खतरेको समझ गये थे : बोल्गार-ध्वंसके बाद मंगोल हमपर पड़ेंगे। इसीलिये कियेफ और स्मोलेन्स्कके रावलों (राजुलों) ने बोल्गारोंकी मदद की, जिससे उनकी राजधानी बच गई।

१२३४ ई० के मई महीनेमें चीनमें ११८ वर्ष शासन करनेके बाद किन्-राजवंश समाप्त हुआ। अब दक्षिणी चीनमें सुङ-वंश बच रहा था, जो काफी शक्तिशाली था, इसलिये मंगोल उससे जल्दी छेड़खानी करनेके लिये तैयार नहीं थे। किनोंपर आक्रमण करते समय उन्होंने वचन दिया था, कि इस विजय के बाद हम सुङ-वंश के लिये होनान खाली कर देंगे, लेकिन उन्होंने वैसा नहीं किया। अदूरदर्शी दरबारियों ने मंगोल-शक्तिका ठीक अंदाजा नहीं लगा सुङ-सम्राट्को भड़काया। छङ-अन् (सि-यन-फू, शेन्सीमें), लोयाङ (होनान्) और पेन-किङ (नानकिङ) यह तीन सुङ-वंशकी राजधानियां थीं। सुङ-सेनापतिने आक्रमण करके लोयाङ और पेन-किङको मंगोलोंके हाथसे मुक्त करा लिया। यह "आ बैल मुझे मार" वाली कहावत थी। मंगोलोंको अब सुङ-वंशकी ओर ध्यान देना जरूरी था। इतने बड़े निर्णयको हगान स्वयं नहीं कर सकता था, उसके लिये उसने १२३५ ई० में महा-कूरिल्ताई बुलाई। जिसने सुङ-वंशको खतम करनेका निश्चय किया। दक्षिणी चीनके विरुद्ध तीन सेनायें भेजी गईं, जिनमें एकको सेनापति ओगोताइ-द्वितीय-पुत्र कू-तन तथा जेनरल तेंगरीके नेतृत्वमें सूचाउकी ओर बढ़ना था। दूसरी सेना तुमूताइ और चाङ-जूके अधीन हू-कुङके ऊपर चढ़ी, ओगोताइका तृतीय पुत्र कू-चू, राजकुमार खुन-बुका और जेनरल चागनके नेतृत्वमें तीसरी सेना क्याङ-नान्की ओर बढ़ी। इसी समय जू-छीके पुत्र बातूको पश्चिम-दिग्विजयका काम सौंपा गया।

मार्च, १२३६ ई० में कू-चूने सुङ-राज्यकी प्रधान नगरी सियाङ-याङपर अधिकार कर लिया। मंगोल-साम्राज्यकी सीमा दक्षिणमें अब याङ-ची तक पहुंच गई।

खु-बिले (कुबिलेइ) के पहले मंगोल-साम्राज्यकी राजधानी मंगोलियामें ओरखोन् और तुला नदियोंके बीच कराकोरम थी। राजधानी कहनेसे यह न समझना चाहिये, कि वहां कोई नगर बसा हुआ था। राजधानीका मतलब इतना ही था, खान सरदारोंके साथ मीलोंतक लगे नम्दे और दूसरे प्रकारके तम्बुओंमें अपने घोड़ों और पशुओंके साथ रहता था। ओगोताइने पहलेपहल वहां एक विशाल प्रासाद बनवाया, जिसका उद्घाटन १२३६ ई० में हुआ। इस प्रासादके बनानेमें बहुत परिश्रम किया गया था। चीनी कलाकारों ने मूर्तियों और चित्रोंसे उसे अलंकृत किया था। इसके चारों तरफ बगीचे लगे थे, और चारों दिशाओंमें चार बड़े-बड़े दरवाजे थे, जिनमेंसे एक हगान (सम्राट्) के लिये, दूसरा राजकुमारों, तीसरा अन्तःपुरिकाओं के लिये था, चौथे दरवाजेसे साधारण जनता जा सकती थी। महलके चारों ओर बड़े-बड़े सरदारोंके अपने महल थे, जिनके बाद बड़ा नगर था, जिसको ओर्दू-बालिक या

कराकोरम कहते थे। नगरके चारों ओर ऊंची प्राकार थी। कराकोरममें सम्राट्के निजी पारिवारिक खर्चेके लिये प्रतिदिन पांचसौ गाड़ी भोजन-सामग्री आती थी। उसमेंसे कुछ वह अपने परिवारके लिये खर्च करता, बाकी दूसरोंमें वितरित करता। इसी समयसे मंगोल घुमन्तुओंका सादा जीवन खतम होने लगा और वह हर बातमें दुनियाकी सभ्य जातियोंकी नकल करने लगे।

ईरान और काकेशसकी ओर अब मंगोल अपना हाथ-पैर बड़ी दृढ़तासे बढ़ा रहे थे। १२२७ ई० में अरास और कुरा नदी तक अरमेनियापर उनका अधिकार हो गया। उसी साल उन्होंने जार्जिया (गुर्जी) को विजय करते अरमेनियाकी राजधानी अनीका संहार किया। इसी साल २१ दिसम्बरको साइबेरियाके कीमती समूरोंके सबसे बड़े बाजार बोल्गारपर बा-तूने आक्रमण कर उसे नष्ट कर दिया, सो भी ऐसा कि जिसके देखनेके लिये नगरमें एक भी आंख नहीं बच रही। पांच वर्ष पहले आत्मरक्षा करके बोल्गार नगरीने जो गुस्ताखी दिखलाई थी, मंगोलोंने उसका इस तरह बदला लिया। सिर-दरिया और अराल के उत्तर दूर तक फैली किपचक भूमिके हूणवंशधर घुमन्तू लड़नेमें मंगोलोंसे कम नहीं थे, इसलिये उनपर अधिकार करना मंगोलोंके लिये टेढ़ी खीर था। १२३८ ई० में तू-लुइ (थो-लोइ) के पुत्र मुङ-खे (मङ-गू) ने अपने भाई बुद्-जेकके साथ कास्पियनके किपचकोंपर आक्रमण कर उन्हें जीत लिया। किपचक-राजा पतचीमन और असेत (ओसेत)-राजा कचर ओगोला मारे गये। कोल्मना नगर भी मंगोलोंके हाथमें चला गया और उसका राजा रोमन ईगरपुत्र वीरगतिको प्राप्त हुआ। १५ फर्वरीको मास्को लेते उन्होंने ब्लादिमिर नगरपर अधिकार कर, पुरोहितोंको छोड़कर मंगोलोंने किसीको प्राणदान देना पसंद नहीं किया। वह वस्तुतः किसी देशमें भी युद्धको केवल राजनीतिक युद्ध रखना चाहते थे और उसे धार्मिक युद्धका रूप न लेने देनेके लिये हर तरहकी कोशिश करते थे।

ओगोताइको राज्य करते ११ साल हो गये थे, जब कि दिसम्बर १२४० ई० में बा-तूकी सेनाने कियेफ नगरका सर्वसंहार किया, वहां की सारी कलाकृतियां और इमारतें अग्निसात् कर दीं। तबसे १५ वीं सदी तकके लिये कियेफ नगर उजाड़ हो गया। इसी साल अरमनीका राजा आवक अपनी बहिन तमता के साथ ओगोताइके दरबारमें सम्मान प्रकट करनेके लिये गया। उसी साल किपचक-राजा ओतियक मलदावियाकी ओर भागा।

१२४१ ई० में मंगोल-सेना लुबलिन नगरमें दाखिल हुई और उसने विस्तुला तकके प्रदेशको लूटा तथा जलाया। मार्चमें मंगोल क्राकोफ नगरमें थे, फिर लूटते-मारते आग लगाते सेलिसियाकी ओर बढ़े। ओडेर नदीको रतिबरके पास पार कर वह ब्रेसलाके सामने पहुंचे। आगे भी योजना बना वह लूटते-पाटते लिग्नित्ज़ नगरकी ओर बढ़े, जहांपर बीस हजार सेनाके साथ ड्यूक हेनरी द्वितीय मुकाबिलेके लिये तैयार था। मंगोल-सेना एक लाख बतलाई जाती है, जिसमें संदेह है। काइड नदीके तटपर अवस्थित उस मैदानमें—जहां पीछे वाल-स्टाट (युद्धक्षेत्र) गांव बसा—९ अप्रैल १२४१ ई० को वह युद्ध हुआ, जिसने यूरोपके भाग्यका फैसला किया। मंगोल बिजय नहीं प्राप्त कर सके, और खिसियाये हुये वहांसे एक लीगपर अवस्थित लिग्नित्ज़ नगरको जलाते पीछे हटे। इस युद्धमें मरे लोगोंके कान ९ बोरे हुये थे।

इससे पहले ही १२ मार्चको बा-तूने पेस्तसे साढ़े तीन दिनके रास्तेपर हुंगरोंको हराया था। लिग्नित्ज़से लौटकर उसने दलमासियाको लेते अद्रियातिक समुद्रके तटपर क्रोसियन (यूगोस्लाविया) तककी विजय-यात्रा की।

इस प्रकार ११ दिसम्बर १२४६ ई० में अपनी मृत्युके समयसे पांच साल पहले ही ओगोताइने अपने साम्राज्यको पश्चिममें अद्रियातिक समुद्र और ओदेर नदीके पास तक फैले देखा। मंगोलोंका कोई अपना सामन्तवादी धर्म नहीं था, इसलिये धर्मके बारेमें वह बड़ी उदारता और तटस्थता दिखलाते थे, जिससे फायदा उठानेके लिये १२४५ ई० में ईसाइयों की ल्योन-परिषद् ने मंगोलियामें मिशनरी (धर्मदूत) भेजने का निश्चय किया।

३. गू-युग, कू-युक, गो-दन, चिङ-चुङ (१२५१-५९ ई०)

गू-युग ओगोताइ अर्थात् बड़े हगानका पुत्र था, जिसे कूरिल्ताईने अगस्त महीनेमें खान निर्वाचित किया। यद्यपि वक्षु (आमूदरिया) के दक्षिण दिग्विजयके (खुलाकूकी अधीनतामें) सुव्यवस्थित रूपसे होनेमें अभी तीन सालकी देर थी, लेकिन मंगोल-सेनायें खुरासान और अफगानिस्तानपर छाई

हुई थीं। १२५१ ई० में मंगोलोंने लाहौरको लूटा और जलाया, इस समय दिल्लीके तख्तपर नासिर खुसरू था।

४. मुङ-खे, मङ-गू, स्यान्-चुङ (१२५१-५९ ई०)

मुङ-खे थो (लो) लोइका पुत्र तथा खु-बि-लेई (कुबिलेइ) का अग्रज था। अबसे एक तरह सिंहासन थो-लोइकी संतानमें चला गया। इन्हीं दोनों भाइयोंका छोटा भाई खु-ला-कू (हुलाकू) था, जिसने ईरान और मेसोपोतामियापर भी अपनी संतानों के लिये विजय प्राप्त की। १२५१ ई० में ही, जिस साल कि लाहौर का सर्वसंहार हुआ, मंगोल-सेनायें मेसोपोतामियामें प्रविष्ट हुईं, जहां उन्होंने दियारबेकर और मेयाफरकिनका सर्वसंहार किया। इसी समय उत्तराधिकारके लिये झगड़ेका परिणाम मंगोल-राजकुमारोंमें वैमनस्यके रूपमें दिखलाई पड़ा, जिसके लिये १२५२ ई० में कूरिल्ताई बुलाई गई। इसी कूरिल्ताईने जहां राजकुमारोंके मुकदमोंका फैसला किया, वहां जागीरों और अधिकारोंका बंटवारा भी किया। तुङ-कुङ-चुङ-फू (शेन्सी), होनान् कुबिलेइ (हूबिलेइ) को जागीरमें मिले। उसे सुङ-वंशके खिलाफ दक्षिण-चीन में अभियान करनेवाली सेनाका सेनापति भी नियुक्त किया गया। खाकानके दूसरे भाई खुलाकू (हुलाकू) को ईरानकी ओर बढ़नेका काम सौंपा गया, जिसकी सहायताके लिये कितू-बुकाको नियुक्त किया गया। लेकिन अभी खुलाकूकी दिग्विजय मध्य-एसियाके पहाड़ों ही तक सीमित थी।

सबसे कड़ा संघर्ष दक्षिणी चीनमें सुङ-वंशके साथ होनेवाला था, जिसके लिये कुबिलेने बड़ी तैयारी (१२५३ ई०) की। शेन्सीमें उसने एक बड़ी सेना जमा की, लेकिन दक्षिणकी ओर बढ़नेमें जल्दी नहीं की—मंगोल-सेनायें पूरी तैयारी और योजनाके साथ अपना अभियान किया करती थीं। १२५३ ई० में ही मंगोल-सेनाओंने पूर्वी तिब्बत ले लिया, और उसी साल मुल्तान भी उनके हाथमें चला गया। इसी साल ईसाई मिशनरी रुबरिक मुङ-खेके दरबारमें कराकोरम पहुंचा। उसने अपने यात्रा-विवरणमें मंगोल-साम्राज्य, उसके राजपथों और राजधानीका बहुत अच्छा वर्णन किया है। उसके लिखनेसे मालूम होता है, कि राजपरिवारके लोग ईसाई, बौद्ध और मुसलमान सभीकी पूजाओंमें शामिल हुआ करते थे। मार्को पोलोकी महान् यात्रा मुङ-खेके भाई कुबिलेके समय हुई, लेकिन रुबरिकका यात्रा-विवरण भी कम महत्व नहीं रखता।

फर्वरी १२५४ ई० में खुलाकूने अपनी विजय-यात्रा आरम्भ की। भारी सेनाके साथ वह ईरानकी ओर बढ़ा। संसारमें चारों तरफ मंगोलोंकी धाक जमी हुई थी। "एक बार खूनके कीचड़ और खोपड़ियोंके बड़े-बड़े मीनार खड़ा कर गांवों और नगरोंको ऐसा ध्वस्त कर दो, कि वहां कोई रोनेवाला न रहे, फिर कोई मंगोलोंके खिलाफ उठनेकी हिम्मत नहीं करेगा"——उनकी यह नीति सफल हो रही थी। १२५६ ई० में लालो, पूर्व-दक्षिणी तिब्बत और आवा (बर्मा) के राजाओंने अधीनता स्वीकार की। कोरियाका राजा अधीनता और सम्मान-प्रदर्शन करने के लिये स्वयं हगान (खाकान) के दरबारमें पहुंचा। अगले साल (१२५७ ई० में) तोङ-किन् (अनाम) और था नदी तककी भूमिने मंगोलोंको अपना स्वामी स्वीकार किया। सुङ-राज पूरी तौरसे खतम नहीं हो पाया था, लेकिन कुबिलेइके प्रहारोंसे अब वह कुछ ही दिनोंका मेहमान था। कुबिलेइकी इस सफलतापर मुङ-खेको ईर्ष्या होने लगी। दरबारियोंने उसे भड़काया, कि कुबिलेइ स्वयं खाकान बनना चाहता है। कुबिलेइको जब यह खबर लगी, तो वह जल्दी-जल्दी अपने भाईके दरबारमें पहुंचा। उसके सौहार्द और अधीनता-प्रदर्शनसे मुङ-खे बहुत प्रसन्न हुआ और कुबिलेइके साथ स्वयं सुङ-राज्यपर आक्रमण करने चला। इसी साल हगानने अपने भाई खुलाकूको वक्षुके दक्षिणका सेनापति नियुक्त किया।

१८ फर्वरी (१२५९ ई०) को मुङ-खे चुङ-कुये (सू-चाउ) में मर गया। इस समय तक सारा मंगोल-साम्राज्य एक था, और भिन्न-भिन्न खानोंने अपनी स्वतंत्रता घोषित नहीं की थी।

५ कुबिलेइ, ह्वोबिलेइ, स-छेन्, शि-चू, (१२६०-९४ ई०)

ह्वोबिलेइ कुबिलेइ खानके नामसे अधिक प्रसिद्ध है। भाईके मरनेके बाद इसने कूरिल्ताईके निर्वाचनकी प्रतीक्षा न कर तुरन्त अपनेको हगान घोषित किया, लेकिन कूरिल्ताईकी रसमको वह हटाना नहीं

चाहता था। इसी साल उसने शाङ-तू (कै-पिङ-हू) में अपने लिये एक प्रासाद तथा कितने ही बौद्ध मंदिर बनवाये। मंगोल-सम्राटोंमें यही सबसे पहला सम्राट् था, जिसने सांस्कृतिक बातोंके महत्वको समझा। इसने जहां सांस्कृतिक जीवनकी बहुत-सी बाहरी बातें चीनसे लीं, वहां धर्मके रूपमें बौद्धधर्मको स्वीकार किया। गद्दी पर बैठनेके साल ही इसने शाङ-तूमें कुरिल्ताई बुलवाई, जिसने कुबिलेइको खाकान घोषित किया। फिर लाखोंकी संख्यामें एकत्रित सैनिकों और हजारों सरदारोंकी चार दिन तक भारी दावत चलती रही, बड़ा महोत्सव मनाया गया। इतना सब होनेके बाद भी गृहयुद्धकी आग भड़क उठी, जिसमें कुबिलेइके एक अपने भाईने भी हाथ बंटाया। कुबिलेइका छोटा भाई हुलाकू दूर ईरानमें था। वह आखिर तक अपने भाईका अनुगामी हो अपने राज्यको बृहत् मंगोल-साम्राज्यका अंग मानता रहा। इसका प्रभाव एक यह भी हुआ, कि ईरान और मेसोपोतामिया जैसे मुस्लिम दुनियाके गढ़में हुलाकू-वंश पीढ़ियों तक अपनेको बौद्ध रखनेकी कोशिश करता रहा। १२ सितम्बर १२५९ ई० को प्रस्थान कर हुलाकूने दियारबेकर, जजीरत (मेसोपोतामिया), रोहा, एदेस्सा, अर्जरुम और निसिबीपर अधिकार कर लिया। रोहाके पास उसने भारी सैनिक प्रदर्शन किया, जिसमें अरमेनिया, रूम (सल्जूकी) आदिके राजा भी उपस्थित थे। प्रतिरोध करनेके अपराध में हलब (अलेप्पो) का सर्वसंहार हुआ। दमिश्कने आसानीसे मंगोल-जूआ स्वीकार कर लिया। इसी समय १२६० ई० में कुबिलेइके नामसे हुलाकूने नोट चलाया, जो दुनियाका सबसे पुराना कागजी नोट था।

दो वर्षके शासनमें गृह-युद्ध इतना भयंकर रूप ले चुका था, कि उसे दबानेके लिये १२६१ ई० में कुबिलेइको स्वयं मंगोलियापर धावा करना पड़ा। इस लड़ाईमें उसका प्रतिद्वंद्वी अरिग्बूका पराजित हो कुछ दिनों बाद मर गया। कुबिलेइ अब अपनी स्थितिको ज्यादा मजबूत समझता था। यद्यपि चीनमें भी बौद्ध-धर्मका प्रचार था, लेकिन कुबिलेइने उसे तिब्बतसे स्वीकार किया। जिस समय मंगोल-सेनायें देश-विजयमें लगी हुईं थीं, उसी समय तिब्बतके एक दूरदर्शी तथा अद्वितीय विद्वान् सक्या महापंडित आनन्दध्वजने—जो सक्यापण्छेन्के नामसे अधिक प्रसिद्ध हैं—मंगोलियामें अपने धर्मप्रचारक भेजे। ईसाई रबरिक और मुल्लाओंको अपने काममें उतनी सफलता नहीं मिली, जितना कि गुमनाम तिब्बतसे आये बौद्ध-धर्मदूतोंको। सक्या पण्-छेन्के उत्तराधिकारी तथा भतीजे लो-डो-ग्यल्-छेन्को कुबिलेइके गुरु बनने का सौभाग्य प्राप्त हुआ। १२६१ ई० में कुबिलेइने अपने गुरुको फग्-पा लामा (आर्यगुरु) की उपाधि दी, जिसके ही नामसे वह आजकल तिब्बतमें मशहूर हैं। कुबिलेइको दूर मंगोलियाका कराकोरम राजधानीके लिये अनुकूल नहीं मालूम हुआ। पितृदेश होनेके कारण मंगोलियाके साथ चाहे जितना ही सद्भाव हो, लेकिन एक विशाल साम्राज्यके शासनके लिये उपयुक्त स्थान वही हो सकता था, जहांसे यातायातकी सुविधा हो। पे-किङको ऐसा ही स्थान कुबिलेइने समझा और वही उसकी राजधानी बनी। १२६३ ई० में कुबिलेइने पितरोंकी पूजाके लिये वहां एक विशाल ताइ-म्याउ (धर्मशाला) बनवाई।

सुङ-राज्यका अभी खातमा नहीं हुआ था। १२६४ ई० में सुङ-सम्राट् ली-चुङके मरनेपर उसका भतीजा तू-चुङ गद्दीपर बैठा। मंगोलोंने सुङ-शक्तिको इतना सीमित कर दिया गया था, कि कुबिलेइ को उससे बहुत खतरा नहीं था, अतएव उसे जल्दी नहीं थी। १२६५ ई० में जगताइ खान मुबारकशाह मर गया, कुबिलेइने उसकी जगह बोरकको खान बनाया। अभी कुबिलेइका प्रतिद्वंद्वी अरिग्बूका जिंदा था और १२६६ ई० में उसके मर जानेपर ही कुबिलेइको भारी खतरेसे मुक्ति मिली। इसी साल कई और मंगोल-खानोंकी मृत्यु हुई। सुवर्ण-ओर्दू खान बेरेक, जगताइ खान अलगू और मुबारकशाह, ईरानका खान हुलाकू मर चुके थे। हुलाकूकी जगह अबका ईरानका, मेंगू तेमूर सुवर्ण-ओर्दूका और जगताइका मुबारकशाह खान बनाये गये। मुबारकशाहके जल्दी ही मर जानेपर कुबिलेइने बोरकको उसके स्थान पर नियुक्त किया।

१२६७ ई० में कुबिलेइने सुङ-वंशका उच्छेद करनेके लिये दक्षिणी चीनके बचे हिस्सेपर आक्रमण किया। सबसे कड़ी लड़ाई सियाङ-याङ (सियाङ-फू) में हुई। १२६८ ई० में मंगोल-सेनाने उसे चारों ओरसे घेर लिया, लेकिन उसे तीन साल तक नगरपर अधिकार करनेमें सफलता नहीं मिली। १२६६ ई० में कुबिलेइने जापानको अधीनता स्वीकार करनेके लिये पत्र लिखा, लेकिन अभिमानी जापानियोंने उसे माननेसे इन्कार कर दिया। सियाङ-याङके मुहासरेके आरम्भके साथ-साथ कुबिलेइने जापानपर आक्र-

मण करनेके लिये भारी तैयारी करनी शुरू की। द्वीप होनेके कारण जापानपर नौसेनासे ही आक्रमण किया जा सकता था, जिसके लिये हजारों जंगी जहाज बनाये जाने लगे।

चीनी भाषाके लिखनेके लिये वर्णमाला नहीं शब्द-संकेतका उपयोग होता है, जिसमें अंकोंकी तरह कुछ सुभीते भी हैं, लेकिन उसमें उच्चारण-संकेतके लिये कोई स्थान नहीं है। मंगोल-भाषा उइगुर (सिरियावाली) लिपिमें लिखी जाती थी, जिसमें डेढ़ दर्जन भी अक्षर न होनेसे उच्चारण ठीक-ठीक रखना सम्भव नहीं था। कुबिलेइके कहनेपर भारतीय और उससे निकली तिब्बती लिपिसे सुपरिचित होनेके कारण फग्पाने १२६९ ई० में मंगोल-भाषाके लिये एक विशेष लिपि बनाई। इसी साल उसे कुबिलेइने ता-पाउ-फा-वङकी उपाधि प्रदान की। १२७१ ई० में कुबिलेइने अपने वंशका नया नाम यु-अन रखा, जिस नामसे वह वंश आज भी चीनमें प्रसिद्ध है। इसी साल बर्मा (मी-यन) के राजासे अधीनता मनवानेके लिये मंगोल-सेना भेजी गई। १२७४ ई० में जहां सियाङ-याङके विजयसे सम्राट्को बड़ी प्रसन्नता हुई, वहां यह खबर सुनकर बहुत खेद भी हुआ, कि मंगोल नौसेना चु-सिमाकी खाड़ी में जापानियों द्वारा घोर रूपसे पराजित हुई, सारा सैनिक बेड़ा नष्ट हो गया। इसमें शक नहीं उस समय जापानियोंसे भी भारी शत्रु सामुद्रिक तूफान हुआ।

अज्ञात समुद्रके बीचमें हुई चु-सीमाकी हार कुबिलेइके विशाल साम्राज्य में उसकी धाकके कम होनेका कारण नहीं हो सकती थी। हां, जापानियोंमें यह भाव जरूर पैदा हो गया, कि हमारा देश अजेय है। सचमुच ही आगेकी ६ शताब्दियों तक जापान बाहरी शत्रुओंसे बचा रहा, जब तक कि अमरीकी नौसेनाने १९ वीं शताब्दीके मध्यमें बुरी तरहसे हराकर जापानियोंकी आंखें नहीं खोल दीं। अगले साल १२७५ ई० में सेनापति बायनने चिङ-चाउ नगरपर आक्रमण किया। नगर-निवासियोंको प्रतिरोध करनेका यही फल मिला, कि सेनापतिके हुक्मसे लोगोंकी निर्मम हत्या की गई। इसी साल लिङ-अन् राजधानी-पर भी मंगोलोंने अधिकार कर लिया। तरुण सम्राट्की अभिभाविका सम्राज्ञीने अधीनता-स्वीकृतिके प्रतीकके रूपमें राजसिंहासनको भेजा; लेकिन सेनापति बायनको यह अधिकार नहीं था, कि वह सुङ-वंशका अवशेष भी रहने दे। उसने नगर-प्रबंधके लिये चीनियों और मंगोलोंकी एक परिषद् नियुक्त की। यह कहनेकी अवश्यकता नहीं, कि उत्तरी चीन आधी शताब्दी पहिले हीसे मंगोलोंके हाथमें था, इसलिये मंगोल-भक्त चीनियोंकी कमी नहीं थी। चार मंगोल-अफसर राजधानीकी चीजोंके संग्रह करनेके लिये नियुक्त हुये। उन्होंने भिन्न-भिन्न राजविभागों की मुद्रायें जमा कीं। अभिलेखागारमें उन्हें बहुत-सी किताबें, बही-खाते, ऐतिहासिक स्मृतिचिन्ह, भूगोल और ज्योतिष-सम्बन्धी रेखाचित्र आदि मिले। लिङ-अन् (हङ-चाउ) चीनकी सबसे बड़ी नगरी थी। उसका घेरा सौ मील (२४ फरसक) था। नदीको आर-पार करने तथा दूसरे कामोंके लिये नगरमें बारह हजार पुल थे। नगर बारह विभागोंमें विभक्त था, जिनमेंसे हरएकमें बारह हजार घर तथा प्रत्येक घरमें बारह, बीस, चालीस तक व्यक्ति रहते थे। नगरके घर अधिकतर लकड़ीके थे। राजप्रासादमें बीस बड़े-बड़े हाल थे। सबसे बड़ी राजशाला खूब सजी हुई थी। उसकी दीवारोंपर ऐतिहासिक दृश्य सोनेसे चित्रित थे। सब मिलाकर नगरमें सोलह लाख आदमी रहते थे—बत्तीस हजार तोसिर्फ रंग्रेजोंके घर थे। सात सौ मंदिर थे। सेनापति बायनने राजमाता, रानी, सम्राट् ली-चुङ और उसके अनुचरोंको खानके पास भेज दिया। महल छोड़नेसे पहले राजमाता और सम्राट्को खाकान (उत्तर) की ओर मुंह करके सात बार दंडवत् करनी पड़ी। कुबिलेइकी प्रधान खातून (रानी) ने राजमाता और रानीके साथ अच्छा बर्ताव किया। राजधानीसे लाये सोने-चांदी और दूसरे खजानेको देखकर खातून रो पड़ी। वह इस प्राचीन राजवंशके ध्वंसमें मंगोल-राजवंशके उच्छेदकी छाया देख रही थी, सोच रही थी, "उस समय मेरे बच्चों की भी यही हालत होगी, जो कि आज (१२७७ ई०) इनकी हो रही है। मेरे वंशकी राजमाता, रानी और सम्राट्को भी एक दिन इसी तरह बेइज्जत हो बंदी बनना पड़ेगा।" लेकिन, मंगोल-वंशका अंत सुङकी तरह नहीं हुआ, क्योंकि मंगोलिया इस वंशको शरण देनेके लिये मौजूद थी।

कुबिलेइका राज्यकाल केवल राजसी तड़क-भड़क और दिग्विजयोंके लिये ही प्रसिद्ध नहीं था, बल्कि कला और विज्ञानके भारी विकासका भी यही समय था। उसके गणितज्ञ तू-चीने १२८० ई० में राजाज्ञा पाकर ह्वाङ-हो (पीत नदी) के उद्गमका पता लगानेका काम चार मासमें खतम किया।

१२८७ ई० में तोङ-किङ (हिन्द-चीन) ने अधीनता स्वीकार की। १२९० ई० में १०३ जिल्दोंमें आज भी मौजूद कंजूर (तिब्बती त्रिपिटक) को कुबिलेइने सुवर्णाक्षरोंमें लिखवाया। जापानमें नौसैनिक अभियान में असफल होनेपर भी कुबिलेइने समुद्र-विजयके निश्चयको छोड़ा नहीं। मृत्युसे एक साल पहिले १२९३ ई० में उसने तीस हजार सेनाके साथ एक हजार जंगी जहाज जावा आदिकी विजयके लिये भेजे। कुछ संघर्षके बाद जावाने अधीनता स्वीकार की[१]।

जिस साल सुङ राजधानीका पतन हुआ, उसी साल मंगोल-सेनापति नासिरुद्दीनने बर्मा और बंगालपर आक्रमण किया। बर्माकी राजधानीपर वह अधिकार नहीं कर सका, लेकिन दोनों देशों ने मंगोलोंकी आंशिक अधीनता जरूर स्वीकार कर ली। १२८४ ई० में बर्मापर पूरी तौरसे भी अधिकार हो गया। इसी समय कोचीन-चीनपर भी मंगोलोंने आक्रमण किया। इसी साल कुबिलेइ का दूत बुद्धकी दंत-धातुकी पूजाके लिये लंका पहुंचा। १२८७ ई० में तोङ-किङ (कोचीन-चीन) ने मंगोल-अधीनता स्वीकार कर ली।

पैंतीस साल राज्य करनेके बाद १२८४ ई० में अस्सी वर्षकी उमरमें कुबिलेइ हगानका देहान्त हुआ। "इतने बड़े साम्राज्य पर हुबिलेइसे पहले किसी एक व्यक्तिने शासन नहीं किया था। उसके राज्यमें सारा चीन, कोरिया, तोङ-किङ (कोचीन-चीन), गंगासे परे और पंजाबकी बहुत-सी भारतीय भूमि, साइबेरियासे तुर्की तकके देश, और पोलैंड और हंगरी तककी भूमि सम्मिलित थीं।"

(१) **मार्को-पोलो**—कुबिलेइके शासन और कालके ऊपर वेनिस-निवासी प्रसिद्ध पर्यटक मार्को पोलोकी यात्रा-पुस्तक द्वारा बहुत प्रकाश पड़ता है। १३ वीं शताब्दीमें वेनिस नगर युरोपका सबसे बड़ा व्यापार-केंद्र था। वेनिसी व्यापारियोंने सभी देशोंमें अपनी कोठियों के जाल बिछा रक्खे थे। इन्हीं व्यापारियोंमेंसे दो जौहरी-भाई मफियो और पोलो १२५५ ई० में व्यापार करने कान्स्तन्तिनोपोल आये। दोनों भाइयोंने वहां अपने रत्नोंका बहुत अच्छा दाम पाया। उससे उत्साहित होकर वह पासके क्षुद्र-एसियाके मंगोल-शासित प्रदेशमें सौदा करनेकी गरजसे प्रविष्ट हुये। यह भूमि हुलाकू-वंशके अधीन थी। वहां उन्हें कुबिलेइ खानका दूत मिला, जिसने पोलोसे साथ पेकिङ चलनेका प्रस्ताव किया। मंगोल-साम्राज्यमें जितना सुरक्षित यातायातका प्रबंध था, उतना उससे पहले और बादकी भी कई शताब्दियों तक नहीं देखा गया। मंगोलों का इतना आतंक था, कि कोई चोरी-बटमारी करनेकी हिम्मत नहीं करता था। युरोपसे चीनकी पूर्वी छोर तक लोग निश्चित हो स्थल-यात्रा करते थे। सामुद्रिक यात्राका भी अच्छा प्रबंध था। दोनों वेनिसी व्यापारी मंगोल-दूतके साथ कुछ समय बाद कुबिलेइके दरबारमें पहुंचे। हगानने उनका बड़ा सम्मान किया। उस समय पश्चिमी युरोपमें रोमके पोपका जबर्दस्त प्रभाव था। वह धार्मिक महन्त ही नहीं, बल्कि राजाओंका भी राजा था—किसी को गद्दीपर बैठाना या उतारना उसके बायें हाथका खेल था। कुबिलेइने पूरबके स्वामीके तौरपर पश्चिमी देशोंके प्रमुख पोप ग्रेगरीको एक पत्र लिखकर पोलोके हाथ भेजा। पोपने इस अवसरसे लाभ उठाना चाहा। हमें मालूम ही है, इससे पहले ही रुबरिक मुङ-खेके दरबारमें कराकोरम पहुंचा था। पोपने अपने संदेशको सुरक्षित पहुंचानेके लिये फिर निकोलो पोलोको चीन जानेकेलिये मजबूर किया। अबकी बार निकोलोने अपने भाई मफियोको ही नहीं बल्कि सत्रह सालके पुत्र मार्को को भी साथ लिया। ईरान, मध्य-एसिया, पामीर, पूर्वी-तुर्किस्तान होते तीनों पोलो चीन पहुंचे। खानने उनका बड़ा सम्मान किया। मार्को पोलोकी प्रतिभा और योग्यतासे प्रभावित हो कुबिलेइने उसपर अधिक अनुकम्पा दिखलाई। उसे साम्राज्यके भिन्न-भिन्न भागोंमें भौगोलिक तथा दूसरी खोजें करनेके लिये भेजा। अन्तमें बढ़ते-बढ़ते मार्कोको याङ-चाउ जैसे एक बड़े समृद्ध नगरका राज्यपाल बननेका सौभाग्य प्राप्त हुआ। पोलो बाप-बेटे सत्रह साल चीनमें रहे। गणतंत्री वेनिस नगरके नागरिक होनेके कारण वह केवल बनिया ही नहीं बल्कि सैनिक और दूसरी विद्याओंका भी काफी ज्ञान रखते थे। उन्होंने अपने पश्चिमी दुनियाके ज्ञान-द्वारा मंगोल-शासनको बहुत लाभ पहुंचाया। यद्यपि बारूदकी प्रारम्भिक तोपों, और पाषाणक्षेपक यंत्र (कताकुल) का उपयोग छिङ-गिस खानने भी किया था, लेकिन उसमें अब बहुत-से सुधार और विकास

१ देखो मेरी "बौद्ध-संस्कृति" पृष्ठ ११५-१६

किये गये, जिसमें पोलोका भी हाथ था। इनके सुझावके अनुसार बनाये हुये हथियारोंका इस्तेमाल १२७३ ई० में सियाङ-याङ नगरके मुहासिरेमें किया गया। उस अजेय नगरीको नतमस्तक करनेमें इन यंत्रोंका बहुत हाथ था, इसमें संदेह नहीं।

पोलो बड़े सम्मान और आनन्दके साथ चीन में रह रहे थे, लेकिन उधर मातृनगरी वेनिस इतना अपनी ओर खींच रही थी, कि उनकी नजरोंमें यह सारा सुख और आनन्द फीका था। उनकी प्रार्थनापर कुबिलेइ खानने प्रसन्नतापूर्वक बिदाई दी। इसी समय एक मंगोल-राजकुमारी ईरानके मंगोल-राजकुमार के साथ ब्याह करनेके लिये भेजी जा रही थी। पोलो बाप-बेटों को भी उसी वधू-यात्रामें सम्मिलित कर दिया गया। अबके उनकी यात्रा समुद्र-मार्गसे हुई। वह अठारह महीने बाद पारसकी खाड़ी में पहुंचे। बन्दरगाहसे राजकुमारीको स्वागत कर ससुरालवाले ले गये और पोलो बाप-बेटोंने वेनिसका रास्ता लिया, जहां कान्स्तंतिनोपोल होते १२९५ ई० में पहुंचे। तब तक कुबिलेइको मरे एक साल हो गया था। हित-मित्र पोलोकी यात्राओंको सुनते नहीं थकते थे, लेकिन साथ ही वह इस बातका विश्वास करनेके लिये तैयार नहीं थे, कि हगानका राजस्व प्रतिवर्ष एकसे डेढ़ करोड़ सुवर्ण दुकात है, तथा उसके अधीन मिलियनों (करोड़ों) मानव हैं। इस संख्यापर विश्वास न कर उन्होंने मार्कोको 'मिलियनी' (करोड़ी) नाम दे दिया था। उस युगमें युरोपमें पड़ोसी देशोंके झगड़े आम थे। वेनिस गणराज्यका झगड़ा गेनवावालोंसे था। इसी लड़ाईमें मार्को पोलो भी भाग लेने गया और युद्धबंदी बना। अपने बंदी-जीवनमें ही मार्को पोलोने अपनी यात्रा-कथा मध्यकालीन लेखक रस्तिसियन-दे-पीसाको सुनाई, जिसने उसके आधारपर "मार्को पोलोकी यात्रायें" नामक प्रसिद्ध पुस्तक तैयार की। मार्को पोलोकी यह यात्रा दुनियाकी यात्रा-पुस्तकों में सिरमौर मानी जाती है, जिसमें उसने अपने देखे हुये स्थानों, व्यक्तियों, रीति-रवाजों और दूसरी चीजोंका बड़ा सुंदर विवरण दिया है। वह कहता है—"सम्राट्के दूत काम्-बालू (खान-बालिग, पेकिङ) से यात्रा करते समय हर पचीस मीलपर टिकान पाते हैं, जिसे वह लोग घोड़ाचौकी कहते हैं। प्रत्येक मंजिलपर एक बड़ी और सुंदर इमारत उनके ठहरनेके लिये बनी है। इमारतके सभी कमरे बढ़िया कालीनों और कीमती रेशमी वस्त्रों से सजाये गये हैं। अगर कोई राजा भी इन मकानोंमें आ जाये, तो वह बड़े आरामसे ठहर सकता है। इन चौकियोंमेंसे कितनोंमें चार सौ और किन्हीं-किन्हींमें दो सौ घोड़े तैयार रहते हैं। चाहे दूतको ऐसी बे-रास्तेकी भूमिमें भी जाना पड़ रहा हो, जहांपर टिकानकी आशा नहीं हो सकती, वहां भी कुछ फासलेपर ऐसा विश्राम-स्थान मिल जायेगा, जहां सभी आवश्यक चीजोंका प्रबंध होगा। इसीलिये सम्राटके दूत चाहे जिस देशसे भी आयें, उनके लिये वहां सभी चीजें तैयार मिलती हैं।

"जो सम्पत्ति और समृद्धि खाकानके यहां देखी जाती है, उसे कभी किसी सम्राट्, राजा या राजुलके पास नहीं देखा गया। इन सभी विश्रामस्थानोंमें दो लाख घोड़े तैयार रहते हैं, और इमारतें दस हजारसे ज्यादा हैं। सामान इतने बड़े पैमानेपर और अद्भुत ढंगके हैं, कि उनका वर्णन करना मुश्किल है।

"इस प्रबंधसे खाकान दस दिनकी दूरीके स्थानोंके समाचार एक दिन-रातमें पा लेता है। कितनी ही बार सबेरेके वक्त काम्बालू (पेकिङ) से फल रवाना किया जाता है, और दूसरे दिन शामको वह खाकानके पास चेन्-दू (सन्दा) में पहुंच जाता है। आदमी एक दिनमें दो-ढाई सौ मील चले जाते हैं, और उतनी ही यात्रा वह रातको करते हैं। इन दूतोंके शरीरपर एक चौड़ी पट्टी बंधी रहती है, जिसके चारों ओर घंटियां लगी रहती हैं। घंटियां दूरसे ही सुनाई देती हैं, जिसके कारण चौकीपर पहुंचनेके समय दूसरा दूत वहां तैयार मिलता है, जो उसी तरह पहले दूतकी लाई चीजको लेकर घोड़ा दौड़ाने लगता है। चौकीका लेखक चीजकी प्राप्तिकी चिट आये हुये दूतको दे देनेके लिये हर वक्त तैयार रहता है। हर चौकीका लेखक दूतके आगमन और प्रस्थानका समय लिख लेता है। हर चौकीपर लगाम-चारजामा लगे तैयार ताजे घोड़े मौजूद रहते हैं। बस उसपर चढ़ो और पूरी चालसे दौड़ाओ। फिर दूसरी चौकीपर जब दूरसे घंटीकी आवाज सुनाई देती है, तो दूसरा घोड़ा और सवार तैयार हो जाता है। जिस वेगसे वह दौड़ते हैं, वह बड़ा अद्भुत है। रातको भी वह उतना ही तेज चलते हैं, जितना दिनको, क्योंकि उनके साथ मशालची सवार होते हैं।

"ये घोड़सवार-दूत बहुत अच्छा वेतन पाते हैं। वह इतने मुश्किल कामको बिना अपने पेट, सिर और छातीको मजबूत पट्टीसे बांधे नहीं कर सकते। वह अपने साथ एक अंकित पट्टिका ले चलते हैं, जो इस बातको प्रकट करती है, कि वह बहुत जरूरी कामके लिये जा रहे हैं। इसीलिये यदि संयोगमें कहीं घोड़ेके अंग-भंग होने या गिर जाने से दूत सड़कपर पड़ जाये, तो वह दूसरा घोड़ा ले सकता है। कोई उसकी मांगसे इन्कार नहीं कर सकता।"

मार्को पोलोने बतलाया है, कि उस समय प्रत्येक बड़े शहरमें एक दारोगा रहता था, जिसका काम था रास्तेकी देख-भाल करना।

(२) जाति-व्यवस्था—चाहे भारतकी तरहकी कड़ी जाति-व्यवस्था न हो, किन्तु सभी सामन्ती शासनोंमें जातिभेदका होना आवश्यक देखा जाता है। ६ठी-७वीं शताब्दीमें ईरानमें जातिभेद करीब-करीब उसी तरहका था, जैसा भारतमें। मंगोलोंसे पहले चीनमें भी जातिभेद था। मंगोलोंने भी अपनी प्रजाको चार वर्गोंमें बांटा था, जिनमें प्रथममें उनके अपने मंगोल आते थे, द्वितीय वर्गमें से-मू (तुर्क मुसलमान), तूफान (तिब्बती), तुंगुत, मध्य-एसिया तथा पश्चिमी एसिया के दूसरे वह लोग थे, जो मंगोलोंके साथ नसली या सांस्कृतिक समीपता रखते थे। तीसरे वर्गमें उत्तरी चीनवाले थे, जो कि किन्-शासनके बाद मंगोल-शासन में आये थे। चौथे वर्ग में सुङ-साम्राज्यमें रहनेवाले दक्षिणी चीनी थे, जिन्होंने मंगोलोंका जबर्दस्त प्रतिरोध किया था, इसीलिये उन्हें सबसे निचले वर्गमें रखा गया था। पहले इन्हें किसी राजकीय सेवामें भरती होनेका अधिकार भी नहीं था। चीनमें पहलेसे चली आती अधिकारियोंकी परीक्षाओंमें यद्यपि चीनियोंके सम्मिलित होनेमें कोई रुकावट नहीं थी, लेकिन चाहे चीनी परीक्षामें उच्चसे उच्च स्थान पाये, तब भी बाईं ओरकी सूचीमें उसका नाम लिखा जाता था, जब कि मंगोल और से-मू दक्षिणी सूचीमें स्थान पाते थे। नौकरीमें ले लेनेपर भी चीनियोंको मंगोल-भाषा सीखने और मंगोलोंके धर्मके प्रति सम्मान दिखानेके लिये मजबूर होना पड़ता। दंड देनेमें भी भेद-भाव रक्खा जाता। यदि कोई चीनी चोरी करता, तो पहले अपराधके लिये उसकी बाईं बांहमें गोदना गोद दिया जाता, दूसरी बार अपराध करनेपर दाहिनी बांहमें, तीसरी बार गर्दनपर, जिसे देखकर कोई भी आदमी अपराधीको पहिचान सकता था। लेकिन, उसी अपराधके लिये मंगोलोंको इस तरहका दंड नहीं दे मामूली जुर्माना लेकर छोड़ दिया जाता था। अगर कोई चीनी किसी मंगोल या से-मू को मार डालता, तो उसे मृत्यु-दंड मिलता और हत्यारेके परिवारसे धन वसूल करके मृत व्यक्तिकी अन्त्येष्टि आदिका खर्च दिलवाया जाता। अगर हत्यारा मंगोल होता, तो उसे शराब के नशे, या झगड़ेके पागलपनको कारण बतलाकर जुर्माना या निर्वासनका दंडभर करके छोड़ दिया जाता था। १२७९ ई० की एक मंगोल-राजाज्ञाके अनुसार चीनियोंको हथियार रखनेका अधिकार नहीं था। धनुष-बाण भी न रख पानेके कारण वह शिकार नहीं कर सकते थे। भारतके अंग्रेज शासकोंकी तरह चीनमें मंगोल-शासकोंने भी जगह-जगह मंगोल-छावनियां कायम की थीं।

और भी विस्तृत वर्गीकरण करते हुये मंगोलोंने अपनी प्रजाको निम्न दस श्रेणियों में बांटा था—

(१) उच्च दरबारी, (२) अधीनस्थ या स्थानीय अफसर, (३) लामा (साधु), (४) ताउ-साधु, (५) वैद्य, (६) कारीगर और मजूर, (७) शिकारी, (८) पेशावर लोग, (९) कन्फूसी पुरोहित और (१०) भिखमंगे। मंगोल कन्फूसी आचार्योंको बहुत नीची दृष्टिसे देखते थे, जब कि पुराने चीनी शासनमें कन्फूसी विद्वानों का स्थान राजवंशके बाद ही आता था। इसमें शक नहीं, चीनी विद्या और संस्कृतिके निधिरक्षकोंको उनके अनुरूप स्थान न दे मंगोलोंने बुरा किया था; लेकिन वह यह भी जानते थे, कि चीनी संस्कृति और सामन्तवादके इन अंधे पुजारियोंसे अपने लिये, हम कोई भलाईकी आशा नहीं रख सकते थे। कन्फूसी यदि केवल चीनी संस्कृति और कलाके ही नेता होते, तो समझौता हो जाता, अथवा यदि मंगोल पूरी तौरसे चीनी बननेके लिये तैयार होते, तब भी कन्फूसी विद्वानोंका भिखारियोंके पास बैठनेकी जरूरत नहीं पड़ती। कन्फूसी शिक्षा और विद्वानोंके प्रभावको चीनके सभी सामन्ती शासक अपने लाभके लिये इस्तेमाल करते रहे। अभी हालमें चाङ-काइ-शकने भी इस हथियारका पूरी तौरसे उपयोग करना चाहा। शासकके प्रति आंख मूंदकर सद्भावना और आज्ञाकारिता प्रदर्शित करना कन्फूसी शिक्षाका एक मुख्य अंग है, इसीलिये शासकोंकी उनपर विशेष अनुकम्पा होनी स्वा-

भाविक हैं। लेकिन कन्फूसी साहित्य और शिक्षामें एकमात्र दास-मनोवृत्ति सिखलाना ही नहीं है, उसमें कितनेही और भी उच्च सांस्कृतिक तत्त्व हैं, जिनको छोड़ा नहीं जा सकता, लेकिन इसका नीर-क्षीर-विवेक करते उपयोग करना नवीन चीनमें ही सम्भव हो सकता है।

मंगोल खाकान गैर-मंगोल जातियोंके लिये स्वेच्छारी और कितनी ही बार अतिनिष्ठुर शासक थे, लेकिन उस निष्ठुरताका प्रयोग वह हर वक्त नहीं करते थे। यद्यपि मंगोलोंके साथ उनका खास पक्षपात था, लेकिन अधीनस्थ जातियोंको भी वह अधिकारोंसे सर्वथा वंचित नहीं रखते थे। प्रायः सभी विजित देशोंमें उन्होंने पुराने राजाओं और सुल्तानोंको अपने अधीन शासक बनाकर रख छोड़ा, सिवाय उन देशोंके जहांके लोगोंने उनका जबर्दस्त प्रतिरोध किया था। कुबिलेइने यद्यपि खानबालिग (पेकिङ) को अपनी राजधानी बना उसे भव्य प्रासादोंवाली समृद्ध नगरीमें परिणत कर दिया था, लेकिन उसका भी अधिक समय तम्बुओंके भीतर बीतता था। मंगोल अपने घुमंतू जीवनको सैनिक जीवनका पर्याय समझते थे, इसीलिये चीन या दूसरे देशों पर शासन करनेवाले सभी मंगोल-खाकानोंकी राजधानियां चिड़िया-रैनबसेरा जैसी ही थीं। मंगोल-भाषामें राजधानी और प्रासादों को सराय कहते हैं। उसका अर्थ मुसाफिरोंकी सरायका हर्गिज नहीं था। मार्को पोलोके अनुसार राजपथोंके हर मंजिलपर "सराय" (प्रासाद) थी, शायद उसीके कारण मुसाफिरोंकी टिकानको भी सराय कहा जाने लगा। राजकुमारों और बड़े-बड़े सैनिक अफसरोंको राज्यके भीतर अपने-अपने भूखण्ड मिले हुये थे, जिनपर वह अपनी मर्जीके मुताबिक शासन करते थे। यद्यपि छिङ-गिस्‌ने मध्य-एसियाके मुसलमानोंके साथ बड़ी क्रूरताका बर्ताव किया था, बलख, मेर्व, तूस जैसे कितने ही समृद्ध नगरोंकी वस्तुतः उसने ईंटसे ईंट बजा दी थी, जिसके कारण वह फिर नहीं उठ सके; लेकिन, पीछे मंगोलोंका बर्ताव मुस्लिम जातियोंसे अधिक सहानुभूति-पूर्ण था, यह इसीसे पता लगता है, कि इन जातियोंको उन्होंने चारों वर्गोंमेंसे द्वितीय वर्गमें रक्खा था। कुबिले खानकी बर्मा और बंगालपर आक्रमण करनेवाली सेना का सेनापति नासिरुद्दीन भी इसका स्पष्ट उदाहरण है—मंगोल ऊंचे सैनिक पद को भी मुसलमानोंको देनेके लिये तैयार थे। इसका एक और भी कारण था—चाहे मध्य-एसियाके तुर्क मुसलमान हो गये हों, लेकिन जातितः वह मंगोलोंके भाई-बन्द थे। रूसियों और पश्चिमी जातियोंके खिलाफ अभियान करते समय मंगोलोंने किपचक तुर्कोंसे भाईचारा लगाकर उन्हें अपनी ओर कर लिया था, जिससे उन्हें एक लड़ाकू जाति सहायक मिल गई।

मंगोल-भाषाके प्रति मंगोल-शासकोंका अधिक पक्षपात स्वाभाविक था। उनके आज्ञापत्र उइगुर लिपिमें लिखी मंगोल-भाषामें हुआ करते थे। १३वीं शताब्दीके आरम्भमें चली हुई यह परिपाटी १५वीं शताब्दीके आरम्भ तक तेमूरलंग और उसके पुत्रोंके समय तक जारी रही। कट्टर मुसलमान होते भी यह लोग छिङ-गिस् की बरासतको छोड़नेके लिये तैयार नहीं थे। लेकिन, मंगोल-भाषाका विकास जितना होना चाहिये था, उतना नहीं हो सका। "मंगोल-उन्‌निगुबा" (तोपचियां), "युवान-चाउ-बि-शी" जैसे कुछ इतिहास या दूसरे विषयोंके ग्रंथ उस समय मंगोल-भाषामें लिखे गये। पीछेके मंगोल-शासकोंके लिये ग्रंथ अधिकतर चीनी या पारसीमें लिखे गये, जो प्रायः इतिहाससे संबंध रखते थे। चीनमें मंगोल-भाषामें जो ग्रंथ लिखे गये, उनके अनुवाद चीनीमें भी हुये थे, पीछे मूल (मंगोल) ग्रंथ लुप्त हो गये और उनके चीनी अनुवाद भर बच रहे। कुबिलेइ खानने अपना ही नहीं अपने वंशका भी धर्म बौद्ध-धर्मको घोषित किया और अपने गुरु फग्‌पा लामाको तिब्बतका राज्य प्रदान किया, किन्तु उसने बौद्ध-ग्रंथोंके मंगोल-अनुवादका काम बहुत आगे नहीं बढ़ाया। १५ महाभारतोंके बराबर भारतीय ग्रंथोंके अनुवाद कन्जुर (बुद्ध-वचनानुवाद) और तन्जुर (शास्त्रानुवाद) के नामसे तिब्बती भाषामें मौजूद थे। उनमें (तिब्बती) कन्जुरको कुबिलेइ खानने स्वयं सोनेके अक्षरों में लिखवाया था, लेकिन उनका मंगोल-अनुवाद उस समय हुआ, जब चीनसे मंगोल-शासन खतम हो गया। मंगोल शायद संस्कृतकी तरह तिब्बती भाषामें ही धर्म-ग्रंथों का पढ़ना ज्यादा पुण्यदायक समझते थे। आज भी मंगोलियामें कन्जुर और तन्जुरके मंगोल-भाषामें हो जानेपर भी उन्हें तिब्बती भाषामें पढ़ना ज्यादा पुण्यकार्य समझा जाता है। शायद यह भी कारण रहा हो, लेकिन उस समय आजकी तरह मंगोलोंमें तिब्बती भाषाका प्रचार नहीं था, इसलिये अधिकांश लोग तिब्बती ग्रंथोंको बिना समझे ही पढ़ सकते थे।

मंगोलोंके समयसे पहले ही चीनी कलाका सुवर्ण-युग थाङ-काल (६१८-८६९ ई०) बीत चुका था, तो भी मंगोलोंने कलाका संरक्षण-संबर्धन किया। नाट्य-कला के विकासमें तो उनका विशेष हाथ रहा। चीनमें संगीत, अभिनय और नृत्यका प्रयोग बड़ी साजसज्जाके साथ बहुत पहलेसे चला आता था, लेकिन तीनों चीजोंका पहले वैसा सुंदर सम्मिश्रण नहीं हुआ था, जैसा कि मंगोल-शासकोंके संरक्षणमें। मंगोल-वंशने नाट्य-कला की बड़ी अभिवृद्धि की, बड़े सुंदर-सुंदर रंगमंच बनवाये। दरबारके समय खानके साथ भिन्न-भिन्न देशोंके राजदूत भी नाटकका अभिनय देखते थे। उस समय नाट्यके लिये जो नियम और व्यवस्था कायम की गई, उससे चीनी रंगमंचको बहुत प्रेरणा मिली, जिसका प्रभाव आज भी देखा जाता है। चित्र-कलामें भी वस्तु-निर्वाचन, उसके चित्रण तथा प्रभावमें विशेष कार्य हुआ। मंगोलोंका गतिमय शक्तिशाली जीवन चित्रोंकी रेखाओंमें अंकित होने लगा, पुराने कालसे चले आये शान्त-रसकी प्रधानताका स्थान अब वीर और रौद्ररसोंने लिया। अब भी शान्त प्राकृतिक दृश्य अंकित होते थे, लेकिन घुड़सवारी, शिकार और बाजके दृश्य अधिक प्रिय थे। अब बलसम्पन्न गतिको प्राप्तकर चीनी चित्रकलाको आगे बढ़नेको एक नया रास्ता मिला।

६. थुबु थेमुर, उल्द-शे-तू, चेङ-चुङ (१२९४-१३०७ ई०)

कुबिलेइने कूरिल्ताईकी शक्तिको कमजोर कर दिया था, जिससे खानोंके निर्वाचनमें पहले-जैसी स्वतंत्रता नहीं बरती जा सकती थी। इसीलिये अब सारे मंगोल-खानजादोंमेंसे किसी एकको चुननेकी जगह मृत खानकी संतानको ही उत्तराधिकारी समझा जाने लगा। कुबिलेइका पुत्र छिङ-गेन् बापके समय ही मर गया था, इसलिये उसके पुत्र थुबु-थेमुरको गद्दी मिली। अब छिङ-गिस्‌की पांचवीं पीढ़ी चल रही थी। एक शताब्दी के विजयोंके बाद भी अभी मंगोलोंकी शक्तिका उतना ह्रास नहीं हुआ था। १३०० ई० में बर्माके सिंहासन-वंचित राजपुत्रने मंगोल-दरबारमें पुकार की, और मंगोल-सेनाने बर्मामें पहुंचकर उसे गद्दीपर बैठाया। कुबिलेइके प्रतिद्वंद्वी अरिग्‌बुकाके साथ प्रतिद्वंद्विता खतम नहीं हुई थी। कै-दू खानने अब भी अपने उत्तराधिकारके दावेको नहीं छोड़ा था। १३०१ ई० में उसने थुबु-थेमुरके ऊपर जबर्दस्त आक्रमण किया, जिसमें चगताइ खान्दान भी उसका सहायक था। कराकोरमके पास लड़ाई हुई। ओगोताइ-वंशी और चगताइ-वंशी दोनों खानोंको हार खानी पड़ी, कै-दू मारा भी गया। उसकी जगहपर उसका पुत्र चापर ओगोताइ खान बना, जिसने थुबु-थेमुरकी अधीनता स्वीकार कर ली। १३०३ ई० में पिङयाङ और ताइ-युआनमें, फिर १३०४ ई० में पिङ-याङमें भूकम्प हुये, जिसको लेकर तरह-तरहकी भविष्यद्वाणियां की जाने लगीं। सौ वर्ष पहले १२०६ ई० में छिङ-गिस् खाकान घोषित हुआ था, इसलिये विरोधी यह भी अफवा उड़ा रहे थे, कि अब मंगोल-वंशका सितारा डूबनेवाला है। १३०६ ई० में कै-दूका समर्थक चगताइ दावाखान मर गया, जिससे अगले साल थुबु-थेमुर भी काल कवलित हुआ।

७. खू-लुग, कू-लुक, से-सन्, बू-चुङ् (१३०७-११ ई०)

थुबु-थेमुरके मरनेके बाद उसके भाई धर्मपालका पुत्र खु-लुग कूरिलताई द्वारा खाकान घोषित किया गया। भूकम्पके बाद अब १३०८ में अकाल और महामारीकी बारी आई, लेकिन वह सारे साम्राज्यमें नहीं फैल सकती थी। प्रजाको प्राणोंसे मोल चुकाना पड़ रहा था, लेकिन खाकानके दरबार पर उसका क्या प्रभाव हो सकता था? इसी साल चापर खान तथा दूसरे दरबार में आये, जिनकी बड़ी आवभगत हुई। चगताइ और ओगोताइ-परिवारोंके साथ होता संघर्ष अब दब गया था, इसलिये खू-लुग घरेलू-युद्धसे निश्चित था, तो भी १३०९ ई० में युन्नानमें भारी विद्रोह हुआ। युन्नान भारतीयतासे प्रभावित पूर्व-गंधार देशके नामसे प्रसिद्ध था। यहांके लोग संस्कृतिमें ही आगे बढ़े हुये नहीं थे, बल्कि अच्छे योद्धा भी थे। अपनी स्वतंत्रताके लिये उन्होंने कुबिलेइका जबर्दस्त मुकाबिला किया था और जब कोई दूसरा रास्ता नहीं रह गया, तो उनमें से बहुत-से लोग भागकर थाई (स्याम), शान (बर्मा) और अहोम (आसाम) में चले गये, जहां उन्होंने नये राजवंशोंकी स्थापना की। १३०९ ई० में उन्हीं गंधारोंने अपने देश युन्नानमें जबर्दस्त विद्रोह किया, जिसके दबानेमें मंगोलोंको भारी मुश्किलका सामना करना पड़ा।

यद्यपि कुबिलेइके समय ही फग्पा (फग्स्-पा=आर्य) लामाने मंगोल-बादशाहके लिये नये अक्षर बना दिये थे, लेकिन इस अक्षरमें अंकित पहलेपहल तांबेके सिक्के खु-लुगने १३१० ई० में ढलवाये। इसी साल मंगोल-राजकुमार तू-ला (कोकोचू-पुत्र) ने असफल विद्रोह किया। थुबु-थेमुरके समय तक अभी बाहरके मंगोल-राजवंशोंके साथ चीनके खाकानका घनिष्ठ संबंध था, उसे अधिपति माना जाता था; लेकिन अब वह संबंध शिथिल होने लगा। फर्वरी १३११ ई० में खु-लुग मर गया और उसकी जगह उसका भाई बोयन्-थू गद्दीपर बैठा।

८. बोयन्-थू, आयुरपरवल, आयुर्बलीभद्र, बूयन्-तू, जुन्-चुङ (१३११-२०ई०)

खु-लुगकी मृत्युके साल ही उसके भाईको गद्दी मिली। ईरानका मंगोल-वंश कुबिलेइके छोटे भाई खुलाकू-खानका था, इसलिये जिस वक्त जू-छी, चगताइ और ओगोताइ खानोंका चीनके हगानसे (खकान) से मतभेद या झगड़ा भी रहता, उस समय भी ईरानके मंगोल-वंशका हगानके साथ बहुत सौहार्द रहता। १३१२ ई० की फर्वरीमें बोयन्-थू ने अपना दूत ईरानी खान उल-जै-तूके पास भेजा। पुराने कालसे चीनमें हिजड़े बनाकर उन्हें अन्तःपुरमें ही बड़े-बड़े स्थान नहीं दिये जाते थे, बल्कि राज्यके ऊंचे-ऊंचे पदों पर भी वह पाये जाते थे। १३१४ ई० में बोयन्-थूने सरकारी नौकरियोंमें हिजड़ोंका प्रवेश निषिद्ध कर दिया, लेकिन इसका यह अर्थ नहीं, कि हिजड़े अब बाट के भिखारी बन गये। उसके लिये तो अभी १९११ ई० तक प्रतीक्षा करनी थी। अगले ही साल (१३१४ ई०) एक प्रमुख हिजड़ेने एक सुंदर मन्दिर बनवाया। पिताकी गद्दी न पानेके कारण खुलुग-पुत्र कुसलने १३१६ ई० में चचाके विरुद्ध असफल विद्रोह किया। यह हम पहले देख चुके हैं, कि व्यापार और कृषि-उद्योगको धनका प्रधान स्रोत समझकर मंगोल-शासक उनकी उन्नतिकी ओर विशेष ध्यान देते थे। डेढ़ हजार वर्षोंसे अधिक समयसे रेशमकी जन्मभूमि चीन अपने सुंदर रेशमी कपड़ोंके लिये सारी दुनियामें प्रसिद्ध था। रेशम देशकी आमदनीका एक बड़ा भाग था। बोयन्-थूके शासन-कालमें १३१८ ई० में सरकारने तूतके वृक्ष लगाने तथा रेशमके कीड़े पालनेकी विधिके ऊपर एक पुस्तिका प्रकाशित की। शायद सरकारोंकी ओरसे इस तरहकी छपनेवाली पुस्तकोंमें यह सबसे पहिली थी।

फर्वरी १३२० ई० में बोयन्-थू मर गया और उसकी जगहपर उसका पुत्र गेगेन् गद्दी पर बैठा।

९. गेगेन्, शु-तु-फल (शुद्धफल), यिङ-चुङ (१३२०-२३ ई०)

मंगोल खान-वंशमें धर्मपाल, आयुर्बलीभद्र या शुद्धफल जैसे शुद्ध भारतीय नामोंका होना कोई आश्चर्यकी बात नहीं है, क्योंकि अब मंगोल-राजवंश ही नहीं साधारण जनतामें भी बौद्ध-धर्म जातीय धर्म समझा जाने लगा था। गेगेन् (ग्य-गेन्) १८ वर्षका था, जब कि वह गद्दीपर बैठा और २१ सालकी आयुमें मर गया। उसके बाद छठे खान थुबु-थेमुरके भाई कमलका पुत्र यिसु-थेमुर गद्दीपर बैठा।

१०. यिसु-थेमुर, यिस्सुन-तइमुर, ताइ-चिङ-ति (१३२३-२८ ई०)

अब खानोंके शासनमें कोई विशेष बात नहीं थी। १३२३ ई० में "ताइ-युवान-तोङ-शी" (महा-मंगोल-विधान) प्रकाशित हुआ। अगस्त १३२८ ई० में खान मर गया और उसकी जगह उसका भतीजा रिन्छेन् गद्दी पर बैठा।

११. रिन्-छेन्-फग्, यू-चू (१३२८ ई०)

बहुत कम समय शासन करनेके कारण कितनी ही वंशावलियोंमें इसका नाम नहीं मिलता। रिन्-छेन्-फग् तिब्बती शब्द है, जिसका अर्थ है रत्न-आर्य। उसके बाद उसका भाई तथा खु-लुगका पुत्र कुसल गद्दीपर बैठा।

१२. कुसलऽ, कोसल, मिङ-तिङ (१३२८-२९ ई०)

अब वंशकी निर्बलताके सूचक चंद दिनोंके खान होते रहे।

१३. थुग्-थेमुर, उल्जे-थू जीया-शा-तू, वेन्-चुङ (१३२९-३२ ई०)

यह बोयन्-थू खाकानका पुत्र तथा गेगेन्का भाई था। इसके शासन-कालमें १३३० ई० में फिर युन्नन्में विद्रोह हुआ, जो १३३१ ई० में भी जारी रहा। इसी समय चीन में अवर्षणके कारण अकाल पड़ा। उसी सालकी एक घटना बतलाती है, कि पहलेसे चले आये नियमोंका अबभी कितनी कड़ाईके साथ पालन किया जाता था। खाकानने साम्राजी वर्षपत्रको देखना चाहा, लेकिन अधिकारीने इन्कार कर दिया। यह परिपाटी इसलिये चली आती थी, जिसमें खाकान दरबारी इतिहास-लेखकसे मनमाना न लिखवा सके, इसीलिये दैनंदिनीको उसे दिखलाया नहीं जाता था। थुग्-थेमुरने अपनेको अपवाद बनाना चाहा, लेकिन दैनंदिनी लेखकने उसे दिखलानेसे इन्कार कर दिया।

१४. रिन्-छेन्-पल्, निङ-चुङ (१३३२-३३ ई०)

रिन्-छेन्-पल् भी तिब्बती शब्द है, जिसका अर्थ है रत्नश्री। यह कुसलका पुत्र था और केवल दो मास राज्य करके मर गया। इसके बाद अन्तिम खाकानका दीर्घकालीन राज्य शुरू हुआ।

१५. थेगन्-थेमुर, तोगोन्-तिमुर, शुङ-ति (१३३३-६८ ई०)

यह थुग्-थेमुरका पुत्र था। इसने ३५ वर्ष तक शासन किया। जान पड़ता है, राजवंशकी समाप्तिके लिये हर वंशमें वाजिदअली शाहके पैदा होनेकी अवश्यकता होती है। थेगन्-थेमुर चरम विलासी था। लामा लोगोंका प्रभाव भी राजवंशपर अब चरम सीमा को पहुंचा हुआ था। तिब्बतका धर्म, तांत्रिक बौद्ध-धर्म है, जिसे लामा-धर्म कहकर कितने ही लोग उसकी सारी जिम्मेवारी तिब्बतके ऊपर मढ़ना चाहते हैं। लेकिन, तांत्रिक बौद्ध-धर्म तिब्बतकी उपज नहीं है। वह भारतमें पैदा हुआ और यहीं चरम सीमापर पहुंचकर भारतके गारत करनेका एक कारण बना। प्रभावशाली लामोंका खाकानके ऊपर बहुत प्रभाव था। उसका तंत्र-मंत्रपर बहुत विश्वास था। पंच मकार--उन्मुक्त व्यभिचार भी जिसका एक प्रधान अंग था—का खुलकर प्रयोग खानके यहां होता था। बहुत निम्न श्रेणीके यौन-दुराचार साधनके अंग माने जाते थे। मंत्र-तंत्र-सिद्धि तथा भैरवी चक्र के लिये एक मकान बनाया गया था, जिसका नाम रखा गया था "निर्दोष-भवन"। वहां पर यौन-अतिचारकी हद की जाती थी। अन्तःपुरिकाओंको "दिव्य नृत्य" के नामसे बहुत-सी अश्लील चेष्टाओंके प्रदर्शन करनेके लिये मजबूर किया जाता था। चारों तरफ विलासिता और व्यभिचारका बाजार गर्म था। यह वही समय था, जब चीन में १३२६, १३२७, १३३४, १३३६, १३४२ और १३४६ में जबर्दस्त अकाल पड़े थे। खान, उसके दरबारी और अधिकारी भैरवी चक्रमें मस्त थे, जब कि लोग भयंकर कष्टसे गुजर रहे थे। सूखा और अकालके समय किसानोंकी कोई खोज-खबर लेनेवाला नहीं था। यही नहीं, अब भी उन्हें दरबारके लिये भारी करोंको देना पड़ता था। मंगोल-वैसे भी निर्लिप्त विदेशी शासक थे, जिनके साथ चीनियोंका कोई सौहार्द नहीं था। इस क्रूरता-पूर्ण विलासमय जीवनसे तो चीनी जनताके नाकों दम हो गया। वह और अधिक दिनों तक इस दुःशासनको बर्दाश्त नहीं कर सकती थी। राजधानीसे दूर दक्षिणमें याङ-चि-उपत्यकामें विद्रोहियोंने सिर उठाया। जंगलकी आगकी तरह विद्रोह जल्दी ही सारे देश में फैल गया। विद्रोहियों का नेता चू-युवान्-चाङ एक किसानका लड़का था। उसने भूख और कष्टके दिन देखे थे, इसलिये वह किसानोंको विद्रोह-में शामिल करनेमें सफल हुआ। मंगोल-सेनाने विद्रोहको पहले कहीं-कहीं दबाया, लेकिन थोड़े ही समयमें सारी याङ-चि-उपत्यका चू-युवान्-चाङ के हाथमें चली गई। १३६८ ई० में उसने अपनेको स्वतंत्र सम्राट् घोषित करते नान्-किङ् में मिङ (प्रकाश)-वंशकी नींव रक्खी। इसी साल उसकी सेना पेकिङके ऊपर चढ़ी। थेगन्-थेमुरके लिये मंगोलिया अभी सुरक्षित जगह थी, इसलिये वह वहां भाग गया। इस प्रकार चीनमें मंगोल-राज्यका अन्त हुआ। थेगन्-थेमुरके वंशज आगे मंगोलियापर शासन करते रहे, जहां समय बीतते-बीतते उनके अनेक राज्य हो गये, जिनका प्रभाव मध्य-एसियाके इतिहासपर पीछे फिर एक बार पड़ा, जब कि १८ वीं शताब्दीके पूर्वार्द्धमें मालूम होता था, मध्य-एसिया में फिर एक विशाल मंगोल-साम्राज्य कायम होने जा रहा है; लेकिन पलासीकी लड़ाई १७५७ ई० के समय उसका नाश चीन और रूसके प्रहारोंसे हो गया।

चीनके मंगोल खाकानोंके समय पहले घनिष्ठतापूर्वक किंतु पीछे शिथिलताके साथ चगताइ, जू-छि, हुलाकू आदिके राजवंशोंका संबंध रहा, इसका वर्णन आगे हम करेंगे । तू-लुइ-वंश के वर्णन के बाद अब हम जू-छि-वंशको लेते हैं जिसके शासनमें उत्तरी मध्य-एसिया और रूस बहुत समय तक रहे ।

चीन-खान-वंशवृक्ष— (१२०६-१३६८ ई०)

- हबिछि
  - परतम
    - यिसुगेइ
      - १. छिङ-गिस् (१२०६-२७ ई०)
        - जु-छि
        - चगताइ
        - २. उगेताइ (१२२९-४६)
          - ३. गुयुग (१२४६-५१)
        - थोलोइ (तुलुइ)
          - ४. मुङ-खे (१२५१-५८)
          - ५. कुबिलेइ (१२६०-९४)
            - मंगल
            - छिङ-गेम् (चिङ-किन्)
              - कमल
                - १०. यिसु थेमुर (१२२३-२८)
              - धर्मपाल
                - ७. खुलुग (१३०७-११)
                  - ११. रिन्-छेन्-फग् (१३२८)
                  - १२. कुसलऽ (१३२८-२९)
                    - १४. रिन्-छेन्-पल् (१३३२-३३)
                - ८. बोयन्थू (१३११-२०)
                  - ९. गेगेन् (१३२०-२३)
                  - १३. थुग्-थेमुर (१३२९-३२)
                    - १५. थेगेन्-थेमुर (१३३३-६८)
              - ६. थुबु-थेमुर (१२९४-१३०७)
            - नोमोहान
          - उलेहु (खुलाकू)

अध्याय २

सुवर्ण-ओर्दू

(१२२४-१४०० ई०)

छिङ-गिस्के ज्येष्ठ पुत्र जू-छिके ओर्दूको "सुवर्ण-ओर्दू" के नामसे पुकारा जाता है, यद्यपि मुसलमान इतिहासकार इसे अधिकतर कोक-ओर्दू (नील-ओर्दू) के नामसे याद करते हैं, और जू-छिके ज्येष्ठ पुत्र ओर्दाके उलुसको अक-ओर्दू (श्वेत-ओर्दू) कहते हैं। रूसी प्रजा इन्हें जोल्तोय (सुवर्ण-ओर्दू) के नामसे जानती है ।

१. जू-छि, तू-शि (म० १२२४ ई०)

छिङ-गिस्के ज्येष्ठ पुत्र जू-छि या तू-शिकी मृत्यु बापसे छ महीने पहले हुई थी, यह हम कह आये हैं। जू-छिके बारेमें एक मुसलमान गुमनाम लेखककी कृति "शज्रतुल्-अतराक" (तुर्कवंश-वृक्ष) में कितनी ही बातें कही गई हैं। मंगोलियासे दूर चले गये मंगोल तुर्क-समुद्रमें चंद बूंदोंकी तरह थे, और वह उनके भीतर हजम भी हो गये। इसीलिये इस लेखकने मंगोल-वंशवृक्षको तुर्क-वंशवृक्ष कहा। इस तथा दूसरे ग्रंथोंके अनुसार भी छिङ-गिस्को अनुपस्थित देखकर उसके प्रतिद्वंद्वी मरकितोंने छिङ-गिसी उलुसको मार भगाया और वह उसकी ज्येष्ठ पत्नी बुर्ते-फूजिन्को और बहुतसे आदमियोंके साथ पकड़ ले गये। बुर्ते-फूजिन् कंकुरत कबीलेके सरदार दाई-नोयन्की पुत्री थी। यही छिङ-गिस्के चार प्रधान पुत्रों और पांच पुत्रियोंकी मां थी। बुर्ते-फूजिन्के पकड़े जानेके समय जू-छि मांके पेटमें ६ मासके गर्भके रूपमें था। केरइत खान ओङ-खान छिङ-गिस्का बड़ा समर्थक था। वह छिङ-गिस्को अपना पुत्र मानता था। जब इस घटनाका पता लगा, तो उसने मरकितोंपर आक्रमण कर बुर्ते-फूजिन् तथा उसके आदमियोंको छुड़ा लिया, और अपनी धर्म-बधूको फिर छिङ-गिस्के पास भेज दिया। इसी समय रास्ते में जू-छि पैदा हुआ। पंथमें पैदा होनेके कारण ही उसका नाम जू-छि (पंथक) पड़ा। पीछे चगताइ खानोंका जू-छि-वंशके कोक-ओर्दू और अक-ओर्दूसे सदा झगड़ा होता रहा। इसीलिये चगताइ विद्वानोंके इतिहास-ग्रंथोंमें जू-छिको कलंकित करते हुये यह साबित करनेकी कोशिश की गई, कि जू-छि छिङ-गिस्का पुत्र ही नहीं था। समर्थक इस बातके साबित करनेका प्रयत्न करते हैं, कि जू-छिकी मां केवल चार महीने छिङ्-गिस्से दूर रही, जब कि रास्तेमें जू-छि पैदा हुआ। "तुर्कवंश-वृक्ष" का लेखक यह भी कहता है—"चाहे पुत्र कितना ही अच्छा हो, असली और नकलीके प्रति पिताके प्रेममें जमीन-आसमानका अन्तर होता है। साइन् (छिङ्-गिस्) जू-छि खानके ऊपर हदसे ज्यादा प्रेम और स्नेह रखता था।" जू-छि खानके मृत्युकी खबर जब उलुसमें पहुंची, तो उसे बापतक पहुंचानेकी किसीको हिम्मत न हुई। यह काम दरबारी कवि उलुग-दुर्जीके सिरपर रखा गया। कविने हिम्मत करके पद्यमें उपमाके रूपमें यह खबर सुनाई, जिसे सुनकर छिङ-गिस् बहुत दुःखी हुआ। कवि और छिङ-गिस्के दुःखोंको तुर्की भाषाके पद्यमें प्रकट किया गया है, यद्यपि यह निश्चय है, कि छिङ-गिस् तुर्की नहीं बोलता था, इसलिये यह पद्य पीछे बनाये गये हैं। तो भी इसमें संदेह नहीं, कि छिङ-गिस्को अपने ज्येष्ठ पुत्रकी सरकशीके बाद भी उसके साथ असाधारण प्रेम था, इसीलिये उसे बहुत दुःख हुआ।

ख्वारेज्म-विजयके समय छिङ-गिस्ने जू-छिको पूर्वमें कयालिकसे पश्चिममें सकसीनतको दश्ते-किपचक (वर्तमान कजाकस्तान), बोल्गारों, आलानों, बश्किरों, उरुसों और चेरकासोंके देशोंके साथ वह भूमि भी प्रदान की, जहां कि तातारों (मंगोलों) के घोड़ोंकी टापें पड़ें। जू-छिका ओर्दू यद्यपि जेष्ठ पुत्र ओर्दा और द्वितीय पुत्र बा-तूके अधीन पहले हीसे दो उलुसोंमें बंट गया था, लेकिन श्वेत-ओर्दूके संस्थापक ओर्दाने जिस तरह अपने छोटे भाई बा-तूको अपना अधिपति स्वीकार किया, वैसे ही उसका श्वेत-ओर्दू भी अपनेको बा-तूके सुवर्ण-ओर्दूके अधीन मानता रहा। जू-छि ओर्दूका पूर्वी

भाग (किपचक-भूमि) श्वेत-ओर्दूकी माना जाता था। सुवर्ण-ओर्दूके ३९ शासक हुये—

क्र.	शासक	समय
१.	जू-छि, तू-शि छिङ्ग-गिस्-पुत्र	१२२४ ई०
२.	बा-तू जू-छि-पुत्र	१२२४-५५ ,,
३.	सेर-तक बा-तू-पुत्र	१२५५ ,,
४.	उलकची बा-तू-पुत्र	१२५५ ,,
५.	बेरेके, बरका, जू-छि-पुत्र	१२५५-६५ ,,
६.	मुङ-खे थे-मुर, मंगू-थेमुर तोगोन-पुत्र	१२६५-८० ,,
७.	तू-दा-मंगू तोगन-पुत्र	१२८०-८९ ,,
८.	तोगू-ताइ, तोक्-तोगू, मंगू-थेमुर-पुत्र	१२८९-१३१३,,
९.	उज्बेक तोक्-तोगूका भतीजा	१३१३-४२ ,,
१०.	तिनी (दिनी) बेग उज्बेक-पुत्र	१३४२ ,,
११.	जानी-बेग उज्बेक-पुत्र	१३४२-५७ ,,
१२.	बेर्दी-बेग जानी-पुत्र	१३५७-५९ ,,
१३.	कुलदी (कुल्या) बेग, जानी-पुत्र	१३५९ ,,
१४.	नौरोज (नूरुस) बेग जानी-पुत्र	१३५९-६० ,,
१५.	चेरकेस-बेग जानी-पुत्र	१३६० ,,
१६.	ओरदा शेख	
१७.	खिजिर	
१८.	कुलफा	
१९.	तेमूर खोजा	
२०.	मुरीद	
२१.	अजीज, बाजारची	
२२.	हाजी एरजन-पुत्र	

२. बा-तू खान, सायन खान जू-छि-पुत्र (१२२४-५५ ई०)

छिङ-गिस्‌के पोतोंमें बा-तू पहला था, जिसने चारों उलुसोंमेंसे एकके खानपद को दादाके जीवनमें ही प्राप्त किया। इसकी मां खू-जिन खातून कंकुरत-कबीलेके सरदार अंची नोयनकी लड़की थी। यद्यपि बातूसे बड़ा एक और भी भाई उर्दा (ओर्दा) था, लेकिन दादाने इसे ही अधिक योग्य समझा। छिङ-गिस् पश्चिम दिशाके महत्त्वको समझता था, इसलिये द्वितीय पुत्र होनेपर भी समझ समझ बा-तू को बापका स्थान दिया। बड़े भाई ओर्दाने भी दादाके निर्णय को दिलसे स्वीकार किया, तथा उसके उलुसने भी बातूके उत्तराधिकारियों को अपना प्रधान माना। यद्यपि रूसियोंमें बा-तूका ओर्दू सुवर्ण-ओर्दूके नामसे प्रसिद्ध है, किन्तु पूर्वी इतिहासकार उसे कोक-ओर्दू (नील-ओर्दू)के नामसे ज्यादा जानते हैं—ओर्दाका उलुस अक-ओर्दू (श्वेत-ओर्दू) के नामसे प्रसिद्ध था। जू-छि ओर्दू, हम जानते हैं, लड़ाकू घुमन्तुओंका समूह था, जो जू-छिके मरनेपर बा-तू और ओर्दामें आधा-आधा बंट गया। ओर्दाके उलुसको वाम-दल और बा-तू को दक्षिण-दल भी कहा जाता था। वाम-दलमें वैसे बा-तूके भाई ओर्दा, तुकातेमुर, सिङ-कुर और सिङ-कुङ भी शामिल थे। समकालीन इतिहासकार मिनहाजुद्दीन जुज़जानी (११९३-१२२६) ने दिल्लीमें रहते अपने संरक्षक नासिरुद्दीन मुहम्मदशाह (१२४६-६५ई०) के नामसे प्रसिद्ध "तवारीखे-नासिरी" में लिखा है, कि जू-छिके मरनेपर छिङ-गिस्‌ने बा-तूको जू-छिका स्थानापन्न बनाते हुये उसे किपचकों, कंगलियों, ऐमकों, इलवारों, अलानों, असियों, रूसियों, चेरकासोंकी भूमि प्रदान की, और वह सभी भूमि भी, जहांपर मंगोल घोड़सवारोंकी टापें पड़ीं। यह हम देखेंगे, कि आगे खजार-दर्बन्द—जिसे मंगोल थिमुर-कखलखा (लौहद्वार) कहते हैं—भी बा-तूके हाथमें था। इस प्रकार काकेशसमें उसके और उसके चचेरे भाई ईरानके खान खु-ला-गूकी सीमा मिलती थी। जुज़जानीके अनुसार बा-तू मुसलमानोंका मित्र था। उसने छावनियों और डेरोंमें मस्जिदें बनवा इमाम और मुअज्जिन नियुक्त किये थे। उसकी मुसलमानी प्रजामें सर्वत्र शांति और समृद्धि देखी जाती थी। इसका अर्थ यही है, कि बा-तू धर्मके बारेमें अपने दादाकी नीतिका अनुगमन करता था। लेकिन ख्वारेज्म, किपचक और काकेशसमें ही उसकी मुसलमान प्रजा रहती थीं। बशगिर ईसाई थे। वही बात रूसी तथा दूसरे लोगोंकी थी। ऐसी हालतमें बा-तू यदि स्वयं ईसाई हो, तो कोई विचित्र बात नहीं थी। बहुसंख्यक जनताको अधिक अनुकूल बनानेके लिये यह अच्छा ढंग था। अभी उस समय तक मंगोल-राजवंशने बौद्ध-धर्मको जातीय धर्म नहीं बनाया था। एक तरह संसारके बड़े-बड़े धर्मोंकी वह परीक्षा कर रहा था। खुबिलेइ (कुबिले) कआनने बौद्ध-धर्म स्वीकार कर यद्यपि वह कदम बढ़ाया, जिससे बौद्ध-धर्म मंगोलोंका राष्ट्रीय धर्म बन गया, किन्तु खुबिलेइके निर्णयको उन्हीं जगहोंमें मंगोलोंने माना, जहां बौद्ध-धर्मकी प्रधानता थी, अथवा जहां कोई गैर-कबीली देशी धर्म प्रचलित नहीं था। बा-तूके उत्तराधिकारी तथा अनुज बरकाने अपने आपको खुल्लमखुल्ला मुसलमान घोषित किया, जिसका उसके अपने मंगोलोंपर बुरा प्रभाव पड़ा, जो ही पीछे पूर्वी और पश्चिमी मंगोल-साम्राज्यमें मतभेदका एक कारण भी हो पड़ा। सुवर्ण-ओर्दू ऐसी स्थितिमें था, कि यदि उसने ईसाई धर्म को स्वीकार किया होता, तो शायद आगे चलकर रूसियोंको उनके विरुद्ध धर्मयुद्धका ख्याल न आता। चगताइ और खुलाकू-वंशकी साधारण प्रजा सारी मुसलमान थी, जिसके कारण राजनीतिक लाभके ख्यालसे उन्हें इस्लामको स्वीकार करना पड़ा। चगताइ खान तर्मछेरिङ—जो कि मुहम्मद तुगलकका समकालीन था—का नाम बौद्ध था, लेकिन पीछे वह कट्टर मुसलमान हो गया। इसके कारण भारतके तुगलक सुलतान तथा चगताइ खानमें बड़ी घनिष्ठता स्थापित हो गई। ईरानी खान गज्जन (१२९५-१३०४) ने पहले अपनी राजधानीमें एक सुन्दर बौद्ध विहार बनवाया, लेकिन अंतमें राजनीतिक-दाव-पेंचके लिये उसे इस्लाम स्वीकार करना पड़ा। धर्म किस तरह राजनीतिक चालके लिये इस्तेमाल होता है, इसका यह स्पष्ट उदाहरण है। ईसाइयतको न ले सुवर्ण-ओर्दूके खानोंने इस्लामको क्यों स्वीकार किया, इसमें एक कारण था—मुसलमान तुर्क-लड़ाकुओंसे अपने शासनको मजबूत करनेका ख्याल। वोल्गाको उस समय इतिलके नामसे पुकारा जाता था। वोल्गार जातिके इस उपत्यकामें रहनेके कारण

पीछे इसी नदीका वोल्गा नाम पड़ा। वोल्गाके बायें तटपर अस्त्राखानसे उत्तर बा-तूने अपनी राजधानी बनवाई, जिसका नाम सराय, बा-तू-सराय (या बरका-सराय भी) पड़ गया। गू-युक कआनके मरने के समय (१२५१ ई०) मंगोलोंने बा-तूको अपना कआन बनाना चाहा, लेकिन तबतक उसके घोड़ोंकी टापें जर्मनीकी सीमातक पहुंच चुकी थीं, इसलिये पश्चिम-विजेताने पूर्व जाना पसंद नहीं किया और उसके समर्थनपर छिङ-गिस्-पुत्र तू-लुइके पुत्र मुङ-खे (मङ-गू) को कआन बनाया गया।

दिग्विजय—१२२४ ई० में बापकी जगह बैठनेके बाद बा-तू ख्वारेज्म और उसके पश्चिमकी भूमि का शासक बना। मंगोलों की प्रथम पश्चिमी विजय स्थायी नहीं थी, इसलिये बा-तूको फिर लड़कर अपनी स्थितिको मजबूत करना पड़ा। ख्वारेज्म और किपचकके बहुत से भागोंने बा-तूके शासनको जल्दी स्वीकार कर लिया, किन्तु सुवर्ण-ओर्दूके आगेके विस्तारके लिये उसे बहुत संघर्ष करना पड़ा। इसके लिये शायद बा-तू राजी न होता, यदि १२३५ ई० की अपनी दूसरी कूरिल्ताइ (महासंसद) में उगेताइने प्रोत्साहन न दिया होता। इसी कुरिल्ताइमें दक्षिणी चीन तथा और भी दक्षिणके देशोंके विजयका निश्चय हुआ था, और बा-तूको वोल्गारों, असों और रूसियोंपर अधिकार करनेका काम सौंपा गया था। उसकी मददके लिये उगेताइने अपने पुत्रों गू-युक और कदगन, तु-लुइके पुत्र मुङ-खे (मङ-गू) और मोकू, एवं जू-छिके पुत्रों ओर्दा, और तङ-गुतको सहायतार्थ दिया। इनके अतिरिक्त कुछ और खान-जादों (राजकुमारों) के साथ प्रसिद्ध सेनापति सु-बो-ताइ बहादुर भी साथ था।

बा-तूकी सेना केलरोंको विजय करके बाश्किरोंपर पड़ी। बाश्किरोंके बारेमें १२३६ ई० में साधु जुलियनने लिखा था—"पूर्वी मगयार (हुंगेरियन) या बाश्किर काफिर हैं। उन्हें न सच्चे ईश्वर-का ज्ञान है और न वह दूसरे देवताओंको पूजते हैं। वह जंगली जानवरोंकी तरह रहते हैं, खेती नहीं करते, घोड़ों और भेड़ोंका मांस खाते, दूध, दूधकी शराब (कूमिस) और खून पीते हैं। उनके पास घोड़े और हथियार प्रचुर परिमाणमें हैं और वह बड़े लड़ाकू हैं। उनमें एक कथा मशहूर है, कि मगयार हमारे देशसे गये, किंतु कहां गये, यह नहीं जानते।" लेकिन जहांतक बाश्किर सरदारों और सामन्तोंका संबंध था, वह अधिकतर ईसाई थे, यह पूर्वी इतिहासकारों के लेखोंसे भी मालूम होता है।

(क) बाश्किर-विजय—महाकूरिल्ताइके निर्णयके बाद जो महाअभियान शुरू हुआ, उसके अनुसार १२३८ ई० में यायिक (ऊराल) नदीके तटपर बा-तूकी साढ़े चार लाख सेना एकत्रित हुई। इसमें कंकली (कंगली), नैमन, कराखिताई आदि कबीलोंके सैनिक अधिक थे। सेनाको तीन भागों में बांटा गया—(१) मुङ-खे और बे-चुकके अधीन एक सेना सकसिन (निम्न वोल्गा उपत्यका) के सरदार पचिमान (राजधानी सुमरकंद) के विरुद्ध भेजी गई, (२) दूसरी सेना सुबोताइके अधीन वोल्गारोंके विरुद्ध। (३) स्वयं बा-तूने दुश्मनकी संख्या और शक्तिका पता लगानेके लिये अपने भाई सेबानको दस हजार सैनिकोंके साथ आगे भेजा। सेबानने हफ्तेके भीतर लौटकर दुश्मनकी जबर्दस्त शक्ति का पता दिया। दोनों ओरकी सेनायें एक नदीके किनारे आमने-सामने खड़ी हुई। इतिहासकार जुवैनी (१२२६-८३ ई०) के अनुसार बाश्किर सेनाको देख बा-तू अपने शिविरमें चला गया और किसीसे एक शब्द भी न कह बस भगवान्से प्रार्थना करते खूब रोता रहा। उसने सभी मुसलमानोंको भी एकत्रित करके दुआ मांगनेके लिये कहा। दूसरे दिन युद्ध करनेका निश्चय हुआ। मंगोल सेना रात-को ही नदी पार करनेमें सफल हुई और उसके प्रहारसे केलरोंके पैर उखड़ गये। बा-तूकी जबर्दस्त विजय हुई, दुश्मन भारी संख्यामें काम आये, उनकी बहुत-सी संपत्ति हाथ आई। उसी जाड़ेमें बा-तूके सेनापति सुबोताइने खबान उपत्यकापर अधिकार किया।

(ख) बोल्गार-विजय—१२३८ ई० में सुबोताइ (सुङ-ताइ) ने वोल्गा-उपत्यकाके तटपर अवस्थित बोल्गारोंकी राजधानीपर आक्रमण किया। बोल्गारोंने ब्लादिमिरके महारावल द्वितीय जार्ज व्सेवोलद-पुत्रसे सहायता मांगी। उसका भाई नवोग्रादका शासक तथा अभी-अभी कियेफके सिंहासनपर बैठनेवाला था, जिसके बाद नवोग्रादका शासक प्रसिद्ध रूसी वीर तथा कियेफ-रावलका पुत्र अलेक्सी नेव्स्की हुआ। इस प्रकार कियेफ, नवोग्राद और ब्लादिमिर तीनों राज्य एक ही परिवारके हाथमें थे। रूसियों और बोल्गारोंकी सम्मिलित सेनाने मंगोलोंका जबर्दस्त मुकाबिला किया।

(ग) सकसिन-विजय—मङ्-गूने सकसिनोंको हराया। पचिमानने अपने अनुयायियोंके साथ जंगलमें शरण ली। लेकिन मंगोल भगोड़ोंको फिरसे मुकाबला करने लायक क्यों छोड़ने लगे? मुङ-खेने जगह-जगह अपनी सैनिक चौकियां स्थापित कीं और अंतमें पीछा करते-करते वोल्गा नदीके टापूमें उसे जा दबाया। पचिमानके अनुयायियोंमें बहुतसे मारे गये। बंदियोंमें स्त्री-बच्चे तथा स्वयं पचिमान हाथ आया और गुस्ताखीके अपराधमें मुङ-खेके हुक्मसे उसके सामने ही पचिमान-के दो टुकड़े कर दिये गये।

(घ) मास्को-विजय—उसी ग्रीष्म (१२३७ या १२३८ ई०) में खानजादों (राजकुमारों) ने रूसियोंके नगर अरपान (र्याजन) पर आक्रमण किया। तीन दिनमें ही नगरने अधीनता स्वीकार कर ली। उस समय सिम्बिर्स्क, पेन्जा, तम्बोफ नामसे पीछे प्रसिद्ध स्थानोंमें मोर्दवीन लोग बसते थे, जिनका अपने पड़ोसी रूसियोंसे अच्छा संबंध नहीं था। उन्होंने मंगोलोंके लिये गुप्तचरका काम किया। उनसे पता पाकर मुङ-खे और बा-तूकी सम्मिलित सेनाने सीमांती नगर र्याजनके ऊपर आक्रमण किया था। र्याजनके रावल जार्जने मंगोलोंसे लड़नेमें सफलता न पा अपने पुत्र फ्योदरको भेंटके साथ बा-तूके पास भेजा। बा-तूने भेंट स्वीकार की, लेकिन साथ ही फ्योदरसे उसकी बहन और बेटियोंको भेजनेके लिये कहा और यह भी, कि वह अपनी सुन्दरी भार्या एउफ्रेसिया को दिखलावे। फ्योदरने कहा—ईसाई राजकुमार अपनी स्त्रियोंको काफिरोंको नहीं दिखाया करते। इसपर बा-तूके हुक्मसे वह वहीं मार दिया गया, जिसकी खबर पा अपना सतीत्व बचाने के लिये उसकी स्त्रीने अपने पुत्रके साथ छतसे गिरकर जान दे दी। अब भी वर्तमान र्याजनसे दस लीगपर पुराने (स्तार्या) र्याजनका ध्वंस मौजूद है।

(१) र्याजन-विजयके बाद बा-तूकी सेना ओकाके किनारे-किनारे कोलम्ना पहुंची और उसपर अधिकार कर मास्को (मकस) जा उसे लूटा-जलाया। फिर वह सुज्दलकी राजधानी ब्लादिमिरके ऊपर पड़ी। नवगोरद जाते १४ मार्च १२३८ ई० को वोलोकोन्स्की (त्वेर) और तोर्जकपर भी कब्जा किया, लेकिन मंगोल वोल्गाके उद्गम सेलिगोरसे आगे नहीं बढ़े। मंगोलोंके सामने "ग्राम लुप्त हो गये, रूसियोंके मुंड हंसियेके सामने घासकी तरह गिरते गये।"

(२) दूसरी सेना इसी समय बा-तूके भाई बेरेकके नेतृत्वमें वोल्गा और दोनके बीचके किपचकोंके ऊपर पड़ी। किपचक-सरदार कोतियक देश छोड़ अपने बंधुओं (मग्यारों) के पास हुंगरीकी ओर भगा।

(३) तीसरी सेना सेवान, बूजक और बूरीके नेतृत्वमें मारी लोगोंके ऊपर पड़ी, जो कि उस समय दक्षिण-पश्चिमी रूसमें रहते थे।

(४) चौथी सेना काकेशसकी पहाड़ियोंकी ओर चेरकासियोंके पीछे पड़ी। १२३८ ई० की शरद्में चेरकास-राजा तुकान मारा गया और १२३९ ई० में मंगोलोंने काकेशसके दरबंदपर आक्रमण किया।

मास्कोकी तरफ बढ़ते समय रूसी राजुल रोमनने प्रतिरोध करते मंगोलोंके हाथ अपने प्राण खोये। तीन दिनोंके संघर्षके बाद मंगोलोंने मास्को (मकस) को ले लिया और वहांके राजुल (क्न्याज) ब्लादिमिर (उलयतमुर) को मार डाला। फिर वह लोगोंको कत्ल करके नगरोंको बिल्कुल लूटते-जलाते चीजोंको नष्ट करते आगे बढ़े, जिसमें पीछेसे उनपर प्रहार करनेवाला कोई न रह जाय। उस समय सारा रूस छोटे-छोटे राजुलोंमें बंटा हुआ था। वह भला कैसे मंगोलोंके टिड्डी-दलका मुकाबिला कर सकते थे? रूसी जंगलोंमें भागते, लेकिन वहांसे भी पकड़कर मारे जाते।

बा-तूके दो महीनेके मुहासिरेके बाद भी कोजेल्स्क सर नहीं हुआ, कदन तथा बूरीकी सेनाओंके आनेपर तीन दिनके संघर्षके बाद ही उसपर अधिकार हो पाया। मुस्लिम इतिहासकारोंके अनुसार चेर-कासोंके ऊपर ६३५ हिजरी (१२३६-३८ ई०) के जाड़ोंमें मुङ-खे और कदनने आक्रमण किया, और वहांका राजा तुकर मारा गया।

(ङ) कियेफ-विजय—१२३९ ई० के वसंतमें बा-तूके नेतृत्वमें प्रधान सेना द्नियेपर-उपत्यकाके निवासियोंके ऊपर पड़ी। राजुलोंकी आपसी शत्रुताके कारण दक्षिण-पश्चिमी रूसियोंने भी एक होकर

मुकाबिला नहीं कर पाया। मंगोल रूसी राजुलोंको भगाते कियेफ पहुंचे। ६३७ हिजरी (१२४० ई०) की शरद्‌में कआन * ओगोताइ का बुलावा आनेसे गो-युक और मुङ-खे किप्चक-भूमिके रास्ते मंगोलिया लौट गये, लेकिन बा-तूकी विजय-यात्राका सबसे बड़ा कदम अब उठनेवाला था।

बा-तू अपने भाइयों कदन, बूरी और बू-चेकके साथ रूसियों और कालीटोपियों (स्याहकुलाह) की ओर बढ़ा। इसी समय दिसंबरमें नौ दिनों के मुहासिरेके बाद उसने महानगर मनकेरकानको ले लिया। मनकेरकान रूसका सबसे पुराना और वैभवशाली नगर कियेफका ही नाम था, मंगोलोंने नगरकी होली जला दी, जिसमें शताब्दियोंसे जमा होती कलाकी वस्तुयें तथा भव्य इमारतें नष्ट हो गईं। तबसे १५वीं शताब्दी तक कियेफ उजाड़ रहा।

१२४१ ई० (६३८ हि०) में ओगोताइ मरा, वसंतमें बाकी खानजादे भी बाश्किरोंकी भूमि होते मंगोलिया लौट गये। इसी साल बा-तूने बाश्किर-राजाको नष्ट किया।

(च) युरोप-विजय—१२३८ ई० से १२४० ई० के वसंततककी बा-तूकी विजय-यात्रा अभूतपूर्व है। इसी समय उसने बोल्गाके कबीलोंको परास्त किया, रूसी नगरोंको जीता, काला सागरके मैदानोंको अपने हाथमें किया, कियेफको ध्वस्त किया, और फिर अपने सैनिक दलोंको दक्षिणी पोलैंड (रुथेनिया) की ओर भेजा। उस समय रूसकी तरह पोलैंड भी बहुत-से छोटेछोटे राज्योंमें बंटा हुआ था। मार्च १२४१ ई० में जब जाड़ोंकी बर्फ पिघली, तो मंगोलोंके सैनिक शिविर कारपेथीय पर्वतमालाके ऊपर लेम्बरमें थे।

जनवरी १२४१ ई० में मंगोल गोलेनियामें लूट-मार मचाते पोलैंदकी राजधानी क्राकोके पास पहुंचे। १८ मार्चको पोलोंको पराजित कर २४ मार्चको मंगोल-सेनापति बैदरने क्राकोको जलाया। मंगोल फिर सिलेसिया और रतिबरमें ओडर नदीको पार कर दब्रेस्जव नगरके सामने पहुंचे। ९ अप्रैलको मंगोलोंने पोलों और त्युतानिक सरदारों (राजुल हेनरी आदि) की सेनाओंको लिग्‌नित्जके पास वालस्टाट (युद्धक्षेत्र) नामक स्थानमें हराया। लिग्‌नित्ज, ओत्‌माखन, बोलातीजको लूटते-जलाते मईमें वह मोरावियामें पहुंचे। वहां ओपनके इलाके तथा दूसरे स्थानोंका उन्होंने संहार किया। फ्रांसके राजा लूईके पास पत्र लिखते हुये इस ध्वंस-लीलाका वर्णन एक ईसाई पादरीने इस प्रकार किया है—"जर्मनीके सभी राजुल, राजा तथा पुरोहित एवं हंगरीके भी लोगोंने हाथमें सलीब लेकर तातारोंके खिलाफ अभियान किया। हमारे भाइयोंने जो बतलाया है, यदि वह ठीक है, और भगवान्‌की इच्छासे वह पराजित हो गये, तो तुम्हारे देश (फ्रांस) तक कोई ऐसा नहीं है, जो तातारोंके मुकाबिलेमें खड़ा हो सके।"

बा-तूके दुश्मनको मग्यार-राजा बेलाने शरण दी थी। मंगोलोंके लिये यह भी एक बहाना मिला। चालीस हजार बंदी बा-तूकी सेनाके लिये रास्ता बनाते थे। बा-तूकी एक सेना मोलदाविया, कुमासिया, त्रान्सिल्वानियाको नष्ट करते ओरसोवा पहुंची, उसने नगरको मलियामेट करदिया। बेलाकी सेनाको १२ मार्चको रुथेनियन डांडेके पास हार खानी पड़ी थी। सरविया होते बोल्गारिया में दाखिल हो २५ दिसंबरको मंगोलोंने वहांके ग्रामों-नगरोंका सर्वसंहार किया। प्लातेन झीलसे होते मंगोल क्रोसियाकी ओर बढ़कर स्पालत्रो समुद्रतट पर पहुंचे और कतारोंको ध्वंस करते अलबानियामें जा दाखिल हुये। वहांसे मईमें कदनकी सेना बोल्गारिया होते लौटकर बा-तूके पास पहुंची। उनकी गति कितनी तेज थी, यह इसीसे मालूम होगा, कि वह तीन दिनमें सत्तर मीलकी यात्रा करके पेस्त (बुदापेस्त) नगर पहुंच गये।

सुबोदाइ और बा-तू तीन सेनाओंके साथ कारपेथीय पर्वतमालाके भीतरसे दुश्मनके दक्षिणी पक्षकी ओर बढ़े थे। गलीसियासे हुंगरीमें घुसकर सुबोदाइकी सेना मलदावियाकी ओर लौट पड़ी। रास्तेमें जो भी प्रतिरोधी सैनिक-टुकड़ियां मिलीं, उनका सफाया करते उसकी सेना पेस्तमें प्रधान सेनासे अप्रैलके आरंभमें—लिग्‌नित्जके युद्धके जरा-सा ही पहले—आ मिली। इस सेनाको यह पता नहीं था, कि उत्तरमें क्या हो रहा है। उसने ओडेरके तटपर अवस्थित मंगोल-सेनप कैदू और उसके भाइयोंके साथ संबंध

* कआन=कगान=खाकान=खान-खान=राजाधिराज (सम्राट्)

स्थापित करनेके लिये एक सेना भेजी । उगोलिनके विशपकी छोटी सेना हारी, और बिशप अपने तीन साथियोंके साथ जान बचाकर किसी तरह निकल भागा । मंगोलोंका अभियान प्रलयकी ध्वंस-लीला जैसा था, जिससे सारे युरोपमें उनका आतंक मचा हुआ था । सभी मुकाबिला करनेकी तैयारी कर रहे थे । सुदूर-फ्रांस भी सैनिक सहायतायें भेज रहा था । हुंगरीके राजा बेला चतुर्थने एक लाखकी सेना तैयार की थी, जिसमें मगयार (हुंगेरियन), क्रोत, जर्मन तथा फ्रेंच सैनिक भी शामिल थे । मंगोलोंकी सैनिक चाल वही थी, जो कि उनके पूर्वज हूणोंकी, और उससे वे अक्सर सफल होते रहे; शत्रु-सेना-के सामने मंगोल पीछे हटने लगते । जब शत्रु इसे पराजय समझकर बेखटके खदेड़ना शुरू करते, तो मंगोल चारों तरफसे उन्हें घेर लेते । निर्णायक युद्ध-स्थल के एक तरफ सायो नदी थी, दूसरी तरफ द्राक्षालताओंसे ढंका तोकय पर्वत, तीसरी तरफ लोमनिद्जके घने जंगलों से ढंके बड़े पहाड़ । सूर्योदयके समय बा-तूकी सेना पुलकी ओर आगे बढ़ी और उसने वहांकी रक्षक सेना पर एकाएक आक्रमण करके उसे नष्ट कर दिया । अब मंगोलोंकी प्रधान सेना पुलके पार दौड़ी । शत्रु-सेनामें भगदड़ मच गई । युद्ध बड़े जोरका हुआ और दोपहरके करीब ही उसकी समाप्ति हो सकी । इसी समय सुबोताई बेलाकी सेनाके पीछे पहुंचा । हुंगेरियन जान लेकर भगे और मंगोल उनका पीछा करने लगे । दो दिनके रास्तेतक सड़कों-पर युरोपियनोंकी लाशें पड़ी हुई थीं—चालीस हजार आदमी मारे गये थे । बेलाका भाग्य था, जो कि अपने तेज दौड़नेवाले घोड़ेकी सहायतासे वह बच निकला । वह दुनाइ (दन्यूब) के किनारे-किनारे छिपता भागता रहा और मंगोल उसकी तलाशमें फिरते रहे । अन्तमें बेला कारपेथीय पर्वतमालामें पहुंचा । मंगोलोंने मग्यार राजधानी पेस्तमें आग लगा दी । वह बढ़ते हुये आस्ट्रियामें न्यूस्टाट तक पहुंचे । भगोड़े जर्मनों और बोहेमियों (चेकों) को एक ओर छोड़ते वह दक्षिणकी ओर मुड़ अद्रियातिक समुद्रतटपर पहुंचे और केवल रगूसा को छोड़कर समुद्रतटके सभी नगरोंको उन्होंने लूटा-जलाया । दो महीनेके भीतर मंगोल घोड़ोंने युरोपको एलबा नदीके उद्गमसे अद्रियातिकके समुद्रतटतक रौंद डाला । उन्होंने तीन महासेनाओं, एक दर्जन छोटी सेनाओंको हराया और ओलमुत्ज छोड़कर इस भूभागके सारे नगरोंको पराजित किया । स्टर्नबर्गके यारोस्लावने अपने बारह हजार सैनिकोंके साथ ओलमुत्जकी बड़ी बहादुरीसे रक्षा की थी । युरोपके तत्कालीन राजा हुंगरीका बेला और फ्रांसका संत लुई दोनोंही योग्य थे, लेकिन सुबोदाइ, मङ्-गू, कै-दू और बा-तू जैसे महान् सेनापतियोंके सामने उनकी एक भी न चली ।

जिस वक्त मंगोल दावानलकी तरह युरोपकी ओर बढ़ रहे थे, उसी वक्त कैसर फ्रेडरिक द्वितीय और पोप ग्रेगरी नवम का द्वंद्व चल रहा था । दोनोंने तुरंत अपने संघर्षको बंद कर दिया । धर्मयुद्धका प्रचार होने लगा । कैसर नेपल्स और सिसिलीका स्वामी था । वह अल्प्स पर्वतमालाके पारके सभी देशोंपर अधिकार जमाना चाहता था । पोप इसके लिये तैयार नहीं था । अगस्त १२४० ई० से अप्रैल १२४१ तक—जब कि मंगोल युरोपको रौंद रहे थे—फ्रेडरिकने महंतराज (पोप) के नगर फायनकाको घेर रक्खा था, जिसे अंतमें उसने अपने हाथमें कर लिया । दूसरी ओर पोपने २० मार्च १२३९ ई० को फ्रेड्रिकको धर्म-बहिष्कृत कर दिया । साल भर बाद फ्रेड्रिकके विरुद्ध पोपने धर्मयुद्धकी घोषणा की और जर्मन राजुलोंके एक समुदायको फ्रेड्रिकके खिलाफ लड़नेके लिये तैयार किया । युरोपकी यह कमजोरी बतला रही थी कि बा-तूके संकल्प करनेकी देर थी, फिर इंग्लिश-चैनेल तक कोई भी शक्ति उसकी सेनाको रोक नहीं सकती थी ।

मंगोल-हथियार—साधु कारपीनी दूत बनाकर जिस वक्त मंगोलिया भेजा गया, उससे थोड़ा ही पहले मंगोलोंकी १२३८-४२ ई० वाली विजय-यात्रा हुई थी । कारपीनी दरबारमें इसीलिये भेजा गया था, कि खाकानसे ईसाइयोंकी निर्मम हत्या बंद करनेके लिये प्रार्थना करे । कारपीनीने अपने यात्रा-विवरणमें मंगोलोंकी अजेय शक्तिके बारेमें लिखा है—

"कोई भी अकेला राज्य या देश तारतारों (मंगोलों) का मुकाबिला नहीं कर सकता । तारतारोंकी लड़ाई केवल बलकी नहीं, बल्कि दाव-पेंचकी होती है । युरोपवालोंकी अपेक्षा तारतारोंकी संख्या कम है और शारीरिक डीलडौल और शक्तिमें भी वह छोटे हैं । हमारी सेनाओंको भी तारतारोंके नियमके अनुसार शिक्षित करने, और उन्हींके युद्ध-नियमोंको कड़ाईके साथ पालनेकी जरूरत है ।

जहां तक संभव हो युद्धक्षेत्र ऐसा चुनना चाहिये, जहां चारों ओरकी चीजें दिखलाई पड़ती हों। सेनाको एक निकायमें नहीं लाकर खड़ा करना चाहिये, बल्कि उसे कई विभागोंमें विभक्त करके रखना चाहिये। पता लगानेके लिये चारों तरफ चर भेजने चाहिये। हमारे सेनापतियोंको रात-दिन अपनी सेनाओंको सजग, सदा हथियारबंद तथा युद्धके लिये तैयार रखना चाहिये। तारतार शैतानकी तरह सजग रहते हैं।

"अगर ईसाई दुनियाके राजा और शासक मंगोलोंके बढ़ावको रोकना चाहते हैं, तो उन्हें एक संयुक्त परिषद् बनाकर एक उद्देश्यके साथ प्रतिरोध करना चाहिये। ईसाई-राजाओंको चाहिये, कि वह अपने सिपाहियोंको मजबूत धनुषों, लंबी कमानों और तोपों से हथियारबंद करें। यही हथियार हैं, जिनसे तारतार लड़ते हैं। इनके अतिरिक्त सैनिकोंको अच्छे लोहेकी गदाओं अथवा लंबे बेंटवाले गडासोंको रखना चाहिये। वाणके फौलादी फलोंको तारतारोंके ढंगसे खूब लाल रहते नमक-मिले पानीमें डुबाकर तैयार करना चाहिये। इस तरह वह कवचके भीतरतक घुस सकते हैं। हमारे आदमियोंके पास अच्छे शिरस्त्राण तथा कवच होने चाहिये, जिसमें उनकी रक्षा हो सके। घोड़ोंके लिये भी यही बात है। जो इतने हथियारबंद नहीं हैं, उन्हें पीछेकी पांती में रखना चाहिये।"

आस्ट्रियामें न्यूस्टाटपर पहुंचकर मंगोलसेना अपनी जन्मभूमि (मंगोलिया) से ६ हजार मील दूर पहुंची थी, और यहांपर भी अजेय साबित हुई।

साधु सेवलरीने मंगोलोंके हथियारोंके बारे में लिखा था—

"उनके कवच भैंसके चमड़ोंके बने होते हैं, जिनके ऊपर जंजीरें खिंची रहती हैं। वह अभेद्य होते हैं जिसके कारण सैनिकका अंग सुरक्षित रहता है। वह अपने सिरपर लोहे या चमड़ेके शिरस्त्राण पहनते हैं। टेढ़ी तलवार, धनुष-वाण उनके हथियार हैं। उनके वाणोंके फल चार अंगुल चौड़े—हमारे फलोंसे अधिक लंबे और लोहे, हड्डी या सींगके बने होते हैं। उनके दांत इतने छोटे होते हैं, कि वह धनुषकी प्रत्यंचाओंके ऊपर नहीं लग सकते। उनकी ध्वजायें छोटी तथा चमरीके काले या सफेद पूंछोंकी होती हैं, जिनके सिरेपर ऊनका गुच्छा रहता है। उनके घोड़े छोटे, सुडौल और मेहनती तथा सभी तरहकी कठिनाइयों को सहनेके लिये तैयार होते हैं। वह बिना रिकाबके सवार हो उन्हें चट्टानों या दीवारोंपर हरिनकी तरह कुदा सकते हैं।"

यह सभी स्वीकार करते हैं, कि तत्कालीन जगत्‌में सेना-संबंधी इंजिनियरी-निपुणता जितनी मंगोलोंके पास थी, वैसी उस समय युरोपमें कहीं नहीं थी। उनके पाषाण-क्षेपक (कतापुल्त) और बारूदकी तोपें गजब ढाती थीं।

जर्मन सीमांत नगर लिग्‌नित्जसे लेकर वोल्गाके किनारे तक शायद ही कोई नगर हो, जो बा-तूकी ध्वंस-लीलासे बचा हो। नगर मंगोलोंकी आंखोंमें कांटेकी तरह चुभते थे। यही नहीं, कि वहां उनके लिये प्रतिरोधकी संभावना थी, बल्कि स्थिर वासी लोग जिस भूमिको जोतते-बोते थे, वह मंगोल सैनिकोंको अपने घोड़ों और पशुओंके चरनेके लिये आवश्यक थी। इसीलिये वह नगरों और बस्तियोंको उजाड़ उन्हें घासका मैदान बना देना चाहते थे। बा-तूका युद्ध मंगोलों और युरोपियोंका ही नहीं बल्कि घुमन्तू-पशुपालों और स्थिर बस्तीवाले किसानोंका भी युद्ध था। यदि इसी समय ओगोताइ न मर गया होता और मंगोल-सेनापतियोंको लौटनेका बुलावा न आता, तो इसमें कोई शक नहीं, कि युरोपकी चप्पा-चप्पा भूमिको मंगोल-सवारोंने रौंद डाला होता, सारे नगरोंको जला दिया होता। उनकी सफलताका कारण बतलाते हुये एक इतिहासकारने लिखा है—"घुमन्तू जातियां यद्यपि अनियमित सेना हैं, किंतु उन्हें बहुत आसानीसे गतिशील किया जा सकता है। वह सजग हो तैयार खड़ी रहती हैं। जो कुछ उनके पास है, उसे बूढ़ों, स्त्रियों और बच्चोंकी रक्षामें छोड़कर वह हर समय कूच करनेके लिये तैयार रहते हैं। ऐसी जातिके लिये युद्ध कोई विशेष घटना नहीं है। घुमन्तुओंके लिये लंबी यात्रायें थोड़ेसे परिवर्तनके सिवा और कुछ नहीं हैं। उनके घोड़े और रसद सब साथ-साथ होती है।"

मंगोल आखिरतक घुमंतू रहे। जहां यह उनकी शक्तिका एक बहुत भारी कारण था, वहां यही उनकी कमजोरीका भी मुख्य कारण था। रूसी इतिहासकार करमाज़िन (१७६५—१८२६ ई०) के अनुसार—"अगर वे कृषिजीवी बन गये होते, तो शायद रूस अभी भी मंगोलोंके अधीन होता।"

बा-तूने विजय-यात्रासे लौटकर मास्कोके महाराजुल यारोस्लाव व्सेवोलद-पुत्रको सारे रूसी राजुलोंका सरदार बना दिया। इसी समयसे मास्कोकी प्रधानता शुरू हुई। दो साल बाद गु-युक कआनके राज्याभिषेकके समय यारोस्लावको मंगोलिया भेजा गया, जहांसे वह लौट नहीं सका। इसी महोत्सवमें फ्रांसिस्कन साधु जान प्लानो कारपीनी (११८२-१२४६....ई०) भी शामिल हुआ था, जो पोप इन्नोसेंत-द्वारा मंगोल-सम्राट्को ईसाई बनानेके लिये भी भेजा गया था। वह १६ अप्रैल १२८४ ई० को ल्योन्ससे चला और जर्मनी, बोहीमिया, ब्रेस्लो, क्राको, वोल्दमीर (वोल्हूनिया), कियेफ (४ फर्वरी १२४६ ई०), तारतार-राज्य कानियेफ, ओरेन्जा (दूनियेपर दक्षिणतट), दोन, वोल्गा (बातूसराय), यायिक (उराल-नदी), कोमानियाकी पूर्वी सीमा, कंग-ली, दुश, यानीकेन्त (सिरतट), तलस (तरस), इमिल, ओगोताइ-शिविर, नेमन (२८ जून) होते राजधानी कराकोरममें पहुंचा। कारपीनीने अपनी यात्राका जो वर्णन किया है, उससे उसके रास्तेके देशोंका अच्छा परिचय मिलता है। बा-तूके दरबारमें उसने पत्नियोंसहित खानको तख्तपर बैठे देखा। खानजादे (राजकुमार) बेंचोंपर बैठे थे, जिनमें पुरुष तख्तकी दाहिनी ओर और स्त्रियां बाईं ओर थीं। उसके वर्णनसे यह भी मालूम होता है, कि मुङ-खेके कआन चुने जानेमें बा-तूका खास हाथ था। उस समय छिङ-गिस्-वंशका वही सबसे बड़ा और सम्मानित राजकुमार था, इसलिये उसकी बातको कोई नहीं काटता था। मुङ-खेने पश्चिमकी दिग्विजय में बा-तूकी बड़ी सहायता भी की थी। मंगोल बा-तूको कितने सम्मानकी दृष्टिसे देखते थे, यह उसके सायन (भले राजा) के नामसे सिद्ध है।

१२५५ ई० में मुङ-खेके राज्याभिषेकके समय बा-तू स्वयं नहीं जा सका। उसने अपनी जगह अपने पुत्र सरतकको भेजा था। इसी समय (१२५५ ई०) इतिल (वोल्गा) के तटपर बा-तूका देहान्त हो गया।

३. सरतक बा-तू-पुत्र (१२५५ ई०)

बा-तूने अपने ज्येष्ठ पुत्र सरतकको मुङ-खे कआनके सिंहासन-महोत्सवमें भेजा था। वहीं बा-तूके मरनेकी खबर पा मुङ-खे कआनने उसे सुवर्ण-ओर्दूके खानकी यारलिक (शासनपत्र) प्रदान करके भेजा। लेकिन वह अधिक दिनोंतक नहीं जिया। समकालीन मंगोल इतिहास-लेखक रशीदुद्दीन (१२४७–१३१७ ई०) के इतिहास 'जामेउत्-तवारीख' के अनुसार बा-तूके मुख्य पुत्र चार थे—सरतक, तुकात, अवगान और उलकची। सरतक निस्संतान मरा और उसकी जगहपर उसके भाई उलकचीको गद्दी मिली।

४. उलकची बा-तू-पुत्र (१२५५ ई०)

कआनके यारलिकके अनुसार बा-तूकी जेठी रानी बोरकचिन खातूनने उलकचीको गद्दीपर बैठाया, लेकिन यह भी जल्दी ही मर गया। अब बा-तूके मनस्वी भाई बेरेकके लिये रास्ता साफ था।

५. बेरेक (बरका) जू-छि-पुत्र (१२५५-६५ ई०)

बेरेक अपने भाईके समान ही दृढ़ योद्धा और शासक था। वह भाईके मरनेके साल ही पश्चिममें फैले विशाल मंगोल-राज्यका खान बना। बेरेकने भाईके समयमें (१२३८ ई०) ही किपचकोंकी भूमिमें विजय प्राप्त कर अपनी योग्यताका परिचय दिया था। कुछ इतिहासकारोंके अनुसार बेरेक प्रथम मंगोल राजकुमार था, जिसने इस्लाम-धर्म कबूल किया, यद्यपि उसका यह अर्थ नहीं, कि उसके समय हीसे सुवर्ण-ओर्दूके खानोंमें इस्लामकी परंपरा चल गई। इसके लिये अभी आठवें उत्तराधिकारी उज्बेक (१३१३–४० ई०) के आनेकी प्रतीक्षा थी, जो कि बा-तूकी पांचवीं पीढ़ीमें पैदा हुआ था। 'शजूरतुल्-अतराक' के अनुसार बरका खान मुसलमान था। कुछ इतिहासोंमें लिखा है, कि वह मुसलमान-मांसे पैदा हुआ था। दूसरी परंपरा कहती है—पैदा होनेपर बहुत चाहा, कि बरकाकी मांका दूध उसे दें, लेकिन उसने तबतक दूध नहीं पिया, जबतक कि एक मुसलमान औरतको उसे दूध पिलानेके लिये रख नहीं दिया गया। बड़ा होनेपर वह अपने भाईके हुकुमके अनुसार जब चारों ओर घूमता सैर कर रहा था, उसी समय संयोगसे वह इस्लामके पुण्यतीर्थ बुखारामें पहुंचा, जहां उसे एक मुस्लिम संतसे शिक्षा प्राप्त करनेका सौभाग्य

मिला, कहते हैं, "वह महान् संत (शेख) बुजुरगवार हजरत शेख सैफुद्दीन बाखरजी थे, जोकि महान् हजरत शेख नजमुद्दीन कुबराके उत्तराधिकारी थे......। महान् शेखके हुकुमसे वह दश्ते-किपचकमें हाजी तुरकानकी ओर गया, जहां ईतल नदीके तटपर खुलाकू खान (तूलिखान-पुत्र) की विशाल सेनाके साथ भारी युद्ध हुआ। दरवेशोंके पुण्य-प्रतापसे खुलाकूको हार खानी पड़ी.....।*

दूसरी कहावत—जिसमें सच्चाईका अंश ज्यादा मालूम होता है—जुजजानी द्वारा उद्धृत है, जिसके अनुसार बेरेकके पैदा होनेपर उसके बाप जू-छिने—"इस लड़केको मैं मुसलमान बनाऊंगा" यह निश्चय कर उसके लिये मुसलमान धाय रक्खी. खोजंदमें उसे इमामों और मौलवियोंसे कुरान पढ़वाया। बा-तूका बेरेकके ऊपर विशेष प्रेम था। भाईके युद्धोंमें उसके तीस हजार मुसलमान सवार घोड़ोंकी पीठपर नमाजकी आसनी (जायनमाज) बांधे हुये चलते थे। वहां शरीयतकी सख्त पाबन्दी होती थी। मुसलमानोंमें कोई शराब नहीं पीता था। जुजजानी यद्यपि मूलतः ईरानका रहनेवाला था, लेकिन वह गुलामोंके शासनके अंतमें नासिरुद्दीन मोहम्मदशाहके समय (१२४०-६५ ई०) दिल्ली आकर रहने लगा था। उसने अपने इतिहासमें बेरेकके संबंधमें तत्कालीन कथाका उल्लेख करते हुये लिखा है—"६५७ हि० (१२५८ ई०) में समरकंदसे नूरुद्दीन सूफीके महन्त जलालुद्दीन सूफीके पुत्र अशरफउद्दीन दिल्लीमें व्यापारके लिये आये। वह अपने साथ इस्लामके बादशाह नासिरुद्दीनके लिये बेरेककी भेंट भी लाये थे। वह बेरेकके पक्के मुसलमान बादशाह होनेके बारेमें बातें करते थे, जिनमेंसे दोको जुजजानीने अपने ग्रंथ "तवकाते-नासिरी" में उद्धृत किया है—(१) समरकंदमें किसी ईसाईका बेटा मुसलमान हो गया। बापने हाकिमोंके दरबारमें फरियाद की, कि मेरे बेटेको बहकाकर मुसलमान बनाया गया है। स्थानीय हाकिमने भी उसका पक्ष लिया। जब इसका पता बेरेकको लगा, तो उसने मुल्लोंके पक्षमें निर्णय दिया। यह याद ही है, कि मंगोल-शासक धर्मके बारेमें बिलकुल तटस्थ रहते थे, जिसका बहुत कुछ पालन उनके अधीन मुसलमान अफसरोंको भी करना पड़ता था। गद्दीपर बैठनेके तीसरे सालकी यह बात बेरेकके कट्टर मुसलमान होनेका पता देती है। हो सकता है, इसीलिये उसने हिंदुस्तानके इस्लामी बादशाहके साथ संबंध स्थापित करना चाहा। (२) दूसरी बात—बा-तूके बाद सरतक गद्दीपर बैठा। वह अपने मुसलमान चाचा (बेरेक) को उसके अनुरूप सम्मान नहीं प्रदान करता था। इसके बारेमें कहनेपर सरतकने जवाब दिया—"तू मुसलमान है, और मैं ईसाई-धर्मका माननेवाला हूं। मेरे लिये मुसलमानका मुंह देखना भी ठीक नहीं है।" बेरेकने इस अपमानसे दुःखित हो रोते-रोते रातभर अल्लाहसे प्रार्थना की और अल्लाहने दुआ सुनकर सरतकको मार दिया। जुजजानीके अनुसार बेरेकका राज्य किपचकों, सकसिनों, बोल्गारों शकलाओं, रूसियोंकी भूमि तथा रूमके उत्तर-पूरबतक फैला हुआ था—जेन्द और ख्वारेज्म उसके राज्यमें थे।

बेरेकके गद्दीपर बैठनेके समय नवोग्राद (० गोरद) गणराज्यके महाराजुल अलक्सान्द्र नेव्स्की तथा उसके भाई सुज्दलके राजुल आन्द्रेइने बधाई और भेंट भेजी थी। बा-तूकी पश्चिमकी विजय-यात्राको फिरसे जारी करनेका बेरेकको ख्याल आया, लेकिन पीछे खुलाकू (ईरान) खानके साथ झगड़ा हो जानेसे वह वहीं उलझा रहा और पश्चिमी युरोपको मंगोल-खतरेसे मुक्ति मिली। तो भी १२५९ ई० में बेरेकने अपने सेनापतियों बुरुन्दे, नोगाई और तुतूबुगाको दिग्विजयके लिये भेजा था। वह लुब्लिन होते बिस्तुला नदी पार कर २ फर्वरी १२५९ ई० को सेन्दोमीर पहुंचे। और जगहोंमें लूट-मार और अधीनता स्वीकार करानेमें कोई दिक्कत नहीं हुई, लेकिन सेन्दोमीरवालोंने प्रतिरोध किया, जिसपर मंगोलोंने वहांके लोगोंका कत्ले-आम कर दिया। पोलेंडकी तत्कालीन राजधानी क्राको फिर नष्ट हुई। मंगोल-सेना ओप्पेलनतक पहुंची, जहांसे लूटके साथ भारी संख्यामें ईसाई दासोंको लिये लौट गई। बेरेककी दो राजधानियां थीं—बा-तूसराय और बुल्गारी, जिनमें बुल्गारी बुल्गारों (बोलगारों) की पुरानी राजधानी वर्तमान कजानके आसपास वोल्गा और कामा नदियोंके संगमपर अवस्थित थी।

खुलाकूसे संघर्ष—"तारीख-शेखेउवेस" (१३५६-७४ ई०) के अनुसार: "उस समयके रवाजके अनुसार बेरेकके कितने ही अमीर, खानजादे (राजकुमार) और सैनिक गर्मियोंको आजुर-बाइजानमें

* "स्बोर्निक मतेरियलोफ अत्नोश्चेरव्स्या क. इस्तोरी जोल्तोइ ओर्दी" पृष्ठ—२६४—६५।

बिताया करते थे। इलखान (खुलाकू) भी जाड़ोंमें चगातू और गर्मियोंमें अलदकमें रहता था। सराय-बेरेकसे मुहम्मदाबाद (अर्रान) होते गुश्तास्क तक वह अराबों (गाड़ियों) पर आते।" आजुर-बाइजान आजकी तरह उस समय भी दो राज्यों में बंटा था—उत्तरी भाग सुवर्ण-ओर्दूके हाथमें था और दक्षिणी भाग इलखान (खुलाकू-वंश) के हाथमें। मंगोल ओर्दू अपने-अपने पशुओंके साथ चरवाहीके लिये सारी भूमिमें बिखरा रहता, उसका जाड़ा और गर्मी बितानेका अर्थ केवल एक जगहपर रहकर मनोविनोद करना नहीं था। झगड़ेके लिये वहां कोई भी कारण पैदा होना आसान था। बेरेकके भाई बुआल (मोवाल) के पुत्र तुतार (ततार)ने कुछ गुस्ताखी की, जिसके लिये उसे खुलाकूके पास लाया गया। खुलाकूने उसे उसके चचा—बेरेक (बरका) के पास भेज दिया। बेरेकने फिर उसे खुलाकूके पास कान मलनेके लिये भेजा। उसे यह ख्याल नहीं था, कि भतीजेको खुलाकू मौतका दण्ड देगा, लेकिन खुलाकूसे संबंध कुछ पहले ही खराब हो चुका था। सुवर्ण-ओर्दूके अमीरोंने कुछ छेड़-छाड़ की, और खुलाकूको उन्हें दंड देनेके लिये सेना भेजनी पड़ी थी। अमीर हारे। उनमें से अमीर निकुदेरके अधीन कुछ मंगोल-सेना खुरासानके रास्ते भागी। उसने गजनी और विनिकके पहाड़ोंको लेते मुलतान और लाहौरतक अपना अधिकार जमाया। कुमार ततारके मारे जानेके बाद अब दोनों वंशोंमें शत्रुताकी आग जोरसे भड़क उठी। बेरेक इस्लामका बादशाह था और खुबिले खानका भाई खुलाकू काफिर। बेरेकने उसके ऊपर इल्जाम लगाया—[1] "उस (हुलाकू) ने मुसलमान नगरोंको नष्ट किया, इस्लामी वंशोंको खत्म किया, अकारण ही खिलाफतका जड़-मूलसे उच्छेद किया।" भतीजेका बदला लेनेके लिये बेरेकने ततारके पुत्र नोगाइको तीन तुमान[2] (तीस हजार) सेना देकर बापके खूनका बदला लेनेके लिये भेजा। वह शिरवान पहुंचा। खबर पाकर खुलाकूने सारे ईरानसे सेना जमा कर तीन तुमान सेना शिरामून नोयन, अबताइ नोयन और समगरके नेतृत्वमें भेजी। २० अगस्त १२६२ ई० को स्वयं खुलाकूने भी अलतगासे प्रस्थान किया। अक्तूबर-नवम्बर १२६२ ई० (जुलहिजा ६६० हि०) में दोनों ओरकी भारी लड़ाई हुई। अबताइ नोयनने शिरवानसे एक फरसख (कोस) पर सुलतानचुका नदीके किनारे नोगाइको बुरी तरहसे हराया। नोगाइ जान लेकर भागा। इलखानकी सेनाने २० नवम्बर १२६२ ई० (६ मुहर्रम ६६० हि०) आगे प्रस्थान किया। दरबन्दके घाटेमें—जहां काकेशस पहाड़ तथा कास्पियन समुद्र एक दूसरेके बिल्कुल नजदीक आ जाते हैं—फिर जमकर जबर्दस्त लड़ाई हुई। बेरेककी सेना फिर हारी। खुलाकूकी सेनाने दरबन्द पार हो किपचक भूमिको लूटा-बरबाद किया। तो भी सुवर्ण-ओर्दूके खानकी शक्ति अभी क्षीण नहीं हुई थी। वह सेना एकत्रित करते अवसर ढूंढ़ता रहा। इलखानकी सेना लौटते हुये तेरक नदीके तटपर पहुंची। जाड़ोंके कारण नदीका पानी जम गया था। १३ जनवरी १२६३ ई० को सबेरेसे शामतक इलखानी सेना उसपरसे पार होती रही। यकायक नदीकी जमी बर्फ टूट गई, जिससे बहुत-से लोग पानीमें डूब मरे। खुलाकूकी सेना सुवर्ण-ओर्दू सैनिकोंकी मार खाती पीछे हटी। इसी समय २२ अप्रैल १२६३ को खुलाकू युद्धमें घायल हो गया, जिससे ८ फर्वरी १२६४ ई० को वह मराग-जगातमें मर गया। लेकिन अब बापके कामको उसके योग्य बेटे अबका खान (आरिक बूगाखान) ने अपने हाथमें ले लिया।

१९ जुलाई १२६५ ई० में अबकाखानने राजकुमार यशमूतके नेतृत्वमें एक बड़ी सेना शिरवानकी ओर भेजी। खान स्वयं जाड़ोंमें माजन्दरानमें रहा। उधर उत्तरसे राजकुमार नोगाइ भी सेना ले शिरवानकी ओर चलकर अक्सू नदीके तटपर पहुंचा। यशमूत कुरा नदी पार हो गया। १४ नवम्बर १२६५ ई० को दोनों सेनाओंमें लड़ाई हुई, जिसमें तुगाचारका बाप कायर बूगा मारा गया। सेनापति नोगाइ भी सिरमें आहत हुआ। सुवर्ण-ओर्दूकी सेना तितर-बितर हो शिरवानकी ओर लौटी। अब बेरेक स्वयं तीस तुमान[2] (तीन लाख) सेनाके साथ आया और दक्षिणसे अबकाखान भी मुकाबिलेके लिये चला। दोनों सेनायें कुरा नदीके दोनों तटोंपर आमने-सामने पंक्तिबद्ध हुईं। १४ दिनतक यही हालत रही। बेरेक नदी पार होनेका कोई अवसर न देख ऊपर पहाड़में कहीं पार होनेके ख्यालसे नदीके किनारे-किनारे तिफलिसकी ओर चला, लेकिन असफल-मनोरथ हो रास्तेमें ही उदरशूल (कुलंज) की बीमारीसे मर

१. "जामे-उत्-तवारीख" (रशीदुद्दीन) २. १ तुमान=१० हजार।

गया। दोनों प्रतिद्वंद्वी बेरेक और खुलाकू मर गये, लेकिन उनकी दुश्मनी खतम नहीं हुई। बेरेककी लाशको संदूकमें बंदकर बा-तूसरायमें ले जा भाईके पास ही दफन कर दिया गया।

बेरेककी सेना खुलाकूसे उलझनेके पहले इस्ताम्बूल (कन्स्तन्तिनोपोल) तककी भी विजय-यात्रा कर चुकी थी, जबकि वहांके राजाने क्रिम नगरको सुवर्ण-ओर्दूके खाकानको प्रदान किया था।

बेरेककी मृत्युके बाद फिर बा-तूकी संतानोंमें गद्दी चली गई और तोंगोन-पुत्र मङ-गू तेमूर खान बना।

६. मङ-गू तेमूर, मुङ-खे तेमूर (१२६५-८० ई०)

खुबिले खाकानने बेरेकके बाद मुङ-खे तेमूरको खानपदकी यारलिक भेजी। यद्यपि उस समय मङ-गू तेमूर खुबिलेका कृपापात्र था, लेकिन पीछे उसके विरोधी ओगोताइ-वंशी कैदू खानका समर्थक बन गया, जिससे खुबिले उसका विरोधी हो गया। रूसके राजुल मङ-गू तेमूरके आज्ञाकारी सामंत थे। सुवर्ण-ओर्दू की राजधानी सराय (सराय चिक) में युरोपीय राजा और राजकुमार भी भेंट लेकर कोर्निस बजानेके लिये आते थे। अब मंगोल-वंश सभ्यता और संस्कृतिका प्रतीक समझा जाता था। रूसके राजुल और महाराजुल मंगोल पोशाक और दरबारी रीति-रवाजोंको अपने लिये आदर्श मानते थे। इस आदर्श का अनुगमन १८वीं सदीके आरंभतक किया जाता रहा, जब कि प्रथम पीतरने इन पुराने तरीकोंको तुच्छ समझ रूसका युरोपीकरण शुरू किया। मङ-गू तेमूरके १५ सालके शासनमें सुवर्ण-ओर्दूकी शक्ति और राज्यविस्तारमें कमी नहीं हुई। हां, खुलाकू-पुत्र अबकाखानके साथ चलते झगड़ेके कारण वह कोई नया काम नहीं कर सका। मङ-गू तेमूर अपने न्याय और बुद्धिमानीके लिये प्रसिद्ध था, जिसके लिये ही उसे लोगोंने केलेकखानका नाम दे रक्खा था।

७. तुदा-मङगू तोगनपुत्र (१२८०-८४ ?)

तुदा-मङगू तुकूकान (तोगोन) का तृतीय पुत्र तथा मङ-गू तेमूरका भाई था। इसकी रानी तुरे कुतुलुक और दादी बा-तूकी प्रभावशाली रानी बोरकचीन दोनों—अलची तातार कबीलेकी थीं। तुदा-मङ-गू निर्बल शासक था। जिससे लाभ उठाकर मङ-गू तेमूरके पुत्रों—अलगू और तुगरल एवं तोगनके ज्येष्ठ पुत्र तरबू (दरतू) के पुत्रों कुनचोग और तुला बुकाने मिलकर खानको पागल कहकर उसे गद्दीसे उतार पांच सालतक सम्मिलित राज्य किया।

यस्सू-मङ-गू (.....–१२८९ ई०)—"शजरतुल-अतराक" ने यस्सू-मङ-गूको तुदा-मङ-गूका उत्तराधिकारी कहते—"यस्सू मुङ-गू-खान बिन-तोगान बिन-बातू-खान बिन-जोजी-खान बिन-चंगिस-खान"—पांचवां खान लिखा है। सुवर्ण-ओर्दूके ये पांच साल ऐसे गृह-कलहके थे, जिसमें जहां-तहां अनेक खान बने हों, यह संभव है। इस अव्यवस्थाका अंत तोकतोगूके खान बननेके साथ हुआ।

८. तोगताइ, तोकतोगू, मंगूतेमुर-पुत्र (१२८९-१३१३)

सेनापति नोगाइ अपने ओर्दूकी इस दुरवस्थाको चुपचाप देख नहीं सकता था। अंतमें उसकी नजर मङ-गू तेमूरके पुत्र तोकतोगूके ऊपर पड़ी। तोकतोगूकी मां उलजइ खातून केलमिश अकाखातूनकी पोती या नतिनी थी। अराजकताके समय राजकुमारोंकी हत्या आम बात थी, जिसके डरके मारे तोकतोगू भाग गया। बेरेकचरके पुत्र बिलिकचीने उसकी सहायता की। उसने बा-तू और बेरेकके समयके प्रसिद्ध सेनापति नोगाइको बुलवाया। अका (ज्येष्ठ) कहकर तोगताइने बहुत लल्लो-चप्पो करके उसे अपनी ओर कर लिया। नोगाइका ओर्दू उजी (द्नियेपर) की उपत्यकामें रहता था। वहीं सेना और सेनपोंको एकत्रित कर नोगाइने समझाते हुये कहा, कि मुझे सायन (बा-तू) खानने आज्ञा दी थी, कि उलुस (ओर्दू) को छिन्न-भिन्न होनेसे बचाना। नोगाइको अपने विरुद्ध होते देख तरबू और मङ-गू-तेमूर के पुत्र पितामह नोगाइके साथ हो गये। नोगाइने कहा—अपने झगड़ेका फैसला उलुसको छिन्न-भिन्न करके नहीं, बल्कि कूरिल्ताई (महासंसद) के निश्चयके अनुसार करो। तोगताइने इसी बीच सेना जमा कर इतिल (वोल्गा) उपत्यका में पहुंच राजधानीको ले लिया। लेकिन नोगाइ तोगाताइके हाथमें खेलना

नहीं चाहता था। तोगताइने उसे बहुत सी भेंट-पूजा देकर अपनी ओर मिलानेका असफल प्रयत्न किया, तो भी अभी दोनोंका संबंध बहुत बिगड़ा नहीं था। इसी बीच धर्मको लेकर दोनोंमें भयानक अनबन हो गई।

नोगाइके साथ संघर्ष—तोगताइका ससुर सलजीदइ बुरगान प्रसिद्ध कंकुरत कबीलेका पुराना अमीर था। उसकी बीबी केलमिश अकाखातूनकी पुत्री अलजई खातून तोगताइकी प्रभावशाली रानी थी। केलमिश अकाने अपने पुत्र याइलगका ब्याह नोगाइकी पुत्री कबकसे करना चाहा। नोगाइने इसे स्वीकार किया और दोनोंका ब्याह हो गया। ब्याहके थोड़े ही समय बाद कबक खातून मुसलमान बन गई। उसका पति तथा ससुर-परिवार बौद्ध (उइगुर) था, इसलिये कबकके साथ याइलग और उसके माता-पिता घृणा करने लगे। लड़कीने अपने मां-बाप और भाईको इसके बारेमें कहा। नोगाइ बेटीका अपमान नहीं देख सका और उसने तोगताइसे मांग की—यदि मेरे और अपने बीच पिता-पुत्रका संबंध कायम रखना चाहता है, तो सलजीदइ करजूको मेरे हाथमें दे दे। तोगताइ अपने ससुरके साथ ऐसा बर्ताव कैसे कर सकता था? उसने समझानेकी कोशिश की—"वह मेरा पिता और संरक्षक रहा है। पुराना अमीर है। कैसे उसे शत्रुके हाथमें दे दूं?" नोगाइकी बीबी चबी बड़ी चतुर स्त्री थी। उसके तीनों पुत्र—जूके, तेके और तूरी—सरकारी सेनाके कुछ हजार आदमियोंको बहका कर इतिल (बोल्गा) पार भाग गये। तोगताइने नोगाइसे हजारी सेनाको लौटा देनेके लिये कहा, लेकिन उसने तबतक वैसा करनेसे इन्कार कर दिया, जबतक कि सलजीदइ या उसका पुत्र याइलग उसके पास नहीं भेज दिया जाता। अब सीधे संघर्ष होना निश्चित हो गया।

तोगताइ नोगाइकी शक्तिको जानता था। उसने उससे भिड़नेके लिये अक्तूबर-नवम्बर १२८९ ई० (६९८ हि०) में उजी (द्नियेपर) के तटपर तीस तुमान (तीन लाख) सेना जमा की। उस साल जाड़ोंमें द्नियेपरकी धार नहीं जमी, इसलिये सेनाको पार ले जाना संभव नहीं हो सका। नोगाइ अपनी जगह बैठा रहा। सन् १३०० ई० के बसंतमें तोगताइके ओर्दूने तान नदीके तटपर गर्मी बिताई। सीधी लड़ाई करनेकी जगह खुर्राट सेनापति कल-बल-छलसे काम लेना चाहता था। ऊपरसे उसने खानको कहला भेजा—मैं चाहता हूं, कूरिल्ताई बुलाकर फैसला किया जाय। लेकिन, दूसरी ओर धोखा देकर वह तोगताइके ऊपर आक्रमण करना चाहता था। खानको यह पता लगते देर न हुई। उसने जल्दी-जल्दी सेना जमाकर तान-उपत्यकाके बखतियारी (तजीमारी) स्थानपर लड़ाई की। तोगताइको हारकर सरायकी ओर भागना पड़ा। इसी समय अमीर माजी, सुतान (सुबान) और संगुर तीन अमीर नोगाइका साथ छोड़ अपने खानके पास चले गये। तोगताइ फिर तैयारी करने लगा। उसने बहुत कालसे दरबंदके घट्टपाल रहते आये बलग-पुत्र तमातोकतूको बुला भेजा और उसके नेतृत्वमें एक बड़ी सेना नोगाइके विरुद्ध भेजी। नोगाइको लड़नेकी हिम्मत नहीं हुई। वह उजी (द्नियेपर) नदीकी ओर लौट गया। क्रिम नगरमें पहुंचकर उसने बहुतसे लोगोंको दासके रूपमें बेंचनेके लिये बंदी बनाया। लोगोंने तोगताइके पास संदेश भेजा—"हम इलखान (तोगताइ खान) के सेवक और अनुचर हैं। यदि स्वामीकी आज्ञा हो, तो हम नोगाइको पकड़कर भेज दें।" नोगाइके पुत्रोंको इसकी भनक लग गई और उन्होंने एक हजार सेना उनके ऊपर भेजी। हजारी सेनापतिने नोगाइके दूसरे पुत्र तेकेको खान बनानेका लोभ देकर धोखा रचा। इसपर तेकेने आक्रमण कर हजारी सेनाको हराया और उसके अमीरका सिर कटवा लिया। नोगाइ दलके भीतरके झगड़ोंकी खबर तोगताइको बराबर मिल रही थी। वह साठ तुमान (६ लाख) सेनाके साथ उजी पार हो तरकू (बरकू?) नदीके तटपर पहुंचा, जहांपर कि पहले नोगाइका ओर्दू रहा करता था। नोगाइके पास तीस तुमान थे, लेकिन वह स्वयं बीमार था। उसने आदमी-द्वारा तोगताइके पास संदेश भेजा—"तेरे सेवक (मैं) ने नहीं जाना, कि स्वयं स्वामी पधारा है। उसकी सरदारी तथा सेना तेरी (इलखानकी) है। सेवक बूढ़ा निर्बल आदमी है। उसने सारे जीवन तेरे पिताकी सेवा की...।" ऊपरसे इस तरहकी बातें करते भी नोगाइने अपने पुत्र जूकेको एक बड़ी सेना ले तरकू नदी पार हो तोगताइपर आक्रमण करनेके लिये कहा। यह मालूम होनेपर तोगताइने भी प्रहार करनेका हुकुम दिया। युद्धमें नोगाइ और उसके पुत्रोंकी पूरी तौरसे हार हुई। हजार सवारोंके साथ

नोगाइके पुत्र भागकर केलारों और बाशकिरोंमें चले गये। बायल नोगाइ सत्तर सवारोंके साथ भाग जा रहा था, जब कि तोगताइके रूसी सैनिकोंने उसे रास्तेमें पकड़ लिया। नोगाइने कह दिया—"मैं ोगाइ हूं, मुझे तोगताइ खानके पास ले चलो।" रूसी सैनिक उसे ले चले, लेकिन नोगाइ रास्तेमें ही म गया।

वि यके बाद तोगताइ बा-तूसराय लौटा। नोगाइ-पुत्रोंको कहीं त्राण नहीं दिखाई पड़ा। यह हालत देखकर उसकी मां चबी और तूरीकी मां बाइलकने सलाह दी, कि खानके शरणमें चले चलो। इससे नाराज होकर पुत्रोंने उनको मार डाला।

नोगाइ केवल एक सफल महासेनापति ही नहीं था, बल्कि वह कुटिल नीतिका पक्का खिलाड़ी था। शायद धर्मकी बात बीचमें न आ गई होती, तो बात यहांतक न पहुंचती। १३वीं सदीके अंत होते-होते मंगोल-सरदार और सैनिक बौद्ध धर्मको पूरी तौर से अपना चुके थे और इस्लामके प्रति उनका रुख सहानुभूतिका नहीं था, यद्यपि राजकाजमें अब भी वह तटस्थताका व्यवहार करते थे। वह नहीं चाहते थे, कि राजवंश और सामंतवंशमें अरबोंका धर्म फैले। यद्यपि सुवर्ण-ओर्दू और खुलाकूके वंशमें घोर शत्रुता थी, लेकिन खुलाकूका इस्लामके ऊपर अत्याचार और खलीफा-वंशका उच्छेद करना मंगोलोंमें अभिमानकी बात समझी जाती थी। वह क्यों पसंद करते, कि उनके घरमें ही विभीषण पैदा हों।

नोगाइने जब तोगताइ खानसे झगड़ा मोल लिया, तो उसने अपने पुराने शत्रु तथा बापके घातक खुलाकू-वंशसे भी सहायता लेनेकी कोशिश की। उसने खुलाकूके पुत्र अबका खानके पास अपने पुत्र तुरी तथा पत्नी चूबी (चबी) के साथ अपनी एक लड़कीको भी ब्याहके लिये भेज दिया। अबकाने भी तुरीको अपनी कन्या प्रदान की। वह कुछ समयतक ईरानमें रहकर नोगाइके पास लौट आये। झगड़ा और बढ़नेपर नोगाइने ईरानके खान गजन (१२९५-१३०४ ई०) से मदद मांगी, लेकिन गजन इसके लिये तैयार नहीं था। उसने मदद देने हीसे नहीं इन्कार कर दिया, बल्कि तोगताइको संदेह न हो, इसके लिये जाड़ा अर्रान (दक्षिणी काकेशस) में न बिता बगदादमें बिताया। वह बराबर नोगाइको तोगताइसे मिलकर रहनेके लिये कहता रहा।

तोगताइने तुलाबुगाका पक्ष लेनेके अपराधमें अपने भाई तुगरलको मरवा दिया था। फिर भाईकी विधवाको अपनी रानी बना तुगरलके बेटे उज्बेकको खतरनाक चेरकासोंके देशमें भेज दिया। चौबीस बर्षके संघर्षमय जीवनके बाद उसके हृदयमें पश्चात्ताप होने लगा था। उसने यह बात अपनी रानीको बतला दी और दो बेगोंको राजकुमार उज्बेकको बुलानेके लिये भेजा। अभी उज्बेक नहीं आया था, इसी बीच (९ जुलाई १३१२ ई० *) इतिल (वोल्गा) नदीमें नौका-विहार करते तोगताइ डूबकर मर गया। तोगताई-पुत्र तुगल जानता था, कि उज्बेक अपनी मांके प्रभावसे गद्दीका मालिक बन जायगा, इसलिये उसने उसके मारनेका षड्यंत्र रचा। उज्बेकको यह बात मालूम हो गई। सरायमें आनेके बाद उसने महलमें घुसकर तुगलको मार डाला।

९. उज्बेक खान तुगरल-पुत्र (१३१३-४० ई०)

उज्बेकका शासन इसलिये भी महत्त्वपूर्ण है, कि इसके समयसे सुवर्ण-ओर्दू पूरीतौरसे मुसलमान बनने लगा।

(१) आपसी संघर्ष—उज्बेकके शासनारंभके समय जो षड्यंत्र हुआ था, उसके बारे में "तारीख-हैदरी" (हैदर राजी १६११—१८ ई०) के अनुसार तोगताइके बाद अमीरों और नोयनोंने बादशाह चुननेके बारेमें एक सभा की, जिसमें वह उज्बेकको गिरफ्तार कर उससे पूछनेवाले थे, कि क्यों तुमने छिङ-गिस्के यस्सकको छोड़कर अरबोंके धर्मको अपनाया। इसी समय एक अमीरने आंखसे इशारा किया, और उज्बेक पेशाब-पाखानेका बहाना करके सभासे निकलकर भाग गया। फिर सेना जमाकर लड़कर उसने बीस राजकुमारों और तोगताइके दो पुत्रोंका कतल कर १३२२ ई० (७२२ हि०) में अपने राज्यको निष्कंटक किया। तबसे जू-छि खानाका उलुस "उज्बेक-उलुस" कहा जाने लगा। आरंभिक सहायताओंके लिये उज्बेकने कुतुलुक तेमूरको खुरासान बख्श दिया।

---

* "जेल-जामे-उत्-तवारीख"—अबू सईद

खानके अपने परिवार तथा अमीरोंके परिवारोंमें अब धर्मको लेकर झगड़ा और भी ज्यादा बढ़ चला। नोगाइकी लड़कीका मुसलमान होना एक अलग-थलग घटना नहीं थी। हमें मालूम है, सुवर्ण-ओर्दू और दूसरे मंगोल खानोंकी सेनाओंमें भी मंगोल-सैनिक दालमें नमकके बराबर थे। सारे मध्य-एसिया और उसके उत्तरके घुमंतू तुर्क एक बार अवश्य मंगोलोंके खिलाफ खूब लड़े, किंतु परास्त होनेके बाद वह लुढकती बर्फकी गेंदकी तरह मंगोल ओर्दूका अंग बनते गये। विजयोंमें उनका पहले हीसे बहुत हाथ था, और उनकी लूटको वह अपना उचित हक समझते थे। तब भी मंगोल और अ-मंगोलमें अंतर रक्खा जाता था, यह हम चीनके बारेमें लिखते वक्त बतला चुके हैं। यद्यपि मंगोल खान दूसरोंकी लड़कियां लेनेमें एत-राज नहीं करते थे, उनके हरम देश-देशकी सुन्दरियोंसे भरे थे, लेकिन वहां भी प्रधानता मंगोल रानियोंकी ही थी—बापकी ओरसे छिङ्-गिस्का रक्त और मांकी ओरसे शुद्ध मंगोल सामंतका रक्त होना आवश्यक समझा जाता था। शक्तिशाली खानों के समय चाहे बहुसंख्यक तुर्क सैनिक इस भेदभावको बर्दाश्त करते हों, लेकिन अब परिवर्तित अवस्थामें वह बराबरीका दावा करने लगे थे। समरकंद हो या तबरेज, सराय-बातू हो या काशगर, सभी जगह मंगोलोंकी अलग सत्ता बनाये रखनेकी बराबर कोशिश की गई, किंतु आखिर वह बूंद बनकर तुर्कसमुद्रमें मिल गये और उनके शासनके अंत होनेके कुछ ही समय बाद यह जानना भी मुश्किल हो गया, कि कौन मंगोल हैं। और तो और, स्वयं "शरजतुल-अतराक" जैसे इतिहासकारने भी तुर्क और मंगोलका भेद भुलाकर मंगोल-वंश-वृक्षको तुर्क-वंश-वृक्ष लिखा।

अपने बौद्ध पक्षपाती सेनापतियोंको हराकर उज्बेकने यह दिखला दिया, कि अब मंगोलों की नहीं, बल्कि तुर्कोंकी तूती बोलेगी। १३१५ ई० में सुवर्ण-ओर्दूके विद्रोही सेनापति बाबाने अपने ओर्दूके साथ ईरानमें जा उल्जैतू खान (१३०४—१७ ई०) के पास शरण ली। अभी ईरानी इलखान मुसलमान नहीं हुए थे, इसलिये उलजैतू बाबाकी मददके लिये तैयार था। बाबाने ईरानसे ख्वारेज्मके ऊपर आक्रमण किया और उज्बेकके कृपापात्र कुतुलुक तेमूरको मार भगाया। चगताइ खान इस्सन "जेल-जामे-उत्तवा-रीख" के अनुसार बाबा ओगुलकी घटना सितंबर १३१५ ई० (जमादी II अंतिम ७१५ हि०) को हुई, जब कि वह अपने तुमान (दस हजार सेना) के साथ उज्बेकसे नाराज होकर खुलाकू-वंशी खान उलजैतू के पास चला गया। फिर वहांसे डेढ़ हजार सवारोंको लेकर उज्बेकके सामंत कुतुलुकके ऊपर प्रहार करने ख्वारेज्म गया। कुतुलुककी हार हुई और उसकी सारी सेना बाबा ओगुलकी ओर हो गई। ख्वारेज्मके शहरों—जमशवर, गरबीन, हजारास्प, हजारजमीन, कात, केरमारोन, शावकान आदिको लूटकर उसने उजाड़ दिया, लोगोंपर बड़े जुलम किये। बाबा ओगुलके सैनिकोंने पतियोंके सामने उनकी बीबियोंके साथ व्यभिचार करनेमें भी आनाकानी नहीं की। ७०० के करीब इमाम और अशरफ (कुलीन लोग) जान बचानेके लिये मीनारपर चढ़गये थे। बाबाने लकड़ी जमाकर आग लगानेका हुकुम दिया। सासतसे मरनेकी जगह बापोंने अपने बेटोंको मीनारसे नीचे गिरा दिया। बाबाके हाथमें पचास हजार कैदी और लूटकी अपार संपत्ति आई। जब इसकी खबर चगताइ खान एसेनबुगाको खोजन्दमें मिली, तो उस (इस्सन बुगा या यस्सावुर १३०९—१८ ई०)ने अपने पड़ोसमें बाबाकी सफलता देखना पसंद नहीं-किया। वह बीस हजार सवारोंके साथ एक महीनेके रास्तेको हफ्तेमें पूरा करके ख्वारेज्म पहुंचा। बाबा ओगुलसे जबर्दस्त लड़ाई हुई, जिसमें उसके बहुतसे आदमी मारे गये। बाबाने बंदियोंको छोड़ दिया। लूटकी संपत्तिसे भी उसे हाथ धोना पड़ा और वह कुछ सवारोंके साथ जान बचाकर मेर्वकी ओर भागते चंद शाहजादोंके साथ उलजैतूके पास पहुंचा। चगताइ और बा-तूके वंशोंमें अब दोस्ती हो गई थी।

अपने ख्वारेज्मके उज्बेकका बहुत नाराज होना स्वाभाविक था। उसने इसमें उलजैतूका हाथ समझा। फिर दोनों ओरसे दूतोंका आना-जाना होने लगा। यह खबर जब चगताइ खान इस्सनबुगा ने सुनी, तो उसने उज्बेकको अपनी ओर खींचनेका प्रयत्न करते हुये संदेश भेजा—"तेमूर कआन (चीन) कहता है, कि उज्बेक क्या बादशाह है? मैं उसकी बादशाही दूसरे उलुस (ओर्दू) को दे दूंगा।" इस पर उज्बेक भी कआनसे बिगड़ उठा।

संघर्षकी खबरसे पहले ही सितंबर १३१५ ई० (जमादी अंतिम ७१५ हि०) को चीनसे कआनका महादूत कियात-वंशी अकबुका ईरानकी राजधानी तबरेजमें पहुंचा। अमीर हुसेन गूरगान ईरानी-खानका

प्रसिद्ध अमीर था। वह उस समय उज्बेकके सीमांतके प्रदेश अर्रानसे तबरेजमें आया हुआ था। उसने महादूतकी जियाफत की और खानेके समय प्यालेको बैठे-बैठे अकबुकाके हाथमें देना चाहा। अकबुका इसपर नाराज हो दुत्कारते हुये बोला—"तू सामंत और दुर्गपाल होते मेरे सामने बैठा चाहता है, कि मैं तेरे हाथसे प्याला ले लूं। तू छिङ्ग-गिसी यास्सा और पुराने शिष्टाचारको भूल गया?" अमीर हुसेनने भी उसका सीधा जवाब दिया—"अमीर इसे समय दूत होकर आया है, न कि छिङ्ग-गिसी यास्साका शिक्षक बनकर।" महादूत चुप हो गया।

कआनके दूत ने सुलतानियोंमें जा उलजैतू खानसे कआन का संदेश कहा—"यदि बाबा ओगुल स्वयं ख्वारेज्मपर आक्रमण करने गया, तो उसे मेरे पास भेज दो।" खानने कहा—"मुझे खबर नहीं, मैं ऐसे बुरे कामकी हरगिज इजाजत नहीं दे सकता था।" उलजैतू नहीं चाहता था, कि बौद्ध धर्मके पक्षपाती बाबाका समर्थन कर उज्बेक खानको जहाद घोषित करनेका मौका दे। आखिर वह स्वयं इस्लामके केंद्र (ईरान, इराक, शाम) का शासक था, जहादकी हवा उसके देशमें भी घातक साबित होती। उसने उज्बेकके दूतके सामने बाबाको मरवा डाला और भारी भेंटके साथ स्नेहपूर्ण संदेश देकर महादूतको लौटा दिया।

१३१७ ई० (७१८ हि०) में उलजैतू मरा। उस समय अभी उसका उत्तराधिकारी अबू-सईद छोटी उमरका था। यह खबर जब दश्ते-किपचक गई, तो उज्बेकके मुंहमें पानी भर आया। बेशुमार सेनाके साथ वह दरबंदके रास्ते ईरानकी ओर बढ़ा। खान अबू-सईद (१३१७-३४ ई०) भी अपने अमीरोंके साथ कराबागकी ओर चला। अमीर चोबान एक बड़ी सेना ले गुर्जिस्तान (जार्जिया) के रास्ते उज्बेकके मुकाबिलेके लिये बढ़ा। अमीर ईसन कुतुलुक भी एक बड़ी सेना ले तबरेजसे अर्रान (शिरवान) की ओर रवाना हुआ। दरबंदसे खबर आई, कि उज्बेक दश्तेखिजिर (खजारोंका मैदान) पार हो आगे बढ़ दरबंद पहुंच गया है। शिरवानको लूटते-पाटते उज्बेक कुरा नदीके तटपर पहुंचा। कुरा नदी जहां चीनके व्यापारके लिये कास्पियन समुद्रतटसे कालासागरके पास तक व्यापार-धाराका काम देती थी, वहां वह खुलाकू और बा-तू-वंशोंके संघर्षका मुख्य स्थान रही। अमीर चोबानने उज्बेकके ऊपर इतने कौशलसे आक्रमण किया, कि उसे हार खानी पड़ी।

अमीर चोबान हुसेनका सितारा अब बहुत ओजपर चढ़ा। अबू-सईदकी नाबालिगीका लाभ उठाकर उसने सारे राज्यको अपने हाथमें ले लिया। उसका मन बहुत बढ़ गया, और वह उज्बेकको और भी कड़ा सबक सिखानेकी तैयारी करने लगा। भारी सेना जमाकर फिर वह शिरवान पहुंचा। सेनाके एक भागको दरबंद पार तेरक नदीकी ओर भेजा और स्वयं अपने पुत्रोंके साथ पहलेके परिचित गुर्जिस्तानके रास्ते आगे बढ़ा। लेकिन अबके उज्बेकके सामने उसकी नहीं चली और उसे खाली हाथ लौटना पड़ा। चीनमें कआन [बोयन्-थू—१३११—२० ई० या गेगेन १३२०—२३ ई०] को खुलाकू-वंश और बा-तू-वंशके खानोंमें इस पारस्परिक खूनी संघर्षोंसे बहुत चिंता हो रही थी। उसने अपना एलची (जनदूत, महादूत) भेजा, जो पहले उज्बेकके पास गया। फिर उसके एलचीको भी साथ लेते बगदादमें अबूसईदके पास पहुंचा। अमीर चोबानने उनका बड़ा सत्कार-सम्मान किया और चीनी राजदूतको हमदानके रास्ते बिदा किया और उसके कराबाग पहुंचनेसे पहले ही जाकर आरामका सब तरहसे प्रबंध किया। कआनके एलचीपर इसका बहुत प्रभाव पड़ा और उसने अपने मालिकसे जाकर अमीर चोबान हुसेनकी बड़ी तारीफ की। कआनने खुश होकर अमीर चोबानको चारों उलुसों (बातू, खुलाकू, चगताइ और चीन) का अमीर बनाते हुये उसके नाम चार यारलिक (शासन-पत्र) भेजे। अमीर चोबानका जिस समय इस तरह सम्मान और शक्तिवर्धन हुआ, उसी समय उसके अपने पुत्र हसन और तालिश बापसे नाराज हो ख्वारेज्म भाग गये, जहांसे वह उज्बेक खानके पास पहुंचे। उज्बेकने उनका बड़ा सम्मान किया और अच्छे-अच्छे दर्जे दिये। पीछे हसन चेरकासों द्वारा युद्धमें मारा गया और तालिश अपनी मौत मरा।

अक्तूबर १३३० ई० (७३१ हि०=१५ अक्तूबर १३३०—३ अक्तूबर १३३१ ई०) को अमीर हुसेन (चोबान) के पुत्र अमीर शेख अलीकी पुत्री अनुशिरवान खातूनका ब्याह उज्बेकके पुत्र तथा उत्तराधिकारी दिनीबेकके साथ हुआ।

(२) युरोपपर अभियान (१३२३-२४)—ईरानमें फंसनेसे पहले उज्बेक युरोपकी खबर लेना चाहता था। ईरानके साथ बराबर अनिर्णीत युद्ध होते रहनेसे बहुत लाभ नहीं था, जब कि युरोपके समृद्ध नगर लाभके खास साधन थे। १३२३ ई० में उज्बेककी सेनाने लिथुवानियापर आक्रमण किया। कन्स्तन्तिनो-पोलके विजंतीन "सम्राटों" के लिये भी यह बहुत संकट का समय था। मंगोलोंको प्रसन्न रखनेके लिये कन्स्तन्तिनोपोलके सम्राटों और उनके सरदारोंने अपनी सुन्दर कन्यायें भेंट कीं, तो भी वह जान नहीं बचा पाये। १३२४ ई० में मंगोल अद्रियानोपोलपर एक लाख बीस हजार सेनाके साथ चढ़ आये। उन्होंने थ्रेस प्रदेश (युरोपीय तुर्की और बुल्गारिया) को चालीस दिनोंतक लूटा, बहुत-सी संपत्ति और दासोंकी तरह बेचने के लिये भारी संख्यामें बंदी उनके हाथ आये। जब थ्रेसवालों ने चोरोंकी तरह आकर हमला करनेकी निंदा की, तो मंगोल-सेनापति तासबुगा (ताशब्रेग) ने जवाब दिया—"हम ऐसे शासक के अधीन हैं, जिसकी आज्ञा जब होती है, उसी वक्त हम आगे बढ़ते, पीछे हटते अथवा उसी जगहपर जमे रहते हैं।"

(३) मास्को राजुल—रूसी राजुलोंके अब भी अलग-अलग राज्य थे। मंगोलोंने शासनके सुभीतेके लिये मास्कोके महाराजुलको सबका मुखिया बना दिया था, किंतु वह यह नहीं चाहते थे कि, सारा रूस एक राजनीतिक इकाई बन जाये। सुवर्ण-ओर्दूकी शक्ति क्षीण होती जा रही थी। इस्लामने शक्तिशाली बनानेकी जगह आपसी झगड़े पैदा करके मंगोलोंको निर्बल करना शुरू कर दिया, जिससे रूसी फायदा उठा सकते थे और मास्कोके महाराजुल जार्जने फायदा उठाया भी। उसने अपने चचा त्वेरके महाराजुल मिखाईलके खिलाफ खानका कान भरा और उसे २२ नवम्बर १३१९ ई० को अपने प्राणोंसे हाथ धोना पड़ा। उज्बेक बौद्धोंका शत्रु था और इस्लामका कट्टर पक्षपाती, लेकिन ईसाई पादरियोंके साथ उसका बर्ताव अच्छा था। मास्कोके ऊपर उसकी विशेष कृपा थी। मास्कोके राजुलने र्‍याजनके राजुलको अपने अधीन बनाया। चचेरे भाई दिमित्र (त्वेर) ने इसीमें अच्छा समझा, कि दो हजार रूबल* वार्षिक पर अपने महाराजुल पदसे इस्तीफा दे दे, लेकिन वह बापके हत्यारेको क्षमा नहीं कर सकता था, इसलिये २१ नवम्बर १३२५ ई० में उसने मास्को-राजुलके पेटमें तलवार घुसेड़कर उसका बदला लिया। इवान खलीता (१३२५-४१ ई०) अब मास्कोका राजुल बना। वह उज्बेकका और भी कृपापात्र था। उसके बाप यूरीकी हत्याको उज्बेकने एक राजभक्तका बलिदान माना। लेकिन इवान केवल राजभक्त नहीं रहना चाहता था, वह घृणास्पद मंगोलोंके जुयेको हटाकर सारे रूसको एकताबद्ध करना चाहता था। इसीके शासनकालसे मास्को सारे रूसकी राजधानी बनने लगा, और इसीके समय तातारों (मंगोलों) को निकाल बाहर करनेके लिये रूसमें संगठन होने लगा। लेकिन साथ ही, इसी वक्त दक्षिणी और उत्तरी रूसमें भेदकी खाई ज्यादा हो चली। इवानने ब्लादिमिरको केवल कुछ समयके लिये ही राजधानी माना, तब भी वह अक्सर मास्कोमें रहता था। थोड़े ही समय बाद उसने राजधानीको बिल्कुल मास्कोमें बदल दिया। यही नहीं उसने रूसी ईसाई संप्रदाय (ग्रीक चर्च) के महासंघराज (मेत्रोपोलितन) को भी अपना केंद्र ब्लादिमिरसे हटाकर मास्को लानेके लिये तैयार किया, और ४ अगस्त १३२६ ई०को मेत्रोपोलितन मास्को चला आया। इवानने मास्कोमें पत्थरका पहला गिर्जा बनवाया। उसने खानके दरबारकी कई यात्रायें कीं। १३३३ ई० में उज्बेकने उसे बहुतसे सम्मान प्रदान किये। अगले साल १३३४ ई० में वह फिर खानके ओर्दूमें था। इवानका प्रतिद्वंद्वी राजुल अलेक्सान्द्र (त्वेर) जगह-जगह धक्के खाता उकता गया। उसने सोचा—"ओह, अगर मैं इसी तरह निर्वासित रहूंगा, तो मेरे बच्चे उत्तराधिकारविहीन रह जायेंगे।" अन्तमें उसने उज्बेकको यह कहकर आत्म-समर्पण किया—"महान् खान, मैं तुम्हारे क्रोधका पात्र हूं। मैं अपने भाग्यको तुम्हारे हाथोंमें देता हूं। भगवान् और तुम्हारा हृदय जो चाहता हो, वही मेरे साथ करो। तुम्हें मुझे क्षमा करने या दंड देनेका अधिकार है। क्षमा करनेपर मैं तुम्हारी दया-के लिये भगवान्‌से प्रार्थना करूंगा और दंड देना है, तो उसके लिये मैं अपने सिरको अर्पण करता हूं।" उज्बेकने उसे क्षमा कर दिया और त्वेर (आधुनिक कलिनिन) का राज्य देकर सम्मानित किया।

---

* उस समय रूबल तीन-चार इंच लंबा एक अंगुल चौड़ा चांदीका टुकड़ा होता था।

लेकिन चालाक इवान इतनेसे हार माननेवाला नहीं था। उसने तरह-तरहकी चुगलियां खाईं। अलेक्सांद्रको फिर बुलाया गया और २८ अक्तूबर १३३९ ई० को पुत्र-सहित उसे मार डाला गया। उज्बेकद्वारा कत्ल किये गये रूसी राजुलोंमें ये दोनों छठें और सातवें थे।

एक तरफ इवान खानकी चापलूसी करनेमें सभी दरबारियोंका कान काटता था, दूसरी तरफ वह नहीं चाहता था, कि उसकी जाति मंगोलोंके सामने इस तरह सिज्दा करते नाक रगड़ती रहे। उसने यह अच्छी तरह समझ लिया था, कि जबतक अनेकों राजुलोंमें बंटी रूसी जातिको एक नहीं किया जाता, तबतक मंगोलोंका जुआ हटाना संभव नहीं। अलेक्सांद्रको खतम करवानेसे पहले १३३३ ई० में सुज्दलके राजुलके निस्संतान मरनेपर उसके राज्यको उसने अपने राज्यमें मिला लिया। वह दृढ़ शासक था। उसने अपने राज्यमें व्यवस्था स्थापित की, और सबको आज्ञा पालन करनेके लिये मजबूर किया। रूसियोंने देखा : महाराजुल और दूसरे राजुलोंके राज्यों में कितना अंतर है। उसने पहलेसे मौजूद दुर्ग (क्रेमल, क्रेमलिन) को फिरसे बनवाया, मास्कोको लकड़ीके प्राकारसे घिरवाया। क्रेमलिनके अतिरिक्त उसने कई गिर्जे बनवाये, जिनमें संत मिखाइल राजदेवदूत भी एक है, जिसमें आगे रूसी राजुल दफन किये जाने लगे। शांति और सुव्यवस्थाके कारण मास्कोका व्यापार भी बढ़ चला। उत्तरके देशोंके माल हान्स-संघके व्यापारी लाते और दक्षिणके मालको अजोफ समुद्रके रास्ते गेनोवाके व्यापारी। उसनें मोलोगा नदीके मुहानेपर खोलोपगोरोदकमें पहला व्यापारी मेला लगवाया, लोगोंके ठहरनेके लिये सत्रह यात्रिगृह बनवाये। इस मेलेसे साढ़े तीन हजार चांदीका रूबल इवानको मिला। देश और महाराजुल दोनोंकी संपत्ति और समृद्धि बढ़ रही थी। इवानने अपने रुपयेसे नवगोरोद, ब्लादिमिर, कोस्त्रोमा और रोस्तोफमें मिल्कियत खरीदी। खानके लिये अपनी प्रजासे कर उगाहना आसान काम नहीं था। कर उगाहनेवाले अधिकारी ही बीचमें बहुत-सा पैसा खा जाते थे। इवान तुरंत कर बेबाक करनेके लिये तैयार था, फिर खानको और क्या चाहिये ? १८ वीं सदीमें भारतमें प्रचलित नीतिको दुहराते उसने कर उगाहनेका अधिकार इवानको दे दिया। रूसी जनताको भी यह पसंद आया, क्योंकि तातारोंके नामसे रूसियोंमें आतंक छा जाता था। खानके कर उगाहनेवाले जब हथियारबंद मंगोलोंके साथ करके लिये घूमते, तो लोगोंका प्राण निकलने लगता। इवान अब इस कामको बड़ी चतुरतासे करने लगा, जिसके कारण रूसियोंके एकताबद्ध होनेमें बड़ी सहायता मिली। उसने क्रेमलिनसे घोषणा की, कि अबसे हमारे परिवार तथा प्रजाके भीतरके झगड़ोंको हमारे बायर (अमीर) निपटाया करेंगे। अपने प्रतिद्वन्द्वियोंके ऊपर वह जरा भी दया दिखानेके लिये तैयार नहीं था। एक ओर रूसमें वह यह चाल चलते अपनेको मजबूत करनेके लिये साम और दाम दोनों तरीकोंको अख्तियार कर रहा था, दूसरी ओर वह जानता था, कि उज्बेकको भी अपने हाथमें रखनेकी आवश्यकता है। वह बीच-बीचमें दौड़कर खानके दरबारमें पहुंचता और उसे बड़ी-बड़ी भेंटों और चापलूसियोंसे मुग्ध किये रहता। महाराजुल और खानमें कभी वैमनस्य नहीं हुआ, तथा दोनों एक ही साल (१३४० ई०) मरे।

इसमें शक नहीं, उज्बेक अपने ओर्दूको मुसलमान बनानेमें ही बड़ा सहायक नहीं हुआ, बल्कि चाहे अनिच्छासे ही सही सारे रूसपर मास्कोके एकाधिकारको कायम करानेमें भी उसका बड़ा हाथ था। उज्बेककी इस कार्रवाईसे मास्कोके महाराजुलकी ही शक्ति नहीं बढ़ी, बल्कि रूसी चर्चने भी उससे लाभ उठाया। रूसियोंके ऊपर अब चर्चका एकच्छत्र प्रभाव था। चर्चकी संपत्ति विशाल हो गई, उज्बेकके दिये हुये गांवोंने चर्चकी भू-संपत्तिको और बढ़ा दिया। जैसे मास्को-महाराजुलके हाथमें शक्तिका केंद्रीकरण हुआ, उसी तरह चर्चके महासंघराजने पादरियोंपर अपना एकाधिपत्य जमाया, जिसके लिये कि रोमन कैथलिक चर्चने पहले हीसे उदाहरण स्थापित कर दिया था।

महाराजुल और महासंघराजके लिये उज्बेकने छूट कर दी थी। व्यापार और लोगोंके परिश्रमसे समृद्ध रूसकी संपत्ति उसे चाहिये थी, जो बिना तरद्दुदके खानके पास पहुंच रही थी। पर जहांतक रूसी जनसाधारणका संबंध है, उसकी अवस्था पशुओंसे भी बदतर थी। मंगोल सैनिकों और अफसरोंके सामने पहले हीसे जहां उन्हें दांत निकालना और पूंछ हिलाना पड़ता था, वहां अब वह महा-

राजुलके बायरोंके भी शिकार थे। रूसी इतिहासकार करमाजिनके अनुसार—"क्रिमिया और कूबानके यहूदी सारी जातिके जीवन-रक्तको जोंकोंकी तरह पी रहे थे।

१३३४ ई० में ईरानपर फिर आक्रमण करनेके लिये उज्बेकने अभियान किया। अबू-सईद मुकाबिलाके लिये आनेवाला था, लेकिन इसी बीचमें वह मर गया। उसके उत्तराधिकारी अरपा खानने आगे बढ़कर सामना करना चाहा, लेकिन दोनों ही पक्ष अपने ऊपर पूरा भरोसा नहीं रखते थे, इसलिये उन्होंने बिना लड़े ही लौट जाना पसंद किया।

उज्बेकका शासन-काल किपचक (सुवर्ण-ओर्दू) के इतिहासमें समृद्धिकी चरम सीमाका है। उज्बेकने अपने राज्यमें शांति और व्यवस्थाको इतनी अच्छी तरहसे कायम किया था, कि पूर्व-पश्चिम-उत्तर-दक्षिण चारों तरफसे व्यापारियोंका तांता लगा रहता था। उसकी सेना भी बड़ी जबर्दस्त थी। लेकिन उससे भी अधिक वह अपनी कूटनीति और भेदनीतिसे काम लेता था। ईरानके खुलाकू-वंशमें झगड़ा चलते रहनेके कारण युरोपके देश उसकी चोटसे बहुत कुछ बचे रहे। छिङ्-गिस् खानके समयसे ही मंगोल अंतर्राष्ट्रीय व्यापारको प्रोत्साहन देते आये थे। काला सागरके तटपर जहां कभी ग्रीक और रोमक व्यापारियोंके बड़े-बड़े दुर्गबद्ध केंद्र थे, अब वहां वेनिस, गेनोआ और दूसरे स्थानोंके युरोपीय व्यापारी उसी कामको कर रहे थे। अगस्त १३३५ ई० में उज्बेकके प्रतिनिधि कुतुलुक बेगने वेनिसके वाणिज्य-दूतके साथ संधि की और अस्पताली गिर्जेके पीछे बाजारके लिये वेनिसके व्यापारियोंको जगह दी। विक्रयके ऊपर ३ सैकड़ा कर सरकारको मिलना निश्चित हुआ था।

तीस साल राज्य करनेके बाद १३४२ ई० में उज्बेक मरा। उज्बेकके सिक्कोंपर उसका नाम निम्न रूपमें लिखा मिलता है—"गयासुद्दीन उज्बक खान", "महम्मद उज्बक खान", "उज्बक खान आदिल"।

(४) इस्लामसे सहानुभूति—"शजरतुल् अतराक" के अनुसार उज्बेक खानने मुसलमान होनेसे पहले आठ साल राज्य किया और मुसलमान होनेके बाद तीस सालतक। लेकिन इस बातमें संदेह है, जैसा कि पहलेके वर्णनसे मालूम है। उज्बेक खानको आठ सालतक काफिर रखनेसे इस लेखकका मतलब यही मालूम होता है, कि कुतुबुद्-दुनिया (जगत्-ध्रुव) महात्मा जंगी अताके उत्तराधिकारी महात्मा सैयद अताकी महिमाको बढ़ाया जाय। वह यह भी लिखता है, * कि उज्बेक अपने सारे उलुसके साथ सैयद अताके हाथ मुसलमान हुआ। तबसे किसीके पूछनेपर उसके उलुसके लोग अपने सरदार (बादशाह)के उलुसका नाम लेते हैं, इसीसे उलुसका नाम उज्बेक-उलुस पड़ गया।

१३१४ ई० में ही उज्बेकने बेमुल्कके राजा और कठपुतली खलीफा नासिरके पास मिस्रमें भेंटके साथ पत्र भेजा था, जिसमें उसने लिखा था—"मेरे राज्यमें अब सिर्फ मुसलमान हैं। गद्दीपर बैठते ही मैंने उत्तरी कबीलोंको कह दिया, कि या तो इस्लाम स्वीकार करो या लड़ाई लो। जिन्होंने स्वीकार नहीं किया, उन्हें मैंने लड़कर अधीनता स्वीकार करनेके लिये मजबूर किया......।" लेकिन उज्बेकके राज्यमें रूसी भी थे, जो मुसलमान नहीं हुये, इसलिये उज्बेकके अपने राज्यमें सिर्फ मुसलमानोंके होनेकी बातका यही अर्थ है, कि अब सुदूर उत्तरके थोड़े-से बाशिंदोंके सिवाय उसकी सारी एसियाई प्रजा इस्लामको स्वीकार कर चुकी थी।

उज्बेकने इस्लामिक शासकोंके साथ घनिष्ठता स्थापित करनेकी बड़ी कोशिश की। उसने अपनी एक लड़कीका ब्याह मिस्रके शासक मलिक नासिरसे किया था। मुस्लिम इतिहासकारोंका कहना—"वह बड़ा बहादुर और दयालु था", जो उज्बेकके अपने कार्योंसे गलत साबित होता है। उसका राज्य ६०० फरसख (योजन) लंबा था, यह ख्वारेज्मसे पोलैन्दकी सीमाकी दूरीसे मालूम है।

(५) इब्न-बतूता--मशहूर पर्यटक इब्न-बतूता १३३३ ई० में क्रिमिया होते दश्ते-किपचक (सुवर्ण-ओर्दू भूमि) पहुंचा। वह इस देशके बारेमें लिखता है—"वृक्ष-वनस्पतिहीन मैदान है, जहां न पहाड़ है न

* "हर कसे कि अज ईशां मीपुरसंद कि ई आयन्दा कीस्त। नाम सरदार व पादशाह खुदारा कि उज्बक बूद, मी-गुफ्तंद, बदां सबब अज़आंजमा मरदुम् आमद मौसूम ब-उज्बक शुदअंद।"

—शजरतुल्-अतराक ज़० ओ० पृष्ठ २६६।

जंगल। लोग कंडेको ईंधनके तौरपर एस्तेमाल करते हैं। खानकी राजधानी (सराय) एक चलती-फिरती नगरी है, जिसमें सड़कें हैं, मस्जिदें हैं, भोजनगृह हैं, जिनका धूआं उनके चलते-फिरते समय ऊपर उठता रहता है। उज्बेक दुनियाके सात बड़े राजाओंमें है—कन्स्तुनतिनोपोलका तककीर (सम्राट्), मिस्रका सुलतान, उभय-ईराकका राजा (इलखान), तुर्किस्तान-अंतर्वेदका शासक, भारतका महाराजा और चीनका फगफूर (भगपुत्र, देवपुत्र)।" बतूताने खानके बारेमें लिखा है—"प्रत्येक शुक्रवारको नमाज़के बाद खान एक सुनहले चँदवेके नीचे सोने-चांदी और कीमती जवाहिरोंसे जड़े सिंहासनपर बैठता है। उसकी बगलमें उसकी एक-एक तरफ दो-दो चारों बीबियां बैठती हैं। सिंहासनके सामने उसके दो पुत्र खड़े होते हैं—एक दाहिने और एक बायें। खानके सामने उसकी लड़कियां बैठ गईं। जब कोई रानी आई तो खानने खड़ा हो उसका हाथ पकड़कर बैठनेका स्थान बतलाया। वह कभी परदा नहीं करतीं। इसके बाद बड़े अमीर आये, जो कि सिंहासनके दाहिने और बायें कुर्सियोंपर बैठते हैं। उनके बाद खानके भतीजे तथा दूसरे राजवंशी शाहज़ादे खड़े हुये। उसके बाद बड़े अमीरोंके पुत्रोंने अपने दर्जेके अनुसार स्थान ग्रहण किया। जब सब बैठ गये, तो दूसरे लोग भीतर आकर खानको सलाम करके अपने दर्जेके अनुसार अपनी जगहोंपर जा बैठे। शामकी नमाजके बाद पटरानी लौट चली। उसके पीछे सुंदर-सुंदर दासियां और परिचारिकायें चल रही थीं। वह गाड़ियोंपर बैठी थीं। आगे-आगे सवार और पीछे-पीछे सुंदर ममलूक (राजदास) रथका अनुगमन कर रहे थे। सुलतान (खान) की बीबियोंका बहुत भारी सम्मान किया जाता है। उनमेंसे प्रत्येकका अलग महल होता था, जिनमें उनके अपने अनुचर और सेवक रहते हैं। ओर्दूमें आकर हरएक भेंट करनेवालेसे आशा की जाती है, कि वह खानकी हर एक रानीके सामने जाकर सम्मान प्रदर्शित करेगा।

बुल्गार नगरी (कज़ान) सुवर्ण-ओर्दूकी दूसरी राजधानी होनेके कारण अपने पुराने वैभवसे वंचित नहीं हुई। उसकी प्रसिद्धि सुनकर इब्न-बतूता खानके शिविरसे दस दिनके रास्तेको तीन दिनमें पारकर वहां पहुंचा। उसने लिखा है—"यहां रात इतनी छोटी होती थी, कि रात्रिकी नमाज आरम्भ करनेसे पहले बहुत थोड़ा समय मुझे शामकी नमाज पढ़नेके लिये मिला। मध्य-रात्रिके बाद जल्दी ही सुबहकी लाली छा गई।...अंधेरेकी भूमि यहांसे चालीस दिनके रास्तेपर और उत्तरमें है, जहां कुत्तोंवाली बेपहियेकी गाड़ियोंपर यात्रा की जाती है। सारा रास्ता बर्फसे ढंका रहता है, जिसपर आदमी या जानवरका पैर नहीं टिकता। कुत्तेका नाखून बर्फमें चुभकर उसे फिसलनेसे रोकता है। इस अंधकार-भूमिमें व्यापारी छोड़ कोई दूसरा आदमी नहीं जाता। व्यापारी सैकड़ों बेपहियेकी गाड़ियोंमें रसद, पानी, ईंधन आदि लेकर जाते हैं। वहां न वृक्ष है न पत्थर न घोड़े। उनका पथ-प्रदर्शक एक अनुभवी कुत्ता होता है, जिसके लिये हजार दीनार देना पड़ता है। नेता-कुत्तेके खड़ा होते ही सारे कुत्ते खड़े हो जाते हैं। नेता-कुत्तेका मालिक भी उसे कभी दंड नहीं देता। खानेके समय कुत्तोंको पहले खाना दिया जाता है। वहां व्यापार बदलेन द्वारा होता है। व्यापारी अपने मालको निश्चित स्थान-पर रखकर हट जाते हैं। दूसरे दिन जानेपर अपने मालकी जगह उन्हें सेबल, एरमिनके मृग-छाले और सिंजाबके समूर मिलते हैं। वह यदि संतुष्ट हुये, तो ले आते हैं, नहीं तो छोड़कर हट आते हैं, फिर और माल बढ़ाकर रक्खा जाता है। न पसंद आनेपर व्यापारीका माल छोड़ देते हैं। व्यापारियोंको भी यह मालूम नहीं है, कि यह देनेवाले कौन हैं—आदमज़ाद या राक्षस।"

लम्बे दिनोंका वर्णन तेमूरलंगकी विजय-यात्रामें भी आता है। कजान ५६ उत्तरी अक्षांशके पास होनेसे वहां दिन और रातका बहुत अधिक बड़ा होना स्वाभाविक है। यह उस समयके सभ्य जगत्का सीमांत नगर था, जिसके बाद साइबेरियाकी जन-जातियोंका देश शुरू होता था, जिनके वंशज कोमी और खान्ती आदि अब भी वहीं रहते हैं, लेकिन अब वह बतूता और दूसरोंके देवदानव नहीं, बल्कि सभ्य और शिक्षित आदमज़ाद हैं।

उज्बेकने ग्रीक राजा अन्द्रोनिकसकी लड़की (बेइलुन खातून) से ब्याह किया था। इस ब्याहको रूसके महासंघराज थेओगोनोसने कन्स्तन्तिनोपोल जाकर स्वयं करवाया था। इसी रानीके साथ बतूता उसके बापके घर भी गया था। बतूता बातूसरायसे ख्वारेज्म और अफगानिस्तान होते भारतकी ओर

आया। उसने लिखा है, कि किपचक-तुर्कोंका सबसे बड़ा नगर ख्वारेज्म है, जिसपर उज्बेकका शासन है, जिसका अमीर खानके उपराजके तौरपर वहां रहता था। बतूताने ख्वारेज्मकी बड़ी प्रशंसा की है—"ख्वारेज्मियों जैसे संस्कृत और उदार आदमी मैंने कहीं नहीं पाये और न उनके-जैसे परदेशीके साथ स्नेह रखनेवाले। अगर कोई मस्जिदमें नमाजके समय अनुपस्थित होता, तो मस्जिदके सामने ही इमाम उसे पीटता। इस कामके लिये हरएक मस्जिदमें एक कोड़ा रहता है।" उज्बेकके इस्लामिक धर्मराज्यका यह अच्छा नमूना है—लोगोंसे जबर्दस्ती अल्लाहकी बंदगी करवाई जाती थी। यद्यपि पुराने मुसलमानोंके साथ इस तरहकी कड़ाई थी और—अपनी प्रजाको उज्बेकने जबर्दस्ती मुसलमान बनाया, लेकिन जहांतक ईसाई प्रजाका सम्बन्ध था, वह उनके साथ धर्मान्धता नहीं दिखलाता था।

१०. दिनीबेग, तिनीबेग, उज्बेक-पुत्र (१३४२ ई०)

उज्बेकके बाद उसका पुत्र दिनीबेग गद्दीपर बैठा। उसके दो और भाई जानीबेग तथा खिजिरबेग थे। जानीबेगने भाईके खिलाफ विद्रोह किया। लड़ाईमें दिनीबेगकी हार हुई। जानीबेगने उसे पकड़कर मार डाला और खुद गद्दीपर बैठ गया। अपने दूसरे भाई खिजिरबेगसे भी खतरा देखकर उसे भी उसने मरवा दिया।

११. जानीबेग, उज्बेक-पुत्र (१३४२—५७ ई०)

जानीबेगने सोलह साल राज्य किया। बातू-वंशका यह अन्तिम शक्तिशाली खान था। नियम और व्यवस्थाका वह अपने बापकी तरह ही बहुत पाबन्द था। इसीके समय खुलाकू वंशके पतनसे ईरानमें अशांति और अव्यवस्था मची हुई थी, जिसके कारण बहुत से धनी-मानी तबरेज सराह, अर्दबील, बेलगान, नखचवान आदि शहरोंको छोड़-छोड़कर इधर आ बसे। अभी भी सुवर्ण-ओर्दू केवल एसिया हीतक सीमित नहीं था। १३४३ ई०में खानकी सेनाने पोलैंदपर आक्रमण किया—उसी साल पोलैंद टिड्डियोंका शिकार हो चुका था। लूट-पाट करते हुये किपचकोंने लुबलिन नगरको जा घेरा, लेकिन वह उसे सर नहीं कर सके।

१३४६ ई०में मास्कोका महाराजुल सिमओन (१३४२—५३ ई०) जानीबेगके दरबारमें पहुंचा। उसने भारी भेंट खान और उसके परिवारके सामने पेश की। जानीबेगने भी प्रसन्न होकर महाराजुलको बहुत उपहार और खलअत दी। लिथुवानिया अब भी ईसाई नहीं हुआ था। अब भी वहां कुछ पुराने वेदोंकेसे देवताओंकी पूजा होती थी। वहांका राजा ओलगर्द मास्को-महाराजुलका भारी प्रतिद्वंद्वी था। ओलगर्दपर जर्मनोंने आक्रमण शुरू कर दिया। उसने अपने भाई कोरिअदको खानके पास मदद मांगनेके लिये भेजा। सिमओनने चुगली खाई, जिसपर खानने लिथुवानी कुमारको उसके हाथमें दे दिया। उधर महाराजुलका दूसरा प्रतिद्वंद्वी पोलैंदका राजा कसिमिर था, जिसने १३३९ ई०में गलिसियाको लेते पड़ोसके वोल्हुनिया प्रदेशको भी अपने हाथमें कर लिया था। रूसी महाराजुल इसे कैसे पसंद करता? वह सनातनी ईसाई सम्प्रदाय (अर्थोदक्स चर्च) का अनुयायी था और कसिमिर कट्टर रोमन कथलिक। कसिमिर स्लाव ईसाई पादरियोंको अपने धार्मिक रीति-रवाजोंको छुड़ाकर जबर्दस्ती कैथलिक बनाता था। इसके कारण लोग उससे बिगड़कर लिथुवानियोंके पक्षपाती हो गये और उन्होंने रूसी महासंघराजको भी प्रेरित किया, कि महाराजुल सिमओनको कहकर लिथुवानी कुमार कोरिअदको मुक्त करा दें। इसके लिये उन्होंने मुक्ति-धन भी दिया। महाराजुलने अपने वंशकी राजकुमारी दुलियानाको लिथुवानियाके काफिर राजा ओलगर्दसे इस शर्तके साथ ब्याह दिया, कि उसकी संतान ईसाई बनाई जाये। ओलगर्दने इस प्रकार शक्ति-संचय करके पोलोंको वोल्हुनियासे मार भगाया। १५ फर्वरी १३४७ ई०में जानीबेगने वेनिसियोंके साथ संधि की और उन्हें तानामें बाजारके लिये एक जगह प्रदान की।

(१) प्लेग महामारी—१३४५ ई०में एसिया और युरोपके देशोंमें भयंकर काले प्लेगकी महामारी आई थी। इसका आरम्भ चीनमें हुआ था, जहां उससे एक करोड़ तीस लाख आदमी मर गये। कास्पियन समुद्रके दोनों तरफके प्रदेश इस प्लेगके मारे उजाड़ हो गये। तुर्किस्तान, ख्वारेज्म, सराय—सबमें हाहा-

कार मच गया। आरमेनिया, अबखाज़िया, चिरकासके लोग, क्रिमियामें बसे यहूदी, गेनोवा और वेनिस-वाले भी तबाह हो गये। आगे वह ग्रीस, सिरिया (शाम) और मिस्रमें भी फैली। गेनोवावाले व्यापारियों-के जहाज उसे अपने साथ इताली, फ्रांस, इंगलैंड और जर्मनीमें ले गये। लंदनमें इसके प्रकोपसे एक कब्रिस्तानमें पचास हज़ार मुर्दे गाड़े गये। पेरिसके आतंकित लोग गुस्सेके मारे यहूदियोंका संहार करने-के लिये तैयार हो गये। वह समझते थे, प्लेग लानेवाले यही यहूदी हैं। १३४९ ई० में वह स्कंदनेवियामें पहुंची, फिर प्स्कोफ और नवोग्रादके रूसी नगरोंमें भी। प्स्कोफके एक-तिहाई आदमी मर गये, शहरका शहर बीमार हो गया था। पैसा खर्च करनेपर भी धनियोंको नर्सें नहीं मिलती थीं। भयके मारे बीमार मां-बापको छोड़ बच्चे भाग जाते थे। लोग बहुत अधिक धार्मिकता दिखलाने लगे थे और धनी लोग धार्मिक कार्योंमें बड़ी उदारतासे खर्च करते थे। उस सालके जाड़ोंमें प्लेग तो बंद हुई, लेकिन उसके बाद पेचिश (हैजा) तथा खूनके कैकी बीमारी शुरू हुई, जिसमें आदमी मुश्किलसे दो-तीन दिन जी पाता। घुमन्तुओंपर प्लेगका प्रभाव और भी भयंकर हुआ था।

१३५१ ई०में भारी अकालसे पीड़ित ब्रातिस्लावापर मंगोलोंने आक्रमण किया। वहांके राजुलने हुंगरीके राजा लुईसे मदद मांगी और उसकी सहायतासे वह मंगोलोंको भगानेमें सफल हुआ—पोल राजा कसिमिरने भी इस समय उसकी सहायता की थी। द्नियेपर नदी अभी भी कुछ समयके लिये मंगोलोंके हाथमें थी, लेकिन गेलेसिया पोलोंके हाथमें चली गई थी। लघुरूस (आधुनिक उक्रइन) लियुवानियाके हाथ में तबसे १६वीं सदी तक रहा। इस प्रकार लघु-रूसी छिन्न-भिन्न होकर शक्तिहीन हो रहे थे। पड़ोसी युरोपीय राजाओं तथा मंगोलोंके अत्याचारोंसे पीड़ित पूर्वी स्लावोंकी सहानुभूति अब और अधिक मास्कोकी ओर होती जा रही थी। इसके दो परिणाम हुये—(१) कितने ही लोगों ने द्नियेपर और दोनके तटपर जा घुमन्तू राज्यके रूपमें वहां अपने जापोरोशियान और दोन कसाकके दो गणराज्य स्थापित किये, और (२) दूसरे लोगोंने हुंगरीके रोमन कैथलिकोंके अत्याचारसे भागकर पहिले मंगोलोंकी भूमिमें, फिर वहां भी पीड़ित होनेके बाद मोल्दाविया और वलाचियामें जाकर अपनी रियासतें कायम कीं।

मास्कोके महाराजुल सिमओनने अब पहली बार "सर्वरूसमहाराजुल" की उपाधि धारण की। १३५३ ई० में उसके मरनेके बाद उसके भाई इवानको जानीबेगने उसका उत्तराधिकारी बनाया।

१३५५ ई०में ईरानके इलखान-वंशका नाश हो चुका था। इससे फायदा उठाकर सेनापति चोबान तेमूरताशके पुत्र मलिक अशरफने आजुरबाईजानपर अधिकार कर लिया। मलिक अशरफके अत्या-चारोंसे लोग परेशान हो देश छोड़कर भागने लगे। ख्वाजा शेख कही (कुजी) शीराजकी ओर भागा और वहांसे फिर शामको। दूसरे प्रसिद्ध संत ख्वाजा सदरुद्दीन अर्दबेली ने गेलानका रास्ता लिया। काजी मोहीउद्दीन बुरदइ सरायबरका भागा और वहां अपने उपदेशोंके लिये मशहूर हुआ। उसके उपदेशोंमें जानीबेग भी शामिल होता था। उस वक्तकी मलिक अशरफ गरदी (राक्षसी) का बड़ा साफ चित्र शेखशादीने खींचा था, जिसे "तारीख शेख-उवेस" (ज० ओ० पृष्ठ २३०) के लेखकने उद्धृत किया है—"ईरानसे ..चगताइ देशमें जा उसने उस देशको अपने अधीन किया। कुछ समय अपनी जगह रही। फिर कहते हैं, तीन रोजसे अधिक कहीं नहीं बैठी और तरक नदी पार हो दरबन्द आई। वहांसे शिरवान पहुँची। उसने अपना एलची मलिक अशरफके पास भेजकर कहलवाया कि मैं खुलाकूके उलुसको जब्त करनेके लिये आ रही हूँ, तू चोबानका पुत्र है, जिसका नाम चारों उलुसोंमें तथा यारलिकमें था। अब तीन उलुस मेरे हुकूममें हैं। मैं चाहती हूं, कि जूजी (तूली) के उलुसका अमीर तुझे बनाऊं, इसलिये खड़ा हो जा और मेरा स्वागत कर।' मलिक अशरफने जवाब दिया—'हे उलुस-बरकाके बादशाह, मेरा सम्बन्ध अबका (हलाकू-पुत्र) के उलुससे नहीं है। यहांका बादशाह गजन है, जिसके अमीरका पद मेरे पास है।"

(२) ईरानपर आक्रमण—मोहीउद्दीनने एक दिन अपने उपदेशके बीचमें तबरेज और मलिक अशरफ-के अत्याचारोंका ऐसे शब्दोंमें चित्रण किया, कि श्रोता रोने लगे, जानीबेग स्वयं रो पड़ा। मोहीउद्दीनने यह भी कहा, कि बादशाहको हस्तावलम्ब देना चाहिये, जिसमें प्रजाके ऊपर होते इन अत्याचारोंका

अन्त हो। अगर बादशाह ऐसा नहीं करता, तो कयामतके दिन अल्लाह उससे जवाब तलब करेगा। जानीबेगके मनमें बातके समानेके लिये मोहीउद्दीनके उपदेशसे भी ज्यादा ईरानके समृद्ध राज्यका लोभ था।

जानीबेगने एक महीनेमें सौ तुमान (दस लाख) सेना तैयार कर ली और वह सन् ७५८ हिजरीमें (२५ दिसम्बर १३५६ ई०–१३ दिसम्बर १३५७ ई०) तबरेजकी ओर रवाना हुआ। कुरा नदी पार करनेकी खबर मलिक अशरफके पास पहुंची, तो पहले उसने इसपर विश्वास नहीं किया, फिर अपने सैनिकोंको जमा किया। लेकिन उसके अत्याचारोंके कारण लोग अब उसकी आगमें कूदनेके लिये तैयार नहीं थे। वह शम्बेगाजानी पहुंचा। इससे पहले उसने अपनी खातूनों (रानियों), लड़कियों, खज़ाने, सोना-चांदी और जवाहर तथा दूसरी चीजोंको आलिंजकके किलेमें भेज दिया था, जिन्हें उसने चार सौ ऊंटों और हजार खजानेके ऊंटोंपर लदवाकर मंगवा लिया। शम्बेगाजानीमें बहुतसे लोग जमा हुये थे, जिनसे एक बड़ी सेना तैयार करके उसने कूजानकी ओर भेजा। फिर खबर मिली, कि बादशाह जानीबेग अर्दबील पहुंच गया। लोग कह रहे थे—बादशाहके फौजकी रिकाब लकड़ोंकी हैं, उसके घोड़ोंकी लगामें रस्सियोंकी हैं।

जानीबेगके बारेमें पहुंचती इन खबरोंको सुनकर मलिक अशरफ बहुत डर गया। उसने ख्वाजा लूलू साजलू और ख्वाजा शकर खाजिन (कोषाध्यक्ष) को बुलाकर कहा—"खातूनों (रानियों) और खजानोंको लेकर ख्वाजा रशीदके चश्मेपर पहुंचाओ और वहां मेरा इन्तजार करो। मैं उजान जा रहा हूं। अगर मनोरथ सफल हुआ, तो तबरेज आना। अगर बात उल्टी हुई, तो खुईकी ओर जाना, मैं वहां आकर मिल जाऊंगा।" उन्हें भेजकर वह खुद उजानकी ओर रवाना हुआ। पहले दिन मेहरानरूद नदीके तटपर मुमताबादमें डेरा डाल उसने दो दिन विश्राम किया। कितने ही अमीर, जो सावाकी ओर चले गये थे, यहां मलिक अशरफके पास आ गये। उसने उन्हें सोना, घोड़ा, हथियार आदि देकर रवाना किया। अखीजूक सेनप भी उनमेंसे था, जो अगले दिन कूच करके सईदाबाद (अबदाबाद) गया। उसने वहां लोगोंसे सैनिकोंके लिये अपने घरोंको खाली कर देनेके लिये कहा। उसके नौकरोंमें दो हजार मर्द थे। वह खाने-पीने-रहनेकी तैयारी कर रहे थे, तभी जबर्दस्त आंधी-पानी आई।

उजानमें अशरफके भेजे हुये सैनिक एकत्रित हो गये थे, इसी समय जानीबेग सराहकी ओरसे आ पहुंचा। विरोधी सेनाको देखकर उसने हुकुम दिया, कि छिङ्ग-गिस्के शिकार खेलकी तरह इन्हें चारों ओरसे घेर लो। अशरफके अमीरोंने जब यह हालत देखी, तो वह अपनी जान लेकर भाग निकले। मलिक अशरफ अब भी सईदाबादके पुश्तेपर खड़ा था। इसी समय शेख जलकी (बालखजी) ने उसके कानमें कुछ कहा। उसने समझ लिया, कि लड़नेमें कोई फ़ायदा नहीं और वह तबरेजकी ओर भाग चला। उस रात वह शम्बेगाजानीमें ठहरा, फिर सबेरे अपनी खातूनोंके साथ खजानेको लिये रवाना हुआ। लेकिन खजानेपर उसके रखवाले ही हाथ साफ करने लगे। खातूनें भी इधर-उधर बिखर गईं। मलिक अशरफ यह हालत देखकर खुईकी ओर चला। महम्मद बालखजीका घर इसी इलाकेमें था। उसने एक ओर मलिक अशरफका स्वागत करते हुये अपने घरमें उसे ले जाकर ठहराया और दूसरी ओर जानीबेगके पास इसकी खबर भेज दी। जानीबेगने अमीर बयासको इस कामके लिये भेजा, लेकिन घरको घेरकर ढूंढनेपर अशरफ वहां नहीं मिला। इसपर अमीर बयास और उसके साथी ख्वाजा महमूदने लोगोंकी सभी चीजें जब्त कर लीं। फिर अमीर बयास मलिक अशरफको पकड़नेके लिये तबरेज गया। सड़कसे गुजरते वक्त लोगोंने उसके ऊपर राख फेंककर बड़ी बेइज्जती की, और उसे ख्वाजा शेख कुजीकी मां मोवैयदबेके घर ले गये। अमीर काऊस शिरवानी वहां मौजूद था। मौलाना मोहीउद्दीन बेरदईके हाथको चूमकर अशरफ रोने लगा। काऊसने उसे ढारस दिया। इसके बाद उसे बादशाह जानीबेगके पास ले गये। बादशाहने पूछा—"इस देशको तूने क्यों बरबाद किया?" उसने जवाब दिया—"नौकरोंने बरबाद किया, उन्होंने मेरी बात नहीं मानी।"

बादशाह जानीबेग उजानसे हश्तरूद (अष्टनद) की ओर रवाना हो क्युक् (कूकौ) के नजदीक पहुंच वहांसे लौट पड़ा। उस साल लोगोंने खेती बहुत की थी। जब यह बड़ी सेना उधरसे गुजरी, तो

खेतोंमें एक बाल भी न रह गई। कविके कथनानुसार "ज़ालिम गया और उसका जुल्मका कायदा रह गया। आदिल गया और उसके नेक नामकी याद रह गई।"

जानीबेगने चाहा, कि मलिक अशरफको मृत्यु-दंड न दे अपने साथ अपने देश ले जाये, लेकिन काऊस और काजी मोहीउद्दीनने बतलाया—"अगर वह जिंदा रहेगा, तो इस मुल्कके लोग कभी चैनसे नहीं रह सकेंगे।" जानीबेगको उनकी सलाह माननी पड़ी। मलिक अशरफको घोड़ेसे नीचे उतारते समय उसकी दोनों तरफ तलवारें खड़ी कर दी गईं, जो उसकी बगलों में घुस गईं। उसके शिरको काटकर तबरेज ले जा मस्जिद-मरागियानके दरवाजे पर टांग दिया गया। तबरेज-निवासी खुशी मनाते दान-पुण्य करने लगे। जानीबेग दस हजार सवारोंके साथ वहां दौलतखाना में उतरा। एक रात रहकर सबेरेकी नमाज उसने मस्जिद ख्वाजा अलीशाहमें पढ़ी। उसके साथ आये हुये सैनिक सड़कों और नदियोंके किनारे ठहरे थे। इनमेंसे कोई किसी मुसलमानके घरमें नहीं घुसा।

अशरफकी लोलुपतापर एक पद्य मशहूर है—

"देखो कैसे अशरफ गदहा अपने भाग्यको उघाड़ रहा है।

अपने लिये मृत्यु और जानीबेगके लिये अपना सोना बटोरता।।"

इस प्रकार १३ सालमें अशरफने जुल्म और अत्याचार करके जो खजाना जमा किया था, उसे जानीबेग ले गया।

ईरानमें इस प्रकार व्यवस्था कायम कर जानीबेग अपने बड़े बेटे बरदीबेगको पचास हजार सेना देकर वहांका शासक नियुक्त कर अली अशरफकी लड़की सुलतानबख्त और उसके पुत्र तेमूर-ताशको साथ ले किपचकभूमि लौटा। महमूद दीवानने बड़ा महोत्सव मनाते बरदीबेगको तब्रेज़के तख्तपर बैठाया। अमीर जारुकके पुत्र सराय तेमूरको वजीर बना महमूद भी जानीबेगके पीछे-पीछे रवाना हो गया।

जानीबेग लौटकर बीमार पड़ गया। मरणासन्न देखकर उसके खैरखाहोंने बरदीबेगके पास इसकी खबर भेजी। बरदीबेग जानता था, कि तब्रेजका तख्त किसी समय भी हमारे हाथसे छिन जायेगा, इसलिये तथा सबसे बड़ा पुत्र होनेके ख्यालसे भी वह तब्रेजसे जल्दी-जल्दी दरबन्दकी ओर रवाना हुआ और दस सेवकोंके साथ आधी रातको चुपचाप तुगलुबाईके घरपर पहुंचा। संयोग ऐसा हुआ, कि जानीबेग बीमारी से अच्छा हो गया और उसे खबर मिली, कि बरदीबेग आ गया है। उसने तोगाय तुबलु खातूनसे इसके बारेमें पूछा। खातूनने बेटेकी मुहब्बतसे झूठ बोल दिया। जानीबेगने तुबलुबाईको एकान्तमें बुलाकर चाहा कि उससे भेद लें। तुबलुबाई झूठ बोल बाहर आ बरदीकी सलाहसे उसी समय लोगोंको लेकर भीतर घुसा, और एक फर्राश द्वारा जानीबेग खानको २१ जुलाई १३५७ ई० को उसके बिस्तरेपर मरवा डाला।

रूसी उसे "भला" जानीबेग कहते थे, जिससे मालूम होता है, कि रूसियोंके साथ उसका बर्ताव अच्छा रहा। इसका यह भी अर्थ है, कि मास्कोके महाराजुलोंको अपनी शक्ति बढ़ाने और सारी रूसी जातिको एकताबद्ध करनेके मनसूबेमें जानीबेगकी ओरसे कोई बाधा नहीं हुई। जानीबेगके सिक्के १३४० से १३५७ ई० तकके मिलते हैं, जो सराय गुलिस्तां, नई सराय, नयागुलिस्तां, नया ओर्दू, ख्वारेज्म, मोक्सी, बरचिन और तब्रेजकी टकसालोंमें ढाले गये थे।

जानीबेगके इस्लामप्रेमको मुस्लिम इतिहासकारोंने स्वीकार किया है। उज्बेकके मरनेके चंदही महीने बाद गद्दी संभालते उसने अपने बापके कामको आगे बढ़ाया और सारे उज्बेक-उलुसको मुसलमान बनाया, तमाम बौद्ध मंदिरों (बुत-खानों) को धराशायी कराया, बहुत-सी मस्जिदों और मदरसों को बनवा मुसलमानोंके फायदेके लिये सभी तरहकी बातें कीं। चारों तरफसे मौलवी और विद्वान् उसके यहां आते थे। दश्तें-किपचकके अमीरोंके पुत्र इस समय बहुत विद्याव्यसनी हो गये थे। अनुनीम अस-कन्दरके अनुसार "उनकी महिमा आज भी मजलिसों और महफिलोंमें गाई जाती है, और उस मुल्कका हरएक रस्म-रवाज इस्लामी देशोंके बाशिन्दों जैसा है।"

१२. बरदीबेग जानी-पुत्र (१३५७–५९ ई०)

बरदीने अपने बापको ही मरवाकर संतोष नहीं किया, बल्कि जिस बिस्तरेपर वह मारा गया था, उसीपर उसने बापके घातक फर्राशको बैठा आज्ञा माननेसे इन्कारियोंको मरवाने का इरादा किया। तुगलुबाईने उसकी बातको पसन्द किया और आज्ञा स्वीकार करानेके बहाने वह सारे ही बारह शाह-जादोंको वहां जमा करवा मरवाने लगा। बरदीका आठ महीनेका एक सहोदर भाई था। तायदोलू खातूनने उसे गोदमें लिये आकर बहुत मिन्नत की, कि इस मासूम बच्चेको क्षमा कर दे। बेरदीबेगने उसे हाथसे छीन जमीनपर पटककर वहीं मार दिया। उसने तीन साल तक दृढ़तापूर्वक शासन किया।

जहांतक रूसी राजुलोंका सम्बन्ध है, महाराजुल इवान (मास्को), राजुल वासिली (त्वेर), उसके भतीजे व्सेवोलोद (खोलम) के पदोंके लिये बरदीबेगने अपनी स्वीकृति दी।

१३५९ ई० में मास्कोका महाराजुल इवान मर गया, इसी साल किलदीबेग (कुलफा) ने बरदीबेगको कत्ल कर दिया।

१३. किलदीबेग, कुलफा (१३५९ ई०....)

किलदीबेगने बरदीबेगके कत्लके साथ उसके शुरू किये वंशोच्छेदके कामको पूरा कर दिया। अब कोक (सुवर्ण)-ओर्दू राजवंशका एक भी नामलेवा नहीं रह गया। सारे ओर्दू में गड़बड़ी मच गई। अमीरोंने अधिकारको अपने हाथमें रखनेके लिये बेरदीबेगके हत्यारेको जानीबेगका पुत्र कहकर गद्दीपर बैठाया। हर अमीर अपनी शक्तिको बढ़ानेके लिये पीठ पीछे षड्यंत्र रच रहा था। इसी षड्यंत्रमें अमीर यगलि-बुगा, अमीर अहमद और अमीर नाङ-गू-दाई निर्वासित हुये। इसी समय सरकारके एक बड़े अधि-कारी नगलसबाई (?) ने किलदीबेगको मार एक दूसरे आदमीको गद्दीपर बैठाया, जो कि तीन रोज बाद मारा गया।

१४. नौरोजबेग, १५. चेरकेसबेग (१३७४ ई०)

ये दोनों भी इसी तरह कुछ दिनोंके लिये सिंहासनपर बैठे। फिर कोक (सुवर्ण) ओर्दूके अमीरोंने श्वेतओर्दूके खान चिमताईके पास जा गद्दी संभालनेके लिये बहुत निमंत्रण और आवेदन किया, लेकिन उसने उसे न स्वीकार कर अपने भाई ओर्दाशेखको भेजा।

१६. ओर्दाशेख

श्वेत-ओर्दूका यह राजकुमार बातूके सिंहासनपर बहुत दिनोंतक नहीं टिक सका। किसीने "कैसे ओक-ओर्दूके सिंहासनपर अक-ओर्दूका आदमी बैठेगा" कह एक रात तलवारसे ओर्दाशेखका काम तमाम कर दिया। इसपर अमीरोंने कुछ बेगुनाह आदमियोंके ऊपर अपराध लगाकर मरवाया।

१७. खिजिर ससीबूगा-पुत्र

अब ओर्दाशेखके भाई खिजिर ओगलानको गद्दीपर बैठाया गया, जो भी नौ महीना राज्य करनेके बाद खतम हुआ।

आगे इतिहासकार अनुनीम अस्कन्दरने निम्न खानोंका होना बतलाया है—

१८. कुलफा, ससीबूगा-पुत्र

खिजिरके एक साल भी बादशाही न करके मर जानेके बाद उसके भाई कुलफाको गद्दीपर बैठाकर नौ महीने बाद उसे भी कत्ल कर दिया गया।

१९. तेमूरखोजा, ओर्दाशेख-पुत्र

फिर तेमूरखोजा अमीरोंका खिलौना बना। वह बड़ा ही व्यभिचारी निकला। लोग दो साल तक उसे बर्दाश्त करते रहे। एक रात किसी स्त्री के साथ बलात्कार करनेके लिये घरमें घुसा देख, पतिने अनजाने ही उसे तलवारके घाट उतार दिया।

२०. मुरीद ओर्दाशेख-पुत्र

इसने तीन सालतक राज्य किया, लेकिन अब इन खानोंमें बदचलनी विशेषकर अप्राकृतिक व्यभिचारका मर्ज बहुत फैल गया था। अपने अमीरुल्-उमरा (अमीरोंके अमीर) मोगलबक-पुत्र इलियासके सुंदर लड़केपर मुग्ध हो मुरीदने चाहा, कि बापको मारकर उसका स्थान बेटेको दे दे। यह भेद मुरीद-खानकी खातूनको मालूम हो गया। उसने ईर्ष्या या बेवकूफीसे यह खबर इलियासके पास भेज दी। उसने अवसर न दे खानको ही मार डाला।

२१. अजीज तेमूरखोजा-पुत्र

इसकी आदत भी अपने पूर्वगामियों जैसी थी और इसने प्रसिद्ध संत सैयद अताके वंशवाले एक लड़केको भ्रष्ट किया। भेद खुलनेपर पश्चात्ताप करके उस लड़केसे इसने अपनी लड़की ब्याह दी; लेकिन तीन साल बाद फिर वही चाल चलने लगा, जिसके कारण उसे अपने प्राणोंसे हाथ धोना पड़ा।

२२. हाजी खां एर्जन-पुत्र

श्वेत-ओर्दूके खान एर्जन (१३१६-४४ ई०) के पुत्रको अब बलिका बकरा बनानेके लिये लाया गया। वह कुछ दिनों तक अच्छा रहा, फिर खानदानी बदचलनी का भूत इसके सिरपर भी सवार हुआ। एक बार तोबा की, लेकिन फिर वही रफ्तारे-बेढंगी। अन्तमें वह आधी रातको अपने सोनेके वस्त्रोंमें ही मार डाला गया।

अनुनीम अस्कन्दरके अनुसार हिजरी सन् ७५१* से ७६५ के बारह सालोंमें आठ बादशाह हुये। इसके बाद श्वेत-ओर्दूके खान उरुसखानने श्वेत-ओर्दू और कोक-ओर्दूको इकट्ठा करके शासन करना शुरू किया, जिसका परिणाम तोकतामिशके रूपमें एक बार जू-छिके वंशका चरम उत्कर्ष तथा तेमूर-लंगके प्रहारके कारण उसका सत्यानाश हुआ।

सुवर्ण (कोक)-ओर्दूके रूपमें मंगोल-शक्ति आधे युरोपतक छा गई। रूसके तो सभी शासक उसके अधीन दाससे थे। यद्यपि मंगोलोंने अपने इन अधीन लोगोंपर बहुत अत्याचार किये, लेकिन तब्रेज और दूसरी जगहोंके निर्मम हत्याकांडोंके सामने वह कुछ नहीं थे। मंगोलोंके शासनके साथ ही वाणिज्य और शिल्पकी बड़ी वृद्धि हुई थी, जिसके कारण जहां मंगोल शासकोंको बहुत लाभ हुआ, वहां मास्कोको आगे बढ़नेका मौका मिला और धीरे-धीरे पुरानी बुल्गार नगरीका स्थान मास्कोने ले लिया। व्यापार द्वारा प्राप्त प्रचुर धन-राशिके बलपर मास्कोके महाराजुलोंने सुवर्ण-ओर्दूके खानोंको अपने वशमें कर अपनी शक्ति बढ़ाई, रूसका एकीकरण करना शुरू किया और अन्तमें रूसकी शक्तिके उत्कर्ष तथा जू-छि-वंशके आंतरिक कलहके कारण सुवर्ण-ओर्दूका अस्तित्व खतम हो गया। इसी कालमें मास्कोके महाराजुलोंने खानकी ओरसे कर उगाहनेका अधिकार पा अपनी ओरसे इस कामपर अपने अधीनस्थ बायरोंको लगाया—रूसी प्रजा अब बायर, महाराजुल और खान तीनोंके उत्पीड़न तथा शोषणके नीचे दबकर कराहने लगी। उसका स्वतंत्रता-प्रेम और जनतांत्रिकताकी भावना लुप्त हो चली, और अत्याचारके मारे कितने ही रूसी भाग-भागकर दूसरी जगहोंमें जाकर बसने लगे।

* ७५१ हि० (११मार्च १३५०—२७फर्वरी १३५१ ई०), ७६५ हि० (१०अक्तूबर—२७ सितंबर १३६३ ई०)

सुवर्ण-ओर्दू-खान-वंशवृक्ष
(१२२४–१३७४ ई०)

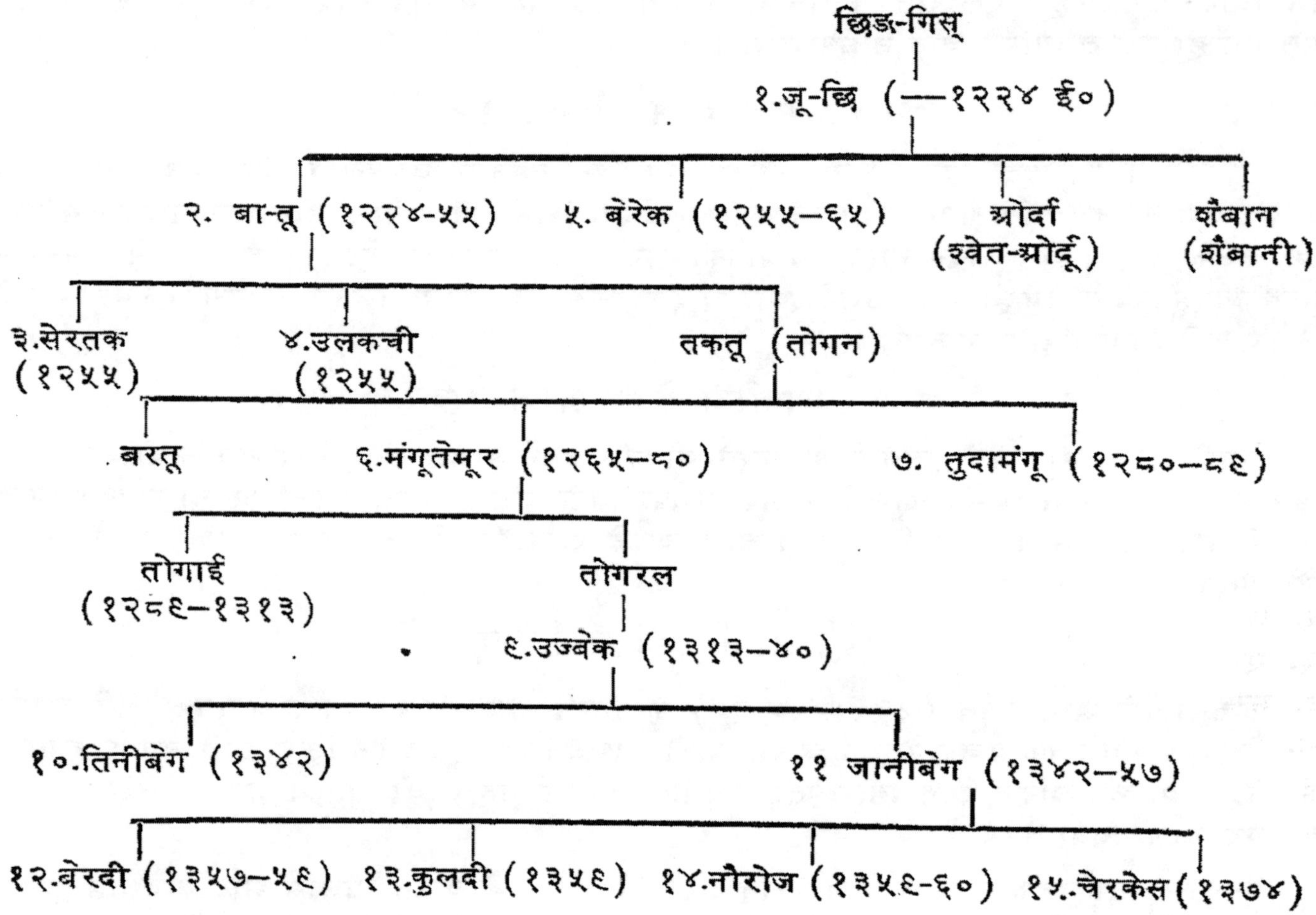

अध्याय ३

श्वेत-ओर्दू[1]

(१२२४-१४२५ ई०)

१. जू-छि (तू-शी) खान

छिङ-गिस्के ज्येष्ठ पुत्र जू-छिके बारेमें हम पहले बतला चुके हैं। उसके मरनेके बाद उसका सिंहासन ज्येष्ठ पुत्र ओरदाको न मिलकर बा-तूको मिला। ओरदाको बापके राज्यका पूर्वी भाग मिला, लेकिन उसने अपने वंशको बा-तूके सिंहासनके अधीन माना। ओरदाका उलुस श्वेत-ओर्दू (अक-ओर्दू) नामसे प्रसिद्ध हुआ, जिसके खान निम्न प्रकार थे :—

		काल
१.	जू-छि, छिङ्-गिस्-पुत्र	—१२२४ ई०
२.	ओरदा जू-छि-पुत्र	१२२४ ,,
३.	कोनिचि ओरदा-पौत्र, सर्तकई-पुत्र	—१३०१ ,,
४.	बायन कोनिचि-पुत्र	१३०१ ,,
५.	ससीबूगा बायन-पुत्र	१३१६ ,,
६.	एर्जन ससीबूगा-पुत्र	१३१६—४४ ,,
७.	मुबारक खोजा एर्जन-पुत्र	१३४४ ,,
८.	चिमतई एर्जन-पुत्र	१३४४—१३६१ ,,
९.	उरुस चिमतई-पुत्र	१३६१—७० ,,
१०.	तोकताकिया उरुस-पुत्र	१३७० ,,
११.	तेमूरबेग उरुस-पुत्र	१३७०—७५ ,,
१२.	तोकतामिश तुलि-पुत्र	१३७५—९७ ,,
१३.	नूजी ओगलान	१३९५
१४.	तेमूरकुतुलुक, तेमूरबेग-पुत्र	१३९५—१४०० ,,
१५.	शादीबेग, तेमूरबेग-पुत्र	१४००—८ ,,
१६.	पूलाद तेमूरबेग-पुत्र	१४०८—१० ,,
१७.	तेमूर कुतुलुक-पुत्र	—१४११ ,,
१८.	जलालुद्दीन तोकतामिश-पुत्र	१४११—१२ ,,
१९.	करीमबरदी तोकतामिश-पुत्र	१४१२—
२०.	कपक, किबेक	....
२१.	चिङ-गिज	१४१७ ,,
२२.	जब्बारबरदी तोकतामिश-पुत्र	,,
२३.	मुहम्मद	१४२२—३८ ,,
२४.	बोराक, बुराक, बुर्राक	१४२५—२८ ,,
२५.	सैयत अहमद	....
२६.	दरबीस	....
२७.	किबेक	—१४२२
२८.	उलुग मोहम्मद	१४३७

२. ओरदा, एसन, एछन जू-छि-पुत्र (१२२४–)

ओरदाके राज्यके भीतर सिगनाक, तरस, उतरार जैसे प्रसिद्ध वाणिज्य-नगर थे। इसके ओर्दूके दक्षिण और दक्षिण-पूर्वमें चगताई, पूर्वमें ओगोताई तथा पश्चिममें बा-तूका ओर्दू था, जिसका कि यह अंग माना जाता था। उत्तरमें वह साइबेरियाके भीतरतक घुसा हुआ था। ओरदाका ओर्दू (पशुपाल सैनिक परिवार-समूह) गर्मियां बलकाश समुद्रके पासकी चरागाहोंमें बिताता और जाड़ोंमें सिर नदीपर चला आता था। ओरदाका पुत्र कूली खुलाकूके ईरान-विजयमें शामिल होनेके लिये ख्वारेज्मसे दहिस्तान और माजंदरान गया था।

३. कोनिचि, कोची ओरदा-पौत्र, सर्तकई-पुत्र (–१३०१ ई०)

मंगोल इतिहासकर रशीदुद्दीन*(१२४७–१३१७ ई०) के अनुसार यह ओरदा (श्वेत) उलुसका बहुत समयतक शासक रहा। अरगून खान (१२८४–९२ ई०) और गजनखान (१२९५–१३०४ ई०) के साथ इसका बहुत अच्छा सम्बन्ध था और उनसे सौगातों और दूतोंका आदाना-प्रदान होता था। कोनिचि असाधारण मोटा था, कोई घोड़ा उसे ढो नहीं सकता था, इसलिये वह गाड़ीपर एक जगहसे दूसरी जगह जाता था। इसके पुत्रोंमें मुख्य चार थे—बायन, बचकरतइ, चगुनबुका, मकुदई। मारको पोलोने इसके बारेमें लिखा है :—

"सुदूर उत्तरमें एक खान है, जिसका नाम कोनिचि है। वह तारतार (मंगोल) है और उसके सारे लोग तारतार हैं, जो नियमपूर्वक तारतार धर्मको मानते हैं। यह बड़ा ही पाशविक धर्म है, लेकिन वह उसका उसी तरह पालन करते हैं, जैसे कि छिङ-गिस् और दूसरे मुख्य तारतार। खान किसीके अधीन नहीं है, यद्यपि वह छिङ-गिस् खानके शाही वंशका तथा महान् कआन (कुबिले खान) का नजदीकी संबंधी है। इस खानके पास न नगर है न महल। वह और उसके लोग सदा या तो खुले मैदानोंमें रहते हैं या बड़े पहाड़ों और उपत्यकाओंमें। वह अपने जानवरोंके दूध और मांसपर गुजारा करते हैं। उनके पास अनाज नहीं होता। खानके पास बहुसंख्यक लोग हैं, लेकिन वह किसीके साथ युद्ध नहीं करता। उसकी प्रजा बड़ी शांतिसे रहती है। उनके पास भारी संख्या में पशु—ऊंट, घोड़े, बैल, गाय, भेड़ें आदि हैं।

"उनके देशमें तुम्हें बीस मुट्ठीसे अधिक लम्बे तथा बिल्कुल सफेद विशालकाय भालू मिलेंगे। वहां बड़ी-बड़ी काली लोमड़ियां, जंगली गदहे और भारी संख्यामें सेबल होते हैं। यही सेबल वह जन्तु हैं, जिनके चमड़ेकी बहुमूल्य पोशाक बनती है, एक-एकका दाम हजार बेजंत (सिक्के) होते हैं। वहांपर वेयर (समूरी जंतु) भी बहुतायतसे होते हैं और फरऊनी चूहे भी। इन्हींके शिकारपर लोग सारी गर्मियां जीते हैं। वस्तुतः वहां सब तरहके जंगली जानवर बहुतायतसे होते हैं, क्योंकि उनका देश बहुत दुर्गम और वन्य है।

"इस खानका देश ऐसा है, जहां घोड़े नहीं जा सकते, क्योंकि वहांपर बहुतायतसे झीलें और चश्मे हैं, साथ ही बहुत बर्फ, कीचड़ और दलदल भी हैं, जिसपर घोड़े नहीं चल सकते। यह कठिन मुल्क तेरह दिनोंके रास्तेतक फैला हुआ है। हर दिनकी यात्राके बाद एक टिकान है, जहांपर कि सब तरहका इंतिजाम है। प्रत्येक टिकानपर घर बने हुये हैं, जिनमें चालीस कुत्ते तैयार रहते हैं। यह कुत्ते आकारमें गदहोंसे कम नहीं होते। यही कुत्ते एक टिकानसे दूसरी टिकानतक सवारी-गाड़ियोंको खींचते हैं। इनकी गाड़ियां बिना पहियेकी होती हैं।..गाड़ीके ऊपर भालूका चमड़ा रखकर सवार बैठ जाता है। हरेक गाड़ीको ६ कुत्ते खींचते हैं।..कुत्तोंका कोई कोचवान नहीं होता।..अगली टिकानपर नये कुत्ते और गाड़ी तैयार मिलती हैं।..

* "जाम-उत्-तवारीख" ज० ओ० पृष्ठ ४२

"तेरह दिनकी यात्राके अन्तपर आसपासके पहाड़ों और उपत्यकाओं के रहनेवाले लोग बड़े शिकारी होते हैं। वह उन बहुमूल्य छोटे-छोटे जन्तुओंको पकड़ते हैं, जिनसे कि उनको भारी लाभ होता है। यह जन्तु हैं—सेबल, एरमिन, वेयर, एरकुलिन, काली लोमड़ी तथा और बहुत-से प्राणी। इन्हींके चमड़ोंका बहुमूल्य समूर बनाया जाता है। शिकारी जाल इस्तेमाल करते हैं. . । उस प्रदेशमें सर्दी इतनी अधिक है, कि लोगोंके सारे निवास धरतीके भीतर होते हैं, वह सदा भूधरे हीमें रहते हैं।"[१]

मार्को पोलोने यहां जिस देशका वर्णन किया है, वह साइबेरिया है, इसमें सन्देह नहीं। उसे यह खबर कुबिलेके दरबारमें गये कोनिचिके दूतमंडलसे मिली होगी।

इतिहासकार अबुल्-फेदाके अनुसार कोनिचि बामियान और गजनी तथा कुछ काबुलके पासवाले प्रदेशोंका भी शासक था। खुलाकूके ईरान-विजयके समय उसकी मददके लिये आये अक-ओर्दूवालोंने यह स्थान अपने हाथमें कर लिये थे, इस प्रकार अक-ओर्दूका यह दक्षिणी भाग उत्तरी भागसे बिल्कुल अलग-थलग था, बीचमें चगताई-वंशकी भूमि थी। ओरदा-पुत्र कुलीने खुलाकूकी मदद करते समय अफगानिस्तानके उत्तर-पश्चिमवाले इस प्रदेशपर अपना शासन स्थापित करके भी उसे श्वेत-ओर्दूके अधीन ही रखा। खुलाकूको पीछे कुलीसे इतना भय लगा, कि उसने उसे जहर दिलवा दिया।

१२९३ ई० में कोनिचि (कुबी) का दूतमंडल इलखान (ईरानी शासक) जयखातूके दरबारमें आया था। कोनिचि हिजरी सन् ७०१ (१३०१-१३०२ ई०) में मरा।

४. बायन कोनिचि-पुत्र (१३०१-९..)

बायनको पिताका राज्य कुछ संघर्षके बाद मिला। शायद इसे उत्तरवाला भाग ही मिला, बामियान-गजनाको उसके भाई कुबलुक (क्यूलुक) ने ले लिया। बायनके हाथमें यह दक्षिणी भाग न जाने पाये, इसके लिये चगताई खान दावा और ओगोताइखान कैदूने भी कुबुलुककी मदद की थी। बायनका दूसरा भाई मङ-ताई था। इसकी बीबी नुकुलुन खातून प्रभावशाली कंकुरत कबीलेकी थी। पिताके मरनेपर मंगोल प्रथाके अनुसार तीन सौतेली मायें तरकुजिन, जिकथुन् और अलताचू भी इसकी बीबियां बनीं। इन चारोंके अतिरिक्त उसकी तीन और बीबियोंका भी पता लगता है। श्वेत-ओर्दूका दूसरा खानजादा-कुतुकू-पौत्र, तेमूरबूका-पुत्र कुबुलुक (कोबलेक, क्यूलुक)से बायनका जबर्दस्त संघर्ष रहा। १३०९ ई० में कुबुलुकने दक्षिणी राज्य (बामियान-गजना) छीना था। थोड़े दिनों बाद बायनने फिर उसपर अधिकार कर लिया। कैदू और दावा कुबलुककी पीठपर थे और बायनका राज्यकेंद्र चगताई राज्यके पार दूर पड़ता था, तो भी ख्वारेज्मसे इलखानके इलाकामें होते श्वेत-ओर्दूकी सेनायें गजनी पहुंच सकती थीं। सुवर्ण-ओर्दूके साथ बायनका बहुत अच्छा संबंध था, लेकिन तोगताइ खान नोगाइकी लड़ाइयोंमें फंसे होनेसे कोई बड़ी मदद करनेमें असमर्थ था। बायनने इलखान गजनको मदद देनेके लिये लिखा, और उसने मदद भी दी। समकालीन इतिहासकार रशीदुद्दीन लिखता है—"हमारे काल में अठारह बार बायनने कुबुलुकसे लड़ाई की।" कुबुलुकके साथ हो कैदू और दावाकी भी सेनायें लड़ती रहीं। कैदूके मरनेके बाद जब उसका पुत्र चापर ओगोदाइ-उलुसका खान बना, तो तोगताईने उसे कई बार लिखा, कि दावा खानको कुबुलुककी मदद करनेसे रोको, लेकिन बापकी तरह वह भी कुबुलुककी पीठपर था। उसने जवाब दिया—"गजनसे लड़ते समय कुबुलुकने हमारी सहायता की, इसलिये हम उसकी मदद करते हैं।" हिजरी सन् ७०२[२] में बायनने अपने बापके समयके अमीर केलस तथा तुकतेमूरके नेतृत्वमें एक बड़ी भेंट भेज, गजनको कहलवाया कि हम चापर और दावाके विरुद्ध लड़ने जा रहे हैं, तोगताई खान हमारा सहायक है। उसने दो तुमान (बीस हजार) सेना हमारे पास भेजी। सेना आगे बढ़ी, लेकिन कैदू और चगताईके उलुसोंने बीच में पड़कर कआनकी सेनासे उसे

१. यूल-सम्पादित मार्को पोलो २. ४१०-१२। २. २६ अगस्त १३०२—१४ जुलाई १३०३ ई०।

मिलने नहीं दिया। कुबुलुकने उनकी सहायतासे हमारा कुछ इलाका छीन लिया। ओरदा-उलुसका अधिक भाग हमारे साथ है, आदमियोंकी हमें कमी नहीं है। हां, पैसेकी जरूरत है। इसपर गजनने बायन और उसके खातूनोंके लिये बहुत-से बहुमूल्य उपहार तथा काफी सोना भेजा।

१३०९ ई० में कुबुलुक शक्तिशाली था। उसने उसी समय गजना और बामियानको छीन लिया था। उसके बाद उसका पुत्र कसतिमूर वहां का शासक बना। श्वेत-ओर्दूके लोग बायनके भाई मुङ-ताईकी ओर थे।

५. ससीबूगा बायन-पुत्र (१३१९ ई०)

बायनके बाद उसका पुत्र ससीबूगा सिरपारवाले राज्यका स्वामी बना और गजना बामियान अब कोनिन्चि-पुत्र मुङ्-ताईके हाथमें चला गया। ससीबूगाकी मां कुतुलुन (नुकुलुन) खातून थी। काजी अहमद गफ्फारी (मृत्यु १५७७-७८ ई०) ने अपने ग्रंथ "नस्खजहांनारा" में ससीको नौकाका पुत्र बतलाया है और कहा है, कि वह अपने भाईके बाद गद्दीपर बैठा, लेकिन रशीदुद्दीन जैसे समसामयिक तथा मंगोल-वंशके एक प्रामाणिक इतिहासकारके सामने गफ्फारीकी बातका मूल्य नहीं है।

६. एर्जन, एविजन, ससीबूगा-पुत्र (१३१९–४४)

एर्जनका पचीस सालका शासन श्वेत-ओर्दूकी शक्ति और समृद्धिकी चरमसीमाका था। अपनी योग्यताके कारण वह उज्बेक खानका बहुत ही कृपापात्र था। राज-काजमें चतुर होते हुये, वह बड़ा विद्याप्रेमी था। उसने उतरार, सावरान, जंद, बारजकंद नगरोंमें बहुतसे मदरसे, खानकाहे (मठ) और मस्जिदें बनवाईं। मार्को पोलो द्वारा वर्णित, कोनिन्चिकी बर्बर प्रजाके समयसे अब अक-ओर्दू कहांसे कहां चला गया था? छिङ-गिज़्के तारतारोंके पुराने धर्म छोड़कर अब वह कट्टर मुसलमान हो चुके थे। इतिहासकार अनुनीम अस्कन्दरके[1] अनुसार "एर्जनने सारे तुर्किस्तान (अक-ओर्दू) को स्वर्गोपम (खुल्दबरीं) बना दिया"। श्वेत-ओर्दूको ऐसी समृद्धि फिर स्वप्नमें भी नहीं मिली। उज्बेकके खानने एर्जनको गद्दीपर बैठाया था। पीछे इसके लड़के खिजिर ओगलान और खुलफा उज्बेकके सिंहासनपर बैठे, यह हम पहले बतला चुके हैं।

पचीस साल राज्य करनेके बाद ७४५ हि०[2] में एर्जन मरा और सिगनाक नगरमें इसकी कब्र बनाई गई।

७. मुबारक खोजा एर्जन-पुत्र (१३४४ई०–)

यह भले बापका नालायक लड़का निकला। अपने लोभ और बदमाशीके कारण ६ महीने मुश्किलसे राज्य कर पाया। इसके बाद दो सालतक अलताईके पहाड़ों और किरगिजों की भूमिमें मारा-मारा फिरता रहा। मरनेके बाद इसे भी सिगनाकमें दफनाया गया।

८. चिमताई एर्जन-पुत्र (१३४४–६२ ई०)

जानीबेगने इस भलेमानुस खान को गद्दीपर बिठाया। सुवर्ण-ओर्दूके सिंहासनके खाली होनेपर वहांके अमीरोंने बहुत चाहा, कि चिमताई बातूके सिंहासनपर बैठे, लेकिन उसने कबूल नहीं किया। इसीके समय बरदीबेग, जानीबेग और किलदीबेगके दुराचार और अन्यायपूर्ण शासन हुये थे। सुवर्ण-ओर्दूके अमीरों (शासकों) के चरम पतनको देखते हुये उसने अपने सिंहासनपर ही संतुष्ट रहना पसन्द किया। बहुत जोर देनेपर उसने अपने भाई ओरदा शेखको वहां भेज दिया।

९. उरुस खान चिमताई-पुत्र (१३६१–७० ई०)

यह बड़ा ही मनस्वी खान था। सुवर्ण-ओर्दूकी नैयाके डगमगानेके समय इसने अपने बापपर बहुत ज़ोर दिया, कि कोक-ओर्दूको भी अक-ओर्दूमें मिला लिया जाय, लेकिन चिमताईने नहीं माना। अब

---

१. ज० ओ० पृष्ठ २७०। २. १५ मई १३४४–३ मई १३४५ ई०।

गद्दीपर बैठनेके बाद इसने संकल्प किया, कि सुवर्ण-ओर्दू और श्वेत-ओर्दूको मिलाकर छिङ-गिस्के पुत्र जुछि और पौत्र बा-तूके समयके वैभवको पुनः स्थापित किया जाय। इसने गद्दीके महोत्सवके समय ही जल्से में अपने इन विचारोंको प्रकट किया। अमीरोंने उसे पसंद किया। उन्हें बड़े-बड़े इनाम दिये गये। लेकिन उसके अपने वंशके तुका-तेमूर परिवारवाले तुईख्वाजा (तुलीख्वाजा) ने इसका विरोध किया, जिसके लिये उसे अपने प्राणोंसे हाथ धोना पड़ा—तुइख्वाजा मनकिशलकका शासक था। पिताकी इस हत्याका बदला लेनेकी भावनाने उसके पुत्र तोकतामिशको उत्तेजित किया। लेकिन, अभी वह कम उमरका था, इसलिये क्या कर सकता था? तोकतामिश एक बार ओर्दूसे भाग गया, लेकिन लौटके आनेपर उसकी उमरका ख्याल करके क्षमा कर दिया गया। जब उरुस खान कोक-ओर्दूका भी स्वामी बन गया, तो तोकतामिश फिर भागकर विश्वविजेता तेमूरलंग (१३०७—१४०४ ई०) के पास गया। उस समय तेमूरलंग चगताई ओर्दूके दक्षिणी राज्यको अपने हाथमें करके उत्तरी राज्य (मुगोलिस्तानपर) पांचवां आक्रमण करना चाहता था। तेमूरने अपने सेनापति तेमूर उज्बेकको खानजादा तोकतामिशका स्वागत करनेके लिये भेजा। समरकन्द पहुंचनेपर तेमूर उज्बेकने खानजादेको तेमूरके सामने पेश किया। तेमूरने तोकतामिशका राजसी स्वागत करते हुये सोना, जवाहरात, हथियार, बहुमूल्य पोशाक, घोड़े, ऊंट, तम्बू-ध्वजा-पताका, नगाड़े तथा दास-दासी प्रदान किये और बिदा करते वक्त उसे "पुत्र" कहकर सम्बोधित किया। तेमूरने उसे साबरान, उतरार, सिगनक, सैरान, सेराय तथा किपचकके दूसरे नगरोंका स्वामी (शासक) बनाते यायिक (उराल) और सिर नदीके बीचके प्रदेशका राज्य प्रदान किया। यह भूभाग उरुस खानके अधीन था, इसलिये यह मान-प्रदान केवल मौखिक ही हो सकता था। उरुस खान चुप नहीं रह सकता था। उसने अपने पुत्र कुतुलुकबूगाको तोकतामिशका मुकाबिला करनेके लिये भेजा। कुतुलुकबूगा लड़ाईमें घायल होकर दूसरे दिन मर गया, तो भी तोकतामिशकी हार हुई और उसे फिर भागकर तेमूर लंग की शरण लेनी पड़ी। लंगड़े तेमूरने फिर उसका पहले ही जैसा सम्मान करके फिर नई सेना दी। उरुस खानके ज्येष्ठ पुत्र तेगूताकियाने फिर तोकतामिशको हराया। तोकतामिश बड़ी मुश्किलसे सिर नदी तैरकर पार हुआ। उसका पीछा करते हुये कजनजी बहादुरने तीरसे उसके हाथको घायल कर दिया था। घासमें पड़े तोकतामिशको अकस्मात् तेमूर लंग द्वारा दिये मंत्री इतिगू बेरलसने देखा। फिर वह उसे लेकर बुखारामें तेमूरके पास पहुंचा। तेमूरने फिर उसे और भी बड़े साजोसामान तथा सेनाके साथ भेजा। इस समय यदकू (मङ्गुत या तिमिर कुतुलुकका पुत्र) तोकतामिशका समर्थक बनकर बुखारा चला आया था। उसने खबर दी, कि उरुस खान बड़ी सेना लेकर लड़नेके लिये आ रहा है। केपेक मङ्गुत और तुलजियानने तेमूरके दरबारमें जाकर उरुस खानके संदेशको कहा—"तोकतामिश मेरे पुत्रको मार-कर तुम्हारी शरणमें चला आया है। तुम मेरे शत्रुको मेरे हाथमें अर्पण कर दो, यदि इन्कारी हो तो मैं युद्ध घोषित करता हूं। हमें अब युद्धक्षेत्र चुनना होगा।"

तेमूर लंगने उत्तर दिया—"तोकतामिशने अपनेको मेरी शरणमें दे दिया है। मैं उसकी रक्षा करूंगा। जाकर उरुस खानसे कह दो, कि उसकी ललकारको ही स्वीकार नहीं करता, बल्कि मैं और मेरे सिपाही सिंहकी तरह—जो कि जंगलमें नहीं बल्कि युद्धक्षेत्रमें बास करते हैं—लड़नेके लिये तैयार हैं।"

तेमूर लंगने अमीर यदकूकोइको समरकन्दका शासक नियुक्त कर १३७६ ई०के अन्तमें प्रस्थान कर उतरारके मैदानमें डेरा डाला। उरुस खान अपनी सेनाके साथ वहांसे चौबीस फरसक दूर सिगनाकमें था। एक जबर्दस्त आंधी-पानी आया, जिसके बाद भयंकर सर्दी हो गई। इसकी वजह से तीन महीनेतक कोई सैनिक कार्रवाई नहीं हो सकी। फिर तेमूरने कताई बहादुर और मोहम्मद सुलतानशाहको रातमें आक्रमण करनेका हुक्म दिया। जबर्दस्त संघर्ष हुआ। उरुस खान-पुत्र तेमूर मलिक ओगलानने तीन हजार सेनाके साथ मुकाबिला किया। कताई बहादुर और एरेक तेमूर मारे गये, तेमूर मलिक भी आहत हुआ। तेमूर लंगकी विजय हुई। उसने अबू-मोहम्मद सुलतानशाह और अमीर मर्बशेरको भी पता लगानेके लिये भेजा।

लड़ाई आगे नहीं हो सकी। उरुस खान दश्तेकिपचक लौट गया और तेमूर लंग केश (शहरसब्ज) की ओर। नौ साल राज्य करनेके बाद १३७० ई० में उरुस खान स्वाभाविक मृत्युसे मर गया।

अनुकूल समय देखकर तेमूर फिर दश्तेकिपचककी ओर रवाना हुआ। उसके सेनाग्रका सेनापति तोकतामिश था, जो बड़ी तेजीसे बढ़ते हुये पंद्रह दिनमें सैरामकामिश (हरिनोंके नरकट) में पहुंच गया और एकाएक आक्रमण करके उसने शहरको लूट लिया। वहांसे उसे बहुतसे घोड़े, ऊंट और भेड़ें हाथ लगीं।

१०. तोग्ताकिया, उरुस-पुत्र (१३७०--...)

पिताकी जगहपर यह गद्दीपर बैठा, लेकिन दो ही महीने बाद मर गया। इसके बाद इसके भाई तेमूरबेग (तेमूर मलिक) को गद्दी मिली।

११. तेमूरबेग, तेमूरमलिक उरुस-पुत्र, मोहम्मदखान-पुत्र (१३७०-७५ ई०)

यद्यपि सिंहासनके लिये उसका प्रतिद्वंद्वी तेमूर लंग जैसे विख्यात विजेता की सहायता-प्राप्त तोकतामिश था, लेकिन तेमूरबेगको इसकी परवाह नहीं थी। वह हद दर्जेका ऐशपसंद था, रात-दिन शराबमें मस्त रहता। उसके अत्याचारोंसे लोग परेशान थे। तो भी तोकतामिशने इसके ऊपर आक्रमण करके फिर एक बार हार खाई। लेकिन तेमूरबेकके अत्याचारोंसे उसके बड़े-बड़े अमीर भी परेशान थे। उनको विश्वास होने लगा था, कि इसके रहते श्वेत-ओर्दूको अच्छे दिनोंकी आशा नहीं हो सकती। एक प्रसिद्ध अमीर ओरंग तेमूरने तेमूर लंगके पास भागकर उसे और उभाड़ा। तेमूरने अबके गयासुद्दीन, तरखन, तोमन तिमूरके बख्शी खोजाके साथ भेजा। जागीर मांगनेपर न देनेसे नाराज होकर एक और अमीर उज्बेक तेमूर भी तेमूर लंगके पास भाग आया, जिसने उससे कहा—"तेमूर मलिक दिन-रात शराबमें मस्त पड़ा रहता है। पहर भर दिनतक सोता रहता है, जो कि भोजनका समय है। किसीकी हिम्मत नहीं, कि उसे जगाये। लोग अब उससे उकता गये हैं, और चाहते हैं, कि तोकतामिश आवे।" उस समय तोकतामिश सिगनकमें था। तेमूरने तोकतामिशको खबर दी। तेमूरबेकने जाड़ों (१३७७ ई०) को करातागमें बिताया। १३७७ ई० में तेमूर लंगने तोकतामिशको हमला करनेके लिये हुक्म दिया। इसी जाड़ेमें तेमूरबेकका एक बड़ा भारी दरबारी कापबहादुर भी उसका साथ छोड़कर तोकतामिशके पास चला आया। तोकतामिशने आक्रमण करके तेमूरबेकको पूरी तौरसे हरा दिया और उरुसखोजा द्वारा विजयका समाचार तेमूरलंगके पास भेजा। तेमूरने भारी खुशी मनाई, उरुसखोजाको खलअत और सुनहला कमरबन्द दिया, लौटनेके समय धन और घोड़े प्रदान किये।

जाड़ोंमें फिर तोकतामिश सिगनकमें रहा तेमूरबेकका पीछा करते पश्चिमी किपचकके मेमक स्थानकी ओर बढ़ा।

इसपर भी तेमूरबेकको होश नहीं आया। वह ७८५ हिजरी (६ मार्च १३८३—२३ फर्वरी १३८४) में निर्णायक लड़ाई लड़नेके लिये करातालकी ओर बढ़ने लगा। तेमूरबेकने गद्दीपर बैठते समय बेवकूफीसे अक-ओर्दूके एक तुमान (सेराय सोलकुल) को अपने चचेरे भाई मोहम्मद ओगलानको दे दिया था। अब उसने मोहम्मदको तोकतामिशके विरुद्ध लड़नेके लिये कहा। मोहम्मद जानता था, कि ओरदा-उलुस तोकतामिशके पक्षमें है। उसने तेमूरबेकको मना किया, जिसपर तेमूरबेकने उसे तोकतामिशका पक्षपाती कहकर भरी सभामें मरवा डाला और वहीं उसने सौगंद खाई, कि जो भी मेरी इच्छाके विरुद्ध जायेगा, उसकी यही हालत होगी।

तोकतामिश और तेमूरबेकमें करातालके पास ममाइमें लड़ाई हुई। तेमूरबेकने हारके साथ प्राण भी गंवाये। इसी लड़ाईमें एक स्वामिभक्त अमीर बलिजक पकड़कर विजेता तोकतामिशके पास लाया गया। तोकतामिश बलिजककी ईमानदारीपर पूरा विश्वास रखता था। उसने उससे कहा—"अगर तू मुझे अपना बादशाह मान ले, तो मैं तेरे सम्मान और अधिकारको जरा भी कमी नहीं करूंगा, बल्कि राज्यकी बागडोर तेरे हाथमें सुपुर्द कर दूंगा।" बलिजकने जवाब दिया—"मैंने अपने जीवनका सबसे अच्छा भाग तेमूरबेकको सेवामें बिताया। मैं इसे सहन नहीं कर सकूंगा, कि उसके सिंहासनपर कोई दूसरा बैठे। जो तुझे तेमूरबेककी गद्दीपर बैठा देखना चाहे, उसकी आंखें फूट जायं। अगर तू मेरे ऊपर

कृपा करना चाहता है, तो मेरा सिर काटकर तेमूरके सिरके नीचे रख दे, और उसकी लाशको मेरी लाशपर लिटा दे, जिसमें उसका कोमल शरीर धूलमें न लिपटे ।" तोकतामिशने उसकी इच्छा पूरी की ।

१२. तोकतामिश तूलि-पुत्र (१३७५–९७ ई०)

तोकतामिश बापकी हत्याका बदला ले सुवर्ण-ओर्दू और श्वेत-ओर्दूके सम्मिलित सिंहासनपर बैठा । उसकी मां कुतन कुनचेक प्रसिद्ध कंकुरत कबीलेकी अमीरजादी तथा मनस्विनी स्त्री थी । इतिहासकार अनुनीम असकंदर के अनुसार तोकतामिश बहुत ही मुस्तैद, प्रतापी, सुंदर तथा स्वभावसे भी सुंदर बादशाह था । वह अपने न्याय और सदाचारके लिये प्रसिद्ध था । अस्कन्दरके अनुसार उसमें दोष यही था, कि उसने अपने उपकारक तेमूरलंगसे कृतघ्नता की । तेमूरबेकपर विजयप्राप्त करते ही तोकतामिशने अपने सारे उलुसको सुव्यवस्थित किया ।

तोकतामिशने बेरेकसरायको अपनी राजधानी बनाया । बा-तूने अस्त्राखानके पास वर्तमान सेली-त्रेन्नोय गांवकी जगह अपनी राजधानी—बातू-सराय बनाई थी । उसके भाई बेरक (१२५५–६६ ई०) ने बोल्गाकी शाखा अखतूबे नदीके तटपर आधुनिक स्तालिनग्रादके समीप सराय-बेरेकके नामसे नई नगरी बसाई, लेकिन बातू सरायसे हटाकर बेरेक सरायमें राजधानी ले जाना उज्बेक खानका काम था । तोकतामिशके समय सुवर्ण-ओर्दू राज्य एक बार फिर ख्वारेज्मसे पश्चिममें रूसी राजुलोंके भीतर, तथा क्रिमिया, काकेशसके दरबन्द तथा बाकूतक फैल गया । पश्चिममें राज्यसीमा द्नियेस्तर नदी, और पूरबमें तबोल-इरतिश-संगम एवं मध्य सिर-दरिया थी । तोकतामिशने सत्रह साल (१३९२ ई०) तक अच्छी तरह शासन किया, फिर इतिहासकारोंके अनुसार उसे शरारत सूझी और वह तेमूरलंगसे छेड़खानी कर बैठा ।

१३८० ई० में तोकतामिशके क्रिमिया-शासक रमजनने वेनिसगणके प्रतिनिधि अन्द्रेय वेनेरिसके साथ व्यापारिक समझौता किया ।

मास्को-ध्वंस (१३८२ ई०)—तोकतामिश जू-छिके पुत्र ओरदाके वंशका नहीं था, बल्कि उसका पूर्वज छिङ-गिस्वंशी राजकुमार तुका-तिमुर था । ममाइ (करातालके पास) की विजयके बाद वह पूर्वी और पश्चिमी दोनों किपचकों—सुवर्ण-ओर्दू और श्वेत-ओर्दू—का स्वामी बना । विजयकी खबर सुनते ही रूसी राजुल जल्दी-जल्दी अपनी भेंट और तलवार चढ़ानेके लिये उसके दरबारमें पहुंचे । मास्को-महाराजुल दिमित्रिके दो कवचधार कुतुलुकबुगा और मोकस दूसरे खड्गधारियोंके साथ भिन्न-भिन्न राजुलोंकी राजधानियोंमें खानकी सुनहली मोहरलगी यारलिकके साथ गये । लेकिन तोकतामिश इतनेसे संतुष्ट नहीं होनेवाला था । वह कर लेते हुए खानोंकी प्रभुताको पूर्ववत् स्थापित करना चाहता था, जिसे उठा फेंकनेकी रूसी राजुलोंने इधर कोशिश की थी । उसने खानजादा अकखोजाको सात सौ सिपाहियोंके साथ यह कहला भेजा, कि रूसी राजुल भेंट और तलवार ही नहीं भेजें, बल्कि खुद बेरेक-सरायमें हाजिरी देनेके लिये आयें । अकखोजाने स्वयं निज्नीनवोगोरद (निचला नवीन नगर) में ठहर दूसरे दूतको संदेशके साथ मास्को भेजा । हालहीमें दोनके तटपर महाराजुल दिमित्रिको जो विजय प्राप्त हुई थी, उससे गर्व करते उसने जानेमें आनाकानी की । सालभरकी तैयारीके बाद उसे एकाएक खबर मिली कि सेना पार करनेके लिये तारतारोंने बुल्गारोंकी नावें पकड़ ली हैं, र्याजनका राजुल पथप्रदर्शक बन उन्हें ओका नदी पार करानेके लिये रास्ता दिखला रहा है । इस खबरको सुनकर बहुतसे राजुलोंने हिम्मत हार दी । महाराजुलके धर्मपिता निज्नीनवोगोरदके राजुल दिमित्रिने अपने दो पुत्रोंको खानके दरबारमें भेज भी दिया । उस समय खानका शिविर सिरनागमें था, जहां वह तोकतामिशसे मिले ।

मास्को-महाराजुल दिमित्रि राजधानीको बायरोंके हाथमें छोड़ सेना-संग्रहके लिये कोस्त्रोमाकी ओर गया । ओका नदीपर अवस्थित सेपूकोफ नगरको लेकर तोकतामिश मास्कोपर चढ़ा । गिर्जोंके घंटे बजाकर नागरिकोंको इकट्ठा कर एक बड़ी सभा की गई, पुराने रूसी रवाजके मुताबिक प्रति-

रक्षाके लिये बहुमतके अनुसार फैसला लेना था। तबतक कितने ही लोग शहर छोड़कर भाग चुके थे, जिनमें महासंघनायक कुप्रियान भी था, जो त्वेर चला गया था—कुप्रियान रूसी नहीं था, इसलिये उसकी कायरताको लोगोंने विशेष तौरसे बुरा माना। शहरमें खलबली मची हुई थी। इसी समय एक तरुण लिथुवानी राजकुमार ओसतेइको दिमित्रिने मास्को भेजा—ओसतेइ प्रसिद्ध लिथुवानी राजा ओलगर्दका पौत्र था। उसके कामोंको देखकर लोगोंके दिल कुछ मजबूत हुये। पासके गांवोंके किसान भी अपने सामान और परिवारोंके साथ मास्कोमें शरण लेने चले आये थे। उन्होंने भी ओसतेइकी पुकारको सुना। नगरकी रक्षाके लिये साधुओंने भी हथियार मांगे। इस प्रकार अप्रशिक्षित किन्तु बहादुर नागरिकोंकी कई पल्टनें प्राकारकी रक्षाके लिये तैयार हो गईं। बहुत समय नहीं बीता, कि जलते गांवोंके धूयेंने तार-तारोंके आनेकी सूचना दी। २३ अगस्त १३८२ई० को तारतार उपनगरमें पहुंच गये। आक्रमणकारियों में कितने ही रूसी भाषा जानते थे। उन्होंने महाराजुलके बारेमें पूछा। जवाब मिला—वह मास्कोमें नहीं है। नगरको घेरकर तारतारोंने वाणोंकी वर्षा करते बहुतसे नगर-निवासियोंको मार डाला, लेकिन रूसियोंने भी जो भी हाथ आया उसीसे तारतारोंका मुकाबिला किया—उन्होंने उनपर उबलते पानीको फेंका, बड़े-बड़े पत्थर गिराकर तारतारोंको चकनाचूर किया। तीन दिनतक जबर्दस्त आक्रमण होता रहा—खैरियत यही थी, कि किपचकोंके पास तोपखाना नहीं था। इस तरह काम न चलते देख तोकतामिशने छलसे काम लेना चाहा। उसने अपने कुछ सरदारों तथा निजनीनवोगोरदके दोनों राजुलपुत्रोंको भेजकर कहलाया: खान लोगोंको अपनी आज्ञाकारी प्रजा समझता है। उनके प्रति उसका कोई दुर्भाव नहीं है। वह केवल अपने शत्रु महाराजुलको चाहता है। वह तुरंत नगरको छोड़ जानेके लिये तैयार है, यदि उसके पास भेंट भेजी जाये और भीतर आकर नगरको देख लेनेका मौका दिया जाय। ओसतेइने साधुओं, बायरों और लोगोंसे सलाह ली। उन्होंने निज्नीनवोगोरदके राजुलके दोनों पुत्रों वासिली और सिमेओनकी इस बातपर विश्वास किया, कि खान अपने वचनको नहीं तोड़ेगा। नगरके फाटक खोल दिये गये। मूल्यवान् भेंटें लिये ओसतेइ आगे-आगे, उसके पीछे सलीब लिये हुये साधु, फिर बायर और साधारण जनता चली। ओसतेइको सीधे खानके तम्बूमें ले जाकर मार डाला गया। फिर संकेत पाते ही हजारों तारतारोंने नंगी तलवारें ले लोगों को जबह करना शुरू किया। फिर वह नगरमें घुस पड़े। बिना नेताके सिपाहियोंमें भगदड़ मचनी ही थी। वह औरतोंकी तरह रोते-कांदते सड़कोंपर इधर-उधर भागने लगे। तारतारोंने बूढ़ों, बच्चों, स्त्रियों और साधुओंमें कोई भेद न कर सबको तलवारके घाट उतारा। गिर्जोंके दरवाजोंको खोलनेपर वहां रक्खी हुई गांवके लोगोंकी सम्पत्ति मिली, जिसे तारतारोंने लूट लिया। वहां चांदी-सोनेकी मूर्तियां, बहुमूल्य भांड तथा दूसरी चीजें बड़े भारी परिमाण में मिलीं। महाराजुलका खजाना, बायरों (सामन्तों) और धनी व्यापारियोंकी चिरकालसे जमा होती सम्पत्ति तारतारोंके हाथ लगी। इसके साथ सबसे बड़ी हानि जो हुई, वह थी पुरानी पुस्तकों और हस्तलेखोंकी तारतारों द्वारा होली जलाना। सम्पत्ति लूटनेके बाद उन्होंने घरोंमें आग लगा दी, फिर तरुण रूसियोंके झुंडको आगे-आगे हांकते पासके खेतोंमें जाकर उन्होंने भोज किया।

तोकतामिशकी सेना सारे रूसमें फैल गई। व्लादिमिर, ज्वेनीगोरद, यूरियेफ, मोजाइस्क, दिमित्रियेफ आदि रूसी नगरोंकी भी वही गति हुई, जो मास्कोकी। पेरेइस्लाव (यारोस्लाव्ल) नगर आगकी भेंट हुआ, लेकिन लोग नावसे भाग निकलनेमें सफल हुये। कलोम्नापर भी अधिकार करके तोकतामिश लौट गया। ओका पार हो अपने पथप्रदर्शक जातिद्रोही र्याजन-राजुलके राज्यको उसने बड़ी निर्दयताके साथ लूटा और नष्ट-भ्रष्ट किया।

रूसकी एकताका जो काम इतने दिनोंसे हो रहा था, उसपर भारी चोट पहुंची। इवान और सेमियोनने खानोंकी चापलूसी करके देशमें जो समृद्धि पैदा की थी, उसका सर्वनाश हो गया। लोग कहने लगे—"तारतारोंपर न विजयी होनेवाले 'हमारे पुरखा' भी हमारे जैसे अभागे नहीं थे।"

यद्यपि तोकतामिशने महाराजुल और उसकी राजधानी मास्कोका सर्वनाश कर दिया, लेकिन उसने देखा, कि बिना महाराजुलकी सहायताके पहलेकी तरह रूसियोंसे कर उगाहने और अपनी आज्ञा मनवानेमें सफलता नहीं प्राप्त कर सकता; इसलिये उसने फिर अपने पूर्वगामियोंका रास्ता स्वीकार

किया। अपने एक मुरजा (मिर्जा) के द्वारा उसने दिमित्रिके पास सहृदयता दिखलाते हुये संदेश भेजा—अब भी तुम मेरी अधीनता स्वीकार कर पहलेकी तरह काम करो। दिमित्रिने अपने पुत्र वासिलीको भेजा। मास्कोके नष्ट हो जानेपर मूल्यवान् भेंट कहांसे भेजी जा सकती थी? तो भी तोकतामिशने वासिलीके साथ अच्छा बरताव किया। उसने महाराजुलकुमारको दरबारमें जामिनके तौरपर रक्खा और मास्कोके ऊपर नये कर लगाये।

खानोंकी शक्तिको क्षीण हो जानेपर रूसका प्रतिद्वन्द्वी लिथुवानियाका राजा समझा जाता था। अबतक लिथुवानी ईसाई धर्मको न स्वीकार कर वैदिक देवताओंके भाईबन्दोंको ही अपना इष्टदेव मान रहे थे। उनकी वीरताके कारण ईसाई समुद्र इन काफिरोंके द्वीपको अपने भीतर बर्दाश्त कर रहा था। एक इतिहासकार लिखता है—"बहुतसे लोग शायद यह नहीं जानते, कि १४ वीं सदीके अंततक मध्य-युरोपके इतना नजदीक विलेनुस नगरीमें काफिरोंका धर्म राजधर्म था।" *लिथुवानी राजा लादिस्लाउस (ह्लादश्रवा) ने पोल-राज्यकी उत्तराधिकारिणी कुमारी हेदविगके साथ ईसाई धर्म स्वीकार करते हुये ब्याह किया। इसी समय राजाके साथ उसके साथियोंने भी बपतिस्मा लिया। युरोपके धर्मपरिवर्तनवाली कहानी लिथुवानियामें भी दुहराई गई और बिलनामें काफिरोंकी जितनी मूर्तियां और पवित्र वृक्षस्थल थे, सबको एक ओरसे ईसाई पादरियोंने नष्ट कर दिया। पुराने पुरोहितोंको उनकी मृगछालाकी पोशाकके बदलेमें सफेद पोशाक बांटी गई। लिथुवानियाके राजाको इसकी जरूरत क्यों पड़ी? अपने पड़ोसियों को देखते हुये ग्रीक और रोमन संस्कृतिसे लिथुवानियाके सरदार भी प्रभावित हुये बिना नहीं रहे। भीतर ही भीतर संस्कृतिके साथ धर्मका भी प्रभाव उनमेंसे कितनों हीपर पड़ता जा रहा था, जिससे आगे चलकर काफिर और ईसाईका सवाल सिंहासनके लिये खतरेका कारण हो सकता था। उधर लादिस्लाउसने देखा, कि ईसाई धर्म स्वीकार करनेपर मैं पोल राजकुमारीके साथ पाणिग्रहण कर पोलन्दका भी स्वामी बन जाऊंगा, इसलिये हजारों वर्षोंसे चली आई लिथुवानी सभ्यता और धर्मके बहुतसे चिह्नोंको मिटा देनेमें उसने हाथ बंटाया। महराजुल दिमित्रिका तोकतामिशके साथ फिर अच्छा संबंध स्थापित हो गया, इसलिये लिथुवानियन राजाके आक्रमण करनेपर उसे तोकतामिशका एक भारी सहारा मिल गया। १३८९ ई० में दिमित्रिके मरनेपर उसका पुत्र वासिली महाराजुल बना।

पश्चिमकी दिग्विजयके बाद तोकतामिशने अपने राज्यके पूर्वी भागकी व्यवस्थामें हाथ लगाया। उसने विरोधियोंको बड़ी निष्ठुरतासे पीस डाला, जिसमें उसकी अपनी बीबी तावलुइने भी अपने प्राण खोये। तेमूर लंगसे झगड़ पड़ना अकारण नहीं था। जू-छिके समयसे ही ख्वारेज्म उसके उलुसका था, जिसे तेमूरने जबर्दस्ती छीन लिया था। उरुस खानके समय, जो राज्यमें गड़बड़ी मची थी, उससे फायदा उठाकर हुसेन सूफी यङ-हदाई-पुत्र (कंकुरत) ने ख्वारेज्मके कात और खीवा जिले हड़प लिये। तेमूरने देखा, कि हुसेनकी पीठपर कोई नहीं है, इसलिये 'ख्वारेज्म जगताई-उलुसका है' कहकर उसे मांगा। तेमूर यद्यपि एक बड़ी सल्तनतका स्वतंत्र शासक था, लेकिन उसने जगताई वंशके खानको समरकंदकी गद्दीसे नहीं उतारा और अपने लिये केवल अमीरकी साधारणसी पदवी स्वीकार की थी। इस प्रकार उसने जगताई खानकी ओरसे ख्वारेज्मपर दावा किया। हुसेन सूफीने उसका जवाब दिया—"तलवारसे जीता तलवारसे ही लौटाया जा सकता है।" तेमूर दौड़ पड़ा। कातमें कुछ थोड़ेसे प्रतिरोध के बाद शहरपर तेमूर लंगका अधिकार हो गया। निर्मम हत्या हुई, स्त्री-बच्चों सहित बहुतसे लोग दास बनकर बिकने के लिये बंदी बनाये गये। हरे-भरे ख्वारेज्मको तेमूरकी आगमें जलना पड़ा। कातसे हुसेन सूफी भाग गया, और थोड़े दिनों बाद मर गया। तेमूर लंगने दया दिखाते हुये हुसेन सूफीके पुत्र युसुफ सूफीको इस शर्तपर वहांका शासक बनाया, कि वह अपनी चचेरी बहिन तथा सुन्दरताके लिये सर्वत्र प्रसिद्ध सेविनबेईको तेमूर-पुत्र जहांगीरके साथ ब्याह दे। युसुफने पहले तो बात मान ली, लेकिन जल्दी ही उसने शर्तको तोड़कर कातको लूटना और लोगोंको भगाना शुरू कर दिया। दंड देनेके लिये १३७२ ई० में तेमूर फिर

*ज० ओ० पृ० ३३७

आया। युसुफने आत्मसमर्पण किया। सेविनबेइ (खानजादी) का ब्याह जहांगीरके साथ हुआ और युसुफको क्षमा मिली। दो साल बाद १३७४ ई० में फिर तेमूरको कातकं रास्ते ख्वारेज्मकी ओर बढ़ना पड़ा, लेकिन अपने किसी अमीरकी ओरसे समरकंदपर खतरा होनेकी खबर सुनकर वह लौट गया। इसी साल उसने तोकतामिशको किपचकोंका खान स्वीकृत किया था।

जिस समय तेमूर-लंग उतरारमें उरुस खानसे लड़नेकी प्रतीक्षा कर रहा था, इसी समय युसुफ सूफीने बुखारा जिलेपर आक्रमण करके लूट-मार मचानी शुरू की। तेमूरने उसे हिदायत करनेके लिये दूत भेजा, जिसे युसुफने जेलमें डाल दिया। इसके बाद एक दूसरे दरबारी दूतको तेमूरने रेशमपर ताजी कस्तूरीसे लिखा शासनपत्र देकर भेजा। युसुफने इस दूतकी भी वही गति की। बुखाराके पास उसने कुछ तुर्कमानोंके ऊंट लूट लिये। १३७८ ई० के बसंतमें राजधानीके सामने पहुंचकर युसुफने कहा—"इतने मुसलमानोंको मरवानेकी जगह यही अच्छा है, कि आओ हम दोनों द्वंद्व-युद्ध करके हार-जीत का फैसला कर लें।" तेमूरने इसे स्वीकर किया। मित्रोंके वर्जित करनेपर भी शाही कवच और शिरस्त्राण पहनकर तेमूरने द्वंद्व-युद्धके लिये नगरद्वारसे बाहर जा युसुफको ललकारा, लेकिन वह लड़नेके लिये सामने नहीं आया। उसी समय तेरमिजसे कुछ ताजे खरबूजे (सरदे) आये, जिनमें से कुछको सोनेकी थालमें रखकर, तेमूरने अपने दुश्मनके पास भेजा, लेकिन युसुफने उन्हें मोरीमें फेंक दिया और लानेवालेको थाल बख्श दिया। फिर दोनोंमें घमासान लड़ाई शुरू हुई। नगरका मुहासिरा करके युसुफने उस समयके पुराने ढंगके तोप-खानेसे प्राकारको तोड़नेकी कोशिश की। मुहासिरा तीन महीने छः दिन रहा। युसुफ सूफी इसी बीचमें असफल होकर मर गया। तेमूरके हाथ भारी हीरा-मोतीका खजाना आया। उसने सभी शरीफों, हकीमों और विद्वानोंको स्त्रियों-बच्चोंके एक बड़े समूहके साथ ख्वारेज्मसे पकड़कर केश (शहरसब्ज) भेज दिया। इस प्रकार १३७९ ई० में ख्वारेज्मपर तेमूर-लंगका अधिकार हुआ।

पूरब और पश्चिमकी सफलताओंके कारण तोकतामिशको अपनी शक्तिपर विश्वास हो गया था। इधर युसुफ सूफीकी लड़ाइयोंसे वह यह भी समझता था, कि तेमूर-लंग अजेय नहीं है। जू-छिके सिंहासनका मालिक और छिङ्-गिसी शाहजादा होकर वह कैसे बर्दाश्त कर सकता था, कि ख्वारेज्म एक मामूली तुर्क सरदारके हाथमें चला जाय। वह जानता था, कि चगताई खान केवल गुड़िया बनाकर समरकंदके सिंहासनपर रखा गया है। तोकतामिशने ख्वारेज्म मांगा, लेकिन मुंहसे वैसा न कहकर भी तेमूर-लंगका जवाब भी हुसैन सूफी जैसा ही था—"तलवारसे जीता तलवारसे ही लौटाया जा सकता है।" तोकतामिश तेमूरके विरुद्ध सिर-दरिया पार हो सीधे समरकंदकी ओर बढ़ सकता था, अथवा ख्वारेज्मपर आक्रमण कर सकता था, लेकिन उसे तेमूर-लंगका निर्बलस्थान वहां नहीं मालूम हुआ। उसने खुलाकूकी राजधानी तबरेज—जोकि अब तेमूर-लंगके हाथमें थी—को लक्ष्य कर काकेशीय दरबन्दके रास्ते अभियान किया। उसके साथ बेक बुलाद, ऐसाबेक, यागलीबेक, गजनशी आदि बारह ओगलान (राजकुमार) थे, जिनका मुखिया पुलादबेक था। तोकतामिशकी सेनाने सिरवान होते हुये आजुरबाइजानके भीतर घुसकर तबरेजको घेर लिया। लोगोंको जब यह खबर मिली, तो वे अपने कूचों और मुहल्लोंमें दरख्तोंको डाल मोर्चाबंदी कर हथियारबंद हो अपने-अपने मुहल्लोंकी हिफाजत करने लगे। आक्रमणकारियोंने नागरिकोंके प्रतिरोधको बहुत मजबूत देखा। वह शम्बेगाजानीमें उतरे और कमजोर स्थान ढूंढ़नेके लिये आठ दिनतक नगरका चक्कर लगाते रहे। जब कोई वैसा स्थान या अवसर नहीं मिला, तो उन्होंने आदमी भेजकर अमीर वलीको सुलह करनेके लिये बुलाया। अंतमें तै हुआ, कि अमीर वली शहरसे दो सौ पचास तुमान सोना दिलवा दे, जो कि तोकतामिशकी सेनाके घोड़ोंकी नालोंका दामभर ही था। बृहस्पतिवार १३८५-८६ ई० (७८७ हि०) को शहरके मालिकों और ख्वाजाओंको जमाकर निश्चय किया गया कि हर मालिक एक तुमान नकद दे। ढाई सौ तुमान भेज देनेके बाद लोग निश्चित हो गये। उन्होंने तैयारी ढीली कर दी और बहुतोंने हथियार भी उतार दिये। इसी समय तोक-तामिशकी सेना शहरके ऊपर टूट पड़ी और कतल तथा लूटका बाजार गरम हो गया। प्रतिरोधकी शक्तियां तितर-बितर हो गई थीं। तोकतामिशकी सेनाने तेमूर-लंगके तबरेजको आठ दिनतक लूटा और

कतल किया, जिसमें करीब एक लाख आदमी बड़ी निर्दयतासे मारे गये। किपचकोंने किसीपर दया नहीं दिखलाई। उन्होंने लोगोंको नंगा मादरजाद करके सड़कों, कूचों, मुहल्लोंमें बर्फपर बैठा दिया। स्त्रियों, लड़कियों और छोकरोंमें जिन्हें सुन्दर देखा, उन्हें लिया, बहुतसे आदमियोंको भी बंदी बनाया, फिर घरोंमें आग लगा दी। तोकतामिशने मास्कोंमें जो किया था, उसीकी आवृत्ति उसकी सेनाने तबरीजमें की, और यही बात पीछे तेमूर-लंगने दिल्लीमें दुहराई। एक इतिहासकारने लिखा है:—"काफिरोंने लोगोंपर वह जुल्म किया, कि लिखनेवाला यदि एक सालतक लिखता रहे, तो नहीं पूरा कर सकता। इस शहर और इन मुसलमानोंपर क्या-क्या नहीं बीती ?"

अमीर वली सुलतानियासे जा चुका है, यह सुनकर उनको उसपर विश्वासघाती होनेका संदेह हुआ। तोकतामिशी सेनाने सुलतानिया और दूसरी जगहोंको भी उसी तरह लूटा-पाटा। इसके बादभी तबरीजके लोगोंमें कुछ सुगबुगाहट देख फिर दो दिन दो रात उसे कतल और लूटका शिकार बनाया। फिर कितने ही किपचक नखजवानकी ओर अर्रानके प्रदेशमें जा लूट-मार करने लगे, कुछ इसी कामके लिये कराबाग चले गये। जाड़ा खतम होने से पहले ही दो लाख बंदी बना तोकतामिश आये रास्ते लौट गया। तेमूर इस समय ईरानके झगड़ोंमें फंसा था, इसलिये आजुरबाइजानके सर्वसंहारकी बातको सुनकर भी दिल मसोसकर रह गया। तोकतामिश अपने साथ प्रसिद्ध कवि कमालको लेता गया था, जिसने चार सालतक राजधानी बेरेकसारायमें रहकर उसका बहुत सुन्दर वर्णन किया है।

तेमूरके साथ लड़ाइयां

प्रथम युद्ध—ईरानके झगड़ेसे छुट्टी पाकर १३८७-८८ ई० (७८९ हि०) के बसंतमें तेमूर-लंग उरुस नदीके तटपर था, जबकि उसने सुना कि तोकतामिश दूसरी बार दरबंदकी ओरसे आकर आक्रमण करना चाहता है। तोकतामिशके अमीरोंने मना किया, कि तेमूर अब भीतरी झगड़ोंसे छुट्टी पाकर मुकाबिलेके लिये तैयार है, इसलिये लड़नेके लिये नहीं जाना चाहिये। लेकिन, तोकतामिशने उनकी बात नहीं मानी। खुलाकू-वंशियों और बातू-वंशियोंके पुराने युद्धोंकी तरह फिर उत्तरसे तोकतामिशी सेना कुरा नदीके तटपर पहुंची और दक्षिणसे तेमूर भी वेरदआ होते वहां पहुंचा। उसने नदीपार की खबर जाननेके लिये गुप्तचर भेजे, जिन्होंने लड़ाई करके भारी क्षति उठाई। फिर कुमकके लिये आई तेमूरी सेनाने तोकतामिशकी विजयिनी सेनापर आक्रमण करके उसे बुरी तरह हराकर दरबंदतक उसका पीछा करके बहुतसे बंदी बनाये। तेमूरने कृतघ्नताके लिये बहुत फटकारकर तोकतामिशके बंदी अमीरों-को खलअत और धन देकर घर भेज दिया।

इस विजयके बाद तेमूरने सरकश तुर्कमान सरदार करामोहम्मदसे लोहा लिया और फिर फारस-पर आक्रमण कर उसे अपने राज्यमें मिला लिया। इसी समय डाकियाने आकर खबर दी, कि तोक-तामिश अंतर्वेद (मावरा-उन्नह्र) की ओर बढ़ रहा है। तोकतामिशने सिगनकसे प्रस्थान कर सावरानपर आक्रमण किया, लेकिन तेमूरी सेनापतिके जबर्दस्त प्रतिरोधके कारण उसे मुहासिरा उठा लेना पड़ा। इसके बाद तोकतामिश दूसरे इलाकोंको तबाह करने लगा। प्रतिरोध करनेके लिये तेमूर-पुत्र शाहजादा उमरशेख मिर्जाने एक बड़ी सेना ले सिर-दरिया पार हो आगे बढ़ते उतरारसे पांच फरसक पूरब युकलिक स्थानमें तोकतामिशकी सेनापर आक्रमण किया, लेकिन उसे हार खानी पड़ी। अंदिजानमें पहुंचकर उसने अपनी बिखरी सेनाको फिरसे एकत्रित किया। इसी समय पता लगा, कि मुगोलिस्तानके शासक अंका-तूराने भी विश्वासघात करके चढ़ाई कर दी है और वह सैराम तथा ताश्कंदके नजदीक पहुंच गया है। उमरशेखने अंकातूराको पीछे हटनेके लिये मजबूर किया। तोकतामिशके किपचक समृद्ध सोग्द-देशको लूटनेके लिये आगे बढ़ रहे थे, जिनका एक दल बुखाराके सामने पहुंच गया था, जिसने वहांके सुन्दर प्रासाद जेंदगिर-सरायको जला दिया। तेमूर उनकी ओर लपका। नजदीक आनेपर शत्रुकी सेना-मेंसे कुछ दश्तेकिपचक (कजाकस्तान) की ओर कुछ ख्वारेज्मकी ओर भागे। तेमूरने अपने अफसरों—बेरातखोजा और कुकिलताशको युकलिककी पराजयके लिये दंड दिया—"कुकिलताशको दाढ़ी-मूंछ मुंडवा चेहरेको काले-लाल रंगसे रंगा, सिरको स्त्रीकी तरह सजा शहरमें नंगे पैर दौड़ाया गया।"

युसुफके मरनेके बाद ख्वारेज्म उसके भाई सुलेमान सूफी तथा बहनोई इलिकमिस ओगलान (किपचक राजकुमार) के हाथमें था। यह दोनों तोकतामिशको अपना प्रभु मानने लगे, इसपर तेमूरने उनके विरुद्ध चढ़ाई की। तेमूरी सेनाके हरावलके संचालक शरणागत श्वेत-ओर्दू राजकुमार तेमूर कुतुलुक ओगलान और कुंजी ओगलान थे। बगदादके और शेदरिस नदीके पार होनेके बाद पता लगा, कि दोनों राजकुमार तोकतामिशके पास भाग गये। शाहजादा मीरांशाह (तेमूर-पुत्र)ने पीछा करके उनको पकड़ लिया। तेमूर ख्वारेज्मकी राजधानी उरगंज पहुंचा। उसे नगर और निवासियोंपर इतना गुस्सा आया था कि उसने नगरको गिरवाकर वहां जौ बुवा दिया और निवासियों को समरकंद भेज दिया। फिर तीन साल बाद ही नगरके पुनःस्थापनाके लिये हुकुम दे इस कामपर उसने मुसिकी यङकि कुचीन-पुत्रको नियुक्त किया। मुसिकीने नगरको फिरसे बनवाकर लोगोंको बसाया, उरगंज, कात और खीवाके चारों ओर नगर-प्राकार बनवाये।

तोकतामिशने देख लिया, कि अब तेमूर-लंगके साथ मामूली छेड़खानीसे काम नहीं चलेगा। उसने १३८८ ई० (७९० हि०) में अपने महाअभियान शुरू करनेके पहले बहुत भारी सेना जमा की। इस सेनामें चिरकासी, बुल्गार, किपचक, क्रिमियावासी, कफ्फा, अलानिया, अजक, बाश्किर और रूसी सभी जातियोंके सैनिक थे। पता लगनेपर तेमूर भी भारी सेना ले समरकंदसे ६ फरसख पर अवस्थित सगरूज स्थानमें मुकाम किया। वहांसे उसने अपने सारे राज्यमें सेना जमा करनेके लिये तवाची भेजे। उस साल जाड़ा बहुत सख्त रहा। चारों ओर जमीन बर्फसे ढंकी हुई थी। पता लगा, कि किपचक हरावल इलिकमिश ओगलानके नेतृत्वमें सिर-दरियापार हो ओतरार (उतरार)के पास अजक-जैरनुकमें डेरा डाले हुये है। तेमूरने तुरंत हमला करना चाहा, लेकिन उसके अमीरोंने घुटने टेककर प्रार्थना की, कि और सेनाके आनेतक प्रतीक्षा की जाय। तेमूरने नहीं माना। बर्फ कहीं-कहीं घोड़ोंके छातीतक थी। उसीमें स्थानीय सेना ले वह रात-दिन कूच करने लगा। रास्तेमें उमरशेख मिर्जा अपनी सेना ले आ मिला। पीछेसे रास्ता काटनेके लिये सेना भेजकर दूसरे दिन तैलम्बार पहाड़ पार करनेपर दुश्मन सामने दिखाई पड़ा। भयंकर युद्ध हुआ। तोकतामिशकी बुरी तरह हार हुई। सिर-दरिया पार करके उसने जो गलती की थी, उसके कारण बहुत-से सैनिक डूब गये और अधिक संख्याको तेमूरने घेरकर मार डाला। तोकतामिशका राज्य-सचिव ऐरदीबरदी बंदी बनाकर तेमूरके पास लाया गया। तेमूरने उसका बहुत सम्मान कर बहुत-से उपहार दे लौटा दिया। तेमूरने स्वयं लौटकर फर्वरी ७९१ हि० (३१ दिसंबबर १३८८—२१ नवंबर १३८९ ई०) में समरकंदके पास अकारमें डेरा डाला।

वसंत (१३८९) शुरू होते-होते खुरासान, बलख, कुन्दुज, बतलान, बदख्शां, खुत्तलान, हिसार, सादुमान आदि नाना देशोंसे सेनायें आ पहुंचीं। खोजन्दके सामने दूसरी भी और कितनी ही जगहोंमें सिर-दरियाके ऊपर नावोंके पुल बनाये गये। १३८९ ई० (७९१ हि०) के प्रारंभमें अभियान शुरू हुआ। आरिस (आर्च) नदीके किनारे दुश्मनके हरावलपर तेमूरी सेनाने एकाएक आक्रमण कर दिया। तोकतामिशकी सेनाने सावरानपर असफल आक्रमण किया और उसे यस्सी (तुर्किस्तान) की ओर हटनेके लिये मजबूर होना पड़ा। यहीं खुली जगहमें तोकतामिशकी सारी सेना पड़ी हुई थी। तेमूरको सामने आता देखकर तोकतामिशकी सेना भाग चली। तेमूरने पीछा किया और कुछको पकड़ लिया। अब तेमूर-लंगने अलकुसुनामें जाकर डेरा डाला। तेमूरके सामने इस वक्त दो शत्रु थे, एक तोकतामिश और दूसरा चगताईकी उत्तरी शाखा मुगोलिस्तान (राजधानी अलमालिक) का खान। दोनोंमें मुगोलिस्तानका खान कम बलिष्ठ मालूम हुआ, इसलिये उसीको पहले खतम करनेके ख्यालसे तोकतामिशके पीछे न बढ़कर तेमूर समरकंद लौट आया।

प्रथम महाभियान (१३९०ई०)

तेमूरने अच्छी तरह समझ लिया, कि दश्तेकिपचक (तोकतामिशके राज्य) का अभियान खेल नहीं है, इसलिये उसने बड़ी तैयारी की—तुर्कों और ताजिकोंकी भारी सेना जमा की, सालभरके लिये

रसद इकट्ठा की। हर एक आदमीको हुकुम दिया कि वह एक धनुष, तीस बाण, एक प्रत्यंचा और एक कमरबंद जमा करे। सारी सेना घोड़सवार थी। हरएक घोड़सवारको एक घोड़ा फाजिल अपने साथ रखना था। दस आदमियोंके ऊपर एक तंबू, दो बेल्चे, एक फरसा, एक हंसिया, एक आरा, एक कुल्हाड़ा, एक रुखानी, सौ सुइयां, सवा चार सेर रस्सी, एक बैलका चमड़ा और एक मजबूत तवा दिया गया। सेनाको सरकारी घोड़ोंके साथ शिरस्त्राण, कवच और नकद पैसा भी दिया गया था। ताश्कंद छोड़नेके बाद तेमूरने हुकुम दिया, कि महीनेमें प्रतिव्यक्ति साढ़े आठ सेर आटा मिलेगा। रोटी, कुल्चा (बिस्कुट) आदि शिविरमें किसीको नहीं मिलेगा। खानेके लिये जल्दी-जल्दी आटेकी लपसी बना लेनी होगी। तेमूरने वृश्चिक राशिमें समरकंद छोड़ जाड़ेको समरकंद जिलेमें ही बिताया। आगेके लिये प्रस्थानसे पहले खोजन्दमें उसने वहांके प्रतापी संत शेख मस्लहतके मकबरेका दर्शन करके उसपर दस हजार दीनार चढ़ाये। ताश्कंदमें तेमूर चालीस दिनतक सख्त बीमार पड़ा रहा। उसकी सेनाके पथप्रदर्शक तमूर कुतुलुक ओगलान, तेमूर मलिकखान, गूनेजी ओगलान, इदिकू उज्बेक थे; जिनमेंसे पहले तीन किपचक राजकुमार थे। १९ जनवरी १३९१ ई० को अपनी प्रियतमा भार्या तथा मुगोलिस्तानके हाजीबेक इरखानकी पुत्री चुलपान मलिक आगाके साथ तेमूरने प्रस्थान किया।

कुछ दिनोंतक सेना कारासमनमें ठहरी। यहां तोकतामिशके दूत तेमूरके दरबारमें आये। उन्होंने शाहबाज और नौ घोड़े भेंटकर दंडवत् पड़ धरतीपर ललाट रगड़कर सम्मान प्रकट करते अपने मालिककी प्रार्थना दुहराते हुये कहा—"बुरी सलाहमें पड़कर तोकतामिशने विद्रोह किया, अब वह क्षमा मांगता है।" तेमूरने बाजको अपने हाथपर बैठाकर कहा—"सारी दुनिया जानती है, कि मैंने तोकतामिशकी रक्षा की, कितनी कुर्बानियां करके उसे तख्तपर बैठाया, लेकिन मुझे अनुपस्थित देख उसने तबरीजपर आक्रमण कर दिया। मैं अफसोस प्रकट करनेपर क्षमादानके लिये तैयार था, फिर भी उसने दुष्ट काफिरोंको साथ ले मेरे सीमांतपर आक्रमण किया। काफिरोंने दूर-दूरतक लूट-मार की। जब मैं अपनी प्रजाकी सहायताके लिये पहुंचा, तो वह नीचता दिखलाते हुये हट गया। अब वह फिर मुझे झूठे वचनोंद्वारा धोखा दना चाहता है। उसने बहुत बार विश्वासघात कर लिया है, अब वह मुझे फिर धोखा नहीं दे सकता। मैं उसे दंड देनेके मंसूबेसे आया हूं, और उसे बिना पूरा किये नहीं छोड़ूंगा। तो भी अगर वह ईमानदारीसे अपनी सदिच्छा दिखलाना चाहता है, तो अपने प्रथम-मंत्री अलीबेकको मेरे पास भेज दे। मैं राज्यका हित देखते बुद्धिके अनुसार कार्रवाई करूंगा।"

तेमूरने दूतोंके लिये भारी दावत दी। उन्हें कमखाबके कफतान (जामे) भेंट किये, साथ ही खास स्थानमें टिकाकर निगाह रखनेके लिये ताकीद भी कर दी।

२१ फर्वरी १३९१ ई० को युद्ध-महापरिषद् बैठी। युद्धके पक्षमें निर्णय करके ज्योतिषियोंसे शुभमुहूर्त ठीक करवाया गया। तोकतामिशके दूत लौटा दिये गये। तेमूरी सेनाने कूच किया। उसकी सेना यस्सी (आधुनिक तुर्किस्तानशहर), कराचुक (तुर्किस्तानसे पांच फरसखपर सिर नदीमें गिरनेवाली नदीके ऊपर), और सावरानके रास्ते आगे बढ़ते उत्तरकी ओर मुड़कर ६ सप्ताह वृक्ष-वनस्पतिहीन मैदानमें चली। बहुतसे घोड़े रास्तेमें चारे बिना मर गये। ६ अप्रैल १३९१ ई० को तेमूरी सेना नीले पानीवाली नदी (सरूक उजेन, सरीसू) के तटपर पहुंची। नदी बढ़ी हुई थी, इसलिये थके हुये घोड़ोंको कुछ दिनों विश्राम दिया गया। २६ अप्रैलको प्रसिद्ध मैदान (कुनचुकताग=लघु-पर्वत) पर पहुंची। दो दिन और चलनेपर इस प्रदेशका सबसे बड़ा पहाड़ उलुगताग (महापर्वत) आया—पहिले इन पर्वतोंका नाम ओरताग (उच्च पर्वत) और करताग (गंदा पर्वत) था। आगूज तुर्कोंके खान अपनी गर्मियां यहीं बिताते थे। इन पहाड़ोंसे बहुत-सी नदियां निकलती हैं। तेमूर-लंग उलुगतागके ऊपर चढ़ा और वहांपर उसने २८ अप्रैल १३९१ ई० को शिला-लेख खुदवाकर एक पाषाणस्तंभ स्थापित करवाया।

यह शिलालेख आजकल लेनिनग्रादके एरमिताज-संग्रहालयमें है। अभिलेखमें ऊपर तीन पंक्तियां अरबीमें, फिर आठ पंक्तियां उइगुर-लिपि तथा तुर्की भाषामें हैं। उइगुर लिपिके कायदेके

अनुसार इस लेखकी पंक्तियां ऊपरसे नीचे न हो बांयेसे दाहिने तथा अरबी पंक्तियोंके समानान्तर हैं। तुर्की भाषामें मूल लेख निम्न प्रकार है:—

१. तरिक येती यूज़ तोकसन उचन्दा कोइ

२. यिल याजनिंग अरा ए तूरान निंग सुल्तान इ

३. तेमूर बेग इकी युज़ मिंग सेरगि विलए इसमी उचुन तोकतामिश कान निंग

४. कनिगा योइरिदी बू येरगे येतिप बेलगू बोलसुन तेप

५. बू ओबा-नी कोपरदी

६. तङ-री निसफत बेरगेई इन्शल्ला

७. तङ-री इस किशीगे रहमत किलगे बिज-नी दुआ बिलाये

८. याद किलगे।

["७९३ हि० सन् (१३९१ ई०) के वसंत के मध्यमें तूरान-सुल्तान तेमूरबेग दो लाख सेनाके साथ तोकतामिश-खानसे लड़नेके लिये आया।..यहां पहुंचकर (उसने) इस स्तंभ (चिह्न) को स्थापित किया। यदि भगवान् चाहे, तो वह लोगोंको सौहार्द देवे और हमें आशीर्वादपूर्वक याद कराये।"]

आगे प्रस्थान करते सेना दूसरे दिन इलान्चुक (सर्प-सदृश) नदीपर पहुंची। आठ दिन और चलनेके बाद अताकरागुई (अनाकरागुई, करातुरगई) नदीपर पहुंची। अबतक ताश्कंद छोड़े चार मास हो चुके थे। रसद कम होने लगी थी। एक भेड़का दाम सौ कुबेक (दीनार) हो गया था, अन्न भी उसी तरह महंगा था। तेमूरी सेना जंगली चिड़ियोंके अंडे, सभी तरहके जानवरोंके मांस, यहांतक कि घास भी खानेके लिये मजबूर हुई। उसके लिये तोकतामिशसे भी अधिक निष्ठुर उसके देशकी प्रकृति साबित हुई। रसदमें सिर्फ आटा, बाजरा और घास मिला हुआ सूप (रस) मिलता था। सिपाहियोंका ही खाना अफसर भी खाते थे। इस बयाबानमें शिकारोंकी कमी नहीं थी। छिङ-गिसूके महाशिकारकी प्रणाली लोगोंको भूली नहीं थी। ६ मई १३९१ ई० को उसी शिकारको रचा गया। आदमियोंने दूर तककी भूमि घेर ली। घिरावेमें पड़े हरिन तथा दूसरे जानवर बड़ी संख्यामें मारे गये। वह इतने अधिक फंसे थे, कि उनमेंसे सिर्फ मोटे-मोटे जानवरोंको ही मारा गया। तेमूरकी भारी सेनाके लिये कितने ही दिनोंके वास्ते मांस मिल गया। आगे बढ़ती हुई वह तोबोल नदीके उद्गमके पास पहुंची। वहीं तेमूरने अपनी सेनाकी परेड देखी—भालों, तलवारों, खांडों, गदाओं, चर्मकी ढालोंमें सज्जित बाघका चमड़ा डाले घोड़ोंपर सवार सैनिक अफसर उसके साथ थे। तेमूरने स्वयं अपने सिरपर पद्मराग-जटित एक मुकुट पहिना था। उसके हाथमें गदा थी, जिसके सिरे पर बैलका चेहरा था। तेमूरने अपनी सेनामें इनाम बांटा। सेना "सुरिम" (धावो) का नारा बुलन्द करते बाजेकी आवाज-पर अपने बादशाहके सामनेसे सलामी देती निकली।

फिर ज्योतिषियोंने शुभमुहूर्त देखा और १२ मईको मिर्जा मुहम्मद सुल्तान बहादुर (तेमूर-पौत्र) की अधीनतामें हरावल सेना आगे बढ़ी। दो दिन जानेपर दुश्मनका पता उसके छोड़े डेरोंसे लगा, जिनमें अब भी आग मौजूद थी। अन्तमें वह तोबोल (छोटा वृक्ष)—जो कजाकोंकी तौबुल और रूसियोंकी ताबुला नदी है—के तटपर पहुंचे। पार होनेके बाद पता लगानेवाली टुकड़ीने लौटकर बतलाया, कि सत्तर जगहोंमें आग मिली, किन्तु दुश्मनका कहीं पता नहीं। यह सुनकर तेमूर भी जल्दी-जल्दी तोबोलतट-पर पहुंचा। उसके तुर्कमान सरदार शेख दाऊदके दलने लगातार जल्दी-जल्दी दो दिन-रातके कूचके बाद कुछ झोपड़ोंको देखा। वह प्रतीक्षा करने लगे। जब उनमेंसे एक सवार निकला, तो उसे पकड़-कर तेमूरके पास ले आये। पूछनेपर बंदीने कहा—"मैंने एक महीने पहले तोकतामिशके देशको छोड़ा। कुछ दिन हुये दस कवचधारी सैनिक मैंने पासके जंगलमें छिपे देखे।" तेमूरने उनके पीछे सिपाही भेजे, जो कुछको मार बाकीको बंदी बनाकर ले आये। उनसे निश्चित खबर पा फिर सेनाने जल्दी-जल्दी कूच करना शुरू किया। २९ मईको तेमूर यायिक (उराल) नदीके तटपर था। नदीके ऊपरकी ओर पार

कर ६ दिन चलनेके बाद सेमुर नदीके तटपर जाकर सेनाने डेरा डाला। वहां पता लगा, कि तोकतामिश-की सेना हाल हीमें यहांसे हटी है। तेमूरने हुकुम दिया—"चुपचाप आगे बढ़ो और रातको आग मत जलाओ।"

४ जून १३९१ ई० को तेमूर इक (शकमाराकी शाखा) के तटपर था। तोकतामिश उस समय केर्क अथवा कोरुक (सूखा)-गुल नामक झीलके ऊपर डेरा डाले बुल्गार (कजान) और अजक क्रिमिया के ओर्दूके आनेकी प्रतीक्षा कर रहा था, साथ ही उसने यायिक (उराल) के घाटोंपर छापामार तैनात कर रक्खे थे। अब भूमि दलदलवाली थी, जिसमें चलना तेमूरके सवारोंके लिये बहुत मुश्किल था। जल्दी ही खबर आई, कि शत्रुकी तीन पल्टनें आगे पड़ी हैं। तेमूरने युद्धव्यूह रचनेका हुकुम दिया और ढाल, तूणीर और पैसे बांटे। एक बंदीसे—जिसे पीछे मार डाला गया—पता लगा, कि तोकतामिश गहरी चाल चलकर अपने शत्रुओंको फंसाना चाहता है। सैनिक अफसर मुबश्शिर बहादुरद्वारा पकड़े चालीस बंदियोंको भी बड़ी निष्ठुरतापूर्वक मारा गया—शायद साथमें बंदी लेकर आगे बढ़ना तेमूर पसंद नहीं करता था। इन बंदियोंने कहा, कि हम केर्कगुलमें तोकतामिशके पास जा रहे थे, लेकिन उसे नहीं पा सके। अंतमें शत्रुकी एक सेनाका पता लगा। ऐकू तिमूर बरलस अपने दलको लेकर आगे पता लगानेके लिये बढ़ा। शत्रुकी बड़ी सेना देखकर सात-आठ आदमियोंके साथ स्वयं पृष्ठरक्षा करता वह पीछे लौटा। देखते ही शत्रु उसकी ओर दौड़े। एक तीरसे बरलसका घोड़ा घायल हो गया और दूसरे तीरसे वह स्वयं भी आहत हुआ, लेकिन वह खबर देनेके लिये बेतहाशा घोड़ेको दौड़ाता रहा। घोड़ा गिर गया, तो उसने दूसरे घोड़ेको लिया। उस घोड़ेको भी शत्रुओंने तीरसे घायल किया और वे घेरकर मुबश्शिरका सिर काटकर साथ ले लौट गये, कुछ साथी भी उनके हाथ लगे। इसी समय एक दूसरी तेमूरी सेना आ गई, जिसके कारण शत्रुओंने पीछा करना छोड़ दिया।

तेमूरके यहां अमीर-पुत्रोंको तरखनकी उपाधि थी, जिन्हें शाही तंबूमें किसी वक्त भी आनेकी इजाजत थी। छिङ्गिस्के समय भी तरखनकी पदवी प्रचलित थी। तेमूरने तरखनों और उनके वंशजोंके नौ कसूर माफ कर रक्खे थे।

चलते-चलते तेमूरी सेना ५४° अक्षांशमें पहुंची, जहां गर्मियोंमें असली रात नहीं होती और गोधूली-के बाद ही उषा चली आती है। इसके कारण यह सवाल पैदा हो गया, कि रातके अभावमें चौबीस घंटेमें पांच बार नमाज पढ़नेकी व्यवस्था कैसे की जाये। इमामने फतवा देकर रातकी नमाजसे लोगोंको छुट्टी दे दी। तोकतामिशकी यही नीति थी, कि पीछे हटते-हटते शत्रुको उसके मुख्य स्थानसे दूर खींचते ऐसी जगह लाओ, जहां रसद-पानी दुर्लभ हो जाय। तेमूरने युद्ध-परिषद् बुलाई और सेनापतियोंसे सलाह करके बीस हजार सेनाके साथ उमरशेख मिर्जाको आगे शत्रुके ऊपर भेजा। इसी समय ५-६ दिन बर्फ पड़ती रही, जिसके कारण सर्दी बहुत बढ़ गई। सोमवार १८ जून (१३९१ ई०) को आसमान साफ हुआ। अब बुल्गारोंके देशमें कन्दुर्च स्थानमें पहुंचकर तेमूरने अपनी सेनाको व्यवस्थित करते हुये कुरानके फातेहा सूरा (अध्याय) की सात आयतों (पंक्तियों) के अनुसार उसे सात डिवीजनोंमें बांटा। थकी होनेपर भी सेनाका उत्साह मंद नहीं था। तेमूरने रिश्वत देकर काम लेना चाहा और तोकतामिशके झंडाबरदारसे ठहरा लिया, कि युद्धके समय वह झंडेको गिरा देगा। जब अमीर अकतागको वामपक्षका सेनापति बन युद्ध छेड़नेको कहा, तो उसने तोकतामिशसे मांग की, कि हमारे संबंधीके हत्यारे अमीरको इसी वक्त मेरे हवाले किया जाय। तोकतामिशने युद्धके बाद देनेका वचन दिया, लेकिन वह इससे संतुष्ट नहीं हुआ और अपने सारे अकताग (श्वेत-पर्वत) कबीले तथा कितने ही दूसरे आदमियोंके साथ चला गया। तेमूरके क्षुद्र-एसियापर आक्रमण करते समय यह अकताग कबीला दोबरूजामें रहता था। हालमें वह दन्यूबपार अद्रियानोपोलमें बस गया था।

युद्ध आरंभ करनेसे पहले तेमूरने घोड़ेसे उतरकर दो रकूअ (नमस्कार) नमाज पढ़ी। सेनाने "अल्लाह अकबर" और "सुरून" का नारा लगाया। ढोल और लोहेके झांझ बजे। इसी समय अलीके वंशज तथा शरीफोंके मुखिया सैयद बरकाने विजयकी भविष्यद्वाणी करते सिर नंगा करके हाथ उठा दुआ की। शेखुल्-इस्लाम (इस्लामके महागुरु) अहमदजानके वंशज इमाम ख्वाजा जियाउद्दीन युसुफ

और शेख इस्माईल कुरानकी आयत पढ़ रहे थे—"ओ मुसलमानो, अल्लाहके आशीर्वादको याद रखो। वही है, जो कि तुम्हारे ऊपर हथियार चलानेवाले शत्रुओंके हथियारोंको रोक देता है। अल्लाहसे डरो। विश्वासियोंको उसपर विश्वास करना चाहिये।" मुट्ठीभर कंकड़ियां लेकर दुश्मनकी ओर फेंकते हुये इमामने चिल्लाकर कहा—"उनके चेहरे काले हो जायें।" फिर तेमूरकी ओर मुंह करके इमाम बोला—"जहां चाहे जा, अल्लाह तेरी रक्षा करेगा।"

चतुर्थ सेनाके कमांडर अमीर सैफुद्दीनने सबसे पहले आक्रमण किया और शत्रुके वाम-पक्षको तोड़ दिया। तोकतामिशके आदमियोंने चारों ओर फैलकर उसे घेरना चाहा, लेकिन उन्हें रोककर पीछे ढकेल दिया गया। वामपक्ष कुछ नष्ट हो गया और कुछ पीछे हटनेके लिये मजबूर हुआ। इसके बाद दूसरे सेनापति अपनी सेना लेकर आगे बढ़े। भयंकर हत्याकांड होने लगा। तोकतामिशने तेमूरके केंद्र-दक्षिणपक्षके प्रहारको रोकना असम्भव समझकर उसके वाम-पक्षपर प्रचंड प्रहार किया। वामपक्ष टूट गया और मुख्य भागसे उसके कितने ही अंश अलग हो गये। तोकतामिशने वस्तुतः बीचसे चीरकर पीछा जा धरा। बड़ी भयंकर अवस्था थी। तेमूरने आदमियोंको विश्वास पैदा करनेके लिये अपने पोते अबूबकरको हुकुम दिया। उसने गारदके दस हजार सवारोंको ले वहां जा घोड़ेसे उतरकर कहा—"तंबू गाड़ो, आग जलाओ, खाना तैयार करो।" इसका प्रभाव तोकतामिशके ऊपर पड़ा और जब तेमूरकी रिश्वतके कारण उसके झंडाबरदारने झंडेको नीचा कर दिया, तो उसकी रही-सही हिम्मत भी टूट गई। वह पीछे हटकर गुरजी या लिथुवा-नियाके राजा वितुत (विथोल्द) के पास भागा। युद्ध तीन दिनतक होता रहा, जिसमें एक लाख किपचक मारे गये। तेमूरको भारी परिमाणमें रसद और दूसरी चीजें मिलीं।

युद्ध-क्षेत्रमें ही डेरा डलवा विजयके लिये अल्लाहको धन्यवाद देते तेमूरने सेनामें इनाम बांटे और हर दस आदमीमेंसे सातको शत्रुका पीछा करनेका हुकुम दिया। वह वोल्गातक गये, जिसमें कतलसे बच गये शत्रुओंमेंसे कितने ही डूब गये और थोड़ेसे ही प्राण बचाकर निकल पाये; जिनके भी बीबी-बच्चे, गुलाम और धन-संपत्ति तेमूरी सेनाके हाथ लगे। तोकतामिशका रनिवास भी पकड़ा गया। तेमूरी-सेनाने अजक (क्रिमिया), सेराय, सेरायचुक, हाजीतरखन (अस्त्राखान) तक लूट-मार और ध्वंसलीला मचाई। सुवर्ण-ओर्दूके लिये यह इतना जबर्दस्त प्रहार था, कि उसके बाद वह फिर अपनी पुरानी स्थिति में नहीं पहुंच सका। उसकी जनसंख्या बहुत कम हो गई, वोल्गातट उजाड़ हो गया और शताब्दियोंके परिश्रमसे बनी वहांकी समृद्धि खतम हो गई। तेमूरने उरतुपा (स्तावरोपोल) जिलेके कंदुरताके नजदीक अपना शिविर गाड़ा। योद्धाओंने यहां विश्राम किया। उनके साथ घोड़ों, ऊंटों, ढोरों, भेड़ों और तरुण दास-दासियोंकी भारी संख्या थी। रूप-रंगमें अत्यंत सुन्दर पांच हजार तरुण-तरुणियां तेमूरकी सेवामें गईं। लूटका माल इतना मिला कि सारी सेना संतुष्ट हो गई। उरतुपामें छब्बीस दिन रहकर तेमूरने विजयोत्सव मनाया। यहींपर लघुविजय (फतेहनामा-कुचुक) लिखा गया।

इसके बाद तेमूर समरकंदकी ओर लौटा। अक्तूबरमें वह सावरानमें था, फिर उतरार होत राजधानी समरकंद पहुंचा।

यागलानके लिये उइगुर अक्षर तथा मंगोल भाषा में २० मई १३९३ ई० की लिखी हुई तोकतामिश-की यारलिक (शासनपत्र) मास्कोमें अब भी मौजूद है, जिससे मालूम होता है, कि १३९१ ई० की भारी पराजयके बाद फिर वह अपनेको संभालने लगा था और तीन-चार वर्षोंमें इतना संभल गया, कि तेमूरको फिर उसकी तरफ ध्यान देना पड़ा।

द्वितीय अभियान (१३९५ ई०)—२८ फर्वरी १३९५ ई० को फिर तेमूरने तोकतामिशके विरुद्ध प्रस्थान किया। उसके अन्तःपुरकी कुछ रानियां सुलतानियां (ईरान) भेज दी गईं और कुछ समरकंदमें रखी गईं। शम्शुद्दीन अलमालिगीको दूत भेज तेमूरने तोकतामिशको समझाने-बुझानेकी कोशिश की, लेकिन उसका उत्तर बड़ा उद्धततापूर्ण था। दूत लौटकर काकेशसके सानुओंपर कास्पियन-

समुद्रसे पांच फरसख (लीग) दूर अपने स्वामीसे आकर मिला। उस वक्त वाम-पक्ष समुद्र-तटसे पहाड़के ऊपरतक बिखरा पड़ा था। अबकी तेमूरी सेनाने काकेशसके चरणोंमें कास्पियनके पश्चिमी किनारेका रास्ता लिया था। सेनाको दरबंदके दुर्गम घाटीको पार करनेमें दिक्कत नहीं हुई। तोकतामिशकी प्रजा काइतकने छेड़खानी की, जिन्हें तेमूरने भयंकर हत्या करके खतम कर दिया, उनके गांवोंको नष्ट कर दिया। सेना आगे बढ़ती चली। तोकतामिश तेरेक नदीके किनारे मुकाबिलेकी प्रतीक्षामें बैठा हुआ था, लेकिन तेमूरी सेनाको देखते ही वहांसे भाग चला। पहिले कुरापर और तेरेकपर तेमूर तथा तोकतामिश एकत्रित हुये थे। २२ अप्रैल १३९५ ई० को दोनोंमें युद्ध हुआ। शत्रुके सेनापतियोंके आगे बढ़नेकी खबर पाकर तेमूरने अपनी सत्ताईस सेनाओंके साथ आक्रमण कर शत्रुको पीछे हटा दिया। पीछा करते हुये उसके आदमी अधिक दूरतक चले गये, जिसके कारण तोकतामिशकी सेनाने मुड़कर जब हमला किया, तो उन्हें तितर-बितर होकर पीछे भागना पड़ा। यह खबर सुनकर शत्रुने और भी पीछा किया। तेमूर उनपर बाणोंकी वर्षा करने लगा। उसका तरकश खाली हो गया। तलवार और भाला भी टूट गये। इसी समय तोकतामिशके सैनिकोंने उसे घेर लिया। इस समय शेख नूरुद्दीन और उसके पचास बहादुरोंने घोड़ेसे उतरकर बाणवर्षा करके तेमूरको आड़ दिया। दूसरे अमीर भी दुश्मनकी तीन गाड़ियोंको पकड़नेमें सफल हुये, जिनकी मददसे उन्होंने मोर्चा-बंदी कर दी। सेना आसपास जमा होने लगी, बाजे बजने लगे। शत्रुने समझ लिया, कि उसका प्रधान शिकार कहां है, किन्तु वह इस मोर्चाबन्दीको नहीं तोड़ सका। इसी सम य शत्रुकेदक्षिणपक्षको तेमूरी सेनाने ध्वस्त कर दिया। तो भी तेंमूरके वामपक्षकी स्थिति अच्छी नहीं थी। शत्रुने उसे तोड़कर चारों ओरसे घेर लिया था। अपने कमांडरके हुकुमपर सैनिक घोड़ेसे उतर अपनी-अपनी ढालोंके नीचे घुटने समेटकर बैठ गये। चारों ओरसे वर्षाकी बूंदोंकी तरह हथियारोंके प्रहार होने लगे। इसी समय जहानशाह बहादुर अपने घोड़सवारोंको लेकर दौड़ा, और प्रहार करनेवाली शत्रुसेनाके दोनों पक्षोंपर टूट पड़ा। पलड़ा पलट गया। वह और उसके साथी दूसरे सेनापतिने मिलकर शत्रुके वामपक्षको मार भगाया। फिर केंद्रके साथ संघर्ष आरंभ हुआ। किपचक सेनापति यागलिबीने तेमूरी सेनापति उसमान बहादुरको द्वंद्वयुद्धके लिये ललकारा। दोनों मैदानमें उतरे। उनके अनुयायियोंने भी अपने सेनापतियोंका अनुकरण किया। यागलि ी शायद पोलराजा यागेलोन था। संघर्ष भयंकर हुआ, किंतु अंतमें किपचक सेनाको हारना पड़ा। तोकतामिश ओगलानो (राजकुमारों) और नोयनों (अमीरों) के साथ भागा। तेमूरी सेनाने उसका पीछा करके भारी संख्यामें किपचकोंको तलवारके घाट उतारा। जो बंदी हाथमें आये, उन्हें भी पीछे प्राणोंसे हाथ धोना पड़ा। इस विजयसे प्रसन्न हो तेमूरने सिर नंगा करके घुटने टेक अल्लाहके सामने दुआ पढ़ी। अमीरोंने तेमूरके ऊपर रत्नोंकी बरसा की। तेमूरने लूटके माल और अपने पासके धनमेंसे भी सैनिकोंमें खूब उदारतापूर्वक इनाम बांटा।

तोकतामिशका पीछा करते हुये वोल्गाके किनारे-किनारे तेमूर उकाकतक गया और वोल्गाके तूरातू घाटपर थोड़ी देर ठहरा। उसने उरुस खानके पुत्र तथा अपने शरणागत कोइरिअक ओगलानको सुनहली खलअत और कीमती कमरबंद प्रदान करके उज्बेक रिसालेके साथ किपचकोंका खान बनाया। तोकतामिश वोल्गारोंके जंगलोंमें भागा। पहले ही अभियानवाले घाटसे वोल्गा-पार हो तेमूर सोने, चांदी, समूर और दूसरे बहुमूल्य मृगछालों, रत्न-मणि, मोतीकी अपार राशि तथा भारी संख्यामें सुन्दर लड़के-लड़कियोंको लिये दुनियेपरकी ओर चला। उसके किनारे मङकिरमान स्थानमें जाकर बरकियारोक ओगलानके डेरेपर जा पड़ा और उसे बिल्कुल नष्ट कर दिया। बरकियारोक मुश्किलसे जान बचाकर भागा। पीछा करते तेमूरी सेनाने दोनके तटपर उसके रनिवासको जा पकड़ा, लेकिन बरकियारोक भाग निकला। तेमूरने ओगलानके रनिवासके साथ अच्छा बर्ताव किया, और घोड़े तथा दूसरी भेंटें दे उसे बरकियारोकके पास भेज दिया। मीरांशाह अपनी सेना लेकर दूसरी ओर गया हुआ था। उसने एलात्ज किलेको सर किया। मास्कोका तरुण महाराजुल वासिली अपने चचा व्लादिमिरको राजधानी सौंप ओका नदीके पीछे कलोम्नाकी ओर भाग गया। वहांसे उसने महासंघराजको लिखा, कि कुमारी (मरियम) देवीकी प्राचीन मूर्तिको मास्को ले जाओ, जिसमें देवीके प्रतापसे नगरकी रक्षा हो।

भक्तोंकी दो पांतियोंके बीचमें मूर्ति लाई गई। लोग चिल्ला रहे थे---"भगवान्की मां, रूसको बचाओ।" मास्कोके एसम्प्सन गिर्जेमें कुमारीका बड़ा स्वागत किया गया। तेमूर दोनसे कुछ दूर आगे बढ़कर लौट गया। भगवान्की मांने मास्कोको बचा लिया, नहीं तो तेमूरने उसकी वही दशा की होती, जो कि उसने चार वर्ष बाद १३९८-९९ ई० में दिल्लीकी की। तेमूरने कुमारीके प्रतापसे नहीं, बल्कि शरद् और हेमन्तके कठोर जाड़ेके भयसे वहां और रहना पसंद नहीं किया। वह दक्षिणमें चलकर अजक (क्रिमिया) पहुंचा। लोगोंकी सारी प्रार्थना व्यर्थ गई। उसने मुसलमानोंको अलग करके बाकी लोगोंको एक ओरसे कटवा दिया और शहरमें आग लगवा दी। फिर कूबान और जार्जियामें सत्यानाश मचाते आगे बढ़ा। काकेशसके युद्धको उसने धर्मयुद्ध (जहाद) घोषित किया था। भारतकी भांति ही उसने इस देशको भी काफिरोंको मिटाकर शुद्ध करना चाहा। उनकी बस्तियोंको तेमूरी सेनाने जला दिया, उनके गिर्जों और मूर्त्तियोंको नष्ट कर दिया। हाजीतरखन (अस्त्राखान) नगरमें विश्वासघातकी खबर पा जाड़ोंमें तेमूर वहां पहुंचा। लोगोंने वोल्गाके पानीकी बर्फ जमाकर शहरके चारों ओर प्राकार बना दरवाजे काट रक्खे थे, लेकिन तेमूरके सामने बर्फका मोटा दुर्ग नहीं ठहर सका। भीतर घुस मनुष्यों, पशुओं और संपत्तिको हटानेका हुकुम दे उसने नगरमें आग लगा दी। वहां से तेमूर किपचकोंकी राजधानी सराय-बेरेकमें पहुंचा। वहां भी नागरिकोंको भेड़ोंकी तरह जबह करके शहरमें आग लगा दी।

इस प्रकार किपचक देशको पूरी तौरसे बरबाद करके तेमूर दरबंद और आजुरबाइजानके रास्ते लौटा। वह अपने साथ बहुतसे किपचकोंको भी ले आया था, जिनमें बोलगारीके पासवाले वोल्गातटके निवासी कराकल्पक (काली टोपी) भी थे, जिनकी संतानें आज अराल-समुद्रके पास कराकल्पकियों के स्वायत्त-गणराज्यमें बसी हुई हैं।

इसके बाद तेमूर बहुत नहीं जिया, और १३९९ ई० में मर गया। इसका वर्णन हम यथास्थान करेंगे।

तेमूरके लौट जानेपर तोकतामिश फिर १३९८ ई० में सरायबेरेक पहुंचा, लेकिन तेमूर कुतुलुकने तबतक उसे संभाल लिया था। कुतुलुकने तोकतामिशको मार भगाया। वहांसे अपनी बीबी, दो पुत्रों, खजाने और बहुतसे अनुयायियोंके साथ भागकर वह कियेफ गया। सुवर्ण-ओर्दूका वह अंतिम महान् शासक था। जिस तरह उसके वैभवका सितारा चमका, उसी तरह वह अस्त भी हो गया।

१३. कोइरिअक ओगलान नूजी, औगलान, उरुस-पुत्र (१३९६ ?)

नूजी भागकर उस समय तेमूर-लंगके दरबारमें रहता था, जबकि तेमूरने किपचकोंपर द्वितीय अभियान किया। एक इतिहासकारके अनुसार तोकतामिशकी पराजयके बाद तेमूरने उसे जू-ल्क़ा उलुस ७७७ हि० (२ जून १३७५–२० मई १३७६ ई०) में दे दिया, लेकिन इस सन्में गलती मालूम होती है, क्योंकि तेमूरका दूसरा अभियान १३९५ ई०में और पहला अभियान १३९० ई० में हुआ था।

१४. तेमूर कुतुलुक, तेमूरबेक-पुत्र (१३९५–१४०० ई०)

तेमूर-लंगके सबसे पहले आक्रमणके समय ७८९ हि०, (१० जून १३७७ ई०–२९ जून १३७८ ई०) यह तेमूर-लंगके साथ था और तोकतामिशकी प्रथम पराजय होनेके बाद ७९३ हि० (९ दिसम्बर १३९० ई०–२८ नवम्बर) में तेमूरने इसे उसके उलुसका खान बनाया। द्वितीय अभियानमें तेमूरके किपचकसे हटते ही तोकतामिशसे इसका संघर्ष हुआ। तोगाई सरदार इदिकू कुतुलुकके पक्षमें था। वह तोकतामिशको तो मार भगानेमें सफल हुआ, लेकिन उसके पूर्वी भागपर कोइरिअक उरुस-पुत्रका अधिकार बना रहा। १३९७ ई०में लिथुवानी राजा बितूतने तेमूर कुतुलुकके ऊपर आक्रमण किया और कई हजार तारतारोंको उनके स्त्री-बच्चोंके साथ पकड़ ले गया। ये तारतार पीछे वोलना और ओकके बीचमें बस गये। ईसाइयोंके बीचमें इस्लामको कायम रखना उनके लिये मुश्किल था, इसलिये वह दूसरी पड़ोसी जातियोंमें मिश्रित होकर ईसाई बन गये, और केवल तारतार उनका नामभर रह गया। तेमूर कुतुलुकने बड़ी जल्दी फिर अपनी शक्तिको इतनी मजबूत कर ली, कि उसने बितूतसे

मांग की, कि अपने राज्यके कियेफ नगरमें भागे तोकतामिशको मेरे पास भेज दो। बितूतके इन्कार करनेपर उसने आक्रमण कर दिया और ५ अगस्त १३६६ ई० को लिथुवानी और किपचक सेनाओं में भारी लड़ाई हुई। बितूतको अपने बारूदी हथियारोंपर बहुत भरोसा था, जिनका आविष्कार मंगोलोंके बारूदी हथियारोंके सहारे हालमें ही युरोपमें किया गया था। लेकिन उस समयकी तोपें अभी बहुत आरंभिक अवस्थामें थीं, दागनेसे पैदा हुई गर्मीको उनकी धातु बर्दाश्त नहीं कर सकती थी। कुतुलुककी सेनाने पीछे जाकर लिथुवानी पंक्तिको तोड़ दिया। लेकिन, तोकतामिश वहांसे निकल चुका था, बितूतको भी जान लेकर भागना पड़ा। लिथुवानी सेना नष्ट हो गई। किपचकोंने भगोड़ोंका पीछा कर कितनों हीको मारा और कितनोंको बंदी बनाया। तारतारोंने लुत्स्कतक लिथुवानी राज्यको लूटा। उन्होंने कियेफ नगरपर भारी जुरमाना लगाया। इसके बाद सात सालतक और तोकतामिश इधर-उधर भटकता फिरा। अन्तमें वह पश्चिमी साइबेरियाके तुमान-जिलेमें शादीबेकके हुकुमसे इदिकूके हाथों मारा गया।

कुतुलुक ८०२ हि० (३ सितंबर १३६६ ई०–१२ अगस्त १४०० ई०) में वोल्गाके किनारे कजान नगरमें मरा।

१५. शादीबेक, तेमूरबेक-पुत्र (१४००-१४०८ ई०)

किपचकोंका पूर्वी भाग अब भी कोइरिअकके हाथमें था। उसके पश्चिमी भागपर शादीबेक शासन करने लगा। बीचमें हुई गड़बड़ीके कारण शोख होकर मास्कोके महाराजुल वासिलीने कई सालोंसे कर नहीं भेजा था। १४०५ ई० में कर उगाहनेके लिये खानका दूत मास्को पहुंचा। तेमूर कुतुलुकने लिथुवानी राजाको पाठ पढ़ाकर अपनी काफी धाक जमा ली थी, इसलिये महाराजुलने दूतकी भी भेंट-पूजा की और कर भी बेबाक कर दिया। ८०८ हि० (२३ दिसंबर १४०५–२१ जनवरी १४०६ ई०) में शादीबेकका अमीर इदिकू ख्वारेज्मको तेमूरियोंसे छीन अमीर अंकाको वहांका राज्यपाल बना लौट गया। शायद इसी साल ईद-रमजानके दिन इराकियोंकी एक बड़ी जमात तेमूरी मिर्जा खलील सुल्तानसे नाराज हो गई और समरकंद छोड़कर ख्वारेज्म चली गई। तुगा तेमूरखानके पौत्र दुकमान बादशाहके पुत्र पीरबाद-शाह तेमूरी सुल्तान अबूसईदके डरसे भागकर माजन्दरान (ईरान) में भाग गया था। वह वहांसे ख्वारेज्ममें आ गया, जब उसने देखा कि वह तेमूरियोंके हाथसे निकल गया है। इपीर बादशाहको इराकियोंने ख्वारेज्मका बादशाह बनाया और मिर्जा खलीलके दिये हुये धनको उसे भेंट दे वह माजन्दरान चले गये। ख्वारेज्मका हाकिम अब भी अंका था।

शादीबेक ८११ हि० (२७ मई १४०८–१५ मई १४०६ ई०) में मर गया।

१६. पूलाद खान, तेमूरबेक-पुत्र (१४०८–१४१० ई०)

भाईकी जगहपर पूलाद गद्दीपर बैठा और अमीर इदिकू सारी सल्तनतका वजीर-आज़म बना। उसने अंकाको लौटा उसकी जगह बगजलेको ख्वारेज्मका राज्यपाल बनाया।

पश्चिमी राजा कहीं खानोंकी शक्तिको कमजोर न समझ लें, इसलिये १४०६ ई०की शरद्में तारतारोंने दक्षिणसे द्नियेपरकी ओर बढ़ते लिथुवानियापर आक्रमण किया। मास्कोके महाराजुलने कर बाकी रक्खा था और ऊपरसे तोकतामिशके पुत्रको भी शरण दी थी। पूलादने इस अपराधके लिये दंड देनेके वास्ते एक बड़ी सेना मास्कोके विरुद्ध भेजी। महाराजुल वासिली केवल तोपों और जाड़ेपर भरोसा कर सकता था, इसलिये रानीको लेकर वह कस्त्रोमा भाग गया। दिसंबर १४१० को तारतार सेना मास्कोके सामने पहुंची। तीस हजार सेना महाराजुलके पीछे पड़ी, और उसने पेरियेस्लाव्ल, ज्वालेस्की, रोस्तोफ, दिमित्रोफ, सेरपूकोफ, निज़नी-नवोग्राद और गोरदेत्स नगरोंको लूटकर जला दिया। एक बार फिर रूसियोंको बा-तू और तोकतामिशके दिन याद आने लगे। रूसी इतिहासकार करमाजिनके अनुसार—"अभागे रूसी प्रतिरोध करनेकी जगह भेड़ोंके झुंडकी तरह भेड़ियोंद्वारा पीछा किये जा रहे थे।" उनमेंसे कुछ कतल किये गये, कुछ तारतार धनुर्धारियोंके बाणोंसे बिंधे। तरुण दास बनाने-बेंचने के लिये पकड़

लिये गये, सयान कपड़े छीनकर नंगे करके जाड़ेमें मरने के लिये छोड़ दिये गये। आदमियोंको एक दूसरेके साथ जंजीरोंमें बांध दिया गया और एक तारतार चालीससे अधिक आदमियोंको काबूमें रख सकता था। लेकिन, मास्कोका मुहासिरा सफल नहीं रहा। दूसरा चारा न देखकर इदिकू तीन हजार रूबल जुरमाना लेकर लौट गया। लौटते वक्त उसने र्‌याजन नगरको लूटा। इदिकूने इसी समय महाराजुलको पत्रमें लिखा था:—

"इदिकू, राजुल-पुत्रों और राजकुमारोंसे सलाह लेनेके बाद वासिलीको अभिनंदन भेजता है। यह मालूम करके, कि तुमने तोकतामिशके पुत्रोंको शरण दी है, महान् खानने मुझे आज्ञा दी, कि तुम्हारे विरुद्ध चढ़ाई करूं। तुम हमारे व्यापारियोंके साथ ही दुर्व्यवहार नहीं करते, बल्कि तुमने हमारे दूतोंका भी बड़ा अपमान किया है। अपने बूढ़े आदमियोंसे पूछो, कि क्या पहले कभी ऐसा होता था। उस समय रूस अपनी राजभक्तिके लिये मशहूर था। वह खानका पवित्र सम्मान करता था और नियमपूर्वक कर अदा करता था। हमारे व्यापारियों और दूसरोंके प्रति सम्मान प्रदर्शित करता था। इसकी जगह तुमने क्या किया? जब तेमूर कुतुलुक सिंहासनपर बैठा, तो क्या तुम स्वयं आय या तुमने अपने राजकुमारों या अपने एक बायरको भी भेजा? तेमूरके मरनेके बाद शादीबेकके आठ वर्षोंके शासनकालमें क्या तुमने एक बार भी आज्ञाकारिताका कोई भी काम किया? और अंतमें पूलाद खानके तीन वर्षोंके सिंहासनपर बैठनेके कालमें क्या तुम या जेठे रूसी राजपुत्रोंमेंसे कोई अपने कर्त्तव्यको पालन करनेके लिये ओर्दूमें गया? तुम्हारे सारे काम अपराधपूर्ण हुये। जब फेदोर कोसका जीता था, तो सारे रूसी उसकी सलाह मानकर अच्छा बर्ताव करते थे, लेकिन तुम अब उसके पुत्र जानकी बात नहीं मानते, जो कि तुम्हारा कोषाध्यक्ष और मित्र है। तुम बड़ोंकी सलाह माननेसे इन्कार करते हो, जिसका परिणाम देख ही रहे हो, तुम्हारे देशकी बरबादी हो रही है। अगर तुम इससे बचना चाहते हो, तो अपने सबसे बुद्धिमान् बायरों—इलिया, पीतर, जान निकितिच आदिकी बात मानो और अपने किसी बड़े अमीरके साथ वह भेंट भेजो, जिसे रूस जानीबेकके पास भेजा करता था। रूसी लोगोंकी गरीबीकी बातें बताकर तुमने जो खानको बहलाना चाहा है, वह सब झूठ है। हम तुहारे देशके कोने-कोनेको देख चुके हैं। हम जानते हैं कि हर दो हलके ऊपर तुम्हें एक रूबल कर मिलता है। यह पैसा कहां जाता है? हम तुम्हारे साथ दुर्व्यवहार नहीं करना चाहते। तुम क्यों एक अभागे भगोड़ेकी तरह काम कर रहे हो? सोचो और अकलकी बात मानो।"

लेकिन महाराजुलके ऊपर इदिकूके उपदेशका कोई असर नहीं हुआ, क्योंकि वह किपचकोंकी भीतरी हालतको अच्छी तरह जानता था।

८१३ हि० (६ मई १४१०—२४ अप्रैल १४११ ई०) में पूलाद खानको तेमूर खानने मार भगाया।

१७. तेमूर खान, तेमूर कुतुलुक-पुत्र (१४१०-१४११ ई०)

इतिहासकार अब्दुर्रजाक समरकंदी (१४२२ ई०) के अनुसार * यह तेमूर कुतुलुक खानका पुत्र था, लेकिन गफ्फारीने इसे शादीबेकका पुत्र कहा है। शायद यह तेमूर कुतुलुकका ही पुत्र था। पूलाद खानके वक्त राज्यका हर्ता-कर्ता अमीर इदिकू था, इसलिये उसको दबाये बिना तेमूर अपनेको सुरक्षित नहीं समझता था। इदिकू भागकर ख्वारेज्म जा तैयारी करने लगा। तेमूरने अजक बहादुर और गजनके नेतृत्वमें सेना भेजी। ख्वारेज्म-शहर (उरगंज) से दस दिनके रास्तेपर साम नामक स्थानमें लड़ाई हुई। ख्वारेज्मका राज्यपाल बगजले मारा गया और इदिकू हारकर ख्वारेज्म भाग गया—यह शायद ८१४ हि० (२५ अप्रैल १४११—अप्रैल १४१ ई०) के आरंभकी बात है। तेमूरके सेनापति दकिना और गजन भी पीछा करते हुये ख्वारेज्म पहुंचे। उन्होंने ६ महीना इदिकूको मुहासिरेमें रक्खा। इसी समय पता लगा, कि तोकतामिश-पुत्र जलालुद्दीनने तेमूरको हराकर गद्दी छीन ली।

* "मतल-उस्-सादैन-व-मज्म-उल्-बहरैन्"

१८. जलालुद्दीन, जलाबेर्दी, सेलेनी, तोकतामिशका ज्येष्ठ पुत्र (१४१४ ई०)

जलालुद्दीनने गद्दी संभालते ही ख्वारेज्ममें लड़ते किपचक सेनापतिके पास पैगाम भेजा, कि इदिकू हमारा दुश्मन है, उसे पकड़ लाओ। फिर उसने दूसरा संदेश भेजा, कि अगर इदिकू अपने पुत्र सुल्तान महमूद तथा उसकी पत्नी (जो कि जलालकी बहन भी थी) को मेरे पास भेज दे और सिक्का तथा खुतवा मेरे नामसे जारी करे, तो उससे लड़ाई मत करो। अमीर गजन भी जलालुद्दीनका बहनोई था। उसने सुलेह करनी चाही। उधर दकिना तेमूर खानका बहनोई था, इसलिये उसने दूसरे संदेशकी ओर ध्यान नहीं दिया। इसी समय तेमूरखानके फिर लौट आनेकी खबर मिली। गजनने दकिनाको शराब पिला मतवाला कर अपने नौकर जान ख्वाजाको भेज तेमूरको मरवा दिया। यह खबर सुनकर जलालुद्दीनने अमीर गजनको बहुत-बहुत धन्यवाद देते हुये संदेश भेजा, कि गजन खां मेरा अमीर है, उसका हुकुम मानो। अमीर दकिनाने तेमूरके लिये लोगोंको बहकाया। लेकिन ख्वारेज्मका मुहासिरा और जोरका हुआ। अमीर खिजिर ओगलान राजकुमार होनेसे दर्जेमें सबसे बड़ा था। उसके बाद दकिना फिर गजनका दर्जा था। किपचक सेनापतियोंने अमीर इदिकूसे सुलह कर लेना ही अच्छा समझा, क्योंकि जलालुद्दीन खानकी वैसी ही आज्ञा थी। अमीर इदिकू सुलह करनेके बाद शहरसे बाहर निकल आया। खूब एक दूसरे की जियाफतें होने लगीं। सेनापति मुहासिरा हटाकर किपचक भूमिकी ओर लौटे जा रहे थे। इसी समय बलूकिया गांवमें उनकी कजुलई बहादुरसे मुलाकत हुई। उसने बिना सर किये ही लौटनेकी बात लेकर ताना मारा—"ख्वारेज्मको दखल किये बिना कैसे लौटे जा रहे हो?" अमीरोंने कहा—"हमने सात महीना मुहासिरा करके युद्ध किया, लेकिन शहर सर नहीं कर सके, तेरे पास तो चार हजारसे बेशी मर्द भी नहीं है। लौटनेकी सलाह हुई। हमने सुलह कर ली। इदिकू अपने पुत्रको खानके पास (जामिन) भेजेगा।"

कजुलईने उत्तर दिया—"मैं अकेला ही इदिकूके लिये काफी हूं" और वह गर्वके साथ ख्वारेज्मकी ओर चल पड़ा। अमीर इदिकूको भी खबर लग गई। सेना कम होनेसे वह चालसे काम लेना चाहता था। वह दिनमें छिपा रहता और केवल रातको सफर करता। नजदीक आनेपर इदिकूने अपनी सेनाको दो भागोंमें बांटकर एक भागसे कहा, कि तुम थोड़ा लड़ करके पीछे हटो और रास्तेमें पुराने नम्दोंके बंधे बोगचोंको फेंकते आओ। युक्ति काम कर गई। कजुलईकी सेना बोगचोंको बटोरनेके लिये बिखर गई, इसी समय इदिकू टूट पड़ा। कजुलई मारा गया। इदिकूने उसके सिरको झंडे-पताके आदिके साथ ख्वारेज्म भेजा। कजुलईके भगे हुये आदमियोंने जब अपने सेनापतिके झंडेको चलते देखा, तो समझा कि वह विजय-यात्रा करते हुये ख्वारेज्म जा रहा है, तो वह छिपी जगहोंसे आकर वहां पहुंचे और इदिकूके जालमें हजारों आदमी फंस गये।

इतिहासकार गफ्फारी (मृत्यु १५७६ ई०) के अनुसार* "जलालुद्दीन और करीमबरदी कपक जब्बारबर्दी, मोहम्मदखान और दूसरे राजकुमारों जैसोंने कुछ समयतक हकूमत की।" इस तरह अब किपचककी राजावली जल्दी-जल्दी बदलते खानोंके कारण गड़बड़ीमें पड़ गई। कुछको छोड़कर यह कहना मुश्किल है, कि कौन खान किसके बाद गद्दीपर बैठा।

१९. करीमबर्दी तोकतामिश-पुत्र (१४१४ ई०)

करीमबर्दी कुछ दिनोंतक गद्दीपर रहा। शायद इसे जब्बारबर्दीने मार डाला, जिसका भी शासन थोड़े ही दिनोंतक रहा।

२०. चिङ-गिज ओगलान (१४१४ ई०)

समरकंदीके अनुसार चिङ-गिज ओगलानको जब्बारबर्दीने हराकर स्वयं गद्दी संभाली।

* "नस्ख-जहानारा"।

२१. जब्बारबर्दी तोकतामिश-पुत्र (१४१७ ई०)

इसीके समय ८१५ हि० (१३ अप्रैल १४१२–२ अप्रैल १४१५ ई०) में तेमूर-लंगके पुत्र शाहरुख ने ख्वारेज्मके ऊपर सेना भेजी, जिसमें खुरासानके अमीर अली, और अमीर इलियासखोजा दोनों सेनापति थे। अन्तर्वेदसे भी पांच हजारकी सवार सेना ले सेनापति मूसा आया। दोनों सेनायें ख्वारेज्म-में आकर मिल गईं। इस समय इदिकूका पुत्र मुबारकशाह ख्वारेज्मका राज्यपाल था, जिसने सेनाकी खबर पाकर डरके मारे बापके पास भाग जाना पसन्द किया। मुल्लाओं और नगरके बड़े-बड़े लोगोंने नगरको शाहरुखकी सेनाके हाथमें समर्पण कर दिया। दूसरे सेनापति लौट गये, अमीर शाह-मुल्क कुछ समयतक देशके सुप्रबन्धके लिये ठहरकर ८१४ हि० (३ अप्रैल १४१३—२२ मार्च १४१४ ई०) को राजधानी हिरात चला गया।

२२. दर्विस खान

शायद यह उरुसखान-वंशज था। इसने थोड़े ही दिनों राज किया।

२३. चकरा खान (१४१६ ई०)

यह उरुस खानका वंशज था। यह कुछ समयतक तेमूर-पुत्र मीरांशाह और पौत्र अबूबकरके दरबारमें रहा था। अमीर इदिकूने इसे किपचक बुलाया। अबूबकरने ६ हजार सवार साथ कर दिये, जिनके साथ सिल्ट बरगर नामक एक युरोपीय सैनिक भी था। गुरजी, शेरवान, दरबंद, अस्त्राखान होते यह सेना सेतजुलेत सराय (?) पहुंची। वहां कितने ही ईसाई रहते थे, जिनका एक विशप भी था। सिल्ट बरगर ने लिखा है, कि वहांके पादरी लैटिन जानते थे, लेकिन प्रार्थना और गीत तारतार भाषामें करते थे। इदिकूके साथ चकरे और सिल्ट बरगर भी इपबिस (सिबिर) की ओर गये—यहीं साइबेरिया नाम का सबसे पुराना उल्लेख मिलता है। सिल्ट बरगरका कहना था, कि साइबेरियामें तीस दिन लंबा एक पहाड़ है (शायद उसका अभिप्राय उराल पर्वतसे है)। उसके आगे निर्जन भूमि पृथिवीके छोरतक चली गई है। इस पहाड़के निवासी जंगली तथा दूसरोंसे भिन्न हैं। केवल उनके हाथ और चेहरोंपर केश नहीं होते, नहीं तो सारा शरीर केशोंसे ढंका होता है। वह पहाड़ोंमें जानवरोंका शिकार करते हैं और पत्ता तथा घास जो भी मिलता है, उसीपर गुजारा करते हैं। इलाकेके शासकने इस जंगली जातिकी एक स्त्री, एक पुरुष एवं गदहेसे-बड़े-नहीं एक जंगली घोड़े तथा दूसरे जानवर इदिकूके पास भेजे थे। मार्कोपोलोकी तरह सिल्ट बरगरने लिखा है, कि वहां कुत्ते हैं, जो गाड़ी खींचते हैं। इन गाड़ियोंमें समूरी छाले भरे रहते हैं। ये कुत्ते गदहोंके बराबर होते हैं और जंगली लोग इन्हें खाते भी हैं। निवासियोंको ऊगिने (उगरी) कहा जाता है। जब उनमें कोई अविवाहित तरुण मर जाता है, तो उसे बढ़िया कपड़ा पहनाते हैं, भोज करते हैं, फिर लाशको अर्थीपर रखकर ऊपर सुन्दर चंदवा टांगकर जलूस निकालते हैं। आगे-आगे तरुण-जन सुन्दर पोशाक पहने चलते हैं, पीछे-पीछे मां-बाप और दूसरे संबंधी रोते हुये अनुगमन करते हैं। खाने-पीनेकी चीजोंको कब्र पर ले जा वहीं श्राद्ध-भोज करते हैं। चारों ओर बैठे तरुण खाते-पीते हैं, और संबंधी रोते रहते हैं। उस भूमिके आदमी रोटी नहीं खाते, मटर छोड़कर वहां कोई अनाज नहीं होता।

चकरा नौ मास ही गद्दीपर रहा, फिर उलुक मोहम्मदने आक्रमण करके उसे भगा इदिकूको भी बंदी बना लिया।

२४. किबेक, कपक, तोकतामिश-पुत्र (१४२२ ई०)

उलुक मोहम्मद स्वयं गद्दीपर न बैठकर दूसरोंको राजा बनाता रहा, इसीसे किबेकको भी पश्चिमी किपचककी गद्दीपर बैठनेका मौका मिला। इसी समय अपने पिता कोइरियकके मरनेपर बोरक पूर्वी किपचक- सिंहासनपर बैठा। १४२२ ई० में उसने किबेकको हराया, लेकिन दूसरे साल नई सेना एकत्रित कर किबेक फिर लड़नेके लिये लौटा।

२५. उलुक मोहम्मद खान

यह तूका-तेमूर-परिवारका और उरुसखानियोंका विरोधी था । इसीने बोरकखानको हराया ।

२६. सैयद अहमद खान

शायद यह उलुक मोहम्मदके बाद गद्दीपर बैठा । बच्चा ही था, जबकि अमीरोंने इसे खान बनाया, जिस पदपर वह सिर्फ पैंतालीस दिन रहा ।

१७ मार्च १४१६ ई० को मुगीसुद्दीन उलुगबेक (शाहरुख-पुत्र) का डेरा खोजन्द नदी (सिरदरिया) के तटपर शाहरुखिया नगरके सामने था । इसी समय ख्वारेज्मसे खबर मिली, कि जब्बारबर्दीने चिङ्-गिज ओगलानको भगा उज्बेक—उलुसको अपने हाथमें कर लिया है। मिर्जा उलुगबेक सिर-दरिया (सेहून) पर पुल बनवा सफर महीने (३१ मार्च—२८ अप्रैल १४१६ ई०) के अन्तमें समरकंद पहुंच गया । उज्बेक-देश (दश्तेकिपचक) से भागकर आये ख्वाजा लाकके पुत्रोंने प्रार्थना की, कि उज्बेक-देश बरबाद हो रहा है, उसे बचायें ।

२७. मोहम्मद खान तोकतामिश-पुत्र (१४२२–१४२५ ई०)

शायद ८२२ हि० (२८ जनवरी १४१६—१६ जनवरी १४२० ई०) में (छिङ-गिस् ओगलानका संबंधी) बोराक ओगलानने उज्बेक (किपचक) राज्यसे भागकर मिर्जा उलुगबेक गूरगानके पास आ "हस्तचुम्बन" का सौभाग्य प्राप्त किया । उलुगबेकने उसपर बहुत कृपा दरसाई । कुछ समय वह समरकंदमें उसके पास रहकर फिर अपने देश लौट गया । मिर्जा उलुगबेक भी ताशकंदसे आगे कूच करके बुरलकके पास पहुंचा । वहां उसे उज्बेकोंकी ओरसे भागकर आये बलखू नामक आदमी ने उज्बेक-राज्यकी बरबादीकी खबर दी, जिसका समर्थन वहांसे आये व्यापारियोंने भी किया । इससे मालूम होगा, जू-छि-उलुस या दश्तेकिपचक अब उज्बेक देश कहा जाने लगा था ।

अब्दुर्रजाक समरकंदी शाहरुखके समय "वकाया-निगार" (घटना-लेखक) था । उसने ८२४ हि० (६ जनवरी—२५ दिसंबर १४२१ ई०) के "वकाया" (घटनाओं) को लिखते हुये बतलाया है—"सुल्तान केशजीने कराबाग (ईरान) से दश्तेकिपचकमें जा मुहम्मदखानकी अधीनता स्वीकार की । खानने उसके साथ बड़ा अच्छा बरताव किया और शाहरुखकी सल्तनतके प्रति अपना सद्भाव प्रकट किया । सुल्तान केशजी वहांसे जीकदा महीने (२८ अक्तूबर—२६ नवम्बर) को लौटा । यद्यपि उत्तरी घुमन्तुओं-में आपसमें खूनी गृह-कलह छिड़ा हुआ था, लेकिन उसके कारण दक्षिणके ग्रामों-नगरोंके निवासी निश्चिन्त नहीं रह सकते थे ।" गृह-युद्धोंके कारण भी उत्तरके घुमन्तुओंका टिड्डीदल दक्षिणकी ओर प्रस्थान कर सकता था । समरकंदीने ८८५ हि० (२६ दिसंबर १४२१—१४ दिसंबर १४२२ ई०) के "वकाया" में फिर लिखा है—"दश्तेकिपचकसे उज्बेक विलायतके बादशाह मुहम्मदखानके पाससे आलमशेख ओगलान और पूलाद अपने साथ शिकारी बाज, घोड़े आदि उपहार लेकर आये । शाहरुखने प्रति-उपहार रूपमें उन्हें सोना, घोड़े, कुलाह, कमरबंद आदि खानके लिये तथा एलचियोंके लिये भी उचित इनाम दिये ।" इससे मालूम होता है, कि मुहम्मदखान और शाहरुख दोनों आपसमें अच्छा संबंध बनाये रखनेकी कोशिश कर रहे थे । ८२६ हि० (२ नवम्बर १४२६–२१ अक्तूबर १४२७ ई०) के "वकाया" में लिखा है—शाहरुख कुछ दिनों ग्रीष्म-निवासके वास्ते वदगिस इलाकेमें गया था, इसी बीचमें शाहरुखका नौकर ख्वारेज्म-राज्यपाल (अमीर) ने ख्वारेज्मसे आकर निवेदन किया, कि बोरक ओगलानने मुहम्मदखानके ओर्दूको अपने हाथमें कर लिया, उज्बेक उलुसका अधिकांश बोरककी ओर हो गया । लेकिन जान पड़ता है, १४२५ ई० में भी अभी मुहम्मदखानके शासनका बिल्कुल अंत नहीं हुआ था, क्योंकि ८३० हि० (२ नवम्बर १४२६–२१ अक्तूबर १४२७ ई०) के "वकाया" में लिखा है, कि ८२८ हि० (२३ नवम्बर १४२४—१२ नवम्बर १४२५ ई०) में बोरक ओगलानने मुहम्मदखानके ओर्दूपर अधिकार कर लिया । सारा उलुस उसके अधीन हो गया ।

खानोंके इस परिवर्तनसे मालूम होगा, कि अब तोकतामिशके पुत्रों और पौत्रोंका आपसमें संघर्ष चल रहा था। एकबार फिर उरुसके पौत्र बोरकने सिंहासनपर अधिकार जमाया।

बोरक खान, बुर्राक, कुंइजी-पुत्र (१४२५–२८ ई०)—बोरकको यह सफलता दक्षिणमें मिली थी। तोकतामिशके बाद उसकी संतानों और तेमूरकी संतानोंमें आपसमें पैतृक वैमनस्य चलता रहा। दक्षिणने उरुसखानकी संतानोंका पक्ष लिया और मिर्जा उलुगबेककी सहायतासे बोरकको सफलता मिली। लेकिन सफल घुमन्तू सरदार कभी कृतज्ञता माननेके लिये तैयार नहीं होते, यह बात किसीसे छिपी नहीं है। राजगद्दी संभालनेके बाद ही ८२६ हि० में वह मिर्जा उलुगबेककी सीमापर अवस्थित सिगनाक नगरमें आया। इससे पहले ८२३ हि० (१७ जनवरी १४२०—५ जनवरी १४२१ ई०) में वह उलुगबेकके पास शरणार्थीके तौरपर आया था और उलुगने उसे शिक्षा और सहायता देकर विलायत-उज्बेक भेजा था।

तोकतामिशकी तरह बोरक खानने दक्षिणकी ओर मुंह फेरनेसे पहले रूसकी ओर विजय-यात्रा की थी। १४२६ ई० में तारतारोंने र्याजन नगरको लूटा। तीन साल बाद कजानके तारतारोंने गालिच, कोस्त्रोमा आदि नगरोंको बरबाद किया। १४३०ई० में तारतार राजकुमार हैदर लिथुवानिया के भीतर घुस गया और उसने तीन सप्ताह मुहासिरा करनेके बाद मत्सेन्स्कको सर किया। रूसी अब कर रोकनेकी हिम्मत नहीं कर सकते थे। १४३७ ई० में कुचुक (छोटे) मुहम्मदने उलुक मोहम्मद खानको मार भगाया। उलुकने रूसमें जाकर शरण ली, लेकिन कुचुकने उसे वहांसे निकलनेके लिये मजबूर किया। उलुक बुल्गारोंकी भूमिमें चला गया, वहां कजान नगरको उसने फिरसे बसाया और कजानके खान-वंशकी स्थापना की। इससे मालूम होगा कि अभी किपचकोंकी शक्ति बिल्कुल खतम नहीं हुई थी।

बोरक खानने सिगनाकमें आकर मिर्जा उलुगके पास यह कहकर एलची भेजा—"आपकी सहायता और शिक्षासे मुझे सिंहासन मिला, इसके लिये मैं बहुत-बहुत कृतज्ञ हूं, लेकिन सिगनाक हमारे श्वेत-ओर्दू वंशकी राजधानी है, उसे हमें दे दिया जाय।" इधर वह उलुगखानसे चिकनी-चुपड़ी बातें कर रहा था और उधर उसके आदमी सिगनाक इलाकेपर हाथ सफा करनेमें लगे थे। वहांके तेमूरी हाकिम अमीर अरसलन ख्वाजा तरखनने उलुगबेकके पास खबर भेजी, कि ओगलानके नौकर (अफसर) इलाकेको बरबाद कर रहे हैं, अपनेको पूरा हाकिम समझकर सरकारका मजाक उड़ा रहे हैं। उलुगबेकने भारी सेना जमा करके उधर कूच करनेका निश्चय किया, लेकिन उसके बाप शाहरुखने युद्धकी बरबादीको बतलाते हुये उसे वैसा करने से रोकते हुये भी राजकुमार (मिर्जा) मुहम्मदकी अधीनतामें सेना दे अंतर्वेदकी ओर भेजा। जोकीने १५ फर्वरी १४२७ ई० को समरकंदकी ओर प्रस्थान किया और वहां जाकर बड़े भाईकी सेनासे मिल गया। संयुक्त-सेनाने आगेकी ओर कूच किया। इतनी भारी सेनाको देखकर बोरक एक बार डर गया, लेकिन वह अपने पूर्वजों की भूमि लेने आया था, क्या मुंह लेकर पीछे लौटता? किपचक-सेना एकाएक शत्रुके ऊपर टूट पड़ी। मिर्जा उलुगबेगको अपनी संख्याका अभिमान था, लेकिन किपचकोंने उसके छक्के छुड़ा दिये। पासा पलटने लगा। सैनिक उलुगबेकके घोड़ेकी बाग पकड़कर उसे मैदानसे बाहर लाये। सारी सेना हारकर समरकंदकी ओर भागी। उज्बेकोंके हाथमें भारी संपत्ति आई। इतनी घबराहट मच गई, कि लोग समरकंद नगरके दरवाजोंको बंद करने लगे। उन्हें बहुत समझा-बुझाकर रोका गया। बोरककी सेनाने तुर्किस्तान और अंतर्वेदके सारे इलाकोंको लूटा और बरबाद किया। यह खबर खुरासानमें शाहरुखके पास पहुंची।

इस घटनाने साबित कर दिया, कि लद्धड़ सामंतशाही चुस्त घुमंतुओंके सामने निर्बल साबित होती है। शाहरुखको अब होश आया, जब खतरा सामने दिखाई पड़ा। लेकिन, उज्बेकोंके तेमूर-वंशका स्थान लेनेमें अभी पौन सदीकी देर थी, जबकि तेमूरी शाहजादा बाबरको मध्य-एसियाई अंतर्वेद छोड़कर भारतीय अंतर्वेदका रास्ता नापना था। शाहरुखको एक बड़ी सेना लेकर समरकंद आया देख

बोरकको वहांसे हटना पड़ा। शाहरुख इस अभियानसे ६ अक्तूबर १४२७ ई०को खुरासान लौटा। दक्षिणमें इस तरह सफल हो बोरक अपने पूर्वी पड़ोसी चगताईवंशकी उत्तरी शाखाके राज्य मुगोलिस्तान-पर जा पड़ा। ८३२ हि० (११ अक्तूबर १४२८—२९ सितंबर १४२९ ई०) में उलुगबेकने अपने बाप शाहरुखके पास हिरात खबर भेजी, कि बोरक और मुगोलिस्तानके सुल्तान महमूदमें भारी युद्ध हुआ, जिसमें सुल्तान महमूदने बोरकको कतल कर दिया।

२८. मुहम्मद सुल्तान, तेमूरखान-पुत्र, तुगलक-तेमूर-पौत्र (१४२५-३८ ई०)

बोरकके बाद मुहम्मद सुल्तान गद्दीपर बैठा। ख्वारेज्मका तेमूरियोंके हाथमें जाना किपचकोंको बहुत खटकता था, आखिर जू-छिके राज्यका आरंभ ख्वारेज्मको लेकर हुआ था। मुहम्मदने ८३४ हि० (१९ सितंबर १४३०—८ सितंबर १४३१ ई०) के अंतमें अपनी सेना ख्वारेज्मपर भेजकर वहां बहुत लूट-पाट मचाई, लेकिन वह उसे ले नहीं सका। मुहम्मद सुल्तानने अपनी राजधानी क्रिममें बनाई थी।

२९. दौलत बर्दी

बोरक जिस वक्त अपने पूरबके पड़ोसियोंसे लड़ने गया था, उसी समय मुहम्मद पश्चिमी किपचकका खान बन बैठा, लेकिन जल्दी ही दौलत बरदी तोकतामिश-पुत्रने उसे हटा दिया। वह तीन दिन ही शासन करने पाया था, कि बोरक खान फिर आ गया।

३०. कादिर बर्दी

शायद यह तोकतामिशका पुत्र था, जिसे इदिकूने मारा। इदिकू भी लड़ाईमें या सिर-दरियामें डूबकर मरा।

३१. शादीबेक

गयासुद्दीन शादीबेकने भी थोड़े ही समय शासन किया। मुहम्मद सुल्तान तेमूर-खान-पुत्रके समयसे ही किपचककी राजनीतिक अवस्था इतनी अस्त-व्यस्त रही, कि राजावलीका ठीकसे पता नहीं लगता।

३२. सैयद खान, सैदक खान

इसने कुछ दिनोंतक शासन किया, फिर जानीबेकका पोता और सैयद खानका पुत्र कासिम खान गद्दीपर बैठा।

३३. कासिम खान, सैदक खान-पुत्र (१५०९—१५२३ ई०)

दश्ते-किपचकका खान होते ही कासिम खानको सैबक खानसे मुकाबिला करना पड़ा। ९१५ हि० (२१ अप्रैल १५०९—९ अप्रैल १५१० ई०) में सैबक खानने चढ़ाई करके कासिमको हराया। ९३० हि० (१० नवम्बर १५२३—२८ अक्तूबर १५२४ ई०) में कासिम खान मरा।

३४. अकनजर, हकनजर खान, कासिम-पुत्र (१५२३)

बापके बात अकनजरको गद्दी मिली। अब श्वेत-ओर्दूके दो टुकड़े हो गये थे, जिनमें एकका शासक अकनजर था, और दूसरेके जू-छि-पुत्र शैबानके वंशज।

श्वेत-ओर्दू-खान-वंशवृक्ष

(....—१२२४–१४१०....ई०)

छिङ्ग-गिस्

१. जू-छि (–१२२४ ई०)

बा-तू

बेरक

२. ओर्दा (१२२४—....)

३. कोनिचि (...१३०१)

४. बायन (१३०१–..)

५. ससीबूगा (...–१३३९)

६. एर्जन (१३३९–४४)

७. मुबारक खोजा (१३४४)

८. चिमतइ (१३४४-६१)

९. उरुस (१३६१-७०)

१०. तोकताकिया (१३७०)

११. तेमूरबेक (१३७०–७५)

१४. तेमूर कुतुलुक (१३९५-१४००)

शादीबेग (१४००-८)

पूलाद (१४०८-१०)

अध्याय ४

रूस (रूरिक-वंश)

(९११-१५९४ ई०)

अवतरणिका

मध्य-एसियाके इतिहासको स्पष्ट करनेके लिये चीन और ईरानके तत्कालीन इतिहासके साथ रूसके इतिहासका भी कुछ परिचय आवश्यक है, क्योंकि शताब्दियोंतक वह एक दूसरेको प्रभावित करते रहे हैं। ईरान जहां अपनी भाषा और संस्कृतिसे मध्य-एसियाके साथ समीपता स्थापित करता है, वहां चीन काफी समयतक उसके ऊपर सीधे राजनीतिक प्रभाव रखता रहा। रूसका प्रभाव यद्यपि आरंभमें अधीन-जातिके सिवा और रूपमें नहीं देखा जाता, किन्तु आगे वह बढ़ते-बढ़ते सबसे अधिक प्रभावशाली हो जाता है। हालकी दो शताब्दियोंमें तो मध्य-एसियामें बहुतसे परिवर्तन लाते रूस आज एक नये संसार-का निर्माण कर रहा है। ऐसी स्थितिमें रूसी इतिहासपर सिंहावलोकन किये बिना हम मध्य-एसिया की कितनी ही बातोंको समझ नहीं पायेंगे।

(क) शक-सरमात

शकोंके विशाल देश (शकद्वीप) के बारेमें हम पहले कह आये हैं और यह भी बतला आये हैं, कि शक और सिथ एक ही थे। इन्हींकी कालासागर और कास्पियन समुद्रके उत्तरमें रहनेवाली शाखा सरमात कही जाती थी। आगे यह नाम भूलसा जाता है, और ईसाकी प्रथम शताब्दीमें वेनिद (वेन्द) और अंत दो नये लोग हमारे सामने आते हैं, जो शक-सरमात-वंशके ही हैं।

वेन्द—वेन्दका शब्दार्थ है जलनिवासी या नदीनिवासी। यह विस्तुला नदीसे द्नियेपर और द्नियेस्तर नदियोंके ऊपरी भागोंमें रहते थे, यही पश्चिमी स्लावों (पोल, चेक, स्लावक) के पूर्वज थे।

अन्त—अन्तका शब्दार्थ है सीमांतवासी। ईसाकी प्रथम शताब्दीमें यह द्नियेस्तरसे दोनतककी भूमिमें रहते थे।

पूर्वी और पश्चिमी स्लावोंके अलावा शक-सरमातोंकी एक दक्षिणी शाखा भी थी, जिससे दक्षिणी स्लाव (युगोस्लाव) खोरबात, सर्ब (मकदूनी) और वोल्गारी स्लाव जातियां निकलीं। रूसी विद्वान् अ० अ० शाहमातोफके अनुसार सारी रूसी जातियां—रूसी, उक्रइनी और बेलोरुसी—अंतोंकी संतान हैं, लेकिन अकदमिक म० स० ग्रुसेव्स्की अंतोंको केवल उक्रइनोंका पूर्वज मानते हैं।

यह स्मरण रखनेकी बात है, कि ई० पू० द्वितीय शताब्दीमें चीनसे पश्चिमी देशोंका जो व्यापार-मार्ग खुला था, वह भारत और ईरानतक ही सीमित नहीं था, बल्कि ई० पू० द्वितीय शताब्दीमें ही दक्षिणी रूस भी इस व्यापारिक क्षेत्रके भीतर था—ख्वारेज्मसे रूसका बहुत घनिष्ठ व्यापारिक संबंध था। उस समय वोल्गा नदीका नाम फिन भाषामें रा था, जिसे तुर्कोंने इतिल बनाया और फिर तटपर बुल्गारोंके रहनेके कारण वोल्गा नाम पड़ा। हूणोंकी बाढ़के आनेसे पहले ईसाकी प्रथम शताब्दीमें उरालके पास तुर्क जातियां रहती थीं—चुवाश, याकूत (साइबेरिया) और आधुनिक तुर्क एक ही जाति-के हैं।

रूसियोंका संबंध अंतोंसे है । यह अंत ईसाकी चौथी सदीमें दुनियेस्तरसे दोनके आगेतक फैले हुये थे । इनके पश्चिमी पड़ोसी गाथ क्रिमियामें तथा दुनियेस्तरके पश्चिममें रहते थे । अंतोंका सबसे पुराना उल्लेख हमें केर्चमें प्राप्त एक अभिलेखमें मिलता है । चौथी सदीमें हूणोंकी बाढ़ आकर अंतोंको उत्तरकी ओर ढकेलती गाथोंके ऊपर आ पड़ी । ३७६ ई० में हूण-राजा बलम्बरने गाथ-राजा बीनीतरको लड़ाईमें मार उसकी खोपड़ीका प्याला बनाया । हूणोंद्वारा भगाये गये गाथ अपने पड़ोसी अंतोंके ऊपर पड़े । इस संघर्षमें अंत-राजा बोग अपने पुत्रों और सत्तर सामंतोंके साथ मारा गया ।

३ (२।१३क)

हूणोंने कुछ समयतक दन्यूब और तिसिया नदीके बीचमें अपना राज्य कायम किया । पांचवीं सदीके पूर्वार्धमें इनके राजा अत्तिला (मृत्यु ४५३ ई०) के प्रतापसे सारा पूर्वी युरोप कांपता था ।

हूणोंके बाद पांचवीं सदीमें आवारोंकी बाढ़ पूरबसे पश्चिमकी ओर चली । तुर्कोंके प्रहारके मारे उनके पहलेके स्वामी अब जान बचानेके लिये पश्चिमकी ओर भागे । इसीपर तुर्कोंके राजा सिलजीबुलने कहा था—"वह (आवार) चिड़िया नहीं है, जो कि हवामें उड़ जायेंगे । तुर्कोंकी तलवारोंसे भागकर, मछली नहीं है, कि गहरे पानीमें चले जायेंगे ।......जायेंगे पृथ्वीपर ही । जब मैं हेफतालोंसे लड़ाई खतम कर लूंगा, तब आवारों पर पड़ूंगा, तब वह मेरे हाथसे नहीं निकल सकेंगे ।" आवारोंने दक्षिणी रूसमें पहुंचकर कान्स्तन्तिनोपोलमें रोमके सम्राट्के पास अपना दूत भेजकर शरण मांगी । ५६२ ई० के आसपास सम्राट् योस्तीनियनने उन्हें बसनेके लिये भूमि दी । काला सागरके पश्चिमी

किनारेपर पुरानी स्किफिया (शक)-भूमिमें पहुंचकर इस्त्रा (दन्यूब) के तटपर जा उन्होंने विश्राम किया।

आवारोंकी बाढ़ आनेपर फिर हूणोंकी तरह अपने लिये खतरा देखकर अंतोंने सुलह करनेके लिये उनके पास अपने राजा मेजमिर इदरी-पुत्र तथा केलायस्त आदि सरदारोंको समझौता करनेके लिये भेजा, लेकिन आवारोंने उन्हें मार डाला। रोमने आवारोंको शरण दी थी, क्योंकि उसके लिये इस टिड्डीदलसे बचनेका कोई दूसरा रास्ता नहीं था। आवार रोमन-साम्राज्यके भीतर लूट-मार करना अपना हक समझते थे। पूर्वी-रोमन (विजन्तीन) सम्राट् मावरिक (५८२—६०२ ई०) के समय अंत विजन्तीनकी सैनिक सेवा करते थे। उस समय स्लावोंका यह सबसे शक्तिशाली कबीला था। सम्राट् फोक (६०२—६१० ई०) और हेराकिल (६१०—६४१ ई०) के समय भी अंत शक्तिशाली बने रहे, यद्यपि अब विजन्तीन सम्राटोंके ध्यान को इधरसे हटाकर सासानियों (ईरानियों) और अरबोंके संघर्षोंने अपनी ओर खींच लिया था। ७वीं सदीमें इस प्रकार हम अंतोंको विजन्तीनके घनिष्ठ संबंधमें देखते हैं। निश्चय ही अंतोंका ऊपरी वर्ग (सैनिक और शासकीय प्रधान) ग्रीसकी पिछली संस्कृतिसे बहुत प्रभावित थे। १०वीं-११वीं शताब्दीके कियेफके रूसी लोग अंतोंके खूनके ही नहीं, बल्कि उनकी संस्कृतिके भी उत्तराधिकारी थे। अंत कृषि जानते थे, लेकिन अधिक उत्तरवाले उनके लोग पशुपालनपर ज्यादा ध्यान देते थे। दासता भी उनमें प्रचलित थी। अकदमिक न० स० देर्झाविनके अनुसार[1]—"१०वीं सदीके कियेफ रूस (और कियेफ राजुल) उसी भाषाको बोलते थे, जिसे कि छठी सदीके अंत लोग, उसी पेरुनको पूजते और उसी पुराने पंथपर चलते थे, जिसपर छठी सदीके अंत।"—उनके देवताओंमें स्वारोग, सरोग-पुत्र स्वारोजिक (स्वारोचिष), दाज्बोग (सूर्य, यह भी स्वारोग-पुत्र) मुख्य थे। देवियोंमें लादा (ह्लादा), वेस्ना (बसंता), देवा और जीवा प्रधाना थीं।

१०वीं सदीके अरब लेखक मसऊदीके अनुसार—"उनमें कुछ ईसाई भी हैं, कुछ काफिर, जो सूर्यकी पूजा करते हैं।" इसके दो शताब्दी बाद प्रायः १२०० ई०में इब्राहिम वेसिफ शाह-पुत्र लिखता है—"इनमें कुछ ईसाई और दूसरे सूर्य या नभकी पूजा करते हैं।" ९४९ ई०में लिखते हुये कान्स्तन्तिन वगरया नरोद्नी उनके अग्निपूजक होनेकी भी बात करता है। १२वीं शताब्दीमें लिखते हुये किरि-लिता तुरेव्स्कीने उन्हें वृक्ष, नदी, पर्वत और जल की पूजा करनेवाला बतलाया है।

१० वीं शताब्दीके पूर्वार्धमें रूसके पड़ोसी खाजार, महा-बोल्गार और विजन्तीन थे, जिनके साथ वह व्यापार करते थे। अरब लेखक इब्न-हौकल (९७६-९७७ ई०) भी खाजारों और बोल्गारोंके साथ रूसोंके व्यापारकी बात कहता है।

(ख) रूसोंके पड़ोसी मंगोलायित

बोल्गार—हूणोंके आनेसे पहले ही उरालके पास मंगोलायित जातिके लोग बसते थे, शायद बोल्गार उन्हींमेंसे थे। चौथी सदीमें हूणोंके वोल्गासे पश्चिम पहुंचनेके तुरंत ही बाद बोल्गार, कास्पियन समुद्रके पश्चिमोत्तरीय मैदानोंमें देखे गये, लेकिन वहां वह ज्यादा दिनोंतक नहीं ठहर सके, क्योंकि दूसरे घुमंतू उनकी जानके गाहक बन गये। इन्हीं बोल्गारोंमेंसे कुछ भागकर पश्चिममें दन्यूबो-के किनारे पहुंचे, जहां स्थानीय स्लावोंमें वह घुल-मिलकर अपनी रूपरेखा और भाषाको भी खोकर अब बुल्गारिया-निवासियोंके नामपर ही अपना चिह्न छोड़ गये। दूसरा भाग वहांसे वोल्गातटपर गया, जहां उसने बोल्गार-राज्यको स्थापित किया और 'रा' और इतिल नामसे मशहूर नदीको वोल्गा नाम दिया। यह बोल्गार निम्न और मध्य-वोल्गाकी उपत्यकाओंमें पहले निरे घुमक्कड़ पशुपाल रहे, फिर एक अरब-लेखकके अनुसार वह जौ-गेहूंकी खेती भी करते थे। इनकी राजधानी कामा और वोल्गाके संगमसे कुछ नीचे बड़ी ही समृद्ध व्यापारिक नगरी थी, जहां हर साल रूस, काकेशस, विजन्तीन और मध्य-एसियाके व्यापारी आते थे। बोल्गार अपनेसे उत्तरवाले देशको "अंधकार भूमि"

---

१ "स्लावियाने व्-द्रेव्नोस्ती" पृ० १८।

कहते थे। वहांसे वह अपनी चीजोंसे बदलकर समूर लाते थे। मुसलमान व्यापारियोंके संपर्कमें आनेसे इनमें मुस्लिम संस्कृति और धर्म फैला और १० वीं सदीतक वोल्गार शासक और सरदार मुसलमान बनकर अरबोंकी नकल करना अभिमानकी बात समझने लगे। उस समयतक वह अपना सिक्का भी ढालने लगे थे।

१०वीं सदीके आरंभमें इब्न-फज़लान एक अरब दूत-मंडलका सदस्य बनकर वोल्गारोंकी भूमिमें गया था। उसने अपनी यात्राका एक बड़ा ही सुन्दर वर्णन छोड़ा है। वोल्गार राजधानीसे नातिदूर दूत-मंडलका स्वागत करते हुये उसे एक विशाल तथा अच्छी तरह सुसज्जित तंबूमें ले जाया गया, जिसमें अर्मनी गलीचे बिछे हुये थे। रूमी कमखाबसे ढँके सिंहासनपर खान बैठा था। उसके दाहिनी ओर सरदार बैठे थे। मांसके टुकड़ों और मधुकी शराबसे मेहमानोंकी जियाफत की गई। इब्न-फज़लानने वहां रूसी व्यापारी भी देखे। वह बड़े ही लंबे-तगड़े तथा हर वक्त कटार, छुरी और तलवार लटकाये फिरते थे।

यह कहनेकी अवश्यकता नहीं, कि वोल्गार और खाजार राज्योंके स्थापित होनेके बाद वोल्गातट युरोप और एसियाके व्यापार-मार्गका महत्त्वपूर्ण केंद्र बन गया। वोल्गाका ऊपरी भाग पश्चिमी द्विना नदीके पास पहुंच जाता है, जो कि बाल्तिक समुद्रमें गिरती है। इसी तरह फिनलन्दकी खाड़ीके लिये भी जलपथ थोड़ी ही दूरपर मिल जाता है। इन नदियोंके बीचके स्थल-मार्ग दुर्गम पहाड़ोंके नहीं थे, इसीलिये व्यापारी इस स्थल-मार्गपर अपनी नावोंको ढकेल कर ले जाते थे। ८ वीं-१० वीं शताब्दियोंमें व्यापारके लिये यहां भारी संख्या में अरब व्यापारी आते थे, जो मांस खरीदनेके बदले भी अपने छोटे-छोटे चांदीके सिक्के देते थे। ये अरब सिक्के उस समय पूर्वी युरोप, बाल्तिक-राज्यों, स्कैंडिनेविया और जर्मनीतकमें प्रचलित थे।

खाजार---६ठी--८वीं सदी में मंगोलियासे अराल और कास्पियन समुद्रतक जो घुमन्तू तुर्क रहते थे, इन्हींमें खाजार भी थे। ६ठी सदीमें वोल्गारोंकी तरह खाजार भी काकेशसके उत्तरमें चरवाही करते थे। ७ वीं सदीमें इन्होंने निम्न वोल्गा-उपत्यकामें अपना राज्य स्थापित किया। अब वह अर्ध-घुमंतू हो गये---जाड़ोंमें नगरोंमें रहते और गर्मियोंमें अपने ऊंटों, घोड़ों, भेड़ोंको लिये मैदानोंमें चरवाही करते। पशुपालन ही उनकी मुख्य जीविका थी, इसके अतिरिक्त थोड़ी-सी खेती और अंगूरकी बागबानी भी कर लेते थे। इनका शासक एक खाकान होता था, जो राजकाजमें सीधे भाग न लेकर देवतासा माना जाता था। उसके सहायक और सरदार शासनका काम देखते थे। पहले इनकी राजधानी बलांजर (दक्षिणी दागिस्तान) थी, लेकिन ७२२-२३ई०में अरबोंने आक्रमण करके इनकी राजधानीको जब ध्वस्त करदिया, तब इन्होंने वोल्गा और सागरके संगमपर वोल्गाके डेल्टामें इतिलको अपनी राजधानी बनाया। व्यापारकी भी भावी सुविधा होनेके कारण इतिल एक बड़ी नगरी बन गई। खाकानका ईंटका महल एक द्वीपमें था, जिसको नावोंके पुलद्वारा किनारेसे मिला दिया गया था। नगर-प्राकारके बाहर लकड़ीके घर तथा घुमन्तुओंके तंबू रहते थे। इन्हींमें ख्वारेज्मी, अरब, ग्रीक, यहूदी, भारतीय आदि व्यापारी आकर रहते थे। इतिलकी बाजारोंमें सारी दुनियाका माल भरा रहता था। ख्वारेज्मके पास होनेके कारण वहांवालोंका यहांके व्यापारमें विशेष हाथ था। उस समय खाजार-खाकान और उसके सरदार मुसलमान नहीं यहूदी थे। दोनके तटपर खाजारोंका एक और भी बड़ा व्यापारिक नगर सरकेल था। इस नगरके निर्माणमें विजन्तीन (रोम) इंजीनियरोंने सहायता की थी। उत्तर और पूरबके घुमंतुओंसे रक्षा करनेके लिये नगर दृढ़ प्राकारोंसे घिरा था। दक्षिणमें वर्तमान मखचकलासे नातिदूर समंदर नामका एक और भी मशहूर शहर था, जिसके पास अंगूरोंके बहुतसे बाग थे। ९वीं शताब्दीमें खाजार अपने उत्कर्षकी चरम सीमापर पहुंचे थे। अजोफ-समुद्रके तटतक तथा क्रिमियाका भी कुछ भाग खाजारोंके शासनमें था। द्नियेपर और ओकाकी उपत्यकाओंमें रहनेवाली स्लाव जातियां इन्हें कर देती थीं। उत्तरमें इनकी सीमा मध्य-वोल्गामें बोलारोंसे मिलती थी। कास्पियन समुद्रका नाम खाजार समुद्र (बहीरा खाजार) इन्हींके कारण पड़ा, जिसे पीछे मुसलमानोंने हजरत खिजिरके नामसे जोड़कर खिजिर-समुद्र बना दिया।

पेचेनेग—खाजारोंके पड़ोसी पेचेनेग भी तुर्की जातिके थे, जो ९वीं शताब्दीके पूर्वार्धमें यायिक (उराल) और इतिल (वोल्गा) नदियोंके बीचमें घुमक्कड़ी करते थे। ९वीं शताब्दीके उत्तरार्धमें दूसरे घुमंतुओंके साथ संघर्ष होनेके कारण यह पश्चिममें जा दोन और द्नियेपरके बीचकी भूमिमें घूमने लगे। इनकी संख्या काफी थी। मंगोलियाके हूणोंके समयसे ही हम देखते हैं, कि घुमंतुओंके ऊपरी वर्गमें संस्कृतिका अभाव होना आवश्यक नहीं है—पेचेनेगके सोने-चांदी के बर्तन, कमरबंद आदि पुरातत्त्वकी सामग्रियां जो खुदाइयोंमें मिली हैं, उनसे यह बात सिद्ध होती है। पेचेनेग अपने पड़ोसी स्लावोंको सबसे ज्यादा हानि पहुंचाते थे।

(ग) कियेफके राजुल

पुराने अंतोंके वंशज ८वीं-९वीं शताब्दीमें छिन्न-भिन्न हो गये। बेटा होनेपर उसके हाथमें वह तलवार पकड़ाते थे, किंतु बिखरी हुई तलवारें शक्तिहीन साबित हो रही थीं। ९वीं शताब्दी-के उत्तरार्धमें एक बड़ी निराशाजनक स्थितिमें रूस लोग रह रहे थे, यद्यपि उनकी वीरतामें जरा भी कमी नहीं आई थी। बिखरी हुई तलवारें इकट्ठा करनेवाले व्यक्तिकी प्रतीक्षा हो रही थी। ऐसे व्यक्तिके आनेके लिये रास्ता भी साफ था। रूसके भीतरसे कई वणिक्पथ पूरबमें चीन, दक्षिणमें बिजन्तीन और ईरान, पश्चिममें युरोपकी ओर जाते थे। स्कैंडेनेवियाके व्यापारी बहुमूल्य रेशम, समूरी छाल, अंबर तथा दूसरी चीजोंका व्यापार करने आते थे। बाल्तिक समुद्रसे पश्चिमी द्विना होकर वोल्गा नदीसे मिलनेवाले रास्तेकी बात हम कर चुके हैं। स्कैंडेनेवियावाले फिनलंद खाड़ीसे नेवा नदीको पकड़ उसके उद्गम इल्मन झीलमें पहुंच लोवात नदीद्वारा ऊपरकी ओर चलते। वहांसे उन्हें पश्चिमी द्विना नदी पर पहुंचनेमें थोड़ी दूरतक नावको स्थलमार्गपर घसीटना पड़ता। इल्मनसे दूसरी नदी द्वारा वह थोड़ा स्थलमार्ग पारकर वोल्गा नदीके वणिक्पथपर पहुंच जाते। इसी तरह द्नियेपर पहुंचनेका भी जल-स्थल-मार्ग था। इन वणिक्पथोंपर जहां व्यापारियोंके सार्थ चलते थे, वहां कुछ लोग व्यापारके साथ लूट-पाट भी भारी लाभका साधन मान उससे बाज नहीं आते थे। पश्चिमी युरोपमें स्कैंडेनेवियाके निवासी नार्समेन उस समयके बड़े साहसी यात्री थे, जो व्यापारके साथ लूट-मारको भी अपना पेशा बनाये हुये थे। वह सशस्त्र संगठित दलोंमें हो रूसमें व्यापार करनेके लिये आया करते। उन्होंने ९वीं शताब्दीमें रूसके भीतरसे जानेवाले मार्गोंको अपना क्रीड़ाक्षेत्र बनाया। नार्समेन वरंगीके नामसे अधिक प्रसिद्ध थे। अपने कोनुंग (राजकुमारों) के नेतृत्वमें लूट-मारके लिये उन्होंने अपने सैनिक दल संगठित किये थे। वह स्लावों और दूसरे लोगोंके ऊपर आक्रमण करके उनकी मूल्यवान् चीजोंको जहां लूट लेते, वहां स्त्री-पुरुषोंको पकड़ ले जाकर कन्स्तन्तिनोपोलके बाजारोंमें अथवा वोल्गारों और खाजारोंकी राजधानियोंमें बेंच देते।

१. रूरिक

इन्हीं वरंगियोंमेंसे कुछने ग्रीक जानेवाले मार्गमें अपनी गढ़ियां बना लीं, वह स्थानीय स्लावोंपर शासन करते हुये उनसे कर उगाहने लगे। कितनी ही बार स्लाव बिगड़कर वरंगी कोनुंगोंको मार डालते, फिर कोई स्थानीय स्लाव राजुल राज करने लगता। परंपरा कहती है, कि ९वीं शताब्दीके मध्यमें रूरिक (रोयरिक, रोरिक) नामक एक साहसी वरंगीने नवोगोरदमें अपना अड्डा जमाया। नवोगोरद कालासागर और द्नियेपर नदीसे उत्तर जानेवाले रास्तेपर एक बड़ा महत्त्वपूर्ण स्थान था। रूरिकका भाई सिनेउस ब्येलोओज़ेरो (श्वेत सरोवर) पर जम गया। फिनलंदकी खाड़ीसे वोल्गा और उरालवाला वणिक्पथ वहींसे होकर जाता था। तीसरा भाई त्रुवोर इज्बोरस्क नगरपर डट गया, जो कि बाल्तिकसे आनेवाले रास्तेका केंद्रीय नगर था। इन तीनों भाइयोंके अतिरिक्त दो और वरंगी कोनुंग अस्कोल्द और दिरने कियेफ नगरको अपने हाथमें किया। ग्रीसके पथपर कियेफ बहुत महत्त्वपूर्ण नगर था। इसी तरह बाल्तिकसे पश्चिमी द्विनाके मार्गपर भी वरंगियोंने अपनी गढ़ियां बना रक्खी थीं। वरंगी आकर स्लावोंकी भूमिमें अधिकतर लूट-मार करते, फिर धनको लेकर अपने देश लौट जाते। उनमेंसे कितने ही रूस-राजुलोंके अनुचर अथवा स्वतंत्र सरदार बनकर भी बस गये। वरंगियोंसे

स्लावोंका नाकोंमें दम था, पर वह संख्यामें पीछेके मंगोलोंकी तरह बहुत थोड़े थे। वरंगी सरदार स्लावोंमेंसे भी अपने अनुचर भरती करते थे। रूसमें स्थायी तौरसे बसनेवाले ये वरंगी स्लाव-समुद्रमें बहुत जल्दी ही अपने नामोंको मिटा रूस बन गये, रूसी भाषा बोलने तथा पेरुन और स्वारोगकी पूजा करने लगे। रूरिक, उसके भाइयों तथा साथियोंकी भी यही हालत थी।

रूरिक-वंशावली—रूरिकके वंशमें निम्न राजा हुये :—

क. कियेफ	**काल**
१. रूरिक	९०० ई०
२. ओलेग, रूरिक-पुत्र	–९११ ,,
३. ईगर, रोरिक-पुत्र	९११-४५ ,,
४. ओलगा, ईगर-पत्नी	९४५-५७ ,,
५. स्व्यातोस्लाव I ईगर-पुत्र	९५७-७३ ,,
६. व्लादिमिर I स्व्यातोस्लाव-पुत्र	९७८-१०१५ ,,
७. स्व्यातोपोल्क I व्लादिमिर-पुत्र	१०१५-१९ ,,
८. यारोस्लाव I व्लादिमिर-पुत्र	१०१९-५४ ,,
९. इज्यास्लाव I यारोस्लाव-पुत्र	१०५४-७३ ,,
स्व्यातोस्लाव II यारोस्लाव-पुत्र	१०७६ ,,
इज्यास्लाव I (पुनः)	१०७३ ,,
१०. स्व्यातोपोल्क II इज्यास्लाव-पुत्र	१०७३-१११३ ,,
११. व्लादिमिर II मनोमाख	१११३-२५ ,,
ख. रोस्तोफ-सुज्दल	
१२. यूरी I दीर्घबाहू, व्लादिमिर मनोमाख-पुत्र	–११५७ ,,
१३. अंद्रेयी, बगोल्यूवोव्स्की यूरी-पुत्र	११५७-७४ ,,
१४. व्सेवोलोद I यूरी-पुत्र	११७६-१२१२ ,,
१५. यूरी II व्सेवोलोद-पुत्र	१२१२-१२३८ ,,
१६. यारोस्लाव II व्सेवोलोद-पुत्र	१२३८-४६ ,,
स्व्यातोस्लाव III व्सेवोलोद-पुत्र	१२४७-४८ ,,
अंद्रेयी II यारोस्लाव-पुत्र	१२४९-५२ ,,
१७. अलेक्सान्द्र नेव्स्की यारोस्लाव-पुत्र	–१२६३ ,,
ग. मास्को ज़ार	
१८. दानियल	१२६३-१३०३ ,,
१९. यूरी III दानियल-पुत्र	१३०३-२५ ,,
२०. इवान I खलिता, दानियल-पुत्र	१३२५-४१ ,,
२१. सेमेओन, इवान-पुत्र	१३४१-५३ ,,
२२. इवान II इवान-पुत्र	१३५३-५९ ,,
२३. दिमित्रि इवान II-पुत्र	१३५९-८९ ,,
२४. वासिली I अंध, दिमित्रि-पुत्र	१३८९-१४२५ ,,
२५. वासिली II अंधवासिली-पुत्र	१४२५-६२ ,,
२६. इवान III वासिली II-पुत्र	१४६२-१५०५ ,,
२७. वासिली III इवान III-पुत्र	१५०५-३३ ,,
२८. एलेना, वासिली III-पत्नी	१५३३-३८ ,,
२९. जार इवान, वासिली III-पुत्र	१५३८-८४ ,,
३०. फ्योदोर, इवान IV-पुत्र	१५८४-९८ ,,

२. ओलेग रूरिक-पुत्र (९११ ?)

१० वीं शताब्दीके आरंभमें रूरिक-पुत्र ओलेग द्नियेपर-उपत्यकाके कुछ भागोंका स्वामी था। पुराने इतिहासकार लिखते हैं, कि ओलेग पहले नवोगोरदके स्लावोंपर शासन करता था, किन्तु पीछे वह द्नियेपर-उपत्यकामें चला गया और स्मोलेन्स्क क्रिविचीको जीतकर नीचेकी ओर बढ़ते अपने दोनों देशभाइयों अस्कोल्द और दिरको मारकर उसने कियेफपर अधिकार कर लिया; जहांसे पड़ोसके द्रेव्ल्यान लोगोंको अपने अधीन करते हुये खाजारोंके अधीनस्थ सेवेरियान और रादिमिची स्लावोंको अपने अधीन किया। इस प्रकार ओलेग नवोगोरद और कियेफ दोनोंका स्वामी बन जानेके बाद द्नियेपर वणिक्पथका भी स्वामी हो गया। धीरे-धीरे और कितने ही छोटे-छोटे राजुलोंको अधीनता स्वीकार करनेके लिये मजबूर कर वह "रूसका महाराजुल" बनकर दूसरे राजुलोंपर शासन करने लगा। कियेफके महाराजुलके अधीन हो अब द्नियेपर-उपत्यका और इलमन-सरोवरके स्लाव एकताबद्ध हो गये। इस एकताबद्ध राज्यको रूस कहा जाने लगा। यह कहना मुश्किल है, कि रूस किस भाषाका शब्द है। जो भी हो १०वीं शताब्दीके आरंभमें बहुत-से स्लाव कबीलोंको, जो कियेफके शासकके अधीन एकताबद्ध हुये थे, उनको यही नाम दिया गया, और इतिहासमें उन्हें "कियेफ रूस" कहा जाने लगा।

यद्यपि कियेफ राजुलोंकी अधिकांश प्रजा स्लाव थी, लेकिन उनमें कुछ मेरिया, वेसी और चुद जैसी अरूसी कबीले भी थे। अभी ये जातियां आर्थिक तौरसे अधिक विकसित नहीं थीं। पशुपालन, शिकार, कुछ कृषि और मामूली दस्तकारी उनकी जीविका थी। अभी वह एक दूसरेके ऊपर आर्थिक तौरसे इतने निर्भर नहीं थे, कि उनका एक घनिष्ठ संघ बन जाता। ये पूर्वी स्लाव कृषि-समूहों (वेर्व) में जीवन बिताते अभी भी जनयुगके रीति-रवाजोंको पकड़े हुये थे। उनकी भूमि साझेमें हुआ करती थी, लेकिन रूरिकोंके अधीन एकताबद्ध होनेपर व्यापारका सुभीता और भी बढ़ा, जिससे उनके भीतर धनी-गरीब होने लगे। गरीब अपने धनी बंधुओंके कमकर बनने लगे। भूमिपर भी वैयक्तिक अधिकार माना जाने लगा। इस प्रकार उनके भीतर सामंती संबंध कायम हो गया।

आगे कियेफ-राज्यने पूर्वी युरोपमें विशेष महत्त्वका स्थान प्राप्त किया। विजन्तीन (पूर्वी रोम) का प्रभुत्व सारे कालासागर और उसकी तटवर्ती भूमिपर था। अल्प-विकसित जातियां कभी अपने लूट-मारसे उसको चिढ़ाती थीं और कभी विजन्तीनके शासक स्वयं लूट-मार करनेपर उतारू हो जाते। ऐसे ही किसी आक्रमणके बदलेमें ८६० ई० में स्लावोंने बंज (ओक) वृक्षोंको खोखला करके अद्नोदेरेव्की (एकदारुक) नावोंका बेड़ा तैयार किया और कान्स्तन्तिनोपोल बंदरगाहके छोर (सुवर्ण-शृंग) पर पहुंचकर राजधानीके लिये खतरा पैदा कर दिया। तूफानने स्लावोंकी एकदारुक नावोंको तितर-बितर कर दिया, नहीं तो इसमें संदेह नहीं, कान्स्तन्तिनोपोल उनकी दयाका भिखारी होता। ९११ ई० में फिर उन्होंने अपनी प्रभुता दिखलाकर अपने अनुकूल संधि करवाई।

९१३-९१४ ई० में स्लावों (रूसों) ने अब कास्पियनके किनारोंपर भी आक्रमण शुरू कर दिया। इसके लिये वह अपनी नावोंको अजोफ सागर होते दोन नदीमें ले जाते और उसी जगहपर अपनी नावोंको कंधोंपर उठाकर वोल्गामें पहुंचाते, जहां दोनों नदियां एक दूसरेके बहुत समीप पहुंच गई हैं और जहां १९५२ ई० के वसंतमें यातायातके लिये बड़ी नहर चालू हो गई। रूसलोग वोल्गासे नीचे कास्पियन समुद्रमें जा काकेशसकी बस्तियोंमें लूट-मार करते। कितनी ही बार खाजार भी उनको अछूता नहीं छोड़ते, और रूसोंको भारी हानि उठानी पड़ती।

ओलेगका शासन-काफी लंबा था, संभवतः १०वीं शताब्दीके उत्तरार्धके आरंभतक। अपने चालीस सालके राज्यमें उसने रूसको एक-राज्य बनानेका ऐतिहासिक काम पूरा किया। उसके कामका कितना महत्त्व है, यह इसीसे मालूम होगा, कि कार्ल मार्क्सने "१८वीं सदीमें गुप्त कूटनीति" (अध्याय ५) में उसका उल्लेख करते हुये कहा है:—

"रूसके प्राचीन नक्शे हमारे सामने उससे कहीं अधिक विशाल युरोपीय क्षेत्रको प्रदर्शित करते हैं जिसका कि वह आज गर्व कर सकता है। ९वीं शताब्दीसे ११वीं शताब्दीतक उसका लगातार बढ़ाव इसी-

की ओर संकेत करता है। हम ओलेगको अट्ठासी हजार आदमियोंके साथ बिजन्तीनपर आक्रमण करते, उसे कान्स्तन्तिनोपोल राजधानीके फाटकपर विजय-चिह्नके तौरपर अपनी ढाल स्थापित करते, और निम्न (पूर्वी रोम) साम्राज्यको सम्मानहीन संधि करनेको मजबूर करते देखते हैं। ईगर आगे उसे (बिजन्तीनको) अपना करद बनाता है। स्व्यातोस्लाव इस बातको गौरवके साथ कहता है—'ग्रीक मुझे सोना, मूल्यवान् वस्तुएं, चावल, फल और शराब भेजते हैं; हुंगरी ढोर और घोड़े देती है, रूससे मधु, मोम, समूरी छाल और मनुष्य मिलते हैं।' ब्लादिमिर क्रिमिया और लिबानिया (बाल्तिक प्रदेश) को जीतता है, और ग्रीक सम्राट्की कन्याको उसी तरह छीनता है, जैसा कि नेपोलियनने जर्मन सम्राट् से किया।"

मार्क्सके इस उद्धरणसे मालूम होगा, कि रूस १० वीं शताब्दीमें कहांसे कहां पहुंच गया।

३. ईगर रूरिक-पुत्र (९११–४५ ई०)

१०वीं शताब्दीके द्वितीय पादमें ओलेगके स्थानमें उसका भाई ईगर कियेफका महाराजुल बना। उसने अपने भाईकी सफलताओंको आगे बढ़ाकर और भी कितने ही राजुलोंको अधीनता स्वीकार करनेके लिये मजबूर किया, दक्षिणी बुग नदीकी उपत्यकाको जीता और कियेफके शासनके खिलाफ विद्रोह करनेवाले द्रेव्ल्यानोंको कर देनेके लिये मजबूर किया। ९४१ ई०में ईगरने बिजन्तीनके विरुद्ध एक भारी सामुद्रिक अभियान किया। रूसोंने कान्स्तन्तिनोपोलकी बहुत-सी बस्तियोंको ध्वस्त किया, लेकिन अंतमें ग्रीक बेड़ेने उन्हें अपने बंदरगाहसे कालासागरकी ओर खदेड़ दिया। वहांसे जाकर रूसोंने क्षुद्र-एसियाके तटको लूटा–बरबाद किया। बड़ी मुश्किलसे ग्रीक-सरकार एक भारी स्थल-सेना भेजकर वहांसे उसे हटानेमें सफल हुई। ईगरके पोत और हथियार अभी बिल्कुल आरंभिक अवस्थामें थे, जबकि "ग्रीक

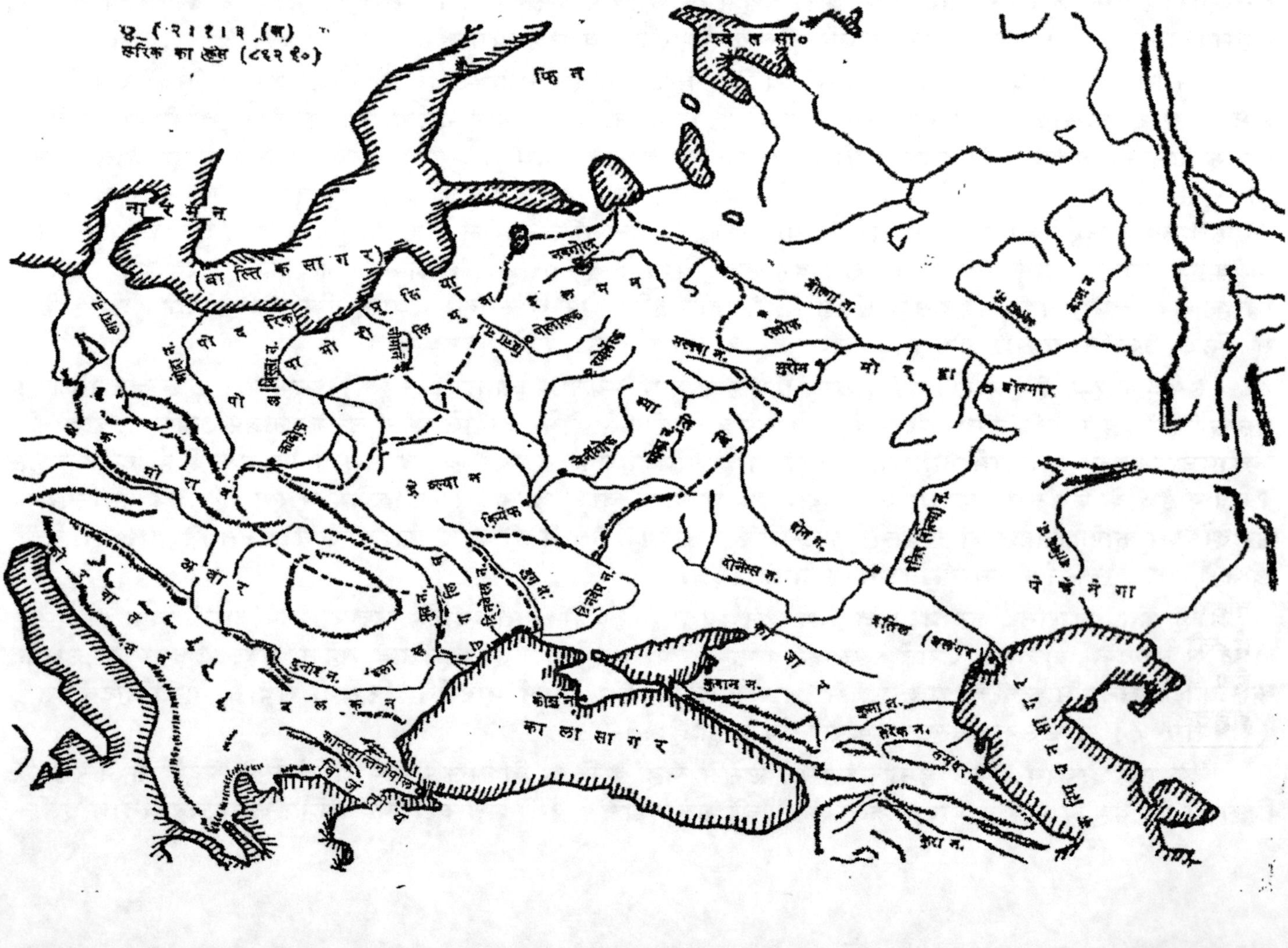

अग्नि" के नामसे प्रसिद्ध एक तरहका भभकनेवाला तरल पदार्थ ग्रीक अपने शत्रुओंपर फेंकते थे। "ग्रीक अग्नि" के सामने ईगरके सैनिक बेड़ेको बहुत बुरी तरहसे हारना पड़ा। आगसे बचनेके लिये बहुतसे रूस * पानीमें कूदकर डूब मरे। बचे-खुचे पोत अपने देशकी ओर लौटे। यद्यपि ग्रीकोंने उस समय रूसोंको हरा दिया, लेकिन इन अर्ध-घुमंतू लड़ाकू जातियोंके लिये एक बारकी हार कोई महत्त्व नहीं रखती। इसलिये ग्रीक सरकारने ९४५ ई०में ईगरके साथ एक नई संधि की, जिसमें व्यापारिक संबंध स्थापित करनेके साथ उभय पक्षके शत्रुओंके विरुद्ध सैनिक मित्रताकी शर्त्तें भी स्वीकृत की गई थीं।

३३२ हिजरीके आरंभ (४ सितंबर ९४४ ई०)में रूसोंने कास्पियन तट-भूमिको अपना लक्ष्य बनाया था। कास्पियन तटको लूटते हुये वह कुरा नदीके भीतर घुस गये और ऊपरकी ओर बढ़ते उन्होंने बरदआ नगरीको ले लिया। यहांसे वह आसपासके इलाकोंमें लूट-मार करने लगे। लेकिन यहांका जलवायु अनुकूल न होनेसे बीमारीके कारण बहुतसे रूस मर गये, उनकी संख्या कम हो गई। इसी समय अरब फौजोंने उन्हें एक किलेमें घेर लिया। बड़ी मुश्किलसे रातके अंधेरेमें वह नावोंमें पहुंच अपने प्राणों और लूटे धनको बचाकर भागनेमें सफल हुये।

कियेफ रूसके राजुलोंने दूसरोंके धनको लूटना और पुरुष-स्त्रियोंको पकड़कर दास बनाना अपने वैध शासनका एक अंग मान लिया था। वह पिछले सालकी जमा की हुई लूट और बंदियोंको नावोंपर चढ़ाकर द्नियेपर नदीसे कालासागरकी ओर भेजते। द्नियेपरके जलप्रपात रास्तेमें पड़ते, जिनपर नावें टूटकर चकनाचूर हो जातीं, इसलिये ऐसी जगहोंपर उन्हें बल्लोंके सहारे कंधेपर उठाकर आदमी ले जाते। लूटके मालके लिये यहां पड़ोसी लुटेरे पेचेनेगोंके आक्रमणका भारी डर रहता और कितनी ही बार उनकी अन्यायोपार्जित संपत्ति पेचेनेगा (तुर्की) घुमन्तुओंके हाथमें चली जाती। द्नियेपरके मुहानेमें पहुंचकर यात्री आरामकी सांस लेते और भगवान्से कृतज्ञता प्रकट करते। वहां एक छोटे द्वीपपर अवस्थित बंज (ओक) वृक्ष-देवताको भेंट-पूजा चढ़ाते। फिर कालासागरके पश्चिमी किनारेसे होते वह कान्स्तन्तिमोपोल जारग्राद (राजनगरी) जाते। वहां वह अपने दासों, समूरी छालों और दूसरी चीजोंको बेंचकर बदलेमें कपड़ा, शराब, फल तथा शौकीनीकी दूसरी चीजें खरीद लेते।

अपनी प्रजासे कर उगाहनेमें इन राजुलोंका व्यवहार बहुत कठोर होता था। इसके लिये लड़ाकू द्रेव्लयान (दीहाती) अक्सर विद्रोह कर उठते थे:—"अगर भेड़ियेको भेड़ोंके गल्लोंमें आनेका चस्का लग गया, और वह न मारा गया, तो वह सारी भेड़ोंको निगल जायेगा"—कहते हुये ३१ अगस्त ९४५ ई० को उन्होंने अनुचरोंसहित ईगरको मार डाला।

अभी रूस ईसाई नहीं हुए थे। इसी समय ईगरके शासनकालमें ही ९२२ ई० में मुसलमान पर्यटक इब्न-फज्लानने वोल्गाके किनारेके नगरोंकी यात्रा की थी। उसने रूसोंके बारेमें लिखा है:—"मैंने रूसोंको उस समय देखा, जबकि वह अपने पण्य द्रव्योंको लेकर इतिल (वोल्गा) के किनारे आये थे। मैंने उनके जैसे सर्वांगपूर्ण आदमी कहीं नहीं देखे। वह खजूरके वृक्षकी तरह (सीधे तथा) लालवर्णके होते हैं। वह न कुर्ता पहनते हैं, न कफतान (जामा), बल्कि उनमेंसे पुरुष एक तरहका चोंगा जैसा कपड़ा पहनते हैं, जिसे एक बगलसे डालकर अपनी एक (दाहिनी) बांह खुली रखते हैं। हरएक आदमी अपनी तलवार, छुरे और कटारको नहीं छोड़ता। इनकी तलवारें लम्बी तथा लहरदार होती हैं। पैरसे कंधेतक उनके शरीरपर हरे वृक्षों, मूर्त्तियों और दूसरी चीजोंके चित्र बने होते हैं। उनकी प्रत्येक स्त्रीके नितम्बके पास पतिकी संपत्तिके अनुसार लोहे, तांबे, चांदी, सोनेकी डिबिया लटकती रहती है। हरएक डिबियामें एक छल्ला होता है, जिससे बंधी छुरी नितम्बपर लटकती है। वह अपने कंठमें सोने और चांदीकी मालायें पहनती हैं। हरएक पुरुष जब दस हजार दिरहमका सौदा कर लेता है, तो अपनी स्त्रीके लिये एक माला और बीस हजार दिरहमका सौदा करनेपर दो माला खरीद देता है। हर दस हजार दिरहम सौदेकी वृद्धिके साथ मालाकी संख्या भी बढ़ती रहती है, जिससे स्त्रीके पास बहुत-सी मालायें हो जाती हैं। उनके यहां मिट्टीकी बनी हुई हरी गुरियाको सबसे अच्छा अलंकार समझा

* आजके रूसी नामसे भिन्न कियेफके इन पुराने लोगोंको "रूस" कहा जाता था।

जाता है। यह मिट्टी जहाजोंपर होती है, जिसको वह बहुत दाम देकर खरीदते हैं—एक गुरियाका दाम एक दिरहम। ....अल्लाहके सृष्टि करनेके समयसे ही ये गंदे हैं, पाखाना-पेशाबके समय सफाई नहीं करते, बिल्कुल जंगली गदहों जैसे। वह अपने नगरसे आकर इतिल (वोल्गा) के घाटपर उतरते हैं—इतिल बड़ी नदी है। नदी-तटपर बहुतसे लकड़ीके घर बने हैं, जिनमें वह ठहरते हैं। एक-एक घरमें दस-बारह आदमी या कम-बेसी जमा हो जाते हैं। प्रत्येकके पास मोढ़ा होता है, जिसके ऊपर वह बैठता है। हरएकके पास अपनी सुन्दरी दासी होती है, जो उसके सामान को देखती है। कभी-कभी वह एक दूसरेके खिलाफ लड़नेके लिये जमा हो जाते हैं और कभी व्यापारके लिये निकलते हैं।....प्रतिदिन सबेरे दासी बड़ी डोलमें पानी भरकर ला अपने स्वामीके पास रख देती है। स्वामी उसमें अपना मुंह, हाथ, बाल और सिर धोता है। उसीमें पोटा-खखार फेंकता है।......जब वह अपना काम कर लेता है, तो दासी डोलको उठा ले जाती है और उसीमें अपने स्वामीकी तरह मुंह धोती-धाती है। इसी तरह उसी बाल्टीके पानी को घरमें रहनेवाले सब इस्तेमाल करते हैं।....अपने मुंह-बालको धोते हैं।

"नावसे आनेपर उनमेंसे हरएक अपनी रोटी, मांस, दूध और पानकी चीजें लेकर बड़े जंगलमें चला जाता है, और पृथ्वीपर बने मनुष्य जैसे चेहरेके सामने.....भेंट-पूजा रखकर कहता है—"स्वामी, बग (भगवान्), अपने सामान और दास-दासीके साथ, सबोलके समूरी छालोंके साथ मैं दूरसे आया हूं।" इस प्रकार अपने सभी सौदोंका नाम गिनाकर फिर कहता है "—मैं तेरे पास यह भेंट ले आया हूं।" फिर वह भेंटको देवताके सामने रखते कहता है—"मैं चाहता हूं, कि तू मेरे व्यापारमें सोना-चांदीके पैसों-को देनेमें सहायता करे।" व्यापार अच्छा होनेके बाद फिर वह प्रार्थना करता है—"मेरे स्वामीने मेरी इच्छा पूरी की, मुझे जरूर उसकी भेंट-पूजा करनी चाहिये।" फिर वह कितने ही बैलों और भेड़ोंको ले जाकर बलि चढ़ा कुछ मांस उसी बड़े वृक्षके नीचे छोड़ देता है, बैलों और भेड़ोंके गलेको उसी वृक्षके नीचे काट-कर जमीनपर रख आता है। जब रात आती है, तो कुत्ते आ उन्हें खा जाते हैं। तब वह फिर कहता है—"मेरा बग (भगवान्) मेरे ऊपर प्रसन्न है, उसने मेरी सारी बलि खा ली!" उनमेंसे जब कोई बीमार पड़ता है, तो उसके लिये एक ओर झोपड़ी बनाकर वहां उसे रख देते हैं। बीमारके लिये थोड़ी-सी रोटी और पानी रखनेके सिवा न कोई वहां जाता है और न उससे बातचीत करता या मिलता-जुलता है। अगर वह अच्छा हो जाता है, तो साथमें जाता है, अगर मर जाता है, तो उसे जला देते हैं। यदि वह दास होता है, तो उसे धरतीपर छोड़ देते हैं, जहां उसे कुत्ते और गिद्ध खा जाते हैं।......

...मुझे बतलाया गया, कि वह मरनेके बाद अपने सरदारोंकी बहुत धूमधामसे अंत्येष्टि-क्रिया करते हैं। ...मैंने उसे देखना चाहा। मुझे उनके एक बड़े आदमीके मरनेकी खबर मिली। मैं उसे देखने गया। उन्होंने अर्थीपर ढांककर मुर्देको दस दिनोंतक रक्खा। इसी बीच मुर्देके कफन सीने और दूसरे काम होते रहे। अंत्येष्टि यही है, कि गरीब आदमीके लिये वह छोटी-सी चिता बना उसपर लाशको रखकर जला देते हैं। धनी आदमी होनेपर उसकी सम्पत्तिको इकट्ठा करके उसके तीन भाग करते हैं, जिसमेंसे एक भाग परिवारको मिलता है, दूसरे भागसे वह कपड़ा-लत्ता खरीदते हैं और तीसरे भागसे श्राद्धके दिनके खान-पानकी चीजें लाते हैं। अपने स्वामीके मरनेके बाद उसकी दासी साथ जलती है। वह उसे रात-दिन शराब पिलाकर मस्त रखते हैं, जिससे कोई-कोई हाथमें प्याला लिये ही मर जाती है। जब कोई सरदार मर जाता है, तो उसका परिवार मृतपुरुषके दास-दासीसे पूछता है—"तुममेंसे कौन स्वामीके साथ मरेगा?" उनमेंसे कोई कह उठता है—"मैं"। जब एक बार 'मैं' कह दिया, तो उसके लिये मरना अनिवार्य हो गया, वह अपनी बातसे मुकर नहीं सकता।...अधिकतर साथ जलनेका काम दासियां करती हैं। जब वह आदमी मरा, जिसके बारेमें मुझे बतलाया गया था, तो उसकी दासियोंसे पूछा गया—"कौन उसके साथ मरेगा?" उनमेंसे एक दासीने कहा—'मैं'। उन्होंने उसी समय उसके ऊपर दो दासियां नियुक्त कर दीं, जिसमें वह उसकी रखवाली करें।..मृतकके लिये वह दूसरे काम करने लगे। उन्होंने कफन तैयार किया और जो दूसरी आवश्यक चीजें थीं, उन्हें भी तैयार किया। दासी रोज खूब आनन्दसे खाती-पीती। जब दाहका दिन आया, तो मैं भी नदीपर गया, जहां चिता तैयार थी।....चिताके ऊपर बहुत-सी लकड़ियां रक्खी थीं। उसीके ऊपर लाकर अरथीको रख दिया गया। फिर वह मेरी समझमें न आनेवाली

भाषामें कुछ कहते हुये एकके-पीछे एक चलने लगे। लाश अब भी अर्थीमें पड़ी थी। फिर उन्होंने मोढ़ा ला चितापर रख उसे ग्रीक रेशमी कपड़े, तकिये आदिसे ढांक दिया। फिर एक बूढ़ी स्त्री आई, जिसे कि वह लोग मृत्युका देवता (यमदूता) कहते हैं। वह मोढ़े पर बैठ गई। उसीके कहनेके अनुसार सिलाई तथा दूसरे काम होते हैं। वही दासीको मारती है।..उन्होंने उसे चितापर बैठा दिया, फिर मरनेवालेके पहने हुए कपड़ेको वहां रक्खा।....उसीके सामने उन्होंने मद्य, फल और वाद्ययंत्र (बलालैका) रक्खा। सफेद चेहरा हो जानेके सिवा मुर्देमें कोई परिवर्तन नहीं दीख पड़ता था। उन्होंने उसके ऊपर रेशमी कुर्ता, जामा, संदली, जरीदार जूता आदि रक्खा, सिरके ऊपर रेशमकी बड़ी टोपी रक्खी।.......फिर चितापर उसके कपड़ोंको बिछाकर तकिया रक्खी। फिर पान (मद्य), फल रख दिया। कुत्तोंने आ चिताको गिरा-पड़ा दिया। फिर मृत पुरुषके सारे हथियारोंको उन्होंने क्रमसे उसके पास सजा दिया। फिर उसके दो घोड़ोंको लाकर उन्होंने वहीं तलवारसे मारकर उनके मांसको चितापर रख दिया। फिर वह दो बैल लाये। उन्हें भी उसी तरह मारकर चितापर फेंक दिया। फिर मुर्गी-मुर्गा लाये, उन्हें भी मारकर वहीं डाल दिया। फिर मरनेके लिये तैयार दासी लाई गई,......जिससे हरएकने कहा—"अपने स्वामीसे कहना, कि हमने केवल उसके प्रेमसे यह सब किया।" दासीने अपना पैर चितापर रख अपनी भाषामें कुछ कहा। उसे हटा दिया गया। फिर उसने वही किया, जो कि पहली बार किया था। फिर उसे तीसरी बार हटाया गया। उसने फिर वही किया। ...फिर उसे उन्होंने मुर्गी दी जिसे उसने सिर मरोड़कर फेंक दिया। उन्होंने मुर्गीको उठाकर उसी चितामें डाल दिया। मैंने दुभाषियेसे पूछा, कि उस दासीने क्या कहा? उसने जवाब दिया—'उसने पहली बार कहा—'हां, मैं अपने बाप और अपनी मांको देखती हूं।' दूसरी बार उसने कहा—'हां, मैं देखती हूं अपने मरे हुये बंधुओंको, मानो वह (यहां) बैठे हुये हैं।' फिर उसने तीसरी बार कहा—'हां, मैं देखती हूं अपने स्वामीको, जैसे वह बड़े सुन्दर हरे-भरे राइ (स्वर्ग) में बैठे हैं, उनके साथ पुरुष और बच्चे भी हैं। वह मुझे बुला रहे हैं। मुझे उनके पास ले चलो।' पीछे उसे चितापर ले गये, और चीजें निकालकर उस यमदूता बुढ़ियाको दे दीं, जो दासीको मारने जा रही थी। फिर बुढ़ियाने पैरोंके कड़ोंको निकालकर, उनमेंसे दोको दासीको दे दिया।...फिर उसे चिताके पासकी झोपड़ी म ले गये, जहां पुरुषोंने उसे प्यालेमें शराब लाकर दिया। उसने उसे पिया। दुभाषियेने मुझसे कहा, 'वह अपनी सहेलियोंके साथ प्रार्थना कर रही है।' फिर उसे दूसरा प्याला दिया गया। उसने उसे ले पीते हुये एक लम्बी गीत गाई। लेकिन बुढ़िया प्याला पीनेसे रोककर उसे वहां ले गई, जहां उसका स्वामी लेटा हुआ था। मैं देख रहा था, कैसे वह छटपटा रही थी।.....उसने अपने सिरको चौतरे और चिताके बीचमें किया, और बुढ़ियाने गलेसे पकड़कर उसे चौतरेपर पहुंचाया।....फिर पुरुषोंने लकड़ियोंको पीटना शुरू किया, जिसमें कि (दासी का) रोना-चिल्लाना सुनाई न दे, और आगे दूसरी दासियां डरकर अपने स्वामीके साथ मरनेसे इन्कार कर दें।....फिर मरनेवाली दासीको लाकर उसके स्वामीकी बगलमें रख दिया—दो ने उसके पैरोंको पकड़ रखा था, दोने उसके हाथोंको, यमदूता बुढ़ियाने उसे गलेसे पकड़ा था। पुरुषोंने उसे तान रक्खा था। बुढ़ियाके सामने बड़ा खांडा रक्खा था, जिसे उसने दासीकी पसलियोंके बीचमें घुसेड़ दिया। दो पुरुषोंने भी उसपर प्रहार किया। अभी भी वह मरी नहीं थी। फिर मृत पुरुषके बहुत नजदीकके संबंधीने आकर एक जलती लकड़ी उठा उससे चितामें आग लगा दी।....फिर दासीको उसके स्वामीके पास ले आकर रख दिया गया। इसके बाद लकड़ीके टुकड़ोंको लिये लोग आये और उन्हें चिताके काठपर फेंक दिया। आग पहले घासमें लगी, फिर चितामें, फिर लाशमें। आग जलने लगी। इसी समय जोरकी हवा चली, जिससे आगकी लपटें धांय-धांय करके बलने लगीं। मेरे पास एक रूस पुरुष खड़ा था। उसने मुझसे कुछ कहा। मैंने दुभाषिये से पूछा—'उसने क्या कहा।' दुभाषियेने जवाब दिया—'वह कहता है, अरबके लोग (मुसलमान) मूर्ख हैं। वह जिस आदमीसे प्रेम करते हैं, उसे ले जाकर जमीनमें गाड़ देते हैं, जहां उसे कीड़े-मकोड़े खा जाते हैं। हम (रूस) तो उसको आगमें जला देते हैं और वह तुरन्त राइ (स्वर्ग) में चले जाते हैं।' फिर उसने मुस्कराते हुये लम्बी हंसी हंसते कहा-'देखो, इसीसे खुश होकर भगवान्‌ने हवाको भेजा है।...फिर नदीके तटपर सजाई चिताकी जगहपर श्वेत सफेदा-वृक्षके टुकड़ेपर उस पुरुष और रूसोंके राजाका नाम लिखकर रख दिया गया।'

यह स्मरण रखनेकी बात है, कि भारतमें सतीप्रथा शकोंके साथ ईसवी-सन्के आरंभमें आई। हमारे शक तथा रूसी एक ही वंशके थे, यह हम बतला चुके हैं। इसीलिये दोनोंकी सतीक्रियामें कितनी ही समानता देखकर आश्चर्य करनेकी आवश्यकता नहीं है।

४. ओलगा, ईगर-पत्नी (९४५-५७ ई०)

ईगरका उत्तराधिकारी उसका पुत्र स्व्यातोस्लाव छोटा बच्चा था, इसलिये राज्यका शासन उसकी मां ओलगाने संभाला। ओलगा स्लाव थी, इसलिये रूरिककी तीसरी पीढ़ीमें स्व्यातोस्लाव भाषा और आकृति सबमें स्लाव था।

५. स्व्यातोस्लाव I, ईगर-पुत्र (९५७-७३ ई०)

स्व्यातोस्लावने अपने बाप-दादोंके विजय और वीरतापूर्ण कामोंको और आगे बढ़ाया। उसका सारा जीवन अभियानोंमें बीता। वह कभी अपनी यात्राओंमें रसदकी गाड़ियां नहीं ले जाता, अपने घोड़ेकी जीनका तकिया बनाकर धरतीके ऊपर सो जाता और आधे पके हुये घोड़ेके मांसको खाता। स्व्यातोस्लावने कभी धोखा देकर शत्रुपर आक्रमण नहीं किया। जब किसीके विरुद्ध चढ़ाई करता, तो पहलेसे दूतद्वारा संदेश भेज देता---'मैं तुम्हारे विरुद्ध कूच करना चाहता हूं।'

स्व्यातोस्लावसे पहले ही द्नियेपर-उपत्यका और इलमन सरोवरका प्रदेश कियेफ राज्यमें सम्मिलित था। स्व्यातोस्लावने पहले द्नियेपरसे पूरबमें रहनेवाली स्लाव-जातियोंकी ओर ध्यान दिया और ओका-उपत्यकाके व्यातिची लोगोंको जीतनेके बाद दूसरोंके ऊपर आक्रमण किया। १० वीं शताब्दीके साठवें सालके आसपास उसने वोल्गाके किनारेके बुल्गारों और खाजारोंको हराया, फिर उत्तरी काकेशसपर आक्रमण कर वहांके कसोबी (चिरकास) और यासी (ओसेती) जातियोंकी भी वही हालत की। ९६७ ई० में उसने दन्यूबतटवासी बुल्गारोंके ऊपर चढ़ाई की, जो अब नामके ही बुल्गार थे, नहीं तो भाषा, आकृति आदिमें उसी स्लाव जातिके थे, जिसका कि उनका विजेता। इस आक्रमणका यही कारण था, कि बुल्गार अपने पड़ोसी ग्रीक (पूर्वी रोम) सम्राट्पर बराबर आक्रमण करते उन्हें जबर्दस्त हारपर हार दे रहे थे। ग्रीक रोकनेमें असमर्थ थे, इसलिये उन्होंने स्व्यातोस्लावको मददके लिये बुलाया। उसने बुल्गारोंको पूरीतौरसे हराकर दन्यूबतटपर अवस्थित बुल्गारियाकी राजधानी पेरेया (स्लावेत्स) में स्थायी तौरसे अपनी छावनी स्थापित करनेकी योजना बनाई। स्व्यातोस्लावने कहा---'यहां यह मेरे देशका केंद्र है। यहां सभी अच्छी चीजें---सोना, कीमती कपड़े, शराब और फल ग्रीकोंकी ओरसे प्रवाहित होते रहते हैं, चेकों तथा मगयारोंके देशोंसे चांदी और घोड़े एवं रूसोंके देशसे समूरी छाल, मधु, मोम और दास-दासियां आती हैं।"

स्व्यातोस्लावके रूपरंगके बारेमें ग्रीक ऐतिहासिकोंने लिखा है---"वह कदमें मंझोला--न बहुत बड़ा न बहुत छोटा था, उसकी भौहें घनी, आंखें नीली, नाक छोटी, दाढ़ी मुंड़ी और सिर घुटा था। केवल खोपड़ीके ऊपरी भागमें लंबे बाल थे।.....उच्च कुलका परिचायक बालोंका एक गुच्छा (शिखा) उसके सिरमें एक ओर था। उसकी गर्दन मोटी, कंधा चौड़ा, सारा शरीर सुन्दर सुडौल था।.....उसके एक कानमें सोनेका मणिजटित कुंडल था।.....उसकी पोशाक एक सफेद स्वच्छ कुर्तेके सिवा और कुछ नहीं थी।"

रूरिक-संतानोंके शासनके समय रूसके भिन्न-भिन्न स्थानोंमें निम्न राजुल थे---नवोगोरद, रस्तोफ-सुज्दल, मुरमो-र्याजन, स्मोलेन्स्क, कियेफ, चेर्नीगोफ, सेवेर, पेरेयास्लाव्ल, वोलिन्स्क, गालित्स, पोलोत्स, तूरोफ-पिन्स्क, जिनके नीचे कितने ही छोटे-छोटे ठाकुर होते थे। कालासागरके पासवाला मैदान उस समय तुर्कोंके हाथमें था, जो पेचेनेग, तुर्की, वेरेन्दे, चेर्नीक्लोबुक (कराकल्पक) जैसे भिन्न-भिन्न कबीलोंमें बंटे थे---पेचेनेगोंका देश कियेफकी भूमिसे एक दिनके रास्तेपर पड़ता था।

६. व्लादिमिर, स्व्यातोस्लाव-पुत्र (९७३--१०१५ ई०)

स्व्यातोस्लावको अपने अभियानोंसे फ़ुर्सत नहीं थी। अपनी अनुपस्थितिमें राज्यका भार उसने अपने तीन पुत्रोंपर छोड़ रक्खा था। ज्येष्ठ पुत्र यारोपोल्क पोलेयानोंकी भूमि—जिसमें कियेफ नगर भी था—का शासन करता था। ओलेगके अधीन द्रेव्ल्यानोंकी भूमि थी, और नवोगोरद व्लादिमिरको मिला था। बापके मरते ही तीनों भाइयोंमें झगड़ा शुरू हुआ। यारोपोल्क और ओलेग युद्धमें काम आये, और पूर्वी स्लावोंकी भूमि व्लादिमिरके शासनमें एकताबद्ध हो गई। इसके बाद व्लादिमिरने गालिच (हालिज) के प्रदेशको अपने राज्यमें मिलाया और विरोध करनेवाले पोलोंके ऊपर आक्रमण किया। व्लादिमिरने अपने पड़ोसी लिथुवानियोंपर भी आक्रमण किये, लेकिन उसका ध्यान सबसे अधिक पेचेनेगोंकी ओर था, जो कि उसकी दक्षिणी सीमापर आक्रमण करते रहते थे। उसने इन घुमंतुओंसे प्रतिरक्षाके लिये जगह-जगह गढ़ियां बनवाईं और वहां अपने लड़ाकू लोगोंको लाकर बसा दिया।

ईसाई-धर्म स्वीकार—अभी तक कियेफ़ रूस अपने पूर्वजोंके धर्मपर ही आरूढ़ थे। यद्यपि उनका व्यापारिक और सैनिक तौरसे भी ग्रीसके साथ घनिष्ठ संबंध था, जिसके कारण ईसाई पुरोहित भी अपने व्यापारियोंके साथ उनके यहां आया करते थे। ईगरके समय भी कियेफमें ईसाइयोंके कुछ गिर्जे थे। पहले ही निकोलाइ ख्रिसोवेर्द (९७९–९९१ ई०) ईसाई-प्रचारक बनाकर स्लावोंमें भेजा गया था। इसमें संदेह नहीं कि आभिजात्य वर्गमें कितने ही ईसाई-धर्मको स्वीकार कर चुके थे, तो भी अभी अपने जनयुगके (कबीलाशाही) पूर्वजोंके धर्मको रूस छोड़ना नहीं चाहते थे। जनयुगका धर्म अपने-अपने कबीलों देवताओं और रीति-रवाजोंके साथ घनिष्ठतापूर्वक सम्बद्ध रहता है। जब राज्योंकी सीमा कबीलोंको तोड़कर आगे बढ़ती है, तो राज्य की एकतामें कबीलाशाही धर्म बाधक होता है, फिर किसी सामन्ती धर्म को स्वीकर करनेकी जरूरत पड़ती है, ता कि वह राजा और भिन्न-भिन्न कबीलोंवाली प्रजाके भीतर पहिले के रक्तसंबंधके टूटनेपर अपने (धर्म) द्वारा एक नये संबंधको स्थापित करे। स्लावोंसे बाहरभी राज्यविस्तार होनेके कारण अब व्लादिमिरको एक व्यापक धर्मकी अवश्यकता पड़ी। इसके लिये उसका ध्यान यहूदी धर्मकी ओर भी गया था—हमें मालूम है, कि खाजार खगान यहूदी धर्मके माननेवाले थे। पुरानी ऐतिहासिक परंपरासे मालूम होता है, कि ९८६ ई० में व्लादिमिरने यहूदी धर्म स्वीकार करना इन्कार कर दिया। रूसोंके सगे भाई बुल्गारियावाले ईसाईधर्मको स्वीकार कर चुके थे। काला समुद्रके उत्तरी और पूर्व-उत्तरी तटपर क्रिम, खोरसुन आदि नगरोंमें धनी ईसाई ग्रीक व्यापारी रहते थे, जिन्होंने वहां अच्छे-अच्छे गिर्जे बना रक्खे थे। व्लादिमिरने रोम-दरबार की तड़क-भड़क, उसके कला-कौशल और विचार-धारा को भी देखने-सुननेका मौका पाया था। अपने पास-पड़ोसकी गौरांग जातियोंमें इस्लामको न फैला देखकर उसकी ओर उसका आकर्षण नहीं हो सकता था। इन सामान्ती धर्मोंके मुकाबिलेमें स्लावोंका पुराना धर्म ओझा-सयाना-पुरोहितोंका धर्म था, इसमें पुराने जनयुगीन ठाकुरोंकी प्रतिष्ठा अधिक थी, जो नवजात उच्चवर्ग के लोगोंको सम्मान नहीं देना चाहते थे, जो कि उनके लिये प्राचीन कालसे सुरक्षित था। इन्हीं नये अ-कुलीन ठाकुरोंने पहिले ईसाईधर्मकी ओर हाथ बढ़ाया। कहा जाता है, ईगरकी विधवा ओल्गाने भी ईसाई-धर्म स्वीकार किया था, जो असंदिग्ध नहीं है। ९८७ ई० में विजन्तीन साम्राज्यके भीतर एक बड़ा विद्रोह उठ खड़ा हुआ था। इसी समय उत्तरसे दन्यूबके बुल्गारोंने भी हमला करना चाहा, जिसपर विजन्तीन सरकारने व्लादिमिरको सहायताके लिये बुलाया और ९८८ ई० में व्लादिमिरके साथ संधि की। व्लादिमिरने ग्रीक-सम्राट्की बहिन अन्नासे ब्याह करनेकी इच्छा प्रकट की। सम्राट्ने इस शर्त्तपर ब्याह करना स्वीकार किया, कि व्लादिमिर ईसाई-धर्मको स्वीकार करे। उस समय कान्स्तन्तिनोपोलमें दो सम्राट् राज्य कर रहे थे, अन्ना दोनों हीकी बहिन थी। विद्रोह-दमन करनेके उपहारस्वरूप अन्ना मिलनेवाली थी, लेकिन जब काम निकल गया, तो सम्राटोंने अपने वचनको पूरा करनेमें ढिलाई दिखानी शुरू की। इसपर व्लादिमिरने आक्रमण करके क्रिमिया प्रायद्वीपके खेर्सोनेस (खोरसोन) नगरको घेर लिया, और विजन्तीनको अपना वचन पालनेके लिये मजबूर किया। उसी समय व्लादिमिरने ग्रीक-चर्चकी पद्धतिके अनुसार बपतिस्मा ले राजकुमारी अन्नासे ब्याह किया। ९८८ ई० में खोरसोनसे रानी अन्नाके साथ कियेफ लौटने पर उसने कियेफके सारे लोगोंको जबर्दस्ती दुनियेपर नदीमें

डुबकी लगवा ग्रीक-पादरियोंद्वारा उन्हें बपतिस्मा दिलवाया। धर्मान्धिताके पागलपनमें पुराने स्लाव-देवताओंकी मूर्तियां—जो अधिकतर काठकी होती थीं—जला दी गईं। महादेवता पेरुनकी एक मूर्ति द्नियेपरमें फेंक दी गई। इसी तरह जबर्दस्ती बपतिस्मा दिलवा थोड़े ही दिनोंमें प्रायः सारे नागरिक रूस ईसाई बना दिये गये, लेकिन गांवोंमें पेरुन-पूजकोंकी समाप्ति इतनी जल्दी नहीं हो पाई।

७. स्व्यातोपोल्क I, व्लादिमिर-पुत्र (१०१५-१९ ई०)

व्लादिमिरके मरते ही उसके पुत्रोंमें गद्दीके लिये जो भयंकर संघर्ष शुरू हुआ, उसमें स्व्यातोपोल्कने अपने भाइयों—बोरिस, ग्लेब और स्व्यातोस्लाव—को मारकर कियेफकी गद्दी ले ली। इसपर पिताके समयसे ही नवोगोरदका शासक व्लादिमिर-पुत्र यारोस्लावने नवोगोरदवालोंकी मददसे स्व्यातोपोल्कपर आक्रमण किया। स्व्यातोपोल्क हारकर अपने ससुर पोलन्दके राजुलके पास भाग गया। दामादकी मदद करनेके लिये पोलन्द राजुल बोलेस्लाउस्ने रूसपर आक्रमण किया और पश्चिमी बुगके किनारे यारोस्लावको हरा कियेफमें दाखिल हो अपने दामादको गद्दीपर बिठाया। पोलोंने इतने हीसे संतोष न कर देशमें लूट-पाट मचानी शुरू की, जिसका प्रतिरोध रूसोंने भी बहुत जोरसे किया। जब लूट-पाटकर नगरों और गांवोंमें जाड़ा बितानेके लिये पोल इकट्ठा हुये, तो लोगोंने विद्रोह करके उन्हें मार डाला। बची-खुची सेनाके साथ बोलेस्लाउस् पोलन्द भागा। पोलोंकी सहायतासे वंचित स्व्यातोपोल्कको यारोस्लाव और उसके नवग्रादियोंके हाथ हार खानी पड़ी और भागते समय वह मारा गया।

८. यारोस्लाव I, व्लादिमिर-पुत्र (१०१९–५४ ई०)

यारोस्लाव अब कियेफ और नवोगोरदका महाराजुल बना, लेकिन अभी भी एक प्रतिद्वंद्वी उसका भाई म्स्तिस्लाव मौजूद था, जोकि काकेशसके समीप तमन प्रायद्वीपमें तमूतरकानका शासक था। उसने आक्रमण करके यारोस्लावसे सेवेर्स्क भूमि तथा चेरनीगोफ नगरको छीन लिया। द्नियेपर नदी दोनों भाइयोंकी सीमा बनी। १०३६ ई० में भाईके मर जानेपर सेवेर्स्क प्रदेशको फिर यारोस्लावने कियेफ-राज्यमें मिला लिया। यारोस्लावके समय ईसाई-धर्मने कियेफ-रूसोंपर पूर्ण विजय प्राप्त की, ईसाई-चर्च (धर्मसंघ) का संगठन हुआ, और कान्स्तन्तिनोपोलके महासंघराजने रूसोंके लिये एक संघराज नियुक्त किया। कियेफके पास पेचेर्स्क-मठ इसी समय बना, जिसने शासकवर्गमें शिक्षा फैलानेमें बड़ा काम किया।

कियेफ-राज्य अब युरोपके महत्त्वपूर्ण राज्योंमेंसे था। ग्रीक-संबंधके कारण उसका सांस्कृतिक तल भी ऊंचा हो गया था। यारोस्लाव-परिवारका संबंध अब पश्चिमी युरोपके राजघरानोंसे होने लगा था। यारोस्लावकी बहिन पोल-राजासे ब्याही थी। उसके दामादोंमें फ्रांस, नार्वे और हुंगरी (मगयार) के राजा थे। यद्यपि यारोस्लावने पोलन्दकी सहायतासे सिंहासन पाया था, लेकिन अब वह इतना शक्तिशाली था, कि पोलन्दके भीतरी मामलोंमें दखल देता था। बोलेस्लाउस्के मरनेके बाद पिताके राज्यसे छीने गये गालिच प्रदेशको उसने फिर ले लिया। १०४३ ई० में उसने अपने पुत्र व्लादिमिरके नेतृत्वमें एक असफल अभियान कान्स्तन्तिनोपोलके विरुद्ध भेजा। पश्चिमकी ओर बाल्तिक प्रदेशपर जर्मन आक्रमण करने लगे थे। यारोस्लावने प्रतिरक्षाके लिये यूरियेफ (एस्तोनियामें तरतू) नगरको बसाया, और बाल्तिकके लोगोंको अपने अधीन कर लिया। उसने वोल्गाके किनारे अपने नामसे यारोस्लाव्ल नगर बसाया। दक्षिणमें पेचेनेगोंसे उसका संघर्ष बराबर जारी रहा।

यारोस्लावके समयमें ही पहला कानून-ग्रंथ (विधान-संहिता) "यारेस्लाव्स्की-प्राव्दा" के नामसे संपादित हुआ, जिसपर ईसाई बिजन्तीन कानूनोंका प्रभाव स्पष्ट दिखलाई पड़ता है। इसी प्राव्दा (सत्य) द्वारा जनयुगसे चले आते खूनका बदला लेना सारी जातिके लिये आवश्यक होनेकी जगह परिवारके सदस्योंतक ही सीमित करते हुये कहा गया—"अगर कोई आदमी दूसरेको मार डाले तो भाई का बदला भाई ले, बापका बदला पुत्र, पुत्रका बदला भाई-भतीजा-भांजा भी। अगर कोई बदला

लेनेवाला न रह जाय, तो मरे हुये आदमी के लिये चालीस ग्रिवना (दो सौ ग्रामकी चांदीकी सिल्ली) देना होगा।" यारोस्लावके पुत्रके शासनकालमें बदला लेनेके विधानको ही उठा दिया गया, और इस प्रकार जनयुगकी एक पुरानी प्रथाको सामंतयुगने समाप्त कर दिया।

सुव्यवस्थित रूसी चर्चके स्थापित हो जानेपर अब बाकायदा पुस्तकें भी लिखी जाने लगीं, बाइबल तथा दूसरे धार्मिक ग्रंथोंके साथ-साथ ग्रीक इतिहास-ग्रंथोंका अनुवाद करते, रूसी लिखित साहित्यका आरंभ किया गया। यारोस्लावके समयमें ही रूसका इतिहास लिखनेका प्रथम प्रयत्न किया गया, जिसे कि उसके मरनेके बाद पेचेर्स्क-मठने संपादित किया। इसको "आरंभिक-इतिहास" (नचल्नया लेतोपिस्) कहते हैं। इसमें राजुलोंकी जीवनियां, और बहुत-सी कहानियां जमा की गई हैं। मूल पुस्तक अपने १११६ और १११८ के संशोधित संस्करणोंके रूपमें "पुराने वर्षोंका इतिहास" के नामसे अब भी मौजूद है। यारोस्लावके समयमें ही कियेफमें ग्रीक वास्तु-शास्त्रियोंकी देख-रेखमें सोफिया-गिर्जे का निर्माण हुआ। विजन्तीन ढांचेको लेते हुये भी इसमें रूसी वास्तुकलाका सम्मिश्रण किया गया। ११ वीं शताब्दी-की रूसी कलाकी यह सर्वोत्कृष्ट इमारत है। गिर्जेके भीतरकी दीवारोंपर सुन्दर भित्ति-चित्र और फर्श-पर बढ़िया पच्चीकारीका काम है। उस समयके विदेशी यात्री कियेफके वैभवको देखकर उसे "कान्स्तन्तिनोपोलका प्रतिद्वंद्वी" कहते थे। कियेफके नमूनेको लेकर यारोस्लावके पुत्र व्लादिमिरने नवो-गोरदमें भी उसी तरहका सोफिया-गिर्जा बनवाया।

आर्थिक ढांचा—यह कह चुके हैं, कि ९वीं शताब्दीसे पहले रूस कृषिजीवी थे, यद्यपि नगरों और द्नियेपर-उपत्यकासे दूरके जंगलोंमें रहनेवाले अब भी पशुपालनपर अधिक निर्भर करते थे। अभी भी उनका राजनीतिक ढांचा बहुत-कुछ जनयुगीन था, और राजुलोंको अपने लोगोंकी रायका बहुत ख्याल रखना पड़ता था। न पसंद आनेपर लोग साफ जवाब देते थे—"राजुल, हम तो नहीं जाते, तू अपनी लड़ाई जाके लड़।" लेकिन ११ वीं शताब्दीमें पहुंचते-पहुंचते जनयुगीन ढांचेके स्थानपर सामंती ढांचा कायम हो गया था, जिससे जहां सामंतोंकी शक्ति बढ़ी, वहां साधारण जनतामें सांपत्तिक विषमता भी बढ़ी। कुछ लोगोंके पास भूमि और संपत्ति अधिक आ गई, और इस प्रकार बहुत खेतोंवाले धनी जमींदारोंका एक वर्ग पैदा हो गया, जिन्हें **बायर** कहा जाता था। ये राजुलोंके बड़े सहायक थे। इनके अतिरिक्त मठोंके पास भी बहुत धन-धरती हो गई। उनके महंत भी बायरोंकी तरह राजुलोंके समर्थक थे। अबतक धरतीपर जो वैयक्तिक नहीं बल्कि पंचायती अधिकार चला आता था, वह खतम होने लगा। बड़े-बड़े शहरोंके आसपास राजुलों, बायरों और मठोंके गांव बस गये थे। दास अभी तक लूटकर बेंचनेके ही काममें आते थे। खेतोंमें काम करनेके लिये गरीब किसान और मजदूर ज्यादा लाभदायक समझे जाते थे, जिन्हें कि कर्ज खिला या दूसरी तरहसे जमींदार अपना बंधुवा बना लेते थे। लेकिन अभी ११वीं शताब्दीमें भी अधिकांश किसान समूहबद्ध होकर रहते राजुलोंको केवल कर दे दिया करते थे। ११ वीं शताब्दीके अन्ततक यह स्वतंत्र किसान-समूह बहुत-कुछ अपने अधिकार खो चुके थे। बहुत दबानेसे जातीय स्वतंत्रताकी भावना जब कभी जाग उठती, तो वह राजुलों और बायरोंके खिलाफ विद्रोह कर उठते, या अन्यत्र भाग जाते। भागा हुआ किसान पकड़नेपर दास बना दिया जाता।

"रुस्कया प्राव्दा"—यारोस्लावके समय निर्मित विधान (प्राव्दा) के आधारपर ही उसके पुत्रों और पौत्रोंके समय "रुस्कया प्राव्दा" (रूसी विधान) के नामसे एक विधान-संहिता बनी, जिसमें उन विधानोंको खासतौरसे स्थान दिया गया, जिनके द्वारा जनसाधारणको जमींदारों (बायरों) और सामंतों की संपत्तिपर हाथ बढ़ानेसे रोका जाता था—खेतकी मेंड़ तोड़ने और पशुओंके चुराने आदिके अपराधमें जुर्मानोंका विधान किया गया। बायरका अपने दास और अर्धदास रियायापर क्या अधिकार है, इसे भी उसमें बतलाया गया। जनयुगसे खूनके बदलेमें खूनीसे सारे कबीलेको बदला लेनेका जो अधिकार चला आता था, और जिसे यारोस्लाव-प्राव्दाने केवल परिवारके व्यक्तियोंतक ही सीमित कर दिया था, उसकी जगह अब "रुस्कया प्राव्दा" ने "विरा" (अर्थदंड) का विधान करते उसका परिमाण चालीस ग्रिवना निश्चित कर दिया—बायरको मारनेपर यह जुर्माना दूना (अस्सी ग्रिवना) देना पड़ता, लेकिन

दासके मारनेपर विरा न दे केवल दास-स्वामीको पचास ग्रिवना दे देना पर्याप्त समझा जाता था। "रुस्कया प्राव्दा"में यह भी कहा गया है--"अगर किसी आदमीपर तलवारसे प्रहार किया गया हो लेकिन वह मरा न हो, तो तीन ग्रिवना जुर्माना, और घावकी चिकित्साके लिये आहत आदमीको एक ग्रिवना पानेका अधिकार होगा। अगर एक दांत तोड़दिया गया हो और मुंहसे खून निकला हो, तो जुर्माना बारह ग्रिवना और दांतके लिये एक ग्रिवना देना होगा।" मधु अब भी आयका एक अच्छा साधन समझी जाती थी और चीनी-गुड़के अभावमें रूसोंके लिये वही एकमात्र मिठाईकी चीज थी। शराब बनानेमें भी उसका बहुत व्यवहार होता था, इसीलिये "रुस्कया प्राव्दा" ने विधान किया था--"अगर कोई आदमी ऐसे वृक्षको काटे, जिसमें जंगली मधु-मक्खियां रहती हों, तो तीन ग्रिवना जुर्माना और आधा ग्रिवना वृक्षका (दाम) देना होगा।"

पहले चीजोंके विनिमयका माध्यम जंगलके इलाकोंमें पशु-चर्म और खेतवाले इलाकोंमें पशु था। इसीलिये पुराने समयमें पैसेको "स्कोत" (पशु) या "कुनी" (चर्म) कहते थे। रूसोंके पास अपना सिक्का नहीं था। अरबों, ग्रीकों या पश्चिमी युरोपवालोंके सिक्के उस समय रूसोंमें भी चला करते थे। ११ वीं शताब्दीके आरंभसे ग्रीक सिक्कोंकी नकल करते कियेफ रूसोंने भी थोड़ेसे अपने-अपने सिक्के ढाले, जिनके ऊपर राजुलका चेहरा बना रहता--सिक्कोंका रवाज अधिकतर नगरोंमें था।

९. इज्यास्लाव, यारोस्लाव-पुत्र (१०५४--७३ ई०)

यारोस्लावके मरनेके थोड़े ही दिनों बाद रूसोंकी एकता भंग होने लगी और यारोस्लावके पुत्र स्वतंत्र रूपसे अपने-अपने प्रदेशोंपर शासन करने लगे। सबसे बड़ा लड़का इज्यास्लाव कियेफ और नवो-गोरदका स्वामी बना। द्नियेपरके वणिक्पथपर ये दोनों बहुत महत्त्वपूर्ण नगर थे, इसलिये इज्यास्लावका स्थान बहुत महत्त्व रखता था। दूसरे पुत्र स्व्यातोस्लावको चेर्निगोफका इलाका मिला और व्सेवोलदको पेरेयास्लाव्ल और रोस्तोफ-सुज्दल। दूसरे इलाके दूसरे राजकुमारोंके हाथोंमें चले गये। पहले तीनों बड़े लड़के आपसमें मेलसे रहते, मिलकर शत्रुओंसे देशकी प्रतिरक्षा करते थे, कभी-कभी इकट्ठा होकर राजकाजकी बातोंमें सलाह भी करते थे। १०६८ ई० में जब कियेफके कारीगरों और किसानोंने विद्रोह किया, तो उन्होंने इकट्ठा होकर अपने बापकी "प्राव्दा" का संशोधन और परिवर्धन किया। यारोस्ला-वके पुत्रोंके सबसे भयंकर शत्रु थे तुर्कजातीय पोलोवत्सी---अपनी भाषामें इनका नाम दूसरा ही होगा, लेकिन रूसी उन्हें इसी नामसे पुकारते थे। यारोस्लावके शासनके खतम होनेके समय ११ वीं शताब्दीके मध्यमें ही पूरबसे आकर पोलोवत्सियोंने आक्रमण करके कालासागरके उत्तरवाली मैदानी भूमिपर अधिकार कर लिया और वहां रहते पेचेनेगोंको पश्चिममें दन्यूबकी ओर भगा दिया। पोलोवत्सी घुमंतू पशुपाल थे। उनके बहुतसे छोटे-छोटे कबीले थे, जिनके अपने-अपने खान (राजा) हुआ करते थे। पशुओंपर निर्भर होनेके कारण वह एक जगहसे दूसरी जगह घूमा करते और समय-समयपर रूसोंकी भूमिपर चढ़ाई कर उनके पशुओं और पुरुष-स्त्रियोंको पकड़कर लौट जाते। उनका आक्रमण बड़ा ही भयंकर और अचानक होता। ग्रीक लेखक उनके बारेमें कहते हैं--"पोलोवत्सी पलक मारते-मारते प्रकट होकर लुप्त हो जाते हैं। आक्रमण खतम होते ही लूटके मालसे लदे अपने घोड़ोंको कोड़ोंसे मारते वह आंधीकी तरह निकल जाते हैं, मानो वह उड़ती हुई चिड़ियाको पकड़ना चाहते हैं। तुम्हारे आंख उठाकर देखनेसे पहले ही वह निकल चुके रहते हैं।" १०६८ ई० में इज्यास्लाव अपने दोनों भाइयों स्व्यातोस्लाव और व्सेवोलदके साथ पोलोवत्सियोंको दबानेके लिये गया, लेकिन बुरी तरहसे हारकर उन्हें युद्ध-क्षेत्रसे भागना पड़ा। इज्यास्लाव कियेफ पहुंचा। पोलोवत्सियोंके आक्रमणों और लूटमार से संत्रस्त किसानोंने इकट्ठे हो इज्यास्लावसे मांग की, कि हमें हथियार दो और साथ चलकर शत्रुओंसे लड़ो। इज्यास्लावको भय लगने लगा, कि कहीं वह हथियार मेरे ही विरुद्ध न उठाये जायं। उसके इन्कार करनेपर लोगोंने राजुलके महलको लूट और बरबाद कर, उसकी जगह उसकेद्वारा जेलखानेमें बंद कोलोत्सके राजुल व्सेस्लावको मुक्त कर कियेफका राजुल घोषित किया। इज्यास्लाव भागकर पोलंद पहुंचा, जहांसे पोल राजा बोलेस्लाउस्की सहायता ले कियेफ लौटा। व्सेस्लाव विश्वासघात करके

चुपचाप रातको पोलोत्स्क भाग गया। इज्यास्लावने लोगोंसे भारी खूनी बदला लिया। पोल सैनिक कियेफ राज्यके नगरोंमें जगह-जगह छावनी डालकर रहने लगे। उन्होंने अपने अत्याचारोंसे इतना तंग किया, कि लोगोंने जानपर खेलकर उनकी हत्या कर डाली।

पोलोवत्सी जैसे जबर्दस्त शत्रु सिरपर थे, तो भी यारोस्लावके बेटोंकी एकता देरतक नहीं रह सकी। विदेशियोंसे मदद लेकर इज्यास्लावने फिरसे सिंहासनपर अधिकारकर जनताके ऊपर जो अत्याचार किये, उनसे लोगोंमें उसके प्रति भारी घृणा पैदा हो गई। इससे फायदा उठाकर १०७३ ई० में स्व्यातोस्लाव और व्सेवोलदने आक्रमण करके इज्यास्लावको कियेफसे भगा दिया। अब स्व्यातोस्लाव कियेफकी गद्दीपर बैठा।

स्व्यातोस्लाव, यारोस्लाव-पुत्र (१०७३--१११३ ई०)

स्व्यातोस्लाव थोड़े ही दिनोंतक भाईको सिंहासनसे वंचित रख सका। इज्यास्लाव भागकर जर्मन-सम्राट् और रोमके पोपके पास मदद मांगने गया, और अंतमें पोलोंकी मददसे उसने फिर अपने सिंहासनको प्राप्त किया, लेकिन वह थोड़े ही समय बाद अपने भतीजोंसे लड़ते हुये मारा गया।

यारोस्लावके पौत्रोंमें भी बराबर संघर्ष जारी रहा—कभी कोई किसीको भगाता और कभी कोई फिरसे अपने राज्यको प्राप्त करता। आपसकी लड़ाई और पोलोवत्सियोंके आक्रमणोंसे देशकी हालत बहुत बुरी हो गई थी। इसीलिये १०९७ ई० में कुछ प्रभावशाली राजुलोंने ल्यूबेकमें जमा होकर सोचा—"हम क्यों रूस-भूमिको नष्ट कर रहे हैं?" उन्होंने कहा—"हम आपसमें एक दूसरेके साथ विश्वासघात करनेका उपाय सोच रहे हैं। पोलोवत्सी हमारे देशका तहस-नहस करते इस बातसे प्रसन्न हैं, कि हम आपसमें लड़ रहे हैं। आओ, आजसे हम मेलसे रहें।" उन्होंने अंतमें यह निश्चय किया, कि हरएक राजुल अपने पैतृक राज्यको अपने पास रक्खे। अब कियेफ इज्यास्लावके पुत्र स्व्यातो-पोल्कके हाथमें रहा।

१०. स्व्यातोपोल्क II, इज्यास्लाव-पुत्र

जब एक दूसरेके हित परस्परविरोधी हों, तो इस तरहके भावुकतापूर्ण आदर्शवादी फैसले देर तक कैसे माने जा सकते थे? हमने भिन्न-भिन्न देशोंमें ऐसे अवसरोंपर राजुलों और राजाओंकी परिषदें होतीं, और उन्हें अच्छे निर्णयों पर पहुचते देखा है। पर आर्थिक स्वार्थोंकी चट्टानोंके ऊपर उनके चकनाचूर होते भी देर नहीं लगती। स्व्यातोपोल्कको कियेफका अधिकार मिला और उसके चचेरे भाई व्लादिमिरको उसके पिता व्सेवोलदका पेरेयास्लाव राज्य मिला।

११. व्लादिमिर मनोमाख, व्सेवोलद-पुत्र (१११३-२५ ई०)

व्लादिरमिर विजन्तीन-सम्राट् कान्स्तन्तिन मनोमाख का धेवता था। इस सम्बन्धका उसे अभिमान भी था, इसीलिये वह व्लादिमिर मनोमाख (एक-राजा) के नामसे प्रसिद्ध हुआ। परिषद्के उठते देर नहीं हुई, कि फिर राजुलोंमें झगड़ा शुरू हो गया। स्व्यातोपोल्कने अपने एक राजुल भाई वासिल्कोको धोखेसे पकड़कर उसके प्रतिद्वंद्वी दाविद ईगर-पुत्रके हाथमें दे दिया, जिसने उसे अन्धा करके जेलमें डाल वासिल्कोके नगरोंपर अधिकार कर लिया। इसपर व्लादिमिर मनोमाखने दूसरे राजुलोंका नेतृत्व करके वासिल्कोके छुड़ानेके लिये आक्रमण कर उसे मुक्त कर दिया। ११०० ई० में राजुलोंकी दूसरी परिषद् हुई, जिसमें उन्होंने दाविदको व्लादिमिरके सिंहासनसे वंचित कर दिया। आपसी संघर्षके समय पोलोवत्सियोंकी खूब बन आई, और वह रूसकी भूमिमें बहुत भीतरतक लूट-मार करने लगे। परिषद्में मनोमाखने मिलकर पोलोवत्सीके खिलाफ अभियान करनेका प्रस्ताव किया, जिसे मानकर सभी रूसी राजुलोंने व्लादिमिर मनोमाखके नेतृत्वमें पोलोवत्सीके ऊपर चढ़ाई की। सामूहिक शक्तिके सामने पोलोवत्सी बुरी तरहसे हारे, और विजेता रूस ढोरों, घोड़ों, ऊंटों, लूटके माल तथा बन्दियोंके साथ लौटे। ११११ ई०में उन्होंने फिर एक अभियान किया, जिसमें वह पहलेसे भी अधिक सफल रहे।

स्व्यातोस्लाव १११३ ई० में मरा, उसके बाद ही कियेफमें विद्रोह उठ खड़ा हुआ, जो नगरसे दीहातमें फैलने लगा। साधरण जनताके इस विद्रोहका कारण बायरों और सूदखोरोंका अत्याचार था। विद्रोहियोंने शहरमें उनके घरोंको लूटकर नष्ट-भ्रष्ट किया। इसके कारण बायर, महन्त और छोटे-मोटे सामन्त डरने लगे। कियेफके धनियोंने व्लादिमिर मनोमाखके पास संदेश भेजा—"आओ राजुल, कियेफमें। अगर तुम नहीं आओगे, तो यह समझ रक्खो, कि और भी बहुत बुरी बातें होंगी—साधारण लोग बायरों और मठोंको तंग करेंगे।"

व्लादिमिरने अपने अनुचरोंसहित आकर विद्रोहको दबा दिया, लेकिन केवल बलपूर्वक दबानेसे काम नहीं चल सकता था, इसलिये उसने जनसाधारणके ऊपर होने अत्याचारोंको भी कम किया। कियेफ-ले लेनेके बाद व्लादिमिरने देशको और अधिक छिन्न-भिन्न होनेसे बचाना चाहा, और दूसरे राजुलोंको अधीनता स्वीकार करनेके लिये मजबूर किया। जो नहीं मानते थे, उन्हें उनके नगरोंसे वंचित करनेकी उसमें क्षमता भी थी, इसलिये सभी राजुलोंने उसे अपने ऊपर माना। व्लादिमिरने एक बार फिर अपने पुरखोंके वैभवको स्थापित कर दिया। युरोपके दरबारोंमें भी व्लादिमिरकी बड़ी धाक थी। ग्रीक-सम्राट् कान्स्तन्तिन मनोमाख उसका नाना ही था। उसकी एक पोती एक ग्रीक राजकुमारसे ब्याही थी। व्लादिमिरकी बहिन जर्मन-सम्राट्से ब्याही थी, और व्लादिमिर स्वयं इंगलिश-राजाका दामाद था। उस समय विजन्तीन-राज्यमें जो गृह-कलह चल रहा था, उसमें भी उसने दखल दिया। व्लादिमिरकी सेना दन्यूबके किनारेतक पहुंची, और वहां अपने दावेको प्राचीन रूस-भूमि (इस्माईल) पर स्थापित किया।

व्लादिमिर बड़ा ही निर्भीक और बहादुर पुरुष था। उसने अपने पुत्रोंको फटकारते हुए एक बार लिखा था—"अपनी जान बचानेके लिये शत्रुके सामनेसे मैं कभी नहीं भागा और खतरेका सदा निर्भयतापूर्वक सामना करता था। बच्चो, न तुम सेनासे डरो और न पशुसे। तुम्हारा काम पुरुषोचित होना चाहिये।....मैंने रात या दिन, सर्दी या गर्मी कभी अपनेको आराम लेने नहीं दिया।" वह शिकारका बड़ा शौकीन था, जिसमें कई मर्तबे उसने अपनेको खतरेमें डाला। दो मर्तबे जंगली बैलने उसे अपनी सींगपर उठा लिया, एक बार हरिनने सींगसे घायल किया, एक बार एक जंगली सूअरने उसकी बगलसे लटकती तलवारको तोड़ दिया, एक भालूने उसके कपड़ोंको फाड़ डाला और एक भयंकर जानवरने एक बार हमला करके उसे और उसके घोड़ेको गिरा दिया।

व्लादिमिर केवल एक निर्भीक योद्धा ही नहीं बल्कि शिक्षित पुरुष भी था। राजपरिवार-में शिक्षा और संस्कृतिका अधिक प्रसार होनेसे उसे भी शिक्षित होना ही था। उसका पिता व्सेवोलद एक शिक्षित व्यक्ति था, जो पांच विदेशी भाषाओंको जानता था। स्वयं सुशिक्षित व्लादिमिरने विद्याके महत्त्वको दिखलाते हुए एक बार अपने पुत्रोंको लिखा था—"जो तुम जानते हो, उसे न भूलो, और जो नहीं जानते, उसे पढ़ो।" वह बड़ा स्वाध्यायप्रेमी था। अपनी सैनिक यात्राओंमें भी वह सदा अपने पास पुस्तकें रखता था। उसने "बच्चोंकी शिक्षा"के नामसे एक दिलचस्प पुस्तक लिखी थी।

व्लादिमिर कियेफ-रूसके शासनकी अन्तिम चकाचौंध करनेवाली ज्योति था। देशमें जो बिखराव प्रारम्भ हो गया था, उसे व्लादिमिर थोड़े ही समयतक रोक सका। उसके मरते ही फिर रूस-भूमि अनेक छोटी-छोटी रियासतोंमें बंट गई, जगह-जगह स्वतंत्र राजुल शासन करने लगे। इनमेंसे कुछ महत्त्वपूर्ण रियासतें थीं—कियेफ, चेरनीगोफ, गालिच, स्मोलेन्स्क, पोलोत्स्क, तुरोफ-पिन्स्क, रोस्तोफ-सुज्दल, र्याजन्, नवोगोरद और व्लादिमिर-वोल्हुन्स्क। ये सभी राजुल स्व्यातोस्लाव-पुत्र व्लादिमिरके वंशज थे। कियेफ अपना ऐतिहासिक महत्त्व रखता था, इसलिये वह राजुलोंकी छीना-झपटीका बराबर अखाड़ा बना रहा। सैनिक जीवनसे अनभ्यस्त विलासी राजुल अब कियेफका कोई मान नहीं रखते थे। जहां व्लादिमिर मनोमाख अपने घोड़े, बाज और रसोईका भी काम

अपने नौकरोंपर न छोड़ अपने हाथों करनेके लिये तैयार रहता, वहां इन राजुलोंका जीवन आरामपसंदीका था। । इन्हीं बातोंके कारण राजुलोंकी शक्ति भी कम हो गई, और धनी बायर अब राजुलोंको अपनी बात माननेके लिये मजबूर कर सकते थे, इसीलिये हर बातमें वह उनकी सलाह लेते थे । राजुल अगर कोई बात अपने योद्धाओंकी सम्मति बिना करते, तो वह जवाब देते—"राजुल, तूने हमारी रायके बिना यह निश्चय किया, इसलिये हम तेरे साथ नहीं जायेंगे ।" इस समय पुराने समयकी प्रभावशालिनी संस्था 'वेचे' (पंचायत) का भी महत्त्व बढ़ गया था—वेचे नागरिकोंकी पंचायत थी, जिसपर बायरों और धनी नागरिकोंका भारी प्रभाव था। जब किसी बातका निर्णय करना होता, तो घंटा बजाकर या चिल्लाकर नागरिकोंको वेचे (सभा) के लिये जमा किया जाता । अगर वेचे प्रस्तावको स्वीकार करती, तो लोग चिल्लाकर कहते—"हम सब चलेंगे और हमारे बच्चे भी ।" लेकिन कभी-कभी नगरके लोग राजुलकी लड़ाईमें शामिल नहीं होना चाहते, तब कहते—"राजुल, मेल करो, नहीं तो अपनी विपता आप संभालो ।" इस प्रकार १२ वीं शताब्दीमें कोई राजुल वेचेकी रायके बिना किसी शत्रुके साथ युद्धसे अपनी प्रतिरक्षा करनेकी हिम्मत नहीं रखता था । राजुलके सिंहासनपर बैठनेके समय वेचे पहिले उससे अपनी शर्तें मनवाती । ऐसे भी अवसर आये, जब कि नापसन्द होनेपर वेचेने राजुलको निकाल बाहर किया और किसी दूसरे राजकुमारको यह कहकर निमंत्रित किया—"आ राजुल, हम तुझे चाहते हैं ।"

उस समय एक तरफ वेचेका अधिकार बढ़नेसे बायरों और धनिक नागरिकोंके हाथोंमें अधिक शक्ति आ गई थी, तो दूसरी तरफ बाहरी शत्रुओंसे अच्छी तरह मुकाबिला करनेके लिये रूसमें कोई मजबूत संगठित शक्ति नहीं रह गई थी । इसी समयकी स्थितिमें एक अज्ञात कवि ने "ईगर-सेना-गाथा" लिखी थी ।

ईगर-सेना-गाथा—कालासागरके उत्तर एक मंगोलायित घुमंतू कबीला पोलोवत्सी ९वीं-१०वीं शताब्दी में रहता था । कियेफ-रूसोंके साथ इसका बहुत दिनोंतक संघर्ष रहा । रूसी भाषाका आदिकाव्य "ईगर-सेना-गाथा" इन्हीं संघर्षोंके संबंधमें लिखा गया है । पोलोवत्सी इतने प्रबल थे, कि रूस उनसे अपनी रक्षा करनेमें असमर्थ थे, जिसका एक कारण यह भी था कि, रूस स्वयं बहुतसे छोटे-छोटे टुकड़ोंमें बंटे थे, जिनमें आपसमें बराबर लड़ाई होती रहती थी । पोलोवत्सी जब हमला करने आते, तो काफी प्रतिरोध नहीं कर सकते थे । इन युद्धोंका सबसे ज्यादा सत्यानाशी प्रभाव गांवोंके किसानों-पर पड़ता था । "सभी नगर और गांव निर्जन हो गये थे । हम उन खेतोंपरसे गुजरे, जिनमें कभी घोड़ों और ढोरोंके झुंड तथा भेड़ोंके गल्ले चरा करते थे । लेकिन, वहां सभी चीजें वीरान पड़ी थीं । अनाजके खेतोंमें जंगल जम गया था, जिसमें वन्य पशु रहा करते थे ।" पुराने इतिहास-लेखकका कथन पोलोवत्सी-आक्रमणोंके असरको बतलाता है । पोलोवत्सी भारी संख्यामें रूसोंको बंदी बनाकर अपने साथ ले जाते थे । "आफतके मारे, भूख-प्याससे काले पड़े वे अभागे अपरिचित देशकी ओर वस्त्रहीन नंगे पैर कदम बढ़ा रहे थे । उनके पैर कांटोंसे छिल गये थे । आंखोंमें आंसू भरकर वह एक दूसरेसे कहते थे—"मैं अमुक और अमुक नगरका हूं ।" दूसरा जवाब देता—"मैं अमुक और अमुक दीहातका हूं ।" रूसी भाषाके इस कलापूर्ण अमर लघु-काव्यमें राजकुमार ईगरका पोलोवत्सी घुमंतुओंके साथके संघर्षका वर्णन है । १२ वीं शताब्दीके अंतमें किसी अज्ञात लेखकने इसे लिखा था । सेवेर्स्क राजुलोंने तंग आकर पोलोवत्सीके खिलाफ अभियान किया, जिसका नेता राजुल ईगर स्व्यातोस्लाव-पुत्र था । जब रूस-राजुलोंसे उसने अपने साथ आ मिलनेके लिये कहा, तो सेवेर्स्क राजकुमारोंने इन्कार कर दिया । पीछे उन्होंने अपना स्वतंत्र अभियान किया, जिसमें वह बुरी तरहसे हारे, ईगर बंदी हुआ । कविने रूस-भूमिके महान् वीरके तौरपर ईगरका चित्रण किया है—"सैनिक उमंगोंसे भरे उसने अपने सैनिकोंका नेतृत्व करते हुये रूस-भूमिकी रक्षाके लिये पोलोवत्सियोंके ऊपर अभियान किया ।" ईगरने अपने सैनिकोंसे कहा—"भाइयो और योद्धाओ ! बंदी बननेसे मर जाना अच्छा है । मैं चाहता हूं अपने भालेको पोलोवत्सी मैदानके छोरसे तोड़ डालूं । रूसजन ! मैं चाहता हूं, तुम्हारे साथ अपने सिरको गिरा

दूं, या अपने शिरस्त्राणसे दोनके जलको पीऊं।" "काफी लोहित मदिरा वहां नहीं थी, रूस वीर अपने युद्ध-भोजको खतम कर रहे थे। उन्होंने अपने बंधुओंको पान करनेका अवसर दिया, और रूस-भूमिके लिये स्वयं अपने जीवनका उत्सर्ग किया।" युद्धक्षेत्रमें पड़े हुये वीरोंके शवोंको देखकर कौवे किस तरह अपना भोज कर रहे थे, इसे कविने कितने शक्तिशाली शब्दोंमें चित्रित किया है:—

"भाई भाईसे बोला—'यह मेरा है,
और यह भी मेरा है, राजुल छोटीको बड़ी चीज कहने लगे, विश्वासघात के लिये।
और म्लेच्छ पोलोवत्सी विजयी बनकर रूस-भूमिमें आये।"

रूस-राजुलोंको एक होनेके लिये कवि कहता है:—

"प्रभुओ, अपने पैरोंको सुनहली रिकाबोंमें रक्खो,
आजके अपने ऊपर होते अत्याचार तथा रूस-भूमिके लिये,
स्व्यातोस्लाव-पुत्र वीर ईगरके घावोंके लिये।"

रूसी भाषाके इस आदिकाव्य (वीरगाथा)से रूसी साहित्यका आरंभ होता है और समस्त रूसी जातिको विदेशियोंके विरुद्ध एक होनेका संदेश देता है। अगली शताब्दियोंने देखा, कि वह संदेश व्यर्थ नहीं गया। ईगरके खूनका रूस बदला चाहे पोलोवत्सीसे न ले पाये हों, लेकिन उन्होंने रूसके शत्रुओंसे सदा बदला लिया। इसी काव्यके वीर नायकके नामपर रूसमें पुरुषोंका सबसे अधिक प्रचलित नाम ईगर पाया जाता है। द्वितीय महायुद्धमें स्तालिनग्रादसे फासिस्तोंको खदेड़ते हुये हजारों रूसी सैनिकोंने दनियेपरके तटपर पहुंचकर अपने शिरस्त्राणोंसे उस पवित्र जलको पीकर ईगरकी अपूर्ण इच्छाको पूरा किया।

ख. रोस्तोफ-सुज्दल-राजुल

१२ वीं शताब्दीमें जब दनियेपर-उपत्यकाकी रूस-भूमि पोलोवत्सीके आक्रमणोंका शिकार हो अपने ऐतिहासिक महत्त्वको खो बैठी थी, इसी समय उत्तर-पूर्वी रूस-भूमिमें वोल्गा और ओका नदियोंके बीच रोस्तोफ-सुज्दलका एक नया राज्य स्थापित हुआ, जिसने रूसके इतिहासमें महत्त्वपूर्ण काम किया। यह भूमि कियेफ जैसी उर्वर नहीं थी। जंगली भूमि थी, जिसमें जंगली जानवर और मधुमक्खियां बहुत थीं, नदियोंमें मछलियोंकी बहुतायत थी, लेकिन जहांतक खेतीलायक भूमिका संबंध है, ऐसी भूमि क्ल्याज्मा नदीके तटपर ही थी। ओका और उसकी शाखा मस्क्वा नदीके किनारे रहनेवाले स्लाव जातिका नाम व्यातिची था। समय-समयपर आसपासके स्लाव भी यहां आकर बसते जा रहे थे। रोस्तोफ यहांका प्रधान नगर था, जिसका उल्लेख पहले-पहल १०वीं शताब्दीमें मिलता है। इस भूमिकी दूसरी प्राचीन नगरी सुज्दल थी। यारोस्लावके शासनकालमें उसने अपने नामसे यारोस्लाव्ल नगरको ११ वीं शताब्दीमें बसाया। व्लादिमिर नगरको संभवतः व्लादिमिर मनोमाखने १२ वीं शताब्दीमें कायम किया। इस प्रकार व्यातिचियोंकी इस भूमिमें रोस्तोफ, सुज्दल, यारोस्लाव्ल और व्लादिमिर—चार नगर थे, पांचवां नगर मस्क्वा (मास्को) आगे स्थापित होकर जगद्विख्यात बननेवाला था।

व्यातिची स्लावोंके पड़ोसमें मेरिया, वेसी और मोर्दावी रूसी-भिन्न जन-जातियां रहती थीं, जिनका मुख्य काम था शिकार, मधु-संग्रह तथा थोड़ी-सी खेती। इनके अलग-अलग कबीलोंपर अपने-अपने ठाकुर शासन करते थे। रूसियोंके ईसाई हो जानेके बाद भी यह लोग बहुत समयतक अपने जन-जातीय धर्मको मानते थे। उस समय ओका और वोल्गाके तटोंपर यह काफी संख्या में बसते थे।

१२ वीं शताब्दीमें रोस्तोफ-सुज्दलके इलाके तथा दनियेपर-उपत्यकामें भी रूसी और अ-रूसी लोगोंके खेतों और भूमियोंको बायरों और महंतोंने अपने हाथमें कर लिया था और जन-साधारण बंधुवासे रह गये थे—ओका और वोल्गाके बीचके लोगोंको पादरियोंने जबर्दस्ती ईसाई बनाया था।

१२. यूरी I दीर्घबाहू, व्लादिमिर मनोमाख-पुत्र (११५७ ई०)

१२ वीं सदीके पूर्वार्धमें रोस्तोफ-सुज्दलमें एक स्वतंत्र राजुलका शासन कायम हुआ था, जिसका प्रथम गद्दीधर व्लादिमिर मनोमाखका पुत्र यूरी था। वह धनी बायरोंकी जमीनको जबर्दस्ती छीन लेनेमें

आनाकानी नहीं करता था, शायद इसीलिये उसका नाम "दोल्गोरुकी"–दीर्घबाहु पड़ा। जहां पीछे मास्को नगर बसा, वहीं बायर कुचकाका गांव था। यूरीने उस गांवको ले मास्को नदीके किनारे वहीं अपने लिये एक महल बनाया, जहांपर ११४७ ई०में उसने अपने मित्र चेर्नीगोफके राजुलका स्वागत किया था। यह गांव सुज्दल और चेर्नीगोफ दोनों रियासतोंकी सीमापर था। यूरीने पहले मास्कोके चारोंतरफ एक लकड़ीकी दीवार बनवाई, जिसे ११५६ ई० में दुर्गके रूपमें परिणत कर दिया। यूरी अपने समयका सबसे अधिक शक्तिशाली रूसी राजुल था। उसने वोल्गा-तटवाले बुल्गारोंको कई बार लड़ाईमें हराया और पुराने नगर नवोगोरदको अपने राज्यमें मिला लिया। कियेफपर भी अधिकार करके कियेफ-राजुल बनकर वह ११५७ ई० में मरा।

१३. अन्द्रेइ बगोल्युवोव्स्की, यूरी-पुत्र (११५७–७४ ई०)

यूरीके पुत्र अन्द्रेइके शासनकालमें रोस्तोफ-सुज्दलकी शक्ति और बढ़ी। उसने पड़ोसके कितने ही राजुलोंको अपना सामंत बनाया। ११६९ ई० में उसने अपने सामन्तोंकी सेनाके साथ कियेफ-पर आक्रमण किया और तीन दिनोंतक उस प्राचीन नगरीको लूटा। अगले साल अन्द्रेइने नवोगोरदके ऊपर अपनी सेना भेजी, लेकिन नवोग्रादियोंने उसे बहुत हानि उठाकर खाली हाथ लौटनेके लिये मजबूर किया। नवोगोरद अन्नके लिये सुज्दलपर निर्भर था। अन्द्रेइने वहां अन्नका जाना रोक दिया, जिसके कारण नवोगोरद आत्मसमर्पण करनेके लिये मजबूर हुआ। ११६९ ई० की लूट और ध्वंसलीलाके बाद कियेफ शताब्दियोंतक संभल नहीं सका, लेकिन सुज्दल-राज्यका नगर व्लादिमिर अन्द्रेइकी राजधानी बनकर खूब फलने-फूलने लगा। अन्द्रेइने अपनी नई राजधानीका निर्माण पश्चिमी युरोपके कलाकारों और वास्तु-शास्त्रियोंके परामर्शानुसार बड़े भव्यरूपमें किया। इसी समय व्लादिमिरमें प्रसिद्ध उपेन्स्की गिर्जा बनाया गया, जिसके चित्रोंमें पाश्चात्य कलाका प्रभाव दिखाई पड़ता है। व्लादिमिर नगरके पास बोगोल्युबोवो (भगवत्-प्रिय) उसकी दुर्गबद्ध जमींदारी थी, जहांपर अन्द्रेइ अक्सर रहा करता था, इसीलिये उसको "बोगोल्युबोव्स्की" कहा जाने लगा। वह बायरोंकी शक्तिको बढ़ते नहीं देखना चाहता था, इसीलिये उसने कुचका जैसे कितने ही बायरोंको मार भगाया और अपने दरबारियोंमें साधारण जनोंको रक्खा। लोग कहते थे—"राजुलकी जमींदारीमें घासके चप्पलमें घूमना बायरकी जमींदारीमें सुन्दर जूता पहनके घूमनेसे अच्छा है।" अन्द्रेइने जनसाधारणसे आये अपने दरबारियों और नगर-निवासियोंकी सहायताके आधारपर रूसी रियासतोंको संगठित करनेकी कोशिश की, लेकिन अभी उनके आर्थिक संबंध इतने दृढ़ नहीं थे, कि यह संगठन मजबूत होता। इसीलिये बायरोंका उच्छेद करना उसके लिये संभव नहीं हुआ। तो भी बायरोंको वह बहुत असंतुष्ट कर चुका था। उन्होंने षड्यंत्र करके ११७४ ई० में बोगोल्युबोवोके प्रासादमें चुपकेसे घुसकर अन्द्रेइको मार डाला। इसके बाद भारी लूट-पाट मची। बायर बहुत नाराज थे। वह केवल अन्द्रेइकी हत्यासे ही संतुष्ट नहीं हुये। उन्होंने उसके भाइयोंको भी वंचित करके उसके भतीजोंको शासन करनेके लिये निमंत्रित किया। लेकिन व्लादिमिरके नागरिकों और अन्द्रेइके छोटे दर्जेके अनुचरोंने बायरोंकी बात माननेसे इन्कार कर दिया। बायरोंने धमकाया—"हम व्लादिमिरको जलाकर खाक कर देंगे या वहां अपने पसद्‌निक (नगरपाल) अनुशासन करने के लिये भेजेंगे।" तो भी वह अपने मनोरथमें सफल नहीं हुये। नागरिकों और साधारण जनताकी सहायतासे अंद्रेइका भाई व्सेवोलद यूरी-पुत्रने बायरोंको हराकर उन्हें अपनेको राजुल स्वीकार करनेके लिये मजबूर किया।

१४. व्सेवोलद, यूरी-पुत्र (११७६–१२१२ ई०)

व्लादिमिर (क्ल्याज्मातटी) राजधानी बननेके बाद अब रोस्तोफ-सुज्दल राज्यका नाम व्लादिमिर राज्य हो गया। व्सेवोलदने "व्लादिमिर-महाराजुल"की उपाधि धारण की। उसने नवोग्रादवालोंसे अपने पुत्रों और भतीजोंको शासकके तौरपर स्वीकर करवाया। स्मोलेन्स्कके राजुलोंने भी उसकी अधीनता स्वीकार की। र्‌याज़नके न माननेपर राजुलको जेलमें डाल अपने पुत्रको वहां

ले जाकर बैठा दिया। जब लोगोंने इसका विरोध करना चाहा, तो उसने र्याजनका बहुत तहस-नहस किया। उसकी इतनी तत्परता देखकर भी "ईगर-सेना-गाथा" के कविने व्सेवोलदके लिये कहा—

"महाराजुल व्सेवोलद अपनी नावोंके पतवारोंसे,
तू वोल्गाके पानीको बिखरा नहीं सकता,
और न अपने सैनिकोंके शिरस्त्राणोंसे दोनको उलीच सकता।"

वोल्गाके बुल्गार अब भी शक्तिशाली थे, जिनसे व्सेवोलदने कई लड़ाइयां लड़ीं। पोलोवत्सीके खिलाफ भी उनकी भूमिमें उसने एक बहुत बड़ा अभियान किया। व्सेवोलदने सुदूर गुरजी (जार्जिया) के राजाके साथ संबंध स्थापित किया और वहांके कारीगरोंको बुलवाकर राजधानीमें द्मित्रीफ़ गिर्जा बनवाया। व्सेवोलद पिताकी तरह ही बायरोंसे घृणा करता था। अपने बहुतसे पुत्रोंके कारण लोगोंने व्सेवोलदका नाम "बोल्शोये ग्नेज़्दा" (भूरिशः कुलाय) रख दिया था। व्सेवोलदके मरनेके बाद उसके हर एक पुत्रको अलग-अलग ठकुराइयां मिलीं, जिनकी संख्या पुत्रोंके समय पांच और पौत्रोंके समय बारह हो गई। इनमें परिवारके ज्येष्ठ व्यक्तिको व्लादिमिर नगरका राज्य तथा "व्लादिमिर-महाराजुल" की उपाधि मिलती।

१५. यूरी व्सेवोलद-पुत्र (१२१२–१२३८ ई०)

व्सेवोलदके मरनेके बाद व्लादिमिरके राजुलोंने ओका और मध्य-वोल्गाके बीचमें रहनेवाले रूसी-भिन्न जातियोंकी भूमिको हड़पना शुरू किया। केवल मोर्दावी किलने ही समयतक और अपनी स्वतंत्रता कायम रख सके। महाराजुल यूरीने १२२१ ई०में ओका और वोल्गा नादियोंके संगमपर निज़्नीनवो-गोरद (निचला नवोगोरद, वर्त्तमान गोर्की) नगर और दुर्गकी स्थापना की। यहांसे रूसी राजुल मोर्दावियोंकी भूमिमें लूट-मार करते थे। मोर्दावियोंने अपने राजा पुरगसके नेतृत्वमें जबर्दस्त प्रतिरोध किया और एक बार उन्होंने निज़्नीनवोगोरदपर आक्रमण करके उसकी बाहरी बस्तियोंको जला दिया।

यूरीको प्रभुता दिखलानेका अब मौका नहीं रह गया था, क्योंकि गद्दीपर बैठनेके समय (१२१२ई०) जो मंगोल तूफान सुदूर चीनमें अपनी प्रलयलीला मचा रहा था, वह अब उसके घरमें पहुंच गया। यूरी अपनी सेनाके साथ वोल्गाके उत्तरमें सित्त नदीके करीब वोल्गाकी एक शाखाके किनारे एक बड़े मैदानमें पड़ा हुआ था। उसको खबर मिली, कि बुल्गार राजधानीको मंगोल नष्ट-भ्रष्ट कर चुके। मंगोलोंका मुकाबिला करनेके लिये रूसी राजुलोंका एक होना आवश्यक था, जिसके लिये वह तैयार नहीं थे। र्याज़न मंगोलोंका पहला शिकार होना था, जिसके बाद यूरीकी बारी थी, लेकिन यूरीने र्या-ज़नको सहायता देनेसे इन्कार कर दिया। मंगोलोंने र्याजनको दखलकर उसको भूमिसात् कर दिया। फिर व्लादिमिरपर आक्रमण करके उसे नष्टकर आसपासकी ठकुराइयोंके लोगोंको अपनी तलवारोंसे घासकी तरह काट डाला। एक महीनेके भीतर उन्होंने १४ नगरोंको दखल किया और जलाया, मास्को भी जिनमेंसे एक था। अब (१२३८ ई०) में बा-तूके मंगोल सित नदीके पासवाले मैदानमें अवस्थित यूरीकी सेनापर पड़े। यूरी लड़ाईमें काम आया। बा-तू नवोगोरदकी भूमिपर भी बढ़ना चाहता था, लेकिन रास्तेके जंगलों और दलदलोंने उसे आगे बढ़ने नहीं दिया। इसके बाद मंगोलोंने कियेफ और सुदूर पश्चिममें गालिच-वोलोहुन्स्कके राज्यको लेते पोलन्द तथा पूर्वी युरोपके और भी कितने ही राज्योंका ध्वंस किया। रूसियोंके ऊपर अब मंगोलोंका कठोर शासन स्थापित हो गया, लेकिन मंगोल जानते थे, कि सीधे शासन करनेसे किसी रूसी राजुलद्वारा शासन करना बेहतर है, इसलिये उन्होंने यूरीके भाई यारोस्लावको व्लादिमिरका महाराजुल मान लिया।

१६. यारोस्लाव व्सेवोलद-पुत्र (१२३८–४६ ई०)

महाराजुलको नियुक्त करनेपर ही संतोष न कर बा-तूने रूसके मुख्य-मुख्य नगरोंमें अपने नगरपाल

(वसकाकी) नियुक्त किये। मंगोल कर उगाहनेमें कितनी निर्दयता करते थे, इसे एक जनगीत बतलाता है—

यदि किसी आदमीके पास पैसा नहीं,
तो उससे वह उसका बच्चा लेते।
यदि आदमीके बच्चे न होते,
तो उससे उसकी बीबी लेते,
यदि आदमीके गृहिणी न होती,
तो उससे वह उसके शरीरको ही लेते।

एक समकालीन लेखक मंगोल अत्याचारके बारेमें लिखता है:—"हमारे पुरखों और भाइयोंके खूनसे भूमि पानीकी तरह भींग गई, हमारे बहुतसे भाई और बच्चे बंदी बनाकर (तारतार) ले गये, हमारे गांवोंमें जंगल लग गये, हमारी कीर्त्ति धूमिल हो गई, हमारा सौंदर्य नष्ट हो गया, हमारा धन गैरोंकी संपत्ति बना, हमारे श्रमका फल काफिरोंके हाथमें चला गया, हमारा देश विदेशियोंके हाथमें पड़ गया।" ऐसी स्थितिमें यदि रूसमें विद्या और संस्कृतिका ह्रास हुआ, तो कोई आश्चर्य नहीं। रूसी नगरोंकी होली मचाते समय मंगोलोंने प्राचीन रूसी साहित्य और कलाकी भी होली मचा दी।

लेकिन सब तरहसे रूसियोंको निरीह और निर्बल बनाते हुये भी मंगोलोंने उनके हाथमें एक बड़ा हथियार दे दिया था, वह था व्लामिदिरके महाराजुलोंको दूसरे रूसी राजुलोंके ऊपर मानना। यह काम उन्होंने किसी परमार्थ बुद्धिसे नहीं किया था, बल्कि इस प्रकार समयपर नियमपूर्वक करकी भारी राशिको प्राप्त करना उनके लिये बहुत आसान हो गया था। मंगोल खान अपने इसी स्वार्थके कारण व्लादिमिरके शासकको "व्लादिमिर और सारे रूसका महाराजुल" स्वीकार करते हुये उसे **यारलिक** (अधिकार-पत्र) देते थे। कर उगाहनेके लिये जो एकता कायम हुई थी, वह मंगोल-शक्तिके क्षीण होनेके समय एक सबल राजनीतिक शक्तिमें परिणत हो गई।

नवोगोरद—पूर्वी स्लाव अभी भी जनयुगीन समाजहीमें थे, जबकि कियेफ-रूसकी स्थापना हुई थी। वस्तुतः भिन्न-भिन्न परिस्थितियोंके कारण पूर्वी स्लावोंका सामाजिक विकास अपने पश्चिमी पड़ोसियोंके बराबर नहीं हो पाया था। इसमें अपने शक पूर्वजोंके समयसे ही चली आती उनकी स्वच्छंद लड़ाकू वृत्ति भी काम कर रही थी। वह पशुपाल-जीवनको पूरीतौरसे छोड़नेके लिये तैयार नहीं थे। यद्यपि ईसवी-सन्‌के आरंभ और बादकी चार शताब्दियोंमें हूणोंके पहुंचनेसे पहिले ही निम्न द्नियेपर आदि प्रदेशोंमें स्लावोंने नागरिक-जीवन स्वीकार कर लिया था, और महाराजुल व्लादिमिरके ईसाई-धर्म स्वीकार करने से बहुत पहले ही ग्रीक संस्कृतिसे उनके पूर्वज अंतोंका घनिष्ठ संबंध स्थापित हो गया था, लेकिन अभी अधिकांश रूस जनयुगके मनोभावोंको ही अपनाये हुये था। रूसी भाषाका हमारी संस्कृत और प्राकृत भाषाकी तरह संश्लेषणात्मक रह जाना—शब्द और धातुकी रूपावलियोंका संस्कृत जैसे चलना—भी शायद उसी सामाजिक मंद परिवर्तनके कारण हुआ। हमारे यहां ईसाकी ६ठी-७वीं शताब्दीमें भाषा जहां श्लिष्ट रूपको छोड़, विश्लिष्ट बन चुकी थी, वहां रूसी भाषा आज भी बहुत-कुछ श्लिष्ट है। यह कोई आश्चर्यकी बात नहीं है, क्योंकि रूसके सामाजिक संगठनमें जनयुगीन जनतांत्रिकताके भाव बहुत पीछेतक काम करते रहे। कियेफ रूसकी शक्तिके निर्बल होनेपर छोटे-छोटे राजुलोंके साथ **वेचे**का प्रभाव भी इसी बातको बतलाता है। जहां दूसरे राज्योंमें यह साधारण जनोंकी जनतांत्रिकता अपने राजुलोंको अधिक स्वच्छंदता न देनेका कारण बनी, वहां नवोगोरदके नागरिकोंमें इसने आभिजात्यवर्ग के गणराज्यका रूप लिया और समय-समयपर होनेवाला वहांका राजुल पूरी तौरसे गणसभा—वेचे—के हाथमें था। नवोगोरदकी परिस्थिति ही ऐसी थी, जिसने उसे एक गणतांत्रिक नगरके रूपमें विकसित होने दिया। यह स्लावोंकी एक बहुत पुरानी नगरी वोल्गाके उद्गमके पास इल्मन सरोवरसे पूर्वीय वणिक्‌पथके ऊपर बसी हुई थी। वहां हाट और मेलेका मैदान था। इसी मैदानमें नगरकी **वेचे** बैठा करती थी। पासके मुहल्लेमें मुख्यतः व्यापारी, शिल्पकार और मजदूर बसते थे। नगरके पूर्वकी ओर—सोफ़िइस्कया—में एक दुर्ग था, जिसमें प्रसिद्ध सोफिया गिर्जा खड़ा था। यहीं नवोगोरदका बड़ा पादरी (बिशप) रहता था।

नवोगोरद नगरसे नवोगोरद-राज्य आरंभ हो जाता था, जो ओनेगा और लदोगा सरोवरों एवं फिनलन्दकी खाड़ीतक फैला हुआ था। नवोगोरदके बायरों और व्यापारियोंके जहां-तहां गांव और खेतियां (कर्मान्त) थीं। उन्होंने पूरबमें उरालकी पहाड़ियोंतककी आदिम जातियोंको अपने अधीन कर रक्खा था, जिनसे वह करके रूपमें बहुमूल्य समूरी छालें और चांदी वसूल करते थे। व्यापार, जंगल और शिकारकी उपज नवोगोरदकी समृद्धिके कारण थे। अनाजके लिये उन्हें अपने पड़ोसी सुज्दलपर निर्भर रहना पड़ता था। नवोगोरदका संबंध बाल्तिक समुद्रके वणिक्‌पथसे था, जिसके जरिये वह युरोपके साथ व्यापार करते थे। जर्मन और स्वीड् व्यापारी भी इस व्यापारमें उनके सहभागी थे। वर्षमें दो बार जर्मन "अतिथि" व्यापारके लिये नवोगोरद आया करते थे। गर्मियोंके "अतिथि" फिनलन्द खाड़ीसे नेवा नदी होकर नाव द्वारा आते, और जाड़ोंके "अतिथि" बाल्तिक तट (लिवोनिया) से बर्फपर फिसलनेवाली बिना पहिये की गाड़ियों (स्लेज) द्वारा आते। उत्तरी युरोप और नवोगोरदसे व्यापार करनेवाली जर्मन नगरियों को १४ वीं सदीमें हंसे कहा जाता था। नवोगोरदके व्यापारी रूसकी चीजोंको इन हंसीय नगरियोंके माध्यमद्वारा जहां युरोपमें पहुंचाते, वहां स्वयं युरोपीय वस्तुओंको उनसे लेकर वह रूसके नगरोंमें फैलाते। शिकारपर जीवन बितानेवाली सुदूर उत्तरकी नेन्सी नामसे प्रसिद्ध जातियोंसे (जिन्हें नवोगोरदीय लोग समोयित कहते थे) कीमती समूर मिलते थे। समोयित अधिक उत्तरके तुंद्रा-क्षेत्रमें रहते थे। उनसे दक्षिण तायगा भूमिमें कोमी शिकारी रहते, उत्तरी उराल की ढलानों पर युग्रा कहे जानेवाले लोग रहते थे—जो कि आजकलकी मान्सी (वोगुल) और खान्ती (ओस्तियाक) जातियां हैं। इनकी भूमि (जिसे बुल्गार "अंधकारभूमि" कहते थे), अपने समूरी जानवरोंके लिये प्रसिद्ध थी। तुंद्रावाले लोगोंकी मुख्य जीविका थी बारहसिंगा पालना, जल-पक्षियों और ध्रुवकक्षीय लोमड़ियों का शिकार करना। इन पिछड़ी हुई जातियोंके निरंकुश राजा थे नवोगोरदीय बायर और व्यापारी। उनके अत्याचारोंसे कभी-कभी मजबूर होकर वह विद्रोह भी कर बैठती थीं। ११८७ ई० में युग्रा लोगोंने नवोगोरदके कर उगाहनेवालेको मार डाला, जिसपर कई सालतक नवोगोरदसे उनपर सैनिक अभियान भेजे जाते रहे।

नवोगोरद नगरका सबसे प्रभुताशाली वर्ग था बायरोंका। सबसे अच्छी भूमि और विजित क्षेत्र इनके हाथमें थे, जिनमें वह अपने अर्धदासों और किसानोंकी मददसे अधिया (पोलोविना) पर खेती कराते थे। बायर अपने असामियोंको गांव छोड़कर जाने नहीं देते थे। हस्तशिल्प भी यहांपर बहुत उन्नत था, लेकिन शिल्पकार भी बायरों और व्यापारियोंके अधीन थे। गरीब मजूरोंका काम था माल ढोना और नावें खेना। इस प्रकार इस गणराज्यकी संपत्तिके मालिक थे बायर और व्यापारी। काले (चोर्निये) गरीब लोग उनके लिये अपना जीवन और श्रम भेंट करते थे। रूसी नगरोंकी तरह नवोगोरदमें भी एक राजुल रहता था, लेकिन यहांकी वेचेकी शक्ति सबसे अधिक थी। १२ वीं शताब्दी के प्रथम पादमें बायरों और व्यापारियोंद्वारा नियंत्रित वेचेने इस बातका रवाज किया, कि वहां के सभी मुख्य-आफिसर नवोगोरदकी बायरोंमेंसे चुने जायें। व्लादिमिर मनोमाखके पौत्र व्सेवोलदके राजुल होनेके समय ११३६ ई० में वेचेने विद्रोह कर दिया, क्योंकि व्सेवोलद कुछ अधिक स्वतंत्रतासे काम लेना चाहता था। विद्रोहियोंने दो महीनेतक व्सेवोलद और उसके परिवारको बंदी रख फिर मुक्त कर दिया। तबसे वेचेकी शक्ति सर्वोपरि हो गई। यद्यपि नवोगोरद अपने-यहां सदा एक राजुल रखता था, लेकिन जब कभी भी राजुल कुछ स्वतंत्रता दिखलाने लगता, तो उसे बोरिया-बिस्तर बांधके निकल जाना पड़ता। वेचेके सन्निपातके लिये लोगोंको घंटे बजाकर सूचना दी जाती, सभी लोग मैदानमें इकट्ठे होते। कभी-कभी एक ही समय वेचेकी बैठक तोरगोवया और सोफिस्कया दोनों जगहोंपर होती, दोनोंके निर्णय कभी-कभी एक दूसरेसे भिन्न होते, ऐसी अवस्थामें दोनों वेचेका वोलखोफ पुलके आरपार झगड़ा होता। इस प्रकार ज़ारके निरंकुश शासनके स्थापित होनेसे पहले ही नवोगोरदमें एक सबल प्रजातांत्रिक संस्थाका शासन था।

जर्मन व्यापारी बाल्तिकतटके रास्ते व्यापार करनेके लिये नवोगोरद आते थे। १२वीं शताब्दी-में उन्होंने पश्चिमी द्विना नदीके मुहानेपर अपनी एक व्यापारिक बस्ती स्थापित की, जो कि दूसरेकी

भूमिपर अनधिकार-चेष्टा थी। उन्होंने व्यापारके साथ-साथ ईसाई-धर्मके प्रचारका भी आड़ लिया जिसमें उन्हें रोमके पोपकी सहायता प्राप्त थी। लोग पूर्वजोंकी पुरानी संस्कृतिके प्रतीक अपने धर्मको छोड़कर ईसाई बननेके लिये तैयार नहीं थे, इसपर पोपने उनके विरुद्ध धर्मयुद्ध घोषित कर दिया। उत्तरी जर्मन व्यापारियोंने लिवोनिया (बाल्तिकतट) के विजय करनेका इसे अच्छा मौका देख इसके लिये जहाज दिये। बड़ा पादरी नियुक्त होकर जब अपने धर्मयोद्धाओंके साथ लिवोनिया आया, तो वहांके लोगोंने कहा—"अपनी सेना लौटा दो। हमें तलवारसे नहीं, बल्कि शब्दोंसे समझाओ।" लेकिन वह तो तलवारसे ईसाई-धर्मका प्रचार करने आये थे। उनके पास देशियोंकी अपेक्षा अधिक शक्तिशाली हथियार थे। लड़ाईमें उन्होंने लिवोनियावालोंको हराया, लेकिन बड़े पादरीका घोड़ा उसे शत्रुके दलमें ले गया, जहां प्रथम बिशपको धर्म-प्रचार करते हुये शहीद बननेका मौका मिला। जर्मनोंने सारे देशको लूट-मारकर बर्बाद कर दिया। नये बिशप अलबर्टने पश्चिमी द्विनाके मुहानेके पास १२०१ ई० में रीगा नगरको बसाया। वहां जर्मन उपनिवेशियोंको बसाकर व्यापार और धर्म-प्रचार किया जाने लगा। अगले साल (१२०२ ई० में) खड्गवीरके नामसे पोपने एक नई धर्मसेना संगठित करनेकी आज्ञा प्रदान की। यह वीर अब खुलकर देश-विजय करने लगे। लोग विरोध करते, तो वह ग्रामों और नगरोंको जला देते, सभी पुरुषोंको मार डालते और स्त्रियों और बच्चोंको दास बनाकर बेंच देते। लोग भागकर जंगलोंमें चले जाते, जहां यह धर्मसैनिक उनको शिकार करते पकड़ते। एक जर्मन सम-सामयिक लेखकके अनुसार—"वह उन्हें पीटते हुये गांवमें ले आते। भगोड़ोंका पीछा करते रास्तोंसे होते उनके घरोंमें घुस उन्हें बाहर घसीटकर मार डालते। जो अपनी छतों या लकड़ीके टालोंपर चढ़कर आत्मरक्षाका प्रयत्न करते, उन्हें पकड़कर काट डालते। गांवसे भागते हुये लोगोंको उनके खेतोंमें भी पीछा करते। वहांसे यदि पवित्र देववनोंकी तरफ भागते, तो वह देववृक्ष उनके खूनसे लाल हो जाते। ....पांचसौसे अधिक आदमी लड़ाईके स्थानमें और बहुतसे खेतोंमें, रास्तोंपर तथा दूसरी जगहोंमें मारे गये।" ईसाके धर्मके प्रचारका कैसा सुंदर तरीका था!

जर्मन धर्मयोद्धा इसलिये भी सफल हो रहे थे, क्योंकि लिवोनीय लोगोंमें एकता नहीं थी। बिशप अलबर्टके मरनेके बाद लिवोनी धर्मयोद्धाओंको कई बार बुरी तरहसे हार खानी पड़ी, जिससे उनका धार्मिक उत्साह कम होने लगा। इसी समय एक दूसरी जर्मन धर्मसेना—त्युतोनिक आकर मौजूद हुई। यह धर्मसेना १२वीं शताब्दीमें फिलस्तीनमें मुसलमानोंके साथ लड़नेके लिये स्थापित की गई थी, जिसे पोपने इस नये धर्मक्षेत्रमें भेज दिया। जब लिथुवानी जातिके प्रसी कबीलोंकी भूमि—नीमेन और बिस्तुला नदियोंके द्वाबे—में इन त्युतोनिक धर्मयोद्धाओंके पैर पड़े, तो वहां कार्ल मार्क्सके अनुसार—"१३वीं शताब्दीके अन्तमें यह समृद्ध देश निर्जन भूमिमें बदल गया, गांव और जुते हुये खेतोंकी जगह जंगल और दलदल आ मौजूद हुये। लोगोंमेंसे कितने ही मार डाले गये, कितनोंको बंदी बनाकर ले गये और बाकी लिथुवामें भागनेके लिये मजबूर हुये।"

१२३७ ई० में लिवोनी खड्गवीर और त्युतोनिक धर्मसेना बाल्तिक प्रदेशको जीतनेके लिये एकताबद्ध हो गई।

१७. अलेक्सान्द्र नेव्स्की, यारोस्लाव-पुत्र (१२६३ ई०)

जर्मन धर्मयोद्धाओंके अतिरिक्त स्वीड व्यापारी भी नवोगोरदकी भूमिपर आंख गड़ाये हुये थे। जर्मन धर्मवीर बाल्तिक तटको दखल कर रहे थे, और स्वीड व्यापारी फिनलन्दकी खाड़ीपर हाथ साफ करना चाहते थे, जिसमें कि वह पूर्वी युरोपके व्यापारके एकमात्र स्वामी बन जायें। १२४० ई० में स्वीड राजा कौन्ट बर्गरके नेतृत्वमें नेवाके ऊपर स्वीडोंने आक्रमण किया, लेकिन नेवाके मुहानेपर उनके उतरते ही नवोगोरदके महाराजुल अलेक्सान्द्रने उनपर भीषण प्रहार किया। इस समयतक बा-तू खानका राज्य पूरी तौरसे स्थापित हो चुका था, और महाराजुल अलेक्सान्द्रने बा-तूकी कृपा प्राप्त कर ली थी। राजनीतिक चाल हीमें नहीं, बल्कि सैनिक कौशलमें भी अलेक्सान्द्र असाधारण पुरुष था। एक समकालीन लेखकके अनुसार—"विजय करते हुये वह अजेय था।" अलेक्सांद्रके नेतृत्वमें नवोगोरदके सैनिकोंने

अद्‌भुत वीरताका परिचय दिया। स्वीड पूरी तौरसे पराजित हुये और वह अपने जहाजोंपर बैठकर भाग निकले। नेवा-तटपर हुई इसी विजयके उपलक्षमें अलेक्सांद्रका नाम अलेक्सांद्र नेव्स्की पड़ गया। आज भी सोवियत रूसके दूसरे नम्बरके सबसे बड़े नगर लेनिनग्रादके प्रसिद्ध राजपथका नाम नेव्स्की है।

अलेक्सांद्रने और भी लड़ाइयां लड़ीं, लेकिन इसके पहले एक बार उसे वेचेका कोपभाजन हो नवो-गोरदसे निर्वासित होना पड़ा था। पर जब बाल्तिक-तटसे जर्मनोंने आक्रमण किया, तो वेचेने फिर उसे बुला लिया, और कई लड़ाइयोंमें उसने जर्मनोंको बुरी तरहसे हराया, जिनमें ५ अप्रैल १२४२ ई० को लड़ी गई "बर्फकी लड़ाई" निर्णायक साबित हुई। नवोगोरदके लोगोंने पांच सौ जर्मन धर्मवीरोंको मारकर उन्हें सात मीलतक खदेड़ा और पचास बंदी बनाये। इस युद्धमें हारनेके बाद जर्मन वीरोंने फिर रूसी भूमिकी ओर हाथ बढ़ानेकी हिम्मत नहीं की।

नवोगोरदवालोंने ही अपनेसे पश्चिम बाल्तिकके रास्तेपर प्स्कोफ नगर स्थापित किया था, जो १४वीं शताब्दीमें नवोगोरदसे स्वतंत्र हो एक गणराजीय नगरमें परिणत हो गया। स्वतंत्र गणनगर होते हुये भी नवोगोरद और प्स्कोफके लोग अपनेको व्लादिमिर-महाराजुलके अधीन मानते थे। १४वीं शताब्दीके प्रथम पादमें व्लादिमिर-राज्यके भीतर एक और घरेलू संघर्ष त्वेर तथा मास्कोके राजुलोंके बीच शुरू हो गया। यह दोनों नगर ऐसी जगह स्थित थे, जहांपर मंगोल मुश्किलसे पहुंच पाते थे, इसीलिये दूसरी जगहोंके भी कितने ही शरणार्थी यहां आकर बस गये थे, जिसकी वजहसे दोनों नगरोंका आर्थिक विकास बड़ी तेजीसे हुआ। त्वेर ऊपरी वोल्गा तथा उसकी शाखा त्वेरत्साके संगमके पास बसा हुआ था। नवो-गोरदसे वोल्गा होकर कास्पियनतक जानेवाले वणिक्‌पथको त्वेरसे होकर गुजरना पड़ता था। इसी व्यापारके कारण त्वेरके नागरिक बड़े समृद्धिशाली हो गये थे।

मास्को नगर वोल्गामें गिरनेवाली ओका नदीकी शाखा मास्क्वाके तटपर अवस्थित था। ऊपरी वोल्गासे ओकाकी ओर सीधा आनेवाला वणिक्‌पथ मास्कोकी भूमिसे गुजरता था। यहांसे निम्न-वोल्गाकी ओर भी आसानीसे जाया जा सकता था, साथ ही दोनका ऊपरी भाग नजदीक होनेके कारण अजोफ और कालासागर होते पूर्वी युरोपका वणिक्‌पथ भी यहांसे खुला हुआ था---क्रिमिया और कालासागरके तट-पर इतालीके व्यापारियोंने अपनी बहुतसी व्यापारिक बस्तियां बसा रक्खी थीं। इन्हीं कारणोंसे मास्को-को विकासका त्वेरसे भी अधिक सुभीता प्राप्त था।

ग. मास्को महाराजुल

१८. दानियल, अलेक्सान्द्र नेव्स्की-पुत्र (१२६३–१३०३ ई०)

१३वीं शताब्दीके आरम्भमें मास्कोकी एक छोटीसी रियासत थी, जिसमें मास्को नगर तथा रूजा और ज्वेनीगोरदके दो और छोटे-छोटे कस्बे सम्मिलित थे। लेकिन अब उसपर अलेक्सान्द्रका पुत्र दानियल राज्य कर रहा था, जो अपने पिताकी तरह ही योग्य और महत्त्वाकांक्षी था। १३०१ ई० में उसने मास्क्वा और ओकाके संगमपर अवस्थित कलोम्ना नगरको ले लिया। १३०२ ई० में उसे पासके पेरेयास्लाव्ल राज्यका उत्तराधिकार मिला, जिसके कि अधीन पहिले मास्को था। अब मास्को ज्यादा बढ़ गया था, तो भी अभी वह त्वेर (आधुनिक कलिनिन) का मुकाबिला नहीं कर सकता था, विशेष-कर इसलिये भी कि मंगोल खानने वहांके महाराजुल मिखाइल यारोस्लाव-पुत्रको १४ वीं शताब्दीके आरम्भमें ही "व्लादिमिर-महाराजुल" स्वीकार कर लिया था। किसी रूसी राजुलको अधिक शक्तिशाली न होने दिया जाये, इसके लिये मंगोल खानोंकी यह नीति थी, कि वह कभी एकका समर्थन करते और कभी दूसरेका। उज्बेक खानने व्लादिमिरके महाराजुलको अधिक शक्तिशाली देख मास्कोके राजुल यूरी दानियल-पुत्रका पक्ष लेना शुरू किया।

१९. यूरी III दानियल-पुत्र (१३०३–२५ ई०)

यूरीके ऊपर उज्बेक खानकी इतनी कृपा थी, कि उसने अपनी बहिनको यूरीसे ब्याह दिया और त्वेरके महाराजुलसे लड़नेके लिये मंगोल सेना साथ कर दी। उज्बेकखानको मुस्लिम इतिहासकार

पक्का मुसलमान कहते हैं, तो भी राजनीतिमें वह इस तरहके ब्याहको बुरा नहीं समझता था। यह भी याद रखनेकी बात है, कि पश्चिमके मंगोल शासकोंमें सभी मुसलमान नहीं हुये, बल्कि कितने ही ब्याह-शादीके सम्बन्धसे ईसाई होकर रूसियोंके भीतर हजम हो गये। मंगोलोंकी सहायताके बाद भी यूरीकी हार हुई और उसकी रानी—उज्बेककी बहिन—बंदिनी बनी, और उसी अवस्थामें मर भी गई। यूरीने खानके सामने त्वेर-महाराजुल मिखाइलके ऊपर इल्जाम लगाया, कि उसने उसे जहर देकर मरवा दिया। खानने मिखाइलको मृत्युदंड दिया और यूरीको महाराजुलका पद प्रदान किया। इसी समयसे मास्कोका सितारा चमकने लगा। यूरी बहुत दिनोंतक इस पदका उपभोग नहीं कर सका और वह मिखाइलके एक पुत्रद्वारा मारा गया। उज्बेकने यूरीके हत्यारेको मरवा डाला, लेकिन मास्कोको अधिक शक्तिशाली न होने देनेके लिये अबकी महाराजुल-पदको उसने मिखाइलके पुत्र अलेक्सांद्रको प्रदान किया। पर, रूसके आर्थिक जीवनमें मास्कोकी जैसी स्थिति थी, उसके कारण पासा पलटा नहीं जा सकता था।

२०. इवान I खलीता, दानियल-पुत्र (१३२५—४१ ई०)

मास्कोमें यूरीका स्थान उसके भाई इवान I ने ले लिया, जिसका नाम खलीता (पैसेका थैला) पड़ गया था, क्योंकि उसके पास बहुत पैसा था। इवान खलीता ही नहीं था, बल्कि वह बड़ा चतुर और कुटिल शासक भी था। मास्कोकी शक्ति बढ़ानेके लिये वह हर तरहके हथियारोंको इस्तेमाल करनेके लिये तैयार था। उस समय रूसी संघराज व्लादिमिर नगरमें रहता था—कियेफके नष्ट हो जानेके बाद संघराजकी गद्दी यहीं चली आई थी। यूरीने कोशिश की थी और इवान खलीताने भी कोशिश करके संघराज पीतरको इस बातके लिये राजी कर लिया, कि वह अपनी गद्दीको व्लादिमिरसे मास्को ले आये। तबसे मास्को रूसके सबसे बड़े धर्माचार्यकी राजधानी बन गया, जिससे मास्कोकी शक्ति बढ़नेमें बड़ी सहायता मिली। अब धार्मिक बहिष्कारकी धमकी देनेसे छोटे-मोटे राजुल भी मास्कोकी अधीनता स्वीकार करनेके लिये तैयार हो जाते। धर्मराजका कोश भी मास्को-राजुलकी सहायता करनेके लिये तैयार था। इवान खलीता मंगोल खान, उसकी खातूनों और अनुचरोंपर सोनेकी वर्षा करनेके लिये तैयार रहता था, फिर वह क्यों न उसके पक्षमें होते? १३२७ ई० में खानने अपने दूत चोलखानको एक बड़ी मंगोल सेनाके साथ त्वेरके विरुद्ध भेजा। मंगोलोंने नगरको लूटना शुरू किया, इसपर लोगोंने विद्रोह कर दिया और चोलखान तथा उसके सैनिक खतम कर दिये गये। इवान खलीताने दौड़कर खानके पास पहुंच त्वेरको दंड देनेके लिये अपनी सेवायें पेश कीं। खानने उसे एक बड़ी मंगोल सेना दी। इवानने त्वेरपर आक्रमण करके उसे नष्ट-भ्रष्ट कर दिया। त्वेरके महाराजुल अलेक्सांद्रने भागकर प्स्कोफमें शरण ली। संघराजने प्स्कोफवालोंको धार्मिक बहिष्कारकी धमकी दी। उनसे सहायता न पा महाराजुल लिथुवानिया भाग गया। पीछे वह त्वेर लौटा और खानने भी उसे क्षमा कर दिया, पर पीछे फिर इवान खलीताकी चालोंमें पड़कर खानने उसे ओर्दूमें बुलवाकर मार डाला। मास्को-राजुलका मनोरथ सिद्ध हुआ और १३२८ ई० में उसे महाराजुलका पद मिल गया। यही नहीं, सारी रूस भूमिसे कर उगाहनेका इजारा भी खानने खलीताको दे दिया। खलीता समयसे पहले ही नगद कर बेबाक करनेके लिये तैयार रहता था, फिर खान क्यों नहीं वैसा करता? इवान खलीताने अपने शत्रुओंको दबाने तथा मास्कोकी शक्तिको बढ़ानेमें किपचक (मंगोल) खानका खूब इस्तेमाल किया। उसके मरते समयतक मास्को राज्य काफी विस्तृत हो चुका था, और उसका प्रतिद्वंद्वी त्वेर अपनी समृद्धिके बहुतसे साधनोंको खो चुका था। अब सारी मास्क्वा-उपत्यका (कलोम्नासे मोजाइस्कतक) मास्को-महाराजुलकी थी—मास्को-साम्राज्यकी नींव पड़ गई।

२१. सेमेओन, इवान I-पुत्र (१३४१—५३ ई०)

खलीताके मरनेके बाद महाराजुल पद उसके पुत्र सेमेओनके हाथमें रहा।

२२. इवान II, इवान I-पुत्र (१३५३-५९ ई०)

भाईके बाद इवान I गद्दीपर बैठा, फिर उसका पुत्र दिमित्रि मास्कोका स्वामी बना।

२३. दिमित्रि दोन्स्की, इवान II-पुत्र (१३५९-८९ ई०)

महाराजुलको तरुण देखकर पड़ोसी राजुलोंने मास्को-राज्यपर हाथ फेरना चाहा, लेकिन दिमित्रिके पीठपर अब संघराज अलेक्सी और मास्कोके बायरोंका हाथ था । जिनके प्रयत्नसे खानने दिमित्रिको महाराजुलका पद प्रदान किया । बायरोंने बालक दिमित्रिको घोड़ेपर चढ़ाकर प्रतिद्वंद्वी सुज़्दल राजुलपर आक्रमण कर दिया और हाथसे निकल गये व्लादिमिर-नगरपर फिर अधिकार कर लिया । दिमित्रिके ३९ वर्षके शासनमें मास्कोकी शक्ति बहुत बढ़ी, जिसमें एक कारण (मंगोल सुवर्ण-ओर्दूकी) शक्तिका कमजोर होना भी था । १३६६ ई० में दिमित्रिने मास्कोको पत्थरकी दीवारोंसे दुर्गबद्ध किया, इसके पहले उसके चारों ओर बंजकी लकड़ीका नगर-प्राकार था । उसने त्वेर, र्याज़न और निज़्नीनवोगोरदके राजुलोंपर जबर्दस्त आक्रमण किये, जिसपर उसके शत्रुओंने लिथुवन राजा ओलिगर्दसे मदद ली, और तीन बार मास्कोके ऊपर आक्रमण किया, लेकिन मास्को अजेय साबित हुआ । पादरी, संघराज अलेक्सी और बायर सब तरहसे मदद देनेके लिये तैयार थे । मास्कोने कोमी जातिके लोगोंको अपने अधीन कर उन्हें ईसाई बनानेका प्रयत्न किया । ईसाई-धर्मके प्रचारके साथ-साथ मास्कोकी शक्ति बढ़ती गई । शक्तिके मदमें मास्कोने मंगोलोंसे भी छेड़-छाड़ शुरू की । अब मंगोलोंका सुवर्ण-ओर्दू छोटे-छोटे खानोंमें बंट चुका था, जिनमें सबसे शक्तिशाली ममाईखान था । मास्कोकी इस छेड़खानीको मंगोल कैसे बर्दाश्त करते ? ममाईने १३७८ ई० में र्याज़नपर आक्रमण करनेके लिये एक तारतार सेना भेजी, जिसका लक्ष्य था मास्कोकी ओर बढ़ना । लेकिन ममाईकी सेनाको वोझा नदीके किनारे भारी हार खानी पड़ी । ममाईने अब लिथुवानी राजा जागिएलोसे समझौता किया और स्वयं एक बड़ी सेना लेकर लड़नेके लिये आगे बढ़ा । र्याज़नके राजुलने अपने प्रतिद्वंद्वी मास्कोके महाराजुलके विरुद्ध ममाईसे मेल कर लिया । उधर महाराजुल दिमित्रिने भी डेढ़ लाखकी सेना एकत्रित कर ली थी । जातीयताके जोशमें आकर भारी संख्यामें रूसी राजुलके झंडेके नीचे इकट्ठा हो गये थे । यही नहीं, राजा ओलिगर्दके दो लिथुवानी राजकुमार भी बेलोरूसी और लिथुवानी सैनिकोंके साथ ममाईसे युद्ध करनेके लिये आये । दिमित्रिने अपनी सेनासहित ओकापार हो दोनके किनारे पहुंच युद्ध-परिषद् बुलाई । कुछ लोगोंकी राय थी "दोनके पार जाओ राजुल" और दूसरे कह रहे थे "मत जाओ, वहां बहुत शत्रु हैं ।" दिमित्रि मना करनेवालोंकी बात न मान दोनपार हो गया । ८ सितम्बर १३८० ई० को कुलिकोवोका भीषण और निर्णायक युद्ध हुआ । कुलिकोवोका युद्धक्षेत्र नेप्र्याद्वा नदी और दोनके संगमपर अवस्थित था । युद्ध भीषण हुआ, कई मीलतककी धरती खूनसे लाल हो गई, जहां जगह-जगह लाशें पड़ी थीं । तारतारोंको पहले कुछ सफलता हुई, लेकिन इसी समय छिपे हुये रूसी सैनिकोंने अपना पीछा करते तारतारों पर पीछेकी ओरसे आक्रमण कर दिया । ठीक समयपर हुये इस जबर्दस्त प्रहारसे तारतारोंकी पूरी हार हुई । वह जान बचानेके लिये भाग निकले और रूसी सवारोंने पीछा करके उनके शिविरको भी ले लिया । दोनतटपर हुये इसी युद्धके विजयके उपलक्षमें दिमित्रिको "दोन्स्की" (दोनवाला) कहा जाने लगा ।

इस लड़ाईके थोड़े दिनों बाद तोकतामिशसे लड़ते हुये ममाई मारा गया । उसके बाद तोकतामिशने १३८२ ई० में एकाएक मास्कोपर आक्रमण कर दिया । महाराजुल दिमित्रि तैयार नहीं था, इसलिये सेना भरती करनेको वह उत्तर चला गया । बायरोंने भी जान लेकर भागना चाहा, इसपर मास्कोमें विद्रोह हो गया । स्वतंत्रता-प्रेमी नगरवासियोंने क्रेमलिन (दुर्ग) के फाटकपर पहरेदार बैठा दिये, जिसमें महाराजुलानी और संघराजके अतिरिक्त कोई नगरसे बाहर न जाने पाये । तोकतामिशकी सेनाने क्रेमलिनपर आक्रमण किया । नागरिकोंने उसका पूरा प्रतिरोध किया । तीन दिनतक लड़ाई करनेके बाद भी सफलता न देख तोकतामिशने छलसे लोगोंको भुलावा दे नगरके दरवाजेको खुलवाया और उसे लूटकर जला दिया । इसके बाद रूसी लोग फिर किपचकोंको कर देने लगे । यद्यपि कुलिकोवोके युद्धने रूसियोंको मंगोलोंके जूयेसे मुक्त नहीं कर दिया, किन्तु उनके मनमें अब यह भाव पैदा हो गया था, कि हम मिलकर मंगोलोंसे अच्छी तरह मुकाबिला कर सकते हैं ।

२४. वासिलीI, दिमित्र-पुत्र (१३८९–१४२५ ई०)

पिताके कामको पुत्रने और आगे बढ़ाया। वासिलीने निज्नीनवोगोरदको ले लिया।

२५. वासिली अंध II वासिली I-पुत्र (१४२५–६२ ई०)

वासिलीके पुत्र वासिलीको अपने मनोरथमें अधिक सफलता प्राप्त करनेमें सबसे भारी बाधा पारिवारिक संघर्ष था। उसका चचा यूरी स्वयं महाराजुल बनना चाहता था। खानने वासिलीको जब यह पद प्रदान किया, तो दोनोंमें खुला संघर्ष शुरू हो गया, जो बीस सालतक जारी रहा। इस संधर्षमें कितनी ही बार मास्को एक हाथसे दूसरे हाथमें जाता रहा। एक बार वासिली तीर्थयात्राके लिये त्रोयत्सा गया हुआ था, उसी समय उसके प्रतिद्वंद्वी राजुल शेम्याकाके सिपाहियोंने उसे पकड़कर मास्कोमें ले जा अंधा कर दिया, जिसके कारण उसका नाम त्योम्नी (अंध) पड़ गया। वासिलीने फिर जल्दी ही अपने राज्यको प्राप्त कर लिया, और उसके बाद उसकी शक्ति फिर बढ़ी।

१४ वीं सदीके अन्तमें रूसमें ईसाई-धर्मके प्रचारके साथ-साथ विद्याका प्रचार भी कमसे कम उच्च वर्गमें काफी था, लेकिन अंध वासिली "निग्रंथ और निरक्षर" था, जिससे सिद्ध है, कि अभी रूसी सामन्तवर्गमें विद्याकी उतनी अवश्यकता नहीं मानी जाती थी।

५. (२।११४)

मास्को-राज्यविस्तार

(१२२६-१४६२ ई०)

२६. इवान III, वासिली अंध-पुत्र (१४६२–१५०५ ई०)

पीढ़ियोंसे धीरे-धीरे संचित होती मास्को-राजशक्ति अब बिल्कुल स्पष्ट दिखने लगी। इवान III ने सारे उत्तर-पूर्वी रूसका एक सुसंगठित राज्य बना लिया। नवोगोरद अभीतक मास्कोसे अपनेको स्वतंत्र

बनाये हुये था, इसपर इवान III ने एक बड़ी सेना लेकर उसके ऊपर आक्रमण किया और हरानेके बाद नगरको स्वतंत्र छोड़ उसके अधीनस्थ प्रदेशोंको अपने राज्यमें मिला लिया। मास्कोने पेर्मको अपने राज्यमें मिलाकर अपनी सीमा उराल प्रदेशतक बढ़ा ली और वहांकी धातुकी खानोंमें काम करने के लिये चतुर शिल्पी भेजे। नवोगोरदके भीतर फिर आपसी संघर्ष शुरू हुआ, और अन्तमें उसने १४८७ ई० में इवानको अपने "गसूदर" (स्वामी) के तौरपर स्वागत किया। नवोगोरदकी बोलीमें "गसूदर" का अर्थ साधारण सामन्ती भूमिपति भी होता था। इवान उनका साधारण भूमिपति बननेके लिये तैयार नहीं था। उसने पूर्ण प्रभुताकी मांग की। इन्कार करनेपर सेना लेकर चढ़ आया और लम्बी बातचीतके बाद जनवरी १४७८ ई० में नागरिकोंने उसकी सारी शर्तोंको मान लिया। १४८५ ई० में इवानने त्वेरको भी पूर्ण तौरसे अपनी अधीनता स्वीकार करनेके लिये मजबूर किया, र्याज़नका राज्य भी मास्कोका करद बन गया। यद्यपि रूसीजन अब मास्कोके अधीन एक हो चुके थे, लेकिन उनके सजातीय बेलोरूसी और उक्रइनी अब भी लिथुवानिया और पोलन्दके हाथमें थे, जिनको एकताबद्ध करनेमें अभी सदियोंके संघर्षकी अवश्यकता थी।

तारतार (मंगोल)-शासनकी समाप्ति (१४८० ई०)---नवोगोरद जैसे शक्तिशाली राज्यको ले लेनेके बाद अब इवान सुवर्ण-ओर्दूकी ओर बढ़नेके लिये स्वतंत्र था। आपसमें लड़ते ओर्दूके अनेक खानोंने पहिले हीसे उसके लिये रास्ता साफ कर दिया था। इवानने क्रिमियाके खान मेंगली गिराईसे मेल किया--वहां वह प्रतिवर्ष दूतमंडलद्वारा खान, उसकी खातूनों और मुख्य दरबारियोंको भेंट भेजा करता था। सुवर्ण-ओर्दूकी कमजोरीको देखकर इवानने उसे कर देना बन्द कर दिया। सुवर्ण-ओर्दूके खान अहमदने लिथुवानियाके राजाकी सहायतासे मास्कोको कर देनेके लिये मजबूर करना चाहा, लेकिन सफल नहीं हुआ; इसपर तारतार और रूसी सेनायें युद्धके लिये ओकाकी शाखा उग्रा नदीके आरपार खड़ी हुईं। दोनोंमेंसे कोई नदी पार करनेकी हिम्मत नहीं करता था। अहमद कर देना स्वीकार कर लेनेपर लौट जानेके लिये तैयार था। जब उग्राकी धारा बर्फ बनकर जम गई, तो चतुर इवानने अपनी सेनाको पीछे हटा एक अधिक अनुकूल स्थान पकड़नेका हुकुम दिया। अब भी खान आक्रमण करनेमें हिचकिचा रहा था। एक ओर सर्दी और भूपसे खानकी सेना परेशान थी और दूसरी ओर इवानके सहकारी मेंगली गिराईने हमला करके उसे खतरेमें डाल दिया था। लिथुवानियाका राजा भी अहमदको बीच हीमें छोड़कर चला गया। अहमदको मास्कोकी सीमासे हटनेके सिवा और कोई रास्ता नहीं रहा। बिना युद्धके इस दिनके हटनेके साथ ही दो शताब्दियोंसे चला आता रूसियोंके ऊपर मंगोलोंका शासन हटसा गया, और बा-तूका सर्वशक्तिमान् सुवर्ण-ओर्दू १५०२ ई० में क्रिमियाके तारतारोंद्वारा पराजित होकर निम्न-वोल्गाकी अस्त्राखानकी छोटीसी रियासतके रूपमें बच रहा।

तारतारों (मंगोलों) के जूयेसे मुक्त होनेके बाद इवानने अब फिनों, स्वीडों, जर्मनों, लिथुवानियों और तुर्कोंके हाथमें पड़ी प्राचीन रूसी भूमिके उद्धारका संकल्प किया।

तुर्की---तेमूरके युद्धोंमें परास्त होकर भागे क्षुद्र-एसियाके तुर्कोंने युरोपके तटपर पहुंचकर कान्स्तन्तिनोपोलके पूर्वी रोमन राज्यके अवशेषको खतम कर दिया। धीरे-धीरे बढ़ते हुये इन्हीं तुर्कोंने बलकान भूमिको लेते कालासागरसे उत्तरमें भी अपना हाथ फैला दिया। इस प्रकार तेमूरके बाद तुर्कीके रूपमें एक शक्तिशाली राज्य पूर्वी युरोपमें आकर उपस्थित हो गया। इवानने पहले और शत्रुओंसे भिड़नेके लिये तुर्कीके साथ समझौता कर लिया--वह पहला युरोपीय राजा था, जिसने तुर्कीके अस्तित्वको १४९२ ई० में स्वीकार किया। उसने बाल्तिक-तटसे होनेवाले खतरेकी रक्षाके लिये नारवा नदीपर इवानगोरद (इवान-नगरी) का दुर्ग स्थापित किया। यह बाल्तिककी ओर बढ़नेका रूसका पहला कदम था। लिथुवानिया जैसे प्रबल प्रतिद्वंद्वीको पछाड़नेके लिये इवानने लिवोनीय धर्म-सेनासे समझौता किया। पीछे जर्मन धर्मसैनिकोंके विरुद्ध उसने लिथुवानियासे संधि की और चेर्नीगोफ नगरके साथ सेवेर्स्क प्रदेशको लेते हुये उसने अपनी सीमाको कियेफके नजदीकतक पहुंचा दिया। पूरबमें कजानके खानको

भी इवानने अधीनता स्वीकार करनेके लिये मजबूर किया। उसने उरालकी ओर भी कई अभियान भेजे। १५०० ई० में इवानकी सेनाने उराल पर्वतश्रेणी अर्थात् युरोपकी सीमासे पार हो एसियाकी सीमामें पैर रक्खा। वहांके निवासी नेन्सी अब मास्कोके करद बन गये। राज्यविस्तारके प्रयत्नमें कितनी ही बार उसे बाधाका भी सामना करना पड़ा, लेकिन बाधाओंके होते भी इवान आगे बढ़नेमें सफल रहा। सैनिक-शक्ति तो उसकी प्रबल थी ही, किन्तु उससे भी अधिक उसकी कूटनीति काम कर रही थी। क्रिमिया और साइबेरियाके तारतारोंको सुवर्ण-ओर्दूके अवशेषसे भिड़ाकर उसने अपना काम निकाला।

मास्को नगरी जहां एक शक्तिशाली राज्यकी राजधानी हो गई थी, वहां वह व्यापारका भी सबसे बड़ा केंद्र थी। जाड़ोंमें बर्फ बनी हुई मास्क्वा नदीके ऊपर व्यापारी अपनी दूकानें रखते थे। एक युरोपीय यात्रीने उस समयका वर्णन करते हुये लिखा है—"सारे जाड़ेभर अनाज, मांस, सूअर, ईंधन, भुस और दूसरी आवश्यक चीजें बेंचनेके लिये वहां लाई जाती हैं। नवम्बरके अन्तमें मास्कोके पास-पड़ोसके लोग अपनी गायों और सूअरोंको मारकर नगरमें बेंचनेके लिये लाते हैं। यह बड़ा आनन्दका दृश्य होता है, जबकि बर्फके ऊपर चमड़े निकाले हुये जानवरोंको बहुत भारी परिमाणमें अपने पैरोंपर हम खड़ा देखते हैं।"

इवान III ने मास्कोको एक बड़ी अन्तर्राष्ट्रीय शक्तिमें परिणत कर दिया। उसने शासन, सेना, और कोशको जहां केंद्रित कर दिया, वहां सैनिक हथियार और कौशलमें भी बहुत वृद्धि की। इवानने पश्चिमी युरोपसे कारीगरोंको बुला तोपें ढलवाकर रूसी तोपखानेको मजबूत किया। उसकेद्वारा स्थापित रूसी तोपखाना तबसे ही दुनियाका सबसे शक्तिशाली तोपखाना बन गया, जिसे सोवियत-कालमें भी रूसने अक्षुण्ण रखा—हिटलरकी सेनाओंको भगानेमें रूसी तोपोंका काफी हाथ रहा। इवानको अब सभी राजा अपनी उच्च बिरादरीमें सम्मिलित करनेके लिये प्रस्तुत थे। जर्मन-सम्राट्ने राजाकी उपाधि देनी चाही, लेकिन इवानने "मुझे उसकी अवश्यकता नहीं" कहकर लेनेसे इन्कार कर दिया। पोपने भी उसकी ओर मित्रताका हाथ बढ़ाया। वेनिसके धनी गणराज्य तथा पश्चिमी युरोपके दूसरे व्यापारी कालासागर और क्रिमिया होते मास्को पहुंचने लगे। इवानने पश्चिमी युरोपसे तोप ढालनेके लिये ही कारीगर नहीं मंगवाये, बल्कि वास्तुशास्त्री तथा शिल्पशास्त्रियोंको भी बुलाया।

इवानके प्रभावको बढ़ानेके लिये इसी समय एक और भी अच्छा मौका मिल गया। ईसाई धर्म कैथोलिक और अर्थोदक्स दो सम्प्रदायों (चर्चों) में विभक्त है, जिसमें कैथोलिक पोपका केंद्र रोम नगर है और ग्रीक अर्थोदक्स चर्चका महासंघराज कान्स्तन्तिनोपोलमें रहता था। १४५३ ई० म तुर्क सुल्तानने कान्स्तन्तिनोपोलपर अधिकार करके पूर्वी रोमक (विजन्तीन) साम्राज्यको खतम कर दिया। तुर्कोंका राज्य कालासागर-तट, काकेशस और बलकानमें दन्यूब नदीके किनारे वीना नगरके पासतक फैल गया। वेनिस और पोपकी मध्यस्थतासे इवानन अन्तिम ग्रीक सम्राट्की भतीजी सोफिया पालेओलोगससे ब्याह किया। वेनिस और रोमको आशा थी, कि इस प्रकार वह इवानकी शक्तिसे तुर्कों-को खतम करनेमें सफल होंगे, लेकिन इवान किसीका हथियार बननेके लिये तैयार नहीं था। क्रिमियाके खानोंद्वारा इवानने तुर्कोंके साथ सम्बन्ध स्थापित किया। ईरानसे भी उसने सम्बन्ध स्थापित किया। इस प्रकार मास्कोके व्यापारी कान्स्तन्तिनोपोल और ईरान तककी यात्रा करने लगे। इन्हीं व्यापारियों में त्वेर (कलिनिन) नगरका अफनासी निकितिन भी था, जिसने १४६७—७२ ई० में ईरानके रास्ते समुद्रद्वारा भारतकी यात्रा की थी। अफनासीने अपना यात्राविवरण "खोजेनिये ज़ा-त्रि-मोर्या" (तीन समुद्रों पारकी यात्रा) लिखकर हमारे लिये छोड़ा है।

अफनासीकी भारतयात्रा—त्वेरके रूसी सौदागर निकितिन अफनासीने "तीन समुद्रों पारकी यात्रा" की थी। वह वास्को-द-गामाके भारत पहुंचने (१४९८ ई०) से ३२ **वर्ष पहिले** हिन्दुस्तानमें आ बहमनी (बीदर) सुल्तान मुहम्मदशाह III (१४६२—८३) के राज्यमें ६ वर्ष (१४६६-७२ ई०) तक रह रूस लौट स्मोलेन्स्कमें मर गया। उसके यात्रा-विवरणके कुछ अंश हैं:—

मैं पवित्र स्पा (त्राता) के गिर्जेसे महान् राजुल मिखाइल बोरिसपुत्र और त्वेरके प्रधान पादरी गेनान्दीकी कृपामयी अनुमति प्राप्तकर रवाना हुआ। बोल्गा नदीसे चलकर पवित्र शहीद बोरिस और ग्लेबके "जिवो नचाल्नया ओइत्जा" (जीवनप्रदायक त्रिमूर्ति) के पवित्र मठमें पहुंचा। साधु मकरी और उसके भाईने मुझे आशीर्वाद दिया। (फिर) मैं उगलिच गया। उगलिचसे कोस्त्रोमा (त्वेर) के राजुल अलेक्सान्द्रके पास पहुंचा। सारे रूसके शासकने मुझे स्वतंत्र जीवन प्रदान किया। इसी तरह मुझे निज्नीनवोगोरदमें उपसंरक्षक मिखाइल किस्लेफ़ और जकात-अफसर इवा साराके पास जानेकी अनुमति मिल गई।

अबसे पहले ही वासिली और पापी (मैं) चल पड़े थे। फिर भी मुझे (निज्नी) नवोगोरदमें शाह शिरवानके तातार राजदूत हसनबेगके लिये प्रायः दो सप्ताह रुकना पड़ा। वह महाराजुल इंवाके पास नब्बे बाज लेकर आया था। मैं जहाजपर चढ़ उसके साथ वोल्गाकी राह चला और कुशलपूर्वक कजान, उर्दा, ओगलान, सराइ और बरेकेजाम लांघ गया।

हम बुजान नदीमें पहुंचे। वहां हमें तीस बदमाश तातार मिले। उन्होंने हमें गलत खबर दी, कि बुजानमें कासिम खां तीन सौ तातारोंके साथ पड़ा सौदागरोंकी राह देख रहा है। शिरवानके राजदूत हसनबेगने उनमेंसे प्रत्येकको तीन-तीन मलमलके थान दिये, जिसमें वे हमें अस्त्राखानके आगेतक पहुंचा दें। मैं अपना जहाज छोड़कर अपने साथियोंके साथ राजदूतके जहाजपर सवार हो गया। हम अस्त्राखान लांघ रहे थे, (आकाश मे) चांद चमक रहा था; इसी समय वहांके हाकिमने हमें देख लिया। उसके तातारोंने चिल्लाकर कहा—भागना मत! और उसने हमारे पीछे अपने सिपाही छोड़ दिये। बुगून पहुंचते-पहुंचते उन्होंने हम पापियोंको पकड़ लिया, और हममेंसे एकको गोली मार दी। हमने भी उनके दो आदमी मार डाले। हमारे छोटे जहाजको वहां रोककर उन्होंने लूट लिया और मेरा सारा सामान नौकाके साथ ही उनके कब्जेमें चला गया।

बड़ी नौकासे (भागकर) हम समुद्र-तटतक पहुंचे, लेकिन (हमारी) नाव वोल्गाके मुहानेपर जमीनपर चढ़ गई। तातार वहां हमें आ पकड़ कर और नावको पानीमें खींच ले गये। उन्होंने (हम) चार रूसियोंको कैद कर लिया और बाकियोंको समुद्रकी ओर भगा दिया। वह हमें बहावके विरुद्ध जाने नहीं दे रहे थे, जिसमें हम उनके खिलाफ खबर न दे दें।

अब हम दो नावोंमें दरबन्द (कास्पियन) समुद्रकी ओर चले। एकमें राजदूत हसनबेग, हम रूसी और कुछ ईरानी—कुल दस आदमी थे और दूसरीमें छ मास्कोके और छ त्वेरके निवासी चल रहे थे। इस सामुद्रिक यात्रामें हम तूफानमें पड़ गये और तटसे टकरा जानेसे छोटी नावके लोगोंको केताकोंने पकड़ लिया।

जब हम दरबन्द पहुंचे, तो मालूम हुआ, कि हम तो राहमें लुट गये, लेकिन वासिली बिल्कुल सही सलामत पहले ही दरबन्द पहुंच गया है। मैंने वासिली पापिन और शिरवान शाहके राजदूत हसनबेगने—जिसके साथ कि हम आये थे—बड़ा अनुनय-विनय किया कि वे तर्कीमें केताकोंद्वारा गिरफ्तार हमारे आदमियोंको छुड़ानेका प्रयत्न करें। हसनबेग बीच-बचाव करने के लिये पहाड़पर जाकर पुलादबेगसे मिला। पुलादबेगने शिरवान शाहबेगके पास एक तेज दूत भेजकर कहलाया कि तर्की (किला) से टकराकर एक रूसी नावके टूट जानेपर केताकोंने उसे पकड़ लिया, उसके आदमियोंको गिरफ्तार कर लिया और उनकी चीजें लूट लीं। शिरवान शाहबेगने अपने संबंधी खलीलबेगद्वारा कहलवाया—'खबर मिली है, कि मेरी नाव तर्कीके पास टकराकर टूट गई, तुम्हारे आदमियोंने नावके आदमियोंको पकड़ लिया और उनकी चीजोंको लूट लिया। कृपा करके मेरी खातिर उन पकड़े आदमियोंको मेरे पास भेज दो और उनकी चीजें भी इकट्ठी कर दो, क्योंकि वे लोग मेरे पास भेजे गये थे। अगर तुम्हें किसी चीज की जरूरत हो, तो मेरे पास आओ; मेरे भाई, मैं कोई चीज देनेसे तुम्हें इन्कार नहीं करूंगा। अब कृपया मेरे लिये इन आदमियोंको मुक्त कर दो।' खलीलबेगने तुरंत मुक्तकर दरबन्द फिर वहांसे शिरवान शाहके आवास 'कोइतुल' में भेज दिया।

हम कोइतुलमें शिरवान शाहके पास पहुंचे। हमने उससे बड़ी मिन्नत की, कि वह हमपर दया करे और हमारे रूस लौटनेमें मदद करे; पर हमारी संख्या बहुत थी। उसने हमें कुछ न दिया। बहुत रो-धोकर हममेंसे हर एकने अपनी राह ली। जिनको रूसमें काम था, वह रूस चले गये, कुछ उधर जिधर उनकी आंखें ले गईं गये, कुछ शेमाखमें ही पड़े रहे और कुछ काम करने बाकू चले गये।

मैं फिर दरबन्दसे बाकू गया, जहां कभी नहीं बुझनेवाली अग्नि (ज्वालामाई) सदा जलती रहती है। बाकूसे मैं समुद्रकी राह चपकुर जा वहां छ महीने रहा। फिर जाकर माज़न्दरानके मुल्कमें सारामें एक महीने रहा। उसके बाद मैं आमूल गया और वहां एक महीने रहा। फिर आमूलसे मैं देमाबन्द गया और देमाबन्दसे रै (तेहरान)। यहीं मुहम्मद (पैगम्बर) के पोते और अलीके बेटे शाह हुसैनकी हत्या हुई थी और उसके शापसे सत्तर नगर नष्ट हो गये थे। रैसे मैं गजान आया और वहां एक महीना रहा। गजानसे नाइन और नाइनसे येज़्द (उयेज़्द), जहां मैं एक महीना ठहरा। येज़्दके बाद मैं सिर्दजान आया और फिर तारूम, जहां मवेशियोंको चारे 'अल्त्वीन' के बदले खानेको खजूर देते हैं।

तारूमसे मैं लार गया और लारसे बन्दर। यही ओरमुज्द (ओर्मुज) का बन्दर है। फिर भारतीय सागर, जिसे फारसीमें हिन्द-समुंदर कहते हैं। ओरमुज बन्दरसे समुद्र केवल चार मील है।

हिन्दू मांस नहीं खाते, न तो बांझ मवेशीका, न भेड़का, न मुर्गे-मुर्गियोंका और न मछलीका। वह सूअर भी नहीं खाते, यद्यपि देशमें सूअरोंकी बहुतायत है। दिनमें वह दो बार भोजन करते हैं, और रातमें कुछ नहीं खाते। वह शराब नहीं पीते और न दूसरा ही ऐसा पेय, जो नशा कर दे। वह मुसलमानोंके साथ नहीं खाते-पीते। उनका भोजन अच्छा नहीं होता। वह आपसमें भी एक दूसरेके साथ नहीं खाते-पीते, (यहांतक कि) अपनी पत्नियोंके साथ भी नहीं (खाते)। वह चावल और रोगन (घी) मिली खिचड़ी और अनेक प्रकारकी सब्जियां खाते हैं, जिन्हें वह रोगन (घी) या दूधके साथ पकाते हैं। वह दाहिने हाथसे खाते हैं, बायें हाथसे कुछ नहीं खाते। वह चम्मचका इस्तेमाल नहीं जानते। सफरके समय हर आदमी अपना भोजन (खीर) आप पकाता है। भोजनके समय वह पर्दा कर लेते हैं, जिसमें मुसलमान उनका खाना न देख ले। अगर मुसलमान खाना देख ले, तो हिन्दू उसे नहीं खायेंगे। खाते समय वह अपनेको कपड़ेसे भलीभांति ढांक लेते हैं, जिसमें कोई उन्हें देख न सके।

रूसियोंकी ही भांति हिन्दू भी पूर्वकी ओर मुंह करके प्रार्थना करते हैं। वह दोनों हाथ ऊपर उठाकर सिरपर रख लेते हैं, फिर जमीनपर पड़ जाते हैं, यही उनका प्रणाम (साष्टांग प्रणाम) करना है। भोजनके पहले उनमेंसे कुछ (लोग) अपने हाथ-पांव धोते हैं और कुल्ला करते हैं। देवालयोंमें कोई दरवाजा नहीं होता, उनका रुख पूर्वकी ओर होता है—कुछ मूर्तियोंका मुख उत्तरकी ओर भी होता है। जब हिन्दुओंमें कोई मर जाता है, तो उसके शरीरको जलाकर राखको पानीमें डाल देते हैं। जब किसी औरतके बच्चा होता है, तो पति उसे ले लेता है। लड़केका नामकरण पिता करता है और लड़कीका माता। उनके आचार-व्यवहार अच्छे नहीं हैं और न उनमें कोई शर्म है। मिलते और अलग होते समय वह ईसाई साधुओंकी भांति अपने दोनों हाथ जमीनकी ओर कर लेते हैं, कुछ बोलते नहीं।

दाबुलसे कालीकट २५ दिनका रास्ता है, कालीकटसे सिंहल (लंका) १५ दिनका। सिंहलसे जाबत (जावा) १ महीनेका, जाबतसे पेगू (बर्मा) २० दिनका, पेगूसे चीन और महाचीन फिर एक महीनेका। यह सारी यात्रा समद्रकी राह है। चीनसे खिताईकी यात्रा खुश्कीसे छ महीनेकी और समुद्रसे चार दिनोंकी है। भगवान् मेरी रक्षा करे।

बीदरमें तीन दिनों तक चांद प्रायः पूरा चमकता है। हिन्दुस्तानमें गर्मी बहुत नहीं है। ओर्मुज और बहरैनमें—जहां मोती निकलती हैं—बड़ी गर्मी पड़ती है, जद्दा, बाकू, अरब, मिस्र और लारमें भी। खुरासानमें गर्मी इतनी ज्यादा नहीं, लेकिन चगताई (मध्य-एसिया) में बहुत है। शीराज, यज्द और कजानमें गर्मी है, पर वहां जोरकी हवा चलती है। गीलानमें बड़ी गर्मी है, बहुत पसीना निकलता है। बाबुल, खुम्स और दमश्क भी गरम हैं। अलेफ इतना गरम नहीं। शेबास्त और जार्जियामें सभी कुछ बहुतायतसे मिलता है। वैसे तुर्कीमें भी सब चीजोंकी बहुतायत है। रूमानियामें फल बहुत हैं और खानेकी सभी चीजें

सस्ती हैं। पोदोलियामें फल सब जगहोंसे अधिक होते हैं। भगवान् रूसकी रक्षा करे, भगवान् उसे बचाये। इस संसारमें रूसके समान (अच्छा) कोई दूसरा मुल्क नहीं, यद्यपि वहांके बायर अच्छे नहीं हैं। परन्तु रूसकी भूमि बनाई जा रही है, उससे बड़ी भलाई होगी। मेरे भगवान्, भगवान्, भगवान्, भगवान् (बोग् मोइ)।

हे मेरे भगवान्, मेरी आशायें तुझपर लगी हैं। मेरे भगवान्, मेरी रक्षा कर ले। मैं नहीं जानता कि हिन्दुस्तानसे किधरको जाऊं। ओर्मुजसे खुरासानको राह नहीं, चगताईके लिये रास्ता नहीं और बहरैन और यज्दके लिये भी कोई मार्ग नहीं। सर्वत्र विद्रोह हो रहे हैं, सर्वत्र बादशाह भगाये जा रहे हैं, मिर्जा जहान शाहको उजून (हसन) बेग ने मार डाला है, सुल्तान अबू-सईदको जहर दे दिया गया है। उजून (हसन) बेग अब शीराजमें है, पर उस मुल्कने उसको स्वीकार नहीं किया है। यादगार मोहम्मद उसके पास नहीं जाता, वहां जानेमें उसे खतरा मालूम होता है। और कोई राह नहीं। (मेरे) मक्का जानेका मतलब है मुसलमान हो जाना। ईसाई होनेकी वजहसे मक्का जानेमें (मेरी) खैरियत नहीं, क्योंकि वहां जाते ही मुसलमान बना लिया जाऊंगा। हिन्दुस्तानमें रहनेका मतलब है, अपने पास जो कुछ है, सबको खर्च कर डालना, क्योंकि यहांका रहन-सहन महंगा है। मैं अकेला हूं, पर मेरा रोजाना खर्च ढाई अल्तीना (अशर्फी) है। यहां मन भरकर शराब मैंने कभी नहीं पी।

हम मस्कत पहुंचे। वहीं मैंने पासख (ईस्टर) त्योहार मनाया। फिर तीन दिनोंमें ओर्मुज पहुंचा। २० दिन ओर्मुज ठहर मैं लार गया और वहां तीन दिन रहकर बारह दिनकी यात्राके बाद शीराज़ पहुंचा, जहां सात दिन रहा। शीराजसे पंद्रह दिनकी यात्रा कर अबरकुन पहुंचा और वहां दस दिन ठहर, नौ दिनमें येज्द पहुंचा, जहां ८ दिन रहा। येज्दसे पांच दिनमें अस्पहान पहुंचा, और वहां छ दिन ठहरा। वहांसे काशान जा पांच दिन रहा। काशानसे कुम गया। कुमसे सबा, सबासे सुल्तानिया और सुल्तानियासे तब्रीज। तब्रीजसे मैं हसनबेगके कबीलेमें पहुंच, उनके बीच १० दिन ठहरा। वहांसे कहीं जानेका रास्ता न था, लड़ाई चल रही थी। हसनबेगने तुर्क सुल्तानके विरुद्ध अपनी ४० हजार सेना भेजी थी। सेनाने सिवास और तकातपर कब्जा कर लिया, तकातमें आग लगा दी। उन्होंने अमसपर भी अधिकार कर लिया, अनेक गांव लूट लिये, फिर वह किरमानकी ओर बढ़े। मैंने सेनाका साथ छोड़ आरजित्जान (अर्ज़ेरूम) की राह ली और वहांसे त्रेपोजन्द जा पहुंचा।

पक्रोफ़के दिन ही मैं त्रेपोजन्द पहुंचा और पांच दिन वहां ठहर, एक जहाजपर जा कफाका किराया ठीक कर लिया, तथा कफामें जकात कर देनेके लिये कुछ सिक्के बदले।

त्रेपोजन्दमें फौजदार और शासकके भाईने मुझे बड़ा नुकसान पहुंचाया। वह मेरा सारा सामान पहाड़के ऊपर अपने महलमें उठा ले गया, और चूंकि मैं हसनबेगके कबीलेकी ओरसे जा रहा था, इसलिये छिपी चिट्ठियोंके लिये मेरी तलाशी ली।

भगवान् की दयासे मैं अब तीसरे समुद्र (कालासागर) में दाखिल हुआ, जिसे ईरानी 'इस्तम्बूलका समुन्दर' कहते हैं। जहाजसे पांच दिन चलकर हम बोनद पहुंचे। वहां हमें तेज (दक्खिनी) हवा मिली, जो हमें त्रेपोजन्दकी ओर ढकेल ले चली। मौसमकी परेशानी के कारण हमें प्लातानमें रुक जाना पड़ा। वहांसे दो बार हमने चलना चाहा, पर मौसमके कारण रुकना पड़ा। भगवान् ही (सबका) मूल और रक्षक है, उसे छोड़ हम और किसी भगवान्को नहीं जानते। अन्तमें (समुद्र) पारकर हम बालक्लोफ़ पहुंचे, फिर वहांसे गुरजोफ, जहां हम पांच दिन ठहरे।

भगवान्की दयासे हम समुद्र पारकर, फिलिपोफकी शामसे नौ दिन पहिले कफा पहुंच गये। भगवान् ही बनानेवाला है। उसकी मर्जीसे मैंने तीन समुन्दर पार किये, आगेकी भगवान् जाने। दयालु भगवान्के नामपर, महान् प्रभु और लघु प्रभु, ईसा और पवित्रात्मा शान्ति। भगवान् बड़ा है, प्रभु महाप्रभुके बराबर कोई दूसरा भगवान् नहीं। भगवान्की महिमा, उसका आशीष। उस जैसा दूसरा नहीं, वह सर्वज्ञ है, दृश्य-अदृश्य सबका वही राजा है, ज्योति है, रक्षक है और प्रभु है। वह श्रेष्ठ और महान्

है, स्रष्टा और चित्रकार है। वह सारे पापोंका क्षमा करनेवाला है। वही सभी वस्तुओंको बढ़ानेवाला है, हमारी अन्तरात्माओंको जानने और स्वीकार करनेवाला है। वही आकाश और पृथ्वीमें व्याप रहा है, सबकी रक्षा कर रहा है, वही सर्वोच्च, सर्वमहान्, सर्वदर्शी, सर्वश्रोता है। वह न्यायकारी, समीचीन और शालीन है।

कान्स्तन्तिनोपोलके तुर्कोंके हाथमें चले जानके बाद और ग्रीक राजकुमारीसे ब्याह कर लेनेपर इवान अपनेको ग्रीक सम्राटोंका सीधा उत्तराधिकारी मानने लगा। उसने बिजन्तीन राजमुद्रा—दो शिर-वाले बाज—को अपनी राजमुद्रा बनाई। दरबारके समय वह रत्नजटित सिंहासनपर एक मुकुट धारण करके बैठता था, जिसे "मनोमाख" मुकुट कहते थे, और जिसके बारेमें परम्परा कहती है, कि उसे ब्लादिमिर मनोमाखने अपने नाना ग्रीकसम्राट् कन्स्तन्तिन मनोमाखसे पाया था।

इवानने अपनी राजधानीको भी अब राजसी ढंगसे सजाना शुरू किया। पहले मास्कोके सारे घर लकड़ीके होते थे, राजप्रासाद भी लकड़ीका था। इवानके समयसे पत्थरके मकानोंकी वृद्धि होने लगी। इतालियन वास्तुशास्त्री रिदाल्फो दि फ्योरावेन्तेको बुलाकर उसने नये वास्तु-साधनोंका प्रयोग कराया। विदेशी शिल्प-शास्त्रियोंने इवानके लिये जो इमारतें बनाई थीं, उनमेंसे कुछ—क्रेमलिनकी दीवारें और मीनार, पत्थरके गिर्जे, पाषाण-प्रासाद तथा सुंदर ग्रानोवितया पलाता—अब भी मौजूद हैं। इवान अब अपनेको सचमुच ही अभिमानी ग्रीकसम्राट् मानता था। जरा भी आज्ञा-

उल्लंघनपर वह बायरोंको मृत्यु या निर्वासनका दंड देता था। बायर कहते थे—"जबसे महाराजुलानी सोफिया अपने ग्रीकोंके साथ आई, तबसे सभी बातें उलट-पुलट गईं।"

२७. वासिली III, इवान III-पुत्र (१५०५–३३ ई०)

वासिलीके शासन का वही समय है, जब कि भारतमें बाबर और हुमायूं राज्य कर रहे थे। इस समय रूस बड़ी तेजीसे अपना राज्यविस्तार और शक्ति-संचय कर रहा था। जो रियासतें बापके समय अब भी स्वतंत्र थीं, उन्हें वासिलीने मास्कोमें मिला लिया—प्स्कोफ १२१० ई० में मास्कोके अधीन हुआ। इसीके शासनमें १५२१ ई० में र्याज़न भी मास्कोका अभिन्न अंग हो गया। १५१४ ई० में तीन बार तोप दागनेके बाद स्मोलेन्स्ककी अकल ठिकाने आ गई और वहांके बिशपने नागरिकोंके साथ महाराजुलके शिविरमें आकर प्रार्थना की—"नगरको मत नष्ट करो, शांतिपूर्वक इसे ले लो।" अब वासिली III रूसभूमिके सारे राजाओंका राजा था। समकालीन विदेशी भी लिखते हैं—"वासिलीकी शक्ति सारी दुनियाके राजाओंसे बढ़कर है, वह सबके जीवन और सम्पत्तिका पूर्णतया स्वामी है।" मास्कोवाले खुले आम कहते थे—"हमारे राजाकी इच्छा भगवान्की इच्छा है।" बायर भी उसके सामने भींगी बिल्ली बन गये थे। वह जिसको कान पकड़कर निकाल देता, वह चूंतक करनेकी हिम्मत नहीं रखता था। वासिलीने नीचे तबकेके कितने ही आदमियोंको अपना विश्वासपात्र बनाया था, जिसमेंसे दो-तीन सब बातोंमें उसके सलाहकार थे। उसके समकालीन साधु पिलोतेइने लिखा था—"मास्को दुनियाकी महान् राजधानियों--प्राचीन रोम और द्वितीय रोम कान्स्तन्तिनोपोल—का उत्तराधिकारी है, मास्को तीसरा रोम है, और चौथा कोई नहीं होगा।"

२८. येलेना वासिली III-पत्नी (१५३३–३८ ई०)

वासिलीने मरते वक्त सिंहासनका अधिकारी अपने तीन वर्षके पुत्र इवानको छोड़ा था। उसके बाल्यकालमें शासनकी बागडोर उसकी मां रानी येलेना वासिलियेफ-पुत्री ग्लिन्सकी-वंशजाके हाथमें रही। वासिली III ने बायरोंकी स्वेच्छाचारिताको बहुत दबाकर देशकी शक्तिको छिन्न-भिन्न करनेवाले इस वर्गको अधिकारच्युत कर डाला था। अब बायरोंने फिरसे अपने स्थानको प्राप्त करना चाहा, लेकिन येलेना गुड़िया रानी नहीं थी। उसने बायरोंके हर प्रयत्नको व्यर्थ किया। पर राजा और बायर (सामन्त) एक ही वर्गके हैं, दोनोंके स्वार्थ एक तरहके हैं, शादी-ब्याह आदि सम्बन्ध भी उनका आपसमें होता है, इसलिये उन्हें कहांतक अलग रक्खा जा सकता था? रानी अभी मुश्किलसे पांच वर्ष शासन कर पाई थी, कि बायरोंने उसे जहर देकर मार दिया।

२९. इवान IV, वासिली III-पुत्र (१५३८–८४ ई०)

राजमाताको मारकर बायरोंने शक्ति अपने हाथमें ले ली और आठ वर्षका बालक इवान खिलौनेकी तरह गद्दीपर बिठा दिया गया। लेकिन बायरोंमें भी निजी स्वार्थान्धता इतनी थी, कि वह आपसमें बराबर लड़ते-झगड़ते रहे। पहले राजुल शुइस्की और वेल्स्कीके बीचमें भयंकर संघर्ष हुआ और शुइस्कीके अनुयायियोंने क्रेमलमें घुसकर अपने विरोधी राजुल वेल्स्कीको गिरफ्तार कर लिया। शुइस्कीके हाथमें भी शक्ति देरतक नहीं रही। ग्लिन्स्कीवंशने—जिसकी पुत्री राजमाता येलेना थी—अन्द्रेइ शुइस्कीको १५४३ ई०में मार डाला। बायर तीन वर्षतक शासन करते रहे। वह केन्द्रीकृत सरकारके विरुद्ध थे और चाहते थे, कि देश फिर छोटे-छोटे राजुलोंमें बंट जाये। शासन क्या था, अपने भाई-भतीजों-भांजों और सहायकोंमें नगरों और इलाकोंको बांटना, जो जनसाधारणकी लूटका एक खुला तरीका था। घरके भीतरकी कमजोरी देखकर सुवर्ण-ओर्दूकी शाखाओं—क्रिमिया और कजानके तारतारों—ने फिर रूसभूमिमें लूट-मार मचानी शुरू की। बायर अपनी स्वार्थपूर्तिमें इतने संलग्न थे, कि वह बच्चे महाराजुलके खाने-कपड़ेतकका भी ध्यान नहीं रखते थे। तरुण इवानने अपनी मांके समयके दरबारको भी देखा था। उस समय राजसिंहासनका कितना सम्मान था? अब उसके मालिक इस बच्चेकी कोई पर्वाह नहीं करता था। केवल विशेष उत्सवोंके समय उसको सिंहासनपर बैठाकर सम्मान-प्रदर्शनका

अभिनय किया जाता था। बालक इवान मेधावी था। छोटी उमरसे ही उसने लिखना-पढ़ना सीख लिया था। उसे किताबोंके पढ़नेका बड़ा शौक था। स्वयं सुशिक्षित संघराज मकरीने इवानके ऊपर बहुत प्रभाव डाला था। लड़कपनसे ही अपनी आंखोंके सामने बायरोंको लूटते, खून-खराबी करते देख, स्वयं उपेक्षित हो इवानके स्वभावमें क्रूरता भी सन्निविष्ट हो गई थी।

ऐसे होनहार बालकको बहुत दिनोंतक गुड़िया बनाके नहीं रक्खा जा सकता था, विशेषकर जब कि बायरोंमें स्वयं आपसी खूनी संघर्ष चल रहे थे। सत्रह वर्ष की उमर (१५४७ ई०) में इवानने सिंहासनको संभालते हुये पूर्वजोंकी "महाराजुल" उपाधिसे सन्तुष्ट न हो ज़ारकी उपाधि स्वीकार की। इवान IV पहला रूसी ज़ार था—ज़ार-क़ज़ार-कैज़र-कैसर अर्थात् रोमक सम्राट्का ही बिगड़ा रूप है।

बायरोंने अपनी सामन्ती जागीरदारियां फिरसे स्थापित कर ली थीं। उसके कारण लोगोंकी बुरी हालत थी। उन्होंने १५४७ ई० में मास्कोमें ग्लिन्स्की दलके विरुद्ध विद्रोह कर दिया। इसी समय भारी आग लग जानेसे नगरका बहुत-सा भाग जल गया था, जिसके कारण लोगोंकी हालत और भी खराब हो गई और वह ग्लिन्स्कियोंकी स्वेच्छाचारिताके खिलाफ उठ खड़े हुये। वह ज़ारकी नानी अन्ना ग्लिन्स्कयाके ऊपर जादूसे नगरमें आग लगानेका दोष लगाते थे। विद्रोहमें ग्लिन्स्की वंशका एक आदमी मारा गया और बाकी जान लेकर भाग गये। ज़ार स्वयं वोरोब्योवो गांव (वर्तमान लेनिन-पर्वत) में भागकर जा छिपा।

जब विद्रोह दबा दिया गया, तो साधारण जनताकी संतान एक चतुर और ईमानदार अफसर अलेक्सी अदाशेफ शासनका मुखिया बना। अदाशेफने अपने साथ एक प्रभावशाली दरबारी पादरी सेल्वेस्तर तथा कुछ शक्तिशाली बायरोंको मिला इज्ब्रान्नया रादा (वृत-परिषद्) बनाई, जिसकी रायके विना तरुण ज़ार कोई निर्णय नहीं कर सकता था।

राज्य-विस्तार—इवान IV के शासनारम्भके समय उत्तर-पूर्वी रूस एकताबद्ध हो चुका था। अब रूसका विस्तार आसपासकी जातियोंको जीतकर ही किया जा सकता था। वासिली III के समयमें क्रिमियाके खानकी मददसे कजानके तारतारोंने अपनेको स्वतंत्र कर लिया था, इसलिये इवानको कजानके खानसे सबसे पहले भुगतना था, जिसके लिये तारतारोंने रूसी भूमिपर लूट-मार मचाकर बहाना भी पैदा कर दिया था। कजान मध्य-वोल्गाके ऊपर एक महत्त्वपूर्ण नगर था, जिसके विरोधी शक्तिके हाथमें रहनेपर वोल्गा-कास्पियनका वणिक्पथ खतरेमें पड़ जाता था और पूर्वमें उराल तथा आगेके विस्तारकी गुंजाइश नहीं रह जाती थी। उधर तुर्कोंने कालासागरको अपनी झील बनाकर काकेशसतक अपनी बांह फैला ली थी। अस्त्राखान और कजानके खान भी हमेशा तुर्कोंकी ओर आशा लगाये रहते थे। इस प्रकार पूरबसे रूसको खतरा भी था। इवानने पहले कजानको खतम करनेका निश्चय किया। १५५० ई० का महाभियान असफल रहा, इसपर उसने १५५१ ई०के वसंतमें मारियोंकी भूमिमें वोल्गाके पहाड़ी किनारेपर स्वीयाजस्क नगर बनाया, जो कि कजानके सामने पड़ता था। मारी लोग अबतक कजानको कर देते थे, अब वह ज़ारको कर देनेके लिये मजबूर हुये। स्वीयाजसकका दृढ़ दुर्ग बन जानेके बाद रूसी कजानको घेर सकते थे। कजानके तारतारोंने जबर्दस्त प्रतिरोध किया, लेकिन रूसियोंके पास डेढ़ लाख सेना थी, दूसरे उनके पास शक्तिशाली तोपखाना भी था। नगरके भीतर तीस हजार तारतार सेना थी। कुछ महीनेतक तारतारोंने प्रतिरोध किया, लेकिन जब शक्तिशाली तोपोंने नगरके प्राकारको उड़ा दिया, तो वह कहांतक प्रतिरोध करते? अन्तमें २ अक्तूबर १५५२ ई०को रूसी कजानको दखल करनेमें सफल हुये। कजानके पतनके साथ तातारोंका प्रतिरोध खतम नहीं हुआ। वह कई सालोंतक लड़ते रहे, उनके सहायक तारतार ही नहीं, मारी, उदमुत, चुवाश और मोर्द्वा जैसी रूसीभिन्न जातियां भी थीं। कजानके उच्छेदके बाद पहलेके खान और सामन्तोंकी अधिकांश सम्पत्तिको इवानने अपने अफसरों और पादरियोंमें बांट दिया और लोगोंको अर्धदास बना दिया। कितने ही ज़ारभक्त तारतार सामन्त अभी भी अपनी भूमिके मालिक रहे। इस प्रकार वोल्गाकी जनता चक्कीके दो पाटोंके नीचे पिसने लगी। कजानके विजयके बाद बाश्किरोंने भी इवान-

की अधीनता स्वीकार की। फिर उनसे भी पूर्व साइबेरियाके खान यादगारने १५५५ ई० में मास्कोको कर देना स्वीकार किया। अगले साल १५५६ ई० में अस्त्राखानकी बारी आई। मास्कोकी सेनाको वहांसे खानको भगानेमें कठिनाई नहीं हुई। अस्त्राखान नगर ले लेनेके बाद सारी वोल्गा नदी रूसके हाथमें थी। कास्पियनके तटपर बसा अस्त्राखान अब मध्य-एसिया और ईरानके साथ होनेवाले व्यापारका केंद्र बन गया। उत्तरी काकेशसके छोटे-छोटे अमीर बराबर आपसमें लड़ते रहते थे, जिससे इवानको मौका मिला, और उसने तेरेक नदीके किनारे एक किला बनवाना चाहा। लेकिन इवान अभी तुर्कोंसे झगड़ा नहीं मोल लेना चाहता था, इसलिये तुर्कोंके दबाव देनेपर उसने नगर बनानेका ख्याल छोड़ दिया। तो भी रूसी कसाक (स्वतंत्र किसान) नहीं रुके और वह तेरेकके तटपर बराबर बने रहे। तारतार सवार लूट-मारको आमदनीका एक वैध साधन मानते थे, खासकर काफिरोंके विरुद्ध वैसा करना तो पुण्यका काम था; इसलिये घोड़ोंपर चढ़े वह बराबर इस ताकमें रहते थे, कि कैसे रूसकी भूमिमें घुसकर वहां लूट-मार मचाई जाये। इसके लिये मास्कोको मैदानी जगहोंमें जगह-जगह फौजी चौकियां—स्तानित्सा (थाना)—स्थापित करनी पड़ीं। स्तानित्सामें एक ऊंचा मीनार या वृक्ष होता था, जिसपर बैठा एक सैनिक बराबर देखता रहता। जैसे ही दूर धूल उठती दिखाई पड़ती, वह उतरकर घोड़ेपर चढ़ दूसरी स्तानित्सामें खबर देता, वहांसे दूसरा सवार तीरकी तरह निकलता, इस प्रकार बहुत जल्दी ही खबर मास्कोतक पहुंच जाती, और प्रतिरोधका उचित प्रबंध कर दिया जाता।

कास्पियनतटको लेकर अब रूस केवल स्थलशक्ति नहीं रह गया था, किन्तु कास्पियन वस्तुतः एक महासरोवर है, जिसका महासमुद्रोंसे कोई सम्बन्ध नहीं है। इस कमीको दूर करनेके लिये बाल्तिक समुद्रतटपर अधिकार करना जरूरी था, जिसमें कि रूसका पश्चिमी युरोपके देशोंसे सीधा संबंध हो जाये। जब बाल्तिकतट (लिवोनिया) की ओर इवानने हाथ बढ़ाया, तो लिवोनियाके पड़ोसी लिथुवानिया, स्वीडन और डेन्मार्क चुप रहनेवाले नहीं थे। पर जारकी शक्ति (धन और जनका बल) इतनी बढ़ चुकी थी, कि समुद्रपारसे आकर लिवोनियाको मदद देना मुश्किल था। जर्मन धर्मसेनाने अच्छी तरह डटकर प्रतिरोध किया, लेकिन वूनेवाल्डमें उसे जो हार खानी पड़ी, उसके बाद वह फिर संभल नहीं सकी। जनवरी १५५८ ई० में इवानने लिवोनियाके विरुद्ध युद्ध छेड़ दिया। कितने ही महीनोंकी लड़ाईके बाद लिवोनियाका बहुत ही महत्त्वपूर्ण बंदरगाह रीगा रूसियोंके हाथमें चला गया। उसके बाद यूरियेफ नगरकी बारी आई और आगे १५६१ ई० तक सारी लिवोनिया इवानके हाथोंमें थी। सामने खतरेको देखकर पड़ोसी राज्य रेवेल (तल्लिन) ने स्वीडन और डेनमार्कको अपना संरक्षक बनाया और अवशिष्ट लिवोनियाने पोलराजा तथा लिथुवानियाके शासककी शरणमें जाना पसन्द किया। इस तरह लिवोनिया कई राज्योंमें बंट गया। अब रूसको पोलन्द, स्वीडन और डेन्मार्कके साथ बीस वर्षतक लड़ना था।

लिवोनियामें बराबर सफलता ही नहीं होती रही, बल्कि कभी-कभी रूसियोंको वहां हानि भी उठानी पड़ी थी। ऐसे समयमें बायर फिर अपना सर उठाना चाहते थे। वह जारके हाथमें सारी शक्ति नहीं रहने देना चाहते थे। इवान इस तरहके घरेलू झगड़े पसन्द नहीं कर सकता था, उसने १५६५ ई० में शासन-प्रबंधको नये तरहसे संगठित करना चाहा। बायरोंपर उसको विश्वास नहीं था। एक दिन यकायक वह अपने विश्वास-पात्र शरीर-रक्षकोंके साथ मास्को छोड़कर वहांसे सौ किलोमितरपर अवस्थित दुर्गबद्ध अलेक्सेन्द्रोवा-स्लवोदोवा गांवमें चला गया। वहांसे उसने संघराजको पत्र लिख बायरोंकी विश्वासघातकी तालिका बनाकर भेजते हुये सिंहासन छोड़ देनेकी घोषणा की। इसपर मास्कोके नागरिकों, पादरियों और कितनेही बायरोंने जारके पास जाकर मास्को लौटचलनेके लिये बड़ी प्रार्थनाकी। इवानने स्वीकार किया, और मास्को लौटकर उसने विश्वासघाती बायरोंको दंड दे राष्ट्रीय सभा (ज़ेम्स्की सबोर) की बैठक बुलाई। उसके साथ ही उसने "ओप्रेच्निना" (पृथक् राज्य) के नामसे अपने विश्वास-पात्रोंका एक और संगठन तैयार किया, जो जारके हुकुमको बजा लानेके लिये बराबर तैयार रहती थी। इवानने अपने सारे राज्यको दो भागोंमें विभक्त किया—ज़ेम्स्चिना (भूमिक) जिसका शासन बायरोंकी दूमा (संसद्) जारके अधीन रहकर करती थी और ओप्रेच्निना, जो सीधे जारके अधीन

थी। ओप्रेच्निनावाली भूमिमें राज्यके सबसे अच्छे तथा केंद्रीय प्रदेश थे, जिनका सैनिक और आर्थिक महत्त्व सबसे ज्यादा था। स्वयं मास्को नगरको भी इसी तरह दो हिस्सोंमें बांट दिया गया था। जेम्स्चिना भागमें बायर और ओप्रेच्निना भागमें वेवोद (राजपुरुष) दोनों साथ-साथ काम करते थे। ओप्रेच्निनाकी राजधानी अलेक्सेन्द्रोवा-स्लोवोदोवा थी, जहांपर जार अपनेको अधिक सुरक्षित समझता था। ओप्रेच्निनाका काम था सामन्तों (बायरों) की शक्तिको कमजोर करना और छोटे-छोटे भूमिपति-सरदारोंका एक वर्ग तैयार करना।

जार इवान निरंकुशताको राजाका आवश्यक अधिकार समझता था। उसका कहना था—राजशक्ति भगवान्की ओरसे मिली है। जारकी आज्ञाका उल्लंघन करना महापाप है। जारकी सभी प्रजा उसकी सेवक है, उसको अपनी प्रजाको क्षमा करने या मारनेका अधिकार हैं। जारकी शक्तिको सीमित करना अपराध ह, क्योंकि इसके कारण देशकी प्रतिरक्षा खतरेमें पड़ जाती है।

इवान अपनी शक्तिको इस तरह दृढ़ करते हुये रूसकी आर्थिक और सैनिक शक्तिको मजबूत करता जा रहा था। इसी समय १५७१ ई० में क्रिमियाके खान दौलत गिराईने एकाएक आक्रमण कर दिया और प्रतिरोधका मौका दिये बिना क्रेमलिन छोड़ सारे मास्कोको जलाकर भारी संख्यामें बंदियों-को दास बनाकर बेचनेके लिये पकड़ ले गया। दूसरे साल १५७२ ई० में जब फिर उसने अपनी लूटमार-को दुहराना चाहा, तो ओका नदीपर ही जेम्स्की वेवोदोंने रोककर मास्कोको बचा लिया। जेम्स्की वेवोद बायर थे। उनकी इस सेवाको देखकर जारको अब ओप्रेच्निना की अवश्यकता नहीं मालूम हुई और उसी साल उसने उसे तोड़ दिया। इवानने रूसमें एक धर्म, एक नाप-तोल और एक भूमि-नाप स्थापित कर रूसकी एकताको और आगे बढ़ाया।

१५७६ ई० में पोलन्दके राजा सिगिस्मंद अगस्तसके मरनेके बाद स्तिफन बथोरी राजा निर्वाचित हुआ। उसने जर्मन और हुंगेरियन सैनिकोंकी भरती तथा तोपखानेके विकासद्वारा अपनी शक्तिको बढ़ाकर १५७९ ई०में रूसके जीतनेके लिये अभियान किया। १५८१ ई०में एक लाख सेनाके साथ उसने प्स्कोफको घेर लिया, लेकिन सारी शक्ति लगाकर भी वह उसे ले नहीं सका। इवानको केवल पोलन्दसे ही लड़ना नहीं था, बल्कि स्वीडनने भी इसी समय लिवोनियाके लिये उसपर आक्रमण कर दिया। स्वीडिश सेनाको आसानीसे सफलता मिली। यद्यपि इवान अपने राज्यकी प्रतिरक्षामें सभी जगह असफल रहा, लेकिन प्स्कोफके प्रतिरोधने उसे अवसर दे दिया, कि अच्छी शर्तोंके साथ अपने शत्रुओंसे समझौता कर ले। इवानने लिवोनियाको छोड़ दिया और बथोरीने रूसी नगरोंपरसे अपना अधिकार हटा लिया। इसी तरह स्वीडनके सामने भी उसे समझौता करना पड़ा। इस प्रकार उसका पचीस साल (१५५८—८३ ई०) का संघर्ष अधिकतर बेकार गया, जब कि १५८४ ई० में इवान मरा।

इवान सुशिक्षित, दूरदर्शी और कुशल शासक था। वह अच्छा लिख लेता था। लेकिन, कभी-कभी उसपर सनक सवार हो जाती, तो वह क्रूरकर्मा सिद्ध होता, जिसके ही कारण लोगोंने उसका नाम ग्रोज्नी (क्रूर) रख दिया था। एक बार क्रोधांध हो उसने अपने बेटे राजकुमार इवानपर डंडा चला दिया, जिससे वह मर गया। इवानका शासन रूसके इतिहासके लिये बड़ा महत्त्व रखता है, और देशके शक्तिशाली और एकताबद्ध करनेमें उसकी सेवाओंको आज भी बड़े आदरसे याद किया जाता है।

येरमकद्वारा साइबेरिया-विजय—इवानके शासनका एक महत्त्वपूर्ण काम है, रूसका साइबेरियाकी ओर विस्तार। हम कह आये हैं, कि वासिली III और उसके पिताके समय ही रूसका विस्तार उरालकी जनजातियोंकी ओर हो चुका था। साइबेरियाकी बहुमूल्य समूरी छालें सोना-जवाहरके दाम बिकती अपना विशेष आकर्षण रखती थीं। इसलिये बहुतसे साहसी रूसी शिकारी और व्यापारी उरालकी ओर जा बसे थे, इन्हींमें नवोगोरदसे आया एक व्यापारिक परिवार स्त्रोगनोफ भी था। वस्तुतः स्त्रोगनोफका पूर्वज पहले सुवर्ण-ओर्दूका एक तारतार मिर्जा (राजपुरुष) था। ईसाई धर्म स्वीकार कर लेने पर उसका नाम स्पीरिदोन पड़ा। चौकठेमें मंढ़ी गोलियों (अबकस) द्वारा गिनती करनेका

रवाज चीनमें पहिलेहीसे था, रूसमें इसका रवाज स्पीरिदोनने ही चलाया। मुसलमानसे ईसाई होने-के कारण मंगोलोंने उसे पीट-पीटकर मार डाला, इसी कारण उसके परिवारका नाम स्त्रोगोन (पीटन) पड़ा। स्पीरिदोनके पौत्र तथा कोस्मेसके पुत्र लूकसने जार वासिली अंधको कजानके खानसे छुड़ानेमें पैसेसे सहायता की थी, इसलिये उसे नमककी खानोंकी इजारादारी मिल गई; जिससे वह बहुत धनी हो गया। वासिलीने ग्रेगोरी और याकूब दो स्त्रोगोनोफ-भाइयोंको कामा नदीके पासवाले प्रदेशमें चुसोवयाके तटपर अपनी रक्षाके लिये दुर्ग बनानेका अधिकार दे दिया था, जिसमें कि वह साइबेरियनों और नोगाई तारतारोंसे अपनी रक्षा कर सके। स्त्रोगोनोफ अपने पास सैनिक और तोपें रख जारकी ओरसे इलाकेका शासन-प्रबंध भी करते थे। उन्हें गांवोंके बसाने, नमककी खानोंको चलाने तथा कर देकर मछली और नमकको बीस वर्षतक बेचनेका ठेका मिला था। स्त्रोगोनोफने १५५८ ई०में चुसोवया नदीपर कंकोरका कसबा बसाया, १५६४ ई०में केरगेदानका किला और कुछ ही साल बाद सेल्बा नदीके किनारे कितनी ही और बस्तियां बसाईं। अंग्रेज ईस्ट इंडिया कम्पनीकी तरह अनेक व्यापारियोंकी कम्पनीकी जगह यहां एक परिवारको व्यापार, राज्यशासन और देश-विजयका अधिकार दे दिया गया था। ईस्ट इंडिया कम्पनीकी तरह कितने ही साहसी तरुण और गुंडे स्त्रोगोनोफके राज्यकी ओर भी आकृष्ट हुये थे। १५७२ ई० में स्त्रोगोनोफोंने एक विद्रोहमें चेरेमिसों, ओस्तियाकों और बाश्किरोंको जीतकर वहां जारका राज्य घोषित किया। स्त्रोगोनोफोंकी इस तरह साइबेरियामें प्रगतिको वहां का राजा कुचुम खान (१५५५–६५ ई०) अपने लिये खतरेकी बात समझता था, जो जारकी अधीनता स्वीकार करनेवाले यादगार खानको हटाकर अब स्वयं खान बना था। उसने जुलाई १५७३ ई० में बहुतसी रूसी बस्तियोंको नष्ट करनेके लिये अपने भाई अलताकुलके पुत्र महमेतकुलको भेजा। महमेतकुल जारकी प्रजा बने ओस्तियाकोंको मार उनके बीबी-बच्चोंको पकड़ ले गया। उसने एक रूसी त्र याक चेबाकोफको भी मार डाला। नोगाई मिर्जा दीन अहमदकी पुत्रीसे अपने बेटे अलीका ब्याह करनेके कारण कुचुमको बहुत अभिमान हो गया था। स्त्रोगोनोफोंने जार इवानसे आक्रमणकारियोंको दंड देनेकी स्वीकृति पानेके साथ निम्न बातोंकी भी आज्ञा मांगी—तोबोल नदीके तटपर बस्तियां बसा नगर और दुर्ग बनाना, तोपखानेका उपयोग तथा सैनिकोंकी भरती करना; एक सीमित समयतकके लिये लोहा, रांगा, सीसा, गंधककी खानोंमें काम जारी करना। जारने प्रार्थनाको स्वीकृत करते हुये ३० मई १५७४ ई० को आज्ञा दी, कि वह हमारी प्रजा ओस्तियाकों और वोगलोंकी रक्षा करें, और इर्तिश-उपत्यकाके तारतार खानोंको अधीनता स्वीकार करनेके लिये मजबूर करें। राजाज्ञामें स्त्रो-गोनोफोंके लिये यह भी रियायत दी गई थी, कि वह बुखारावालों और कजाकोंके साथ बिना शुल्क दिये व्यापार कर सकते हैं। जारने अधिकार तो मुंहमांगेसे भी अधिक दे दिया, लेकिन उसे काममें लानेकी दोनों भाई-स्त्रोगोनोफोंमें शक्ति नहीं थी। ६ सालके भीतर ही दोनों भाई मर गये और उनकी अपार सम्पत्तिका मालिक छोटा भाई सिमाओन स्त्रोगोनोफ-परिवारका मुखिया हुआ, जिसके सहायक याकूब-पुत्र माखिम और ग्रेगोरी-पुत्र निकितस् थे।

काकेशसके उत्तरमें दोन नदीके तटपर बसे स्वतंत्र लड़ाकू किसान—कसाक—ईरान और बुखाराके तरफसे आनेवाले व्यापारियोंके कारवांको लूटना अपना अधिकार समझते थे। उनकी हिम्मत इतनी बढ़ गई थी, कि एक बार उन्होंने ईरानी शाहके पास भेंट लेकर जाते जारके दूतमंडलको भी लूट लिया। उनके मारे निम्न-वोल्गा-उपत्यकामें आतंक छाया हुआ था। १५७७ ई० में इवानने उनके विरुद्ध सेना भेजकर उन्हें तितर-बितर कर दिया। इस समयके भागनेवाले कसाकोंकी एक टुकड़ी अपने आतमन (सर्दार) येरमक तिमोवियेफके नेतृत्वमें कामा नदीकी ओर गई। येरमक (येरमोलाई, हेरमोलोस) को माखिम स्त्रोगोनोफने अपने नये बसाये नगर ओरेलमें इस ख्यालसे नौकर रख लिया, कि उसके दलका उपयोग साइबेरियाके खानके विरुद्ध करेंगे। स्वामीकी आज्ञा पा येरमक अपने आदमियोंके साथ ८ अक्तूबर १५७८ ई० में प्रस्थानकर चुसोवया नदीके किनारे-किनारे चल ८ अक्तूबर १५७८ ई० को सिलवा तक पहुंचा। वहां उसने एक दुर्ग बनाया, जिसका नाम पीछे येरमकोवो-गोरोदिची पड़ा। जाड़ोंमें

येरमक वहीं ठहरा। उसने अपने तीन सौ कसाकोंको वोगुलोंके देशमें भेजा, जो कि साइबेरियन खानकी सीमातकका पता लगा लूटके मालसे लदे लौट आये। येरमकके साथ तीन ईसाई पुरोहित और एक साधु भी थे, इसलिये उसे साधारण डाकू नहीं कहा जा सकता। येरमककी इन सफलताओं को देखकर स्त्रोगोनोफने उसे तीन तोपें, प्रत्येक सैनिकके लिये डेढ़ सेर बारूद, डेढ़ सेर सीसा, तीन पुड (सवामन) आटा, दो पुड बकला, एक पुड बिस्कुट, एक पुड नमक, ढाई पुड मक्खन दिया—आदमी पीछे नमक लगाया हुआ एक सूअर, हर सौ आदमीपर एक पवित्र मूर्तिके साथ एक झंडा भी दिया। रात-दिन तैयारी करनेके बाद कुछ रसदको वहीं छोड़ येरमकका दल चल पड़ा। येरमक अपने साथियोंके मनोविनोदके लिये बाजे ले जाना नहीं भूला। कसाक सेनाका मुख्य-सेनापति येरमक था और दूसरे सेनापति थे इवान कोल्जोफ, इवान ग्रोसा तथा वोगदान ब्रियास्गा। इनके अतिरिक्त कुछ छोटे-छोटे और भी अफसर थे। कसाक सैनिकोंका संगठन शतिक और दशकके रूपमें था। उस समय रूससे ओब नदीकी ओरके रास्ते क्रमशः निम्न प्रकार विभक्त होते थे:—

(१) विम नदी—वुचेगदा—विश्चेरा नदी (कामकी शाखा)—लोसवा नदी—तावदा नदी—तोबोल नदी—ओब।

(२) विम नदी—वुचेगदा—इशमा नदी—पेचोरा नदी—शोकुर नदी—सिगवा (लपिना)-ओब नदी।

(३) वुचेगदा—इशमा नदी—आलेस नदी—इलिश नदी—सोसवा नदी—ओब नदी।

(४) वुचेगदा—इशमा नदी—बुचेगदा—इशमा नदी—उसा नदी—सोव नदी—ओब—नदी।

इन रास्तोंमें सबसे अधिक प्रचलित था—सिगवा और सोसवा होकर जानेवाला रास्ता।

इतिहासकार मूलरके अनुसार येरमककी सेनामें पांच हजार आदमी थे, जब कि साइबेरियन पंवाड़ा उनकी संख्या आठ सौ चालीस बतलाता है। इस सैनिक टुकड़ीने रूसके लिये उस विजयका आरम्भ किया, जिसने कुछ ही समयमें सारे साइबेरियाको जारके चरणोंमें डाल दिया।

५ जुलाई १५७९ ई० (भारतमें अकबरके शासनकाल) में येरमक-सेनाने प्रस्थान किया। कुछ जिरियानी लोग उनका पथप्रदर्शन कर रहे थे। चुसोवया नदीकी ऊपरी धार उथली और धीमी थी। येरमक-दल अपनी छोटी नावें लेकर इसी धारसे उत्तरकी ओर बढ़ा। सेराब्रेंकाके तटपर वह जाड़ोंके लिये रुक गये। यहांके निवासी वोगलोंने रूसियोंके साथ अच्छा बर्ताव किया, लेकिन कसाकोंने उन्हें निष्ठुरतापूर्वक लूटकर इसका बदला दिया। उनके इस अत्याचारके कारण आगेके सारे कबीलोंमें आतंक और घृणा पैदा हो गई। १५८० ई०के वसंतके आनेपर येरमक-दल फिर आगे चला। उरालकी नाटी पहाड़ियोंको पारकर वह वरंदाके पनढरपर पहुंचा, जो कि ध्रुवीय महासागर तथा कास्पियनमें जानेवाले जलका विभाजक है। जहांपर वह जाड़ोंके लिये ठहरे, वहांसे दस वर्स्त (कोश) चलनेपर लड़ाई शुरू हो गई, साथ ही बीमारीने भी शत्रुका काम किया; जिसके फलस्वरूप अब केवल सोलह सौ छत्तीस कसाक बच रहे। लेकिन येरमक और उसके साथी हिम्मत हारकर पीछे लौटनेवाले नहीं थे। वह १२ मई १५८० ई० को रवाना हो जल्दी ही तगिल नदीके तटपर पहुंच गये। पहिलेकी नावोंको वह पीछे छोड़ आये थे, इसलिये कुछ सप्ताह ठहरकर यहां उन्होंने नई नावें बनाईं, जिनपर चढ़कर वह तुरा नदीके तटपर पहुंचे। यहां एक तारतार सरदार पेपंच (पंस) रहता था, जो पड़ोसी वोगलों-का भी शासक था। उसने तीर-धनुष चलाया, लेकिन बारूदी हथियारोंके सामने तीर-धनुष क्या करते? उसके आदमी भाग गये और येरमक-दलने उनके डेरोंको दखल करके लूट लिया। कसाक लूटते-पाटते तुराके किनारे-किनारे आगे बढ़े। चिङगी (त्यू-मेन) नगरको उन्होंने बड़ी आसानीसे ले लिया। इस उपजाऊ इलाकेमें उन्होंने शरद्-निवास करके चारों ओर लूट और छालेके रूपमें कर वसूल किया। येरमकने एक टुकड़ीको कुचुमखानके सीमांत तुरा-तोबोलके संगमपर बसे तुरखन किलातक भेजा। वहां एक तरखन (राजकुमार) रहता था। उस समय कुचुमखानका तहसीलदार कुतुगाई भी तरखनके पास आया हुआ था। कसाक आक्रमण कर कुतुगाईको अपने साथ पकड़ ले गये। येरमकने बहुत खातिर करके उससे बहुतसी बातोंका पता लगाया, और उसे इनाम तथा खान, उसकी खातूनों और कुमारोंके

लिये भेंट देकर बिदा किया। येरमककी चालको कचुमने समझ लिया और रूसी पोशाकमें लौटे कुलु-गाईकी बातोंपर विश्वास न कर सेना जमा करनी शुरू की।

मई १५८१ ई० में येरमक-दलने तुरासे आगे प्रस्थान किया। थोड़ा ही आगे जानेपर ६ तार-तार-राजकुमारोंके अधीन आई सेनाके साथ भारी युद्ध हुआ। विजय कसाकोंके साथ रही। उन्होंने बड़ी निष्ठुरतापूर्वक शत्रुओंको कतल किया। लूटका जो माल हाथ आया, उसे बाकी बचे हजार कसाक साथ नहीं ले जा सकते थे। उन्होंने बचे मालको जमीनमें गाड़ दिया और फिर नावपर तोबोल नदीसे आगे बढ़े। नदीके ऊँचे किनारोंपर भुर्ज वृक्षोंके जंगल थे, जिसमें छिपकर तारतार लड़ते, लेकिन बन्दूकोंके सामने उन्हें भागना पड़ता। आगे बढ़नेपर तोबोलनदी जहां पतली हो गई वहां तारतारोंने जंजीर बांधकर नावोंको रोकनेकी कोशिश की। येरमक वहां १६ जुलाईको पहुंचा। तारतार यसाउल अलीशेरकी एक भी न चली और येरमक उन्हें मारता-पीटता आगे निकल गया। अन्तमें वह तोबोल और तावदा नदीके संगमपर पहुंचे, जहांसे कि रूसका व्यापार-मार्ग जाता था। प्रस्थान करते वक्त येरमक-दलने यहींतक आनेका निश्चय किया था। लेकिन येरमक उतनेसे संतुष्ट होनेवाला नहीं था। आठ दिन वहां ठहरकर उसने कुचुमके राज्यके बारेमें और जाननेके वास्तें फिर आगेके लिये प्रस्थान किया। कुचुमने तारतारों, ओस्तियाकों और वोगुलोंकी एक सेना जमा कर उसे महमेतकुलके अधीन प्रतिरोध करनेके लिये भेजा, राजधानी सिबिरकी रक्षाके लिये नई खाई बनवाई और पास-पड़ोसके तारतार अमीरोंको भी अपने नगरोंको दुर्गबद्ध करनेके लिये कहा। चुवास-पर्वतके पास इर्तिश नदीपर कुचुमने मोर्चाबंदी कराई। येरमक जब तावदासे आगे बढ़ते मिर्जावाखान-गांव (बाखान्स्की-युर्त्त) में पहुंचा, तो महमेतकुल वहां लड़नेके लिये तैयार था। यद्यपि महमेतकुलके पास दसगुने (दस हजार) सवार थे, लेकिन पांच दिनके युद्धके बाद उसे बुरी तरहसे हारना पड़ा। येरमकके सारे अभियानका यही सबसे बड़ा युद्ध था। बारूदी हथियारोंके सामने तीर-धनुषकी क्या पेश जाती? तारतारोंने कुछ नीचे तुरबाके संगमपर फिर असफल प्रतिरोधकी कोशिश की। इसके आगे तोबोल और इर्तिशके संगमसे १६ वर्स्त पहले एक सरोवरपर फिर कुचुमके दर्बारी कराचिनके नेतृत्वमें तारतार जमा थे। उनकी संख्या देखकर कसाक कुछ भयभीत हो लौटनेकी सोचने लगे, लेकिन एक वोगोल बूढ़ेने तारतारोंकी कमजोरीको बतलाकर उनकी हिम्मत बढ़ाई। इस प्रकार येरमक-दल लड़ते-लड़ते आगे बढ़ता गया। १२ अगस्त १५८१ ई० तक अब उनके पास लूटमें बहुत भारी परिमाणमें सोना, चांदी, मोती, जवाहिर, पशु, अनाज और मधु आ गया था। इसी समय ग्रीक ईसाई सम्प्रदायके अनुसार चौदह दिनका व्रत आया। येरमकने चौदह दिनकी जगह चालीस दिन व्रत रखनेका हुकम दिया।

२६ सितम्बरको फिर कसाकोंने प्रस्थान किया। अब वह इर्तिश नदीमें जा रहे थे। उन्होंने तारतार-कुमार अतिककी बस्ती (साउस्त्रोफनी) को आसानीसे ले लिया। सामान नावोंपर लदा था। संख्या भी कम हो गई थी। वह सोचने लगे लौटें या आगे बढ़ें। अन्तमें उन्होंने आगे बढ़नेका ही निश्चय किया। अब वह खानके राज्यके गर्भमें पहुंच रहे थे। कुचुम अपने लोगोंके साथ चुवासके दुर्गबद्ध प्रदेशमें प्रतिरोधके लिये तैयार था। कुचुमका आक्रमण इतना जबर्दस्त था, कि येरमक और कोल्जोफ भी "भगवान् बचाये" चिल्लाते आगे बढ़े। तारतार अपने (शायद अंधे) सरदार को घेरे हुये खड़े थे, इमाम और मुल्लाह "या मुहम्मद" पुकार रहे थे। कसाक मोर्चेके तीन खुले स्थानोंकी ओर दौड़े। महमेतकुल लड़ाईमें घायल हुआ था, जिसे इर्तिशपर नावद्वारा पहुंचाया गया, बाकी सेना हताश हो भागने लगी——भागनेवालोंमें सबसे पहले ओस्तियाक सरदार थे, उनके बाद तारतार। कुचुम कुछ खजानेके साथ इर्तिशकी शाखा इसिम नदीकी ओर भागा। इस यद्धमें एक सौ सत्तर रूसी मारे गये, जिनके लिये बहुत पीछेतक तबोल्स्क नगरके गिर्जामें विशेष प्रार्थना की जाती थी। कुचुमने कजान या बुखारासे लोहेकी दो तोपें मंगवाई थीं, जिन्हें भागते वक्त उसने इर्तिशमें फेंक दिया था। कसाकोंने निकालकर उन्हें विजयकी सौगात बनाया। चुबाश, विजिक, सुसगन, अबालक नगरोंके तारतार-अमीर कुचुमके साथ भाग गये। कुचुम भागते समय थोड़ी देरतक तोबोल नदीके तटपर अवस्थित यालूतुरामें ठहरा था।

७ नम्बर १५८१ ई०को येरमक सदलबल राजधानी सिविरमें दाखिल हुआ। वहांकी छोटी कोठरियोंमें मुश्किलसे खान और उसके अनुचर रह सकते थे। राजधानीकी एक ओर इर्तिश नदी और दूसरी ओर सिविरका नामकी एक छोटी नदिका बह रही थी, बाकी दो तरफ धुस्सकी मोरचेबंदी थी। मकान सारे लकड़ीके थे, इसलिये पीछे उनका कोई अवशेष नहीं रह गया। खानकी राजधानीमें समूरी छाल तथा दूसरी बहुमूल्य वस्तुयें भारी परिमाणमें मिलीं, लेकिन आहारकी कोई चीज नहीं प्राप्त हुई।

विजयके तीन दिन बाद देमियान्का नदीसे होते एक ओस्तियाक सरदार येरमकके पास सम्मान प्रदर्शन करनेके लिये आया। वह अपने साथ समूर, मछली तथा दूसरी खाद्य वस्तुयें ले आया था। येरमकने थोड़ासा कर लेकर खातिर-सम्मान प्रदर्शन करके उसे लौटा दिया। धीरे-धीरे भय छूट गया और इर्तिश तथा तोबोल-उपत्यकाओंके और बहुतसे कबीले भेंट ले-लेकर पहुंचने लगे। लेकिन, अभी सिविरखानने हथियार रख नहीं दिया था। अन्नके अभावमें मछली रूसियोंका प्रधान खाद्य थी। बीस रूसी मछली मारने गये थे। महमतकुलने एकाएक आक्रमण करके उन्हें मार डाला। येरमकने पीछा करके महमतकुल और उसके आदमियोंको इर्तिश नदीके तटपर अवस्थित शम्सिन्स्की गांवमें पकड़कर घोर बदला लिया। कुछ ही आदमी अपने सरदारके साथ वहांसे बच निकले। इस विजयके बाद अमीर इशबरदीने येस्केलिविनियान (तावदा) झीलसे आकर अधीनता ही नहीं स्वीकार की, बल्कि और छोटे-छोटे राजाओंसे अधीनता स्वीकार करानेमें रूसियोंकी सहायता की। सुकलेन (शायद वोगल) सरदारने भी छालोंके रूपमें कर प्रदान किया।

सिबिर-विजयकी खबर देनेके लिये येरमकने अपने साथी इवान कोल्जोफको मास्को भेजा, जिसके साथ कुचुमके अधीनता स्वीकार करनेका पत्र भी था। कोल्जोफ जाड़ेके मध्यमें बर्फवाला जूता पहने, समूरके कोटसे शरीर ढांके लम्बी-पतली बेपहियेकी गाड़ीको कुत्तों और बारहसिंगोंसे खिंचवाते इशबरदीको पथप्रदर्शक बना तावदासे पहाड़ोंके रास्ते होते चेरदिन पहुंचा।

इससे कुछ पहले चेरदिनको एक वोगल सरदारने लूटा था। वहांके कमांडर वासिली पेलेपेलिजिनने जारके पास शिकायत भेजी थी, कि स्त्रोगोनोफोंने दोनवाले विद्रोही कसाकोंको शरण दी है, जिन्होंने वोगलोंको लूटा, उसीसे नाराज होकर उन्होंने हमारे ऊपर आक्रमण किया। इसपर जार इवानने नाराज हो २८ नवम्बर १५८२ ई० को स्त्रोगोनोफोंके पास सख्त पत्र लिखकर येरमक तथा उसके साथियोंको बुरा-भला कहा था। लेकिन इसके थोड़े ही समय बाद जब कोल्जोफने अपने साथियोंके साथ मास्को पहुंचकर सिविर-विजयकी खुशखबरी दी, तो जारने अपनी बातको वापस ले लिया और दो मूल्यवान् कवच, एक चांदीका प्याला, अपने पहननेका एक समूरी चोगा, तथा कितने ही और कपड़े येरमकके लिये और दूसरे इनाम उसके साथियोंके लिये भेजकर कोल्जोफको लौटाया।

महमतकुल अभी भी हाथ नहीं आया था। १५८२ ई० के शुरूमें पता लगते ही येरमकने साठ सैनिकोंको उसपर अचानक हमला करनेके लिये भेजा। इर्तिशके किनारेसे नातिदूर तुलार झीलके पास, जहां पीछे कुलारेप्स्कया स्लोबोदा गांव बसा, एक जगह डेरा डाले पड़े महमतकुलपर कसाक टूट पड़े। अपने बहुतसे आदमियोंको मरवाकर महमतकुल बंदी बना। कुचुमके विरुद्ध महमतकुल अच्छा जामिन मिला, यह समझकर येरमक बहुत खुश हुआ, और उसने उसे बड़ी खातिरके साथ सिबिर नगरमें अच्छी तरह रखा। कुचुम भागकर इशिम नदीकी ओर चला गया। वहीं सिविरके पुराने खान बेग-फुलातके पुत्र सैदियतने बुखारासे लौटते समय कसाकोंसे मेल करके अपने पिताके शत्रुपर आक्रमण कर दिया। तबतक सबसे शक्तिशाली अमीर मिर्जा कराचा भी कुचुमका साथ छोड़ चूलिम्स्कोये सरोवर-पर चला गया था। सैदियतके आक्रमणने कुचुमकी हालत और बुरी कर दी।

१५८२ ई० के बसंतमें येरमकने पचास सैनिकोंके साथ बोगदान ब्रियास्गाको इर्तिशके तारतारों तथा ओस्त्रियाकोंसे कर उगाहनेके लिये भेजा। तारतारोंने प्रतिरोध किया। उनकी गढ़ी अरिन्द-

सियंकाके तटपर थी। कसाकोंने आक्रमण करके उसे तोड़ दिया। यह तारतार अभी भी मुसलमान नहीं थे। वह अपनी खून लगी तलवारको चूमते थे। सैनिकोंने वहांसे बहुतसे छाले और रसद येरमकके पास भेजी। फिर आगे बढ़ते हुये कितने ही और कबीलोंको अधीनता स्वीकार करनेके लिये मजबूर किया। तुरतेस नदीके तारतार तथा पड़ोसी उबाती तारतारोंने भी अधीनता स्वीकार की। इर्तिशके किनारेके उग्रोंने भी कर देना स्वीकार किया। कसाक-टुकड़ी इर्तिशके साथ-साथ ओब नदीतक जा फिर सिविर-नगरमें लौट आई। रास्तेमें उन्हें कितनी ही बार लड़ना पड़ा, लेकिन उनका एक भी आदमी नुकसान नहीं हुआ।

१५८२ ई० की गर्मियोंको येरमकने सिविरमें बिताया। फिर महमतकुलके साथ बहुतसी भेंट और शुल्ककी वस्तुयें देकर उसने मास्को दूतमंडल भेजा। १५६३ ई० में ब्रियाजगाने जो रास्ता पकड़ा था, उसी रास्ते वह इर्तिशके नीचे ओबकी ओर चले। आगे तावदा नदीके तारतारोंसे भारी लड़ाई हुई, झील लाशोंके मारे गंदी हो गई, इसीलिये उसका नाम पगन्नुये ओजेरो पड़ा।

जारने नवविजित सिविर (साइबेरिया) देशपर शासन करनेके लिये पांच सौ कसाकोंके साथ सेमिओन दिमित्रि-पुत्र वोल्खोव्स्कीको २२ मई १५८३ ई० को मास्कोसे रवाना किया। वह नवम्बरमें सिविर पहुंचा। इसके बाद ही साइबेरियामें अकाल पड़ गया। येरमकका अभियान इतना निष्ठुर और ध्वंसकारी था, कि वहां अन्न मिलना मुश्किल हो गया। कितने ही कसाक भूखके मारे मर गये। उसके बाद चर्मरोगने आफत ढाई। वोल्खोव्स्की स्वयं मौतका शिकार हुआ। मिर्जा कराचाने कजाकोंसे सुरक्षित रखनेके बहाने कोल्जोफ और उसके चालीस साथियोंको बुलाकर मार डाला। तारतारों और ओस्तियाकोंने अब आम विद्रोह कर दिया, जिसके कारण कितने ही कर-उगाहनेवाले कसाक मार डाले गये। कराचाने अन्तमें सिविर नगरको भी घेर लिया। येरमकके ऊपर नगरकी रक्षाका भार छोड़कर अधिकांश कसाकोंने रातके वक्त सोसकानमें पड़े कराचाके डेरेपर छापा मारकर उसे दखल कर लिया। मारे जानेवालों में कराचाके दो पुत्र भी थे, लेकिन कराचा भाग निकलनेमें सफल हुआ। फिर सेना जमा करके तारतारोंने हमला किया। उस वक्त दुश्मनकी गाड़ियोंसे मोरचाबंदी करके रूसियोंने उनका मुकाबिला किया। काफी हानि उठानेके बाद तारतार भाग गये। अब रूसियोंकी धाक चारों ओर जम चुकी थी। पास-पड़ोसके तारतारों और ओस्तियाकोंने समझ लिया, कि प्रतिरोध करनेसे कोई फायदा नहीं हो सकता, इसलिये उन्होंने अधीनता स्वीकार की, सिविरमें अब खाने-पीनेकी चीजें काफी आने लगीं।

साइबेरियाका नाम इसी सिविर नगरके कारण पड़ा, यद्यपि रूसी भाषामें सिविरका अर्थ उत्तर (दिशा) भी है। सिविर नगर साइबेरियाके कीमती समूरोंके व्यापारका बड़ा केंद्र था, इसलिये वहां बुखाराके व्यापारी भी आया करते थे। मुमकिन है, साइबेरियाके समूर और अल्ताईके सोनेके लिये मध्य-एसियासे यहां आनेवाला मार्ग वही पुराना वणिक्पथ हो, जिससे बुखाराके वाणिज्य-सार्थ यहां आया करते थे। बुखाराके कारवांके आनेका समय था। पता लगा, कुचुम उसपर हमला करना चाहता है। येरमकने कारवांकी रक्षार्थ डेढ़ सौ सैनिक भेजे और स्वयं भी वगाई नदीके संगमतक गया। कारवां नहीं आया। येरमक अपने दलको लेकर वेगुइशेव्स्कोये सरोवरपर अवस्थित तारतार-राजकुमार वेगुइशके गढ़पर आक्रमण किया, प्रतिरोध करनेमें प्रायः सारे तारतार मारे गये। इसके बाद येरमकने शमसा और कियांचिक, साला, कोर्दकपर चढ़ाई की। सालामें थोड़ा-सा प्रतिरोध हुआ। कोर्दकके आदमियोंने भागकर जंगलमें शरण ली। तेबेन्दा (तुवेंदा) के तारतार-राजा येलिगइने अपनी सुंदरी लड़कीका येरमकसे ब्याह करना चाहा, किन्तु येरमकने विवाहसे इन्कार करते हुये उसे अभय वचन दिया। कुचुम इसी लड़कीको अपने लड़केके लिये चाहता था। इशिमके संगमकी लड़ाईमें पांच कसाक मारे गये। बाकी दल इर्तिशके साथ-साथ आगे चला। अउसकाकुल झीलके ऊपर प्रसिद्ध तारतार किला कुल्लरा था, जो कल्मक मंगोलोंसे सीमाकी रक्षाके लिये बनाया गया था। उसके ऊपर पांच रोज घेरा डाल लौटते वक्तके लिये छोड़े कसाक-दलने इर्तिशसे पूरब कुलारचोक झीलके ऊपर अवस्थित ताशदकान नगरपर आक्रमण किया, जो

बिना लड़ाईके ही सर हो गया। फिर शिस् और इर्तिशके संगमपर बसे तारतारोंके अन्तिम गांव शिसतमकपर पहुंचे। कसाक गरीबोंसे कर नहीं थोड़ी-सी भेंट लेते थे, जिसका प्रभाव साधारण जनतापर अच्छा पड़ रहा था। जब वह लौटनेके लिये ताशदकान पहुंचे, तो बुखाराके कारवांके आनेकी खबर मिली। उससे मिले बिना ही कसाक-दल येरमकके नेतृत्वमें सिविरकी तरफ लौटा। वह अपने पहलेके एक डेरे—येरमकोवा पेरेकोफ—के पास एक भींटे (ज़्रेवो गोरोदिची) पर पहुंचे, जिसके बारेमें तारतारोंका कहना था, कि यह उसी कूसिम-तुरा (कुमारी दुर्ग) का अवशेष है, जिसको कि कुमारियोंने अपने लहंगेमें मिट्टी ढो-ढोकर बनाया था। दुश्मनसे अब कसाक निश्चिंत हो गये थे, इसलिये बिना संतरी रखे ही उन्होंने वहां डेरा डाल दिया। कुचुमके चरने तीन बन्दूकों और कितने ही कारतूसोंको ले जा कसाकोंके बारेमें उसे खबर दे दी। वह अपने आदमियोंके साथ आकर उनपर टूट पड़ा। येरमक शत्रुओंकी पांतीको चीरता नदीके किनारे उस स्थानपर पहुंचा, जहांपर अपनी नावोंके होनेकी उसे आशा थी। नाव न पाकर वह नदीमें कूद पड़ा। जारने जिस कवचको उसकी रक्षाके लिये भेजा था, वही उसके मरनेका कारण बना—कवचके बोझके मारे १७ या १८ अगस्त १५८५ ई० को येरमक नदीमें डूबकर मर गया। इस प्रकार एक क्रूर किन्तु साहसी पुरुषकी जीवन-यात्रा समाप्त हुई।

येरमकका शव अबालकसे १२ वर्स्तपर २५ अगस्तको येपंचिन्स्की नामक तारतार गांवमें मिला। कवचका एक भाग और ओस्तियाकोंकी देवमूर्तिसे बेलोगोर्स्कके लिये एक घंटा बनाया गया और दूसरे भागको मिर्जा कैदोलको दिया गया। येरमकका चोगा राजकुमार सैदियतको मिला, और तलवार तथा कमरबन्द मिर्जा कराचाको। मुल्लोंने पूजाके डरसे येरमककी कबरको छिपा दिया।

इस लड़ाईसे सिर्फ एक आदमी बच निकला, जिसने सिविरमें जाकर खबर दी। तारतारोंसे भयभीत नेताविहीन एक सौ पचास भूखे कसाक २७ अगस्त १५८४ ई० को सिविर छोड़कर लौटनके लिये मजबूर हुये। कुचुमने उन्हें नहीं छेड़ा और अपने पुत्र अलीको भेजकर सिविरपर फिरसे अधिकार कर लिया। जल्दी ही पुराने खानवंशके राजकुमार सैदियतने अलीको मार भगाया। साइबेरियाका अभियान निष्फल नहीं हुआ, और न रूसियोंका पैर तोबोल नदीके तटपर सिविर नगरतक ही आकर रुक गया।

३०. फ्योदर, इवान IV-पुत्र (१५८४-९८ ई०)

इवान iv ने क्रोधांध हो अनजाने अपने ज्येष्ठ पुत्र इवानको मार दिया। क्रूर इवानके मरनेके समय उसके दो पुत्र जीवित थे, जिनमेंसे फ्योदर उसकी पहिली बीबी अनस्तासिया रोमनोवासे था और दूसरा शिशु दिमित्रि उसकी अन्तिम स्त्री मरिया नागायासे। अनस्तासिया रोमनोफ वंशकी थी, जो कि जल्दी ही रूरिक-वंशका स्थान लेनेवाला रूसका अंतिम राजवंश बनने जा रहा था। फ्योदर रूसका जार बना और जारकुमार दिमित्रि अपनी मां और नानावंश (नगाय) के साथ उगलिच नामके छोटेसे नगरमें एक छोटी-सी जागीर देकर निर्वासित कर दिया गया। दिमित्रि बहुत दिनोंतक नहीं जिया, और १५९१ ई०में मर गया। फ्योदर चिररोगी, बहुत दुर्बलबुद्धि किंतु साधु स्वभावका आदमी था। वह अपना सारा समय भगवान्की भक्तिमें बिताता। गिर्जेके घंटोंको बजाते उनकी टुन-टुनकी आवाज सुननेमें उसे बड़ा आनंद आता था। लोग खुलेआम उसे मूर्ख कहते थे। राज्यका शासन जारके संबंधियों और उसके कृपापात्र बायरोंके हाथमें चला गया, जिनमें बायर बोरिस फ्योदर-पुत्र गदुनोफ जल्दी ही सबसे अधिक प्रभावशाली बन गया। गदुनोफ-परिवार पुराने रूसी राजुल-वंशोंमेंसे नहीं था, इसलिये वह उच्चकुलीन होनेका दावा नहीं कर सकता था। लेकिन इवान iv के अन्तिम दिनोंमें बोरिसका प्रभाव बहुत बढ़ गया था, जिसमें उसकी बहिन इरिनाका जार फ्योदरसे ब्याह होना भी एक कारण था। वैसे बोरिस गदुनोफ बड़ा ही योग्य और गुणीपुरुष था, यद्यपि उसने ईसाई-धर्मके अनुसार पुस्तकोंकी शिक्षा अच्छी तरह नहीं पाई थी। कुलीन बायर पुराने रीति-रवाजोंका पालन करना आवश्यक समझते थे, किंतु बोरिस उनकी पर्वाह नहीं करता था। वह विदेशियोंसे मिलने-जुलनेमें जरा भी आनाकानी नहीं करता था।

अपने बहनोईकी ओरसे शासनका भार सँभालते ही उसका पहला काम था, अपने काममें बाधा देनेवाले बायरोंको दरबारसे निकाल बाहर करना। वह स्वयं विदेशी राजदूतोंसे मुलाकात करता और अपने घरमें राजदरबार जैसा ठाट रखता था। गदुनोफ ग्रीक चर्चके महत्त्वको समझता था। इस चर्चका सबसे बड़ा महन्त या महासंघराज कान्स्तन्तिनोपोलमें रहता था, जो कि १४५३ ई० में सुल्तान मुहम्मद उसमानअली तुर्कके हाथमें चला गया था। यह कैसे पसंद किया जा सकता था, कि ईसाई-धर्मके एक बड़े सम्प्रदायका महागुरु ईसाई-विरोधी सुल्तानके मातहत रहे। १६ वीं सदीके अन्तमें महासंघराज जब-तब मास्को आने लगा था, जहां उसे बहुत भेंट-पूजा मिलती थी। इसी तरहकी एक यात्रामें महासंघराज जेरेमिया जब मास्को आया, तो गदुनोफने उससे रूसी चर्चके लिये एक पृथक् संघराज होनेकी स्वीकृति ले ली। १५८६ ई० में इस प्रकार बना प्रथम रूसी संघराज योब गदुनोफका अनुगामी था।

जार फ्योदरके शासनके अन्तिम वर्षोंमें सारा शासनयंत्र बोरिस गदुनोफके हाथमें चला गया। गदुनोफकी सफलताओंने भी उसके प्रभावको बढ़ानेमें सहायता की। लिवोनियाके युद्धमें रूसके हार खानेपर बाल्तिक तटको स्वीडनने दखल कर लिया था, जिसके कारण पश्चिमी युरोपसे रूसका सीधा संबंध नहीं रह गया था। गदुनोफने इसके लिये १५९० ई० में स्वीडनसे लड़ाई शुरू की, और १५९५ ई० की संधिके अनुसार स्वीडनको मजबूर होकर फिनलन्द खाड़ी और लदोगा-सरोवरके तटके भूभाग (इवान-गोरद, याम, कोपोरये, करेला)को दे देना पड़ा। उस समय राज्यके सामने किसानोंकी एक बड़ी समस्या थी—रूसी किसान भूमिपतियोंके शोषण और अत्याचारके कारण अपने गांवोंको छोड़ दक्षिण-पूर्व और उत्तरकी सीमांत-भूमिमें बसते जा रहे थे, जिसके कारण खेतोंका जोतना मुश्किल हो गया था। उन्हें मजबूर करके रखनेके लिये स्वीडनसे युद्ध होते समय (१५९२-९३ ई०) ही किसानोंकी गणना की गई थी। उस वक्त जो किसान जिस जमींदारके अधीन दर्ज किये गये थे, उन्हें १५९७ ई० की राजघोषणाके अनुसार वहीं रहनेके लिये मजबूर किया गया।

१५९८ ई० में जार फ्योदरके मरनेके साथ प्राचीन रूरिक-राजवंश समाप्त हो गया। जेम्स्की सबोर (राष्ट्रीय परिषद्) ने १५९८ ई० में बैठक करके बोरिस गदुनोफको नया जार चुना।

रूरिक-वंशने रूसके लिये बड़ा ही ऐतिहासिक काम किया। इसीके शासनकालमें जनयुगके अवशेषों को खतम करके रूसमें एक शक्तिशाली सामन्ती व्यवस्था कायम की गई, फिर रूसके भिन्न-भिन्न टुकड़ों-में बंटी रियासतोंको इकट्ठा करके बृहत्तर रूस देशके निर्माण करनेका प्रयत्न किया गया। इसमें मंगोलोंने आकर दो शताब्दियोंतक कुछ बाधा जरूर डाली, लेकिन अन्तमें फिर एकीकरणका काम बहुत जोरसे शुरू हुआ और रूसकी सीमाएं उत्तरमें फिनलन्दकी खाड़ी, पश्चिममें बाल्तिक-समुद्र, दक्षिणमें कास्पियन सागर और पूरबमें सिबिर नगरतक फैल गईं। दक्षिणी सीमा कालासागरतक पहुंच जाती, लेकिन कान्स्तन्तिनोपोलके तुर्कोंने (१४७५ ई० में) क्रिमियाके खानको अपने अधीन करके उधरका रास्ता रोक दिया। यद्यपि आगेकी पौन शताब्दी रूसके लिये बहुत अच्छी साबित नहीं हुई, लेकिन साथ ही एक बार जहांतक वह अपने पैरोंको रख चुका था और जहां जनताका स्वार्थ सहायता देनेके लिये मौजूद था, वहांसे उसे पीछे हटाया नहीं जा सकता था। रूसको और आगे ले चलनेका काम अब प्रथम पीतरको करना था, जो कि औरंगजेबका तरुण समकालीन था। अकबरकी मृत्युसे सात वर्ष पहले फ्योदरका देहान्त हुआ। देशके एकीकरण और दृढ़ताके लिये जैसे अकबरने भारतमें काम किया था, वही काम रूरिक-वंशके १६ वीं शताब्दीके जारोंने किया। अकबरके कामको औरंगजेबने बेकार कर दिया, लेकिन रूसके सौभाग्यसे उसे जार पीतर जैसा दूरदर्शी शासक और चतुर सेनानायक मिला, जिसने रूसके पिछड़ेपनको हटानेका काम बड़ी सफलतापूर्वक किया।

रूरिक-वंशवृक्ष
(.....६११-१५६८ ई०)

१. रूरिक (.....६११-?)

२. ओलेग (६११ ई०)

३. ईगर = ४. ओलगा (६४५-५७)
(....६४५)

५. स्व्यातोस्लाव I (६५७-७३)

यारोपोल्क

ओलेग

६. व्लादिमिर I (६७३-१०१५)

७. स्व्यातोपोल्क (१०१५-१६)

८. यारोस्लाव (१०१६-५४)

६. इज्यास्लाव (१०५४-७३)

स्व्यातोस्लाव II (मृ० १०७६)

व्सेवोलद

१०. स्व्यातोपोल्क (१०७३-१११३)

११. व्लादिमिर II मनोमाख (१११३-१५)

ओलेग (मृ० १११५)

मिस्तस्लाव

१२. युरी I दीर्घबाहु (सुज्दल) (-११५७)

स्व्यातोस्लाव (मृ० ११६४)

१३. अन्द्रेइ (११५७-७४)

१४. व्सेवोलद (११७६-१२१२)

ईगर (वीर) (मृ० १२०२)

१५. युरी II (१२१२-३८)

१६. यारोस्लाव II

१७. अलेक्सान्द्र नेव्स्की (–१२६३)

यारोस्लाव (त्वेर) (मृ० १२७२)

१८. दानियल (मास्को) (१२६३-१३०३)

१६. युरी III (१३०३-२५)

२०. इवान I खलीता (१३२५-४१)

२१. सेमग्योन (१३४१-५३)

२२. इवान II (१३५३-५६)

२३. दिमित्रि (१३५६-८६)

युरी

२४. वासिली I (१३८६-१४२५)

२५. वासिली II अंध (१४२५-६२)

२६. इवान III (१४६२-१५०५)

२७. वासिली III (१५०५-३३) = २८. येलेना (१५३३-३८)

२६. इवान IV जार (१५३८-८४)

३०. फ्योदर (१५८४-८६)

भाग २

दक्षिणापथ (१२२४–१७४७ ई०)

अध्याय १

चगताई-वंश

(१२२२–१३७० ई०)

छिङगिस्के मरने के बाद उसका राज्य चार उलुसोंमें विभक्त हुआ–(१) जू-छि-उलुस या सुवर्णओर्दू (किपचक-राज्य), जिसके बारेमें अभी हम कह चुके हैं, (२) ओगोताई-उलुस, चगताईके उत्तर-पूर्वमें था, जिसके खान एमिल और कुबानमें रहते थे, (३) तूलुइ-उलुस, जो कि ओगोताई उलुस-के उत्तरमें था और (४) चगताई (जगताई, जगदाई)-उलुस जिसके हाथमें अन्तर्वेद, सप्तनद और पूर्वी तुर्किस्तान था। इन चारों उलुसोंके अतिरिक्त कुबिलेइ खानके अनुज खुलाकूने ईरान, इराक, शाम और आजुरबाइजानमें अपना एक अलग राजवंश कायम किया था। छिङ-गिस्ने ही अपना राज्य चार भागोंमें विभक्त करके चारों पुत्रोंको दे दिया था, लेकिन साथ ही चारों उलुसोंके खानोंको एक कआन (महाखान) के अधीन रहनेकी व्यवस्था भी कर दी थी। यह व्यवस्था बहुत-कुछ १३वीं शताब्दीके अन्त (कुबिलेके मृत्युके समय १२९४ ई०) तक चलती रही, जिसमें सबसे अधिक बाधा ओगोताइ और चगताई-उलुसोंकी ओरसे दी गई।

१. जगताई, छिङ-गिस्-द्वितीय पुत्र (१२२७–४२ ई०)

छिङगिस्ने अपने द्वितीय पुत्र चगताई (जगताई, छगताई) को जो भूभाग दिया था, उसमें अन्तर्वेद (आमू और सिर-दरियाके बीचका भाग), काश्गर, बदख्शां, बलख–अर्थात् उइगुर डांडे, अल्ताई और हिन्दूकुश पर्वतमालाओंके बीचके देश शामिल थे। चगताई-भूमिमें आजकल चीनी-तुर्किस्तान, सोवियत कजाकस्तान-किर्गिजस्तान-उज्बेकिस्तान-ताजिकिस्तान-तुर्कमानिस्तान और अफगानिस्तान शामिल हैं। चगताईवंशने ७७१ हि० (१३७० ई०) तक १४६ वर्ष राज्य किया, फिर उसका स्थान तेमूर और उसके वंशजोंने लिया। लेकिन, तेमूरकी संतानोंने अबू-सईद (१४५१–६९ ई०) तक चगताई-वंशके किसी व्यक्तिको गुडिया खान बनाकर कायम रक्खा। जिस तरह अब्बासी खलीफोंकी राजशक्ति खतम हो जानेपर भी बगदादमें उन्हें कठपुतली खलीफा बनाकर कायम रक्खा जाता रहा, उसी तरह छिङ-गिस्के वंशकी पवित्रताका खयाल करके चगताई खानोंको समरकन्दकी गद्दीपर रखा जाता रहा। चगताई-उलुस १२२७ ई० से १३१८ ई० तक रहा। उसके बाद राज्यशक्तिको हथियानेके लिये मंगोल और अ-मंगोल, स्वदेशी और विदेशी दलोंका झगड़ा उठ खड़ा हुआ, जिसमें अन्तर्वेदमें स्वदेशी तुर्कोंका पलड़ा भारी हो गया और इस प्रकार अन्तर्वेद (मावरा-उन्-नह्र) और मुगोलिस्तानके दो राज्य पैदा हो गये। चगताई खानकी राजधानी अल्मालिक इलि-उपत्यकामें वर्तमान कुलजा नगरके पास थी।

छिङ-गिस्के अन्तःपुरमें पांच सौ खातूनें (रानियां) और बेटियां थीं। हरेक बड़े विजयमें हाथ लगी सुंदर राजकन्याओंमेंसे एकको हरएक सेनापति अपने कआनके पास भेजना आवश्यक समझता था। बापकी तरह उसके लड़कोंके भी बड़े-बड़े रनिवास थे, तो भी प्रमुख रानियां (खातूनें) मंगोल-वंशकी ही होती थीं।

चगताई खान अपने पिताके यस्सा (नीतिशास्त्र) का पंडित तथा उसपर अक्षरशः चलनेवाला माना जाता था। यस्साके अनुसार घरेलू जानवरोंको जबह (हलाल) करना या दिनमें बहते पानीमें नहाना वर्जित था। जगताईने यस्साके विरुद्ध आचरण करनेपर एक मुसलमानको मृत्युदंड दे दिया था। उसका शासन दृढ़ किंतु न्यायानुमोदित था। उसके राज्यमें डाकका बहुत अच्छा प्रबन्ध था। यद्यपि वह जबर्दस्त

पियक्कड़ था, किंतु राजकाजके देखनेमें गफलत नहीं करता था। लोग उसके कठोर नियमोंको भी मानते, क्योंकि वह भरसक अन्याय नहीं होने देता था। उसके यहां सभी धर्मों और जातियोंके लोग समान थे। समान दृष्टिसे देखे जानेका यह अर्थ नहीं था, कि मंगोलोंके समान ही दूसरे लोगोंको भी माना जाता था। उसकी प्रजामें अधिकांश मुसलमान थे, इसलिये उसने मुसलमानोंको बड़े-बड़े दर्जे दिये थे; तो भी बड़े पदोंपर मंगोलोंके बाद तुर्कोंको अधिक देखा जाता था। इसका कारण भी था—केवल दक्षिणके थोड़ेसे अंशको छोड़कर उसकी प्रजा अधिकांश तुर्क थी। तुर्कों और उनके सरदारोंने तुर्क जातिके इतिहासमें प्रवेश करनेके समय (६ठी सदीके मध्य) से ही सैनिक जीवनको नहीं छोड़ा और वह अब भी जब-तब घुमन्तू जीवनका भी अभिनय करते थे, क्योंकि मध्य-एसियामें घुमन्तू जीवनको सैनिक जीवनका पर्याय समझा जाता था। चगताई और जू-छिके उलुस तुर्कोंके ऊपर शासन करते थे। अंतमें इन उलुसोंके मंगोल भी इन्हीं तुर्कोंमें विलीन हो गये। लेकिन, चगताई खानके लिये अभी वह समय दूर था। चगताईने यलंजपुत्र मसूदबेगको अन्तर्वेदका शासक नियुक्त किया था, जो कि तुर्क मुसलमान था। मसूद पहले चीनमें भी शासक रह चुका था। उस वक्त राज्यमें व्यक्ति-कर आमदनीका एक बड़ा स्रोत था, जो सम्पत्तिके अनुसार प्रतिव्यक्ति एकसे सात तंका (१.१० जूयेनी) होता था। सभी धर्मोंके पुरोहित करसे मुक्त थे।

अपने गुरु तातातुगाकी शिक्षासे चगताईने फायदा उठाया था। गुरुने शिक्षा दी थी—शासकको न्यायपरायण और उत्साही होना चाहिये। समरकन्द तथा बुखाराकी जगह अलमालिकको राजधानी बनाना चगताईके बाद उसके वंशजोंको भी पसंद आया, क्योंकि वहां उनके बहुसंख्यक घोड़ों और पशुओंके चरानेके लिये विशाल चरागाहें थीं। अभी राजशक्ति मंगोल तलवारोंके ऊपर निर्भर थी, जो ऐसे खानको कभी नहीं पसन्द करते, जो पूर्वजोंके जीवनको छोड़कर नगरके विलासी जीवनमें फंस गया हो। मंगोलोंका शासन आर्थिक शोषणका था ही, इसलिये सारी निष्पक्षता दिखलानेपर भी मुल्ला मंगोल काफिरोंके विरुद्ध लोगोंको भड़का दिया करते थे, जिसके कारण विद्रोह हो जाना आसान था।

बुखारा-विद्रोह (१२३२ ई०)—१२३२ ई० में बुखारामें मंगोलोंके विरुद्ध जो विद्रोह हुआ, उसका नेता एक छलनी बनानेवाला महमूद था। वह बुखारासे तीन लीग (योजन) दूर ताराबमें पहले-पहल १२३२-३३ ई० (६३० हि०) में प्रकट हुआ। उसने दावा किया—अल्लाने मुझे दिव्य शक्ति देकर भेजा है। पहले शायद भूत भगानेका काम करके उसने अपने प्रति लोगोंके मनमें विश्वास पैदा किया। मुसलमान हो जानेपर भी पुराने भूत-प्रेत लोगोंके मनसे गये थोड़े ही थे—मुसलमान भी जिन, शैतान आदिपर विश्वास करते थे। महमूदकी दिव्यशक्तिको पहले उसकी बहिनने स्वीकारा, फिर उसके दूसरे कितने ही अनुयायी बने। सब जगह हल्ला हो गया है, कि संत महमूदके पास जो जाता, उसकी बीमारियां छूट जाती हैं। फिर अंधे-लूले-लंगड़े बड़ी भारी संख्यामें उसके पास पहुंचने लगे। जब २०वीं शताब्दीके मध्यमें उड़ीसाके नैपालबाबाके पास लोग रेलों-मोटरों-विमानोंसे दौड़ने लगे, तो आजसे सवा सात सौ वर्ष पहलेके अंतर्वेदके लोगोंका ऐसा करना कौनसी आश्चर्यकी बात थी? महमूदका यश ताराबसे चलकर राजधानीमें पहुंचा। मुल्ला शम्शुद्दीन महमूदने पहले हीसे भविष्यद्वाणी लिख छोड़ी थी, कि मुसलमानोंका मुक्तिदाता ताराबमें पैदा होगा। धर्मांध महमूदने जल्दी ही देखा, कि उसके अनुयायियोंकी संख्या बहुत अधिक हो गई है और वह मंगोलोंके विरुद्ध उठ खड़े होने के लिये उसकी आज्ञा भर चाहते हैं। इस परिस्थितिको देखकर बुखाराके राज्यपाल और दूसरे अधिकारी घबड़ा उठे। उन्होंने उस समय खोजंदमें अवस्थित मसूदबेगके पास सलाहके लिये खबर भेजी और इधर नये पैगम्बरको दुआ देनेके लिये बुखारा बुलवाया। मौका पाते ही उस पागलको मरवा डालनेका निश्चय किया गया था, किंतु महमूद उतना पागल नहीं था। उसे षड्यंत्रका पता लग गया। उसने साथ चलते रक्षी मंगोलोंकी ओर मुंह करके एकाएक उनके विश्वासघातके लिये भर्त्सना करते कहा—मैं तुम सबको इसी समय अंधा कर देता हूं। मंगोल रक्षियोंके दिलमें इसका भारी भय छा गया। उन्होंने इसे उसकी दिव्यशक्तिका प्रमाण समझा। बुखारामें महमूदका स्वागत

राजसी ढंगसे हुआ। उसे सल्जूकी सुल्तान संजरके बनवाये महलमें ठहराया गया। दर्शन करनेवालों की भारी भीड़ लगने लगी। लोग यह सोचकर अपनी जीभ निकाले खड़े होते, कि महमूदके थूककी एक बूंद हमारे मुंहमें चली जाये और हम सारे रोगों और आफतोंसे मुक्त हो जायें। बुखाराके मुल्लों और अमीरोंने इस अद्भुत संतको अपनी दूकानदारी और अधिकारके लिये खतरनाक समझा। उन्होंने मंगोलोंको उसे मार डालने की सलाह दी। सब होतें भी महमूदको उनके फंदेसे निकलकर पड़ोसके पहाड़में भाग जानेमें कोई अड़चन नहीं हुई। लोग पैगम्बरके पीछे-पीछे चले। किसानोंने हल्ला उड़ाया, कि पैगम्बर हवासे उड़कर उस पहाड़में चला गया। लोगोंकी भक्ति और भी बढ़ गई। महमूदने जब देखा, कि शासक उसका प्राण लेनेके लिये तैयार हैं, तो उसने हथियार उठानेके लिये हुकुम देते हुए कहा "अब समय आ गया है, कि काफिरोंको कतल कर दिया जाय।" थोड़े ही समय बाद महमूद पैगम्बर और सुल्तानके रूपमें एक भारी अंधविश्वासी भीड़को लिये बुखारामें दाखिल हुआ। उसने मुल्ला शम्शुद्दीन महमूदको बुखाराका सदरे-जहान नियुक्त किया, और लोगोंको हुकुम दिया, कि धनियों तथा

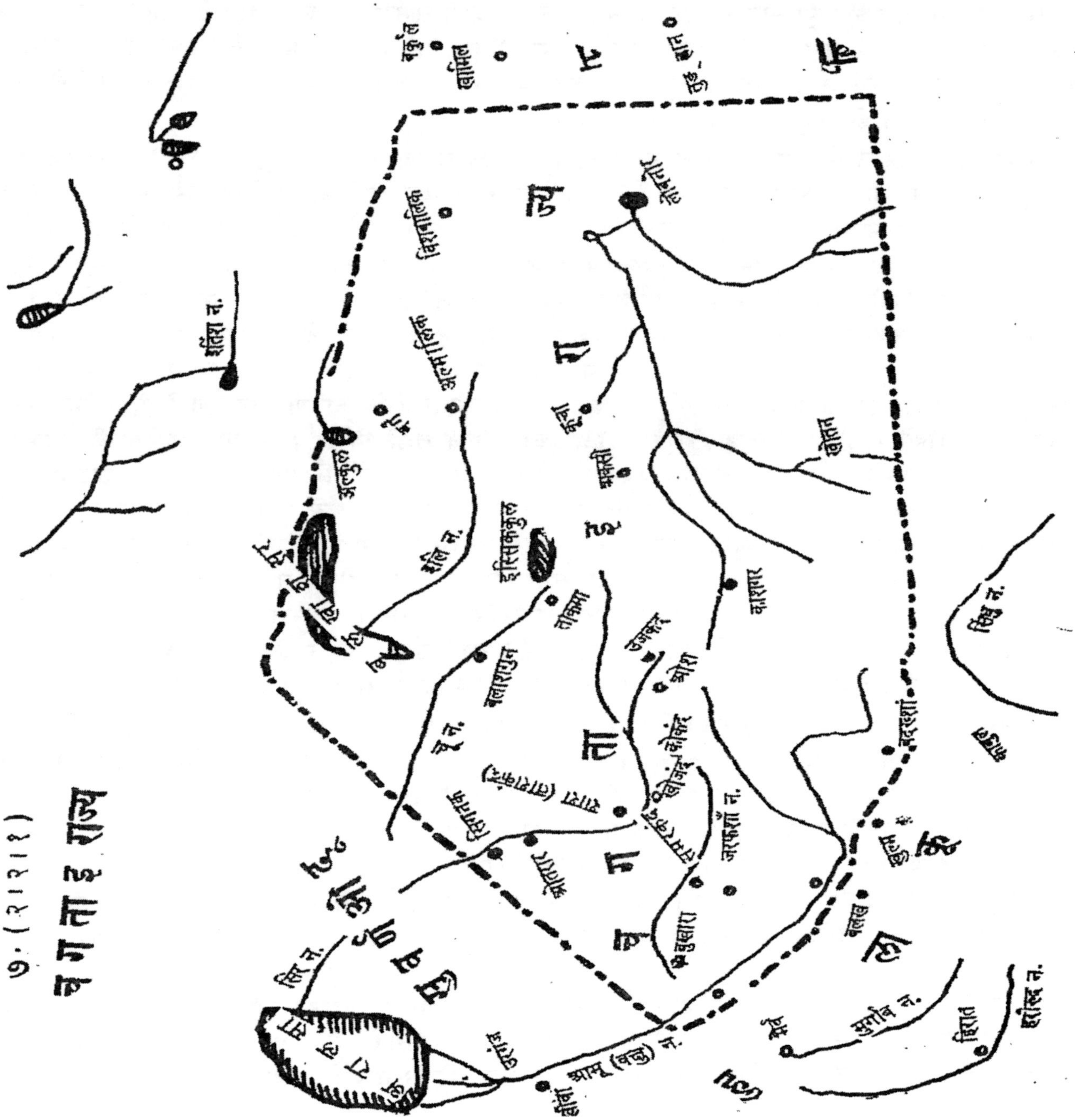

अमीरोंको लूटो। अपने भक्तोंको उसने विश्वास दिलाया—"मेरे पास एक गुप्त सेना है, जो हवामें मेरे हुकुमकी प्रतीक्षा कर रही है। देखो उन हरितवस्त्रधारियोंको और उन दूसरे श्वेतवस्त्र-धारियोंको; जैसे ही मैं संकेत करूंगा, वह हमारी मददके लिये उतर आयेंगे।" भीड़मेंसे एक आदमीने कहा, "हां, मैं देख रहा हूं।" फिर सभीने वही बात दुहराई। महमूदने अगले जुमा (शुक्रवार) को अपने नामका खुतबा पढ़वाया। उसने धनियोंकी सम्पत्ति जब्त कर ली। बुखाराकी सुंदरियां बहुत भारी संख्यामें उसके घरमें चली आईं। बुखाराके धनी-मानी करमीनाकी ओर भाग गये, और वहांसे मंगोल सैनिकोंको लेकर फिर बुखारा आये। महमूद अपने एक शागिर्दके साथ निहत्था ही उनसे मिलने चला गया। अंधविश्वासियोंकी भारी भीड़ भी पीछे-पीछे थी। इसी समय अकस्मात् धूल लिये आंधी उठी, जिसमें आदमी एक-दूसरेको देख नहीं सकते थे। चमत्कारोंपर विश्वास करने-वाले मंगोल डरके मारे भागने लगें। बुखारियोंने पीछा करके उनमेंसे बहुतोंको मारा, लेकिन इसी समय उन्होंने पीछे मुड़कर देखा, कि उनका पैगम्बर मारा जा चुका है। महमूदका स्थान उसके भाई ने लिया, लेकिन वह एक ही सप्ताह शासन कर सका। इसी समय मंगोल सेनापति इल्दिर नोयन और जेङ्गिन कुरजी काफी सेना लेकर आ पहुंचे। पहले ही आक्रमणमें महमूदके अनुयायी भाग खड़े हुए। मसूदबेगने मंगोलोंको नगर लूटनेसे तबतक रोके रखा, जबतक कि खानके पाससे आज्ञा न आ जाय। चगताईने लूटनेकी आज्ञा नहीं दी।

मंगोलों और उनके सरदारोंके बारेमें कितने ही लोग ख्याल करते हैं, कि वह बर्बर थे, लेकिन एक युरोपीय लेखक बम्बेरीका कहना है—"मंगोलोंका संबंध ऐसी जातियोंसे हुआ था, जो सभ्यताके उच्च तलपर थीं। अपनी जन्मभूमि (मंगोलिया) की तरहकी खुली जगहोंके लिये उनके दिलोंमें भारी प्रेम था। नगरों और बस्तियोंको वह भ्रष्टाचार और नामर्दीका स्रोत मानकर बड़ी घृणाकी दृष्टिसे देखते थे।" उनके लिये आदर्श जीवन था पशुपालोंका—अर्थात् अपने पशुओंको लिये सफेद नम्देके तम्बुओं में खुली जगहोंमें रहना। बस्ती और नगरके वासियोंको वह तबतक छेड़ना नहीं चाहते थे, जबतक कि वह आज्ञाकारी रहें। बल्कि, ऐसे लोगोंके लिये वह युद्धध्वस्त नगरोंको फिरसे बसानेमें सहायता और प्रोत्साहन देते थे। इराक के जैसे कितने ही शहर उनकी लड़ाइयोंके कारण उजड़ गये थे, लेकिन मंगोलों ने वहांके लोगोंको घुमन्तू जीवनकी ओर लौटानेका प्रयत्न नहीं किया। काश्गर प्रदेशकी अवस्थामें कुछ भेद था। मंगोलोंने जल्दी ही इस प्रदेशको अपने हाथमें कर लिया था। तरिम-उपत्यका उस समय उइगुरोंकी थी, जो बौद्धधर्मी रह संस्कृतिमें अधिक विकसित हो चुके थे। वह अब घुमन्तू नहीं बल्कि बस्तीमें रहना पसन्द करते थे, और उन्होंने चीनी तुर्किस्तानके नागरिक जीवनको स्वीकार कर लिया था। उइगुरों (कराखानियों) के उत्तराधिकारी कराखिताई भी जल्दी ही नागरिक जीवनके प्रभावमें आ गये थे। लेकिन, जिस तरह पश्चिमी तुर्किस्तानमें नगरोंके जीवनको फिरसे स्थापित करनेमें चगताइयों ने सहायता की, वही बात पूर्वी तुर्किस्तानमें नहीं हुई। वहां उजड़े हुए नगर फिर नहीं बस सके, न टूटी नहरें फिरसे जारी की जा सकीं, जिसके कारण हरे-भरे गांव और सुंदर नगर बालुकासमुद्रमें डूब गयें।

मंगोलोंके शासनकालमें दूसरी विद्याओंका प्रचार और विकास रुक गया, हाँ, इस्लामिक धर्म-शास्त्र और उससे भी ज्यादा सूफी-संतोंका प्रभाव अवश्य बढ़ा। इस समयसे सूफी-संतों (खोजों,शेखों) का प्रभाव इस भूमिमें इतना जबर्दस्त स्थापित हो गया, जितना किसी दूसरे इस्लामी देशमें देखा नहीं जा सकता। इसी समयसे इन संतोंके परिवारोंने स्थायी तौरसे देशका धार्मिक और सांस्कृतिक नेतृत्व अपने हाथोंमें ले लिया। संतों और सूफियोंकी ओर लोगोंका इतना झुकाव शायद इसीलिये हुआ कि मंगोलोंने विजयी इस्लामको धूलमें मिला दिया था। संसारमें किसी ओरसे आशा न रह जानेपर अब लोगोंका ध्यान सूफियोंके चमत्कारपूर्ण रहस्यवादी उपदेशों और विचित्र जीवनोंकी ओर खिंच गया।

चगताईके शासनके आरम्भ होते ही मंगोलोंद्वारा ध्वस्त नगरों और गांवोंको फिरसे आबाद करनेके लिये सबसे जरूरी बात थी, भयभीत किसानों और कारीगरोंको समझा-बुझाकर काममें लगाना। हम देख चुके हैं, नगरोंके भीषण नर-संहारके समय भी मंगोलोंने कारीगरोंको प्राण-दान देकर

उनके दिलमें विश्वास कायम करनेकी कोशिश की थी। चगताई-शासकोंके सहानुभूतिपूर्ण भावने भी लोगोंके दिलमें विश्वास पैदा किया। मसूदबेग चगताई खानका परम विश्वासपात्र अधिकारी था, तो भी उसके अधीनस्थ नगरोंमें कितने ही मंगोल शासक भी नियुक्त थे, जैसे समरकन्दका शासक जोङ-सान ताउ-फू और बुखाराका बुका-बोशा, जिनमें पहला शायद चीनी था। चगताईका वजीर हेजिर तुर्क था। मसूदने लोगोंकी सहानुभूति प्राप्त करनेके लिये मदरसे भी कायम किये। १२३४ ई० में बुखाराके मसूदबेग और शेरकुली मदरसोंमें हजार विद्यार्थी पढ़ते थे।

गर्मियोंमें चगताई खानका निवास कूयाश (सूर्य) अलमालिकके पास कोक (नील) पर्वत में रहता था। जाड़ोंमें वह मेराउरिक (? मेराउजिक)—इलामें रहता, जो इलिके तटपर था। कूयाशके पास चगताईने कुतुलुग (पवित्र) गांव बसाया था। चीनी पर्यटक चान-चुनके अनुसार चगताई का ओर्दू इलि नदीके दक्षिणी किनारेपर—शायद उसी जगह जहां कि उसके उत्तराधिकारीका ओर्दू— उलुस-इफ या उलुस-इकमें था। चगताईका इल-अलरगू (सबसे बड़ा नगर) अलमालिक था। चगताई-की उइगुर प्रजामें अब भी कुछ बौद्ध थे, और कुछ ईसाई। इन दोनों हीके साथ मुसलमानोंकी सख्त दुश्मनी थी। अभी सप्तनदके मुस्लिम जिलोंमें भी काफी गैर-मुस्लिम रहते थे—उदाहरणार्थ, चू-उपत्यकाके नेस्तोरी। १२५३ ई० में जब रुबरिक इधरसे गुजरा, तो कयालिकसे उत्तर तीन फ्रांसीसी मील (ल्यू, १३।। वर्स्ते) पर उसने एक गांव देखा, जिसके सारे निवासी ईसाई थे और वहांपर उनका गिर्जा भी था। इस्सिकुल सरोवरके तटपर भी इसी नामके एक नगरमें १४वीं सदीमें अर्मनी साधुओंके मठ थे। मार्को पोलोके अनुसार चगताई स्वयं ईसाई था। जो भी हो, मुसलमानोंको जानवरोंके हलाल करने और बहते पानीमें नहानेके लिये मृत्युदंड देना, उन्हें भड़कानेके लिये काफी था। इसी भावको प्रकट करते चगताईकी मृत्युपर किसी मुसलमानने पद्य लिखा था—

"जिसकी डरसे कोई पानीमें नहीं उतरता था,
वह डूब गया गहरे समुद्रमें।"

आज्ञाका विरोध करनेके लिये चगताईके हुकुमसे ६२६ हि० (३० XI १२२८—२१ X १२२६ ई०) में मुल्ला अबू-याकूब-यूसुफ सैकाकी मारा गया, जिसकी कब्र १६वीं सदीमें भी तेकेस नदीके तटपर मौजूद थी। लेकिन, यह सब होते हुए भी चगताई मुसलमानोंका द्वेषी नहीं था, यह इससे भी सिद्ध है, कि उसके बहुतसे राजविभागोंके प्रमुख मुसलमान थे। सबसे शक्तिशाली और धनी व्यापारी कुतुबुद्दीन खवास-आमिद था। ख्वारेज्मशाह मुहम्मदकी एक कन्या कुतुबुद्दीनसे ब्याही थी और दूसरी चगताईके हरममें थी।

चगताईने अपने जीवनमें ही ओगोताई कआनकी सम्मतिसे अपने पोते करा हुलाकूको अपना उत्तराधिकारी बनाया था। वह दिसम्बर १२४१ ई० में मरा।

चगताई-वंशमें निम्न खान हुये—

१. चगताई, छिङगिस्-पुत्र	१२२७-४२ ई०
२. करा हुलाकू, मोतुगान-पुत्र	१२४२-४६ "
३. येस्सू मङ्गू, चगताई-पुत्र	१२४६-५१ "
करा हुलाकू (पुनः)	१२५१ "
४. ओरगाना खातून, कराहुलाकू-पत्नी	१२५१-५६ "
५. अलगू, अरिकबुगा, बैदार-पुत्र	१२५६-६५ "
६. मुबारकशाह करा हुलाकू-पुत्र	१२६६ "
७. बोराक इसुनदावा-पुत्र	१२६६-७१ "
८. निकपाई सरवान-पुत्र	१२७१-७४ "
९. तोका तेमूर कदमी-पुत्र	१२७४-८२ "
१०. दुवा, दावा, बोरा-पुत्र	१२८२-१३०७ "

११. कुंजेक, कोन्चोग्, दुवा-पुत्र	१३०७-८ ई०
१२. तलिकू, खिजिर, कदमी-पुत्र	१३०८-६ "
१३. केबेक, दुवा-पुत्र	१३०६ "
१४. एसेन्बुका, ईसनबुका, दुवा-पुत्र	१३०६-१८ "
केबेक (पुनः)	१३१८-२६ "
१५. इलिकदई, इलिचिगिदई, दुवा-पुत्र	१३२६ "
१६. दुवा तेमूर, दुर्रा तेमूर, दुवा-पुत्र	१३२६ "
१७. तरमा शेरिन्, संजर, दुवा-पुत्र	१३२६-३४ "
१८. बजन, बोजन, दुवा-तेमूर-पुत्र	१३३४ "
१६. जेङकिस खलील, एबुगेन-पुत्र, दुवा-पौत्र	१३३४-३८ "
२०. येस्सुन तेमूर, एबुगेन-पुत्र	१३३८-४० "
२१. अली सुल्तान, ओगोताई-वंशज	१३४०-४२ "
२२. मुहम्मद पुलाद, कोन्चोग-पुत्र	
२३. काजान, गाजान, यसाउर-पुत्र	१३४६ "
२४. दानिशमन्द, ओगोताई-वंशज	१३४६-४८ "
२५. बायनकुली, सूरगू ओगलान-पुत्र	१३४८-५८ "
२६. तेमूरशाह	१३५८— "
२७. इलियास खोजा, तुगलक-तेमूर-पुत्र	—१३६३ "
२८. काबिलशाह	१३६३-६६ "

२. करा हुलाकू, मोतुगान-पुत्र (१२४२—४६ ई०)

छिङगिस् जिस वक्त हिन्दूकुश-पर्वतमालाके अजेय दुर्ग बामियान पर आक्रमण कर रहा था, उसी समय उसका अत्यन्त प्रिय पौत्र मोतुगान मारा गया। शायद बापके मारे जानेपर छिङगिस्का भारी शोक करना करा हुलाकूके लिये चगताईके प्रेम और उत्तराधिकार पानेका कारण हुआ। गद्दीपर बैठते समय करा हुलाकू छोटा था, इसलिये राजकाजका भार अभिभाविकाके रूपमें उसकी दादी एबुसकिनने अपने हाथमें लिया। अभिभाविकाने पहिला काम यह किया, कि हकीम मजीदुद्दीन और अपने पतिके कृपापात्र वजीर हेजिरको हकीमसे मिलकर चगताई खानको मरवानेके इल्जाममें मरवा डाला। उसने अपने बहनोई हबश अहमदको अपना वजीर बनाया। अभी अवस्था ठीक नहीं हुई थी, कि इसी समय ओगोताई कआन मर गया और कूयुकने जबर्दस्ती कआनपदको ले लिया। उसने अपने सभी विरोधियोंको उनके पदसे निकाल दिया, जिनमें एबुसकेन भी थी। कूयुकने ६४५ हि० (८ V १२४७—२८III १२४८) में इस्सुनको चगताई-उलुसका खान नियुक्त किया, जिसके कारण केवल अलमालिकमें ही नहीं, सारे चगताई-उलुसमें गड़बड़ी फैल गई। मसूदबेगको भी भागकर बातूके पास शरण लेनी पड़ी। कआनका निर्वाचन १२४६ ई० तक नहीं हो सका था। कूरिल्ताई (महासंसद) की बैठकमें ओगोताईके पुत्र कूयुक (गूयुक) को कआन चुना गया। कूयुक ईसाई-धर्मका पक्षपाती तथा चगताईकी तरह ही इस्लाम-विरोधी था। अब साम्राज्यमें ईसाईयोंका मान बहुत बढ़ गया था। गूयुक कआनने करा हुलाकूको हटाकर जगताई-पुत्र येस्सू-मुङखे (येसू-मङगू) को खान बनाया।

३. येस्सू मङगू, येसू-मुङ-खे (१२४६-५१ ई०)

येसू-मुङ-खे सदा शराबमें मस्त रहता था, राजकाजका काम उसकी रानी तुगाशी देखती थी। सौभाग्यसे उसे खवास हबश जैसा योग्य खवास-अमिदा (वजीर) मिला था। खवास हबशने जगताई खानके हरएक पुत्रके साथ अपने एक-एक पुत्रको लगा रक्खा था। येसू-मुङखेके दरबारमें विद्वान् बहाउद्दीन मेर्गलानी रहता था। उसका पिता फरगानाका शेखुल्-इस्लाम और मां कराखानी वंशजा थी। गूयुकके समय बातू भारी सेनाके साथ पश्चिममें दिग्विजयके लिये भेजा गया था। इसी समय हुलाकू-

को दक्षिणमें दिग्विजयके लिये भेजा गया। अभी यह दिग्विजय-सेना कयालिक नगरसे सात दिन पर अवस्थित (सप्तनदके दक्षिणके अलाताऊ पर्वतके पास) अलाकामकमें थी, कि गूयुक कआनके मरनेकी खबर मिली। अब तुलुइका ज्येष्ठ पुत्र तथा कुबिलेईका बड़ा भाई मुङ्-खे (मङ-गू) कआनकी गद्दीपर बैठा। ओगोताईके पौत्रोंने इसका विरोध किया। वह समझते थे, कि गूयुकके बाद अब उनके उलुसका कआन होना चाहिये। इस विरोधमें येसू-मङ-गू भी ओगोताईके पौत्रोंके साथ था। १२५१ ई० में राजधानी कराकोरममें कूरिल्ताई बुलाई गई, जिसमें मुङ-खेके गद्दीपर बैठनेका बड़ा विरोध हुआ। मंगोलोंमें भीषण संघर्ष शुरू हो गया। सतहत्तर बड़े-बड़े सरदार मारे गये, और बहुतसे खानजादे दूर-दूर निर्वासित कर दिये गये, जहां कितनेही मर गये। चगताई-गद्दीसे वंचित करा हुलाकूने मुङ-खेका पक्ष लिया। कआन अब भला येसू-मङगूका क्यों पक्ष लेने लगा? करा हुलाकूने अपने भाई बुरीके साथ एक बड़ी सेना ले चढ़ाई की। येसू-मङगू, तुगाशी खातून और बुरी आसानीसे पकड़ लिये गये। तुगाशी करा-हुलाकूको दे दी गई। येसू-मङगू और बुरी भागकर बातूके ओर्दूमें चले गये, जहांपर बुरीको मृत्युदंड दिया गया, और उसके बारह भाइयोंके साथ येसू-मङगूको भी उसकी जन्मभूमिमें भेज दिया गया। येसूको फिर खानका स्थान मिलनेवाला था, किन्तु वह रास्ते हींमें मर गया। तुगाशी खातूनपर मुकदमा चलाकर उसे घोड़ेके नीचे रौंदवाकर मरवाया गया।

करा हुलाकू (पुनः १२४६ ई०)

करा हुलाकूके राज्य संभालनेपर हबश आमिद फिर वजीर हो गया। उसने बहाउद्दीनको जेल-में डाल दिया। बहाउद्दीन ने कवितामें बहुत स्तुति की, लेकिन सब बेफायदा। रानी एरगेनाने नमदेमें लपेट ठोकरें लगवाती उसकी हड्डी तुड़वाई। करा हुलाकू अधिक दिन नहीं जी सका। उसके बाद उसकी रानी ओरगाना (एरगेना) ने गद्दी संभाली।

४. एरगेना, ओरगाना, करा हुलाकूपत्नी

एरगेना मंजुलता, सौंदर्य, और प्रतापमें अपने समयकी तीन अद्वितीय मंगोल-राजकुमारी बहिनोंमेंसे थी, जिनके बारेमें कहा जाता था, कि दुनिया का कोई चित्रकार उनके रूपको अपनी तूलिकासे चित्रित नहीं कर सका—तीनों बहनें चगताई, बा-तू और खुलाकू-वंशी खानोंकी रानियां थीं।

मुङखे कआनद्वारा पश्चिमके दिग्विजयार्थ भेजी गई सेनाओंमेंसे कराकुरम और विशबालिगसे आनेवालियोंको चगताई-भूमिमें मिलना था। वहांसे कयालिक और ओतरारके बीच पहुंचनेपर ओरदा (जूछि-पुत्र) के पुत्र खंकिरिन (खूकिरान) को इस भारी सेनाका संचालक बनना था। लेकिन अब बातू और मुङखे कआनमें मतभेद हो गया था। मुङखेने इसी बातको साधु रुबरिकसे कहा था—"जैसे सूर्य अपनी किरणोंको सर्वत्र फैलाता है, उसी तरह मेरी और बातूकी राज्यशक्ति भी देश-देशमें फैली हुई है।" यह कहना इसी बातको सिद्ध करता है, कि अब कआनका बातूपर कोई दबाव नहीं था। कआन और बातूकी सीमा तलस (तरस) से थोड़ा पूरबमें मिलती थी।

प्रधान-वजीर हबश हमीद (अमीद) और उसका पुत्र नासिरुद्दीन राजकाजमें ओरगानाकी सहायता करते थे। रानीकी योग्यतासे कोई इन्कार नहीं करता। इतिहासकार वस्साफके अनुसार ओरगाना स्वयं बौद्ध थी। १२८४ ई० में ओरगाना अलमालिकमें ही थी, इसी समय कआनका अनुज तथा रानीका बहनोई खुलाकू पश्चिमी एसियाके दिग्विजयके लिये आते हुए उससे मिला। वहांसे खुलाकू की सेना सप्तनद और सिर-उपत्यका होते १२५५ ई० के वसंतमें समरकन्द पहुंची। इससे दो साल पहले (१२५३ ई० में) साधु रुबरिक सप्तनदसे गुजरा था। उसने अपने यात्रा-विवरणमें इस प्रदेशका अच्छा वर्णन किया है। लड़ाईके ध्वंसके रूपमें उसने इलितटपर मिट्टीकी दीवारोंवाले अनेक खंडहर देखे थे। उससे कुछ दूरपर एक प्रसिद्ध नगर इलानबालिक था, जहांसे १२५५ ई० में अर्मनी राजा गयतोन गुजरा था। उसने लिखा है—पहाड़से निकलकर बहुतसी नदियां बलकाश झीलमें गिरती हैं। यहींपर कयालिक नामका बड़ा नगर था। जहां बहुतसे व्यापारी रहते थे। यहांकी मैदानी भूमिमें पहले बहुतसी बस्तियां थीं, जिन्हें तारतारोंने ध्वस्त कर दिया। सप्तनदके उत्तरी भागमें अब

मंगोल घुमन्तू रहा करते थे। इतिहासकार जुबेनीके अनुसार मुङ्खे कआनने उज्कन्दको करलुकवंशी अरसलनखानके पुत्रको प्रदान किया था।

हुलाकू (खुलाकू)ने ईरान पहुंच वहांसे चाङतेंको किसी कामसे इलि और चूके बीचकी भूमि (सप्तनद) द्वारा कआनके पास भेजा। यह चीनी यात्री १२५९ ई० में सप्तनद होकर गया था। वह इस प्रदेशका नाम इ-तू (इ-दू) बतलाता है और कहता है, कि वहां बहुतसी जातियोंकी बस्तियां हैं। उस समय इस प्रदेशमें बहुत वृक्ष थे।

ओरगानाने सप्तनद और अन्तर्वेदपर दस सालतक अच्छी तरह शासन किया।

कआनके मरनेपर फिर जो उथल-पुथल हुई, उससे चगताई-उलुसमें भी गड़बड़ी मची। मुङ्खे-कआन ६५८ हि० (१८ XII १२५९—७ XI १२६० ई०) में मरा। अब कआनके सिंहासनके लिये मुङ्खेके दो भाइयों कुबिले और अरिकबुगाका झगड़ा हुआ। अरिकबुगाने अलगूको और कुबिलेने बुरी-पुत्र अबिश्काको चगताई खान बनाया। अलगूकी शक्ति ज्यादा मजबूत थी। उसने ओरगानाको भगाकर अलमालिककी गद्दी संभाल ली।

५. अलगू, अरिकबुगा, बेदार-पुत्र (१२५९–६५ ई०)

कुबिलेद्वारा निर्वाचित चगताई खान अबिश्काको रास्तेमें ही कुबिलेके प्रतिद्वंद्वीने बंदी बना लिया, लेकिन पीछे अलगूने इसका बदला कुबिलेके प्रहारके समय सहायता देनेसे साफ इन्कार करके लिया। यही नहीं, उसने अरिकबुगाके तीन कर उगाहनेवालोंको पकड़कर उनके पासके पैसोंको छीनकर मरवा डाला, और इसके बाद वह खुल्लमखुल्ला कुबिलेका समर्थक बन गया।

तुर्किस्तान सारा अलगूके राज्यमें सम्मिलित था। उसके पास डेढ़ लाख सवार-सेना थी। ओरगानाने अरिकबुगाका पक्ष लेते उसके पास संदेश भेजा, इसपर अलगूने पांच हजार सैनिकोंके साथ उचाचर और बिकी ओगलान तथा अमीरोंमेंसे हबश अमीर-पुत्र सुलेमानको भी बितिकची और अबिश्काके साथ समरकन्द, बुखारा तथा अन्तर्वेदके दूसरे इलाकोंमें सीमांतोंकी रक्षाके लिये भेजा। अलगूको सुवर्ण-ओर्दूके खिलाफ ख्वारेज्ममें भी सफलता मिली।

इस विश्वासघातसे नाराज होकर अरिकबुगाने कुबिलेके संकटकी पर्वाह न कर अलगूपर चढ़ाई कर दी। ऐसा अच्छा मौका पाकर कुबिलेने आक्रमण करके राजधानी कराकोरमको अरिकबुगासे छीन लिया। इधर अरिकबुगाने भी अलगूसे चगताईराजधानी अलमालिक ले ली। अलगू भागा, और काशगर, खोजन्द होते समरकन्द पहुंचा। अरिकबुगाने ६६२ हि० (४ XI १२६३—२४ X १२६४ ई०) के जाड़ोंको अलमालिकमें बिताया। उसने अलगूके अनुयायियोंके साथ बड़ा निष्ठुर बर्ताव किया, और पास-पड़ोसके इलाकोंको इतना उजाड़ दिया, कि भयंकर अकालके मारे हजारों आदमी मर गये। अरिकबुगाके इस क्रूर बर्तावसे उसके अच्छे-अच्छे सेनापतियोंने साथ छोड़ दिया। तब उसे होश आया और समझौतेके लिये तैयार हुआ। ओरगाना और मसूदबेग बातचीत करनेके लिये नियुक्त किये गये। अन्तमें चगताईका प्रदेश अलगूको दे देना पड़ा। खाली कोशको भरनेके लिये मसूदबेगने फिर प्रयत्न करना शुरू किया। अलगूका एक और भी दूसरा भयंकर प्रतिद्वंद्वी था ओगोताईका पौत्र कैदू (काइ-दू), जिसने बातूकी सहायतासे अन्तर्वेदके उत्तरी भाग—तुर्किस्तान प्रदेश—को हड़पनेकी कोशिश की; लेकिन, अरिकबुगासे छुट्टी पाकर अलगूने उसे मार भगाया। ओरगाना अलगूकी प्रिया पत्नी थी, जिसकी मृत्युके थोड़े ही समय बाद ६६४ हि० (१३ X १२६५—३ IX १२६६ ई०)में अलगू भी मर गया। अंतिम समयमें अलगूको संदेह हो गया था, कि ओरगाना अन्तर्वेदके मुसलमानोंका अधिक पक्षपात करती है, जिसके ही पापके कारण वह मरी।

अलगूका प्रतिद्वंद्वी कैदू बहुत समयतक कुबिले खानका भी जबर्दस्त प्रतिद्वंद्वी रहा। कुबिलेको कआनका महासिंहासन और सभी तरहके भौतिक साधन प्राप्त थे, किंतु कैदूको केवल अपने कौशल तथा वीरताके बलपर लड़ना था। उसने न कभी शराब पी और न कूमिस ही। पहले वह पहाड़ोंके भीतर छिपकर कआन और अलगूसे लड़ता रहा। फिर उसने बेरेक खान (सुवर्ण-ओर्दू) और अलगूके बीचमें

झगड़ा डलवा दिया। बेरेकने किसी ज्योतिषीसे सुना था, कि कैदू बहुत भारी आदमी होगा, इसलिये वह उसकी सहायताके लिये तैयार होगया। जू-छि उलुसकी मददसे कैदू काफी शक्तिशाली हो गया, और उसने अलगूकी एक बड़ी सेनाको हराकर नष्ट कर दिया। अलगूने दूसरी जबर्दस्त सेना भेजी, जिसने ओतरारके पास बेरेक खानको हराया—यह १२६५ ई० के अन्त या १२६६ ई० के आरम्भ की बात है। इन आरम्भिक लड़ाइयोंके बाद अलगूको सफलता मिलने लगी और वह अपने सभी इलाकोंको अपने हाथ में करनेमें सफल हुआ।

६. मुबारकशाह, करा हुलाकू-पुत्र (१२६६ ई०)

इतिहासकार जमाल करशीके अनुसार ओरगाना-पुत्र मुबारकको १२६६ ई० में आहनगर उपत्यकामें खान बनाया गया। चगताई खानोंमें वह पहला मुसलमान था, यद्यपि अभी खानोंका इस्लाम अधिकतर दिखावेके लिये था। सारी प्रजाके मुसलमान होनेके कारण ऐसा करनेमें लाभ था। मुबारकको बहुत कोमलप्रकृति और न्यायप्रिय कहा जाता है। कुबिलेने उसको चगताई खान स्वीकार कर भी उसके सौतेले भाई बोराकको उसका उपराज बनाया, जिसमें कहीं मुबारककी शक्ति ज्यादा न बढ़ जाये। इस समय अब चगताई-राज्यके भीतर मुल्की,गैरमुल्की, मंगोल-अ-मंगोलका सवाल छिड़ गया था, जिसके उठानेमें बोराकका भी हाथ था। निम्न सिर-उपत्यका भी अब कैदूके हाथमें चली गई थी। कैदूके चालीस पुत्र अलग-अलग सेनाओंके सेनापति थे। लूटप्रेमी, घुमन्तू मंगोल और तुर्क बड़ी संख्या में कैदूके झंडे के नीचे चले गये थे। कैदू अन्तर्वेद ही नहीं, कुबिलेके राज्यको भी लेना चाहता था। कुबिलेने उसके विरुद्ध अपने पक्षको मजबूत करनेके ख्यालसे बोराकको मुबारकका उपखान बनाकर अलमालिक भेजा था, लेकिन बोराकने शुरूसे ही कैदूके साथ सहानुभूति दिखलानी शुरू की। दोनोंने बुखारा और समरकन्दके हथियार बनानेवाले (वस्साफ) के अनुसार ६६१ हि० (१५ XI १२६२–६ X १२६३ ई०) में सोलह हजार कारीगरोंको भेड़ोंकी तरह आपसमें बांट लिया। इनमेंसे पांच हजार बातूको, तीन हजार हुलाकूको और बाकी कआनको मिले। उज्गंद और पूर्वी तुर्किस्तानमें भी बोराकको सफलता मिली। इन सफलताओंके बाद अब मुबारकको गद्दीपर बनाये रखनेकी जरूरत नहीं थी, इसलिये सितम्बर १२६६ ई० में उसे बन्दीखानेमें डाल दिया गया, और सौतेले भाई बोराकने सीधे गद्दी संभाल ली।

७. बोराक, करा हुलाकू-पुत्र (१२६६-७१ ई०)

कैदू कुबिलेके विरुद्ध सफल नहीं हो रहा था, जूछि-उलुस भी प्रबल था, इसलिये वह चगताई—राज्य से ही कुछ छीन सकता था, इसीलिये बोराक और कैदूमें पूर्वी सिर-उपत्यका और सप्तनदके लिये झगड़ा हो गया। १२६८ ई० में जूछि-उलुसके खान मङ्गू-तेंमूरकी सहायतासे कैदूने सिर-उपत्यकाको अपने हाथमें कर लिया। लेकिन उसके कुछ ही समय बाद कैदू और मङ्गू तेमूरमें लड़ाई हो गई। इस अवसरसे फायदा उठाते हुए बोराक भी कैदूके ऊपर चढ़ दौड़ा,। दोनोंमें सेहून (सिर-दरिया) के तटपर लड़ाई हुई। कैदू और किपचक-सेनाकी हार हुई। बहुतसे लोग मारे गये या बन्दी बने, भारी सम्पत्ति लूटमें मिली। यह खबर सुनकर मङ्गू-तेमूरने अपने चचा बेरकेचरको पांच तुमान (पचास हजार) सेना देकर भेजा। उसने बोराकको बुरी तरह हराया। वह समरकन्दकी ओर भी बढ़ना चाहता था, लेकिन कैदूने उसे मना कर दिया।

इस युद्धमें हारकर बोराक अन्तर्वेदकी ओर भागा। उसकी सेना बिना लूटका माल पाये ही लौट रही थी, इसलिये उसे संतुष्ट करना आवश्यक था। बोराकने इसके लिये बुखारा और समरकन्दके लोगोंको केवल शरीर ले नगरसे बाहर निकल जानेका हुकुम दिया, जिसमें कि सेना नगरको लूटकर अपना मनोरथ पूरा कर सके। लोगोंके बहुत रो-धोकर बिनती करने, भारी कर देने तथा हथियार बनानेवाले सिकलीगरोंके रात-दिन हथियार बनानेके लिये वचन देने पर बोराकने अपने इरादेको छोड़ दिया। बड़े जोरसे तैयारी होने लगी और बोराक जल्दी ही फिर लड़नेके लिये तैयार हो गया।

कैदू केवल योग्य सैनिक ही नहीं, बल्कि एक दूरदर्शी राजनीतिज्ञ भी था। वह अरिकबुगाकी गलतीको दुहरा नहीं सकता था। वह जानता था कि मेरा सबसे जबर्दस्त शत्रु कुबिले खान है,

इसलिये उसने शान्तिसे काम लेना चाहा और मेल करानेके लिये बोराकके लंगोटियायार किपचक ओग-लानको उसके पास भेजा। बोरकने अपने मित्रका खूब स्वागत किया। दोनोंने एक दूसरेको प्याला दिया; सलाह हुई, कि जूछि, चगताई और कैदूके उलुसोंके बीच मित्रता स्थापित करनेके लिये एक कूरिल्ताई (महापरिषद्) बुलाई जाय ।

६६७ हि० (१० IX १२६८—१ VIII १२६९ ई०) के वसंत (मार्च-अप्रैल १२६९ ई० में) तलस और कंजककी मैदानी भूमिमें कूरिल्ताई एकत्रित हुई। कैदू और बोराक दोनों अपने-अपने रक्त तथा सुवर्णसे मिश्रित मदिराको एक साथ शान्तिचषकमें पीकर एक-दूसरेके अंदा (परम मित्र) बने। कूरिल्ताईमें कैदूने कहा था—"हमारे महान् पितामह (छिङ-गिस्) ने दुनियासे युद्ध किया....तलवार और वाणके बलपर विशाल राज्य स्थापित किया।......जब हम अपने पुरुखाकी ओर देखते हैं, तो हम सब भाई भाई हैं। लेकिन हममें कुछ भी मेल नहीं।" इसके जवाबमें बोराकने कहा—"बात ठीक है। मैं भी उसी बृक्षका फल हूं। मेरे पास भी थोड़ा-बहुत यूर्त (ओर्दू) है।.......चगताई और ओगोताई (कैदूका पिता-मह) छिङ-गिस् खानके ही पुत्र थे। ओगोताई कश्रानसे कैदू, चगताईसे मैं, जेठे भाई जूछिसे बेरकेचर और मङगू-तेमूर और कनिष्ट भाई तू-लुईसे हुलाकू और कुबिले हैं।

"हमारे समयमें पश्चिमांतका स्वामी मङगू-तेमूर खताई-माचीनका राजा कुबिले खान है, जिसके राज्यकी लम्बाई-चौड़ाईको भगवान् ही जानता है। पश्चिमांतमें आमूसे सिरिया और मिस्रतक पिता-द्वाराअर्जित राज्यका खान अबका है। दोनोंके बीचमें हमारा राज्य, तुर्किस्तान और किपचक है। मुझे अपना कसूर नहीं मालूम होता।' इसपर कैदू और बोराक दोनोंने कहा—"सत्य तुम्हारी ओर है। अब यही निर्णय है, कि आजके बाद हम एक दूसरेके विरोधी नहीं बनेंगे.........।"

इस प्रकार गरमागरम भाषण करते और भावुकता दिखलाते हुए मंगोल-राजवंशियोंने आपसमें मेल किया। उनके लाखों घोड़ों और पशुओंके लिये चरागाहोंकी अवश्यकता थी, जो गर्मीकी अलग और जाड़ेकी अलग होती थीं। गर्मीके दिनोंमें ओर्दू ऊंची ठंडी जगहोंमें जाकर अपने तम्बू लगाता और जाड़के दिनोंमें ऐसी जगहपर, जहां हवा और सर्दी कम होती तथा कुछ घास-चारा भी मिल सकता था। कूरिल्ताईने याइलक (गरम चरागाह) और किशलक (सर्द चरागाह) निश्चित कर दिये गये। कैदूके ओर्दूको सप्तनदमें स्थान दिया गया। मुस्लिम इतिहासकार कैदूकी न्यायप्रियताके बड़े प्रशं-सक हैं—कैदूने सफल युद्ध करके अपने राज्यमें व्यवस्था कायम की थी।

कूरिल्ताईके फैसलेका प्रभाव ज्यादा दिन नहीं रहा। जब आर्थिक स्वार्थ एक-दूसरेके विरोधी हों, तो स्थायी मेल कैसे हो सकता है? बोराकको इस बंटवारेके कारण अन्तर्वेदका एक-तिहाई हिस्सा—खोजंदसे समरकन्दके पासतककी भूमि—कैदूको देना पड़ा। बोराक इस क्षतिको पूर्ण करनेके लिये आमूके दक्षिण (हुलाकूके राज्य) खुरासानपर चढ़ा। लूट-पाटके मारे किसान भागने लगे। गांवोंके उजड़ जाने पर भारी अकालका सामना करना पड़ता, इसलिये दोनों खानोंने वजीर मसऊदबेगको भेजकर किसानों को सान्त्वना देनेका प्रयत्न किया। वक्षुतट इसवक्त बड़ी बुरी अवस्थामें था। बोराक अबका खान (ईरान) पर चढ़ दौड़नेके लिये उतावला हो रहा था। मसऊदने ऐसा न करनेकी सलाह दी, तो गुस्सेमें आकर बोराकने उसे सात कोड़े लगवाये, जिसके लिये पीछे उसे खेद हुआ। तो भी उसने अपना संकल्प नहीं छोड़ा। रुपये-पैसे का हिसाब करनेके बहाने मसऊदबेग अबका (इलखान) के पास गया, लेकिन उसका असली उद्देश्य था इलखानकी सैनिक स्थितिका पता लगाना। इलखानको पता लग गया। बड़ी मुश्किलसे मसऊदबेग जान बचाकर भाग सका। इस तरह असफल होनेपर चगताई खानने ईरानमें रहते चगताई-राजकुमार निकूदरको फोड़नेके लिये एक गुप्तचर भेजा। अंतमें अपने पुत्र बेग-तेमूरको एक तुमान सेना के साथ राजरक्षाके लिये भेजा। कैदूने भी कितने ही राजकुमारोंको सेना देकर बोराककी सहायताके लिये भेजा, जिनमें मोतूगन-पौत्र बुरी-पुत्र अहमद, चगताई-पौत्र सरबान-पुत्र निकबेई ओगुल, और ओगोताई-पौत्र कैदू-पुत्र बालिगू (यालगू) थे। सभी लोग वक्षु (आमू दरिया) पार होनेके लिये तेरमिजकी ओर रवाना हुए। दूसरी सेना गू-युक कश्रान-पौत्र, हुकुरखान-पुत्र चुबाद, तथा कैदू-पुत्र किपचकके साथ खीवामें वक्षु नदी पार होनेके लिये भेजी गई। एक और भी सेना मङकिशलकसे होते कोकाजू

कुचुकके नेतृत्वमें रवाना हुई। अपने पुत्र बेक तेमूरको दस हजार सेना दे बोराक अन्तर्वेदमें छोड़ नावोंके पुलसे वक्षु पार हुआ। उसका कैम्प मेर्वमें पड़ा, जहांसे उसने अपने सैनिकोंको कुबिले कआनके भतीजे खुलाकू-पुत्र अबकाके सारे देशको लूटकर बरबाद करनेका हुकुम दिया। उस समय खुरासान का राज्यपाल अबका-पुत्र अरगून था। बोराककी सेना खुरासानमें दाखिल हुई और उसने बदख्शां, कीसिम, शापूरगान, तालिकान, मेर्व-शायान, तथा नेशापोर (२८ अप्रैल १२६९ ई०) तकके प्रदेशको लूटा और उजाड़ा। थोड़ेसे प्रतिरोधके बाद सारे खुरासानपर बोराकका अधिकार हो गया। उसका मुका-बिला करनेके लिये अबका आजुरबाइजानसे चला। हेरातके पास दोनों सेनाओंमें लड़ाई हुई, जिसमें बोराकको हार खानी पड़ी। अबकाने पराजित सेनाका पीछा किया। शायद सारी चगताई सेना नष्ट हो जाती, लेकिन सेनापति जलेरताईने बड़े कौशलसे उसे नष्ट नहीं होने दिया। अबकाने अन्तर्वेदके बहुत से इलाकोंको लूटा। उस वक्त मंगोलोंके सामने मुसलमान चापलूसी करते कहांतक गिर गये थे, इसका उदाहरण यह घटना है—अबकाने खाते समय एक बार अपने वजीर शम्शुद्दीनकी ओर चाकूके नोकपर सूअरका मांस रखकर बढ़ाया। वजीरने जमीन चूमकर इस अत्यन्त हराम भोजनको खा लिया। इसपर खानने अपना प्याला उठाकर उसकी तरफ किया। उसके न लेनेपर अबकाने कहा—"इसने प्याला लेने से इन्कार करके मुझे नाराज नहीं किया, लेकिन यदि इसने मांसको लेनेसे इन्कार किया होता, तो मैं उसी चाकूसे इसकी आंखें निकाल लेता।"

जिस समय बोराकने खुरासानपर सफल आक्रमण किया, यदि उसी समय उसके मित्रोंमें फूट न हो गई होती, तो शायद अबकाको इतनी आसानीसे सफलता न मिलती। बोराकका अंदा (परम मित्र) किपचक ओगलान चगताई सेनापति जलेरताईके किसी बर्तावसे असंतुष्ट हो साथ छोड़कर चला गया। बोराकने उसे दंड देनेका वचन दिया भी, किंतु किपचक ओगलान नहीं रुका। गू-युक कआनके पुत्र जवात ने भी इसी समय साथ छोड़ दिया। अबकाने एक और चाल चली। उसने बोराकके तीन दूतोंको पकड़ सासत देकर उनसे यह स्वीकार करवाया, कि हम अपने खानकी ओरसे गुप्तचरका काम करने आये हैं। वह मृत्युकी प्रतीक्षा कर ही रहे थे, कि इसी समय धूलिधूसरित धावनने आकर खबर दी—"मेरे स्वामी! दरबन्द (कास्पियन) की ओरसे शत्रुओं (किपचकों) ने भारी संख्यामें आकर देशपर धावा बोल दिया है, पश्चिमी प्रदेश तलवार और आगसे ध्वस्त किये जा रहे हैं।" अबका यह खबर सुनकर आजुरबाइजानकी ओर चला गया और बोराकके दूतोंको भागनेका मौका मिल गया। बोराक विजयसे कुछ निश्चितसा हो गया; किंतु, फिर अचानक लौटकर अबकाने हेरातके पास बोराकको जबर्दस्त हार दी। बोराक इस लड़ाईमें घायल हुआ। अपनेको खतरेमें डालकर सेनापति मेंगुल और जलेरताईने बोराकको निकालकर वक्षुपार न कराया होता, तो बोराककी जान न बचती।

इस भीषण पराजय और मित्रोंके विश्वासघातके बाद बोराक ६६९ हि० के वसंत (मार्च-अप्रैल १२७१ ई०) में मर गया।

८. निगपई, सरवान-पुत्र (१२७१–७४ ई०)

नये खानके शासनकालमें भी चगताई और ओगोताई उलुसोंका झगड़ा जारी रहा। कैदूने निग-पईको खान बनाया, इसपर बोराक और अलगूके पुत्रोंने विद्रोहकर दिया। इस संघर्षमें जरफ्शां-उपत्यका के सारे नगर नष्ट हो गये। निगपई पीछे कैदूके विरुद्ध हो गया और उसके साथ लड़ते हुए १२७४ ई० में मारा गया।

९. तोका तेमूर, कदमी-पुत्र (१२७४–८२ ई०)

निकपाई और तोका तेमूरका नाम कितनी ही वंशावलियोंमें नहीं मिलता, जिसका कारण यही हो सकता है, कि उनका शासन गृह-युद्धोंके समयका था, जिसमें एकसे अधिक राजकुमार तख्तके दावेदार थे।

१०. दुवा, तुवा, दावा, बोराक-पुत्र (१२८२–१३०७ ई०)

चगताइयोंमें दुवा बहुत शक्तिशाली खान, और कैदूका पक्का साथी था। उसके लिये इसने कैदूसे खानोंसे बहुतसी लड़ाइयां लड़ीं। प्रसिद्ध इतिहासकार शम्शुद्दीन जुवैनी इसका वजीर था। अबका

की सेना लूट-पाट करते ६७१ हि० (२६ VII १२७२—१६ VI १२७३ ई०) में बुखारा पहुंच महान् नगरको लूट वहांके नागरिकोंमेंसे पचास हजारको बन्दी बना जब लौट रही थी, तो सेनापति चापरने आक्रमण करके उनमेंसे कितने ही बन्दियोंको छुड़ा लिया। तीन साल बाद फिर अबकाने आकर देशको बरबाद किया, जिसका सुधार दुवाके शासनकालमें मसऊदबेगके योग्य प्रबन्धके कारण हो पाया। श्वेत-ओर्दूके बायन खानसे भी दुवाका विशेष झगड़ा था, क्योंकि वह कैदू और दुवाके विरोधियोंका पक्षपाती था। १३वीं सदीके प्रथम वर्षमें इन दोनों दलोंने अठारह लड़ाइयां लड़ीं। बायनके पीठपर तेमूर कआन था, सुवर्ण-ओर्दू और इलखान (ईरान) भी बायनके दलमें सम्मिलित थे—दुवाके विरुद्ध उत्तर-पश्चिममें तोकताई (सुवर्ण-ओर्दू) और बायन (श्वेत-ओर्दू) की सेनायें थीं, दक्षिण-पश्चिममें गाजनखान (ईरान) और दक्षिण-पूर्वमें बदख्शांका शासक भी चीन-सम्राट् (कुबिलै) के पक्षपाती थे। इतने जबर्दस्त शत्रुओंसे घिरे रहते भी देशकी समृद्धि और राज्यकी शक्तिको बनाये रखना दुवा की योग्यताका परिचायक था।

कैदूके चालीस पुत्र थे, यह हम कह आये हैं। उसने छिङ-गिस् खानकी तरह अपने राज्यको अपने ४० लड़कोंमें बांट दिया था—बड़ेको चीन सीमान्तपर, बेकेचेरको जूछि सीमांतपर, सरवानको अफगानिस्तानमें सर्वज्येष्ठ पुत्र चापरको सबसे अधिक संघर्षके स्थान सप्तनदमें रक्खा था। कैदूकी-पुत्री खुतुलुन चागा भी बड़ी ही वीर तरुणी थी। अपने पिताके अभियानोंमें भाग लेनेके कारण उसने ब्याह नहीं करना चाहा। कैदू उसे बेटी नहीं, बेटेकी तरह प्यार करता था। उसने उसे स्वयंवर चुननेके लिये कहा। जब कोई वर नहीं मिला, तो गाजन खान (ईरान) को देना चाहा, लेकिन खुतुलुन चागाने यह पसन्द नहीं किया और अपने पिताके बड़े दरबारी एक चीनीको अपना हाथ दिया। कैदू करशीके अनुसार १३०१ ई० में (दूसरोंके अनुसार १३०३ ई० के वसंतमें) लड़ाईमें मरा। उसका मृत शरीर चू और इलि नदियोंके बीचके ऊंचे पहाड़ सिबालिकमें दफनाया गया।

कैदूके मरनेके बाद अब दुवा सबसे प्रभावशाली खान था। उसने १३०३ ई० के वसंतमें चापर को कैदूका उत्तराधिकारी बनाया, जिससे कैदू-पुत्रोंमें झगड़ा उठ खड़ा हुआ। बाहर भी शत्रुओंका भय था ही। तोकताई (सुवर्ण-ओर्दू खान) ने बायनके शत्रु कुइलुकको समर्पण करनेकी मांग की। इन्कार करनेपर उसने दो तुमान सेना दे बायनकी पीठ ठोंकी। फर्वरी १३०३ ई० के आरम्भमें बायनका दूत दुवा और चापरके साथ मिलकर लड़ाई करनेकी बात तै करने बगदाद गया।

दुवा एक कुशल सैनिक ही नहीं था, बल्कि कैदूकी तरह एक दूरदर्शी राजनीतिज्ञ भी था। यद्यपि शक्ति छिन्न-भिन्न करनेवाले विरोधी तत्त्वोंसे उसे लड़ना पड़ रहा था, लेकिन वह समझ रहा था, कि यदि लड़ाई इसी तरह चलती रही, तो कुछ ही समयमें अन्तर्वेद, सप्तनद, किपचक और ईरान-इराक से छिङगिस-वंशका नाम मिट जायेगा। इसीलिये वह सोच रहा था, कि कआनकी अधीनतामें सभी उलुसोंका एक संघ बनना चाहिये। उसने इसके लिये एक योजना बनाई—(१) सभी आपसमें शांतिसे रहते कआन (चीनके मंगोल सम्राट्) को अपना प्रभु मानें, (२) सभी देशोंमें व्यापारकी स्वतन्त्रता हो। उसने इस योजनाको सबसे पहले कआन तोगुतोगूके पास भेजा, जिसने उसे बहुत पसन्द किया। इसके बाद अगस्त १३०४ ई० में चापर और दुवाके दूत योजनाको लेकर ईरान गये। वहां तथा पीछे जूछिके दरबारमें भी इस योजनाका स्वागत नहीं हुआ, शायद उन्होंने इसे दुवाकी एक चाल समझा।

चगताई राजकुमार अपने युर्तोंको लेकर चरागाहोंमें घूमा ही करते थे, जहां किसी छोटीसी बातको भी लेकर झगड़ा हो पड़ना स्वाभाविक था। १३०५ ई०में अन्तर्वेदमें चापरका कुछ चगताई राज-कुमारोंके साथ झगड़ा हो गया। उसके लिये तरुणोंके लड़कपनपर अफसोस प्रकट करते लोग समझौता करानेके लिये ताशकन्दमें जमा हुये। ओगोताईके राजकुमार जोचोकबालिकमें चापरके भाई शाहके युर्तपर टूट पड़े। उस समय दुवाका सेनापति दक्षिण-सप्तनदके अरपा-उपत्यकामें हेमंत-वास कर रहा था। शाह अपने सात हजार आदमियोंके साथ भागकर अपने भाई बेकेचरके पास पहुंचा। विरोधी राजकुमारोंने तलस-द्रोणीके पासवाले नगरोंको लूटा। चापरको यह खबर कआनकी सेनासे लड़ते इलिश अलताईके पास मिली। वहांसे हार खाकर वह तीन सवारोंके साथ भागकर दुवाके पास गया।

रशीदुद्दीनके अनुसार दुवा १३०६ ई० में मरा और वस्साफके अनुसार १३०७ ई० में।

११. कुंजेक, कुंचोक, दुवा-पुत्र (१३०७-८ ई०)

दुवाके मरनेपर बरकुलसे बुलाकर कुंजेकको अलमालिकके पास सेवकुन स्थानमें गद्दीपर बिठाया गया। यह युलदुजमें मरा। इसके समयमें भी गृह-युद्ध जारी रहा, और बुरीबाशीके पास तथा सिर-उपत्यकाके पूर्वी भागोंमें कई लड़ाइयां हुईं। अपने प्रतिद्वंद्वी ओगोताई राजकुमार कुरसेबेसे लड़कर भागते समय कुंजेक मारा गया।

१२. तलिकू, तलिक, खिजिर, कदमी-पुत्र (१३०८-१० ई०)

बुरीको १२५१ ई० में कतल किया गया था, यह हम बतला चुके हैं। उसीका पुत्र तलिकू अब गद्दीपर बैठा। इस समय जल्दी-जल्दी खानोंका बदलना यही बतला रहा था, कि अब सत्ता दरबारियों-के हाथमें थी और खान उनके खेलके मुहरे थे। मुस्लिम दरबारियों और प्रजाको प्रसन्न करनेके लिये तलिकूने खिजिरके नामसे अपनेको मुसलमान घोषित किया, जिससे मंगोल राजकुमार नाराज हो गये—अबतक मंगोलोंने बौद्ध धर्मको जातीय धर्मके तौरपर स्वीकार कर लिया था, इसलिये वह नहीं पसन्द कर सकते थे, कि उनका खान मुसलमान बन जाये। इसी भावनासे प्रेरित हो तीन सौ सवारोंके साथ दुवा-पुत्र केबैकने रातको भोजके समय खेमेमें घुसकर खानको मार डाला। वस्साफके अनुसार तलिकू ७०८ हि० (२१ VI १३०८–१२ V १३०९ ई०) में गद्दीपर बैठा, दूसरे इतिहासकारोंके अनुसार ७०९ हि० (११ VI १३०९–२ V १३१० ई०) में गद्दीपर बैठा, तथा ७१० हि० (३१ V १३१०–२१ IV १३११ ई०) में उसकी मृत्यु हुई।

१३. केबेक, दुवा-पुत्र (१३१० ई०)

केबेक बहादुर और स्पष्टवादी खान था। चापरने पिताकी शत्रुताको उसके पुत्र केबेकतक कायम रक्खा, लेकिन उसे हार खानी पड़ी। अब चगताई-उलुस अस्त-व्यस्त हो चुका था। चापरने त्युकमे, बइ-केचर और उरुस-पुत्रोंके साथ मिलकर केबेकके ऊपर चढ़ाई की, लेकिन उसे इलि नदीके पश्चिममें पराजित होना पड़ा। फिर इलिके रास्ते जाकर उसने त्युकमेको हराकर उसके युर्तको छिन्न-भिन्न कर दिया। त्युकमेने पूरबमें भागकर कआनके पास चीनमें जाना चाहा। भागते समय त्युकमेकी भिड़ंत केबेककी सेनासे हो गई, जिसमें वह मारा गया। राजकुमारोंके इस घरेलू संघर्षोंके कारण कृषि और व्यापारको भारी क्षति हुई। केबेकने इस संघर्षको बन्द करनेके लिये ७०९ हि० (११ vi १३०९–२ v १३१० ई०) में कूरिल्ताई बुलाई और उसके इस निर्णयको स्वीकार किया, कि गद्दी उसके भाई एसेनबुकाको दी जाय, और वह कआनके अधीन रहे।

१४. एसेनबुगा, ईसनबुका, दुवा-पुत्र (१३१०-१८ ई०)

कैदूका विशाल राज्य अब छिन्न-भिन्न हो गया था, और उसका अधिकांश चगताई-उलुसके हाथमें चला आया था। कैदूके पुत्रोंमेंसे शाहके पास कुछ इलाके रह गये थे। एसेनबुगाने राज्यके भीतर और बाहर शान्ति स्थापित करनेका प्रयत्न किया। इसके लिये उसने १३१२ ई० में उज्बेक खान (सुवर्ण-ओर्दू) के साथ मित्रता स्थापित की, जो १३१५ ई० तक रही, जबकि चगताई और जूछि दोनों उलुसोंने अपने शत्रु उलजैतू (ईरान) पर आक्रमण किया। चगताई सेनाने इलखानी सेनाको हराकर हेरात तक उसका पीछा किया। चार महीनेतक यह प्रदेश चगताइयोंके हाथमें रहा और उनकी सेनाने वहां बहुत अत्याचार किये।

कआन बयन्तुका ओर्दू जाड़ोंमें कोबुक-तटपर और गर्मियोंमें एसुन मोरान (इर्तिश-शाखा) पर रहता था। ऐसे ही समय एसुन मोरानके पास उसका चगताई उलुससे झगड़ा हो पड़ा। कआनकी दूसरी सेना उस समय चालीस दिनके रास्ते पर थी। तोकाजीके नेतृत्वमें कआनकी सेनाने एसेनबुगाके हेमंत-वास (इस्सिकुलके समीप) और ग्रीष्मवास (तलसके समीप) को लूटा-पाटा। इस समय (१३१२ ई०) एसेनबुगाकी उज्बेक खानके साथ मित्रता थी। जब कआनकी सेनाके आक्रमणकी बात एसेनबुगाको मिली, तो वह खुरासान छोड़कर उत्तरकी ओर लौटा। लेकिन इलखान उल्जैतू खुदाबन्दा

एसेनके अत्याचारोंको कैसे भूल सकता था ? एसेनबुगासे नाराज उसका मुसलमान हुआ भाई यसाउर उस समय ईरानमें रहता था। उल्जैतूने उसे सेना देकर ७१६ हि० (२३ iii १३१६–१४ ii १३१७ई०) में वक्षुपार भेजा। एसेनबुगाकी भारी हार हुई और वह अन्तर्वेद छोड़कर भाग गया। उल्जैतूकी सेनाने देशमें लूट-मार मचाई, और उसने बुखारा, समरकन्द और तेरमिजके निवासियोंको बीच जाड़ेमें जबर्दस्ती दूसरे स्थानोंमें भेज दिया, जिसके कारण उनमेंसे हजारों मर गये।

एसेनबुगा १३१८ ई० में मरा। प्रसिद्ध पर्यटक इब्न-बतूताके अनुसार वह शामानी (बौद्ध) धर्मको मानता था, यद्यपि मुसलमानोंके साथ उसका बर्ताव अच्छा था।

केबेक पुनः (१३१८–२६ ई०)

केबेकने इसलिये गद्दी छोड़ी थी, कि चगताई-उलुसके आपसी झगड़े मिट जायें और राजशक्ति मजबूत हो, लेकिन ऐसेनबुगाके अत्याचारोंने अवस्था और शोचनीय बना दी। केबेक फिर गद्दीपर बैठा, लेकिन वह एकता स्थापित करनेमें सफल नहीं हुआ। चगताई-उलुस अब दो भागोंमें बंट गया। अन्तर्वेदमें मुसलमान (तुर्क) अमीरोंका प्रभाव अधिक था और पूर्वी भागमें मंगोल अमीरोंका। पूर्वी भाग—सप्तनद और पूर्वी तुर्किस्तान—मुंगोलिस्तान के नामसे इसी समय अलग होने लगे, जिसका प्रथम खान एसेनबुगा-पुत्र तुगलुक तेमूर हुआ। केबेकद्वारा गद्दीसे वंचित होनेका बदला एसेनबुगाके पुत्रने इस बंटवारे द्वारा लिया। अब भी केबेकके शासनमें अफगानिस्तान, अन्तर्वेद और सप्तनदका बहुतसा भाग था। केबेकने अपनी राजधानी नखशेबमें रक्खी, और वहांसे ढ़ाई फरसख* पर अपने लिये एक करशी (महल) बनवाया, जिसके ही कारण पीछे नकशेबका नाम करशी पड़ गया। इब्न-बतूताके अनुसार केबेकको उसके भाई तरमाशेरिन (धर्म-छे-रिङ) ने मार डाला।

१५. इलिकदई, इलचीगिदई, दुवा-पुत्र (१३२६ ई०)

केबेकके बादके खान जल्दी-जल्दी बदलते रहे या वजीरोंके हाथकी गुडिया बने रहे। इसी समय कैथलिक मिशनरियोंने ईसाई-धर्मके प्रचारमें बड़ी सरगरमी दिखलाई।

१६. तुवा-तेमूर, दुवा-तेमूर, दुरी तेमूर, दुवा-पुत्र (१३२६ ई०)

खान बननेसे पहले यह एक पूर्वी जिलेका ठाकुर था। वहीं रहते १३१५ ई० में इसके पास चीनसे सहायता आई थी। गद्दीपर यह कुछ ही महीनों रह पाया, क्योंकि इसके भाईका हत्यारा तरमाशेरिन राज्यपर घात लगाये हुए था।

१७. तरमाशेरिन, धर्म-छे-रिङ, दुवा-पुत्र (१३२६–३४ ई०)

धर्म-छे-रिङ संस्कृत धर्म और तिब्बती छेरिङ (दीर्घायु) दो शब्दोंसे मिलकर बना है। इसका नाम ही बतलाता है, कि चगताई-वंशपर बौद्ध-धर्मका कितना प्रभाव था, लेकिन तरमाशेरिनने अपनेको कट्टर मुसलमान सिद्ध करनेकी कोशिश की। राजवंशका डूबता सितारा मुसलमान बनकर अवलम्ब ढूंढ़ रहा था। तरमाशेरिन १३२६ ई० के अन्तमें गद्दीपर बैठा और खान बनते देर नहीं लगी, कि उसने मुसलमान बन अलाउद्दीन नाम धारणकर धार्मिक कर्तव्यपालन करनेके लिये अफगानिस्तान और पंजाब तक जहाद (धर्मयुद्ध) शुरू कर दिया, लेकिन इसी समय अलमालिक और राज्यका पूर्वी भाग हाथसे निकलकर मुगोलिस्तानके खानके हाथमें चला गया। मुगल-राजकुमारोंका प्रभाव अब खतम हो चुका था। दरबारमें तुर्क मुसलमान अमीर सर्वेसर्वा थे। यह मंगोलोंकी संस्कृतिपर इस्लामकी विजय थी। लेकिन वहां केवल इस्लाम और गैर-इस्लाम धर्मका ही झगड़ा नहीं था, बल्कि युद्धजीवी घुमन्तू और कृषि-व्यापार-जीवी स्थायी निवासियोंका भी द्वंद्व चल रहा था। युद्धजीवी घुमन्तुओंमें मंगोल ही नहीं बल्कि भारी संख्यामें तुर्क भी शामिल थे।

खुरासानपर तरमाशेरिनने ७२५ हि० (१८XII १३२४—८XI १३२५ ई०) में आक्रमण किया था, लेकिन नये गाजीको गजनीमें जबर्दस्त हार खाकर वक्षुपार भागना पड़ा। इब्न-

* १ फरसख=६ वर्स्त=१२ ली=३ मीलके करीब।

बतूता दो महीनेतक बुखारामें तरमाशेरिनका मेहमान रहा। वह इसे बड़ा ही पक्का मुसलमान कहता है। अपने समसामयिक दिल्लीके सुल्तान मुहम्मद तुगलकके साथ इसका बहुत अच्छा संबंध था और तुगलककी इस्लाम-भक्तिका वह अनुकरण भी करना चाहता था। इब्न-बतूताने लिखा है—एक बार किसी धार्मिक भूलके लिये मुल्लाने तरमाको लोगोंके सामने फटकारा। खानने उसे बुरा न मान आंसू बहाते हुए तोबा किया। इब्न-बतूताके अनुसार उसने अपने सिंहासन और प्राण इस्लामके लिये न्योछावर कर दिये थे।

इस्लामकी इतनी अंधभक्ति देखकर मंगोल-राजकुमार चुप रहनेके लिये तैयार नहीं थे, आखिर उन्हें भी धर्म-भक्ति करनेके लिये तिब्बतसे बौद्ध-धर्म मिल चुका था। १३३४ ई० में दुवा तेमूरके पुत्र बूजनके नेतृत्वमें विद्रोह हुआ—इब्न-बतूताके अनुसार बूजन मुसलमान था, जो संदिग्ध है। तरमा हारकर भारतकी ओर भागा जा रहा था। बलखके राज्यपाल तथा केबेकके पुत्र यङगीने उसे पकड़कर बूजनके पास भेज दिया, जिसने उसे समरकन्दके पास कतल करवा दिया।

१८. बूजन, बोजन्द, दुवा तेमूर-पुत्र (१३३४ ई०)

अपना-अपना मतलब सिद्ध करनेके लिये दरबारमें अब इस्लामी और इस्लामविरोधी दो दल हो गये थे। बूजन इस्लामविरोधी दलका अगुवा था—इन्हें मंगोल और गैर-मंगोल दल कहना ज्यादा उपयुक्त होगा। बूजन ईसाइयों और यहूदियोंका अधिक पक्ष करता था—बौद्धोंका उसके राज्यमें अभाव-सा था। इसके अल्पकालीन शासन में ईसाइयों और यहूदियोंके मन्दिर अधिक बने, प्रचार भी बढ़ा। इससे पहले १३२९ ई० में ही दोमनिकन साधु थामस मन्तजोला अन्तर्वेदमें कैथलिक धर्मका प्रचार करने आया था। मंगोल-शासक मुस्लिम धर्मांधतासे भय खाते चाहते थे, कि उनकी प्रजापर मुल्लोंका एकाधिपत्य न रहे; इसीलिये वह बौद्ध-धर्मके साथ-साथ ईसाई धर्मको भी प्रोत्साहन देते थे। बूजन अपने प्रतिद्वंद्वी बहुतसे अमीरों और राजकुमारोंको जरा-जरासे संदेहपर बहुत क्रूर दंड देता था। इसके कठोर शासनसे लोग तिलमिलाकर विद्रोह कर बैठे, जिसमें प्रसिद्ध ताजिक नेता हुसेन कर्तने प्रमुख भाग लिया। अरपाखानसे खुरासानको छीननेके लिये बूजन जब बुखारामें था, उसी समय अन्दखोई और शापूरगान (सिबोरगान) के तुर्क कबीलोंने अरलत और एवरदीको लूटा। तुर्कोंने अपने सजातीय तथा अत्यन्त प्रभावशाली अमीर कजगनसे सहायता ली। हेरातके शासक मलिक हुसेन तथा वजीर अलाउलमुल्क खुदाबन्दजादा (तेरमिज)ने भी उनकी सहायता की। लड़ाईमें बूजन पकड़ा गया और उसे उसके शत्रुओंके हाथमें दे दिया गया। इब्न-बतूताके अनुसार यसाउर-पुत्र खलीलने बूजनको मार डाला और १३३४ ई० में ही जेंकिश (चेंगिज) ने उसका स्थान लिया।

१९. जेंकिश (जिकशी), खलील, दुवा-पौत्र, एबुगेन-पुत्र (१३३४–३८ ई०)

यह भी इस्लामी पार्टीका नहीं बलिक मुसैबीके अनुसार बौद्ध था। मंगोलोंने किसी दूसरेको खान बनाया, जिसपर जेंकिश ताराजमें मंगोलोंको हराते अलमालिक पहुंचकर गद्दीपर बैठा। फिर आगे बढ़ते उसने बिशबालिग और कराकोरम (मंगोलिया) को ले लिया, जिसपर कआन (चीन-सम्राट्) को दबकर सुलह करनी पड़ी। अलमालिकमें वजीर अलाउलमुल्क खुदाबंदजादाको शासनके लिये छोड़कर वह समरकन्द लौट आया, लेकिन पीछे संदेह हो जानेपर उसने अलाउलमुल्कको मरवा डाला। बिशबालिक और कराकोरमके विजयकी बात कहांतक ठीक है, इसे नहीं कहा जासकता, लेकिन १३३२ई०में जेंकिशने चीन-दरबारमें भेंट भेजी थी। वह अधिकतर अलमालिकमें रहता था। कैथलिक मिशनरी वहां बड़े जोरसे धर्म-प्रचार कर रहे थे। कैथलिक चर्चने फ्रांसिस्कन साधु निकोलाई (मिखाइल) को चीनका आर्चविशप (लाट-पादरी) बनाकर भेजा था। अलमालिकमें जेंकिशके दरबारमें उसका बड़ा सम्मान हुआ। कुछ ही समयमें राजधानीमें पादरियोंका भारी जमाव हो गया—बरगंडीका रिचार्ड, अलकसंदरियाका साधु फ्रांसिस्क, रायमुन्द और इसी तरह कितने ही और धर्म-प्रचारक वहां मौजूद थे। खानका सात वर्षका पुत्र बपतिस्मा लेकर योहन बना। स्पेनिश साधु पसखालिस १३३८ ई० में धर्म-प्रचारार्थ उरगंजसे अलमालिक जा पांच महीने रहा।

आगे जेंकिश और मलिक हुसेनमें लड़ाई हुई। हुसेनने उसे पकड़कर क्षमा कर दिया। उस समय जेंकिश हेरातमें था, जबकि १३४७ ई० के बसंतमें बतूता वहांसे भारतके लिये प्रस्थान कर रहा था।

२०. येस्सुन तेमूर, एसुन, एबुगेन-पुत्र (१३३८–४० ई० ?)

थोड़े दिन राज्य करनेके बाद ओगोताई-राजकुमार अली सुल्तानने इसे हटाकर इसका स्थान लिया। इससे थोड़े समय पहले सप्तनदमें ईसाइयोंपर भारी अत्याचार हुए और आठ शताब्दियोंसे चला आया नेस्तोरीय सम्प्रदाय वहांसे सर्वदाके लिये उच्छिन्न हो गया।

२१. अली-सुल्तान, ओगोताई-वंशज (१३४०–४२ ई० ?)

अली-सुल्तान मुस्लिम पार्टीका था, किंतु इसके जुल्मसे ईसाई ही नहीं मुसलमान भी पनाह मांगते थे।

२२. मुहम्मद पुलाद, पोलाद, कुंजेक-पुत्र (१३४२ ई० ?)

अली-सुल्तानको हटाकर कुछ समयतक यह चगताई खान रहा।

२३. काजान, गाजान, यसाउर-पुत्र (७३३–४७ हि०* ?)

यह भी बड़ा अत्याचारी था। इसके डरके मारे दरबारी पहले अपनी वसीयत करके तब खानके पास जाते थे। इसके १३-१४ सालके शासनमें चारों तरफ आतंक फैला रहा। प्रभावशाली वजीर कजगनने इससे पिंड छुड़ानेके लिये विद्रोह कर दिया। पहली लड़ाई ७४४ हि० (२६ मई १३४३—१५ अप्रैल १३४४ ई०) अथवा मीरखोजन्दके अनुसार १३४५ ई० में हुई, जिसमें खान जीता और अमीर कजगन की एक आंख तीर लगनेसे फूट गई। सफल होनेपर भी खान शत्रुओंका पीछा नहीं कर सका। उसने जाड़ा करशीमें बिताया। सख्त जाड़े और हिमवर्षाके कारण घोड़े और बोझा लादनेके बहुतसे पशु मर गये। ७४७ हि० (२४ अप्रैल १३४६–१५ मार्च १३४७ ई०) में फिर लड़ाई हुई, जिसमें खानकी हार हुई और उसका अत्याचारी शासन खतम हुआ।

२४. दानिशमन्द, ओगोताई-वंशज (१३४६–४८ ई०)

अमीर कजगनको एक गुड़िया खानकी जरूरत थी। उसने ओगोताई दानिशमन्द ओगलान (राजकुमार) को लाकर गद्दीपर बिठाया। दो साल बाद उससे मन ऊब गया, फिर उसने बायन कुल्लीको गद्दीपर बिठाया।

२५. बायन कुल्ली, सुरगू ओगलान-पुत्र, चगताई-वंशज (१३४८–५८ ई०)

कजगनके अनुकूल होनेसे यह दस सालतक खान बना रहा। अमीर कजगन एक तो स्वदेशी तुर्क था, दूसरे बड़ा ही चतुर और न्यायप्रिय भी, इसलिये वह बहुत जनप्रिय था। कजगनके मरनेपर उसका लड़का अब्दुल्ला वजीरआजम (महामंत्री) बना, जिसने बायनको कुंदुजमें शिकार करते समय कतल करवा दिया—अब्दुल्ला बायनकी बीबीका यार था। अब अब्दुल्लाने तेमूरशाह ओगलानको गद्दीपर बिठाया।

२६. तेमूरशाह (१३५८—ई०)

छिङ-गिस् वंशकी इतनी धाक और पवित्रता स्थापित हो गई थी, कि खानके सिंहासनको कोई लेनेकी हिम्मत नहीं करता था। स्वयं तेमूरलंगने भी खान बनना नहीं चाहा और विश्वविजयी होनेके बाद भी वह "अमीर तेमूर" या "सुल्तान तेमूर" ही बना रहा। अब्दुल्लाका प्रभाव बापके बराबर नहीं था। तेमूरशाहको जिस तरह गद्दीपर बिठाया गया, उससे दरबारी नाराज हो गये। अमीर बायन सुल्दूज अब्दुल्लाके विरुद्ध चढ़ाई करनेके लिये जब समरकन्दकी ओर जा रहा था, तो रास्तेमें केश (शहरसब्ज) का शासक हाजी बिरलस भी उसके साथ हो लिया—यही हाजी सैफुद्दीन बिरलस तेमूर

---

* २२ IX १३३२–१३ VIII १३३३ ई० से २४ IV १३४६–१५ III १३४७ ई०

लंगका चचा था। अब्दुल्ला हारकर अन्दराब (अफगानिस्तान) की ओर भागा, और उसने अपना बाकी जीवन वहीं बिताया। चगताई-शासनकी बागडोर अब अत्यन्त अयोग्य भारी पियक्कड़ सेलदूज तथा हाजी बिरलसके हाथोंमें थी। सारे राज्यको अमीरोंने अपनी-अपनी रियासतोंमें बांट लिया, जिसमें केश (शहरसब्ज) और आसपासका इलाका बिरलसको मिला। चारों ओर गृहयुद्ध और अराजकताका दौरदौरा था।

२७. इलियास खोजा, तुगलक-तेमूर-पुत्र (–१३६३ ई०)

तेमूरशाहकी जगह इलियास गद्दीपर बिठाया गया। चगताई-वंशकी पश्चिमी शाखाकी जहां यह अवस्था थी, वहां उत्तर-पूर्वी शाखावाले मुगोलिस्तानके खान अभी इतने शक्तिहीन नहीं हुए थे। अन्तर्वेदकी अवस्थाके बारेमें सुनकर अलमालिकका खान तुगलक तेमूर एक बड़ी सेना लेकर समरकन्दकी ओर चला। आपसमें लड़ते छोटे-छोटे अमीर भला उसका मुकाबिला कैसे कर सकते थे? हाजी सैफुद्दीन बिरलस (तेमूरका चचा) बिना लड़े ही खुरासानकी ओर भाग निकला। उसके भाई तुरगाई बिरलसके तरुण पुत्र तेमूर लंगने चचासे राय लेकर तुगलक तेमूरसे भेंट की। तरुणसे खान इतना प्रभावित हुआ, कि उसने केशके निवासियोंपर अत्याचार नहीं किया। तुगलक तेमूरने अन्तर्वेदको जीत कर अपने पुत्र इलियास खोजाको समरकन्दमें उपराज घोषित कर तेमूर लंग बिरलसको विश्वास-पात्र जान वजीर (अमात्य) नियुक्त किया। तुगलक तेमूर काश्गरकी ओर लौट गया। अमीरोंके आपसी झगड़ोंमें पड़ना तेमूरने पसन्द न कर बुखारा तथा खीवा होते कास्पियनतटवर्ती रेगिस्तानोंका रास्ता लिया। इस निर्जन भूमिमें वह कितने ही समयतक मारा-मारा फिरता रहा। अन्तमें वह अपने केश लौटे कुछ साथियोंको लेकर वक्षु नदीके दक्षिण चला गया। ७६५ हि० (१० अक्तूबर १३६३–३० अगस्त १६४६ ई०) में कुंदुजके पास दानियालकी सेनाको हराकर तेमूर उसका पीछा कर रहा था, इसी समय तुगलक तेमूर खानके मरनेकी खबर आई और इलियास खोजा समरकन्द छोड़कर बापकी गद्दी संभालने अलमालिक चला गया। तेमूर लंगने तुरंत अन्तर्वेद लौट सरदारोंकी कूरिलताई बुलाकर काबिलशाहको खान घोषित किया।

२८. काबिलशाह (१३६३–६९ ई०)

काबिलको छिङ्ग-गिस्-वंशका अन्तिम चगताई खान तो नहीं कह सकते, क्योंकि तेमूरके वंशने भी अबू-सईदके समय (१४६७–६४ ई०) तक छिङ्ग-गिसी राजकुमारोंको बराबर समरकन्दकी गद्दीपर गुड़िया खान बनाये रक्खा। ८ अप्रैल १३६७ ई० (१० रमजान ७७१ हि०) तक काबिलशाह बहुत कुछ अपने पूर्वजों जैसा ही खान रहा। उसके बाद तेमूरने बाकायदा अपनेको शासक घोषित किया, यद्यपि उसने खान-परंपराका उच्छेद नहीं किया।

चगताई-अर्थनीति—मंगोल-शासन घुमन्तू सैनिक सामन्तोंका शासन था, जो अपनेसे भिन्न जातियोंके लिये निरंकुश था, किन्तु जहांतक मंगोल सामन्तों और राजकुमारोंका संबंध था, खानके लिये बहुमतकी इच्छाका उल्लंघन करना आसान काम नहीं था, क्योंकि सेना उनकी थी। मंगोल शासक नागरिकों और ग्रामीणोंकी गाढ़ेकी कमाईको उड़ाना अपना हक समझते थे। पहले कितने ही समयतक इनके भीतर सैनिक जीवन कायम रहा, किंतु आगे विलासिता बढ़नेके कारण उसका ह्रास होने लगा। इसके साथ ही राजपरिवार और सामन्त-परिवारोंकी संख्या बढ़नेके कारण प्रजाका शोषण-उत्पीड़न और भी भयंकर होने लगा। उनके सहकारी तुर्क घुमन्तू थे, जो देशमें शताब्दियों पहलेसे अपना प्रभाव जमाये हुए थे, और छिङ्ग-गिस्की सेनामें दूध-पानीकी तरह मिल गये थे। वह अब अपने स्वार्थोंको हाथ से जाने देनेके लिये तैयार नहीं थे। मंगोल-राजपरिवार और मंगोल अमीर-परिवारोंकी निर्बलताके समय तुर्कोंने शासनकी बागडोर भी अपने हाथमें संभाल ली। प्रजाका शोषण पूर्ववत् जारी रहा, तो भी अन्तर्वेदकी सम्पत्तिका महास्रोत—अन्तर्राष्ट्रीय वाणिज्य और सुंदर दस्तकारी—सूखा नहीं था।

साहित्य—मंगोलोंके सर्वसंहारी प्रहारके बाद साहित्यकी और धाराएं रुकसी गईं, लेकिन धर्मशास्त्र (शरीयत), धार्मिक साहित्य, सूफी साहित्य, मदिरावाद फूलता-फलता रहा। मुल्लों और

सूफियोंकी मंगोल-दरबारमें बड़ी इज्जत थी। जिसके कारण इस्लामिक शरीयतका प्रभाव भी बढ़ चला। कहना चाहिये शरीयत और सूफीमतका इतना प्रभाव मध्य-एसियाकी जनतापर पहिले कभी नहीं पड़ा था। कुछ परिवारोंने शरीयत और सूफीवादके लिये अपनी पुश्तैनी गद्दी बना ली, और उनका सम्मान पैगम्बरोंकी तरह होने लगा। इन परिवारोंमें सिताजी और खावन्द बहुत प्रसिद्ध थे। जमालुद्दीन सिताजी—मृत्यु ६४० हि० (१ VII १२४२–२२ V १२४३ ई०)—एक सूफी कवि था, जो ६२८ हि० (९ XI १२३०–३० IX १२३१ ई०) में खोजन्दमें आकर बस गया था, और मंगोलोंके आक्रमणके समय ६४० हि० में मरा। बुखाराके खावन्द-परिवारका अमीर शम्शुद्दीन-पुत्र कमालुद्दीन अच्छा कवि था, जिसके कई दीवान (कविता-संग्रह) मौजूद हैं। इसने "मिन्हाजुल्-मुअक्करीन" के नामसे भक्तमाल जैसा एक जीवनचरितात्मक ग्रन्थ लिखा। इलखान अबकाकी सेना-द्वारा ६७१ हि० (२९ VII १२७२–१९ VII १२७३ ई०) में बुखाराकी लूटके पहले ही दिन कमालुद्दीन मर गया। शाह फखरुद्दीन, मुल्ला ताजुद्दीन इस समयके दूसरे साहित्यकार थे। मुल्ला ताजुद्दीन ७३० हि० (२५ X १३२९–१५ IX १३३० ई०) में मरा। इसने "बोस्ताने-मुअक्करीन" लिखा। तरमाशेरिनके बाद मंगोल-राजवंश जल्दी-जल्दी मुसलमान होने लगा। मंगोलोंके लिये इस्लामके समुद्रमें डेढ़ ईंटकी अलग मस्जिद बनाकर रहना आसान नहीं था। मंगोल-राजवंश बौद्ध-संतों और लामाओं की अंधभक्ति सीख चुका था, अब वही अन्धभक्ति उनकी सूफियोंके प्रति हो गई। मानके बढ़नेके साथ सूफियोंकी संख्या भी बहुत बढ़ी। मुल्लाओंका गढ़ बुखारा अब सूफियोंका भी गढ़ बन गया, इसीलिये उस समय किसी कविने लिखा था—

"बुखारा मीरवी.........दीवाना।
लायक जंजीरे-जिंदानखाना।"

(बुखारा जा रहा है पागल, वह तो जेलखानेकी जंजीर जैसा है।)

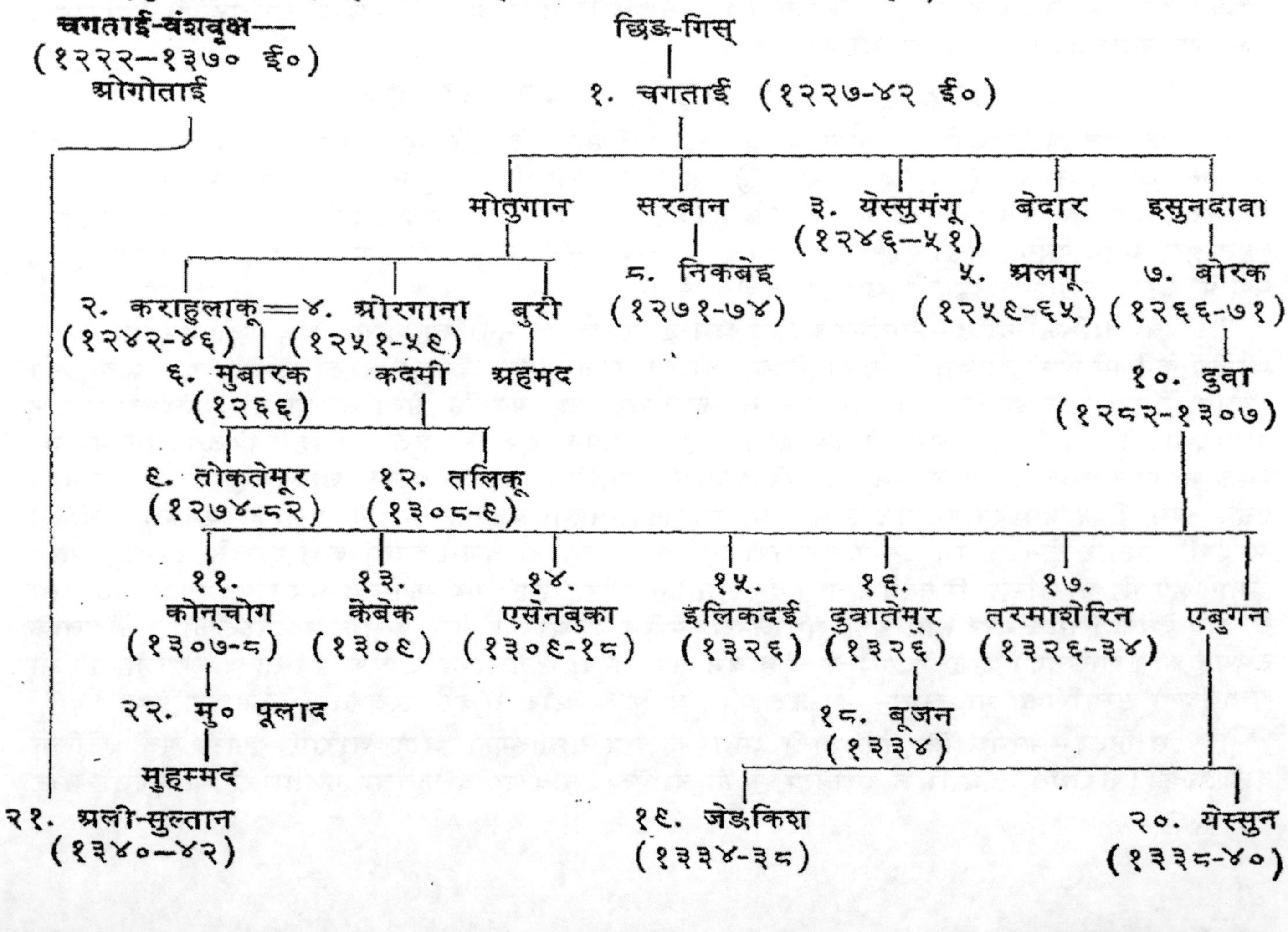

अध्याय २

हुलाकू-वंश

(१२५६–१३४७ ई०)

हुलाकूने ईरान-इराक तथा दूसरे देशोंको विजय करके अपने वंशकी स्थापना की थी। हुलाकू-के बाद इसकी राजधानी तब्रीज हो गई। सभी मंगोल खानोंके ऊपर कश्रान (खाकान, हागान) माना जाता था। उसके नीचे भिन्न-भिन्न उलुसोंके खानोंको इलखान कहते थे। इल या एल जन (कबीले) का पर्याय है। इसीसे एलची शब्द निकला, जिसका अर्थ है जनदूत या राजदूत। पीछे "इलखान" ईरानी मंगोल-राजवंशके लिये रूढ़ हो गया।

इलखानोंकी नामावली निम्न प्रकार है—

१.	हुलाकू, तूलुइ-पुत्र	१२५६–६४ ई०
२.	अबका, अरिकबुगा, हुलाकू-पुत्र	१२६४–८२ ,,
३.	अहमद तगूदर, हुलाकू-पुत्र	१२८२–८४ ,,
४.	अरगून, अबका-पुत्र	१२८४–९२ ,,
५.	गैखातू, अबका-पुत्र	१२९२–९५ ,,
६.	बैदू, तरगई-पुत्र	१२९५ ,,
७.	गाजन, अरगून-पुत्र	१२९५–१३०४ ,,
८.	उलजैतू, अरगून-पुत्र	१३०४–१७ ,,
९.	अबूसईद उलजैतू-पुत्र	१३१७–३५ ,,
१०.	अरपगोन, सूसू-पुत्र	१३३५–३६ ,,
११.	मूसा, अली-पुत्र	१३३६–३७ ,,
१२.	मुहम्मद येल, कुतुलुग-पुत्र	१३३७–३८ ,,
१३.	सातीबेग, उलजैतू-पुत्र	१३३८–४० ,,
१४.	शाहजहां तेमूर, अलाफेफ-पुत्र	१३४० ,,
१५.	सुलेमान, युसुफशाह-पुत्र	१३४०–४४ ,,
१६.	नौशेरवां	१३४४ ,,

१. हुलाकू, खूलागू, तूलुइ-पुत्र (१२५६–६४ ई०)

हुलाकू (जन्म १२१६ ई०) छिङ-गिस्के पुत्र तूलुइका बेटा चीनके प्रसिद्ध कश्रानों मुङखे और कुबिलेइका अनुज था। मुङखेने १२५२ ई०में जो कुरिल्ताई बुलाई थी, उसमें ईरान-इराकके विजयका भार हुलाकूके ऊपर दिया गया। हुलाकू कूच करते हुए १२५३ ई०के मार्चमें अलमालिकके पूर्वके पहाड़ों में पहुंचा। फर्वरी १२५४ ई०में चगताईकी राजधानी अलमालिकमें उसकी साली रानी ओरगानाने उसका स्वागत किया। सितम्बर १२५५ ई० में अपनी सेनासहित वह समरकन्द पहुंचा और २ जनवरी-को उसने वक्षु पार कर लिया। फिर खुरासान होते मध्य-ईरानमें पहुंच हसन बिन-सब्बाहके गढ़ अल्-मौतको विजय करके ध्वस्त कर दिया। कवि खैयाम और इस्लामी चाणक्य निजामुल्मुल्कके सहपाठी तथा इस्माईली सम्प्रदायके मुखिया हसन बिन-सब्बाह (सब्बाह-पुत्र) ने शिष्योंको जीते-जी स्वर्गकी सैर करानेका प्रबन्ध करते हुये अल्मौत नामका नगर और दुर्ग स्थापित किया था। हसनके चेलोंसे राजाओं और राजमंत्रियोंको भी प्राणोंका डर बना रहता था, इसीलिये कोई उसे छेड़ता नहीं था। हुलाकूने

इस गढ़को तोड़कर उसे हमेशाके लिये नष्ट-भ्रष्ट कर दिया, और उसके बाद इस्माईली फिर अपने लिये वैसा सुदृढ़ दुर्ग नहीं बना सके। इसी इस्माईली सम्प्रदायके गुरु हमारे यहांके आगाखान हैं, या यों कहिये, हुलाकूकी आंधीमें उड़े पत्तोंमेंसे एक हैं। मार्च १२५७ ई० को हुलाकूने हम्दानके लिये प्रस्थान किया। छिङ्-गिस्‌की दिग्विजयमें उसके सेनापति हम्दानतक ही आ पाये थे। यहांसे हुलाकूको उस रास्तेपर जाना था, जिसपर मंगोल घोड़ोंकी टाप नहीं पड़ी थी। ईरानके जिस भागको छिङ्-गिस्‌के सेनापतियोंने जीता था, उसपर भी अभीतक मंगोल शासन पक्का नहीं हो पाया था। हुलाकू अब इस कामको बड़े दृढ़तासे करता चल रहा था। १८ जनवरी १२५८ ई०को वह खलीफाकी राजधानी बगदादके पूर्वमें था। ४ फर्वरीको उसने बुर्जेअली किलेको ध्वस्त किया। खलीफा पूरी तौरसे पराजित हो १० फर्वरीको हुलाकूके शिविरमें कोरनिश करने गया। यद्यपि खलीफाकी राजशक्ति तीन शताब्दियों पहले ही खत्म हो चुकी थी, लेकिन इस्लामके पोपके तौरपर उसका सम्मान अब भी बहुत अधिक था। देश-देशके स्वतन्त्र सुल्तान उसके पास बड़ी-बड़ी भेंटें भेजकर उसके दिये चार अक्षरोंके नामोंको बड़े अभिमानपूर्वक अपने नामके साथ जोड़ते थे। खलीफाका हुलाकूके दरबारमें सलाम बजाने जाना वैसा ही था, जैसा कि हालमें सूर्यदेवीके पुत्र जापानके मिकादोका अमेरिकन जेनरल मेकआर्थरके सामने दंडवत् करना। लेकिन हुलाकू सांपको पालनेके लिये तैयार नहीं था। वह समझता था, खलीफा मुसलमानोंको भड़का सकता है, इसीलिये बड़े लड़केके साथ खलीफाको उसने २० फर्वरीको मरवा दिया।

बगदादपर अधिकार करके विजित देशकी व्यवस्थाके लिये कुछ समयतक हुलाकू रुका, फिर वह पश्चिमकी विजय-यात्राके लिये निकला, और २५ जनवरी १२६० ई० को जाकर उसने हलब (अलेप्पो) पर अधिकार किया। शाम (सिरिया) की राजधानी (दमिश्क) की ओर बढ़नेपर उसका मुकाबिला मिस्रके ममलूक सुल्तान सैफुद्दीन फीरोजसे पड़ा। हुलाकूके सेनापति कीतू-बुगाने मिस्रियोंके पास निम्न शब्दोंमें अन्तिमेत्थम् भेजा—

"तुमने सुना होगा, कैसे हमने एक विशाल साम्राज्यको जीता, कैसे हमने पृथिवीकी गंदगियोंको हटाकर शुद्ध किया, और अधिकांश लोगोंको कत्ल कर डाला। तुम्हारा काम है, भागना और हमारा काम है पीछा करना—जहां भी तुम जाओ, जिस रास्तेसे भी जाओ, वहां तुम्हारा पीछा करना। तुम कैसे हमसे बच सकते हो? हमारे घोड़े बड़े तेज हैं, हमारे वाण बड़े तीक्ष्ण हैं, हमारी तलवार वज्र जैसी है, हमारे हृदय पहाड़की तरह कठोर हैं, हमारे सैनिक बालूके कणोंकी तरह असंख्य हैं। किले हमें रोक नहीं सकते, न हथियार ही। हमारे विरुद्ध तुम्हारी प्रार्थनाओंको भगवान् नहीं सुनेगा। तुम हीन उपायोंसे अपनेको बचाना चाहते हो और शपथ-पूर्वक की हुई प्रतिज्ञाओंको तोड़ते हो। विद्रोह और अव्यवस्था तुम्हारे भीतर फैली हुई है। अपने अभिमानके लिये तुम्हें अब भयंकर दण्ड मिलनेवाला है। अन्यायी अपने भाग्यसे शिक्षा लेने जा रहे हैं। हमारे साथ युद्धका मंसूबा रखनेवाले अब पछतानेवाले हैं। जो हमारी शरणमें आना चाहते हैं, केवल उन्हींकी रक्षा होगी। अगर तुम हमारी आज्ञा और पेश की हुई शर्तोंको मानोगे, तो हमारे वैभवमें भागीदार बनोगे; यदि प्रतिरोध करोगे, तो नष्ट हो जाओगे। आत्महत्या मत करो। जिसे पहलेसे सजग कर दिया गया है, उसे अपने लिये सावधान रहना चाहिये। तुमसे कहा गया है, कि हम काफिर हैं, पर हम तुमको पापी समझते हैं। जिस भगवान्‌की आज्ञाएं अमिट हैं, जिसका फैसला पूर्णतया न्यायानुमोदित है; वही तुम्हारे ऊपर हमें विजयी बना रहा है। हमारी आंखोंमें तुम्हारी सबसे जबर्दस्त सेनायें भी आदमियोंकी एक छोटीसी टुकड़ी है। तुम्हारे प्रसिद्ध वीरोंको भी हम तुच्छ समझते हैं। तुम्हारे राजाओंको हम घृणाकी दृष्टिसे देखते हैं। जवाब देनेमें जल्दी करना। ऐसा न हो, कि युद्ध तुम्हारे ऊपर आग लगा दे और तुम्हारे ऊपर अपनी चिनगारियां फेंकने लगे। हमारा कहा न करोगे, तो जो भयंकर सत्यानाश तुम्हारा होनेवाला है, उससे कहीं त्राण नहीं पा सकोगे और तुम अपने देशको रेगिस्तान बना दोगे। हम पहलेसे चेतावनी देकर तुम्हारी भलाई करना चाहते हैं, तुम्हें तुम्हारी नीचतासे डराना चाहते हैं। अब तुम ही एकमात्र (हमारे) शत्रु रह गये हो, जिसके विरुद्ध हमें कूच करना है। तुम्हारे और जो लोग भी दैवी आदेशका अनुगमन करते हैं, मौतसे

डरते हैं; उनके लिये भी सुरक्षाका यही रास्ता है, कि वह कग्रानकी आज्ञाको मानें। मिस्रको कहो—हुलाकू इस भूमिके बड़ोंको अपमानित करने आ रहा है, वह बच्चोंको वहां भेज देगा, जहां बूढ़े गये हैं।"

इसका जवाब सुल्तान फीरोजने इस प्रकार दिया—

"ओ तरुण, तुमने अभी-अभी अपना जीवन आरम्भ किया है, इसीलिये तुम जीवनकी ओर इतना कम ध्यान देते हो। तुमने अभी दस दिनोंकी ही समृद्धि और सौभाग्यका उपभोग किया है। ऐसा होनेपर भी तुम सारी दुनियासे अपनेको बड़ा समझते हो और अपनी आज्ञाको भवितव्यताकी आज्ञा मानकर उसे अनिवार्य समझते हो। तुम क्यों मुझसे ऐसी मांग कर रहे हो, जिसे कि तुम पा नहीं सकते? क्या तुम अपनी चालाकी, अपनी सैनिक शक्ति और अपनी हिम्मतसे एक भी तारेको बन्दी बना सकते हो? तुम शायद नहीं जानते, कि पूरबसे पश्चिमतक अल्लाके बन्दे, धर्मात्मा पुरुष, राजा-रंक, बच्चे-बूढ़े, सभी इस (मेरे) दरबारके दास हैं, वह मेरी सेना है। जब मैं अलग-अलग प्रतिरोधियों को इकट्ठा हो जानेकी आज्ञा दूंगा, तो पहले ईरानके मामलेको ठीक करूंगा, फिर तूरान (तुर्किस्तान) पर चढ़ूंगा और वहां हरएक आदमीको उसके पदपर स्थापित करूंगा। इसमें संदेह नहीं, कि मेरे इस कामके परिणाम-स्वरूप पृथिवीपर अशांति और गड़बड़ी फैलेगी, लेकिन यह सब मैं बदला लेनेके लोभसे नहीं करता और नहीं लोगोंकी वाहवाही लूटना चाहता हूं। मैं इसके लिये उत्सुक नहीं, कि सेनाके बजते बाजोंके साथ आदमी मारे जांय।.........मैं दुआ या शापको भी नहीं पसन्द करता। मेरे, कग्रान और हुलाकू—सबके पास एक-सा ही दिल है, एक-सी ही भाषा है। अगर मेरी तरह तुम भी मित्रताका बीज बोना चाहते हो, तो मेरे सेवकोंकी खाइयों और मोर्चाबन्दियोंसे तुम्हारा क्या काम है? भलाईके रास्तेको पकड़ो और खुरासान लौट जाओ। यदि तुम लड़ना ही चाहते हो, तो मेरे पास हजारों सेनायें हैं, जो कि बदला लेनेके समय आनेपर समुद्रको सुखा देंगी।"

३ सितम्बर १२६० ई० को मंगोल और ममलूक सेनाओंमें भीषण लड़ाई हुई। यद्यपि ममलूक सुल्तान-खलीफाने अपने लिखे अनुसार ईरान और तूरान (मध्य-एसिया) की ओर पैर नहीं बढ़ाया, लेकिन हुलाकूकी सेनाको उसने पूरी तौरसे हराकर अफ्रीकामें बढ़नेका रास्ता बन्द कर दिया। हुलाकू की विजयिनी सेनाको ही मिस्रियोंने नहीं रोका, बल्कि तेमूरलंगकी विजययात्रा भी यहीं आकर खतम हो गई। नील-उपत्यका एक छोटासा देश है। वह कैसे विश्वविजेताओंकी सेनाओंको रोक सका, इसका कारण उतनी उसकी अपनी शक्ति नहीं थी, जितनी कि बड़ीसे बड़ी सैनिक शक्तिका भारी बिखरावके कारण अन्तमें क्षीण हो जाना—तरिम, चू, मुरगाब, जरफशां (सोग्द) और खुद हमारे यहां की प्राचीन सरस्वती (-घग्घर) भारी जलप्रवाहको लेकर चलती हैं, लेकिन अन्तमें उनके पानीको सोखते हुए रेगिस्तान उन्हें अपनेमें लीन कर लेता है।

मिस्रकी ओर आगे न बढ़ सकनेपर हुलाकू लौट पड़ा। तब्रेजको लेकर १२ सितम्बर (१२६० ई०)को उसने आगेकी विजययात्रा शुरू की, और दियारबेकर, जंजीरा, रोहा (एदेस्सा), अर्रान और निसिबीके नगरोंपर अधिकार किया। रोहाके पास हुलाकूने मंगोल सैनिक शक्तिका एक बहुत बड़ा प्रदर्शन किया, जिसे देखने के लिये रोम और अर्मेनीके राजा भी उपस्थित थे। दमिश्कपर अधिकार करनेके बाद हुलाकूने दुनियाका सबसे पहला कागजी नोट (चाउ) जारी किया, दूसरे इतिहासकारोंका मत है, कि वह पहलेपहल १२ अप्रैल १२६४ ई० को तब्रेजमें जारी किया गया।

विजयोंके बाद हुलाकूने मरगाको अपनी राजधानी बनाया, जिसे उसका लड़का तब्रेजमें ले गया।

हुलाकू और उसके चचेरे भाई बरका खान (१२५५–६५ ई०) का पहले मेल था, उसके बाद दोनोंमें झगड़ा होनेका कारण बरकाने हुलाकूके इस्लाम और खिलाफतके ध्वंस करनेकी बात बतलाई, लेकिन वस्तुतः झगड़ा काकेशसपर अधिकारका था।

काकेशसकी ओर बढ़ते हुए अब जूछि-उलुसकी सीमा नजदीक आ गई तो अनिश्चित विजित देशोंके लिये दोनोंमें झगड़ा शुरू हो गया। यह बतला आये हैं, कैसे ११ नवम्बर १२६२ ई० को जूछि-उलुसके खान बेरेकसे मुकाबिला करनेके लिये हुलाकूकी सेना दरबन्द पहुंची, लेकिन वहीं बरकाके सेनापति नोगाईने उसे हराकर पीछे हटा दिया। बरका और मिस्र-सुल्तान फीरोज दोनों हुलाकूके शत्रु

थे। "शत्रुका शत्रु मित्र"की नीतिके अनुसार सुवर्ण-ओर्दू और मिस्रमें मेल-जोल करनेका प्रयत्न होने लगा। १२६३ ई० के शरद्में बरकाका दूतमंडल मिस्रके सुल्तानके पास पहुंचा।

मिस्र और दरबन्दकी हारोंके बाद हुलाकूने समझ लिया, कि हमारे राज्यका जितना विस्तार हो सकता है, उतना हो चुका। इसीलिये अब वह शासन-प्रबन्धमें लग गया। १२६४ ई० में उसने कई शासन-सुधार किये। १६ रबी II ६६३ हि० (८ फर्वरी १२६४ ई०)को हुलाकू जगात (मेरगास) में मर गया।

हुलाकूकी पटरानी ओइरोत (मंगोल)-राजकुमारी कूबेक (ओलेज) खातून थी।

हुलाकूके अलमौतके किलेके ध्वस्त करते समय इस्माईली पोप अलाउद्दीन मुहम्मदने मुहक्किक नासिरुद्दीन तूसी (१२०१–७४ ई०)को अपने बन्दीखानेमें डाल रखा था। तूसी बहुमुखी प्रतिभाका धनी था। हुलाकूने उसकी कदर की। तूसी हुलाकू और उसके बेटे अबका खानके शासनकालमें बहुत सम्मानित रहा। उसने "जिज्रे इलखानी" नामसे एक पंचांग बनाया।

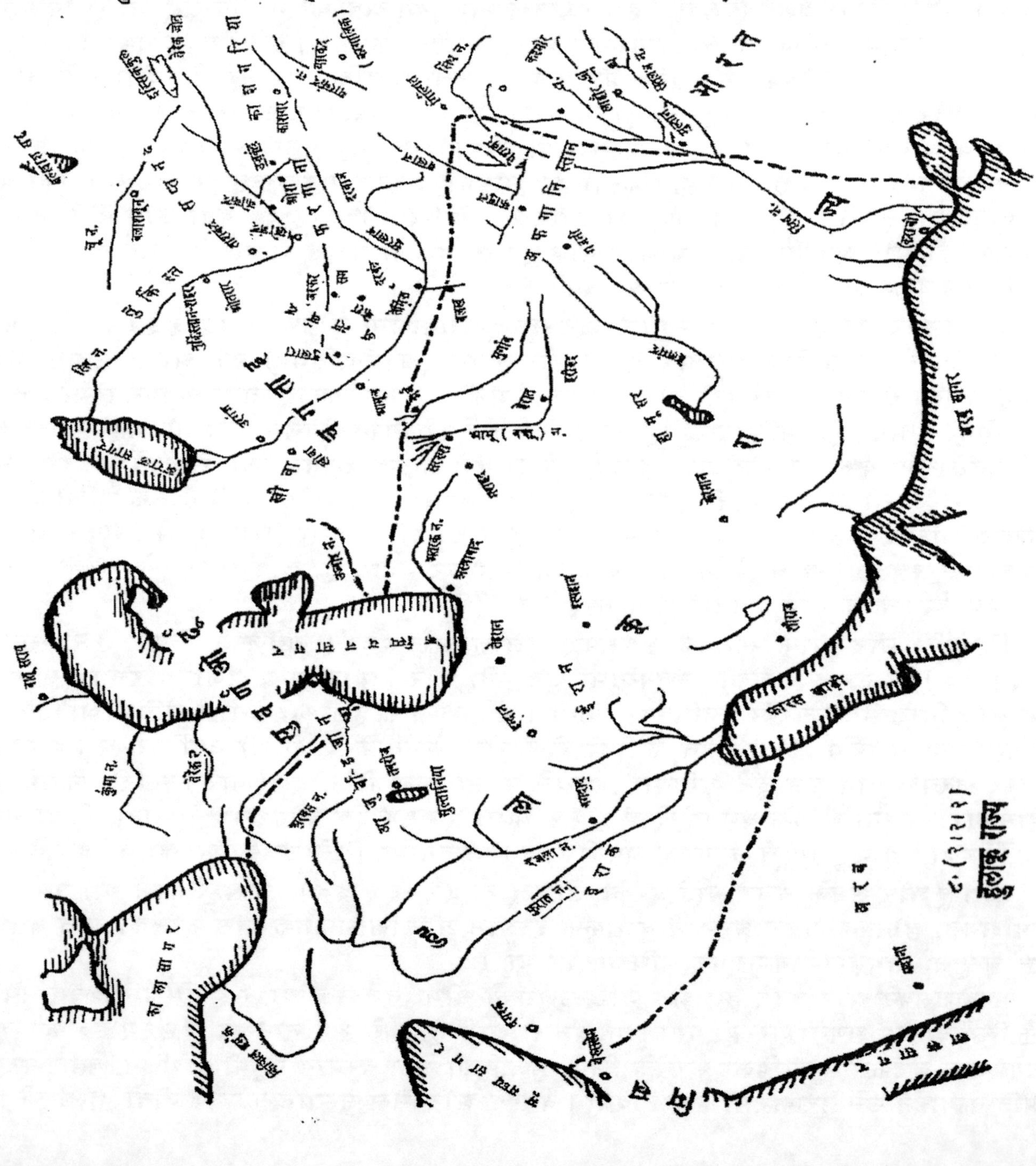

२. अबका, अरिकबुगा, हुलाकू-पुत्र (१२६४–८२ ई०)

अबका बापकी तरह ही एक कुशल सैनिक और शासक था। बापके समय बेरका खानसे जो झगड़ा हुआ था, वह इसके समयमें भी जारी रहा। बेरकाके उत्तराधिकारी बातू-पुत्र मङ्गू-तेमूर (१२६५–८० ई०) के साथ भी इसकी लड़ाइयां होती रहीं। नोगाई-द्वारा पिताकी हारका बदला लेनेके लिये अबकाने राजकुमार यशमुतके अधीन एक बड़ी सेना ले १६ जुलाई १२६५ ई०को प्रस्थान किया। कुरा-तटपर पहुंचकर दोनों ओरकी सेनायें दाव-पेंच ढूंढ़ने लगीं, और लड़ाई नहीं हो पाई।

२६ नवम्बर १२७० ई०को कुबिलेका भेजा यारलिक (शासन-पत्र) जगातमें मिला। अबका बराबर अपने चचा कुबिलेका पक्षपाती रहा, जब कि चगताई और ओगोताई-वंशके खान उसके प्रति-द्वंद्वी थे। जगताई-खान बोरक अबकासे खुरासान को छीनकर बहुत दिनोंतक अपने अधिकारमें नहीं रख सका। अबकाने खुरासानका बदला ६७२ हि० (२६ VII १२७२–१६ VI १२७३ ई०)में अन्तर्वेद तथा बुखाराको लूटकर लिया।

फारसीका महान् कवि (मुशर्रिफुद्दीन) **सादी** (११८४–१२६२ ई०) हुलाकू और अबका-के समयमें ही हुआ था, जिसने अपने दो महान् ग्रन्थों "बोसतां" और "गुलिस्तां" को १२५७-५८ ई० में लिखा था। लेकिन, सादी-जैसा स्वतन्त्रचेता पुरुष मंगोलोंका दरबारी नहीं हो सकता था। सर्वश्रेष्ठ सूफी कवि मौलाना जलालुद्दीन **रूमी** (१२०७–७३ ई०) भी हुलाकू और अबकाके समयमें ही हुआ था। **रूमी** वस्तुतः रूममें नहीं बल्कि १२०७ई० में बलखमें पैदा हुआ था, जहांसे वह अपने बापके साथ नेशापोर (खुरासान) गया और अन्तमें मक्का और दूसरी जगहोंकी यात्रा करते बापके साथ क्षुद्र-एसियाके कोन्या (इकोनियम्) नगरमें रहने लगा। इसकी प्रसिद्ध कृति "मस्नवी" (कथाकाव्य) में सत्ताईस हजार शेर हैं, जिसका स्थान दुनियाके महान् काव्योंमें है। सादी और रूमी हुलाकू-अबकाके कालकी उपज हैं, इसलिये उनकी कविताओंपर उस समयकी स्थितिका प्रभाव पड़ना जरूरी है। सादीने वैरागियों और दरबेशोंकी जिंदगी पसन्द की, और मौलाना रूमीने वेदान्ती रहस्यवाद स्वीकार किया, इसका कारण मंगोलोंकी ध्वंसलीलासे पैदा हुआ निराशावाद था।

३. अहमद तगूदर, निकोदर, हुलाकू-पुत्र (१२८२–८४ ई०)

अबकाके मरनेपर उसके भाईने गद्दी संभाली। उसने अपनी अयोग्यताको ढंकनेके लिये इस्लाम स्वीकार किया, जिसपर मंगोल बिगड़ गये और अबकाके पुत्र अरगूनने उसे मार डाला।

४. अरगून, अरगोन, अबका-पुत्र (१२८४–९२ ई०)

हुलाकूके समयसे ही राज्यका वजीर-आजम ख्वाजा शम्सुद्दीन चला आता था। उसके प्रभावको न सहकर अरगूनने ६८३ हि० (२० III १२८४–८ II १२८५ ई०) में उसे मरवा दिया। अरगूनको परेशान करनेके लिये बाप-दादोंके समयसे ही किपचकोंके साथ झगड़ा चला आ रहा था। २१ सितम्बर १२८६ ई० को अरगूनका शिविर मेरागमें पड़ा था। छिटपुट झड़प होती ही रहती थी। इसी बीच २६ मार्च १२९० ई० को दूतोंने आकर खबर दी, कि किपचक-सेना आगे बढ़ती दरबन्द[1] आ पहुंची है। किपचक और इलखानके झगड़ोंमें दरबन्दका ज्यादा महत्त्व था। किपचकोंके आनेकी खबर पाकर अरगूनने तुकाल, शिकतुर नोयन और कुंजुकबलके नेतृत्वमें एक बड़ी सेना २७ मार्चको रवाना की। इस सेनामें तुगाचार और दूसरे मंगोल अमीर भी थे। २१ अप्रैल (१२९० ई०) को सेनाका हरावल करासू नदीपर पहुंचा। मेंगलान बुका आदिके नेतृत्वमें उत्तरसे दो तुमान (बीस हजार) किपचक-सेना आ रही थी। इलखानियोंने नदी पारकर उसपर आक्रमण किया। दुश्मनके तीन सौ सवार मारे गये और कितने ही बन्दी बने। ३ मई १२९० ई० को अरगून विलियासुवरमें पहुंचा। अन्तमें राजकुमार बैदूने विद्रोह करके इसे मार डाला।

---

१ दरबन्द (द्वारबन्ध) दो थे, जिनमें एक मध्य-एसियामें तेर्मिजके उत्तरके पहाड़ोंका लौहद्वार था, और दूसरा बाकूसे उत्तर काकेशस पर्वत तथा कास्पियन समुद्रके मिलनस्थानपर।

सादी शाराजी इसीके समय (६६१ हि०) मरा। सादीने हिन्दुस्तान, काशगर और पश्चिममें मिस्रतककी यात्रा की थी। हुलाकूके शीराजके राज्यपाल अलाउद्दीन और उसके भाई दोनों वजीरआजम शम्शुद्दीन सादीके बड़े भक्त थे, जिनके कारण सादीका परिचय अबकासे हुआ था, लेकिन यह नहीं कहा जा सकता कि अरगूनसे भी उसका परिचय था। सादीका बादशाहोंसे ज्यादा मेल-जोल न था, तो भी उसने लिखा है—

बादशह सायये-खुदा बाशद्।
साया बा-जात आश्ना बाशद्।

(राजा भगवान्की छाया है। छाया है यदि वह भगवान्से परिचित हो।)

अल्लामा कुतुबुद्दीन (मृत्यु १३११ ई०) तब्रेजी अपने समयका बड़ा विद्वान् था। अरगूनका कृपापात्र कवि **औहदी** (मृत्यु १३३७ ई०) इसी समय हुआ था। यही समय था, जब कि भारतमें अमीर खुसरो-जैसा फारसीका महान् कवि पैदा हुआ। खुसरोका बाप छिङगिसी हमलेके मारे बहुतसे दूसरे तुर्कोंकी तरह मध्य-एसियासे भागकर भारत चला आया था। अमीर खुसरो जब मुल्तानके हाकिम सुल्तान मुहम्मदके दरबारमें था, उसी समय ६८३ हि० (२० III १२८४—८ II १२८५ ई०) अरगून खानके एक सेनापति तेमूर खानने बीस हजार सवार लेकर पंजाबपर हमला किया, और लाहौर, दीपालपुरको लूटते-मारते वह मुल्तानकी ओर बढ़ा। मुकाबिलेके लिये गया सुल्तान मुहम्मद मंगोलों के सामने हारा और मारा गया। अमीर खुसरो और उनके साथी दूसरे कवि हसन देहलवी भी अपने स्वामीके साथ इस संघर्षमें शरीक थे। मंगोल दोनोंको बन्दी बनाकर बलख ले गये। अमीर खुसरो दो सालतक बलखमें रहा, जिसके बाद उसे छुट्टी मिली और वह लौटकर दिल्ली चला आया। इस घटनाका बड़ा ही करुणापूर्ण वर्णन अमीर खुसरोने अपनी कवितामें किया है, जिसको हम पहिले उद्धृत कर चुके हैं।

५. गैखातू, अबका-पुत्र (१२९२–९५ ई०)

अरगूनके बाद बेटेको वंचित कर भाईको गद्दी मिलना यही बतलाता है, कि अभी सैनिक जनतन्त्रताका मंगोलोंमें बिलकुल उच्छेद नहीं हुआ था। गैखातूका समकालीन किपचक खान तोकताई बड़ा ही शक्तिशाली था, लेकिन पीढ़ियोंसे लड़ते-लड़ते तंग आकर अब वह चाहता था, कि काकेशसके लिये चलती रहनेवाली लड़ाई बन्द की जाय। उसने कोनिचि ओगलान (राजपुत्र) को शांतिदूत बनाकर १३ जुलाई १२९३ ई० को भेजा। २८ मार्च १२९४ ई० (२८ रबी II ६९३ हि०) को तोकताईका भेजा दूसरा दूतमंडल भी आया, जिसके मुखिया राजकुमार कलिनतई और उलाद थे। दलननोरमें उनसे बातचीत कर २ अप्रैल १२९४ ई०को गैखातूने बड़े सम्मानके साथ उन्हें बिदा किया। किपचकोंकी ओरसे अब इलखानको कुछ निश्चिंतता-सी थी।

६. बैदू, तरगई-पुत्र (१२९५ ई०)

बैदू अधिक दिनोंतक शासन नहीं कर पाया और जल्दी ही उसे हटाकर गाजनने सिंहासन दखल कर लिया।

७. गाजन, अरगून-पुत्र (१२९५–१३०४ ई०)

गाजन इस्लामका धर्मराज कहा जाता था। इसमें शक नहीं कि उसके समयसे ईरानके मंगोल-राजवंशपर इस्लामका प्रभाव बहुत जोरसे पड़ने लगा। किपचक खानसे फिर झगड़ा शुरू हो गया। ३ मई १३०१ ई०को तोकताई खानका दूत आया, लेकिन सुलह नहीं हो सकी। इसपर गाजन एक बड़ी सेना ले शिरवान और गुर्जिस्तान होते दरबन्द पहुंचा। तोकताईको उसकी सेनाके सामने हारकर भागना पड़ा। इलखानके प्रतिद्वंद्वी मिस्रके सुल्तान-खलीफाके साथ किपचक खानका संबंध अच्छा था, यह बतला चुके हैं। मिस्रका सुल्तान केवल राजा ही नहीं बल्कि खलीफा (धर्मगुरु) भी था। किपचक खान ने उसे अपनी लड़की दी थी। गाजनने अरानिसे काजी नासिरुद्दीन तब्रीजी और काजी कमालुद्दीन मोसली को दूत बनाकर तोकताईके पास भेजा। मिस्री दूतमंडल हिल्लामें आकर गाजनसे बातचीत कर रहा था। इसी समय २१ जनवरी १३०२ ई०को तोकताईके भी दूत तीन सौ सवारोंके साथ आ पहुंचे।

गाजन किपचक-दूतमंडलसे बहुत अच्छी तरह मिला। तोकताई अपने प्रभावशाली वृद्ध सेनापति नोगाईके झगड़ेसे निबट चुका था, और अब अर्रान और आजुर्बाइजानको लेना चाहता था। उसका कहना था—पितामह छिङगिसूने यह प्रदेश बातू खानको दे दिया था। लेकिन, गाजन तलवारसे जीते इलाकेको बातसे कैसे लौटा सकता था ? उसने धमकी दी——यदि हमारी बात नहीं मानोगे, तो तुम्हारे विरुद्ध कराकोरमसे क्रिमियातककी सारी शक्ति तथा दस तुमान (एक लाख) सेना डेरोंमें तैयार खड़ी है। गाजनने यह भी कहा—हुलाकूके समयसे ही यह भूमि हमारी है। भूमि लौटानेकी बात तलवारकी भाषामें ही हो सकती है।

३० जनवरी १३०३ ई०को नववर्षका पर्व आया। राज्यके वजीर, अमीर, गुरजी (जार्जिया) अर्मनी, रोमके राजा एवं खुरासान-मिस्र-सिरिया आदिके लोग भी भेंट लेकर आये। तीन दिन तीन रात बड़े धूमधामसे महोत्सव मनाया गया। दान-इनाममें इस्लामके सुल्तानने बड़ी उदारता दिखलाई। इतिहासकार वस्साफ गाजनको इस्लामका सुल्तान कहता है, लेकिन इस्लामका सुल्तान बननेसे पहले गाजनने ईरानमें एक बड़ा बौद्ध बिहार बनवाया था। पर, जब उसने देखा, चीन और मंगोलिया यहांसे बहुत दूर हैं, इसलिये वहां सर्वत्र प्रचलित बौद्ध-धर्म इस्लामी ईरान-इराकमें कोई सहायता नहीं दे सकता, तो वह मुसलमान हो गया।

गाजनके समय रशीदुद्दीन फज्लुल्ला (१२४७—१३२८ ई०) गणित, दर्शन और चिकित्सा-शास्त्रका उच्च कोटिका विद्वान् था। अबकाका वह विश्वासपात्र दरबारी था। गाजनने उसे अपना वजीर बनाया। अबूसईदने थोड़े दिनोंके लिये उसे हटा दिया था, पीछे उल्जैतूको विरेचनमें जहर देकर मारनेका अपराध लगा, उल्जैतूके पुत्र इब्राहिमने उसे मरवा दिया। रशीदुद्दीन अपने समयका बहुत बड़ा इतिहासकार भी है। उसकी पुस्तक "जामे-उत्-तवारीख" एक विशाल और बहुमूल्य इतिहासग्रंथ है।

८. उल्जैतू, मुहम्मद खुदाबन्दा, अरगून-पुत्र (१३०४—१७ ई०)

इलखानोंने बगदादके खलीफाको खतम किया, लेकिन मिस्रके खलीफाका वह कुछ बिगाड़ नहीं सके। बगदादका खलीफा सुन्नियोंका धर्मगुरु था, और मिस्रका खलीफा शियोंका। उल्जैतूने इस्लाम-प्रेम दिखलानेके लिये अपना नाम मुहम्मद खुदाबन्दा रखा। ईरान अभी शियोंका नहीं हुआ था, लेकिन उल्जैतूने अपनेको शिया दिखलानेके लिये शियोंके बारह इमामोंके नामवाले सिक्के चलाये। उल्जैतूका अपने प्रतिद्वंद्वी किपचकखानों तोकताई और उज्बेक (१३३३—४० ई०)से मुकाबिला था। ३१६ ई०में किपचक-राजकुमार बाबा ओगलान भागकर उल्जैतूकी शरणमें आया। उसने उसे सहारा दिया। बाबा तुरंत ही अपनी सेना लेकर ख्वारेज्मपर चढ़ गया, जो उज्बेकखानके राज्यमें था। इसके लिये उज्बेकने दूत भेजा और किस तरह बाबा ओगलान ख्वारेज्मसे मारकर भगाया गया, यह हम पहले कह आये हैं।

मंगोलोंके शासनकालमें जिस तरह शरीयतके विद्वानों और सूफी कवियोंकी कृतियां अधिक प्रचलित हुई थीं, उसी तरह फारसी गद्य-कथासाहित्यके विकासका भी यही समय था। तुगराई (मृत्यु १३२४ ई०) मशहदी इस समयका बहुत बड़ा कथाकार था, जिसके "मिरातुल्-मफतूह", "कुंजुल् मआनी", "चश्मये फैज" आदि कितने ही कथाग्रन्थोंका बहुत मान हुआ।

९. अबूसईद, उल्जैतू-पुत्र (१३१७—३५ ई०)

अबूसईद कम उमरमें ही गद्दीपर बैठा था, इसीलिये शासनका सारा प्रबन्ध उसके सेनापति अमीर चोबानके हाथमें था। चोबानने उज्बेक खानकी सेनाको खदेड़कर दरबन्दके पार तेरेक नदीतकके प्रदेशको लूटा था, इसलिये उसका प्रभाव बहुत अधिक हो गया था। उसके नौ पुत्रोंमें सबसे बड़ा अमीर हसन खुरासान और माजंदरानका राज्यपाल था, और हसनका बड़ा पुत्र तालिश अस्पहान पारस-केरमानका। हसन और तालिशका बापसे झगड़ा हो गया, जिससे चोबानने उनपर आक्रमण कर दिया। हसन और तालिश दहिस्तानके रास्ते ख्वारेज्म भागे। वहांके राज्यपाल अमीर कुतुलुक तेमूरने उनका स्वागत करते उज्बेकखानके पास भेज दिया। उज्बेकने उनकी बड़ी खातिर की। चेरकासियोंके खिलाफ उज्बेक खानकी ओरसे लड़ते हुए हसन घायल हो गया। उज्बेकने बड़ी चिकित्सा कराई, लेकिन वह न बचा। उसका लड़का बहुत दिनोंतक जीता रहा।

७३५ हि० (१ सितम्बर १३३४—२३ जुलाई १३३५ ई०)में उज्बेकखानकी सेनाने फिर दश्तेखाजार—कास्पियनके उत्तर-पश्चिमतटके मैदानी प्रदेश—के रास्ते अर्रान और आजुर्बाइजानपर आक्रमण करनेके लिये प्रस्थान किया। अबूसईद भी खबर सुनकर मुकाबिलेके लिये चला, किन्तु कराबाग-में ३१ अक्तूबर १३३५ ई० (१० रबी I ७३६ हि०) को इस "दीनदार नेककिर्दार बादशाहके प्राण-पंछीने शरीरके पिजड़ेसे उड़कर उत्तम स्वर्गको वर बनाया।" उज्बेकखानने अपनी सेनासहित आगे बढ़ कुरा नदी तकके सारे इल्खानी प्रदेशको बरबाद कर दिया। तारीफ यह कि मुसलमान इतिहासकारोंके लिये अबूसईदकी तरह उज्बेक खान भी धर्मराज था। दरबारी कवि औहदीने अपने संरक्षक अबूसईदकी तारीफमें अपनी मस्नवी "जामेंजम"में लिखा है—

दो जहां रासिलये-ईद ज़दन्द।
सिक्क बर-नाम बूसईद ज़दन्द॥
दर्-चमन गुफ़्त बुलबुल ओ कुमरी।
मदहि-गुल गुलीं उलुल्-अमरे॥

(दोनों लोकोंकी खुशीका पारितोषिक किया, अबू-सईदके नामपर सिक्का चलाया। उपवनमें बुलबुल और कुमरीने इस फूलकी तारीफ की।)

अबूसईदके मरनेपर भारी शोक मनाया गया। मस्जिदोंके मीनारोंको शोक-प्रकाशक कपड़ोंसे ढांक दिया गया था।

अबूसईदके बाद हुलाकू-वंशका पतन बहुत जल्दी-जल्दी होने लगा और ग्यारह वर्षोंके भीतर ६ खान गद्दीपर बैठे।

अबूसईदके समय "तारीखे गुजीदा" नामक इतिहासके बहुत सुंदर ग्रंथका लेखक हम्दुल्ला मुस्तौफी (मृत्यु १३४९ ई०) हुआ था। मुस्तौफीने अपने ग्रंथको प्रसिद्ध इतिहासकार रशीदुद्दीनके बेटे गयासुद्दीनको समर्पित किया था। इस ग्रन्थके उद्धरण फज्लुल्ला-पुत्र अब्दुल्ला शीराजी (मृत्यु १३२८ ई०) ने अपने ग्रंथ "तारीखे वस्साफ" में दिये हैं। दिल्लीके फारसी कवि अमीर खुसरो (१२५३—१३२५ ई०) का यह समकालीन था।

२. (२. हुलाकू-वंशवृक्ष)
(१२५६—१३४५ ई०)

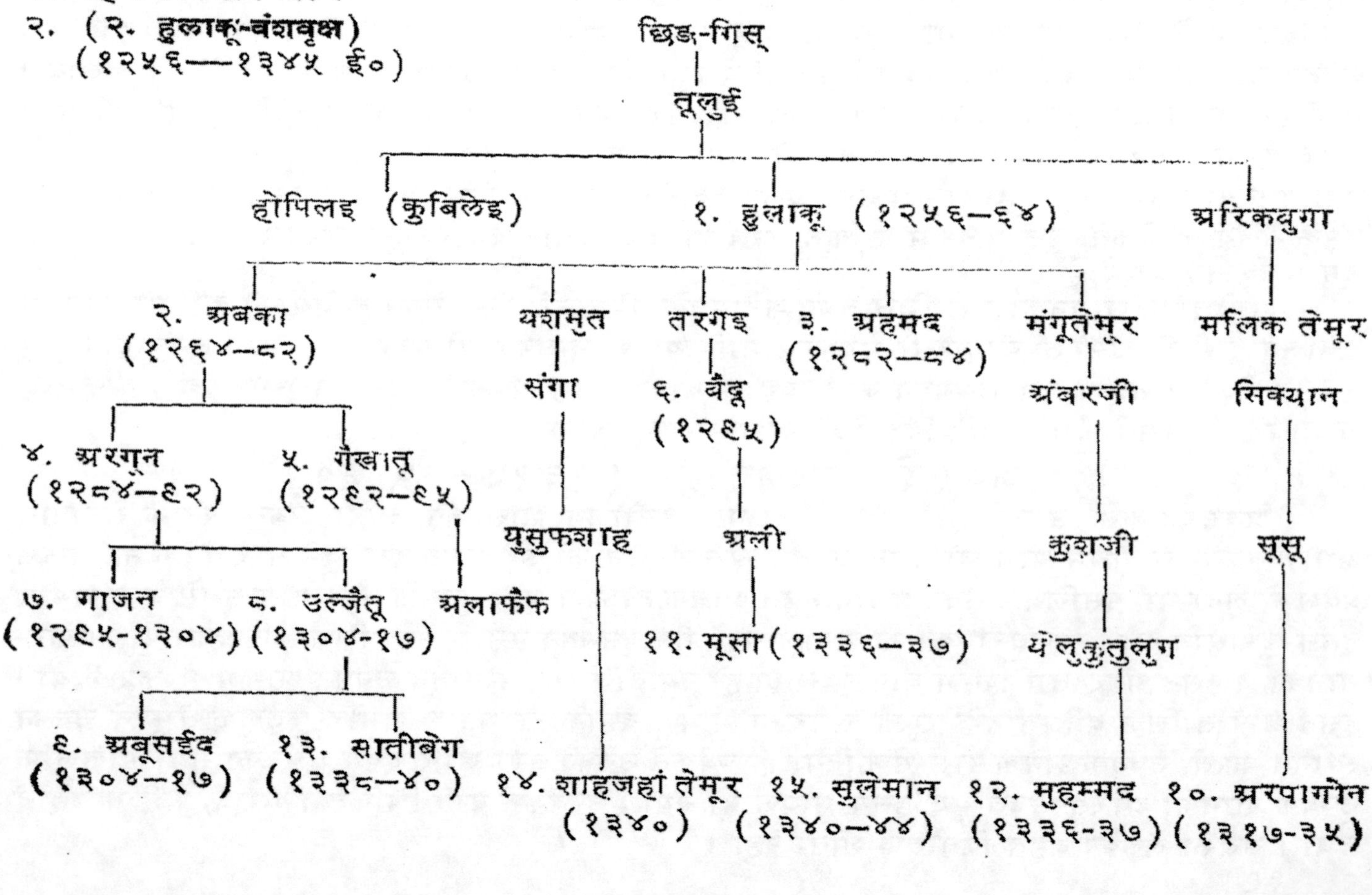

अबूसईदके बाद अब छिङगिसी राजकुमार पूरी तौरसे मुसलमान थे। मंगोल अब संस्कृतिहीन नहीं थे, बल्कि धार्मिक सहिष्णुता, न्यायप्रियता आदि गुणोंके कारण उनकी संस्कृति उच्च स्तरकी थी; किन्तु इस्लामके समुद्रमें उनका कोई बस नहीं चला। दरबारियोंने जब शक्ति हथिया ली, तो गुड़िया खानको कभी अपने शक्तिशाली वजीरोंको प्रसन्न करनेके लिये और कभी प्रजाके प्रभावशाली वर्गको अपनी ओर करनेके लिये इस्लाम लाना जरूरी था। अन्तमें मंगोल-वंशकी समाप्ति होकर इसकी जगह पांच छोटे-छोटे राजवंश कायम हुये, जिनका अन्त तेमूरलंगने अपने दिग्विजयमें किया। यह पांचों खानदान थे—(१) जलायर, (२) मुजफ्फरी, (३) सर्वदारी, (४) बनीकर्त्त और (५) चोबानी। जलायर सुल्तान ओवेसके बाद सुल्तान अहमद हुआ, जिसे १३८० ई०में तेमूरने खतम किया।

हजारा—मंगोलोंके शासनकालमें जो मंगोल इधर आकर रह गये थे, उनमेंसे कुछ तो साधारण तुर्क जन-समूहमें विलीन हो गये, किन्तु कुछ घुमन्तू हिन्दूकुश (हिन्दूकोह)की उपत्यकाओंमें जाकर कृषक और पशु-पालकका जीवन बिताने लगे। इनके पचीस कबीले थे, जो आजकल हजाराके नामसे अफगानी-ताजिकों और वक्षु-उपत्यकाके दक्षिणवाले तुर्कोंके बीचमें रहते हैं। इनकी भाषा तुर्की नहीं, एक तरहकी फारसी है, लेकिन बाबरके समयतक यह मंगोल-भाषा बोलते थे। अबुलफजल (अकबरके प्रधान-मंत्री)ने इन्हें मङ्गू खानका वंशज कहा है, और यह भी उल्लेख किया है, कि इनकी स्त्रियां पुरुषों जैसी ही लड़नेमें बहादुर होती हैं। अफगानिस्तान और सोवियत मध्य-एसियाके सुन्नी मुसलमानोंके महासमुद्रके बीचमें अपनेको शिया बनाये रखना हजारोंकी विशेषता है। विद्वानोंने इनकी भाषामें कितने ही मंगोल शब्द भी ढूंढ निकाले हैं।

साहित्य—इलखानियोंके समयमें फारसी गद्य-पद्य-साहित्यकी रचनायें बढ़ीं, यद्यपि इस साहित्यमें निराशावादकी ही प्रधानता है। इस कालकी कविता तीन श्रेणियोंमें बांटी जा सकती हैं—सूफी रहस्यवाद, गजल (प्रेम-पद्य), कसीदा (स्तुतिप्रशंसा) और उपदेश।

इनमें सूफी कवि थे—फरीदुद्दीन अत्तार (१११९–१२२९ई०)—जिसे प्रथम मंगोल आक्रमणमें एक मंगोल सैनिकने मार डाला, सादी, औहदी, इराकी और मगरदी।

गजलके कवि थे—मौलाना रूमी, सादी और हाफिज।

कसीदाके कवि—कमाल इस्माईल और सुलेमान सावजी।

उपदेशात्मक रचना करनेवालोंमें निपुण थे—सादी और इब्न-यमीन।

अध्याय ३

तेमूर-वंश

(१३७०–१५०० ई०)

१. तेमूरलंग (१३७०–१४०५ ई०)

तेमूरके पिता तुरगई बरलसको अमीर कजगनने केश (शहरसब्ज) और नख्शेब (करशी) के इलाके दिये थे। अपने स्वरचित जीवनचरित्र "तुजुकाते-तेमूर"[1] में तेमूरने लिखा है—"बारह वर्षकी उमरमें ही मुझे अपनी असाधारण बुद्धि और दिमागी शक्तिका पता लगने लगा, और मैंने अपनेको अध्ययन और आत्मसंयमका अभ्यासी बनाया।...अठारह सालकी उमरमें मैं खेलों और बहादुरीके विनोद-कार्योंमें अपनी चतुराईके लिये कम अभिमान नहीं रखता था। मैं अपना समय कुरान पढ़ने, शतरंज खेलने तथा बहादुरोंके अनुरूप दूसरे खेलोंमें बिताता था।" १३५६ ई० में तेमूरके पिताने उसे अमीर कजगनके पास दूत बनाकर भेजा। कजगन उससे इतना प्रसन्न हुआ, कि उसने अपने लड़के सेला-खानकी बेटी ओलजे तुरकान खातूनसे उसका ब्याह कर दिया और "मिंगबाशी" (सहस्रपति) का पद दे हुसेन कर्त (खुरासान) के विरुद्ध अभियानमें जाते समय तेमूरको अपने साथ ले गया। अभियान सफल रहा, किंतु इसी समय कजगनकी हत्या कर दी गई और थोड़े ही समय बाद तेमूरका पिता भी मर गया। अमीर कजगनके पौत्र अमीर हुसेनके साथ तेमूरकी मित्रता हो गई। अभी वह अमीर कजगनकी हत्याका बदला लेनेकी सोच रहे थे, कि मुगोलिस्तानका खान तुगलक (ध्वजाधारी) अन्तर्वेदपर चढ़ दौड़ा।

हम कह आये हैं, कैसे अन्तर्वेदके चगताई-राज्यकी डांवाडोल स्थितिको देखकर जाते (सीमांती) मुगोलिस्तानके खान तुगलक (ध्वजाधारी) तेमूर[2] ने ७६१ हि० (२३ XI १३५९—१३ X १३६० ई०) में काशगरके रास्ते आकर आक्रमण किया। खोजन्द नदी पार कर लेनेपर अमीर वायजीद जलायर उससे आ मिला। दोनों शहरसब्ज (केश) की ओर बढ़े। तेमूरलंगके चचा हाजी बिरलसने पहले मुकाबिला करनेका ख्याल किया, लेकिन फिर उसे व्यर्थ समझकर खुरासानकी ओर भागना ही अच्छा समझा। चचाकी सलाहसे तेमूरलंग किस तरह लौटकर समरकन्दमें प्रधान बना, इसके बारेमें हमने अन्यत्र बतलाया है। तेमूर और उसके वंशज अपनेको छिङ-गिस्-वंशी सिद्ध करनेकी बहुत कोशिश करते हैं। भारतमें तो उसके वंशजोंने अपने खानदानका नाम ही मुगल रख दिया। लेकिन, वस्तुतः वह छिङगिस्-वंशज नहीं थे। कुछ इतिहासकारोंने उन्हें चगताई-सेनापति कराचार नोयनके वंशका बतलाकर मंगोल सिद्ध करनेकी कोशिश की है, लेकिन वस्तुतः बिरलस तुर्क थे। हां, वह उन तुर्कोंमेंसे थे, जो कि मंगोलोंके मध्य-एसियाकी ओर बढ़नेके समय उनकी सेनामें बहुत भारी संख्यामें शामिल हो गये। वह मंगोलोंके विश्वासपात्र सरदारोंमेंसे थे, लेकिन जब मंगोल-शक्ति निर्बल हो गई, तो वह उनके तुर्क-प्रतिद्वंद्वी बन गये। अमीर कजगनके बाद इनका जोर अन्तर्वेद और तुर्किस्तान (मध्य-सिर-उपत्यका) में बढ़ा। मंगोल-राज्यकी बंदर-बांटके समय तेमूरका पिता हाजी तुगाई बिरलस तुर्कोंकी कोरकान (गूरगान) शाखाका मुखिया और केश (शहरसब्ज) इलाकेका स्वामी बन गया, जिसके मरनेपर उसका उत्तराधिकारी उसका भाई हाजी बिरलस हुआ—

---

१. "तुजुकाते-तेमूर" (तेमूरके नियम) तुर्कीमें लुप्त तथा फारसी अनुवादमें ही प्राप्य है।

२. जन्म ७३० हि० (२५ X १३२९—१५ IX १३३० ई०), गद्दी ७४८ हि० (१३ IV १३४७—३ III १३४८ ई०), मुसलमान ७५४ हि० और मृत्यु ७६४ हि० (२१ X १३६२—११ IX १३६३ ई०)

हाजी बिरलसको किन्हीं-किन्हीं इतिहासकारोंने तैमूरलंगका भाई भी लिखा है। तैमूरलंगके बापका स्थान हाजी बिरलसने लिया, इसमें कोई मतभेद नहीं है। यहीं केश नगरमें ५ शाबान ७३६ हि० (१९ मार्च १३३६ ई०)को तैमूर पैदा हुआ। बचपनसे ही उसमें नेतृत्वके लक्षण दिखलाई पड़ने लगे। लड़कोंकी पंचायत और शिकारमें निपुणता दिखलाकर साबित कर रहा था, कि वह एक कुशल शासक और सैनिक होगा। तुगलक तैमूरने तैमूरलंगके आनेपर उससे प्रभावित हो उसे केशका हाकिम बना दिया। जब खान काश्गर लौट गया, तो अमीरोंमें झगड़ा बढ़ चला। अगले साल ७६२ हि० (११ XI १३६०—२ X १३६१ ई०)में खान फिर अन्तर्वेद आया और अमीरों-को भगाकर उसने समरकन्दपर फिर अधिकार कर वहांका शासन अपने पुत्र इलियास खोजा ओग-लानके हाथमें दिया और तैमूरलंगको उसका मुख्य-पारिषद् (अतालीक) नियुक्त किया। लेकिन तैमूरकी दूसरे अमीरोंसे नहीं पटी और वह अमीर कजगनके पौत्र तथा अपने साले अमीर हुसेनकी खोजमें भाग निकला।

समरकन्दसे भागनेके बाद तैमूर कराकुमके उसी रेगिस्तानकी ओर गया, जो कि उत्तराभिमुख वक्षुसे कास्पियन समुद्रतक फैला हुआ है। यहां उसे बहुत तकलीफ उठानी पड़ी। निर्जन मरुभूमिमें खानेका भी ठिकाना नहीं था। तैमूर अपने तुजुकातमें लिखता है—मैं और मेरी पति-परायणा पत्नी ओल्जाई अमीर हुसेनसे मरुभूमिमें मिले और फिर महीने भर रात-दिन रेगिस्तानमें भटकते रहे। कितनी ही बार हमें अन्न और जल भी मुयस्सर नहीं हुआ। अन्तमें एक तुर्कमानने हमें पकड़कर बन्दी बना लिया और ओल्जाईको एक ऐसी पशुशालामें ले जाकर बन्द कर दिया, जो पिस्सुओं और खट-मलोंसे भरी थी। तैमूर किसी तरह साले और बीबीके साथ वहांसे भागकर केश पहुंचा। थोड़े ही दिनों-में उसके पुराने साथी उसके पास जमा हो गये, जिनके साथ वक्षु पार हो वह दक्षिणके इलाके (पुराने वाह्लीक)में चक्कर काटता रहा। अन्तमें लूट-पाट करनेके लिये सीस्तानके ऊपर आक्रमण किया और बलूचियोंसे एक किला छीन लिया। लेकिन जल्दी ही लोगोंने उसके ऊपर आक्रमण किया, जिसमें उसके पैरमें चोट लग गई और वह जिन्दगीभरके लिये लंग (लंगड़ा) हो गया। मंगोलों और तुर्कों-में तैमूर नाम बहुत अधिक पाये जाते हैं, जिनसे अलग करनेके लिये वह इतिहासमें तैमूर-लंग (तैमूर लंगड़ा) के नामसे प्रसिद्ध हुआ। तैमूरके साले हुसेनने इसी समय बलखपर अधिकार कर लिया। तैमूर भी वहीं चला गया। धीरे-धीरे तैमूरके पंद्रह सौ अनुयायी हो गये। ७६५ हि० (१० अक्तूबर १३६३—३० अगस्त १३६४ ई०) में इलियास खोजाकी सेनाके साथ उसकी प्रथम भिड़ंत वक्षुके बायें तटपर कुंदुजके नजदीक हुई। यद्यपि इलियासकी सेना पांचगुनी थी, लेकिन तैमूरने उसपर पूर्णतया विजय प्राप्त करके सेनाको नदी पार भगा दिया। इसी समय पिताके मरनेकी खबर सुनकर इलियास बापकी गद्दी संभालने अलमालिककी ओर दौड़ा, और तैमूर बहुत आसानी-से जेतों (मंगोलिस्तानियों)को अन्तर्वेदसे निकालनेमें सफल हुआ। अब तैमूर अपनी जन्मभूमि-का स्वामी था, लेकिन प्रतिद्वंद्वियों और बाधाओंकी कमी नहीं थी; इसलिये उसने प्रभावशाली सरदारों की एक कूरिल्ताई बुलाई, जिसमें रिक्त सिंहासनपर काबिलशाहके बैठानेका निर्णय हुआ। तैमूर-वंशने अबूसईदके समय (१४५१-५२ ई०)तक मंगोल खानोंको समरकन्दकी गद्दीपर बनाये रक्खा, जो यही बतलाता है, कि अन्तर्वेदके लोगोंमें छिङगिसी राजवंशके साथ एक विशेष तरहका लगाव स्थापित हो गया था। खानकी जगह संभालनेपर तैमूरको भारी विरोधका सामना करना पड़ता।

जाड़ा बीतते ही इलियास खोजा एक बड़ी सेना लेकर फिर अन्तर्वेदकी ओर आया। तैमूरका शिविर उस समय चिनास और ताशकन्दके बीचमें था। हुसेनने सिर-दरियाको पार कर लिया। लड़ाईमें दो हजार आदमियोंको मरवाकर हुसेन अपनी राजधानी सालीसराय (नदीके परले तट-पर) चला गया और तैमूर करशीकी ओर भागा। जेतोंने फिर समरकन्दको ले लिया। इसी समय तैमूरकी मददके लिये जेतोंके घोड़ोंमें महामारी फैल गई, जिससे बहुत सारे घोड़े मर गये और उन्हें अपना सामान पीठपर ढोनेके लिये मजबूर होना पड़ा। वह अन्तर्वेद छोड़कर चले गये। तैमूरके लिये यह बहुत अच्छा अवसर मिला था, किन्तु इसी समय हुसेनसे उसका बिगाड़ हो गया, जिसके

कारण उससे पूरा फायदा नहीं उठा सका। हुसेनने पहले धोखेसे तेमूरको खतम करवाना चाहा, जब उसमें सफलता नहीं मिली, तो उसके खिलाफ अमीर मूसाको सेना देकर भेजा। मूसा बलखसे वक्षु पार हो उत्तरकी ओर बढ़ा, लेकिन तेमूरने उसे हरा दिया। फिर हुसेन स्वयं सालीसरायसे एक भारी सेना लेकर चला। तेमूर करशी होते बुखारा लौटा फिर अन्तर्वेद छोड़ ख्वारेज्मकी ओर भाग गया। हुसेन अब सारे अन्तर्वेदका स्वामी था। तेमूरने जाड़े भर तैयारी की। वसंत शुरू होते ही एक छोटी किन्तु बहुत ही सुशिक्षित और बहादुर सेनाके साथ आक्रमण कर उसने ताशकन्द ले लिया, फिर समरकन्द और करशीसे अपने प्रतिद्वंद्वीकी सेनाको चीरते वह जलायर अमीर कैखुसरोसे जा मिला। कैखुसरोने अपनी लड़कीका तेमूरके पुत्र जहांगीरसे ब्याह कर भारी सेनासे उसकी मदद की। तेमूरने पीछे मुड़कर हुसेनको वक्षुपार मार भगा दिया। जेतोंके सामन्त अमीर जलायरसे तेमूर-का मेल हुसेनके लिये बहुत भयंकर था और अन्तमें उसने बहनोईसे संधि कर ली। हुसेनको तेमूर ने उसके विद्रोही सामन्त बदख्शांके हाकिमको दबानेमें सहायता भी दी। लेकिन, जब तेमूरके ऊपर जेतोंने प्रहार किया, तो हुसेनने विश्वासघात किया, और अन्तमें हारकर तेमूरके हाथमें बन्दी हुआ। तेमूर उसे मारना नहीं चाहता था, लेकिन उसके अमीरोंने बहुत जोर दिया और अन्तमें ७७१ हि० (५ VIII १३६९—२६ VI १३७० ई०)में उसे अपने बहनोईको मरवाना पड़ा।

अब तेमूरका कोई प्रतिद्वंद्वी नहीं रह गया था। इसी समय १३६९ ई०में बलखमें उसने एक बड़ी कूरिल्ताई बुलाई, जिसमें चगताई-राज्यके सभी अमीर, तेमूरके गाढ़े दिनों और तरुणाईके साथी तथा उसके पुराने प्रतिद्वंद्वी भी शामिल हुए। सबने तेमूरको अपना शासक स्वीकार किया और मंगोलों तथा उनके पूर्वजोंके समयसे चली आई प्रथाके अनुसार ८ अप्रैल १३६९ ई० (१० रमजान ७७१ हि०) को तेमूरलंगको एक सफेद नम्देपर बिठाकर उसे चारों ओरसे पकड़कर उठाया, और धर्मगुरु सैयद बरकाद्वारा अल्लाहकी दुआ पढ़े जानेके बाद अमीर घोषित किया। वक्षुके दक्षिणवाले प्रदेशपर अपना दृढ़ शासन स्थापित कर तेमूरने समरकन्दको अपनी राजधानी बनाया।

७८२ हि० (७ IV १३८०—२६ II १३८१ ई०) में तेमूरने अपने पुत्र मीरांशाहको खुरा-सानपर अधिकार करने के लिये पहले भेज फिर स्वयं भी वहां पहुंचा। इस समय ईरान कई राजवंशों में बंटा हुआ था। उत्तरमें सर्बेदार-वंश था, जिसके—(१) अब्दुर्रजाक (एक वर्ष दो मास), (२) मसऊद (७ वर्ष), (३) शम्शुद्दीन, (४) तोगान तेमूर, (५) कस्साब हैदर, (६) यहिया करती, (७) हसन दमगानी, (८) अली मोवैयद अब्दुर्रजाक—आठ शासकोंने उत्तरी ईरानपर पैंतीस साल शासन किया। अन्तिम शासक अब्दुर्रजाकने तेमूरकी अधीनता स्वीकार कर ली। खुरासानमें हिरातको राजधानी बना कर्तवंश शासन कर रहा था। तेमूर इसी वंशके खिलाफ चढ़ा। राजधानी-के पास भारी लड़ाई हुई। कर्तोंके नगर काबूशान, तूस, नेशापोर, सब्जवार ध्वस्त होकर ईंटों और मिट्टीके ढेर रह गये। खुरासानके बाद तेमूरने सीस्तान, बलोचिस्तान और अफगानिस्तानपर आक्रमण किया। इस प्रकार १३८६ ई० (७८८ हि०)में वह ईरानपर आक्रमण करनेके लिये स्वतंत्र था। अस्पहानका सारा इलाका और पारस मुज्जफरी-वंशके हाथमें था। इराक और आजुरबाइ-जानके इलाके अब भी इलखानी अमीर चोबानके वंशके हाथमें थे। बगदादने बिना प्रहारके ही अधीनता स्वीकार कर ली, इस प्रकार खिलाफतकी राजधानी तेमूरके हाथमें आ गई।

ईरानपर विजय प्राप्त करनेके बाद तेमूर समरकन्द लौटा। समरकन्दका भाग्य जाग उठा। तेमूरने अपने दरबारको बड़े ही दबदबेके साथ सजाया। समरकन्दमें एकसे एक सुंदर महल, मस्जिदें और मदरसे बनवाये, जिनके बनानेके लिये रोम, ईरान और भारततकके वास्तु-शास्त्री और शिल्पी बुलाये गये। लाखोंकी संख्यामें देश-विदेशोंके दास-दासियोंमेंसे काफी समरकन्दमें लाये गये, जिनके कारण समरकन्दके शिल्प और उद्योगको आगे बढ़नेमें बड़ी सहायता मिली।

तोकतामिशपर आक्रमण—इसी वक्त पहलेके आश्रय-प्राप्त किपचक खान तोकतामिशसे तेमूरका झगड़ा हो गया और उसे अपने उत्तरी शत्रुकी शक्तिको तोड़नेकी अवश्यकता पड़ी। तोकतामिश सिरद-रियाके रास्ते सफल न होनेपर १३८५ ई०में काकेशसके रास्ते तब्रेजपर जा पड़ा, और इलखानियोंके

समयसे चले आते इस समृद्ध नगरको लूटकर बर्बाद कर दिया। इसका बदला लेनेके लिये १३८७ ई० में तेमूरने काकेशसके रास्ते दरबन्द पहुंच तोकतामिशको बुरी तरह हराया। १३८८ ई० (७९० हि०)में तोकतामिशने सिरदरियाकी ओरसे भारी आक्रमण किया। तेमूरको उसके लिये ७९२ हि० (२० XII १३८९—१० XI १३९० ई०)में प्रथम महाभियान करना पड़ा। वह सिर-दरियाके पार हो उत्तरमें बढ़ते-बढ़ते ६ अप्रैलको वोल्गारोंकी भूमिमें अवस्थित कूचुकताग (लघु-पर्वत) में पहुंचा। फिर उलुगताग (महापर्वत)पर चढ़कर उसने आसपासकी भूमिका अवलोकन किया। यहींपर उसने २८ अप्रैल १३९१ ई०को एक शिलालेख लिखकर स्थापित किया।

आगे तोकतामिशको तेमूरने कैसे हराया, इसका वर्णन हम पहिले कर चुके हैं *।

उस करारी हारके बाद भी तेमूरके हटते ही तोकतामिश फिर सबल हो उठा, जिसके लिये तेमूरको २५ फर्वरी १३९३ ई०में दूसरा महाभियान काकेशसके रास्ते कास्पियनसे पश्चिम-पश्चिम करना पड़ा। १३ अप्रैलको वह तेराक नदीपर पहुंच गया। तोकतामिशको हारकर पीछे भागना पड़ा। तेमूर उसका पीछा करके आगे वोल्गाके किनारे-किनारे सराय पहुंचा। नगरवासियोंको घर छोड़ बाहर निकल जानेका हुकुम दे उसे खूब लुटवाया। फिर मास्कोकी ओर जाना चाहता था, जिसके लिये भगवान्की मां (मरियम)का बड़ा जुलूस निकाला गया, बड़ी पूजा-प्रार्थना की गईं, और भगवान्की मांने मास्कोको बचा लिया। तेमूरने क्रिमियाके बड़े नगर अजाकको भी लूटा। सोना, चांदी और रतन लदवाये तथा सुंदर दास-दासियोंके समूहको लिये वह दरबन्दके रास्ते लौटा। तेमूरकी विजय-यात्राओंमें छिङ्गिस्की विजय-यात्राने प्रेरणा दी थी, लेकिन जहां छिङ्गिस् हर एक विजयपर अपना दृढ़ शासन स्थापित करता था, वहां तेमूरके बहुतसे अभियान केवल लूटमारके लिये होते थे।

७९९ हि० (५ X १३९६—२६ VIII १३९७ ई०)में पांच सालकी अनुपस्थितिके बाद तेमूर राजधानी समरकन्द लौटा। वक्षु-तटपर अपनी खातूनों, पुत्रियों-पौत्रियों तथा राज-कुमारोंके साथ पहुंचनेपर लोगोंने उसका अपार स्वागत किया। खुशीमें उसने सोना और जवाहर लुटाये। तेमूर साठ वर्षका हो चुका था। इसी समय उसने तौकेल खानमसे शादी करके उसे "दिलकुशा" प्रासाद प्रदान किया। अभी भी उसकी लूटसे तृप्ति नहीं हुई थी, और अब उसकी नजर सिंधु और गंगाकी ओर थी।

भारतपर आक्रमण—८०० हि० (२४ IX १३९७—१५ VIII १३९८ ई०)को उसने भारतके लिये प्रस्थान किया। उसका पौत्र पीर मुहम्मद पहले ही आकर मुल्तानका मुहासिरा किये हुये था। तेमूर बलख और हिन्दूकोहके रास्ते काबुल पहुंचा। ८०१ हि०के पहले दिन (१३ सितम्बर १३९८ शुक्र) उसने सिंध नदीको पार किया। रास्तेमें नगरोंको लूटता और लोगोंकी लाशों-से सड़कोंको पाटता जब सतलजके किनारे पहुंचा, तो पीर मुहम्मद भी उससे आ मिला। फिर भारतकी राजधानी दिल्लीकी बारी आई। बंदियोंके मारे जल्दी चलनेमें रुकावट हो रही थी, इसलिये उनसे छुट्टी पानेके लिये उसने एक लाख बंदियोंको कतल करवा डाला। यह इतना अमानुषिक कार्य था, जिसे करनेकी हिम्मत कुछ जल्लाद नहीं कर सकते थे, इसलिये सारी सेनाको हुकुम हुआ, कि हर एक आदमी इस काममें सहायता करे। इतिहासकार नासिरुद्दीन इसका बड़ा करुणापूर्ण वर्णन करता है। उसके लिये अपने पंद्रह हिन्दी दासोंका मारना बहुत मुश्किल हो गया था। जो जरा भी ढिलाई करता, उसे पीटा जाता। अपने व्यापार और राजसी वैभवके लिये प्रसिद्ध दिल्लीने अपना खजाना तेमूरके लिये खोल दिया, लेकिन तेमूरने दया नहीं दिखलाई। वही हालत मथुराकी हुई—वहांके मंदिर ध्वस्त कर दिये गये और मूर्तियां तोड़ दी गईं। रास्तेमें हर एक आदमीको मारते और लूटनेसे बची हर एक चीजको नष्ट करते तेमूर हरिद्वारकी ओर पहाड़के भीतरतक घुस गया। उसके इतिहासकारोंने गढ़वालके पर्वतवासियोंके भीषण प्रतिरोधका वर्णन किया है, लेकिन तब भी वहांकी राजधानी तेमूरके हाथसे बच न सकी। कुछ लोगोंका मत है, कि तेमूर देहरादून-

* विशेषके लिये देखो पृष्ठ ५६-६२

की तरफ गया था, लेकिन उस समयके अलकनन्दा और भागीरथीके प्रदेशोंका केन्द्र दूनकी उपत्यका नहीं, बल्कि श्रीनगरके आसपास कहींपर था। वहांसे उसे लूटमें बहुतसा धन मिला था।

यह कहनेकी अवश्यकता नहीं, कि तेमूरकी भारतपर चढ़ाई केवल लूट-पाटके लिये हुई थी। भारतसे अपार सम्पत्ति और लाखों दास-दासी लेकर तेमूर उसी साल (१३९८ ई०) समरकन्द लौट गया।

सिरिया-विजय करते समय वहांके शासक मिस्रके ममलूकोंको हुलाकूकी तरह तेमूर भी नहीं दबा पाया। दुबारा हम्ला करके वह उनके हाथसे दमिश्कको ही छीन सका।

सिरिया-विजयके बाद ८०५ हि० (१४०३ ई०)के वसंतमें क्षुद्र-एसियाकी विजयके लिये तेमूर सिवास और कराशहर होते यनकुरु (अंगोरा)के मैदानमें पहुंच सुल्तान बायजीदसे भिड़ा। उसमानअली तुर्कसेना तेमूरके सामने पूरी तौरसे पराजित हुई। सुल्तान बायजीद अपने रनिवासके साथ तेमूरका बंदी बना। अब सारे क्षुद्र-एसिया (भूमध्य-सागरसे काला-सागरके तटतक)का स्वामी तेमूर था। यहांसे लौटकर जब तेमूर समरकन्द गया था, उसी समय स्पेनके राजा तृतीय हेनरीका दूत दोन रूय गोनजा-

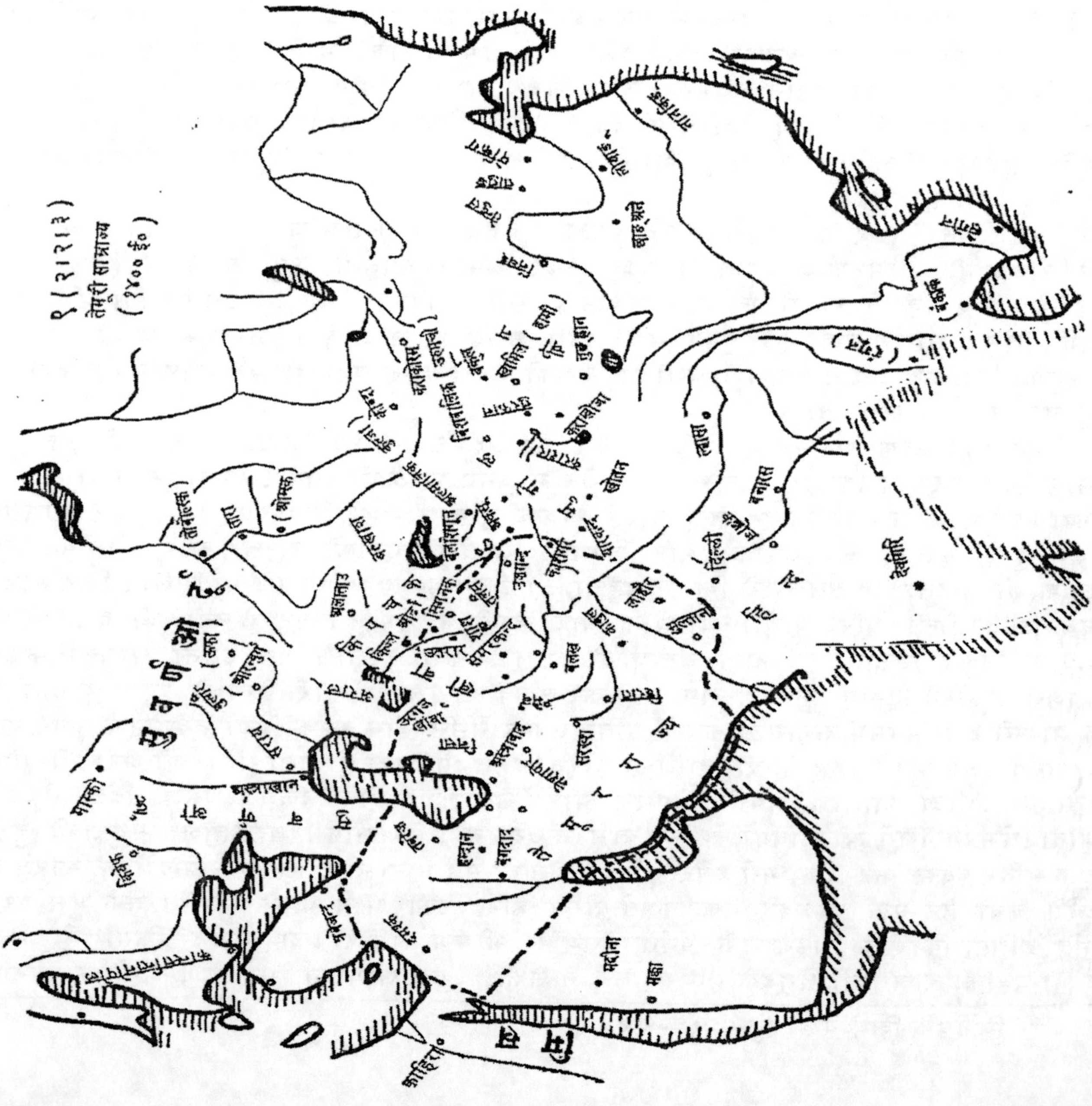

लेज दे क्लावियो समरकन्दमें उसके दरबारमें पहुंचा। क्लावियोने अपनी यात्राका बहुत सुन्दर वर्णन किया है। तेमूरका दरबार उस समय एक बड़े ही बिशाल और कीमती तम्बूके भीतर लगा हुआ था। उसकी रानियां बिना किसी परदेके तेमूरके पास तख्तपर बैठी थीं। यही नहीं, तेमूरकी खातूनों (रानियों)ने अपनी मद्य-गोष्ठीमें क्लावियोको अलग निमंत्रित करके सम्मानित किया था। इससे स्पष्ट है, कि तेमूरके समयतक अभी मध्य-एसियाके तुर्क राजपरिवारमें परदा-प्रथा जारी नहीं हुई थी, लेकिन उसके वंशजोंने भारतमें पहुंचकर जल्दी ही उसे अपना लिया।

जनवरी १४०५ ई० (८०७ हि०—१० VII १४०४—३१ V १४०५ ई०)में फिर तेमूर अपनेको विजय-यात्रासे रोक नहीं सका। पश्चिममें उसके घोड़ोंकी टाप रूसकी भूमितक पहुंच चुकी थी; लेकिन जबतक पूरबमें चीन-विजय न कर ले, तबतक वह छिङ्गिस्के समकक्ष कैसे हो सकता था? इसीलिये जाड़ेमें ही उसने अभियान कर दिया। लेकिन, फरवरीमें सिरतटपर ओतरारमें पहुंचकर बीमार हो १७ फरवरीको वहीं मर गया। चरित्रलेखक अहमद अरबशाह-पुत्रने जाड़ेके मुंहसे तेमूरके बारेमें कहलवाया है—

"ओ क्रूर अत्याचारी, अपनी गतिको रोक! कबतक तू दुःखी दुनियाको अपनी तलवार और आगसे नष्ट करता रहेगा? अगर तू शैतान है, तो यह भी समझ ले, कि मैं भी एक शैतान हूं। हम दोनों बूढ़े हैं, हम दोनोंके सामने एक ही लक्ष्य है, और वह है दासोंको अपने जूए के नीचे लाना। अगर तू मानव-जातिका उच्छेद करना जारी रक्खेगा और दुनियाको निर्जन और ठंडी बनाएगा, तो समझ ले मेरी सांस उससे भी कहीं अधिक ठंडी और ध्वंसकारी है। तू अभिमान करता है अपनी उस असंख्य सेनापर, जो कि तेरा हुकुम बजा लानेके लिये दौड़ पड़ती है और जिसके द्वारा तू सभी चीजोंको नष्ट-भ्रष्ट कर सकता है; तो मेरे इन जाड़ेके दिनोंको भी याद कर, जो कि सर्वशक्तिमान्के श्वासोंकी मददसे हर चीजके नष्ट करनेकी क्षमता रखते हैं।....मैं किसी बातमें तुझसे कम नहीं। जरा देर ठहर! बदला लेनेके लिये मैं अभी पहुंच रही हूं और तेरी सारी आग और क्रोध मेरी बर्फीली आंधी द्वारा लाई ठंडी मौतसे तुझे नहीं बचा सकते।"

तेमूर अपने बारेमें "मेन् तिङ्री-कुली तेमूर" (मैं भगवान्का दास तेमूर) लिखता था; लेकिन जिस भगवान्का दास तेमूर था, वह अवश्य ही निष्ठुर रहा होगा। छिङ्गिस् और उसके उत्तराधिकारियोंने भी तलवार और आगसे दुनियाको जीता था, लेकिन अनावश्यक हत्याके वह इतने पक्षपाती नहीं थे, जितना कि खूनका प्यासा तेमूर। ईरानी शियोंको दासके तौरपर बेंचना, एक बड़ी समस्या थी, क्योंकि मुसलमानको दास नहीं बनाया जा सकता। इस समस्याको मुल्ला शमशुद्दीनके इस फतवाने हल कर दिया—शिया मुसलमान नहीं हैं, बल्कि काफिरोंसे भी बदतर हैं।

यदि तेमूर चाहता, तो अपनेको खान (बादशाह) क्या खलीफा घोषित कर सकता था। तेमूरकी सेना उसके कौशल और सार्वत्रिक विजयोंके कारण उसपर इतना विश्वास रखती थी, और उसके हुकुमकी इतनी पाबन्द थी, कि अपार सम्पत्तिके लूटनेमें लगी होनेपर भी तेमूरके ना करनेपर अपने हाथोंको तुरंत रोक देती थी। ऐसी अंधभक्त सेनाके बलपर पैगम्बर बनना उसके लिये बिल्कुल आसान था। कवियोंके प्रति तेमूरकी विशेष सहानुभूति नहीं थी, लेकिन वह दरबारमें कवियों, गायकों, सूफियोंका सत्कार करता था। नकशबन्दी दरवेशोंके सम्प्रदायका संस्थापक ख्वाजा वहीउद्दीन [मृत्यु ७९१ हि० (३१ XII १३८८—२१ XI १३८९ ई०)], ख्वाजा अहरार, ईशान मखदूम कासानी और सूफी अल्लामदारपर उसकी बड़ी आस्था थी। कवियों और सूफियोंने उसके खूंखार सैनिकोंके मनको नरम करनेमें शायद ही कुछ काम किया हो।

वोल्फके अनुसार तेमूर "लम्बे-चौड़े कदका आदमी था। उसका सिर असाधारण तौरसे बड़ा तथा ललाट चौड़ा था। रंग उसका बहुत ही सुन्दर लाली लिये हुये गोरा था। उसके लम्बे बाल जन्मसे ही (ईरानी) पुराण-प्रसिद्ध जालकी तरह सफेद (ब्लौंड) थे। अपने कानों में वह दो बहुमूल्य हीरे पहना करता था। उसके चेहरेपर हमेशा गंभीरता और एक तरह की उदासी छाई रहती थी। उसे

हास-परिहास और चुहल बिल्कुल पसन्द नहीं थी, खास करके झूठका तो वह बहुत भारी शत्रु था। झूठकी जगह वह अपनी रायके विरुद्ध सचको ज्यादा पसन्द करता था। तेमूर जिस बात या लक्ष्यको पकड़ लेता या आज्ञा दे देता, उसे फिर उलटता नहीं था। अतीतके लिये उसे कभी अफसोस नहीं हुआ और न अनागतकी आशामें उसने कभी आनन्द मनाया। उसे कवि और विदूषक पसन्द नहीं थे। उसे प्रिय थे चिकित्सक, ज्योतिषी, धर्मशास्त्री। वह अक्सर अपने सामने शास्त्रार्थ कराया करता। सबसे ज्यादा भक्ति उसकी दरवेशों (साधु-संतों)के ऊपर थी, जिनके आशीर्वादसे वह अपनी विजयोंकी सफलता समझता था। लिखना-पढ़ना वह जानता था और जीवन-घटनाओंपर उसने अपनी लेखनी चलाई भी है। उसकी स्मृति बहुत तेज थी। वह अरबी नहीं जानता था, लेकिन तुर्की, मंगोल और फारसी भाषायें अच्छी तरह जानता था। वह कट्टर मुसलमान नहीं था, क्योंकि वह छिङ्गिस्के यासा (तुरा) को कुरानके ऊपर मानता था। उसने अपने कानून (तुजुक)को यासासे लेकर बनाया। बाबर और अकबरने भी अपने पुरखा तेमूरका ही अनुकरण किया। प्रसिद्ध ही है, कि भारतीय मुगल राजकुमारोंका खतना नहीं होता था। तेमूर यात्रियों और दरवेशोंसे दूसरे मुल्कोंके बारेमें जहां ज्ञान प्राप्त करनेकी कोशिश करता था, वहां इस कामके लिये उसने खुद भी अपने आदमी दूसरे देशोंमें भेज रखे थे।

तेमूरके उत्तराधिकारी—और बातोंमें छिङ्गिस्का अनुकरण करते भी तेमूरने अपने राज्यको नहीं बांटा। उसने अपने जीवनमें ही अपने पौत्र (जहांगीर-पुत्र) पीर मुहम्मदको अपना उत्तराधिकारी चुना था। तेमूरकी मृत्युके समय वह कंधारमें था। उसके आनेसे पहले ही दूसरे पुत्र खलील सुल्तानने सेनाके बलपर अपनेको अमीर घोषित कर दिया। तेमूर-पुत्र शाहरुख हिरात (खुरासान)का शासक था, सिंहासनके लिये उसका भी दावा था। उसे खुरासान, सीस्तान और माजन्दरानका राज्य मिल गया, तो भी वह चुप न हुआ। खलील सुल्तानकी राजगद्दीकी घोषणा सुनकर शाहरुख भी अपने एक सेनापतिको हिरातमें छोड़ वक्षुकी ओर चला। खलील और पीर मुहम्मदने समझौता कर लिया, कि खलीलके बाद पीर मुहम्मद उत्तराधिकारी होगा। दोनोंकी संयुक्त शक्तिके सामने शाहरुख उस वक्त कुछ नहीं कर सका, लेकिन दो साल बाद उसने अन्तर्वेदको खलीलसे छीन लिया, और ८१७ हि० (२३ III १४१४—११ II १४१५ ई०) तक अस्पहान और शीराजतक बढ़कर तेमूरके प्रायः सारे राज्यका शासक बन गया। समरकन्द, बुखारा, हिरात, मेर्व, सब्जवार, शुस्तर, अस्त्राबाद और शीराज-जैसे नगर उसके हाथमें थे।

साहित्य और कला—यद्यपि तेमूरने ललित कलाओंके लिये सहृदय हृदय नहीं पाया था, लेकिन दुनियाके दूसरे बादशाहोंके दरबारी ठाटको बहुत पसन्द करता था, इसीलिये अनिच्छापूर्वक भी उसके द्वारा कलाको प्रेरणा मिली। वास्तुकलाके लिये विशेष तौरसे, क्योंकि उसे महलों, मस्जिदों और अच्छी-अच्छी इमारतोंके बनानेका बड़ा शौक था। समरकन्दमें अब भी उसकी बनवाई कुछ इमारतें मौजूद हैं। उसके समय इस दिशामें जो कार्य आरम्भ हुआ, उसकी पूर्णता उसके लड़के शाहरुख और पोते उलुगबेगके समय हुई। तेमूरने १३७१ ई०में तुरकान आकाका रोजा समरकन्दमें बनवाया था, जो शाहजिदाके नामसे अब भी एक सुन्दर इमारत है। बीबी खानमकी मस्जिद (समरकन्द में) १३९९-१४१४ई०में तैयार हुई थी, जो आज यद्यपि बहुत टूटी-फूटी अवस्थामें पहुंच गई है, किन्तु है एक सुन्दर इमारत। तेमूरकी अपनी समाधि "गोरे-अमीर" जिसे उसके लड़के शाहरुखने बनवाया, अब भी समरकन्दकी भव्य इमारत है।

तेमूरके कालकी एक बहुत बड़ी देन है अरबी लिपिकी नस्तालीक शैली। अरबके आरम्भिक खलीफोंके समय अरबी भाषा कूफी लिपिमें लिखी जाती थी जिसका स्थान जल्दी ही टेढ़ी-मेढ़ी नस्ख लिपिने लिया। आज भी कुरान और अरबीकी पुस्तकें इसी लिपिमें छपी मिलती हैं। लेकिन तेमूरके दरबारी मीरअली तब्रेजी [जन्म ७८१ हि० (१९ IV १३७९—९ III १३८० ई०)—मृत्यु-८०७ हि० (१० VII १४०४—३१ V १४०५ ई०)] ने नस्ख लिपिके टेढ़े-मेढ़े कूबड़ोंको तोड़कर सीधा कर दिया, और उससे एक बहुत ही सुन्दर लिपि "नस्तालीक" निकल आई। अरबी-भिन्न

फारसी आदि भाषाओंके लिए नस्तालीक लिपि बहुत पसन्द की गई। भारतमें भी उर्दू इसी लिपिमें लिखी जाती है। छापेके जमानेमें टाइपकी सुविधाके कारण "नस्ख" फिर आगे बढ़ गई—ईरानमें उसीमें पुस्तकें और अखबार छपते हैं। लोगोंको बहुत अफसोस है, कि टाइपोंके बनानेमें सुविधा न होनेके कारण मुद्रण-कलाने नस्तालीकको उपेक्षित कर दिया। लेकिन हमारे यहां उर्दूके लिये टाइपोंसे अधिक लिथोका प्रचार है, जिसके कारण उर्दूमें अब भी तैमूरके समयकी देन 'नस्तालीक'का बहुत प्रचार है। नस्तालीकके प्रचारमें सबसे अधिक हाथ हिरातके सुलेखकोंका है, जिन्होंने लेखन-कलाका मान इतना ऊंचा कर दिया, जहांपर उसके बाद फिर वह नहीं पहुंच सका।

राजावलि—तैमूर-वंशमें निम्न सुल्तान हुए —

१.	तैमूर-लंग	१३७०-१४०५ ई०
२.	खलील सुल्तान, तैमूर-पुत्र	१४०५—६ ,,
३.	शाहरुख, तैमूर-पुत्र	१४०६—४७ ,,
४.	उलुगबेग, शाहरुख-पुत्र	१४४७—४९ ,,
५.	अब्दुल्लतीफ, उलुग-पुत्र	१४४९—५१ ,,
६.	अब्दुल्ला, शाहरुख-पुत्र	१४५१—५२ ,,
७.	अबूसईद, मीरांशाह-पुत्र	१४५२—६९ ,,
८.	अहमद, अबूसईद-पुत्र	१४६९—९३ ,,
९.	सुल्तान मुहम्मद, अब्दुल्ला-पुत्र	१४९३—९४ ,,
१०.	बैसुंकर, मुहम्मद-पुत्र	१४९४—९७ ,,
११.	सुल्तानअली, मुहम्मद-पुत्र	१४९७—१५०० ,,
१२.	बाबर, उमरशेख-पुत्र	१५००—१ ,,

२. खलील सुल्तान, तैमूर-पुत्र (१४०५—६ ई०)

खलील सुल्तानमें बहुतसे गुण थे, लेकिन वह सीमासे अधिक साखर्च था, जिसके कारण खजाना खाली होते देर नहीं लगी। उसमें दूसरी कमजोरी यह थी, कि वह भी नूरजहां-प्रेमी जहांगीरकी तरह शादमुल्कका गुलाम था। इन कारणोंसे जल्दी ही उसके बड़े-बड़े समर्थक उदासीन या अलग हो गये। १४०६ ई०में खुदादाद और शेख नूरुद्दीनने स्वामीसे विद्रोह करके समरकन्दपर आक्रमण कर दिया। उस समय तो किसी तरह उसे बचाकर अगले साल नूरुद्दीनके साथ सुलह कर ली; लेकिन, फिर खुदादादने दूसरे अमीरोंको मिलाकर समरकन्दपर आक्रमण कर दिया। बातचीतके बहाने विद्रोहियोंने सुल्तानको बहकाकर उसे कैद कर लिया और नगरपर उनका अधिकार हो गया। यह खबर सुनकर शाहरुखने अपने सेनापति शादमुल्कको खुदादादको दंड देनेके लिये भेजा। खुदादाद समरकन्द छोड़कर भाग गया। शादमुल्क खुले दरवाजों समरकन्दके भीतर घुसा। उसने रानी शादमुल्कके साथ बड़ा ही घृणाजनक दुर्व्यवहार किया, जो शाहरुखके लिये अच्छा नहीं था। शाहरुख अपने तरुण पुत्र उलुगबेगको राज्यपाल बना समरकन्दमें रख हिरात लौट गया। खलील उस समयतक भागकर मुगोलिस्तानमें चला गया था, किंतु शादमुल्कका वियोग वह नहीं सह सका और हिरातमें जाकर उसने अपने भाईको आत्मसमर्पण कर दिया। शाहरुखने उसे सम्मानपूर्वक हिरातका राज्यपाल बना दिया, लेकिन वह उसी साल मर गया।

३. शाहरुख, तैमूर-पुत्र (१४०६—४७ ई०)

तैमूर खानदानका यह सबसे बड़ा और प्रतापी बादशाह था। बहुत दिनोंसे हिरातमें रह जानेके कारण उस नगरके साथ इसका इतना प्रेम हो गया था, कि तैमूरकी गद्दी संभालनेपर भी उसने अपनी राजधानी समरकन्दमें नहीं बदली। तैमूरी-वंश और मध्य-एसियाकी कला और साहित्यका

चरम उत्कर्ष शाहरुखके समय हुआ। उसने अपने बड़े पुत्र उलुगबेगको समरकन्द (अन्तर्वेद) का शासक बना दिया था, जिसने वहां अपनी सुरुचि और विद्याप्रेमका परिचय दिया।

अब्दुर्रजाक समरकन्दी शाहरुखका बहुत कृपापात्र इतिहासकार था। इसने "वकाया" लिखना शुरू किया, जिसकी परिपाटी भारतमें भी मुगलवंशने जारी की। तत्कालीन इतिहासके लिये सभी महत्त्वपूर्ण घटनाओंके ये दरबारी अभिलेख बहुत ही उपयोगी हैं। समरकन्दीके ग्रंथ "मतलऽसादेन" में प्रतिवर्षकी घटनाओंका उल्लेख है। ८१२ हि० (१६ मई १४०९–६ अप्रैल १४१० ई०)की "वकाया" लिखते समय वह कहता है—"उज्बेकमुल्क (किपचक)के स्वामी पुलाद खानका अमीर अदिकू बहादुर और अमीर ईसाके नोकर (अफसर) दूत बनकर आये। उन्होंने शिकारी जानवर और दूसरी चीजें भेंट कीं। मिर्जा (राजकुमार) मुहम्मद जौकीके लिये लड़कीकी खास्तगारी करते हुये शाहरुखने खानके लिये बहुतसी भेंटें और दूतोंके लिये बहुतसे इनाम दिये।" अगले साल भी राजधानी हिरातमें "वलायत-उज्बेक" और "दश्ते-किपचक"से अमीर अदिकू दरबन्दके रास्ते और अमीर शेख इब्राहीम शरवानके रास्ते दूतमंडल लेकर आये।

८१५ हि० (१३ अप्रैल १४१२ ई०—४ मार्च १४१३ ई०)में समरकन्दी लिखता है—ख्वारेज्म-को लेकर शाहरुखका किपचकोंके साथ संघर्ष हो गया। ८२२ हि० (२८ जनवरी—१९ दिसम्बर १४१९ ई०) में किपचक खान बुराकने उलुगबेगके ऊपर आक्रमण किया। तेमूरने जैसे तोकतामिश-को संरक्षण देकर आगे बढ़ाया और अन्तमें वह भस्मासुर बनने लगा, वही बात बुराक खानने अपने भूतपूर्व सहायक और संरक्षक उलुगबेगके साथ की। ८३० हि० (२ नवम्बर १४२६–२३ सितम्बर १४२७ ई०)में बुराक ओगलानने अन्तर्वेदपर भीषण आक्रमण किया। समरकन्दमें लोग इतने डर गये, कि उन्होंने नगरका दरवाजा बन्द करनेका विचार शुरू किया। उलुगबेगके हारकर भागनेकी खबर सुनकर शाहरुख स्वयं एक बड़ी सेना लेकर समरकन्दकी ओर आया और बुराकको अन्तर्वेद छोड़कर भागना पड़ा।

शाहरुखने थोड़े ही समयमें तेमूरद्वारा विजित प्रायः सारे साम्राज्यको अपने हाथमें कर लिया। उसके बाद जब-तब ख्वारेज्म या सिर-दरियाकी ओर किपचकों (उज्बेकों)के आक्रमणका मुकाबिला करना पड़ता था, नहीं तो वह अपने समयको साहित्य, संगीत और कलाके विकासमें लगाता था। संगीतका वह प्रेमी ही नहीं था, बल्कि उसने इसके लिये स्वयं बहुतसे गीत बनाये थे। ८२०—२३ हि० (१४१७—२० ई०) में शाहरुखके दरबारमें चीनसे एक दूतमंडल आया, जिसके उत्तरमें ८२३ हि० (१७ I–७ XII १४२० ई०)में शाहरुखने अपना दूतमंडल चीन भेजा। शाहरुखका बड़ा लड़का उलुगबेग ज्योतिष और गणितका विद्वान् तथा भारी संरक्षक था। इसी तरह उसका छोटा लड़का बैसुंकर पुस्तकों और ललित कलाका बड़ा प्रेमी था। बैसुंकरने इस दूतमंडलके साथ नक्काश (चित्रकार) ख्वाजा गियासुद्दीनको कर दिया था, जिसमें कि वह चीनी जीवनके हर पहलूको चित्रित करके लाये, तथा चीनी चित्रकलाको नजदीकसे देखे।

८३९ हि० (२७ जुलाई १४३५–१६ जून १४३६ ई०)में ख्वारेज्मकी ओरसे दूतने खबर दी कि किपचक शासक अबुल्खैर ओगलानने अचानक दश्त (किपचक-मैदान)की ओरसे ख्वारेज्म-पर आक्रमण कर दिया है और वहांका राज्यपाल सुल्तान इब्राहीम शादमुल्क-पुत्र भाग गया है। शहर-को सर करके किपचकोंने उसे लूटा बरबाद किया, फिर अपने देश लौट गये। ८४४ हि० (२ जून १४४०–२३ अप्रेल १४४१ ई०)में अस्त्राबादकी ओरसे खबर आई, कि दश्तकी ओरसे आकर उज्बेक-सेना मुल्कमें लूट-पाट मचा रही है। वहांका शासक अमीर हाजी यूसुफ जलाल कुतलुग कुछ नहीं कर सका। "बकायानिगार" (घटना-लेखक) समरकन्दीने लिखा है—"कहीं-कहीं उज्बेक-सैनिक कजाक होकर (उज्बेक कजाकशुदा) माजन्दरान प्रदेशमें भी घुस आये और वहांसे लौट गये।" १४४० ई०में अभी "कजाक" शब्द एक विशेष जातिका वाचक नहीं हुआ था, बल्कि उज्बेकोंके लुटेरेपनेको दिखलानेके लिये ही यहां कजाक शब्दका प्रयोग हुआ; लेकिन पीछे उज्बेक (किपचक)

तुर्कोंके एक भागको कजाक कहा जाने लगा, जिनके ही नामपर आज सोवियत संघका दूसरे नंबरके सबसे बड़े गणराज्यका नाम कजाकस्तान है और आज कजाक शब्द लुटेरेका पर्यायवाची नहीं समझा जाता ।

अन्तर्वेदपर किपचकों (उज्बेकों) का आक्रमण १४१२ ई०से ही होने लगा था । उसके बादके अट्ठाईस वर्षोंमें उनके साथ बहुतसे संघर्ष हुये । पहले वह मध्य-सिर-उपत्यका और ख्वारेज्मतक लूट-पाट मचाते थे, पीछे अब माजन्दरानतक हाथ बढ़ाने लगे । यद्यपि अभी अन्तर्वेदके उज्बेकोंके हाथोंमें जानेमें साठ वर्षकी देरी थी, किंतु उनका आतंक अभीसे छा गया था और १४४० ई०में शाहरुखने हुकुम दिया था—"हर साल दसहजारी अमीरोंमेंसे कुछ वलायत-माजन्दरानमें जा सजग रहते वास करें ।" इसके बाद मिर्जा बैसुंकर, फिर मिर्जा अलाउद्दीन दोनों राजकुमारोंने भी वहां जाकर डेरा डाला । इसी साल अमीर हाजी युसुफ जलील, उसका भाई अमीर शेख हाजी और दूसरे दसहजारी अमीर अपनी सेना लेकर वहां पहुंचे, किंतु यकायक उज्बेक सेना उनके ऊपर टूट पड़ी और अमीर हाजी युसुफ मारा गया ।

८४५ हि० (२२ मई १४४१ ई०–१२ अप्रैल १४४२) में शाहरुखने इतिहासकार अब्दुर्रजाक के नेतृत्वमें एक दूतमंडल भारत भेजा । तेमूरियोंके कितने उदार विचार थे, यह इसीसे मालूम होगा, कि शाहरुखने अपने दूतमंडलको दिल्ली या बहमनी रियासतके पास न भेजकर उस समयके दक्षिणके सबसे शक्तिशाली हिंदूराज्य विजयनगरमें भेजा, जिसमें एक सुभीता यह भी था—ईरान शाहरुखके राज्यमें था, जिसका समुद्रके रास्ते भारतके साथ व्यापारिक संबंध विजयनगरके समुद्र-तटद्वारा स्थापित था । यह दूतमंडल हिरातसे चलकर केरमानके रास्ते ओरमुज्द बंदरगाहपर पहुंचा, जहांसे जहाजमें बैठकर भारत आया । अब्दुर्रजाकने विजयनगरका बहुत ही सुंदर वर्णन "मतलऽसादेन"में किया है ।

राज्यपाल होनेके समय भी शाहरुखने हिरातको बहुत ही समृद्ध और अलंकृत किया था, लेकिन जब उसने उसे तेमूरी राज्यकी राजधानी बना दिया, तो हिरात सारे इस्लामिक जगत्का एक बड़ा सांस्कृतिक केन्द्र बन गया । विद्वानों और कला-विशारदोंका वहां बड़ा सम्मान था । बाबरने अपने ग्रंथमें लिखा है, कि हिरात-जैसा शहर दुनियामें नहीं है । हिरातमें चित्रकलाकी एक खास कलम—सूक्ष्मचित्र—का आरम्भ किया गया, जो कि शायद पहिले समरकन्दसे वहां आई । हिरात नगरके पश्चिमोत्तरमें शाहरुखने १४१८–३७ ई०में अपनी रानी गौहरशादका रौजा मस्जिदके साथ बनवाया । यह वहांकी सबसे सुंदर इमारत है । शाहजहां भी एक समय खुरासान गया था, जिसका ही प्रधान नगर हिरात है । हो सकता है ताजमहल बनानमें उसे यहांके गौहरशादके रौजेसे प्रेरणा मिली हो । इस रौजेका निर्माण कवामुद्दीन शीराजी नामक एक कुशल वास्तुशास्त्रीने किया था । यही गौहरशाद उलुगबेग और बैसुंकरकी मां थी, जिससे शाहरुख बहुत प्रेम करता था । बैसुंकरने हिरातमें एक किताबखाना बनवाया था, जिसकी इमारत अत्यन्त सुंदर ही नहीं थी, बल्कि वहांपर पुरानी पुस्तकोंका बहुत अच्छा संग्रह था, और कितने ही सुलेखक पुस्तकोंको लिखते रहते थे । हुसेन बैसुंकरने १४३० ई०में "शाहनामा"की एक बहुत ही सुंदर प्रति लिखवाई, जो कि आजकल तेहरानके संग्रहालय में है ।

४. उलुगबेग, शाहरुख-पुत्र (१४४७–४९ ई०)

उलुगबेगने अपने पिताके उपराजके तौरपर एकतालीस वर्ष (१४०६–४७) तक समरकन्दमें रहते अन्तर्वेदका शासन किया । ज्योतिष और गणितके विकासमें उसने खासतौरसे सहायता की । तारों और ग्रहोंके ठीक-ठीक वेधके लिए उसने एक बहुत बड़ी वेधशाला समरकन्दके पास कोहक नदीके ऊपर बनवाई, जिसका आरम्भ ८३२ हि० (११ अक्तूबर १४२८— १ सितम्बर १४२९ ई०) में हुआ था । इसके दरबारमें तथा वेधशालाके विद्वान् काजी जादरूम गयासुद्दीन, जमशीद मोहीउद्दीन काशानी, इसराईली (यहूदी) सलाहुद्दीन थे । यहींपर प्रसिद्ध सारणी ८१४ हि० (५ जुलाई १४३७–

२६ मई १४३८ ई०)में तैयार हुई। उलुगबेगकी वेधशालाके ध्वंसावशेष नगरके पूर्वी उपान्तमें चोपान-अता पहाड़ीपर अब भी मौजूद हैं। उसकी ज्योतिष सारणी—"जीजे-उलुगबेग"—सदियों-तक यूरोपमें भी मान्य रही। पूर्वके देशोंमें बनी सभी ग्रह-सारणियोंमें यह सबसे अधिक पूर्ण और शुद्ध थी। इसमें —(१) समय और युग, (२) समय-माप, (३) ग्रह-कक्षा, (४) नक्षत्र-ताराके स्थान दिये गये हैं। इसका बहुत ही सुंदर पहला संस्करण प्रोफेसर ग्रीफ्सने १६४२—४८ई०में आक्सफोर्ड में छपवाया था। डाक्टर टामस हाइडने १६६५ ई०में इसका लातिनी अनुवाद प्रकाशित कराया। उलुगबेगकी नक्षत्र (तारा)-सूची इतनी पूर्ण है कि आज भी खुली आंखोंसे दिखलाई देनेवाले उतने ही (डेढ़ हजार) तारोंकी सूची बन पाई है समरकन्दको उलुगबेगने मध्य-एसियाकी उज्जयिनी बना दिया था।

उलुगबेगके बनवाये महल , मस्जिद, मदरसे वास्तु-कलाके अत्यन्त सुंदर नमूने हैं। अगर उसके पिताने हिरातको भव्य बनाया, तो उलुगबेगने समरकन्दको भी उससे पीछे नहीं रहने दिया। उसके महलोंको सजानेके लिये चीनके सुंदर चित्रकारों और कलाकारोंने आकर वर्षों काम किया था। चीनी बरतनोंका उसके पास बहुत ही सुंदर संग्रह था।

८५० हि० (२९ III १४४६—१७ II १४४७ ई०)में पिताके मरनेपर तेमूरी सिंहासन-का अब उलुगबेग उत्तराधिकारी था, इसलिये उसे समरकन्द छोड़कर हिरात जाना पड़ा। उलुग-बेग सैनिक योग्यता नहीं रखता था, न कूटनीतिका पंडित ही था, इसीलिये वह दो सालसे अधिक शासन नहीं कर सका। जल्दी ही उसके प्रतिद्वंद्वी अलाउद्दौलाने समरकन्दका किला उससे छीन उलुगबेगके पुत्र अब्दुल्लतीफको बंदी बनाया। उलुगबेगने आक्रमण करके सुलहकी सबसे पहली शर्त यह रक्खी, कि अब्दुल्लतीफको भेज दिया जाय। दूसरी शर्तें अलाउद्दौलाने पूरी नहीं कीं, जिससे फिर लड़ाई शुरू हुई। अलाउद्दौला हारकर मशहद (खुरासान)की ओर भागा। इसी समय तुर्क-मानोंने हिरातको और उज्बेकोंने समरकन्दको लूटा। उलुगबेगने वर्षों लगाकर "चीनीखाना" को चीनी कलाकारों द्वारा अलंकृत करवाया था और सुंदर चीनी बर्तनोंका अद्भुत संग्रह करवाया था। उन सबको पल मारते-मारते उज्बेकोंने नष्ट कर दिया। जल्दी ही पुत्रवत्सल पिताके विरुद्ध अब्दुल्लतीफने विद्रोह कर दिया और आक्रमण करके उसे बन्दी बना दिया। उसने इतनी ही नृशंसता नहीं दिखलाई, बल्कि चुपकेसे एक ईरानी गुलाम भेजकर बापको मरवा दिया।

उलुगबेग बहुत ही कोमल स्वभावका आदमी था, कला और विज्ञानके पीछे तो वह पागल था। उसकी कोमलहृदयताने तोकतामिशकी कहानियोंको जानते हुये भी बोराक ओगलानका संरक्षक बनवाया। उसके विद्या-प्रेमकी प्रतीकके रूपमें बुखारामें उसके हुकुमसे बने एक मदरसेमें बहुत सुंदर अक्षरोंमें अब भी एक छोटासा अभिलेख मौजूद है। "तलबल्-इल्म फरीजत अला-कुल्लें मुव स्लेमुन्व मुस्लेमात" (विद्या पढ़ना हरएक मुसलमान स्त्री-पुरुषका कर्तव्य है)।

साहित्य—खोजा इस्मत बुखारी उलुगबेगका राजकवि था। उसके अतिरिक्त खियाली, बुरन्दक, रुस्तम खूरियानी आदि भी दरबारके पारसी कवि थे—अभी तुर्कीको साहित्यकी भाषा नहीं स्वीकार किया गया था, तो भी उलुगबेगके पिता शाहरुखने तुर्की गीत बनाये थे। उमरशेख-पुत्र सुल्तान इस्कन्दर और खलील मिर्जा दोनों राजकुमार फारसीके कवि थे। शाहरुखके लड़के बैसुंकरका पुत्र बाबर मिर्जा सुंदर प्रतिभाशाली कवि था जो तरुणाईमें ही मर गया। यह भारतके मुगल-सम्राट् बाबरसे भिन्न था। तुर्कीके कवि सिद्दी अहमद मिर्जाने "लताफतनामा"के नामसे एक मसनवी (कथाकाव्य) लिखी थी। इसी वंशमें आगे पैदा होनेवाला जहीरुद्दीन बाबर तलवारका ही धनी नहीं, बल्कि सरस्वतीका वर-पुत्र भी था।

५. अब्दुल्ल्तीफ, उलुग-पुत्र (१४४९-५१ ई०)

पिताके हत्यारे नृशंस अब्दुल्लतीफको निश्चिंत हो राज्य भोगनेका मौका न मिला। पिता तथा अपने प्यारे सम्बन्धियोंकी निर्मम हत्या सामन्तोंके लिये कोई असाधारण बात नहीं समझी

जाती, इसीलिये संस्कृतमें कहावत मशहूर है—"जनकभक्षा राजपुत्राः" (पिताके भक्षक होते हैं राजपुत्र)। अब्दुल्लतीफका एक बड़ा प्रतिद्वंद्वी तेमूर-पौत्र मीरांशाहपुत्र अबूसईद (सम्राट् बाबरका दादा) था। उसे अब्दुल्लतीफने हरा दिया। किंतु अब्दुल्लतीफके महापापको अधिक दिनोंतक बर्दाश्त नहीं किया जा सकता था। उलुगबेगके एक स्वामिभक्त सेवकने इस आततायीको ८४५ हि० (१४ फर्वरी १४५०–५ जनवरी १४५१ ई०)में मार डाला।

६. अब्दुल्ला, शाहरुख-पुत्र (१४५१–५२ ई०)

साल-साल दो-दो सालके लिये गद्दीपर बैठनेवाले तेमूरी शासकोंने अब बतला दिया, कि वंशकी नैया डावांडोल हो रही है। अब्दुल्लाने उन्हीं उज्बेकोंकी सहायतासे समरकन्दको प्राप्त किया, जो कि तेमूरी-वंशका स्थान लेनेवाले थे। "वकायानिगार" समरकन्दीने ८५५ हि० (३ फर्वरी १४५१–२५ दिसम्बर १४५३ ई०)में लिखते हुए बतलाया है–"इसी बीच राजसेवकोंने खबर दी, कि उज्बेक बादशाह अबुल्खैर खान (१४२८–६८ ई०)–जो बहुत दिनोंसे अपने दरबारका दोस्त और शुभेच्छु है—आज्ञा पानेपर सेवामें आना चाहता है। सुल्तानकी स्वीकृति पाकर अबुल्खैर जल्दी-जल्दी अब्दुल्लाके ओर्दूमें आया। सुल्तानने उसका बड़ा स्वागत किया। (पीछे) अबुल्खैरने समरकन्द-विजयकी तदबीर अबूसईदको बतलाई। फिर दोनों यस्सी नगरके सीमांतसे ताशकन्द और खोजन्दके इलाकेमें आये। जब अब्दुल्लाको पता लगा, कि अबूसईद उज्बेक खानकी सेनाके साथ आ रहा है, तो वह एक बड़ी सेना ले कोहक नदी पार हो आगे बढ़ा। दोनों सेनाएं आमने-सामने खड़ी हुईं और दोनोंमें २२ जून १४५१ ई० शनिवार (२२ जमादी II ८५० हि०)को भयंकर लड़ाई हुई जिसमें अब्दुल्ला मारा गया और भारतीय मुगल-वंश-संस्थापक बाबरका पितामह, अबूसईद विजयी हुआ।

७. अबूसईद, मीरांशाह-पुत्र (१४५२–६९ ई०)

अबुल्खैरको उसकी सहायताके लिये अबूसईदने बहुतसी भेंट दे कृतज्ञता प्रगट की, और अब्दुल्लतीफकी हत्यामें हाथ रखनेवालोंको भी दंड दिया। शाहरुखके मरनेके बादसे ही जो गृह-कलह चल रहा था, उसे दबानेमें अबूसईद सफल हुआ। तेमूरी वंशका यह अन्तिम शक्तिशाली सुल्तान था। जैसा कि पहले बतला चुके हैं, अभी भी छिङ्-गिस्वंशी खान समरकन्दकी गद्दीपर बैठा करते थे। अन्तर्वेद, पूर्वी ईरान और अफगानिस्तान अबूसईदके राज्यमें थे। वह चतुर सैनिक और कुशल शासक था। इसका समकालीन तुर्कीका सुल्तान मुहम्मद II था, जिसने १४५३ ई०में कान्स्तन्तिनोपल लेकर बलकान (युरोप)में इस्लामी राज्यकी स्थापना की।

रबी I ८६४ हि० (२६ दिसम्बर—२५ जनवरी १४४९—६० ई०)के आरंभमें इसके दरबारमें कलमकों (मंगोलों) और किपचकोंके दूत आये, जिनका अबूसईदने बहुत सम्मान किया। लेकिन उत्तरके घुमन्तुओंकी मित्रता बादलके छांहसे बढ़कर नहीं होती। ८६९ हि०के जमादी II (फर्वरी १४६५ ई०)के मध्यमें खबर मिली, कि किपचक खान अबुल्खैरके भाई सैयद यक्का सुल्तानको अमीरों (उच्च अफसरों)ने ख्वारेज्ममें पकड़कर हिरात भेज दिया, जहां वह बन्दीखानेमें पड़ा है। अबूसईदने उसे अपने पास बुलाया, और "उस सदाचारी सुभक्त तरुण"को बहुत सम्मानपूर्वक घोड़ा, सोना, कुलाह और इनआम प्रदान कर वलायत उज्बेकमें भेज दिया। लेकिन उज्बेक घुमन्तू इन उपकारोंको देरतक कैसे याद रख सकते थे, जब कि दक्षिणके समृद्ध नगरोंको लूटकर ही वह मौजका जीवन बिताते अपने सैनिकोंमें अनुशासन कायम रख सकते थे। ८७२ हि० (२ अगस्त १४६७—२२ जून ६८ ई०)की घटनाके बारेमें समरकन्दीने लिखा है—मरदुमें-उज्बेक (उज्बेक लोगों)के प्रहारसे अन्तर्वेदको हरसाल जहमत और बर्बादी उठानी पड़ती रही, लेकिन इस साल वहांसे ऐसी खबर नहीं आई। इसी समय ख्वारेज्मसे दूतने आकर कहा, कि किपचकोंकी भूमिसे देरसे कजाक हुये मिर्जा सुल्तान हुसेनने ख्वारेज्मपर आक्रमण किया। तेमूरी अमीर उसके सामने नहीं टिक सके, और मिर्जाने ख्वारेज्मको पामाल किया। यह खबर सुनकर अबूसईदने अपने सभी उच्च सेनापतियोंको ख्वारेज्म जानेका

आदेश दिया, लेकिन उधर आजुर्बाईजानमें भी उजुन हसनबेगने खतरा पैदा कर दिया था, इसलिये उसी साल अबूसईद सेना लेकर उधर गया और लड़ाईमें बन्दी हुआ। उजुन हसन (१४६७—७८ ई०) ने अबूसईदको शाहरुखकी बेगम गौहरशादके पुत्र यादगार मिर्जाके हाथमें दे दिया, जिसने अपनी मांकी हत्याका बदला लेते अबूसईदको मार डाला। अबूसईदके ग्यारह पुत्रोंमें एक उमरशेख मिर्जा था। इसीका पुत्र बाबर था। जिसने भारतमें मुगल-साम्राज्यकी स्थापना की।

अबूसईदको भी सुन्दर इमारतोंके बनानेका बड़ा शौक था। आज भी उसकी लड़की सुल्तान खाविन्द बिकीके रौजेकी सुन्दर इमारत समरकन्दमें "इशरतखाना"के नामसे मौजूद है।

८. अहमद, अबूसईद-पुत्र (१४६९—९३ ई०)

अहमद एक मामूली बुद्धिका आदमी था, ऊपरसे वह कभी शराबमें मतवाला रहता और कभी भक्ति और खुदाके इश्कमें गर्क। इसके समयमें दरबारी अमीर अक्सर विद्रोह करते रहे। खुरासान बिल्कुल स्वतन्त्र हो गया, जिसपर तेमूर-वंशी सुल्तान हुसेन (१४६९—१५०६ ई०) हिरातसे शासन करता रहा। अहमदने अपने भाई उमरशेखको फरगाना देकर उसे दूसरोंके हाथों में जानेसे बचा लिया। उमरशेखके फरगानामें शासन करते समय ही उसका पुत्र बाबर पैदा हुआ। अहमदके सत्ताईस सालके शासनमें समरकन्दको फिर तरक्की करनेका मौका मिला।

कवि नवाई—हिरातने स्वतन्त्र होकर अपने गौरवको फिर लौटा लिया। हुसेन मिर्जा (१४६९—१५०६ ई०)के शासनकालमें हिरातने साहित्य और कलामें चरम उन्नति की, जिसका बहुत कुछ श्रेय तुर्की साहित्यके कालिदास अली शेर नवाईको है। नवाई १४४१ ई०में हिरातमें पैदा हुआ था। उसके बचपन और जीवनका भी अधिकतर भाग हिरातमें बीता। वह शिक्षा प्राप्त करनेके लिये समरकन्द भेजा गया। वहांका सबसे बड़ा धनी दरवेश मुहम्मद तरखन उसका संरक्षक था। सुल्तान अहमद मिर्जाके समय नवाई बुखारा और समरकन्दका सबसे बड़ा जमींदार था। हिरातमें रहते बचपनमें हुसेन मिर्जा नवाईका सहपाठी था। जब हुसेन मिर्जा हिरातकी गद्दीपर बैठा, तो उसने समरकन्दसे सुल्तान अहमद मिर्जाको नवाईको भेजनेके लिये लिखा। समरकन्दमें रहते वक्त नवाईको जिन लोगोंके सम्पर्कमें अधिक आना पड़ा था, उनमें सूफी संत खोजा उबैदुल्ला अहरार मुख्य था। संत-महन्त होनेके साथ खोजा अहरारकी जमींदारीका ठिकाना नहीं था। कहावत है—कोई आदमी अपने गदहेपर चढ़ा अन्तर्वेदमें उत्तरसे दक्षिणकी यात्रा कर रहा था। सैकड़ों मील चलता गया, लेकिन जब भी किसी लहलहाते खेतके बारेमें पूछता, तो लोग कहते—'यह खोजा अहरारका है।' इसपर मुसाफिरने अपने गदहेको भी खेतकी तरफ हांकते हुए कह दिया—"जा तू भी खोजा अहरारका हो जा।" खोजा अहरारकी महिमा सबसे अधिक इसलिये फैली कि वह अपनी अपार सम्पत्तिका उपयोग परोपकारमें करता था। नवाई भी बहुत भारी जमींदार था, अहरारकी प्रेरणासे उसने भी अपनी सम्पत्तिको वैसे ही कामोंमें खर्च करनेका निश्चय किया।

सुल्तान हुसेन सूक्ष्मचित्र, सुलेखनकला, वास्तुकला और संगीतका बड़ा प्रेमी था। अली शेर नवाई तो विद्वानों और कलाकारोंका अपने सुल्तानसे भी बड़ा संरक्षक था। हिरातमें एसियाके ही भिन्न-भिन्न देशों के व्यापारी नहीं आते थे, बल्कि १४९४ ई० में एक फ्रांसीसी कारवां भी आया था। भारत, चीन आदि के व्यापारी तो सदा ही आते रहते, इसलिये यहांपर विद्वानों और कलाकारोंके लिये विचार-विनिमयका अच्छा अवसर मिलता था।

१४६९ ई०में समरकन्दसे लौटनेके बाद १४८७ ई०तक नवाई सुल्तान हुसेनके दरबारका एक बहुत ही शक्तिशाली अमात्य था। दरबार छोड़नेके बाद उसने अपने बड़े-बड़े निर्माण-कार्य आरम्भ करके पूरे किये। उसकी बनवाई सबसे बड़ी इमारत "इखलास" (स्नेह) बीस सालमें तैयार हुई, जो हिरात नगरके बाहर यंजील नहरके किनारे अवस्थित थी। कितने ही हजार आदमी इसके बनानेके लिये रोज काम करते थे। कितनी ही बार नवाई स्वयं मजदूरोंकी तरह काम करता। "इखलास"के भीतर सुन्दर मदरसा, खानकाह तथा मस्जिद बनी हुई थी। खानकाहसे पश्चिम

"खानकाह-शफाइया" (सार्वजनिक अस्पताल) था, जहांपर अपने समयके प्रसिद्ध चिकित्सक हकीम गयासुद्दीन मुहम्मद चिकित्सा करते थे। यहांकी बहुतसी इमारतोंमें "मदरसा निजामिया" भी था, जिसमें अच्छे-अच्छे अध्यापक नियुक्त थे। नवाईने और जगहोंपर भी खानकाहें और मदरसे बनवाये, जिनमें "मदरसा-खुसरविया" मेर्वके अब्दुल्लाखान-किलेमें अवस्थित था। खुरासान और ईरानके दूसरे स्थानोंमें मुसाफिरोंके आरामके लिये नवाईने पचास रबातें (धर्मशालाएं) बनवाई थीं। उसके आश्रित इतिहासकार खोन्दमीरके अनुसार नवाईने हम्माम (स्नानागार) और चौदह मस्जिदें इस्तिखर सेरख्स और अस्त्राबादमें बनवाई थीं।

नवाईको जहां अपने परोपकारी कामोंके लिये खोजा अहरारसे प्रेरणा मिली थी, वहां उसकी काव्यप्रतिभाको निजामी (११६१—१२०३ ई०) और जामी (१४१४—९२ ई०) की कविताओंसे भारी प्रेरणा मिली थी। जामी नवाईका समकालीन था, और हिरातके पास हीमें रहता था। फारसी भाषाका वह अन्तिम महाकवि था। यद्यपि नवाईने "फानी" (नाशमान) के नामसे फारसीमें भी कविताएं की हैं, लेकिन वह अमर है अपनी तुर्की कविताओंके कारण। आजकल मध्य-एसियाकी सबसे प्रगतिप्राप्त उज्बेक जातिका वह परम श्रद्धाभाजन कवि है। उज्बेक राजधानी ताशकन्द में नवाई नाट्यशालाके नामसे एक बड़ी ही विशाल और सुन्दर रंगशाला स्थापित की गई है। नवाई-की जीवनीको लेकर उज्बेक-लेखक ऐबकने एक उपन्यास "नवाई" लिखा है, जिसपर उसे स्तालिन पुरस्कार प्राप्त हुआ। नवाईने सत्तरसे अधिक पुस्तकें लिखी हैं, जिनमें उसका "खमसा" (पंचक) सबसे अधिक प्रसिद्ध है। जिन विषयोंको लेकर नवाईने अपने पांच काव्य लिखे, उन्हींपर पहले निजामीने और उसके बाद खुसरो देहलवी (१२५३—१३२५ ई०) ने भी सुन्दर काव्य लिखे हैं—

निजामी (११६१–१२०३)	खुसरो (१२५३–१३२५)	नवाई (१४४१–१५०१)
१. मख्जनुल् - असरार	मत्लउल्-अनवार	खैरतुल्-अबरार
२. खुसरो-व-शीरीं	शीरीं-खुसरो	फरहाद शीरीं
३. सिकंदरनामा	आईने-सिकन्दरी	सद्दे-सिकन्दरी
४. लैला-व-मजनूं	मजनूं-लैला	लैला-मजनूं
५. हफ्त-पैकर	हश्त-बहिश्त	हफ्त-किश्वर

नवाईसे पहले तुर्की भाषाने साहित्यमें ऊंचा स्थान नहीं प्राप्त किया था। यद्यपि नवाईने अपनी कृतियोंको हिरातमें बैठकर लिखा था, लेकिन हिरातमें तुर्कोंकी काफी संख्या रहते भी, वह खुरासानी ईरानी भाषाका प्रदेश था। पूर्वी तुर्की भाषा (चगुताई तुर्की) में भी स्थानोंके अनुसार भेद हो गया था, और सबसे शिष्ट अन्दिजान (फरगाना) की तुर्की समझी जाती थी। बाबर स्वयं वहीं पैदा हुआ था। उसने बाबरनामामें नवाईकी भाषाके बारेमें लिखा है*—

"अन्दिजान ऐले नयंग लफ्जे कलम बेरल, रास्ते तोर हानी हो जूं केम नीर अली शेर नवाई नयंग मुसन्निफाते बावजूद हरेदा नशो-नुमा तापैव तोर बोतेल बेल दो।"

(अन्दिजानके लोगोंकी भाषा मीर अली शेर नवाईके ग्रन्थोंकी भाषासे मिलती है, जिसे कि उसने हिरातमें लिखा था।)

अन्दिजान काशगरसे दूर नहीं है। तुर्की साहित्यकी सबसे पहिली पुस्तक "कुतदगु-बिलिक" काशगरमें नवाईसे तीन शताब्दी पहिले लिखी गई थी। "कुतदगु-बिलिक" की भाषा प्राचीन उइगुर भाषासे बहुत घनिष्ठ संबंध रखती है। हम कह आये हैं, कि उइगुर और तुर्क पहले एक ही जातिका नाम था। प्राचीन उइगुर भाषाके नमूने कितने ही बौद्ध सूत्रोंके अनुवादके रूपमें अब भी प्राप्त हैं। छिङ्गिस् और उसके बेटों-पोतोंके राज्यमें किपचक, ईरान और अन्तर्वेदके सभी जगहके दरबारों और आफिसोंमें उइगुर लेखक हुआ करते थे, जिनमें अधिकांश भिक्षु थे, जिसके कारण

* "बाबरनामा" पृष्ठ २ ख (लन्दन १९०६ ई०)

लेखकको बकसी (भिक्षुका उइगुर अपभ्रंश कहा जाने लगा। इसी प्राचीन उइगुर भाषा और लिपिका प्रचार सारे चगताई राज्यमें हुआ और पीछे इसे चगताई भाषा कहा जाने लगा। जब अन्तर्वेदमें उज्बेकोंका शासन स्थापित हुआ, तो वहांके सभी तुर्क उज्बेक कहे जाने लगे, तबसे इस भाषाका नाम उज्बेकी पड़ गया। आजकल वह इसी नामसे प्रचलित तथा उज्बेकिस्तान गणराज्यकी राज्यभाषा है। मंगोल चगताई तुर्कोंमें विलीन हो गये, इसीलिये पीछे कहा जाने लगा—"तुर्क कौम लारी जूजी दूरदार युग व जगताई" (जू-छि चगताई तुर्क कौमके थे)।

नवाईका काम सुन्दर इमारतों और उपकारी संस्थाओंके निर्माण तथा काव्योंतक ही सीमित नहीं था, वह विद्वानों और कलाकारोंके लिये कल्पवृक्ष था। एसियाका एक अद्वितीय चित्रकार कमालुद्दीन बेहजाद (मृत्यु १५२१ ई०) नवाईके ही संरक्षणमें आगे बढ़ा, जिसे कि "नजाकते कलम बेनजीर" (तूलिकाकी कोमलतामें अनुपम), "सूरतेहालका मुसव्विर" (यथारूप चित्रण-कर्ता) और "द्वितीय मानी" कहा जाता है। मानी ईरानका पैगम्बर (२१६–२७६ ई०) चित्रकलामें भी अद्वितीय समझा जाता था। मानीकी चित्रकलाके नमूने अब प्राप्त नहीं हैं। ईसाकी तीसरी सदीके बाद चित्रकलाके एकसे एक दुश्मन दुनियामें आये, जिनके हाथसे मानीके चित्रोंका बच निकलना संभव नहीं था। लेकिन बेहजादके बनाये हुये चित्र अब भी दुनियाके संग्रहालयोंमें मिलते हैं।

सुल्तान अली मशहदी, मीर अली मजनूं, मुहम्मद शिकाबी जैसे सब समयके लिये अनुपम सुलेखक नवाईके दरबारमें थे। सुल्तान अलीने नवाईके "खम्से"की एक प्रति १४९२–९ ई०में लिखी थी, जो कि आजकल लेनिनग्रादके राजकीय लोक-पुस्तकालय (प्राच्य ५६०)में मौजूद है, जिसमें लेखकने लिखा है—"खम्सा मीर अली शेर नवाई ब-खते किब्लउल्कुत्ताब मौलाना सुल्तान अली मशहदी" (मीरअली शेर नवाईका पंचक, लेखकशिरोमणि मौलाना सुल्तान अली मशहदीके अक्षरोंमें) सुल्तान अलीको बुढ़ापेमें भी अपनी लेखनीपर कितना अभिमान था, यह उसकी प्रतिलिपि की हुई एक पुस्तक के अन्तमें मौजूद निम्न पद्यसे मालूम होगा—

मरा उम्र शस्त व-सेः शुद बेशकम् ।
हनोजम् जवांनस्त मुश्कीं कलम् ।।
तवानम् हनोज अज खफी-वो-जली ।
नविश्तन् कि अल्-अब्द सुल्तान् अली !।।

(मेरी उम्र कम-बेशी तिरसठ हो गई, किन्तु अभी भी मेरी काली कलम जवान है। अब भी मैं सूक्ष्म और स्थूल हस्ताक्षर सुल्तान अलीके साथ लिख सकता हूं।)

नवाईका देहान्त २ जनवरी १५०१ ई०को हुआ।

९. सुल्तान मुहम्मद, अब्दुल्ला-पुत्र (१४९३–९४ ई०)

भाईके मरनेके बाद पांच तरुण भतीजोंको मारकर मुहम्मद समरकन्दकी गद्दीपर बैठा। यह बड़ा क्रूर, पियक्कड़ और व्यभिचारी था, जिसके कारण उसके अमीर विरुद्ध हो गये और थोड़े ही समय बाद इसकी शायद अकाल-मृत्यु हो गई।

१०. बैसुंकर, मुहम्मद-पुत्र (१४९४–९७ ई०)

बापके मरनेपर मसऊद, सुल्तान अली और बैसुंकरमें तख्तके लिये झगड़ा हुआ, और अन्तमें अठारह सालकी उम्रमें बैसुंकर सुल्तान बना। अहमदके समयसे ही उत्तरके उज्बेक और देशके भीतर अमीर बहुत शक्तिशाली होने लगे। बैसुंकरकी तरुणाईसे उनको और भी आगे बढ़नेका मौका मिला, जिसमें आपत्ति करनेपर अमीरोंने करशीसे उसके भाई सुल्तान अलीको बुलाया। बैसुंकर भाग गया, किंतु पीछे फिर अमीरोंने उसे ही बुलाकर गद्दीपर रहने दिया। सुल्तान अली बुखाराकी ओर भागा और फिर युद्धकी तैयारी करनेके बाद बुखारासे समरकन्द आया। दूसरा भाई मसऊद भी उसकी

सहायतार्थ दक्षिणसे आया। उमरशेख-पुत्र बाबर मिर्जा इस समय खोकन्द (फरगाना) का स्वतन्त्र शासक था। उसकी भी नजर समरकन्दपर थी। चारों ओरसे निराश होकर बैसुंकर अपने भाई मसऊदकी शरणमें [९०३ हि० (३० VIII १४९७—२१ VII १४९८ ई०)] भागा, जिसके पास ही रहते ९०५ हि० (८ VIII १४९९—२८ VI १५०० ई०)में वह गुमनाम मरा।

११. सुल्तान अली, मुहम्मद-पुत्र (१४९७—१५०० ई०)

तैमूरी राज्यको बाबर और सुल्तान अलीने आपसमें बाट लिया। दोनों ही कम उमरके थे, इसलिये शासनकी बागडोर अमीरोंके हाथमें थी। सुल्तान अली तीन साल ही राज्य कर पाया, कि एक सौ चालीस वर्ष पुराने तैमूरी वंशके दीपकको उज्बेकोंके खान शैबानीने बुझा दिया। बाबरने वंशकी नैयाको डूबनेसे बचानेकी कोशिश की, लेकिन अब बहुत देर हो चुकी थी।

१२. जहीरुद्दीन बाबर, उमरशेख-पुत्र (१५००—१ ई०)

हम कह चुके हैं कि अहमदके समरकन्दकी गद्दी संभालनेके समय उसका भाई उमरशेख फरगानाका शासक रहा। बाबर वहींपर १४८१ ई०में पैदा हुआ और बापके बाद फरगानाका शासक बना। शैबानीके समरकन्दपर पैर जमानेसे पहले बाबरने भी समरकन्दकी ओर हाथ फैलाया था, लेकिन उज्बेक सेनाने उसे हरा दिया। समरकन्द लेकर मुहम्मद शैबानी निश्चित नहीं रह सका। एक बार बाबरने समरकन्द, मियानकुल और करशीसे उसे भगा दिया, लेकिन बुखारासे उज्बेकतक भी चिपटे रहे। अगले साल ९०७ हि० (१७ VII १५०१—७ VI १५०२ ई०)में शैबानीने बड़े जोरका आक्रमण किया, और बाबरके पैर उखड़ गये। समरकन्दसे भगाये जानेपर वक्षुपार हो बाबरने कुंदुज ले लिया। ईरानी शाह इस्माईलकी मदद लेकर और किस तरह बाबरने बारह सालतक तेमूरकी भूमि लेनेका प्रयत्न किया, इसे हम आगे बतलायेंगे। कुंदुजसे ही बीस हजार सेना जमा करके बाबरने ९०९ हि० (२६ VI १५०३—१६ V १५०४ ई०) में काबुलको दखल कर लिया और वहांसे भारतपर आक्रमण करके १५२६ ई०में लोदियोंसे दिल्लीका तख्त छीनकर मुगल-वंशका संस्थापक बन गया। जो बाबर मुट्ठीभर उज्बेक घुमन्तुओंके सामने सारे प्रयत्न करनेके बाद भी टिक नहीं सका, वही बाबर हिंदुस्तानको जीतनेमें सफल हुआ; यह यही बतलाता है कि उस समयकी परिस्थितिमें सैनिक तौरसे घुमन्तू जितने मजबूत थे, उतने स्थिर बस्तीवाले नहीं। साथ ही हिंदुस्तानकी लड़ाईने कभी लोकयुद्धका रूप नहीं लिया, लड़नेवाले मुट्ठीभर सामन्त और उनके अनुचर थे, अधिकांश जनता शासकोंके अत्याचार और स्वेच्छाचारसे तंग होकर इतनी निराश थी कि वह यही कहती थी—"कोउ नृप होय हमहिं का हानी।"

साहित्य और संस्कृति—अब भी तेमूरवंशी छिड़गिस्के "यासा" (विधान) और तेमूरके "तुजुक" (व्यवस्था)को मानते थे, और मुसलमान होते हुये भी धर्मांध नहीं थे। तेमूरवंशके रूपमें मध्य-एसियामें तुर्कजाति गौरवके शिखरपर पहुंची। इस समय बड़े-बड़े विद्वान् और कलाकार पैदा हुए। तेमूर स्वयं कलम चलाना जानता था। उसका पुत्र शाहरुख सुन्दर गीतोंका लेखक था। उलुगबेग गणित और ज्योतिषका विद्वान् तथा संरक्षक था। उसका छोटा भाई बैसुंकर पुस्तकों और चित्रकलाका प्रेमी था। बाबर कवि-लेखक, शासक-योद्धा था। इस कालमें बुखारा, समरकन्द और मेर्वमें बड़े-बड़े धर्मशास्त्री (फकीह, दार्शनिक और कवि हुये, जिनमें फारसीका कवि जामी (१४१४—१४९२ ई०) और तुर्की साहित्यका सर्वश्रेष्ठ कवि नवाई (१४४१—१५०१ ई०) भी थे। तुर्की भाषाका मान सबसे अधिक इसी समय हुआ। अरब खलीफोंके समय अरबी भाषा सरकारी भाषा थी। ताहिरियोंने अरबीकी जगह फारसीको दी, तबसे फारसी ही राजकाज और साहित्यकी भाषा समझी जाने लगी। तेमूरियोंने यद्यपि फारसीको स्थानच्युत नहीं किया, लेकिन तुर्कीका सम्मान जरूर बढ़ाया; जिसमें नवाई और बाबरका हाथ बहुत अधिक था। बाबरकी देखादेखी जहांगीरने भी तुर्कीमें "तुजुक जहांगीरी" लिखी, लेकिन शायद वह आखिरी मुगल था, जो कि भारतमें अच्छी तुर्की बोल-लिख सकता था। तुर्की वैसे सभी मध्य-एसियाके तुर्कोंकी भाषा थी,

लेकिन जैसा कि हमने पहले कहा, अन्दिजान और काश्गरमें बोली जानेवाली तुर्कीको ही साहित्य-की भाषा माना गया। तुर्की भाषाके संबंधमें यह कहा जा सकता है कि जितना ही पूरब जायें, उतना ही वह अधिक शिष्ट रूपमें मिलती है। यहां तुर्की भाषासे हमारा मतलब पूर्वी तुर्कीसे है, जिसे पहले चगताई और आजकल उज्बेकी कहा जाता है। यारकन्द काश्गरकी भाषाका भी इसी भाषा-से संबंध है। पश्चिमी तुर्कीमें तुर्कमानी, आजुरबाईजानी और उसमान अली (तुर्की राज्यकी) भाषाएं सम्मिलित हैं, जो आपसमें भेद रखते हुये भी एक दूसरेसे बहुत समानता रखती हैं।

तेमूरी-वंशवृक्ष—
(१३७०–१५०० ई०)

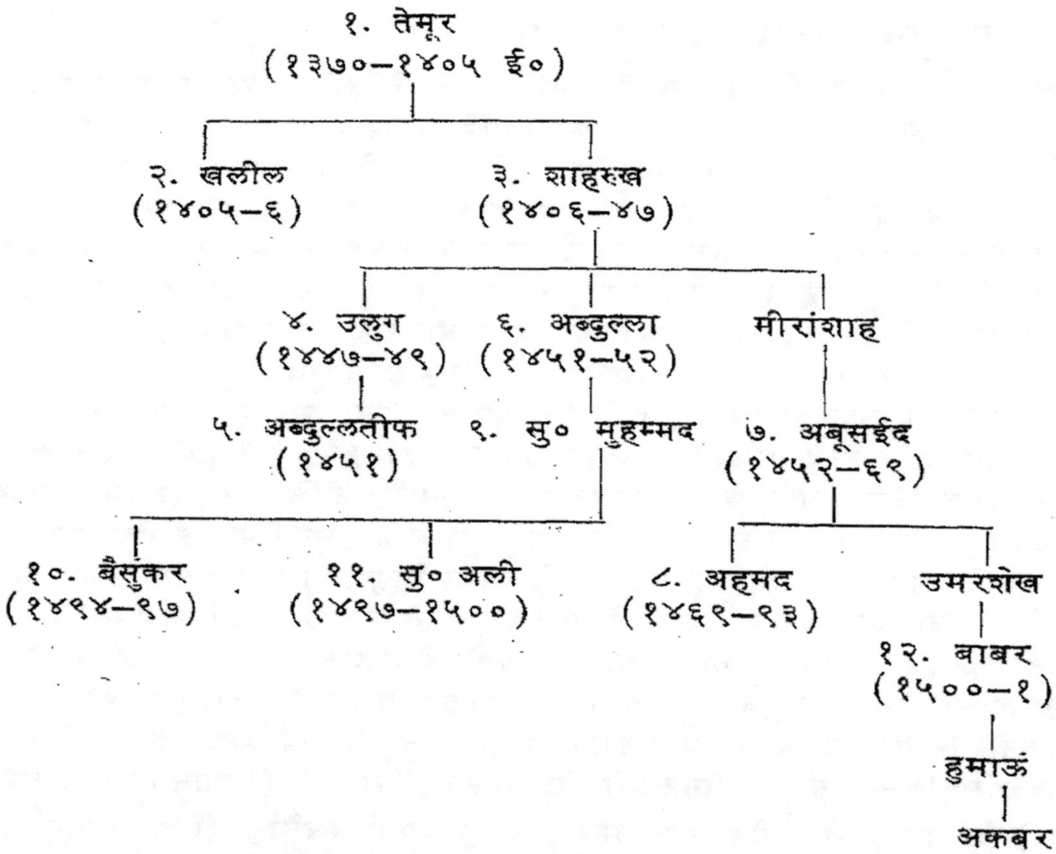

अध्याय ४

शैबानी-वंश

अबुल्खैर---तोकतामिशके सुवर्ण-ओर्दूके गौरवको पुनः जागृत करनेका प्रयत्न विफल होनेपर तूरान-अधित्यका (किरगिज-स्तेपी) का स्वामी बुराक खान हुआ, जिसने तेमूरियोंको बहुत तंग किया। उसके बाद अबुल्खैर [जन्म १४१३ ई० (८१६ हि०)] का प्रताप बढ़ा। इसका पौत्र तथा अन्तर्वेद-विजेता शैबानीके नामसे मशहूर है। वह जू-छिके पुत्र शैबानके वंशका था।

शैबानी-वंश यद्यपि छिङ्गिस्-पुत्र जू-छिके पांचवें लड़के शैबानके नामसे प्रख्यात हुआ, लेकिन वह मुहम्मद शैबानीके अन्तर्वेद जीतनेसे पहले किपचक या उज्बेक नामसे प्रसिद्ध था। उज्बेक खान (१३१३–४० ई०) सुवर्ण-ओर्दूका एक शक्तिशाली शासक तथा इस्लामका धार्मिक धर्मराजा था, इसीलिये जू-छिका उलुस, विशेषकर बा-तू-वंशकी प्रजा पीछे उज्बेकके नामसे प्रसिद्ध हुई है, यह हम बतला चुके हैं। जू-छि-उलुस आरम्भ हीमें बा-तू और ओर्दाके उलुसोंमें विभक्त हो गया था, जिसमें बा-तूका उलुस सुवर्ण-ओर्दू और ओर्दाका श्वेत-ओर्दूके नामसे पुकारा जाता था। उज्बेक सुवर्ण-ओर्दूका खान था, इसलिये सुवर्ण-ओर्दवालोंका ही नाम उज्बेक पड़ना चाहिए, लेकिन पीछे इसका उतना ध्यान नहीं रखा जाता रहा, और सारे जू-छि-उलुस या किपचक-जातिको उज्बेक कहा जाने लगा। हम यह भी देख चुके हैं, कि इन्हीं उज्बेकों या किपचकोंको लूट-मार करनेके कारण अन्तर्वेदी कजाक कहने लगे, जिससे आगे किपचकोंकी एक शाखा कजाक नामसे प्रसिद्ध हुई। जू-छिकी सातवीं पीढ़ीमें अबुल्खैर किपचकोंका जबर्दस्त खान हुआ, जिसने अन्तर्वेदकी राजनीतिमें दखल दिया। बाबरके दादा अबूसईदको तख्तपर बैठानेमें उसका मुख्य हाथ था। उज्बेक-राज्यका संस्थापक वस्तुतः यही अबुल्खैर था। अभी बीस सालका भी नहीं हुआ था, कि उसने तेमूर-पुत्र शाहरुखके कुछ इलाकोंको छीन लिया। उज्बेक गद्दीका मालिक बननेसे पहले उसे सुवर्ण-ओर्दूके मुखिया मुस्तफा खानको हराना पड़ा, जिसमें मिली भारी लूटकी सम्पत्तिको अपने अमीरों और सैनिकोंमें बांटकर वह सर्वप्रिय हो गया। निम्न-सिर-दरियाके तटपर अवस्थित सिगनक किपचकोंके हाथसे निकल गया था। अबुल्खैरने उसके ऊपर आक्रमण किया और शाहरुखके स्थानीय राज्यपालको आत्मसमर्पण करना पड़ा। फिर अबुल्खैर आगे बढ़कर अककुरगान, अरक, सूजक और उजकन्द ले सूजकपर बख्तियार सुल्तान, सिगनकपर मनाहदान ओगलान और उजकन्दपर बखसमबी मंगुतको शासक नियुक्त किया। उसने जाड़ा सिर-उपत्यकामें बिताते १४४८ ई०के बसंतमें इलाककी ओर बढ़नेकी तैयारी की। इसी समय पता लगा, कि शाहरुख मर गया, और उलुगबेग गद्दी संभालने खुरासानकी ओर गया है। समरकन्दको अरक्षित-सा देख अबुल्खैरने उधर कूच कर दिया। समरकन्दके राज्यपाल जलालुद्दीन वायजीदने बहुत-सी भेंट देकर अबुल्खैरके पास कहलवाया---"उलुगबेग सदा खानके साथ अच्छा संबंध रखता था, इसलिये यही अच्छा है, कि खान हमारी भेंट स्वीकार करके लौट जाय।" अबुल्खैर बिना समरकन्दको लूटे ऐसा करके अपने अमीरों और सैनिकों को सन्तुष्ट नहीं रख सकता था। समरकन्दपर अधिकार कर विशेष तौरसे "चीनी-खाना"की चित्रशालाकी दीवारोंपर सुन्दर-सुन्दर पच्चीकारी किये चित्रोंको उज्बेकोंने अपनी गदासे मारकर तोड़ दिया। सोनेके कामको उन्होंने सोनेके लोभसे कुरेदकर निकाल लिया। इस प्रकार "कई वर्षोंके परिश्रमके बाद बने हुये कलाके कामोंको कुछ घंटोमें उन्होंने नष्ट कर दिया।"

शाहरुखके उत्तराधिकारियोंमें उसका पौत्र अब्दुल्ला मिर्जाने आपसी झगड़ोंमें हारकर तुर्किस्तानकी ओर भाग यस्सी (तुर्किस्तान शहर)के किलेपर अधिकार कर लिया। अबुल्खैर

भारी सेना लिये अबूसईदको गद्दी दिलानेके वास्ते समरकन्द आया । गर्मियोंकी गर्मीमें उसे भागनेके लिये मजबूर होना पड़ रहा था । इसी समय उसने येदेची (मंत्रद्वारा वर्षा करानेवाले)को वर्षा बरसानेके लिये कहा । कहते हैं, वर्षा हुई, और अबुल्खैरकी सेना जीजक-के रेगिस्तानके रास्ते आसानीसे पार हो गई । अब्दुल्ला उस समय तुर्किस्तान, अन्तर्वेद, बदख्शां और काबुलका स्वामी था । बुलालगरके तटपर कनवानके मैदानमें अवस्थित शीराजमें अबूसईद-समर्थक अबुल्खैरकी उज्बेक-सेना और अब्दुल्लासे १४५२ ई० (८५५ हि०)में लड़ाई हुई । अब्दुल्लाने राज्य और प्राण दोनों गंवाये । अबुल्खैरने पकड़े हुये बंदियोंको छोड़ दिया और अपने सैनिकोंको लूटनेसे मना किया । समरकन्दमें उसने स्वयं बागे-मैदानमें डेरा डाला, और उसके अमीर कंगुलमें ठहरे । एक बड़ा दरबार रचाकर अबुल्खैरने अबूसईदको गद्दीपर बैठाया । फिर वह अपनी इस्लाम-भक्ति और शास्त्रोंके ज्ञानका परिचय देता अन्तर्वेदके शेखुलइस्लाम (इस्लामिक-धर्मराज)से कितने ही समयतक सत्संग करता रहा । अबूसईदने रोज उसके पास भेंट और सौगात भेजी, तथा उलुगबेगकी पुत्री राबिया सुल्तान बेगमको अबुल्-खैरको प्रदान किया । शांति स्थापित करके अबुल्खैर दश्तेकिपचककी ओर लौट ही रहा था, कि जुगारियाके कलमक राजा उजतेमूर थैशीकी जीभमें पानी भर आया, और उसने अन्तर्वेदकी ओर बढ़ना चाहा । इसपर अबुल्खैर और कलमकोंकी सेनाएं नूरतुकाईके इलाकेमें चिर नदीके पास कोक-काशानामें एक-दूसरेसे भिड़ीं । कलमकोंने उज्बेकोंको करारी हार दी । उज्बेक और कलमक दोनों ही घुमन्तू लड़ाकू जातियां थीं, जिनमें उज्बेक जहां तुर्क मुसलमान थे, वहां कलमक मंगोल बौद्ध । १५वीं सदीके मध्यमें जो बौद्ध मंगोलोंने किपचक भूमि और अन्तर्वेदकी ओर पैर बढ़ाना शुरू किया, तो अगली तीन शताब्दियोंतक वह रुके नहीं; और जैसा कि हम आगे देखेंगे, एक समय उनकी सफलताओंको देखकर सम्भावना होने लगी थी, कि अपने पूर्वज छिङ्-गिस्की तरह शायद वह भी सारे पूर्वी-पश्चिमी तुर्किस्तान, किपचक-मंगोलियाके मालिक बनें । कोक-काशानामें हारकर अबुल्खैर सिगनककी ओर भागा । कलमकोंने ताशकन्दके प्रदेश तथा तुर्किस्तान और शाहरुखिया आदि नगरोंको लूटा, फिर वह सैराम होते चू-उपत्यकाके रास्ते लौट गये । शायद यह तेमूर थैशी ओइरोद मंगोलोंके दक्षिणपक्ष (सेगोन-गर)का चिङ्-साङ् (उपराज) तथा एसेन खानका उत्तराधिकारी था । कलमक परम्परामें अबुल्खैरको बोल्गारी खान कहा गया है । अपने इसी अभियानमें खोशोत मंगोलोंने सबसे पहले नाम पैदा किया । खोशोत कबीलेके प्रमुख अखसू गल्दनके दो पुत्र अराक तेमूर और बर्राक तेमूर संयुक्त शासक थे ।

इस युद्धके बाद अबुल्खैरका ध्यान अब दश्तेकिपचककी ओर ज्यादा हुआ, जिसके कारण यह भूमि अधिक समृद्ध हुई । १४५५ ई०में एक बार फिर अबुल्खैरने तेमूरी लतीफ-पुत्र मोहम्मद मिर्जा को गद्दीपर बिठानेके लिये अपनी सेना भेजी, मगर अबूसईदसे हारकर उसे खाली हाथ लौटना पड़ा । अबुल्खैरके धन और प्रतापको बढ़ते देख उसके संबंधियोंने ईर्ष्या करके विद्रोह कर दिया, जिसमें ८७४ हि० (१४८९ ई०)में अबुल्खैर मारा गया । अबुल्खैरका राज्य किरगिज स्तेपीके पश्चिमी भागपर था । १४६५ ई० (८७० हि०)के आसपास कुछ उज्बेक अबुल्खैरसे असन्तुष्ट हो जू-छि-वंशकी एक दूसरी शाखाके सुल्तान गिराई और जानीबेगके साथ मुगोल्लिस्तानमें भाग गये, जिनको वहांके खान इसानबुगाने स्वागत कर चू-नदीके पास अपने राज्यके पश्चिमी भाग-में स्थान दिया । इन्हींको पीछे उज्बेक-कजाक और अन्तमें कजाक कहा जाने लगा । कजाक सुल्तानों-का राज्य इस प्रकार १४६५ ई०में शुरू हुआ, और १५३३ ई० (९४० हि०) तक वह पुरानी उज्बेक-भूमिके अधिकांश भागके शासक हो गये । १४६९ ई० (८७४ हि०)में अबुल्खैरके मरनेपर कितने ही उज्बेक फिर मुगोलिस्तानसे अपनी भूमिमें लौट आये । अबुल्खैरने ख्वारेज्म और निम्न तथा मध्य-सिर-उपत्यकापर अधिकार कर लिया था । अबुल्खैरके पुत्र थे—बुदगू या शाह बूदग, खोजा मुहम्मद, अबुल्मंसूर मुहम्मद, हैदर, संजर, इब्राहीम, कूचुनजी, सुइउनिच, अकयूत और सैयद बाबा । पिताके मरनेपर पुत्रोंमें झगड़ा उठ खड़ा हुआ । ख्वारेज्म-शासक यादगारकी संतानोंसे खास-

कर जबर्दस्त संघर्ष हुआ। बूदगकी कजाकोंके खानों—गिराई और जानीबेगसे भी बहुत प्रतिद्वंद्विता थी, जो कि सिर-उपत्यकामें रहते थे। कजाकोंकी मददके लिये मुगोलिस्तानका खान यूनस आया। युद्धमें बूदगने हारकर अपना शिर कटवाया। इसी बूदग (बदाग)का पुत्र था अबुल्-फतह मुहम्मद शैबानी, जिसने अन्तर्वेदमें शैबानी-वंशका शासन स्थापित किया। जिस समय उज्बेक दक्षिणमें मध्य-एसियाकी ओर बढ़ रहे थे, उसी समय रूस, तारतारों (मंगोलों)के जूयेको फेंककर मजबूत हो रहा था। मुहम्मदने पहले-पहल १५०० ई० (९०६ हि०)में अन्तर्वेदको जीता, किन्तु इसी समय उन्नीस वर्षकी आयुमें बाबरने आकर उसे बुखारा छोड़ सब जगहोंसे खदेड़ दिया। अगले साल १५०१ ई० (९०७ हि०)में बाबरको मुहम्मद शैबानीने सारे अन्तर्वेदसे भगा दिया और १५०५ ई० (९११ हि०)तक फरगाना भी बाबरके हाथसे जाता रहा, यही नहीं, ख्वारेज्म, हिसार (ताजिकिस्तान) और मेर्वको भी शैबानीने ले लिया।

राजावलि—शैबानी-वंशके खानोंकी नामावली निम्न प्रकार है—

१.	मुहम्मद शैबानी, बूदग (बदाग)-पुत्र	१५००—१२ ई०
२.	कूचुनजी, अबुल्खैर-पुत्र	१५१२—३० ,,
३.	अबूसईद, कूचुनजी-पुत्र	१५३०—३२ ,,
४.	उबैदुल्ला, महमूद-पुत्र	१५३२—४० ,,
५.	अब्दुल्ला I, कूचुनजी-पुत्र	१५४० ,,
६.	अब्दुल्लतीफ, कूचुनजी-पुत्र	१५४०—५१ ,,
७.	नौरोज अहमद, सूयुनजी-पुत्र	१५५१—५६ ,,
८.	पीर मुहम्मद, जानीबेग-पुत्र	१५५६—६१ ,,
९.	इस्कन्दर, जानीबेग-पुत्र	१५६१—८३ ,,
१०.	अब्दुल्ला II, इस्कन्दर-पुत्र	१५८३—९६ ,,
११.	अब्दुल मोमिन, अब्दुल्ला II-पुत्र	१५९६—९७ ,,
१२.	पीर मुहम्मद, जानीबेग-पुत्र	१५९७—९९ ,,

१. मुहम्मद शैबानी, बदाग-पुत्र (१५००—१२ ई०)

मुहम्मदका जन्म १४५१ ई०में हुआ था। बापके मारे जानेपर उसके नाना उइगुर शेख हैदरने उसका पालन-पोषण किया था। उस समय किपचक-भूमिकी शक्ति निर्बल थी। उसके शासक थे—सैदिक, ऐबक (शैबानी ओर्दूके खान हाजी मुहम्मदका पुत्र), अरबशाहकी संतानें, श्वेत-ओर्दूके खान बोराकके पुत्र जानीबेग और गिराईबेग उसके बाद मंगित या नोगाई खान या यमगुरची, अब्बास और मूसा। नानाके मरनेपर मुहम्मद और उसके भाई महमूदको अमीर कराचिनबेगने अपने संरक्षणमें ले लिया। हैदरको ऐबकने हरा दिया, इसपर अमीर कराचिन अस्त्राखानी कासिमखानके दरबारमें भाग गया, जहां उसके साथ मुहम्मद और महमूद दोनों भाई भी गये। कासिमखानने अपने अमीरुलउमरा तेमूरबेग नोगाईके संरक्षणमें दोनों भाइयोंको दे दिया। जिस समय सुवर्ण-ओर्दूके ऐबक खानने अस्त्राखानको भी आ घेरा उस समय मुहम्मद और महमूद तरुण थे। दोनोंने कराचिनके साथ लड़ते हुये शत्रुओंकी पांती तोड़कर निकल भागनेमें सफलता पाई। फिर मुहम्मद अपने पुराने देश निम्न-सिर-उपत्यकामें लौटा। लोग खानपुत्रोंके झंडेके नीचे आकर खड़े होने लगे। मुहम्मद कजाकोंके खान जानीबेग-पुत्र इराचीके साथ सावरानके पास लड़ा, किन्तु असफल हो उसे बुखाराकी ओर भागना पड़ा। तेमूरी अहमद मिर्जाके राज्यपाल अमीर अब्दुल अली तरखनने उसे बुखारामें बड़े सम्मानके साथ रक्खा। फिर अहमद मिर्जाने अपने पास बुलाकर उसका बहुत अच्छी तरहसे आतिथ्य किया। दोनों भाई दो सालतक बुखारामें रहे। इस बीचमें वह अन्तर्वेदसे अच्छी तरह परिचित हो गये। इसके बाद अब्दुल अलीको साथ लिये दोनों खानजादे अपनी जन्मभूमिकी ओर बढ़े। अरतक किलेके पास जानेपर खोजा बेगचिकने—जो कि अपने कबीलेका मुखिया तथा किपचकोंके सबसे पुराने अमीरोंमेंसे था—किलेकी कुंजी लाकर

मुहम्मदके हाथमें दे दी। इस आरम्भिक सफलताके बाद मुहम्मद सिगनक शहरकी ओर बढ़ा। वहां उसे मंगित (नोगाई) सरदार मूसाका दूत मिला, जिसने उसे दश्तेकिपचकका खान बननेके लिये अपने स्वामीकी ओरसे निमंत्रण दिया। मुहम्मद उसके पास गया और मूसाके प्रतिद्वंद्वी कजाक खान बेरेंदकको हरानेमें मुहम्मदने सहायता की, पर अब मूसा बहानेबाजी करते कहने लगा, कि मंगित लोग राजी नहीं हैं। निराश होकर मुहम्मद शैबानीने दश्तेकिपचकसे लौट सूजकपर अधिकार कर जानीबेग-पुत्र मुहम्मद सुल्तान (कजाक)से कई लड़ाइयां लड़ीं, लेकिन अंतमें हारकर उसे मंगिशलक (कास्पियनतट) होते ख्वारेज्मकी ओर भागना पड़ा। खुराशानके शासक सुल्तान हुसेन मिर्जाके राज्यपाल अमीर नासिरुद्दीन अब्दुल खालिक फीरोजशाहने उसे बहुत-सी मूल्यवान् भेंटे प्रदान कीं। ख्वारेज्मसे कराकुल होते मुहम्मद बुखारा पहुंचा और फिर अली तरखनके साथ समरकन्द। अन्तर्वेदके बादशाह अहमद मिर्जाकी मुगोलिस्तानके खान महमूद खानसे ताशकन्द-शाहरुखियाके लिये लड़ाई हो रही थी, जिसमें अहमद मिर्जाके साथ १४८८ ई०में मुहम्मद शैबानी भी शामिल हुआ। सिर-दरियाकी शाखा चिर (चिरचिक)के तटपर दोनों सेनाओंकी भिड़ंत हुई। शैबानीने अपने उपकारसे विश्वासघात करते शत्रुके साथ चुपके-चुपके सलाह कर ली थी, कि यदि मुझे अपना सिंहासन मिल जाय, तो मैं अपने सपक्षियोंमें गड़बड़ी पैदा करके उनका साथ छोड़ दूंगा। अगले दिन मुगोलिस्तानी सेना चिर (चिरचिक) नदी पार हुई—पैदल सेना आगे-आगे थी, और रिसाला पीछे-पीछे। शैबानीने अपनी योजना पूरी की। सुल्तान अहमद मिर्जा हारा और उसके बहुतसे आदमी भागते हुये नदीमें डूबकर मर गये। मुगोलिस्तानी खानने पारितोषिकके रूपमें मुहम्मद शैबानीको तुर्किस्तान शहर दे दिया। लेकिन तुर्किस्तान शहर श्वेत-ओर्दूके खानोंका था, इसलिये कजाक खान जानीबेग और गिराईका मुगोलिस्तान-के खान महमूदके साथ झगड़ा होना जरूरी था। महमूदने शैबानीकी सहायता की, अबुलखैरके पुराने सैनिक भी मुहम्मद शैबानीके झंडेके नीचे आ जुटे थे। मुहम्मदके उज्बेकोंने जानीबेग और गिराईके कजाकोंसे लोहा लिया। आसपासके कई किलोंको हाथमें करके शैबानी सिगनकपर चढ़ा, जहां कजाक खान बेरेंदकसे भिड़ंत हुई। इसी समय पता लगा कि फीरोजशाह ख्वारेज्मसे खुरासान गया हुआ है। फिर क्या, मुहम्मद शैबानी ख्वारेज्मपर चढ़ दौड़ा। कई दिनोंके आक्रमणके बाद भी वह सफल नहीं हुआ। इसी समय फीरोजशाह लौट आया। शैबानीने ख्वारेज्म छोड़कर बुलदुमके किले-पर आक्रमण किया, जिसका ध्वंसावशेष खीवासे ८८ वर्स्त (२४¾ फरसख) पर अब भी मौजूद है। इसके बाद बेजिर (बेसिर) शहरको जा लिया, किन्तु खुरासानी सेनाने आकर उसे वहांसे भगा दिया। फिर मुहम्मद शैबानी कितने ही नगरोंको लूटते-पाटते इलाक और अस्त्राबादतक गया। इसी समय मुगोलिस्तानके खान महमूदका निमंत्रण मिला और वह ओतरार (उतरार) चला गया।

सावरानके लोगोंका वहांके दारोगा (राज्यपाल) कुल मुहम्मद तरखनके साथ झगड़ा हो गया। उन्होंने उसे निकाल बाहर कर नगरकी कुंजी मुहम्मदके भाई महमूद शैबानीको दे दी, और सारे तुर्किस्तान (मध्यसिर-उपत्यका)के लोगोंने दोनों शैबानी भाइयोंको अपना शासक मान लिया। इसी समय कजाकोंने आक्रमण करके महमूदको पकड़कर कजाकसरदार कासिम—जो कि महमूदका मौसेरा भाई था—के हाथमें दे दिया। कासिमने कुछ दिन रखकर सैनिक पहरेमें उसे सूजकके लिये रवाना किया; किन्तु रास्तेसे महमूद भाग निकला, और उसने उगुजमान पहाड़पर जाकर भाईसे भेंट की। फिर दोनों भाई ओतरार गये। थोड़े ही समय बाद कजाक खान बेरेंदकने ओतरारपर आक्रमण किया, लेकिन कुछ दिनों बाद सुलह हो गई।

मुहम्मद इधरसे छुट्टी पा यस्सी (तुर्किस्तान) जा वहांके दारोगा मुहम्मद मजीद तरखन * को कैद कर ओतरार लाया, लेकिन मुगोलिस्तानके खान महमूदने आकर उसे छुड़ाकर समरकन्द भेज दिया। अभीतक महमूद खान (मुगोलिस्तानी) मुहम्मद शैबानीपर बहुत विश्वास रखता था; लेकिन अब उसे मालूम हो गया, कि वह बड़ा ही अविश्वसनीय और खतरनाक आदमी है; इसीलिये वह

* तरखन=राजकुमार (तुर्की)

उज्बेकोंका साथ छोड़ कजाकोंकी ओर हो गया। कजाकोंने यस्सीको लेना सम्भव नहीं समझा, इसलिये ओतरारपर आक्रमण करके महमूद सुल्तानको घेरना चाहा, लेकिन उसमें वह सफल नहीं हुये। फिर दोनों दलोंमें सुलह हुई और कजाक खान बेरेंदकने अपनी दो बहिनोंमेंसे एकको मुहम्मद शैबानी और दूसरीको उसके पुत्र मुहम्मद तेमूरको दिया। मुहम्मद शैबानी जैसे भी हो तैसे अपना मतलब सिद्ध करनेवाला आदमी था, उसे वचन, शपथ या उपकारका कोई ख्याल नहीं था। अपने राज्यविस्तारमें उसने किसी भी तरीकेको इस्तेमाल करना उठा नहीं रक्खा। ईमानदारी तो उसे छू नहीं गई थी। महमूद खानने उसकी बहुत सहायता की थी, लेकिन उसके मनमें भी उसने संदेह पैदा कर दिया। तो भी मुगोलिस्तानी खान समरकन्द और बुखाराके जीतनेकी अपनी योजनामें शैबानीका उपयोग करना चाहता था। लेकिन उससे शैबानीकी शक्तिके बढ़नेमें ही सहायता मिली।

१४९७ ई०में बाबरने समरकन्दको लेनेके लिये आक्रमण किया, उस समय महमूद शैबानी बाबरके प्रतिद्वंद्वी सुल्तान बैसुंकर मिर्जाके बुलानेपर ओतरारसे गया। सुल्तान महमूद शैबानीको जीजकमें पहुंचकर हार खानी पड़ी, तब उसका भाई मुहम्मद शैबानी मदद करने आया। अबकी बार एक हजार जेतों (मुगोलिस्तानी खानकी सेना)ने धोखा दिया, और मुहम्मदको भी मुंहकी खानी पड़ी। शैबानीके लिये ईमान-धर्मकी पाबन्दी जरूरी नहीं थी, लेकिन सूफियों और शेखोंकी करामातपर उसका बहुत विश्वास था। एक बार उसने शेख मंसूरको भोजन कराया। जब वह दस्तरखानके कपड़ेको बीचसे उठा रहा था, तो शेखने कहा—"तुझे मालूम नहीं, कि इस कपड़ेको बीचसे खींचकर नहीं, बल्कि चारों कोनोंसे मोड़कर उठाया जाता है। इसी तरह देशको उसकी राजधानीपर दखल करके नहीं, बल्कि उसके सीमान्तोंपर अधिकार करके जीता जाता है।" इस गुरुमन्त्रके बाद मुहम्मद शैबानी अपने अनुयायियोंको लेकर अंतर्वेदके समृद्ध और सुखी इलाकोंके ऊपर चढ़ दौड़ा जिसका कि कोना-कोना वह अपने भगोड़े जीवनमें देख चुका था। लूटका माल मिल रहा था; इसलिये घूमन्तू सैनिकोंकी क्या कमी हो सकती थी? शैबानीकी सेनामें दश्तेकिपचकके सभी इलाकोंके उज्बेक शामिल थे, पीछे खीवासे भी कितने ही मंगित आ मिले। तुर्किस्तान और ओतरारके शासक उसके दो चचा कूचुनजी और सुईउनिच थे, जो अपने संबंधी हमजा सुल्तान और महबूब सुल्तानके साथ एक बड़ी सेना लेकर भतीजोंके दलमें शामिल हो गये। उत्तरमें घुमन्तुओंकी इतनी जबर्दस्त शक्ति तैयार हो रही थी, और उधर दक्षिणमें तेमूरी सुल्तान आपसमें दंगल लड़ रहे थे। गृह-युद्धके भड़कानेमें बाबरका मुख्य हाथ था। बापसे मिले फरगानापर संतुष्ट न रहकर उसने १४९७ ई०में समरकन्दको आकर ले लिया; लेकिन थोड़े ही दिनों बाद उसे छोड़ना पड़ा और वहांका शासन महमूद मिर्जा-पुत्र सुल्तान अलीके हाथमें चला गया। एक उज्बेक रखेली जूरे-बेगी आगा सुल्तान अलीकी मां थी, शायद इस कारण भी दूसरे शाहजादे उसे गद्दीपर देखना नहीं चाहते थे। लेकिन अब तेमूरी सुल्तान दरबारियोंके हाथके कठपुतली भर रह गये थे, इसलिये असली शक्ति सुल्तान अलीके हाथमें नहीं थी, बल्कि चार सौ सालोंसे शेखुल्-इस्लाम होते आये वंशके मुखिया खोजा अहिया सर्वेसर्वा था।

मुहम्मद शैबानीको तेमूरियोंकी भीतरी कमजोरियां अच्छी तरह मालूम थीं। अन्तर्वेदके और स्थानोंकी लूट-मारसे शक्तिशाली बन वह १५०० ई० (९०६ हि०)में समरकन्दपर पहुंचा। दस दिनतक उसने नगरको घेरे रक्खा। शेखके पुत्रने दरवाजेसे निकलकर शैबानी सेनाको हरा पीछे ढकेल दिया, लेकिन शैबानीने मौका पा चहार-राह दरवाजेसे नगरमें घुसनेमें सफलता पाई और बिना प्रतिरोधके ही वह बागेनौके ग्रीष्मप्रासादमें पहुंच गया। अब उसे नगरके भीतर रह गये शत्रुओंसे लड़ना था। युद्ध मध्याह्नमें शुरू हो आधी राततक जारी रहा। मुहम्मद शैबानीने वीरता दिखलानेमें खतरेकी बिलकुल परवाह नहीं की। दूसरे दिन खबर मिली, कि अब्दुल अली तरखनका पुत्र और कितने ही और तरखन (राजकुमार) बुखारासे सहायताके लिये आते दबूसियाका मुहासिरा किये हुये हैं। यह खबर सुन उज्बेकोंने समरकन्दके मुहासिरेके लिये थोड़ीसी सेना छोड़ पहले तरखनोंकी ओर मुंह मोड़ और उन्हें हराकर वे बुखाराके ऊपर जा धमके, जिसके सर करनेमें बहुत कठिनाई नहीं

हुई। शैबानीने वहां कुछ सेना और अपने अन्तःपुरको रखकर कराकुलपर आक्रमण किया। इसी समय बुखारावालोंने उज्बेक-सेनाको मार डाला। खबर मिलते ही शैबानीने तुरन्त लौटकर बुखारा शहर-पर अधिकार करके वहांके नागरिकोंसे बहुत सख्त बदला लिया। फिर वह समरकन्दपर आया, जिसके विजयमें अली मिर्जाकी अपनी मां—जोकि उज्बेक जातिकी थी—ने विश्वासघात किया। बाबर उसके बारेमें लिखता है—"अपनी जड़ता और मूर्खताके कारण उसने शैबानी खानके पास गुप्त रीतिसे संदेश भेजकर प्रस्ताव किया, कि यदि तुम मेरे साथ ब्याह करो, तो मेरा लड़का इस शर्तपर समरकन्दको समर्पण कर सकता है, कि जब तुम अपने पैतृक राज्यको प्राप्त कर लोगे, तो इस नगरको मेरे बेटे सुल्तान अली को दे दोगे।" इसी कारण चहार-राह दरवाजा अरक्षित मिला। जब शैबानी बागे-मैदानमें पहुंचा, तो सुल्तान अली मिर्जा बिना किसीसे कुछ कहे कुछ अनुचरोंके साथ चहार-राह दरवाजेसे निकलकर शैबानीसे मिला। शैबानीने उसकी कोई इज्जत न कर उसे निचले आसन पर बैठाया। सुल्तान अलीके जानेकी खबर सुनकर खोजा अहिया भी पहुंचा, लेकिन शैबानीने चार सौ वर्षोंके शेखुल्-इस्लाम-वंशका कुछ भी ख्याल न कर उठकर उसका स्वागत भी नहीं किया, और खूब कड़े-कड़े शब्दोंमें उसे फटकारा—"अभागी दुर्बल स्त्रीने पति पानेके लालचसे अपने खानदान और लड़केकी इज्जतको धूलमें मिला दिया, लेकिन उसके साथ भी अच्छा बर्ताव नहीं हुआ, क्योंकि शैबानी उसको अपनी रखेलिनोंके बराबर भी नहीं समझता था।" १५०० ई० (९०६ हि०)में समरकन्दको सर करनेके बादसे शैबानीका सन-जलूस (अभिषेक-संवत्) चला। तीन-चार दिन बाद सुल्तान अलीको उसने मरवा डाला, फिर खुरासानकी ओर यात्रा करते समय तुरन्त ही उसने विश्वासघाती खोजा अहिया और उसके दो पुत्रोंको कत्ल करवा दिया।

शैबानी और उसके अमीरोंको समरकन्द जैसा समृद्ध-सुन्दर नगर मिला, "लेकिन उसके सैनिकों-का नागरिक जीवनसे प्रेम नहीं था। नगरमें कुछ दिनों रहनेके बाद शैबानीने अपने सात-आठ हजार सैनिकोंके साथ खोजा-दीदारके पास जा डेरा लगाया।" दो हजार सैनिक शहरके आसपासमें छावनी डाले पड़े रहे और नगरके भीतर सिर्फ छः सौ सैनिक रह गये थे। १९ सालके बाबरको जब यह पता लगा, तो उसने दो सौ चालीस आदमियोंको लेकर बड़े साहसका काम करना चाहा। नगरके सैनिकोंको सजग देखकर उसे कितनी ही बार अपने इरादेको रोकना पड़ा। लेकिन एक रात खोजा अब्दुल मकरम सत्तर या अस्सी आदमियोंको लिये मोगाकपुल होते प्रेमियोंकी गुफाके सामनेसे नगर-प्राकार फांदनेमें सफल हुआ और पीछेसे जा फीरोजा दरवाजाके रक्षक सिपाहियोंके ऊपर टूट पड़ा। इस आक्रमणमें दरवाजेके गारदका कमांडर फाजिल तरखन मारा गया। मुकरमके आदमियोंने कुल्हाड़ेसे ताला तोड़ दरवाजा खोल दिया। अब बाबर भी शहरके भीतर दाखिल हुआ। इस समयके बारेमें बाबर लिखता है—"नागरिक गहरी नींदमें थे, लेकिन दूकानदारोंने जब अपनी दूकानोंसे झांककर देखा और उन्हें असली बातका पता लग गया, तो उन्होंने शुक्रिया अदा करनेके लिये भगवान्से प्रार्थना की। नगरके बाकी लोग भी जल्दी जाग उठे और अपने लोगोंकी सहायता पा हमने पागल कुत्तेकी तरह उज्बेकोंको हर एक कूचे और सड़कमें पत्थरों और लकड़ियोंसे पीट-पीटकर मारा।" चार-पांच सौ उज्बेक सैनिक मारे गये। उज्बेकोंकी ओरसे नियुक्त नगर-कोतवाल जानेवफा जान बचाकर शैबानीके पास भागा। बाबर मदरसा-उलुगबेगकी ओरसे होते मेहराबोंवाली शाला (उलुगताक)में जाकर बैठा। नागरिकोंने नये तेमूरी बादशाहको बधाई दी। दूसरे दिन मालूम हुआ, कि आहनीदरवाजा (लौहद्वार) अब भी शत्रुओंके हाथमें है। बाबर पन्द्रह-बीस आदमियोंके साथ उधर दौड़ा, लेकिन उसके पहुंचनेसे पहले ही नगरके गुंडोंने उन्हें बाहर निकाल दिया था। जब मुहम्मद शैबानीको यह खबर मिली, तो ड़ेढ़ सौ सवारोंके साथ आकर उसने दरवाजा आहनीपर आक्रमण करना चाहा, लेकिन उसे व्यर्थ समझकर वह लौट गया। समरकन्दपर अधिकार हो जानेके बाद आसपासके बहुतसे इलाकोंसे उज्बेक मार भगाये गये। सोग्द और मियानकुलपर बाबरका अधिकार था, और खोजार तथा करशीपर बाकी तरखन (बुखारा-राज्यपाल)का। मेर्वसे लौटकर शैबानी-सेनाने सिर्फ बुखाराको अपने हाथमें लौटा पाया।

उस साल तो यही मालूम हो रहा था, कि बाबर फिर तेमूरकी कीर्तिको जगाके रहेगा, लेकिन शैबानी भी चुप रहनेवाला आदमी नहीं था। उसने तैयारी करके १५०१ ई०के बसन्तमें कराकुल और दबूसिया ले लिया। अप्रेल या मई १५०१ ई०में शैबानीसे लड़नेके लिये बारबनें सरेपुलके पास जाकर मोर्चाबन्दी की। उसके शिविरसे शैबानीका शिविर चार मीलपर था। चार-पांच दिनोंतक दोनों दलोंमें मामूली झड़प होती रही। यद्यपि अभी मददके लिये आनेवाली सेनाकी प्रतीक्षा करनेकी जरूरत थी, लेकिन ज्योतिषियोंका बतलाया मुहूर्त बीता जा रहा था, इसलिये सहायता आनेसे पहले ही बाबरने युद्ध छेड़ दिया। उज्बेकोंकी युद्धविद्यामें एक ज्यादा प्रचलित चाल थी "तुलुगमेह" अर्थात् शत्रुके पार्श्वोंको प्रहार करके मोड़ देना, दूसरी चाल थी सरपट दौड़ते वाण-वर्षा करना, इसके लिये सेनानायक और सिपाही दोनों पीछा किये जानेपर सरपट लौट पड़ते। शैबानीकी सेना बाबरसे कहीं अधिक थी। इसी समय मुगोलिस्तानकी सेनाने बाबरके साथ धोखा दे दिया। बाबरकी पूरी हार हुई। वह अपने दस-पन्द्रह अनुयायियोंके साथ कोहक नदीकी धारमें कूद पड़ा। सवार और घोड़े दोनों बख्तरदार थे, जिसके कारण उनके शरीरपर भारी बोझा था, तो भी किसी तरह भागकर वह रातसे पहले ही समरकन्द पहुंचे। बाबरने इस समयके अपने उतावलेपनके ऊपर एक शेर लिखा—

"जो उतावला होकर जल्दीमें अपनी तलवारपर हाथ रखेगा,
वह उस हाथको अफसोस करते हुये अपने दांतोंसे काटेगा।"

उलुग-मदरसेमें चादर-सफेदके नीचे ठहरकर बाबर शहरके बचानेकी तैयारी करने लगा। नगरके बहुतसे निकम्मे और फजूलके "गाजी" हर मुहल्ले और कूचेसे बड़ी संख्यामें आकर मदरसेके फाटक-पर "पैगम्बरकी जय" करते उतावलापन दिखला रहे थे। तजर्बेकार लोग रोकनेकी कोशिश करते, तो उन्हें वह गाली सुनाते। बात न मानकर वह गये और उज्बेकोंसे खूब पिटे। बाबरने पीछे हटते समय रक्षा करनेके लिये सेना भेजी, लेकिन तबतक गाजियोंकी भीड़ पिटकर तितर-बितर हो चुकी थी। अब सिपाहियोंको नगरके मुहासिरेकी लड़ाई लड़नी थी। बीच-बीचमें सैनिक बाहर निकल छापा मार-कर कितने ही शिर काट लाते। मुहासिरेके कारण नगरमें बाहरसे खूराक आनी बन्द हो गई, जिसके कारण भीषण भुखमरी और अकाल पड़ा। गरीब लोग कुत्तों और गदहोंका मांस खाने लगे। घोड़ोंको वृक्षोंका पत्ता खिलाया जाता। ऐसी स्थितिमें कितने दिनोंतक अपनेको रोके रखता, समरकन्दको आत्मसमर्पण करना पड़ा। बाबरकी बड़ी बहिन खानजादा विदेशी लुटेरे शैबानीके हाथ-में पड़ी। अपनी मां और कुछ दूसरी औरतोंको साथ लिये बाबर आधी रातको नदीको पारकर समरकन्दसे भाग निकलनेमें सफल हुआ। जीजकमें पहुंचनेपर उसे एक नई दुनिया जान पड़ी, जब समरकन्दकी भुखमरीके बाद उसे बढ़िया मोटा मांस, बारीक आटेकी अच्छी तरह पकी हुई रोटी, मीठे तरबूजे और स्वादिष्ठ अंगूर भारी परिमाणमें मिले——चरम अकालसे वह चरम सुकालमें पहुंच गया था। अब सोग्द (अन्तर्वेद) का स्वामी शैबानी था। उसने मुगोलिस्तानी खान महमूदको अंगूठा दिखला दिया, जिसने जाकर ताशकन्द-शाहरुखियाको हाथमें किया। जाड़ोंमें सिर नदीके जम जानेपर उसे आसानीसे पार हो शैबानीने ताशकन्द शाहरुखियाको लूटा। १५०२ ई०में मुगोलिस्तानी राज्यपाल सुल्तान अहमद तम्बोलने अपने मालिकसे विद्रोह करके शैबानीको सहायताके लिये बुलाया। शैबानीने पहुंचकर महमूद खानको बुरी तरहसे हराया, और उसके साथ आया बाबर मिर्जा जान बचाकर फरगानाके दक्षिणवाले पहाड़ोंमें भाग गया। मुगोलिस्तानी खानको दौलत सुल्तान खानम (अपनी बहिन), तथा अम्बा सुल्तान खानम, कुरुज खानम आदि कई राजकुमारियोंको जून १५०३ ई०में भेंट देनी पड़ी। शैबानी फरगानाके मुख्य नगरोंमें उज्बेक छावनियां रखकर लौट आया।

१५०५ ई०तक सारा फरगाना, ख्वारेज्म और हिसार (ताजिकिस्तान) आदिके इलाकोंपर भी शैबानीका अधिकार हो गया। अब वह अपनी सारी सेना ले तेमूरके द्वितीय पुत्र उमरशेखके वंशज हुसेन बेकरासे खुरासान छीननेके लिये दक्षिणकी ओर बढ़ा। पहले साल वह बलख नगरतक अपना अधिकार करके समरकन्द लौट गया। हुसेनने अपने पड़ोसी ईरानी शाह इस्माईल और बाबरसे भी

मदद मांगी। बाबर ९०९ हि० (१५०३–४ ई०)में काबुलका राजा बन चुका था। वह भी हुसेनकी मददके लिये खुरासान आया, लेकिन तबतक हुसेन मर चुका था, और उसके दोनों बेटोंमें राज्यके बंटवारेको लेकर भयंकर फूट पैदा हो गई थी। शैबानी जैसे भयंकर शत्रुको शिरपर देखकर भी ऐसा करना बाबरको बहुत बुरा लगा—"दस फकीर एक चट्टानपर बैठ सकते हैं, किंतु दो राजाओंके लिये सारा भूमंडल छोटा है।" बाबर निराश होकर लौट गया। ९१२ हि० (१५०७ ई०)के बसन्तमें शैबानी फिर सेना ले वक्षु पार हुआ, और रास्तेके इलाकोंको जीतते जूनमें मुरगाब नदी भी पार हो गया। खुरासानकी राजधानी हिरात नगरी तुरन्त उसके हाथमें आ गई। वहांका किला कुछ देर-तक प्रतिरोध करता रहा, लेकिन दो-तीन सप्ताह बाद किलेने भी आत्मसमर्पण किया। शैबानीने हिरात-के साथ इतनी मेहरबानी की, कि एक लाख तंका कर लेकर कला और विज्ञानके इस महान् केन्द्रको अपने लुटेरे उज्बेकोंके हाथों बरबाद होने नहीं दिया। शैबानीने अपनी सेनाके साथ शहरके बाहर डेरा डाला। हुसेन बेकराके बेटे मुजफ्फर हुसेन मिर्जाकी बीबीके सौंदर्यको सुनकर अट्ठावन वर्षका शैबानी उसपर मुग्ध हो गया। उसने उसे अपने हरममें दाखिल किया। हिरातके राजभवनसे उसे भारी परिमाणमें सोने-चांदीके बर्तन, बहुमूल्य लाल, हीरे, मोतियां तथा दूसरे रत्न प्राप्त हुये।

उसकी सेनाने बाकी तेमूरी राजकुमारोंको हराते सारे खुरासानको अपने हाथमें कर लिया। बाबर शैबानीसे हारा और जला-भुना हुआ था, इसलिये उसे अपने शत्रुमें केवल दोष ही दोष दिखलाई पड़ते थे। शैबानी कवि था, और उसकी कवितायें बुरी नहीं होती थीं, लेकिन "बाबरनामा"में बाबर लिखता है—"बिल्कुल अज्ञ होते भी उसने ढिठाई दिखलाते हुये काजी अख्तियार और मुहम्मद मीर युसुफ (खुरासाने प्रसिद्ध मुल्ला) जैसे विद्वानोंके सामने कुरानकी व्याख्या करते व्याख्यान दिया। उसने कलम उठाकर सुलेखक मुल्ला सुल्तान अली और चित्रकार बेहजादके लेखों और चित्रोंका संशोधन किया। ....वह अपने उबा देनेवाले शेरोंको मेम्बरसे पढ़कर सुनाता था, और उन्हें उसने लिखवाकर चारसूमें टंगवा दिया था।" आधुनिक कालके तुर्की साहित्यके एक विद्वान् वाम्बेरीने शैबानीकी कविताके बारेमें लिखा है—"शब्द और अर्थ दोनोंकी दृष्टिसे शैबानीकी कविता पूर्वी तुर्की साहित्यकी सर्वश्रेष्ठ कृतियोंमें है, और उससे पता लगता है, कि शैबानीको तुर्की, फारसी और अरबीका ज्ञान बहुत अच्छा था।"

शैबानीने बाबरका पीछा भी करना चाहा, लेकिन कंधार नगरके मुहासिरेमें असफल रहनेके कारण वह काबुलकी ओर नहीं बढ़ा। १५०८ ई०में उसने मुगोलिस्तानके खान महमूदको ताश-कन्दमें जाकर हराया। खानने फरगानाके ऊपर आक्रमण किया, लेकिन अपने पांच पुत्रोंके साथ प्राण खोनेके सिवा उसे कुछ हाथ नहीं लगा।

पूर्वी और दक्षिणी प्रतिद्वंद्वियोंसे निपटनेके बाद भी अभी उत्तरमें कजाक खान कासिमके दो लाख सैनिक मौजूद थे। जाड़ोंमें दोनोंके ओर्दू घास-चारेके सुभीतेवाले स्थानमें डेरा डाला करते थे। शैबानीका ओर्दू उस समय कुरुकमें था। १५०९-१०ई०के जाड़ोंमें एक दिन कासिम खान अपनी सेनाके साथ आ पहुंचा। उज्बेकोंने अपने लूटके मालको छोड़ दौड़कर शैबानीको खबर दी। शैबानीने तुरन्त पीछे हटनेके लिये नगारा बजवाया और जाड़ोंके अन्ततक उज्बेक बड़ी अस्तव्यस्त अवस्थामें समरकन्द पहुंचे।

यह कह चुके हैं कि मंगोल कबीलोंके अवशेष हजाराके नामसे अफगानिस्तानके पश्चिमी पहाड़ोंमें रहते थे। शैबानी १५१० ई०में उनपर आक्रमण करनेके लिये हिंदूकोहके भीतर घुस गया। लेकिन लौटते वक्त हेलमन्दकी उपत्यकामें उसे आदमियों और पशुओंकी बड़ी क्षति उठानी पड़ी। खुरासानमें पहुंचनेपर उसके पास दो सेनाएं आ गईं और उसने क्षतिग्रस्त सेनाको तुर्किस्तान जानेकी छुट्टी दे दी।

शैबानीका प्रतिद्वंद्वी ईरानी शाह इस्माईल सबसे अधिक शक्तिशाली था। उसने आजुरबाइजानी तुर्क-वंश (श्वेत-मेश)का उच्छेद करके सारे ईरानपर अधिकार करते हुये सफावी-वंश (१४९९–१५२४ ई०)की स्थापना की थी। वह कैसे देख सकता था, कि पूर्वी ईरान-खुरासानपर उज्बेकोंका

अधिकार हो। ९१६ हि० (१० IV १५१०—१ III १५११ ई०)में उसने खुरासानपर आक्रमण किया। उस समय उज्बेकोंकी सेना हिरातमें एकत्रित हुई थी। शैबानीकी सेना इस्माईलकी अपेक्षा कम थी। वह हिरातमें छावनी छोड़ मेर्वकी ओर लौटा। मशहदकी तीर्थयात्रा समाप्त कर शाह इस्माईलने उज्बेकोंका पीछा किया। तूकेराबादके पास दोनों सेनाओंमें जबर्दस्त लड़ाई हुई, शैबानी हारा और शाहकी सेना उसे मेर्वकी दीवारोंतक खदेड़ ले गई। शैबानी मेर्वमें दुर्गबद्ध हो गया और शहरके आस-पास शाह इस्माईलने घिरावा डाल दिया। इस तरहकी कायरता दिखलानेके लिये शाहने शैबानीको फटकारते हुये चिट्ठी लिखी। यद्यपि शैबानी इस तरहकी व्यर्थकी वीरता दिखलानेका नहीं, बल्कि कल-बल-छलका पक्षपाती था, लेकिन उस वक्त अपने बीस हजार घुड़सवारोंको लिये इस्माईलकी चालीस हजार सेनाके साथ लड़नेके वास्ते मैदानमें चला आया। लोगोंने उसे प्रतीक्षा करनेकी सलाह दी, लेकिन उसने नहीं माना और सामने और पीछे दोनों तरफसे आक्रमण कर दिया। इसमें शक नहीं, उज्बेकोंने युद्धमें बड़ी बहादुरी दिखलाई, लेकिन संख्यामें दूने सफावी भी लड़नेमें निर्बल नहीं थे। उज्बेक-सेना छिन्न-भिन्न हो गई, शैबानी पांच सौ सवारोंके साथ भागकर पशुओंके एक हातेमें जा छिपा। दूसरी तरफ द्वार न होनेसे नदी-तटकी ओर प्राकारसे उज्बेक सैनिक एक दूसरेके ऊपर कूदे, खानको कूदनेमें चोट आई। दुश्मनोंने उसके शरीरको आदमियोंके ढेरमेंसे निकालकर मार डाला, और शैबानीका सिर काटकर शाहको भेंट किया। उसने आज्ञा दी, कि शैबानीके शरीरको टुकड़े-टुकड़े करके राज्यके भिन्न-भिन्न भागोंमें प्रदर्शित किया जाय। इस्माईलने उसके चमड़ेमें भूसा भरकर तुर्क-सुल्तान बायजीदके पास भेज दिया। बायजीद सुन्नियोंका सबसे बड़ा नेता था, और इस्माईल शियोंका, इसलिये उसने तुर्क-सुल्तानके पास सुन्नी भाई तथा महान् उज्बेक-नेताकी इस दुर्गतिको दिखलाना चाहा। शैबानीकी खोपड़ीमें सोना मढ़वाकर इस्माईलने शराबके प्यालेके तौरपर प्रदर्शन कराया।

इसमें शक नहीं, शैबानी उत्तरी घुमन्तुओंका अन्तिम सबसे बड़ा विजेता था, जिसने मध्य-एसियामें एक बड़े राज्यकी स्थापना की। लेकिन इसी समय ईरानमें सफावी जैसा शक्तिशाली वंश स्थापित हो गया, जिसने ईरानको शिया घोषित करके पूर्वी और पश्चिमी सुन्नी देशोंके बीचमें पच्चरका काम किया। वक्षु (आमू-दरिया)तक इस्माईलने बढ़कर फिर उसे एक बार ईरान और तुरानके बीचकी सीमा बनाई।

२. कूचुनजी (१५१२—३० ई०)

शैबानी घुमन्तू राजवंश था, इसलिये हजारों बर्षसे स्थापित अपनी पुरानी व्यवस्थाके अनुसार उसके हरएक राजकुमारको छोटे-छोटे प्रदेशका राजा बनाया जाता था। वह अपने ऊपर एकको खान मानते थे। खानके मरनेपर वंशके सभी कुमार मिलकर उसका उत्तराधिकारी खान तथा आवश्यकता होनेपर कलगा (युवराज) चुनते थे, इसमें योग्यतासे अधिक रिश्ते और उमरमें सर्वज्येष्ठका ख्याल काम करता था।

मेर्वमें शैबानीकी जो दशा हुई, उसकी खबर सुनकर बाबर काबुलसे अपने पूर्वजोंके देशकी ओर चला; लेकिन नेताके मर जानेसे शैबानी-सेना नष्ट नहीं हो गई थी। जानीबेग सुल्तान उस समय उपराज था, जिसके झंडेके नीचे फिर बड़ी सेना इकट्ठी हो गई। इसी सेनाने मुगोलिस्तानका कत्ले-आम किया था, जिसमें "तारीख रशीदी"का लेखक इतिहासकार हैदर बाल-बाल बचा था। बाबर अपनी सेना ले आमू पारकर खुत्तलके प्रधान शहर दश्तेकुलाकमें पहुंचा। यहां वक्षुके पास फिर दोनों सेनाओंमें झड़प हुई, लेकिन शक्ति आजमा लेनेपर दोनोंने लड़नेकी हिम्मत नहीं दिखलाई। बाबर वक्षु पार हो कुंदुज लौट गया और शैबानी-सेनापति हमजा सुल्तान हिसारको। मेर्वसे शाह इस्माईलने शैबानीकी बीबी खानजादा बेगमको भेज दिया था, जो अपने भाई बाबरसे जा मिली। बाबरने इसके लिये इस्माईलको बहुत धन्यवाद देते हुये अन्तर्वेद जीतनेके लिये उससे सैनिक सहायता मांगी।

शाह इस्माईलकी भेजी सेनाको भी साथ ले बाबर फिर पहाड़ी रास्तेसे आमू दरिया पारकर उत्तरकी

ओर बढ़ा । आमूकी एक शाखा सुरखाबपर पुलेसंगीनको हमजा सुल्तान दखल किये हुये था । बाबरको मालूम हो गया, कि दुश्मन बहुत शक्तिशाली है, तो भी साहस करके पुलकी आशा छोड़ नदी पार करनेकी कोशिश की । लेकिन, जल्दी ही उसे एक दुर्गम रास्तेसे आबदराकी ओर लौटना पड़ा । उज्बेक उसका पीछा कर रहे थे । आधी रातको खबर लगी, कि उज्बेक नजदीक आ गये हैं । बाबरने उनके ऊपर आक्रमण कर दिया और हमजा सुल्तान तथा मेहदी सुल्तान बाबरके बन्दी बने । बाबर चगताइयोंकी पूर्वी शाखावाले मुगोलिस्तानके खानका नाती था, इसलिये चगताई-वंशज होनेका दावा करता था । उसने इस सफलताके बाद और भी आगे बढ़कर दरबन्दे-आहनी (लौहद्वार)तक उज्बेकोंका पीछा किया । यार मुहम्मद नज्म-शानी (द्वितीय तारा)ने करशीको लूटा और लोगोंको कत्ल किया । अब पामीरमें हिसार और खुत्तलान, खोजर तथा आमूके दक्षिण कुंदुजके प्रदेश बाबरके हाथमें आ गये । दर्रा-खैबरसे दरबन्दतकके प्रदेशको कुछ समयके लिये अपने हाथमें करके बाबरको प्रसन्नता होनी ही चाहिये थी, लेकिन वह जबतक समरकन्दमें पहुंचकर तेमूरके तख्तपर नहीं बैठता, तबतक अपनी सफलतासे सन्तुष्ट नहीं हो सकता था । उसके इस मनोरथको पूरा करनेके लिये शाह इस्माईलने भारी सेना भेजी । उज्बेक सेनापति उबैदुल्लाने करशीमें मोर्चाबन्दी कर रखी थी, बाकी उज्बेक समरकन्द भाग गये थे । बाबरने साठ हजार संयुक्त सेनाके साथ आक्रमण करके उबैदुल्लाको हराकर बाकी उज्बेकोंको भी किजिलकुमके रेगिस्तानमें भगा दिया । दूसरे उज्बेक सुल्तानोंको जब पता लगा, तो सामने होकर लड़नेकी जगह उन्होंने तुर्किस्तान (सिर-उपत्यका)की ओर भागना ही अच्छा समझा । बाबर अब सारे अन्तर्वेदका स्वामी था ।

८ अक्तूबर १५११ ई०को समरकन्दमें बाबर तेमूरके सिंहासनपर बैठा । इस वक्त उसे कितनी प्रसन्नता हुई होगी, इसे कहनेकी अवश्यकता नहीं । उसे क्या पता था, कि यह आठ महीनोंकी चांदनी है । हां, उसके बाद उसे एक और भी विशाल और वैभवशाली साम्राज्यको भारत में स्थापित करनेका मौका मिलेगा । इस समय "बाबरका राज्य" तारतारी रेगिस्तानोंसे गजनी और काबुलतक था, जिसमें कुंदुज, हिसार, समरकन्द, बुखारा, ताशकन्द, सेरम, खाकन्द (फरगाना) आदि नगर सम्मिलित थे । यह कहनेकी अवश्यकता नहीं, कि खुरासान अब शाह इस्माईलका था ।

लेकिन शाहकी मदद बाबरके लिये बहुत महंगी पड़ी । उसने शाहके नामका खुतबा पढ़वाया । एक शिया बादशाहके नामका खुतबा पढ़े जाते देख सुन्नी अन्तर्वेद कैसे सन्तुष्ट हो सकता था ? बाबरने स्वयं ईरानी पोशाक धारण की, और अपनी सेनाको भी वैसा ही करनेका हुक्म दिया । खासकर ईरानी टोपी धारण करनी अनिवार्य कर दी, जिसमें शियोंके बारह इमामोंके चिह्न बने हुये थे, और पोशाकमें एक लम्बी लाल पट्टीको लगानेके लिये कहा, जो कि बीचसे होकर पीठके पीछे लटकती थी, जिसके कारण ईरानियोंको किजिल-बास (रक्त-केश) कहा जाने लगा । बाबर जरूर समझता होगा, कि शिया-धर्म, शियोंकी वेश-भूषा तथा शिया इस्माईलको अपना प्रभु स्वीकारकर वह सुन्नियोंका कोप-भाजन बनेगा, लेकिन उसके लिये और कोई रास्ता नहीं था । प्रजाके असन्तोषकी खबर उज्बेकोंको लगी, और १५१२ ई०के वसन्तमें एक उज्बेक-सेना ताशकन्दकी ओर बढ़ी, दूसरी रेगिस्तानके रास्ते उबैदुल्लाके नेतृत्वमें यतीकुदुप (सप्तकूप) होती बुखाराकी ओर । ताशकन्दमें मुकाबिला करनेके लिये बाबरने सेना भेज दी, और स्वयं उबैदुल्लाकी ओर चला । कुलमलिकमें दोनोंमें जबर्दस्त संघर्ष हुआ, लेकिन यह चमत्कारसे कम नहीं था, जो कि १८ अप्रैल १५१२ ई०में बाबरकी चालीस हजार सेनाको तीन हजार उज्बेकोंने हरा दिया—अर्थात् एक उज्बेक दस बाबरी सैनिकोंसे भी अधिक युद्धक्षमता रखता था । पीछे भारतपर विजय प्राप्त करनेके समय हर एक बाबरी सैनिक शायद हिंदुस्तानी सैनिकोंसे दसगुणीसे अधिककी क्षमता रखता था । इसमें कारण नागरिक विलासितापूर्ण जीवन तथा पारस्परिक फूट हो सकती थी ।

कुलमलिकमें हारनेके बाद बाबरके लिये समरकन्दमें भी शरण नहीं थी । अब वह शाह इस्माईलके पास जानेके लिये दरबन्दकी ओर चला । दरबन्दमें भी मोर्चाबन्दी हो चुकी थी । शाह इस्माईलने

यार मुहम्मदके नेतृत्वम साठ हजार तुर्कमान भेजे, जिन्होंने उज्बेक सेनापति हमजाको हराकर लौहद्वार (दरबन्द) पार हो खोजार (गुजार), करशीको लूटा। करशीमें पन्द्रह हजार नागरिकोंको बिना यह ख्याल किये कत्ल कर डाला गया, कि वह उज्बेक हैं या स्थानीय नागरिक, बूढ़े-बच्चे हैं, या स्त्री। इसी कत्ले-आममें कवि बीनाई भी मारा गया। शिया अपनी धर्मान्धताका परिचय दे रहे थे। बाबर समझ गया, कि अब उसे अन्तर्वेद क्षमा नहीं कर सकता ; इसलिये अपनेको उसने अलग कर लिया। इसके बारेमें हैदरने लिखा है—"इस्लाम (सुन्नी-धर्म) का प्रभाव कुफ्र और अविश्वासके ऊपर विजय पाने लगा, सच्चे धर्मकी विजय घोषित हुई। आक्रमणकारी बुरी तरहसे हारे, और उनमेंसे अधिकांश युद्धक्षेत्रमें मारे गये। गिज्दुवानके वाणोंने करशीके खूनका बदला लिया। मीर नजीम तथा दूसरे सभी तुर्कमानोंके मुख्य सेनानायक नगरमें भेज दिये गये।"

मीर नजीमके दबदबेके बारेमें वही इतिहासकार लिखता है—उसके रसोईखानेमें प्रतिदिन सौ भेड़ें, असंख्य मुर्गे-मुर्गियां, हंस, बतकें और चालीस क्वार्त (५६० सेर ?) दालचीनी, केसर और दूसरे मसाले इस्तेमाल होते थे। उसके खानेकी तश्तरियां या तो बिलकुल सोनेकी थीं या बहुत मूल्यवान् चीनी मिट्टीकी। अब बाबरने सदाके लिये अन्तर्वेदसे बिदाई ली, और वह काबुल लौट गया।

जिस वक्त दक्षिणमें बाबर-इस्माईल और उज्बेकोंका इस तरह संघर्ष हो रहा था, उसी समय मुगोलिस्तानके खानने पूरबसे अन्दिजानके रास्ते प्रधान उज्बेक-सुल्तान सुयुन्जिक खानके ऊपर आक्रमण किया और जरफ्शां-उपत्यकामें समरकन्दसे चालीस मील पूर्व बिशकन्द (पंजकन्द) में उसे पूरी तौरसे हरा दिया। यह वह समय था, जब कि बाबर ईरानी सेना लेकर समरकन्दकी ओर बढ़ रहा था।

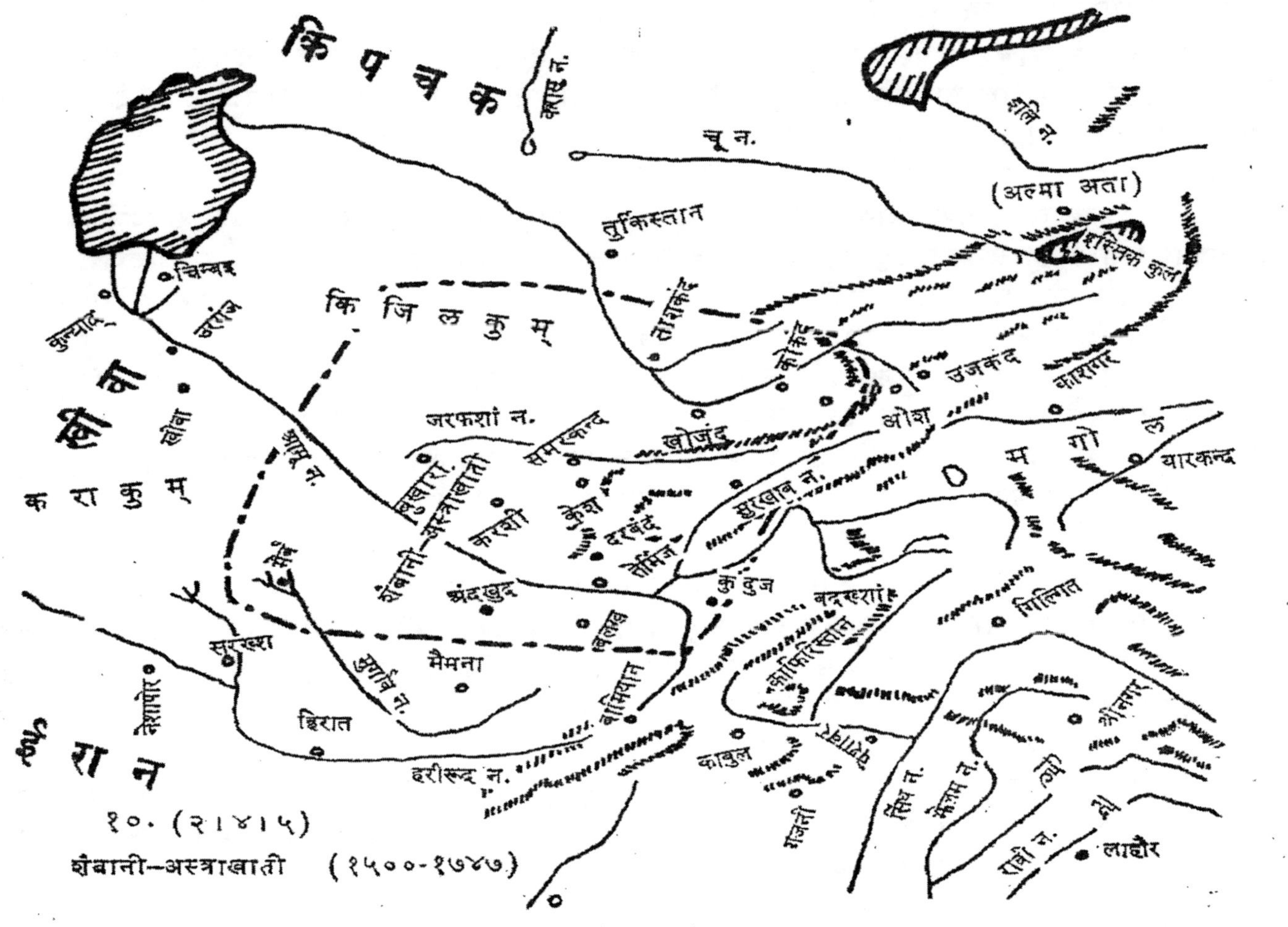

१०. (२।४।५)
शैबानी—अस्त्राखाती (१५००-१७४७)

बुखारासे उत्तर गिज्दुवानमें शाह इस्माईलके सैनिकोंका जानीबेग-सुल्तानने किस तरह मुकाबिला किया, इसे "तारीख रशीदी" में मिर्जा हैदरके शब्दोंमें सुनिये—

"उज्बेक सुल्तान उसी रातको किलेके भीतर प्रविष्ट हुये, जिस रात तुर्कमान (इस्माईलके सैनिक) और बाबर घुसे थे। तुर्कमान और बाबर महलके सामने छावनी डालकर मोर्चाबन्दीके यंत्रोंको ठीक-ठाक करतेमें लगे हुये थे। सूर्योदयके समय उन्होंने उपनगरमें अपनी सेनाओंको शत्रुकी ओर मुंह करके खड़ा किया। दूसरे पक्षने भी लड़ाईकी तैयारी की। उज्बेकोंके उपनगरमें होनेसे युद्धक्षेत्र बहुत संकरा था। उज्बेक-पैदल-सेनाने चारों ओरसे वाणोंकी वर्षा करनी शुरू की, और जल्दी ही इस्लामकी ताकतने कुफ्र और नास्तिकताके हाथको तोड़ दिया, सच्चे धर्मकी विजय घोषित हुई। इस्लामके विजयी वीरोंने धर्मविद्वेषियोंके झंडेको गिरा दिया। तुर्कमान पूरी तौरसे हारे, उनमेंसे अधिकांश लड़ाईके मैदानमें मारे गये। करशीमें तलवारसे जो घाव हुये थे, उनको बदलेके वाणोंकी सिलाईने सी दिया। विजेताओंने मीर नजीम और सभी तुर्कमानोंको नरकमें भेज दिया, बादशाह (बाबर) निराश और दुःखी हो हिसारकी ओर लौटा।"

बाबरका यह अन्तिम प्रयत्न था। उसने काबुल लौटकर अब अपनी शक्तिको हिन्दुस्तान जीतने में लगाया।

गिज्दुवानके युद्ध ९१८ हि० (१९ III १५१२–७ II १५१३ ई०)के बाद शैबानी सुल्तानोंने अपने तुरा और यास्साक (कानून)के अनुसार मुहम्मद शैबानीके चचा कूचुनजीको अपना खान बनाया और सूयुन्जिक कलगा (युवराज)के पहले ही मर जानेके कारण जानीबेग कलगा बनाया गया। लेकिन वह भी पहले ही मर गया। जानीबेगने शैबानी सुल्तानों (राजकुमारों)में इलाके बांट दिये, जिसमें कूचुनजीको समरकन्द, सूयुन्जिकको ताशकन्द, उबैदुल्लाको कराकुल-करशी-बुखारा और जानीबेगको समरकन्द-मियानकुल-कर्मीना मिला।

ताशकन्दपर आक्रमण करनेवाली सेनाका संचालक सूयुन्जिक था। उसने नगरपर अधिकार कर लिया। १५१२ ई०में सुल्तान सईद खान मंगोलिस्तानीने पांच हजार सेना ले फरगानासे होकर सूयुन्जिकके ऊपर आक्रमण किया। विशकन्दमें हार खाकर सुल्तान सईद अन्दिजान पहुंचा। गिज्दुवानमें भारी विजय प्राप्त करनेके बाद सूयुन्जिकने सईदकी ओर मुंह किया, लेकिन सईदने अन्दिजान, अक्सी और मरगिनानमें मजबूत सैनिक छावनियां रख दक्षिणके पहाड़ोंका रास्ता लिया। सईदने कजाकोंके शक्तिशाली खान कासिमको सहायताके लिये बुलाया, जो कि शैबानियोंका भी शत्रु था। दश्तेकिपचकके गर्भमें रहनेवाले इस खानके पास बड़ी भारी सेना थी। वह सईद खानकी मददके लिये दक्षिणकी ओर चला। सैरामके राज्यपालने बिना लड़े ही किलेकी कुंजी कासिमके हाथमें दे दी। फिर कजाकसेना रास्तेके नगरों और गांवोंको लूटती-पाटती ताशकन्दकी ओर चली। १५१३-१४ ई०में सूयुन्जिक कजाक खानके प्रतिरोधमें ही लगा रहा। १५१५ ई०में कासिमने किसी दूसरी दिशामें लूट-पाट करनेके लिये अभियान किया, तब कजाकोंसे छुट्टी पा उज्बेक फरगानाकी ओर मुड़े। सुल्तान सईद खान बिना मुकाबिला किये ही काश्गरकी ओर भाग गया, जहां उसने कई साल शासन किया। फरगानापर फिर उज्बेकोंका अधिकार हो गया।

गिज्दुवानकी विजयमें शाह इस्माईलकी सेनाकी जो गति हुई थी, उससे उज्बेकोंकी हिम्मत बढ़ गई और उन्होंने एक बार बलखतक घुसकर खुरासानमें लूट-पाट की; लेकिन जब शाह इस्माईलकी सेनाके प्रहारका भय लगा, तो वह पीछे हट आये। शाह इस्माईल १५२३ ई०में मर गया, और उसका बालकपुत्र तहमास्प (१५२४–७६ ई०) तख्तपर बैठा। इस समय फिर उज्बेकोंको मौका मिला और १५२५ ई०में उबैदुल्ला एक बड़ी सेना ले मेर्व जीतते खुरासानकी ओर बढ़ा। अप्रतिरक्षित मशहद नगरने आत्मसमर्पण किया। उबैदुल्ला तूसको भी लेते अस्त्राबाद पहुंचा, और अपने पुत्र अब्दुल अजीजको वहांका शासक बना बलखकी ओर लौटा। आजुरबाईजानसे सेना आई, लेकिन उसे उज्बेकोंने बोस्ताममें हरा दिया, और अस्त्राबाद अब्दुल अजीजके ही हाथोंमें रहा।

उबैदुल्लाने जाड़ोंको गोरियान (गोरी सुल्तानोंकी मूलभूमि)में बिताया। ९३४ हि० (२७ सितम्बर १५२७–१७ अगस्त १५२८ ई०)में उसने सात मासतक हिरातका मुहासिरा किया। शाह तहमास्प एक बड़ी सेना ले उसके मुकाबिलेके लिये आया, जिसे देख उबैदुल्ला हट गया।

फिर उसने ईरानी शाहसे मुकाबिला करनेके लिये भारी तैयारी शुरू की, और डेढ़ लाख सेना लेकर दक्षिणकी ओर चला—छिङ-गिस्के बाद इतनी बड़ी सेना वक्षु पार नहीं हुई थी। यद्यपि ईरानी सेना-में पचास हजार ही आदमी थे, लेकिन वह बड़े तजर्बेकार और अनुशासन-संपन्न थे। उन्होंने (टर्कीके) उस्मानी तुर्कोंके साथ अनेक सफल लड़ाइयां लड़ी थीं। युरोपने मंगोलोंसे सीखकर बारूदके हथियारोंमें बहुत तरक्की कर ली थी। उस्मानी तुर्कोंने उनसे तोप और पलीतेकी बन्दूकोंका इस्तेमाल सीखा था। उस्मानी तुर्कोंके प्रतिद्वन्द्वी सफावी इन नये शक्तिशाली हथियारोंके बिना कैसे सफलता पा सकते थे? आविष्कारोंके इतिहाससे मालूम है, कि युद्ध-सम्बन्धी आविष्कार सबसे जल्दी प्रचलित हो जाते हैं। तहमास्पकी सेनामें दो हजार तोपची और छ हजार बन्दूकची थे। उज्बेकोंकी सेना यद्यपि तीनगुनी थी, लेकिन उनके हथियार वही पुराने—तीर-धनुष और तलवार-भाले थे। शाह तहमास्प मशहद और हिरातके रास्ते जामके समीप पहुंचा—मुख्य सेना मशहदमें डेरा डाले पड़ी थी। बीस हजार ईरानी सवारोंको दुश्मनकी छावनीका पता लगानेके लिये भेजते हुये हिदायत दी गई, कि कोई आदमी अपनेको खाइयोंसे बाहर न दिखलाये। इधर मंत्रशास्त्रियोंको लगा दिया गया था, कि वह जादू करके शत्रुको ऐसा बना दें, कि उनमेंसे एक भी बच निकलने न पाये। अभी तैयारी पूरी नहीं हुई थी, कि शाह तहमास्पने युद्ध करनेकी ठान ली। २५ सितंबर १५२९ ई० को जाममें दोनों सेनायें एक दूसरेसे भिड़ीं। यह ९ मुहर्रम करबलामें इमाम हुसेनकी शहादतका दिन था, इसलिये शिया शाहने इसी पवित्र दिन युद्ध छेड़ना अच्छा समझा। बीचमें तोपोंको रक्खे बीस हजार चुनी हुई सेना खड़ी थी, जिनके साथ शाह भी था। उज्बेक पार्श्वोंपर आक्रमण कर दोनों छोरोंको पीछे ढकेल पीछेसे भी डेरोंको लूटने लगे। लेकिन पार्श्वोंके इस प्रकार ढकेल दिये जानेपर भी केंद्र मजबूत रहा। ठीक समय-पर तोपोंको बांधनेवाली जंजीरें गिरा दी गईं और वह आग और गोले उगलने लगीं। तिगुना जनबल रखते हुये भी उज्बेक घास-मूलीकी तरह कटने लगे। युद्धक्षेत्रमें उनके पचास हजार आदमी काम आये, लेकिन उन्होंने बीस हजार अपने शत्रुओंका भी संहार किया। उज्बेकोंकी भारी हार हुई।

तहमास्पके विजयसे बाबर प्रसन्न नहीं शंकित हो उठा। उसे डर लगा, कहीं वह खुरासानसे हमारे राज्यकी ओर भी न बढ़ आये। बाबरने अपने बेटे हुमायूंको पचास हजार सेना देकर आगे बढ़नेका हुक्म दिया—हुमायूं उस वक्त पिताकी ओरसे बदख्शांका राज्यपाल था। बेटेको इस तरह रवाना करके बाबर स्वयं मुगोलिस्तानी राजकुमार सुल्तान वेसके साथ समरकन्दकी ओर चला। वेसके भाई शाह कुल्लीने हिसारको ले लिया। तुरसुन मुहम्मद सुल्तानने तेर्मिज और कबादियानपर हाथ साफ किया। जिस समय हुमायूं इस प्रकार, कूचुनजी खानको तहस-नहस करनेमें व्यस्त था उसी समय बाबर आगरामें कूचुनजीके दूत अमीन मिर्जाकी बड़ी आवभगत कर रहा था। भोजके बाद सिरकमाश मलमलका जामा, और बहुमूल्य बटन, सोना तथा दूसरी चीजें भेंटमें पा ३१ जनवरी १५२९ ई०को उज्बेक-दूत बाबरसे बिदा हुआ। दूत अमीन मिर्जाको एक खांडा, एक कमरबन्द, एक हाथीका अंकुश तथा कई हजार तंका इनाम मिला था। इसी तरह दूतकी बीबी मेहरबान खानम और उसके पुत्र पूलादको भी बाबरने भेंट-इनाम देनेमें बड़ी उदारता दिखलाई। दूतको क्या पता था, कि जिस समय पिता उसकी इतनी खातिर कर रहा है, उसी समय उसका बेटा (हुमायूं) उज्बेकोंके राज्यमें आग और तलवारका जौहर दिखला रहा है।

लेकिन इस भीषण संग्रामके खतम करनेका समय यकायक आ गया, जब कि १५३० ई०में कूचुनजी मर गया और उसी सालके दिसम्बरमें बाबरकी प्रार्थना स्वीकृत हुई—हुमायूं बीमारीसे बच गया, लेकिन उसके बदलेमें अल्लाने बाबरको बुला लिया।

३. अबूसईद खान (१५३०-३२ ई०)

कूचुनजी (अबुल्खैर-पुत्र)के राज्यकालमें ही उसके उत्तराधिकारी (कलगा) चुने गये सूयुन्जिक तथा जानीबेग खोजा (मुहम्मद-पुत्र) मर गये, इसपर कूचुनजीके पुत्र अबूसईदको खान चुना गया। पिताकी भांति इसने भी अपनी राजधानी समरकन्दमें रक्खी। लेकिन, उज्बेक सैनिक-

शक्तिका संचालक अब उबैदुल्ला था, जो बुखारामें रहता था। ईरानियोंसे एक बार बुरी तरहसे हार खानेके बाद भी उबैदुल्ला फिर खुरासानकी ओर बढ़ना चाहता था, मगर अबूसईद और दूसरे सुल्तान (राजकुमार) इससे सहमत नहीं थे। बारूदके हथियारोंने इन घुमन्तुओंकी हिम्मत तोड़ दी थी। ईरानका मछलीवाला झंडा एक बार फिर सारे खुरासानपर फहराने लगा। तहमास्पने अपने भाई बहराम मिर्जाको अपना उपराज बनाकर खुरासानका शासक बनाया। उबैदुल्ला सेनाका प्रधान-सेनापति था, इसलिये उसने राय न होनेपर भी १५३१ ई०में मशहदकी ओर अभियान किया, लेकिन वहांसे हार खाकर भागनेके सिवाय कुछ हाथ नहीं लगा। घुमन्तू टिड्डी-दलकी तरह हारसे भय खाकर सदाके लिये पीछे नहीं भाग सकते। १५३२ ई०में उज्बेक-सेनाने हिरात, मशहद, अस्त्राबाद और सब्जबारतकके सारे प्रदेशको डेढ़ सालतक लूटा-बरबाद किया। घिरावेमें पड़े हिरात शहरके लोगोंने अन्नाभावमें कुत्ते-बिल्लियोंको खाकर खतम कर दिया। शहर आत्म-समर्पण करनेकी सोच रहा था, इसी समय तहमास्पको पश्चिममें उस्मानी तुर्कोंसे छुट्टी मिल गई और वह खुरासानकी ओर बढ़ा, जिसपर उबैदुल्ला लौट गया। ९३९ हि० (३ VIII १५३२–२४ VI १५३३ ई०) में अबूसईद मर गया।

४. उबैदुल्ला, महमूद-पुत्र (१५३२–४० ई०)

विजेता मुहम्मद शैबानीका भतीजा उबैदुल्ला खान बनकर और भी निरंकुश हो गया। १५३५ ई० में उसने फिर खुरासानमें लूट-मार करनेके लिये सेना भेजी, और अगले साल खुद खुरासानकी ओर बढ़ा। चार मासतक हिरातपर उसका अधिकार रहा, जिसमें उसने शियोंपर बहुत अत्याचार किये। शाह तहमास्पका पूरबमें ही जबर्दस्त शत्रु नहीं था, पश्चिममें उस्मान अली तुर्कोंसे उसका संघर्ष चलता रहता था, जिसमें राजनीतिके साथ-साथ शिया-सुन्नीका झगड़ा भी शामिल हो जानेसे युद्धका रूप बहुत भीषण होता था। जब वह अपनी अधिकांश सेना ले पूरबकी ओर बढ़ता, तो पश्चिमका शत्रु प्रहार करने लगता, और जब वह पश्चिमकी तरफ मुंह करता, तो पूरबकी ओरसे प्रहार होने लगता। जब शाह तहमास्प खुरासानमें उबैदुल्लाके खिलाफ सेना लेकर आया, तो उबैदुल्ला देश लौट गया। तोपों और बंदूकोंके डरके मारे अब उज्बेक जमकर लड़नेकी हिम्मत नहीं करते थे, लेकिन खुरासानमें लूट-मार करनेके लिये वह दो-तीन बार और जाते रहे।

इसी बीच खीवा (ख्वारेज्म) में उज्बेकोंका एक और स्वतंत्र राज्य कायम हो गया, जिसके कारण वहां गड़बड़ी फैल गई। उससे फायदा उठा उबैदुल्ला अपने अमीरोंके साथ उरगंजके ऊपर चढ़ा। ख्वारेज्मके राजकुमार मङगिशलककी ओर भाग गये। उरगंज पहुंचकर उबैदुल्लाने उन्हें पकड़नेके लिये सेना भेजी और अवानेक खान अपने सारे लोगोंके साथ वेजिरसे उत्तर बेगातकिरी स्थानमें पकड़ा गया। उबैदुल्लाने अवानेकको उमरगाजीके हाथमें दे दिया, जिसने उसे मारकर अपने बापकी हत्याका बदला लिया। उबैदुल्लाने ख्वारेज्मको अपने पुत्र अब्दुल अजीजके हाथमें दे दिया। वहांके निवासी सरतों (फारसी भाषाभाषियों) और तुर्कोंको उबैदुल्लाने नहीं छेड़ा। उज्बेकोंको चार भागोंमें बांटकर उसने बुखारा (उबैदुल्ला), समरकन्द, ताशकन्द और हिसारके सुल्तानोंको दे दिया। लेकिन अवानेक खानका पुत्र दीन मुहम्मद अब भी अपनी रियासत देरूनका स्वामी था। उसके पास उरगंजसे भी कितने ही भगोड़े आ गये थे। दीन मुहम्मदने खीवापर धावा कर दारोगा (राज्यपाल) और उसके आदमियोंको हराकर मार दिया। हजारास्पका दारोगा भी जान लेकर भागा। अब्दुल अजीजकी भी हिम्मत उरगंजमें रहनेकी नहीं हुई, और वह भी वहांसे खिसका। खबर सुनकर उबैदुल्ला चार हजार सेना लेकर पहुंचा, जिसके मुकाबिलेके लिये दीन मुहम्मद भी अपने तीन हजार सैनिकोंके साथ तैयार था। अमीरोंने मना किया, लेकिन दीन मुहम्मदने नहीं माना। घोड़ेसे उतरकर उसने अपने कुर्तेपर मिट्टी फेंकते हुये कहा—"मेरे अल्लाह, मैं अपना आत्मा–प्राण तेरे हाथोंमें देता हूं और अपना शरीर धरतीको।" फिर उसने पीछे मुंह फेरकर कहा—"मैं अपनेको मरा हुआ समझता हूं। तुममेंसे जिसको अपना प्राण मुझसे ज्यादा प्यारा हो, वह मेरे साथ आगे न बढ़े; जिसको नहीं वह आये।"

यह कहकर दीन मुहम्मद फिर घोड़ेपर चढ़ा। उसके सैनिक भी उत्साहसे भरे उसके पीछे-पीछे चले। पहली भिड़ंतमें ही उन्होंने दुश्मनोंको भारी क्षति पहुंचाई। दोनों उज्बेक जातिके ही लोग थे, इसलिये समझौतेकी बात चलने लगी। इसी बीच ९४६ हि० (१९ V १५३९—८ IV १५४० ई०)में उबैदुल्ला मर गया। इतिहासकार हैदरके अनुसार पिछले सौ सालोंमें उबैदुल्ला जैसा बादशाह नहीं हुआ था। वह बड़ा ही सदाचारी, नम्र, धार्मिक, संयमी, न्यायपरायण, उदार और वीर पुरुष था। उसने अपने हाथसे कई कुरानकी प्रतियां लिखीं। तुर्की-अरबी-फारसीका वह कवि तथा संगीतज्ञ था। उसके समयमें राजधानी बुखारा हुसेन मिर्जाके हिरातकी याद दिलाती थी।

५. अब्दुल्ला I, कूचुनजी-पुत्र (१५४० ई०)

यह थोड़े ही समय बाद मर गया, और फिर उसका भाई गद्दीपर बैठा।

६. अब्दुल्लतीफ, कूचुनजी-पुत्र (१५४०—५१ ई०)

१५२६ ई० में बलख जीतनेके बाद उसे जानीबेगके पुत्र पीर मुहम्मदके बेटेको दे दिया गया था। अब्दुल्लतीफके समय १५४७ ई०में अपने भाई हुमायूंसे विद्रोह करके बाबर-पुत्र कामरान काबुलसे बलखकी ओर भागा। पीर मुहम्मदने उसका स्वागत किया और उसे सेना देकर लौटाया। कामराननें गोरी और बकलानपर अधिकार कर लिया। इस समय पीर मुहम्मद उसके साथ था और यहींसे सेना देकर लौट गया। प्रतिद्वन्द्वी भाईकी इस तरह सहायता करनेके लिये बादशाह हुमायूं बहुत क्रुद्ध हुआ और उसने बलखके विरुद्ध अभियान किया। हुमायूं इस वक्त अन्दराब, तालिकान होते नारीडांडेको पार हो निलबरकी सुन्दर उपत्यकामें होते बकलान पहुंचा और सेनाको ऐबकके ऊपर आक्रमण करनेका हुक्म दिया——बलख-राज्यमें ऐबक एक बहुत ही उर्वर और समृद्ध इलाका है। ऐबक ले लेनेके बाद खोल्म होते हुमायूंकी सेना आगे बढ़ी, लेकिन प्राकृतिक और मानवी प्रतिरोध इतने कड़े हुये, कि उसे लौटना पड़ा। हुमायूंके लौट जानेपर कामराननें बदख्शांपर असफल आक्रमण किया। अब्दुल्लतीफके शासनकालमें की यही एक महत्त्वपूर्ण घटना है। ९५९ हि० (२९ दिसंबर १५५१—१८ नवम्बर १५५२ ई०)में अब्दुल्लतीफ मर गया।

७. नौरोज मुहम्मद, सूयुनजी-पुत्र (१५५१-५६ ई०)

उज्बेक और उस्मानअली तुर्क-राज्योंके बीचमें सुन्नियोंकी घृणाके पात्र सफावी शियोंका राज्य था, जिनसे दोनों लड़ते रहते थे। इसके कारण दोनों सुन्नी तुर्क-शासकोंके बीचमें अब बहुत घनिष्ठता स्थापित हो चुकी थी, जिसे ब्याह-शादीद्वारा भी दृढ़ करनेकी कोशिश की जाती थी। नौरोजके शासन कालमें दोनों राज्योंमें दूतोंका बहुत दानादान होता रहा।

८. पीर मुहम्मद, जानीबेग-पुत्र (१५५६-६१ ई०)

पीरमुहम्मदके शासनके बारेमें यही कहा जा सकता है, कि अभी शैबानियोंकी शक्तिका ह्रास होना शुरू नहीं हुआ था।

९. इस्कन्दर, जानीबेग-पुत्र (१५६१-८३ ई०)

इस्कन्दरके शासनकालमें राज्यका सर्वेसर्वा उसका पुत्र अब्दुल्ला था। अब्दुल्लाने १५५६ ई० में बुखाराकी शाखाको खतम कर दिया। फिर ९६८ हि० (२२ IX १५६०—१३ VII १५६१ ई०)में उसने अपने पिताको "खाकानेजहां" (दुनियाका राजा) घोषित किया। ९८६ हि० (१० III १५७८—२९ I १५७९ ई०)में उसनें समरकन्दकी शाखाको भी खतम कर दिया, जिससे पहिले १५८१

ई०में बाबाजान सुल्तानपर उसने विजय प्राप्त कर ली थी। अब्दुल्ला असाधारण आदमी था, इसमें सन्देह नहीं। जीजकसे समरकन्दकी ओर आनेवाले रास्तेमें जीलानउति डांडेपर एक चट्टानके ऊपर उसने एक अभिलेख खुदवाया है—"रेगिस्तानको पार करनेवालों और जलथलके यात्रियोंको मालूम होना चाहिये, कि ९७९ हि० (२६ मई १५७१—१५ अप्रैल १५७२ ई०) में खलाफतके सहायक, महाखाकान सर्वशक्तिमान् महाखान इस्कन्दरखान-पुत्र अब्दुल्लाके तीस हजार सैनिकों, और बोरका खानके पुत्रों दरवेशखान-बाबाखान आदिकी सेनाओंके बीचमें युद्ध हुआ। उसकी सेनामें सुल्तानके पचास सम्बन्धी और तुर्किस्तान-ताशकन्द-फरगाना-दश्तेकिपचकके चालीस हजार योद्धा थे। तारोंके सौभाग्यसूचक समायोगसे शाहकी सेनाको विजय प्राप्त हुई। उपर्युक्त सुल्तानोंमें बहुत-से मारे गये, और बहुतसे बन्दी हुये। इस एक महीनेके भीतर इतना खून बहा, कि जीजक नदीके पानीके ऊपर खून तैरता रहा।......।"

यह स्मरण रखनेकी बात है, कि चट्टानोंपर अभिलेख खुदवानेवाले मध्य-एसियामें बहुत कम ही खान और सुल्तान हुये।

९८७ हि० (२८ II १५७९—१९ I १५८० ई०) में बाबाखानने ताशकन्द ले अपने भाई दरवेशको मार डाला। अब्दुल्लाको यह खबर खोकन्दके इलाकेमें मिली। उसने पहुंचकर ताशकन्दके पास बाबाको हराकर भगा दिया। अब्दुल्लाको सूचना मिली, कि वह कजाकोंके बीच जाकर छिपा है। इसपर उसने उसे पकड़नेके लिये तलस और सैरामतक सेना भेजी। १५७९-८० ई०में कजाकोंने यस्सी और सरवान ले लिया, फिर सरवान-सुल्तानके नेतृत्वमें बुखारातक और बादमें समरकन्दतकके इलाकेको लूटा। इसी बीच बाबाका कजाकोंके साथ झगड़ा हो गया और वह उनके कई सरदारोंको मार, उनके खान सिगाईको हराकर भारी लूटके मालके साथ ताशकन्द लौटा।

बाबाने फिर अब्दुल्लाकी नींद हराम कर दी और १५८१ ई०में वह उसके विरुद्ध उजकंदतक पहुंचा। जब उसका डेरा कराताउमें पड़ा हुआ था, उसी समय सिगाई खान उसके पास आया, जिसे उसने खोजन्द शहर प्रदान किया। कजाकोंसे और घनिष्ठ मित्रता करनेके लिये बुखारामें एक बहुत बड़ा जल्सा मनाया गया, जिसमें अब्दुल्लाके पुत्र अब्दुल-मोमिन और सिगाईके पुत्र तवक्कलने खेलमें अपनी सिद्धहस्तता दिखलाई। १५८३ ई०में अब्दुल्लाने फरगाना और अन्दिजानको जीता, जिसमें कजाक तवक्कल खान उसका सहायक रहा। बाबा सुल्तानके पतनके बाद तुर्किस्तान और ताशकन्दने अब्दुल्लाकी अधीनता स्वीकार की। इसी साल पिताके मरनेपर अब्दुल्ला शैबानी-तख्तपर बैठा।

१०. अब्दुला II, इस्कन्दर-पुत्र (१५८३—९६ ई०)

अब्दुल्ला अकबरका समकालीन था। बापके समयमें भी सारा राजकाज तथा दिग्विजय अब्दुल्ला ही करता रहा। अब्दुल्लाकी सबसे बड़ी इच्छा थी, मुहम्मद शैबानीके साम्राज्यकी सीमाओं-तक अपने राज्यको पहुंचाना, जिसमें वह बहुत कुछ सफल भी हुआ। शैबानियोंका वह सबसे बड़ा खान था। इस्कन्दरके मरनेके वक्त वह खोजन्दमें था। वहीं शैबानी-सुल्तानोंने उसे अपना खाकान चुना, और मक्काके जमजमके पानीमें भिगोकर पवित्र किये गये सफेद नम्देके ऊपर बैठाकर उसे अपने कंधोंपर उठाया। इस प्रकार छिङ-गिस् और उसके पहलेसे चली आई नम्दारोहण (सिंहासनारोहण) की रसम अदा की गई। अमीर वहांसे जमीन गये, जहांसे गद्दी पानेकी खबर दी गई। अपने पिताके समयमें ही अब्दुल्लाने कजाक-मरुभूमिसे काबुलकी सीमातकके बहुतसे प्रतिद्वंद्वियों और शत्रुओंको परास्त किया, और छोटी-छोटी रियासतोंमें बंटे उज्बेक-राज्यको एकताबद्ध किया था। उसके राज्यकी सीमा उत्तरमें सिर नदीसे आगेकी मरुभूमितक तथा पूरबमें काश्गर और खोतनतक थी।

दक्षिणमें अकबर और सफावी शाहके साम्राज्य उसके आगे बढ़नेमें बाधक थे, लेकिन बलख और बदख्शांको उसने दिल्लीसे छीन लिया था।

शाह तहमास्पके मरनेपर अब्दुल्लाकी शक्ति और भी अधिक बढ़ी। ख्वारेज्म आपसी फूटसे अस्त-व्यस्त था, जिसका अन्त करनेवाला शाह अब्बास (१५८७—१६२६ ई०) ईरानके अत्यन्त शक्ति-शाली शाहोंमेंसे था। १५८५ ई०में शाह अब्बासको उस्मानी तुर्कोंकी लड़ाईमें फंसा देखकर उज्बेकोंने हिरातपर आक्रमण कर दिया और नौ महीनेके मुहासिरेके बाद उसपर अधिकार कर लिया। इस लड़ाईमें राज्यपाल अलीकुल्ली खान शामलू और कितने ही दूसरे ईरानी सेनापति काम आये। सुन्नी-उज्बेक शियोंको काफिरोंसे भी बदतर मानते थे, इसलिये उन्होंने हिरातियोंके साथ बहुत कठोर बर्ताव किया। सदियोंसे शिया-सुन्नी मुल्ला कलमकी लड़ाई लड़ रहे थे, और उनके सुल्तान अपनी तलवारों द्वारा एकको मिटाकर इस भेदको मिटाना चाहते थे। तरुण शाह अब्बास जब कजवीनसे अपनी सेना लेकर खुरासानकी ओर बढ़ा, तो अब्दुल्ला चुपकेसे मेर्व होते बुखारा लौट गया। मशहद पहुंचनेपर अब्बासको पता लगा, कि तुर्कोंने गुरजी (जार्जिया)पर आक्रमण कर दिया है। अब्बास जल्दी-जल्दी उधर लौटा, लेकिन लड़ाईमें उसकी हार हुई। इसकी खबर पाते ही अब्दुल्ला मशहदपर चढ़ दौड़ा। उसके हरावलका नेतृत्व अब्दुल-मोमिनके हाथमें था, जिसने मशहदपर भारी अत्याचार किये। अब्दुल-मोमिन बड़ा ही बर्बर, क्रूर, महत्त्वाकांक्षी आदमी था। वह एक बड़ी सेना लिये दीन मुहम्मदके साथ जल्दी-जल्दी आगे बढ़ा। हिरातका राज्यपाल तथा अब्दुल्लाका विश्वासपात्र सेवक कुलबाबा कोकलताश भी उसके साथ था। इस सेनाने पहले नेशापोरपर आक्रमण किया। कुछ थोड़ेसे आदमी पकड़कर छोड़ दिये गये। नेशापोरको लूटकर वह शियोंके पवित्र नगर मशहदपर चढ़े—लूट-मारके भयसे बहुतसे गांवके लोग भी मशहदको सुरक्षित समझ वहां चले आये थे। इतने आदमियोंके लिये अन्न कहांसे मिलता? अकाल पड़ गया। पहले ही प्रहारमें नगरपर उज्बेकोंका अधिकार हो गया, और वहांके राज्यपाल उम्मत खान उस्ताजलूका सारा प्रयत्न व्यर्थ गया। अब्दुल-मोमिनके सैनिकोंने शहरके भीतर जाकर देखा, कि "बहुसंख्यक स्त्री-पुरुष, संत और विद्वान्, सभी इमाम रजाके रौजेके बाहरी आंगनमें इस आशासे जमा हो गये हैं, कि स्थानकी पवित्रताके कारण शायद उन्हें प्राणदान मिल जाय। लेकिन, उज्बेक शिया-पवित्रस्थानको कब माननेवाले थे? उन्होंने बिना किसी विचारके जो भी चीज सामने आई, उसे काटा और नष्ट कर दिया।" पैगंबरके नातीकी संतान इमामरजाके वंशजोंको भी उन्होंने नहीं छोड़ा—वह बेचारे अपने पूर्वज शहीदकी कब्रसे लिपटे हुये थे। कहा जाता है, अब्दुल-मोमिन स्वयं उस समय मीर अलीशेखके महलसे तमाशा देख रहा था, जब कि उसके आदमी अपनी तलवारोंको इन निरपराध स्त्री-पुरुषोंके खूनसे रंग रहे थे। न जाने कितने अच्छे-अच्छे विद्वान् और धर्मशास्त्री भी इस हत्याकांडमें मारे गये। हजारों आदमियोंके करुण क्रंदनसे भी उज्बेकोंका दिल नहीं पसीजा। सिर्फ सड़कों और आंगनोंको ही नहीं, बल्कि पवित्रतम स्थानों और मस्जिदोंको भी उन्होंने खूनसे रंग दिया। मशहदके हत्याकांडमें अलीके वंशजोंकी कब्रोंको भी अब्दुल मोमिनने नहीं छोड़ा, और उन्हें तोड़-फोड़कर नष्ट कर दिया। तीन शताब्दियोंसे तीर्थयात्री और दूसरे धार्मिक लोगोंने जो मूल्यवान् भेटें—अतिविशाल सोने और रूपेके दीपस्तम्भ, बहुमूल्य धातुओं और रत्नोंसे जटित कवच, दुर्लभ रत्न, तथा दूसरी कितनी ही अनमोल चीजें—इमामरजाकी समाधिपर चढ़ाई थी, उन सबको विजेताओंने लूट लिया। यही नहीं, उन्होंने वहांके विशाल पुस्तकालयको भी ध्वस्त कर दिया, जिसमें पुराने सुल्तानोंके दान दिये कितने ही प्रसिद्ध कुरानके अत्यन्त सुन्दर कलापूर्ण हस्तलेख थे। "शियोंकी पुस्तकें" कहकर उन सबको घसीटकर सड़कोंपर ले गये और फाड़कर उन्हें पूरी तौरसे नष्ट कर दिया। सुन्नी विजेताओंने मुर्दोंके ऊपर भी रहम नहीं किया। इमाम रजाके पास सोये शाह तहमास्पकी लाशको जलाकर उन्होंने हवामें उड़ा दिया।

शाह अब्बास उस समय बीमार था, इसलिये तेहरानसे नहीं आ सका। जैसे ही स्वस्थ हुआ, वह तैयारी करने लगा। लेकिन अधिकांश खुरासान—हिरात, मशहद, सेरख्स, मेर्व, खाप, जाम, फूसङ्, गोरियान—अब्दुल्लाके हाथमें करीब-करीब उसकी मृत्युके समयतक रहा।

१५८६ ई० में ही अब्दुल्लाको खुरासानकी ओर गया जानकर उत्तरसे कजाकोंने लुटेरोंके घर-को लूटनेका निश्चय किया और तवक्कल खान तथा उसके भाई इशिमके नेतृत्वमें वह अन्तर्वेदपर चढ़ आये। लूटकर जब वह रेगिस्तानकी ओर लौट रहे थे, तब अब्दुल्लाके भाई उबैदुल्लासे उनका मुकाबिला हुआ।

जिंदगीभर संघर्ष करते हुये भी अब्दुल्लाका जीवन असफल रहा, ऊपरसे अन्तमें पुत्र अब्दुल मोमिन-के बर्तावोंने उसे और दुःखी बना दिया। उत्तरके कजाक उसे दम नहीं लेने दे रहे थे। १५९६ ई०में उनके खान तवक्कलने फिर चढ़ाई की, और ताशकन्दको लूटा, फिर ताशकन्द एवं समरकन्दके बीचमें अब्दुल्लाको बुरी तरह हराया। उधर शाह अब्बास ख्वारेज्मके उज्बेकोंसे दोस्ती कर उनकी मददसे मेर्व, मशहद और हिरातको छीननेके लिये तैयार था। इस प्रकार अब्दुल्लाने अन्तमें अपनी आंखोंके सामने ही अपने कियेपर पानी फिरते देखा और ६ फर्वरी १५९७ ई०को अर्थात् अकबरसे आठ वर्ष पहले बेटेके हाथों प्राण खोया।

११. अब्दुल मोमिन, अब्दुल्ला II-पुत्र (१५९६–९७ ई०)

अब्दुल्लाके मरते ही देशमें अराजकता फैल गई। पिताको मारकर तख्त लेनेकी इच्छा रखनेवाले पुत्रने गद्दी संभालते ही पहले पिताके विश्वासपात्र सेवकोंको मरवाना शुरू किया, जिसके कारण दरबारी उसके खूनके प्यासे हो गये। उसे चारों ओर षड्यंत्र ही षड्यंत्र दिखाई देता था। जुलाई १५९७ ई०में गर्मीसे बचनेके लिये वह रातमें यात्रा कर रहा था। मशालची और कितने ही सवार उसके साथ थे। उरातिप्पा और जमीनके बीचमें एक संकरा दर्रा आया, जिसमें मशालचीके साथ सिर्फ दो सवार एक साथ गुजर सकते थे। इसी समय इस आततायीके ऊपर बाणोंकी वर्षा होने लगी। मोमिन घायल होकर गिर पड़ा, और हत्यारोंने तुरन्त उसका शिर काट लिया। दूसरे दिन पीछेसे आनेवालोंने पोशाकसे उसके धड़को पहचाना। इस प्रकार छ महीना शासन करनेके बाद इस राक्षसने सचमुच ही नरकका रास्ता पकड़ा।

१२. पीर मुहम्मद, जानीबेग-पुत्र (१५९७–९९ ई०)

अब्दुल मोमिनके मरनेपर तख्तके बहुतसे दावेदार उठ खड़ हुये, लेकिन शैबानी-वंशके अन्तिम खान बननेका सौभाग्य पीर मुहम्मदको हुआ। जुलाई १५९८ ई०में शाह अब्बासने हिरातके पास कूलेसालारमें उज्बेकोंको करारी हार दी, और उनसे सब्जबार, मशहद और हिरात छीन लिया। देशकी इस अवस्थाकी खबर कजाकोंको भी मिले बिना नहीं रही, और तवक्कल अपने सत्तर-अस्सी हजार सवारोंके साथ तुर्किस्तान-शहर, अक्सी, अंदिजान, ताशकन्द, समरकन्दको लूटते-अधिकार करते बुखारा पहुंचा। पीर मुहम्मद पंद्रह हजार सैनिकोंके साथ नगरमें घिर गया। बारहवें दिन फाटकसे बाहर निकल उसने कजाकोंको बुरी तरह हराया। लुटेरोंके विरुद्ध लोग एक हो गये थे। मियानकुलके उजुनसकालमें दुश्मनोंसे फिर मुकाबला हुआ। बाकी मुहम्मद भी युद्धके आरम्भके समय भाग ले रहा था, लेकिन इसी समय खुरासानमें अब्बासद्वारा उज्बेक-सेनाके घोर पराजयकी खबर पहुंची। कजाकोंसे महीनेभर केवल जब-तब झड़प करते रहनेके बाद युद्ध हुआ, जिसमें दोनोंकी बहुत क्षति हुई। तवक्कल घायल न हो जाता, तो शायद उज्बेकोंका उसी समय खातमा हो जाता। तवक्कल ताशकन्द लौटकर मर गया, और एक नक्शबन्दी शेख (साधु) ने बीचमें पड़कर कजाकों और उज्बेकों-में सुलह करवा दी। बाकी मुहम्मदको समरकन्द मिला, लेकिन वह तो पीर मुहम्मदसे तख्त छीनना चाहता था। पीर मुहम्मद समरकन्दमें लड़ते वक्त मारा गया, और बाकी महम्मदकी इच्छा पूर्ण हुई। बाकी मुहम्मद अब्दुल्ला II की बहिन जोहरा खानम तथा जानीबेग सुल्तानका बेटा था। पीर मुहम्मद-के साथ शैबानी-वंशका अन्त हुआ।

इतिहास-लेखक बेम्बरीके अनुसार शैबानियोंके कालमें पूर्वी और पश्चिमी इस्लाम पूरी तौरसे अलग हो गया, और उसने वह रूप लिया, जो उसका आज भी मौजूद है। ईरान, चीन (सिङ-क्यांग) और हिन्दुस्तान पूर्वी इस्लामके अन्तर्गत हुये और पश्चिमके देश पश्चिमी इस्लाममें। चीन और मध्य-एसियाके मुसलमानोंमें साधु-संतों, जादूगरों और ज्योतिषियोंका बहुत ज्यादा मान था। यदा-तासी (जादूके पत्थर)से वह वायु-जल-नियंत्रण, रोगमुक्ति और युद्धमें विजय प्राप्त करना चाहते, इस्लामसे भी अधिक उसके संतों और सूफियोंपर विश्वास रखते थे। मंगोलोंके शासनकालमें मुट्ठीभर मुल्लों और सूफियोंके खानदानोंने धर्मकी इजारादारी अपने हाथमें ले ली थी, जिनके सामने अत्यन्त शक्तिशाली और स्वेच्छाचारी सुल्तान भी शिर झुकानेके लिये तैयार थे। यह लोग राजा और प्रजा दोनोंके भक्तिभाजन थे—साधारण जनता समझती थी, कि उनके पास दिव्य शक्ति है। उनके प्रति सुल्तान और खान केवल भारी सम्मान ही नहीं दिखलाते थे, बल्कि अपनेको उनका तुच्छ सेवक साबित करनेकी कोशिश करते थे। मखदूम आजम मौलाना खोजकी काशानी—प्रसिद्ध खोजा अहरारका शिष्य—अपने त्याग और वैराग्यपूर्ण जीवनके लिये बहुत माननीय समझा जाता था, और अपनी दिव्य शक्तिके कारण लोगोंमें सम्मान ही नहीं भयकी दृष्टिसे भी देखा जाता था। वह २१ मुहर्रम ९४९ हि० (७ मई १५४२ ई०) में मरा। उसकी समाधि देहबिदमें है, जहांपर हालतक लोग भारी संख्यामें तीर्थयात्राके लिये जाते थे।

साहित्य-संस्कृति—शैबानी-कालमें तुर्की भाषा और साहित्यका सर्वत्र प्रचार हुआ। कितने ही कवि अब केवल तुर्की (उज्बेकी)में ही कविता करते थे; यद्यपि अन्तर्वेदके गांव-गांवमें भी ताजिकोंके रहनेसे पुरानी भाषा फारसीका इतना प्रचार था, कि प्रायः सभी तुर्क स्त्री-पुरुष द्विभाषी थे। इन कवियोंमें सबसे प्रसिद्ध उज्बेक-राजकुमार मुहम्मद सालेह था, जिसके पिताको तेमूरियोंने ख्वारेज्म-के राज्यसे वंचित कर दिया था वह तरुणाईमें ही शैबानियोंके दरबारमें चला आया। अपने महाकाव्य "शैबानीनामा"द्वारा किसी-किसीके मतमें वह नवाईसे भी बड़ा कवि है। इस समयके दूसरे बड़े कवि थे—अमीर अली कियातिब, प्रथम शैबानी-राजकवि मुल्ला नीरक, मुल्ला मुशफिकी (मृत्यु १५८५ ई०), काजी पायन्दा, जमीनी, वजीर। पायन्दाने कुलबाबा कोकलताशकी प्रशंसामें एक काव्य लिखा, जिसमें बिंदीवाले अक्षरों (बे, ते, जीम, चे, खे, जाल, जे, शीन, ज्वाद, जोय, गैन, फे, काफ और नून) का प्रयोग नहीं किया। शीरीं खोजा उबैदुल्लाकालीन, और खैर हाफिज [मृत्यु ९८१ हि० (१५७३-७४ ई०)] इस कालके मशहूर संगीतकार और गायक थे—खैर हाफिज अब्दुल्लाके दरबार-में था।

शैबानीकालमें खान, खानजादों तथा अमीरोंने मस्जिदों, मदरसों और रौजोंको बनानेमें होड़-सी लगा रक्खी थी। वजीर कोकलताशने १५२७ ई० (९३४ हि०)में समरकन्दमें अपने नामकी विशाल मस्जिद बनवाई, जिसके संगमर्मरके मेम्बर (वेदी) को कूचुनजी खानने प्रदान किया। अब्दुल्ला खानका बनवाया मदरसा बोल्शेविक क्रांतिके पहलेतक मौजूद था। इसके विशाल फाटकपर कुरानकी आयतें लिखी हुई हैं, जिसके एक-एक अक्षर दो फिट लम्बे हैं। अब्दुल अजीज खानने अरबोंके वक्तकी बनवाई मोगक मस्जिद (पारसी मंदिर)की मरम्मत करवाई और बुखारासे थोड़ी दूरपर अवस्थित खोजा बहाउद्दीनके सुन्दर मकबरेको बनवाया। अबसईदने समरकन्दमें एक बड़ा मदरसा बनवाया। करोड़पति मीर अरबने बुखारामें एक मदरसा स्थापित किया, जिसके बारेमें हालके लेखकोंने लिखा है—"यह सारे मध्य-एसियाका सबसे अधिक धर्मस्व-संपत्ति रखनेवाला मदरसा है।"

इस समयके सुल्तानोंमें सभी जगह कवि होनेकी बड़ी लालसा थी, और उनमेंसे कुछको कविकर्ममें सफलता भी मिली। इस्माईल, तहमास्प, अब्बास फारसीके कवि थे। मुहम्मद शैबानी, उबैदुल्ला, अब्दुल्ला II भी कवि थे। बाबर, हुमायूं और अकबरने भी कविता की, जिसमें बाबर तो तुर्की भाषा का आज भी एक श्रेष्ठ कवि माना जाता है।

शैबानी-वंशवृक्ष—
(१५००–६६ ई०)

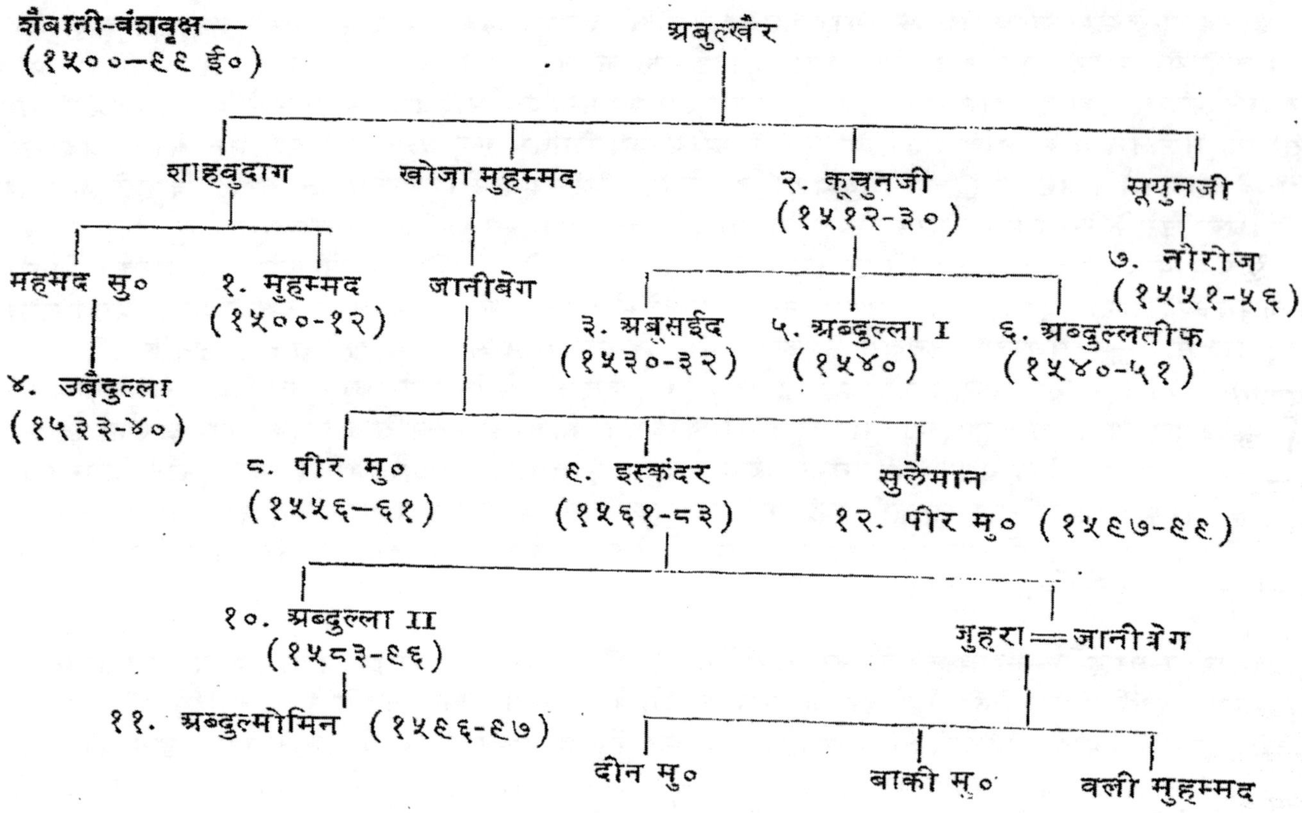

अध्याय ५

अस्त्राखानी (१५९९--१७४७ ई०)

१. दीन मुहम्मद (१५९८ ई०)

सुवर्ण-ओर्दूकी राजधानी सरायबरका जब ध्वस्त हो गई, और जू-छिका उलुस कई टुकड़ोंमें बंट गया। उस वक्त उनके एक खानकी राजधानी वोलगा और कास्पियनके संगमपर अस्त्राखान थी। सुवर्ण-ओर्दूके प्रसिद्ध खान कूचुक मुहम्मदका पुत्र अहमद उसका उत्तराधिकारी बना। कूचुकका दूसरा पुत्र चुवाक सुल्तान था, जिसका पुत्र मंगिशलक और पौत्र यार मुहम्मद थे। जब रूसियोंने अस्त्राखानको भी छीन लिया, तो यार मुहम्मद खानने भागकर बुखारामें इस्कन्दर खानके पास शरण ली। अस्त्राखानी और शैबानी दोनों ही जू-छिके वंशज थे। इस्कन्दरने यार मुहम्मदका बहुत सम्मान किया और उसके लड़के जानीबेग सुल्तानके साथ अपनी लड़की जोहरा खानमका ब्याह कर दिया। जानीबेग ९७५ हि० (८ जुलाई १५६७—२८ मई १५६८ ई०) की विजय-यात्राओंमें अपने साले अब्दुल्लाके साथ रहा। अब्दुल्लाके समय उसके भांजे दीन मुहम्मदने खुरासानके कई शहरोंपर शासन किया, अन्तमें वह निसा और अबीबर्दका राज्यपाल बना। अब्दुल मोमिनने उसके पिता जानीबेगको जेलमें डाल दिया था, इसपर विद्रोह करके दीन मुहम्मदने हिरात लेनेका असफल प्रयत्न किया। अब्दुल मोमिनके मरनेके बाद ईरानी फिर खुरासानको जीतनेका प्रयत्न करने लगे। इसने भी हाथ-पैर फैलानेकी कोशिश की। अब्दुल मोमिनके बाद शहर-शहरमें खान (राजा) बनते जा रहे थे। दीन मुहम्मदने भी मक्का-मदीनासे लौटे अपने दादा सुल्तान यार मुहम्मद-के नामसे खुतबा और सिक्का चलाना चाहा। मेर्वमें कासिम सुल्तानने अपना राज्य कायम किया, लेकिन जल्दी ही वह मार डाला गया। मेर्वको भी दीन मुहम्मदके छोटे भाई वली मुहम्मदने बड़े भाईके नामसे दखल कर लिया। जुलाई १५९८ ई०में नूर मुहम्मदको हराकर शाह अब्बासने हिरात ले लिया। दीन मुहम्मद हारकर भागा जा रहा था, लेकिन शाही कपड़ोंके कारण पहचाना गया और काराई घुमन्तुओंने उसे मार डाला। बाकी मुहम्मदने तवक्कलसे लड़कर पराजित होते समय खबर दी और उसे समरकन्दका राज्य मिला।

शायद हिरातमें कुलेसालारके निर्णायक युद्धके समय ही यार मुहम्मद और जानीबेग मारे गये, यद्यपि इससे पहले ही हिरातमें यार मुहम्मदने अपनेको खान घोषित कर दिया था। दीन मुहम्मदके मरनेपर उसके स्वामिभक्त नौकर खाकी यसाउल्ने खानम् और उसके दोनों बच्चों इमामकुल्ली और नादिर (नासिर)को अपने घोड़ेकी पीठपर दोनों ओर रखकर सरपट भागते हुये उनकी जान बचाई। नादिर मुहम्मदके पैरमें गोली लग गई, जिससे वह जन्मभरके लिये लंगड़ा हो गया। बाकी मुहम्मद और वली मुहम्मद अन्तर्बेदमें थे। बाकी मुहम्मदने राज्य संभाला। इतना कहनेसे यह मालूम होगा, कि यद्यपि बाकी मुहम्मदके गद्दी संभालनेके बाद एक नये अस्त्राखानी राजवंशकी स्थापना हुई, किन्तु वस्तुत: दोनों ही राजवंश उज्बेक जातिके ही थे। सुवर्ण-ओर्दूके प्रतापी मुसलमान खान उज्बेकके नामसे किपचकोंकी यह संज्ञा हुई, यह हम कह आये हैं। शैबानी और अस्त्राखानी ही नहीं, बल्कि दोनोंके उत्तराधिकारी तथा अन्तिम राजवंश मंगीत भी उज्बेक ही था। बोल्शेविक क्रांतिने मंगीत-वंशका उच्छेद करके वहां सोवियत गणराज्य कायम कर देशको उज्बेकिस्तान नाम दिया।

राजावलि——इस वंशमें निम्न खान हुयेः——

१.	दीन मुहम्मद, जानीबेग-पुत्र	१५९८ ई०
२.	बाकी मुहम्मद, जानीबेग-पुत्र, इस्कन्दर-नाती	१५९९—१६०५ ,,
३.	वली मुहम्मद, जानीबेग-पुत्र	१६०५—८ ,,
४.	सैयद इमामकुल्ली, दीन मुहम्मद-पुत्र	१६०८—४२ ,,
५.	नादिर मुहम्मद, दीन मुहम्मद-पुत्र	१६४२—४७ ,,
६.	अब्दुल अजीज, नादिर मुहम्मद-पुत्र	१६४७—८० ,,
७.	सुभानकुल्ली, नादिर मुहम्मद-पुत्र	१६८०—१७०२ ,,
८.	मुकीम, सुभानकुल्ली-पुत्र	१७०२—७ ,,
९.	उबैदुल्ला I, सुभानकुल्ली-पुत्र	१७०७—१७ ,,
१०.	अबुल्-फैज मुहम्मद, सुभानकुल्ली-पुत्र	१७१७—४७ ,,
११.	अब्दुल मोमिन, अबुल्फैज-पुत्र	१७४७ ,,
१२.	उबैदुल्ला II, अबुल्फैज-पुत्र	१७५१ ,,
१३.	अबुलगाजी, इब्राहीम-पुत्र इमामकुल्ली-वंशज	

२. बाकी मुहम्मद, जानीबेग-पुत्र (१५९९-१६०५ ई०)

हम बतला चुके हैं, कि कैसे दीन मुहम्मदने पहले ही खुरासानमें अपनेको स्वतन्त्र खान घोषित किया। अब्दुल मोमिनके मारे जानेके बाद उसने अन्तर्वेदकी ओर पैर बढ़ाया और वहांका शासक बन गया। वस्तुतः बाकीने ही अस्त्राखानी वंशकी नींव रक्खी। इसने हिसारके पहाड़ी इलाके (ताजिकिस्तान)को सर किया और इसके भाई वली मुहम्मदने बलखको ले लिया, जिसे कि पीर मुहम्मदके भाई इब्राहीमने ईरानसे आकर हथिया लिया था। इब्राहीमके शिया होनेसे लोग नाराज थे, साथ ही वह पियक्कड़ और बहुत क्रूर भी था। उसे हटा उबैदुल्लाको बैठाया गया, जिसे वली मुहम्मदने हिसारसे आकर भगा दिया। काराई तुर्कमानोंने उसके भाई दीन मुहम्मदको मारा था, उसका बदला लेनेके लिये बाकी मुहम्मदने १६०२ ई०में कुंदुजपर हमला किया। उज्बेकोंने अपने पुराने शत्रुओं (तुर्कमानों)से बड़ा ही निष्ठुर बदला लिया। बहुत-से तुर्कमान भागकर कुंदुजके किलेमें बन्द हो गये। किला बहुत मजबूत था। उज्बेकोंने बारूद लगाकर दीवारके एक बड़े भागको उड़ा दिया, जिसके साथ सैकड़ों तुर्कमान भी चिथड़े-चिथड़े होकर उड़ गये। फिर आक्रमण करके किलेको ले उज्बेकोंने किसीको जीवित बन्दी नहीं बनाया। तुर्कमानोंके काराई कबीलेको इस लड़ाईमें बिल्कुल नष्ट-भ्रष्ट कर दिया गया, जिसके बाद वह फिर अपनेको संभाल नहीं सके——काराई तुर्कमान शाह अब्बासके सहायक थे। उज्बेकोंने शापूरगान और अन्दखूईको ले बिलुक-अकचीतक देशको लूट-मारकर उजाड़ दिया। ईरानी इनके मुकाबिलेके लिये आये, लेकिन बलखके पास बाबर अब्दुलके मकबरेके नजदीक उनमें महामारी फैल गई। ऊपरसे उज्बेकोंने दोनों ओरसे हमला कर दिया। शाह अब्बास बड़ी मुश्किलसे कुछ हजार आदमियोंके साथ जान बचाकर भाग सका।

१६०५ ई०में बाकी बीमार पड़ा और असाध्य रोगसे मुक्ति पानेके लिये एक प्रसिद्ध संत शेख आलिम अलीजानकी शरणमें गया। शेखने उसे वक्षु (आमू-दरिया) की ताजी हवा सेवन करनेकी सलाह दी। बाकी मुहम्मदको खटोलेमें लिटा नावपर ले गये। वह कई दिनोंतक नदीकी हवा खाता घूमता रहा। अन्तमें रजब १०१४ हि० (१२ नवम्बर—१२ दिसम्बर १६०५ ई०) में अर्थात् अकबरकी मृत्यु-महीने रजब १०१४ हि० में मरा।

३. वली मुहम्मद, जानीबेग-पुत्र (१६०५—८ ई०)

यह बड़ा ही शराबी और व्यभिचारी था, ऊपरसे लोग इसके वजीर शाहबेग कोकलताशके जुल्मोंसे भी परेशान थे, इसलिये इसके भतीजे सैयद इमामकुल्लीके नेतृत्वमें विद्रोह हो गया। वली ईरानकी ओर

भागा। शाह अब्बाससे अस्सी हजार सेनाकी मदद ले वह फिर वक्षुकी ओर चला। मखदूम आजमके वंशज खोजा मुहम्मद अमीनसे इमामकुल्लीको सहायता प्राप्त हुई। खोजा (संत)ने अपने सूफियोंके चोगेके ऊपर धनुष-बाण लटकाकर पहला तीर छोड़ा, फिर दुआ पढ़कर मुट्ठीभर मिट्टी शत्रुओंकी ओर फेंक दी---जिसका अर्थ था, शत्रु अंधे हो जायं। तुमुल युद्ध हुआ। मामियान सरोवरके किनारे इस युद्धमें वली मुहम्मदने तख्त गंवा अपनेको भतीजेके हाथमें बंदी पाया। शायद भतीजा चचाको छोड़ भी देता, लेकिन शेखका हुक्म था, इसलिये कत्ल किये बिना कैसे रह सकता था? वली मुहम्मदके पुत्र रुस्तम और रहीम ईरान भाग गये।

४. सैयद इमामकुल्ली बहादुर, दीन मुहम्मद-पुत्र (१६०८–४२ ई०)

यह जहांगीर और शाहजहांका समकालीन था, और भारतीय मुगल-साम्राज्यसे इसकी सीमा मिली हुई थी। जिस वक्त अब्दुल मोमिनने मशहदमें कत्लेआम किया था, उसी समय इमामरजाके वंशजोंके मुखिया अबूतालिबने दीन मुहम्मदके घोड़ेकी लगाम पकड़कर अपने परिवारके लोगोंके प्राणोंकी भिक्षा मांगी। दीन मुहम्मद उनके बचानेके लिये उसी मुहल्लेमें ठहरा और उसने अबूतालिबकी बेटी जोहरा बानूसे ब्याह किया। इसी जोहरा बानूसे इमामकुल्ली और नजर (नादिर मुहम्मद, नासिर) मुहम्मद पैदा हुये। यद्यपि बापकी ओरसे यह उज्बेक या छिङ-गिस्के वंशज होनेका अभिमान कर सकते थे, लेकिन पैगंबर मुहम्मदकी बेटीकी संतान होनेके कारण आगे अब अस्त्राखानी खानोंने अपने नामके साथ सैयद लगाना शुरू कर दिया। इमामकुल्लीका दीर्घकालीन शासन अन्तर्वेदकी उन्नति और समृद्धिका समय था। उसके शासनकी यह एक और भी विशेषता थी, कि इसने बिना किसी युद्ध और विजयकी लूट-पाटके अपने राज्यको खुशहाल बनाया। अपने भाई नादिर (नजर) को इसने बलखका राज्यपाल बनाकर मुगल-साम्राज्य की सीमापर रख दिया। इमामकुल्ली दृढ़ शासक होते हुये भी बड़ा ही धार्मिक, शिक्षित, सत्संग-प्रेमी और स्पष्ट वक्ता था। राजधानी बुखारा इस समय धन-जन, कला-सौंदर्यसे भरी फल-फूल रही थी। इमामकुल्लीका पड़ोसी शाह अब्बास शक्तिशाली होते हुये भी एक बार भारी मुंहकी खा चुका था। हां, उत्तरके कजाक और कलमक अब भी खतरनाक थे, जिसके लिये इमामकुल्लीको १६१२ ई०में कजाकों और कलमकोंको हरानेके लिये सिर-दरियाके उत्तरमें अशगरा और करातागतक जाना पड़ा। उसने अपने इकलौते पुत्र इस्कन्दरको ताशकन्दका राज्यपाल बनाया। कुछ ही समय बाद वहां विद्रोह हो गया, जिसमें पुत्र मारा गया। विद्रोहको दबानेके लिये इमामकुल्लीने अपने भाई नादिरको भी बलखसे बुला लिया, और सारी सेना लेकर ताशकन्दको घेर लिया। ताशकन्दियोंने प्रतिरोध करनेका निश्चय किया। इकलौते बेटेकी मृत्युसे पागल इमामकुल्लीने शपथ कर ली थी, कि मैं तबतक हत्याकांडको बन्द नहीं करूंगा, जबतक कि ताशकन्दियोंका खून मेरी रिकाबतक न पहुंच जाये। नगर सर होनेपर लूट-मार शुरू हुई। कुछ घंटोंके कत्लके बाद लोगोंने खानको बहुत समझाया, लेकिन वह तो प्रतिज्ञा कर चुका था। तब मानवरक्तसे भरे एक हौजमें घोड़ेपर चढ़कर वह खड़ा हुआ। खून रिकाबतक पहुंच गया, खानकी प्रतिज्ञा पूरी हुई, और निर्मम हत्या बन्द हुई। लेकिन यह विजय स्थायी नहीं थी। कुछ ही सालों बाद कजाकोंने ताशकन्दको फिर अपने हाथमें कर लिया। इमामकुल्लीने भी संघर्षको बेकार समझकर कजाकखान तुरसुनसे सुलह करके १६२१ ई०में ताशकन्दको उसके हाथमें दे दिया।

इमामकुल्लीके ऊपर इकलौते पुत्रकी मृत्यु और ताशकन्दमें बही खूनकी नदीका, जान पड़ता है, बड़ा भारी प्रभाव पड़ा था। वह कितनी ही बार शाही लिबासको छोड़ फकीरोंका चोगा पहिन बुखारामें घूमता था। उस समय उसका वजीर नजर दीवानबेगी और उसका भक्त अब्दुल वंसी भी साथ रहता था। इस प्रकार वह अपनी आंखों प्रजाकी दशा देखना चाहता था। कवि "तुराबी" और मुल्ला "नखली" उसके बड़े कृपापात्र थे। खान खुद भी कवि था। एक तरुण मुल्ला किसी सुन्दरीपर मुग्ध हो गया। त्योहारके लिये प्रेमिकाके पास सुन्दर पोशाक भजकर उसने अपने प्रेमका परिचय देना चाहा, लेकिन मुल्लाके पास इतना धन नहीं था। सोचा "माले-काफिरां हस्त बर-मोमिन

हलाल" (काफिरोंका माल मुसलमानोंके लिये हलाल है)। उस समय क्या बोल्शेविक क्रांतिके होनेतक हिन्दू जौहरियों और महाजनोंकी कितनी ही दूकानें बुखारामें थीं। मुल्लाने हिन्दू जौहरीकी दूकान तोड़नेका निश्चय किया और अपने दो नौकरोंके साथ वहां पहुंचकर आसानीसे दरवाजेको खोल लिया। फिर रत्नोंकी एक पिटारीके साथ निकलकर सड़कपर आया। इसी बीच आहट पा हिन्दू जौहरी जाग उठा और हल्ला मचाते हुये जाकर उसने मुल्लाकी गरदन पकड़ी। उधर मशाल हाथमें लिये पहरेदार भी पहुंच गया। मुल्लाने तुरन्त मारकर मशालको गिरा दिया, और अंधेरेमें बोल उठा—"ओह, नजर दीवानबेगी, तुमने बड़ा मूर्खतापूर्ण मजाक किया।" जवाब मिला—"आला हजरत (परमभट्टारक), मैं नहीं, यह अब्दुल वसी कुरजी था।" पहरेवालेको जब मालूम हुआ, कि खानका दल भेस बदले आ पहुंचा है, तो वह डरकर भाग निकला। हिन्दू जौहरीने खानसे प्रार्थना करते पहरेवालेके कर्त्तव्य न पालन करनेकी शिकायत की। पूछ-ताछ करनेपर मुल्लाके प्रेम और साहसकी सारी बातका पता लग गया। खानने जौहरीके मालको लौटवा दिया, लेकिन मुल्लाकी दिक्कतोंको देखकर उसे दंड न दे इतना पारितोषिक दिया, जिसमें वह अपनी प्रेमिकाको भेंट भेज सके।

१६२० ई०में रूसी जार मिखाइल फ्योदर-पुत्र (मृत्यु १६४५ ई०) ने इमामकुल्लीके पास यह सिखलाकर अपना दूतमंडल भेजा, कि किसीको भेंट-बखशीश न देना, खानके तख्तके पास बुलानेपर ही जाना, यदि दूसरा दूत हो, तो उसके आसनके नीचा होनेपर ही अपने आसनपर बैठना। जारका दूत बुखारा पहुंचा। महलके एक अफसरने जारके पत्रको लेना चाहा, लेकिन रूसी दूतने उसे देनेसे इनकार किया। जारकी ओरसे अभिनन्दन भेंट करते हुये जब जारका नाम लिया गया, तो खान उठकर खड़ा नहीं हुआ। इसपर दूतने कहा—"सभी राजाओंका कायदा है, जारका नाम लेनेपर खड़े हो जानेका।" इमामकुल्लीने इस ढिठाईका जवाब नरमीसे दिया—"बहुत दिनके बाद रूसी राजदूत आया है, इसलिये मैं वैसा करना भूल गया, मेरी मंशा अनादर करनेकी नहीं थी।"

इमामकुल्लीने जहां जारके साथ दौत्य-सम्बन्ध स्थापित किया था, वहां उसने अपने सिंहासनारोहणकी सूचना देनेके लिये जहांगीरके पास भी अपना दूत भेजा था। रसीले जहांगीरने इमामकुल्लीकी बेगमका भी कुशल-मंगल पूछा, जो कि मुस्लिम शिष्टाचारके विरुद्ध था। लेकिन जहांगीर मुस्लिम शिष्टाचारका उतना प्रेमी नहीं था, उसका वंश मुस्लिम शरीयतसे ज्यादा छिङ्ग-गिसी यास्साको मानता था। उसने मुस्लिम सुल्तानों और इस्लामिक रवाजोंको धत्ता बताते हुये अपने सिक्कोंपर मूर्तियां अंकित कराई थीं। जहांगीरको बुखाराके दूतने इतना ही जवाब दिया, कि मेरा मालिक सांसारिक इश्कसे मुक्त है, वह इस दुनियाकी चीजोंसे प्रेम नहीं करता। इसपर जहांगीरने तुरन्त जवाब दिया—"तुम्हारे खानने कब इस दुनियाको देखा, जो कि उसे इतना वैराग्य हो गया?" इमामकुल्लीका दूत वैद्य था। परिहास करनेके बाद भी जहांगीरने उसे बहुत-सा सोना, जवाहर तथा जरीके काम किये हुये एक तम्बूको देकर बिदा किया। बहुत जोर देनेपर शिकारके समय खान दूतसे मिलनेके लिये राजी हुआ। दूतने सुनहले तम्बूमें सारी भेंटोंको सजा दिया। इमामने शिकारसे लौटते वक्त एक नजर डाली, फिर रहीम परवानेजीकी ओर मुंह करके बोला—"ले जा, इस सबको हमने तुझे दे दिया।" दूसरे दिन भारतीय दूतने दरबारमें एक तलवार पेश करते हुये खानसे कहा—"अकबर शाहको दो बढ़िया तलवारें मिली थीं, जिनमेंसे एकको सम्राट्ने अपने लिये रख लिया है, और दूसरेको उसने अपने भाईके पास मित्रताके चिह्नके तौरपर भेजा है।" खानने हाथमें लेकर तलवारको मियानसे निकालना चाहा, किन्तु वह नहीं निकली, इसपर उसने कहा—"तुम्हारी तलवारोंका निकालना बहुत मुश्किल है।"

दूतने जवाब दिया—"केवल यही ऐसी है, क्योंकि यह शांतिकी तलवार है, अगर यह युद्धका हथियार होती, तो अपने मियानसे तुरन्त निकल पड़ती।"

"नखली" और "तुराबी" दोनों दरबारी कवियोंमें प्रतिद्वन्द्विता रहा करती थी। खानने उनके बारेमें हिन्दी दूतकी राय पूछी, जिसने तुरन्त जवाब दिया—"ओ खान, तुराब (मिट्टी) से ही

नख्ल (खजूर) उगती है।" इस तरह उसने दोनों कवियोंको प्रसन्न रखनेकी कोशिश की। जहांगीर-का दूत १०३६ हि० (२२ सितम्बर १६२६ ई०—१३ अगस्त १६२७ ई०)में बुखारासे लौटा। इसके बाद ही जहांगीर मर गया और शाहजहां गद्दीपर बैठा। मुगल बाबरके समयसे ही अपने पूर्वजोंकी भूमिकी ओर चाहभरी दृष्टिसे देखा करते थे। इसी इच्छाको पूरी करनेके लिये शाहजहां एक बड़ी सेना ले काबुलसे आगे बढ़ा। खबर पाकर इमामकुल्ली भी अपने भाई नादिर, दस भतीजों-के साथ एक बड़ी सेना ले बलख पहुंचा। सभी पैदल थे, सिर्फ इमामकुल्ली घोड़ेपर सवार था। लोग भेंट करनेके लिये आये। इमामके लिये रास्तेमें पावड़े बिछा दिये गये। बड़ा स्वागत हुआ। फौजी तैयारी करते इमामकुल्लीने दादखा हाजी मंसूरको दूत बनाकर शाहजहांके पास काबुल भेजा। शाह-जहांने कहा—"मैं तो सिर्फ सूबोंको देखनेके लिये आया हूं।" नादिरकी शियोंसे मित्रता थी, जिससे ईरानके साथ उसका अच्छा सम्बन्ध रहा, तो भी मेर्वके लिये एक बार उसने असफल कोशिश की। १६२१ ई०में भी नादिरने पायन्दा मिर्जाको दूत बनाकर उसके द्वारा पचास तुर्किस्तानी घोड़े मुगल-दरबारमें भेजे थे। अड़तीस सालके शासनके बाद इमामकुल्लीने अपने भाई नादिरको बलखसे बुलाकर राज्य सौंप दिया। इस समय वह बीमारीके कारण अन्धा हो गया था। जुमाकी नमाजके बाद उसने अपने सामने भाईके नामका खुतबा पढ़वाया और फिर अन्तिम जीवन बितानेके लिये मदीनेका रास्ता लिया। सारे लोग यह दृश्य देखकर रो रहे थे।

५. सैयद नादिर मुहम्मद, नाजिर, नासिर, दीन मुहम्मद-पुत्र (१६४२–४७ ई०)

नादिरके खजानेमें अपार धन था, जो आठ हजार ऊंटोंका भार (चालीस हजार मन) आंका जाता था। उसकी घोड़सालमें आठ हजार घोड़े थे। उसके पास कीमती छालें पैदा करनेवाली अस्सी हजार कराकुल भेंड़ें थीं, कीमती गुलाबी साटनसे भरी चार सौ सन्दूकें थीं। इतनी सम्पत्ति उसे मिली थी। वह उसे बांटकर नाम कमाना चाहता था, लेकिन भाईने प्रजारंजनद्वारा जितनी कीर्ति अर्जित की थी, वह उसे मिलनी संभव नहीं हुई।

नादिर-पुत्र अब्दुल अजीजने पिताके रुष्ट होनेपर उसे मनानेके लिये क्षमापत्र लिखा। दूसरा भाई सुभानकुल्ली समझाने गया। विद्रोह दबानेके लिये भेजा गया पुत्र कुतुलुक सुल्तान विद्रोह करके कुंदुजके किलेमें दुर्गबद्ध हो गया। पिताकी आज्ञा पा किला सर करके सुभानने उसे मरवा डाला। इसपर नादिरने कहा, कि मैंने मारनेके लिये नहीं कहा था। सुभान महत्त्वाकांक्षी था। वह चाहता था कि मुझे "कलाखान" (महासेनापति)की पदवी प्राप्त हो। न मिलनेपर बापसे बागी हो उसने बापके खिलाफ दिल्लीके बादशाह शाहजहांसे मदद मांगी। शाहजहांने अपने दोनों पुत्रों मुरादबख्श और औरंगजेबको एक बड़ी सेना देकर भेजा। खुसरू सुल्तानने बलखमें प्रतिरोध करना चाहा, लेकिन उसे बन्दी बनाकर भारत भेज दिया गया। किसीने इसी बीच नादिरको बतलाया, कि हिन्दी सेना तुम्हारी मददके लिये नहीं, बल्कि बलखपर अधिकार करने आई है। इसपर नादिर रातको ही अपने खजानेको जमा करके शापूरगान और अन्दखुदकी ओर से भागकर शाह अब्बास II के पास चला गया। उसकी मां इमामरजाकी संतान थी, इसलिये अब्बासने उसका बड़ा सम्मान किया। उधर चगताई (शाहजहांकी) सेना आगे बढ़ती गई, और उसने वक्षुके दक्षिणके नगरोंमें अपने शासक नियुक्त किये। सारे उज्बेक भागकर वक्षुपार चले गये। दो सालतक आमू दरिया (वक्षु) और हिन्दूकोहके बीचके प्रदेशपर शाहजहांका शासन रहा। भारत जैसे गरम मुल्कके सैनिक यहांकी सर्दीके मारे परेशान थे। मुगल इतिहासकारने लिखा है—"जो घरसे बाहर निकलते, वह ठंडा होकर मर जाते, और जो भीतर रहते, वह अपनेको गरम करनेके लिये आगके सामने झुलसते रहते।" भारतीय सेनाने, इसमें शक नहीं, हिन्दूकोह पार करके इस इलाकेको बहुत बरबाद कर दिया, जिसके कारण बलखमें अकाल पड़ गया। १०६० हि० (४ जनवरी १६५० ई०—२५ नवम्बर १६५० ई०)के जाड़ोंमें एक खरबार (गदहेका बोझ) अनाजका दाम हजार फ्लोरिन (रुपये) था। जाड़ा बहुत ही सख्त था। अन्तमें जब हिन्दी सेनाको लौटनेके लिये मजबूर होना पड़ा,

तो एक ओर हिन्दूकोह (हिंदूकुश)के ऊंचे दर्रोंकी सर्दीने भारी संख्यामें बलि लेनी शुरू की और दूसरी ओर उज्बेक सैनिकोंने उन्हें गिद्धकी तरह नोचना शुरू किया। हजारोंकी संख्यामें लोग रास्तेमें मर गये। अगले साल "तारीख मुकीमखानी"का लेखक जब दूत बनकर इसी रास्ते भारतकी ओर आ रहा था, तो उसने सब जगह भारतीयोंके कंकालोंके ढेर देखे।

सेना लौटानेसे पहले शाहजहांने नादिरको अपना राज्य संभाल लेनेके लिये कहा। नादिर लौटा, लेकिन उसके बेटोंमें झगड़ा हो गया, जिसपर नाराज हो नादिरने राज्यको बांटकर* मदीनेका रास्ता लिया। वह रास्ते ही में मर गया, पर उसकी लाश मदीनेमें उसके भाईके पास दफनाई गई।

नादिर खानके प्रिय पुत्र कासिम सुलतानके बारेमें इतिहासकारोंका कहना है, कि अस्त्राखानियों-में कोई इतना बहादुर, बुद्धिमान्, उदार और साहसी नहीं हुआ। वह अच्छा कवि और सुन्दर गद्य-लेखक था। एक हजार शेरोंका उसका दीवान (कविता-संग्रह) मौजूद है, जिसमें उसने सायब इस्पहानीका अनुसरण करते बहुतसी रचनायें की हैं। "तुराबी" और "नखली" दोनों इस समयके कवि थे, इसे हम बतला आये हैं।

बुखारामें अब युरोपके नये हथियारोंका प्रचार हो चला था, लेकिन उलुगबेगके बाद विज्ञानकी ओर बढ़नेका कोई प्रयत्न नहीं हुआ। अब तो वहां धर्म और मुल्लोंने अपना एकच्छत्र राज्य कायम कर दिया था। शैबानियोंके शासनके अन्तिम कालमें युरोपीय व्यापारी अन्थनी जेंकिन्स १५५८-५९ ई० में बुखारा पहुंचा था, इससे पहले पोलो भ्रातृ-युगल तीन साल (१२६४–६७ ई०) बुखारामें रहे थे, जब कि चगताई खानोंका राज्य था और बुखाराकी कोई प्रधानता नहीं थी। बुखारा पहले भी समय-समयपर अन्तर्वेदकी राजधानी रहा, किन्तु अस्त्राखानियोंके शासनके आरम्भ होनेके साथ-साथ वह अब स्थायी राजधानी बन गया।

६. सैयद अब्दुल अजीज, नादिर-पुत्र (१६४७–८० ई०)

गद्दी संभालनेके बाद अब्दुल अजीजने अपने भाई बलख-शासक सुभानकुल्लीको रास्तेका कांटा समझ हटाना चाहा। इस कामके लिये उसने अपने दूसरे भाई (कवि) कासिम मुहम्मदको भेजा। लेकिन कासिमको हारकर हिसारकी ओर भागना पड़ा, और सुभानकुल्लीको युवराज कबूल करके समझौता करना पड़ा। ख्वारेजम बहुत समयसे अस्त्राखानियोंके अधीन रहता चला आया था, लेकिन १६६३ ई०में अबुलगाजीने स्वतन्त्र होनेका निश्चय कर लिया। वह निम्न-वक्षु-उपत्यकासे बुखारियोंको भगाते हुये अन्तर्वेदके भीतर घुस आया। करमीनामें अब्दुल अजीजने उसे हराया। अबुलगाजीने घायलकी हालतमें नदी तैरकर अपनी जान बचाई। लेकिन उज़्बेक एक हारसे हार माननेवाले थोड़े ही होते हैं? अबुलगाजीने दूसरी बार तैयारी की, और अन्तमें लूटते-पाटते वह बुखाराके दरवाजेतक पहुंच गया। उसका उत्तराधिकारी और पुत्र अनुशा खान और भी साहसी निकला। उसने १०७६ हि० (१४ VII १६६५–४ VI १६६६ ई०)में एक बड़ी सेना लेकर चढ़ाई की। उस वक्त अब्दुल अजीज करमीना गया हुआ था। उसकी अनुपस्थितिमें अनुशाने बुखारापर अधिकार कर लिया। अब्दुल अजीज भी कम साहसी नहीं था। वह केवल चालीस अनुयायियोंके साथ बुखाराके अर्क (किले)में घुस गया और लोगोंको युद्ध करनेके लिये तैयार किया। ख्वारेजम वालोंके सभी विरुद्ध हो गये और सामूहिक शक्तिके बलपर अब्दुल अजीजने अनुशाको बुरी तौरसे हराया। अब्दुल अजीज शरीरमें महाकाय था, लेकिन जूता उसके पैरोंमें चार सालके बच्चे जैसा लगता था। युद्धमें वह बड़ा ही साहसी और काममें तत्पर रहता था। अपने पूर्वजोंसे उसने भी शेखों और सूफियोंकी आदत सीख ली थी, और कितनी ही बार दूसरे सांसारिक कामोंको छोड़कर एकांतमें ध्यान और भजन करने लगता। उसने भी अन्तमें अपने भाई सुभानकुल्लीको तख्त देकर मदीनेका रास्ता लिया।

* बांटमें सुभानकुल्लीको बलख और खोजा सालूको ऊपरी-वक्षु-प्रदेश मिला।

प्रसिद्ध सुलेखक मुल्ला हाजी इसके यहां सात सालतक रहा, और उसने खानके लिये "हाफिज" का दीवान उतारा।

७. सैयद सुभानकुल्ली, नादिर-पुत्र (१६८०–१७०२ ई०)

गद्दीपर बैठनेके बाद इसने अपने पुत्र इस्कन्दरको "कलाखान" बनाया, लेकिन दो वर्ष बाद उसके भाई मंसूरने जहर देकर उसे मरवा दिया। पिताने फिर तीसरे पुत्र उबैदुल्लाको बनाया, उसे भी दूसरे बेटेने कत्ल करवा दिया। बेटोंके इस विद्रोहसे वह बहुत परेशान था। उसके मंत्री मुकीम खानने व्यापारियों और कारीगरोंपर भारी टैक्स लगाकर चीन और युरोपके कारीगरोंद्वारा बनाई सुन्दर कलाकी चीजों और गोटेवाले मखमल लिये। चार महीने बाद वह भी षड्यंत्रका शिकार हुआ। फिर चौथे पुत्र मंसूरको राज्यपाल बनाया।

इसी समय खीवासे भी झगड़ा उठ खड़ा हुआ। खीवाके अमीरने १०९५ हि० (२० XII १६८३–९ XI १६८४ ई०)में बुखारापर चढ़ाई की। सुभानकुल्लीके सेनापति मुहम्मद बीने उसे मार भगाया, लेकिन दूसरे साल फिर उसने आक्रमण किया। इसके बाद ११०० हि० (२६ X १६८८–१६ IX १६८९ ई०)में खीवाका खान बुखाराके दरवाजेतक पहुंच आया था। अब भी मुहम्मद बीने उसे बुरी तरहसे हराकर पीछे भगाया। कुछ समयके लिये खीवाने सुभानकुल्लीकी अधीनता भी स्वीकार की।

ख्वारेज्मका खान अनुशा बड़ा शक्तिशाली शासक था। उसे भगानेमें मदद देनेके लिये सुभानकुल्लीने अपने बेटे सादिकको बुलाया, लेकिन उस वक्त उसके शासित इलाके (बलख)में भी भीतरी-बाहरी झगड़े थे, इसलिये वह वहां लौट गया। इस बेहुक्मीके लिये सुभानने अपने बेटेको दंड देना चाहा, इसपर उसने बगावतका झंडा खड़ा कर दिया। उसने इससे पहले अपने दो भाइयों अब्दुल गनी और अब्दुल कयूमको मारकर औरंगजेबके पास मैत्री करनेका प्रस्ताव किया। यह खबर सुनकर १६८५ ई०में सुभानकुल्ली अपने पुत्रके विरुद्ध खानाबाद पहुंचा, जहांसे उसने बहुत स्नेहपूर्ण पत्र भेजकर उसे क्षमा कर देनेका वचन दिया, किन्तु जब पुत्र आया, तो उसके पैरोंमें बेड़ी डलवा कालकोठरीमें बंद कर दिया, जहां वह तीन महीने बाद (१६८६ ई०में) मर गया।

इस समय तुखारिस्तानके दो कबीलों मिमना-अन्दखुदवाले मिंग, और बलखके पासके किपचकोंमें बड़ी लड़ाई थी। सुभानकुल्लीने मशहदकी तीर्थयात्रा करनेकी सोची। इसी वक्त खीवाके खान अनुशाके बुखाराकी ओर लूटपाट करनेकी खबर आई। सुभानकुल्ली आया और उसके सेनापति मुहम्मद बीने खीवाकी सेनाको बुरी तरह हराया। अनुशा अपने ही लोगोंद्वारा मारा गया, और उसका पुत्र एरेंग सुल्तान ख्वारेज्मकी गद्दीपर बैठा।

औरंगजेबको दिये वचनके अनुसार सुभानकुल्लीने महमूद जान बीके नेतृत्वमें खुरासानपर एक सेना भेजी, जो देशको लूटकर बहुतसे स्त्री-बच्चोंको बंदी बना लौट आई। इसी बीचमें एरेंगकी सेनाने फिर बुखारापर धावा किया। दस दिनतक बुखारावालोंने मुकाबिला किया, लेकिन जबतक बदख्शां-बलखका राज्यपाल महमूद बी अतालीक नहीं पहुंचा, तबतक ख्वारेज्मियोंको दबाया नहीं जा सका। अतालीकके आनेपर ख्वारेज्मियोंकी हार हुई और खीवाके आदमियोंने षड्यंत्र करके एरेंग खानको मार डाला। सुभानका शासन खीवावालोंने स्वीकार किया। १६८७ ई०में वहां उसके नामका खुतबा और सिक्का चला और सुभानने शाहनियाज इशिक आकाको वहांका राज्यपाल नियुक्त किया। सुभानका तुर्कीके सुल्तान अहमद II (१६९१–९५ ई०)के साथ भी दौत्य-संबंध था, जिसके पास प्रशंसा करते हुये उसने अपने पत्रमें लिखा था—"फ्रेंक काफिरों और अभागे अधर्मियों (किजिलबासों) को भूतलसे नष्ट कर देने-जैसे अल्लाहके महान् काममें आप लगे हैं।" मुस्लिम जगत्में इस समय बुखाराका नाम बड़े गौरवसे लिया जाता था। औरंगजेबने सुभानकुल्लीके पास दूतके साथ एक हाथी और कितनी ही और मूल्यवान् भेंटें भेजीं। तुर्कीका सुल्तान अहमद II उसे प्रशंसापूर्ण पत्र लिखते समय "भाई"के नामसे संबोधित करना नहीं भूलता था।

सुभानकुल्लीको पढ़ने-लिखनेका भी शौक था। उसने ग्रीक-चिकित्सकों—गेलन और हिप्पोक्रेत—तथा बूअली सेनाकी पुस्तकोंके आधारपर तुर्की भाषामें वैद्यकपर एक पुस्तक लिखी, जिसमें रोगमुक्तिके एक बड़े साधन गंडा-ताबीजको लिखना वह नहीं भूला।

अस्सी सालकी उमर हो जानेपर उसने अपने पुत्र मुकीमको बलखसे बुलाकर अपना उत्तराधिकारी घोषित किया, और १११४ हि० (२८ V १७०२–१८ IV १७०३ ई०) में मर गया।

८. मुकीम, सुभानकुल्ली-पुत्र (१७०२–७ ई०)

मुकीम खानको गद्दी संभालते ही अपने बड़े भाई उबैदुल्लाके विरोधका सामना करना पड़ा। मंगीत कबीलेका शक्तिशाली सरदार रहीम बी बड़े भाईका समर्थक था, इसलिय पांच सालतकके बड़े संघर्षके बाद मुकीमको अपने हाथमें शक्ति लेनेमें सफलता मिली।

९. उबैदुल्ला I, सुभानकुल्ली-पुत्र (१७०७–१७ ई०)

अब अस्त्राखानी वंशमें भी गुड़िया सुल्तान होने लगे। उबैदुल्ला, मंगीत-सरदार रहीम बीके हाथका कठपुतली था।

१११५ हि० (१७ V १७०३–४ IV १७०४ ई०) में कंकुरत कबीलेवालोंने उबैदुल्लाके शहर खानाबादपर आक्रमण किया। अतालीक महमूद बी उनसे लड़ने गया, जिसमें उसका भाई अब्दुल्ला मारा गया। महमूद बीने इस खतरनाक कबीलेको पूरी तौरसे दंड देनेके लिये आज्ञा मांगी, क्योंकि उन्होंने वक्षुकी भूमिमें लूट-मार मचा रक्खी थी। मकीम खानकी आज्ञा पा महमूद बी जल्दी-जल्दी कूच करते हुये तीन दिनमें कबादियान किलेपर पहुंचा, जिसे कि कंकुरतोंके सहायक दुश्मन कबीलेने दखल कर रक्खा था। महमूद बीके सामने उन्होंने आत्मसमर्पण किया। कबादियानमें एक सेना रख महमूद बी कंकुरतोंके विरुद्ध चला, जो अपने डेरे और चीज-वस्तुओंको छोड़कर भाग गये। महमूदने बहुतोंको मारा, लेकिन दुश्मनोंके पामीरके पहाड़ोंमें भागकर छिप जानेपर पीछा करना आसान नहीं था। अतालीक महमूद बीने धन ले लड़कों-बच्चोंको छोड़ दिया। फिर उसने तंगि-दीवान और बंदे-हरमकी ओर उनका पीछा किया और ककाई किलेमें डेरा डाल चारों ओर सेना भेजकर कंकुरत कबीलेको नष्टप्राय कर दिया। जब वह बलख लौटा, तो मुकीमने उसे और उसके साथियोंको बहुत मूल्यवान् खिलअत तथा दूसरी भेंटें प्रदान कीं।

१०. अबुल्फैज, सुभानकुल्ली-पुत्र (१७१७–४७ ई०)

उबैदुल्ला खान अतालीक रहीम बीसे झगड़ पड़ा, जिसके लिये उसे अपने प्राणोंसे हाथ धोना पड़ा। रहीमने उसकी जगह अबुल्फैजको खान बनाया। उज्बेकोंने इसके समय भी खुरासानपर आक्रमण करना जारी रक्खा। ऐसे ही एक आक्रमणमें उन्होंने नादिर (पीछे दिल्ली लूटनेवाले महान् विजेता नादिरशाह) को पकड़ लिया था। १७१८ ई०में उज्बेकोंने अब्दाली-अफगानोंके सरदार आजादुल्लासे मेल करके खुरासानको लूटा। सेफे-कुल्ली खानके अधीन तीस हजार ईरानी सेना आई, जिसने खुरासानमें बारह हजार उज्बेक-सेनाको हराया, लेकिन उसे खुद उज्बेकोंके मित्र अफगानोंसे हारना पड़ा।

१७३६ ई०में ईरानी सेनापति नादिरशाहने गुरजी (जार्जिया) में उसमानी तुर्कोंको बुरी तरहसे हराकर उत्तर-पूर्वकी ओर नजर फेरी, और उसके पुत्र रजाकुल्ली खानने अबुल्फैजकी सेनापर आक्रमण किया, लेकिन इसी समय इलबर्स खीवासे अपने उज्बेक भाइयोंकी सहायताके लिये आ गया, जिससे उनकी जान बच गई।

१२३६–३८ ई०में नादिरने कंधारका मुहासिरा करते समय अपने पुत्र रजाकुल्लीको बादगियों और मरचों (मरवेचकों) के रास्ते अफगानोंके दोस्त अलीमरदांखां (अन्दखुद) के खिलाफ

भेजा। पड़ोसी घुमन्तुओंने अलीमरदांका साथ छोड़ दिया और रजाकुल्लीने उसे बन्दी बनाकर बापके पास भेज दिया। रजाकुल्लीने शापूरगान और अक्सी ले बलखको भी जीत लिया, फिर वक्षुपार हो अबुल्फ़ैजकी शक्तिको नष्ट करना चाहा, लेकिन इसी समय ख्वारेज्मके खान इलबर्सने आकर फिर अपने भाई उज्बेकोंको बचा लिया। हार खानेके बाद नादिरने रजाकुल्लीको इस बहानेसे बुला लिया—"उच्च तुर्कमान कुलों तथा छिङ-गिस् खानकी संतानोंके पैतृक-देशोंपर हाथ नहीं मारना चाहिये।"—यह अंगूर खट्टे-जैसी बात थी।

नादिर दिल्ली लूटनेके लिये चला गया और लौटते समय पेशावरमें उसे अबुल्फ़ैजका पत्र मिला, जिसमें लिखा था—"मैं पुराने वंशकी अन्तिम संतान हूं। मैं तुम्हारे जैसे शक्तिशाली बादशाहका विरोध करने की काफी शक्ति नहीं रखता, इसीलिये मैं अलग रहकर तुम्हारी भलाईके लिये दुआ करता रहता हूं। तो भी, यदि तुम मुलाकात करके मुझे सम्मानित करना चाहते हो, तो मैं एक अतिथिके तौरपर तुम्हारा उचित सत्कार करूंगा।" अबुल्फ़ैजने अपने दोस्त खीवाके खानको भी वैसा ही करनेको कहा। लेकिन नादिरशाहने इस चापलूसीभरी बातको बड़ी घृणाकी दृष्टिसे देखा। दिल्लीसे तीन सौ हाथियों, मोती-हीरा-जटित तम्बू, बहुत-सी सम्पत्ति और शाहजहांके प्रसिद्ध सिंहासन तख्त-ताऊसके साथ लौटकर नादिर कुछ दिनों हिरातके पूर्वके पहाड़ों (कोहिस्तान) में ठहरा। यहींसे उसने रूसी साम्राज्ञी एलिजाबेथ (१७४१–६१ ई०) तथा अबुल्फ़ैजके पास कुछ भेंटें भेजीं।

नादिरने अब इलबर्सके सत्यानाश करनेका निश्चय किया। वह बुखाराके सीमान्तपर वक्षुतटके करकी स्थानमें पहुंचा, जहांपर अस्त्राखानियोंका सर्वेसर्वा रहीम बी भेंट लिये उपस्थित था। वहांसे नादिर चारजूय गया। तीन दिनमें वक्षुपर नावोंका पुल बनवाकर बहुतसी सेनाको खजानेकी रक्षाके लिये छोड़ वह बुखारासे एक मंजिल पहले कराकुलमें पहुंचा। अबल्फ़ैजने सुन्दर अरब घोड़ोंकी भेंट लिये अपने अमीरों और मुल्लाओंके साथ स्वागत किया। नादिरशाहने खानको बैठनेके लिये स्थान देते उसे "शाह" के नामसे सम्बोधित किया। अबुल्फ़ैजने अपनी बेटीको नादिरशाहसे ब्याहा और नादिरने अपनी बहिनको अबुल्फ़ैजके भतीजेके लिये दिया। रहीम बीको नादिरशाहने खानकी उपाधि देकर छ सौ तुर्कसेनाका नायक बनाया। इस तरह बुखाराको अपने अधीन कर वह खीवाकी ओर बढ़ा। इलबर्सने अधीनता स्वीकार करानेके लिये आये नादिरके दूतको मरवा दिया था। नादिर अब उसके ऊपर चढ़ा। इलबर्स खानकाहके किलेमें घिर गया। तीन दिनकी गोलाबारीके बाद इलबर्सने अपनेको नादिरके रहमपर छोड़ दिया, और खूनखार नादिरने उन्तीस प्रधान अफसरोंके साथ उसे कत्ल करवा दिया। चारजूय लौटकर नादिरने अपनी नव-विवाहिता बीबीको उसके पिता-के पास भेज दिया। मेर्वके रास्ते जब वह खुरासानमें पहुंचा, तो वहीं २३ जून १७४७ ई०को उसके एक अनुचरने उसे मार डाला।

नादिरशाहकी मृत्युकी खबर पाकर अब रहीम बीने अबुल्फ़ैजको गद्दीपर बैठाये रखनेकी जरूरत नहीं समझी, और उसे पैमनारमें मीर अरबके मदरसेमें कैद कर दिया। ईरानी इसपर क्षुब्ध हुये, तो रहीमने कहा—"मैं तो मामूली उज्बक हूं। नादिरशाहने तो न जाने कितने बड़े-बड़े खानदानी राजाओंको लूटा-मारा।" ईरानी सेना जब रहीम खानको घेरनेका मंसूबा बांधने लगी, तो रहीमने गिलजई अफगानोंका कान भरा—नादिरने तुम्हारे देश कन्धारको अब्दालियोंके हाथमें दे उन्हें भूमि, स्त्री और वेतन देनेका वचन दिया है। उन्होंने उसकी बात मान ली। रहीम बीने उसी रात अबुल्फ़ैजको मार डाला। दूसरे दिन ईरानियोंने रहीम बीसे सुलह कर ली। अपने तोपखानों, तम्बुओं और रसदके सामानको छोड़ जानेके लिये रहीम बीने उन्हें अच्छी भेंट देकर देश लौट जानेकी छुट्टी दे दी। इस प्रकार कुछ ही महीनोंमें रहीम बीने ईरानियोंके प्रभुत्वको बुखारासे खतम कर दिया।

११. सैयद अब्दुल् मोमिन मुहम्मद, अबुल्फैज-पुत्र (१७४७ ई०)

अबुल्फैजको मारकर अभी रहीम बी सीधे गद्दीपर बैठनेके बारेमें निश्चय नहीं कर पाया था। उसने अपने दामाद तथा निहत खानके पुत्र अब्दुल् मोमिनको गद्दीपर बैठा दिया। एक दिन मीठे खरबूजे कपड़ेसे ढांककर खानके पास आये थे। बीबीने पूछा—"क्या है?" उसने जवाब दिया—"तुम्हारे बापका शिर है, जिसने मेरे बापको मारकर देशपर अधिकार कर लिया है।" बीबीने यह बात बापसे कह दी और रहीमने अब्दुल् मोमिनको कुंयेंमें ढकेलकर मरवा दिया।

१२. सैयद उबैदुल्ला II, अबुल्फैज-पुत्र (१७४७ ई०)

अफगान—अफगानोंका उत्कर्ष इसी समय होने लगा। महमूद बीके समय सुलेमान पर्वत-श्रेणीमें उनका एक छोटा-सा कबीला था, जिसने अपनी शक्ति बढ़ाते-बढ़ाते एक समय वक्षुसे सिन्ध-तटतककी भमि ले ली। जाँतिकी तौरपर सिन्ध-तटतक अब भी पख्तून (अफगान) रहते हैं, लेकिन पश्चिममें काबुलके पासकी कोहदामन-उपत्यकासे ही ताजिकों, फिर हजारों और अन्तमें उज्बेकोंके इलाके आ जाते हैं। तो भी वक्षु (आमू)के तटतक अब भी अफगानिस्तानकी राज्यसीमा है। १८वीं सदीके आरम्भमें अर्थात् औरंगजेब और उसके कुछ उत्तराधिकारियोंके समयतक उज्बेकोंसे बचनेके लिये अफगान भारत और ईरानके बादशाहोंकी प्रजा बनकर उन्हें कर देते थे। लेकिन जब सफावी-वंश (१४९९–१७२२ ई०)का सितारा डूब गया, तो गिलजई कबीलेके सरदार महमूदके नेतृत्वमें अफगानोंने अस्पहानतकपर आक्रमण करनेका प्रयत्न किया, जहांसे नादिरने उन्हें मार भगाया। इस अन्तिम एसियाई महान् विजेताके पतन, भारतीय "मुगल"-साम्राज्यके क्षीण होने एवं उत्तरमें बुखाराके उज्बेकोंमें फैली गड़बड़ीसे फायदा उठाकर अफ़गानोंने वक्षु और सिंधके बीचके नादिरके जीते हुये देशको हड़प लिया। अहमदशाह दुर्रानी (अफगान-सरदार)ने नादिर-वंशज तथा तेमूरके पौत्र शाहरुख मिर्जासे मेल करके ११६६ हि० (८ XI १७५२–२९ IX १७५३ ई०) में वक्षुसे दक्षिणवाले इलाकेको बुखारासे छीन लिया, जिसमें मैमना, अन्दखूई, आकचा, शापूरगान्, शेरपुल, खुल्म, बलख, बदख्शां और बामियान अवस्थित हैं। विजेता अफगान सेनापति बेगीखान पीछे सदर-आजम अहमदका उत्तराधिकारी बना। १२०३ हि० (२ X १७८८–२३ VIII १७८९ई०) में तेमूरशाहको बहावलपुरके अभियानमें फंसा देख उज्बेकोंने वक्षु पार हो अपने बहुतसे इलाकोंको फिर ले लिया। १२०८ हि० (९ VIII १७९३-३० VI १७९४ ई०) में तेमूरशाह मर गया, जिसकी जगहपर उसका पुत्र शाहजमां काबुलकी गद्दीपर बैठा। इसीके समय बुखाराके मंगीत अमीर मासूम-ने हमला किया, और बलख घिरा रहा। शाहजमां उस समय भारत और खुरासानके अभियानोंमें व्यस्त था, किन्तु जब उससे उसने छुट्टी पा ली, तो मासूमने लड़नेकी जगह उससे सुलह करना ही अच्छा समझा। शाहजमांके प्रतिद्वन्द्वी भाई शाह महमूदको अमीर मासूमने १२१४ हि० (५ VI १७९९-२६ IV १८०० ई०)में बखारामें शरण दी।

बेगीखानको वक्षुके दक्षिणवाले प्रदेशके जीतनेके उपलक्षमें सदर-आजमकी उपाधि मिली। अमीर मासूम और बेगीखान मंगीती अमीर शाह मुरादकी भी उपाधि थी, जो कि रहीम बीका भतीजा था।

अस्त्राखानी कालकी इमारतोंमें मदरसा-शेरदिल भी है, जो १६१० ई०में बना था।

१३. सैयद अबुल्गाजी, इब्राहीम-पुत्र (१७४७ ई०)

रहीम बीके हाथका यह अन्तिम अस्त्राखानी कठपुतली खान था, जिसके बाद रहीमने स्वयं गद्दी संभाल ली।

अस्त्राखानी-वंशवृक्ष—
(१५१५–१७४७ ई०)

- इस्कन्दर (शैबानी)
  - जुहरा=जानीबेग
    - १. दीन मु० (१५६८)
      - ४. इमामकुल्ली (१६०८-४२)
        - रजब मु०
          - इब्राहीम
            - १३. अबुल्गाजी (१७४७)
      - ५. नादिर मु० (१६४२-४७)
        - ६. अब्दुलअजीज (१७४७-८०)
        - ७. सुभानकुल्ली (१६८०-१७०२)
          - ९. उबैदुल्ला I (१७०७-१७)
          - ८. मुकीम (१७०२-७)
          - १०. अबुल्फैज (१७१४-४७)
            - ११. अब्दुल् मोमिन (१७४७)
            - १२. उबैदुल्ला II (१७४७)
            - शम्शबानू=शाहमुराद
    - २. बाकी मु० (१५९९-१६०५)
    - ३. वली मु० (१६०५-८)

- खुदायार अतालीक
  - दानियालबी
    - शाहमुराद (=शम्शबानू)

अध्याय ६

खीवा-खान

(१५१५-१७१४ ई०)

ख्वारेज्म अब अपनी राजधानी खीवाके नामसे प्रसिद्ध होने लगा था। ख्वारेज्मकी भूमि पश्चिममें कास्पियन और दक्षिणमें खुरासानसे अलग करनेवाले रेगिस्तान कराकुम और पूर्वमें बुखारासे अलग करनेवाले रेगिस्तान किजिलकुमसे घिरी हुई बालुका-समुद्रमें द्वीपकी तरह है—उत्तरमें अराल समुद्रके दोनों तरफ भी मरुभूमि है। इस अपार बालुका-राशिके भीतर रहते भी ख्वारेज्म हमेशासे बड़ा ही उर्बर और समृद्ध देश, तथा युरोपके साथके व्यापारका केंद्र रहा। रेगिस्तानोंके कारण ही दक्षिण और पूर्वके राज्योंकी अपेक्षा इसका सम्बन्ध वोल्गा-उपत्यकासे अधिक रहा। सदियोंतक जू-छि उलुसने इसपर शासन किया। बहुत पीछे सफावियोंने मौका पाकर खीवाको अपने हाथमें कर लिया। लेकिन, जब उज्बेकोंने मुहम्मद शैबानीके नेतृत्वमें अन्तर्वेदको जीता, तबसे उज्बेकोंकी ही प्रधानता खीवापर भी हो गई। १५१० ई०में शैबानीको हराकर शाह इस्माईलने ख्वारेज्मको बांटकर वहां अपने तीन राज्यपाल नियुक्त किये—(१) खीवा-हजारास्प, (२) उरगंज, (३) वेसिर (वेजिर)। ख्वारेज्ममें सुन्नी धर्मकी प्रधानता थी, और सफावियोंने शिया-धर्मको राजधर्म घोषित किया था। इससे फायदा उठा उमर गाजीने शियोंके विरुद्ध ख्वारेज्मियोंको उभाड़ना शुरू किया और दो साल बाद ही हुशामुद्दीन कतल नामक एक धार्मिक नेताने वेसिरके लोगोंको समझाकर उज्बेक खान बरकाके पुत्र इलबर्सको लाकर गद्दीपर बैठा दिया।

बरका खान जू-छि-पुत्र शैबानके प्रपौत्र पूलाद खानके पुत्र अरबशाहकी संतानोंमें से था। अबुल्‌खैरके दादा इब्राहीम ओगलानका भाई यही अरबशाह सुवर्ण-ओर्दूके छिन्न-भिन्न टुकड़ोंमेंसे एकका खान था—अरबशाह और इब्राहीम दोनोंने बापकी सम्पत्तिको आपसमें बांट लिया, इस प्रकार अरबशाह भी एक छोटासा खान (राजा) बन गया। इब्राहीमके पोते अबुल्‌खैरने अपनी शक्ति कितनी बढ़ाई, इसका वर्णन हम तेमूरी-वंशके वर्णनमें कर आये हैं। अरबशाहके बेटे हाजी तुली (तुगलक हाजी) का एक ही पुत्र तेमूरशाह था, जो कि कल्मकोंके युद्धमें मारा गया। उइगुरोंके सरदारने तेमूर-शेखकी खानमसे बिदाई देते समय पूछा, तो खानमने कहा—"मुझे तीन महीनेका गर्भ है।" इसपर उइगुर घुमन्तू थम गये। यह खबर पाकर कुछ दूर चले गये नेमन कबीलेवाले भी ठहरकर बच्चेके पैदा होनेकी प्रतीक्षा करने लगे। छिङ-गिस्‌के पवित्र खूनकी इतनी महिमा थी, कि अपने भावी खानकी आशामें उन्होंने अपने लाखों पशु-प्राणियोंके साथ वहां ठहर जाना आवश्यक समझा। छ महीने बाद खानमको बच्चा पैदा हुआ, जिसका नाम यादगार रक्खा गया। उइगुरोंने दूसरे कबीलोंके पास सूयुनजी (भेंट) भेजनेके लिये न्योता भेजा। नेमन काला घोड़ा भेजकर यादगारके ओर्दूमें लौट आये। उनके आनेपर मांने गोदमें ले बापके तम्बूमें खानके आसनपर बच्चेको बिठा दिया। उइगुरोंने अधिक सम्मान दिखलानेके लिये अपने स्थानको खानके दरबारमें नेमनोंको दे दिया। इसी तरह और भी कितने ही कबीले खबर पाकर अपने खानके पास लौट आये, लेकिन उइगुर और नेमन यही दोनों उज्बेक कबीले खानके कराची (बिपत-संपतके साथी) रहे।

बड़ा हो यादगारने अपने उलुसका अच्छा नेतृत्व किया। उसके चार पुत्र हुये—बरका (बेरेका), अबलेक, अमीनेक और अलक। १५वीं सदीका समय था, लेकिन अभी भी मंगोल भाषा बिल्कुल विस्मृत नहीं हुई थी, यह खानजादोंके नामसे पता लगता है। अमीन अरबी नहीं मंगोल-भाषाका शब्द है, जिसे अरबीमें जान, फारसीमें होश, और उज्बेकी तुर्कीमें तिन कहते हैं। "शैबानीनामा"में चारों पुत्रोंको बरका, अबलक, अबका और इलवानेक कहा गया है। बरका शरीरमें बहुत ही शक्ति-

शाली था। उसके समयमें अबुल्खैर दश्ते-किपचकका सबसे शक्तिशाली खान था। उसने १४५५ ई०में बरकाके नेतृत्वमें एक सेना बुखाराके खान अब्दुल्लतीफके पुत्रकी मददके लिये भेजी। उज्बेक अपने सहयोगी बुखारियोंसे झगड़ पड़े, और सोग्द इलाकेके लूटके मालको ऊंटोंपर लादे लौट गये। कुछ समय बाद दो नोगाई खानों मूसाबेग और कुजाश मिर्जाके बीचमें लड़ाई हो गई। कुजाशके जीतनेपर मूसाने बरकासे सहायता मांगी——नोगाई-वंश ज्यादा सम्माननीय समझा जाता था। बरकाने इस शर्त्तपर सहायता देनी स्वीकर की, कि मेरा पिता यादगार खान बनाया जाये और मूसा उसका प्रधान बेक (अमीर) बने। मूसाने स्वीकार किया। सफलताके बाद यादगारको सफेद नम्देके ऊपर उठाकर बाकायदा खान घोषित किया गया। यादगार खान अभियानपर चला। उसके हरावलका नायक मूसाबेग था। जाड़ेके दिन थे। जमीन बर्फसे ढँकी थी। घास-चारेका ठिकाना नहीं था। घोड़े दुबले होते गये और रसद खतम हो गई। लौट चलनेकी बात कहनेपर बरकाने इन्कार कर दिया। एक पहाड़ीपर चढ़कर देखा, तो (उश्तउर्त) के परे एक उपत्यकामें कुजाश मिर्जाके तम्बू दिखाई पड़े। बरकाने तुरन्त आक्रमण कर दिया। कुजाश पकड़कर मारा गया, और उसके डेरे लूट लिये गये। बरका सुल्तानने कुजाशकी लड़की मलाई खानजादाके साथ ब्याह किया। इस घटनाके कुछ ही समय बाद यादगार मर गया। अबुल्खैरकी मृत्यु भी इससे थोड़ा ही पहले हुई थी। अबुल्खैरकी मृत्युके बाद उसके उज्बेक जहां-तहां बिखर गये। उज्बेक कहावत है——"अगर तुम दुश्मनको अपने बापके घरकी ओर दौड़ते देखो, तो तुम्हें उसके साथ होकर लूटमें भागीदार बनना चाहिये।" बरका भला अबुल्खैरके धन और शक्तिकी लूटमें क्यों पीछे रहता ?

कुछ सालों बाद अबुल्खैरका पौत्र प्रसिद्ध विजेता मुहम्मद शैबानीका डेरा निम्न सिर-उपत्यकामें बरका-सुल्तानके पास पड़ा था। उसने अपने आदमियोंको हुक्म दिया——"रातको घोड़ोंपर चढ़कर जाओ, और सूर्योदयके वक्त बरकाके तम्बूपर टूट पड़ो, दूसरी किसी चीजका ध्यान न करके सिर्फ उसको पकड़ लाओ।" बरका अपने तम्बूमें था। उसने घोड़ोंके टापकी आवाज सुनी, और उसी समय कंधेपर एक समूरी चोगा डालकर नंगे पैर सरकंडेके जंगलोंमें घुस गया। बर्फ पड़ी हुई थी। एक सरकंडेने उसके पैरको घायल कर दिया, लेकिन वह उसकी परवा न कर सिर-दरियाके किनारे उगनेवाले उन्हीं सरकंडोंके घने जंगलमें छिपा रहा। शैबानीके आदमी इधर-उधर पूछ-ताछ करने लगे, जिसपर उइगुर कबीलेके एक ईनक (सरदार) मुंगाने कह दिया, कि मैं ही बरका हूं। उसे पकड़कर मुहम्मद शैबानीके पास ले गये। शैबानी बरकाको अच्छी तरह पहचानता था। उसने मुंगासे पूछा, कि तुमने झूठ क्यों कहा। इसपर मुंगाने जवाब दिया——"मैंने उसका बहुत नमक खाया है। मैं उसकी विपत्ति-संपत्तिमें साथी रहा हूं। मैंने सोचा, यदि मैं उसका पीछा करनेवालोंमेंसे कुछको इस तरह फंसा रक्खूं, तो उसे भागनेका अच्छा मौका मिलेगा। बाकी, अब जो तुम्हारी मर्जी हो, मेरे साथ करो।" शैबानीने प्रसन्न हो उसे इनाम देकर छोड़ दिया। उधर शैबानीके कुछ आदमी खूनसे पता पा बरकाको पकड़ लाये। शैबानीने उसे मार डाला, और उसके शिविरको लूट लिया। बरकाकी विधवा खातून अबुल्खैरके द्वितीय पुत्र खोजा मुहम्मद सुल्तानकी बीबी बनी। उसे पहले ही गर्भ था, जिससे जानीबेग (अब्दुल्ला खानका दादा) पैदा हुआ। बरकाके पहले हीके दो पुत्र इलबर्स और बलबर्स थे, जिनमें बलबर्स दोनों पैरोंसे लुंज था। इन्हीं दोनों भाइयोंमेंसे एक इलबर्सको हुशामुद्दीनने वेसिरकी गद्दीपर बैठाया।

राजावलि——बरका-वंशी खीवा-खान निम्न प्रकार हुये——

१. इलबर्स, बरका-पुत्र १५१५ ई०
२. सुल्तान हाजी, बलबर्स-पुत्र
३. हसनकुल्ली, अबलेक-पुत्र
४. सोफियान, अमीनेक-पुत्र
५. बुजुगा, अमीनेक-पुत्र
६. अवानेक, अमीनेक-पुत्र

७. काल, अमीनेक-पुत्र	१५३९–४६	ई०
८. अकताई, अमीनेक-पुत्र	१५४६	”
९. दोस्त, बुजुगा-पुत्र	१५५६	”
१०. हाजी मुहम्मद, अकताई-पुत्र	१५५६–१६०२	”
११. अरब मुहम्मद, हाजी मुहम्मद-पुत्र	१६०२–२१	”
१२. इसफन्दियार, अरब-पुत्र	१६२२–४२	”
१३. अबुल्गाजी, अरब-पुत्र	१६४३–६३	”
१४. अनुशा, अबुल्गाजी-पुत्र	१६६३–८६	”
१५. एरेंग, अनुशा-पुत्र	१६८६–८७	”
१६. शाहनियाज	१६८७–१७०२	”
१७. अरब मुहम्मद, अनुशा-पुत्र	१७०२	”
१८. हाजी मुहम्मद, अनुशा-पुत्र	१७१४	”
१९. यादगार, अनुशा-पुत्र		

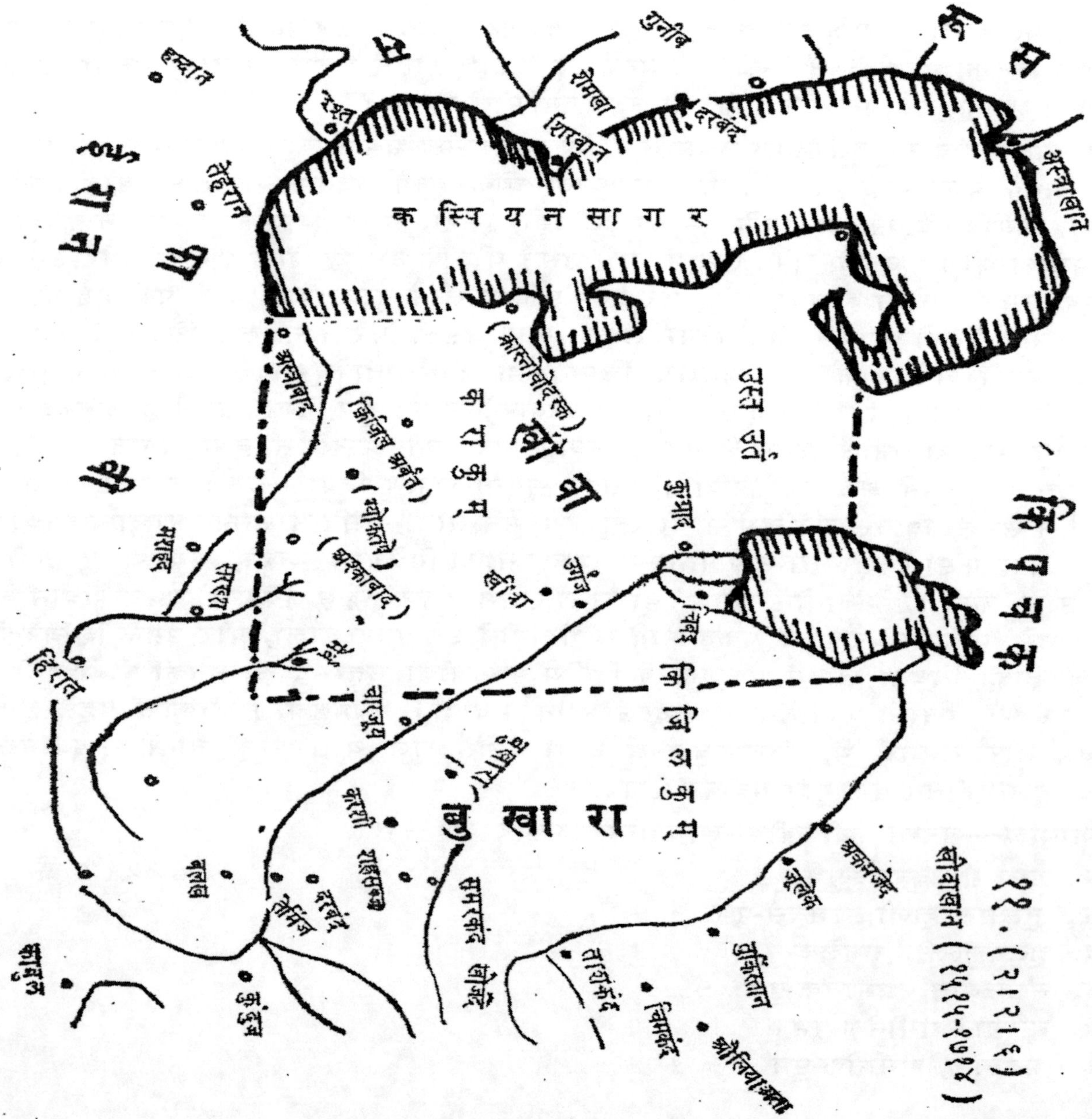

११. (२।२।१६) खीवाखान (१५१५-१७१४)

१. इलबर्स, बरका-पुत्र (१५१५ ई०)

इलबर्सको बुलाकर इधर छिपा रक्खा गया और उधर षड्यंत्रियोंने घृणास्पद शिया ईरानियोंके ऊपर आक्रमण करके उन्हें मार डाला, केवल एक ईरानी भागकर जान बचा पाया। दूसरे दिन ईरानी राज्यपालके महलमें लाकर इलबर्सको खान घोषित किया गया। उज्बेक और सरत (फारसीभाषी) दोनों ही सुन्नी होनेसे शियोंके साथ घृणा करते थे। उन्होंने इस समय बड़ा उत्सव मनाया। इसके बाद यंगी शहर और तेरसेकने भी इलबर्सकी सेनाके सामने शिर झुकाया। इलबर्सने अपने भाई बलबर्सको "बिलि-किच"की उपाधि दे यंगीशहरका शासक बनाया। उरगंजमें अभी ईरानी राज्यपाल सुल्तानकुल्ली अरब शासन कर रहा था, लेकिन तीन ही महीने बाद इलबर्सने सुल्तानकुल्लीको भी महलमें पकड़कर सभी नौकरोंके साथ मार डाला। हजारास्प और खीवाकी छावनियोंने वहांके सरतोंसे राय पूछी, तो उन्होंने रहनेके लिये जोर दिया। दश्तेकिपचकसे अब इलबर्सने अपने भाई-बंधोंको बुलाया और बूढ़े उइगुरकी बात नहीं मानी—"उज्बेकोंमें बादशाहकी महिमा अपने अधीनोंके प्रेमपर निर्भर करती है।" यादगारके सभी पुत्र मर चुके थे, किन्तु अबलेक खानका एक पुत्र और अमीनेक खानके छ पुत्र अपने परिवारों और ओर्दूके साथ आकर उरगंजमें बस गये। इलबर्स स्वयं वेजिरमें रहता था। उसके भाई-बंधोंने खीवा और हजारास्पको इतना लूटा और बरबाद किया, कि इन शहरोंको और कातको भी ईरानी छोड़ गये। १५२३ ई०में शाह इस्माईल मर चुका था। खुरासान पर्वतश्रेणीके उत्तरवाले महीने और देरूनतक उसके सभी राज्यपाल अपने स्थानोंको छोड़कर भाग गये। उज्बेकोंके लिये खुरा-सानियों और तुर्कमानोंके ऊपर लूटके अभियान करनेकी छूट मिल गई। इन अभियानोंमें लुंज बलबर्स रथपर चढ़कर अगुवा बनता था। किजिल-बासोंपर विजय प्राप्त करनेके उपलक्षमें इलबर्सके सात पुत्र गाजी (धर्मयोद्धा) कहलाये।

२: सुल्तान हाजी, बलबर्स-पुत्र

इलबर्सके मरनेपर दोनों भाइयोंके पुत्रोंमें सबसे बड़ा सुल्तान हाजी गद्दीपर बैठा, किन्तु राज्यकी सारी शक्ति उसके चचेरे भाई सुल्तान गाजीके हाथमें रही। सुल्तान गाजी बहुत ही धनी और स्वेच्छाचारी था। एक साल राज्य करनेके बाद सुल्तान हाजी मर गया, और उसके बाद यादगार-वंशकी ज्येष्ठतम संतान होनेसे हसनकुल्लीको खान बनाया गया।

३. हसनकुल्ली, अबलेक-पुत्र

उरगंजको इसने अपनी राजधानी बनाया। इलबर्स और अवानेकके पुत्रोंने इसके ऊपर आक्रमण किया, और मुहासिरेके कारण उरगंजमें भुखमरी शुरू हो गई। चार महीने बाद उसने आत्म-समर्पण किया। हसनकुल्लीपर अगकनाईके वधका दोष लगाया गया था, जिसके लिये उसके ज्येष्ठ पुत्र बलाल सुल्तानको मारकर बदला लिया गया। हसनकी विधवा और दूसरे पुत्र समरकंद भेज दिये गये।

४. सोफियान, अमीनेक-पुत्र

अमीनेक (अवानेक) का पुत्र सोफियान उरगंजमें खान बना। खानजादोंमें रियासतोंका फिरसे वितरण किया गया, जिसमें बरका सुल्तानके पौत्रोंको वेजिर, यंगीशहर, तेरसेक, देरून, खुरासान और मंगिशलकके तुर्कमान मिले। अवानेक खानके चार पुत्रोंको खीवा, हजारास्प, कात, बलदुमाज, नीकीची सूबुई (नदी-तटका इलाका), बगाबाद, निसा, अबीवर्द, चिहारदे:, मेहीने:, जेजे: तागबुई (पहाड़ी इलाका), और साथ ही आमू, बलखान और देहिस्तानके तुर्कमान भी मिले। उस समय अबुल्गाजीके अनुसार वक्षु नदी बलखानमें कास्पियन समुद्रमें गिरती थी, और आजकल जहां विकराल रेगिस्तान खड़ा है, वहां बहुतसे समृद्ध ग्राम और नगर बसे हुये थे। पांच शताब्दियों बाद, अब फिर कास्पियन समुद्रकी ओर वक्षुकी एक धारा मनुष्योंके हाथोंद्वारा मोड़ी जा रही है, जिसके कारण फिर इस मृत भूमिमें जीवन संचार होनेवाला है। बलखानके नजदीक रहनेवाले इरसारी तुर्कमानोंने कुछ

समयतक सोफियानको कर दिया, इसके बाद खानकी ओरसे कर उगाहनेके लिये जब आदमी भेजे गये, तो उन्हें इन घुमन्तुओंने मार डाला। इसपर सोफियान एक बड़ी सेना ले इरसारियों तथा पड़ोसी खुरासानके सलूरियोंके डेरोंपर आक्रमण करके लूट-मार करते बहुतसे स्त्री-बच्चों और सम्पत्तिको अपने साथ ले गया। उस समय कितने ही तुर्कमानोंने चू-तटकी निर्जल-अधित्यका (प्लेटो) में शरण ली थी। उन्हें चारों ओरसे घेर लिया गया, जिसके कारण बहुतसे प्यासके मारे मर गये। अवानेक-पुत्र अगताईको उन्होंने वचन दिया, कि हम तुम्हारी संतानके सदा भक्त रहेंगे। अगताईने बीचमें पड़कर प्रत्येक मारे गये कर-उगाहकके लिये हजार भेड़ें अर्थात् कुल चालीस हजार भेड़ें दंड देनेपर समझौता करा दिया। इरसारियोंने सोलह हजार, खुरासानी सलूरियोंने सोलह सौ, और तेके-सारिक-यामूत——इन तीन कबीलोंने आठ हजार भेड़ें दीं। कुछ समय बाद तुर्कमानोंकी जनगणना करके उनके ऊपर निम्न प्रकार कर लगानेका निश्चय हुआ——

इतशकी सलूर (भीतरी सलूर)	१६०००,	तथा उसके ऊपर	१६००	खानकी	रसोईके	लिये।
हसन कबीला	१६०००	और	१६००	"	"	"
अरबाजी (भीतरी सलूर)	४०००	और	४००	"	"	"
गोकलान	१२०००	और	१२००	"	"	"

अदकली (खिजिर)
अली
तीबेची

} इन तीनों वक्षु-तटवासी कृषक कबीलोंको अपनी उपज और भेड़ोंमेंसे कुछ कर और अदकली (सैनिक) भी देने पड़े।

सोफियानके मरनेपर खीवा उसके पुत्रोंको खोरिशके रूपमें मिला।

५. बुजुगा, अमीनेक-पुत्र

भाईका स्थान जिस वक्त बुजुगाने लिया, उस वक्त बुखाराके उबैदुल्ला खान और ईरानी शाह तहमास्पके बीचमें संघर्ष हो रहा था। ख्वारेज्मी भी इससे फायदा उठानेके लिये पील-कुपरुकीतक जा खोजन्द और अस्पेराई (अस्त्राबादके समीप) पर टूट पड़े। शाह तहमास्पके ऊपर पश्चिमसे उसमान-अली तुर्क भी प्रहार कर रहे थे। दुश्मनोंमें फूट डालनेके लिये शाह तहमास्पने छिङ्-गिस् खानके खूनसे संबंध जोड़नेके लिये बुजुगा खानसे पुत्री मांगी। खानने अपनी पुत्री न होनेसे अपनी भतीजी तथा सोफियान खानकी पुत्री आइशाको देना चाहा। विवाहपत्र लिखवानेके लिये लड़कीका भाई आगिस सुल्तान गया। शाहने उसका कजवीनमें स्वागत-सत्कार किया और खोजन्द-शहर (ईरान) को उसे जागीरमें दिया। उसने सोनेके नौ डले, चांदीके नौ डले, अच्छी जातिके सुसज्जित नौ घोड़े, रेशमके ऊपर सोनेके काम किये नौ तम्बू तथा समुचित कालीन और तकिये, एक हजार थान रेशम, आदि बुजुगा खानके लिये भी भेंट भेजे। इसके फलस्वरूप कुछ समयके लिये ख्वारेज्मी उज्बेकोंने ईरानी सीमापर लूट-मार बन्द कर दी। काफी दिनोंतक राज्य करनेके बाद बुजुगा मर गया और उसकी जगह उसका भाई अवानेक खान बना।

६. अवानेक, अमीनेक-पुत्र

बुजुगाके तीनों पुत्रों दोस्त मुहम्मद, ईस मुहम्मद और बुरुममेंसे पहले दोनोंको कातकी जागीर मिली। अवानेककी दो बीबियां मंगीत कबीलेकी थीं, और एक दासी थी। दासीसे उसका पुत्र दीन मुहम्मद हुआ, जो लड़कपनसे ही युद्धके खेल खेला करता था। उस समय अस्त्राबादके पासका इलाका उरगंजके उज्बेकोंके हाथमें था। दीन मुहम्मद बीस सालका हो गया। उसने इस इलाकेको अपने लिये मांगा। न देनेपर उसने चालीस सहायकोंके साथ जाकर एक तुर्कमान बेक (सरदार) के ऊंटों और भेड़ोंको लूट लिया। तुर्कमान बेकने अपने स्वामी मुहम्मद गाजी सुल्तान इलबर्स-पुत्रको इसकी खबर दी। मुहम्मद गाजीकी बहिनकी शादी हाल हीमें अवानेक खानसे हुई थी। उसने छापा मारकर दीन मुहम्मदको पकड़, लूटे मालको छीन, कुछ दिनों बंदी रख उसे हाथ-पैर बांधके घोड़ेपर सवार करके बापके

पास भेज दिया। लेकिन दीनू (दीन मुहम्मद) ऐसा-वैसा आदमी नहीं था। उसके लिये उसके साथी अपना खून-पसीना एक करनेके लिये तैयार थे। उन्होंने रास्ते हीमें दीनूको छुड़ा लिया। दीनूने बाप और सौतेली मां तमगाज चुराको झूठी चिट्ठी लिखी, कि तमगाजकी बहिन बहुत बीमार है। बहिन और बहनोईकी चिट्ठी पाकर मुहम्मद गाजी आया, तो पता लगा, चिट्ठी जाली थी। बहिनने भाईको बहुत सावधान कर दिया। इसी समय दीनूके आदमियोंके पैरकी आहट सुनकर मुहम्मद गाजी अस्तबलमें रक्खी सूखी लीदके ढेरमें जा छिपा, किन्तु आदमियोंने उसे पकड़ लिया और उसकी गर्दन काट दी। यह खबर वेजिरमें गई। निहत सुल्तानके भाई सुल्तान गाजीसे मिलने अली सुल्तान गया था। उसने भाईके वधका गुस्सा अली सुल्तानको मारकर निकाला—"खूनका बदला खून" घुमन्तू कबीलोंका एक सर्वोपरि विधान है। इलबर्सका ओर्दू वेजिरमें रहता था और अवानेकका ओर्दू उरगंजमें। खानने अपने कबीलेवालोंको मना किया, लेकिन वह अली सुल्तानके खूनका बदला लेनेके लिये अधीर थे। दोनोंका किर-मंगिशलकके छोरपर अवस्थित कुमकंदमें युद्ध हुआ, जिसमें अवानेककी जीत हुई। इलबर्सके खानदानको मारकर सामानको लूट लिया गया। सुल्तानकी बेवा उलुग तूबे अपने लड़कों और लड़कियोंके साथ बुखारा जानेके लिये छोड़ दी गई, जहांपर बलबर्स सुल्तानका भी परिवार पहलेसे ही रहता था। अब सारा ख्वारेज्म अवानेक खानके लड़कोंका था। खानने अपने लिये उरगंज रख बाकी अपने बेटे-पोतोंमें बांट दिया। दीन मुहम्मदको सुल्तान गाजीवाला देरून इलाका मिला।

सुल्तान गाजीके दो पुत्र उमर गाजी और शेर गाजी बुखारामें रहने लगे थे। उमरने बापके खूनका बदला लेनेके लिये उबैदुल्ला खानसे सैनिक सहायता ले अवानेकपर आक्रमण किया, और उसे मारकर पितृ-ऋण चुकानेमें सफल हुआ।

इस झगड़ेके बाद भी देरूनका इलाका दीन मुहम्मदके हाथमें रहा, जहां अवानेकके दो बेटे भी ख्वारेज्मसे भागकर आ गये थे। दीन मुहम्मदने खिजिर कबीलेकी शाखा अदकालीके बेक (सरदार) को सैनिक सहायता देनेके बदले तरखून (राजकुमार) की पदवी और सेनामें वामपक्षमें स्थान पानेका सम्मान प्रदान किया, तथा अदकालियोंको उज्बेकोंमें गिने जानेका प्रलोभन दे अपनी ओर कर लिया। इस प्रकार एक हजार अदकाली सैनिक मिले। तीन हजार और सैनिकोंको जमाकर दीन मुहम्मदने खीवापर चढ़ाई कर दी, और बुखारासे आई उबैदुल्लाकी सेना को हराकर १५३९ ई०के आसपास परिवारकी रूठी लक्ष्मीको मना लिया।

७. काल, अमीनेक-पुत्र (१५३९–४६ ई०)

लेकिन ख्वारेज्मका खान अब भी अवानेकका भाई काल खान हुआ, जिसने सात वर्षतक शासन किया। उसके समयमें ख्वारेज्म कितना धनधान्यपूर्ण था, वह इस कहावतसे सिद्ध है—"काले खानने गद्दी पकड़ी, एक पैसेमें रोटी तगड़ी।"

८. अकताई खान, अमीनेक-पुत्र (१५४६ ई०)

नये खानने वेजिरको अपनी राजधानी बनाया। काल खानके पुत्रोंको कात नगरकी, उसी तरह सोफियान खानके पुत्रों यूनस और पहलवान-कुल्लीको भी जागीर मिली थी। लेकिन, बुजुगा खान, अवानेक खान और अकताई खानके बेटोंने मिलकर अपने इन संबंधियोंको भगा दिया और वह बुखारामें शरण लेनेके लिये मजबूर हुये। छिने हुये इलाकेकी बांटमें अवानेक खानके पुत्र अली सुल्तानको देरून दिया गया, उसके भाई महमूदको उरगंज, हाजिमको बगाबाद, दीन मुहम्मदको निसा और अबीवर्द, और बुजुगाके दोनों पुत्रों ईश और दोस्तको खीवा-हजारास्प मिले। सोफियानके पुत्र यूनसने नोगाइयोंके प्रसिद्ध सुल्तान इस्माईलकी लड़कीसे ब्याह किया। वह अपने चालीस अनुचरोंके साथ बुखारा जा रहा था। तुतूक उस समय निर्जन था और लोग उरगंजके पास डेरा डाले हुये थे। इसी समय यूनसको अपने पूर्वजोंकी सम्पत्तिको लौटानेका ख्याल आया, और रातमें अपने साथियोंके साथ महलमें घुसकर उसने राज्यपाल सरी मुहम्मद सुल्तानको पकड़ पहरेमें अकताई खानके पास वेजिरमें

भेज दिया। सैनिक और नागरिक महमूदसे परेशान थे, इसलिये उन्होंने यूनसका स्वागत करते हुये उसे खान घोषित कर दिया। अकताई सेना लेकर आया, लेकिन उसे हारकर भागना पड़ा। यूनस और अकताईकी पुत्रीके बेटे कासिम सुल्तानने पीछा करके नानाको पकड़कर उरगंज लेजा चुपकेसे अकताईको इस तरह मार डाला, कि उसके शरीरपर कोई घावका चिह्न नहीं दिखाई पड़ता था—मालूम पड़ता था, जैसे वह स्वाभाविक मृत्युसे मरा हो। निहतकी लाशको उसके परिवारके पास वेजिरमें भेज दिया गया। मृत खानके पुत्रोंने बदला लेनेके लिये उरगंजपर चढ़ाई की, और यूनसको बुखारा भाग जाना पड़ा, लेकिन किसी अनुचरने छिपे हुये कासिम सुल्तानको पकड़ा दिया। उरगंज शत्रुओंके हाथमें गया, और कासिम कत्ल कर दिया गया। सोफियानं खान और काल खानके वंशका उच्छेद हो गया और अवानेक खानके लड़के खुरासान भाग गये। फिर बंटवारा हुआ, अकताई खानके परिवारको वेजिर और उरगंज मिले, और बुजुगा खानके पुत्रों ईस, दोस्त और बुरुमको खीवा, हजारास्प और कातके इलाके।

९. दोस्त खान, बुजुगा-पुत्र (१५५६ ई०)

दोस्त बड़े ही नरम स्वभावका आदमी था। भाई ईसने उरगंज मांगा, और अपने लिये सिर्फ खीवा-को रखनेके लिये कहा। दोस्तके देनेपर भी हाजिमने इन्कार कर दिया। इसपर ईसने हाजिमको वहांसे हटानेके लिये हमला कर दिया। सात दिनतक मुहासिरा करनेपर भी सफलता नहीं मिली। इसपर खिसियाकर उसने उइगुर और नेमन कबीलेके आदमियोंको छोड़ बाकी सभी बंदियोंको बड़ी निष्ठुरतासे मार डाला, और फिर खीवा जाकर इन कबीलोंके उज्बेकोंको वहांसे भगाकर उनका स्थान दुश्मन कबीलेको दे दिया। कुछ समय बाद १५५६ ई०में वह फिर उरगंजपर चढ़ा, और सात दिनके असफल मुहासिरेके बाद धोखेसे सरतोंके मुहल्लोंमें घुस गया। अकताईका पुत्र नेमन उइगुर कबीलेवालोंके साथ वेजिरकी ओर हट गया। कुछ समय बाद हाजिम मुहम्मदने अपने भाइयों तथा अवानेक-पुत्र अली सुल्तान एवं दीन मुहम्मद-पुत्र अबुल्सुल्तानकी सहायतासे उरगंजपर आक्रमण किया। चार महीनेके मुहासिरेके बाद किला तोड़नेके लिये आक्रमण करते समय ईस सुल्तान मारा गया। कुछ सैनिकोंने खीवामें जा दोस्त मुहम्मदको भी मार डाला। ईसके दो लड़के वहांसे भागकर बुखारा जा वहीं मरे। खीवा-राजवंशमें राजपरिवारोंका कत्लेआम और उच्छेद आम बात थी। अब बुजुगा खानका वंश समाप्त हो गया। यह घटना ९६५ हि० (२४ X १५५७—१४ IX १५५८ ई०) की है।

१०. हाजी मुहम्मद, हाजिम, अकताई-पुत्र (१५५६—१६०२ ई०)

हाजिम अकबरका समकालीन था। खान घोषित होते समय इसकी उमर उन्तालीस सालकी थी। इसने वेजिरको अपनी राजधानी बनाया, और अली सुल्तानको उरगंज, हजारास्प तथा कात मिले। हाजिमके भाई महमूदको आधा खीवा, उलुग-तूबे-ताश-कूनिशके तुर्कमान, दूसरे भाई तेमूरको आधा खीवा मिला। दीन मुहम्मदके पोते नूर मुहम्मदके इलाके मेर्वपर हमला किया करते थे। दीन मुहम्मदको निसा और अबीबर्द मिला था, यह हम बतला आये हैं, जहांसे वह बराबर ईरानके शियोंपर जहाद किया करता था। शाह तहमास्पने सेना भेजकर अबीबर्दको छीन लिया। दीन मुहम्मद इसपर सीधे कजवीन चला गया। वह साहसका पुतला था। शत्रुके हाथ मारे जानेका उसे कोई डर नहीं था। फिर शाहकी जाली चिट्ठी लाकर उसने अबीबर्दको खाली करवा लिया। फिर एक-एक करके किजिल-बास (शिया) बादशाहके अनुयायियोंको मारा। तहमास्प उसे दंड देनेके लिये आया, तो दीन मुहम्मदने चालीस-पचास आदमियोंके साथ सीधे शाहके पास जा उसके दामन को चूमा। शाहने अपना एक हाथ उसकी गर्दनपर और दूसरा हाथ छातीपर रखकर देखा, उसकी सांस बिल्कुल स्वाभाविक-सी चल रही है। इसपर उसने आश्चर्य करते हुये कहा—"जरूर यह (हृदय) पत्थरका है।"

फिर दीनूके सम्मानमें शाहने एक बड़ी दावत की और क्षमा करके अबीबर्द भी उसे प्रदान कर दिया।

बुखाराके खान उबैदुल्लाने मेर्वमें योलुम बीको अपना राज्यपाल नियुक्त किया था। लोगोंने विद्रोह कर दिया, इसपर तीस हजार सेना लेकर उबैदुल्ला आया। योलुमने दीन मुहम्मदसे मदद मांगी। दीन मुहम्मद अपने सवारोंके साथ उस जगह पहुंचा, जहांपर मुरगाब नदी बालुका-राशिमें अन्तर्धान हो जाती। उसने अपने सवारोंको दोनों बगलोंमें वृक्षकी डालियां बांधकर धीरे-धीरे चलनेके लिये कहा। धूलसे आसमान छा गया। बुखारी सेना उसे देखकर डर गई। एक ओरसे दीन मुहम्मदकी भारी सेना और दूसरी तरफ योलुमकी फौज, दोनोंके बीचमें पड़कर मरनेकी जगह बुखारियोंने घर लौट जाना ही अधिक पसन्द किया। दीन मुहम्मदने इस प्रकार मेर्वपर अधिकार करके अपनेको वहांका खान घोषित किया, और वहीं रहते चालीस वर्षकी उमरमें ९६०हि० (१८XII१५५२–८ XI १५५३ ई०) में मरा। उसने अपने द्वितीय पुत्र अबुल मुहम्मदको अपना कलखान (युवराज) बनाया था, जो उसके बाद मेर्वकी गद्दीपर बैठा।

एक समय अबुल मुहम्मदके पुत्र जलालने खुरासानपर आक्रमण किया। प्रतिरोधके लिये ईरानियोंने मशहदमें सेना जमा की। दोनों ओरकी सेनाओंमें लड़ाई हुई, जिसमें अपने दस हजार उज्बेकोंके साथ जलाल मारा गया। अबुल मुहम्मदको अपने इकलौते पुत्रके मारे जानेका भारी सदमा हुआ, जिसका इलाज हकीमोंने दूसरा पुत्र प्राप्त करना बतलाया। मेर्वकी एक लोली (डोम या रोमनी) स्त्री बीबीजेह तम्बुरिन बजा और चित्र खींचकर जीविका कमाती थी। उसने ब्याह नहीं किया था, किन्तु उसके पास चार सालका लड़का था। उसी लड़केको लाकर घोषित कर दिया गया कि, यह अबुल मुहम्मदका लड़का है। अबुल मुहम्मदने उसका नाम नूर मुहम्मद रखा। यही नूर मुहम्मद अबुलके मरनेके बाद मेर्वके गद्दीपर बैठा। कितने ही सालों बाद हाजिमके पुत्रोंने यह कहते हुये उसपर आक्रमण किया—"हम लोली (वेश्या) के लड़केको नहीं मान सकते।" इसपर नूर मुहम्मदने बुखारावालोंके पास संदेश भेजा—"मैं तुम्हारी ओरसे राज्यपाल होनेके लिये तैयार हूं।" अब्दुल्ला खानने आकर मेर्वको तो ले लिया, लेकिन साथ ही नूर मुहम्मदको अंगूठा दिखला दिया। नूर अब उरगंजमें हाजिमकी शरणमें गया। अवानेक-पुत्र अली सुल्तानको उरगंज-हजारास्प-कातके अतिरिक्त निसा, अबीबर्द और तागबुई भी मिले थे। वहांसे वह बसंत और गर्मियोंमें बराबर खुरासानपर आक्रमण करके पीलकुरुकी, तरशीज, तरबेत, जाम और खारकारमें लूट-मार मचाया करता था। अली सुल्तानसे नूर मुहम्मदसे जुरजान, जार्जरूम, कराइलू और अस्त्राबादको जीत लिया। अब उसके पास चालीस हजार सेना थी। वह अपने प्रत्येक उज्बेकको प्रतिवर्ष सोलह भेड़ें देता था, जिसके लिये तुर्कमानोंसे कुछ कर लेता, कुछ ईरानकी लूटमेंसे, और एक पंचमांश भाग अपने पाससे भी देता था। एक बार उसने ईरानियोंकी पंद्रह हजार सेनाको हराकर पांच हजार घोड़े पकड़े थे। ईरानकी इन्हीं चढ़ाइयोंमें ९७६ हि० (२६ VI १५६८–१७ V १५६९ ई०) में अली सुल्तानके मारे जानेके बाद उसका पुत्र संजर निसामें उसका उत्तराधिकारी हुआ, किन्तु पच्चीस वर्षकी आयुमें ही निस्संतान मर गया। अली सुल्तानके मरनेपर हाजिम खानने वेजिरको अपने भाई मुहम्मद सुल्तानको दे दिया और स्वयं जाकर उरगंजमें रहने लगा। तुर्कीके सुल्तान—जो सुन्नियोंका खलीफा भी था—का दूत मिलकर शियोंपर हमला करनेकी प्रेरणा देनेके लिये हिन्दुस्तान गया था। अब वह उसी बातके लिये बुखारा आया। बुखारासे वह उरगंज और मंगिशलकके रास्ते जब लौट रहा था, उसी समय हाजिमके पुत्र मुहम्मद इब्राहीमने उरगंजमें उसे लूट लिया और मुश्किलसे यात्रा भरके लिये थोड़ासा पैसा छोड़ दिया। बुखाराका खान अब्दुल्ला इसपर नाराज हो गया। उधर कास्पियनके पश्चिमी तटका इलाका शिरवान तुर्कीके सुल्तानके हाथमें था। अन्तर्वेदके व्यापरियोंको उरगंजसे आगे मंगिशलक पहुंच जहाजसे कास्पियन पार कर शिरवानके रास्ते यात्रा करनी पड़ती थी, क्योंकि कास्पियनका दक्षिणी तट शियोंके हाथमें था, जहां सुन्नी व्यापारियोंके जान-मालकी खैरियत नहीं थी। उक्त घटनासे एक साल पहले हाजी किरतास एक बड़े कारवां और मक्काके तीर्थयात्रियोंके साथ उरगंज पहुंचा। उसे भी पुलाद सुल्तानके पुत्र बाबा सुल्तानने लूटकर

बुखाराकी ओर खदेड़ दिया। नूर मुहम्मदने मेर्वको लेकर अब्दुल्लाके मनोरथको असफल कर दिया था, इसलिये अब्दुल्लाने बड़ी तैयारी की। हाजिम खान अपने उज्बेकोंपर विश्वास नहीं करता था। वह अपने पुत्र मुहम्मद इब्राहीमके हाथमें उरगंजको छोड़ अपने दूसरे पुत्र अरब मुहम्मद सुल्तानकी जागीरमें बेरून चला गया। बुखारी सेनाके आनेपर ख्वारेज्मी-उज्बेक खीवा और हजारास्प आदि नगरोंको छोड़ वेजिर * भाग गये।

खीवासे निकला दो हजार परिवारोंका विशाल गिरोह किसी उत्सवके जलूसकी तरह मालूम होता था। पांतीसे खड़ा होनेमें उन्हें आधा दिन लगा था। उन्होंने अपनी गाड़ियोंपर घरकी मुर्गियों, चटाइयों और सभी चीजोंको लटका रक्खा था। बुखारी सेनाने खीवापर अधिकार कर नागरिकों-के साथ मित्रतापूर्ण घोषणा करके वेजिरका रास्ता पकड़ा। रास्तेमें उसने पुलाद सुल्तानके अनुचरोंको तितर-बितर करते हुये उनका सामान लूट लिया। वेजिरमें आपसमें फूट थी, इसलिये वह शत्रुसे कैसे मुकाबिला करते? एक मासतक नगरका मुहासिरा रहा। बुखारी अब्दुल्ला खानने मांग की थी—"मैं केवल बाबा सुल्तानको दंड देनेके लिये आया हूं, तुम मेरे पास निर्भय चले आओ।" खान स्वयं अब्दुल्लाके शिविरमें चला गया, और इस प्रकार आपसी फूटके कारण सारा ख्वारेज्म बिना एक भी प्रहारके अब्दुल्लाके हाथमें चला गया। अब्दुल्ला वहांके भिन्न-भिन्न शहरोंमें अपने राज्यपाल नियुक्त करके १००२ हि० (१७ IX१५९३—१८ VIII १५९४ ई०) में बुखारा लौट गया। पीछे अपनी शपथकी कोई पर्वा न करके अब्दुल्लाने बीस-बाईस राजकुमारोंको अक्सूमें डुबाकर मरवा दिया और लोगोंके ऊपर भारी कर लगाया। हाजिम खान अपने बचे-खुचे सुल्तानोंके साथ भागकर शाह अब्बास I के पास चला गया, और उसका पुत्र सुईउनिच मुहम्मद अपने दो पुत्रोंके साथ काफिर शियोंके पास जाना पसंद न कर तुर्कीमें शरणार्थी हुआ। इस समय अब्दुल्लाका खूनखार पुत्र बलखका राज्यपाल अब्दुल मोमिन सफावियों (ईरानियों) से लड़ रहा था। ख्वारेज्ममें सेना कम रह गई थी, यह खबर पाकर हाजिमके पुत्र अरब मुहम्मदने चुपचाप अस्त्राबादके लिये प्रस्थान कर दिया। पीछे हाजिम भी आ पहुंचा। तुर्कमान मदद करनेके लिये तैयार ही थे। इस प्रकार अरब मुहम्मदने १००४ हि० (६ XI १५९५—२७VII१५९६ ई०)में कई शहरोंको ले लिया। लेकिन जब अब्दुल्लाने भारी सेना भेजी, तो दुश्मन तितर-बितर हो गये। हाजिम अस्त्राबाद होते शाहके दरबारमें पहुंचा। अब्दुल्लाको बाबा सुल्तानसे मुकाबिला करनेके लिये हजारास्पका चार मासतक मुहासिरा करना पड़ा। अन्तमें बाबा सुल्तान पकड़कर मारा गया और ख्वारेज्मपर फिर बुखाराका शासन स्थापित हो गया।

१००५ हि० (२५ VIII १५९६—१६ VII १५९७ ई०)में अब्दुल्लाके मरनेपर शाहने स्वयं सेना लेकर बोस्तामपर चढ़ाई की, और हाजिम तथा उसके पुत्र अरब मुहम्मदको ख्वारेज्म जानेके लिये आदेश दिया। हाजिम उस समय पंद्रह आदमियोंके साथ कुरेन पहाड़में एक तेके कबीलेके डेरेमें था। अब्दुल्लाके बाद उसके उत्तराधिकारी अब्दुल् मोमिनके भी कत्लकी खबर सुनकर वह आठ दिनमें चलकर उरगंज पहुंच गया, और उसका शासन फिरसे ख्वारेज्मपर स्थापित हो गया। उसने अपने पुत्र अरब मुहम्मदको खीवा और कात दिया, पौत्र इसफन्दियारको हजारास्प, और अपने लिये उरगंज तथा वेजिरको रक्खा। जिन उज्बेकोंको जबर्दस्ती बुखारा ले जाया गया था, वह भी लौट आये। इसी समय नूर मुहम्मद भी ईरानसे अपनी पुरानी जागीरमें लौट आया था। नूर मुहम्मद उज्बेकोंको सताता और तुर्कमानों तथा सरतोंका पक्षपात करता था। यह खबर सुन शाह अब्बासने एक मासके मुहासिरेके बाद मेर्वको उससे छीन लिया। अबीवर्द, निसा और देरून भी शाहके हाथमें चले गये, जहांपर उसने अपने राज्यपाल नियुक्त किये। नूर मुहम्मदको वह पकड़कर अपने साथ ईरान ले गया, जहां वह बन्दीखानेमें मरा।

* बर्तोल्दिके अनुसार इसका ध्वंसावशेष उस्तउर्तकी अधित्यकामें चिंकके नजदीकका देवकेसकेन है, अथवा कुन्या-उरगंजके दक्षिण-पश्चिम २४ मीलपर अवस्थित शेरवानका ध्वंसावशेष है, जो वक्षु-कास्पियन नहरके बननेकी प्रतीक्षामें सोया हुआ है।

हाजिम मुहम्मद १०११ हि० (२१ VI १६०२—१२ V १६०३ ई०) में मरा।

जेन्किन्सनकी यात्रा—हाजिम मुहम्मदके शासनकालमें अंग्रेज व्यापारी जेन्किन्सन खीवासे गुजरा था। उसके यात्रा-विवरणसे उस समयकी बहुतसी बातोंपर प्रकाश पड़ता है। जेन्किन्सनने १३ अप्रैल १५५८ ई०को अपने मालके साथ मास्को छोड़ा और १४ जुलाईको वह अस्त्राखान पहुंचा। अपने मालके ढोनेके लिये वहां उसने बनी-बनाई नाव खरीदी, और कास्पियन समुद्रके उत्तरी तटसे होते यायिक (उराल) और यम्बा नदियोंके मुहानोंको बाईं ओर छोड़ते वह २७ अगस्तको मंगिशलकमें उतरा। उसके साथ और भी कितने ही ईरानी तथा तारतार व्यापारी अपनी नावोंमें चल रहे थे। मंगिशलकके राज्यपालने ऊंटोंका इन्तिजाम कर दिया। यह कहनेकी अवश्यकता नहीं, कि उसे काफी भेंट-पूजा देनी पड़ी। जेन्किन्सन अब अपना माल ले स्थल-मार्गसे वेजिर पहुंचा। वह लिखता है—लोग बड़े नोचनेवाले हैं। मुझे प्रत्येक ऊंटके लिये तीन रूसी चमड़े और चार लकड़ीके बर्त्तन देने पड़े, राज्यपालको अलग नौ चमड़े और चौदह दूसरी चीजें भेंट देनी पड़ीं। जिस कारवांमें जेन्किन्सन चल रहा था, उसमें हजार ऊंट थे। पांच दिनकी यात्राके बाद वह मंगिशलकके उस इलाकेपर पहुंचा, जिसपर तेमूर सुल्तानका अधिकार था। सुल्तानने बड़ा अच्छा बर्ताव किया और जेन्किन्सनको मांस और घोड़ीका दूध दिया। उसने उससे पंद्रह रूबलकी चीजें लीं, लेकिन उसके बदलेमें एक घोड़ा इनाम दे अपने तम्बूमें अंग्रेज व्यापारीकी जियाफत भी की। वहांसे रेगिस्तानके भीतर बीस दिनका रास्ता चलना पड़ा। खानेके लिये एक घोड़ा और एक ऊंट मारना पड़ा। पानी कभी दो दिनपर मिलता था, सो भी खारा-सा। अब कारवां कास्पियनकी एक खाड़ीपर पहुंचा, जहांके तुर्कमान सरदारने धमकाकर पैसा वसूल किया। जेन्किन्सन लिखता है कि, इस समय (१५५८ ई०) वक्षु (आमू-दरिया) यहींपर कास्पियन-समुद्रमें गिरती है।

६ अक्तूबरको रवाना होकर तीन दिनकी यात्राके बाद वह शहर वेजिर (सेलीजर) में पहुंचा। अजीम (हाजिम) खान अपने तीन भाइयोंके साथ यहीं रहता था। जेन्किन्सनने ९ अक्तूबर (१५५८ ई०)को खानसे भेंट की, और भेंटके अतिरिक्त रूसके जारका पत्र भी उसे दिया। खानने घोड़ेके मांस और दूधसे दावत कर, रास्तेके लिये सुरक्षा-पत्र भी दिया। वेजिरका दुर्ग एक ऊंचे पहाड़पर था। खानका घर बहुत ऊबड़-खाबड़ और दुर्बल मिट्टीका था। लोग बहुत गरीब थे। दक्षिण का इलाका अधिक उर्वर था। उसने लिखा है—"यहां एक बढ़िया फल दीनी (तरबूजा) होता है, जो बहुत बड़ा और उसमें पानी भरा होता है। लोग खानेके बाद पेयकी जगह इसे खाते हैं। एक और भी फल है, जिसे खरबूजा कहते हैं, और वह खीरेके जैसा बड़ा पीले रंगका तथा मीठा होता है। एक और भी अनाज जेगुर (बाजरा) होता है, जिसके डंठल बेंतकी तरह ऊंचे होते हैं और उसके सिरेपर चावलकी तरह दानोंके गुच्छे लगते हैं, मानो छोहारोंके लच्छे हैं। सिंचाईके लिये वक्षुसे इतना पानी ले लिया गया है, कि नदी अब कास्पियनतक नहीं पहुंचती।"

वेजिरसे दो दिन चलनेके बाद जेन्किन्सन उरगंज पहुंचा। यहां भी कर देना पड़ा। जेन्किन्सनने हाजिमके भाई अली सुल्तानसे भेंट की, जिसने गृहयुद्ध करते सात वर्षोंमें चार शहर लिये और खोये। युद्धके कारण यहां बहुत कम व्यापारी आते थे, इसलिये मालकी बिक्री अच्छी नहीं थी। जेन्किन्सन केवल चार केरसियोंको बेंच सका। यहांसे कास्पियनतकका प्रदेश तुर्कमानोंका देश कहा जाता था, और शासक थे हाजिम खान और उसके भाई। "जो भिन्न-भिन्न माताओं और कुछ दासियोंके पुत्र होनेसे एक-दूसरेसे ईर्ष्या करते, एक-दूसरेको खतम करनेकी कोशिश करते हैं।" आपसके युद्धमें उनमेंसे हारकर कोई बच निकलता, तो आमतौरसे साथ ही उसके अनुचर भी रेगिस्तानमें चले जाते, और रास्तेके पानी लेनेके पड़ावोंपर छापा मारते। इसी प्रकार वह कारवांको लूटते रहते, जबतक कि फिर वह घरेलू संघर्षके लिये अपनेको काफी मजबूत न कर लेते।

उरगंज छोड़कर वक्षुके किनारे-किनारे सौ मील चलनेपर जेन्किन्सन एक स्थानपर पहुंचा, जिसको वह आरदोक कहता है—यहां तेज प्रवाहवाली धारा थी, जो कि वक्षुको छोड़नेके बाद हजार मीलपर उत्तरमें जा भूमिमें विलीन हो जाती है, फिर प्रकट होकर खिताई समुद्रमें जाकर

मिलती हैं। आगे जेन्किन्सनको कात नगर मिला। वहांके लोग हाजिमके भाई सरामेत सुल्तानकी प्रजा थे। जेन्किन्सनने सुल्तानको अपने प्रत्येक ऊंट मालके लिये एक रूसी लाल चमड़ा और दूसरे कर दिये। सुल्तानने उसके साथ प्रतिरक्षी भेज दिये। "प्रतिरक्षी भी खाऊमल थे। तीन दिन जानेके बाद उन्होंने और आगे जानेके लिये भारी रकम मांगी और न देनेपर वह लौट गये। फिर कारवांके खोजे (स्वामी) वहीं मुकाम करनेपर जोर देकर भेड़की पसलीकी हड्डीसे शुभाशुभ सगुन विचारने लगे। वह इस हड्डीको जलाकर उसकी राखकी स्याही बनाकर कुछ अक्षर लिख रहे थे।......इसी समय एक निर्वासित राजकुमारने अपने कुछ अनुयायियोंके साथ जबर्दस्त आक्रमण किया, लेकिन व्यापरियोंने भी उसका मुकाबिला किया।" जेन्किन्सनके पास कुछ बन्दूकें थीं, जिन्होंने इस समय बड़ा काम दिया। लोगोंने अपने पशुओं और सन्दूकोंका मोर्चा बना लिया, और उसके पीछेसे गोलियां दागी जाने लगीं। रातके वक्तमें डाकू सुल्तानने संदेश भेजा, कि हम मुसलमानोंको छोड़ देंगे, यदि तुम अपने क्रिस्तान साथियोंको हमारे हाथमें दे दो। लेकिन उसका कोई फल नहीं हुआ अन्तमें कुछ भेंट और एक ऊंट देकर जान छुड़ानी पड़ी। यात्री फिर वहांसे बुखारा गये। जब व्यापार करके जेन्किन्सन उरगंज लौटा, तो रूसके जारके पास जानेवाले हाजिम खानके चार दूत भी उसके साथ हो लिये। १५६५ ई०में जार फ्योदरके पास खीवासे नये राजदूत भेजे गये थे।

११. अरब मुहम्मद, हाजिम-पुत्र (१६०२–२१ ई०)

अरब मुहम्मद जहांगीरका समकालीन था। इसने अपने पुत्र अस्फन्दयारको हजारास्पकी जगह कातका इलाका दिया। कुछ समय बाद १६०२ ई०में यायिक-तटनिवासी हजार रूसी कसाकोंने आकर उरगंजको लूटा और हजारसे अधिक नागरिकोंको मार डाला। वह लूटे मालको हजार गाड़ियोंपर ले चले। अरब मुहम्मदने उनके रास्तेको काट दिया, जिससे कसाक रेगिस्तानमें भटक गये, जहां पानीके अभावके कारण उन्होंने पशुओंका खून पी प्यास बुझाई। पांच दिनतक उन्हें खून भी नहीं मिला और ऊपरसे उज्बेक चारों ओरसे आक्रमण कर रहे थे। एक बार उज्बेक पीछेसे उनकी गाड़ियोंके मोर्चेके भीतर घुस गये और उन्हें टुकड़े-टुकड़े कर डालनेमें सफल हुये। सिर्फ एक सौ कसाक किसी तरह बचकर अरालके किनारे पहुंचे। उन्होंने तूकके किलेके पास अपना किला बनाया और कुछ समयतक वह मछली खाकर जीते रहे। अन्तमें अरब मुहम्मदने उनके किलेको दखल कर लिया।

पूर्वसे कल्मक-मंगोल अरालकी ओर पैर फैलाते हुये अब यहां भी आकर आक्रमण करने लगे। वह खोजाकुल और शेख जलील पर्वतके बीचमें पहुंचकर तूकतक उज्बेक डेरोंको लूटकर बूरीचीके रास्ते लौट गये। अरब मुहम्मदने पीछा करके माल और बंदियोंको छुड़ा लिया, लेकिन कल्मक हाथ नहीं आये। कुछ समय बाद नेमन कबीलेवालोंने इलबर्स खानकी संतान खुसरो सुल्तानको अपना खान बननेके लिये बुलाया, जिसने षड्यंत्र किया, लेकिन परदा खुल जानेपर खुसरो और षड्यंत्री नेता मारे गये। दो साल बाद फिर षड्यंत्र हुआ। इसके दस साल बाद (१६१५ई०) कल्मकोंने आकर बड़ी लूट-मार मचाई। सोलह साल राज्य करनेके बाद १६१८ ई०में हबश इलबर्सके दो सोलह और चौदह सालके पुत्र अरब मुहम्मदसे विद्रोह कर खीवासे उरगंजपर चढ़ आये। छोकरे भला इतनी हिम्मत कैसे करते, असलमें यह काम उनके अनचरोंका था, जिनकी संख्या लूटकी लालचसे बहुत बढ़ गई थी।

खीवाके खानोंमें इस तरहका विद्रोह और वंशोच्छेद असाधारण घटना नहीं समझी जाती थी, यह हम देख चुके हैं।

१०१३ हि० (३० V १६०४–२० IV १६०५ ई०) में (इतिहासकार अबुलगाजीके जन्मके एक साल पहले) अरब मुहम्मदने एक नहर खुदवाई, जो तूक, उरगंज होती अराल समुद्रमें गिरती थी। तुला (अक्तूबर-नवम्बर) मासके आते ही इस नहर को बन्द कर दिया जाता, और फसलके कट जानेपर फिर खोल दिया जाता था। कुछ सालों बाद यह एक तीरकी मारसे अधिक चौड़ी कर दी गई।

इस नहरके कारण खेतीको इतना फायदा हुआ, कि गेहूं बहुत सस्ता हो गया। सारे इलाकेमें गेहूंकी फसल खड़ी दिखलाई पड़ती थी। दोनों खान-पुत्रोंने अन्न-भंडारोंको खोलकर अनाजको गरीबोंमें बांटना शुरू किया। अन्तमें उन्हें वेजिर शहर और उस इलाकेमें रहनेवाले तुर्कमानोंको देकर समझौता किया गया। दोनों चार हजार अनुयायियोंके साथ बापसे मिलकर वेजिरमें जा पांच साल तक शांतिपूर्वक रहे। छठे साल (१६२० ई०) जब खान उरगंजमें था, उसी समय इलबर्सने आक्रमण करके खीवा ले अपने पांच सौ आदमियोंको भेजकर बापको भी बन्दी बना लिया। खजाना लूटकर उसने "कुत्तों और चिड़ियोंमें बिखेर दिया, और बेगोंको निकाल बाहर किया।" इसके बाद वह वेजिर लौट गया। अब अस्फन्दयार और अबुलगाजी (प्रसिद्ध इतिहासकार) बापके सहायक बन गये, और दोनोंने मिलकर इलबर्स सुल्तानके ऊपर आक्रमण किया। इलबर्स किर (उश्त-उर्त)की ओर भागा, और उसका माल-असबाब लूट लिया गया। अबुलगाजीने बापको बहुत समझाया, कि विद्रोहियोंको इसी वक्त नष्ट कर देना चाहिये, लेकिन बापका सहालकार अतालीक हुसेन हाजी भीतरसे विद्रोहियोंके पक्षमें था। उसने वैसा नहीं होने दिया। अस्फन्दयार भी बहुत आगे बढ़ना नहीं चाहता था। हबश और इलबर्स दोनों अबुलगाजीके भारी शत्रु थे। इस अपूर्ण अभियानके बाद अरब मुहम्मद खान खीवा लौटा, अस्फन्दयार हजारास्प गया और अबुलगाजीको कात मिला। पांच महीने-बाद अब खानको अक्ल आई, और उसने अपने पुत्रोंको खुले तौरसे आक्रमण करके दंड देना चाहा। अली सुल्तानकी खुदवाई नहर तस्ली-यामिशके तटपर लड़ाई हुई। खान हारकर बंदी बना। हबशने बापको अंधा कर तीन बीबियों और दो छोटे पुत्रोंके साथ उसे छोड़ दिया। अब हबश अस्फन्दयारके पीछे पड़ा। अबुलगाजी डरके मारे कात होने बुखारा भाग गया। अस्फन्दयार अपने दूसरे दो भाइयों शरीफ और ख्वारेज्मशाहके साथ हजारास्पमें किलाबन्द हो गया—यह १०३० हि० (२६ XI १६२०–१७ X १६२१ ई०)की बात है। चालीस दिनके मुहासिरेके बाद दोनों पक्षोंमें समझौता हुआ—अस्फन्दयार मक्का चला जाये, शरीफ मुहम्मदको कात मिले और ख्वारेज्मशाह तथा अफगान दोनों छोटे भाई बाप-मांके साथ खीवामें रहें। अगले साल (१६२२ ई०) इलबर्सने बाप, अपने भाई ख्वारेज्मशाह और अस्फन्दयारके दो पुत्रोंको मरवा डाला और दूसरे भाई अफगानको मरवानेके लिये हबशके पास भेज दिया—लेकिन हबशने उसे रूस भेज दिया, जहां वह १६४८ ई०में मरा। हाजिम सुल्तानकी लड़की अलतून खानिम—अफगानकी विधवा—ने कासिमोफमें अपनी बनवाई तकियामें पतिके शवको दफनाया।

१२. इस्फन्दयार, (अस्फ०) अरब-पुत्र (१६२२–४२ ई०)

यह शाहजहांका समकालीन था। ख्वारेज्ममें तुर्क और सरत दो जातियां बसती थीं। सरत पुराने बाशिन्दे ईरानी जातिके थे, और तुर्क जातिमें तुर्कमान पुराने कंगलियों या गूजोंकी संतान थे, जिनका सलजूकों और उसमानअली तुर्कोंसे निकटका सम्बन्ध था। उज्बेक वहां मुहम्मद शैबानीके साथ आये थे। सरतोंका शासन उठे युग बीत गये थे, लेकिन तुर्कमानोंके पूर्वज सलजूक बहुत दिनोंसे इस भूमिके शासक थे, इसलिये वह अब भी अपनेको स्वामी समझते थे। इसीलिये उनसे तथा नये स्वामी उज्बेकोंसे बराबर संघर्ष होता रहता था। यदि खान तुर्कमानोंका पक्ष करता, तो उज्बेक नाराज होते, उज्बेकोंका करता, तो तुर्कमान शत्रु बन जाते। अरब मुहम्मदने यही गलती की थी, कि उसने दोनोंको संभालकर नहीं रक्खा। बापकी पराजयके बाद अस्फन्दयार शाह अब्बासके पास ईरान भाग गया और उससे सहायता लेकर देरून और बलखान पर्वतको लेनेमें सफल हुआ। यहीं तेके, सारिक और यामूत तुर्कमान कबीलोंके तीन सौ जवान उससे आ मिले। उसने रातके वक्त वक्षु-तटपर तूक किलेके सामने पड़े हबशके डेरेपर छापा मारा। लेकिन हबश प्राण बचाकर इलबर्सके पास जानेमें सफल हुआ। इलाकोंका फिरसे बंटवारा हुआ, जिसमें हबशको उरगंज और वेजिर (वजीर) और इलबर्सको खीवा-हजारास्प मिला। शरीफ और अबुलगाजीके अनुचरोंने भी मदद दी थी, किन्तु हारकर अस्फन्दयारको मंगिशलक भागना पड़ा। अपने सहायक तीन हजार

तुर्कमानोंको लेकर फिर वह उरगंज पहुंचा, जहां बीस दिनतक लड़ाई होती रही। इलबर्स अन्तमें पकड़कर मार डाला गया। हबश पहले कराकलपकोंमें भागा, फिर यम्बाके नोगाइयोंमें पहुंचा, जिन्होंने उसे पकड़कर अस्फन्दयारके पास भेज दिया और उसने भाईके खूनसे हाथ रंग लिया। अस्फन्दयार उज्बेकोंके विरुद्ध तथा सरतों और तुर्कमानोंका पक्षपाती था। सरतोंसे लड़ाईमें मदद नहीं मिल सकती थी, किन्तु बड़े-बड़े धनी व्यापारी इन्हींमें थे, जिनसे धनकी बड़ी मदद मिलती थी।

१३. अबुलगाजी, अरब-पुत्र (१६४३–६३ ई०)

प्रसिद्ध इतिहास-लेखक अबुलगाजी १०१४ हि० (१६ V १६०६–६ IV १६०५ ई०) में पैदा हुआ था। उसके बाप अरब मुहम्मद खानने उसी साल उरालके काफिर कसाक-रूसियोंको हराया था, इसीलिये बच्चेका नाम अबुल-गाजी (काफिरोंसे लड़नेवाला) रक्खा गया। इलबर्सके साथ बापकी लड़ाईमें वह दक्षिणपक्षका कमांडर था, जिसमें एकके बाद एक उसके तीन घोड़े मारे गये। बापकी हार होनेपर वह एक अनुचरके साथ भाग निकला। शत्रु उसका पीछा कर रहे थे। आकर एक वाण मुंहमें लगा, जिससे जबड़ेकी हड्डी टूट गई। लेकिन वक्षु-तटके घने फरास (झाऊ) के जंगलोंमें वह छिपनेमें सफल हुआ। फिर अपने कवच और हथियारोंको फेंककर घोड़ेपर नदीमें कूद पड़ा। प्यासा घोड़ा पानी पीनेके लिये जरा रुकना चाहता था, लेकिन पीछा करनेवाले शत्रु वाण छोड़ रहे थे। कोड़ा नहीं था, कि घोड़ेको मारकर आगे बढ़ाये। घावके कारण मुंहमें खून भरा हुआ था, अपने भारी कवचके कारण घोड़ा पानीमें डूबने लगा और नाक-कान ही थोड़े-थोड़े बाहर निकले हुये थे। इसी समय अबुलगाजीको बूढ़े सैनिककी बात याद आई—"चारजामेसे उतर एक पैरको रिकाबमें और दूसरेको घोड़ेकी पूंछपर डाल चारजामेके पिछले छोरको एक हाथसे पकड़े—दूसरे हाथसे लगामका इशारा करते चले, तो पानीसे भी बोझ हलका करनेमें सहारा मिलता है।" उसने ऐसा ही किया और वह सहीसलामत नदी पार हो गया। वह कात पहुंचा। वहांसे कितने ही आदमी, नये घोड़े और रसद ले वह समरकन्द पहुंचा, जहां इमामकुल्ली खानने उसका अच्छा स्वागत किया। इसके दो साल बाद भाई अस्फन्दयार ख़ान घोषित हुआ। अबुलगाजी और शरीफ फिर देश लौट आये। अबुलगाजीको उरगंज और शरीफको वजीरके इलाके मिले। अस्फन्दयारने अपने पास खीवा, हजारास्प और कातको रक्खा। लेकिन देरतक शांति कहां रह सकती थी? जल्दी ही भाइयोंमें फिर झगड़ा उठा। अस्फन्दयार सरतों और तुर्कमानोंका पक्षपाती था, और उसके दोनों भाई उज्बेकोंके। फसल कट जानेके बाद १६२४ ई०में अबुलगाजी अस्फन्दयारसे मिलने खीवा गया। तीन दिन रहनेके बाद घोड़े कस लिये थे, इसी समय खानने हुक्म दिया, कि सभी नेमनों और उइगुरोंको कत्ल कर दिया जाय। बातकी बातमें सौ उज्बेक मार डाले गये। इतना ही नहीं हजारास्प और खस्तमीनारेसीमें डेरा डाले सभी खानभक्त उज्बेक बूढ़े-बच्चोंतक मार डाले गये, किसी नैमन और उइगुरको जीता नहीं छोड़ा गया। शरीफको इन दोनों कबीलोंको कत्ल करनेके लिये उरगंज भेजा गया, और अबुल-गाजीको मार डालनेकी गरजसे खीवामें रोक लिया गया। इसी समय उज्बेकोंने धमकी दी, कि यदि अबुलगाजीको नहीं छोड़ा गया, तो हम राज्य छोड़कर चले जायेंगे। छोड़ दिये जानेपर अबुलगाजीने उरगंज पहुंचकर उसे जनशून्य-सा पाया। वक्षु नदी पहले पाससे बहती थी, अब उसने अपनी पुरानी धार छोड़कर नई धारा पकड़ ली थी। अबुलगाजी तूकके किलेमें ठहरा, जहां शरीफ भी उससे आ मिला। दोनों भाइयोंके आसपास भारी संख्यामें उज्बेक जमा हो गये। उन्होंने तुर्कमानोंपर आक्रमण करनेका विचार किया, लेकिन इसका पता तुर्कमानबेक मुहम्मद हुसेनको लग गया, और वह अपने अनुयायियोंके साथ अस्फन्दयारके पास चला गया। अब दोनों भाई उज्बेकोंको लिये खीवापर चढ़े। खाईकानाक नहरके ऊपर बने ताशकुपुरुक (पाषाणपुल) पर कितने ही भूखसे अधमरे तुर्कमान मिले, जिन्हें उन्होंने मार डाला। लेकिन इसी समय कल्मक-मंगोल उनके ऊपर आ पड़े और वह कितने ही उज्बेकोंको पकड़ ले गये। कल्मकोंका आतंक इतना छाया हुआ था, कि अबुलगाजीके कितनेही सहायक साथ छोड़ गये। खीवाके तुर्कमानोंको हिम्मत और मदद मिल गई। उन्होंने चश्मीके पास

छ दिनतक युद्ध किया, लेकिन कोई फैसला नहीं हुआ, इसपर घर लौट जानेकी सलाह हुई। इसी समय अस्फन्दयारने तुर्कमानोंको बढ़ावा दिया। यद्यपि तुर्कमानोंकी संख्या उज्बेकोंसे दसगुनी थी, लेकिन तो भी युद्धका परिणाम अनिश्चित ही रहा। अस्फन्दयारने गर्मियां खीवामें बिताईं, अबुलगाजी और शरीफ उरगंजमें रहे। १६२८-२९ ई०में एक पुच्छलतारा निकल रहा था, जिसे भारी असगुन माना जाता था। उज्बेकोंमेंसे कुछ अन्तर्वेदकी ओर भाग गये और कुछ तुर्किस्तानमें, इस प्रकार उनके निम्न तीन बड़े-बड़े भाग हुये——(१) बुखाराकी ओर जानेवाले, (२) मंगीतों (नोगाइयों) में जानेवाले, (३) कजाकोंमें जानेवाले। अबुलगाजी उज्बेकोंके उस गिरोहके साथ था, जो कजाकोंकी भूमिमें गया और शरीफ बुखारावालोंके साथ। तीन साल बाद (१६३१-३२ ई०) उनमेंसे दो हजार परिवार फिर ख्वारेज्म लौट आये, जिनमें आठ सौ बुखारावाले परिवार भी आकर मिल गये। अब यह लोग अरालमें सिरके गिरनेवाले इलाकेमें पशुचारण करने लगे। अस्फन्दयारने उन्हें चैनसे नहीं रहने दिया और आक्रमण करके उनका नाम-निशान मिटा दिया।

अबुलगाजी कजाकखान इशिमके पास जाकर रहने लगा। वहां उसका परिचय राजकुमार तुरसुनसे हुआ, जिसके साथ वह दो साल ताशकन्दमें जाकर रहा। इशिमने तुरसुनको उसी समय मार डाला, लेकिन अबुलगाजीको इमामकुलीके पास बुखारा जाने दिया। यहां उसे अस्फन्दयारके अत्याचारोंसे ऊब गये ख्वारेज्मी तुर्कमानोंका निमंत्रण मिला और वह खीवा पहुंचा। अस्फन्दयार हजारास्प लौट गया था। इसी बीच शरीफ भी अबुलगाजीसे आ मिला और दोनोंने मिलकर अस्फन्दयारपर आक्रमण करके उसे हरा दिया। लेकिन इतनेसे संघर्ष खतम नहीं हुआ। फिर कितनी ही लड़ाइयां और लूटपाट होती रहीं। एक बार अबुलगाजीको खुरासानमें बेगलरबेगने पकड़कर हमदानमें शाह अब्बास I के पौत्र शाह शफीके पास भेज दिया, जिसने उसे अस्पहानमें नजरबन्द कर दिया——अबुलगाजीको दस हजार तंका पेंशन और रहनेके लिये मकान मिला था। १६३०-४० ई०तक अबुलगाजी इस तरह ईरानमें बंदी रहा। उसने धीरे-धीरे आठ घोड़े खरीदकर भिन्न-भिन्न जगहोंमें छिपा रक्खे। यहीं उसके कुछ विश्वासपात्र नौकर भी आ मिले। अबुलगाजी स्वयं एक नौकर-का साईस बना। घोड़े तैयार कर लिये गये थे। नगाड़खानेमें जिस वक्त मध्य-रात्रिका नगाड़ा बज रहा था, उसी वक्त वह सड़कसे होकर निकल पड़ा। द्वारपर पहुंचकर उसने चिल्लाकर कहा——"खोलो दरवाजा"। दरवाजा खुल गया और अबुलगाजी अपने साथियोंके साथ चलता बना। बोस्तामके पास जब वह एक कब्रिस्तानसे गुजर रहा था, तो वहां कोई मुर्दा दफन किया जा रहा था। अबुलगाजीने वहीं एक गरीब सैयदसे बातचीत करके रसद तथा तीन घोड़ोंके बदलनेका प्रबन्ध किया। गलतीसे उसने मर्वका रास्ता पूछ लिया, जिससे लोगोंको संदेह हो गया, कि यह भगोड़े उज्बेक कैदी हैं। प्रत्युत्पन्नमति अबुलगाजीने झट बहाना कर दिया, कि हम शाहके चिरकासी मुहम्मद कुलीबेग हैं——और एक प्रसिद्ध मुल्ला——से मिलने जा रहे हैं। इस तरह चिरकासी मुहम्मद कुलीबेग बनकर अबुलगाजीकी जान बची। आगे जाकर जब वह रेगिस्तानके छोरपर पहुंचे, तो मंगिशलकके कितने ही भगोड़े तुर्कमान आ मिले। उनसे मालूम हुआ, कि वोल्गाकी ओरके कल्मकोंने आक्रमण किया था, वह बहुतसे पशुओंको लूट ले गये। अबुलगाजीने अपना परिचय दिया। तुर्कमानोंने उसे अपने पास जाड़ा बितानेके लिये निमंत्रित किया। जाड़ोंके बाद वसंतमें अबुलगाजीको तेक्के (तुर्कमान) कबीले——जो कास्पियनके पूर्वी तटके पासके बलखान पहाड़में रहते थे——के पास जानेको कहा। वहां जाकर अबुलगाजीने दो साल बिताये। फिर वह मंगिशलक पहुंचा, जो कि अब कल्मकोंके अधीन था। कल्मक सरदारको जब बात मालूम हुई, तो उसने अबुलगाजीको बुलाकर सालभर नजरबन्द रक्खा। अन्तमें १६४२ ई०में वह उरगंज लौटनेमें सफल हुआ। इसके छ महीने बाद अस्फन्दयार मर गया, शरीफ मुहम्मद दो साल पहले ही मर चुका था, इसलिये ख्वारेज्मकी गद्दी अब अबुलगाजी बहादुरके लिये हाजिर थी।

जहां खूनखराबी और लूट-मारको खेल समझा जाता हो, और हर एक बातका फैसला केवल तलवारसे किया जाता हो, वहां जीवन कैसे व्यवस्थित रह सकता है? आश्चर्य तो यह है, कि इतनी

मारकाट रहनेपर भी रूसके साथ होनेवाला व्यापार अब भी बन्द नहीं था। व्यापार सचमुच ही बड़ी-बड़ी लड़ाइयोंके भीतरसे भी अपना रास्ता निकाल लेता है। दोनों लड़नेवाले सरदार भेंट-पूजा लेकर व्यापारीका रास्ता छोड़ देते हैं। ख्वारेज्ममें बड़ी अशान्ति थी, जब कि अस्फन्दयारकी मौतके सालभर बाद अबुलगाजी अरालके उसी इलाकेमें खान घोषित हुआ, जहांपर वक्षु अराल-समुद्रमें गिरती है। इस इलाकेमें प्रायः सारे ही उज्बेक बसते थे। ख्वारेज्मके बाकी भागोंमें अस्फन्दयारके दो पुत्रों युशन और अशरफके अनुयायी तुर्कमान रहते थे। खुतबा उस समय बुखाराके खान नादिर महम्मदके नामसे पढ़ा जाता था, जिसके पास अराफ जामिनके तौरपर रहता था। अबुलगाजीने दो बार चढ़ाई करके खीवाके उपनगरको लूटा। नादिर मुहम्मदने खीवा और हजारास्पमें अपने राज्यपाल नियुक्त किये थे और अस्फन्दयारकी विधवाको उसके एक पुत्र और कन्याके साथ करशीमें रहनेके लिये भेज दिया था। बुखारी राज्यपाल वस्तुतः सैनिक कमांडर था, नागरिक शासन अस्फन्दयारद्वारा नियुक्त तुर्कमान अमलोंके हाथमें था। इसी समय बुखारासे खानका पौत्र तथा खुसरो सुल्तानका पुत्र कासिम सुल्तान निगरानीके लिये ख्वारेज्म आया, किन्तु वह तुर्कमान अमलोंसे छेड़खानी नहीं करता था। कासिमके आनेकी खबर सुनकर अबुलगाजीने और सेना जमाकर खीवापर चढ़ाई की। बुखारी सेना बहुत अधिक थी, जिससे लड़नेके लिये अबुलगाजीकी सेना कई टुकड़ियोंमें बंट गई। खीवाके हजार सैनिकोंमें आठ सौ कवच-शिरस्त्राणसे इस तरह ढंकेहुये थे, कि उनकी सिर्फ आंखें दिखलाई पड़ती थीं। अबुलगाजीके आदमियोंमेंसे केवल पांच कवचधारी थे। लेकिन अबुलगाजीने बहुत अच्छी तरहसे व्यूह-रचना की। लड़ाईका फैसला होनेसे पहले ही याकूब तुपितको भेजकर कासिमको बुखारा बुला लिया गया। थोड़े समय बाद नादिर स्वयं बुखाराका खान नहीं रहा और उसके बेकों (अमीरों) ने उसके बेटे अब्दुल अजीजको तख्तपर बैठाया। खीवामें नियुक्त बुखारी सेना भी अब भाग गई और १६४४ ई०में अराल-तटसे आकर अबुलगाजीने खीवापर अधिकार कर लिया। अबुलगाजीने सार्वजनिक क्षमादानकी घोषणा करतेहुये भगोड़े तुर्कमानोंको लौटनेके लिये कहा। भगोड़े तुर्कमानोंके सरदार गुलाम बहादुर, दीन मुहम्मद, उनउनबेगी और उरुसबेगीने हजारास्पके पासके रेगिस्तानमें डेरा डालकर अपने अक-शक्कालों (जेठों) को भेज आत्म-समर्पण किया। खानके वचन देकर बुलानेपर वह आये थे, लेकिन जियाफतमें खाना शुरू करनेके समय ही अबुलगाजीके हुक्मसे उनका कत्लेआम शुरू हुआ। तुर्कमान भारी संख्यामें मारे गये, माल-असबाब लूट लिया गया और उनके बीबी-बच्चे दास बना दिये गये। इस हत्याकांडके बाद अबुलगाजी खीवा लौटा, और थोड़े समय बाद उसने तेयेनमें तुर्कमानोंके एक दूसरे समूहपर आक्रमण करके उन्हें लूटा-मारा। यहीं खीवा और बलखके भगोड़ोंने बामे-बुरनियामें पनाह लेनेके लिये एक पत्थरका किला बनाया था। उन्होंने अपने परिवारको कराकश्ती भेज दिया। उनपर भी आक्रमण करके अबुलगाजीने एक-एक आदमीको मार डाला, और लगे हाथों कराकश्तीमें पड़े उनके डेरोंको भी लूट लिया। लेकिन मंगोल कोशोत (कलमक) ख्वारेज्मके लिये अब एक भारी समस्या हो उठे थे। १६४८ ई०में अबुलगाजीने उन्हें हराया, तो भी व्यापार करनेके लिये आये तोरगुत (मंगोल) सरदार बायनको सुरक्षित घर जाने दिया। १६५१ ई०में अबुलगाजी उनके सरदारके साथ बैराज तुर्कमानोंको नष्ट कर औरतों-बच्चोंको पकड़ ले गया। अगले साल तूजके अमीरों और सारिक तुर्कमानोंकी बारी आई, इसी साल तोरगुत (वोल्गा) कल्मकोंने हजारास्पके पास लूट-मार की, जिन्हें अबुलगाजीने भगाकर बहुत दूरतक पीछा किया।

इस प्रकार कुछ सालोंकी सरगरमीके बाद अबुलगाजीने सभी तुर्कमानोंको दबाकर कितने ही समय तक शांतिपूर्वक राज्य किया। १०४६ हि० (५ VI १६३६–२६ VI १६३७ ई०) में उसके भाई शरीफके दामाद सुभानकुल्लीने अपने भाई अब्दुल अजीज खान (बुखारा) के खिलाफ मदद मांगी। बत्तीस ख्वारेज्मी कुमारोंके खूनका बदला लेनेका यह अच्छा मौका था। अबुलगाजीने मदद दी और उसके सेनापति बेककुली इरनेकने कराकुलके इलाकेको लूट-मारकर उजाड़ दिया और वह बुखाराके पासके गांव सुइउनिचबालातक जाकर कुकेर्देलिक लौट आया। फिर उसी साल बुखारी सेनाको

हराकर कराकुलको जला चारजूयके इलाकेको भी उसने बरबाद किया। कुछ महीने बाद (१६५४-५५ ई०) वह याइजी इलाकेको नेरेजेमतक लूटते कराकुल होते भारी संख्यामें युद्धबंदियोंको लिये खीवा लौटा। यह सब देखते हुये भी अब्दुल अजीज खानको सामने आनेकी हिम्मत नहीं हुई। १०६५ हि० (११ XI १६५४–२ X १६५५ ई०) में ही ख्वारेज्मियोंने करमीनापर अधिकार करके लूटा। इन लड़ाइयोंमें अबुलगाजी स्वयं शामिल होता था। एक बार खतरेसे बचानेके उपलक्ष्में अबुलगाजीने अपने पुत्र अनुशा (अनुशाह) को एक झंडा, एक सेना तथा हजारास्पकी कमांड प्रदान की। अबुलगाजीने १६५८ ई०में वरदंजा इलाकेको लूटा, जिसमें कि बुखारा शहर है। १६६१ ई०में उसने फिर बुखारा इलाकेको लूटा। इस तरह अपने सहधर्मियोंको अनेक बार लूटने-मारनेके बाद उसका ख्याल काफिरोंको लूटकर पुण्य कमानेका हुआ। इसके लिये उसकी नजर ईरानी किजिल-वासों और वोल्गाके पासवाले कल्मकोंपर पड़ी। उसने दूतद्वारा अब्दुल अजीज खानके पास सुलहका प्रस्ताव भेजा, और शासनका काम अनुशाको सौंप दिया। लेकिन उसे पुण्य-अर्जनका अवसर नहीं मिला और घोर युद्ध तथा अशांतिके बीस सालके शासनके बाद वह १०७४ हि० (५ VIII १६६३–२५ VI १६६४ ई०) में मर गया। एक तरफ वह खूनका प्यासा निपट श्वापद था, तो दूसरी तरफ उसकी लेखनीने एक बड़े ही सुन्दर इतिहास-ग्रंथको हमारे लिये छोड़ा। अपने समकालीन औरंगजेबके कितने ही अवगुण उसमें भी थे।

१४. अनुशा मुहम्मद बहादुर, अबुलगाजी-पुत्र (१६६३–८६ ई०)

बापने बुखाराके साथ मैत्री कर ली थी, लेकिन बेटा उसे माननेके लिये तैयार नहीं था। उसने बुखाराके नजदीक जूयेबारके खोजोंको जाकर लूटा। उस समय अब्दुल-अजीज खान करमीनामें था। खबर सुनते ही वह दौड़ा। आधी रातको जब वहां पहुंचा, उस समय नगर ख्वारेज्मियोंके हाथमें था। केवल चालीस दासोंको लिये उसने रक्षि-सैनिकोंके ऊपर पड़ अपने लिये रास्ता बनाया, और लड़ते-लड़ते वह आर्क (किले) में जा पहुंचा। उसने ख्वारेज्मियोंके कत्ले-आमका हुक्म दे दिया। उज्बेकों, ताजिकों या विदेशी व्यापारियोंमें जिसके हाथमें भी हथियार था, सभी शत्रुओंके ऊपर टूट पड़े—नगर के बाहर जानेवाले सारे रास्ते बाड़ें खड़ी करके बन्द कर दिये गये थे। ख्वारेज्मियोंका भीषण संहार हुआ, लेकिन अनुशा एक छोटी-सी टुकड़ीके साथ भागकर ख्वारेज्म पहुंचनेमें सफल हुआ। इस मारके कारण थोड़ी देरके लिये अनुशाकी हिम्मत टूट गई।

यद्यपि अब्दुल अजीज खानने ख्वारेज्मियोंके आक्रमणका सफल प्रतिरोध किया, लेकिन तब भी १६८० ई०में अब्दुल अजीजको सुभानकुल्लीके लिये गद्दी खाली करनी पड़ी। सुभानका आरम्भिक शासन बेटोंके विद्रोहके कारण कमजोर था, इसलिये अनुशाको फिर हिम्मत हुई, और उसने १६८३ ई०में आक्रमण करके नगरों और गांवोंको बुखारा शहरके आसपासतक ध्वस्त कर दिया और बहुत से माल और युद्धबंदियोंके साथ लौट गया। सुभानने हाल हीमें विद्रोह करनेवाले अपने पुत्र सादिकको सहायताके लिये बुलाया, लेकिन रास्तेमें उसने सुना, कि अनुशाने खुरासानपर आक्रमण करके वहां अपने नामका सिक्का और खुतबा चलाया है। हिसार (ताजिकिस्तान) और खोजन्दके अमीर भी अब खुली तौरसे सुभानकुल्लीसे विद्रोही बन गये और उसके कितने ही दरबारी भी अनुशाके पक्षमें हो गये। यह स्थिति देखकर सादिकने बुखारा जानेकी जगह लौटकर बलखकी रक्षा करना अधिक पसन्द किया। इसपर खानने बदख्शांके राज्यपाल महमद बी अतालिकको बुलाया, जिसने गिज्दुवानमें अनुशाकी सेनाको पूरी तौरसे हरा दिया, यह हम पहले बतला चुके हैं। अगले साल (१६८५ ई०) खानको बलखके झगड़ेमें फंसा देखकर बुखाराके द्वारपर अनुशा फिर आया, किन्तु मुहम्मदजान अतालीकने बलखसे आकर फिर उसे हरा दिया। इसके कुछ समयबाद जब सुभानकुल्ली मशहदमें तीर्थ-यात्राके लिये गया था, तो अनुशाने फिर अन्तर्वेदपर आक्रमण किया, लेकिन लोगोंने एक होकर भयंकर हत्याके साथ ख्वारेज्मियोंको हटनेके लिये मजबूर किया—

इस संघर्षमें बहुतसे ख्वारेज्मी नेता भी मारे गये। अनुशा फिर चढ़ाई करनेकी सोच रहा था, लेकिन अमीरोंने मना करते हुए कहा, कि कल्मक बड़ी सेना लेकर हमारे ऊपर आक्रमण करने आ रहे हैं, उनसे लड़नेके लिये एरेंक (औरंग) को सेनाका संचालक बनाकर भेजो। सेना हाथमें आते ही एरेंकने बापको पकड़ लिया और लाल लोहेसे दागकर उसे अंधा बना तख्तसे उतार दिया।

१५. मुहम्मद एरेंक, औरंग, अनुशा-पुत्र (१६८६–८७ ई०)

ख्वारेज्मके दरबारमें भी कितने ही अमीर सुभानकुल्लीके पक्षमें थे। एरेंकने सुभान-कुल्लीके पक्षवाले अमीरोंको देश-निकाला दे दिया, फिर बुखारी सेनाको खुरासानमें गई जानकर बुखारापर चढ़ाई की। सुभानकुल्लीने दस दिनतक नगरकी रक्षा की, फिर महमूद बी अतालीक आ गया, जिसने बुखाराके नगर-प्राकारके नीचे ख्वारेज्मियोंको हरा उनमेंसे बहुतोंको बन्दी बना लिया। इस बीच सुभानपक्षी अमीरोंने उरगंजमें षड्यंत्र कर रक्खा और लौटते ही एरेंकको जहर देकर मार डाला।

१६. शाहनियाज खान (१६८७–१७०२ ई०)

ख्वारेज्मके खानोंका वंश गोत्र-बधके लिये हदसे अधिक बदनाम हो गया था, जिसके कारण वहांके अमीर उन्हें पसन्द नहीं करते थे, इसलिये एरेंकके मरनेके बाद विद्रोहियोंने सुभानकुल्लीके पास कोई शासक प्रदान करनेके लिये अपना शिष्टमंडल भेजा। सुभानकुल्लीने शाहनियाज इशिक आकाको राज्यपाल बनाकर भेज सिक्का तथा खुतबा अपने नामसे जारी कराया। सुभानका शासन कई सालोंतक रहा। उसने १७०० ई०में रूसी जार पीतर I के पास दूत भेजकर प्रार्थना की, कि हमारे देशको अपने संरक्षणमें ले लो। उसी साल ३० जुलाईको पत्रद्वारा पीतरने उसकी प्रार्थना स्वीकार की। १७०२ ई०में सुभानकी मृत्युके बाद, जान पड़ता है, शाहनियाजका शासन भी खतम हो गया।

१७. अरब मुहम्मद II, अनुशा-पुत्र (१७०२ ई०)

१७०२ ई०में पीतर I ने एक मित्रतापूर्ण संदेश भेजकर अरब मुहम्मद और उसके लोगोंको अपनी प्रजाके तौरपर स्वीकार किया, इस प्रकार हम देख रहे हैं कि औरंगजेबके शासनके अन्तिम समयमें रूसी जारकी बांह ख्वारेज्मतक पहुंच चुकी थी।

१८. हाजी मुहम्मद बहादुर, अनुशा-पुत्र (१७१४ ई०)

इसके बारेमें इतना ही मालूम है, कि १७१४ ई०में इसका दूत पीतरबुर्गमें पीतर I के दरबारमें पहुंचा था।

१९. यादगार, अनुशा-पुत्र (१७१४ ई०)

यह १७१४ ई० में मरा था। जान पड़ता है, यह अधिक समयतक राज्य नहीं कर पाया। इसके साथ बेरेका खानकी संतानोंका शासन ख्वारेज्ममें खतम हो गया, और उनका स्थान बाहरसे नये-नये आते खानोंने लिया।

खीवाखान-वंशवृक्ष
(१५१५–१७१४ ई०)

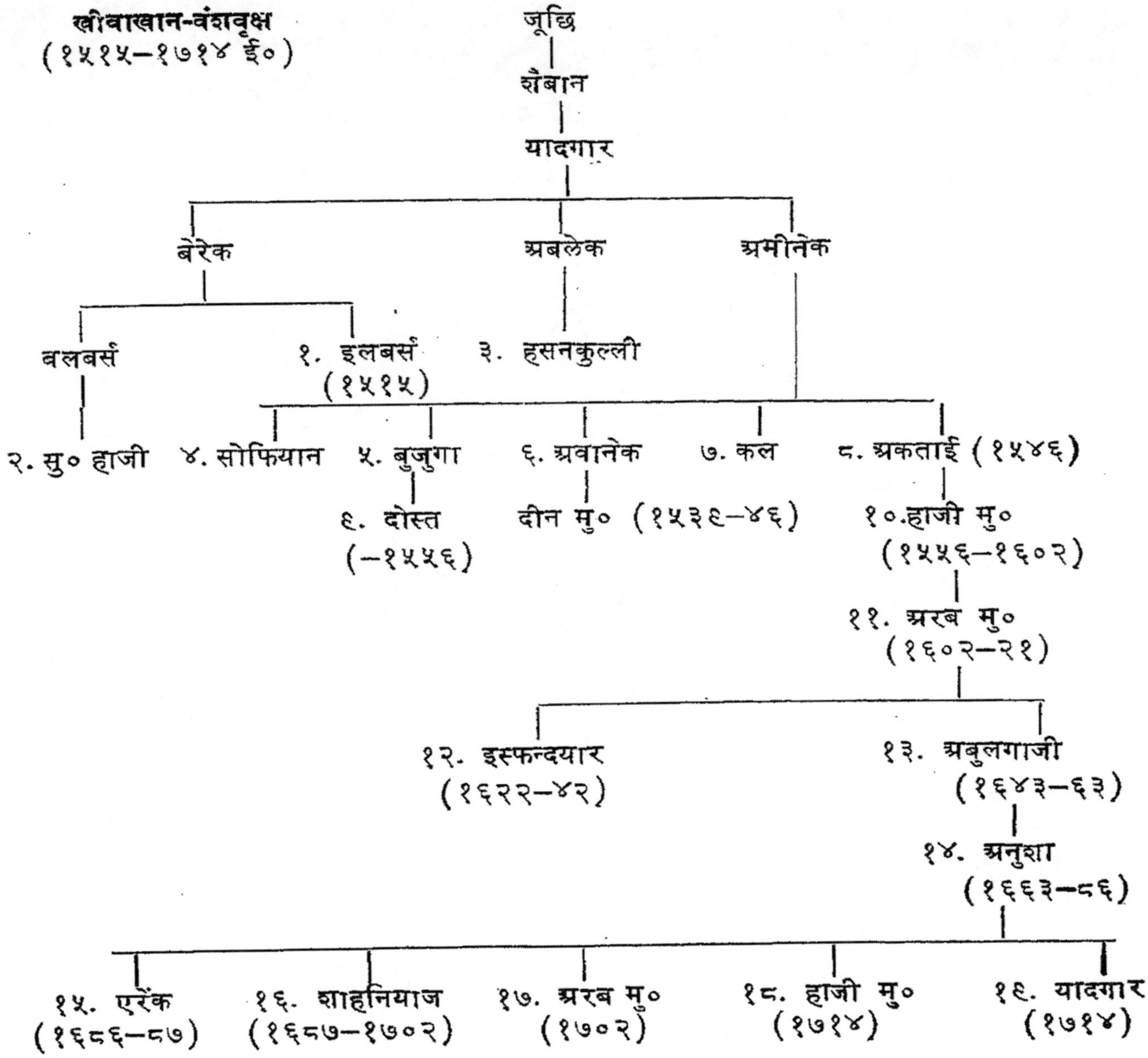

भाग ३

उत्तरापथ

अध्याय १

रूसका प्रसार

(१५९८–१८०१ ई०)

१. बीचके जार

१. बोरिस गदुनोफ (१५९८-१६०५ ई०)

१६वीं सदीके अन्ततक रोरिक-वंशके नेतृत्वमें रूसका किस तरहसे एकीकरण और प्रसार हुआ, इसके बारेमें हम कह आये हैं। रूरिकवंशी अन्तिम जार फ्योदोर इवान-पुत्रके मरनेके साथ १५९८ ई०में रूरिक-वंशके खतम होनेपर बोरिस गदुनोफ जार बना। विवाह-संबंध तथा फ्योदोर-के समय शासनकी बागडोर हाथमें रखनेके कारण गदुनोफको कठिनाई नहीं हुई और १५९८ ई० में "जेम्स्की सबोर" (राष्ट्रीय परिषद्)में एकत्रित सामन्तों और व्यापारियोंके बहुमतने बोरिस गदुनोफको मास्कोका जार निर्वाचित किया। बोरिसने इवानIVकी नीतिपर चलते हुये देशमें व्यवस्था कायम रखनेकी सफल कोशिश की। पुराने राजुलों और सामन्तोंके परिवार हमेशा देशको विकेन्द्रित करनेकी कोशिश करते थे, इसलिये इवानIIIकी तरह गदुनोफको भी उन्हें कड़ाईसे दबाना पड़ा। निकिता रोमन-पुत्र और उसके परिवारवाले—जो पीछे रोमनोफके नामसे प्रसिद्ध हुये—गदुनोफके लिये सबसे अधिक चिंताके कारण थे। रोमनोफोंका संबंध जार फ्योदोरसे था, और नागरिकोंमें उनके मुखिया फ्योदोर निकित-पुत्रके बहुतसे अनुयायी थे। गदुनोफने गुप्त सूचनाओंके बलपर उनपर षड्यंत्र करनेका आरोप लगाया, और सभी भाइयोंको उत्तरकी ओर निर्वासित कर दिया। फ्योदोर रोम-नोफ इसी समय पापा फिलारेतके नामसे साधु बन गया। अपने भूमिपति शत्रुओंको गदुनोफने दबा दिया, लेकिन इसी समय किसान विद्रोहके रूपमें दूसरा भारी खतरा उठ खड़ा हुआ।

१६०१ ई०में रूसमें अकाल पड़ गया—पहले बहुत वर्षा हुई, फिर शरद्के आरंभ हीमें पाला पड़ा, जिसके कारण सारी फसल बरबाद हो गई और बसंतमें खेतोंमें कोई अनाज नहीं पैदा हुआ। बसंतकी बोआईके लिये किसानोंके पास बीजतक नहीं रह गया। लोग भूखके मारे घास और भोजपत्रकी छाल खा रहे थे। कोई-कोई गांव तो सारा-का-सारा मर गया। मास्कोकी सड़कोंपर भी बिना दफनाई लाशें पड़ी हुई थीं। यह भयंकर अकाल तीन वर्ष (१६०१–१६०३ ई०)तक रहा। तालुक-दारों, मठों और व्यापारियोंके पास भारी परिमाणमें गल्ला था, लेकिन उन्होंने उसे महंगे भावों-पर बेचकर धन जमा करना पसंद किया। सामंतों और जमींदारोंने उस समय खाना देनेसे इन्कार करके अपने सेवकोंतकको भी भगा दिया। भुखमरोंके विद्रोहका भय देखकर गदुनोफने हुक्म दिया, कि सरकारी बखारोंको खोलकर लोगोंमें अनाज बांटा जाय, लेकिन बांटने वालोंने उसमें भी अपने लिये खूब पैसे बनाये। सरकारके पास इतना गल्ला भी नहीं था, और जिनके पास बहुत गल्ला था, वह मूल्यके और भी अधिक बढ़नेकी आशासे अपनी बखारोंको खोलना नहीं चाहते थे। "मरता क्या न करता"के अनुसार अब भूखसे मरते किसानों और अर्धदासोंने अपनी टुकड़ियां बना जमींदारों और बनियोंको लूटना शुरू किया। उनमेंसे कुछ दोन-उपत्यका और ब्रचांस्कके जंगलों-में चले गये। १६३० ई०में खलोपको कसलोपके नेतृत्वमें किसानोंकी एक बड़ी टुकड़ी राज-धानी (मास्को)के पास पहुंची, जिसकी जारकी सेनासे एक भयंकर लड़ाई हुई, जिसमें जारका वोयवद (राज्यपाल) इवान बसमानोफ मारा गया। बड़ी मुश्किलसे जारकी सेनाने राजधानीसे विद्रो-

ह्यियोंको भगा पाया। खलोपको कसलोप आहत होकर पकड़ा गया, लेकिन जल्दी ही मर गया। बहुतसे किसान और अर्ध-दासोंको जारके वोयवदोंने मास्कोकी ओर आनेवाली सड़कोंके किनारेके वृक्षोंपर लटकाकर फांसी दे दी।

इसी समय प्रतिद्वंद्वी पोलन्दने रूसकी इस हालतसे फायदा उठाया और पोल-राजा सिगिस्मंद III ने एक मिथ्या दिमित्रिI को अपने हाथका हथियार बनाना चाहा। रोमन कैथलिक धर्मराज पोपको जब यह खबर मिली, तो उसने भी दिमित्रिका समर्थन किया। अफवाह फैलाई गई, कि जार-पुत्र दिमित्रि उगलिचमें मारा नहीं गया, बल्कि वह भागकर पोलन्द चला गया। बोरिस गदुनोफ जिस समय गद्दीपर बैठा, उसी समय उक्रइनने पान (सामन्त) आदम विस्नियोवियेच्कीके गढ़में एक आदमी प्रकट हुआ, जिसने अपनेको इवान IVका पुत्र दिमित्रि घोषित किया। मास्को-सरकारको जब यह पता लगा, तो उसने उसके बारेमें कहा——यह दिमित्रि एक भूतपूर्व साधु ग्रिगोरी ओतरेपयेफ है, जो कि कस्त्रोमाके एक छोटेसे सामन्ती घरानेमें पैदा हुआ। ग्रिगोरी जवानीमें कितने ही मठोंमें घूमता रहा, फिर उसने अपना कुछ समय मास्कोमें बिताया, और अंतमें दूसरे तीन साधुओंके साथ पोलन्द भाग गया। आधुनिक इतिहासकारोंका कहना है, कि मिथ्या दिमित्रि कौन था, इसका पता लगाना मुश्किल है।

पोल अमीरोंने मिथ्या दिमित्रिके प्रकट होनेकी खबरका बड़ा स्वागत किया। उसे विस्नियोवियेच्कीके एक संबंधी तथा सम्बोरके वोयवोद यूरी म्निस्जेफके पास पहुंचाया गया। १६०४ ई०के वसंतमें राजा सिगिस्मंदIII ने राजधानी क्राकोमें दिमित्रिका स्वागत किया। उस समय तुरंत रूसके साथ खुली लड़ाई करना पसंद नहीं किया गया, लेकिन इस बातकी कोशिश की गई, कि दिमित्रिके पक्षपाती उसकी सेनामें आकर शामिल हों। पोल अमीरोंको रूसके धनका लोभ था, इसलिये वह दिमित्रिकी हर तरहसे सहायता करनेके लिये तैयार थे। दिमित्रिने पोप, पोलन्दके राजा तथा अमीरोंको बहुत बड़े-बड़े वचन दिये। पोपको खुश करनेके लिये उसने कैथलिक-धर्म स्वीकार किया और सभी रूसियोंको कैथलिक बनानेका बीड़ा उठाया। पोल-राजाको उसने स्मोलेन्स्क नगर तथा चेर्निगोफके इलाके (सेवेर्स्क)को देनेका वचन दिया। म्निस्जेफ परिवारको उसने नवगोरद और प्स्कोफ प्रदेशका शासक बनानेका वादा करते कहा, कि जारके खजानेसे जो कुछ भी पैसा और रतन-जवाहर मिलेगा, वह तुम्हारा होगा। इस शर्तपर यूरी म्निस्जेफने अपनी लड़की मरीनाका ब्याह मिथ्या दिमित्रिसे करना कबूल किया——मरीना रूसी जारित्सा (जारानी) बनती। दिमित्रिके लिये सारी तैयारी सम्बोरमें होने लगी। तैयारीके बाद १६०४ ई०के शरद्के अन्तमें चार हजार पोल-सेना तथा कई सौ रूसी कसाकोंके साथ दिमित्रिने कियेफके पास द्नियेपर नदी पार किया। बिना प्रतिरोध किये ही कितने ही नगरोंने दिमित्रिकी अधीनता स्वीकार की। बोरिस गदुनोफके शासनसे असंतुष्ट अकालके मारे कितने ही भगोड़े किसान, अर्ध-दास तथा छोटे-छोटे सैनिक भी उसके झंडेके नीचे जा खड़े हुये। बहुतसे किसान सचमुच ही उसे इवानIVका पुत्र समझने लगे। उनको यह भी विश्वास था, कि वह हमें अर्ध-दासतासे मुक्त कर देगा। १६०४ ई०के अन्तमें मास्कोकी सेना दिमित्रि द्वारा घेरे गये नवगोरद-सेवेर्स्कको मुक्त करनेके लिये पहुंची। मिथ्या दिमित्रिने चाहा, कि बिना लड़े सेवेर्स्ककी ओर चला जाय। जनवरी १६०५ ई०में वह सेवेर्स्कके पास दोबरोनीची गांवमें हारकर अपने बचे-खुचे आदमियोंके साथ पुतिवलकी ओर भाग गया। विजय प्राप्त करनेके बाद भी गदुनोफकी हाल बेहतर नहीं हुई। विद्रोहियोंके नये-नये दल आकर आक्रमण करते रहे। जारकी सेना क्रोमीके किलेको घेरे हुई थी। दोनके कसाक दिमित्रिकी ओर होकर लड़ने लगे। इसी समय जारकी सेनाने भी दिमित्रिके विरुद्ध लड़नेसे इन्कार कर दिया और बहुतसे सिपाही मैदान छोड़कर घर चले गये। इसी अवस्थामें अप्रेल १६०५ ई०में गदुनोफ एकाएक मर गया। सामन्तोंने तुरन्त उसके सोलह वर्षके पुत्र फ्योदोरको जार घोषित कर दिया।

गदुनोफके शासन-कालमें ही १५९८ ई०में साइबेरियामें जाकर रूसी प्रवासियोंके बसनेका पहिला उल्लेख मिलता है। जार-पुत्र दिमित्रिके मरनेके बाद ये लोग उगलिचसे भागकर पूर्वमें

चले गये थे। साइबेरियामें रूसियोंकी कुछ बस्तियां बल्कि पहले ही १५८७ ई०में तबोल्स्क नगरकी स्थापनाके समयसे बसने लगी थीं। १६०४ ई०में तोम्स्क नगर भी स्थापित हो गया।

२. फ्योदोर, बोरिस-पुत्र (१३ अप्रेल—१ जून १६०५ ई०)

फ्योदोरको गद्दी नहीं बल्कि थोड़े दिनोंके लिये खाली सिंहासनपर बैठकर रूसकी राजावलीमें नाम लिखवानेका मौका मिला। गदुनोफके हटते ही मिथ्या दिमित्रिका रास्ता खुल गया। क्रोमामें जो बची-खुची सरकारी सेना रह गई थी, वह भी पीतर बसमानोफकी अधीनतामें दिमित्रिकी ओर चली गई। सामन्त पहिले हीसे गदुनोफसे घृणा करते थे, क्योंकि वह राजुलोंके अस्तित्वको खतरेमें डाले हुये था। राजुल वासिली इवान-पुत्र शुइस्कीने पहले उगलिचमें जार-पुत्र दिमित्रिके मरनेकी गवाही दी थी। अब उसने अपनी बातसे इन्कार करते कहा, कि गदुनोफ जार-पुत्रको मारना चाहता था, किंतु वह जान बचाकर भाग गया। वह जिंदा है और अब राजधानीकी ओर आ रहा है। दिमित्रिके दूतोंके मास्को पहुंचनेपर अमीरोंने जार फ्योदोर और उसकी मांको मार डाला। दिमित्रिने बिना किसी विरोधके जून १६०५ ई०में अपने सहायक पोलोंके साथ रूसी राजधानीमें प्रवेश किया—यह अकबरकी मृत्युका साल था।

३. दिमित्रि, मिथ्या (१६०५—६ ई०)

दिमित्रिने जारके पुराने सिंहासनपर बैठते ही अपने असली रूपको दिखलाना शुरू किया। पहले उसने असंतुष्ट किसानोंको विश्वास दिलाया था, कि हम तुम्हारी हालत बेहतर बनायेंगे, लेकिन अब उसने फिर जमींदारों और सामन्तोंकी पूर्व-स्थितिको मजबूत करना शुरू किया। ऊपरसे जो पोल अमीर और दूसरे अनुचर आये थे, वह अपनेको रूसियोंका विधाता समझते उनके साथ बड़ा दुर्व्यवहार करते दोनों हाथोंसे नोंच-खसोट कर रहे थे। दिमित्रिके चारों तरफ भाड़के विदेशी नौकर भरे हुये थे। दिमित्रि स्वयं बहुत भारी परिमाणमें पैसा पोलन्द भेज रहा था। अब लोगोंकी आंखें खुलीं और मास्कोके नागरिकोंने खुल्लमखुल्ला शिकायत करनी शुरू की। १६०६ ई०के वसंतमें दिमित्रिकी बीबी मरीना आई, जिसके साथ पोल अमीरोंका एक बड़ा दल बहुतसे अनुचरोंको लिये आया। मरीनाके साथ दिमित्रिका विवाह-महोत्सव बड़े ठाट-बाटसे मनाया गया, कई दिनोंतक मौज होते रहे। शराबमें मस्त उसके विदेशी सहायकोंने इस समय और भी गजब ढाया, जिससे जनता क्रोधमें पागल हो गई। राजुल वासिली शुइस्कीने इस अवस्थासे फायदा उठा षड्यंत्र रचा और १७ मई १६०६ ई०को घण्टेकी आवाजके संकेतको सुनते ही लोग मुकाबिलेके लिये खड़े हो चिल्ला उठे—"चलो लितवों पर! लितवोंकी क्षय!!"—रूसी उस समय पोलोंको लितवा कहते थे। मिथ्या दिमित्रिको जब खतरेकी खबर मिली, तो महलके सामने काफी भीड़ जमा हो चुकी थी। जान बचानेके लिये खिड़कीसे कूदा, जिसके कारण वह बुरी तरह घायल हो गया। लोगोंने पहुंचकर उसे तुरन्त ही मार डाला। कुछ दिनों बाद मिथ्या दिमित्रिके शरीरको जला उसकी राख एक तोपमें भरकर उसे उसी ओर मुंह करके दाग दिया गया, जिधरसे वह आया था। सारे नागरिक शहरमें ढूंढ़-ढूंढ़कर पोल अमीरों और दरबारियोंको मारने लगे। पत्थर, छुरा, डंडा जो कुछ भी हाथ आया, उसीसे उन्होंने हथियारबंद पोलोंपर आक्रमण किया। दो हजार पोल मारे गये और बाकियोंने मोर्चाबंदी छोड़ आत्म-समर्पण कर दिया। बायरोंको डर लगा, कि विद्रोही जनसाधारण कहीं उनके विरुद्धभी कुछ न कर बैठे, इसलिये उन्होंने सबसे पहले सिंहासनपर किसीको बैठाकर राजशक्तिको मजबूत करना जरूरी समझा। उन्हें राष्ट्रीय परिषद् (जेम्स्की सबोर)को बुलाने, की हिम्मत नहीं हुई। डर रहे थे, शायद अधिकांश नागरिक और अमीर भी विरोध करें, इसलिये पुराने राजुलवंशी वासिली इवान-पुत्र शुइस्कीका नाम बिना निर्वाचनके ही १९ मईको क्रेमलिनके सामने जमा हुये लोगोंके बीच जारके तौरपर घोषित कर दिया।

इस गड़बड़ीके समयके जार निम्न थे—

१. बोरिस गदुनोफ	१५९५—१६०५ ई०
२. फ्योदोर, बोरिस-पुत्र	१३ अप्रेल-१ जून १६०५"
३. दिमित्रि (मिथ्या)	१६०५—६ "
४. वासिली, इवान-पुत्र शुइस्की	१६०६—१०"
५. व्लादिस्लाव, सिगिस्मंद-पुत्र	१६१०—१३ "

४. वासिली शुइस्की, इवान-पुत्र (१६०६-१० ई०)

शुइस्कीने बायरोंको वचन दे दिया था, कि मैं तुम्हारी सम्मतिसे राज्य करूंगा, और क्रास (सलेब) के ऊपर कसम खाई थी, कि बिना बायरोंकी दूमा (संसद) की रायके मृत्युदंड नहीं दूंगा, न दंडित-पुरुषके संबंधियोंकी सम्पत्ति जब्त करूंगा। रूसके भिन्न-भिन्न नगरोंमें उसके जार होनेकी घोषणा की गई। धनी बायरोंने सबसे अधिक लाभके पदोंपर झपट्टा मारा, और उन्होंने फिर मनमानी करनी शुरू की। पुराने राजुलवंशों और नये जमींदार-धनियों—बायरों—के स्वार्थ एक नहीं थे। सामन्त कब बरदाश्त करने लगे, कि सभी बड़े-बड़े पदों को बायर दखल कर लें। जल्दी ही विद्रोह उठ खड़े होनेकी शंका होने लगी। बायरोंने प्रतिरक्षाके लिये क्रेमलिनमें तैयारी शुरू की, उसकी दीवारोंपर तोपें लगा दीं, और खाइयोंके ऊपरके पुलोंको हटा दिया।

किसान-विद्रोह (१६०६-८ ई०)—किसानोंने विद्रोह किया, लेकिन वह संगठित नहीं था। जहां-तहां छिटपुट लोग सरकारके विरुद्ध आक्रमण कर रहे थे, जिससे सरकारी सेनाको अच्छा मौका मिला, और एक जगहके विद्रोहको दबा देनेपर दूसरी जगहके विद्रोहको दबाना आसान था। सबसे ज्यादा खतरनाक और जबर्दस्त विद्रोह था मजदूरों, अर्ध-दासों और कसाकोंका, जिसका नेता इवान बलोत्निकोफ (१६०६-७ ई०) था। अपनी जवानीके समय बलोत्निकोफ एक बायरका अर्ध-दास था, जिसके अत्याचारोंसे परेशान हो वह दोन-उपत्यकाके कसाकोंमें भाग गया, जहां वह तार-तारोंके हाथमें पड़ गया। उन्होंने उसे दास बनाकर तुर्कोंके हाथमें बेंच दिया। कुछ दिनों तक बलोत्निकोफ दूसरे बंदियोंकी तरह पैरोंमें बेड़ी पहने नावकी पतवार चलाता रहा, लेकिन थोड़े ही समय बाद वह तुर्कोंकी दासतासे मुक्त होनेमें सफल हुआ। तुर्कोंसे युरोपके भिन्न-भिन्न देशोंमें कितने ही साल घूमनेके बाद रूसी सीमांतके भीतर लौट आया। इसी समय शुइस्कीके विरुद्ध विद्रोह आरम्भ हुआ था। बलोत्निकोफने विद्रोही सेनाका नेतृत्व स्वीकार किया। सम-सामयिक लेखक उसकी असाधारण शारीरिक शक्ति, तीक्ष्ण बुद्धि और बहादुरीकी प्रशंसा करते हैं। विदेशी लेखक उसे "युद्धवीर" कहते थे। युद्धोंमें उसने अपनी सैनिक प्रतिभाका अच्छा परिचय दिया था। जहां-कहीं भी बलोत्निकोफकी सेना जाती, किसान अपने जमींदारोंके विरुद्ध होकर उसकी सेनामें आ मिलते। शहरके गरीब भी उसकी तरफ हो जाते। बलोत्निकोफकी सेना पुतिवलसे जल्दी-जल्दी क्रोमी, सेरपुखोफ और कलोम्ना होती मास्कोकी ओर बढ़ी। अक्तूबर (१६०६ ई०) के मध्यमें बलोत्निकोफ मास्कोके सामने पहुंचा। राजधानीके चारों तरफ प्रतिरक्षाके लिये तेहरी पत्थरकी दीवार तैयार की गई थी। बलोत्निकोफ उसे सर नहीं कर सका, फिर मुहासिरा करके बैठ रहा। उसने नागरिकोंसे अपील करते पत्र लिखकर लोगोंमें बंटवाया, किसानों और अर्ध-दासोंको कहा—अपने बायरों और जमीदारोंको खतम कर डालो, मैं तुम्हें राजुलोंकी भूमि प्रदान करूंगा। बलोत्निकोफकी सेनामें कुछ असंतुष्ट राजुल भी थे, जिन्होंने इस खतरेको देखा। रचाजनके सामंत तथा ल्यापुनोफ-भ्रातृयुगल बलोत्निकोफका साथ छोड़कर शुइस्कीकी ओर हो गये। इसपर जारकी सेनाकी हिम्मत और शक्ति बढ़ी, जिसके साथ ही कितने ही और अमीर जारकी ओर हो गये। बलोत्निकोफको बची-खुची सेना लेकर दक्षिणकी ओर हटना पड़ा। उसने जाकर कलूगामें छावनी डाली। १६०७ ई०के बसंतमें जारकी सेनाने कलूगाको घेर लिया, लेकिन इसी समय विद्रोहियोंकी एक नई सेना बलोत्निकोफकी मददके लिये आ गई और शुइस्कीकी सेनाको बुरी तरहसे हार घेरा उठाकर भागना पड़ा।

बलोत्निकोफ आगे बढ़कर तुला पहुंचा, जहां कसाकोंका एक नया दल उससे आ मिला। इसी दलमें पीतर नामक एक आदमी था, जो अपनेको जार फ्योदोर (इवान-पुत्र) का बेटा कहता था, यद्यपि वस्तुतः फ्योदोरका कोई बेटा नहीं था। गर्मियोंमें शुइस्की एक बड़ी सेना जमाकर चार महीनेतक तुलामें बलोत्निकोफपर आक्रमण करता रहा। जारके सेनापतियोंने देखा, कि बलोत्निकोफको जल्दी हराया नहीं जा सकता और जाड़ोंमें घेरा रखना मुश्किल होगा, इसलिये उन्होंने पासकी उपा नदीके ऊपर एक ऊंचा बांध बांध दिया, जिससे नदीका पानी इकट्ठा होकर जोरसे शहरके भीतर बढ़ा, जिससे बलोत्निकोफकी रसद और बारूद बह गई। इसपर समर्पणकी बात होने लगी। जार वासिलीने वचन दिया, कि मैं सभी विद्रोहियोंको क्षमा कर दूंगा, लेकिन उसने अपनी वचनका पालन नहीं किया। इवान बलोत्निकोफको उत्तरमें करगोपोलकी ओर भेजकर अंधा करके डुबा दिया गया, और बहुतसे दूसरे विद्रोहियोंको खलोपी (गृहदास) और अर्धदास बनाकर अमीरोंको दे दिया गया। बलोत्निकोफ मारा गया, उसके सैनिक तितर-बितर हो गये, लेकिन शुइस्कीके बिरुद्ध विद्रोह नहीं दबा। बोल्गा-उपत्यकाके मोर्द्विन और मारी (चेरेमिसी) विद्रोही बने और उन्होंने रूसी किसानों और अर्ध-दासोंको साथ लेकर निज्नी-नवोगोरदको घेर लिया। उस समय तो जारकी सेना उन्हें हटानेमें सफल हुई, लेकिन १६०८ ई०की शरद्में सारी मध्य-वोल्गा उपत्यका विद्रोही बन गई।

इधर देशके भीतर इस तरहकी विद्रोहाग्नि जल रही थी, उधर पोल भी चुप नहीं बैठे थे। उन्होंने यह अफवाह फैलाई, कि मास्कोमें खिड़कीसे कूदकर मरनेवाला आदमी वस्तुतः दिमित्रि नहीं था, बल्कि दूसरे आदमीने अपनी जान देकर जार दिमित्रिके भागनेमें सहायता की। यह अफवाह यद्यपि दिमित्रिके मरनेके दिनसे ही उड़ाई जाने लगी थी, लेकिन उसका प्रभाव उस समय अधिक नहीं पड़ा। १६०८ ई०के वसंतमें एक नया जार-पुत्र मिथ्या दिमित्रि II मास्कोके सीमांतपर प्रकट हुआ। उसके साथ पोलंदकी सरकारी सेना और दूसरे बहुतसे सैनिक थे। लिथुवानी सामन्त यान सपिएहा ७५०० पैदल और सवार सेना लेकर आया, हेतमन रोजिन्सकी भी चार हजार आदमियोंके साथ पहुंचा। इसी तरह दोन और जापोरोज्ये कसाक भी मिथ्या दिमित्रि IIके साथ आ मिले। बोल्खोफके पास १६०८ ई०के बसंतमें जारकी सेनाने हार खाई और दिमित्रि IIकी मुख्य सेना कलूगा और मोजाइस्कके रास्ते मास्कोकी ओर बढ़ी। उन्होंने मास्कोपर अधिकार करनेकी विफल कोशिश की। इसके बाद पोलोंने राजधानीसे थोड़ी दूरपर मास्क्वा नदीके ऊंचे तटपर अवस्थित तुशिनो गांवमें मोर्चाबंदी करके डेरा डाला, जिसके ही कारण लोगोंने मिथ्या दिमित्रि IIको "तुशिनो जार" अथवा "तुशिनोका चोर" कहना शुरू किया। मास्कोकी स्थिति बहुत बुरी हो गई थी। नगरमें आहारका अकाल था। कितने ही बायर और राजुल शुइस्कीके पतनको निश्चित समझकर मिथ्या दिमित्रिके पास चले गये। मास्कोपर घेरा डालकर मिथ्या दिमित्रिकी सेनाने आसपासके महत्त्वपूर्ण स्थानोंपर अधिकार करना शुरू किया। राजधानीसे सत्तर किलोमीतरपर अवस्थित त्रोइत्स्क-सेर्गियेफ मठ (आधुनिक जागोर्स्क) को पोलोंने लेना चाहा। लेकिन रक्षाके लिये पासके किसान भी मठकी ऊंची दीवारोंके भीतर पहुंचे हुये थे। मठने अपनी तोपों और सैनिकोंके बलपर पोलों और दिमित्रिकी सेनाको मार भगाया। ऊपरी वोल्गाके नगरोंमें उसे जरूर सफलता मिली, क्योंकि वहांके लोग जार और बायरोंसे इतनी घृणा करते थे, कि उन्हें मिथ्या दिमित्रि सच्चा दिमित्रि मालूम होता था।

लेकिन दिमित्रिको जितनी सफलता होती जाती थी, उतना ही उसके सहायक पोलोंका अत्याचार और अपमानजनक बर्ताव बढ़ता जाता था। वह नगरोंमें पहुंचकर व्यापारियोंके मालको छीनते, किसानों और कारीगरोंपर भारी कर लगाते, जरा भी आनाकानी करनेपर उनके घरों और खेतोंकी फसलको जला देते। कितने ही रूसी बायरों और जमींदारोंकी सम्पत्तिको क्षतिपूर्तिके तौरपर उन्होंने छीन लिया। लोग उनके विरुद्ध खड़े होनेके लिये मजबूर हुये। छिटफुट होते विद्रोह १६०८ ई०में देशव्यापी गोरिल्ला-युद्धके रूपमें परिणत हो गये।

शुइस्कीने देखा, कि वह अकेला दोनों ओरकी मारको नहीं बर्दाश्त कर सकता, इसलिये उसने स्वीडेनके राजा चार्ल्स नवमसे मददके बदलेमें संधि द्वारा करेला (केखहोल्म)के नगर और आसपासके प्रदेशको स्वीडेनको दे दिया। चार्ल्सने इसके बदलेमें पोलोंको भगाने तथा जारकी शक्तिको मजबूत करनेके लिये सहायता देनेका वचन दिया। स्वीडेनने १६०९ ई०के बसंतमें पंद्रह हजार सेनाके साथ जेकब देलागारदीको भेजा। इस सेनामें स्वीड्, जर्मन, अंग्रेज, फ्रेंच और दूसरे कितने ही देशोंके भाड़ेके सैनिक थे। शुइस्कीका भतीजा राजकुमार स्कोपिन-शुइस्की भी अपने रूसी सैनिकोंको लिये इस सेनाके साथ हो गया। सेना रास्तेमें कितने ही नगरों और कस्बोंको मुक्त करती तुशिनोंकी ओर बढ़ी। पोल भी आखिरी दाव लगानेके लिये तैयार थे। १६०९ ई०के ग्रीष्ममें भिन्न-भिन्न पोल सेनाओंने जगह्-जगहपर आक्रमण करके लूट-मार की, और इसी सालकी शरद्में पोल राजा सिगिस्मंदIIIने एक बड़ी सेना ले रूसके भीतर घुसकर स्मोलेन्स्क नगरपर घेरा डाल दिया। सीधे रूस और पोलन्दके बीच खुलकर लड़ाई होने लगी। सिगिस्मंदको अब मिथ्या दिमित्रिIIकी अवश्यकता नहीं थी। जनवरी १६१० ई०में मिथ्या दिमित्रिII पोल सहायतासे वंचित होकर तुशिनोंसे कलूगाकी ओर भागा। उसके साथ अब भी कुछ पोल इस आशासे चल रहे थे, कि शायद मास्कोका सिंहासन आखिरमें उसको ही मिले। दिमित्रिका पक्ष लेनेवाले रूसी बायरों और राजुलोंने आशा छोड़कर सिगिस्मंदके साथ समझौता करना चाहा, और पोल राजाके पुत्र व्लादिस्लावको मास्कोका जार स्वीकार करते हुये ४ फर्वरी १६१० ई०में संधि की। सिगिस्मंदने अपने पुत्रकी ओरसे वचन दिया, कि वह अमीरों और जमींदारोंके अधिकारोंपर प्रहार नहीं होने देगा और भगोड़े किसानोंको उनके पास लौट जानेके लिये मजबूर करेगा।

५. व्लादिस्लाव सिगिस्मंद-पुत्र (१६१०-१३ ई०)

मार्च १६१० ई०में रूसी-स्वीडिश सेना मास्कोके भीतर दाखिल हुई। उधर मास्कोपर अधिकार करनेके लिये एक पोल सेना पहुंची, जिसके विरुद्ध शुइस्कीने अपने भाई दिमित्रि शुइस्कीके नेतृत्वमें एक सेना भेजी। जून १६१० ई०में क्लुशिनो गांवके पास दोनों सेनाओंमें लड़ाई हुई, लेकिन लड़ते समय जर्मन और स्वीड भाड़ेके सैनिक रूसियोंका साथ छोड़कर पोलोंकी ओर मिल गये—उन्हें तो पैसेसे काम था। पोलोंने स्वीडोंको स्वतन्त्रता-पूर्वक लौट जानेकी इजाजत दे दी। जुलाई १६१० ई०में मास्कोके नागरिकोंमें भूखे मरनेकी और शक्ति नहीं रह गई, और उन्होंने वासिली शुइस्कीके खिलाफ विद्रोह कर दिया। बायरों और राजुलोंने वासिलीको पकड़कर उसे साधु बननेके लिये मजबूर किया, जिसमें कि वह राजकाजमें दखल न दे सके। शासन-भार अब सात बड़े-बड़े बायरोंकी बनी सरकारके हाथमें चला गया, इसीलिये इस सरकारको सेमी-बायर्-श्चिना (सात बायर शासन) कहा जाता था। बायरोंने अपनी स्थितिको मजबूत नहीं देखी, इसलिये उन्होंने इस शर्तपर व्लादिस्लावको मास्कोका जार बनना स्वीकार किया, कि वह बायरोंके साथ मिलकर शासन करे। विश्वासघातियोंने समझौता करके पोल-सेनाको मास्कोके भीतर आने दिया। संघराज फिलारेत तथा कुछ और बायरोंका एक प्रतिनिधि-मंडल स्मोलेन्स्ककी दीवारोंके बाहर सिगिस्मंदIII से मिलकर संधि करनेके लिये गया। लेकिन, पोलोंने इन देशद्रोहियोंको उनके कियेका अच्छा मजा चखाया और सबको पकड़कर पोलन्द भेज दिया। इन प्रतिनिधियोंने मास्कोमें गुप्त रीतिसे चिट्ठियां भेजकर अपनी हीन स्थिति और पोलोंके विश्वासघातके बारेमें सूचित करते कहा, कि पोलोंकी अधीनता स्वीकार मत करो, आपसमें इसके बारेमें राय करो तथा हमारे पत्रको "नवोगोरद, वलोग्दा और निजनीमें भेज दो, जिसमें सब इस बातको जान लें।" पोल राजाकी मंशा वस्तुतः स्वयं मास्कोका जार बननेकी थी।

मास्कोके भीतर पहुंचकर फिर पोलोंने मनमानी शुरू कर दी, और जरा भी विरोध करनेपर लोगोंको तुरंत गिरफ्तार करके बंदीखानेमें डाल दिया जाता। पोल अमीरोंने क्रेमलिनमें जारके खजानेको लूट लिया। उधर अपने राजाके नेतृत्वमें एक पोल सेना स्मोलेन्स्कको घेरे रही।

उत्तरमें स्वीडोंने फिनलन्द-खाड़ीके दक्षिणी तटपर अधिकार करके नवोगोरदको ख़तरेमें डाल दिया। व्यापारियों और कारीगरोंकी हालत बुरी हो गई थी, क्योंकि नगरोंके भीतर आपसी व्यापार बिल्कुल बंद हो गया था। जमींदारों और अमीरोंकी हालत भी खराब थी, क्योंकि उनके खेतोंमें काम करनेके लिये आदमी नहीं रह गये थे।

मास्कोमें पोलोंने बहुत कोशिश की, कि लोग पोल-राजाकी राजभक्ति स्वीकार करें, लेकिन वह इसके लिये तैयार नहीं थे। जिन बायरोंने विश्वासघात करके पोलोंको बुलाया था, उनके ख़िलाफ घृणाजनक पत्र प्रसारित हो रहे थे। रूसी चर्चका प्रधान संघराज हर्मोगेनने भी इसी समय पोलोंके विरुद्ध अपने विचार प्रकट किये और १६१० ई०के अन्तमें उसने भिन्न-भिन्न नगरोंमें अपनी घोषणा भिजवाकर कहा, कि राजधानीकी मुक्तिके लिये रूसी जनताको आगे बढ़ना चाहिये। संघराजकी घोषणाने लोगोंको और भी उत्तेजित कर दिया। जब इसकी खबर पोलोंको मिली, तो उन्होंने संघ-राजको जेलमें डालकर तरह-तरहकी यातना देनी शुरू की, लेकिन उसने हिम्मत नहीं छोड़ी।

व्लादिस्लावको जारका सिंहासन तो मिला, लेकिन उसे और उसके बापको रूसियोंने चैनसे रहने नहीं दिया। मास्कोको मुक्त करनेके लिये सारे देशमें तैयारी होने लगी। जनवरी १६११ ई०में र्याजनके वोयवोद (राज्यपाल) प्रोक्रोपी ल्यापुनोफने मास्कोकी मुक्तिके लिये स्वयंसेवकों-का संगठन शुरू किया, जिसमें पहिले मुख्यतः दक्षिणी जिलोंके अमीरोंकी सैनिक टुकड़ियां शामिल हुईं। ल्यापुनोफने कसाकों और अर्धदासोंको भी पैसे और मुक्तिका लोभ देकर अपनी ओर खींचा। शक्ति बढ़ाकर एक सैनिक टुकड़ी राजकुमार दिमित्रि मिखाइल-पुत्र पजार्स्कीके नेतृत्वमें पोलोंके ऊपर प्रहार करने लगी। इस सेनाका हरावल ठीक समयपर मास्कोके पास पहुंचा, और पोल तथा देशद्रोही बायरोंने मास्कोमें आग लगा दी। जलते हुये घरोंके बीच लड़ाई जारी रही, पर अंतमें धूयें और आग-की ज्वालाने रूसी सेनाको शहरसे बाहर निकलनेके लिये बाध्य किया। राजकुमार पजार्स्की इसी लड़ाईमें घायल हुआ। कुछ महीनेतक मास्कोके बाहर रहकर फिर कोशिश की, लेकिन वह राज-धानीको मुक्त नहीं करा सके। ३० जूनको सेना-संगठनके बारेमें कसाकों और सामन्तोंने आपसमें समझौता किया, जिसमें सामन्तोंका प्रतिनिधि ल्यापुनोफ था और राजकुमार दिमित्रि त्रुबेत्स्की तथा अतमन इवान जारुत्स्की कसाकोंके प्रतिनिधि थे। समझौता ठीकसे चला नहीं, दोनों पक्षोंमें जब-तब झगड़ा हो उठता। ३० जूनको वह यहांतक बढ़ा, कि कसाकोंने प्रोक्रोपी ल्यापुनोफको मार डाला, जिसके बाद स्वयंसेवक-संगठन छिन्न-भिन्न हो गया। सामन्त अपने सैनिकोंको लेकर चले गये और सिर्फ कसाक सैनिकोंका एक भाग मास्कोके सामने रह गया।

उधर स्मोलेन्स्कके प्रतिरक्षियोंने करीब-करीब दो सालतक पोलन्दकी भारी सेनाका मुका-बिला किया। पोल राजाने तोपोंके गोलोंसे सफलता न पाकर बड़े-बड़े वादोंसे फुसलाना चाहा, लेकिन स्मोलेन्स्कके नागरिक इसके लिये तैयार नहीं थे। जून १६११ ई०के आरम्भमें पोल किलेकी दीवारको एक जगह उड़ानेमें सफल हुये, नागरिकोंने जलते हुये नगरकी सड़कोंमें आखिरी लड़ाई लड़ी। बहुतोंने शत्रुके हाथमें पड़नेकी जगह आगकी ज्वालामें कूदकर जान दे दी। सत्तर मन बारूदके एक ढेरमें आग लगा दी गई, जिससे रूसियोंके साथ बहुतसे पोल भी चिथड़े-चिथड़े उड़ गये। बहुत थोड़ेसे प्रतिरक्षी पोलोंके हाथ बंदी हुये। जिस समय स्मोलेन्स्कको पोलोंने लिया, उसी समय स्वेडोंने उत्तरमें नवोगोरद नगरपर अधिकार किया।

कसाकों और सामन्तोंके झगड़ेके कारण यद्यपि सैनिक स्वयंसेवकोंका संगठन छिन्न-भिन्न हो गया था, लेकिन रूसियोंने पोलोंके विरुद्ध अपनी तलवार मियानमें नहीं रक्खी। निजनी-नवोगोरदने फिरसे स्वयंसेवकोंके संगठनमें आगे बढ़कर काम किया और मास्कोकी लड़ाईमें घायल प्रसिद्ध वीर राजकुमार दिमित्रि पजार्स्कीको सेनाका संचालक बननेके लिये निमंत्रित किया। चारों ओर फिर एक नया उत्साह दिखाई देने लगा। मास्कोमें पोलोंको जब पता लगा, कि हमारे विरुद्ध एक बड़ी भारी सेना जमा हो रही है, तो उनमें घबराहट मच गई। उनसे भी ज्यादा

भयभीत थे देशद्रोही बायर। उन्होंने लोगोंसे बहुत कहा, कि पोल राजकुमार व्लादिस्लावकी अधीनता स्वीकार करो, लेकिन लोग इसके लिये तैयार नहीं हुये।

१६१२ ई०के बसंतमें स्वयंसेवक-सेना निजनी-नवोगोरदसे यारोस्लाव्ल पहुंची। सब जगह लोग बड़े उत्साहके साथ स्वागत करते आ-आकर उसमें भर्ती हो रहे थे। यारोस्लाव्लमें सेना चार महीने रही। यहांपर उन्होंने राष्ट्रीय सरकार संगठित की और शासन-प्रबंधके भिन्न-भिन्न विभाग कायम किये। स्वयंसेवकोंमें भिन्न-भिन्न नगरोंके अमीर, तथा सभी वर्गोंके आदमी, कसाक, किसान और स्त्रेलेत्सी (धनुर्धर) ही नहीं, बल्कि तारतार, मारी और चुबाश जैसे अ-रूसी जातियोंके भी लोग सम्मिलित थे। सेनाने अपना केंद्र यारोस्लाव्लमें रक्खा, लेकिन उसकी टुकड़ियां चारों तरफ फैलकर देशको पोलोंसे स्वतन्त्र करने लगी। पोल आकर रूसके भिन्न-भिन्न इलाकोंमें फैल तो गये थे, लेकिन उनको देशका परिचय कम था, इसलिये हर जगह ग्रामीणोंको पथ-प्रदर्शनके लिये मजबूर करते। कितने ही पथ-प्रदर्शकोंने उन्हें ऐसी जगह पहुंचा दिया, जहां वह रूसी स्वयंसेवकों के हाथमें पड़कर नष्ट हो गये। ऐसे ही पथ-प्रदर्शकोंमें कस्त्रोमाका एक किसान इवान सुसानिन था। उसने पोलोंका पथप्रदर्शन करते उन्हें इसुपोव्स्कोयके दलदलमें डाल दिया। पोलोंने सुसानिनको मार डाला, लेकिन वह स्वयं दलदलमें मरनेसे नहीं बचे। पीछे इवान सुसानिनका पद्य-नाटक (ओपेरा) बना, जो आज भी रूसियोंमें बहुत जनप्रिय है।

१६१२ ई०के अगस्तके अंतमें स्वयंसेवक-सेनाका मुख्य अंग मास्कोकी दीवारोंके नीचे पहुंचा। यद्यपि उसका जबरदस्त प्रतिरोध हुआ, लेकिन वह मास्को नदीके तटपर पहुंचे बिना नहीं रहा। स्वयंसेवकोंका एक मुख्य सेनापति कुजमा मीनिन चार सौ आदमियोंके साथ नदीके पार हो पोलोंके पक्षपर प्रहार करने लगा। पोल इसकी आशा नहीं रखते थे, इसलिये पहली ही चोटमें भागकर अपने डेरोंमें घुस गये। चार सौ गाड़ियोंमें भरी उनकी रसद कुजमाके आदमियोंके हाथमें पड़ी। मास्कोमें डेरा डाले पड़ी पोलसेनाको अब न कहींसे अन्न मिलता और न बाहरसे सहायता आनेकी आशा थी। अन्तमें लड़ाई और भूखकी मारसे परेशान हो २६ अक्तूबर १६१२ ई० को क्रेमलिनके फाटककर लड़ाई करते उन्होंने आत्म-समर्पण किया और मास्को मुक्त हो गया।

२. रोमनोफ़-वंश (१६१३-१९१७ ई०)

मास्कोको मुक्त करनेके बाद जारके निर्वाचनके लिये राष्ट्रीय सभा (जेम्स्की सबोर)को बुलाया गया। सभामें सबसे ज्यादा जनप्रिय बायर रोमनोफ थे, जिनकी लड़कियां जार इवान IV और फ्योदोरको ब्याही थीं। सामन्तों और बायरोंको उनसे भूमि, किसान तथा दूसरी चीजों के मिलनेकी आशा थी। रोमनोफ-परिवारका प्रधान व्यक्ति फिलारेत था, जो कि रस्तोफका संघराज किन्तु अब पोलंदमें बंदी होकर चला गया था। वह साधु भी था, इसलिये जार नहीं बन सकता था। १६१३ ई०के आरम्भमें राष्ट्रीय सभाने उसके सोलह वर्षके पुत्र मिखाइलको जार निर्वाचित किया, जो बुद्धि और आचरण दोनोंमें दुर्बल था।

रोमनोफ-वंश रूसका अन्तिम राजवंश था, जो कि अकबरकी मृत्युके सात साल बाद अस्तित्व-में आ १९१७ ई०की बोल्शेविक क्रान्तितक शासन करता रहा। इस वंशके अंतिम आठ जार नाममात्र के ही रोमनोफ थे, वह वस्तुतः जर्मन थे, जिसके कारण दरबारमें हमेशा जर्मनोंकी तूती बोलती रही। इस वंशमें निम्न जार हुये—

१. मिखाइल, फिलारेत-पुत्र	१६१३—४५ ई०
२. अलेक्सान्द्र I, मिखाइल-पुत्र	१६४५—७६ ”
३. फ्योदोर, अलेक्सान्द्र I-पुत्र	१६७६—८२ ”
४. इवान V, अलेक्सान्द्र I-पुत्र	१६८२—९६ ”
५. पीतर I, अलेक्सान्द्र I-पुत्र	१६९६—१७२५ ”
६. एकातेरिना I, पीतर I-पत्नी	१७२५—२७ ”

७. पीतर II, अलेक्सान्द्र-पुत्र　　१७२७—३० ई०
८. अन्ना, इवान V-पुत्री　　१७३०—४० ”
९. इवान VI, अन्ना-पुत्र　　१७४०—४१ ”
१०. एलिजाबेथ, पीतर I-पुत्री　　१७४१—६१ ”
११. पीतर III, पीतर I-नाती　　१७६१—६२ ”
१२. एकातेरिना II, पीतर III-पत्नी　　१७६२—९६ ”
१३. पावल I, पीतर III-पुत्र　　१७९६—१८०१ ”
१४. अलेक्सान्द्र I, पावल I-पुत्र　　१८०१—२५ ”
१५. निकोलाइ I, पावल I-पुत्र　　१८२५—५५ ”
१६. अलेक्सान्द्र II, निकोलाइ I-पुत्र　　१८५५—८१ ”
१७. अलेक्सान्द्र III, अलेक्सान्द्र II-पुत्र　　१८८१—९४ ”
१८. निकोलाइ II, अलेक्सान्द्र III-पुत्र　　१८९४—१९१७ ”

१. मिखाइल, फिलारेत-पुत्र (१६१३—४५ ई०)

वस्तुतः शासनसूत्र मिखाइलके नामसे अब उसकी मां और संबंधियोंके हाथमें था। नई सरकारको देशमें व्यवस्था कायम करनेमें काफी दिक्कतका सामना करना पड़ा। अस्त्राखानमें भागे हुये जारुत्स्कीने अपनेको जार दिमित्रि घोषित किया, लेकिन उसको सहायता नहीं मिली और अन्तमें लोगोंने उसे और उसकी स्त्री मरीनाको पकड़कर सरकारके हवाले कर दिया। जारुत्स्कीको मास्कोमें फांसी हुई, मरीना जेलमें मरी और उसका बच्चा भी फांसीपर चढ़ा दिया गया। यद्यपि पोलन्दसे संघर्ष कम हो गया, लेकिन रूसकी भीतरी कमजोरियोंको देखकर स्वीडोंने नवोगोरदपर अधिकार करके संघर्ष जारी रक्खा। उनसे छुटकारा १६१५ ई०में प्स्कोफमें उनके प्रसिद्ध योद्धा राजा गस्ताव अदल्फसको हराकर ही हुआ। रूसी भी लड़ाई बढ़ाना नहीं चाहते थे, क्योंकि उसके कारण देशका व्यापार तथा सारा आर्थिक जीवन चौपट हो गया था, लोगोंकी हालत बुरी थी। इंगलैण्ड और हालैंडको बीचमें डालकर १६१७ ई०के आरम्भमें, स्तोल्वोवोकी संधि हुई, जिसके अनुसार स्वीड सेनाने यद्यपि नवोगोरद और उसके इलाकेको खाली कर दिया, लेकिन फिनलन्द-खाड़ीका सारा तट तथा कितने ही नगर अपने हाथमें ही रखे, इस प्रकार रूस बाल्तिक समुद्रसे वंचित रहा। व्लादिस्लाव अभी भी रूसी सिंहासनकी आशा नहीं छोड़े था। १६१८ ई०में वह एक बार मास्कोतक पहुंचा, लेकिन वहांसे मार भगाया गया। आखिर उसने भी १६१८ ई०के अन्तमें साढ़े चौदह सालके लिये मास्कोके साथ संधि कर ली, लेकिन स्मोलेन्स्क और आसपासके इलाके तथा सेवेर्स्क (चेरगीनोफ)के इलाकेको पोलोंने नहीं छोड़ा। इस संधिके बाद जारका पिता फिलारेत रोमनोफ बंदीखानेसे मुक्त हुआ। मास्को पहुंचनेके तुरन्त ही बाद उसे सारे रूसी चर्चका महासंघराज बना दिया गया और अबसे जीवनभर (१६१९—३५ ई०) वही रूसका वास्तविक शासक था। सभी राजादेश जार और उसके बापके नामसे निकाले जाते थे। फिलारेतको महास्वामी ("बेलीकी गसुदार")की उपाधि मिली थी। वह अब धर्म और राज्य दोनोंका कर्णधार था। इस असीम शक्तिको इस्तेमाल करके उसने केन्द्रीय सरकारको बहुत मजबूत किया। मास्कोने १६३२ ई०में स्मोलेन्स्कको लौटानेकी कोशिश की, लेकिन पोलन्दने राजनीतिक चालसे क्रिमियाके तारतारोंको मास्कोसे उलझा दिया, और इस प्रकार उस साल स्मोलेन्स्कका अभियान व्यर्थ गया। १६३३ ई०में महासंघराज फिलारेत मर गया।

इस समय पोलन्दके षड्यन्त्रके कारण मास्कोके दक्षिणी सीमांतको क्रिमियाके तारतारोंसे बहुत खतरा पैदा हो गया था। वह जब-तब रूसके भीतर घुसकर गांवों और शहरोंमें लूटपाट मचाते थे। प्रतिरक्षाके लिये दक्षिणी सीमांतकी मोर्चाबंदी अब आवश्यक हो गई थी। तारतार दोनके कसाकोंपर भी हमला करते थे, इसलिये वह भी उनको दबानेके लिये सब तरहसे तैयार थे। क्रिमियाके

तारतारोंकी पीठपर उधर तुर्कीका सुल्तान भी था, जिसका अधिकार काकेशससे अजोफ समुद्रके तट तक था। १६३७ ई०में दोनके कसाकोंने अजोफके किलेपर आक्रमण किया। दोन नदीद्वारा अजोफ-समुद्रके भीतर पहुंचनेमें तुर्कोंका यह किला भारी बाधक था। दो महीनेके मुहासिरेके बाद कसाकोंने किलेको सर कर लिया। तुर्की सुल्तान इसे कैसे बरदाश्त कर सकता था? उसने १६४१ ई०में शक्तिशाली तोपखानेके साथ एक भारी सेना उनके विरुद्ध भेजी। मुट्ठी भर कसाक सेनाने चौबीस बार तुर्कोंके आक्रमणको विफल कर दिया। अन्तमें एक और बड़े आक्रमणके समय उन्हें मास्कोसे सहायता मिली। मिखाइलकी सरकार बिना जेम्स्की सबोर (राष्ट्रीय सभा)की सम्मति लिये तुर्कीके साथ युद्ध नहीं छेड़ना चाहती थी। सभाने उसके लिये स्वीकृति नहीं दी, इसपर सरकारने कसाकोंको अजोफ छोड़कर चले आनेकी आज्ञा दी।

यह १७वीं सदीका मध्य या शाहजहांका समय था। उस समय भारतके किसानोंकी भी हालत रूसके किसानोंसे बेहतर नहीं थी। जमीन बड़े-बड़े जमींदारों और सामन्तोंकी थी, जो अपने विलासितापूर्ण जीवनके लिये उनका अधिकसे अधिक शोषण करते थे। किसानोंके लिये अपने गांवोंमें अब आशा नहीं रह गई थी। उनमेंसे कितने ही किसानी छोड़कर व्यापारी बन गये और कुछ दूसरी जगहों में भाग गये। १७वीं शताब्दीके ये जमींदार अपने किसानों, अर्धदासों और कारीगरोंके हाथके कामों से संतुष्ट नहीं थे। राजधानीके धनी अमीर और बायर इतालीके मखमल, इंगलैण्डके ऊनी कपड़ों और विदेशी समूरी टोपियोंको पहनते थे। उनको बहुमूल्य आभूषणों और विदेशी शराबोंका चसका लग गया था। उनके घरोंमें बहुत तरहकी विदेशी चीजें इस्तेमालमें आती थीं और यह सारी विलास-सामग्री किसानोंकी कमाईसे मिले पैसेके बलपर ही खरीदी जा सकती थी। उदाहरणके लिये उस समयके एक बहुत बड़े बायर बोरिस इवान-पुत्र मोरोजोफको ले लीजिये। उसके पास तीन सौ गांव थे, जिनमें चालीस हजार अर्धदास रहते थे; जिनसे उसे दस हजार रूबल मासिककी आमदनी थी, जो आजकलके हिसाबसे लाखों रुपया होगा। उसकी बहुतसी बखारें थीं, जिनमें लाख पूद (१ पूद=१८ सेर) अनाज भरा रहता था। पोलन्दके साथकी लड़ाईमें अनाजका भाव महंगा हो गया। उस समय अपने अनाजको बेचकर मोरोजोफने बहुत पैसा जमा किया। उसकी जमींदारीमें सात सौ नौकर थे, जो किसानोंकी अलग नोच-खसूट करते रहते थे। मोरोजोफके पास इतना पैसा जमा हो गया था, कि उसने उससे लोहेका कारखाना, पोटाश-कारखाना कायम किये और अपने किसानोंको वहां जाकर काम करनेके लिये मजबूर किया। उसके पोटाशको विदेशी व्यापारी खरीद ले जाते थे।

अब कारखानोंके बढ़ानेकी अवश्यकता समझी जाने लगी थी। लड़ाईके लिये लोहेकी सबसे अधिक अवश्यकता होती है, इसलिये लोहेकी उपज बढ़ानेके लिये एक डच व्यापारी एंडरू विनियस को लोह-धूनों (ओर)में काम करनेका ठेका दिया गया और उसने तुलामें पहला लोहेका कारखाना खोला, जिससे आगे चलकर तुला रूसका लौह-केन्द्र बन गया। उसके कुछ समय बाद एक स्वीडने मास्कोके पास कांचका कारखाना खोला।

कारखानेका रवाज यद्यपि बढ़ने लगा, लेकिन अब भी व्यापार रूसके आर्थिक जीवनमें खास स्थान रखता था, जिसके कारण कितने ही विदेशी राज्योंसे उसका घनिष्ठ संबंध स्थापित हुआ। इसी समय पश्चिमी युरोपसे व्यापार करनेके लिये अर्खन्गेल्स्क प्रधान बंदरगाह बन गया। गर्मियोंमें जब समुद्र बर्फसे मुक्त रहता, तो बहुत-से अंग्रेज, डच और जर्मन जहाज अपना-अपना माल लेकर वहां पहुंचते—जिसमें ऊनी कपड़े, रेशमी कपड़े, मूल्यवान् बर्तन तथा दूसरी विलासिताकी चीजें होतीं। रूसी व्यापारी नावोंमें साइबेरियाके समूर, चमड़े, भांगके कपड़े, पोटाश, शूकरमांस तथा गांवों और नगरोंके कारीगरोंकी बनाई और भी कितनी ही चीजें भरकर उत्तरी द्विना नदीसे हो अर्खन्गेल्स्क पहुंचते। वहां दोनों ओरसे क्रय-विक्रय होता। एसियाके साथ व्यापार मुख्यतः अस्त्राखानद्वारा होता था, जहांपर बुखारी और ईरानी व्यापारी पूर्वी देशोंके मालको लेकर पहुंचते थे। इस व्यापारसे लाभ उठानेके लिये हमारे भारतीय व्यापारी और कुछ कारीगर भी अस्त्राखानमें

जा पहुंचे थे। इवान IVने भारतीय कारीगरोंको वहांसे मास्को बुलवा मंगवाया था। व्यापारके बढ़ानेके कारण अब नगरोंकी संख्या और समृद्धि बढ़ने लगी और धनी व्यापारियोंका एक अलग वर्ग स्थापित होने लगा। देशकी शांति और केन्द्रीकरणने इस काममें बड़ी सहायता की।

चीनतक प्रसार—रूसका विस्तार साइबेरियामें पूर्वकी ओर हो रहा था। ऐसी अवस्थामें चीनके बारेमें ज्यादा जानकारी प्राप्त करना उसके लिये आवश्यक था। बुखाराके व्यापारी जहां एक ओर अपने कारवांको लेकर चीनमें पहुंचते थे, वहां दूसरी ओर वह अस्त्राखान भी आते थे। सम्भव है, उनके साथ कुछ चीनी भी रूसमें पहुंचे हों, लेकिन रूस अब पेकिङ्से ज्यादा नजदीकका संबंध स्थापित करना चाहता था। १५६७ ई०में ही पेत्रोफ और यालीसेफ नामक दो कसाकोंको इसलिये भेजा गया, कि वह पड़ोसी लोगोंकी भाषा, रीति-रवाज आदिके बारेमें जानकारी प्राप्त करें। उन्हें विशेषकर चीन-राज्य, मंगोलोंकी भूमि और ओब महानदीके बारेमें जानकारी प्राप्त करनी थी। वह पेकिङ्-की ओर बढ़ते हुये कलगनतक पहुंचे। लेकिन देवपुत्र सम्राट्के लिये वह कोई भेंट नहीं लाये थे, इसलिये सम्राट् मू-चुङ् (१५६६-७२ ई०) के दरबारमें गये बिना ही उन्हें लौटा दिया गया। १६०८ ई०में फिर इसके लिये कोशिश की गई, जिसमें मंगोल राजा अल्तनखांकी फिर सहायता ली गई, लेकिन इसका भी कोई परिणाम नहीं निकला। इसके बाद जार मिखाइलके समय १६१६ ई०में तुमे-नेत और पेत्रोफ नामक दो कसाकोंको तोबोल्स्कसे इसी कामके लिये भेजा गया। वह चीन तो नहीं पहुंच सके, लेकिन अल्तन खानके दरबारमें कुछ समयतक रहे और खानने रूसी जारके अधीन होना स्वीकार किया। १६१९ ई०में पेंतलिन और मंदोफ भेजे गये। वह भी अपने साथ भेंट नहीं लाये थे, इसलिये चीनी सम्राट्के दर्शनसे वंचित रहे। हां, उन्हें चीनकी ओरसे एक चिट्ठी दी गई, जिसे लेकर वह तोबोल्स्क लौटे, लेकिन उस चिट्ठीको उस समय कोई नहीं पढ़ सका, और डेढ़ सौ साल बाद १७७६ ई०में पेकिङ्में लाकर एक जेसुइत पादरीकी सहायतासे उस चिट्ठीका अनुवाद कराया गया।

इस प्रकार मिखाइलके समयमें चीनके साथ कोई बाकायदा दौत्य-संबंध स्थापित नहीं किया जा सका।

मिखाइलके मरनेके बाद उसका पुत्र अलेक्सी सोलह वर्षकी आयुमें गद्दीपर बैठा।

२. अलेक्सी, मिखाइल-पुत्र (१६४५–७६ ई०)

लड़के जारको बाज उड़ाने और दूसरे खेलोंका बड़ा शौक था और राज्यकी सारी शक्ति एक धनी बायर बोरिस इवान-पुत्र मोरोजोफके हाथमें थी, जिसने सभी ऊंचे पदोंपर अपने भाई-भतीजे-भांजोंको भर दिया। जारके वंशसे और भी घनिष्ठता स्थापित करनेके लिये उसने एक साधारण बायर मिलोस्लाव्स्कीकी एक लड़कीका ब्याह जार अलेक्सीसे करवा उसकी दूसरी लड़कीको स्वयं ब्याह लिया। पोलन्दके युद्धके कारण देशकी आर्थिक हालत बहुत खराब हो गई, और साथ ही युद्धमें असफलता भी रही। मोरोजोफको सबसे पहले राजकोषकी स्थिति सुधारनी थी, इसके लिये उसने जहां सैनिकोंका वेतन कम किया, वहां कई कर लगाये, जिनमें सबसे भारी नमकपर था। नमक इतना महंगा हो गया, कि लोग मछली सुरक्षित रखनेके लिये उसे खरीदकर नहीं लगा सकते थे, जिसके कारण हजारों मन मछलियां सड़ने लगीं, और मोरोजोफ-को जल्दी ही इस करको उठा देना पड़ा। इन सब कारणोंसे लोगोंकी हालतपर इतना बुरा असर पड़ा, कि अलेक्सीके आरम्भिक शासनकालमें कितने ही विद्रोह हुये। १ जून १६४८ ई०को तीर्थ-यात्रासे लौटकर जार मास्को आया, तो लोगोंने उसके पास जाकर मोरोजोफकी लूट-खसूटके बारे-में शिकायत की। उस दिन आवेदन-पत्र देनेवालोंको कोड़ोंकी मारसे भगा दिया गया, लेकिन दूसरे दिन एक जन-समूहने क्रेमलिनके दरवाजेसे राजमहलमें पहुंचकर मांग की, कि नगर-कोतवाल ल्योन्ति प्लेश्चेयेफको हमारे हवाले किया जाय। ल्योन्ति बड़ा ही क्रूर और पाशविक अत्याचारी था। बायर शान्त करनेके लिये आये, लेकिन उन्होंने उन्हें भगा दिया। इसके बाद जनताने बायरों और सरकारी अफसरोंके घरोंपर आक्रमण किया। एक बड़ा अफसर मार डाला गया, नगरमें जगह-जगह

आग लगा दी गई, सन्त्रस्त जारने प्लेश्चेयेफ और त्रखानियोतोफ दो जालिम दरबारियोंको जनता के हाथमें दे दिया, जो उसी समय मार डाले गये। फिर लोगोंने मोरोजोफके शिरकी मांग की। लाल मैदान*में भारी भीड़ उमड़ आई थी। जारने लोगोंके सामने कसम खाकर अपने आदमियों द्वारा कहलवाया; कि मोरोजोफको सरकारसे निकाल दिया जायगा। उसी रातको उसे मास्कोसे निकाल-कर एक दूरके मठमें भेज भी दिया गया। इसी समय कितने ही असंतुष्ट सामन्त भी आ गये और नागरिकों तथा सामन्तोंने मिलकर जारके पास आवेदन भेजा, कि एक नई विधान-संहिताके बनानेके लिये जेम्स्की सबोर (राष्ट्रीय सभा)को बुलाया जाय।

मास्कोके अतिरिक्त दूसरे शहरोंमें भी विद्रोह उठ खड़े हुये थे, इसलिये जारको राष्ट्रीय सभा जल्दी-जल्दी बुलानी पड़ी। सभाके सदस्योंमें बहुमत नागरिकों और जनपदीय सामन्तोंका था। सभी मांगोंको मान लिया गया और जनवरी १६४९ ई०में नई विधान-संहिता स्वीकार की गई। शाहजहांके कालमें बनी इस विधान-संहिताद्वारा किसानोंके ऊपर सामन्तोंका पूरा अधिकार स्थापित करके उन्हें अर्ध-दास बना दिया गया। नागरिकोंको यह अधिकार मिला, कि सभी बायरों और चर्चकी जायदाद दीहात नहीं नगरोंकी मानी जाय, और उन्हें सामन्तों और अमीरोंकी तरह कर उगाहने और राजसेवाओंका अधिकार मिले। १६५० ई०में नवोगोरद और प्स्कोफमें विद्रोह हो गये, जिनमें प्स्कोफका विद्रोह विशेष तौरसे खतरनाक था। लोगोंने जारके वोयवद (राज्य-पाल)को हटाकर वहां स्वायत्तशासन स्थापित कर लिया और जारसे मांग की, कि वोयवदकी अदालतमें हमारे अपने प्रतिनिधियोंको बैठनेकी इजाजत होनी चाहिये। मास्कोने इसका जवाब दिया—"कभी ऐसा नहीं हुआ, कि बायरों और वोयवदोंके साथ अदालतमें कमेरे (मूजिक) बैठें।" प्स्कोफके विरुद्ध सरकारी सेना गई, लेकिन उसे बुरी तौरसे हारना पड़ा। पीछे जब वहांके धनियों और अमीरोंने देखा, कि इस संघर्षमें उनका भी ठौर-ठिकाना नहीं रहेगा, तो उन्होंने विश्वासघात करके जारके निरंकुश अधिकारको फिरसे स्थापित करनेमें मदद दी—१६५० ई०के विद्रोहोंको दमन करनेमें भावी महासंघराज निकोनका खास हाथ था।

शासन-प्रबंध—जारका अधिकार असीम था। जो कानून और नियम बनाये गये थे, उनका अन्तिम लक्ष्य यही था, कि अर्ध-दासों और किसानोंके ऊपर बायरोंका पूरा अधिकार रहे। जार सबके ऊपर स्वेच्छाचारी शासक ही नहीं था, बल्कि देशका वह सबसे बड़ा बायर (जमींदार) भी था। अमीरों और दूसरे जमींदारोंके लिये यह जरूरी था, कि जारकी शक्ति खूब दृढ़ हो, जिसमें वह उनके वर्ग-स्वार्थकी रक्षा कर सके। जारकी इच्छा ही सारे देशके लिये विधान थी। सामन्ती कुलोंके बायर भी अपनेको जारका सेवक कहते थे और गांव या नगरके साधारण लोग तो अपनेको वह भी नहीं कह सकते थे। वह जारके "नन्हेंसे अनाथ" थे। जारको सम्बोधित करनेपर वह अपने-को छोटा बनाते हुये पीतरकी जगह पेतरूशका (पीतरवा), इवानकी जगह इवाशका (इवनवा) कहते थे। जारको वह देवता मानते हुये धरतीपर ललाट रखकर उसे प्रणाम करते।

राज्यके महत्त्वपूर्ण विषयोंपर निर्णय करनेका काम जारके दरबारी बायरोंकी दूमा (परिषद्) करती थी। इस परिषद्में केवल सामन्त (राजुल) और बायर ही सम्मिलित होते थे, लेकिन १७वीं शताब्दीमें साधारण कुलके प्रभावशाली नये धनी भी उसमें सम्मिलित कर लिये गये।

सरकारी दफ्तरोंके कई दर्जे और विभाग थे। एक विभागका नाम "प्रिकाज़" था, जिसका मुखिया एक बायर और जिसके एक-दो सहायक-लेखक (द्याकी) होते। आफिसके साधारण कामोंको पद्याचिये (निम्न-लेखक) करते। सैनिक काम-काजकी व्यवस्था अलग थी। रज्र्याद्नी-प्रिकाज (सैनिक आफिस) सेना-संचालन विभागका काम करता था। स्त्रेलेत्स्की आफिसका काम था, स्त्रेलेत्स्की सैनिकोंके कामको देखना, पसोल्स्की प्रिकाज (दूत-कार्यालय) विदेश-विभागका काम देखता। स्थानीय शासन-प्रबंधके मुखिया वोयवोद (राज्यपाल) होते, जो राज्यके नगरोंके शासनके लिये

*लाल या "क्रास्नी" रूसी शब्दका अर्थ सुंदर और रक्त दोनों हैं, पहिले इसका अर्थ "सुंदर मैदान" लिया जाता था, किन्तु बोल्शेविक क्रांतिके बादमें क्रांतिके प्रिय रंग लालको माना जाने लगा।

बायरों और सामन्तोंमेंसे नियुक्त किये जाते। वोयवोद नगरके सैनिक और असैनिक सभी अधिकारों का प्रमुख था। वही न्याय-प्रबन्ध करता, नगर और उसके इलाकेके लोगोंसे कर उगाहता, एक तरहसे वह अपने इलाकेका स्वच्छंद जार था।

चर्च-सुधार—रूस सदियोंसे ग्रीक चर्चका पक्का अनुयायी था। चर्चके साधुओं-पुरोहितों. एवं मठों-गिर्जोंका जाल गांवोंमें भी बिछा हुआ था, लेकिन तबतक अभी उसका पूरी तौरसे केन्द्रीकरण नहीं हुआ था—यही नहीं कितने ही कर्मकांड और रीति-रवाजको लेकर चर्चकी कई शाखायें हो गई थीं। प्स्कोफमें लोगोंके आन्दोलनको दबानेमें मदद देनेवाला निकोन अब महासंघराज था। निकोन मठोंकी जायदादके साथ अपनी इच्छानुसार जैसा चाहता वैसा करता। उसके पास बहुत भारी निजी सम्पत्ति थी। वह चर्चके भीतर अपनेको सर्वशक्तिमान् जार समझता था। उसके अत्याचारोंके कारण साधु-पुरोहित उसे "जंगली जानवर" कहते थे। निकोनने चाहा, कि भेदोंको मिटाकर सारे चर्चको एक कर दिया जाय। इसके लिये उसने पूजा-पद्धतियों और रीति-रवाजोंमें परिवर्तन करनेकी आज्ञा दी। निकोनके सामने पश्चिमी चर्चके रोमन-पोपका उदाहरण मौजूद था। उसने अपनेको पूर्वी चर्चका पोप बनाना चाहा। ग्रीक और कियेफके सुशिक्षित साधुओं-ने पद्धतियों और क्रिया-कलापोंके संशोधनका काम किया। निकोनने आज्ञा दी, कि पहले जैसे दो अंगुलियोंसे सलेब खींच पूजाकी मुद्रा की जाती थी, अब उसे तीन अंगुलियोंसे करना चाहिए। बढ़ते-बढ़ते उसने इस सिद्धान्तको भी चलाना चाहा, कि आध्यात्मिक (धार्मिक) शासन सांसारिक शासनसे ऊपर है: "आध्यात्मिक शासन सूर्यकी तरह है, जब कि सासांरिक शासन चन्द्रमा जैसा है—चन्द्रमा अपना प्रकाश सूर्यसे प्राप्त करता है।" निकोन "महास्वामी" (बैलीकी गसूदर) की उपाधि धारण कर राजकाजमें भी दखल देने लगा—सैनिक अभियानों तकके लिये भी आज्ञा निकालने लगा। उसकी इस अनधिकार चेष्टासे सामन्तों और अमीरोंमें भारी असंतोष पैदा हो गया। यद्यपि वह चर्चको मजबूत करनेके निकोनके प्रयत्नको पसंद करते थे, लेकिन नहीं चाहते थे, कि महासंघराजके सामने जार अकिंचन हो जाये। होते-होते इस वैमनस्यने भयंकर रूप धारण किया, जिसपर निकोन एकाएक अपने पदको छोड़ एक मठमें एकांतवासी बन बैठा। उसने समझा था, कि दरबारी खुशामद करते उसे फिरसे पद संभालनेके लिये प्रार्थना करेंगे, लेकिन उसे निराश होना पड़ा। निकोनके कामोंकी जांच करनेके लिए जारने १६६६ ई०में दो ग्रीक संघ-राजोंकी समिति बनाई। समितिने अपना निर्णय दिया, कि निकोनने राजशक्ति हथियानेका प्रयत्न किया। तो भी उसके चर्च-संबंधी सुधारोंको स्वीकार किया गया। निकोनको एक साधारण साधु बनाकर उत्तरके एक मठमें निर्वासित कर दिया गया।

निकोनने जो सुधार किये थे, उससे यद्यपि रूसी चर्चमें एकता स्थापित हुई, लेकिन कितने ही सनातनियोंने इन सुधारोंको माननेसे इन्कार कर दिया। उन्होंने "रस्कोल्निकी" (मतभेदी) अथवा पुराणविश्वासी नामसे अलग सम्प्रदाय बना लिया। आज भी रस्कोल्निकी कितनी ही जगहों-में काफी संख्यामें मिलते हैं। इन विरोधियोंमें एक मास्कोका अव्वाकुम था, जिसे उसके विरोधके लिये पूर्वी साइबेरियामें निर्वासित कर दिया गया, जहां प्रायः दस वर्षोंतक जारके वोयवोदोंने उसके साथ बड़ा कठोर बर्ताव किया। निर्वासनके बाद अव्वाकुमने रूस लौटकर फिर अपने कामको शुरू किया। अब उसे उत्तरमें पुस्तोजेर्स्क स्थानमें बंदी बनाकर एक अंधेरे तहखानेमें डाल दिया गया। राज्यको इतने हीसे संतोष नहीं हुआ, बल्कि १६८१ ई०में अव्वाकुमकी होली जलाई गई। बहुत दिनोंतक रस्कोल्निकी सम्प्रदायका मुख्य केंद्र रूससे बाहर रूमानियामें था। क्रान्तिके बाद ही उनके साथका भेदभाव दूर हुआ, और उनका केन्द्र रूसकी भूमिमें चला आया।

उक्रइनका मिलन—१५६९ ई०में लिथुवानिया और पोलन्दमें एक समझौता हुआ, जिसके अनुसार दोनों एक हो गये। उसी समयसे उक्रइनका बहुत बड़ा भाग पोलन्दके हाथमें चला गया। उक्रइनी लोग पोल जमींदारों और सामन्तोंके जूयेके नीचे कराह रहे थे। सबसे अच्छी भूमिको लेते बढ़ते-बढ़ते द्नियेपर नदीके बायें तटके गावोंके भी स्वामी पोल बन गये। ऐसे आर्थिक शोषण, राज-

नैतिक अत्याचार और दुर्व्यवहारको उक्रइनी लोग कबतक चुपचाप बर्दाश्त करते ? स्लाव जातिके होनेपर भी पोल जहां कैथलिक होनेसे रोमके पापाको भगवान्‌का अवतार मानते, वहां उक्रइनी ग्रीक चर्चके अनुयायी थे। पोल अमीर और जमींदार चाहते थे, कि उनके किसान भी रोमके पापाको मानें, ताकि बिना चूं-चिराके हमारे जूयेको उठाते रहें। इसके लिये भी कोशिश की जाने लगी, कि कैथलिक और ग्रीक चर्चको एक संघमें मिला दिया जाये। योजना यह थी, कि दोनों चर्च पूजा-पद्धति अपनी-अपनी रक्खें, लेकिन रोमके पापाको अपना प्रमुख मानें। इस कामके लिये १५९६ ई०में ब्रेस्त नगरमें एक चर्च-सभा बुलाई गई। सभाका बहुमत इसे नहीं पसंद करता था, कि ग्रीक-चर्च रोम-चर्चके अधीन हो जाये, तो भी अल्पमतके निश्चयको स्वीकार करते पोल राजाने वैसा राजादेश निकाल दिया। इसपर असंतोष बढ़ना ही था। धार्मिक एकताकी आड़में असल उद्देश्य तो था, किसानों और कमेरोंपर अमीरोंका निर्बाध अधिकार स्थापित करना। अत्याचारोंके मारे कितने ही उक्रइनी और बेलोरूसी किसान भागकर निम्न-द्नियेपर-उपत्यकाकी खाली जगहोंमें चले गये, जो ज़ापरोज़े कसाकके नामसे प्रसिद्ध हुये। इसी समय रूसी जमींदारोंके अत्याचारोंसे बचनेके लिए बहुतसे किसान दोन-उपत्यकामें भाग गये, जो दोन-कसाक कहलाये। उक्रइनके भगोड़े किसानोंने द्नियेपरके जल-प्रपातके पास खोर्तित्सा द्वीपमें अपना एक दुर्ग बनाया। अबतक तुर्क और क्रिमियाके तारतार उक्रइनकी भूमिमें घुसकर लूट-मार करना अपना हक समझते थे, लेकिन अब ज़ापरोज़े कसाक कालासागरके तटकी उनकी भूमिमें हाथ साफ करने लगे। इनका कोई एक निश्चित निवासस्थान नहीं था। जब लूट-मारसे काफी माल प्राप्त हो जाय, और थोड़ेसे पशु-पालनसे काम चल जाये, तो स्थायी बस्ती बांधनेकी क्या अवश्यकता? कहीं-कहीं उनके मोर्चाबंदी किये डेरे होते थे, जिन्हें **सेच** कहा जाता था। बसंतके आरंभमें कसाक सेचपर जमा होते। उस समय यह द्वीप जनसंकुल हो उठता। इसी समय कसाक अपना मुखिया (अतमन) तथा दूसरे सेनानायक निर्वाचित करते। सैकड़ों कसाक बीरी (वेद) की लकड़ीकी नावें बनाने या मरम्मत करनेमें लग जाते, हथियारोंको ठीक करते। सब तैयारी हो जानेके बाद इन्हीं नावोंपर चढ़कर वह बड़ी तेजीसे कालासागरमें पहुंच जाते, और फिर तट-भूमिपर लूट-मार शुरू कर देते। कभी-कभी तो वह सुल्तानकी राजधानी कान्स्तन्तिनोपोलतक भी धावा मारते। उनकी नावोंकी गति इतनी तीव्र होती, कि तुर्क संतरी खतरेकी खबर भी नहीं दे पाते थे। जाड़ोंमें कसाकोंकी सेच जनशून्य हो जाती। उस समय वह अपने लूटके मालको ले जाकर उक्रइन और पोलन्दके नगरोंमें बेंच दूसरी चीजें खरीदते।

१६वीं शताब्दीके अन्तमें ज़ापरोज़े कसाकोंकी संख्या काफी बढ़ गई। पोल राजा स्तेफन बाथोरीने उनकी सैनिक क्षमताको देखकर उन्हें अपना संचिकाबद्ध (रजिस्टरबद्ध) सैनिक बनाना शुरू किया—जिसके कारण ऐसे कसाक "रजिस्टरबद्ध कसाक" कहे जाने लगे। उनको राज्य-की ओरसे कुछ वेतन तथा शहरोंमें रहनेके लिये मकान मिलते थे। रजिस्टरमें नाम लिखे कसाकोंकी संख्या बहुत कम थी। १६वीं सदीके अन्तमें ज़ापरोज़े कसाकोंमें भी धनी-गरीबका भेद स्थापित हो गया। राजा उनके सरदार (हेंतमन, अतमन) को अपना अफसर बनाता।

धनी-गरीबके भेदने उक्रइन और बेलोरुसियामें जनसाधारणको विद्रोह करनेके लिये मजबूर किया। इन विद्रोहोंमें ज़ापरोज़े कसाक प्रायः किसान-विद्रोहियोंका साथ देते—कभी-कभी रजिस्टर-बद्ध कसाक भी उनके सहायक बन जाते। विद्रोही किसान पोल जमींदारोंकी गाड़ियोंमें आग लगा देते, और हाथ लगनेपर उन्हें मार भी डालते। पोल फिर सेना लेकर आते और किसानोंसे बड़ी क्रूरताके साथ बदला लेते। इस वक्त भी कितने ही विद्रोही किसान अपने गावोंको छोड़कर मध्य-द्नियेपरके घने जंगलोंमें भाग जाते, जहांसे अपने शत्रुओंपर छापामारी करते।

१६३० ई०के आसपास ज़ापरोज़ेकी सेच पोलोंके खिलाफ एक बार फिर उठी, जिसे आसानीसे दबा दिया गया, क्योंकि उनके धनी मुखिया और सरदार विश्वासघात करनेके लिये तैयार थे। पोलोंने ज़ापरोज़े कसाकोंको उक्रइनमें घुसनेसे रोकनेके लिये द्नियेपरके प्रपातके ऊपर कोदकमें फ्रेंच

इंजीनीयरके तत्त्वावधानमें एक किला बनवाया, जिसके तैयार हो जानेपर पोल हेतमनने कसाकोंके साथ मजाक करते हुये कहा—"कोदकके बारेमें तुम क्या सोचते हो ?"

"मानव हाथोंने जिसे बनाया, वह मानव हाथोंद्वारा नष्ट किया जायेगा।"—यह जवाब कसाक सरदार बगदान ख्मेल्नित्स्कीका था।

कुछ वर्षों बाद सचमुच ही कसाकोंने कोदक दुर्गको नष्ट कर दिया, और १६३८ ई०से पहले पोल सेना उक्रइनके विद्रोहको नहीं दबा सकी।

१६४८ ई०के बसंतमें फिर लोगोंने पोलन्दके खिलाफ विद्रोह कर दिया। इस विद्रोहके आरम्भक ज़ापरोज़े कसाक और उनका नेता बगदान (भग-दत्त) ख्मेल्नित्स्की था। बगदान उक्रइनमें बहुत जनप्रिय था। वह शिक्षित था। कियेफकी अकदमीमें उसने पढ़ा था, और लातीनी भाषा भी जानता था। कसाकोंके कितने ही साहसपूर्ण अभियानोंमें उसने भाग लिया था। अभी वह बीस वर्षसे कुछ ही बड़ा था, कि पोलोंके साथ मिलकर उसने तुर्कोंके खिलाफ लड़ाई लड़ी थी। उस समय तुर्कीकी सीमा पोलन्दसे मिलती थी, और कितने ही उक्रइनी गांव तुर्कोंके हाथमें थे, जिनके साथ तुर्क बड़ा दुर्व्यवहार करते थे। बगदानका बाप चेचोरा जासीके पास तुर्कोंकी लड़ाईमें मारा गया और बगदान स्वयं तुर्कोंका बंदी बना, जहां उसे दो सालतक रहनेके बाद मुक्ति मिली। बगदान एक अच्छा खाता-पीता समृद्ध जमींदार था, और पोल राजकीय सेनाके रजिस्टरमें भी उसका नाम था। लेकिन, उसके देशभाइयों (उक्रइनियों) के साथ पोलोंका जैसा दुर्व्यवहार हो रहा था, उसके कारण बगदान अपनेको रोक नहीं सका। पोलोंका शासन मनमानी था। एक दिन एक पोल जमींदारने दखल करनेका सरकारी परवाना ला एकाएक बगदानकी जमींदारीपर अधिकार कर लिया, और सारे परिवारको जंजीरोंमें बांध दिया। बगदानने जब न्याय करनेकी बात कही, तो पोल जमींदारने बगदानके दस वर्षके लड़केको कोड़ेसे पीटते हुये मार डाला। बगदानने राजाके दरबारमें जाकर न्याय पानेकी कोशिश की, लेकिन वहांसे भी उसे खाली हाथ लौटना पड़ा। जो भी थोड़ीसी धन-दौलत-जमींदारी उसके पास थी, वह खतम हो चुकी, साथ ही उसके बेटेकी निर्मम हत्या की गई, उसे भी वह भूल नहीं सकता था। उसने अच्छी तरह समझ लिया, कि इन सारे अत्याचारोंका कारण देशकी परतन्त्रता—उक्रइनका पोलन्दके हाथमें रहना है। उसने अपने कसाक-मित्रोंको जमा करके उनका एक दल बनाया, और फिर उनसे पूछा—

"क्या हम अपने भाइयोंको इस हालतमें छोड़ दें ? देशमें सभी जगह मैंने अपनी आंखों भयंकर अत्याचार होते देखा है। हमारे अभागे भाई हमसे सहायता मांग रहे हैं।"

इसके जवाबमें एक बूढ़े कसाकने कहा—"अब तलवार उठानेका समय आ गया है, पोलोंके जूयेको उतार फेंकनेका समय आ गया है।" पोल जमींदारोंको भी इसकी भनक लग गई, और उन्होंने बगदानको जेलमें डाल दिया, लेकिन वह भागकर ज़ापरोज़े पहुंचनेमें सफल हुआ। अब उसने संगठित रूपसे पोल जमींदारोंपर धावा बोलना शुरू किया। पोल अपना सब कुछ छोड़ जान लेकर भागने लगे। यह खबर सुन उक्रइनमें और जगहोंमें भी विद्रोह होने लगे। बगदानने सोचा, हमारी शक्ति और भी मजबूत हो सकती है, यदि क्रिमियाके तारतार खानसे मित्रता हो जाये। इसके लिये वह स्वयं क्रिमियाकी राजधानी बक्सीसराय गया। खान उस समय पोल-राजासे बहुत नाराज था, क्योंकि कितने ही वर्षोंसे उसने भेंट नहीं भेजी थी। खानकी ओरसे बगदानका बड़ा स्वागत हुआ, और अपने उद्देश्यमें सफल होकर लौटा। खानने बगदानकी मददके लिये अपने एक राजकुमारके नेतृत्वमें तारतार सैनिक भी भेजे। कसाकोंने बगदानका भारी सम्मान करते अपनी सभामें उसे कसाक सेनाका हेतमन (मुखिया) घोषित किया और हेतमनके दर्जेका चिह्न एक बुलवा (गदा) भेंट की।

१६४८ ई०के वसंतसे कसाकोंने पोलोंपर खूब जोरके साथ आक्रमण करना शुरू किया। मईके आरम्भमें बगदानने एक बड़ी पोल सेनाको हराया, जिसमें कसाकों और तारतारोंको बहुत-सा लूट-का माल मिला। सफलताके साथ-साथ अब बगदानके अभियानोंने उक्रइनी जनताके मुक्ति-युद्धका

रूर लिया। १६४८ ई०के सितम्बरमें पोल सेनाकी पिल्यात्का नदीके तटपर और भी भयंकर हार हुई। इस हारके बाद बगदानके लिये पोल-राजधानी वारसाका रास्ता खुल गया था। बगदान उक्रइन-से पोलोंको ल्वोफ और जामोस्तयेतक खदेड़कर कियेफ लौटा। लोगोंने उक्रइनके मुक्तिदाताके तौरपर उसका स्वागत किया। तीन सौ वर्षोंतक पोलोंकी गुलामीमें रहनेके बाद कियेफ अब स्वतन्त्र हुआ था। पोल सरकारने उक्रइनकी शक्तिको समझ लिया और संधि कर लेनेमें ही भलाई समझी। बगदानने मांग या प्रतिज्ञा की—"मैं सारी उक्रइनी जनताको पोलोंकी गुलामीसे मुक्त करके ही दम लूंगा।" पोल दूतोंके साथ बातचीतका कोई फल नहीं हुआ, इसपर १६४९ ई०के ग्रीष्ममें बगदानने नया अभियान शुरू किया। क्रिमियाके तारतार अब भी उसके साथ थे, लेकिन पोलोंने प्रलोभन देकर खानको अलग कर दिया और बगदानने अपनी शक्तिको देखते हुये संधि करना ही पसंद किया। इस संधिके अनुसार उक्रइनका स्वतन्त्र शासन स्थापित हुआ, जिसका हेतमन बगदान माना गया। रजिस्टरबद्ध कसाकोंकी संख्या छ हजारसे चालीस हजार कर दी गई।

१६४९ ई०की ज्वोरोफकी यह शान्ति-संधि भी उक्रइनको पूरी स्वतन्त्रता नहीं दिला सकी। पोल इस संधिको अपनी आगेकी तैयारीके लिये सिर्फ बहाना बनाना चाहते थे। १६५१ ई०के आरम्भमें उन्होंने फिर पश्चिमी उक्रइनपर आक्रमण कर दिया। उसी सालके बसंतमें एक बड़ी सेना लेकर पोल-राजा स्वयं चढ़ आया। पोपने अपने पोल-अनुयायियोंको इस धर्मयुद्धमें भाग लेनेके लिये घोषणा की—उक्रइनियोंके साथ युद्ध करनेमें जो भी पाप होगा, हम उसको क्षमा करते हैं। बगदानके साथ क्रिमियाके खानकी सेना थी, लेकिन ऐन-मौकेपर जून १६५१ को बेरेस्तमें तारतारोंने धोखा दे दिया। बगदानने जल्दीसे खानके पास जाकर सेनाको लौटनेके लिये कहा, लेकिन खानने सेना लौटानेकी जगह बगदानको ही अपने पास पकड़ रक्खा। बिना नेताके भी कसाक और उक्रइनी किसान कितने ही दिनोंतक मोर्चा बांधे पोलोंसे लड़ते रहे। उन्होंने एक असाधारण शक्ति और हिम्मतके धनी पुरुष बोगुनको अपना नेता चुना। कसाकोंने अपने पराक्रमका खूब परिचय दिया। एक घिरी कसाक-टोलीके पास पोलोंने आत्मसमर्पण करनेके बदले प्राणदान देनेका वचन दिया, जिसका जवाब था—"हमें अपने प्राण प्यारे नहीं हैं। हम शत्रुकी दयाको घृणाकी दृष्टिसे देखते हैं।" यह कहकर वह एक-दूसरेसे गले मिल पोलोंके ऊपर टूट पड़े। तीन सौ कसाकोंमेंसे एक-एक वीर-गतिको प्राप्त हुआ। इतनी वीरता दिखलानेके बाद भी पोल सेनाको रोका नहीं जा सका। महीने भर बाद जब खानने बगदानको छोड़ा, तो कियेफ पोलोंके हाथमें चला गया था और तारतारोंने देशको लूटकर बरबाद कर दिया था। १६५१ ई० की शरद्में जो संधि करनी पड़ी, उसके अनुसार सारे संघर्षमें प्राप्त सभी चीजोंको हाथसे खो देना पड़ा। पोल जमींदार फिर उक्रइन लौटे और विद्रोहमें शामिल होनेके दंडस्वरूप किसानोंके ऊपर अकथनीय अत्याचार करने लगे। किसान अपने गांवोंको छोड़-छोड़ द्नियेपरके बायें तटपर जमा हो वहांसे रूसी राज्यके भीतर जाकर बसने लगे। पोलोंके अधीनकी उक्रइन-भूमि जल्दी ही जन-शून्य होने लगी, भगोड़े उक्रइनी जाकर उत्तरी दोनेत्सकी ऊपरी उपत्य-काकी उर्वर-भूमिको आबाद करने लगे। पोल राजाने क्रिमियाके खानके साथ शांति स्थापित कर उसे चालीस दिनके लिये उक्रइनी जनताको लूटनेकी खुली इजाजत दी थी। क्रिमियाके तार-तारोंने लूटते-पीटते हजारों स्त्री-पुरुषोंको ले जा जिन्दगीभर दास रहने के लिये बेंच दिया। इन्हींके बारेमें एक उक्रइनी लोकगीतमें कहा गया है:—

> "उक्रइनी लोग दुःख भुगत रहे हैं, उन्हें कहीं छिपनेकी जगह नहीं,
> घुमन्तू सवारोंके ओर्दू बच्चोंके शरीरपर दौड़ रहे हैं,
> कोमल शिशुओंको रौंदते,
> उनके पीछे हथियार—जंजीरमें बंधे जालिम खानके शिकार।"

१६४८–५१ ई०की लड़ाइयोंसे उक्रइनियोंको इस बातका पता लग गया, कि बिना बाहरी सहायताके पोलोंके हाथसे अपने देशको मुक्त नहीं किया जा सकता। इसीलिये जब १६५२ ई० में उक्रइनके किसान और कसाक दूसरी बार विद्रोह करनेके लिये तैयार हुये, तो बगदानने

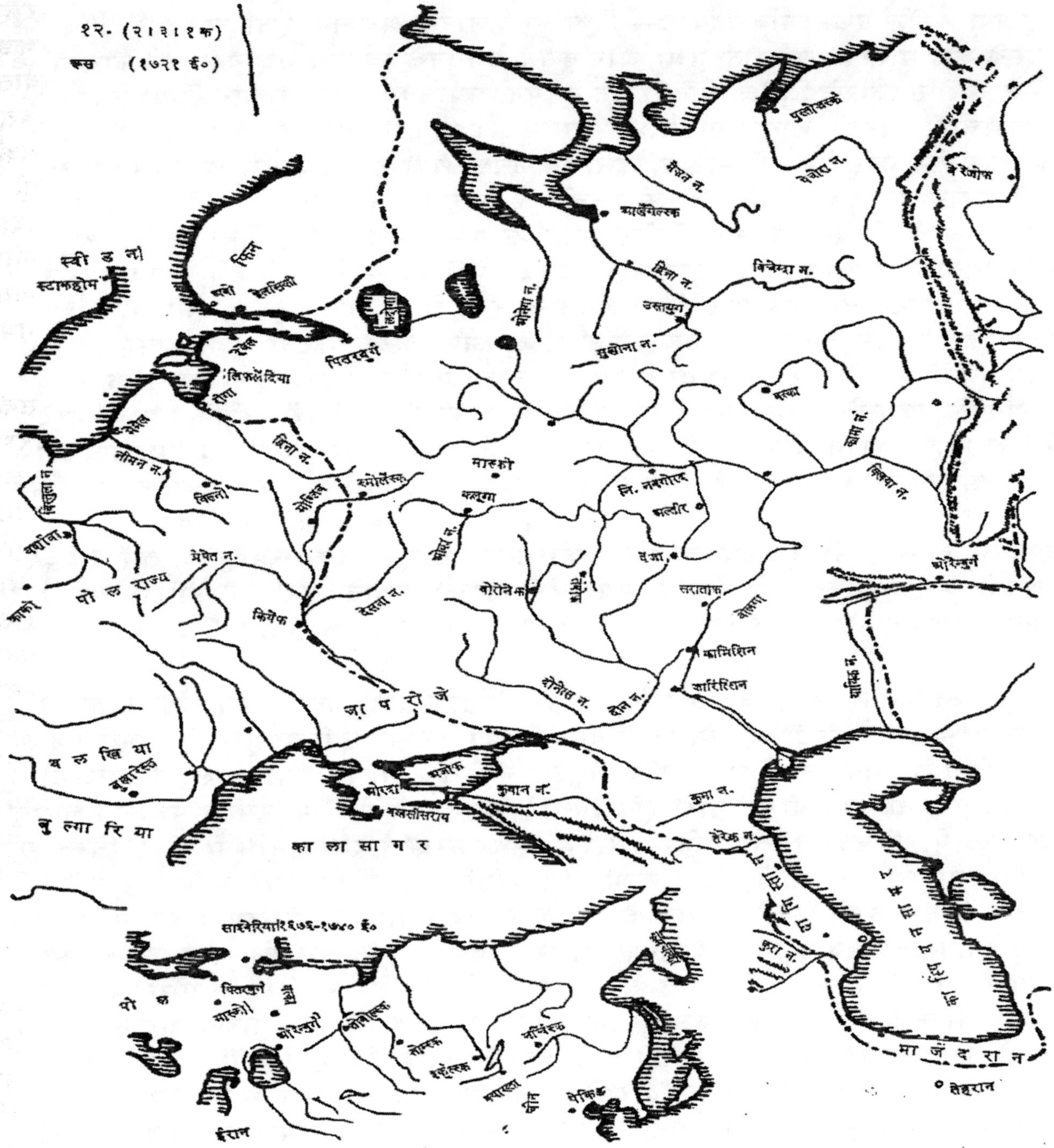

उक्रइनको रूसमें मिला लेनेके लिये मास्को-सरकारसे बातचीत शुरू की। १६५३ ई०के शरद् में मास्कोमें "जेम्स्की सबोर"के अधिवेशनमें निश्चय हुआ, कि उक्रइनको अपने संरक्षणमें ले लिया जाय, और पोलन्दके विरुद्ध युद्ध-घोषणा की जाय। ८ जनवरी १६५४ ई०में उक्रइनी कसाकोंके प्रतिनिधियोंका सम्मेलन—रादा—पेरेयास्लाव्लमें हुआ, जिसमें मास्कोके दूत भी शामिल हुये थे। रादाको सम्बोधित करते बगदानने अपने लोगोंकी दयनीय अवस्थाका चित्र खींचते हुये कहा था—

"तुम सब जानते हो, कि हमारा शत्रु हमें पूरी तौरसे मिटा देना चाहता है, जिसमें हमारी भूमिमें रूस (उक्रइनी) नाम फिर कभी न लिया जा सके। इसीलिये तुम चार शासकोंमें से किसी एकको अपने लिये चुन लो: पहला है तुर्कीका सुल्तान, जो कि ग्रीकोंपर जुल्म ढा रहा है, दूसरा है क्रिमियाका खान, जिसने हमारे भाइयोंके खूनसे अनेक बार अपने हाथोंको रंगा है, तीसरा है पोल-राजा, जिसके अमीरोंके अत्याचारके बारेमें कहनेकी अवश्यकता नहीं और चौथा है महारूसका पूर्वी जार।"

हजारों कंठोंने एक जवाब दिया :—"हम पूर्वी जारके अधीन रहना चाहते हैं।"

इसके बाद मास्कोसे समझौता हुआ, और रूसने उक्रइनके स्वायत्त-शासनके अधिकारको स्वीकार किया—उक्रइनी सरकारके लिये लोकनिर्वाचित हेतमन (प्रधान) बनाना स्वीकार किया गया। उक्रइनके लिये स्वेच्छाचारी जारका शासन भी पोलोंसे कम कठोर नहीं था, पर उक्रइनी और बेलोरुसी भाषा, धर्म और संस्कृतिमें रूसियोंके सगे भाई थे, इसलिये उनको यही रास्ता अच्छा लगा। फिर १६५४ ई० में पोलोंसे लड़ाई शुरू हुई, जो बीच-बीचमें रुकती हुई तेरह वर्ष (१६५४–६७ ई०) तक चली। इसी युद्धमें प्रायः सारी बेलोरुसिया भी पोलोंसे मुक्त हो गई। रूसकी विजयिनी सेना लिथुवानियाके मुख्य नगर विलनोमें दाखिल हुई। उधर सारी उक्रइन-भूमिको मुक्त करते हुये बगदान और मास्कोके वोयवोद पोलन्दकी सीमाको पार हो लुबलिन नगरको लेनेमें सफल हुये। इसी बीच १६५६ ई० में स्वीडनके राजा दशम चार्ल्सने भी पोलन्दके ऊपर आक्रमण करके वारसा (वरसावा), क्राको और दूसरे पोल-नगरोंपर अधिकार कर लिया। इस अचानक प्रहारके कारण पोल मास्कोके साथ शांति-भिक्षा मांगनेके लिए तैयार हो गये। पर, शांति अस्थायी ही हो पाई, क्योंकि पोलन्द सारे उक्रइन और बेलोरुसियापर अपने अधिकारको छोड़नेके लिये तैयार नहीं था। बाल्तिक समुद्रतट रूसके लिये इस समय खतरनाक था—जबतक स्वीडनको समुद्रतटसे भगाया न जाय, तबतक रूस अपनेको सुरक्षित नहीं समझ सकता था। इसके लिये १६५६ ई०में स्वीडनसे लड़ाई शुरू हो गई, लेकिन कुछ सफलता होनेपर भी युद्ध कई वर्षोंतक अनिर्णायक रूपमें चलता रहा। अन्तमें १६६१ ई०में रूसने अपनी असफलता स्वीकार करते यथापूर्व-स्थितिको मानते करसिकी-संधि-पत्रपर हस्ताक्षर कर दिया। बगदान १६५७ ई०में मरा। वह यह देखकर प्रसन्न था, कि उक्रइन अब जालिम पोलोंसे मुक्त है।

वोल्गाकी जातियां—१७वीं सदीमें अब भी वोल्गाके दोनों तटोंके घने जंगलों और मैदानोंमें उराल-अल्ताई-वंशकी अ-रूसी जातियां रहती थीं। व्यत्का नदीकी पूर्वी वनभूमिमें उदमुर्त (वोत्याक), रहते थे। वोल्गाके बायें तटपर व्यत्का और वेतुल्गा नदियोंके बीचमें तथा वोल्गाके दक्षिणी तटपर, वोल्गा और सुरा नदियोंके बीचमें मारी (चेरेमिसी) लोग रहते थे। मारियोंके पड़ोसमें चुवास और मोर्द्विनी रहते थे, जिनकी बस्तियां निम्न ओका और ऊपरी सुराकी भूमिमें थीं। निम्न कामाके दोनों तटोंपर तातारों (तारतारों) की बस्तियां थीं। बाशकिर (तुर्क) कामाके दक्षिणी-पूर्वकी भूमि एवं ऊफा नदीके किनारे बसते थे। कुछ बाशकिर उरालके परे तबोल् नदीके ऊपरी भागमें भी रहते थे। इन सभी जातियोंको इवान IVने कजानके खानपर विजय प्राप्त करनेके बाद अपनी प्रजा बना लिया था। जारकी सरकार १५५२ ई०तक वोल्गा-भूमिके अपने पराजित लोगोंसे वही कर वसूल करती थी, जो कजानके खान तथा उसके सामन्त उनसे लिया करते थे। जारके कर उगाहनेवालोंका बर्ताव भी इन लोगोंके साथ अच्छा नहीं था, कितनी ही बार वह लोगोंके पशुओं और अन्नको जब्त कर लेते। रूसी महन्तों और जमींदारोंने भी वहांकी बहुत-सी उर्वर भूमि और जंगलोंपर अधिकार कर लिया था—इन जंगलोंमें भारी संख्यामें कीमती समूरी खालवाले जानवर रहते थे। ग्रीक चर्चने यहांके लोगोंको निकोनके समय जबरदस्ती ईसाई बनानेमें बड़ी सरगरमी दिखलाई। ईसाई पुरोहित मोर्द्विनी गांवोंके किसानोंको जमाकर बपतिस्मा दे उन्हें बाध्य करते, कि वह अपने पवित्र वनों-उपवनों और पितरोंकी कब्रोंपर बने लकड़ीके ढांचोंको जला दें।

बाशकिर लोग मुख्यतः पशुपाल थे। वह समूरी जानवरोंका शिकार, जंगली मधुका संचय और मछुवाही भी किया करते थे। १७वीं सदीमें अब वह कहीं-कहीं खेती करने लगे थे, और जहां-तहां लकड़ीके बने उनके झोपड़े भी खड़े होने लगे थे। ग्रीष्ममें वह अपने ढोरों और घोड़ोंको चरानेके लिये चरागाहोंमें और शरद्‌के अन्तमें अपने जाड़ेके निवास-स्थानोंमें चले जाते। पहले उनमें अपने छोटे-छोटे कबीलोंका जनसत्ताक संगठन था, लेकिन अब वह पुराने समयसे चला आता संगठन टूटने लगा था। भूमिपर कबीलेका साझी अधिकार हटकर अब उसके बड़े और अच्छे भागपर तरखनों (राजकुमारों) और बातुरों (बहादुरों) का अधिकार हो गया था। इस प्रकार धनी-गरीब-

का वर्ग-भेद उनमें स्थापित हो चुका था। बाशकिर रूसी सरकारको कई तरहके मूल्यवान् समूरी खालोंको करके रूपमें देते थे। १७वीं सदीमें अब रूसी महंत और जमींदार भी इनकी भूमिमें पहुंचकर घने जंगलों, मछलीभरी नदियों, नमककी खानों, हरे-भरे चरागाहों, तथा खेतीके लिये उपयुक्त बंजर भूमिको अपने हाथमें करने लगे। इसके कारण पशुपाल बाशकिरोंको बड़ी बाधा होने लगी, जिसके लिये असंतोष और विद्रोह करनेका परिणाम यही हुआ, कि वहांपर ऊफा जैसे कितने ही दुर्गबद्ध नगर रूसियोंने स्थापित कर दिये।

वोल्गा-प्रदेशकी अ-रूसी जातियोंमें कलमक (कल्मख) भी थे। कलमक मंगोलोंकी एक शाखा थी, इसे हम आगे बतलायेंगे। वह १६३० ई०के आसपास निम्न-वोल्गाकी भूमिमें आये। पहले यह घुमन्तू ज्राइसन सरोवरके उत्तरकी पहाड़ियोंमें विचरते थे, जिसे जुंगारिया भी कहा जाता है। कलमकोंके कई भिन्न-भिन्न कबीले थे, जिनका अलग-अलग राजा होता था। वैसे सभी कबीले एक-दूसरेसे स्वतन्त्र थे, लेकिन जब सारी जातिके ऊपर कोई खतरा आता, तो सबसे शक्तिशाली जातिके राजाके अधीन वह अपना लड़ाकूसंघ स्थापित कर लेते। १७वीं सदीके आरम्भमें कलमकोंके एक बहुसंख्यक कबीलेका डेरा इर्तिश नदीके ऊपरी भागमें था। इर्तिशके किनारे येरमककी विजयके बाद रूसियोंकी बहुतसी बस्तियां बस गई थीं। इर्तिशके इन कलमकोंने रूसी कसबोंपर आक्रमण करना शुरू कर दिया, जिसका बदला भी लिया जाने लगा। फिर दक्षिण-पश्चिमकी ओर बढ़ते १६३० ई०के आसपास उन्होंने यायिक (उराल) और वोल्गाके बीचकी भूमिको दखल कर लिया। १६५६ ई०में कलमकोंने रूसकी अधीनता स्वीकार की। १७वीं सदीके अन्त तथा १८वीं सदीके आरंभमें वोल्गा-कलमकोंका शासक आयुका बड़ा शक्तिशाली खान था। यद्यपि उसने जारकी अधीनतासे इन्कार नहीं किया, लेकिन वह अपनेको स्वतन्त्र समझता था, और वोल्गाके किनारेके रूसी नगरोंपर आक्रमण करनेसे भी बाज नहीं आता था। जो कलमक जुंगारियामें रह गये थे, उन्होंने १७वीं सदीके अन्ततक एक शक्तिशाली राज्य स्थापित किया, जो धीरे-धीरे साम्राज्यका रूप लेने लगा।

रूसी शासकोंके अत्याचारके कारण वोल्गाके लोग जब-तब विद्रोह कर बैठते थे, लेकिन १६६२ ई०में इस विद्रोहने खतरनाक रूप लिया। उस साल एक ही समय बाशकिर-भूमि और पश्चिमी साइबेरियाके बहुत भागोंमें बगावत हो गई। येरमकद्वारा पराजित सिबिरके कूचुम खानके एक वंशजने तातारों, बाशकिरों और पश्चिमी साइबेरियाके वोगुलों (मंसियों)के विद्रोहका नेतृत्व किया। विद्रोहियोंने रूसियोंके किलेबंद नगरोंपर आक्रमण किया, उनके मठों और बस्तियोंको नष्ट कर दिया। यह विद्रोह कई सालतक चलता रहा। विद्रोहके दमन कर देनेके बाद जारशाही सरकारने बाशकिरोंकी और कितनी ही भूमि छीन ली, बाशकिर जवानोंको जबरदस्ती सेनामें भर्ती करके क्रिमियामें लड़नेके लिये भेजा। इसके कारण १६७५ ई०के आसपास फिर विद्रोह उठ खड़ा हुआ। छिटपुट होते विद्रोहोंको १६८२ ई०में सैयद सादिर जैसा नेता मिल गया। कलमकोंका प्रधान आयुका खान भी बाशकिरोंकी सहायता करने लगा। लेकिन, अन्तमें बौद्ध कलमकों और मुसलमान बाशकिरोंकी प्रतिद्वंद्विता इतनी बढ़ी, कि कलमक जारकी ओर हो गये, और विद्रोहको कुचल दिया गया।

राजिन-विद्रोह—जार अलेक्सी (अलेक्सान्द्र)के कालमें रूसकी राजशक्ति और सीमा बहुत बढ़ी, लेकिन देशमें संघर्षों और विद्रोहोंके भीतरसे ही। इन विद्रोहोंमें स्तेपन राज़िनके नेतृत्वमें हुआ किसानोंका विद्रोह बड़ा भयंकर था। भूखे गरीब कसाकोंमें अशांतिका होना स्वाभाविक था। इसी अशांतिका नेता येरमक था, जिसने साइबेरियामें रूसकी सीमाको बढ़ाया। कसाक स्वभावतः स्वच्छन्दताप्रेमी तथा लड़ाकू होते हैं। रूसी वोयवोद उनको नाराज होनेका बहुत मौका दे देते थे। १६६६ ई०में कसाक आतमन (सरदार) वासिलीने दोनके गरीब कसाकोंको मास्कोके विरुद्ध भड़काया और एक बड़ी कसाक सेना ले तुलातक पहुंच गया। उसके साथ दक्षिणी जमींदारोंके कितने ही अर्ध-दास किसान भी शामिल हो गये। इसी समय दोनके गरीब किसान विद्रोहियोंको

आतमन स्तेपन तिमोफेयेफ-पुत्र राज़िन-जैसा नेता मिल गया । १६६७ ई०के वसंतमें राज़िन अपने सैनिकोंको लिये दोनसे वोल्गाकी ओर बढ़ा । उसके कसाकोंने जार, महासंघराज और धनी व्यापारियोंकी अनाज तथा दूसरी पण्य वस्तुओंसे लदी बहुत-सी नावोंको पकड़ लिया, जिनमें देश-निकाला पाये पैरोंमें बेड़ी पड़े कितने ही बंदी भी थे । उन्हें मुक्त करके राज़िनने बंदियों, स्त्रेलेत्सी (राज-सैनिकों) और मल्लाहोंसे कहा—"अब तुम सब स्वतन्त्र हो, जहां इच्छा हो वहां जाओ । मैं तुम्हारे साथ जबरदस्ती नहीं करूंगा । जो कोई मेरे साथ रहना चाहता है, वह स्वतन्त्र कसाक माना जायगा । मैं केवल बायरों और धनी जमींदारोंसे लड़नेके लिये आया हूं, गरीबों और सीधी-सादी जनताको भाईके तौरपर मैं अपना भागीदार बनानेके लिये तैयार हूं ।"

इसके बाद राज़िनके कसाक नावोंपर चढ़कर अस्त्राखानके किलेसे बचते कास्पियनमें गये । फिर अपने पच्चीस नावोंमें जा उन्होंने यायिक (उराल) नदीके तटपर बसे यायित्स्क नामक दुर्गबद्ध नगरपर अधिकार कर लिया । राज़िनने जाड़ोंको यायिकके तटपर बिताया । अगले साल वह समुद्रसे होकर ईरानके तटपर पहुंचा । उसके पास कई हजार कसाक थे । उसने कास्पियन-तटवर्ती काकेशसकी भूमिको लूटा, और ईरानके शाहके पास कई आदमी भेजकर कहलवाया, कि मैं और मेरे कसाक तुम्हारे देशमें सदा रहनेके लिये तैयार हैं, क्योंकि हम मास्कोके बायरोंके अत्याचारको नहीं सह सकते । शाहने राज़िनके दूतोंको पकड़कर मरवा दिया । इसपर कसाकोंने ईरानके नगरोंमें लूट-पाट करनी शुरू की । शाहने पचास नावोंमें सैनिक भरकर भेजे, लेकिन राज़िनने उनमेंसे अधिकांशको डुबा दिया । सफलता होनेपर भी इन लड़ाइयोंमें कसाकोंको बहुत क्षति उठानी पड़ी, जिससे उनेकी संख्या कम होती जा रही थी । बचे हुओंमें बीमारी फैलने लगी, इसलिये राजिन बायरोंके राज्यसे बाहर ईरानमें रहनेका ख्याल छोड़कर १६६९ ई०की शरद्में फिर अस्त्राखान पहुंचा । उसकी अनुपस्थितिके समय अस्त्राखानकी छावनी और मोर्चाबंदीको बहुत मजबूत कर लिया गया था । राजिनने दोनकी ओर जानेके लिये इजाजत मांगी । अस्त्राखानके वोयवोद जानते थे, कि नगरके अधिकांश लोगोंकी सहानुभूति राजिनके साथ है, इसलिये उन्होंने इस शर्तपर उन्हें जानेकी इजाजत दी, कि वह अपने लूटके माल और हथियार समर्पित कर दें । अस्त्राखानके गरीबोंने बड़े उत्साहके साथ राजिनका स्वागत किया । वह उसे बत्का (बापू) कहते थे । राजिनके कसाक पहले फटे-चीथड़ोंमें गये थे, लेकिन अब वह गोटेदार रेशमी कपड़े पहने हुये थे । राजिनने खूब दिल खोलकर सोनेकी मुहरों और दूसरी चीजोंको लोगोंमें बांटा । हथियार रखनेसे इनकार करके अपनी हथियारबंद सेनाके साथ राज़िन दोनकी ओर चल पड़ा । अस्त्राखानके निवासियोंमेंसे भी कितने ही उसके साथ हो लिये ।

चारों ओरसे दोन-कसाक राज़िनके झंडेके नीचे आने लगे । इसके बाद कई बार जारशाही सेनासे उसने सफल मुकाबिला किया । जारित्सिन (आधुनिक स्तालिनग्राद)के निवासियोंने उसे शहरपर अधिकार करनेमें मदद दी । १६७० ई०के बसंतमें राजिन दूसरी बार बोल्गाके किनारे पहुंचा । पहले वह साधारण लुटेरेके तौरपर आया था, यद्यपि उसकी उदारताकी ख्याति उसी समय चारों ओर फैल गई थी; लेकिन अब वह कई हजार अनुशासन-सम्पन्न सेनाका कमांडर था । वह वोयवोदों, अमीरों और धनी व्यापारियोंका दुश्मन था, लेकिन गरीबोंका पक्षपाती और दासोंका हर जगह मुक्तिदाता । राजिनकी दानशीलता, उदारता और गरीबोंके प्रति प्रेम ऐसी आकर्षणकी चीज थी, जिससे वह चारों तरफ मशहूर हो गया । जारित्सिन लेनेके बाद उसने अब रूसके भीतर बढ़नेका निश्चय किया, लेकिन इससे पहले उसने अस्त्राखानपर अधिकार करके निम्न-वोल्गामें अपनी सत्ता जमा लेना आवश्यक समझा । अस्त्राखानके वोयवोदने स्त्रेल्त्सीकी एक सेना राजिनके विरुद्ध भेजी, लेकिन सैनिक अपने अफसरोंको मारकर विद्रोहियोंमें जा मिले । जून १६७० ई०में राजिन अस्त्राखानके पास पहुंचा । पत्थरकी दीवारोंसे घेरकर नगरको बहुत मजबूत कर लिया गया था, दीवारों और मीनारोंपर तोपें लगी थीं, लेकिन बहुतसे स्त्रेल्त्सी तथा नगरके लोग राजिनके स्वागतके लिये अधीर थे । गोधूलीके समय घंटे बजने लगे, यह इस बातका संकेत था, कि कसाकों-

ने आक्रमण कर दिया है। कसाक अंधेरेमें चुपचाप किलेके पास आ सीढ़ियां लगाकर दीवार फांद नगरके भीतर कूद पड़े। नागरिक भी उनकी मददके लिये दीवारके पास प्रतीक्षा कर रहे थे। नगर-के समर्पण करनेकी सूचना तोपोंकी पांच आवाजसे दी गई। राजिनके कसाकोंके साथ अस्त्राखानके गरीब भी शामिल हो गये और उन्होंने वहांके अमीरों तथा प्रतिरोधकोंको मार डाला। सबेरा होते-होते अस्त्राखानपर राजिनका पूरा अधिकार था।

राज़िनकी विजय-यात्रा अब शुरू हुई। जारके स्त्रेल्त्सी और साधारण लोग राजिनकी सहायता करनेके लिये हर जगह तैयार थे। उसने सरातोफ (पुराना सरातोफ वोल्गाके बायें तटपर था), समारा (आधुनिक कुइबिशेफ)को आसानीसे अपने हाथमें कर लिया, लेकिन सिम्बिर्स्क (आधुनिक उलियानोव्स्क)को लेनेमें बड़े जबरदस्त प्रतिरोधका सामना करना पड़ा। उसके आदमी गांव-गांवमें घूमकर राजिनके नामसे कह रहे थे—"सभी उत्पीड़ितों और गरीबोंको विद्रोहके लिये खड़ा हो जाना चाहिये।" राजिन यह भी कहता था—"मैं महाप्रभु (जार)के लिये देशद्रोही बायरों और अमीरोंसे लड़ रहा हूं।" वह नहीं जानता था, कि जार उसी वर्गका सबसे शक्तिशाली आदमी है, जिसके विरुद्ध उसने जहाद छेड़ी है। प्रायः एक महीनेतक राजिनने सिम्बिर्स्क नगरका मुहासिरा किया। १६७० ई०के अक्तूबरके आरम्भ-में नई सेना आ गई, और एक घनघोर लड़ाई हुई। तलवारोंकी खपाखपमें वीर राजिन निश्शंक लड़ता दिखाई पड़ता। उसके सिरपर एक गोली लग गई थी, एक पैर भी गोलीसे घायल हो गया था, तो भी वह लड़ रहा था। सारी वीरता दिखलानेपर भी सुशिक्षित सुशस्त्रित बहुसंख्यक जार-सेनाके सामने राजिनको हार खानी पड़ी। वह थोड़ेसे कसाकोंके साथ दोनकी ओर निकल भागा। राजिनके हारनेके बाद भी वोल्गाकी भिन्न-भिन्न जातियों—कलमक, तातार, मोर्द्विनी, मारी, चुवाश और बाशकिर—तथा दाहिने तटके प्रदेशोंके रूसी किसानोंने विद्रोहको बहुत समयतक जारी रक्खा। जारकी सेना इन विद्रोहियोंसे खूनी बदला लेने लगी। बंदी किसानोंको वह पकड़कर अर्जमस नगरमें ले गये, जहां उन्हें बड़ी सासत देकर मारा गया। नगरके चारों ओर फांसीकी टिकटियां खड़ी कर दी गई थीं। एक विदेशी प्रत्यक्षदर्शीने लिखा है, कि तीन महीनेके भीतर अर्जमसमें ग्यारह हजार आदमियोंको फांसीपर चढ़ाया गया। किसानोंके नेताओंने अन्तिम समयतक बड़ी निर्भयताका परिचय दिया। जल्लादने एकसे पूछा—

"तुम क्या करना चाहते थे?"

"हम मास्कोको लेना और तुम्हारे सभी बायरों, अमीरों और लिखनीचंदोंको मार डालना चाहते थे।"

एक किसान स्त्री-नेता अल्योनाको जलाकर मारनेका दंड दिया गया। वह दंडाज्ञा सुनकर जरा भी न घबड़ाई और मरते समय बोली—

"जैसे मैं लड़ी, यदि वैसे ही दूसरे भी लड़े होते, तो राजुल यूरी (सेनापति)को हमारे सामनेसे जान लेकर भागना पड़ता।"

१६७१ ई०के आरम्भमें वोल्गाके दक्षिण-तटके विद्रोहियोंको दबानेमें सफलता मिली। अब ज़ारशाही राजिनके पीछे पड़ी थी। अप्रैल १६७१ ई०में उसे पकड़कर मास्को ले गये, जहां राजिन को भीषण सासत दी जाने लगी, लेकिन तब भी उसने मुंहसे एक बार भी आह नहीं निकाली। जून १६७१ ई०में उसको मारनेसे पूर्व जल्लादोंने पहले हाथों और पैरोंको काट दिया, फिर सिरको धड़से अलग कर दिया। जारकी सरकारने राजिनको मारकर संतोषकी सांस ली, लेकिन साधारण जनताके लिये राजिन मरा नहीं। वह समझती थी, कि बायरोंने किसी दूसरेको मारा है, राजिन तो अब भी बचकर कहीं छिपा हुआ है। वह फिर एक बार हम दुखियोंकी मददके लिये आयेगा।

जनताका राजिनके प्रति कितना सद्भाव था, वह लोकगीतोंकी निम्न पंक्तियोंसे मालूम होगा—

उठ हे सूर्य, हे मैले-कुचैले,
तू जो कि पहाड़ोंके ऊपर इस प्रकार छाया है,
जो कि हरे उगे हुये पौधोंपर छाया है,
हमारी हड्डियोंको गरमाओ। हम ईमानदार जन हैं।
यद्यपि हम गरीब हैं, किन्तु हम किसीका जूआ नहीं उठायेंगे,
चोर हम नहीं हैं, और न भयंकर डाकू,
स्तेपान राज़िन हमारा नेता है।

रूसी भाषाका कालिदास पुशकिन स्तेपन राजिनको रूसी इतिहासका अत्यन्त काव्यमय पुरुष कहता है।

साइबेरियामें प्रसार—हम पहले कह चुके हैं, कि कैसे येरमकने सिबिरके खानको हराकर रूसी सीमाको ओब और इर्तिश नदीके तटतक पहुंचा दिया। साइबेरियाके जंगलोंसे मिलनेवाली समूरी खालें सोनेके भाव बिकती थीं, और साथ ही वहांके लोगोंको पकड़कर दास बनाकर बेंचना भी आमदनीका एक अच्छा खासा स्रोत था; इसलिये रूसी व्यापारियों और साहसियोंका उधर खिंचना स्वाभाविक था। समूरी खालोंको पहले वह वहांके स्थानीय शिकारियोंके हाथसे खरीदते थे। फिर रूसी शिकारियोंने स्वयं जंगलोंमें दूर-दूर तक घुसकर शिकार करना शुरू किया। यह शिकारी कभी-कभी ऐसे स्थानोंमें पहुंचने लगे, जहांपर जारके सैनिक कभी नहीं पहुंच पाये थे। इसी तरह कुछ पीढ़ियोंमें रूसी येनिसेइसे अखोत्स्क समुद्रतक अपना अधिकार स्थापित करनेमें सफल हुये। जहां नदियोंका सहारा था, वहां शिकारियों और व्यापारियोंकी टोली नावोंपर चढ़कर जाती, फिर नावोंको आदमियोंके कंधोंपर उठाकर एक नदीसे दूसरी नदीमें परिवर्तित कर लेते। जार गदुनोफके कालमें रूसी-व्यापारी और शिकारी मंगोलियामें पहुंच चुके थे। गदुनोफके समय वहां एक बड़ा सैनिक अभियान भेजा गया था। स्थानीय शिकारी (नेन्त्सी) इसे बर्दाश्त कैसे करते, लेकिन अपने पुराने हथियारों और बिखरी हुई अल्प-संख्याके बलपर बेचारे सफल प्रतिरोध कैसे करते? रूसी दूर-दूर जंगलोंमें लकड़ीके किले बनाकर जम जाते। इस प्रकार उन्होंने निम्न-येनिसेइ-उपत्यकाके मार्गपर अधिकार कर लिया। उसके कुछ समय बाद उन्होंने मध्य-ओब और मध्य-येनिसेइमें भी पहुंच १६१९ ई०में येनीसेइस्क नगरकी स्थापना की। यहांसे अब वह येवेंकी, बुर्यत तथा उस प्रदेशके दूसरे लोगोंको अधीनता स्वीकार करनेके लिये मजबूर करने लगे। दस वर्ष बाद येनिसेइ नदीके तटपर क्रास्नोयार्स्क नगर स्थापित हुआ, लेकिन यहां किरगिजोंने उनसे जबरदस्त मुकाबिला किया। पर, मुकाबिलेसे डरकर रूसी अपने आगेके प्रसारको रोक नहीं सकते थे। यनिसेइस्क नगरसे अंगारा नदीके किनारे चलते हुये रूसी बैकाल महासरोवरपर पहुंच गये। १७वीं शताब्दीके मध्यमें उन्होंने अंगाराके बैकालसे निकलनेके स्थानके पास ही इर्कुत्स्कका शरद्कालीन निवास-स्थान बनाया। बुर्यत मंगोल अपनी वीरताके लिये प्रसिद्ध थे। उन्होंने अपनी भूमिपर हस्तक्षेप करते देखकर रूसियोंके साथ जबरदस्त संघर्ष किया, जिसमें असफल होकर कितने ही मंगोलिया चले गये, लेकिन वहांके मंगोल-सामन्तोंके अत्याचारके कारण कितनों हीने फिर लौटकर ज़ारके जूयेको अपने कंधेपर रक्खा। इसी समय येनिसेइसे लेना नदीकी ओर जानेवाला महत्त्वपूर्ण रास्ता स्थापित किया गया। रूसियोंने अफवाह सुनी थी, कि लेनाके किनारे समूरी खालोंकी खानें भरी पड़ी हैं, जिसे सुनकर येनिसेइस्क और मंगजेया दोनों जगहोंसे रूसी साहसियोंकी भीड़ टूट पड़ी। उन्होंने लेना-उपत्यकाके निवासी याकूतोंके ऊपर प्रहार करके उनकी समूरी खालों, पशुओं (बारहसिंगों)पर ही हाथ नहीं साफ किया, बल्कि स्त्री-बच्चोंको भी बेचनेके लिये बंदी बनाया। व्यापारियों और शिकारियोंकी पहुंच स्थापित होते ही येनिसेइस्कके सैनिक अधिकारियोंने लेनाके तटपर याकुत्स्क नामका गढ़ स्थापित किया। कुछ ही समय बाद जारने याकुत्स्कके लिये वोयवोद (राज्यपाल) भेजना शुरू किया। याकुत्स्कमें जम जानेके बाद सैनिक, व्यापारी और शिकारी और भी आगेके अज्ञात इलाकोंकी खोजमें लग पड़े, और उत्तर-पूर्वमें ध्रुवकक्षीय समुद्रके तट तक याकूगिरों (ओदुलियों)के प्रदेशमें पहुंच करके उनसे कर लेने लगे।

रूसी शिकारी पहाड़ोंमें जब लेनाके उद्गमकी ओर पहुंचे, तो उन्हें खबर लगी, कि शिल्का और जेयामें अन्न और चांदी भरी पड़ी है। तुंगुस लोगोंने भी इस खबरकी पुष्टि की। इसपर साइबेरियाके वोयवोद गोलोविनने १६४३ ई०में अपने एक क्लर्क बाच्तेयारोफकी अधीनतामें सात आदमियोंको पता लगानेके लिये उक्त दोनों नदियोंकी उपत्यकाओंकी ओर भेजा। बाच्तेयारोफ इस कामके योग्य नहीं था, इसलिये वह खाली हाथ लौट आया। फिर उसी साल गोलोविनने पोयार्कोफके नेतृत्वमें एक बड़ी टोली यह कहकर भेजी, कि वहांके लोगोंसे जाकर कर उगाहो, और जो देनेसे इन्कार करे,

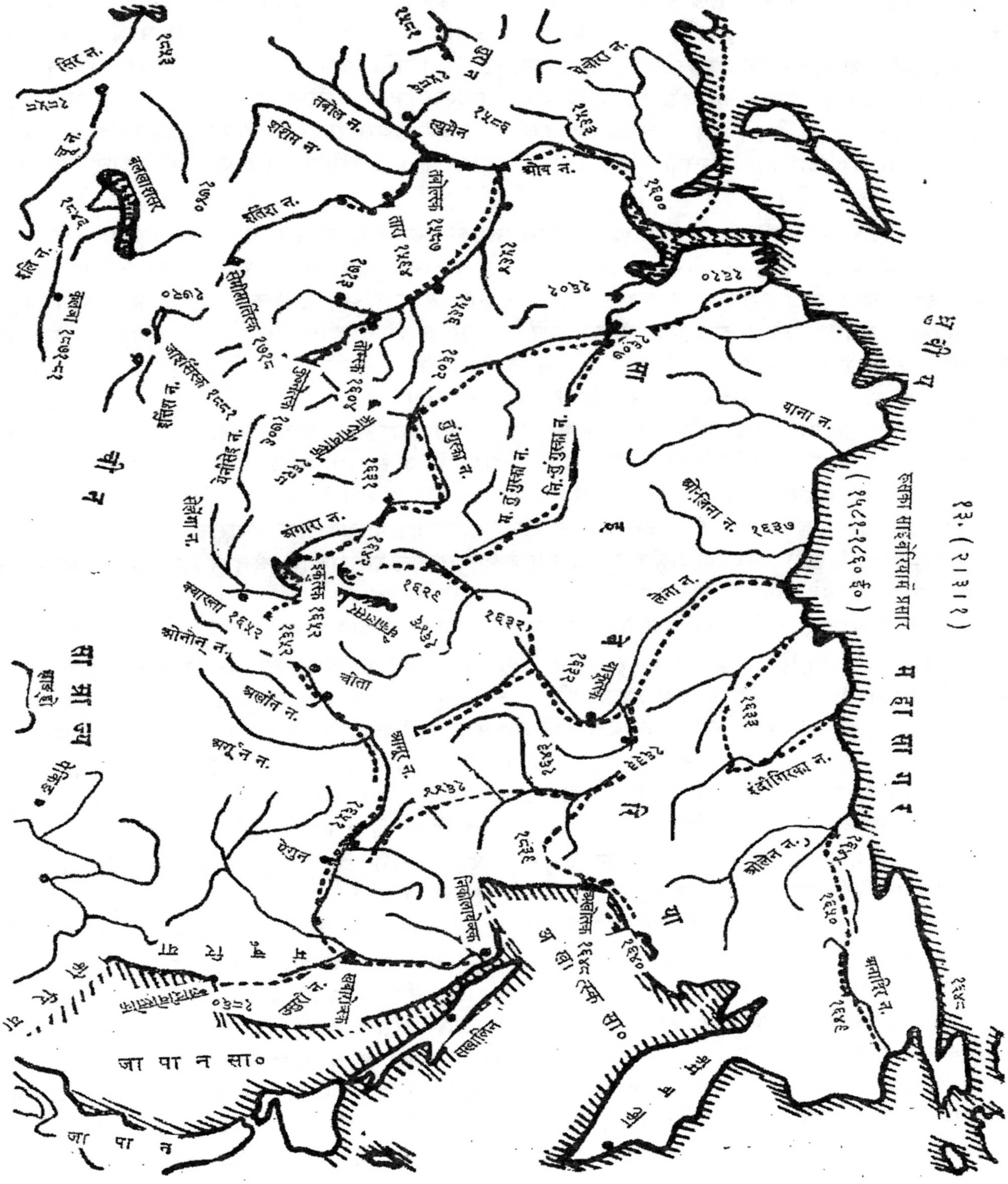

१३. (२।३।२) रूसका साइबेरियामें प्रसार (१५८१-१८३०ई०)

उनसे लड़ाई करो । ज़ेयाके तटपर पहुंचनेपर पोयार्कोफको अन्नके लिये निराश होना पड़ा । वहांके लोग अधिकतर चीनसे आये अनाजपर गुजारा करते थे । पोयार्कोफ ने अपने सत्तर आदमियोंको पासमें रहनेवाले दौरी लोगोंकी बस्तियोंमें भेजा, लेकिन उन्होंने रूसियोंको अपने गांवोंके भीतर आने नहीं दिया । खाली हाथ लौटनेपर अपने लोगोंने उन्हें रसद देनेसे इन्कार कर दिया । इसका परिणाम यह हुआ, कि उन्हें अब स्थानीय लोगोंको लूट-मारकर जीवन-यापन करनेके लिये मजबूर होना पड़ा । वसंतके आनेपर यह टुकड़ी नावपर दसेयानदीके नीचेकी ओर बढ़ी । स्थानीय लोगोंको खूनखार रूसियोंका पता पहले हीसे लग गया था, इसलिये वह उनको आते सुनकर भाग निकले । तो भी तीन गिलियक पकड़े गये, जिनके द्वारा रूसियोंने कर उगाहनेमें सफलता पाई । आगे बढ़ते-बढ़ते रूसियोंने आमूर नदीके मुहानेपर पहुंच जाड़ा बितानेके लिये वहां डेरा डाल दिया । मंडली जून १६४६ ई०में याकुत्स्क लौटी । अभियान सफल रहा, क्योंकि उन्होंने एक नई भूमिका पता लगाया, लेकिन साथही उनकी यात्राद्वारा लोगोंमें बड़ा भयसंचार हो गया । अज्ञात कालसे पूर्वी साइबेरियाकी यह जातियां चीनको कर दिया करती थीं, इसलिये अब उन्होंने चीन सरकारतक अपनी गुहार पहुंचाई ।

१६४८ ई०में रूसी व्यापारियोंके एक समूहने कोलुमा नदीके मुहानेके पूर्व ध्रुवीय समुद्र-तटकी भूमिके बारेमें पता लगानेका निश्चय किया । उन्हें मालूम हुआ, कि समुद्री जानवर वालरस वहीं जाकर बच्चे देता है । वालरसका दांत बहुत महंगा बिकता था, इसलिये वह उस अज्ञात भूमिकी ओर खिंचे । इसके लिये याकुत्स्कके व्यापारियोंने कसाक सिमाओन देझन्येफके नेतृत्वमें सात नावों के साथ एक अभियान भेजा । यह लोग कोलुमाके मुहानेसे समुद्रके किनारे-किनारे आगे बढ़े । नावें मजबूत नहीं थीं, इसलिये अधिकतर टूट-फूट गईं, तो भी देझन्येफकी कुछ नावोंको एक तूफान बहाकर अमेरिका और एसियाको मिलानेवाली समुद्रकी उस पतली धारमें ले गया, जिसका नाम पीछे बेरिंगकी खाड़ी पड़ा । उस समय युरोपमें कोई नहीं जानता था, कि एसिया और अमेरिकाकी सीमाओंको केवल एक पतलीसी सामुद्रिक प्रणाली अलग करती है । आजकल एसियाके उत्तर-पूर्वीय अन्तिम अन्तरीपको देझन्येफ अन्तरीप कहा जाता है । इस प्रकार हम देखते हैं, शाहजहांके शासनके अन्तिम वर्षोंमें ही रूसी साइबेरियाके पूर्वी छोरतक पहुंच गये । जांच-पड़ताल करनेवालोंने लेनाकी शाखा अलदल नदीसे होते अखोत्स्क समुद्रके तटपर पहुंचकर वहां अखोत्स्क (शिकारवाला) गढ़ स्थापित किया, और बेचारे एवेंकी लोगोंने बारूदी हथियारोंके सामने प्रतिरोधको व्यर्थ समझकर अधीनता स्वीकार की ।

पश्चिमी संस्कृतिका प्रभाव—१७वीं सदीके रूसमें अभी शिक्षाका प्रसार केवल अमीरों और व्यापारियोंमें था । स्त्रियां सिर नहीं ढंकती थीं, किन्तु जबतक विवाहित नहीं हो जातीं, तबतक पुरुषोंसे अलग रहतीं । वह अपरिचितकी ओर देखनेकी हिम्मत नहीं कर सकती थीं । धनियोंकी स्त्रियां अपना समय पूजा-पाठ या गोटा बनानेमें लगातीं । अमीरोंकी पोशाक बहुत भारी होती थी । बाहरी चोगा एड़ीतक पहुंचता था, और लम्बी आस्तीन भी छोड़ देनेपर धरतीको छूनेसी लगती थी । उत्सवके समय बहुत मूल्यवान् ऊनी या रेशमी कपड़े पहने जाते थे । हीरा-मोती-जटित सोने या चांदीके बड़े-बड़े बटन चोगोंमें लगते थे । सामन्त लोग समूरकी बड़ी लम्बी टोपी पहिनते थे, जो नीचेकी अपेक्षा ऊपर अधिक चौड़ी होती जाती और इतनी भारी होती थी, कि आदमी सिरको आसानीसे घुमा नहीं सकता था । पुरुष बालोंको काटकर रखते थे, लेकिन दाढ़ीको बड़ी सावधानीसे बढ़ाते थे । बिना दाढ़ीके आदमीको समझा जाता था, कि वह हर तरहके पाप कर सकता है । दाढ़ी मुड़ाना स्वयं भी पाप-कर्म था । लेकिन, १७वीं सदीमें ही पश्चिमी युरोपका प्रभाव धीरे-धीरे रूसके उच्च वर्गपर पड़ने लगा । व्यापारने पश्चिमी यूरोपके व्यापारियोंसे रूसका संबंध बहुत घनिष्ठताके साथ स्थापित कर दिया था । अब कितने ही युरोपी रूसमें लोहे, काच आदिके कारखाने स्थापित करने लगे थे । मास्को और दूसरे नगरोंमें बहुतसे ग्रीक, अंग्रेज, जर्मन, डच और पोल व्यापारी तथा शिल्पी रहने लगे थे । उनमेंसे कुछ चंद दिनोंके लिए आते और कितने ही रूसी नगरोंके वासी हो गये थे । मास्कोकी सरकार विदेशियोंको—विशेषकर शिक्षितों, सैनिक विशेषज्ञों, डाक्टरों, चित्रकारों तथा

दूसरे कलाकारों-शिल्पियोंको—अपने यहां आकृष्ट करनेकी कोशिश करती थी। सभी विदेशी कामके नहीं थे। उनमेंसे कितने ही मौज उड़ाने, या गुप्तचरी करनेके लिये आते थे, पर इसमें भी शक नहीं, कि कितने ही अपनी विद्या और अनुभवसे रूसियोंको लाभ पहुंचाते थे। १६वीं सदीके अन्तमें ही मास्कोमें विदेशियोंके रहनेके मुहल्ले बन गये थे, जिन्हें पीछे "जर्मन (मह) बस्ती" कहा जाता था। १७वीं सदीके मध्यमें उन्हें यौज़ा नदीके किनारे प्रेयोब्रज़ेन्स्कोये गांवके पासमें परिवर्तित कर दिया गया। कितने ही रूसी इनके सम्पर्कमें आकर युरोपीय संस्कृतिसे प्रभावित होते रहे—यह कहनेकी अवश्यकता नहीं, कि आजकी तरह उस समय भी रूसियोंके लिये "यूरोपा" एक दूसरा ही महाद्वीप था। पश्चिमी युरोप संस्कृतिके साथ-साथ विलासितामें भी बहुत आगे बढ़ा हुआ था। मास्कोके अमीर पुरुष-स्त्री भी इंगलैण्ड, जर्मनी, फ्रांस और दूसरे युरोपीय तथा पूर्वी देशोंमें राजदूत बनकर जाते थे। रूसी व्यापारी भी कोशिश कर रहे थे, कि अपनी पण्य-वस्तुओंको सीधे युरोपके नगरोंमें जाकर बेंचें, लेकिन विदेशी व्यापारी इसमें हर तरहकी बाधा उपस्थित करते थे।

उच्च वर्ग ही नहीं रूसी शिक्षित तथा बुद्धिजीवी वर्गपर भी पश्चिमी युरोपका प्रभाव पड़ने लगा था। जार अलेक्सी मिखाइल-पुत्रके समयका एक प्रभावशाली बायर ओरदिन-नाश्चोकिन् युरोपके नमूनेपर शासन-प्रबन्ध संगठित करनेका पक्षपाती था। उक्रइनके रूसमें मिल जानेसे, पोलन्द और पूर्वी युरोपके साथ सांस्कृतिक सम्पर्क स्थापित होनेमें बड़ा सुभीता हुआ। शताब्दियोंके सिद्धहस्त कियेफके मूर्त्तिकार, चित्रकार तथा दूसरे कलाकार मास्कोमें आकर काम करने लगे। बायरोंके घरोंमें उक्रइनी विद्वान् शिक्षकका काम करते थे। एक सुशिक्षित बेलोरूसी साधु सिमेओन पोलोत्स्की जार अलेक्सीके परिवारमें शिक्षक था। पोलोत्स्कीने नाटक और कवितायें लिखीं। उसके पद्य बहुत प्रसिद्ध थे। वह साहित्य और काव्यशास्त्रकी भी शिक्षा देता था। बहुतसे विदेशी विद्वानोंने इतिहास, युद्धविज्ञान, चिकित्सा, ज्योतिष, गणित, भूगोल, प्राकृतिक विज्ञान तथा दूसरे विज्ञानोंकी पुस्तकें १७वीं सदीमें रूसी भाषामें अनुवादित कीं। यह याद रखना चाहिये, कि यही हमारे यहां औरंगजेबके शासन-का समय था, जिसमें जहादी लड़ाइयां छोड़ विद्या-विज्ञानकी चीजोंकी तरफ कोई ध्यान नहीं दिया गया था। रूसी शिक्षित अब सिर्फ धार्मिक साहित्य हीसे संतुष्ट नहीं थे, वह पश्चिमकी धर्मनिरपेक्ष कहानियों और उपन्यासोंको अपनी भाषामें पढ़ने लगे थे। अमीरों तथा व्यापारियोंके दैनिक जीवन और वेश-भूषापर भी पश्चिमका प्रभाव पड़ने लगा था। १७वीं शताब्दीके उत्तरार्धमें शराबी साधुओं, लोभी न्यायाधीशों, और घूसखोर अमलों, तथा मूर्ख अमीरोंके ऊपर व्यंग्य करते कितने ही प्रहसन लिखे गये थे। संक्षेपमें कहा जा सकता है, कि अब साहित्यमें वास्तविक जीवन—वस्तुवाद—के लानेकी कोशिश की जाने लगी थी। साहित्य हीमें नहीं, रूसी चित्रमें भी वस्तुवाद घुसने लगा था। प्रसिद्ध कलाकार सिमओन उशाकोफकी कला वास्तविकताका दर्पण-सी थी, जिसमें तत्का-लीन जीवनकी झांकी मिलती थी। उस वक्त भी आजकी तरह बहुतसे कलाकार ऊटपटांग-बेढंगी टेढ़ी-मेढ़ी रेखाओं और रंगोंके पीछे इतने पागल थे, जिन्हें कलाका वास्तविकताके पास जाना फोटोग्राफी मालूम होता है। १७वीं शताब्दीमें पहले-पहल मास्कोके दरबारियोंको नाट्यकलाका परिचय मिला, जब महाबस्तीके एक पुरोहित गटफ्रिड ग्रेग्रोरीने जार अलेक्सीके शासनकालमें रूसी विद्यार्थियों और जर्मन नटोंसे एक नाटकमंडली बनाई, और ऐतिहासिक कहानियोंको लेकर रंगमंचपर नाटक खेले। पीछे एक खास मकान बनाकर रूसी भाषामें लिखे नाटकोंका भी अभिनय होने लगा। अभिनयके समय एक खास आसनपर बैठकर जार भी उसे देखता था, लेकिन जारानी अलग एक परदेमें बैठकर ही देख पाती थी। नवीनताकी तरफ अभिरुचि इतनी बढ़ गई थी, कि महासंघराज निकोनने जल-भुनकर सभी देशी वाद्ययंत्रोंकी होली जला डालनेकी आज्ञा दी।

चीनसे संबंध—जार अलेक्सीने अपना पत्र देकर पेर्फिलियेफको १६५९ ई०में चीन-सम्राट् शी-चू (१६४४-१६६१ ई०)के पास भेजा। सम्राट्ने उससे मुलाकात की। इसे कहनेकी आवश्यकता नहीं, कि रूसी दूतको दरबारमें कोतौ (साष्टांग प्रणिपात) करना पड़ा। रूसी दूतको दस पूड (४ मन) चाय देकर बिदा किया गया। चाय शायद यह पहली बार स्थलमार्गसे मास्को पहुंची। इसके बाद १६६९ ई०में अबलिनके अधीन और १६७५ ई०में परशोन्निकोफके नेतृत्वमें रूसी कारवां (वाणिज्य-

साथै) उरगा-कलगनके रास्ते चीन भेजे गये। असली राजकीय दूतमंडल १६७५ ई०में गया, जब कि निकोलाइ स्पाथेरीको जारने अपना दूत बनाकर चीन दरबारमें भेजा। सम्राट्ने उसका अच्छी तरह स्वागत किया, संगीतके साथ दूध-मक्खनसे बनाई चायकी दावत की। चीनी दरबार-के बहुतसे व्यवहार अबुद्धिमत्तापूर्ण ही नहीं अपमानपूर्ण भी होते थे, किसी गलतीसे नाराज होकर सम्राट्ने जारकी भेंटको करके रूपमें स्वीकार कर स्पाथेरीको हटा दिया।

आमूर-विजयसे व्यापारियोंको भारी लाभ हुआ था। उसे देखकर १६४९ ई०में एक व्यापारी येरोफेइ खबारोफने अपना समय और धन एक अभियानके संगठनमें लगाया। वोयवोद फ्रांस-बेकोफने भी पैसे और सहानुभूतिसे उसका उत्साह बढ़ाया। डेढ़ सौ स्वयंसेवक तैयार किये गये, जिनके लिये हथियार, भोजन-सामग्री खबारोफने प्रस्तुत की। आमूर-निवासियोंपर विजय प्राप्त करनेके लिये प्रस्थान कर पहले वह ओलेकमाके रास्ते चले, जो नया रास्ता था। आगे पहाड़ पार करनेमें लोगोंने कोई कठिनाई नहीं उपस्थित की, लेकिन उन्हें रूसियोंकी क्रूरताका पता लग गया था, इसलिये जहां-कहीं भी वह पहुंचते, लोग अपने गांवोंको छोड़कर भाग जाते। पहली दो बस्तियोंमें उन्हें एक भी आदमी का पूत नहीं मिला, तीसरी बस्तीमें पहुंचनेपर तीन सवार मिले। खबारोफने बहुत समझानेकी कोशिश की, कि हम केवल शांतिके साथ व्यापार करनेके लिये आये हैं; लेकिन जैसे ही सवार लोगको पता लगा, कि यह उन्हीं सत्यानाशी बर्बरोंमेंसे हैं, तो वह भाग चले। खबारोफके आदमी तीन दिनतक व्यर्थ ही उनका पीछा करते रहे। पांचवें जनशून्य गांवमें एक बुढ़िया मिली। पता लगानेके लिये उसे बहुत सासत दी, लेकिन बुढ़ियाने जो बातें बतलाईं, वह पीछे झूठ निकलीं। अन्तमें खबारोफको खाली हाथ ही इर्कुत्स्क लौटना पड़ा, तो भी वह वोयवोदको यह समझा सका, कि यदि आमूर-प्रदेशको जीता जाय, तो वहांसे काफी अनाज मिल सकता है।

खबारोफ इर्कुत्स्कमें उतने ही समय तक ठहरा, जितनेमें रसद और हथियार-सहित एक अच्छे दलको संगठित करके वह फिर अपने कामको शुरू कर सके। अबकी बार वह आगे बढ़ते हुये अलबाजीन पहुंचा। वहांके दौरी लोगोंने एक दिन दोपहरसे शामतक लड़ाई की, लेकिन तोपों और बन्दूकोंके सामने तीर-धनुष क्या कर सकते थे? खबारोफने अलबाजीनको अपना केन्द्र बना जल्दी-जल्दी उसे किलाबन्द किया और पड़ोसके गांव गुइगुदारपर एकाएक आक्रमण करके लोगोंको रूसका करद बनाया। गुइगुदारोंकी अवस्था देखकर दूसरे लोगोंने भी अधीनता स्वीकार करनेमें ही भलाई समझी। एक-एक आदमीसे कई-कई बार कर वसूल किया गया। इसकी शिकायत करनेपर खबारोफने लोगोंको इकट्ठा होकर बात करनेके लिये बुलाया। तीन सौ आदमियोंकी सभामें खबारोफने उनसे सारी बातें पूछीं। इसके बाद कुछ समयतक रूसियोंका बर्ताव वहांके लोगोंके साथ मित्रतापूर्ण रहा। दौरी रूसियोंके डेरोंमें आते, रूसियोंको भी अपने घरोंमें निमंत्रित करके काफी रसद-पानी देते। खबारोफको अब उनपर विश्वास हो गया था, लेकिन एक दिन सबेरे ही उठनेपर उसने देखा, कि सभी दौरी अपना गांव छोड़कर भाग गये हैं। जाड़ेका मौसिम था, बहुत दूरतक दौड़-धूप नहीं की जा सकती थी, आहार भी काफी नहीं था। खबारोफके दलके लिये आगे बढ़नेके सिवा दूसरा रास्ता नहीं था। अपनी नावोंमें चढ़ आमूरके नीचेकी ओर चलते अचनी नामक मछुओंके इलाकेमें पहुंचकर उन्होंने डेरा डाल दिया। स्थानीय लोगोंका प्रतिरोध व्यर्थ था।

चीन-दरबारमें की गई पुकारकी अब सुनवाई हुई, और एक चीनी सेना रूसियोंके विरुद्ध भेजी गई। आरम्भमें चीनियोंने सफलता पाई, लेकिन सम्राट्ने अपने जेनेरलको हुक्म दिया था, कि रूसियों-को बिना मारे बंदी बनाना चाहिये। इससे खबारोफके आदमियोंको सुविधा मिल गई, और उन्होंने चीनियोंको पीछे हटनेके लिये मजबूर किया। खबारोफके मुट्ठीभर आदमी कितने दिनोंतक लड़ते रहते? अन्तमें चीनियोंने अलबाजीनके किलेको सर करके उसे नष्ट कर दिया, जिसे सालभर बाद रूसियोंने फिर बना लिया, और तब चीनियोंकी तोपोंने प्रायः सालभर तक व्यर्थ ही उसे सर करनेका प्रयत्न किया।

१६५४ ई०में खबारोफकी जगह स्तेपानोफ नियुक्त किया गया। वह सुंगरी नदीके नीचेकी ओर बढ़ते हुये उसी सालके मई महीनेमें एक चीनी सैनिक टुकड़ीसे मिला। दोनों ओरसे गोला-गोली

चले। चीनियोंके जबरदस्त प्रहारसे रूसी नावोंपर चढ़कर नीचेकी ओर भागे। चीनियोंने नदीतटके निवासियोंको गांव छोड़कर देशके भीतर चले आनेके लिये कहा, जिसमें रूसी सैनिक उन्हें तकलीफ न दे सकें, और स्वयं आहारसे वंचित हो भूखे मरें। बीचके समयमें चीनी दूसरी लड़ाईकी तैयारी करते रहे। ३० जून १६५८ ई०में सुंगारी नदीके मुहानेपर फिर लड़ाई हुई। इस युद्धमें दो सौ सत्तर आदमियोंके साथ स्तेपानोफका पता नहीं लगा, और करीब उतने ही कसाक पहाड़ोंमें भाग गये। अब उनका काम चोरी-डकैती (कज़ाकी) करना रह गया। इस लड़ाईके बाद नेर्चिन्स्कतक आमूकी धारा शत्रुके खतरेसे मुक्त हो गई। चीनियोंने निश्चित हो अपनी सेना लौटा ली। लेकिन इसी समय नेर्चिन्स्कको मदद मिली। इलिम्स्कके कसाक अपने वोयवोदको मारकर भाग गये और उन्होंने पहाड़के परले पार सखालिन और यालुम नदियोंके संगमपर अलबाजीनका किला बनाया, जिसे चीनी और तातार याकसा कहते थे। अलबाजीनके ये कसाक अपनी शक्ति और इलाकेको बराबर बढ़ाते जगह-जगह गढ़ियोंको कायम करके दौरी और दुचेरी लोगोंसे कर उगाहने लगे।

१६८३ ई०में अलबाजीनके कसाकोंने बीस चीनी शिकारियोंको जीते-जी गाड़ दिया। यह खबर सुनकर चीन सरकार बहुत नाराज हुई। उसने एक चीनी सेना भेजी, जिसने १२ जून १६८५ ई०में अलबाजीनको घेरकर वहां चीनका झंडा गाड़ दिया। चंद ही दिनोंके प्रतिरोधके बाद अलबाजीनियोंने आत्म-समर्पण किया। किलेको बिल्कुल तोड़ दिया गया। चीनी सेना वहांसे अयहून गई। उनके जानेके बाद कसाकोंने लौटकर जाड़ोंमें अलबाजीनको फिरसे तैयार कर लिया। चीनी सेना फिर अयहूनसे आई, और उसने ७ जुलाई १६८६ ई०में दूसरी बार अलबाजीनका मुहासिरा किया। इसी समय रूससे एक प्रतिनिधिमंडल आया, जिसने सम्राट् खाङ्-सी (शेङ्-चू १६६१-१७२३ ई०) से जारकी ओरसे निवेदन किया, कि ज़ार युद्धसे नहीं शांतिके साथ मामलेका फैसला करना चाहते हैं। खाङ्-सीने निवेदनको स्वीकार करके मुहासिरेको उठा लेनेका हुक्म दे दिया। यही समय था, जब कि एलियोत (ओयरोत) और खलखा मंगोलोंके बीचमें रूसी सीमांतके पास लड़ाई हो रही थी। चीनियोंने रूसी अधिकारियोंके पास पत्र भेजकर शिकायत की, कि रूसी सीमांतके लोग हमारे यकसा और चूनिपचूको लूटते-मारते, तथा चीनी शिकारियोंके साथ बुरा बर्ताव करते हैं। उन्होंने यकसाके वोयवोद अलेक्सीपर इल्जाम लगाया, कि उसके दुर्व्यवहारोंसे मजबूर होकर जेनेरलको यकसा मुहासिरा करना पड़ा, जिसमें यकसाको अन्तमें आत्मसमर्पण करना पड़ा। पत्रमें आगे लिखा गया था :—

"तो भी परमभट्टारकने यह समझकर रूसियोंके साथ उनके पदके अनुसार बर्ताव करनेके लिये आज्ञा दी, कि रूसी राजुल वोयवोदके कामको नहीं पसंद करेंगे। यही वजह है, जो यकसाके एक हजार रूसी सैनिकोंको बंदी बनानेके बाद उनके साथ कोई बुरा बर्ताव नहीं किया गया, बल्कि जिनके पास घोड़े, हथियार या रसद नहीं थी, उन्हें यह चीजें देकर इस घोषणाके साथ लौटा दिया, गया, कि हमारे सम्राट् युद्ध पसंद नहीं करते, वह अपने पड़ोसियोंके साथ शांतिपूर्वक रहना चाहते हैं। परमभट्टारककी इस उदारतासे अलेक्सीको बहुत आश्चर्य हुआ, और उसने आंखोंमें आंसू भरकर कृतज्ञता प्रकट की।"

कुछ समयतक बातचीत करनेके बाद सम्राट् खाङ्-सीने रूसी और चीनी प्रतिनिधियोंको मिलकर बात करनेके लिये निपचू स्थान निश्चित किया। ३१ जून १६७९ ई०को चीनी प्रतिनिधिमंडल क्या सेना-मंडल निपचू पहुंचा, जिसमें अफसर, सिपाही और नौकर-चाकर लेकर नौ-दस हजार आदमी, तीन-चार हजार ऊंट और कम-से-कम पंद्रह हजार घोड़े थे। वोयवोदने शिकायत की, कि चीनी सुलह नहीं लड़ाई करनेके लिये आये हैं और रूसी दूतमंडलने १८ जुलाईतक यह कहते हुये आनेसे इन्कार कर दिया, कि दोनों तरफके आदमी समान संख्यामें होने चाहिये। अंतमें चीनियोंने निम्न बातें कहकर समझौता किया : रूसी भी उतनी ही संख्यामें आ सकते हैं, लेकिन बैठकके समय प्रतिनिधियोंको तलवार छोड़कर दूसरा कोई हथियार साथ नहीं लाना चाहिये। धोखा न किया जाय, इसके लिये रूसियोंकी तलाशी चीनी, और चीनियोंकी तलाशी रूसी लेवें। बड़े-छोटेका ख्याल हटानेके लिये दोनों राजदूतोंका तम्बू एक दूसरेसे सटा रहे, जिसमें वह अपने-अपने तम्बूमें बैठकर बातचीत कर सकें।

समझौतेके लिये एकत्रित यह सम्मेलन वस्तुतः दोनों राज्योंके वैभवका प्रदर्शन था। रूसी तम्बू बहुत साफ-सुथरा था। उसके भीतर तुर्की कालीन बिछा हुआ था। चीनी तम्बू अपेक्षाकृत सादा था, जिसके बीचमें एक लम्बी बेंच रक्खी हुई थी। जब दोनों राजदूत अपने तम्बुओंमें पहुंचे, तो रंगीन ध्वजा-पताकायें फहरा रही थीं, नगारे बज रहे थे। रूसी दूतने पहले घोड़ेसे उतरकर कुछ कदम आगे बढ़कर चीनी राजदूतसे पहले तम्बूमें पधारनेके लिये प्रार्थना की। बीचमें एक मेज रखकर दोनों राजदूत आमने-सामने बेंचोंपर बैठ गये। अनुचर खड़े रहे, और दुभाषिये मेजके छोरपर बैठे। बैठनेके बाद बातचीत शुरू हुई। दोनों ओरसे इतनी बढ़-चढ़कर मांगें पेश की गईं, कि उनमेंसे कोई उन्हें मान नहीं सकता था। गरविलोन चीनी दूतमंडलका दुभाषिया था। उसके कहनेके मुताबिक "बस इतना ही बढ़े कि दो कदम पीछे हटे।" कई दिनोंतक मोल-भाव होता रहा। ऐसा मालूम होने लगा, कि संधि-वार्ता भंग हो जायगी, लेकिन अन्तमें किसी तरह समझौता हुआ। ६ सितम्बरको संधिपत्रका अन्तिम मसौदा तैयार करके ऊंचे स्वरसे पढ़ा गया, और फिर मुहर और हस्ताक्षर करके दोनों पक्षोंको एक-एक प्रति दी गई। ९ सितम्बर १६८९ ई०को अन्तमें "दोनों पक्षोंके मुख्य प्रतिनिधियोंने खड़े होकर संधिपत्रकी प्रतिको हाथमें ले अपने-अपने प्रभुओंके नामसे, सारे संसारके प्रभु सर्वशक्तिमान् भगवान्की शपथ लेकर अपने मनकी ईमानदारीका प्रदर्शन किया।" इसके बाद दोनों ओरसे भेंटें दी गईं। युरोपके किसी राज्यसे बिल्कुल समानताके तलपर की गई चीनकी यह पहली संधि थी।

साइबेरियामें विद्रोह—बहुत थोड़े समयके भीतर ही रूसियोंने उरालसे अखोत्स्क समुद्र तककी भूमिपर अधिकार कर लिया था। रूसी अफसर साइबेरियाके निवासियोंपर भारी कर लगाने लगे, उधर रूसी व्यापारी सस्ती शराब पिलाकर मिट्टीके मोल बहुमूल्य समूरी छालोंको लोगोंसे छीनने लगे। लोग विद्रोह करनेके लिये मजबूर होते, दबाये जाते, लेकिन कुछ वर्षों बाद फिर उठ खड़े होते। एक बार वह याकुत्स्क नगरको नष्ट करनेमें करीब-करीब सफल हो गये थे। बुर्यत मंगोल और एवेंकी हथियार रखनेके लिये तैयार नहीं थे। जार अलेक्सीके शासनकालमें पश्चिमी साइबेरियामें भी एक जबरदस्त विद्रोह हुआ था।

साइबेरियामें रूसी बस्तियां—रूससे अखोत्स्क पहुंचनेमें एसियाके सबसे चौड़े उत्तरी भागको आरपार करना पड़ता है। यह प्रदेश इतना सर्द है, जिसके सामने रूसकी सर्दी लड़कोंका खिलवाड़ है; लेकिन तो भी १७वीं सदीमें व्यापार और शिकार रूसियोंको उधर खींच ले गये। सरकार सैनिकोंके साथ कितने ही दूसरे लोगोंको भी वहां भेजने लगी। थोड़े ही समय बाद सरकारने समझा, कैदियोंको वहां भेजकर बसाना अच्छा है। हमें मालूम है, आस्ट्रेलियाको भी बसानेके लिये पहले अंग्रेज कैदी ही भेजे गये थे—वह अंग्रेज कैदियोंके लिये कालापानी बना था। बायरों और अमीरोंके लिये विद्रोही गरीबोंसे पिंड छुड़ानेका यह अच्छा मौका था। दूसरी तरफ अपने प्रभुओंके अत्याचारोंसे पीड़ित कितने ही किसानोंने भी मुक्त हवामें सांस लेनेके ख्यालसे साइबेरियामें प्रवास करना शुरू किया। पहले वह उरालतक पहुंचे, फिर आगे बढ़ने लगे। साइबेरियामें जगह-जगह किलाबंदी करके बहुतसे सैनिकोंको रखना पड़ता था। उनके लिये अन्न भी एक समस्या थी, क्योंकि साइबेरियाके अधिकांश कबीले अभी शिकारी अवस्थामें थे, खेतीको एक तरह वहां नये तौरपर शुरू करना था। जो किसान साइबेरिया जाते, उन्हें मुफ्त भूमि मिलती, और बीज-रुपया उधार दिया जाता। इसके बदलेमें वह "प्रभुके लिये" एक निश्चित मात्रामें खेती करके अनाज सरकारको दे देते। रूसके किसानों और साइबेरियाके किसानोंमें यही अन्तर था, कि यहां वह किसी जमींदारके लिये नहीं, बल्कि जारके लिये काम करते थे। किसानोंके अतिरिक्त बहुतसे रूसी व्यापारी भी आकर साइबेरियामें बस गये, जिनमेंसे कितनोंने अपनी खेती-बारी कायम कर ली और कुछ सैनिक सेवामें भी दाखिल हो गये। इस तरह १७वीं सदीके अन्ततक अर्थात् औरंगजेबके अन्तिम वर्षोंतक साइबेरियामें जगह-जगह रूसी बस्तियां और गांव बस गये थे। रूसियोंने साइबेरियामें उत्पादनको बढ़ाकर औरोंको भी बहुत प्रोत्साहन दिया। धीरे-धीरे खेतीका प्रसार बढ़ा और १७वीं सदीके अन्ततक पश्चिमी साइबेरियाके दक्षिणी जिले कृषिप्रधान हो गये। रूसी प्रवासियोंने एसियाके उत्तरी भागकी खोज-पड़तालमें बहुत काम किया। उन्होंने वहां लोहेकी धुनों, और नमककी खानोंका पता लगाकर काम शुरू

किया। रूसी यात्रियोंने अपने यात्रा-विवरण तथा साइबेरियाके नक्शे प्रकाशित किये। रूसी सरकारके लिये साइबेरिया अर्थागमका एक बहुत ही महत्त्वपूर्ण स्रोत था। वहांकी बहुमूल्य समूरी छालोंकी पश्चिमी युरोप, चीन और ईरानमें बड़ी मांग थी। इस आमदनीसे सरकार अपने सैनिक खर्च और नौकरोंके वेतनोंको देनेमें समर्थ थी।

३. फ्योदोर, अलेक्सी-पुत्र (१६७६–८२ ई०)

जार अलेक्सीके मरनेके बाद उसका पुत्र फ्योदोर गद्दीपर बैठा। इसने दो बार ब्याह किया, जिसमें पहली स्त्री मीलोस्लाव्स्की-कुलकी कन्यासे उसकी सोफिया आदि कई लड़कियां तथा दो पुत्र फ्योदोर और इवान हुये। मरनेसे थोड़ा समय पहले जार अलेक्सीने नारुश्किन कुलकी कन्या नतालिया किरिलोब्नासे ब्याह किया। नतालिया जारके एक कृपापात्र बायर अर्तमान मत्वयेफ परिवारमें पाली-पोसी गई थी, जहां उसे पश्चिमी संस्कृतिके घनिष्ठ संबंधमें आनेका मौका मिला था। मत्वयेफका घर युरोपीय ढंगसे सजा रहता था। उसके पास युरोपीय अभिनेताओंकी एक मंडली थी। १६७२ ई० में नतालियाको एक पुत्र पैदा हुआ, यही पीछे महान् जार पीतर I हुआ। अलेक्सीके मरनेके बाद फ्योदोर जब गद्दीपर बैठा, तो उसकी उम्र चौदह वर्षकी थी। वह मस्तिष्क और शरीरका बड़ा ही दुर्बल बालक था। जारके अन्तिम समयमें नतालियाके संबंधके कारण नारुश्किनोंका प्रभाव बढ़ गया था, लेकिन फ्योदोरके मातृ-कुलके होनेसे मीलोस्लाव्स्कियोंने अधिकार अपने हाथमें संभाल लिया। पश्चिमी युरोप और बाहरी देशोंके प्रथम प्रभावके परिणामस्वरूप १६८७ ई०में मास्कोमें प्रथम स्थायी शिक्षण-संस्था "स्लावानिक-ग्रीक-लातिन-अकदमी"के नामसे स्थापित हुई।

नारुश्किन इसे बर्दाश्त करनेके लिये तैयार नहीं थे, कि मीलोस्लाव्स्की दरबारमें सर्वेसर्वा हो जायें। आखिर उनका भी नाती जार-पुत्र पीतर था। जार फ्योदोर १६८२ ई० में निस्संतान मर गया, उसके उत्तराधिकारी उसके दो भाई—सहोदर इवान तथा सौतेला पीतर थे। इवान यद्यपि उमरमें बड़ा, लेकिन दिमागसे बहुत कमजोर था। फ्योदोरके शासनकालमें मीलोस्लाव्स्कियोंने जो मनमानी की थी, उसके कारण वह अप्रियसे हो गये थे, इसलिये जारके जीवित-कालमें ही उन्होंने नारुश्किनोंके साथ मैत्री स्थापित की। जैसे ही जार फ्योदोर मरा, महासंघराज और बायरोंने छोटे जारकुंमार पीतरको जार घोषित कर दिया। महलके सामने जमा हुई भीड़ने बड़ी हर्ष-ध्वनिसे इसका स्वागत किया, लेकिन मीलोस्लाव्स्की कुल इसे माननेके लिये तैयार नहीं हुआ। उन्होंने स्त्रेल्त्सी (सैनिकों)को भड़काया, जिनको कि काफी समयसे वेतन नहीं मिला था। ५ मई १६८२ ई० को स्त्रेल्त्सी बहुतसी तोपें अपने अधिकारमें कर झंडा लिये नगाड़ा बजाते क्रेमलिनके भीतर घुस गये। लोगोंने हल्ला उड़ाया, कि नारुश्किनोंने इवानको मार डाला, इसपर पीतरकी मां नतालियाने दोनों भाइयों—इवान और पीतरको लाकर खिड़कीपर खड़ा किया। लेकिन स्त्रेल्त्सियोंका क्रोध शांत नहीं हुआ। वह महलके भीतर घुस गये, और सबसे पहले जिस आदमीको उन्होंने खतम किया, वह था नारुश्किनोंका मुखिया राजुल दोल्गोरुकी। शामतक बायरोंको पकड़-पकड़कर वह मारते रहे। वह बायरोंको घसीटते हुये सैनिक मजाक उड़ाते थे—"यह बायर लरमोदानोव्स्की हैं, दूमाके सदस्यके लिये रास्ता दीजिये।" मारे गये आदमियोंमें बायर अर्तमान मत्वयेफ और जारानीके दो बड़े भाई भी थे। अन्तमें जारानीने स्त्रेल्त्सियोंके पैंतीस वर्षके बाकी वेतनको देनेका वचन दिया और उनके आग्रहपर इवान और पीतर दोनोंको संयुक्त जार घोषित किया गया—इवानको प्रथम जार माना गया। उनकी नाबालिगीके समय राजभगिनी सोफिया संरक्षिका घोषित की गई।

सोफियाका शासन—सोफियाका सबसे घनिष्ठ मित्र "प्रथम मंत्री" राजुल वासिली गोलित्सिन उस कालके सबसे सुशिक्षित बायरोंमें से था। वह चाहता था, कि देशमें नये सुधार किये जायं। लेकिन, अभी रूसको पोलंदसे निबटना था। इसी समय तुर्कीके साथ पोलंदका वैमनस्य बढ़ा, जिससे उसे रूसके साथ समझौता करनेके लिये मजबूर होना पड़ा। तुर्कीके विरुद्ध पोलंद और वेनिस (इताली) को मदद देनेके लिये आस्ट्रियाने संधि की थी। तुर्कीके साथ युद्ध छिड़ा हुआ था। मित्र-शक्तियोंने वीनामें तुर्कीकी सेनाको हराया, और सुल्तानको आस्त्रियन राजधानीका मुहा-

सिरा उठाना पड़ा। अभी भी तुर्कीको पूरी तरह दबाया नहीं जा सका था, इसलिये मित्र-शक्तियोंको रूसकी सहायताकी अवश्यकता पड़ी। इस प्रकार १६८६ ई० में पोल-राजाने मास्को अपना दूतमंडल भेजा, और कुछ समयकी बातचीतके बाद दोनों देशोंमें "सनातन" संधि हो गई। पोलंदने कियेफ और उसके पासके थोड़ेसे इलाकेको रूसको देना स्वीकार किया और रूसने तुर्की सुल्तानके सामन्त क्रिमियाके खानसे तुरंत लड़ाई छेड़नेका वचन दिया। १६८७ ई० में राजुल वासिली गोलित्सिनके अधीन पहली रूसी सेनाने क्रिमियापर आक्रमण किया, लेकिन उसे पूर्णतया असफल होकर लौटना पड़ा। फिर १६८९ ई० के बसंतमें और भी बड़ी सेनाके साथ गोलित्सिन तातारोंके किले पेरकोफ पर पहुंचा, जिसे तातारोंने क्रिमियाके स्थलडमरूमध्यके सबसे संकरे स्थानपर बनाया था। गोलित्सिन इस किलेको नहीं ले सका, और फिर उसे लौटना पड़ा। इतना धन और प्राण गंवाकर असफल होनेका परिणाम सोफियाकी सरकारके लिये अच्छा नहीं हुआ। लोगोंने खुलकर असंतोष प्रकट करना शुरू किया।

४. इवान VI, अलेक्सी-पुत्र (१६८२–९६ ई०)

यद्यपि इवान और पीतर दोनों संयुक्त जार घोषित हुये थे, लेकिन संरक्षिका सोफिया इवानकी सहोदरा थी, इसलिये एक तरहसे शक्ति उसके हाथमें होनेसे पीतर उपेक्षितसा था। अपनी मांके साथ उपनगरमें पीतरका समय अधिकतर प्रेयोब्रजेन्स्कोयके महलमें बीतता था। वहां जंगलोंमें वह अपने लंगोटिया यारोंके साथ सिपाहियोंका खेल खेला करता। वह मिट्टीके छोटे-छोटे किले बनाते, फिर उसपर आक्रमण करनेका दाव-पेंच लगाते। कुछ सालों बाद पीतरने अपने साथियोंकी दो नकली पलटनें बनाईं, जिनमेंसे एकका नाम उसने प्रेयोब्रजेन्स्की रक्खा और दूसरेका नाम सेमओनोव्स्की—ये दोनों गांव पास-पासमें थे। एक बार अपने दादाकी चीजोंमें पीतरको एक पालवाली विदेशी नाव मिली। पीतरने अब उसे लेकर नौचालनका खेल शुरू कर दिया। मास्कोके एक विदेशी निवासी ब्रांटने उसे नौ-संचालन-की शिक्षा दी। ब्रांट पहले नौसेनामें रह चुका था। मास्कोके पास बहनेवाली नदी यउजा (यौजा) छोटी थी, इसलिये पीतर अपनी नावको लेकर इज्मांइलोवोके तालाबमें पहुंचा। लेकिन वह भी नावके मोड़ने-माड़नेके लिये पर्याप्त नहीं था, इसलिये पीतर अब मांकी आज्ञा लेकर पेरेया-स्लाव्लके बड़े सरोवरमें गया। उसकी बहिन सोफिया पीतरके इन सैनिक खेलोंमें लगे रहनेको पहले पसंद करती थी, क्योंकि इस प्रकार वह दरबारके षड्यंत्रोंकी ओर ध्यान नहीं दे सकता था; लेकिन आयुके बढ़नेके साथ-साथ पीतरके नकली सैनिक असली होते जा रहे थे। पीतर सत्रह वर्षका हो गया था। उसके लड़कपनके खेलकी दोनों पलटनें अब युरोपीय ढंगपर शिक्षित मास्कोकी पलटन बन गई थीं। सोफियाको जब खतरेका पता लगा, तो उसने रास्तेके इस कांटेको अलग करना चाहा। उसने अपनेको कागज-पत्रोंमें "परमशासक" लिखना शुरू किया। वह स्त्रेल्त्सियोंको अपनी ओर मिलानेके लिये उनको भोज-भाज देने लगी। पीतर और सोफियाके संबंध बिगड़ते गये। अन्तमें अगस्त १६८९ ई० की एक रातको पीतरको खबर लगी, कि सोफिया आक्रमण करनेके लिये स्त्रेल्त्सियोंको तैयार कर रही है। पीतर तुरन्त घोड़ेपर सवार हो त्रोयत्स्क-सेर्गियेफके दुर्गबद्ध मठमें पहुंचा। वहींपर उसकी "नकली" पलटन जमा हो गई और एक स्त्रेल्त्सी पलटनके साथ कितने ही अमीर और कुछ बायर भी आ मिले। स्त्रेल्त्सियोंके भड़कानेका सोफियाका सारा प्रयत्न विफल हुआ। पीतरके समर्थकोंकी संख्या दिनपर दिन बढ़ती गई, और महीने बाद शक्ति पीतरके हाथमें आ गई। सोफियाको मठमें साधुनी बनके रहनेके लिये मजबूर होना पड़ा, और उसके सहायक राजुल वासिली गोलित्सिनको उत्तरमें निर्वासित कर दिया गया।

५. पीतर I, अलेक्सी-पुत्र (१६९६–१७२५ ई०)

औरंगजेबके शासनके अन्तके साथ हम भारतके इतिहासको आधुनिक इतिहासके रूपमें बदलते नहीं देखते, लेकिन पीतरके शासनके साथ रूस आधुनिक जगत्में प्रवेश करता है। जैसा कि पहले कहा गया, १६८२ ई० में अपने भाई इवानके साथ पीतर भी संयुक्त जार घोषित हुआ। असली राजशक्ति

को हाथमें लेनेमें वह १६८९ ई० में सफल हो गया था, तो भी अभी उसका भाई इवान १६९६ ई० तक जारके तौरपर मौजूद रहा। पीतरकी मां ऐसे परिवारकी कन्या थी, जिसमें पश्चिमी युरोपके फैशन बहुत कुछ स्वीकृत किये जा चुके थे। मास्कोमें कितने ही पश्चिमी युरोपके व्यापारी, विद्वान् और शिल्पी रहते थे, जिनके मुहल्लोंमें भी पीतर जाया करता था। पश्चिमी युरोपमें उस समय ज्ञान-विज्ञानकी रोशनी फैलने लगी थी, आधुनिक युद्धकला तथा सामरिक यंत्रोंका विकास हो रहा था। पीतर जैसे प्रतिभाशाली तरुणको साफ मालूम होने लगा, कि रूसको महान् बनानेके लिये हमें पश्चिमी युरोपसे बहुतसी बातें सीखनी होंगी। उनके सीखनेके लिये सिर्फ बादशाही हुक्मसे काम लेना बेकार समझ, वह स्वयं आस्तीन समेटकर सीखनेके लिये दिलोजानसे कूद पड़ा। पीतरके शासनके प्रथम अठारह वर्ष औरंगजेबके अन्तिम वर्ष थे। यह भी उल्लेखनीय बात है, कि पीतरका दूत भारत आकर औरंगजेबसे सूरतमें मिला था। पीतर रूसको जहां एक सुसंगठित शक्तिशाली राष्ट्रके रूप में बड़े तेजीसे परिणत कर रहा था, वहां हिन्दुस्तानी औरंगजेबका काम उससे बिल्कुल उलटा था। पीतर ज्ञान-विज्ञान और सहिष्णुता द्वारा रूसका एकीकरण कर रहा था, और औरंगजेब धर्मान्धता द्वारा मुस्लिम साम्राज्य स्थापित करनेके प्रयत्नमें राष्ट्रको छिन्न-भिन्न कर रहा था। औरंगजेबकी अदूरदर्शिताका फल भारतने १७०७ से १९४७ ई० तक भोगा। यही समय है, जब कि पीतरकी जमाई नींवपर रूस दुनियाका अत्यन्त शक्तिशाली राष्ट्र बन गया। यह आश्चर्य करनेकी बात नहीं है, यदि बोल्शेविक पीतरकी प्रशंसा करते नहीं थकते। वस्तुतः वह रूसके सर्वश्रेष्ठ राष्ट्र-निर्माताओंमें से था।

बहिन सोफियाके शासनके खत्म होनेके बाद पीतरकी मां नतालिया अभिभाविका बनी। पीतरने मांके काममें दखल देना पसंद नहीं किया। वह अपने सैनिक खेलको और गम्भीरताके साथ खेलता रहा। अपने सहायकोंकी मददसे एक युद्धपोत बनाकर उसने पेरेयास्लाव्ल सरोवरमें उतारा। थोड़े ही दिनों बाद वह उसे लेकर ध्रुवकक्षीय अर्खंगल्स्कमें गया, जहांपर पश्चिमी युरोपके बड़े-बड़े जहाज आया करते थे। यहां पहलेपहल उसने उन जहाजोंको देखा, जो कि महासमुद्रोंको चीरते दुनियाके दूर-दूरके देशोंमें जाया करते थे। उसका जिज्ञासु हृदय उन्हें देखकर न जाने किन-किन कल्पनाओंमें लीन हो गया। वहींपर एक पुराने स्काट जेनरल पेट्रिक गोर्डनसे उसने परिचय प्राप्त किया। गोर्डनने उसे अपने सामुद्रिक युद्धोंकी बातें सुनाईं। डच टिमरमानसे वह यहीं गणित और तोप चलानेका ज्ञान प्राप्त करने लगा। प्रतिभाशाली होनेके कारण थोड़े ही दिनोंमें वह अपने शिक्षककी भी गलतियां निकालने लगा। पीतरकी यह प्रथम तैयारी थी। वह क्रिमियासे गोलित्सिनकी असफलताओंका बदला लेना चाहता था। रूसने आस्ट्रिया और पोलंदके साथ हो तुर्कीसे लड़नेके लिये संधि की थी, किन्तु उसने अभी उसमें पूरा मनोयोग नहीं दिया था। अजोफके किलेके बारेमें क्रिमियाके खानसे बातचीत चली, लेकिन उसने उसे देनेसे साफ इन्कार कर दिया। अजोफ किलेमें इस समय तुर्कीकी सेना रहती थी। उसपर बिना अधिकार किये रूसी दोन द्वारा कालासागरमें नहीं पहुंच सकते थे। पीतरने अब अपने खेलोंको छोड़कर वास्तविक युद्धमें उतरनेका निश्चय किया। १६९५ ई० के बसंतमें तीस हजार सेना लेकर नावों द्वारा वह ओका नदीसे वोल्गा होकर जहां वोल्गा और दोन एक दूसरेके बहुत नजदीक होती हैं, (जहां पर १९५२ ई० में वोल्गो-दोन नहर जारी की गई है) वहां नावोंको कंधोंपर उठाकर दोन नदीमें पहुंचाया गया। इसी समय पीतरने अपने एक पत्रमें लिखा था—"कोजुकोफमें हमें बड़ा आनन्द आया था (यहीं मास्कोके उपनगरमें पीतरने सैनिक प्रदर्शन किये थे), और अब हम खेलके लिये अजोफ जा रहे हैं।" अभी पीतरके पास युद्धपोत नहीं थे, इसलिये वह समुद्रकी ओरसे किलेको नहीं घेर सकता था। तुर्की सेनाको कुमक मिलनेमें कोई दिक्कत नहीं थी। उन्होंने शरद् आरम्भ होते-होते रूसियोंपर इतने जोरका प्रहार किया, कि उन्हें अजोफका मुहासिरा उठा लेना पड़ा।

इस हारने पीतरके लिये बड़ी शिक्षाका काम दिया। उसने अनुभव किया, कि बिना नौसेना के काम नहीं चल सकता, इसलिये सारे जाड़ोंमें वह सैनिक पोतोंके निर्माण करनेमें दिलोजानसे पिल पड़ा। वोरोनेज नदीके किनारे दोनके संगमसे नातिदूर बंज, देवदारके जंगलोंके नजदीक रहनेसे वहीं पोतोंका निर्माण किया जाने लगा। इस काममें पीतर स्वयं अपने हाथसे आरे खींचने और बसूला चलानेमें

भी पीछे नहीं रहता था। जारकी इतनी तत्परता देखकर दूसरोंमें क्यों न उत्साह होता? जाड़ा खतम हो १६९६ ई० का बसंत आया। इसी समय अजोफके पास रूसियोंका एक बहुत बड़ा जहाजी बेड़ा देखकर तुर्कोंको बहुत आश्चर्य और उससे भी अधिक परेशानी हुई। यह कहने की अवश्यकता नहीं, कि अभी वाष्प-इंजनोंका युग नहीं था। तुर्की सैनिक बेड़ेमें लड़नेकी हिम्मत नहीं थी। पीतरने जल और स्थल दोनों मार्गोंसे अजोफके किलेको घेर लिया। कान्स्तन्तिनोपोलसे कोई मदद नहीं मिली, इसलिये ग्रीष्म के अन्ततक तुर्कोंने आत्मसमर्पण कर दिया। लेकिन पीतर जानता था, कि अजोफ ले लेनेसे ही काम नहीं चलेगा। कालासागरके तटपर तुर्कोंके और भी कितने ही सैनिक अड्डे थे। अभी तक अधकचरा ज्ञान रखनेवाले युरोपीय लोगोंसे पीतरने पश्चिमी युरोपकी बातें सीखी थीं, इसलिये वह स्वयं वहां जाकर सीखनेके लिये तैयार हो गया।

मां राजकाज संभाले हुई थी, इसलिये देशमें पीतरकी उतनी अवश्यकता नहीं थी। मुस्लिम तुर्कोंके विरुद्ध पश्चिमी युरोपके राज्योंसे घनिष्ठ संबंध स्थापित करनेके उद्देश्यसे मास्कोने एक महादूत-मंडल भेजा, जिसमें भेस बदलकर पीतर स्वयं शामिल हो गया। वह वहांसे अपने साथ विशेषज्ञों, इंजीनियरों, तोपचियों आदिको लाना चाहता था। १६९७ ई० में दूतमंडल मास्कोसे चला था, जिसके साथ पीतर मिखाइलोफके नामसे एक साधारण जहाजी भी था। उसकी मंशा युरोपकी सभी बातोंको गंभीरतासे सीखनेकी थी। पीतरने पीछे अपनी मुहरमें खुदवा रक्खा था—"मैं गुरुओंकी खोजमें रहने वाला विद्यार्थी हूं।" औरंगजेब और पीतरके अन्तरको यहां हम साफ देख सकते हैं। दूतमंडलके पहले ही पीतरने कोइनिग्सबर्ग नगरमें पहुंच तोप चलानेकी कला सीखी। वहांसे फिर वह हालैण्डके सारडम नगरमें पहुंचा, जो कि अपने पोत-निर्माणके कामके लिये बहुत प्रसिद्ध था। पीतर एक साधारण लोहारके घरमें बसकर मामूली बढ़ईकी तरह जहाजी कारखानेमें काम करने लगा, लेकिन वह अधिक दिनोंतक अपनेको छिपा नहीं सका। बहुतसे डच-व्यापारी रूस गये हुये थे, उनकी आंखें साढ़े छ फुटके तगड़े जवानको देखकर कैसे चूक सकती थीं? लोगोंसे बचनेके लिये पीतर वहांसे आम्स्टर्डम चला गया, और वहां एक सबसे बड़े जहाजी कारखानेमें काम करने लगा। यह एक-दो दिनके दिखावेका काम नहीं था। पीतर चार महीनेतक आम्स्टर्डममें काम करता रहा, तबतक जबतक कि जिस जहाज के निर्माणमें वह स्वयं भी काम कर रहा था, वह पानी में नहीं उतार दिया गया। जहाजमें काम करनेके समयके बाद वह दूसरे कारखानों, मिस्त्रीखानों और म्युजियमोंमें जाता, डच वैज्ञानिकों और कलाकारों के साथ बातचीत करता। हालैण्डसे पीतर इंगलैण्ड गया। वहां उसने वहांकी शासन-व्यवस्थाका अध्ययन किया। वह एक बार पार्ल्यामेंटके अधिवेशन को भी देखने गया। दो महीनेतक टेम्सतटपर डेप्टफर्डके कारखानेमें पोत-निर्माणकी कलाको व्यवहारिक तौरसे सीखता रहा।

समकालीन भारतमें क्या हम किसी ऐसे मुगल युवराज या शाहजादेको देख सकते थे? पीतर अपने और अपने देशके बारेमें 'होनहार बिरवानके होत चीकने पात' की कहावतको सिद्ध कर रहा था।

इंगलैण्डसे पीतर आस्ट्रियाके सम्राट्के साथ सैनिक संधिके बारेमें बातचीत करनेके लिये आस्ट्रिया गया। इस सारे पर्यटनसे महादूतमंडलको मालूम हो गया, कि तुर्कोंके विरुद्ध कोई बहुत बड़ा समझौता नहीं हो सकता। युरोपमें स्पेनके उत्तराधिकारको लेकर अलगे ही विरोध शुरू हो गया था, जो कि अन्तमें तेरह साल (१७०१—१७१४ ई०) के युद्धके रूपमें परिणत हो गया। आस्ट्रियाके राजवंशका सारा ध्यान स्पेनकी ओर था। वह तुर्कोंके विरुद्ध रूसके साथ समझौता कैसे करता? उलटे उसने तुरंत तुर्कोंके साथ संधि कर ली, जिसमें कि स्पेनकी ओर पूरा ध्यान दे सके। अपनी यात्रामें जहां पीतरने पश्चिमी देशोंकी नई-नई प्रगतिको देखा और उनसे कितनी ही बातें सीखीं, वहां उसके दिलमें यह देखकर सुई चुभ रही थी, कि स्वीडनने अब भी बाल्तिक-तटसे रूसको वंचित कर रक्खा है। समुद्रका रास्ता रूसके लिये कहींसे नहीं था। पीतरकी दूरदर्शी आंखें देख रही थीं, कि कोई भी राष्ट्र बिना समुद्रके सहारे—बिना समुद्रपर विजय किये—अपनेको सुरक्षित और शक्तिशाली नहीं बना सकता। युरोपीय शक्तियोंको तुर्कोंके विरुद्ध कुछ करनेके लिये नहीं तैयार देख, पीतरने पहले स्वीडनसे बाल्तिक-तटको छीननेका निश्चय किया। तुर्कोंकी अपेक्षा स्वीडन ही उस वक्त अधिक निर्बल शत्रु भी था। उसने झट तुर्की और क्रिमियाके खानसे संधि कर ली।

शायद पीतर अभी और कुछ समयतक विद्यार्थी बनकर पश्चिमी युरोपमें घूमता, लेकिन इसी समय स्त्रेल्त्सियों (गारद सैनिकों) के विद्रोहकी खबर मिली। स्त्रेल्त्सी मास्कोमें गारदका ही काम नहीं करते थे, बल्कि वह अपना अधिक समय छोटे-छोटे व्यापारों और दस्तकारीके कामोंमें भी लगाते थे। पीतरने राजधानीमें लौटकर उनसे मांग की, कि तुम्हें अपना सारा समय सैनिक सेवामें देना होगा। इस विद्रोहसे फायदा उठानेके लिये राज्य-वंचिता साधुनी सोफिया चुपके-चुपके स्त्रेल्त्सियोंसे मिलकर षड्यंत्र करने लगी। १६९८ ई०के ग्रीष्ममें तोरोपेत नगरकी छावनीमें रहनेवाले स्त्रेल्त्सियों की चार पल्टनें बलवा कर मास्कोकी ओर चल पड़ीं, लेकिन पीतरके जेनरल गोर्डनने राजधानीके पास उन्हें आसानीसे हरा दिया। यह खबर पीतरको वीनामें मिली। सुनते ही वह बहुत जल्दी मास्कोके लिये चल पड़ा। रास्तेमें वह पोलंदके राजा अगस्तससे मिला। दोनोंने मिलकर स्वीडनके विरुद्ध लड़नेका निश्चय किया। कहीं लोग राजधानीमें उसके स्वागतके लिये बड़ी तैयारी न कर दें, इसलिये वह एक दिन यकायक पहुंचकर महलमें भी न जा प्रेयोब्रजेंस्कोय गांवके अपने साधारणसे बंगलेमें चला गया। खबर पाते ही दूसरे दिन सबेरे, बड़े-बड़े बायर, अमीर, व्यापारी और नागरिक स्वागत करने पहुंचे। पीतरने उनके साथ बड़े प्रेमसे मुलाकात की, लेकिन पुराने दस्तूरके मुताबिक उसने किसीको भी धरती पर मत्था टेककर प्रणाम करने नहीं दिया। इसी स्वागतके समय पीतरने कितने ही बायरोंकी लम्बी दाढ़ियोंको कैंची ले अपने हाथसे कतर दिया। पीछे उसने राजादेश निकालकर लम्बी दाढ़ी और ढीलमढाल रूसी चोगा पहननेका निषेध कर दिया। स्त्रेल्त्सी-विद्रोहके बारेमें खोज करनेपर पता लगा, कि इसके पीछे सोफियाका हाथ है। जगह-जगहपर फांसीकी टिकटियां खड़ी करके उसने स्त्रेल्त्सियोंके १९५ सरगनोंको नवोदेविची भिक्षुणी मठके जंगलोंके सामने फांसीपर लटकवा दिया——सोफिया इसी मठमें रहती थी। सब मिलाकर बारह सौ स्त्रेल्त्सियोंको प्राणदंड दिया गया। पीतरने मास्कोस्थित उनकी पल्टनको तोड़ दिया, सोफियाको षड्यन्त्र करनेके लिये इतना ही दंड दिया गया, कि अब वह साधुनियोंके घूंघटको पहिनकर एकान्तवास करनेके लिये मजबूर की गई।

अब पीतरको तन्मयताके साथ स्वीडनसे निबटनेकी तैयारी करनी थी। किसानों, अर्धदासों तथा मुक्त आदमियोंको भर्ती करके उसने एक नई सेना संगठित की। सैनिकोंकी वर्दी उसने पश्चिमी युरोपकी नकलपर बनवाई और सबेरेसे रात होनेतक मास्कोके उपनगरमें यह नये रंगरूट कवायद-परेडमें लगे रहते। तीन महीनेके भीतर बत्तीस हजार सेनाको शिक्षा दी गई——इसी बीच कान्स्तन्तिनोपोलमें दूत भेजकर पीतरने अगस्त १७०० ई० में तुर्कीके साथ संधि की थी। इस संधिके अनुसार तुर्कीने अजोफपर रूसका अधिकार कबूल कर लिया। इसके बाद तुरंत पीतरने अपनी सेनाको स्वीडन-अधिकृत नारवाके किलेपर प्रहार करनेका हुक्म दे दिया। बाल्तिक समुद्रमें पहुंचनेके लिये नारवाका लेना आवश्यक था। पीतरका मुकाबिला एक नई सेनासे था। उसे रसद और हथियारोंके प्रबंधमें कितने ही दोषोंका पता लगा। सिपाहियोंको पेटभर खाना नहीं मिलता था, खाइयोंमें सर्दीसे तकलीफ, इसलिये बीमारी फैली। खबर पाते ही स्वीडनके राजा चार्ल्सने सहायताके लिये प्रयाण किया। अन्तमें रूसियोंकी हार हुई, उनके बहुत-से सैनिक तथा सारा तोपखाना स्वीडनके हाथमें पड़ गया। लेकिन, पीतरके लिये हरएक असफलता नई तैयारीका अवसर देती थी। उसने सारी शक्ति लगाकर बड़ी तेजीसे सेनाको फिरसे संगठित करना शुरू किया। तोपोंके ढालनेके लिये उसने गिर्जोंके बहुतसे विशाल घंटोंको गला डाला और एक सालके भीतरही तीन सौ तोपें तथा नारवामें गंवाई सेनासे भी दुगनी सेना तैयार कर ली। पहले बायरोंको जन्मतः जेनरल बननेका अधिकार था, लेकिन अब पीतरने उनके लिये भी बाकायदा शिक्षा लेनेका नियम बना दिया। १७२१ ई० में——औरंगजेबकी मृत्युके छ साल पहले——रूसी सेना फिर लड़ाईके लिये तैयार थी। शेरेमेतोफके नेतृत्वमें एक रूसी सेनाने स्वीडोंको दो बार हराकर बाल्तिक-तटके लिफलंदिया प्रदेशपर अधिकार कर लिया। १७०३ ई०में रूसी सेनाने मरियलबुर्गको सर किया, अगले साल दोर्पत और नारवा उनके हाथमें थे। इस समय पीतर नेवा नदीके बाम तटपर इंग्रियामें लड़ाईका संचालन कर रहा था। १७०२ ई०की शरद्में नेवा नदीके उद्गम लदोगा-सरोवरके तटपर अवस्थित स्वीडोंके अधिकृत नोटबोर्गपर अधिकार कर

लिया। पीतरने इस किलेका नाम बदलकर श्लुसेल्बुर्ग (कुंजीनगर) रक्खा, क्योंकि यह नेवा नदी होकर फिनलन्दकी खाड़ीमें पहुंचनेकी कुंजी थी। १७०३ ई०के बसंतमें आगे बढ़कर समुद्र-संगमसे नाति-दूर नेवाके बायें किनारेपर अवस्थित स्वीड किले नेन्स्कान्सपर अधिकार कर इसी जगहपर पीतर और पाल किलेकी नींव रक्खी और कुछ लकड़ीके मकान बनवाये—यहींसे पीतरबुर्ग (आधुनिक लेनिन-ग्राद) आरम्भ हुआ, जो बोल्शेविक क्रांतिके समयतक रूसकी राजधानी रहा। पीतरका एक बहुत बड़ा संकल्प पूरा हुआ—रूसकी सीमा समुद्र-बेलातक पहुंच गई।

लेकिन, लड़ाईका मतलब केवल प्राणोंकी ही क्षति नहीं, बल्कि अपार धनकी भी क्षति है, जिसके लिये किसानोंका सबसे अधिक दोहन होना था। पीतरने नगरोंमें दाढ़ी रखना निषिद्ध कर दिया था, लेकिन जो दाढ़ी-कर देनेको तैयार थे, वह उसे रख सकते थे—इस करकी रसीदके तौरपर एक तांबेका सिक्का मिलता था। ग्रामीणोंको दाढ़ी रखनेकी स्वतन्त्रता थी, लेकिन नगरमें आनेपर उन्हें भी दाढ़ी-कर चुकाना पड़ता। दाढ़ीको उस वक्त धर्मके साथ संबंधित समझा जाता था, इसलिये पीतरके इस कामसे लोगोंके नाराज होनेका मौका था, लेकिन वस्तुतः सबसे अधिक असंतोष था आर्थिक कठिनाइयोंके कारण। जगह-जगह छोटे-मोटे विद्रोह हुये। एक बड़ा विद्रोह ३० जुलाई १७०५ ई० को अस्त्राखानमें हुआ, जिसमें वोयवोद और कितने ही राजकर्मचारी मार डाले गये। फील्ड मार्शल शेरेमेतोफके नेतृत्वमें पीतरकी सुशिक्षित सेना जब गई, तो विद्रोहियोंको क्या आशा हो सकती थी? मार्च १७०६ ई०में तोपोंकी मारके सामने अस्त्राखानको आत्म-समर्पण करना पड़ा, जिसपर आठ महीनेतक विद्रोहियोंने अपना शासन स्थापित कर लिया था। अस्त्राखानके विद्रोहके समाप्त होनेके तुरन्त ही बाद दोनमें एक विद्रोह उठ खड़ा हुआ। इससे तीन वर्ष पहले १७०४ ई० में बाशकिरोंने भी विद्रोह किया था, जिसमें विद्रोहियोंके नेताओंने क्रिमियाके खान या तुर्कीके खलीफाके अधीन अपना स्वतन्त्र राज्य कायम रखनेका इरादा किया था। पीतरने १७११ ई० तक अपनी शक्तिशाली सेनाके बलपर सभी जगह विद्रोहोंको दबा दिया।

स्वीडनके साथ अभी अन्तिम निर्णय नहीं हो पाया था। उक्रइनका हेतमन (राजप्रमुख) इवान माजेपा पीतरसे असंतुष्ट हो स्वीडनके राजा चार्ल्ससे सांठ-गांठ कर रहा था, इसलिये भी स्वीडनकी हिम्मत बढ़ी थी। माजेपाने रूसके खिलाफ भड़काकर अपने लोगोंको विद्रोह करनेके लिये तैयार करना चाहा, लेकिन वह उसमें सफल नहीं हुआ। चार्ल्स अप्रैल १७०९ ई०में सेना लेकर आया और उसने पोल्तावाके किलेको घेर लिया। पोल्तावाके लेनेपर स्वीडनके लिये मास्कोका रास्ता खुल जाता। पीतरको तुर्कीसे भी डर था, तो भी वह अपनी प्रधान-सेना लेकर पोलतावाकी ओर दौड़ा। २७ जून १७०९ ई० को पोलतावाके पास वोर्स्कला नदीके किनारे वह निर्णायक युद्ध हुआ, जिसने रूसके इतिहासको आगे बढ़ानेमें भारी सहायता की। युद्धके दिनसे पहलेवाली शामको पीतरने रूसी सेनाके लिये जो आदेश दिया था, उसके कुछ अंश निम्न प्रकार हैं—

"जवानो, वह घड़ी आ रही है, जो हमारे देशके भाग्यका फैसला करेगी; इसलिये यह मत सोचो, कि तुम पीतरके लिये लड़ रहे हो। तुम लड़ रहे हो उस राज्यके लिये, जो कि पीतरको सौंपा गया है, तुम लड़ रहे हो अपने परिवारके लिये, अपनी जन्मभूमिके लिये। अजेय कहे जानेवाले दुश्मनकी प्रसिद्धिसे हिम्मत न हारो, क्योंकि यह प्रसिद्धि झूठी बात है। इस प्रसिद्धिको तुमने कई बार अपने विजयों द्वारा झूठा सिद्ध किया है। जहांतक पीतरका संबंध है, तुम यह गांठ बांध लो, कि उसे अपना प्राण प्रिय नहीं है।"

लड़ाई शुरू हुई। रूसियोंका प्रहार इतना जबरदस्त था, कि स्वीडोंमें भगदड़ मच गई। वह भारी संख्यामें खेत आये। कुछ थोड़ी-सी सेना ले चार्ल्स और माजेपा तुर्कीकी ओर भागे, बाकी सेनाने आत्म-समर्पण किया, जिसकी संख्या बीस हजार थी। उस समय स्वीडनकी सेना युरोपमें सबसे अच्छी मानी जाती थी। पीतरने उसे हराकर सारे युरोपमें रूसकी धाक जमा दी।

उत्तरमें समुद्रके रास्ते भागना संभव न देखकर चार्ल्स तुर्कीकी ओर भागा था। उसने तुर्कोंको भड़काया, जिसपर तुर्कोंने १७१० ई०में रूसके विरुद्ध युद्ध घोषित कर दिया। पीतर तुरंत चालीस हजार सेना ले दन्यूब (दुनाइ) नदीकी ओर चल पड़ा। करीब दो लाख तुर्क सेनाने आगे बढ़कर प्रुथ नदीके

किनारे १७११ ई०में पीतर और उसकी सेनाको घेर लिया। रूसी सेनाकी भीतरी हालत बहुत बुरी थी, लेकिन तुर्की सेनापतिको इसका पता नहीं था, इसलिये उसने समझौतेकी बात स्वीकार की। पीतर बेवकूफीभरी वीरताका पक्षपाती नहीं था। उसने अजोफको तुर्कीके हाथमें दे अपनी सेनाको बचा लेनेमें सफलता पाई।

तुर्कीसे छुट्टी पाकर फिर उसने स्वीडनकी तरफ मुंह फेरा और १७१४ ई०में अबकी उसने हंगो अन्तरीप (फिनलन्द)में स्वीडनकी नौसेनापर भारी विजय प्राप्त की। इस नौसैनिक पराजयके बाद स्वीडनने रूससे समझौतेकी बातचीत शुरू की, लेकिन पीछे उसे तोड़ दिया, जिसपर १७२० ई० में रूसको दूसरी नौसैनिक विजय प्राप्त करनी पड़ी। अब बाल्तिक-तट फिर रूसका हो गया। यही नहीं, कुछ ही वर्षोंके भीतर रूसकी नौसैनिक-शक्ति भी बहुत बढ़ गई। अन्तमें १७२१ ई०में संधि करके स्वीडनने फिनलन्द-खाड़ीका तट और रीगा-खाड़ीकी तटभूमि, करेलियाका कुछ भाग—जिसमें बिपुरी भी था—और दूसरे प्रदेश रूसको दे दिये।

पूर्वमें प्रसार—यद्यपि पीतरको स्वीडनके साथ बहुत सालोंतक फंसा रहना पड़ा, लेकिन उसका ध्यान अपने पूर्वी सीमांतसे कभी नहीं हटा। इसके शासनमें १७१५ ई० और १७२० ई०के बीच सारी ऊपरी इर्तिश-उपत्यका रूसके हाथमें चली गई। इसी नदीके तटपर ओम्स्क और सेमीप्लातिन्स्क जैसे कितने ही किले बनाये गये। ऊपरी इर्तिशसे बुखारा और खीवाका वणिक्पथ जाता था। मध्य-एसियाकी ओर भी अपनी विजय-यात्राको बढ़ानेके लिये पीतरने कास्पियन समुद्रको इस्तेमाल किया। १७१६ ई०में राजुल बेकोविच-चेरकास्कीके नेतृत्वमें एक छोटी-सी सैनिक टुकड़ी ने खीवाके खानको गद्दीपर बैठनेके लिये मुबारकबादी देनेके बहाने पहुंचना चाहा, लेकिन रेगिस्तानमें उसे घेरकर नष्टप्राय कर दिया गया, और इस प्रकार पीतर कास्पियन-तटसे आगे अपनी बांह फैलानेमें सफल नहीं हुआ। इधरसे असफल होकर १७२२ ई०में पीतरने काकेशसके विरुद्ध स्वयं एक अभियान का नेतृत्व किया। काकेशसके सामन्तों—विशेषकर गुर्जी, अर्मेनियाके छोटे-छोटे राजा, व्यापारी तथा ईसाई पादरी—मुस्लिम ईरान या तुर्कीकी जगह ईसाई रूसको अधिक पसंद करते थे। ईरानको काकेशसमें हार खानी पड़ी और उसने १७२३ ई०की संधिके अनुसार कास्पियनके अपने बहुत-से तटभागको रूसियोंको दे दिया, जिसमें पश्चिमी तटपर दरबेंद, बाकू और पूर्वी तटपर अस्त्राबाद भी शामिल थे, लेकिन रूस इस भूमिको बहुत दिनोंतक अपने हाथमें नहीं रख सका।

शासन-सुधार—पीतरके सैनिक सुधारों और उसके कारण मिली सफलताओंके बारेमें अभी हम देख चुके हैं। पीतरने व्यवस्थित सेनाको कायम किया, जिसमें बाकायदा रंगरूट भर्ती किये जाते, वर्दी और हथियार दे उनको खूब कवायद-परेड कराई जाती। पश्चिमी युरोपमें तोपोंको खींचने के लिये घोड़ागाड़ियोंका इस्तेमाल जब हुआ था, उससे पचास वर्ष पहले ही पीतरका तोपखाना घोड़ों द्वारा खींचा जाता था। राजप्रबन्धमें भी पीतरने कई बड़े-बड़े परिवर्तन किये। १७०८ ई०में उसने राज्यको आठ गुबर्नियों (सरकारों)में बांट दिया, गुबर्नियाका शासक एक गवर्नर होता था, जो कि सीधे केन्द्रीय सरकारसे संबंध रखता था। पहले गुबर्नियां बड़ी-बड़ी बनाई गईं, जिन्हें १७१९ ई०में बांटकर पचासी प्रदेशोंके रूपमें परिणत कर दिया गया। प्रदेशोंको फिर कितने ही जिलोंमें विभक्त किया गया। प्रदेशों और जिलोंके शासक गवर्नर (राज्यपाल) और वोयवाद होते थे।

यह नहीं कहा जा सकता, कि पीतर नवीनताका अंधभक्त था, लेकिन उसके कितने ही सुधारों से एक प्रभावशाली वर्ग असंतुष्ट जरूर था। पीतरकी पहली बीबी योदोकिया लोपुखनासे उसका एक पुत्र राजकुमार अलेक्सी हुआ था। रुढ़िवादियोंने अलेक्सीके ऊपर आशा लगा रक्खी थी, क्योंकि वह पादरियों और अपने ननिहालके लोगोंकी देखरेखमें पला था। अलेक्सी उतावला हो गया था, कि कब बाप मरे और गद्दी उसके हाथमें आये। पीतरने कई बार अपने बेटेको सावधान किया—"अपने देशके सम्मान और समृद्धिके बढ़ानेमें जो भी बात सहायक हो, उसके साथ प्रेम करो। यदि मेरी सलाह नहीं मानोगे, तो मैं तुम्हें अपना माननेसे इंकार कर दूंगा।" अलेक्सीने बापकी बात नहीं मानी, और विद्रोह करके आस्ट्रिया भाग गया। आस्ट्रिया भला पीतरका कोप-भाजन बननेके लिये उसके पुत्रको क्यों शरण देनेके लिए तैयार होता? पीतरने पुत्रको वहांसे पकड़वा मंगवाया, खास अदालतमें अभि-

योग चलवाया। अदालतने अलेक्सीको मृत्युदंड दिया, लेकिन उससे पहले ही वह जेलमें मर गया। अलेक्सीकी मौतने रूढ़िवादियोंकी आशापर पानी फेर दिया।

शिक्षा और संस्कृति—पीतर शिक्षाके महत्त्वको अच्छी तरह समझता था। उस समयके भारतमें अभी प्रेसोंकी छपाईका पता नहीं था, रूसमें भी अभी उनका प्रचार थोड़ा ही हुआ था। पहलेसे चले आते धार्मिक पुस्तकोंके स्लावानिक अक्षरोंके टाइप छापेकी दृष्टिसे कुछ दोषपूर्ण थे। पीतरने सुधार करके उनको वह रूप दिया, जो कि आज भी रूसीके लिये इस्तेमाल होता है। १७०८ ई०के बाद सिवा गिरजाकी प्रार्थना-पुस्तकोंके सभी पुस्तकें अब नये टाइपमें छपने लगीं। शिक्षा-प्रचारके लिये विदेशी पुस्तकोंका रूसीमें अनुवाद होने लगा। गणित, पोत-निर्माण, दुर्ग-निर्माण, वास्तु-विद्या, युद्ध-शास्त्र आदि विषयोंपर पश्चिमी युरोपमें लिखे गये कितने ही अच्छे-अच्छे ग्रंथोंके रूसी अनुवाद छापे गये। रूसी इतिहासपर भी कितने ही ग्रंथ प्रकाशित हुये। पहला रूसी अखबार "वेदोमोस्ती" मास्कोमें औरंगजेबके मरनेके चार वर्ष पहले (१७०३ ई०) छपना शुरू हुआ, जो पीछे पीतरबुर्ग राजधानीसे निकलने लगा। अभी तक रूसी पंचांगमें ईसाई पंचांगका अनुसरण करते हुये सन् सृष्टि-संवत्सरसे गिना जाता था, और नया वर्ष पहली सितम्बरको आरम्भ होता था। १ जनवरी १७०० ई०को युरोपके कितने ही देशोंमें स्वीकृत जूलियस कैसर द्वारा स्थापित जूलियन पंचांगको पीतरने मान लिया। लेकिन जूलियन पंचांगसे भी अधिक शुद्ध ग्रेगरी पंचांग युरोपके कितने ही देशोंमें प्रचलित था, जिसे बोल्शेविक क्रान्तिके बाद ही रूसने अपनाया। पीतरके शासनकालमें मास्को और पीतरबुर्गमें कितनी ही शिक्षण-संस्थायें स्थापित हुईं। १७०२ ई०में विदेशी अभिनेताओंको निमंत्रित करके मास्कोमें नये ढंगसे रंगमंचकी भी स्थापना हुई, जिसमें "ओरेशेक विजय"के नामका एक नाटक पीतरके विशेष आग्रहपर खेला गया था। सभी दिशाओंमें सामाजिक परिवर्तन इस समय बड़ी तेज गतिसे हुआ, लेकिन इसमें सन्देह नहीं, कि यह परिवर्तन उच्चवर्गके ही भीतर हुआ।

पीतरबुर्ग निर्माण—स्वीडनपर लड़ाईमें विजय प्राप्तकर नेवाके दाहिने तटपर पीतरने "पीतर और पाल" नामक किलेकी स्थापना की थी। उस समय यहां आसपासमें बहुत घना जंगल तथा जहां-तहां छोटे-छोटे गांव थे। इसी जगह पीतरने अपने नामसे नगर बसाना शुरू किया। पीतरने पहले अपने लिये ही जयाची द्वीपपर एक लकड़ीकी छोटी-सी झोपड़ी बनवाई, जिसके बाद दूसरे बायरों और व्यापारियोंने पासमें घर बनाने शुरू किये।

पोल्तावाकी विजय (जून १७०९ ई०) के बाद पीतरने राजधानीको मास्कोसे पीतरबुर्ग लानेका निश्चय किया। हजारों किसान और शिल्पकार नगरके बनानेमें लगा दिये गये। दलदली जमीन भी बहुत थी, जिसके भीतर घुटनों तक डूबे काम करना पड़ता था। हजारों मजूर बीमारीसे मरे, उनका स्थान दूसरे हजारोंने लिया। पीतरबुर्गको मास्कोकी तरह नहीं बनाया जा रहा था। यहां पुरानेको बढ़ाना नहीं, बल्कि सारे नगरको आरम्भसे ही नया बनाना था, इसलिये इसकी सड़कें सीधी बनीं। पहले हीसे योजना बनाकर नगर बनानेमें जो सुभीता होता है, वह पीतरबुर्गको प्राप्त हुआ। पीतरने पश्चिमी युरोपकी राजधानियों और मकानोंको देखा था, इसलिये वह चाहता था, कि उसकी राजधानीमें ईंट और पत्थरके मकान बनें, इसके लिये उसने दूसरे नगरोंमें ईंट-पत्थरके मकानोंका बनाना निषिद्ध करके वहांसे राजों और मेमारोंको बुलवा लिया। नगरको सुंदर और कलापूर्ण बनानेके लिये उसने कितने ही विदेशी वास्तुशास्त्रियोंको भी बुलवाया। जैसे-जैसे पीतरबुर्गका प्रताप बढ़ता गया, वैसे ही वैसे मास्कोकी अवस्था गिरती गई। धनी व्यापारी और बायर नई राजधानीमें चले गये, सरकारी दफ्तर भी मास्कोसे हट गये। पंद्रह-बीस वर्षोंके भीतर ही एक छोटे-से गांवसे बढ़कर पीतरबुर्ग सत्तर हजार लोगोंका नगर बन गया।

साइबेरिया—पीतरसे पहले ही प्रशान्त-महासागरतक रूसकी सीमा जा लगी थी। युद्धके खर्चके लिये अपार धनकी अवश्यकता थी, जिसके लिये धनके सभी स्रोतोंके पता लगानेकी कोशिश की गई। इसी प्रयत्नमें नई भौगोलिक खोजों और नये प्रदेशोंपर अधिकार प्राप्त करनेका मौका मिला। १६९७-९८ ई०में एक स्त्रेल्त्सी अफसर ब्लादिमिर अत्लसोफके नेतृत्वमें एक छोटी टुकड़ी अनादिर नदीके तटपर अवस्थित अनादिरकी चौकीसे बारहसिंघोंसे खींची जानेवाली बेपहियेकी गाड़ी

द्वारा कमचत्काके किनारे पहुंची, और उसने वहांके लोगोंसे मुख्यतः समूरके रूपमें कर उगाहना शुरू किया। अत्लसोफ पहला आदमी था, जिसने कमचत्का प्रायद्वीपका पता लगाकर उसके बारेमें लिखा। कमचत्का-निवासी (कमचादल) अभी जनयुगमें रहते थे। वह कबीलेशाही समाजसे ऊपर नहीं उठे थे। उनके एक-एक जन (कबीले) में कुछ सौ तम्बू होते थे। मछुवाही उनकी जीविका थी। जनोंमें आपसमें बराबर लड़ाई होती रहती थी। उनके हथियार थे---धनुष-वाण। वह वाणोंके फल चकमक-पत्थर या हड्डीसे बनाते थे। अत्लसोफने कमचादलोंके बीचमें शासन दृढ़ करनेके लिये एक रूसी छावनी स्थापित की, जहांपर कसाक और सैनिक रहा करते, जिनका काम जारके शासनको मजबूत रखनेके साथ लूटपाटकर अपने लिये धन बटोरना भी था। १७३१-३२ ई०में कमचादलोंने कई विद्रोह किये। इनके नेता वही थे, जो कि रूसमें रहकर बारूदी हथियारोंका इस्तेमाल जान गये थे; लेकिन रूसियोंने उन्हें आसानीसे दबा दिया। फिर धीरे-धीरे उनकी जन-व्यवस्था टूटने लगी।

चीनके साथ संबंध---नेर्चिन्स्क की संधिके (सितम्बर १६८९ ई०) साथ चीनका रूससे दौत्य-संबंध स्थापित हुआ। उस संधिको प्रमाणबद्ध करने तथा व्यापारिक संबंध सुधारनेके लिये मास्कोने १६९२ ई०में अपने एक जर्मन सेवक येवर्ट यसब्रांट इड्सको भेजा। वह अठारह महीनेमें चीचीहार नगरमें पहुंचा। चीनी सीमांतपर पहुंचनेपर एक चीनी मंदारिन (अफसर) आठ रक्षक सैनिकों तथा तीन लोहेकी तोपोंके साथ स्वागतके लिये आया। चीनी मंदारिनने इड्सकी खूब पुरतकल्लुफ दावत की, फिर उसने भी मंदारिनको युरोपीय ढंगसे दावत दी। राजधानीमें भी उसका उसी तरह स्वागत किया गया। तीन दिनोंतक उसकी जियाफ़त होती रही। इड्सने इसके बारेमें लिखा है---"मेरे लिये जो मेज रखी गई थी, वह प्रायः वर्गाकार थी, जिसके ऊपर एकके ऊपर एक सत्तर तश्तरियां रक्खी गई थीं, जो सभी चांदीकी थीं।" घोड़ीके दूधकी बनी शराब (कूमिस) को सोनेके प्यालेमें रख-कर दिया गया। अन्तमें १२ नवम्बर १६९२ ई०में उसे दरबारमें सम्राट् खाङ-सीके दर्शन करनेका सौभाग्य प्राप्त हुआ। उसने सम्राट्के सामने अपना राजकीय प्रमाणपत्र पेश किया। शायद उसे साष्टांग दंडवत् (कौतू) करनी पड़ी, जिसके बारेमें एक अंग्रेजने लिखा है---"राजदूत अपने आसनपर ले जाये गये, इसी समय जब सम्राट् अपने सिंहासनसे उतर रहा था, यकायक चीनियोंने अपने घुटनों-को मोड़ सिरको धरतीपर तीन बार टेका। हमें भी प्रतिहारोंने वहां ले जाकर उसी तरह प्रणाम करने के लिये मजबूर किया।" इड्सने १९ फरवरी १६९४ ई०में पेकिङ छोड़ा, जिससे पहले फिर उसे सम्राट्से मिलनेका मौका मिला। सम्राट् खाङ-सीने १७१२-१७१६ ई०में तू-ली-शिन्को दूत बनाकर तर्गुत कलमकोंके खानके दरबारमें वोल्गा-तटपर भेजा। उस समय पीतर स्वीडनके साथ लड़ाई-में लगा हुआ था, इसलिये वह वोल्गाके तटपर आये चीनी दूतको बुलाकर नहीं मिल सका। इस चीनी दूतमंडलका यद्यपि बाहरी उद्देश्य था आयुका खानके स्वास्थ्यके बारेमें पुछार करना तथा आयुका-के भतीजे राजकुमार ओ-ला-पू-छू-योरको उसके पूर्व पदपर स्थापित करनेकी इच्छा प्रकट करना, लेकिन दूतको यह भी आज्ञा दी गई थी, कि वह मास्को राजधानीमें जाकर जारसे भी मिले। चीन लौटते समय जब तू-ली-शिन् रूसी सीमांतपर पहुंचा, तो रूसी अफसरने उसे सैनिक सम्मानके साथ सेलिंगिन्स्की शहरमें पहुंचा था; जहां वोयवोदने उससे बातचीत की। तोबोल्स्कमें आनेपर साइबेरियाके राज्य-पाल राजुल गजारिन मिला, जिससे तू-ली-शिन्ने राजकाजके बारेमें बहुत देरतक बातचीत की। यहां पर तू-ली-शिन्को सूचित किया गया, कि जार अपनी सेनाके संचालन करनेमें लगा हुआ है, नहीं तो वह बड़ी प्रसन्नतासे चीनी राजदूतसे मिलता। आयुकासे मिलनेके बाद तू-ली-शिन्ने पेकिङमें लौट कर सम्राट्को एक रिपोर्ट दी, जिसमें लिखा था :

"इस प्रकार उत्तर-पूर्वमें रूसी राज्य अल्पजन तथा बयाबानीसा इलाका है, यद्यपि अत्यन्त प्राचीन कालसे आजतक हमारे चीन-साम्राज्यके साथ उसका संबंध नहीं रहा, और हमारे इतिहास-लेखकोंने भी रूसियोंका उल्लेख नहीं किया और न आजतक कभी एक भी चीनी आदमी वहां पहुंचा, तो भी सभी दिशाओंकी तरह वहां भी हमारे देवोपम सम्राट्की महिमा और महान् गुण प्रभाव डाले बिना नहीं रहे। दुनियाके सभी दसों हजार राज्य सम्राट्की हितकारी सरकारके संरक्षणमें है।....रूस

केवल अब चीनके साथ खुला संबंध स्थापित करने लगा हैं, लेकिन चालीस या पचास साल पहले भी, जब कि दोनों साम्राज्योंकी सीमायें निश्चित नहीं हुई थीं, सूचनाओं द्वारा हमारे साम्राज्यके बहुतसे अच्छे गुण वहां ज्ञात थे ।"

पीतरके प्रथम दूतमंडलने यह भी तै किया, कि रूसी वणिक्-सार्थ थोड़े समयके बाद बराबर जाया करे। लेकिन रूसी जबरदस्त पियक्कड़ थे, जिसके कारण अक्सर झगड़े हो जाया करते था, जिससे सम्राट् खाङ-सीने संबंध-विच्छेद करनेकी धमकी दी। इसपर १७१९ ई०में पीतरने इस्माइलोफके नेतृत्वमें एक विशेष दूतमंडल भेजा। इस्माइलोफके साथ एक अंग्रेज जान बेल भी था, जिसने उसके बारेमें बहुत सी ज्ञातव्य बातें लिखी हैं। इस दूतमंडलको चीनी सीमांततक पहुंचनेमें सोलह महीने लगे थे। सम्राट्के विशेष प्रतिनिधिने वहां उनका स्वागत किया। बेलने अपने विवरणमें लिखा है :

"हमारे पथदर्शकने खेमोंमें कुछ स्त्रियोंको चलते देखकर दूत (इस्माइलोफ)से पूछा—यह कौन हैं और कहां जा रही हैं ? उसे बतलाया गया, कि वह हमारी मंडलीकी हैं, और हमारे साथ चीन जा रही हैं। इसपर चीनी प्रतिनिधिने कहा—पेकिङमें पहले हीसे काफी औरतें हैं। अबतक कोई भी युरोपीय स्त्री चीन नहीं आई, इसलिये सम्राट्की विशेष आज्ञाके बिना मैं उन्हें ले जानेकी जिम्मेदारी नहीं ले सकता। यदि आप जवाबकी प्रतीक्षा करें, तो इसके लिये हम एक सार्थ भेजनेके लिये तैयार हैं, लेकिन संदेशवाहक छ सप्ताहसे पहले नहीं लौट सकता। इसपर यही ठीक समझा गया, कि असबाब को ले आनेवाली गाड़ियोंके साथ स्त्रियोंको सेलिगिन्स्की लौटा दिया जाये।"

जिस घरमें रूसी दूतमंडलको ठहराया गया था, उसको दस बजे रातको सम्राट्की अपनी मुहर लगाकर बंद कर दिया जाता था, जिसमें कोई आदमी भीतर-बाहर आ-जा न सके। राजदूतके कहने पर यह नियंत्रण हटा दिया गया। इस्माइलोफने पहले साष्टांग प्रणिपात करनेसे इन्कार कर दिया, लेकिन पीछे उसने इस शर्तपर कबूल किया, कि चीनी दूत भी रूसी दरबारमें वहांकी प्रथाके अनुसार साष्टांग प्रणाम करेगा। बेलने रूसी दूतके दरबारमें जानेका वर्णन निम्न शब्दोंमें किया है :

"हमें प्रायः पाव घंटा प्रतीक्षा करनी पड़ी। पिछले दरवाजेसे सम्राट् शालमें प्रवेशकर सिंहासनपर बैठा। इस समय सभी लोग खड़े हो गये। अब महाप्रतिहारने कुछ दूरपर खड़े राजदूतको शालके भीतर आनेके लिये कहा, और उसे एक हाथसे पकड़े तथा दूसरे हाथमें राजकीय प्रमाणपत्र थामे ले चला। सीढ़ियोंपर चढ़नेके बाद उसने पूर्वनिश्चयानुसार प्रमाणपत्रको वहां स्थित एक मेजपर रख दिया। सम्राट्ने राजदूतको पास आनेका निर्देश किया, और उसी वक्त प्रमाणपत्रको लिये अलोईके साथ वह सिंहासनके पास गया। फिर घुटना टेकते हुये उसने पत्रको सम्राट्की ओर बढ़ाया, जिसने अपने हाथसे उसे छू दिया। फिर परमभट्टारक जारके स्वास्थ्यके बारेमें पूछकर राजदूतसे कहा—परमभट्टारक जारके लिये मेरे हृदयमें इतना मित्रतापूर्ण और प्रेमका भाव है, कि मैंने उनके पत्रको लेनेमें अपने साम्राज्य की प्रचलित प्रथाके पालन करनेका ख्याल नहीं किया।

"थोड़े समयतक यह भेंट होती रही। उस समय राजदूतके अनुचर शालके बाहर खड़े रहे। पत्रके देनेपर हमने समझा, कि अब काम खतम हो गया। फिर महाप्रतिहारने राजदूतको लौटाकर अनुचरोंको हुक्म दिया कि नौ बार मत्था टेककर सम्राट्के प्रति सम्मान प्रदर्शित करें। महाप्रतिहारने खड़ा होकर तारतार (मंगोल) भाषामें "मोरगू" और "बोस" में बोलते हुये आज्ञा दी। मोरगूका अर्थ है सिर झुकाना और बोसका खड़ा होना।"

बेलके लिखनेसे मालूम होता है, कि रूसी दूतमंडलको यद्यपि बहुत-से दरबारी अपमानजनक शिष्टाचारोंको पालन करनेके लिये मजबूर होना पड़ा, लेकिन उनका सत्कार-सम्मान इतनी अच्छी तरहसे हुआ, कि वह सबको भूल गये। इस्माइलोफके बिदा हो जानेके बाद उसका सचिव देलांग रूसी-प्रतिनिधिके तौरपर पेकिङ (पेच्चिङ)में रह गया, लेकिन उसकी स्थिति एक नजरबन्द जैसी थी। जिस वक्त देलांग पेकिङमें था, उसी समय मंगोलोंके एक चीनाधीन कबीलेने रूसकी अधीनता स्वीकार कर ली, इसपर पेकिङमें किसी भी रूसी कारवांका आना निषिद्ध कर दिया गया। देलांगके साथ असह्य दुर्व्यवहार हुआ, जैसा कि उसने स्वयं लिखा है :

"मुझे आदेश है, कि हमारे दोनों साम्राज्योंके बीचमें अधिक घनिष्ठता स्थापित करनेके लिये पूरा प्रयत्न करूं, लेकिन मैं उन्हें—प्रधान मंत्रीको—बतला देना चाहता हूं, कि इस अवसरपर चीनी सचिवालयने (मेरे साथ) जो बर्ताव किया, उससे मुझे बहुत आश्चर्य हुआ। (आपको) यह ख्याल दिलसे हटाना नहीं होगा। परमभट्टारक जारके स्वीडनके साथ हो रहे युद्धको सम्मानपूर्वक समाप्ति पर ही सब कुछ निर्भर करता। शायद जिस वक्त मैं यह बातें कर रहा था, उसी समय सचमुच शांति-संधि की जा रही थी। उसके बाद इसमें कोई बाधा नहीं हो सकती, कि मेरे स्वामी (जार) धीरज खोकर कहीं अपने हथियारोंको इस ओर न घुमा दें।"

लेकिन चीनी प्रधान-मंत्री ऐसी धमकियोंकी कोई पर्वाह नहीं करता था। अन्तमें देलांगको चीन दरबारसे चले जानेकी छुट्टी मिली और सत्रह महीना रहनेके बाद एक कारवांके साथ वह चीनकी राजधानीसे रवाना हुआ। इस प्रकार पीतरके समय चीन-रूसका संबंध अच्छा नहीं रहा। पीतरके मरनेपर यद्यपि बाहरी शक्तियोंसे संघर्षने भयंकर रूप धारण नहीं किया, लेकिन उसके बादके सैंतीस वर्षों (१७२५-६२ ई०) में चीन में छ प्रासादी क्रांतियां हुईं। पीतरके उत्तराधिकारियोंमें अन्ना इवान-पुत्री, और पीतर III अयोग्य और विलासी थे। उनके समयमें दरबारियोंके हाथमें राज-शक्ति चली गई थी। पीतर II और इवान VI गुड़िया जार थे। पीतर I ने १७२२ ई० में बनाये अपने विधानमें सम्राट्के हाथमें यह अधिकार दे दिया था, कि वह स्वयं अपने उत्तराधिकारीको चुन सकता है। लेकिन वह अन्त तक उत्तराधिकारीके बारेमें किसी निश्चयपर नहीं पहुंचा। वह मृत युव-राज अलेक्सीके पुत्रको उत्तराधिकारी नहीं बनाना चाहता था, अपनी रानी एकातेरिनाको भी राज देने में आनाकानी कर रहा था, और अपनी लड़कियों एलिजाबेत या अन्नाके बारे भी उसने कोई निश्चय नहीं कर पाया था। लेकिन उसके मरनेके बाद दरबारियोंके एक प्रभावशाली समुदायने पीतरकी रानी एकातेरिनाको गद्दीपर बैठा दिया।

६. एकातेरिना I, पीतर-पत्नी (१७२५-२७)

अपने दो सालके शासनमें उसने किसी योग्यताका परिचय नहीं दिया। दरबारके एक प्रभाव-शाली सामन्त मेंशिकोफने एकातेरिनाको पीतर I के पौत्र तथा अलेक्सीके पुत्र पीतर II को अपना उत्तराधिकारी बनानेके लिये तैयार किया। युवराजसे अपनी लड़कीका ब्याह करके वह अपने प्रभावको बढ़ाना चाहता था।

एकातेरिनाके समय १७२७ ई०में एक रूसी दूतमंडल सावा ब्लादिस्लाव-पुत्रकी अधीनतामें पेकिङ भेजा गया। इस दूतमंडलका काम अबतक गये सभी दूतमंडलोंसे बड़ा ही लाभदायक साबित हुआ। सावाने २७ अगस्त १७२७ ई०को जिस संधिपत्रको स्वीकृत करानेमें सफलता पाई, वह सवा शताब्दियों (जून १८५८ ई०) तक मान्य रहा। इतनी देरतक रहनेवाली संधियां बहुत कम ही देखी जाती हैं। इसी समय रूस और चीनके बीचकी सीमारेखा पूर्वमें क्याख्तासे ऐगून नदीके मुहानेतक और पश्चिममें क्याख्तासे सुइंयान-पर्वतमालाके एक डांड़े शबिनादाबेंगतक निर्धारित की गई। यह भी स्वीकार किया गया, कि हर तीसरे वर्ष रूसी कारवां पेचिङ आ सकते हैं, तथा यह भी कि पेचिङमें एक स्थायी रूसी दूतावास स्थापित किया जायगा, और रूसी अपने धर्मके अनुसार पूजा-पाठ कर सकेंगे। राजदूतके निवासमें रूसी और लातीनी भाषाओंके जाननेवाले चार तरुण विद्यार्थी रह सकेंगे, जिनका खर्च चीन बर्दाश्त करेगा, और शिक्षा समाप्त करनेके बाद वह लौटनेके लिये स्वतन्त्र रहेंगे। इस दूत-मिशनके ऊपर चीन सरकारको प्रतिवर्ष हजार चांदीके रूबल और दस मन चावल खर्च करना पड़ता था। रूसी सरकार उसपर सोलह हजार चांदीके रूबल खर्च करती थी, जिसमेंसे एक हजार रूबल अलबाजीन कसाकोंकी पेचिङमें रहती तरुण संतानोंकी शिक्षापर खर्च होता था। यद्यपि इस संधिके अनुसार रूसी हर साल अपने कारवांको भेज सकते थे, लेकिन वस्तुतः १७२७ ई० और १७६२ ई०के बीचमें केवल छ कारवां गये। व्यापारके लिये कई तरहके निबंध थे, जिसके कारण निराबाध व्यापार नहीं हो पाता था। बिना एक साल क्याख्तामें रहे कोई चीनी व्यापारी वहां

रूसियोंके साथ व्यापार नहीं कर सकता था, सरकार उन्हींको लाइसेंस देती थी, जो कि रूसी भाषा लिख-बोल सकते थे। व्यापार बदलेनमें होता था, किसी भी तरहके सिक्केका इस्तेमाल बिल्कुल वर्जित था। चीनी व्यापारी पहले क्याखता जाते और अपने पसंदके मालको चुनते, फिर रूसी व्यापारी उसी बातके लिये मैमाचेन आते। अपनी सरकारों द्वारा नियुक्त कमिश्नर (आयुक्तक) चायके माध्यमसे हर एक चीजका दाम निश्चित करते। चीनी व्यापारी चायके बदलेमें ऊनी कपड़े, चमड़े, छालें जैसी चीजें लेते।

७. पीतर II, अलेक्सी-पुत्र (१७२७-३० ई०)

एकातेरिनाके मरनेके बाद मेंशिकोफने अपने ही महलमें पीतरको गद्दीपर बैठाया। उस समय वह बारह वर्षका लड़का था। उसके नामपर मेंशिकोफ अब शासन करने लगा। धीरे-धीरे मेंशिकोफके प्रति लोगोंमें बहुत असंतोष पैदा हो गया और उसे पकड़कर बेरियोजोफ (साइबेरिया) में निर्वासित कर दिया गया। अब उसका स्थान दोलगोरुकी राजुल-वंशने लिया। उसने अपनी कन्यासे सम्राट्का ब्याह करना चाहा। यह याद रखना चाहिये, कि पीतर ने अपने लिये "सम्राट्" (एम्पेरातोर) की पदवी धारण की थी, जिसका प्रयोग अन्तिम जारतक होता रहा, यद्यपि लोग अधिकतर जारकी उपाधि ही इस्तेमाल करते थे। ब्याहकी तैयारी हो ही रही थी, इसी बीच पीतर II बीमार होकर मर गया। पीतरके साथ रोमनोफ वंशकी पुरुष-संतानोंका अन्त हो गया, इसके बाद रोमनोफ कुमारियां तथा उनके जर्मन पतियोंकी संतानें रूसपर शासन करती रहीं। ये जर्मन जार पूरीतौरसे रूसियोंमें मिल नहीं सके, उनके दरबारोंमें जर्मनोंका बाहुल्य था।

पीतर IIके समयकी एक उल्लेखनीय घटना है बेरिंगका भौगोलिक अभियान। १७वीं सदीके मध्यमें रूसियोंने कामचत्का तकका पता लगाकर उसपर अपना अधिकार स्थापित कर लिया था, और सिमओन देजनिओफने चुकोत्स्क प्रायद्वीपका चक्कर लगाकर सिद्ध कर दिया था, कि एसिया और अमेरिकाके बीचमें एक पतली-सी खाड़ी है। लेकिन यह बात १८वीं सदीके आरम्भमें भूल गई। अपनी मृत्युसे जरा-सा पहले पीतरने एसिया और अमेरिकाके मिलन-स्थानके बारेमें अधिक खोज-पता लगानेके लिये एक अभियान भेजनेकी आज्ञा दी। इस अभियानका नेता रूसी नौसेनाका एक अफसर तथा डेनमार्क-निवासी वीटस बेरिंग नियुक्त किया गया। पहले अभियान (१७२८-३० ई०)में बेरिंग (अपने नामसे प्रसिद्ध होनेवाली) खाड़ी तक गया, लेकिन उसने अमेरिकन तटभूमिकी पड़ताल नहीं की। दो साल बाद बेरिंग फ्योदोरोफ और ग्वोज्देफ दो रूसी सैनिक और भूगोलशास्त्रियोंके साथ गया। अबके उसने सिर्फ एसिया और अमेरिकाके तटोंपरकी ही जांच-पड़ताल नहीं की, बल्कि वहांका पहला नक्शा तैयार किया। उसके बाद अमेरिका-तटके अलास्का प्रायद्वीपको रूसियोंने १७९७ ई०में अपना उपनिवेश बनाया, जिसे कि जारने १८६७ ई०में अमेरिकों के हाथमें बेंच दिया।

८. अन्ना, इवान V-पुत्री (१७३०-४० ई०)

पीतर IIके मरनेके बाद कुछ समयतक निजी परिषद् (प्रिवी कौंसिल)ने शासनसूत्र अपने हाथमें लिया। इस परिषद्में दो पुराने राजुल-वंशों गोलित्सिन और दोल्गोरुकीका प्रभुत्व था। राजुल द० म० गोलित्सिन बहुत भारी जमींदार था, और परिषद्में उसकी चलती भी काफी थी। वह इंगलैण्ड और स्वीडनकी नकलपर राज्य-व्यवस्था करनेका पक्षपाती था, जिसमें शासनमें जमींदारोंका पलड़ा भारी होता। उसके प्रस्तावपर परिषद्ने पीतर I के भाई जार इवानकी पुत्री अन्नाको राजसिंहासन प्रदान किया। अन्नाका ब्याह पीतरने एक जर्मन राजुल (कूरलंडके ड्युक)के साथ किया था। ड्युकके मरनेके बाद बराबर वह वहीं रहती थी। परिषद्के सामन्तोंने कई शर्तें रक्खीं, जिसके बारेमें अन्नाने कहा: "मैं सभी बातोंको बिना चूं-चिराके माननेका वचन देती हूं।"

दरबारी चाहते भी नहीं थे, कि अन्ना राजकाजमें अधिक भाग ले, और वह भी अपने आनंद-विलासमें समय काटना चाहती थी, जिसके लिये भारी परिमाणमें धन प्राप्त करना ही उसका

लक्ष्य था। पीतरबुर्गके हेमन्तप्रासादमें अपने चाटुकारोंसे घिरी वह अपना दिन बिताती थी। उसने अपने एक जर्मन दरबारी बीरेनको अपनी तरफसे राजकाज संभालनेका काम दे दिया था। बीरेन एक निर्बुद्धि और अशिक्षित जर्मन अमीर था। उसने सभी प्रभावशाली पदोंपर जर्मनोंको लाकर भरना शुरू किया। वही वैदेशिक विभागका संचालन करते थे, और वही रूसी सेनाके सेनानायक थे। बीरेन रूसियोंको बड़ी तुच्छ दृष्टिसे देखता था। उसने कभी रूसी भाषा नहीं सीखी। लोगोंसे पैसे ऐंठकर जर्मनीमें वह अपने लिये भूमि खरीदता तथा अपनी बीवीके लिये मूल्यवान् कपड़ों और रत्नोंको जमा करता। अन्नाके शासनके साथ रूसमें जर्मनोंका जबरदस्त प्रवेश शुरू हुआ, जो कि अन्तिम जारके समय हदतक पहुंच गया। रूसियोंके मनमें जर्मनोंके इस बर्तावसे यदि विद्वेष होने लगा, तो इसमें आश्चर्य की कोई बात नहीं। अन्नाके शासनकालमें कालासागरके तटपर अधिकार करनेके लिये तुर्की और क्रिमियाके साथ लड़ाई (१७३५-३९ ई०) हुई। रूसने तुर्की सेनाको कई जगह हराया। १७३९ई० में तुर्कोंके साथ हुई संधिके अनुसार रूसको समुद्रतक द्नियेपर नदीके दोनों तट मिल गये। लेकिन लड़ाईपर जो खर्च करना पड़ा, उसके कारण देशके जनसाधारणकी आर्थिक स्थिति बहुत बुरी हो गई।

१७३७ ई०में अन्नाके शासनकालमें चीन और रूसके साथ व्यापारिक संबंध अच्छे हो गये थे, इसलिये कारवांके व्यापारकी इजारेदारी किसी व्यापारीको न देकर खुला व्यापार करनेका रास्ता खोल दिया गया। व्यापारियोंको पेकिङ्ग भी जानेकी जरूरत नहीं थी। रूसी व्यापारी क्याख्ता में आके ठहरते और चीनी मैमाचिनमें—दोनों ही स्थान सीमांतपर पास-पास थे। चीनी सरकार ने चीनी व्यापारियोंपर कुछ निर्बंध लगा रक्खे थे, जिसका वर्णन हम पहले कर चुके हैं, और उसके कारण व्यापारमें कुछ अड़चन होती थी।

९. इवान VI, अन्ना-पुत्र (१७४०-४१ ई०)

अन्नाकी कोई संतान नहीं थी, इसलिये उसकी भतीजी अन्ना ल्योपोल्द-पुत्रीके बेटे इवानको राजगद्दी दी गई। नये जारकी मां एक जर्मन ड्युक (ब्रन्सविक)से ब्याही गई थी। १७४० ई०में अभी तीन महीनेका बच्चा ही था, जबकि इवानको गद्दीपर बैठा दिया गया। जारको कुछ करना-धरना भी नहीं था, इसलिये उसके बच्चे होनेसे कुछ बनने-बिगड़नेवाला नहीं था। उसकी मां राजमाता अभिभाविका घोषित की गई, लेकिन उसका शासन एक सालसे अधिक नहीं रहा। सभी जगह विदेशी जर्मनोंको देख राजधानीमें देशी अमीरोंके दिलमें आग लग रही थी। सैनिक अफसरों और सिपाहियों में भी इसके लिये असंतोष फैला हुआ था। फ्रांसके राजदूतने भी षड्यंत्रमें सहायता दी, और २५ नवम्बर १७४१ ई०को पीतर I की पुत्री एलिजाबेत यकायक अपने अनुचरों और गारदकी एक टुकड़ीके साथ महलमें घुस आई। गारदोंने तुरन्त अन्ना ल्योपोल्द्-पुत्री और उसके परिवारको पकड़ लिया और जर्मनोंके साथ काफी दुर्व्यवहार करके एलिजाबेतको साम्राज्ञी घोषित कर दिया। शिशु सम्राट् इवानको श्लुशेलबर्गके किलेमें बंद कर दिया गया, जहां उसे एकातेरिना IIके शासनकाल (१७६२-९६ ई०) में मार डाला गया।

१०. एलिजाबेत, पीतर I-पुत्री (१७४१–६१ ई०)

एलिजाबेतके शासनकालमें रूसी सामन्तोंका प्रभाव काफी बढ़ा, और अमीरोंके फायदेके लिये कई नियम और विधान बनाये गये। अब केवल पुराने राजुलवंशी ही किसानोंकी बस्ती-वाली भूमिके मालिक हो सकते थे। वह अपने अर्ध-दासोंको बिना अभियोगके साइबेरियामें निर्वासित कर सकते थे, जो आम तौरसे सेनामें भर्ती होकर जाते थे। एलिजाबेतको अपने आनंद-मौजके सिवा किसी कामसे कोई वास्ता नहीं था। उसके यहां नाच, गाना और शराबकी मजलिसें लगातार होती रहती थीं। एलिजाबेतने अपने भतीजे कार्ल पीतर उलरिचको अपना उत्तराधिकारी बनाया। कार्ल पीतर I की पुत्री अन्ना और उसके पति ड्युक होल्स्टाइनका पुत्र था। पीतर रूसमें फ्योदोर-पुत्र कहा जाता था। वह बहुत ही निर्बलबुद्धि तरुण था। अठारह-बीस वर्षकी उमरमें भी अभी वह खिलौनों-

से खेला करता और उनसे ऐसे बातें करता मानो वह आदमी हैं। साथ ही अपने जर्मन होनेका उसे हृदसे अधिक अभिमान था, और उसी परिमाणमें वह रूस और रूसियोंके साथ घृणा करता था। साम्राज्ञी एलिजाबेतने उसका ब्याह एक जर्मन राजकुमारी सोफिया अनहाल्ट-जर्ब्स्तके साथ कर दिया, जो कि रूसमें एकातेरिना अलेक्सी-पुत्रीके नामसे प्रसिद्ध हुई—बिना पिताके नामसे रूसमें किसी स्त्री-पुरुष-को पुकारनेका रवाज नहीं है, इसलिये हरएकके साथ पितृनाम जोड़ना ही पड़ता ह। एकातेरिना अपने पति जैसी नहीं थी। वह बड़ी योग्य और मेहनती स्त्री थी। उसने रूसी भाषा और रूसी रीति-रवाजोंका अच्छी तरह अध्ययन किया। वह रूसी सामन्तों और अमीरोंको हर तरहसे अपनी ओर खींचनेकी कोशिश करती थी।

११. पीतर III, फ्योदोर-पुत्र, पीतर I-नाती (१७६१-६२ ई०)

पीतरका शासन बहुत थोड़े दिनोंका था। वह अपने समयमें रूसी शासनको प्रुशियाके राजा फ्रेड्रिक (१७४०-८६ ई०) के नमूनेपर बनानेकी कोशिश करता रहा। फ्रेड्रिक बड़ा ही महत्त्वाकांक्षी शासक था, जिसके कारण उसके पड़ोसी बहुत चिन्तित रहते। फ्रांस, आस्ट्रिया और सेक्सनीके साथ रूसने भी फ्रेड्रिकके विरुद्ध अपनी एक गुट बना ली थी। इंगलैण्ड फ्रेड्रिकका पक्षपाती था। फ्रेड्रिकने पूर्वी पड़ोसीका बिना ख्याल किये ही, सेक्सनीके ऊपर आक्रमण किया इसपर उसी साल रूसी सेना प्रुशियाके भीतर घुस गई, जिस साल अंग्रेजोंने पलासीकी लड़ाई (१७५७ ई०) जीतकर हिन्दुस्तानमें अपना दृढ़ शासन स्थापित किया। फ्रेड्रिकको अपनी सेनापर बड़ा अभिमान था। वह रूसी सेनाको बिल्कुल तुच्छ दृष्टिसे देखता था, लेकिन पहली ही झड़पमें उसे अपनी राय बदलनी पड़ी। उसने अपने सबसे योग्य सेनापतियोंको भारी सेना देकर रूसियोंके विरुद्ध भेजा। अगस्त १७५७ ई० में जर्मनोंने पहला आक्रमण किया, और यह आक्रमण हिटलरके ब्लित्जक्रीगका प्रथम नमूना था। यकायक आक्रमण करनेके कारण रूसी पहले कुछ तितर-बितरसे हो गये। मालूम होने लगा, जर्मन विजयी होंगे। इसी समय जंगलोंमें छिपी हुई रूसी सेना मैदानमें कूद पड़ी। यह ब्लित्जक्रीगका अच्छा जवाब था। रूसियोंने जर्मन सेनापर पूर्ण विजय प्राप्त की। कोयनिग्सबर्गके महादुर्गने बिना प्रतिरोधके ही आत्म-समर्पण कर दिया। यदि रूसी सेनाने इस समय अवसरसे लाभ उठाया होता, यदि रूसके मित्रोंने सुस्ती न दिखलाई होती, तो फ्रेड्रिकका सर्वनाश हुये बिना नहीं रहता। अपनी सेनाको फिरसे संगठित करके १७५९ ई० में फ्रेड्रिक ओडेर-पर-फ्रांकफोर्तको खतरेमें डाले हुई रूसी सेनाके मुकाबिलेमें चला। सब प्रयत्न करके भी फ्रेड्रिकको बुरी तरहसे हारना पड़ा। जर्मन अपने हथियारों और झंडोंको छोड़कर भाग गये। फ्रेड्रिक रूसियोंके हाथमें बंदी होते बाल-बाल बचा। फ्रेड्रिक अत्यंत निराश हुआ, जैसा कि उसने स्वयं लिखा है: "मैं अभागा हूं, जो जीनेके लिये बचा हूं, जिस समय मैं यह लिख रहा हूं, हरएक आदमी भाग रहा है। इन आदमियोंके ऊपर मेरा कोई बस नहीं है।" लेकिन जिस वक्त फ्रेड्रिक इस तरहसे निराश था, उसी वक्त उसके पश्चिमी शत्रुओंने उसे बचनेका अवसर दे दिया। १७६० ई० में एक छोटीसी रूसी सेनाने जर्मन राजधानी बर्लिनपर कूच किया। यद्यपि राजधानीमें छब्बीस बटालियन पैदल, छियालीस रिसाला स्क्वाड्रेन और एक सौ बीस भारी तोपें थीं, लेकिन जर्मन सेनापतियोंने नगरकी प्रतिरक्षा करना बेकार समझा। रातके वक्त वह अपनी सेना लेकर बाहर चले गये, और सबेरेके वक्त बर्लिनके नगराधिकारियोंने रूसी सेनापतियोंको मखमलके गद्देपर रखकर नगरकी कुंजी भेंट कर दी। फ्रेड्रिककी दुरवस्था चरम सीमा तक पहुंच गई थी। इसी वक्त दिसम्बर १७६१ ई० में रूसी साम्राज्ञी एलिजाबेत मर गई। उसके उत्तराधिकारी पीतर II ने प्रुशियाके साथ क्षणिक विराम-संधि करके फ्रेड्रिकको बचा लिया। इस युद्धमें अपनी विजयों द्वारा रूसने पश्चिमी युरोपको चकित कर दिया। रूसी सेनापति प. अ. रुम्यान्त्सेफ (१७२५-९६ ई०) के युद्धकौशलका इसमें बहुत भारी हाथ था।

पीतरके दो सालके राज्यमें रूसकी प्रगतिको लाभ नहीं हानि पहुंची। फिर जर्मन सेनापतियों और अफसरोंकी सब जगह भरमार हो गई। पीतरकी दिलचस्पी रूसकी अपेक्षा अपने होल्स्टाइन वंशसे अधिक थी। वह होल्स्टाइनके लिये डेनमार्कसे लड़नेकी तैयारी भी कर रहा था। लेकिन अपनी

महत्त्वाकांक्षाओंके अनुसार उसमें योग्यता नहीं थी। उसकी पत्नी एकातेरिना अलेक्सी-पुत्री जानती थी, कि उसका नालायक पति सिंहासनको खोकर रहेगा, इसलिये रूसी दलके षड्यंत्रमें वह स्वयं शामिल हो गई। गारदके अफसर दो-भाई ओरलोफ षड्यंत्रके मुखिया थे। २८ जून १७६२ ई० के बड़े तड़के ही उन्होंने एकातेरिनाको उपनगरके एक प्रासादसे पीतरबुर्गमें लाकर साम्राज्ञी घोषित कर दिया। अगले दिन पीतरने क्रोन्स्तात्में भाग जानेका व्यर्थ प्रयत्न किया, फिर सिंहासनसे बाकायदा इस्तीफा दे दिया। ऐसे नालायक पतिको भी अधिक दिनोंतक जीनेका अधिकार देना बुद्धिमानीकी बात नहीं थी, इसलिये थोड़े ही दिनों बाद वह मार डाला गया।

१२. एकातेरिना II, पीतर III-पत्नी (१७६२–९६ ई०)

एकातेरिना योग्य और सुशिक्षिता स्त्री थी। जिस वक्त वह गद्दीपर बैठी, उस वक्त राज्यकी अवस्था अस्तव्यस्त हो रही थी, राजकोष खाली था, सैनिकोंको सात महीनेसे वेतन नहीं मिला था। मरम्मत न होनेसे, युद्धपोत और दुर्ग खराब हो रहे थे। जनतामें बहुत असंतोष था, विशेषकर कारखानोंमें काम करनेवाले उंचास हजार मजूरों और जमींदारोंके डेढ़ लाख अर्ध-दास कैदियोंसे जेल भरे हुये थे। एकातेरिनाने यद्यपि जमींदारोंके अधिकारोंपर प्रहार नहीं किया, लेकिन तब भी अपने शासनके आरम्भमें उसने किसानों और जनसाधारणके बोझेको हलका करनेकी कोशिश की। उसे पश्चिमके नये विचारोंवाले दार्शनिकोंके ग्रंथोंके पढ़नेका बड़ा शौक था। फ्रेंच विचारक वोल्तेरके साथ उसका पत्र-व्यवहार था। उस समय वोल्तेर, मोन्तेस्को, दीदरो और दूसरे फ्रेंच विचारक अपनी सशक्त लेखनी द्वारा सामन्तवादी व्यवस्थापर प्रहार कर रहे थे, मिथ्या विश्वासोंको हटाकर बुद्धिवादको आगे बढ़ा रहे थे। एकातेरिना उनके इन विचारोंसे अवगत थी। वह वोल्तेर, दीदरो और दूसरोंसे पत्र-व्यवहार करके यह दिखलाना चाहती थी, कि जिस आदर्श शासन या नृपतिके बारेमें तुम प्रचार कर रहे हो, वैसी बुद्धिमती और नई रोशनीवाली शासिका मैं हूं। रूसके किसानोंमें उस वक्त भूख और अज्ञानका अखंड राज्य था, लेकिन एकातेरिना वोल्तेरको लिखती थी, कि रूसमें एक भी ऐसा किसान नहीं है, जो इच्छा होनेपर मुर्गी न खा सकता हो, बल्कि अब तो वह मुर्गीकी जगह टर्कीका खाना ज्यादा पसंद करते हैं। एकातेरिना पाखंडमें बहुत ही चतुर थी। वह राजकाजमें सीधे भाग लेती थी। वह स्वयं कानूनों और राजादेशोंका मसविदा बनाती थी। साहित्यमें उसकी दिलचस्पी थी और स्वयं एक पत्रिका "सबका थोड़ा" निकालती थी। एकातेरिनाका शासन सामंतों और अमीरोंके लिये रूसी इतिहासका सुनहला समय था।

जर्मनी (प्रुशिया) के साथ सात वर्ष (१७५६-६३ ई०) वाला युद्ध समाप्त होनेके बाद एकातेरिनाने राज्य संभाला था। यद्यपि बीचमें उसका नालायक पति आ घुसा था, लेकिन थोड़े ही समयमें एकातेरिनाने रूसकी धाकको फिरसे जमा दिया। आस्ट्रिया और फ्रांस रूसकी बढ़ती हुई शक्तिको शंकाकी दृष्टिसे देखते थे। फ्रेंच व्यापारी पूर्वी देशोंके व्यापारपर एकाधिपत्य रखना चाहते थे, इसलिये वह नहीं चाहते थे, कि रूसियोंकी शक्ति अधिक बढ़े। आजकलके अमेरिकाकी तरह उस समयका फ्रांस रूसके चारों तरफ शत्रु-राज्योंका घेरा डालना चाहता था। इसके लिये उसने तुर्की, पोलैण्ड, स्वीडन और आस्ट्रियाको अपने साथ मिलाकर एक जबरदस्त गुट बनाना चाहा। रूसने भी इसके विरुद्धमें प्रुशिया, इंगलैंड और दूसरे राज्योंको मिलाकर एक गुट बनानेकी कोशिश की, लेकिन विरोधी स्वार्थोंके कारण दोनों अपने उद्देश्यमें सफल नहीं हुये। आस्ट्रिया पश्चिमी उक्रइनकी उर्वर भूमिको चाहती थी, प्रुशिया पोलन्दकी निम्न-विस्तुला-उपत्यकापर हाथ साफ करना चाहती थी, और रूस अपने हाथसे छिने बेलोरूसी और उक्रइनी इलाकोंको लौटाना चाहता था। इन स्वार्थोंके साथ तीनोंमेंसे कोई नहीं चाहता था, कि किसीकी शक्ति अधिक बढ़ जाये। शताब्दियोंतक शक्तिशाली रहनेके बाद पोलन्द अब निर्बल हो गया था। वहांके अमीरों और सामन्तोंने राजाके अधिकारको बहुत सीमित कर दिया था। उधर कैथलिक पोल ग्रीक-चर्चके अनुयायी उक्रइनों और बेलोरूसियोंके ऊपर तरह-तरहके अत्याचार कर रहे थे। एकातेरिना कैसे चुप रह सकती थी? १७६३ ई० में अगस्तस् IIIके मरनेपर एकातेरिनाके उम्मीदवार स्तानिस्लाउस पोनियातोव्स्कीको पोलन्दका राजा

चुना गया। रूस और प्रुशिया दोनोंने मांग की, कि पोलन्दमें ग्रीक-विश्वासियों तथा प्रोटेसटेंटों (सुधार चर्च) को केथलिकोंके बराबर अधिकार दिया जाय। इन्कार करनेपर रूसी सेना पोलन्दके भीतर भेज दी गई। पोलिश संसद्को मजबूर होकर रूसकी मांगको स्वीकार करना पड़ा। इसी समय एकातेरिनाने पोलन्दको करीब-करीब अपने संरक्षणमें ले लिया। रूसके बढ़े हुये प्रभावको देखकर आस्ट्रिया और प्रुशियाको चिंता हो गई। फ्रेड्रिकने समझा, कि रूस सारे पोलन्दको हड़प लेगा, इसलिये उसने आस्ट्रिया, प्रुशिया और रूसके बीच पोलन्दके बंट जानेकी एक योजना बनाई, जिसे तीनों राज्योंने स्वीकार किया—प्रुशियाको पोलन्दका बाल्तिक-तट तथा पश्चिमी भाग मिला। इस प्रकार प्रुशियाका पूर्वी भाग, जो अभी तक अलग-अलग था, पश्चिमी भाग (ब्रांडेनबर्ग) से मिल गया। प्रुशियाने डन्जिग और थोर्नको लेना चाहा, लेकिन एकातेरिनाने उसे माननेसे इन्कार कर दिया। आस्ट्रियाको उक्रइनी-गलिसिया मिली, और रूसको बेलोरूसियाका कुछ भाग। १७७३ ई०में इस प्रकार पोलन्दका पहला बंटवारा हुआ, जो कि बहुत कुछ प्रथम विश्वयुद्ध (१९१४-१८ ई०) तक कायम रहा।

प्रथम तुर्की युद्ध (१७६८-७४ ई०)—फ्रांस नहीं चाहता था, कि रूसकी शक्ति और बढ़े, इसलिये उसने तुर्कीको भड़काकर लड़ाई छिड़वा दी। १७६८ ई०में सुल्तानने कान्स्तन्तिनोपोल-स्थित रूसी राजदूतसे मांग की, कि अपनी सेना पोलन्दसे हटा लो। तुर्कीकी इस अनधिकार चेष्टाको रूस कैसे स्वीकार कर सकता था? इसपर रूसी दूतको पकड़कर जेलमें बन्द कर दिया गया। युरोपके लोग समझते थे, कि रूस तुर्की और पोलन्द दोनोंसे एक ही समय नहीं लड़ सकता। क्रिमियाका खान अपनेको तुर्कीके खलीफाके अधीन समझता था। उसने पहल की और १७६९ ई० के वसन्त में क्रिमियाके तारतारोंने दक्षिणी रूसके सीमांती इलाकोंमें लूट-मार मचाई। रूसकी सीमाके भीतर यह तारतारोंकी अन्तिम लूट-मार थी। प्रसिद्ध सेनापति रुम्यान्त्सेफ—जिसने सप्तवर्षीय जर्मन-युद्धमें भारी यश कमाया था—एक बड़ी सेना लेकर दक्षिणकी ओर बढ़ा। उसने अपने कई योग्य सहायक चुने थे, जिनमें अलेक्सान्द्र वासिली-पुत्र सुवारोफ भी था—सुवारोफ सभी कालके रूसी सेनापतियोंका शिरोमणि माना जाता है। रुम्यान्त्सेफ सबसे पहले शत्रुकी सैनिक शक्तिको अधिकसे अधिक ध्वस्त करना चाहता था। १७७० ई० में उसे पता लगा, कि लारगा नदीसे नातिदूर अस्सी हजार तुर्क-सेना छावनी डाले पड़ी है। रूसी सेनापतिके पास उस समय केवल तीस हजार सैनिक थे, लेकिन उसने आक्रमण कर दिया और तुर्क-सेनाको पूरी तौरसे हारना पड़ा। इसके दो सप्ताह बाद वह एक ओरसे अस्सी हजार तारतारों और दूसरी ओरसे तुर्कीके वजीरकी अधीनतामें डेढ़ लाख तुर्क सैनिकोंके बीचमें घिर गया। लेकिन इससे रुम्यान्त्सेफको घबराहट नहीं हुई। उसने यह कहते हुये पहले स्वयं आक्रमण करनेका निश्चय किया: "छोटी सेनासे बड़ी सेनाको हराना एक कला और कीर्तिकी बात है, और बड़ी सेनासे अधिक शक्तिशाली शत्रुको हरानेमें विशेष चातुरीकी अवश्यकता नहीं है।" तुर्की तोपखानेने जबरदस्त गोलाबारी की और तुर्क सवारोंने भारी संख्यामें रूसियोंका प्रतिरोध किया। निर्णयकी जब आखिरी घड़ी आई, तो रूसी सेना घबड़ाने लगी, इसी समय रुम्यान्त्सेफ आ पहुंचा और उसने चिल्लाकर कहा—"डटे रहो लड़को" और वह स्वयं युद्धके भीतर पिल पड़ा। तुर्कोंकी भारी हार हुई, और द्नियेस्तर तथा दन्यूबके बीचकी भूमि रूसियोंके लिये खाली हो गई। रूसी सेना अब दन्यूब महानदके बाम तटपर पहुंच गई। इस विजयके लिये रुम्यान्त्सेफको "ज़ा-दुनाइस्की" (दन्यूब-वाला) की उपाधि प्राप्त हुई। स्थलपर इस तरह सफलता प्राप्त करके रूसी नौसेनाने जलमें भी अपनी श्रेष्ठता दिखलाई और उसने सारे तुर्की बेड़ेको नष्ट कर दिया। १७७१ ई० में थोड़े ही समयके भीतर रूसी सेनाने सारे क्रिमिया प्रायद्वीपपर अधिकार कर लिया। रूसी सेना दन्यूबके किनारेपर नहीं रुकी और उसने कई बार इस महानदको पार करके आक्रमण किया, जिसमें अलेक्सान्द्र सुवारोफने अपने सैनिक कौशलका बहुत अच्छा परिचय दिया। रूस अपनी विजययात्राको और भी जारी रखता, लेकिन एक तो युद्धके अपार व्ययका सवाल था, दूसरे इसी समय पुगाचेफके नेतृत्वमें रूसी किसानोंने जबर्दस्त विद्रोह कर दिया था। एकातेरिनाने १७७४ ई०में जल्दी-जल्दी तुर्कीके साथ संधि कर ली। द्नियेपर और बुगके बीचका प्रदेश रूसको मिला और साथ ही कालासागरमें घुसनेकी केर्चकी खाड़ी भी। अब रूसी जहाज स्वच्छंदतापूर्वक कालासागरमें जा सकते थे, तुर्कीने दरेदानियाल (दरदानेल्स)

और बासपोरसकी खाड़ियोंको भी रूसी जहाजोंके लिये खोल दिया। क्रिमियाके खानको तुर्कोंकी अधीनतासे स्वतन्त्र घोषित कर दिया गया, और अब उसके ऊपर रूसका प्रभाव बढ़ चला।

किसान-संघर्ष——रूसी अपने पूर्वजों (शकों) के समयसे ही योद्धा-जाति हैं। सामन्ती अत्याचारोंको रूसी किसान और अर्ध-दास आंख मूदकर हर वक्त बर्दाश्त करनेके लिये तैयार नहीं रहते थे। १६वीं से १८वीं सदीके बीचमें केवल मध्य-एसियामें ही चालीसके करीब विद्रोह हुये। वोल्गा प्रदेशमें रूसी जमींदारों और अफसरोंका अत्याचार बहुत बढ़ा हुआ था। यह वह इलाका था, जहां-पर कि रूसियों और एसियाई जातियोंके इलाके एक दूसरेके पड़ोसमें पड़ते थे। बाशकिरोंकी भूमिपर रूसी व्यापारियों, कारखानेवालोंकी खास तौरसे गृध्र-दृष्टि थी। कल्मक १७७० ई० के आसपास तक निम्न वोल्गाके दोनों तटोंपर रहते थे, लेकिन १७७१ ई०में शासकोंके अत्याचारोंसे परेशान तथा चीनके प्रलोभनके कारण वोल्गाके बायें तटवाले कल्मक अपने सारे तम्बुओं और पशुओंको लेकर चीनकी ओर चले गये, जिसके बारेमें हम अभी कहनेवाले हैं——यह कल्मक चीन द्वारा पूर्वी तुर्किस्तानमें बसाये गये। वोल्गाके दाहिने तटपर अब भी कल्मक-मंगोल रहते थे। किसानोंका विद्रोह पहले-पहल यायिक (उराल) नदीके तटपर बसनेवाले रूसी कसाकोंमें फैला। कसाक जिस वक्त भागकर जापरोजे और दोनकी भूमिमें बसे, उस वक्त उनमें उतनी सामाजिक विषमता नहीं थी, लेकिन अब उनके भीतर धनियों और गरीबोंका भारी भेद हो गया था। सरकारी अफसर धनी कसाकोंका पक्ष करते थे, और जरा भी विरोध करनेपर उन्हें बड़ी बुरी तरहसे दबा देते थे। १७७२ ई० में यायित्स्क नगरमें कसाकोंने विद्रोह करके जेनरल त्राउबेन्बर्ग और कितने ही कसाक आतमनों (सरदारों) को मार डाला। लेकिन सरकारी सेनाने आकर यायिकके कसाकोंके विद्रोहको दबा दिया। बहुतसे कसाक मारे गये, और बहुतसे वहांसे बच निकलनेमें भी सफल हुये। तुर्कोंसे लड़ाई हो रही थी, इसी समय दोन और यायिकके कसाकोंमें अफवाह उड़ी, कि जार पीतर III मरा नहीं है, बल्कि वह हमारे बीचमें छिपा हुआ है। १७७३ ई० के शरद्‌में एमेल्यान पुगाचेफ नामक एक कसाकने विद्रोहका नेतृत्व अपने हाथमें लिया। वह उसी जिमोवेइस्क गांवमें पैदा हुआ था, जिसे प्रथम किसान-वीर स्तेपान राजिनको पैदा करनेका सौभाग्य प्राप्त हुआ था।

पुगाचेफने सप्तवर्षीय युद्धमें भाग लिया था, तुर्कोंके युद्धमें भी लड़ा था। बीमारीके कारण छुट्टी पाकर वह घर आया था, लेकिन उसने फिर लौटकर जाना पसंद नहीं किया। वह दोन, वोल्गा और यायिककी उपत्यकाओंमें घूमता रहा। वहां उसे कितने ही दुर्दशाग्रस्त भगोड़े किसान तथा उरालके कारखानोंके मजदूर मिले। अपने इस पर्यटनमें उसे लोगोंसे घनिष्ठता प्राप्त करनेका मौका मिला और धीरे-धीरे उसका एक दल बन गया। अपनेको सम्राट् पीतर III कहते हुये वह सितम्बर १७७३ ई० में यायिकके तटपर पहुंचा। लोग उसके झंडेके नीचे आने लगे। पहले वह अपने आदमियोंको लेकर ओरेनबुर्गकी ओर गया। गेरिसनको अधिकारमें कर किलेपर अधिकार करनेमें उसे कोई कठिनाई नहीं हुई। १७७३ ई० के अक्तूबरमें पुगाचेफ ओरेनबुर्गके नगर-प्राकारके पास पहुंचा, जहां एक मजबूत किला और काफी सैनिक रहते थे। पुगाचेफ छ महीने उसे घेरे रहा। इस विद्रोहने आसपासके लोगोंमें उत्तेजना पैदा की। कजाक (एसियाई) घुमन्तू भी उसकी सेनामें आकर शामिल होने लगे, निम्न वोल्गा और कालासागरके बीचके घुमन्तू कल्मक मंगोल भी पुगाचेफकी सेनामें भर्ती होने लगे। तारतार, बश्‌किर और मारी नौजवान भी यायिकके तटपर पुगाचेफके पास पहुंचने लगे। यह विद्रोह हर जातिके केवल किसानों तक ही सीमित नहीं था, बल्कि इसमें उरालके धातु-कारखानेमें काम करनेवाले मजदूर और दूसरे भी शामिल थे। धीरे-धीरे विद्रोह एक किसान-युद्धके रूपमें परिणत हो गया। पुगाचेफकी सेनामें कल्मकों, बश्‌किरों, तारतारों, कारखानोंके मजदूरों और दूसरोंकी अलग-अलग पल्टनें संगठित थीं। उनके पास हथियारोंकी कमी थी। बहुत थोड़ोंके पास पलीतावाली बन्दूकें या पिस्तौलें थीं, बाकी पुराने तरहके हथियारोंसे सज्जित थे। कुछ तोपें पकड़ी गई थीं, जिनका एक तोपखाना बना लिया गया था। उरालके लोहेके कारखानोंके कारीगरोंकी सहानुभूति होनेके कारण, कुछ नई बंदूकें भी विद्रोहियोंको मिल रही थीं। पुगाचेफ अपनी घोषणाओंको सम्राट् पीतर III के नामसे निकालता था, किसानों और गरीबोंके लिये जितना कुछ उससे हो सकता था, उतना कर

रहा था और उससे भी अधिकका वचन देता था। १७७३ ई०के अन्तमें ओरेनबुर्गको मुक्त करानेके लिये जेनरल कारके नेतृत्वमें एक सरकारी सेना आई, जिसे पुगाचेफने हरा दिया, इसके कारण उसका प्रभाव और बढ़ गया। सारे रूसके अमीरों, जमींदारों और धनियोंमें आतंक छा गया। वोल्गासे सैकड़ों मील दूर रहनेवाले जमींदार भी हर वक्त भयके मारे कांपने लगे। लेकिन मार्च १७७४ ई० में सरकारी सेनाने पुगाचेफको ओरेनबुर्गके पास हरा दिया। अभी भी उसने अपने संघर्षको नहीं छोड़ा। पहले वह बश्‌किरोंके प्रदेशमें गया। फिर रूसी किसानों, बश्‌किरों तथा धातु-कारखानेके मजदूरोंकी सेना संगठित कर वह कामा नदीकी ओर बढ़ते कजानकी ओर चला, जो कि सारे वोल्गा प्रदेशका शासन-केन्द्र था। पुगाचेफ जुलाई १७७४ ई० में कजान पहुंचा। यहां भी उसे अन्तमें हारना पड़ा, और वह थोड़ेसे आदमियोंके साथ वोल्गाके दक्षिण तटकी ओर भागा। सरकारी सेनाने पुगाचेफका पीछा करना शुरू किया। वोल्गाके दाहिने किनारेपर उसके पास अब थोड़े हीसे आदमी रह गये थे, लेकिन जब वह घने बसे हुये इलाकेमें पहुंचा, तो निजनी-नवोगोरदके इलाकेने हथियार उठा लिया। बिना अधिक प्रतिरोधके एकके बाद एक नगरोंने आत्मसमर्पण किया। परन्तु पुगाचेफकी यह सफलता क्षणिक साबित हुई। बाकायदा शिक्षाप्राप्त सरकारी सेनाके सामने किसानोंका दल कैसे डटा रहता? पुगाचेफ पेंजा, सरातोफ और कमिशिन होते अगस्तके अन्तमें जारित्सिन (आधुनिक स्तालिनग्राद) पहुंचा, जहांपर सरकारी सेनाने नगरसे नातिदूर पुगाचेफकी शक्तिको छिन्न-भिन्न कर दिया। तो भी वह अपने कुछ आदमियोंके साथ वोल्गा पार करनेमें सफल हुआ, लेकिन इसके बाद लोगोंका उसकी सफलतापर विश्वास नहीं रह गया। अन्तमें कसाक ज्येष्ठकोंने उसे पकड़कर सरकारके हाथमें दे दिया। हाथ-पैर बांधकर एक लकड़ीके पिंजड़ेमें पुगाचेफको मास्को ले जा जनवरी १७७५ ई० में फांसी दे दी गई। पुगाचेफने भारी जोश और बड़ी-बड़ी आशायें रूसकी गरीब जनतामें पैदा कर दी थीं, लेकिन उस समय वह बिखरे और अशिक्षित किसानोंको ही विद्रोहियोंकी सेनामें शामिल कर सकता था। अभी कारखानेके मजदूरोंकी पल्टन तैयार नहीं हुई थी, जो अपने सुदृढ़ संगठनोंसे किसान-क्रान्तिको सफल बनाती।

जैसा कि पहले कहा गया, एकातेरिनाके शासनकालमें अमीरों और जमींदारोंका बल और भी अधिक बढ़ गया। १७७५ ई० में किसान-विद्रोहको दबानेके बाद एकातेरिनाने राज्यके प्रबन्धमें कितने ही नये सुधार किये। सारा राज्य पचास गुबर्नियों (प्रदेशों) में बांट दिया गया—प्रत्येक गुबर्नियामें प्रायः तीन लाखकी आबादी थी। हरेक गुबर्निया फिर कितने ही उयेज्दोंमें बांटी गई, जिसमें प्रायः तीस हजारकी आबादी थी। कभी-कभी दो-तीन गुबर्नियापर भी एक राज्यपाल नियुक्त होता, लेकिन अधिकतर प्रत्येक गुबर्नियाका एक राज्यपाल होता। इसके कहनेकी अवश्यकता नहीं, कि राज्यपाल या उयेज्दके शासक राजुलों (सामन्तों) और बायरों (अमीरों) में से ही होते थे। १७८५ ई० में नगरके शासनके लिये भी नई व्यवस्था कायम की गई, और उसका कार्य-भार नगरपालिकाके ऊपर दिया गया, जिसके सबसे बड़े अधिकारी "गरोद्‌निची" को सरकार नियुक्त करती थी।

वैदेशिक नीति—एकातेरिनाका शासनकाल रूसके भारी प्रसारका काल था। १८वीं शताब्दीकी अन्तिम चार दशाब्दियां रूसकी सीमाको अधिक बढ़ाने और मजबूत करनेके लिये विशेष महत्त्व रखती हैं। एकातेरिनाके शासनकालमें ही तुर्की और स्वीडनके साथ दो-दो जबरदस्त युद्ध हुये। प्रथम तुर्की युद्धके समय १७३४ ई०में क्रिमियाके ऊपर रूसका संरक्षण स्थापित हो गया था। कालासागरपर निराबाध अधिकार करनेके लिये क्रिमियाका रूसके हाथमें जाना आवश्यक था। क्रिमियाके खानोंमें आपसमें उत्तराधिकारके लिये झगड़े होते ही रहते थे। रूसने उससे फायदा उठाया, सेना भेज शगिन-गिराईको पहले खान घोषित किया; फिर १७८३ ई० में शगिनको अधिकारच्युत करके तोरिदाके नाम से क्रिमियाको एक गुबर्निया बना दिया। अब कालासागरके तटकी काली मिट्टीवाली उर्बर भूमि (नवो-रोसिया) रूसियोंके हाथमें थी, जिसके अच्छे-अच्छे इलाकोंको अपने हाथमें करनेके लिये रूसी सामन्त गिद्धकी तरह टूट पड़े। क्रिमिया प्रायद्वीपके भीतर भी उन्होंने वैसा ही किया, और निवासी तारतार पहाड़ोंकी ओर सिमटनेके लिये मजबूर हुये। जेनरल पोतेमकिन एकातेरिनाके कृपापात्रको क्रिमियाका महाराज्यपाल नियुक्त किया गया, जिसने अपना घर भरनेमें कोई कसर उठा

नहीं रक्खी। सेनाके लिये भर्ती किये गये रंगरूटोंको उसने अपने गांवोंमें बसा दिया। नवोरोसिया और क्रिमियामें नये नगर और दुर्ग स्थापित किये गये। निम्न द्नियेपरके तटपर एकातेरिनोस्लाव्ल (आधुनिक द्नियेपरोपेत्रोव्स्क) की स्थापना हुई, जो कि इस प्रदेशका शासनकेन्द्र बना। क्रिमियामें सेवस्तोपोलमें एक नौसैनिक अड्डा कायम किया गया, द्नियेपर नदीके मुंहपर खेर्सोनका किला तैयार हुआ।

क्रिमियाके तातार धर्म और जातिसे तुर्कीके संबंधी थे, इसलिये क्रिमियामें रूस जो कुछ कर रहा था, उसे तुर्की चुपचाप बर्दाश्त नहीं कर सकता था। रूसियोंको यह मालूम था, इसीलिये आस्ट्रियाके साथ सहायताकी संधि करके एकातेरिनाने भी युद्धकी तैयारी की। फ्रांस तुर्कीको भड़कानेके लिये मौजूद था, फिर १७८७ ई० में द्वितीय तुर्की-युद्ध क्यों न घोषित होता? यह याद रखनेकी बात है कि १८वीं शताब्दीके उत्तरार्धसे आज तक तुर्की किसी न किसी पश्चिमी शक्तिके हाथ में खेलते रूसको आगे बढ़नेका मौका देता रहा। आज जो अमेरिकाके पीठ ठोंकनेपर तुर्की रूसके विरुद्ध ताल ठोंक रहा है, उसका एक मुख्य कारण है आर्मेनिया और जार्जिया गणराज्योंके कुछ जिलोंको प्रथम विश्व-युद्धके बाद हजारों आदमियोंके निष्ठुर हत्याके अनन्तर तुर्कीका दबा बैठना। रूससे संबंध जब खराब नहीं हुआ था, उस समय अमेरिका-इंगलैंड-फ्रांस आर्मेनियनोंके खूनसे रंगी उनकी भूमिको लौटा देनेके लिये तुर्कीपर जोर दे रहे थे, लेकिन अब वह उसका नाम भी जीभपर आने नहीं देते। यह निश्चय ही है, कि तुर्कीके पेटसे इन जिलोंको उगलवाये बिना सोवियत राष्ट्र चैन नहीं लेगा।

तुर्कीने इस युद्धका आरम्भ द्नियेपरकी एक शाखापर बने हुये किनबर्न रूसी किलेपर अधिकार करके किया, लेकिन वहांका सेनप सुवारोफ था। उसने तुर्कोंको वहांसे मार भगाया। अगले साल आस्ट्रियाने भी रूसकी ओरसे युद्ध घोषत किया। इस समय रूसी सेना तुर्की किले उशाकोफका मुहा-सिरा कर रही थी। रूसको काफी प्राणहानि उठानी पड़ी, लेकिन अन्तमें उन्होंने किलेको सर कर लिया। १७८९ ई०में दो और लड़ाइयोंमें सुवारोफने तुर्कोंको हराया। आस्ट्रियाने ऐन मौके पर धोखा देकर तुर्कीसे सुलह कर ली, लेकिन रूसियोंने युद्ध जारी रखा। १७९० ई०में उन्होंने दन्यूब (दुनाइ) मुहानेपर तुर्कोंके बहुत ही मजबूत किले इस्माईलको घेर लिया। यहांपर भी घनघोर युद्ध हुआ, और अन्तमें इस्माईलके किलेपर रूसियोंका अधिकार होगया। युद्धमें छब्बीस हजार तुर्क मारे गये। सुवारोफ जिस वक्त स्थलपर विजयपर विजय प्राप्त कर रहा था, उसी समय रूसी नौसेनापति अद्-मिरल फ्योदोर उशाकोफने भी तुर्कीके जंगी बड़े पर कई विजय प्राप्त कीं। इस्माईलके मुहासिरेके समय समुद्रके रास्ते उसने स्थलसेनाकी बड़ी सहायता की। सामुद्रिक युद्धमें दो हजार तुर्क मारे या डूब गये, जब कि उशाकोफके केवल इक्कीस आदमी मरे और पच्चीस घायल हुये। इस प्रतिरोधके बाद रूसी सेना इस्माईलमें उतर गई, लेकिन अभी अन्तिम निर्णायक सामुद्रिक युद्ध नहीं हुआ था, जिसमें तुर्की बेड़ेके बुरी तरह हारनेके तथा इस्माईलपर सुवारोफके अधिकार हो जानेके बाद युद्धमें तुर्कीको हार माननी पड़ी। १७९१ ई० में यास्सीमें तुर्कीने संधिपत्र लिख क्रिमियापर रूसके अधिकारको स्वीकारकर दक्षिणी बुग और द्नियेस्तरकी बीचकी भूमिको भी रूसके हाथमें दे दिया। इस युद्धके बाद कालासागरका सारा उत्तरी तट रूसका हो गया। लेकिन अब भी वर्तमान मोल्दावी सोवियत समाजवादी गणराज्य तुर्कीके हाथमें ही रहा।

दक्षिणके शत्रुको आगे बढ़ते देखकर स्वीडन कैसे अवसरसे फायदा उठाये बिना रह सकता था? उसने भी १७८८ ई०में रूसके ऊपर प्रहार किया, लेकिन उसमें उसे सफलता नहीं मिली, और १७९० ई०में पुरानी सीमाके अनुसार ही दोनों देशोंमें सुलह हो गई।

चीनसे संबंध—रूस और चीनके बीच मनोमालिन्यका कारण रूस द्वारा एक मंगोल भगोड़े राजाको शरण देना था। अमुरसना जुंगर-कलमक राजवंशका अन्तिम राजा भागकर साइबेरियामें चला गया था। चीनी सरकारने उसे समर्पित करनेके लिये रूसको लिखा, लेकिन रूसने वैसा नहीं किया। इसके थोड़े ही समय बाद अमुरसना मर गया। चीनने फिर भी अमुरसनाकी लाश और दूसरे जुंगर राजुलोंको देनेकी मांग की। न देनेपर नाराज होकर चीनने पेचिङ्ग में रहनेवाले सभी रूसी पादरियोंको जामिनके रूपमें बंदीखानेमें डाल दिया। व्यापारिक संबंधमें गड़बड़ी पैदा होनेमें

एक कारण था तुरगुत मंगोलोंका १७ वींसदीमें रूसके भीतर वोल्गाके किनारे चला जाना। कुछ समय तक तो वह शांतिपूर्वक रहे, लेकिन उन्होंने देखा, कि रूस और तुर्कोंके चक्कीके दो पाटोंके भीतर उन्हें पिस जाना है। उधर तुलिशिनके दूतमंडलने उन्हें लौटनेका भी बहुत प्रलोभन दिया। तुरगुत मंगोल घुमन्तू थे, लेकिन अपनी पुरानी मंगोल भूमिके साथ उनका बहुत स्नेह था। १७७१ ई०में रूसियों और तुर्कोंके बीचमें जो संघर्ष हुआ, उसमें तुरगुतोंने रूसका पक्ष लिया। इसी समय तुर्कोंके साथ लड़ते उन्हें अपनी शक्तिका भान हुआ, और वह समझने लगे, कि तुर्कों (कजाकों) के बीचसे चीरते-फाड़ते हम अपनी जन्मभूमिको लौट सकते हैं। ५ जनवरी १७७२ ई० को एक दिन यकायक सात लाख तुरगुत परिवारोंने पूर्वकी ओर प्रस्थान कर दिया। रूसियोंने पहले समझानेकी कोशिश की, फिर कुछ सेनाका भी उपयोग किया, लेकिन उस समय वह दक्षिणी शत्रुओंके साथ भी फंसे हुये थे, इसलिये पूरी शक्ति नहीं लगा सकते थे। कजाक-तुर्कोंने अपने पुराने प्रतिद्वन्द्वियोंको आसानीसे बढ़ निकलनेका मौका नहीं दिया। तो भी तुरगुत अपने लाखों ऊंटों, घोड़ों, भेड़ों, तम्बुओं और दूसरे सामानके साथ बालबच्चों को लिये, पद-पदपर कजाकोंसे लड़ते आगेकी ओर ही बढ़ते गये। आठ महीनेकी इतिहासकी इस अद्वितीय यात्राके बाद तुरगुत जब इली नदीके तटपर पहुंचे, तो सात लाखकी जगह अब वह तीन लाख आदमी रह गये थे। इलीके तटपर चीनने उनका स्वागत किया, और उन्हें पशु, अन्न और पैसेसे मदद देकर पासमें ही अलताई (सुवर्ण) की पहाड़ी भूमिमें बसा दिया। रूसने कुछ थोड़े-से मंगोलों को शरण दी थी, अब चीनने लाखोंकी संख्यामें चीनी प्रजाको अपने यहां जगह देकर उसका बदला लिया। रूसने भी अब चीनियोंको प्रलोभन देकर अपनी सीमाके भीतर रखना शुरू किया। इसपर दोनों राज्योंके बीच शांति कैसे कायम रह सकती थी? चीन-सम्राट् काउ-चुङ (च्यानलुङ १७३५-९५ ई०) ने विरोध प्रदर्शित करते हुये लिखा था :

"परीक्षण करनेपर हमारे दोनों देशोंके समझौतोंके भीतर पता लगा, कि अगर सीमांतपर किसी राज्यका चोर पकड़ा जाय, तो दोनों ओरके संयुक्त अधिकारियोंके सामने उसके बारेमें जांच-पड़ताल होनी चाहिये और अपराधी साबित होनेपर उसे मृत्युदंड देना चाहिये। इसी विधानके अनुसार मेरे चौवालीसवें संवत्सरमें तुम्हारे यहांके ग्यारह घोड़े चुरानेके कारण दो आदमियोंको मृत्युदंड दिया गया। हमारे महान् साम्राज्यने संधिपत्र और विधानका ईमानदारीसे पालन करनेके लिये ऐसा किया, मित्रता कायम रखनेके लिये ही नहीं, बल्कि सत्यके प्रेमके लिये भी, जिसका कि हम बहुत सम्मान करते हैं। लेकिन, तुमने चोरोंको प्राणदंड नहीं देकर मित्रता और संधिपत्रके विधान और शपथको भंग किया।...यद्यपि हमारे दोनों साम्राज्य एक दूसरेके सीमांतपर हैं, तो भी हमारा (चीन) साम्राज्य अपनेको बड़ा भाई कह सकता है, क्योंकि वह साम्राज्योंमें बड़े भाईका स्थान रखता है। तुम्हारी प्रार्थना पर हमने दो चोरोंको दंडित किया, लेकिन तुम वही बात हमारे महासाम्राज्यको संतुष्ट करनेके लिये करनेसे इन्कार करते हो।...क्या तुम नहीं सोचते, कि आनेवाली संतानें तुम पर हंसेंगी?"

इन झगड़ोंको मिटानेके लिये एकातेरिनाने क्रोपोतोफको दूत बनाकर चीन भेजा। बात-चीत होनेके बाद १७२७ ई० के संधिपत्रमें और धारा जोड़ी गई, जिसके बाद फिर व्यापारिक संबंध पहलेकी तरह स्थापित हो गया। यह उल्लेखनीय बात है, कि एकातेरिनाका मंगोलियाके मंगोलोंके साथका बर्ताव वहांके लामाओं और राजुलोंके लिये अधिक अनुकूल था, इसीलिये वहांके लोगोंमें मशहूर था, कि एकातेरिना श्वेततारा देवी (चगान-तारा-एखे) की अवतार है। एकातेरिनाके बाद जब रूसकी गद्दीपर जार बैठेने लगे, तो उन्हें भी मंगोल चगान खान (श्वेत राजा) कहने लगे।

शिक्षा और संस्कृति—केवल राजनीतिक दांव-पेचोंसे ही किसी भी राजशक्तिको एकताबद्ध और शक्तिशाली नहीं बनाया जा सकता, उसके लिये तो अधिक शक्तिशाली हथियारोंकी अवश्यकता होती है। अपने प्रतिद्वंद्वियोंके मुकाबलेमें अधिक शक्तिशाली हथियारोंको ढूंढ़ते हुये आदमी बारूद-के हथियारों तक पहुंचा, और उसमें भी एक दूसरेसे बाजी मार ले जानेके लिये उसने नये-नये आविष्कार किये, जिसके लिये आदमीको साइंसकी ओर बढ़ना पड़ा। जिसके साथ ही अब साइंस तथा दूसरी विद्याओंकी प्रगति अनिवार्य हो गई। साइंसके प्रसारके लिये पीतर I ने रूसी विज्ञान अकदमी (रुस्की अकदमी नाउक) कायम करनेके बारेमें सोचा था, जो १७२५ ई० में ही उसके मरनेके

बाद स्थापित हुई। यह हम बतला चुके हैं, कि पीतरने पश्चिमी युरोपसे कितने ही विद्वानोंको निमंत्रित करके अपने यहां रक्खा था, जिनमें बरनूली और ल्योनहार्ड यूलर जैसे गणितज्ञ भी थे। रूसका पहला विज्ञानवेत्ता मिखाइल वासिली-पुत्र लोमोनोसोफ (१७११-६५ ई०) था। उसके रूपमें रूसकी प्रतिभा विद्याके बहुत-से क्षेत्रोंमें प्रकट हुई। लोमोनोसोफ उत्तरी समुद्रतटके आरखंगेल्स्क नगरसे नीतिदूर समुद्रतटके एक गांव देनिसोव्कामें एक खाते-पीते मछुवेके घरमें पैदा हुआ था। दस वर्षकी उमरमें वह अपने बापके साथ समुद्रमें मछली मारने जाया करता था, लेकिन लोमोनोसोफको जल्दी मालूम होने लगा, कि पढ़ना अच्छी चीज है। आरखंगेल्स्कमें कितने ही महीनों तक बहुत लम्बी रातें होती हैं। इन रातोंमें वह अक्सर अक्षर, व्याकरण और गणित पढ़ता था, क्योंकि इस समय मछुवाही करनेके लिये जाना नहीं पड़ता था। पास हीके कस्बे खोल्मोगोरीमें एक स्कूल था, लेकिन मछुवेका लड़का होनेके कारण उसे उसमें भर्ती करने से इन्कार कर दिया गया। लोमोनोसोफ विद्याके लिये इतना व्यग्र था, कि एक मछली ले जानेवाली नावपर उसने मास्कोकी ओर प्रयाण कर दिया। अपने किसान या मछुवेके लड़के होनेको छिपाकर ही वह मास्कोकी स्लावानिक ग्रीक-लातिन-अकदमीमें प्रविष्ट हो सका। पांच वर्ष तक बड़ी कठिनाइयोंके साथ उसने वहां अध्ययन किया। बीस साल के तगड़े जवान विद्यार्थीसे उसके सहपाठी बायरों और धनी व्यापारियोंके लड़के परिहास करते रहते थे। पढ़ाई समाप्त करनेके बाद लोमोनोसोफको एक अवसर हाथ आया। सरकारकी ओरसे तीन विद्यार्थी उच्च-शिक्षाके लिये युरोप भेजे जानेवाले थे। लोमोनोसोफ असाधारण मेधावी विद्यार्थी था, और बायरोंके लड़कोंमें से तीन मिल नहीं रहे थे, इसलिये उसे भी युरोप भेज दिया गया। उसने रसायन, धातुशास्त्र, खनिजशास्त्र और गणित अध्ययन करते हुये चार साल वहांके वैज्ञानिकों और विद्वानों के सम्पर्कमें बिताये। १७४५ ई० में स्वदेश लौटनेपर उसे प्रोफेसर होनेके साथ रूसी विज्ञान अकदमीका पहला रूसी मेम्बर बननेका अवसर मिला। अब तकके बीस वर्षोंमें रूसी साइंस अकदमीके सदस्य विदेशी विशेषकर जर्मन विद्वान् ही होते थे, जिनमेंसे कुछका ज्ञान बहुत ही उथला था। साइंस के क्षेत्रमें लोमोनोसोफने कई नये आविष्कार किये, लेकिन अभी कोई गुणग्राहक नहीं था। लोमोनोसोफ के कितने ही आविष्कारों और वैज्ञानिक सिद्धान्तोंकी पुष्टि १९वीं सदीमें जाकर हुई। लोमोनोसोफने ही तापके यांत्रिक सिद्धान्तको पहलेपहल बतलाया था। रसायनमें भी उसने जो नया सिद्धान्त निकाला था, उसका चालीस वर्ष बाद फ्रेंच रसायनवेत्ता लावाजियेने फिरसे पता लगाया, और आज वह सिद्धान्त उसीके नामसे विख्यात है। भूतत्त्वशास्त्रमें भी लोमोनोसोफने धातुओं और धुनोंकी उत्पत्ति का अध्ययन किया, जिससे भूतात्त्विक खोजोंमें बड़ी मदद मिली। वह पहला आदमी था, जिसने बतलाया, कि पत्थरका कोयला पथराये वृक्षों और वनस्पतियोंका अवशेष है। युरोपमें वह पहला आदमी था, जिसने भौतिक रसायनकी व्याख्या करते हुये कई व्याख्यान दिये। ज्योतिषशास्त्र और नाविकशास्त्रके अध्ययनमें भी उसने बहुत समय लगाया। यंगसे साठ साल पहले उसने पृथ्वीतलके कम्पनकी बातका पता लगाया। हर्शलसे तीस साल पहले उसने बतलाया, कि बुधके चारों तरफ वातावरण है। नान्सेनसे एक सौ पैंतीस वर्ष पहले उसने ध्रुवीय महासागरके बहनेकी दिशाकी सूचना दी। इस प्रकार हम देख सकते हैं, कि जिन बातोंको हम पश्चिमी युरोप के वैज्ञानिकोंकी मौलिक खोज मानते हैं, वह गलत है। युरोपियनोंने भी विज्ञान की प्रगतिमें बहुत भाग लिया है, लेकिन यह केवल झूठा प्रचार है, कि युरोपीय दिमाग ही सभी बातोंमें मौलिक होनेका ठेका लिये हुये है। रूसी दिमाग बहुत सी बातोंमें उनसे आगे-आगे रहा। और तो और, परमाणु-विदरण का प्रायोगिक सिद्धान्त भी दो रूसी वैज्ञानिकोंने पहलेपहल करके उन्हें छपवा भी दिया था, जिसके सहारे जर्मन और अमेरिकन विज्ञानवेत्ता आगे बढ़े। अपने साम्राज्यविस्तारके लिये जैसे युरोप हथियारोंको चमकाने और लोगोंमें फूट डालने की नीतिको इस्तेमाल करता रहा, वैसे ही अपनी दिमागी श्रेष्ठताका ढिंढोरा पीटकर भी उसने अपनी धाक जमानी चाही।

लोमोनोसोफ प्रयोगका बड़ा भारी पक्षपाती था। उसने तीन हजार प्रयोग करके रंगीन कांच बनानेकी पद्धतिका आविष्कार किया। लोमोनोसोफने ध्रुवीय सागरसे होकर पूर्वी एसियाको अभि-यान भेजनेके लिये नक्शा तैयार किया था। वह केवल शुष्क विज्ञानवेत्ता ही न था, बल्कि कवि और

साहित्यकार भी था। रूसी साहित्यको उसने धार्मिक भाषासे हटाकर जनभाषाकी ओर ले जानेकी कोशिश की। उसने वैज्ञानिक ढंगपर एक अच्छा रूसी व्याकरण लिखा, जो कई पीढ़ियों तक पढ़ाया जाता था। उसकी प्रतिभाके बारेमें रूसके कालिदास अलेक्सान्द्र पुश्किनने लिखा था :

"अपने असाधारण बुद्धि-बलके साथ असाधारण इच्छाबल रखते हुये लोमोनोसोफने विद्याकी सभी शाखाओंका अवगाहन किया। उसमें ज्ञानकी असाधारण पिपासा थी। वह इतिहासकार, साहित्यकार, यंत्रशास्त्री, रसायनशास्त्री, धातुशास्त्री, चित्रकार और कवि था।"

लोमोनोसोफके अन्तिम वर्ष एकातेरिनाके शासनकालमें बीते। उसके कार्योंके रूपमें रूसी साहित्य, विज्ञानकी भव्य इमारतकी दृढ़ नींव पड़ी।

१८वीं सदीमें शिक्षाकी ओर शहरोंके मध्यवर्गके लोगोंका ध्यान गया था। दूसरी शिक्षण-संस्थाओंमें जगह न मिलनेके कारण अध्यापकोंने अपने घरोंमें छात्रावास-सहित स्कूल खोल रक्खे थे। बायर और धनी लोग अपने लड़कोंके पढ़ानेके लिये विदेशी शिक्षक रखते थे। फ्रेंचकी महिमा बढ़ती चली गई थी, और १८वीं सदीके मध्य तक अमीरोंके घरोंमें रूसी नहीं फ्रेंच भाषा बोली जाती थी। हमारे आजके कितने ही हिन्दो-आंग्लियन परिवारोंकी तरह रूसी अमीर अपने भावोंको अपनी भाषामें मुश्किलसे प्रकट कर सकते थे। वह फ्रेंच बोलनेमें फ्रेंच लोगोंका भी कान काटना चाहते थे। उनके यहां फ्रेंच अध्यापकोंकी बड़ी मांग थी, और फ्रांसका कोई भी ऐरा-गैरा-नत्थूखैरा आकर रूसमें अमीरोंके घरोंमें अध्यापक बन जाता था। पुश्किनने अपने लघु उपन्यास "कप्तान कन्या" में इसका बड़ा परिहास किया है। लेकिन, इसका एक अच्छा पहलू भी था। प्रौढ़ फ्रेंच साहित्यसे रूसी साहित्यको आरम्भमें बड़ी प्रेरणा मिली। उन्हें पढ़कर रूसी लेखक मोलियेर, वोल्तेरकी नकल करना चाहते थे। पश्चिमी युरोपके साहित्यकी मांग होनेसे उनके बहुतसे ग्रंथोंके रूसीमें धड़ाधड़ अनुवाद होने लगे। लोमोनोसोफ-समकालीन सुमारोकोफ (१७१८-७७ ई०) रूसी भाषाका पहला ख्यातनामा लेखक है। उसने बहुत-से ग्रंथ फ्रेंच शैलीपर लिखे, जिनमें उसके ऐतिहासिक दुःखांत नाटक, प्रेम-गीत और प्रहसन अधिक जनप्रिय हुये। अपने समयके मास्कोके बारेमें उसने लिखा था : "यहांकी सभी सड़कें अज्ञानकी ईंटोंसे सात फुट ऊंची चिनी गई हैं, जिनको तोड़नेके लिये एक सौ मोलियरोंकी अवश्यकता है।"

रूसी लेखकोंके मैदानमें आते ही फ्रेंच साहित्यका प्रभाव घटने लगा, यह सुमारोकोफके समयमें ही देखा जाने लगा। सुमारोकोफपर फ्रेंच क्लासिक और ग्रीक साहित्यका बड़ा प्रभाव था। वह रूसी साहित्यको भी उसी रंगमें रंगना चाहता था, लेकिन उसके तरुण समसामयिक देनिस फोन-विजिन (१७४५-९२ ई०) ने साहित्यको रूसकी भूमि और रूसके जीवनमें लानेका प्रयत्न किया। १८वीं सदीका अन्त होते-होते रूसको गबरील रोमन-पुत्र देर्झाविन (१७४३-१८१६ ई०) के रूपमें एक उच्च कोटिका कवि पानेका सौभाग्य प्राप्त हुआ। उसने रूसी वातावरण और रूसी जीवनको अपनाकर अपनी कविताको जनताके समीप ला दिया। इसके बाद रूसी साहित्य युरोपका भिखारी नहीं रह गया। उसने अपने लेखक और साहित्यकार इतने उच्चकोटिके पैदा किये, जिनका लोहा सभी जगह माना जाने लगा। निकोलाई मिखाइल-पुत्र करमजिन (१७६५-१८२६ ई०) ने अपनी विदेश-यात्राओं द्वारा पश्चिमी युरोपके जीवन और संस्कृतिका चित्र खींचकर रूसी पाठकोंके सामने रखा। करमजिनकी "बेचारी लीजा" कथा एक समय बहुत प्रचलित थी, लेकिन करमजिनने पीछे अपना सारा समय रूसी इतिहास लिखनेमें दे दिया।

एकातेरिनाके शासनकालमें नाट्यकला और संगीतकी भी प्रगति हुई। १७५६ ई० में रानी एलिजाबेलके शासनकालमें "दुःखान्त-सुखांत अभिनयका रूसी तियात्र" के नामसे पीतरबुर्गमें पहली स्थायी नाट्यशालाका उद्घाटन हुआ। सुमारोकोफ उसका पहला संचालक नियुक्त हुआ, और वोल्कोफ तथा उसके साथी पहले अभिनेता। वोल्कोफ १७६२ ई०में मर गया, जब कि रूसी नाट्यकलाकी प्रगतिका द्वार खुल चुका था। राजधानीके अभिनयोंको देखकर दीहातके अमीरोंने भी अपने यहां निजी रंग-शालायें खोलीं। हमारे यहां आज भी सूर, तुलसीके धार्मिक गीतोंका ही संगीतमें प्राधान्य चला जा रहा है, लेकिन रूसमें १८वीं सदीमें ही धर्मनिरपेक्ष संगीतका खूब प्रचार होने लगा था। एकातेरिनाके शासन-काल हीमें ओपेरा (पद्यनाटक) का भी प्रचार हो चला।

इसी कालमें चित्रकला और वास्तुकलाने भी रूसमें प्रगति की, जिसमें पश्चिमी कलाकारोंकी सहायता लाभदायक सिद्ध हुई। रूसी वास्तुशास्त्री बाजेनोफने कई अच्छी-अच्छी इमारतें बनाईं। उसकी प्रतिभाकी ख्याति देशकी सीमासे बाहर पहुंच गई और फ्रांसके राजाने बहुत अधिक वेतन देकर उसे बुलाना चाहा, लेकिन बाजेनोफने अपनी प्रतिभाको अपनी जन्मभूमिकी सेवामें ही लगाना चाहा। उसकी बनाई हुई इमारतोंमें प्स्कोफ-प्रासाद (आधुनिक लेनिन पुस्तकालय) मास्कोमें अब भी मौजूद है।

यांत्रिक आविष्कारोंमें भी लोमोनोसोफके दिखलाये रास्तेको रूसियोंने आगे बढ़ाया। इवान इवान-पुत्र पोल्जुनोफ (१७२९-६६ ई०) उरालकी किसी छावनीके एक सिपाहीका लड़का था, जिसने "अग्नि-चालित इंजन" का पहलेपहल आविष्कार किया। उस समय तक पानीकी शक्तिको इस्तेमाल करनेवाले कारखाने जहां-तहां बन चुके थे, लेकिन ऐसे कारखाने उन्हीं जगहोंपर बन सकते थे, जहां बहते पानीकी तेज धारा हो। पोल्जुनोफने वाष्प-चालित यंत्रोंके कारखानोंको किसी भी स्थानपर स्थापित करनेके ख्यालसे अपने अग्नि-चालित इंजनका आविष्कार किया, लेकिन उसे बर्नोल (अल्ताई पर्वत) में अपने वाष्प-इंजनको चलाकर अपना जीवन खतम कर देना पड़ा। जेम्स वाटको आज वाष्प-इंजनका आविष्कारक कहा जाता है। उससे इक्कीस वर्ष पहले पोलजुनोफने दुनियाका प्रथम वाष्प-इंजन तैयार किया था। आविष्कारकी प्रतिभा रूसमें मौजूद थी, लेकिन सामन्तशाही रूस ऐसी प्रतिभाओंको प्रोत्साहन देनेके लिये तैयार नहीं था। १८वीं सदीके दूसरे रूसी आविष्कारक इवान पीतर-पुत्र कुलिबिन (१७३५-१८१८ ई०) की भी उसी तरह उपेक्षा हुई, जैसी पोल्जुनोफकी। कुलिबिनने अपने बचपनमें ही एक मित्रके घरमें दीवार-घड़ी देखी, और कुछ ही दिनों बाद उसने लकड़ीकी उसी तरहकी घड़ी बना दी। बापके मरनेपर वह दूकानके कामके साथ-साथ समय बचाकर घड़ियां बनाने लगा। उसने और उसके साथियोंने पांच वर्ष लगाकर अंडेके बराबरकी एक घड़ी बनाई, जिसका उस समय बहुत फैशन चल पड़ा था। कुलिबिनने अपनी घड़ी एकातेरिनाको भेंट की। एकातेरिनाने उसे साइंस अकदमीका यांत्रिक नियुक्त किया। कुलविनने नेवा नदीके लिये एक मेहराब-वाले लकड़ीके पुलका नक्शा तैयार किया, लेकिन उसके नमूनेको आंखसे देखनेके बाद भी किसीने काममें लानेका ख्याल नहीं किया। कुलिबिन अन्तमें बड़ी गरीबीका जीवन बिताते हुये अपने नगर निजनी- नोवगोरद (आधुनिक गोर्की) में मरा।

रूस प्रतिगामिताका गढ़—एकातेरिनाके समय रूस जिस तरहका रूप ले रहा था, उसके बारेमें हम बतला चुके। रूसमें फ्रेंच साहित्य और विचारोंका बड़ा मान था, लेकिन इसी समय १७८९ ई० में फ्रेंच क्रांति हुई, जिसने बतला दिया कि सामन्तशाहीकी नींव बड़ी निर्बल है। फ्रेंच क्रांतिको देखकर युरोपके सभी मुकुटधारी कांपने लगे थे। इसी समय रूसने एकातेरिनाके मुंहसे कहलवाया—"फ्रेंच राजाका काम सभी राजाओंका काम है।" उसने दृढ़तापूर्वक घोषित किया, कि मैं कहीं भी चमारों (मजूरों) को राज्य-शासन करने नहीं दूंगी। इसे संयोगकी ही बात कहिये, कि एकातेरिनाके स्थानपर रूसका सबसे शक्तिशाली शासक योसफ स्तालिन एक चमारका ही लड़का था। सोलहवें लुईको जब फ्रांसमें मृत्युदंड दिया गया, तो सबसे पहले एकातेरिनाने फ्रेंच गणराज्यसे संबंध विच्छेद कर लिया, फ्रांसमें रहनेवाले सभी रूसियोंको बुला लिया, और क्रांतिसे सहानुभूति रखनेवाले फ्रांसीसियोंको रूससे निर्वासित कर दिया। एकातेरिनाको "फ्रेंच महामारी" का सबसे अधिक डर था, लेकिन उसके ही शासनकालमें फ्रेंच क्रान्तिकी विचारधाराके पिताओं—वोल्तेर, दिदरो, रूसोकी पुस्तकें प्रायः सभी रूसी अमीरोंके घरोंमें पाई जाती थीं, वह उन्हें मूल फ्रेंचमें पढ़ते थे। इन पुस्तकोंका प्रभाव रूसियोंकी विचारधारापर भी पड़ रहा था, और वह भी समता, भ्रातृभावके पक्षपाती होते जा रहे थे। ऐसे प्रगतिशील तरुणोंमें अलेक्सान्द्र रादिश्चेफ पहला आदमी था। वह एक अमीर घराने में १७४९ ई० में पैदा हुआ था। उसने जर्मनीके लाइप्जिक विश्वविद्यालयमें अध्ययन किया था। समानता और स्वतन्त्रताके विचारोंसे भरे हुये रूसोके ग्रंथोंने उसपर बहुत प्रभाव डाला, और वह स्वेच्छाचारी शासनको बहुत घृणाकी दृष्टिसे देखने लगा। १७९० ई० में उसने अपनी प्रथम पुस्तक "पीतरबुर्गसे मास्कोकी यात्रा" प्रकाशित की। पुस्तककी छ सौ पचास ही प्रतियां निजी तौरसे

छापी गई थीं। एकातेरिनाने इस पुस्तकको देखकर कहा—"यह तो पुगाचेफसे भी भारी बदमाश है। इसके लिये दस फांसीकी टिकटियां भी पर्याप्त नहीं होंगी"। उसने रादिश्चेफको गिरफ्तार करनेका हुक्म दिया। रादिश्चेफने अपनी पुस्तककी भूमिकामें लिखा था :

"जब मैंने अपने चारों ओर देखा, तो मानवताकी पीड़ासे मेरा हृदय फटने लगा।" जमींदारोंके अत्याचारोंके बारेमें उसने लिखा था—"यह क्रूर पशु, कभी न अघानेवाली जोंकें, किसानोंके लिये वही छोड़ती हैं, जिसे वह लेना नहीं चाहतीं।......जमींदार किसानोंके लिये विधान-निर्माता, न्यायाधीश हैं, जिसके कारण कोई अपने बचावके लिये एक शब्द भी नहीं कह सकता।" रादिश्चेफ समझता था, कि इन पशु-जोंक-जमींदारोंका सीधा संबंध जारके सिंहासनसे है, इसलिये अपनी यात्रामें उसने "स्वतन्त्रता" के नामसे जिस गीतको दिया था, उसमें "लोहेके सिंहासन" को नष्ट करनेके लिये जनताके भयंकर बदलेकी बात लिखी थी। सामन्तघरमें पैदा हुआ रादिश्चेफ रूसका पहला क्रांतिकारी, प्रजातंत्र-पक्षपाती तथा प्रगतिशील विचारक था। अदालतने उसे मृत्युदंड दिया, जिसे पीछे दस वर्ष साइबेरिया-निर्वासनके रूपमें परिणत कर दिया गया। एकातेरिनाने रादिश्चेफकी पुस्तककी होली जलवाई। एकातेरिनाके मरनेके बाद उसके उत्तराधिकारी पुत्र पावल I ने जब सार्वजनिक क्षमादान दिया, तो रादिश्चेफको भी साइबेरियासे लौटनेका मौका मिला, लेकिन उसका राजधानीमें आना निषिद्ध था, और अलेक्सान्द्र I (१८०१-२५ ई०) के समयमें ही उसके ऊपरसे यह निबंध हटाया गया। उसने स्वतन्त्रता और समानताके आधारपर राज्यशासनमें सुधार करनेकी योजना बनाई। सत्ताधारी उसे फिर साइबेरियामें निर्वासित करनेकी सोच रहे थे, इसपर रादिश्चेफने विष खाकर १८०२ ई० में अपने जीवनका अन्त कर लिया। एकातेरिनाके समयके स्वतन्त्र विचारकोंमें निकोलाइ नोविकोफ भी था, जिसने नये विचारोंके प्रचारके लिये पुस्तककी दूकान खोली थी। उसने एक प्रहसन और व्यंगभरी पत्रिका "त्रूतेन" तथा और भी पत्र निकाले। अपने व्यंगोंमें वह शासकोंकी अच्छी खबर लेता था, और किसानों और अर्ध-दासोंकी पीड़ाको बड़े सजीव रूपमें रखता था। उसकी पुस्तक "एक स्वामीका अपने गांवके किसानोंके साथ पत्र-व्यवहार" में बड़े ही मार्मिक रूपमें किसानोंकी विपदाका चित्रण किया गया था।

१३. पावल I, पीतर III-पुत्र (१७९६-१८०१ ई०)

पावलके शासनके रूपमें अब हम रूसके उस समयमें आ जाते हैं, जब कि भारतमें रही-सही सामन्तोंकी स्वतन्त्रता भी अंग्रेज बनियोंकी ईस्ट इंडिया कंपनी छीन रही थी। एकातेरिना अपने पतिके मरवानेसे ही संतुष्ट नहीं थी, बल्कि उसकी महत्त्वाकांक्षाने अपने पुत्रके साथ भी सौहार्द स्थापित करने नहीं दिया। पावलको उसकी दादी एलिजाबेतने पाला था। वह समझता था, मेरी मांने मेरे उचित अधिकारको छीन रखा है। एकातेरिना भी इसे समझती थी, इसीलिये वह पावलको राजकाजमें हाथ डालनेका मौका नहीं देती थी। पावल मांकी ओरसे दी हुई अपनी जमींदारी गत्चिनामें अपना सारा समय सैनिक कार्योंमें बिताता था। उसने गत्चिनाको फ्रेड्रिक II के सैनिक नियमोंके अनुसार एक युद्ध-शिविर बना दिया था, जहांपर सैनिकोंको प्रुशियन सेनाकी वर्दी पहनाकर डंडोंके हाथों कवायद-परेड कराई जाती थी। सिंहासनपर बैठते ही पावलने बापके कदमोंपर चलते रूसी सेनाको प्रुशियन सेनाके रूपमें परिणत करना शुरू किया। उस समय राजधानी (पीतरबुर्ग) भी बहुत कुछ एक सैनिक शिविरकी तरह मालूम होती थी। राज्यके सभी विभागोंमें उसने कठोर सैनिक अनुशासनके बरते जानेकी मांग की। फ्रेंच-क्रांतिकी छाया अभी भी युरोपसे लुप्त नहीं हुई थी। उसके बारेमें वह अपनी मांसे बिल्कुल सहमत था। विदेशी आकर कहीं क्रांतिकी महामारी न फैला दें, इसलिये उनके आनेमें उसने निषेध और रुकावट डाल दी। वह रूसी अमीरोंको भी युरोपके विश्वविद्यालयोंमें पढ़नेके लिये जानेकी इजाजत नहीं देता था। बाहरसे हर तरहकी पुस्तकोंका आना उसने बंद कर दिया। उसने जमींदारोंके साथ पहलेसे भी अधिक पक्षपात किया—अपने चार वर्षके शासनमें उसने तीन लाखसे अधिक किसानोंको उनके मालिकोंका अर्ध-दास बना दिया। इसका परिणाम किसानोंका विद्रोह छोड़ और क्या हो सकता था? ५२ गुबर्नियोंमेंसे बत्तीसमें किसानोंके विद्रोह हुये, जिन्हें दबानेके

लिये पावलने अपनी सेनाका बड़ी क्रूरतापूर्वक उपयोग किया । उस समय अर्ध-दासोंके विक्रयके विज्ञापन सरकारी समाचारपत्रमें बराबर निकला करते थे, जिसके कुछ उदाहरण है : "बिक्रीके लिये : दो परिवार अर्ध-दास, जिनमेंसे एक कोड़े और जूते बनानेवाला तीस वर्षका विवाहित मर्द है, उसकी स्त्री धोबिन है, जो पशुओंको चरा सकती है। आयु पच्चीस वर्ष । दूसरा परिवार एक गायक-वादक सत्रह वर्षके मर्दका है. . .दाम-कामके लिये लिखो, १७-१ अरबत, आप्त. १ ।"

जिस वक्त पावल गद्दीपर बैठा, उस वक्त १७९५ ई० वाली रूस-इंगलैंडकी मैत्री-संधिके अनुसार रूस भी फ्रांसके विरुद्ध लड़ रहा था । पावलने गद्दी संभालते ही अपने देशको विश्राम देनेका निश्चय किया, और अंग्रेज राजदूतको सूचित कर दिया, कि हमारी मांने सेना भेजनेके लिये कहा था, लेकिन उसे भेजा नहीं जा सकता । इंगलैंडने पावलको प्रलोभन देकर लड़ाईमें रखना चाहा, और कार्सिका द्वीपपर अधिकार करनेके लिये कहा । मिस्र जाते वक्त नेपोलियनने माल्ता द्वीपपर अधिकार कर लिया था, जो कि भूमध्यसागरमें बड़े सैनिक महत्वका स्थान था । पावल भी अपनी मांकी तरह चाहता था, कि भूमध्यसागरमें पैर रखनेका कोई स्थान मिले । माल्ता-धार्मिक-संगठन माल्ताद्वीपका मालिक था, जिसका जारके दरबारके साथ विशेष संबंध था । उसने पावलको सहायताके लिये बुलाया । उधर नेपोलियनने जब तुर्कीके अधीन देश मिस्रपर आंख गड़ाई, तो तुर्कीने भी अपने पुराने शत्रु रूसके साथ फ्रांसके खिलाफ सैनिक संधि कर ली । अगस्त १७९८ ई० में कालासागर के रूसी जंगी बेड़ेके सेनापति अदमिरल उशाकोफको हुक्म हुआ, और वह सोलह जहाजों, सात सौ बानवे तोपों और आठ हजार नौसैनिकोंके साथ तुर्की जंगी बेड़ेकी मददके लिये फ्रांसीसियोंके खिलाफ चल पड़ा । छ सप्ताहमें उशाकोफने यूनिया (यवन) द्वीपोंमेंसे चार छोटे-छोटे द्वीपोंपर अधिकार कर कोरफू द्वीपको लेनेके लिये प्रयाण किया । उस समय वहां छ सौ पचास तोपोंके साथ तीन हजार फ्रेंच सैनिक रहते थे । मुकाबिला बहुत सख्त हुआ, लेकिन १८ फर्वरी १७९९ ई० को कोरफूकी फ्रेंच सेनाने आत्म-समर्पण कर दिया । कोरफूके जीतनेके बाद रूसी सेना दक्षिणी इतालीके तटपर उतरी । इतालियन जनता नेपोलियनके विदेशी शासनसे घृणा करती थी । रूसियोंने उसकी सहायतासे नेपल्स और रोमपर अधिकार कर लिया । रूसी सामुद्रिक युद्धविद्याका मूलाचार्य उशाकोफ माना जाता है, और स्थलीय युद्धविद्याका सुवारोफ ।

१७९९ ई० के आरम्भमें प्रजातंत्री फ्रांसके विरुद्ध रूस, इंगलैंड, आस्ट्रिया, तुर्की तथा नेपल्स-राज्यकी एक गुट बनी । जनवरी १७९९ ई० में नेपोलियनकी सेनाको हराकर नेपल्सवालोंने अपना गणराज्य घोषित किया । पावल नहीं चाहता था, कि नेपल्समें उसके मित्र राजाका इस प्रकार अन्त होकर उसकी जगह इतालीमें पेरिसका एक नया संस्करण स्थापित हो । पावलने नेपल्सके राजाकी मदद के लिये ग्यारह हजार सेना भेजकर हुक्म दिया, कि आस्ट्रियाकी मददके लिये पहिले भेजी गई बीस हजार सेनासे मिलकर आगे बढ़ो । आस्ट्रियन सरकारकी मांगपर पावलने सुवारोफको सेनापति नियुक्त किया । सुवारोफ आज सोवियत रूसका भी सबसे अधिक सम्माननीय योद्धा है, जिसने उसके नामसे वीरताका एक उच्च तमगा प्रचलित किया । वह १७३० ई० में एक सैनिक अफसरके घर मास्कोमें पैदा हुआ था । बचपनमें उसका स्वास्थ्य बहुत खराब और शरीर बड़ा दुर्बल था, इसलिये पिताने उसे लड़कपनमें सेनामें शामिल नहीं किया, लेकिन लड़केने बचपनसे ही सैनिक बातोंमें दिलचस्पी लेनी शुरू की और बापके पासकी सभी सैनिक पुस्तकोंको बड़े ध्यानसे पढ़ डाला । बारह वर्षकी उमरमें उसे रेजिमेंटमें नाम लिखानेका मौका मिला और सत्रह वर्षकी उमरमें कारपोरल (हवल्दार) के तौरपर उसने सैनिक जीवन आरम्भ किया । आगे तुर्की और पोलन्दके युद्धोंमें उसने अपने युद्ध-कौशलका परिचय दिया, जिसके कारण उसे फील्ड-मार्शल बना दिया गया । वह गतानुगतिक नहीं, बल्कि "बेलीकपर चलने-वाला सिंह था ।" उसने युद्धविद्यामें कई नई बातें निकालीं, जिनको आज भी लाल सेना बड़े आदरसे स्वीकार करती है । फ्रेड्रिक II भी एक नये सैनिक विज्ञान और संगठनका आविष्कारक माना जाता है, लेकिन उसका विचार था "सिपाही सिर्फ एक यंत्र है, जिसे नियमोंके अनुसार चालित होना चाहिये ।" पावल फ्रेड्रिकके ही सैनिक आदर्शोंको मानता था, लेकिन सुवारोफ इससे बिल्कुल उल्टा था । उसका कहना था "केशचूर्ण बारूदका चूर्ण नहीं है, झूठे ताले

तोपें नहीं हैं, लम्बी चोटी तलवारें नहीं हैं। मैं जर्मन नहीं, बल्कि जन्मजात रूसी हूं।" भला पावल ऐसे आदमीको क्यों पसंद करता ? १७९७ ई० में उसने फील्ड मार्शल सुवारोफको उसकी जमींदारीमें निर्वासित कर दिया। लेकिन जब अंग्रेज और आस्ट्रियन मित्रोंने जोर दिया, तो फिर उसने सुवारोफको बुलाकर १७९९ ई० में फ्रांसके साथ लड़नेवाली मित्रोंकी सेनाओंका प्रधान सेनापति बना दिया। सुवारोफने साढ़े तीन महीनेके भीतर श्रेष्ठ फ्रेंच सेनापतियोंकी सेनाओंको बुरी तरह से हरा, सारे उत्तरी इतालीसे फ्रांसीसियोंको निकाल बाहर किया। आस्ट्रिया सारे इतालीको अपने हाथमें करनेकी घातमें था, इसलिये बहाना बनाकर सुवारोफको स्विट्जरलैण्ड भेज दिया गया। बड़े भीषण पहाड़ी रास्तों और नदियोंको पार करते हुये सुवारोफ स्विट्जरलैंडकी ओर गया। एक जगह उसकी बीस हजार सेना साठ हजार फ्रांसीसी सैनिकों द्वारा घेर ली गई। उस समय रूसियोंके पास पर्याप्त रसद, गोला-बारूद और तोपें भी नहीं थी। इस स्थितिको देखकर उसने अपनी युद्ध-परिषद् में कहा—"हमें क्या करना होगा ? पीछे हटना अपमानकी बात है, मैं कभी नहीं पीछे हटा। आगे श्वाइजकी ओर बढ़ना, असम्भव, वहां मसेनाके पास साठ हजार सैनिक है, जब कि हमारे पास केवल बीस हजार हैं। साथ ही हमारे पास न रसद है, न गोला-बारूद और न तोपखाना। . .हमें किसी तरहसे भी मदद मिलनेकी आशा नहीं है।. .हमारे लिये बस एक ही आशा है,. . .अपनी सेनाकी हिम्मत और आत्म-बलिदानकी भावना। हम रूसी हैं।" इसके बाद फ्रांसीसियोंके प्रहारको रोकते हुये सुवारोफकी सेनाने ४ अक्तूबर १७९९ ई० की रातको आल्पके हिमाच्छादित शिखरोंको पार करनेके लिये पानिखेर डांडेका रास्ता लिया। पहाड़ बहुत ऊंचे और सीधे खड़े थे। सिपाहियोंको कितनी ही जगह हाथों और पैरोंसे चिपक करके बर्फके ऊपर या सीधी खड़ी चट्टानोंपर सरकना पड़ा। एक खड़ी उतराईमें पकड़नेके लिये न कोई पेड़ था, न चट्टान। सुवारोफके प्रोत्साहनके सामने रूसी सैनिकोंके लिये कोई भी बात असंभव नहीं थी। वह अपनी बन्दूकें पकड़े इस भीषण उतराईमें बर्फपर फिसल पड़े। डांडा पार करनेके बाद अंत में सुवारोफकी सेनामें पंद्रह हजार आदमी बच रहे। आस्ट्रियाने रूसके साथ वचनका पालन नहीं किया।

सुवारोफने इतालीमें जिस तरह चमत्कारपूर्ण विजय प्राप्त की, उससे इंगलैंड, आस्ट्रिया और रूसके बीच में ईर्ष्या और आशंका पैदा होने लगी। आस्ट्रियावाले गुप-चुप फ्रांससे संधि करनेके लिये बातचीत चलाने लगे। इसपर पावलने आस्ट्रियाको लिखा :

"भविष्यमें तुम्हारी भलाईका ख्याल मैं छोड़ दूंगा, और केवल अपने और अपने मित्रोंके हितको देखूंगा।" उसने गुस्सामें हो सुवारोफको रूस लौटनेके लिये लिखा : "तुम्हें राजाओंकी रक्षा करनी थी, अब तुम्हें रूसके योद्धाओं और अपने राजाके सम्मानकी रक्षा करनी है।"

सुवारोफ बड़ी कठिनाइयोंके साथ अपनी सेनाको रूस लौटा ले आया, और उसे रूसकी सारी सेनाका "गेनरलिस्सिमो" (महामहासेनापति) की उपाधि प्रदान की गई। लेकिन थोड़े ही समय बाद फिर जारने सुवारोफको उपेक्षित कर दिया; राजधानीमें आनेपर लोग उसका राजसी स्वागत न करें इसके लिये उसका दरबारमें आना मना कर दिया। इसी तरह अपमानित और उपेक्षित रहते १८ मई १८०० ई० को यह महान् सेनापति मरा। लेकिन आजका रूस उसे जितना सम्मान प्रदान कर रहा है, उतनेकी सुवारोफने आशा भी न की होगी।

इसी बीच पावल और इंगलैंडके भी संबंध बुरे हो गये, जब कि इंगलैंडने माल्तापर अधिकार कर लिया। नेपोलियनने इस सुअवसरसे फायदा उठाते हुये पावलके साथ समझौता करना चाहा, और माल्ताको फिरसे अधिकार करनेपर उसे रूसको देने तथा बदलेमें अपने सैनिकोंको लौटानेकी मांग किये बिना सारे हथियारोंके साथ रूसी कैदियोंको मुक्त कर देनेका वचन दिया। दिसम्बर १८०० ई० में पावलके साथ नेपोलियनने निजी लिखा-पढ़ी शुरू की, जिसका जवाब पावलने भी इंगलैंडके विरुद्ध जहर उगलते हुये दिया : "इंगलैंड अपनी ईर्ष्या, धोखेबाजी और धनसे ही फ्रांसका केवल प्रतिद्वंद्वी नहीं, बल्कि हीन शत्रु होगा।. . .धमकी, षड्यंत्र और पैसोंसे इंगलैंडने सभी राज्योंको फ्रांसके खिलाफ खड़ा कर दिया—उसके इस पापमें हम भी सम्मिलित हो गये।" अब फ्रांसकी भी स्थिति बदल गई थी। नेपोलियनने फ्रेंच-क्रांतिका गला दबाते ९ नवम्बर १७९९ ई० की प्रतिक्रांति द्वारा वहां

अपनी सैनिक तानाशाही स्थापित कर दी थी। रूस और फ्रांसने चाहा, कि दोनों मिलकर भारतसे अंग्रेजोंके शासनको खतम कर दें। जनवरी १८०१ ई० में पावलने दोन-कसाक सेनाको हुक्म दिया, कि वह ओरेनबुर्गसे बुखारा और खीवा होते सीधे सिंधु नदीकी ओर कूच करें। बिना तैयारी किये हुये इतने बड़े अभियानका स्थलमार्गसे भेजना बुद्धिमत्ताकी बात नहीं थी, इसलिये पावलके मरते ही नये सम्राट् अलेक्सान्द्र I ने अभियानको रोक दिया। अपने अन्तिम जीवनमें पावलको काकेशस और ईरानके रास्ते भारत पहुंचनेकी धुन सवार थी। १८ जनवरी १८२१ ई० को उसने गुरजी (जार्जिया) और रूसके स्वेच्छापूर्वक एकताबद्ध होनेकी घोषणा निकाली। अभी हिन्दुस्तानमें अंग्रेजोंकी जड़ अच्छी तरह नहीं जमी थी, इसलिये पावलकी गतिविधिसे अंग्रेज बहुत चिंतित थे। पीतरबुर्गमें स्थित अंग्रेज राजदूत भी उस षड्यंत्रमें शामिल था, जिसमें पावलको अपने प्राणोंसे हाथ धोना पड़ा। ११ मार्च १८२१ ई० की रातको युवराज अलेकसान्द्रकी शहसे षड्यंत्रियोंने पावलके कक्षमें घुसकर उसे मार डाला।

साइबेरियाकी जातियां---यह हम बतला चुके हैं, कि कैसे येरमकने १६वीं सदीमें सिबिर राजधानीको लेते वहांके खानको खतम किया, और राजधानीके नामपर देशको सिबेरिया (साइबेरिया) नाम देते रूसकी सीमाको इर्तिश और तोबोल नदियोंके तट तक पहुंचा दिया। १७वीं सदीमें येनीसेइ नदीके तटसे लेकर अखोत्स्क समुद्र तक सारा पूर्वी सिबेरिया भी रूसके हाथमें चला गया। इस विशाल भूभागमें भिन्न-भिन्न सामाजिक और आर्थिक विकासकी स्थितिकी कई जातियां रहती थीं। येनिसेइसे पूर्व अखोत्स्क समुद्र तक इवेंकी (तुङ्-गुस) लोग रहते थे, जो कि पुराण-एसियाई जातिसे संबंधित थे। उनके अपने बड़े-बड़े कबीले थे, जिनके अक्सर आपसमें खूनी झगड़े हुआ करते थे। जाड़ोंमें ये लोग सिबेरियाके ताइगामें शिकार करते और गर्मियोंमें मछलीके मौसिममें नदियोंके किनारे चले आते। गर्मियोंमें उनके तम्बू भोजपत्रके छालसे ढंके रहते, और जाड़ोंमें वह चमड़ेके होते। बारहसिंगा उनका पालतू पशु था, जिसपर वह अपने सामानको ढोया करते थे। अपने दक्षिणी पड़ोसियोंसे उनको लोहा मिल जाता था। कोई-कोई कबीले हड्डियोंके बने हुये कवचको भी इस्तेमाल करते। भड़कीले रंगवाले कपड़े और चमकीले आभूषण उन्हें बहुत पसंद थे। वह अपने सारे चेहरे पर गोदना गुदवाते थे। इवेंकी बड़े लड़ाकू लोग थे। उनके ऊपर अपने ओझों-सयानोंका बड़ा प्रभाव था। ये ओझा-सयाने देवताओंको अपने सिरपर बुलाते, विशेष पोशाक पहिनकर तम्बूरिन बजाते खास नाच नाचते थे।

आमूर नदीके मुहानेपर भी प्राचीन पुराण-एसियाई जातिसे संबंध रखनेवाली नीवखी (गिलियक) लोग रहते थे, जिनकी मुख्य जीविका मछुवाही थी।

उत्तर-पूर्वी सिबेरियामें ओदूल (यूकागिर), निमिलन (कोर्याक), लूओराबेतलन (चुकची), इतेल्मेन (कम्स्चदाल) जातियां अब भी बर्बर अवस्थामें रहती थीं। उन्हें लोहेका पता नहीं था। उसकी जगह वह चकमक-पत्थर तथा हड्डियोंके हथियारोंका इस्तेमाल करती थीं। उनके छुरे पत्थरके होते थे, और वाणोंके फल चकमकके। लोहेका परिचय उन्हें पहलेपहल रूसियोंद्वारा मिला, इसीलिये अपनी जन-कथाओंमें वह रूसियोंको "लौह-पुरुष" कहने लगे।

ऊपरी येनिसेइ उपत्यकामें प्राचीन कालसे येनिसेइ-किरगिज नामक एक तुर्की जाति रहती थी, जिन्हें चीनी लोग खकास कहते थे, और आज भी खकास ही कहा जाता है। किरगिज येनिसेइके मैदानोंमें घुमन्तू-पशुपालोंका जीवन बिताते थे। अल्ताईके पहाड़ोंमें भी कितनी ही पहाड़ी जातियां बसती थीं, जिनमेंसे कुछ लोहधूनसे लोहा बनाकर कई तरहके लोहेके सामानको तैयार करती थीं। अल्ताईके इन लोगोंको ओइरोत-मंगोलोंने अपने भीतर हजम कर लिया, जिससे इस इलाकेका नाम ओइरोतिया पड़ा---आज यह ओइरोत-स्वायत्त-जिलेके नामसे सोवियत संघका एक भाग है।

एवेंकियोंकी भूमिके मध्यमें लेना-उपत्यकाके पिछले हिस्सेमें तुर्की जातिके याकूत रहते थे। उनकी परंपरासे मालूम होता है, कि एवेंकियोंके साथ भारी संघर्षके बाद बैकाल-पार इलाकेके दक्षिणसे आकर वह लेना नदीके तटपर रहने लगे। १७वीं सदीमें याकूत अपने पड़ोसियोंकी अपेक्षा अधिक सभ्य थे। उनकी मुख्य जीविका पशुओं और घोड़ोंका पालन थी। वह लकड़ीके झोपड़ोंमें रहते थे, जिनको आग

जलाकर गरम किया जाता था। धातुका काम भी वह पुराने ढंगसे जानते थे। उनके बनाये हुये लकड़ी की मुट्ठीवाले छुरे तथा कवच रूसी भी बहुत पसंद करते थे। १७वीं शताब्दीमें जन-व्यवस्था याकूतोंमेंसे उठने लगी, जब कि उनके सरदारोंके पास पशुओंके बड़े-बड़े रेवड और धन एकत्रित होने लगा। उनके पास साधारण चाकर और दास भी रहते थे। येनिसेइकी शाखा अंगारा नदी, बैकाल सरोवर, और ऊपरी लेनाकी भूमियोंमें बुर्यंत मंगोल लोग रहते थे। यद्यपि इनकी मुख्य आजीविका पशु-पालन था, लेकिन वह थोड़ी-थोड़ी खेती और बदलेनके रूपमें कुछ व्यापार भी कर लेते थे। शिकार भी करते थे, लेकिन वह जीविकाका मुख्य साधन नहीं था। याकूतोंकी तरह बूर्यंतोंके भी शासक उनके सरदार होते थे। आमूर नदीके किनारे दौर और दूसरी मंचुरियावाली जातियां रहती थीं। १७वीं सदी में दौर उच्च सभ्यताके धनी हो चुके थे। वह गांवोंमें रहते, कई तरहके अनाजों और साग-भाजीकी खेती करते तथा फलदार बगीचे लगाते थे। पशुपालन तो वह करते ही थे, साथ ही उन्होंने चीनसे मुर्गी पालना भी सीख लिया था। जंगलमें समूरी जानवरोंका शिकार भी उनके लिये बहुत लाभकी चीज थी। कृषि और समूरी छालके कारण समृद्ध इस इलाकेकी ओर चीनी सामन्तोंका भी ध्यान गया था, और उन्होंने वहां अपनी धाक जमा रक्खी थी। प्रतिवर्ष चीनी व्यापारी अपने मालको लाकर यहां मांगे दामोंमें बेच बदलेमें समूरी खाल और दूसरी चीजें सस्तेमें ले जाते थे। दौरोंमें धनी लोग अब चीनी रेशम पहनते, चीनी बर्तनोंका इस्तेमाल करते तथा मकान बनाकर चीनियोंकी तरह अपने गवाक्षोंको कागजसे ढांकते थे। उनकी पोशाक भी चीनियों जैसी थी। दौरोंके पास कितने ही दुर्गबद्ध नगर थे। किस तरह रूसी कसाकों और दूसरे साहस-यात्रियोंने पूर्वी साइबेरियामें बढ़कर आमूरके मुहाने तकके सारे भूभागको जीता यह हम बतला चुके हैं।

येरमक (१५८१ ई०), खबारोफ (१६४९-५४ ई०) और पीछे मुरायेफ (१८४७——.....ई०) साइबेरियामें रूसके प्रसारके सबसे बड़े वाहक थे। येरमक और खबारोफके कामोंके बारेमें हम पहले बतला चुके हैं, और यह भी, कि किस तरह चीनके साथ होते सीमांती झगड़ोंके बारेमें दोनों राष्ट्रोंने प्रयत्न करके समझौता किया।

पावल I १९वीं सदीके पहले वर्षमें मरा। उस समयतक रूसके राज्यका विस्तार पूर्वी पोलैंडको लेते प्रशान्त महासागर और बेरिंगकी खाड़ीतक था। उत्तरमें वह ध्रुवीय महासागरसे लेकर दक्षिमें मध्य-एसियाके सीमांततक ही नहीं, बल्कि कहीं-कहीं उसके भीतर भी घुसा हुआ था। काकेशस में गुरजी और उत्तरी आजुर्बाइजान उसके हाथमें थे। रूसी सेनाओंने रोम, आल्प्स और बर्लिन तककी विजय-यात्रायें की थीं। पावल हिन्दुस्तानसे अंग्रेजोंको भगाकर अपना शासन कायम करना चाहता था। इस प्रकार १८वीं सदीके अन्ततक रूस दुनियाका एक बहुत ही शक्तिशाली देश बन गया था, इसमें संदेह नहीं। अभी इंगलैंड उसके मुकाबिलेमें एक धनी बनियेसे अधिक हैसियत नहीं रखता था, लेकिन सारी १९वीं सदीमें, जहां अंग्रेजोंने नई वैज्ञानिक खोजोंसे लाभ उठाकर अपने देशको उद्योग-प्रधान बनाते हुये पूंजीवादी शासनकी दृढ़ स्थापना की, वहां रूसी अभी सामन्तशाहीका मोह छोड़ने के लिये तैयार नहीं थे, जिसके कारण वह अंग्रेजोंके सामने पिछड़ गये——इस पिछड़ेपनको बड़ी तेजीके साथ सोवियतके समाजवादी शासनने दूर किया।

३. (१. जार-वंशवृक्ष)
(१५९८—१८०१ ई०)

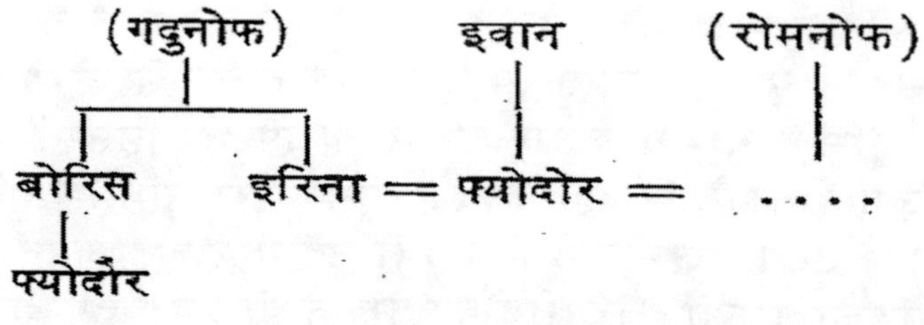

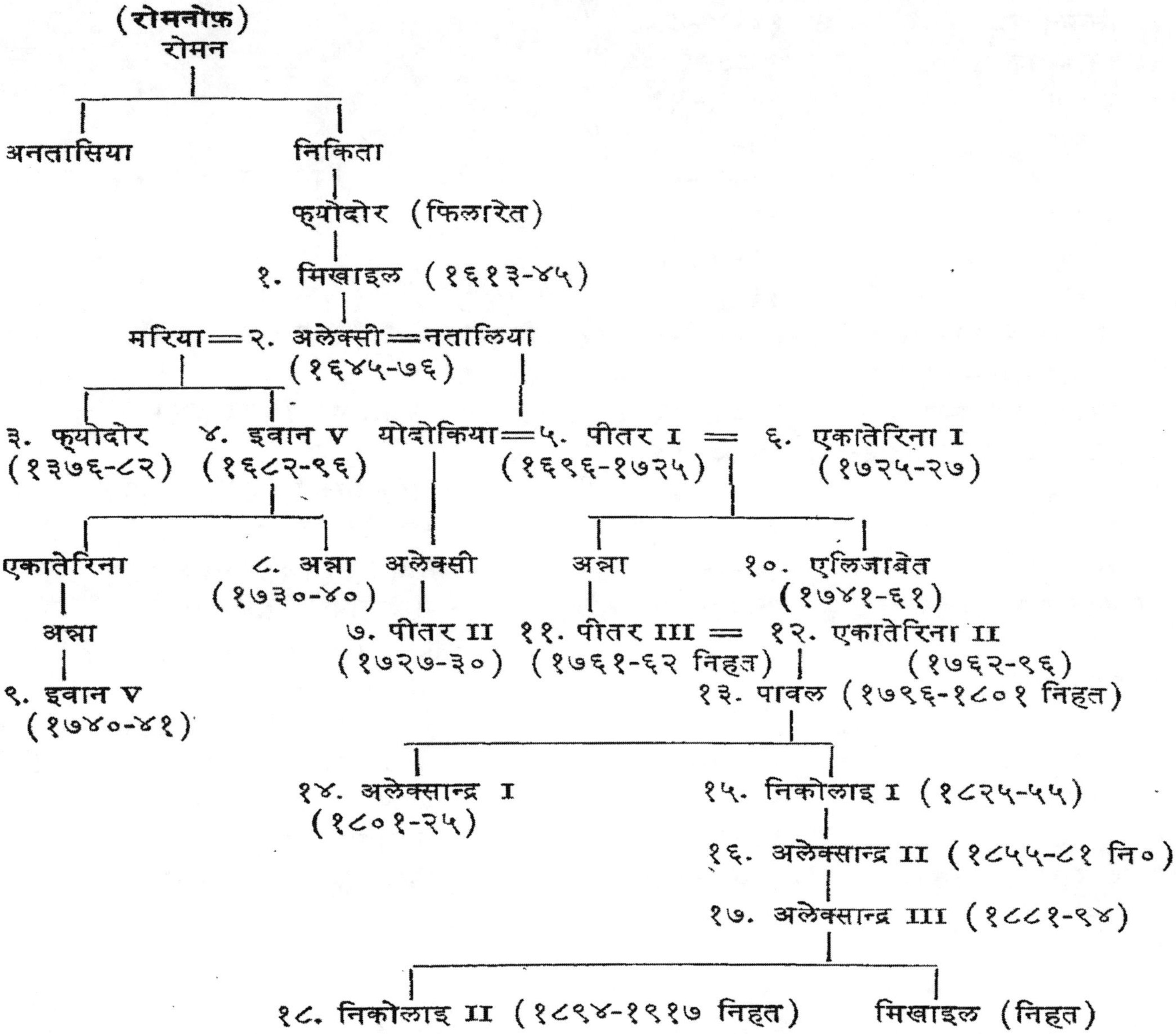

चीन-वंशावली : मिङ और छिङ——रूसके पूर्वकी ओर प्रसारके समय उसका मुकाबिला चीनकी शक्तिसे होने लगा था। मंगोल-वंश (१२०६-१३६८ ई०) के बादकी चीनी राजावली इस प्रकार है :—

मिङ-वंश १३६८-१६४४ ई०——राजधानी नानकिङ (१३६८-१४०२ ई०), पेकिङ (१४०३-१६४४ ई०)

रूसी जार

१.	ताइ-चू (चू-युवान-चाङ)	१३६८—९८ ई०
२.	हुइ-ती	१३९८—१४०२ "
३.	चेङ-चू	१४०२—२४ "
४.	जे-चुङ	१४२४—२५ "
५.	स्वान्-चुङ	१४२५—३५ "
६.	यिङ-चुङ	१४३५—४९ "
७.	ताइ-चुङ	१४४९—५७ "
	यिङ्-चुङ (पुनः)	१४५७—६४ "

८. सियान्-चुङ	१४६४–८७ ”	
९. स्याव-चुङ	१४८७–१५०५ ”	
१०. वू-चुङ	१५०५–२१ ”	
११. मू-चुङ	१५६६–७२ ”	
१२. शेन्-चुङ	१५७२–१६२० ”	मिखाइल (१६१३–४५)
१३. कुवाङ-चुङ	१६२० ”	
१४. सी-चुङ	१६२०–२७ ”	
१५. सू-चुङ	१६२७ ”	

छिङ (मं-चू)-वंश १५८३–१९११ ई०—राजधानी ल्याव-याङ (१६२१–४३ ई०), पेचिङ (१६४४–१९१२ ई०)

१. ताइ-चू नुर-हा-चू	१५८३–१६२७ ”	मिखाइल (१६१३-४५)
२. ताई-चुङ (ह्वाङ-ताई-ची)	१६२७–४४ ”	
३. शि:-चू	१६४४–६१ ”	अलेक्सान्द्र I (१६४५–७६)
४. शेङ-चू (खाङ-सी)	१६६१–१७२३ ”	फ्योदोर (१६७६–८२)
५. शी:-चुङ	१७२३–३५ ”	पीतर I (१६९६–१७२५)
६. काउ-चुङ	१७३५–९५ ”	एलिजाबेत (१७४१–६१)
		एकातेरिना II (१७६२–९६)
७. जेन्-चुङ	१७९५–१८२० ”	पावल I (१७९६–१८०१)
		अलेक्सान्द्र I (१८०१–२५)
८. स्वान्-चुङ	१८२०–५० ”	निकोलाइ I (१८२५–५५)
९. वेन-चुङ	१८५०–६१ ”	अलेक्सान्द्र II (१८५५–८१)
१०. मू-चुङ	१८६१–७५	अलेक्सान्द्र III (१८८१–९४)
११. ते:-चुङ	१८७५–१९०८ ”	निकोलाइ (१८९४–१९१७)
१२. पू-यी	१९०८–११ ”	

स्रोत ग्रन्थ

1. History of U.S.S.R. (Ed. A.M. Pankratova, Moscow 1947)
२. ओचेर्क को इस्तोरिइ कलोनिजात्सिइ सिबिरि १७वीं-१८वीं सदी (मास्को १९४६)
३. यज़ीकोज्नानिये इ इस्तोरिया लितेरातुरी (स. स. विलिन्स्की आदि, मास्को १९१४)
४. यज़ीकोज्नानिये
५. इस्तोरिया अेकातेरिनी व्तरोय (२ तोम्, विल्वस्सोफ़, बर्लिन १९००)
६. इस्तोरिया त्सार्त्वोवानिया पेत्रा वेलिकओ (५ जिल्द, ओस्त्रियालोफ़्, पेतेरबुर्ग, १८१५-७१)
७. ओ देकब्रिस्ताख् पो सेमेइनीम् वोस्पोमिनानियाम् (स. वोल्खोन्स्की)
८. इस्तोरिया सससर (४ जिल्द, व. इरव्दोनिकस्)
९. क् वप्रोसु ओ खिस्तियान्स्त्वे ना रुशि दो व्लादिमिरा (न. वोलोन्स्काया, १९१७)

अध्याय २

श्वेत-ओर्दू (२)

(१४२५-१७२८ ई०)

१. बुर्राक, बरका, कोइरियक-पुत्र (—१४२७ ई०)

श्वेत-ओर्दू (अक-युर्त) के बारेमें हम पहले कह चुके हैं। उसी ओर्दूके प्रतापी खान बुर्राकने अपने दक्षिणी पड़ोसियोंकी नाकमें दम कर रक्खा था। बोराक खानकी मृत्यु ८३१ हि० (२२ X १४२७–११ IX १४२८ ई०) में हुई। यही बुर्राक (बोर्राक) या बरका श्वेत-ओर्दूकी नई शाखाका संस्थापक था, जिसकी राजधानी सिर-दरियाके तटपर सिगनक थी। बुर्राक खानके दो बेटों गिराई और जानीबेगमेंसे गिराई बापके मरनेपर गद्दीपर बैठा। इस वंशमें निम्न खान हुये—

१. बुर्राक, बरका, कोइरियक-पुत्र	—१४२७ ई.
२. गिराई, बुर्राक-पुत्र	१४२७— "
३. बेरेंदक, गिराई-पुत्र	—१५०९ "
४. कासिम, जानीबेग-पुत्र	१५०९–१८ "
५. मीमाश, यादिक-पुत्र	१५१८— "
६. ताहिर, यादिक-पुत्र	
७. उजियाक अहमद, उज्बेक, जानीबेग-पुत्र	
८. अकनजर, कासिम-पुत्र	—१५८० "
९. शिगाई, यादिक-पुत्र	१५८०— "
१०. तवक्कल, शिगाई-पुत्र	—१५९८ "
११. इशिम, शिगाई-पुत्र	१५९८–१६३५ "
१२. जहांगीर, इशिम-पुत्र	१६३५–९८ "
१३. तौफीक, तिअबका, जहांगीर-पुत्र	१६९८–१७१८ "

२. गिराई, बुर्राक-पुत्र (१४२७–ई०)

१४९१ ई० में अबुल्खैर शैबानीका किपचक भूमिमें प्रताप छाया हुआ था, जिसके डरके मारे गिराई और जानीबेग दोनों भाई किपचक छोड़ भागकर इस्सिकुल-काशगर (मुगोलिस्तान)के खान इस्सनबुगाके पास पहुंचे। मुगोलिस्तानी खानने दोनों भाइयोंको चू-उपत्यका और बशीकुजीमें चर-भूमि दी। जब तक १४६९ ई० में अबुल्खैर मर नहीं गया, तब तक दोनों भाइयोंको पश्चिम की ओर नजर डालनेकी हिम्मत नहीं हुई। अब उनके पास दो लाख व्यक्ति हो गये थे—इनके ओर्दूका नाम उज्बेक-कजाक पड़ा था। दोनों भाइयोंने अपनी पितृभूमिके उद्धारका बीड़ा उठाया, लेकिन अबुल्खैरके पुत्र भी दबनेवाले नहीं थे, इसलिये जबर्दस्त संघर्ष शुरू हुआ। मुगोलिस्तानके खान महमूदने एक ओर बुर्राकके पुत्रोंकी सहायता की, तो दूसरी ओर अबुल्खैरके पौत्र मुहम्मद शैबानीको भी तुर्किस्तान शहर देकर सहारा दिया। गिराई और जानीबेग इससे रुष्ट हो गये—"शैबानी हमारा शत्रु है, फिर खान क्यों उससे मेल कर रहा है?" अन्तमें दोनों भाइयोंने मुगो-

लिस्तानी खान महमूदसे झगड़ा कर दो लड़ाइयोंमें महमूदको बुरी तरह हराया, जिसका बदला महमूद के छोटे भाई अहमदने उज्बेक-कजाकोंको तीन बार हराकर लिया—इसी समय इनका नाम उज्बेक-कजाक पड़ा, जिसमें कजाक शब्द साधारण डाकूके लिये नहीं, बल्कि साहसियोंके लिये मध्य-एसियामें

प्रयुक्त होता था—उज्बेक-कजाक (=श्वेत-ओर्दू) का अर्थ पहले "साहसी * उज्बेक खानके उलुस-वाले" लिया जाता होगा, पीछे कजाक विशेषण नहीं, बल्कि बुर्कके पुत्रों गिराई और जानीबेगके अनुयायी श्वेत-ओर्दूका दूसरा नाम ही पड़ गया, जो आज भी प्रचलित है।

३. बेरेंदक खान, गिराई-पुत्र (—१५०९ ई०)

गिराई और जानीबेग कब मरे, इसका ठीक पता नहीं है। उनके बाद गिराईका पुत्र बेरेंदक उज्बेक-कजाकोंका खान हुआ। उज्बेक खानका पुराना उलुस अब शैबानी और कजाक दो प्रतिद्वंद्वी भागोंमें विभक्त था, जिनका द्वंद्व बेरेंदकके समयमें भी जारी रहा। आगे चलकर मुहम्मद शैबानी

*तुर्की भाषामें "कजाक" बहादुर (वीर) को कहते हैं।

के किपचक-तुर्क उज्बेक कहे जाने लगे, और बुर्राक-वंशके अनुयायी कजाक। बेरेंदक उस समय सिगनकमें था, जब कि उज्बेक मुहम्मद शैबानीके पास नोगाई खान मूसाका दूत आया था, और उसने दश्तकिपचकका खान बननेके लिये निमंत्रण दिया। मुहम्मद शैबानी वहां गया। मूसाने स्वागत भी किया, लेकिन अब उज्बेकोंका वास्तविक नेता बेरेंदक खान था, जिसे पसंद नहीं था, कि मुहम्मद शैबानी किपचकका भी खान बने। बेरेंदक सेना लेकर आया, लेकिन शैबानीने उसे मार भगाया। पीछे मूसाने अपने वचनको भंग कर दिया और अमीरोंके राजी न होनेका बहाना करके मुहम्मद शैबानीको खान बनने नहीं दिया। १४९४ ई० में मुहम्मद शैबानी और उसके भाई महमूदने सारे तुर्किस्तान (सिर-उपत्यका) पर अधिकार कर लिया। शैबानीके हटते ही बेरेंदक अपनी सेना लेकर सावरानपर चढ़ आया। अमीर मुहम्मद तरखनके कहनेपर नागरिकोंने महमूद शैबानीको पकड़कर बेरेंदकके चचेरे भाई जानीबेग-पुत्रके हाथमें दे दिया, जिसने उसे सूजक भेज दिया, लेकिन वह भागकर अपने भाई मुहम्मद शैबानीके पास ओतरार पहुंचनेमें सफल हुआ। बेरेंदक सावरान शहरको नहीं ले सका था। इसी समय बेरेंदकके कजाक मुगोलिस्तानके खानसे मिलकर ओतरारके विरुद्ध अपना सैनिक प्रदर्शन कर लौट आये। इसपर शाहीबेग कजाकोंके ऊपर चढ़ दौड़ा। उस समय उनका डेरा अलाताग (वेर्नोये) के पास अलाताउके पहाड़ोंमें था। आखिरमें दोनों पक्षोंमें समझौता हो गया। बेरेंदकने अपनी लड़की मुहम्मद शैबानीके पुत्र मुहम्मद तेमूर सुल्तानको प्रदान की। लेकिन घुमन्तुओंका समझौता तोड़नेके लिये ही हुआ करता था। ९१२ हि० (२४ V १५०६–१४ IV १५०७ ई) में कजाकोंने फिर अन्तर्वेदपर आक्रमण कर दिया। शैबानीने उनका जवाब दिया। दो साल बाद १५०९ ई० में फिर कजाकोंने प्रहार किया। इस समय बेरेंदक किपचकोंका नाममात्रका खान था, असली शक्ति उसके चचेरे भाई जानीबेग-पुत्र कासिमके हाथमें थी। कजाकोंकी दो लाख सेना उसके पास थी। जाड़ोंमें मुहम्मद शैबानी कुरुकमें ठहरा हुआ था। जाड़ोंके अन्तमें यकायक कासिमके चढ़ आनेकी बात सुनकर उसने मुकाबिला करना चाहा, लेकिन बहुत हानि उठाकर उसे वहांसे समरकन्द भागना पड़ा, जहांसे भी खुरासानमें हटना पड़ा। इसी समय कासिमने कजाक तख्त लेकर बेरेंदक खानको समरकन्द भगा दिया।

४. कासिम, जानीबेग-पुत्र (१५०९-१८ ई०)

अब खानकी गद्दी गिराईके वंशसे निकलकर जानीबेगके खान्दानमें चली गई। किपचक-भूमि गिराई-जानीबेगके कजाकोंके हाथमें थी। धीरे-धीरे दश्त-किपचककी जगह कजाकस्तानका प्रयोग होता जा रहा था। बेरेंदकके शासनकालमें कासिमने अपनी प्रभुता बढ़ा ली थी, लेकिन वह खानके पास यह कहकर नहीं रहता था—"यदि मैं सम्मान नहीं दिखाऊंगा, तो खान नाराज होगा, और सम्मान दिखाना मेरी आत्माके विरुद्ध होगा।" उस समय बेरेंदक सिगनक और मुगोलिस्तानके सीमांतपर रहता था। खान हो जानेपर कासिम किपचकोंका सबसे शक्तिशाली खान था। उसके पास दस लाख सेना थी। इतनी बड़ी सेना जू-छिके बाद किसी खानके पास नहीं रही। कासिमके नौ भाइयोंमें सबसे अधिक प्रसिद्ध यादिक या उज्बेक सुल्तान था, जिसने मुगोलिस्तानके खान यूनसकी चौथी लड़की सुल्तान निगार खानम् (तेमूरी सुल्तान अबूसईदके लड़के महमूद मिर्जाकी विधवा)से शादी की थी। यादिकके मरनेपर वह कासिमकी भी बीबी बनी। नोगाई शेखमिर्जासे लड़ाई करते वक्त ९३० हि० (१० XI १५२३–२८ X १५२४ ई०) बेटेने कासिमको मार डाला, और अपने बाप यादिकके स्थानको चचासे छीन लिया।

५. मीमाश, बिबाश, यादिक-पुत्र (१५१८—ई०)

मीमाशने मुगोलिस्तानके रशीद खानकी लड़की ब्याही थी। वह लड़ाईमें मारा गया।

६. ताहिर, यादिक-पुत्र

भाईके मरनेपर ताहिर गद्दीपर बैठा। ९२९ हि० (२० XI १५२२–११ X १५२३ ई०)

में उसने स्वयं अपने भाईकी विधवा सुल्तान निगार खानम्को ले जाकर उसके बापके पास पहुंचा दिया। बाप अपनी बेटीको बहुत प्यार करता था, लेकिन बेटी घुमन्तू जीवनसे तंग थी, इसलिये इजाजत लेकर वह अपने भाईके लड़के सुल्तान सईदके पास चली गई। बुवाके संबंधसे खान सईदने उठकर स्वागत करना चाहा, मगर ताहिरने चगताई खानका ख्याल करते हुये उसके सामने कोर्निश की। ताहिरकी बहिन रशीद खानसे ब्याही गई। ताहिरका सितारा गिर चुका था। पड़ोसी सुल्तानोंसे बराबर लड़ाई-झगड़ा रहता था। ताहिरने अपने भाई अबुल-कासिम सुल्तानको अपने हाथों मारा, जिसपर उसके उलुसके लोगोंने साथ छोड़ दिया। वह अकेला पुत्रके साथ किर्गिज (बुरुत) लोगोंमें चला गया। लड़का भी बापसे तंग आ गया, और ९३६ हि० (५ IX १५२९–२७ VII १५३० ई०) में वह भी साथ छोड़ गया। इसी हालतमें बड़ी दुर्गतिके साथ ताहिरकी मृत्यु हुई। कहां ९२४ हि० (१३ XI–४ VII १५१८ ई०) में उसके पास दस लाख सेना थी और कहां ९४४ हि० (१० VI १५३७–१ V १५३६ ई०) में उसके कजाकोंका चिह्न नहीं रह गया। तीस हजार कजाकोंने मुगोलिस्तानमें पहुंचकर ताहिरके भाई बुइदशको खान बनाया, लेकिन अब कजाकोंके कई खान थे।

७. उजियाक अहमद, उज्बेग, जानीबेक-पुत्र

किपचक कजाकोंकी इस गड़बड़ीमें जगह-जगह उनके कई खान बन गये थे, जिनमें ही यादिक या सैदिक-पुत्र उजियाक भी था। इसने अधिक दिनों तक शासन नहीं किया। उस समय दश्त-किपचकमें नोगाइयोंकी शक्ति बढ़ गई थी। नोगाइयोंके अमीर सैदकसे लड़ते हुये उरुक मिर्जाके हाथों उजियाक मरा। उसका पुत्र बुलात (पुलाद, फौलाद) सुल्तान भी अपने पुत्रों सहित नोगाइयोंके हाथों मारा गया। उजियाक खान लघु-ओर्दूके प्रसिद्ध खान अबुल्खैरका पूर्वज था—यह अबुल्खैर शैबानी अबुल्-खैरसे अलग था। नोगाइयोंने ९३२ हि० (१८ X १५२५—८ IX १५२६ ई०) में बहुसंख्यक कजाकोंको मार भगाया। १५३३ ई० तक नोगाइयोंकी शक्ति इतनी बढ़ गई, कि उन्होंने ताश्कन्द पर अधिकार कर लिया। नोगाई अमीर यूसुफने १५३७ ई० में अपने विजयोंके बारेमें रूसिकवंशी जार वासिली-पुत्रके पास लिखकर भेजा था।

८. अकनजर, कासिम-पुत्र (—१५८० ई०)

प्रतापी कासिम खानके बेटे अकनजरने कजाकोंके रूठे भागको लौटानेकी कोशिश की। अपने विजयोंके कारण अकनजरका यश बहुत दूर-दूर तक फैला। कजाक और किर्गिज उसे अपना खान मानने में गौरव समझते थे। अकसू और मुगोलिस्तानके शासक अब्दुर रशीद खानके पुत्र अब्दुल लतीफ सुल्तान को इसने लड़ाईमें मारा। ताश्कन्दके राज्यपाल बाबा सुल्तान और शैबानी खान अब्दुल्लाके साथ इसकी प्रतिद्वंद्विता थी। बाबा सुल्तान शैबानी अब्दुल्लासे डरकर तलस नदीपार कजाकोंमें चला गया। दूतने आकर यह खबर मुगोलिस्तानके खानको दी। जांच करनेपर मालूम हुआ, कि अकनजर खान जालिम सुल्तान, यादिक-पुत्र शिगाई सुल्तान आदिके साथ तरस नदीपर डेरा डाले हुये हैं। शिगाई-पुत्र ओन्दन सुल्तानने अब्दुल करीम सुल्तानकी विधवा पत्नीसे ब्याह किया था, और बीबीकी बहिन को जालिम सुल्तानके लिये रख रक्खा था। बाबा सुल्तानके भागकर कजाकोंमें शरण लेनेकी बात भी गलत मालूम हुई, इसलिये गलत खबर देनेवाले गुप्तचरको मार डाला गया। मुगोलिस्तानका खान अपनी सेना ले तलसकी ओर बढ़ा। इसकी खबर पाकर कजाकोंने खानके स्वागतके लिये अपना दूत भेज आज्ञा शिरोधार्य करनेकी बात कही। सुलहनामा हुआ, जिसमें यह भी शर्त थी, कि बाबाके एक लड़केको—जो अपने कुछ अनुचरोंके साथ कजाकोंमें भाग गया था—पकड़कर जिंदा या शिर काटकर भेजा जाय। कजाकोंके दूतको खानने खिलत और इनाम दिया, तथा प्रसन्न होकर उन्हें तुर्किस्तान के चार शहर भी प्रदान किये। मुगोलिस्तानके खानकी उदारतासे तुर्किस्तानमें कजाकोंके पैर जम गये, और पीछे वह खानके राज्यमें भी लूटमार करने लगे। मुगोलिस्तानी ताश्कन्दका राज्यपाल

कजाकोंको रोकनेमें असमर्थ रहा । उसने यस्सी (तुर्किस्तान) और साबरानके शहरोंको भी उनके हाथमें जाने दिया । बाबा अपने आदमियोंके साथ समरकन्द चला गया । उसने खानके विरुद्ध लड़ने के लिये कजाकोंको मिलानेके वास्ते जानकुली बेगको दूत बनाकर अपने ससुर जालिम सुल्तानके पास भेजा । कजाक इसके लिये तैयार नहीं थे, बल्कि उन्होंने जानकुलीको भी मार डालना चाहा । किसी तरह हत्यारोंके हाथसे बचकर उसने बाबाको खबर दी, कि जालिम सुल्तानको तुम्हें मारनेके लिये नियुक्त किया गया है । यकायक जालिम और अकनजरके दो पुत्र काफी सेना ले बाबाकी ओर दौड़े । शराबखानी नदीके तटपर बाबासे उनकी भेंट हुई । उसे अकनजरके पास चलनेके लिये कहा । बाबा जानता ही था, उसके साथ क्या होनेवाला है, इसलिये उसने अपने सैनिकोंको तलवार निकालकर उन्हें काट डालनेका हुक्म दिया । जमीनको उनके खूनसे लाल कर उसने अपने भाई बूजाखुरको अकनजरपर चढ़ाई करनेके लिये कहा—यह १५८० ई० (अकबरके समय) की बात है । शायद इसी लड़ाईमें कई सुल्तानोंके साथ अकनजर मारा गया । अकनजर नोगाइयोंका दुश्मन था । नोगाइयोंपर इस समय रूसियोंका प्रहार हो रहा था, इसलिये अकनजर रूसियोंसे मेल करना चाहता था ।

९. शिगाई, सैदिक (यादिक)-पुत्र (१५८०—ई०)

अकनजरके बाद १५०३ ई० में मारे गये सैदिकका पुत्र शिगाई गद्दीपर बैठा । यह अनुभवी और राजनीति-पटु खान था । इसने एक बार तलसमें बाबाके ऊपर अचानक असफल आक्रमण किया । १५८१ ई० में बाबा सिर-दरियाके पास कराताउमें डेरा डाले हुये था । यहीं उससे मिलनेके लिये तवक्कलके साथ शिगाईका पुत्र आया । दोनोंमें मित्रतापूर्ण बातचीत हुई । अब्दुल्ला शिगाईको खोजन्दका राज्यपाल बना तवक्कलको अपने साथ समरकन्द ले गया । तवक्कलने शैबानी खानके यहां निशानाबाजीमें प्रसिद्धि पाई । खानके बागकी बगलमें बन्दूक चलानेका एक भारी खेल हो रहा था, जहां लम्बे खम्भोंपर लटकती सोने-चांदीकी चमकती गोलियोंपर लोग निशाना लगा रहे थे । इस कठिन लक्ष्य-वेधको तवक्कलने करके दिखाया और इस प्रकार उसे अब्दुल्ला खानसे ज्यादा समीपता प्राप्त हुई । इसके बाद ही जनवरी १५८२ ई० में अब्दुल्ला खानने बाबा सुल्तानके विरुद्ध उलुगतागकी ओर अभियान किया । सिर दरियाके बाद अरिसको भी पार करनेपर सुना, कि बाबा दश्तेकिपचककी ओर चला गया है । इसपर अब्दुल्ला अरिस-तटपर अवस्थित कराअसमन (करा-सामा) में कुछ सेना छोड़ बुगान-चोयान नदियोंसे अर्सलनलिकतोईकान (तुर्किस्तान शहरके पास गांव) होते सरीसू पार हो अप्रैलमें उलुगताग पहुंचा । वहां पता लगा, कि बाबा मंगीतों (नोगाइयों) में शरणापन्न हुआ है । बाबाका पीछा करनेके लिये एक सेना छोड़ अब्दुल्ला राजधानीकी ओर लौटा, लेकिन साबरानके मुहासिरेमें दो मासतक रुकना पड़ा । अब्दुल्ला (शैबानी खान) साबरान नदी पारकर शिकार खेलने गया था, जहां उसका पुत्र अब्दुल मोमिन सुल्तान खो गया, जिसे पहुंचा कर शिगाईके छोटे भाई यानबहादुर सुल्तानने शैबानी खानसे बहुत इनाम पाया ।

शिगाई खान अन्तर्वेदके प्रतापी शाबानी खान अब्दुल्लाका पड़ोसी और प्रतिद्वंद्वी था । उसने एक बार फिर किपचकमें शत्रुओंके विरुद्ध अभियान किया । तवक्कलने अपने कजाकोंके साथ शत्रुका पथप्रदर्शन किया, और वह केन्दरलिक नदी पार हो गये । यहीं जू-छि खानकी कब्र थी, जिसके पास ही उसके कुछ दूत दुश्मनके हाथोंमें पड़कर मारे गये । खबर पा बाबा सुल्तान नोगाइयोंमें भाग गया, और कुछ आदमियोंको शिगाई खानने पकड़कर लूटा । शिगाई खानकी सरगरमीको सुनकर अब्दुल्ला खान फिर उलुगतागकी ओर चला, और ईलांचिक (जिलांचिग) में शिगाईने आकर उससे मुलाकात की, इस प्रकार झगड़ा नहीं हुआ । सिबिरके प्रसिद्ध खान कूचुमके भाई अहमद गिराइने "बुखारा" के अमीर गिराईकी लड़कीको ब्याहा था । उनके बुरे बर्तावके कारण नाराज हो शिगाईने आकर उसे इर्तिशके तटपर मार डाला । जगताई शाहजादी याशिम बेकिमसे उसे तुकाई या तवक्कल पुत्र पैदा हुआ था, जो बापके बाद कजाकोंका खान बना ।

१०. तवक्कल, शिगाई-पुत्र (१५९८ ई०)

बाबा सुल्तान और शैबानी अब्दुल्ला खानका झगड़ा इसके समयमें भी चलता रहा। तवक्कल अब्दुल्ला शैबानीके दरबारमें एक बार नाम कमा चुका था। वह शैबानी खानका समर्थक था। जब १५८२-८३ ई०में अपने उलुगतागवाले प्रसिद्ध अभियानसे शैबानी खान लौट रहा था, उसी समय तवक्कल अककुरगानमें अपने पशुओंकी देखभाल कर रहा था। उसने सुना कि बाबाका भाई सुल्तान ताहिर अभी-अभी सुंगकके डांडेसे पार हुआ है। तवक्कलने पीछा करके ताहिरको पकड़कर अब्दुल्लाके हाथमें दे दिया। खानने उसे जरबफ्तकी खिलअत और इनाम दिया। कुछ ही दिनों बाद तवक्कलने बाबा सुल्तान, जानमुहम्मद अतालीक, बाबाके पुत्र लतीफ सुल्तान और दूसरोंके शिर काटकर अब्दुल्लाके पास भेंट किये। खानने बहुत भारी इनाम दे उसे समरकन्दके सबसे अच्छे इलाके आफरीकंदका राज्यपाल बना दिया, जहां अब्दुल्ला स्वयं बापके समय राज्यपाल था। तवक्कलके हाथमें बाबाके पड़नेके बारेमें कहा जाता है: नोगाइयोंमें जानेपर उसे विश्वासघातका डर लगने लगा, तब उसने भागकर तुरा (साइबेरिया)की ओर जाना चाहा। फिर आशा हुई, कि शायद अपने लोगोंसे मदद मिले, इसलिये तुर्किस्तानकी ओर मुड़ पड़ा। रास्तेमें सिगनकमें ठहरकर उसने अपने दो कल्मक सहायकोंको पता लगानेके लिये भेजा। दोनों कल्मक तवक्कलके हाथमें पड़ गये, और उन्होंने तवक्कलको साथ ले तम्बूमें पड़े बाबाका शिर कटवानेमें सहायता की।

तवक्कल दो लाख कजाक-परिवारोंका खान था। इस समय कल्मक भी बहुत शक्तिशाली हो चुके थे। तवक्कलने अपने कजाकोंको लेकर एक बार कल्मकोंके देशपर हमला किया। इसपर कल्मक राजाने अपने सैनिकोंको यह कहकर भेजा, कि तवक्कलका शिर लिये बिना न लौटना। कल्मकोंकी भारी सेना देखकर तवक्कल ताश्कन्दकी ओर भागा, लेकिन कल्मकोंने पीछा करके उसके आधे आदमियोंको बंदी बना लिया। बाकी बचे ताश्कन्द पहुंचे, जिसका राज्यपाल नौरोज अहमद बुर्राक खान था। तवक्कलने उसके पास दूत भेजकर कहलवाया—"मैं तुम्हारे देशमें आया हूं, तुम्हारी शरण लेना चाहता हूं। हम दोनों छिङ्-गिस् खानके वंशज हैं, अतएव एक दूसरेके संबंधी हैं। दोनों मुसलमान होनेसे धर्म-भाई भी हैं। मेरी सहायता करो और आओ हम दोनों मिलकर कल्मकोंसे लड़ें।" बुर्राक खानने जवाब दिया—"अगर हमारे-तुम्हारे जैसे दस अमीर भी एक हो जायें, तो भी हम कल्मकोंका कुछ नहीं बिगाड़ सकते। वह याजूजके ओर्दूकी तरह असंख्य हैं।"

तवक्कलने अन्तमें भागकर अब्दुल्ला खान शैबानीकी शरण ली। १५८३ ई० में अन्दिजान और फरगाना पर अब्दुल्लाने जो अभियान किया था, उसमें तवक्कल उसके साथ था। इसी समय तवक्कलको पता लगा, कि अब्दुल्लाके भाव उसके प्रति अच्छे नहीं हैं, इसलिये वह उसके हाथसे निकलकर दश्त-किपचकमें चला गया। १५८६ ई० में अब्दुल्लाको दूसरी जगह फंसा देखकर तवक्कलने तुर्किस्तान, ताश्कन्द ही नहीं समरकन्दको भी खतरेमें डाल दिया। अन्तर्वेदसे छोटी-सी सेना आई, जिससे शराब-खाना (ताश्कन्द इलाकेमें) में लड़ाई हुई। कजाकोंके पास अच्छे हथियार नहीं थे, कवचकी जगह उनके पास चमड़ेके कोट थे; लेकिन वह बड़े बहादुर थे, इसलिये अब्दुल्लाके उज्बेक बुरी तरहसे हारे। अब्दुल्लाके भाई उबैदुल्ला सुल्तानने समरकन्दमें पराजयकी खबर सुनी, तो वह सेना ले सिर नदी पार हो ताश्कन्द पहुंचा। तवक्कल उस समय सैरामके पास डेरा डाले पड़ा था। भारी सेनाकी खबर पाकर वह किपचकभूमि की ओर लौटा, जहां कुछ समय तक उबैदुल्लाने उसका पीछा करनेका असफल प्रयत्न किया।

१५८८ ई० में अब्दुल्ला खानके बहनोई, रुस्तम-पुत्र जानीबेग-पौत्र उज्बेकन ताश्कन्दके राज्य-पाल रहते समय विद्रोह कर दिया। ताश्कन्द-शाहरुखिया-खोजंदके लोगोंने कजाक-सुल्तान जानअलीको अपना खान घोषित किया। विद्रोहमें अकनजरके पुत्रों मुंगाताई और दीनमुहम्मदने भी भाग लिया।

इन लड़ाइयोंसे मालूम होगा, कि शैबानियोंके प्रतापी खान अब्दुल्लाको उत्तरके घुमन्तू कितना परेशान किये रहते थे। १५९४ ई० में तवक्कलने जार फ्योदोर इवान-पुत्रके पास अपना दूत भेजकर निवेदन किया, कि मैं अपने उलुसके साथ जारकी प्रजा बनना चाहता हूं, मेरे भतीजे उराज मोहमेतको मुक्त कर दिया जाय। मार्च १५९५ ई० में जारने तवक्कलके प्रस्तावको स्वीकार कर लिया, और कुछ बारूदी हथियार भेजकर उससे कहा, कि बुखाराके खान अब्दुल्लाके साथ शांति रखो, सिबिरखान कूचुमको अधीन बनाओ। भतीजेको हम मुक्त कर रहे हैं। उसकी जगह दरबारमें अपने पुत्रको भेजो।

लेकिन, तवक्कल भला अन्तर्वेदकी लूटसे अपनेको क्यों वंचित होने देता? १५९७ ई० में अब्दुल्ला और उसके पुत्र अब्दुल मोमिनके बीचके झगड़ेकी खबर उसे तुर्किस्तानमें मिली। तवक्कल खान—अब वही खान था—बहुत-से कजाक अमीरों और सैनिकोंके साथ ताश्कन्दकी ओर बढ़ा। अब्दुल्लाने तवक्कलको कोई महत्त्व नहीं दिया, और उसके मुकाबिलेके लिये कुछ सुल्तानों, शाहजादों और पड़ोसी अमीरोंको थोड़ी सेना देकर भेजा। ताश्कन्द और समरकन्दके बीच सख्त लड़ाई हुई, जिसमें अब्दुल्लाकी सेना हारी, बहुतसे सेनापति मारे गये, बाकी बुखारा भाग गये। अब्दुल्ला मुकाबिलेके लिये बुखारासे समरकन्दकी ओर चला, लेकिन बीच हीमें बीमार होकर मर गया। अब तवक्कलकी बन आई। उसने भारी सेना ले तुर्किस्तानसे अन्तर्वेदमें घुसकर अकसी, अन्दिजान, ताश्कन्द, समरकन्द तथा मियानकुल तकके प्रदेशपर अधिकार कर लिया। फिर अपने भाई इशिम सुल्तानको बीस हजार सेना दे समरकन्दमें छोड़ सत्तर-अस्सी हजार सेनाके साथ बुखारापर चढ़ा। पीर मुहम्मद पंद्रह हजार सैनिकोंके साथ बुखाराकी रक्षापर नियुक्त था। उसने शहरके दरवाजोंको बन्द कर लिया, और बीच-बीचमें निकल कर कजाकोंके ऊपर ग्यारह दिनोंतक वह छापा मारता रहा। बारहवें दिन सारी सेना शहरसे बाहर निकल आई। शाम तक भयंकर युद्ध हुआ। कजाक हारकर तितर-बितर हो गये। धोखा देनेके लिये डेरोंमें आग जली छोड़ तवक्कल रातको ही चला गया था। इस हारकी खबर समरकन्दमें इशिमको मिली। उसने अपने भाईके पास संदेश भेजा—"तुम्हें बहुत लज्जा आनी चाहिये, कि मुट्ठीभर बुखारियोंने इतनी भारी सेनाको हरा दिया। अगर तुम यहां आये, तो हो सकता है, समरकन्दके लोग तुम्हारा स्वागत नहीं करें। खानको देश लौटना चाहिये, और मैं भी अपनी सेना लेकर उसके साथ मिलनेके लिये आ रहा हूं।" तवक्कल अपने भाईके साथ लौटा। मियानकुल प्रदेशके उजुनसुकाल स्थानमें पीर मुहम्मद पीछा करते हुये सामने आया। एक महीने तक दोनोंकी झड़प होती रही, इसके बाद तवक्कलने धावा बोल दिया। पीर मुहम्मदके संबंधी सैयद मुहम्मद सुल्तान और दूसरा अफसर मुहम्मद बाकी अतालीक काम आये। तवक्कल भी लड़ाईमें घायल हुआ, और लौटते समय १५९८ ई० में ताश्कन्दमें मर गया। उज्बेकों और कजाकोंके युद्धका कोई फैसला नहीं हुआ।

११. इशिम, शिगाई-पुत्र (१५९८—१६३५ई०)

भाईके मरनेपर इशिमने कजाकोंका नेतृत्व ग्रहण किया। उसने पहले बुखाराके विरुद्ध कोई भारी कदम उठाना नहीं चाहा। १६११ ई० में बुखाराके अधिकारच्युत खान वली मुहम्मद और उसके भतीजे इमामकुल्लीके झगड़ेमें इशिम पांच हजार कजाकोंके साथ शामिल हुआ। वली मुहम्मद मारा गया। इस संघर्षमें इशिमका भाई सैयदबी भी शामिल हुआ था। उरगंज (ख्वारेज्म)से भागा अबुलगाजी १६२५ ई० में इशिम खानके पास तुर्किस्तान शहरमें आकर तीन मास तक रहा। ताशकन्दका तुरसुन खान (अकनजर-पुत्र) जब तुर्किस्तानमें आया था, तो इशिमने अबुलगाजीका यह कहकर उससे परिचय कराया—"यह यादगार-खानके वंशज अबुलगाजी हैं। इनसे पहले हमारे यहां ऐसे राजकुमारने शरण नहीं ली, यद्यपि दूसरे बहुत-से राजकुमारोंने शरण ली थी।" तुरसुन खान अबुलगाजीको अपने साथ ताश्कन्द ले गया। दो साल बाद १६२७ ई० में इशिमने तुरसुनको मार दिया, लेकिन अबुलगाजीको इमामकुल्ली खानके पास बुखारा जानेकी इजाजत दे दी। कजाकों और बुखाराके खान इमामकुल्लीके बीच झगड़ा-लड़ाई चलती रही। कजाकोंने दो बार १६२१ ई० में बुखारियोंको हराया था। अकनजर खानके पुत्र तुरसुन मुहम्मदने बीचमें पड़कर समझौता करवाया।

अब कजाकोंके भारी शत्रु पूर्वमें जुंगारियाके कल्मक (मंगोल) थे, जिनके आक्रमण उनके ऊपर बराबर हो रहे थे। १६३५ ई० में इशिम खानने कल्मक राजा बातुर खुङ्ग तैशीके साथ लड़ाई मोल लेकर कजाकोंके ऊपर आफतका पहाड़ ढा दिया। कजाक सेनाका सेनापति इशिम-पुत्र यमगीर (जहांगीर) सुल्तान कल्मकोंके हाथमें बंदी बना। इसीके आसपास इशिम मर गया।

१२. यमगीर, जहांगीर, इशिम-पुत्र (१६३५-९८ ई०)

मित्रताका वादा करके जहांगीर मुक्त हो गया, लेकिन कजाकोंका खान बननेके बाद उसने फिर जुंगरों (कल्मकों) से छेड़खानी शुरू की। अन्तमें १६४३ ई० में पचास हजार सेना लेकर बातुर खुङ्ग-तैशी उसके ऊपर पड़ा, और अलतन किर्गिजों और तोकमक कबीलोंको पकड़कर अपने साथ ले गया। इस लड़ाईमें जुंगरोंने कजाक सेनाका इतना सत्यानाश कर दिया, कि जहांगीरके पास सिर्फ छ सौ आदमी रह गये। वह दो पहाड़ोंके बीच ताकमें छिपा हुआ था, जब कि कल्मकोंने आक्रमण किया। जहांगीरने पीछेसे कल्मकोंपर आक्रमण किया। उसके बारूदी हथियारोंने कल्मकोंके बीचमें गजब ढाया। दस हजार कल्मक मारे गये। फिर जल्दी ही बीस हजार सेना जमा करके जहांगीर यलानतुश पहुंचा। बातुरको असफल लौटना पड़ा। अगले साल १६४४ ई० में बातुरने फिर अपने आदमियोंको कजाकोंके साथ लड़नेके लिये जमा किया, लेकिन जहांगीरका मित्र खोसोत मंगोल कबीलेके सरदार कुंदेलिंग ताईशी बीचमें पड़ा। इस प्रकार कल्मकों और कजाकोंका युद्ध उस समय बच गया, और जहांगीर तुर्किस्तान चला गया।

१३. तौफीक, तवका, तिअबका, जहांगीर-पुत्र (१६९८-१७१८ ई०)

कजाक खानोंमें यह अत्यन्त प्रसिद्ध और जनप्रिय खान था। घुमन्तुओंके झगड़ोंको शांतिपूर्वक मिटानेमें इसने बड़ी सफलता पाई। कमजोर कबीलोंको वह सहानुभूतिसे अपनी ओर मिला लेता, शक्तिशाली कबीलोंको इज्जत करना सिखलाता। इसीने कजाकोंको तीन ओर्दुओंमें बांटा। एक तरह यह बंटवारा बहुत प्राचीन समयसे चला आता था, जब कि इनके पूर्वज आगूज-तुर्क कहे जाते थे। तिअबकाने उनकी जगहपर तीन विभाग किये, और महाओर्दूके लिये तिवोल, मध्यओर्दूके लिये कज्बेक और लघुओर्दूके लिये एतियकको केन्द्र बनाया। तौफीकके जीवनभर कजाक एकताबद्ध रहे। तुर्किस्तान शहर उसकी राजधानी थी।

१६९८ ई० में जुंगर राजा छेवङ्ग-अर्पचनने कज़ाकोंके साथ हुये संघर्षोंके बारेमें चीन-सम्राट्के पास लिखा था—"दूसरे कल्मक राजा गंदनने तौफीकके पुत्रको पकड़कर दलाई लामाके पास भेज दलाई लामाके बीचमें पड़नेके लिये कहा, इस पर पुत्रको पांच सौ आदमियोंके साथ छोड़ दिया गया। उस (तौफीक-पुत्र)ने विश्वासघात करके मेरे आदमियोंको मार डाला, और सरदार, उसकी बीबी, उसके बच्चोंको एक सौ किबितका (परिवारों) के साथ छीन लिया। यह घटना हुलियान हान (संभवत: कल्मकोंका ग्रीष्म वासस्थान उलुगताग-पर्वतमाला)में हुई। तवकाने इसके बाद अपनी बहिनके साथ बापके पास जाते तोरगुत राजा आयुकापर रास्तेमें हमला किया। फिर हमारे देश से अपने देश लौटकर जाते एक रूसी करवांको लूटा।" यह सब दोष कल्मकोंने तवका (तौफीक) और उसके कजाकों पर लगाया। कल्मकोंके साथ लड़ाई लड़कर कजाकोंने अपना भारी अनिष्ट किया। इसीके कारण वह अपनी पुरानी भूमिसे भागनेके लिये मजबूर हुये, और उनके कबीले भी छिन्न-भिन्न हो गये। अन्तिम दिनोंमें तवका खानका भी जोर कम हो गया। उसके सरदार अपने-अपने कबीलोंको ले स्वतन्त्र हो गये। कजाकोंके तीनों ओर्दू अपने स्वतन्त्र अमीरोंके शासनमें रहने लगे, जिनमें मध्य-ओर्दू बहुसंख्यक और अधिक शक्तिशाली था, यही अपनेको श्वेत-ओर्दूका असली उत्तराधिकारी मानता था। १७१८ ई० में कल्मकोंके आक्रमणसे परेशान होकर तौफीक खान, खायेप खान और अब्दुलखैर खानने साइबेरियामें जार पीतर I के राज्यपाल राजुल गगारिनके सामने जाकर अपनेको रूसके अधीन कर दिया। तवका १७१८ ई० में मरा।

३. (२. श्वेत-ओर्दू-वंशवृक्ष)
(१४२५-१७२८ ई०)

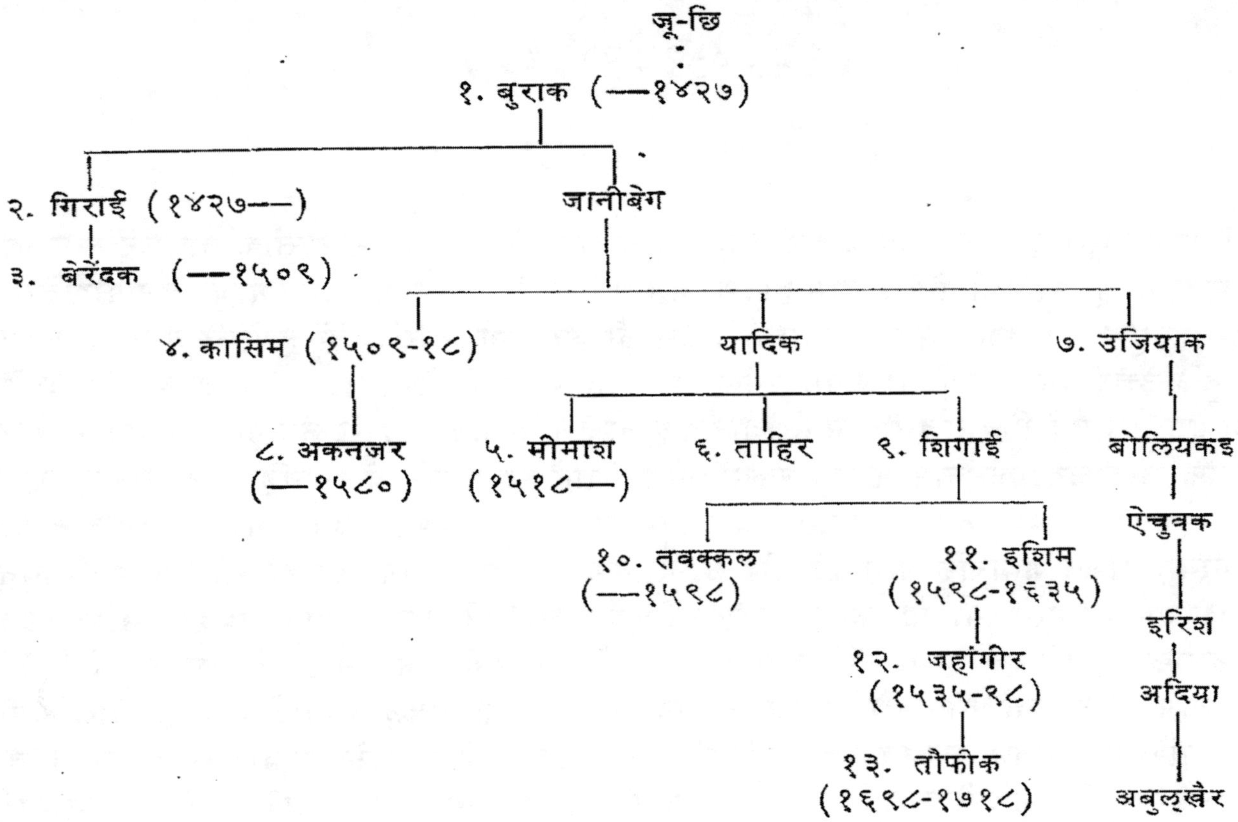

स्रोत ग्रन्थ

१. तारीखे-रशीदी (मिर्जा मुहम्मद हैदर)
2. History of Mongol (H. H. Howorth)

अध्याय ३

नोगाई

(१३००-१७२४ ई०)

१. नोगाई (–१२९९ ई०)

किपचक भूमिमें प्राचीन समयसे ही वहांके तुर्क कबीलोंको अपने सामन्तोंके नामपर नया नाम लेते देखा जाता है, इसलिये नोगाई नाम होनेका यह अर्थ नहीं, कि उनका आरम्भ जू-छि-प्रपौत्र तेवल-पुत्र तारतार-पुत्र नोगाईके समयसे होता है। ईसाकी आरम्भिक सदियोंमें हूणोंको हमने बल्काशसे कास्पियनके उत्तरी तट तक फैलते देखा, उनसे पहले यह भूमि शकोंकी थी। एक तरह मंगोलायित जातिका इस भूभागमें निवास इसी समयसे आरंभ होता है। तुर्कोंकी मारसे जब पूर्वके अवार भागे, तो इनमेंसे कितनोंने अवारका नाम कायम रक्खा और कितने ही अपनी बैल-गाड़ियोंपर घुमन्तू-जीवन बितानेके कारण कङ या कङ-ली कहे गये। अवारोंने ठप्पा प्राचीन हूणोंके इन वंशजोंपर अपने नामका नहीं लगाया, लेकिन अवारोंके प्रतिद्वंद्वी और उत्तराधिकारी तुर्कोंने जब चीनकी सीमासे कास्पियनके उत्तर तक अपना प्रभुत्व स्थापित किया, तबसे इन्हें तुर्क कहा जाने लगा—आज भी इस भूमिके उनके वंशज कजाक तुर्कोंकी एक शाखा माने जाते हैं। मंगोलोंके समयमें इन असंख्य मंगोलायित ओर्दुओंमेंसे एकका नाम खानजादा नोगाईके नामसे नोगाई पड़ा। उससे पहले नोगाई कहे जानेवाले कबीले वोल्गासे पश्चिममें द्नियेपरके पार तक दक्षिणी रूसमें पेचेनगाके नामसे चरवाहीका जीवन बिताते थे। पेचेनगा जू-छिके पुत्र तेवल या तारतारको जागीरमें दिये गये थे, जो पीछे उसके पुत्र नोगाईके हाथमें आये। नोगाई सुवर्ण-ओर्दूके प्रतापी खान बरकाके समय प्रधान-सेनापति था। उसने ईरानके हुलाकू-वंशी खानोंको कई बार काकेशसकी भूमिमें हराया था, यह हम बतला आये हैं। इसने कान्स्तन्तिनोपलके सम्राट् मिखाइल पलियोलोगस् (१२००-६१ ई०) की लड़की यूफियोसिनेसे ब्याह किया था। मिखाइलकी दूसरी लड़की मरिया हुलाकू खानसे ब्याही थी। नोगाई बहुत प्रभावशाली मंगोल राजकुमार था, यह भी हम बतला चुके हैं। दोनसे दन्यूब तककी भूमिका वह स्वामी था, और बुल-गारी (वोल्गा) का राजा भी उसके अधीन था। १२९९ ई० के आसपास सुवर्ण-ओर्दूके खान तोकताईने द्नियेपर पार हो ओजीमें जिस तरह बूढ़े नोगाईको घायल किया, और आखिरमें वह मर गया, यह बतला आये हैं। इसीके समयसे पुराने पेचेनगा नोगाई कहे जाने लगे। आगे चलकर इनके दो भाग हुये, जिनमें महानोगाई यायिक (उराल) और यम्बा नदियोंके बीचके प्रदेशके दक्षिणी भागमें रहते थे, ये पूरी तौरसे मुसलमान हो गये थे। इनका दूसरा भाग बाश्किरोंके सीमांतपर रहता था, जो बहुत कुछ पुराने मंगोलोंके धर्म और रीति-रवाजोंका पालन करते थे। इन्हींमें सिबेरियाके खान थे।

२. चुके, चुको, नोगाई-पुत्र (१३०० ई०)

नोगाईके मरनेपर उसके लड़के चुकेको पकड़नेके लिये तोकताई खानके आदमियोंने बहुत कोशिश की, मगर वह हाथ नहीं आया। पहले वह आस (उबान) में गया, फिर वहांसे बुल्गारियामें अपने बहनोईके पास चला गया, किन्तु १३०० ई० के आसपास उसका शिर काटकर खानके पास भेज दिया गया।

३. बुरी, नोगाई-पुत्र (—१३०१ ई०)

यह इलखान (ईरानी) अबकाका दामाद था। इसने पिताकी हत्याका वदला लेना चाहा, लेकिन तोकताई खानको षड्यंत्रका पता लग गया, और यह १३०१ ई० में मारा गया।

४. कराकिजिक, चुके-पुत्र

नोगाईका खानदान एक-एक करके सुवर्ण-ओर्दूके खानोंकी कोपाग्निमें भस्म हो रहा था, लेकिन राजकुमार नोगाईके प्रताप और दीर्घकालीन शासनके कारण उसके उलुसका समय-समयपर बिखराव-जमाव होता रहता था, जिसके ही कारण नोगाई कबीलेका नाम इतने समय तक बना रहा।

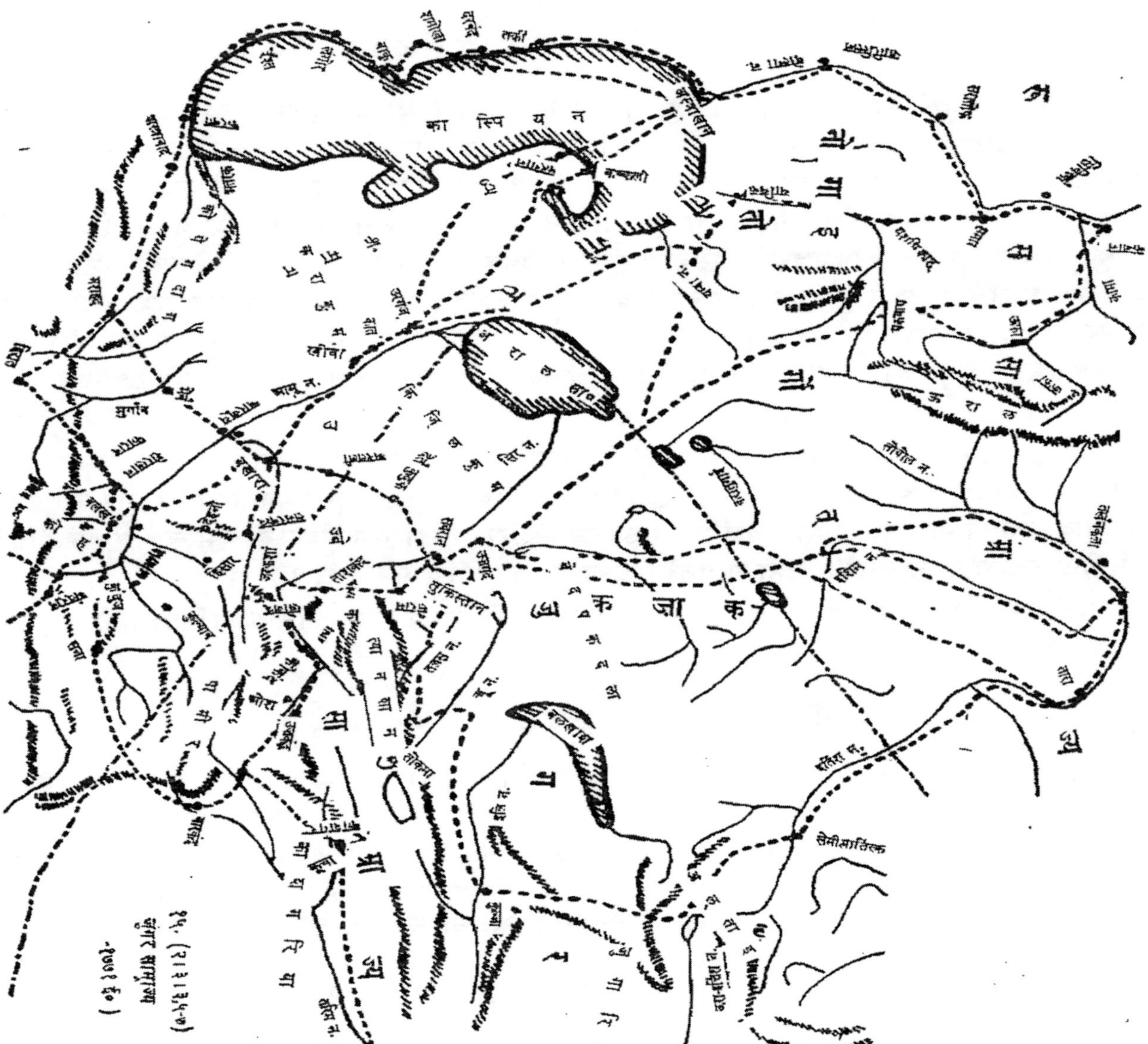

अपने बाप और चचाके मारे जानेके बाद कराकिजिक अपने दो संबंधियों तथा तीन हजार अनुयायियोंके साथ साइबेरियाके शमसमान देशके अबादुल स्थानमें गया, जहांसे वह तोकताके राज्यमें जब-तब लूट-मार करता रहा। शमसमान लोगोंने कराकिजिक और उसके अनुयायियोंको बड़े सम्मानके साथ रक्खा, और वह गुइउक या यायिक (उराल) नदीकी उपत्यकामें बस गये।

जब बा-तू-वंश निर्वंश हो गया, तो अमीरोंने लाकर शैबानी-वंशज खिजिर खानको सुवर्ण-ओर्दूका खान बनाया, जिसे हटाकर जेंक्रियाने अपने पुत्र करा नोगाईको खान बना दिया।

५. करा नोगाई, जेंक्रिया-पुत्र

करा नोगाईको करा तोगाई भी कहते हैं। इसके अधीन बोल्गाके पूर्वी इलाकेमें नोगाइयोंके कई कबीले थे। करा नोगाईके बाद फिर नोगाइयोंके खानोंका सूत्र विलुप्त हो जाता है, और तेमूर-लंगके समकालीन इदिकूके समयमें फिर हम उन्हें प्रभावशाली कबीलेके रूपमें देखते हैं।

§२. महानोगाई (१४३१ ई०)

१. नूरुद्दीन, इदिकू-पुत्र (१४३१ ई०)

इदिकूको मंगुतोंका बेग कहा गया है, और मंगुत नोगाई ही थे, इसमें संदेह नहीं। इदिकू तेमूर-लंगके प्रभावशाली अमीरोंमेंसे था। तोकतामिशके विरुद्ध तेमूरके अभियानमें यह उसका प्रधान-पथप्रदर्शक रहा। तोकतामिशकी हारके बाद इदिक् तेमूरसे छुट्टी लेकर अपने क़बीलेमें चला गया। तेमूर कुतुलुक किपचक-खानोंकी गद्दी चाहता था, और इदिकू उसका चाणक्य था। १३९९ ई० में तेमूर कुतुलुकके मरनेपर किपचकके सिंहासनपर इदिकूने तेमूरके भाई सादीबेगको बैठाया। फिर १४०७ ई० में उसे हटाकर पुलादबेगको खान बनाया। १४३१ ई० में तोकतामिश-पुत्र कादिरबरदीसे जो संघर्ष हुआ, शायद उसीमें इदिकू मारा गया। इदिकूके मरनेपर उसके पुत्र गाजी नोरोज और मंसूरने रूसमें शरण ली, तथा उसके दूसरे पुत्र कैकुबाद और नूरुद्दीन तूरान (तुर्किस्तान) की ओर भाग गये।

इदिकूके समय तक पुराने नोगाइयोंकी परंपरा जारी रही, और आदिम राजकुमार नोगाई, और अन्तिम इदिकूके कालोंमें नोगाई कबीला शक्तिशाली और बहुसंख्यक रहा। पुराने कबीलेके पतनके बाद उसका अधिकांश भाग यायिक (उराल) और यम्बा नदियोंके बीचमें रहता था। इदिकू-पुत्र नूरुद्दीन उनका खान बना। यही महानोगाई कबीलेका संस्थापक था।

नूरुद्दीनको अपने पिताका उलुस बहुत क्षीण रूपमें मिला था, जिसके अस्तित्वको वह कायम भर रख सका।

२. ओकस, नूरुद्दीन-पुत्र (१४८७ ई०)

१५ वीं सदीके मध्यमें कजाक खानोंके भीतर नोगाइयोंका अब काफी असर बढ़ चुका था। उनके दोनों भाइयों मुहम्मद अमीन और अलीखानके झगड़ोंमें नोगाई अलीके समर्थक थे। लेकिन, अलीको रूसी पंसद नहीं करते थे। १४८७ ई० में रूसियोंने अली पर आक्रमण करके उसे पकड़ लिया। दो साल बाद १४८९ ई० में त्यूमनके शासक तजार ईवक, मिर्जा ओकास, या तत्पुत्र हसन, मूसा, और यमागुरचीने जारके पास अलीको छोड़ देनेके लिये चिट्ठी लिखी थी।

३. यमागुरची, ओकस-पुत्र (१४९९ ई०)

अब नोगाइयोंका प्रभाव यही था, कि वह कजाक खानोंके आपसी प्रतिद्वंद्वितामें किसी पक्षके सहायक होते रहे। यमागुरची और मूसाने कजाक खान अब्दुल लतीफके ऊपर उसके भाई मुहम्मद अमीनकी ओरसे हमला किया, लेकिन अब्दुल लतीफकी पीठपर रूसी थे, इसलिये उन्हें हारना पड़ा। शायद इसी समय यमागुरची मर गया। १५०५ ई० में हम कजाक खान मुहम्मद अमीनको चालीस हजार कजाकों और बीस हजार नोगाइयोंके साथ रूसी सीमांतपर आक्रमण करते देखते हैं। इसी युद्धमें मुहम्मद अमीन खानका साला मूसा मारा गया।

१५१७ ई० से १५२६ ई० तक वोल्गापारके नोगाई यायिक (उराल) और कास्पियनके तट पर तीन भाइयोंमें विभक्त थे, जिनमें (१) सिदियक खान सेरायचुक नगरका स्वामी था, यायिक-उपत्यका इसीके हाथमें थी, (२) हसन (गसन) को कामा-वोल्गा और यायिक नदीके बीचका इलाका मिला था, और (३) शेख ममाईको सिबिरवाला भाग तथा पास-पड़ोसका इलाका।

४. शेख ममाई, मूसा-पुत्र (१५२६ ई०)

इसके बारेमें हमें ज्यादा मालूम नहीं।

५. युसुफ मिर्जा, मूसा-पुत्र

इसका पता भी इसके पुत्र अली मिर्जाके कारण लगता है।

६. अली मिर्जा, युसुफ-पुत्र (१५५१ ई०)

पासमें होनेके कारण नोगाई रूसके सीमांतमें हर वक्त खतरा पैदा किये रहते थे, जिसके लिये रूसियोंको अपने सीमांतको किलाबंद करनेकी बड़ी जरूरत पड़ती। अली मिर्जाने १५५१ ई० में क्रिमियाके खान साहेब गिराईके ऊपर आक्रमण किया, लेकिन खानने उसे हरा दिया। वोल्गा और दोन पार करके क्रिमियाके पास पहुंचना, यही बतलाता है कि अभी सोलहवीं सदीके मध्यमें वहां कोई ऐसी शक्ति नहीं पैदा हुई थी, जो कि अली मिर्जाके रास्तेमें रुकावट पैदा करती। अली मिर्जा कजानमें रहता था। उसके कबीलेने नाराज होकर उसे निकाल यादगारको गद्दीपर बैठानेके लिये बुलाया। मास्कोके जारने इसे पसंद नहीं किया, और अक्तूबर १५५२ ई० में उसने आक्रमण करके कजानको ले लिया।

७. इस्माईल मिर्जा, मूसा-पुत्र (१५६४ ई०)

इसीके समयमें १५५८ ई० में अंग्रेज व्यापारी जेंकिन्सन अस्त्राखान पहुंचा था। वह लिखता है कि वोल्गाके बायें तटकी सारी भूमि—अस्त्राखानसे कास्पियन-तट होते तुर्कमानोंकी भूमि तकका प्रदेश—मंगुतों (नोगाइयों) का प्रदेश कहा जाता है। यहांके लोग मुसलमान हैं। १५५८ ई०में जो भयंकर गृहयुद्ध हुआ था, जिसके साथ ही अकाल-महामारीने आक्रमण किया, उससे उनके एक लाख आदमी मर गये। जेंकिन्सन लिखता है—"इस तरहकी महामारी इस भूभागमें कभी नहीं देखी गई। नोगाइयोंकी भूमि चरागाहोंकी भूमि है। इस महामारीके बाद वह उजाड़ हो गई, जिससे रूसियोंको संतोष हुआ, क्योंकि उनके साथ उन्हें बहुत दिनोंसे भयंकर लड़ाइयां लड़नी पड़ रही थीं। जब नोगाई कबीला अच्छी अवस्थामें था, उस समय वह कई भागोंमें विभक्त था, जिन्हें होर्द (ओर्दू या उर्दू) कहते हैं। हरेक ओर्दूका अपना एक राजा होता है, जिसे मुर्जा (मिर्जा) कहा जाता है। सारा ओर्दू उसकी आज्ञा मानता है। इनके न घर है न नगर, बल्कि यह खुली जगहोंमें रहते हैं। हरएक मिर्जा (राजा) अपने ओर्दू या लोगोंको आसपास लिये हुये रहता है, जहां उनकी बीबियां, बच्चे और पशु भी रहते हैं। एक चरागाहकी घासके खतम हो जानेके बाद, वह दूसरी जगह चले जाते हैं। जब वह चलते हैं, तो ऊंटोंसे खींची जानेवाली गाड़ियोंपर उनके घरकी तरहके तम्बू भी चलते हैं। इन्हीं गाड़ियोंमें उनके बीबी-बच्चे तथा सारी सम्पत्ति लदी रहती है। हरेक अमीरके पास दासियोंके अतिरिक्त चार-पांच बीबियां होती हैं। नोगाई सिक्केका इस्तेमाल नहीं करते, बल्कि कपड़ों और दूसरी चीजें अपने पशुओं से बदलते हैं। उन्हें युद्ध छोड़ और किसी विद्या और कलासे प्रेम नहीं और युद्धमें वह सिद्धहस्त हैं, अधिकतर पशुपालका जीवन बिताते हैं। उनके पास पशु-धन बहुत अधिक है—वस्तुतः पशु ही उनकी सम्पत्ति है। वह मांस अधिक खाते हैं, जो विशेषकर घोड़ेका होता है। घोड़ीका दूध पीते हैं, उसका मद्य (कूमिस) भी बनाते हैं। विद्रोह, चोरी, डकैती और हत्या इनके स्वभावमें हैं। न वह

अनाज खाते हैं और न रोटी, इसके लिये ईसाइयोंका वह उपहास करते हुये कहते हैं—"तुम सरकंडेकी फुन्गी खाते हो और वर्षाका पानी पीते हो, फिर क्यों न कमजोर रहोगे ? हम खूब मांस खाते हैं, दूध पीते हैं, इसीलिये हम ताकतवर हैं ।" जेंन्किन्सन जब पेरे-वोलोग (प्राग्-वोल्गा) में पहुंचा, तो वहां उसे एक नोगाई ओर्दू मिला । पेरे-वोलोग पीछे जारित्सिन और आजकल स्तालिनग्रादके नामसे पुकारा जाता है । यहींपर वोल्गा और दोनके बीचमें नावोंको स्थल-मार्गसे पार कराया जाता था । आज वोल्गा-दोन-नहरके हो जानेसे उसकी कोई अवश्यकता नहीं है । पेरेवोलोगमें मिले नोगाई-ओर्दूके बारेमें जेंन्किन्सनने लिखा है—"इसमें घरके आकारवाली गाड़ियोंको करीब एक हजार ऊंट खींच रहे थे । यह घर एक विचित्र तरहके तम्बू थे, और चलते समय दूरसे नगर जैसे मालूम होते थे ।" यह ओर्दू नोगाइयोंके राजा (मिर्जा) इस्माईलका था, जो कि जेंन्किन्सनके अनुसार "सभी नोगाइयोंमें सबसे बड़ा राजा है । उसने बाकी सभीको मार डाला या भगा दिया, अपने भाइयों और बच्चों तकको भी नहीं छोड़ा । रूसके सम्राट्के साथ सुलह करके अब वह नोगाइयोंपर शासन करता है, और रूसी भी नोगाइयोंके साथ शांति पा रहे हैं ।" अस्त्राखानमें महामारी और अकालका क्या असर हुआ, इसके बारेमें जेंन्किन्सन लिखता है—"वहां बहुत-से लोग भूखसे मर गये । सारे द्वीप (अस्त्राखान) में मुर्दोंका ढेर मिलता है, जो बिना जलाये हुये जानवर जैसे मालूम होते हैं । देखकर बड़ी जुगुप्सा होती है । इन अस्त्राखानी नोगाइयोंमेंसे बहुतोंको रूसियोंने बेंच डाला, और दूसरोंको द्वीप (अस्त्राखान) से निर्वासित कर दिया । अगर मेरे पास एक हजार मुद्रा होती, तो मैं सुंदर-सुंदर तारतार बच्चोंको उनके मां-बापोंसे खरीद सकता था । इंगलैंडमें जो रोटी छ पेन्समें मिलती है, उसमें मैं एक लड़के या तरुणीको खरीद सकता था । लेकिन उस समय इस तरहके सौदेसे हमें अधिक अवश्यकता थी खाद्य पदार्थकी ।"

इस्माईलके समयमें नोगाइयोंकी यह हालत थी । अस्त्राखानपर रूसियोंने अपनी दृढ़ प्रभुता जमा ली थी । नोगाइयोंको उनके सामने सिर झुकानेके लिये मजबूर होना पड़ा था । इस्माईल १५६३ ई० के अन्त या १५६४ ई०के आरम्भमें मरा, अर्थात् उसी समय, जब कि अतितरुण अकबरने भारतमें अपने राज्यको संभाला था ।

८. दीनमुहम्मद, इस्माईल-पुत्र (१५६४ ई०)

यह सिबिरके कुचुम खानका समकालीन था । इसने अपने पुत्र अलीकी शादी दीनमुहम्मदकी लड़कीसे की थी । वोल्गा और दोनके पास अभी रूसियोंकी बस्तियां नहीं आबाद हुई थीं, और नोगाई कबीलेका ही यहांपर निवास था । उनके पड़ोसमें क्रिमियाके तारतार थे । वह रूसी ईसाइयोंको मुसलमान तारतारोंके ऊपर इस तरह हावी होते देखना नहीं पसंद करते थे । दोनोंने मेल करके अपनी संयुक्त सेना ले ७ मई १५८० ई०में अस्त्राखानको घेर लिया, किन्तु चंद दिनोंके असफल मुहासिरेके अतिरिक्त उन्हें कुछ हाथ नहीं आया । इस समयतक उराल (यायिक)-उपत्यकामें कसाक रूसी जैसे लड़ाकू लोग आ बसे थे, जिनका नोगाइयोंसे झगड़ा होता रहता था । दोनके ऊपरी भागमें भी रूसी कसाक रहते थे । उन्होंने पहुंचकर अस्त्राखानपर अधिकार करके सीमांती इलाकोंमें लूट-मार शुरू की । व्यापारियोंको ही नहीं, जारके दूतमंडलको भी उन्होंने नहीं छोड़ा । इस प्रकार हम देखते हैं, कि इस समय निम्न-वोल्गाकी भूमि नोगाइयों, रूसी कसाकों तथा इवान IV के संघर्षोंकी भूमि बनी हुई थी । इवानने एक बड़ी सेना जेनरल इवान मुरेश्किनकी अधीनतामें भेजी, जिसने शत्रुओंको हराकर अस्त्राखानको मुक्त किया । इन्हीं दोन-कसाकोंका एक नायक येरमक था, जिसने सिबिर विजय किया, और जिसके बारेमें हम पहले कह चुके हैं । मुरेश्किन द्वारा भगाये हुये कसाकोंका एक भागने कास्पियनके पश्चिमी-तटपर तेरेक नदीकी ओर जा वहां अपना उपनिवेश बसाया । एक और भागने कास्पियन-तटसे होते यायिक (उराल) नदीके मुहानेपर जाकर डेरा डाला । १५८० ई०में इन कसाकोंने अपने बंदियोंसे नोगाइयोंकी राजधानी सरायचुकके बारेमें सुना, और वह उस पर चढ़ दौड़े । शहरपर अधिकार कर

उन्होंने मकानोंमें आग लगा दी। जीते नोगाइयोंपर ही उन्होंने अत्याचार नहीं किया, बल्कि कब्रोंमेंसे उनके मुर्दोंको भी निकालकर बाहर फेंक दिया।

९. उरुस, इस्माईल-पुत्र (१५८० ई०)

उरुसके पूर्वी सीमांतपर सिबिरके खान कुचुमका राज्य था, और पश्चिममें क्रिमियाके खान मुहम्मद गिराई का। इसके सीमांतपर रूसके अधीन प्रदेश थे, जिनमें कहीं-कहीं रूसियोंकी भी बस्तियां बसती जा रही थीं। उरुसने १५८३ ई०में मुहम्मद गिराई और कुचुम खानकी शहसे कामा-तटके इलाकेमें लूट-मार मचाई; लेकिन, इन जगहोंमें बसनेवाले रूसी हिम्मतवाले कसाक थे। उन्होंने १५८४ ई० में अपने लिये उरालस्क नगर बसाया। नोगाइयोंके आक्रमणका हर वक्त डर लगा रहता था, इसलिये उन्होंने नगरके चारों ओर मिट्टीके धुस खड़े कर दिये। पूर्वकी ओर रूसियोंके विस्तारमें सबसे पहली और बड़ी बाधाके रूपमें नोगाई मौजूद थे।

१०. अल्ता, उलिशाइन और यान अरसलन, उरुस-पुत्र (१६०१ ई०)

१६०१ ई०में नोगाइयोंके दो भाग हो गये थे, जिनमेंसे एकका नाम उरुस था, और दूसरेका कस्साई (छोटा)। अल्ता और उलिशाइन दोनों भाई अपने चचा या मामा कस्साईके ऊपर आक्रमण करना चाहते थे। दोनों कबीलोंके आपसी संघर्षके मारे ओर्दूके दो भाग हो गये। १६०८ ई०में उरुस कबीलेने कस्साईके त्यूमन इलाकेमें घुसकर पिशमा-तटकी बस्तियोंको लूटा, लेकिन अन्तमें उन्हें हारकर भागना पड़ा। १६१३ ई० में अभी भी नोगाई इतने शक्तिशाली थे, कि उन्होंने इश्तेराकके नेतृत्वमें सारे उक्रइनको ही नहीं लूटा, बल्कि ओका नदी पार हो उत्तरमें कलोम्ना, सेरपुकोफ और मास्कोके पास तकके गांवोंको भी नहीं छोड़ा। ये घुमन्तू कबीले स्थायी निवासी रूसियोंके लिये उस समय भी बड़े खतरेकी चीज थे, जब कि भारतमें जहांगीरका राज्य था।

नोगाइयोंमें एक तरहकी आनुवंशिक बीमारी थी, जोकि इसी भूमिमें प्राचीनकालमें रहनेवाले शकों (सिथियनों) में भी पाई जाती थी—जिसका कारण सिरियाकी उरानिया देवीका मंदिर लूटनेके लिये देवीका शाप समझा जाता था। ग्रीक लेखक हिप्पोक्रातने सिथियनोंके बारेमें लिखा है—"सिथियनोंके भीतर कुछ ऐसे लोग हैं, जो कि हिजड़े होते हैं, और स्त्रियोंके सभी काम करते हैं। इसीलिये उन्हें इनारी (नारी-समान, स्त्रैण) कहा जाता है।" नोगाइयोंमें इस बीमारीका पता आधुनिक कालमें बेइनेगूस नामक एक विद्वान्ने लगाया। कल्परोतने यह भी लिखा है—"यह एक तरहकी अचिकित्स्य बीमारी है, जोकि किसी साधारण रोग या अधिक उमरके कारण होती है। उस समय मर्दोंके चमड़ेमें झुर्रियां पड़ जाती हैं, और उनकी जो चंद बालोंकी दाढ़ी होती है, वह भी गिर जाती है। फिर आदमी बिलकुल स्त्रीका रूप ले लेता है। वह बिल्कुल स्त्रीका-सा मालूम होता है, और स्त्रियोंसे ही मेल-जोल रखता है।"

१८वीं सदीके पूर्वार्धमें पहुंचकर नोगाइयोंकी शक्ति एक प्रभुताशाली कबीलेके तौरपर खतम हो जाती है, और पीछे इनका नाम भी लुप्त होने लगता है। बुखाराका आखिरी राजवंश मंगीत नोगाइयोंमेंसे ही था, लेकिन अब उनके लिये भी नोगाई शब्द अपरिचित-सा होता जा रहा था। अजोफ सागरके पास रहनेवाले नोगाई कसाई (कसबुलाद)के ओर्दूसे संबंधित थे। कसाईको लघु ओर्दूका संस्थापक माना जाता था। कसाईके वंशज अरसलनबेग, मुर्जाबेग, मूसाबेग, तोगानबेग, कसबुला, आदि लघु नोगाईके सरदार थे।

३. (३ नोगाई-वंशवृक्ष)

१३००-१७२४ ई०

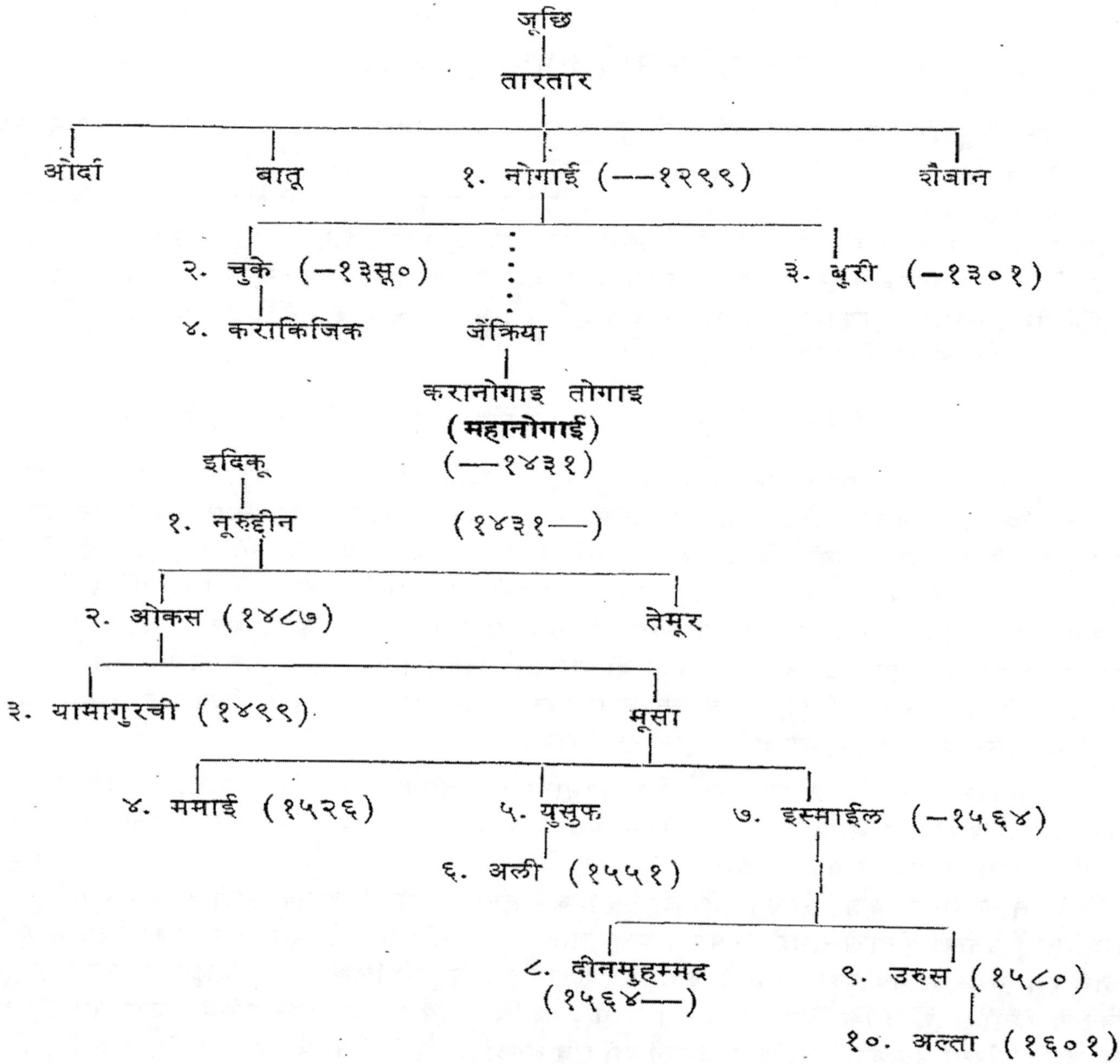

§ ३. कराकल्पक

कराकल्पक आजकल निम्न वक्षु-उपत्यका और अराल सागरके तटपर रहते हैं, जहांपर उनका सोवियत स्वायत्त गणराज्य स्थापित है। यह भी नोगाई ओर्दूकी ही शाखा थे, इसलिये यहांपर उनके इतिहासपर भी एक सरसरी नजर डालना आवश्यक है।

कराकल्पक अराल-समुद्रके पासके मैदानोंमें तथा बुखारा और खीवाके सीमातक आकर बस गये। शायद यह महानोगाइयोंके मुर्जा उरुसके पुत्र अल्ताके साथ संबंधित थे। इनके पड़ोसी इन्हें मङ्गू (चिप्टी नाकवाला) कहा करते थे। परंपरा बतलाती है, कि जब अमीर तेमूर-लंगने उनकी राजधानी वोल्गार नगरको नष्ट कर दिया, तो वह सिर-दरियाके मुहानेपर भाग आये। सूर्यकी धूपसे बचने या शोक प्रकट करनेके लिये इन्होंने काली टोपी पहिननी शुरू की, जिसके कारण करा-कल्पक (काली-टोपी) इनका नाम पड़ गया। एक दूसरी भी परंपरा है, जिसे कराकल्पकोंके दूत मुरादशेख

और दूसरोंने ओरेनबुर्गके रूसी वोयवोदके पास कही थी : कराकल्पक लोग एक समय अस्त्राखान और कजानके बीच वोल्गाके पहाड़ी किनारोंपर रहा करते थे। जब रूसियोंने कजान (१५५२ ई०) और अस्त्राखान (१५५६ ई९) के राज्योंको खतम कर दिया, तो यह कबीला वहांसे भाग आया। वह अपने को कराकिपचक कहा करते थे, और अपना उद्गम नोगाइयोंके अल्ता-ओर्दूसे बतलाते थे, लेकिन पड़ोसियोंने उन्हें काली टोपीके कारण कराकल्पक कहना शुरू किया। मंगुत या मंगित नामकी सार्थकता अब भी उनकी चिप्टी नाकसे है।

१७१५ ई०में यात्री बेल वोल्गाके किनारेपर आया था। वह समाराके बारेमें लिखते हुये कराकल्पकोंका भी उल्लेख करता है : समारा (वर्तमान कुइविशियेफ) को एक खाई और धुस्सोंसे किलाबंद किया गया है, जिसमें थोड़े-थोड़े फासलेपर तोपोंके रखनेके लिये लकड़ीके मीनार बने हुये हैं। यहां पूर्वके रेगिस्तानमें रहनेवाले कराकल्पकों (काली टोपियों)के आक्रमणका डर रहता है, इसीलिये यह सावधानी रखी गई।

कराकल्पकोंके पहले दो भाग हुये——

(१) **ऊपरी कराकल्पक**——यह सिरके मुहानेसे ताशकन्द तक पाये जाते थे। जाड़ोंमें इनके युर्ता (डेरे) किसी निश्चित जगहपर होते, लेकिन गर्मियोंमें ये चरवाही करते घूमते-फिरते हैं। इनमें खानोंकी उतनी नहीं चलती थी, जितनी कि खोजों (संत-मंहतों) की। इनमेंसे अधिकांश १८वीं सदीके अन्तमें लड़ाकूपन छोड़कर कुछ-कुछ खेती करने लगे। कजाक इन्हें बहुत सताया करते थे, इसलिये तुर्किस्तान शहर और ताशकन्दके पासवाले कराकल्पकोंने जुंगारियोंके कल्मकोंकी अधीनता स्वीकार कर ली थी।

(२) **निचले कराकल्पक**——कराकल्पकोंके कुछ कबीले अराल-समुद्रके तट तथा कुबान नदीके दक्षिणके प्रदेशमें रहते थे। १८वीं सदीके आरम्भमें रूसियोंके साथ इनका सम्पर्क हुआ। १७३२ ई०में कजाकखान अबुल्खैरने अपने डेरेको सिरदरियाकी उपत्यकामें परिवर्तित कर दिया, और रूसकी अधीनता स्वीकार कर ली। उसने अपनेको इस तरह मजबूत करके निम्न-सिर-उपत्यकापर भी दावा किया। रूसी प्रतिनिधि दिमित्री ग्लादिश्येफ समारासे चलकर १७४१ ई०के अप्रल में अबुल्खैरके डेरेमें पहुंचा था। उसी यात्रामें उसकी सिर और अदामतके बीचकी भूमिमें घूमनेवाले कराकल्पकोंके मुखिया उबैदुल्ला, मुरादशेख, उरसनाक बातिर, तोकुम्बेतबी, उबिलाई सुल्तान और खोजा मरसेनसे मुलाकात हुई। उन्होंने निम्न-कराकल्पक ओर्दूके तीस हजार परिवारोंकी ओरसे सदाके लिये रूसकी अधीनता स्वीकार करते हुये कसम खाकर कुरानको चूमा। १७४२ ई० में ओरेनबुर्गमें जाकर उन्होंने अपनी शपथ दुहराई। कराकल्पक अब इतने विनम्र और आज्ञाकारी साबित हुये, कि ओरेनबुर्गसे ग्लादिश्येफको उन्हें ओरेनबुर्गके पड़ोसमें आकर बसनेके लिये समझानेको भेजा गया। ग्लादिश्येफको वहां काइपखान और उसके तीन पुत्र मिले, जिन्होंने जारकी राजभक्तिकी शपथ ली। लेकिन इसका यह अर्थ नहीं कि अब वह अबुल्खैरके कजाकोंकी अधीनतासे बिल्कुल मुक्त हो गये थे।

१७४३ ई०में फिलात गोर्देयेफको दुभाषिया देलनोईके साथ ओरेनबुर्गसे कराकल्पकोंके पास भेजा गया——गोर्देयेफ कराकल्पकोंकी भाषा जानता था। देलनोईको रास्तमें ही नवम्बरमें काइपखान और उरुजकुलके दूत मिले। उसने उन्हें पीतरबुर्ग भेजा, जहां दरबारमें उनकी बड़ी खातिर हुई और रानी एलिजाबेतने खुद दरबारमें उनसे मुलाकातकर अधीनता स्वीकारकी शपथ स्वीकार कर शत्रुओंसे रक्षा करनेका वचन दिया। लौटती यात्रामें भी ग्लादिश्येफ उनके साथ था। अबुल्खैरने स्वयं रूसकी अधीनता स्वीकार की थी, लेकिन वह यह नहीं पंसद करता था, कि कराकल्पक सीधे रूसको अपना स्वामी माने। इसी बीचमें उसने अचानक हमला करके कितने ही कराकल्पकोंको मार डाला, और उनके एक खान उरुजकुलको उसके बीबी-बच्चों के साथ पकड़ ले गया। इस तरह कजाक तबतक कराकल्पकोंको सताते रहे, जबतक कि १७४८ ई० में अबुल्खैर मर नहीं गया। कजाकोंकी इन लूटपाटोंके कारण निम्न-सिर-उपत्यकामें कराकल्पकोंकी बहुत सी बस्तियां उजड़ गईं, जहां उन्होंने

नहरें बनाकर अपने खेत आबाद किये थे। कराकल्पकोंके भागनेसे यह सारी बस्तियां उजड़ गईं, और नहरें भी बंद हो गईं। १७४२ ई०में ग्लादिश्येफने उजड़े यांगीकन्तकी कुछ पत्थरकी दीवारों और मीनारोंको अच्छी हालतमें देखा था।

बातिरखान, काइप—बातिरखानका भी अबुल्खैरके वंशसे संघर्ष होता रहा। बातिरके पुत्र काइपको खीवावालोंने अपना खान बनाया था, जिसके बारेमें हम आगे कहनेवाले हैं। उसीके साथ बहुत भारी संख्यामें कराकल्पक भी खीवाके राज्यमें जा निम्न वक्षु-उपत्यकामें बसने लगे, और धीरे-धीरे वहां उन्हींकी अधिकता हो गई, जिसके कारण आज वहां कराकल्पक स्वायत्त गणराज्यकी स्थापना हो सकी।

१७५० ई०में अबुल्खैरके पुत्र एरलीने कराकल्पकोंपर आक्रमण किया, लेकिन वह अपने बहुतसे साथियोंके साथ मारा गया। अगले कितने ही वर्षोंतक बातिर और उसके पुत्र काइपका कजाकोंके लघु-ओर्दूके खान मूरलीके साथ संघर्ष होता रहा, इसी कारण कराकल्पक काफी संख्यामें निम्न सिर-उपत्यका छोड़कर ताशकन्दके पास कजाकोंके महाओर्दूकी शरणमें चले गये। कजाकोंकी लूटमारके कारण १८वीं सदीके अन्ततक कराकल्पकोंने निम्न-सिरको बिल्कुल छोड़ दिया, और वह ऊपरकी ओर बढ़ते हुये यानी दरियाके पास चले गये। वहां उन्होंने अपने परिश्रमसे एक बड़ी नहर खोदी, जो पीछे सिर नदीकी एक शाखा बन आजकल यानी दरिया (नवीन नदी) के नामसे मशहूर है। कराकल्पकोंके हट जानेपर निम्न-सिर-उपत्यकामें कजाक आबाद हो गये।

हमने घुमन्तुओंके जीवनके ढंगको देखा। मधु-मक्खियोंकी तरह वह सारे कबीलेके साथ एक स्थानसे दूसरे स्थानपर थोड़े समयमें पहुंच जाते, और कितनी ही बार अपने नामोंको भी भुलाकर कोई दूसरे नाम ले लेते। कराकल्पकोंके बारेमें १९वीं सदीके मध्यमें बम्बेरीने लिखा था—

"वह वक्षुके परले तटपर गोरलानेके सामने और कुग्रादके पासतक रहते हैं। वहां पड़ोसमें बहुत जंगल हैं। जंगलोंमें उनके पशुओंके गोठ होते हैं। उनके पास बहुत थोड़े से घोड़े होते हैं, और भेड तो मुश्किलसे होती हैं। कराकल्पक तुर्किस्तानमें अपनी अत्यन्त सुंदरी स्त्रियोंके लिये प्रसिद्ध हैं, लेकिन दूसरी ओर वह सबसे बड़े मूर्ख भी कहे जाते हैं। उनके तम्बुओं (परिवारों) की संख्या दस हजार है। चालीस साल पहले उन्होंने कून्ग्रतोंके खिलाफ विद्रोह किया था, जिसमें मुहम्मद रहीमखांने उन्हें दबा दिया। आठ साल बाद १८५५ ई०में फिर उन्होंने जरलिगके नेतृत्वमें बीस हजार सवारोंके साथ विद्रोह किया, लेकिन कुतुलुक मुरादने उन्हें पूरी तौरसे हरा दिया।" कुइलवाइन १५५८-५९ ई० में खीवामें गया था। उसके समय पंद्रह हजार कराकल्पक अर्द्ध-घुमन्तू जीवन बिताते हुये रहते थे। राज्यने उनके ऊपर सबसे ज्यादा कर लगा रक्खा था, अतएव बिचारे बहुत गरीब थे।

रूसियोंने जब वक्षुके मुहानेको ले लिया। उस समय कराकल्पकोंके विद्रोहकी अफवाह सुनकर कर्नल इवानोफने उनके बी (सरदार) लोगोंको बुलाया, जिनमें चिमबाई भी था। जब इवानोफने अपने लोगोंकी संख्या-सूची देनेके लिये कहा, तो वह डर गये। इसपर रूसी कसाकोंने घेरकर बहुतोंको गिरफ्तार कर लिया। इस बर्तावसे रूसियोंने कराकल्पकोंके मनमें बुरा भाव पैदा कर दिया, क्योंकि वह अपने बी लोगोंको बहुत आदरकी दृष्टिसे देखते थे।"

स्रोत ग्रन्थ

1. History of Mongol I-III (H. H. Howorth)
2. Bambery

अध्याय ४

मुगोलिस्तानके खान

(१३२१-१५६५ ई०)

चगताई-वंशसे किस तरह मुगोलिस्तानके खानोंका अलग वंश स्थापित हुआ, इसके बारेमें हम बतला चुके हैं। मुगोलिस्तान मुगलोंका स्थान था, यह तो इसके नामसे ही पता लग जाता है, लेकिन वस्तुतः जिस भूमिको मुगोलिस्तान कहा जाने लगा, वहां मुगल तो दालमें नमकके बराबर कुछ खान और अमीर परिवारोंके रूपमें ही रह गये थे, जो भी बड़ी तेजीसे तुर्क बनते जा रहे थे। बाकी साधारण जनता तो तुर्क थी ही। पहिले इसी प्रदेशका नाम कराखिताई भी था, जो कि कराखिताई राजवंश (११२५-१२१८ ई०)का सूचक था। यूनसखानके शासनके आरम्भ ८८९ हि० (३०I—२०XII १४८४ ई०) में जब नगरों और खेतीको प्रोत्साहन दिया जाने लगा, तो वहां पुराने समयके कितने ही नगरों और बस्तियोंके ध्वंसावशेष मौजूद थे। ऊपरी मुगोलिस्तान पहाड़ी नदियों और झीलोंका प्रदेश था। इसके मैदानी इलाकोंमें बहुत अच्छी चरागाहें थीं, और पहाड़ी इलाके जंगलों और वृक्षोंसे ढंकी उपत्यकायें थीं। पहाड़ बहुत ऊंचे नहीं थे, इसलिये सर्दी अपनी चरम सीमा तक नहीं पहुंचती थी, और आबोहवा बड़ी अच्छी थी। असली रेगिस्तान यहां वस्तुतः थे ही नहीं, सिवाय उत्तर-पश्चिमी छोरके। इस भूमिमें नगर या गांव नहीं, बल्कि खुले मैदान (दश्त) थे। मुगोलिस्तान पहले किर्गिजों और बादमें कजाकोंका देश बन गया, तो भी उनके ऊपर मुगोलिस्तानके खान काशगरसे शासन करते थे। १४ वीं सदीके पूर्वार्धके एक इतिहास-लेखकने इस प्रदेशके बारेमें लिखा है—"जबसे इस प्रदेशको तारतारों (मंगोलों)की तलवारोंने उजाड़ दिया, तबसे यहां बहुत कम बाशिंदे रह गये। ध्वंसावशेषों और करीब-करीब विलुप्त-सी बस्तियोंके सिवा यहां कुछ नहीं दिखाई पड़ता। दूरसे आदमीको एक अच्छा बसा हुआ नगर दिखाई पड़ता है, जिसके चारों तरफ सुंदर हरियाली छाई हुई है, लेकिन जब पास जाते हैं, तो वहां बाशिंदे नहीं बल्कि पूरी तरहसे खाली मकान मिलते हैं। यहांके सारे ही बाशिंदे घुमन्तू मेषपाल और चरवाहे हैं, जिनको खेती या फसल उगानेसे कोई वास्ता नहीं।"*

कराखिताइयोंने अपने समय इस भूमिमें बहुतसे नगर बसाये थे, जिन नगरोंमेंसे कुछ बालुका-भूमिमें अब भी हों, तो कोई आश्चर्य नहीं। महारेगिस्तानके पासमें बसे हुये नगरोंको यदि मंगोलोंने उजाड़ दिया, तो कभी-कभी बालुका-वृष्टिसे भी उनका सर्वनाश हुआ। स्वेन्-चाङने भी एक बालुका-वृष्टि का वर्णन किया है, जिसके कारण हो-लो-लो-कि-या नगर बालूके नीचे दब गया। डाक्टर बेल्लोने मुगोलिस्तानकी भूमिमें बालुका-वृष्टि द्वारा एक नगरके ध्वंस होनेका वर्णन निम्न प्रकार किया है: "मजार हजरत बेगमके पासमें बालुका एक पूरा समुद्र है, जो कि उत्तर-पूर्वसे दक्षिण-पूर्वकी ओर बाकायदा लहरोंमें आगे बढ़ रहा है। बालूके टीले अधिकतर दससे बीस फुट तक ऊंचे हैं, लेकिन कुछ पूरे सौ फुटकी छोटी पहाड़ीसे दिखाई पड़ते हैं, कुछ तो और भी ऊंचे हैं। वह एक ऐसे मैदानको ढांके हुये है, जहां नीचे जहां-तहां कठोर मिट्टी दिखाई पड़ती है। यह टीले दो या तीनके समूहमें एकके पीछे एक चले गये हैं। लहरें वैसी ही मालूम होती हैं, जैसे बालुकामय तटपर समुद्रके पानीके हट जानेपर मालूम होती हैं। दक्षिण-पूर्वकी ओर इन टीलोंकी शकल चंद्राकार तथा कुछ खाली ढलानकी तरह होती है।

---

*"मस्ल-उल्-अबसार" (शहाबुद्दीन)।

रूसी यात्री प्रेजेवाल्स्कीने मुगोलिस्तानकी इसी भूमिको १९ वीं सदीमें देखकर लिखा था : "इन निर्जन और निष्ठुर पीली पहाड़ियोंको देखकर दर्शकके मनमें बड़ी उदासी पैदा होती है। वहां आकाश और बालू छोड़कर और कुछ नहीं दिखलाई पड़ता—एक भी वनस्पति, एक भी प्राणीका कहीं पता नहीं है। पीले रंग लिये हुये खाकी रंगके गिरगिट कहीं-कहीं दिखाई पड़ते हैं, जिनके चलनेका चिह्न बालूके ऊपर पड़ जाता है। इस निर्जन बालुका-समुद्रको देखकर दिल भारी हो जाता है, कहींसे कोई आवाज नहीं सुनाई देती....।"

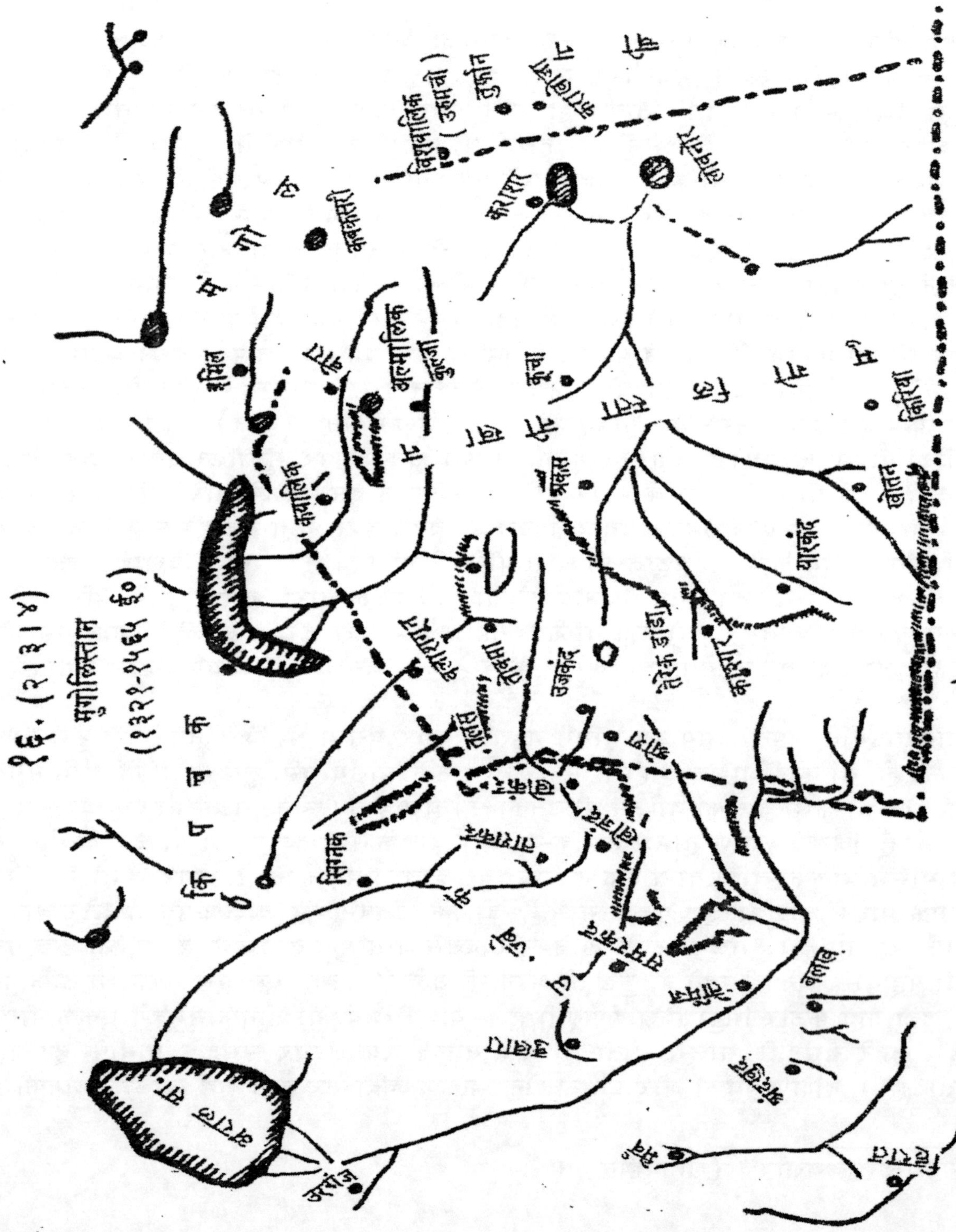

१६. (२।३।४) मुग़ोलिस्तान (१३२१-१५६५ ई०)

लेकिन, कभी इस निर्जन भूमिमें हरे-भरे नगर और गांव बसे थे। उन्हींके ध्वंसावशेषोंमें भारतीय संस्कृतिके चिह्न और भारतीय इतिहासपर प्रकाश डालनेवाली बहुत-सी महत्वपूर्ण सामग्री मिली हैं।

चगताई खानका राज्य बहुत विस्तृत था। १३२१ ई० में जब तुर्क और मंगोल प्रधानताके पक्षपातियोंमें झगड़ा बहुत बढ़ गया, तो मंगोल-दलने चगताई-वंशके पूर्वोत्तरीय भागको अपने हाथमें कर लिया। मुगोलिस्तानका प्रथम खान तुगलक तेमूर था, जो कि संयुक्त चगताई राज्यके खान ईसान-बुगाका पुत्र था। मुगोलिस्तानके खानोंकी नामावली निम्न प्रकार है :—

१.	तुगलक तेमूर, ईसानबुगा-पुत्र	—१३६२ ई०
२.	इलियास, तुगलक-पुत्र	१३६२-८९ ,,
३.	खिजिर मुहम्मद, तुगलक-पुत्र	१३८९-९९ ,,
४.	शमाजहान, खिजिर-पुत्र	१३९९-१४०८ ,,
५.	मुहम्मद, खिजिर-पुत्र	१४०८-१६ ,,
६.	नक्शेजहान, शमाजहान-पुत्र	१४१६-१८ ,,
७.	शेरमुहम्मद, मुहम्मद-पुत्र	१४१८ ,,
८.	बेइस, शेरअली-पुत्र	१४१८-२८ ,,
९.	शातुक, शेरअली-पुत्र	१४२८-३४ ,,
१०.	ईसानबुगा, बेइस-पुत्र	१४३४-६२ ,,
११.	दोस्तमुहम्मद, ईसानबुगा-पुत्र	१४६२-६८ ,,
१२.	यूनस, बेइस-पुत्र	१४६८-८७ ,,
१३.	महमूद, यूनस-पुत्र	१४८७-१५०८ ,,
१४.	मन्सूर, महमूद-पुत्र	१५०८ ,,
१५.	सईद, अहमद-पुत्र	१५०८-३३ ,,
१६.	रशीद, सईद-पुत्र	१५३३-५६ ,,
१७.	अब्दुल करीम, रशीद-पुत्र	१५९३ ,,
१८.	महमूद	
१९.	इस्माईल	

१. तुगलक तेमूर, ईसानबुगा-पुत्र (—१३६२ ई०)

चगताई-वंशके इतिहासमें हम पढ़ चुके हैं, कि किस तरह मंगोल सरदारोंने अपनी प्रभुता और अलग अस्तित्व कायम रखनेके लिये कोशिश करके असफल होनेपर चगताई राज्यके एक भाग को अलग कर अपना अलग खान चुना। इस भागको मंगलई-सूबे या मंगोलिस्तान कहते थे—मंगलाका अर्थ सेनाका हरावल भी है। इस भूभागमें कुल्जा, सप्तनद, इस्सिकुल, दक्षिणी सप्तनद तथा काशगरसे कूचा तक सारा पूर्वी तुर्किस्तान शामिल था। मुगोलिस्तानी-वंशके संस्थापनमें सबसे अधिक हाथ अमीर पूलादचीका था। यद्यपि मंगोल-अमंगोलके साथ मुसलमान और अ-मुसलमानका सवाल भी उठाया गया था, लेकिन उनका पहला खान तुगलुक तेमूर भी अधिक दिनों तक अपनेको रोक नहीं सका, और अपनी प्रजा और अमीरोंकी हमदर्दी प्राप्त करनेके लिये उसे मुसलमान बनना पड़ा। तुगलक तेमूरके जन्मके बारेमें कहा जाता है, कि उसकी मां अपने पतिके मरनेके बाद एमिल खोजा दुवा-पुत्रकी पत्नी बनी। वहीं तुगलक तेमूर पैदा हुआ। वहांसे उसे लाया गया। दूसरी कहावतके अनुसार पुलादचीने उसे पहले खानके वंशसे प्राप्त किया। ईसानबुगाकी प्रिया भार्या सातिलमिश थी, और दूसरी बीबीका नाम मनलिक था। मनलिकको गर्भिणी देखकर उसकी बड़ी सौतके दिलमें ईर्ष्या पैदा हुई। इसी समय ईसानबुगा मर गया, और मनलिक एमिलखोजाकी पत्नी बन गई। अमीर पुलादची दोगलतको अब एक खानकी जरूरत पड़ी। उसने मनलिक और उसके पुत्रको ढूंढ़नेके लिये ताश तेमूरको कहा। ताशने कहा—"यह बड़ी लम्बी और कठिन यात्रा होगी, इसलिये यात्राकी अच्छी तरह तैयारी करनी पड़ेगी। मैं प्रार्थना करूंगा, कि हमें छ सौ बकरियां मिलें, जिसमें कि पहले हम उनका दूध

पीते रहें, पीछे एक-एकको मारकर खाते अपनी यात्रा जारी रक्खें ।" ताश तेमूर अभियानमें सफल हुआ और वह मनलिकके बच्चेको चुरा लाया। फिर वह अक्सू गया, जहांपर अमीर पुलादचीने बच्चे तुगलक तेमूरको खान घोषित किया। तुगलक तेमूर केवल मंगलाई-सूबेका ही नहीं, बल्कि चगताई राज्यके कुछ और भागोंका भी शासक था। कहते हैं, जब वह कल्मक (जुंगारिया) देशसे लाया गया, तो उसकी उमर सोलह सालकी थी। अठारह वर्षकी उमरमें वह खान बनाया गया। जन्म उसका ७३० हि० (२५ X १३२९–१५ IX १३३०) में हुआ था। चौबीस वर्षकी उमरमें वह मुसलमान बना।

शेख जमालुद्दीन नामक एक सूफी-संत कतकमें रहता था। उसने जुमा (शुक्र) के दिन भविष्यद्-वाणी की थी—"मैं तुमसे छुट्टी लेता हूं, दूसरी बार हम कयामतके दिन मिलेंगे।" उसने मस्जिदके मुअज्जनको भी साथ चलनेके लिये कहा। तीन फरसक जानेपर मुअज्जन किसी कामके लिये लौटा, और अजानके लिये मीनारपर चढ़कर उतरा, तो देखा : मीनार चारों ओरसे छिप गया है, बालुका-वृष्टि हो रही थी, और इतने जोरकी कि सारा नगर उससे ढंक गया। थोड़ी देरमें धरतीके ऊपर उठे मीनारका थोड़ा ही सा भाग ऊपर निकला था। मुअज्जन मीनारपरसे बालूपर कूदकर भाग निकला। शेख अक्सूके पड़ोसमें बाइबुलमें पहुंचा। खान तुगलक तेमूरकी शिकार-पार्टी थी, जिसमें उसे जाना जरूरी था। न जानेके कारण उसे पकड़कर खानके पास ले गये। अनजान होनेसे उस ताजिकको सजा नहीं दी गई। उस समय खान अपने कुत्तोंको सूअरका मांस खिला रहा था। वह शेखसे बोला—"क्या तू इस कुत्तेसे अच्छा है, या यह कुत्ता तुझसे अच्छा है ?"

शेखने जवाब दिया—"अगर मेरे भीतर ईमान है, तो मैं इस कुत्तेसे बेहतर हूं, यदि मेरेमें ईमान (इस्लाम) नहीं है, तो यह कुत्ता मुझसे बेहतर है।"

इस बातको सुनकर तुगलक बहुत प्रसन्न हुआ, और उसने शेखको घोड़ेपर चढ़ाकर लौटाया। शेखकी यही करामात थी, जो कि उसके प्रभावमें आकर खानने इस्लामको स्वीकार किया।

मंगोलोंके समयसे पहले ही इर्तिश-एमिलसे त्यान्‌शान तक और बरकुलसे फरगाना और बलकाश तकके प्रदेशको कुकचा-तेङगिज कहा जाता था। इस भूमिमें मंगोलोंके आनेसे पहले अच्छी आबादी थी, लेकिन १४ वीं सदीके उत्तरार्धमें बस्तीवासी और घुमन्तू संस्कृतियोंका द्वंद्व चल रहा था। तुगलक तेमूरने इस्लामी संस्कृतिको स्वीकार कर मंगोलोंकी घुमन्तू संस्कृतिको छोड़ दिया। लेकिन उससे दो शताब्दियों पहले यहांके वासी मुसलमान नहीं, बल्कि बहुत कुछ बौद्ध और कुछ-कुछ नस्तोरी ईसाई थे। चगताईकी एक शाखाके उत्तराधिकारी तेमूरियोंका मुगोलिस्तानी खानोंके साथ बराबर झगड़ा रहता रहा। तेमूरी इन्हें चिढ़ानेके लिये जे-ते (प्रांतवासी) कहा करते थे।

१३६० ई० में तुगलक तेमूरका अपने तुर्क-अमीरोंके साथ अच्छा संबंध था। तुगलक तेमूरने ७६२ हि० (११ XI १३६०—२ X १३६१ ई०) में अन्तर्वेदपर आक्रमण किया था। उसकी मृत्युके (७६४ हि० २१ X १३६२—११ IX १३६३ ई०) बाद ही उसके पुत्र इलियास खोजाकी सेना अन्तर्वेदसे हटाई गई। तुगलक तेमूरकी कब्र अलमालिकमें अलिमतूसे आठ वेर्स्त (⅘ फरसख) और तरानचिन (तरानचिन्स्की) गांव खारिनमजारसे एक वेर्स्त पर अब भी मौजूद है।

तुगलक तेमूर मृत्युसे पहले ही पुलादची मर गया था। उसका स्थान उसके अल्पवयस्क पुत्र खुदादादने लिया।

२. इलियास खोजा, तुगलक-पुत्र (१३६२–८९ ई०)

समरकंदका उपराज रहकर बापकी मृत्युपर कैसे मुगोलिस्तान भागकर इलियासने गद्दी संभाली, इसे हम बतला चुके हैं। अमीर पुलादचीका भाई कमरुद्दीन इसके समय सर्वेसर्वा था।

इलियास खोजाने मीराके युद्धमें तेमूरी-सेनापर विजय पाई। एक बार उसने समरकन्दको भी जा घेरा, लेकिन घोड़ोंकी महामारीके कारण उसे वहांसे हटना पड़ा। अमीर पुलादचीके भाई अमीर कमरुद्दीनने शक्तिको अपने हाथमें रखनेके लिये एक दिन तुगलक तेमूरके अठारह पुत्रोंको मरवा

डाला। कमरुद्दीनका भतीजा अमीर खुदादाद अपने पिताके लगाये वंशके साथ सहानुभूति रखता था। उसने तुगलकके एक पुत्र खिजिर (?) खोजाको काशगर-बदख्शांके पहाड़ोंमें भेजकर छिपा दिया।

इलियासने चीनके विरुद्ध भी धर्मयुद्ध छेड़ा, और कराखोजा तथा तुरफानपर अधिकार कर वहांके लोगोंको मुसलमान बननेके लिये मजबूर किया। इन युद्धोंके समय इलियासको अनाजकी महिमा मालूम हुई, और उसने अपने भाई खिजिरसे पूछा—"क्या सेनाके लिये खाद्य-सामग्री जमा करनेके वास्ते मुगोलिस्तानमें खेती की जा सकती है ?"

तेमूर-लंग ७७२ हि० (२६VII१३७०—१६VI१३७१ ई०) में कोचकर तक चढ़ आया था, लेकिन उस समय वह मुगोलिस्तानमें और भीतर बढ़कर आक्रमण नहीं कर सका। १३७५ ई०के आरम्भमें वह सैरामसे प्रस्थानकर चारिनतक पहुंचा। उस समय कमरुद्दीनका डेरा कोकतेपे पर्वतमें था। तेमूर-लंगके साथ सीधे लड़ना उसने पसंद नहीं किया, और बेरकेई गुरयानकी तरफ हटा, जिसके बीच में तीन बड़ी-बड़ी नदियां पड़ती थीं। इन्हींमेंसे एकके किनारे पीछा करके तेमूरने उसे हराया और आगे बढ़ते बाइतकमें पहुंचा। अपने तीन अमीरोंको उसने इलीके तटपर दंड दिया। तेमूर बाइतकमें ५३ दिन रहा। इस समय उसके पुत्र जहांगीरने पहाड़ोंमें पीछा करके कमरुद्दीन और मंगोल सेनाको उगफेरमर (पूर्वी तुर्किस्तान) में हराया। बाइतकसे तेमूर करा-कसमक (कस्तेक) डांड़ा होते हुये अतबाश पहुंचा। वहांसे अरपाकी द्रोणीमें जा कमरुद्दीनकी लड़कीसे अपना ब्याह कर यासी (जासी) डांड़ेसे होकर उजगेन्दको लौट गया। ख्वारेज्मकी चढ़ाईमें तेमूरको फंसा जानकर कमरुद्दीनने १३७६ ई०में उसपर चढ़ाई की, और अतबाश पहुंचा। कमरुद्दीनने रास्तेमें उसे जा घेरा, लेकिन सेकिज-इगाचेमें बड़ी बुरी तरहसे हारकर घायल हुआ। इस विजयके बाद तेमूर-लंग अताकुर होते सिर-दरिया लौटा, जहांसे वह समरकन्द चला गया। १३७७ ई०में तेमूरने कमरुद्दीनके विरुद्ध फिर सेना भेजी, जिसने कुरातमें उसे हराया। तेमूर बड़ी सेनाके साथ स्वयं सप्तनदमें पहुंचा था। उसके हरावलने कमरुद्दीनको बुम्सकमें पाया। तेमूर कोचकर तक गया, जहांसे ओईनोग होते उजगन्द लौटा।

१३८३ ई०में तेमूरने फिर मुगोलिस्तानपर चढ़ाई की। सप्तनदमें उसने अपनी कुछ सेना भेजी। उसकी सेना अताकुममें थी, जहां हरावल भी शत्रुको छिन्न-भिन्न करके लौट आया। अब दोनों सेनाओंको लेकर तेमूर इस्सिककुल महासरोवर होते कोकतेपे पर्वतमें पहुंचा, लेकिन कमरुद्दीनका वहां कोई पता नहीं था, इसलिये समरकन्द लौट गया।

३. खिजिर मुहम्मद, तुगलक-पुत्र (१३८९—९८)

बापके मरनेके समय खिजिर खोजा बारह वर्षका था। कमरुद्दीनके शासनकालमें खुदादादने उसे काशगर और बदख्शांके बीचके पहाड़ोंमें छिपा रक्खा। फिर बारह वर्षतक वह दक्षिण-पूर्वके सीमांतपर लोब्नोर झीलके पास रक्खा। जिस तरह उसके बापको खोजकर लाया गया था, उसी तरह खिजिरको भी लोबनोरसे लाकर १३८९ ई०के आसपास खान बनाया गया। इलियास और खिजिर दोनों भाई थे। दोनोंकी बाल्य-कथायें एक दूसरेसे इतनी मिला दी गई हैं, कि उनके बारेमें कुछ निश्चयपूर्वक कहना मुश्किल है। तो भी इतना मालूम होता है, कि इलियास शायद बहुत दिनों तक कमरुद्दीनके हाथों नहीं बच पाया। खिजिरसे मुगोलिस्तानकी चरागाहोंमें खेती करनेके बारेमें सलाह लेनेसे पता लगता है, कि इलियास और खिजिर दोनों भाई उस समय साथ रहते थे।

जिस साल खिजिरने गद्दी संभाली, उसी साल तेमूरने फिर मुगोलिस्तानपर चढ़ाई की। वह अल्कोशिदनासे बुरीबाश और त्यूपेलिक करक होते ओरनाक (ओजनाक या ओरतक) की ओर बढ़ा। अतकानसूरीमें जब पहुंचा, तो गर्मियोंके दिनोंमें अब भी वहां बर्फ मौजूद थी। ताउरा-अतलस और अईगिरके मैदान, उलागचारलिग होते आगे बढ़ चापरऐगिरमें उसने मुगोलिस्तानी सेनाको पूरी तौरसे हरा दिया। खिजिर खानने अंगा-त्यूरीके नेतृत्वमें तेमूरके खिलाफ सेना भेजी। अंगा-त्यूरी जब उरेंगयारमें पहुंचा, तो तेमूरने उसके विरुद्ध अपनी हरावल सेनाको भेज अपनी सेनाको कई टुकड़ियों में करके भिन्न-भिन्न दिशाओंमें उसे घेरनेके लिये भेज दिया। तेमूर-लंग स्वयं करागुचुर तरबगताई डांड़ेके पश्चिमी भागकी ओर चला। तेमूर-पुत्र उमरशेख दूसरी सेनाके साथ अंगा-त्यूरीके पीछे कोबुक

डांड़ेकी ओर जा उसे हरानेमें सफल हुआ। अंगा-त्यूरी भागकर ककमा-ब्रुरूजीमें पहुंचा। तेमूरने करागुचुरमें डेरा डालकर अपनी एक सेनाको इर्तिश-उपत्यकाकी ओर भेजा, और बंदियोंको वहांसे समरकन्द भेज दिया। फिर वह एमिलगूचुरमें खानकी एक चरागाह सराय-ओर्दामें पहुंचा। एमिल-गूचूरमें वह सरायओर्दामें ठहरा। एमिलसे तेमूरने अपनी सेनाको दक्षिणी मुगोलिस्तानपर आक्रमण करनेका हुक्म दिया। सभी सेनाको आगे युलदुजमें इकट्ठा होना था। युलदुजसे खिजिर खोजाके पीछे उसने उमरशेखके नेतृत्वमें एक सेना चालिश (करासर)में भेजी। फिर पूर्वी तुर्किस्तान हो ८-९ अगस्त १३८९ ई०को युलदुज लौट ३० अगस्तको समरकन्द पहुंचा। इस रास्तेसे कारवां दो महीनेमें गुजरता था।

१३९० ई०में फिर तेमूरने मुगोलिस्तानपर आक्रमण किया। ताशकन्दसे वह कमरुद्दीनका पीछा करते इर्तिशतक पहुंचा। उसकी सेना ताशकन्दसे इस्सिककुल (सरोवर), कोकतेपे (पर्वत) फिर पहाड़ी-दुर्ग अराजातू होते निश्चय ही वर्तमान अल्माअता नगरकी भूमिसे गुजरी। अलमालिक फिर इली नदी और काराताल होते, इचनीबुचनी, उकुर-कितचीके मैदानमेंसे जब तेमूर-लंग इर्तिशके तटपर पहुंचा, तो कमरुद्दीन वहांसे उत्तरकी ओर भागकर त्यूलेस देशमें चला गया। इस देशमें समूरी छालवाले जानवर बहुत होते हैं। लौटते वक्त तेमूर अलतुन-क्युरगे और अरतक-कुल (बलखाश) सरोवरके रास्ते आया। कमरुद्दीन अपने अन्तिम जीवनमें लकवाकी बीमारीसे बेकार हो गया, और लोगोंने उसे कुछ रखेलियों और थोड़े दिनोंका खाना देकर जंगलमें छोड़ दिया।

तेमूर-लंगको इन सारे अभियानोंसे बहुत फायदा नहीं हुआ। उसके प्रतिद्वंद्वी घुमन्तुओंको अपने नगरों और गावोंका मोह नहीं था, इसलिये वह तेमूरी-सेनाके सामने भागकर अपनी रक्षा कर लेते, और उसके हटते ही फिर एकत्रित हो तेमूरको परेशान करनेके लिये तैयार हो जाते। इसलिये तेमूरने अब मुगोलिस्तानके साथ अपनी नीति बदलनी चाही। इसकी खबर पाकर १३९७ ई०में खिजिर खोजाने अपने ज्येष्ठ पुत्र शमाजहानको दूत बनाकर तेमूरके दरबारमें भेजा। तेमूर-लंगने उसके द्वारा उसकी बहिन तवक्कल आगासे ब्याह किया। नई रानीके आनेपर तेमूरने उसका नाम किचिक खानिम (छोटी रानी) रक्खा।

खिजिर खानके समय मुगोलिस्तानके अधिकांश कबीले मुसलमान थे।

खिजिरखान १३९९ ई०में मरा। उसके बाद उसके चार पुत्रों शमाजहान, मुहम्मद ओगलान, शेरअली और शाहजहानके बीचमें उत्तराधिकारके लिये संघर्ष शुरू हुआ। इस समय उमरशेखका पुत्र मिर्जा अस्कन्दर मुगोलिस्तानकी सीमापर अवस्थित फरगानाका राज्यपाल था। इस झगड़ेसे फायदा उठाकर मिर्जा अस्कन्दरने अक्सू शहरको घेर लिया, जो कि चीनके व्यापारका बहुत बड़ा केन्द्र था। कुछ समयके लिये व्यापारके रास्ते अस्कन्दरके हाथमें आ गये। खिजिरके मरनेपर (१३९९ ई०) मुगोलिस्तानका कुछ भाग तेमूरके राज्यमें सम्मिलित कर लिया गया, जिसमें इस्सिककुल सरोवर-वाला प्रदेश भी था। तेमूर-लंगने क्षुद्र-एसिया (वर्तमान तुर्की)से लाकर काले तातारोंको इस्सिककुलके किनारे बसाया।

४. शमाजहान, खिजिर-पुत्र (१३९९–१४०८ ई०)

भाइयोंके संघर्षमें शमाजहानको सफलता मिली। यह तेमूरके जीवनका अन्तिम समय था। तेमूरके मरनेके साथ ही उसके लड़कोंमें जो झगड़ा पैदा हुआ, उससे फायदा उठा शमाजहानने १४०७ ई०में चीनकी मदद लेकर अन्तर्वेदपर चढ़ाई की, किन्तु १४०८ ई०में उसका देहान्त हो गया।

५. मुहम्मद, खिजिर-पुत्र (१४०८–१६ ई०)

मुहम्मद इस्लामका बहुत पक्षपाती था। इसीके शासनकालमें अधिकांश मुगल-कबीले मु[illegible]न हो गये। इसने शाहरुखके पास दूत भेजा था। १४१६ ई०में यह काशगरमें था। चादिरकुलके उत्तरकी ओरकी पहाड़ियोंमें इसकी बनवाई एक रबात (पांथशाला)में बड़े-बड़े पत्थर इस्तेमाल किये गये हैं। इतिहासकार हैदरका कहना है, कि ऐसे पत्थर कश्मीरके मंदिरोंमें मिलते हैं : रबातका फाटक

चालीस हाथ ऊंचा है। फाटकके भीतर घुसकर दाहिनी ओर घूमनेपर साठ हाथ लम्बा एक रास्ता मिलता है। फिर चालीस हाथका एक गुम्बद है, जो बड़ा ही सुंदर और सुडौल है। गुम्बदके चारों ओर चलनेका स्थान है, जिसके चारों तरफ और रास्तेमें भी कितने ही सुंदर कमरे बने हुये हैं। पश्चिम ओर तीस हाथ ऊंची एक मस्जिद है, जिसमें बीससे अधिक द्वार हैं। सारी इमारत पत्थरकी है। दरवाजोंके ऊपर विशाल शिलाखंड रखे हैं, जिन्हें कश्मीरके मंदिरके देखनेसे पहले हैदर अद्भुत चीज समझता था।

डाक्टर लेंडसेलने शायद हैदरलिखित इतिहास 'तारीखे-रशीदी' से उद्धृत डाक्टर बेलोका उद्धरण देते हुये लिखा है—असली बात यह है, कि महमूदखानने "ताश-रबाद" नामक एक प्राचीन हिंदू-मंदिरको मस्जिद बना दिया, जो कि चादरकुलवाले डांड़ेके रास्तेपर काशगर राजधानीको किर्गिजोंसे बचानेके लिये बने दुर्गमें बना था। हैदर ('तारीखे-रशीदी' कार)का कहना है, कि वस्तुतः महमूदखानने बड़े-बड़े पत्थरोंकी यह रबात बनवाई।

यह रबात चादरकुलसे थोड़ी दूर अलमाती, बेरनीसे काशगरको नारिनसे होकर जानेवाले मुख्य रास्तेपर अवस्थित है, जिसे बहुतसे युरोपीय यात्रियोंने देखा है। डाक्टर सीलेंडने लिखा है—"यात्रीको भारी पत्थरोंसे बनी हुई अड़तालीस कदम लम्बी और छत्तीस कदम चौड़ी इमारतको देखकर आश्चर्य हुये बिना नहीं रहता। इसकी छत समतल है, जिसके बीचसे पच्चीस फुट ऊंचा आधा नष्टसा गुम्बद उठा हुआ है। दरवाजा काफी ऊंचा और मेहराबी है, जिसके द्वारा भीतर जाया जा सकता है। भीतर खिड़कियां नहीं हैं। गुम्बदके नीचे एक कमरा या शाला है, जिसकी बगलमें नौ फुट ऊंचाईवाली कोठरियां चारों दिशाओंमें लातिनी (रोमन) सलेबकी शकलमें हैं।....कोठरियां नीचे वर्गाकार और ऊपर गोल हैं। उनके भीतर पूरा अंधेरा छाया रहता है, सिवाय उन कोठरियोंके जिनकी छतें गिर पड़ी हैं। इनके द्वार इतने नीचे हैं, कि आदमीको बहुत झुककर भीतर जाना पड़ता है। कोठरियोंके भीतर किसी गवाक्ष या सोने-बैठनेकी जगह नहीं है। इस इमारतमें रसोईघर या चूल्हेका कहीं पता नहीं। इमारत पास-पड़ोसमें पाये जानेवाले पत्थरोंकी बनी हुई है। बीचके हॉलमें पलस्तरका थोड़ा-थोड़ा चिह्न मिलता है, लेकिन किसी तरहकी सजावट नहीं है।" यह यात्री लिखता है, कि मध्य-एसियाके कारवां-सरायों या रबातोंसे इस इमारतका कोई सादृश्य नहीं है। कोई-कोई इसे ईसाई-मठ बतलाते हैं, और कोई-कोई हिंदू (बौद्ध)-विहार। दोनों ही एक समय इस भूमिपर बहुत प्रभावशाली धर्म थे, इसलिये इसका बौद्ध-विहार या नेस्तोरीमठ होना आश्चर्यकी बात नहीं है। महमूदखानने ऐसी विचित्र इमारत स्वयं बनाई हो, यह विश्वासकी बात नहीं जंचती।

६. नक्शेजहान, शमाजहान-पुत्र (१४१६–१८ ई०)

१४१६ ई०में खान बननेपर इसके पास चीन-सम्राट् और शाहरुखके दूत आये। इसका शासन-काल थोड़ा रहा, और १४१८ ई०के आरम्भमें शेरअलीके पुत्र बेइस ओगलानने इसे खतम करके गद्दी संभाल ली।

७. शेरमुहम्मद, मुहम्मद-पुत्र (१४१० ई०)

शेर मुहम्मद शाहरुख मिर्जाका समकालीन था। इसका भतीजा बेइस विद्रोही बनकर कजाकों (लुटेरों) का जीवन बिता स्वतंत्र खान बन गया। बेइसके लूट-मारमें बहुतसे मंगोल तरुण भी शामिल थे, जिनमें इतिहासकार हैदरका दादा मीर सैयदअली भी था। हैदरने बड़े अभिमानके साथ लिखा है—"मैं बेइसखानका नाती हूं, और बापकी तरफ अमीर खुदादाद-पौत्र सैयद अहमद मिर्जा-पुत्र अमीर सैयदअली मेरा दादा था। अमीर खुदादादने अपने पुत्र सयद अहमदको काशगरका राज्यपाल बनाकर भेजा था। उस समय वहां खोजा शरीफकी बहुत चलती थी। उसने अधिकार छिन जानेसे नाराज होकर काशगरको उलुगबेगके हाथमें दे दिया। इसपर सैयद अहमद मिर्जाको अपने बेटे अमीर सैयदअलीके साथ काशगर छोड़कर मुगोलिस्तानकी तरफ भागना पड़ा, जहां अहमद जल्दी ही मर गया।"

८. बेइस, शेरअली-पुत्र (१४१८–२८ ई०)

शेरमुहम्मदके समय यह अलग खान बन बैठा, पर चैनसे रहनेका मौका नहीं मिला। १४२० ई० में मुहम्मदखान-पुत्र शेरमुहम्मदसे इसका संघर्ष हुआ, और अन्तमें शेरमुहम्मदको समरकन्द भाग जाना पड़ा। जहां कुछ समय बंदी रखकर उलुगबेगने उसे मुक्त कर दिया और १४२१ ई० में वह मुगोलिस्तान लौटा। बेइसने अपनेको पक्का मुसलमान साबित करनेके लिये मुसलमानों के ऊपर आक्रमण करनेकी मनाही कर दी थी। लेकिन घुमन्तुओंके लिये लूट-मारका कोई रास्ता तो चाहिये, इसलिये उसने बौद्ध कल्मकोंको अपनी जहादका शिकार बनाया। पर, कल्मक भी बहुत तगड़े थे। कई बार उन्होंने बेइसको हराया। मिंगलकके युद्धमें पकड़कर उन्होंने उसे अपने राजा ईसन थैसीके पास भेज दिया। उसने घोड़ेसे उतरकर थैसीको सलाम नहीं किया, तो भी मंगोलोंको छिङ-गिस्के पवित्र वंशका ख्याल था, इसलिये उन्होंने बेइसको छोड़ दिया। दूसरा युद्ध उसका कबाका के पास मुगोलिस्तानमें हुआ, जिसमें मुश्किलसे जान बचाकर वह भाग पाया। एक और युद्ध उसने तुर्फानके पास ईसन थैसीसे किया, जिसमें बेइस बंदी हुआ, और उसने अपनी बहिन मखदूम खानिमको देकर छुट्टी पाई। बेइसने कल्मकोंके साथ छोटे-बड़े एकसठ युद्ध किये, जिसमें सिर्फ एकमें सफल हुआ। बेइस शरीरसे बहुत बलवान् था। हर साल वह तुर्फान, तरिम-उपत्यका, लोब और कातकके प्रदेशोंमें जंगली ऊंटोंके शिकारके लिये जाता। "खान स्वयं गर्मियोंमें अपने दासोंकी मददसे घड़ोंमें पानी निकालकर जमीनकी सिंचाई करता।"

अमीर खुदादाद अब बानवे सालका हो गया था। वह हज करनेके लिये जाना चाहता था, लेकिन मौका नहीं पा रहा था। इसपर बूढ़ेने उलुगबेगको बुलाया, लेकिन उलुगबेगको मंगोलोंके हाथों बड़ी मुसीबत उठानी पड़ी। जब वह मुगोलिस्तानके प्रसिद्ध नगर चूमें पहुंचा, तो अमीर खुदादाद सेना छोड़कर मिर्जा उलुगबेगसे जा मिला। मुगोल हराकर तितर-बितर कर दिये गये। खुदादाद उलुगबेगके साथ समरकन्द पहुंचा। तैमूरियोंको छिङ-गिस् खानके तूरा (यासाक)के जाननेकी बड़ी उत्सुकता थी। शायद उनको मालूम नहीं था, कि छिङ-गिस्के आदेशों (यासाक)को चीनी और मंगोल भाषाओंमें लिखकर पहिले हीसे सुरक्षित रक्खा गया है। उस समय समझा जाता था, कि छिङ-गिस्का तूरा कुछ बड़े-बूढ़ोंने अपनी स्मृतियोंमें सुरक्षित रख छोड़ा है। अमीर खुदादाद छिङ-गिस्के तूराका नहीं, बल्कि इस्लामका पक्षपाती था। उसने उलुगबेगसे कहा—"हमने कुख्यात छिङगिसी तूराको बिल्कुल छोड़ शरीयतको स्वीकार किया है; लेकिन, यदि मिर्जा उलुगबेग तूराको पसंद करते हैं, तो मैं उन्हें ऐसे सिखलाऊंगा, जिसमें कि वह शरीयतको छोड़कर तूराको स्वीकार करें।" मिर्जा उलुगबेगने शायद अपनी वैज्ञानिक-बुद्धिसे बूढ़ेको परख लिया हो, इसलिये उसने तूरा सीखनेका ख्याल छोड़ दिया।

उलुगबेग अपने इस आक्रमणमें चू, और चारिनके रास्ते गया था। खुदादाद जहां उसे आकर मिला, उसी स्थान पर मई १४२५ ई०में शेरमुहम्मदकी हार हुई। उलुगकी सेनाने शेरमुहम्मदका पीछा इली नदीतक किया, यद्यपि स्वयं उलुगबेग युलदुजमें रहा। वहांसे लौटते वक्त रास्तेमें करशी स्थानमें उसने प्रसिद्ध कोक-ताश (नील-पाषाण)को पाया। तैमूर भी इस कोक-ताश (नीलपाषाण)को समरकन्द ले जानेकी बड़ी इच्छा रखता था, जिसको पूर्ण करनेका अवसर उसके पोतेको मिला।

शेरमुहम्मद वस्तुतः बेइसका समकालीन खान था। मुगोलिस्तानका कुछ भाग इसके हाथमें था। उसके मरनेपर उसका राज्य भी बेइसके हाथमें चला गया। बेइस खानको १४२८ ई०में इस्सिककुलके तटपर शातुककी शहसे कत्ल कर दिया गया। उलुगबेग शातुकको खान बनाना चाहता था, इसलिये बेइसके विनाशमें उसकी भी सहमति थी। यह भी कहा जाता है कि बेइस घोड़ा कुदाते हुये स्वयं गिर गया, और गलतीसे अपने ही आदमियोंके तीरका शिकार हुआ।

बेइसके जमानेसे काफिर (बौद्ध) मंगोलों—चोरोस, खोशोत, तोरगोत और खाइत—का पूर्वसे मुगोलिस्तानपर आक्रमण शुरू हुआ। १३९९ ई०में ओइरोत राजा उगेची खासागने मंगोलोंके खान

एलबेकको मार डाला। उसके बाद ओइरोतोंकी प्रधानता शुरू हुई। १४०८ ई०में उन्होंने उलजई-तिमूरको विशबालिकमें कआनकी गद्दीपर बैठाया। इसी समय मुगोलिस्तानके कुछ हिस्सेपर पूर्वी-मंगोलोंने अधिकार कर लिया। इन्हीं ओइरोतोंको मुसलमान लेखक कल्मख(कलमक) कहते हैं। मुहम्मदखान उनसे लड़नेके लिये तैयार हुआ, और उसका प्रतिद्वंद्वी बेइस चीनी लेखकोंके अनुसार पूर्वी तुर्किस्तानसे अपनी मुख्य सेना ले पश्चिममें सप्तनदमें इली-तटपर ईलीबालिक पहुंचा।

१५ वीं सदीके यात्रियोंके अनुसार मुगोलिस्तान उस समय मुख्यतः घुमन्तुओंका देश था, जो तम्बुओं में रहते और घोड़ोंके मांस और कूमिसपर गुजारा करते। उनमेंसे कुछ बौद्ध ओइरोतोंकी तरफ थे, और कुछ मुसलमानोंकी तरफ। इलीके तटपर ही बेइस खानको कई बार ओइरोतोंके सरदार ईसन थैसीसे लड़ना पड़ा।

९. शातुक, शेरअली-पुत्र (१४२८—३४ ई०)

शातुक समरकन्दमें रहता था, जहांसे उलुगबेगने उसे बेइससे लड़नेके लिये मुगोलिस्तान भेजा। मुगोलिस्तानमें शातुकके पक्षपाती अमीर कम थे, इसलिये वह काशगर गया, जहांपर खुदादादके पौत्र कराकुल अहमद मिर्जाने उसे हराकर मार डाला। इसपर उलुगबेगने एक सेना भेजी, जो अहमद मिर्जाको पकड़कर समरकन्द ले गई, जहां उसके दो टुकड़े कर दिये गये।

शातुकके मरनेके बाद मंगोल अमीरोंके दो दल हो गये थे, एक बेइसके बड़े लड़के यूनसको खान बनाना चाहता था, और दूसरा बेइसके दूसरे पुत्र एसेनबुकाको। दोनों ही अल्पवयस्क थे। एसेनबुकाकी पार्टी ज्यादा मजबूत थी, इसलिये वह गद्दीपर बैठा। यूनस अपने आदमियोंके साथ उलुगबेगके दरबारमें चला गया, जिसने उसे ईरान भेज दिया। बाबरके अनुसार यह घटना जून १४३४ ई०की है।

१०. एसेनबुगा, ईसनबुगा, बेइस-पुत्र (१४३४—६२ ई०)

एसेनबुगा अमीरोंके हाथका खिलौना था। उसके प्रभावशाली अमीरोंमें खुदादाद-पुत्र मीर मुहम्मदशाह (अतबाश) और मीर करिमबेर्दी थे। करिमबेर्दीने अपने लिये अलाबुगमें एक दुर्ग बनवाया, जहांसे वह उलुगबेगशासित फरगानामें लूट-मार किया करता था। तीसरा अमीर मीर हकबेर्दी बेकिचेक था, जिसने इस्सिककुल सरोवरके एक द्वीप कोइसुइमें अपना गढ़ बनाया था। कल्मकोंका भी उत्तर-पूर्वसे बराबर आक्रमण होता रहता था। एसेन एक बार स्वयं तुर्किस्तान शहर और सैरामपर आक्रमण करने गया।

मुगोलिस्तानी उधर अन्तर्वेदपर लूट-मार करने जाते, तो कलमक उन्हें लूटते-पाटते इस्सिक्कुलतक पहुंचते—कुछ साल पीछे तो वह सिर नदीतक पहुंचने लगे।

ईसानबुगाके खान बननेके बाद यूनस तीस हजार परिवारोंवाले ओर्दू और ईराजान तथा मीरकतुर्कमानके साथ उलुगबेगके पास पहुंचा था। उलुगबेगने उसे अपने पिता शाहरुखके पास भेज दिया, जिसने यूनसके साथ पुत्रवत् व्यवहार किया। यूनस बारह सालका था, जब कि यज्द (ईरान)में उसने मौलाना शरफुद्दीन यज्दीसे पढ़ना शुरू किया। मौलानाके मरनेके समय वह चौबीस सालका था। फिर वह यज्द छोड़कर यात्रापर निकला, और इराक, अरब, आजुर्बाइजान होकर शीराजमें रहने लगा। एकतीस सालकी उमर तक वह मुगोलिस्तानसे बाहर रहा।

यूनसके चले जानेपर ईसनबुगा सारे मुगोलिस्तानका खान था। शासन मजबूत हो जानेपर अमीर सैयद अलीने काशगर आनेकी आज्ञा मांगी। यह कह ही चुके हैं, कि काशगरको खोजा शरीफ काशगरीने उलुगबेगको दे दिया था, जिसकी ओरसे अमीर सुल्तान मलिक दुलादाई राज्यपाल नियुक्त हुआ, उसके बाद हाजी मुहम्मद शाइस्ता फिर पीर मुहम्मद बरलस राज्यपाल हुये। सैयद अलीने खानसे कहा—"मैं देखना चाहता हूं, कि क्या मैं अपने परिवारके पुराने इलाकेपर फिरसे अधिकार स्थापित कर सकता हूं, जिससे कि चालीस वर्षसे हम वंचित हैं। यदि मैं सफल नहीं हुआ, तो आप मुझे धिक्कार सकते हैं।" एसनबुकाने अपनी सहमति दे दी।

इस समय मंगलाई सूयाह (काशगरिया) का अधिकांश भाग दोगलतोंके हाथमें था, लेकिन अन्दिजान और काशगरपर समरकन्दके शासक उलुगबेगका अधिकार था। इस्सिक्कुलका पहाड़ी इलाका संघर्षोंका अखाड़ा बन गया था। बाकी इलाके दोगलत अमीरोंके हाथमें थे। अमीर सैयद अली अक्सूसे अपने भाइयोंको भगा वहां अपने परिवारको रख सात हजार सेना लेकर काशगरके ऊपर चढ़ा। पहली ही भिड़न्तमें हाजी मुहम्मद शाइस्ता भाग निकला। मुगोलिस्तानियोंने चगताइयों (उलुगबेगकी सेना) का पीछा किया, लेकिन अभी भी काशगरके किलेमें दुश्मन मौजूद था—शाइस्ताने वहां मोर्चाबंदी कर रक्खी थी। अमीर सैयद अलीने नगरपर अधिकार पा आसपासके इलाकोंको उजाड़ना शुरू किया। उलुगबेगके पास समरकन्द गुहार गई, लेकिन वह ऐसी स्थितिमें नहीं था, कि सेनाकी मदद भेजता। अमीर सैयद अलीने जब तीसरे वर्ष काशगरपर चढ़ाई की, तो लोगोंने तंग आकर खोजा शरीफसे कहा—"हमने लगातार तीन वर्षतक फसल गंवा दी। अगर इस सालकी फसल भी हाथसे चली गई, तो देशमें भारी अकाल पड़ेगा।" लोगोंने पीर मुहम्मद बरलसको पकड़कर अमीर सैयद अलीके हाथमें दे दिया, जिसने उसे मारकर काशगरके भीतर प्रवेश किया, और चौबीस सालतक वहां राज्य किया। हैदरके अनुसार उसने कृषि और पशु-पालनके ऊपर बहुत ध्यान दिया। वह तीन पुत्र और दो लड़कियां छोड़कर मरा। इन्हीं पुत्रोंमेंसे एक "तारीखे-रशीदी" का लेखक मुहम्मद हैदर मिर्जा था।

ईसानबुगाकी तरुणाईके कारण अमीर उसका बहुत मान-सम्मान नहीं करते थे। उस समय तुर्फानके उइगुरोंके अमीर तेमूरका बहुत मान था, जिससे दूसरे अमीर डाह करने लगे, और एक दिन खानके सामने ही उन्होंने पकड़कर तेमूरकी चोटी काट डाली। अमीर सैयद अलीने जब यह खबर सुनी, तो उसने ईसानबुगा खानको अकबाससे ले आकर अक्सूका राज्यपाल बना दिया। चोटी काटनेसे यह मालूम होगा, कि अभी उइगुरोंमें गैर-मुस्लिम (बौद्ध) भी थे। जान पड़ता है, मुस्लिमोंसे अलग करनेके लिये चुटियाका चिह्न समकालीन भारतमें ही नहीं, बल्कि मध्य-एसियामें भी था। चीनियोंसे जबर्दस्ती मंचूओंने-चोटी रखवाई थी, किन्तु मंगोल गृहस्थोंकी चोटी तो मैंने अपनी आंखों १९३५ ई० में खैलरके पास देखी। जब उक्रइनके लोग तुर्की सुल्तानके अधीन थे, उस समय वहां भी चोटी ईसाइयों का और दाढ़ी मुसलमानोंका चिह्न था।

ईसानबुगाके समय अमीरोंकी मनमानी चलती रही। दुगलत कबीलेके मीर करीमबर्दीने मुगोलिस्तानकी सीमांतपर अलाबुगाकी पहाड़ीपर अपने किले बनाये थे, जहांसे वह फरगना अन्दि-जानकी ओर मुसलमानोंको लूटने जाता। दूसरा अमीर मीर हकबेर्दी बेगजिकने इस्सिक्कुलके टापू कुई-सुईमें किला बनाकर कलमखोंसे बचनेके लिये वहां अपने परिवारको रक्खा था। जारा और बारिनष कबीलोंके अमीर ईसान थैशीके पुत्र अमासांजी थैशीका साथ देते थे। ईसान थैशी कल्मक-भूमिका स्वामी था। कालूजी, बलगाजी और दूसरे कितने ही कबीले कजाक-खान अबुल्खैर (तुर्किस्तान) के साथ हो गये थे।

ईसानबुगाके अक्सूमें जम जानेपर धीरे-धीरे उसके अमीर भी उसके पास जमा होने लगे। खान भी उनके साथ अच्छा बर्ताव करता था। जब शक्ति मजबूत हो गई, तो ईसानबुगाने ८५५ हि० (१४५४ ई०) में एक साथ ही आक्रमण करके सैराम, तुर्किस्तान शहर और ताशकन्दको लूट-मारकर बरबाद कर दिया। इस समय बाबरका दादा सुल्तान अबूसईद मिर्जा अन्तर्वेद (पश्चिमी तुर्किस्तान) का बादशाह था। अबूसईदने खानका पीछा किया, और उसे यंगी—जिसे इतिहासकी पुस्तकोंमें तराज कहा जाता है—में जा पकड़ा। मुगल बिना युद्ध किये ही भाग गये। अबूसईद अन्तर्वेद लौट गया, लेकिन जब वह खुरासानकी ओर गया, तो फिर मुगोलिस्तानियोंने हमला कर दिया। ईसानबुगाके अन्दिजानमें पहुंचनेकी बात सुनकर अबूसईदके सेनापति मिर्जा अली कूचुकने भीतरी किलेको मजबूत कर दिया था, लेकिन बाहरी किले पर ईसानबुगाका अधिकार हो गया। अन्तमें सुलह हुई। खान सारे अन्दिजान इलाकेपर अधिकार करके लौट गया। सुल्तान अबूसईदको बड़ी परेशानी थी। यदि वह मुगोलिस्तान पर चढ़ाई करता, तो खान अपने देशके दूसरे छोरपर चला जाता, जहांपर उसका पीछा करना समर-कन्दकी सेनाके लिये बहुत मुश्किल था। जब अबूसईदकी सेना लौटती, तो खान उसकी पीठपर होता।

हर समय मुकाबिलेके लिये सेना भेजना सम्भव नहीं था। अबूसईदकी जैसी परेशानी घुमन्तुओंके साथ उससे डेढ़ सहस्राब्दी पहलेके दूसरे राजाओंके सामने भी आती रही।

मुगोलिस्तानमें फंसे होनेके कारण अबूसईद इराकपर चढ़ाई नहीं कर पाता था। अन्तमें अबूसईदको एक ही रास्ता दिखलाई पड़ा, कि यूनसको ईरानसे बुलाकर उसके भाईके खिलाफ भिड़ा दिया जाय। उसने ऐसा ही किया। इस समय दश्तेकिपचकपर अबुल्खैर खानका मजबूत शासन था। इस कज़ाक खानसे हारकर जू-छि-वंशज जानीबेग खान और गिराई खान मुगोलिस्तानमें चले गये। अबुल्खैरके मरनेके बाद उसका उज्बेक-कजाक उलुस आपसी झगड़ोंके कारण छिन्न-भिन्न हो गया, और उनमेंसे अधिकांश जाकर गिराई और जानीबेग खानके ओर्दूमें मिल गये। अब इनकी संख्या दो लाख थी। इसी समय उनके ओर्दूको उज्बेक-कजाकका नाम दिया गया, यह कह आये हैं। कजाक-सुल्तान ८७० हि० (२४ VIII १४६५- १५ VII १४६६ ई०) से शासन करने लगे, और ९४० हि० (२३ VII १५३३—१३ VI १५३४ ई०) तक उज्बेकिस्तान (किपचक-भूमि) के अधिकांश हिस्सेपर उनका पूर्ण प्रभुत्व था। गिराई खानके बाद बेरेंदक-पुत्र फिर जानीबेग खानके पुत्र कासिम खान हुआ। कासिम खानने सारे दश्ते-किपचकको जीत लिया, यह हम पहले बतला चुके हैं। हैदरके अनुसार उसकी सेना हजार-हजार (दस लाख) से ज्यादा थी, और जू-छि खान छोड़कर इतना बड़ा खान उस भूमिमें और कोई नहीं हुआ। कासिमके बाद उसका पुत्र मिमेश खान, फिर उसका पुत्र ताहिर खान हुये। ताहिरके समयसे कजाकोंकी शक्ति कमजोर होने लगी। ताहिरके बाद उसका भाई बिरलस था, जिसके समय उसका उलुस बीस हजार कजाकोंका रह गया था। ९४० हि० (१५३३-३४ ई०) में बिरलसके मरनेपर कजाक बिल्कुल लुप्त हो गये। ईसानबुगाके समयसे रशीद खानके समय (१५३३-६५ ई०) तक कजाकों और मुगलोंके बीच अच्छा संबंध रहा।

हैदरकी तरह मध्य-एसियाके किसी कबीलेके लुप्त होनेकी बातका अर्थ यही है, कि उनमें फिर नई गुटबंदी हो गई।

अमासंची थैची (थैशी) और उजतिमूर थैचीने १४५२ ई० और १४५५ ई० के बीच (दूसरी परंपराके अनुसार १४३७ ई० में) सिर-दरियाके तटपर उज्बेक-कजाकोंको बुरी तरहसे हराया। इस प्रकार अल्ताईके पासवाले कल्मक अब सिर-दरियाके तटतक पहुंचने लगे। १४५९ ई०के अन्तमें सुल्तान अबूसईदने हिरातमें कल्मक-दूतसे भेंट की। मंगोलोंके आक्रमणका उत्तर देनेके लिये अबूसईदने मुगोलिस्तानपर चढ़ाई कर उन्हें अशपारम हराया।

१४५६ ई० में अबूसईदने यूनसको मुगोलिस्तानमें लाकर बैठाया, किन्तु उसे हारकर फरगाना और सप्तनदकी सीमापर अवस्थित जीतीकेंदमें भागना पड़ा, जिसे कि अबूसईदने यूनसको दिया था।

एसेनबुगा १४६२ ई०में मरा।

११. दोस्तमुहम्मद, ईसानबुगा-पुत्र (१४६२—६८ ई०)

ईसानबुगाके मरनेके बाद सत्रह वर्षकी अवस्थामें उसका पुत्र दोस्तमुहम्मद अक्सूमें बापकी गद्दी पर बैठा। यह बड़ा ही सनकी-सा तरुण था। इसने यारकन्द और काशगरपर चढ़ाई की, और काशगरको लूटकर अक्सू लौट गया। मुहम्मद हैदर मिर्जा (इतिहासकार) इससे नाराज होकर यूनस खानसे जा मिला। थोड़े ही समय बाद दोस्तमुहम्मदने अपनी सौतेली मांपर आशिक हो मुल्लोंसे ब्याह करनेके अनुकूल फतवा मांगा। इन्कार करनेपर सात मौलवियोंको उसने मरवा डाला। आठवें मौलवी मुहम्मद अत्तारकी बारी आई। शराबमें मदहोश और हाथमें तलवार लिये हुये उसने मौलवीसे पूछा—"मैं अपनी मांसे ब्याह करना चाहता हूं। यह विहित है या नहीं?" अत्तार अपने समयके पूर्वी तुर्किस्तानका बहुत ही धार्मिक और अत्यन्त विद्वान् दरबेश था, उसने खानसे कहा—"तुम्हारे जैसोंके लिये यह विहित है।" खानने तुरंत ब्याहकी तैयारी कर दी। हैदरके अनुसार स्वप्नमें उसके पिताने उसे फटकारते हुये कहा—"ओ अभागे, एक सौ वर्ष तक मुसलमान रहनेके बाद तू काफिर बनना चाहता है।" मंगोलोंमें सौतेली मांको मां नहीं मानते थे, और उनमें ऐसा ब्याह होता रहता था। शायद यही समझकर दोस्तमुहम्मदको सौतेली मांके ब्याहको शरीयतसे विहित करानेकी इच्छा हुई।

चिरागकुश (दीपबुझाव) संप्रदाय—दोस्तमुहम्मद खान (१४६१–६८ ई०) की लम्पटताके बारेमें सुनते वक्त यह भी याद रखना चाहिये, कि हैदरके अनुसार दोस्तमुहम्मदसे सौ वर्ष पीछे भी बदख्शांमें एक धार्मिक सम्प्रदाय था, जिसे 'चिरागकुश' कहते थे—"इस मतका बदख्शांमें संस्थापक शाह राजीउद्दीन था। उसके अनुयायी जिस किसी अजनबीको पा उसे मार डालनेको मुक्तिका रास्ता मानते थे। कोहिस्तान (पामीर)के विधर्मियोंमें राजी बड़ा ही पापी था। बदख्शांके अधिकांश लोग इसके ही अनुयायी हैं। उनके लिये अपने नजदीकी संबंधियोंसे व्यभिचार करना वैध है, उसके लिये विवाह करनेकी भी कोई अवश्यकता नहीं। अगर कोई किसीके साथ यौन-संबंध करना चाहता, तो बेटा या मां किसीसे भी प्रसंग करना बिल्कुल वैध है। उनमें यह नियम है, कि एक दूसरेकी स्त्री और सम्पत्तिका उपभोग करें।" हैदरका यहां अभिप्राय शायद बदख्शांके इस्माइलियोंसे है। इस्माइली शीयोंका एक सम्प्रदाय है। ये लोग छठें इमाम जाफर सादिकके ज्येष्ठ पुत्र इस्माईलको वास्तविक उत्तराधिकारी तथा अन्तिम इमाम मानते हैं, जब कि दूसरे शीया इस्माईलके भाई मूसा तथा पांच और पीछेके दूसरे—कुल बारह इमामोंको मानते हैं। इन्हीं इस्माइलियोंके गुरु आगा खां है। सोवियत शासनकी स्थापना (१९१८ ई०) से पहिले तक पामीरके इस इलाकेमें 'चिरागकुश' इस्माइलियोंकी काफी संख्या थी—अफगानिस्तानके इलाकेमें शायद वह अब भी हैं।

चालीस सालकी उमरमें छ दिन बीमार रहकर ८७३ हि० (२२ VII १४६८–१२ VI १४६९ ई०) में दोस्तमुहम्मद मर गया। उसके पुत्र सुल्तान ओगलानको पकड़कर तुर्फान और चालिश (करासर) ले गये। इस समय यूनसको मौका मिला और उसने आकर अक्सूको ले लिया।

१२. यूनस, बेइस-पुत्र (१४६८–८७ ई०)

एसन (ईसन) बुगाके मरनेके बाद वस्तुतः मुगोलिस्तानका राज्य दो भागोंमें विभक्त हो गया था। ८७३ हि० (१४६८-६९ ई०) तक अक्सू और पूर्ववाले प्रदेशमें एसनबुगाके पुत्र दोस्तमुहम्मदका शासन था, और पश्चिमी भाग पर यूनसका। दोस्तमुहम्मदके बाद केबेक-सुल्तान चार साल पीछे तक राज्य करता रहा, जिसके सिरको काटकर उसके ही आदमियोंने यूनसके पास भेज दिया। इस प्रकार १४७२ ई०में यूनस सारे राज्यका स्वामी बन गया।

यूनसका जन्म ८१८ या ८१९ हि० (१४१५ या १४१७ ई०) में हुआ था, और जैसा कि पहले बतलाया, बचपनमें ही वह ईरान चला गया, जहां उसे शरफुद्दीन यज्दी जैसे प्रसिद्ध इतिहासलेखक और विद्वान्के पास शिक्षा प्राप्त करनेका अवसर मिला। उसे घुमन्तू-जीवन पसंद नहीं था। दोस्त मुहम्मद खानके मरनेपर यूनसको मैदान खाली मिला। वह अक्सूपर अधिकार करके वहीं रहना चाहता था। शायद वह केबेक-सुल्तान ओगलानके साथ झगड़ा न करता, यदि उसे डर न होता, कि उसके ओर्दूके लोगोंमेंसे कितने ही केबेकको ओर चले जायेंगे।

८ फर्वरी १४६९ ई०में तेमूरी सुल्तान अबूसईदके मरनेपर उसका राज्य अलग-अलग शाहजादोंमें बंट गया—खुरासानका शासक सुल्तान हुसेन मिर्जा हुआ, समरकन्दका अहमद मिर्जा, हिसार-कुंदुज-बदख्शांका सुल्तान महमूद, और अन्दिजान-फरगानाका वली (राज्यपाल) बाबरका पिता उमर शेख मिर्जा। यूनसने मुगोलिस्तान लौटनेपर तीनोंको अपना दामाद बनाया। अपनी लड़की मेहरे-निगार खानम अहमद मिर्जाको दी, कुतुलुग निगार उमरशेख मिर्जाको। इसी कुतुलुग निगार खानमसे बाबर पैदा हुआ। ताशकन्दका वली (राज्यपाल) शेख जमाल सुल्तान अहमद मिर्जा समरकन्दके अधीन रहा।

यूनसको कलमकोंका झगड़ा उत्तराधिकारमें मिला था। १४७२ ई०में कलमक-सेनापति अमासांजी (इस्सनपुत्र) थैशीने मुगोलिस्तानमें आकर इली-तटपर यूनसको हराया, जिसपर यूनसकी सेना तुर्किस्तान प्रदेश (सिर-दरिया)की ओर भागी, और वहीं उसने जाड़ा बिताया। मंगोल करातुकाई सिर-तटतक पहुंचें। उस समय कजाक खान गिराई (कराई) और जानीबेगको भगाकर अबुल्-खैरका पुत्र बूरुज ओगलान तुर्किस्तान (सिर-उपत्यका)का शासक था। वह यूनससे लड़ने गया था। उस समय उसे शिकारमें अनुपस्थित पा उसके ओर्दूके साठ हजार परिवारोंको पकड़ लिया। डेरेमें कोई

नहीं था, इसलिये बिना विरोध हीके बूरुज ओगलानने सबपर अधिकार कर लिया। जब यह खबर यूनसको मिली, तो वह सींग बजवाकर जल्दी-जल्दी लौटा, और जमी हुई सिर नदीके पार हो गया। बूरुजने जब आवाज सुनी, तो उसने भी जल्दीसे घोड़ेपर चढ़ना चाहा, लेकिन उसकी नौकरानियोंने उसके घोड़े और साईस (अखताची) को पकड़े रक्खा। कुछ औरतें अपने घोड़ोंसे उतरकर आईं, और उन्होंने बूरुज ओगलानको पकड़ लिया। इसी समय यूनस खानने आकर अपनी नौकरानीको बूरुजका सिर काट लेनेका हुक्म दिया। उसने तुरंत सिर काट लिया। बिना रानीकी मधुमक्खियोंकी तरह बिना सरदारका उज्बेक-कजाक ओर्दू क्या कर सकता था ? बीस हजार घुमन्तुओंमें बहुत कम जान बचाकर भाग पाये।

ताशकंदका वली जमाल सुल्तान यूनसको सिर-उपत्यकामें नहीं देख सकता था। उसने आक्रमण करके यूनस खानको पकड़कर सालभर बंदी रक्खा, जिसपर सारा मुगोलिस्तानी उलुस शेख जमालके अधीन रहनेके लिये मजबूर हुआ। शेख जमालने यूनसकी बेगम और बाबरकी नानी ईसान दौलान बेगमको अपने एक अफसर ख्वाजा कलानको दे दिया। बेगमने बाहरसे स्वीकृति दे दी थी, लेकिन रातको पास आनेपर उसने ख्वाजा कलानको मार डाला। सालभर बाद अमीर करीमबेर्दी दोगलातके भतीजे अमीर अब्दुल कुद्दुजने शेख जमालको मारकर यूनस खानको मुक्त किया। अब ताशकन्द और शाहरुखिया भी बाबरके पिता उमरशेख मिर्जाके हाथमें थे। मुगोलिस्तानी अमीर फिर यूनसके पास लौट आये। उन्होंने खानसे शिकायत की—"खानने हमेशा हमें कृषिवाले प्रदेशके नगरोंमें बसानेकी कोशिश की, जिसे हम लोग घृणाकी दृष्टिसे देखते हैं।" खानने अफसोस प्रकट करते हुये कहा—"अबसे मैं नगरों और खेतीवाले स्थानोंमें रहनेका विचार छोड़ देता हूं।"

इस वक्त कल्मक अपने युर्त (ओर्दूवाले देश) को लौट गये थे, इसलिये यूनस खानको मुगोलिस्तानमें मुगलोंके साथ रहनेकी हिम्मत हुई। इसके बाद कई सालों तक खानने घर या नगरमें रहनेका नाम नहीं लिया। काशगरके शासक मुहम्मद रेहर मिर्जाने यूनसकी अधीनता स्वीकार कर ली।

अपने एक दामाद बाबरके पिता उमरशेख मिर्जाके साथ यूनसका विशेष स्नेह था। भाई अहमद मिर्जा (समरकन्दके सुल्तान) के आक्रमणका भय होनेपर उमरने यूनसको बुलाया। यूनसने फरगानाके सबसे बड़े शहर अक्सीमें आकर डेरा डाला। अहमद मिर्जाने खानसे तीकासगरुकूके पुलपर लड़ाई की, जिसमें वह खानका बंदी बना, लेकिन खानने अपने दामादको बहुतसी भेंटें देकर छोड़ दिया। कुछ समय बाद फिर उसने चढ़ाई की, और उमरशेखकी सहायताके लिये खान मर्गिलान पहुंचा। इतिहासकार हैदरने मौलाना मुहम्मद काजीके मुंहसे सुना था—"एक बार मैं मर्गिलान गया। मैंने सुन रक्खा था, कि यूनस खान मुगल है, और समझा था, कि वह दूसरे रेगिस्तानी तुर्कोंकी तरह बिना दाढ़ी-मूंछका (मंगोलायित) आदमी होगा। मैंने उसको देखा, वह बड़ा ही खुबसूरता था। उसका चेहरा ताजिकोंकी तरह दाढ़ीसे भरा हुआ था। बातचीत और व्यहारमें वह बड़ा ही संस्कृत था, जैसे कि ताजिकोंमें भी बहुत कम पाये जाते हैं।" मौलानाने सभी सुल्तानोंको पत्र लिखा—"मैंने यूनस खान और मुगलोंको देखा। ऐसे बादशाहकी प्रजाको बंदी बनाकर नहीं ले जाना चाहिये। वह इस्लामके अनुयायी हैं।" इसके बादसे मुगलोंको अन्तर्वेद और खुरासानमें ले जाकर दासके तौरपर बेचना बंद हो गया। इससे पहले मुगलोंको भी दूसरे काफिरोंकी तरह दास बनाकर बेंच दिया जाता था। यह मालूम ही है, कि इस्लामी शरीयतके अनुसार मुसलमानको दास नहीं बनाया जा सकता।

अहमद मिर्जा और उमरशेख मिर्जा अर्थात् समरकन्द और फरगानाका झगड़ा बराबर ही चलता रहा, और उमरशेखकी मददके लिये यूनसको भी बराबर जाना पड़ता था। ऐसे ही एक समयमें यूनसके आनेपर उमरशेखने उसे ओश दे दिया। खानने वहीं जाड़ा बिताया। मुगोलिस्तानकी ओर लौटते समय उसने अपने दूसरे नाती इतिहासकार मुहम्मद हैदर मिर्जाको ओश (ऊश) का शासक बना दिया। शेख जमालकी मृत्युके बाद ताशकन्दको उमरशेखने ले लिया। समरकन्द-शासक अहमद मिर्जा इसे बर्दाश्त नहीं कर सकता था। खान उमरशेख और अहमद मिर्जाकी सेनायें फिर लड़नेके लिये सिर-उपत्यकामें पहुंचीं, लेकिन हजरत नासिरुद्दीन उबैदुल्ला सूफी (संत)ने बीचमें पड़कर

विवादग्रस्त ताशकन्दको खानके हाथमें देकर झगड़ा शांत करा दिया। अभी यूनस ताशकन्दमें ही था, कि उसे लकवा मार गया। दो साल तक इस बीमारीमें पड़े रहकर ७४ वर्ष की उमरमें ८९२ हि० (२८ XII १४८६–१८ XI १४८७ ई०)में यूनस मर गया। चगताई खानोंमें अधिकांश चालीस वर्षसे अधिक नहीं जी पाये, और उनमेंसे कितने ही स्वाभाविक मौतसे नहीं मरे, लेकिन यूनस इसका अपवाद था। यूनसकी कब्र ताशकन्दमें ही पूरानवार शेख खावन्दि-तुहूरकी समाधिके पास है।

१३. महमूद, यूनस-पुत्र (१४८७–१५०८ ई०)

बापके मरनेपर ज्येष्ठ पुत्र महमूद * को मंगोलोंकी रीतिके अनुसार सफेद नम्देपर बैठा कंधेपर उठा खान घोषित किया गया। लेकिन महमूदका अधिकार पूर्वी मुगोलिस्तानपर ही रहा। वह बापकी तरह ही संस्कृत और सुशिक्षित था। वह कविता भी करता था, जो बुरी नहीं होती थी। अन्तर्वेद लेनेकी उसकी बड़ी इच्छा थी, जिसमें कमजोर तेमूरी-सुल्तानोंके मुकाबिलेमें पहिले इसे सफलता भी मिली, लेकिन १५०० ई० में जब उज्बेक खान मुहम्मद शैबानीने अन्तर्वेदको अपने पंजेमें कर लिया, तो उसके लिये फिर मौका नहीं रह गया। १४८८ ई० में कुछ सफलता मिली थी। उमरशेखने असलमें महमूदसे ताशकन्द छीननेके लिये सेना भेजी थी। खानने सफलता प्राप्त कर मिर्जाके सभी अनुयायियोंको पकड़कर मरवा डाला। इसी समयसे बाबरके पिता और मामाका संघर्ष शुरू हुआ, जिसमें मिर्जाकी शक्ति बहुत क्षीण हो गई, और अंतमें वह बिल्कुल हार गया। इसपर अहमद मिर्जा डेढ़ लाख सेना लेकर आया। अहमद मिर्जाके साथ कजाक अबुल्खैरका पौत्र और शाहबुदागका पुत्र शाहीबेग (मुहम्मद शैबानी) भी अपने तीन हजार आदमियोंको लेकर गया था। हम पहले बतला चुके हैं, कि कैसे युद्धके समय शाहीबेग अपने तीन हजार आदमियों के साथ युद्धक्षेत्रसे निकल गया, और मिर्जाकी परताल (रसद) पर टूटकर उसे लूट लिया। इसके कारण अहमद मिर्जाकी सेना भागनेपर मजबूर हुई, लेकिन उसके सामने चिर नदी–जिसे ताशकन्दवाले पराक कहते हैं—थी, जिसमें बहुतसे सिपाही डूबकर मर गये और अहमद मिर्जा किसी तरह जान बचाकर समरकन्द पहुंचा। इतिहासकार हैदरका पिता मुहम्मदहुसेन गूरगानसे महमूद खानका बड़ा प्रेम था। वह सदा एक ही डेरे या कमरेमें रहते थे। उनके घर बगल-बगलमें होते। वह अपने निजी घरेलू बातों को भी एक दूसरेसे निःसंकोच कहते थे। महमूद खानने अपनी बहिन यूनस-पुत्री खूबनिगारसे महमूद हुसेनकी शादी कर दी थी। जब अहमद मिर्जा, उमरशेख मिर्जा और महमूद मिर्जा मर गये, तो उरातेपा भी महमूद खानके हाथमें चला गया, जिसे उसने अपने मित्र और बहनोई मुहम्मद हुसेनको दे दिया।

शाहीबेगने धोखा देकर ताशकन्द विजय करनेमें महमूद खानकी सहायता की थी। अब वह खानका सेवक था। उसकी सहायताके बदलेमें खानने तुर्किस्तान-शहरका इलाका उसे दे दिया, जिसे गिराई खान और जानीबेग दोनों भाई अपना समझते थे। इसके कारण खानसे उनका बिगाड़ हो गया। उन्होंने कहा—हमारे दुश्मन शाहीबेगको क्यों तुर्किस्तान दिया? इसके बाद उज्बेक-कजाकों और महमूद खानमें लड़ाईकी नौबत आगई। दो बड़ी-बड़ी लड़ाइयां हुईं, और दोनोंमें महमूद खानकी हार हुई। महमूद खानका बर्ताव अच्छा न देख यूनस खानके समयके कितने ही सेनापति उसे छोड़ गये। खानने पांच अमीरोंको मरवाकर एक नीच कुलके आदमीको अपना सेनापति बनाया।

८९९ हि० (१२X१४९३–२IX १४९४ ई०)में बाबरके पिता उमरशेख मिर्जाकी मौत घरके नीचे दबकर हुई। अमीरोंने उसके पुत्र जहीरुद्दीन मुहम्मद बाबरको फरगानाके तख्तपर बैठाया। अन्दिजानपर कहीं मुगल हाथ न फेर दें, इसलिये अहमद मिर्जा अपनी सेनाके साथ आया, लेकिन मर्गिलानमें पहुंचकर बीमार हो जानेसे उसे पीछे लौटना पड़ा, और उमरशेखकी मृत्युके चालीस दिन बाद वह भी चल बसा। सुल्तान महमूद मिर्जाने अब हिसार (ताजिकिस्तान)से आकर समरकन्दकी गद्दी संभाली। छ महीने बाद वह भी मर गया, फिर उसका पुत्र मिर्जा बैसुंकर गद्दीपर बैठा। महमूद खानने इस स्थितिसे उत्साहित हो समरकन्दकी ओर हाथ बढ़ाया, लेकिन हैदरके अनुसार नीच-कुलीन

*जन्म ८६८ हि० (१५ XI १४६३—५ VIII १४६४ ई०)

सेनापतियोंके कारण कामयायीकी लड़ाईमें खानको हार खोनी पड़ी। ताशकन्द लौटनेपर अमीरोंने उसे समरकन्द और बुखारा लेनेमें शाहीबेग खानकी सहायता करनेकी सलाह दी, जिसमें वह आरामसे ताशकन्दमें रहें। खानको उनकी राय पसंद आई। इतिहासकार हैदरके पिता मुहम्मद हुसेनने बहुत रोका, लेकिन शाहीबेगको सहायता दी जाती रही। शाहीबेगके पास पचास हजार सेना हो गई, जिससे उसने समरकन्द और बुखारापर पूरी तौरसे अधिकार कर लिया। उसकी सफलता और लूटके लोभसे चारों ओरसे उज्बेक उसके झंडेके नीचे आ गये थे।

पिताके ताशकन्दमें रहनेपर यूनसका दूसरा पुत्र सुल्तान अहमद [जन्म ८७० हि० (२४ VIII १४६५–१५ VII १४६६ ई०] मुगोलिस्तानमें अपने मुगलों और पशुओंकी चरवाही करता था। पहले दस सालके संघर्षमें उसने इरलातके अमीरोंको दबाया। अहमद अपने भाई महमूदकी तरह ही संस्कृत नहीं था। बाबरके अनुसार वह सचमुच ही रेगिस्तानका पुत्र था—शरीरसे हट्टा-कट्टा और बड़ी हिम्मतवाला। वह मंगोलों जैसी वेष-भूषा रखता था। अहमदने दो लड़ाइयोंमें कल्मक-थैची एसेनकी सेनाको हराया, जिससे कल्मकोंपर इसका बहुत रोब था। वह इसे अलाची (बहादुर) कहते थे। अहमदने कजाकोंको भी तीन बार हराया। सिर्फ काशगर और यारकन्दमें वह अपने मनसूबेमें सफल नहीं रहा। मुहम्मद शैबानी (शाहीबेग) ने जब अपने पहिले संरक्षक महमूद खानपर हाथ साफ करना चाहा, तो खानने अपने भाई अहमदको बुला भेजा। भाईका कहना मानकर इसने अपने पुत्र मन्सूरको मुगोलिस्तानमें रक्खा, और दूसरे दो पुत्रोंसहित ताशकन्द आया। १५०३ ई० में मुहम्मद शैबानीने अकसीकी लड़ाईमें दोनों भाइयोंको हराया। अहमद अकेले मुगोलिस्तान भागा। शैबानीने महमूदसे ताशकन्द और सैराम छीन लिया। फिर दोनों भाइयोंने अक्सू (पूर्वी तुर्किस्तान) में इकट्ठा जाड़ा बिताया, जहां ही अहमद लकवाकी बीमारीसे मर गया। महमूदने अक्सू और पूर्वी मुगोलिस्तानको ले लिया। अक्सूमें अपने भाई खलील सुल्तानसे हारकर वह सप्तनदके किर्गिजोंके पास पहुंचा। शाहीबेगने महमूद खानपर विजय प्राप्त की, उसी समय अकसीमें दोनों खान-भाई बंदी बने, और मुक्त कर देनेपर अहमद खान ९०९ हि० (२६ VI १५०३–१६ V १५०४ ई०) लकवासे मर गया।

महमूद खानकी हालत अंतमें बहुत बुरी हो गई। वह शाहीबेगके दरबारमें दयाकी भिक्षा मांगनेके लिये मजबूर हुआ। शाहीबेग (शैबानी) ने जवाब दिया—"एक बार मैंने तुमपर दया दिखला दी, अब दूसरी बार दया दिखलानेपर मेरी हकूमत खतरेमें पड़ जायेगी।" उसने जरा भी दया न कर महमूद खान तथा उसके छोटे-बड़े सभी बच्चोंको खोजन्द नदीके किनारे ९१४ हि० (२ V १५०८–२३ III १५०९ ई०) में मरवा डाला। अबतक अन्तर्वेद शैबानियोंका हो चुका था, यह हमें मालूम है।

१४. मन्सूर, महमूद-पुत्र (१५०८ ई०)

इसी समय किर्गिजोंका नाम पहलेपहल मुगोलिस्तानमें सुनाई पड़ता है। शायद किर्गिज १०वीं शताब्दीमें ही यहां पहुंच गये थे। हैदर किर्गिजोंको मंगोलोंसे विभिन्न नहीं समझता। मंगोलिस्तानी मंगोलों और किर्गिजोंके झगड़ेका कारण वह उनका मुसलमान और काफिर होना बतलाता है। खलीलसे जल्दी ही उसका भाई सईद (जन्म १४९० ई०) आ मिला, जो कि अबतक बापके साथ अन्तर्वेदमें उज्बेकोंका बंदी था। सईदकी उमर उस समय तेरह-चौदह सालकी थी। दोनों भाई चार सालतक एक साथ रहे। इसी बीचमें चचासे झगड़ा हो उठा, और मन्सूर उनसे लड़ने मुगोलिस्तान गया। यही समय था, जब कि १५०८ ई०में शैबानीके हुक्मसे महमूद खान और उसके बेटोंको खोजन्द नदी (सिर-दरिया) के तटपर कत्ल किया गया। इसके पश्चात् चारुनचलाक या चारिन (आधुनिकल अल्माअताके पास) में मन्सूरने अपने भाइयोंको परास्त किया। खलील भागकर फरगाना चला गया, जहां उज्बेक शासक जानीबेगने उसे कत्ल करवा दिया। सईद कुछ महीनों नरिनके जंगलोंमें छिपा रहा, फिर उज्बेकोंके हाथमें पड़कर फरगानामें बंद रहा, जहांसे भागकर काबुलमें जा १५०८ ई०के अन्ततक बाबरका मेहमान रहा।

पिताके मरनेपर अक्सूके खान चचा महमूद खानके साथ मन्सूरका झगड़ा था। मन्सूरने काशगरसे मुगोलिस्तान लेनेके लिये महमूद खानके खिलाफ जाकर अक्सूमें डेरा डाला। वहां मीर जब्बारबर्दीसे मन्सूरका झगड़ा हो गया। जब्बारने काशगरके हाकिम अबूबकरको बुला भेजा। मन्सूरको अक्सू छोड़-कर भागना पड़ा। उसकी स्थिति बहुत बुरी हो गई। इसपर उसने अपने मामा जब्बारबर्दीसे शपथ-

पूर्वक क्षमा मांगी। जब्बारने मन्सूरके साथ बड़ी उदारता दिखलाई, जिससे उसकी स्थिति अपने बाप सुल्तान अहमद खानसे भी बेहतर हो गई। इसी समय उसे खबर मिली, कि मुगोलिस्तान (सप्तनद) में सुल्तान महमूद, सुल्तान सईद और सुल्तान खलीलमें झगड़ा हो गया है। मन्सूरने मुगोलिस्तान पहुंच अपने चचा महमूदसे भेंट की। वहीं उसकी अपने छोटे भाइयों—सईदखां और खलील सुल्तान—से भी मुलाकात हुई। उसके बाद ही महमूदखान अन्तर्वेदकी ओर लौटा, जहां मुहम्मद शैबानीसे हारकर उसे अपने प्राणोंसे हाथ धोना पड़ा। अब मन्सूरने अपने भाइयोंपर आक्रमण किया, जो कि मुगोलिस्तानमें मुगलों और किर्गिजोंके साथ रहते थे। चारुनचलाकमें लड़ाई हुई, जिसमें हारकर मन्सूरके दोनों भाई विलायत (अन्तर्वेद) भाग गये। वहांके वलीने सुल्तान खलीलको मरवा डाला, और सुल्तान सईद भागकर काबुलमें बाबरके पास पहुंचा। मन्सूर मुगोलिस्तानमें हाथमें लगे किर्गिजों और मुगलोंको अपने साथ चालिश (कराशर) और तुर्फान ले गया। पीछे उसने कल्मकोंपर सफल आक्रमण किया।

इसी बीच काबुलसे लौटकर सुल्तान सईदने काशगरको जीत लिया। मन्सूरको भारी भय लगने लगा। लेकिन शायद सईदको अन्तर्वेदमें शैबानियोंकी शक्तिको देखकर कुछ अकल आई। उसने समझौता करनेके लिये ९२२ हि० (५ II–२६ XII १५१६ ई०) में अक्सू और कुसानके बीचमें मन्सूरसे भेंट की, और खानकी अधीनता घोषित करते हुये उसके नामसे खुतबा पढ़े जानेका हुक्म दिया। इसके बाद बीस सालतक देशमें शांति रही। चीनमें कामिल (हामी) से लेकर अन्दिजान तक बिना रोक-टोक आदमी यात्रा कर सकते थे, रास्तेमें कोई कर नहीं लिया जाता था। यात्री हरेक रातको किसी घरमें मेहमान रह सकता था। यह बतलाते हुये इतिहासकार हैदर लिखता है—"अल्लाह दोनों धर्मात्मा भाइयोंको स्वर्गोद्यान प्रदान करे।" मन्सूरके हाथमें पूर्वी तुर्किस्तानका पूर्वी भाग था, जिसकी सीमा चीनसे लगती थी। वह अपनेको इस्लामका गाजी साबित करना चाहता था। इसमें मुख्य कारण लूट-मारका प्रलोभन था, जिसके लिये मिङ सम्राट् शी-चुङ (१५२१-६६ ई०) की सेनाओंसे बराबर उसका धर्मयुद्ध होता रहा। मन्सूरने अरिग (मुगोलिस्तान) में उज्बेक-कजाकोंके साथ जमकर लड़ाई की, जिसमें उसकी हार हुई।

काशगरी अबूबकरकी सेना अमीर वेलीकी अधीनतामें सप्तनद गई, जहां उसे कुछ सफलता हुई। आखिरमें मन्सूरने अपने बड़े पुत्र शाह खानको खान बनाया और स्वयं अल्लाकी भक्तिमें लग गया। हैदरके समय ९५१ हि० (१५४५ ई०) में शाहखान तुरफान और चालिशपर शासन कर रहा था। इसी समय बाबरका बेटा हुमायूं हिन्दुस्तानसे भागकर मारा-मारा फिर रहा था। शाहखानका चाल-चलन हैदरको पसंद नहीं था। उसने लिखा है—"इतिहासकारका धर्म है, कि ठीक या बेठीक जो भी उसे मालूम हो, उसका उल्लेख करे।"

यद्यपि सईदने १५०८ ई० में ही पूर्वी तुर्किस्तानके पश्चिमी हिस्सेका शासन संभाल लिया था, लेकिन उसने बहुत सालों तक मन्सूरको अपना प्रभु माना था। इतिहासकार हैदर सईदका सम-कालीन था। उसने "तारीखे-रशीदी" में इसके बारेमें बहुतसी बातें लिखी हैं। रशीद खान, जिसके नामसे हैदरने अपने इतिहासको लिखा हैं, सईद खानका ही पुत्र था। सईद अहमद खानके आठ पुत्रोंमेंसे एक था। अपने भाई महमूद खानकी सहायताके लिये जिस वक्त अहमद खान जा रहा था, उस वक्त चौदह सालका सईद भी अपने बापके साथ था। अकसीकी लड़ाईमें एक तीरके लगनेसे उसकी जांघकी हड्डी टूट गई, और वह घायल हो अकसीके वली शेख बायजीदके जेलमें बन्द रहा। दूसरे साल शाहीबेग (मुहम्मद शैबानी) ने शेख बायजीद, सुल्तान अहमद तम्बालको उसके सारे भाइयोंके साथ मारकर फरगानाको ले लिया। शाहीबेग सईदको पुत्रवत् मान अपने साथ समर-कन्द ले गया। जिस वक्त शाहीबेग (मुहम्मद शैबानी) ख्वारेज्मपर आक्रमण करने गया था, उसी समय सईद निकल भागा और यतीकन्दमें अपने चचा महमूद खानके यहां जाकर कुछ दिन रहा। फिर वहांसे अपने भाई खलील सुल्तानके पास गया, जो कि उस समय किर्गिजोंके ऊपर राज्यपाल था। चार सालतक वह अपने भाईके साथ वहां रहा। जब महमूद खान विलायत (अन्तर्वेद) गया, तब भी दोनों भाई किर्गिजोंमें ही रहे। मन्सूर तुर्फान और चालिशसे सेना लेकर किर्गिजोंके ऊपर चढ़ा, तो दोनों भाई अपने अनुयायियों (मुगलों-किर्गिजों) के साथ मिलकर उससे चारुनचलाकमें लड़े,

और हार खा भागकर अकसी गये, जहां शाहीबेग (मुहम्मद शैबानी) के चचेरे भाई जानीबेगने सुल्तान खलीलको मरवा दिया। सुल्तान सईद कुछ समयतक अब लूट-मारका जीवन बिताता रहा, फिर मुगोलिस्तान छोड़नेपर मजबूर हो अन्दिजान होते बाबर बादशाहके पास काबुल पहुंचा। बाबरने उसे बड़े आदर और प्रेमसे रक्खा—छिङ्-गिस् खानकी औलाद और मुगोलिस्तानके खानका बेटा था, इसलिये मुगलोंके नामपर बावला बाबर क्यों न उसका सत्कार करता? सईद काबुलमें तीन सालतक बाबरका मेहमान रहा। जब शाह इस्माईल (ईरान) ने मेर्वमें शाहीबेग (मुहम्मद शैबानी) को मार डाला, तो बाबर काबुलसे कुंदुज पहुंचा। सईद भी इस वक्त बाबरके साथ था। इसी समय इतिहासकार हैदरके पिता सैयद मुहम्मद मिर्जाने शैबानी जानीबेग सुल्तानको अन्दिजानसे भगाकर उसपर अधिकार कर लिया था। बाबर बादशाहको इसकी खबर लगी, तो उसने सईद और कुछ मुगल अमीरोंको अन्दिजान भेजा। सैयद मुहम्मद मिर्जाने जीते देशको उनके हाथमें दे दिया। सईदने खान मुहम्मद मिर्जाको "उलुस-बेगी" (कबीलोंका सरदार) की उपाधि प्रदान की। लेकिन काशगरी मिर्जा अबूबकर भी अन्दिजानपर आंख गड़ाये था। दोनोंमें लड़ाई हुई। हैदरके अनुसार सईदने अपनी पन्द्रह सौ सेनासे अबूबकरकी बीस हजार सेनाको हरा दिया।

इस समय सप्तनदके उत्तरी भागमें कजाकोंके खान कासिम [मृत्यु ९२४ हि० (१३I–४XII १५१८ ई०)] का राज्य था, जो जाड़ोंमें करातालमें रहता था। कासिमने १५१० ई० के करीब मुहम्मद शैबानीको हराया, और १५१२ ई०में तलस और सैरामपर अधिकार कर ताशकन्दके किलेको नष्ट कर दिया। हैदरके अनुसार उसके कजाकोंकी संख्या दस लाख थी, लेकिन बाबरके अनुसार तीन लाख। १५१३ ई० के वसन्तमें चू नदीके तटपर सईदने कासिम खानसे मुलाकात की। कासिमकी उमर उस समय तिरसठ सालकी थी। उसने सईदकी बड़ी खातिर की। सईद इस वक्त बाबरकी सेवामें था।

बाबरकी इन सफलताओंको शैबानी उज्बेक देख नहीं सकते थे। उन्होंने ताशकन्द और समरकन्दके सीमान्तपर भारी सेना जमा की। बाबरने इसी समय (जून या जुलाई १५११ ई०) उन्हें हराकर थोड़े दिनोंके लिये समरकन्दके सिंहासनपर बैठनेमें सफलता पाई थी, लेकिन उसी सालके वसन्तके आरम्भमें उबैदुल्ला खानने बाबरको हराकर उसे परिवारसहित हिसारकी ओर भगा दिया। अन्तर्वेद उज्बेकोंका हो गया, तो भी अन्दिजानपर सईद खानका अधिकार बना रहा। शाह इस्माईलकी कुमकसे साठ हजार सेना लेकर जब बाबरने समरकन्दपर चढ़ाई की, उस समय सईद खान भी अन्दिजानसे उसकी मददके लिये आया था। ताशकन्दके पास शैबानी सूयुनजी (ख्वाजा) खानने सईदको हराकर अन्दिजानसे भागनेके लिये मजबूर किया। इसी समय इतिहासकार हैदर बाबरसे छुट्टी ले सईद खानकी सेवामें चला गया, और वसन्तमें दश्तेकिपचक (किर्गिज-कजाक) के खान कासिमसे मिला, जिसके पास बाबरके अनुसार तीन लाख सेना थी।

९२० हि० (२६ II १५१४—१७ I १५१५ ई०) में उज्बेकोंकी भारी सेनाने अन्दिजानपर आक्रमण किया। खानने भागकर काशगरियापर चढ़ाई की, मिर्जा अबूबकर काशगरमें किलेबन्द हो गया। यंगी-हिसारपर तीन मास घेरा डाल सईदने उसपर अधिकार कर लिया। मिर्जा अबूबकर दक्षिणकी ओर भागा। उसका पीछा करते सईद खानकी सेना तिब्बत (लदाख) के पहाड़ोंके भीतरतक गई। इस प्रकार मई-जून १५१३ ई० (९२० हि०) में सईद खान काशगर-प्रदेशका स्वामी था, और ९२२ हि० (१५१६ ई०) में, जैसा कि पहिले कहा, उसने बड़ी दूरदर्शिता दिखलाते हुये मन्सूर खानको अपना प्रभु मान लिया।

शैबानियोंसे अन्तर्वेद छीननेका मनसूबा सईदने बाबरसे उधार लिया था, इसीलिये उनसे उसने छेड़खानी जारी रक्खी। सप्तनदसे तोर्गुत डांड़ेसे होकर काशगरियामें सैंतालीस सौ सेनाके साथ घुसकर अबूबकरको भगानेमें उसने पूरी तौरसे सफलता प्राप्त की। काशगर और यारकन्दको लेकर वहां पूरी तौरसे शांति-स्थापन कर १५१६ ई० में उसने अक्सू और कुचेईके बीच अरबात स्थानमें मन्सूरसे भेंट की। जैसा कि पहिले कहा, दोनोंमें पूर्ण मैत्री स्थापित हुई, सईदने मन्सूरको अधिराज माना, लेकिन शासित प्रदेशोंका बंटवारा तो करना ही था। मन्सूरको तुर्फान, करादार और पूर्वी तुर्किस्तानका सारा ऊपरी भाग मिला, दूसरे भाई एमिल खोजाको

तुर्फान और अक्सू, तीसरे भाई बाबा सुल्तानको बाई और कूची मिले। काशगर और दक्षिणी सप्तनद सईदके हाथमें रहे। हामी (चीन)से अन्दिजान (फरगाना) तकका वणिक्पथ मुक्त हो गया। अबूबकरसे लड़ते वक्त किर्गिज मुहम्मदने सईदकी बड़ी सहायता की थी, इसलिये उसे किर्गिजोंका सरदार बना दिया गया। १५१६ ई० के वसन्तमें फरगानामें उज्बेकों से लड़नेकी तैयारी करनेके लिये सईद मुगोलिस्तान गया। उसने चातिर-कुलके तटपर अपने भाई बाबा अचकसे भेंट की। अरपा-उपत्यकामें मन्सूरको छोड़कर सारे भाई मिले, उन्होंने साथ ही शिकार खेला और जाड़ा बिताया। इसमें सईद अभियानकी बात भूल गया। इसी समय उसके अमीर मुहम्मदकी अधीनतामें किर्गिजोंने जाकर तुर्किस्तान-शहर, ताशकन्द और सैराममें लूटमार की, और शैबानी खानके सौतेले भाई तुर्किस्तान-शासक अब्दुल्लाको बन्दी बनाया। लेकिन मुहम्मदने उसे बहुत-सी भेंट देकर छोड़ दिया, जिसके कारण उसका सईदसे मन-मुटाव हो गया। १५१७ ई० के वसन्तमें सईद अपनी सेना ले काशगरसे चला। एमिल खोजा भी अक्सूसे सारिग-अत्-आखुरी डांड़ेसे होते आगे बढ़ा। दोनों सेनायें काफिर-यारिगमें मिल गईं, जहांसे सईद बेसकाउन-द्रोणी और एमिल खोजा चू-द्रोणीसे आगे बढ़ा। किर्गिज मुहम्मद बेसकाउनके मुहानेके पास डेरा डाले पड़ा था। दोनों भाइयोंके आनेकी खबर पाकर वह तुर्किस्तानकी ओर भागा, और उसके घोड़े, भेड़ें तथा सारी चीजें शत्रुओंने ले लीं। सईदने किर्गिजों को बन्दी नहीं बनाया। वहांसे वह हिसार लौट गया।

१५१७ ई०में मुहम्मद किर्गिजने तुर्किस्तान और फरगानापर आक्रमण करके मुसलमानोंको लूटा, जिसके लिये सईदने चढ़ाई करके मुहम्मद किर्गिजको पकड़कर जेलमें डाल दिया, जहां वह पन्द्रह सालतक पड़ा रहा। इसी साल सईद अपने पुत्र रशीदको लेकर मुगोलिस्तानमें गया। उसने किर्गिजोंको दबाकर सारे मुगोलिस्तनपर अधिकार कर लिया। पीछे मंगितोंकी शक्तिके कारण उज्बेक-कजाक दश्तेकिपचकमें रहनेकी हिम्मत नहीं कर सकते थे, इसलिये वह दो लाखकी संख्यामें मुगोलिस्तान में चले आये। उनके साथ लड़ना असंभव समझकर रशीद सुल्तान—जिसे बापने मुगोलिस्तानमें छोड़ रक्खा था—अपने आदमियोंको ले काशगर भाग गया। १५१९ ई० (९२५ हि०) और १५२९-३० ई० (९३६ हि०)में दो बार सईदने बदख्शांपर चढ़ाई कर उसका आधा हिस्सा ले लिया।

१५२२ ई० में मुसलमानोंपर आक्रमण करनेका कारण बतलाकर सईदने अपने बेटे रशीद के सेनापतित्वमें फिर किर्गिजोंपर आक्रमण करनेके लिये सेना भेजते समय जेलसे छोड़कर मुहम्मद किर्गिजको भी उसके साथ कर दिया था। रशीदने कोचकरकी उपत्यकामें डेरा डाला। अधिकांश किर्गिजोंने मुहम्मदकी अधीनता स्वीकार की, लेकिन उनमेंसे कुछ भाग गये। उस जाड़ेमें रशीद खान कोचकर हीमें रहा। इसके बाद वह हर साल कुछ समय कोचकर-उपत्यकामें बिताता था। १५२४ ई०में जब खान कोचकरमें था, उसी समय उसके पास उत्तरी सप्तनदके कजाकोंके खान कासिम-पुत्र ताहिरका आदमी आया। वह मुगोलिस्तानियोंके साथ मिलकर उज्बेकों और नोगाइयों (मंगितों) से लड़ना चाहता था। उसने अपनी बहिन भी रशीद खानको प्रदान की। इसके बाद अधिकांश किर्गिज ताहिरके अधीन हो गये। १५२५ ई० में खान इस्सिक्कुलके तटपर था, जब कि मुगोलिस्तानके सीमान्तपर कल्मकोंके चढ़ आनेकी खबर मिली। इससे पहले १५२२-२४ ई० में रशीद कल्मकोंके ऊपर सफल अभियान कर चुका था, जिससे उसे गाजीकी उपाधि मिली थी। अपने परिवारको इस्सिक्कुलके किसी द्वीपमें छोड़कर रशीद कल्मकोंके विरुद्ध चलकर दस दिनमें कबीकलर (कबिलककला) पहुंचा। इसी समय ताशकन्दके शैवानी खान सू-युन-चुकके मरनेकी खबर मिली। उज्बेकोंके साथ लड़नेका यह अच्छा मौका था, इसलिये वह जल्दीसे लौटकर इस्सिक्कुल पहुंचा, और वहांसे कोनुर-उलेनके रास्ते फरगाना गया; लेकिन उसे जल्दी ही असफल हो उतुलुक (मुगोलिस्तान) लौटना पड़ा, जहांसे जल्दी ही काशगर गया।

अगले जाड़ोंमें ताहिरका डेरा कोचकरके पास था। आधे किर्गिज उसकी ओर थे। रशीद अतवासमें पड़ा था। १५२६ ई० के आरम्भमें रशीदने किर्गिजोंके साथ मेल किया, इसपर कितने ही कजाक सारे काश और कुनगेजतक सप्तनदसे हट गये। किर्गिजोंके डेरे कोचकर और जुगमलेके पास

पड़े हुये थे। ताहिरसे बातचीत करनके लिये उसकी सौतेली मां (यूनस की पुत्री) को भेजा, जो कि काशगरमें सईदके पास रहती थी। सईद लौटकर अकसाई पहुंचा था, जब कि कजाकों और किर्गिजों के बीच समझौतेकी बातका उसे पता लगा। दोनों घुमन्तू जातियोंके मिल जानेका खतरा सईदको साफ मालूम होने लगा, इसलिये वह वहांसे बाबाचककी कूचीसेनाको भी ले अककुयाश होते अरिक्ष-लारके रास्ते चला। उसने सप्तनदसे किर्गिजोंको भगाकर उनकी एक लाख भेड़ें पकड़ लीं, जिससे उस स्थानका नाम कोई-चरीकी (भेड़ोंवाला) पड़ा।

१५२७ ई०के वसन्तके आरम्भमें ताहिर अतवासपर चढ़ आया, और वहांसे उसने किर्गिजोंके साथ मिलकर मुगलोंको मार भगाया। मुगलोंके हट जानेपर अब सप्तनद कजाकों और किर्गिजोंके हाथमें चला गया, लेकिन दोनों जातियोंकी मित्रता अधिक दिनोंतक नहीं निभी। १५२६ ई० में ताहिरने अपने भाई अब्दुल कासिमको मार डाला, जिसपर कजाकोंने उसका साथ छोड़ दिया। १५२९ ई० में अभी ताहिरके पास बीस या तीस हजार कजाक थे। हैदरके अनुसार ताहिर अन्तमें बड़ी बुरी अवस्थामें मरा। उसके बाद उसका उत्तराधिकारी उसका भाई बुईदश हुआ।

(**तिब्बतपर जहाद**)—हैदर कलमका ही नहीं तलवारका भी धनी था। 'गाजी' बनने की उसकी बड़ी इच्छा थी, जिसके लिये उसने तिब्बतके भीतरतक आक्रमण किया। अपने इतिहासमें वह लिखता है: ९३४ हि० (२७ IV १५२७–१७८ VIII १५२८ ई०)में सईद खानने मुझे अपने बेटे रशीद सुल्तानके साथ बालूर (बदख्शां और कश्मीरके बीचमें काफिरोंके देश काफिरिस्तान) पर आक्रमण करनेके लिये भेजा। यहां हमने सफलतापूर्वक 'धर्मयुद्ध' किया, और विजयी हो बहुत भारी लूटके मालके साथ लौटे।....९३८ हि० (१५ VIII १५३१—५ VII १५३२ ई०) के अन्तमें खान सईदने तिब्बतके काफिरिस्तान (लदाख) के साथ 'धर्मयुद्ध' किया, और मुझे पहले ही सेना देकर भेजा। मैंने बहुतसे किलोंको लेकर तिब्बत (लदाख) देशके अधिक भागको अपने अधिकारमें कर लिया था, जब कि खान हमारे पास पहुंचा। दोनोंकी सेनामें पांच हजार आदमी थे। यह संख्या इतनी अधिक थी, जिसे सारा तिब्बत मिलकर जाड़ोंमें खिला-पिला नहीं सकता था। खानने चार हजार सेना और इस्कन्दर सुल्तानके साथ मुझे कश्मीर भेजा, और खुद बल्ती-बालूर और तिब्बत (लदाख)के बीचमें जाड़ा बिताया। (हैदरका यह बालूर गिलगितका इलाका है, और तिब्बतसे उसका मतलब लदाखसे है)। खान बल्तीमें 'धर्मयुद्ध' में लगा रहा, फिर वसन्तमें वह तिब्बत (लदाख) लौटा। हैदरने कश्मीरमें पहुंचकर वहांकी सेनाको हराया। कश्मीरके राजा मुहम्मदशाहने अपनी लड़की इस्कन्दर सुल्तानको ब्याह दी, और सईद खानके नामसे खुतबा और सिक्का चलाना मंजूर किया। कश्मीरसे लूटकी भारी सम्पत्ति ले हैदर वसन्तमें तिब्बत (लदाख) में खानके पास पहुंचा।"

अबकी खानने हैदरको उर-सांग (वू-चाङ) की ओर भेजा, अर्थात् हैदर अब मुख्य तिब्बत-की ओर चला। खान उसे इस तरफ रवाना करके काशगर लौट गया। हैदर तिब्बतकी ओर बढ़ते हुए ऐसी जगहपर पहुंचा, जहांपर सांस रुकनेका रोग होता है (अर्थात् अधिक ऊंचाईके कारण हवाके क्षीण होनेसे सांस अधिक फूलने लगती है)। शायद वह लदाखसे यारकन्दकी ओर जानेवाले बड़े डांड़ोंपर जा रहा था। इसी समय ९३९ हि० (३ VIII १५३२–२४ VI १५३३ ई०) में ४५ सालकी उमरमें सईद खान मर गया और हैदरके अनुसार इस इस्लामके 'गाजी'को अल्ला-मियांने स्वर्गमें पहुंचाया। हैदरके अनुसार सईदने अपने अभियानोंसे राज्यकी सम्पत्ति बहुत बढ़ाई। मुगल, उज्बेक और चगताई तीनों उलुसोंमें उसके समान वाण चलानेवाला कोई नहीं था। वह एकके बाद एक सात-आठ तीर छोड़ सकता था और सभी लक्ष्यपर जाकर लगते थे। वह बड़े ही सुन्दर नस्तालीक अक्षर लिखता था। उसकी तुर्की और फारसी लिखावटोंमें कोई गलती निकाल नहीं सकता था। वह तुर्कीमें गद्य-पद्य दोनों लिखता था। हैदरने सिर्फ एक बार उसे फारसीमें कविता करते देखा था। वह सेहतारा और चारतारा अच्छी तरह बजा सकता था—चारतारापर उसका हाथ ज्यादा खुला हुआ था। वह वाण बनानेमें बड़ा चतुर था, और हड्डीकी दस्तकारीका भी अच्छा ज्ञान रखता था। वह बड़ा उदार था।

१६. रशीद, अब्दुर् रशीद, सईद-पुत्र (१५३३—५६ ई०)

सईद जब अन्दिजानमें बन्दीखानेमें पड़ा था, उस समय रशीद मांके गर्भमें सात मासका था। वह ९१५ हि० (२१ IV १५०९—१२ III १५१० ई०) में पैदा हुआ। बाबरके अनुसार उसका पूरा नाम अब्दुर्रशीद था। जिस समय खलील सुल्तानको शैबानी जानीबेगने अकसीमें मरवाया, उस समय खलील-पुत्र बाबा सुल्तान दूधपीता बच्चा था। सईद बाबाको अपने पुत्रसे भी ज्यादा मानता था, और ख्वाजा अलीबहादुरको उसने उसका अतावेग (अध्यापक-संरक्षक) बना दिया था। ख्वाजाका मुगोलिस्तानसे बहुत प्रेम था। उसने सईद खानसे प्रार्थना की, कि मुगोलिस्तान और किर्गिज प्रदेशको बाबा सुल्तानको दे दो, मैं स्वयं बाबाको अपने साथ ले वहांका सारा प्रबन्ध ठीक-ठाक करूंगा। खान राजी हो गया। बाबा सुल्तानके ससुरने मना किया—"अगर बाबा सुल्तानने एक बार उस देशपर अपना अधिकार स्थापित कर लिया, तो यहांसे सभी मुगल मुगोलिस्तान चले जायेंगे, और खानको हानि पहुंचेगी, इसलिये यही अच्छा है, कि बाबाकी जगह रशीदको मुगोलिस्तान भेजा जाय।" इतिहासकार हैदरका चचा बाबाका ससुर था, लेकिन वह रशीदका ज्यादा पक्षपाती था। सईद खानने अपने अधिकृत इलाकोंका एक-तिहाई रशीद सुल्तानको देकर मुगोलिस्तान भेज दिया। ९४४ हि० (१० VI १५३७—१ V १५३८ ई०)में सुल्तानके मुगोलिस्तान पहुंचनेपर मुहम्मद किर्गिजने सभी किर्गिजोंके साथ आकर सारे मुगोलिस्तानको अधीनता न स्वीकार करनेके लिये मजबूर किया। उज्बेकोंने भी विरोध किया। उज्बेकों और किर्गिजोंके विरोधके मारे रशीदको काशगर लौटनेके लिये मजबूर होना पड़ा। अपने सम्मिलिति शत्रुओंके साथ लड़नेमें हानि देखकर रशीदको पीछे उज्बकोंके साथ समझौता करना पड़ा।

बाप (सईद खान)के मरनके बाद रशीद मुगोलिस्तानका खान बना। सबसे पहले जो काम उसने किया, वह था अपने पिताके खैरखाहोंका वध। २ अगस्त १५३३ (१० मुहर्रम ९४० हि०) को रशीद सुल्तानके आनेपर हैदरका चचा पिताकी मृत्युपर अफसोस प्रकट करने गया। आते ही रशीदने उसे तथा उसके मित्र अली सैयद दोनोंको मरवा दिया, और हैदरके चचाकी जगहपर मिर्जा अली तगाईको नियुक्त कर यह हुक्म दे काशगर भेज दिया, कि हैदरके चचाके बच्चों और संबंधियोंको बिना कोई दया-माया दिखलाये बड़ी क्रूरतासे मारनेमें कोई कसर उठा न रखना। यह खबर सुनकर पूर्वसे मन्सूर खान भी रशीदके ऊपर चढ़ दौड़ा, लेकिन उसे खाली हाथ लौटना पड़ा। मन्सूरने रशीदको दबानेके लिये और भी प्रयत्न किये, पर उसे सफलता नहीं मिली। रशीदके अत्याचारोंसे भयभीत हो उसके अमीरोंने विद्रोह किया, किन्तु रशीदने उनका दमन कर दिया। उसने अपनी सौतेली माताओं, बुवाओं और बहिनोंको भी निर्वासित कर दिया, जिनमें उसके बापकी चहेती बीबी जैनब सुल्तान खानम् भी थी। इधर जब उसने अपनोंसे इतना झगड़ा कर रखा था, उसी समय उत्तरमें उज्बेक-क़जाक भी उसके दुश्मन थे, फिर अन्तर्वेदके उज्बेक-शैबानियोंसे मेल करनेके सिवा रशीदके लिये और कोई चारा नहीं था।

८७७ हि० (८ VI १४७२—२९ IV १४७३ ई०)में यूनस खानने करातुकाईमें उज्बेक-कजाकोंको हराया था। लेकिन उसके बाद मुगल उनसे बराबर हार रहे थे, केवल रशीद खानने एक बार उनको हाराया। इस समय अन्तर्वेदके मंगोलवंशियोंको चगताई कहा जाता था, और मुगोलिस्तानके चंगेजवंशियोंको मोगल, लेकिन चगताई मोगलोंके प्रति घृणा प्रदर्शित करते हुए उन्हें जांता (सीमांती) कहते थे, और मोगल चगताइयोंको करावाना। १६वीं सदीके मध्यमें लिखते हुए हैदरने कहा है—"वर्तमान कालमें बादशाहोंको छोड़कर कोई चगताई नहीं रह गया है। और ये बादशाह हैं बाबर बादशाहके पुत्र। चगताइयोंका स्थान (अब) कुछ दूसरे सभ्य लोगोंने लिया है।" लेकिन रशीदका यह कहना गलत है। तेमूर-वंशज बाबर मांकी तरफसे अर्ध-मंगोलोंसे संबंध रखते भी बापकी ओरसे तुर्क था, मंगोल या मोगल हरगिज नहीं। लेकिन भारतमें नवस्थापित बाबरका वंश अपनेको मंगोल (मुगल) कहनेके लिये तुला हुआ था, जिसका दुहराना

बाबर और हुमायूं का कृपापात्र हैदर अपना फर्ज समझता था। हैदरके लिखनसे मालूम होता है, तुर्फान और काशगरके आसपासमें अब भी तीस हजार मुगल (मंगोल) रहते थे, लेकिन मुगोलिस्तानको उज्बेकों (कजाकों) तथा किर्गिजोंने ले लिया था। मंगोल (मुगल) शब्दका कितना अनिश्चित प्रयोग उस समय हो रहा था, यह इसीसे मालूम होगा, कि हैदर किर्गिजोंको भी मुगल-कबीलेमेंसे बतलाता है, जो कि "खाकानके साथ बराबर विद्रोह करते रहनेके कारण मुगलोंसे अलग हो गये।" हैदरके समय सभी मुगल मुसलमान हो चुके थे, लेकिन किर्गिज अब भी काफिर (बौद्ध) थे। "इसीलिये उनका मुगलोंसे झगड़ा रहता है।" साथ-साथ इस्लामके गाजीका यह भी कहना है—"जो मुगल मुसलमान नहीं हैं, उनका हमने अधिक नामोल्लेख नहीं किया है, क्योंकि काफिर चाहे जमशेद और जोहाबके प्रतापको भी पा जाये, तो भी उसका जीवन याद रखने लायक नहीं होता।"*

९४४ हि० (१० VI १५३७—१ V १५३८ ई०)में रशीदने उज्बेक-कजाकोंको करारी हार दी थी, जिसमें उनके खान ताहिरका भाई तुगुम और सैंतीस सुल्तान मारे गये। कजाकोंका उसने सप्तनदमें उच्छेद-सा कर दिया। अपने बापका अनुकरण करते हुये रशीदने भी अपने बेटे अब्दुल्लतीफ को सप्तनदमें बैठाया, और शैबानी-उज्बेकोंसे मित्रता जारी रक्खी। ९५१ हि० (१५४४-१५४५ ई०) में इस्सिक्कुलके तटपर ताशकन्दके खान नौरोज अहमद (बराक)से मुलाकात की। इसके कुछ समय ही बाद उज्बेक-कजाकोंने फिर सप्तनदपर अपना प्रभुत्व स्थापित कर लिया। यह याद रखना चाहिये, कि अभीतक उज्बेक शब्द कजाक और शैबानी दोनोंके लिए प्रयुक्त होता था, जो कि पीछे स्वयं केवल अन्तर्वेदके शैबानी-अस्त्राखानी-मंगीती खानोंकी तुर्क प्रजाके लिये रूढ़ हो गया, और कजाक आधुनिक कजाकिस्तानमें रहनेवाले तुर्कोंको कहा जाने लगा। किर्गिज भी उस समयतक किर्गिज-कजाक कहे जाते थे, जो अन्तमें किर्गिजके नामसे मशहूर हुये।

रशीदका ज्येष्ठ पुत्र अब्दुल्लतीफ बापके जीवन हीमें कासिम खानके पुत्र अकनजरके साथ लड़ाई करते मारा गया। अकनजर किर्गिजों और कजाकोंका खान था। अंग्रेज यात्री जेन्किन्सनके अनुसार १५५८ ई०के आसपास कजाकों और किर्गिजोंने ताशकन्द और काशगरमें बड़ी लूट-मार की, और चीनसे पश्चिमी-एसियाकी ओर जानेवाले वणिक्पथको काट दिया।

रशीद मुगोलिस्तानी खानोंमें अन्तिम शक्तिशाली खान था।

१७. अब्दुल करीम, रशीद-पुत्र (—१५९३ ई०)

यह अकबरका समकालीन था और १५९३ ई०में काशगरपर शासन करता था। अब्दुर्रशीदका तीसरा पुत्र अब्दुर्रहीम पिताकी आज्ञाके बिना ही तिब्बतमें जहाद करने गया, जहां वह मारा गया। कश्मीरपर कितने ही समयतक मुगोलिस्तानके खानोंका अधिकार रहा, फिर १५८७ ई० के आसपास अकबरने कश्मीरको ले लिया।

१८. मुहम्मद खान (१६०३ ई०)

ईसाई साधु गोयेज आगरासे लाहौर, काबुल, बदख्शां होते १७०३ ई०में यारकन्द पहुंचा। उस वक्त मुहम्मद खान वहांका राजा था। गोयेज सालभर यारकन्दमें रहा। उस समय काशगर राज्यकी राजधानी यारकन्द थी। गोयेज सूचाव (चीन)में अप्रैल १६०७ ई०में मर गया।

१९. इस्माईल खान

यारकन्दकी गद्दीपर पीछे इस्माईल बैठा।

बाबर और हैदरकी पलटनमें मुगल नामसे प्रसिद्ध तुर्क भी काफी संख्यामें आये थे। दिल्लीके पास-पड़ोस और रावलपिंडीके इलाकेमें इन मुगलोंकी संख्या काफी थी। पश्चिमोत्तर प्रदेशके रास्तेपर भी वह जहां-तहां बस गये थे, इनमें चगताई (बाबरके अपने भाई-बंधों)की संख्या २३५९३ थी, और बरलसोंकी १२१७३।

---

*इसी जगह हैदरने अपने ग्रंथके बारेमें लिखा है—"यह तारीखे-रशीदी ९५३ हि० के जुल्हेजा महीनेके अन्त (फरवरी १५४७ ई०) में कश्मीरके नगरमें लिखी गई, जब कि मुझ मुहम्मद गुरगान-पुत्र हैदर मिर्जाको कश्मीरके सिंहासनपर बैठे पांच वर्ष हो गये थे।"

३. (४. मुगोलिस्तानी खान-वृक्ष)
(१३२१–१५६५ ई०)

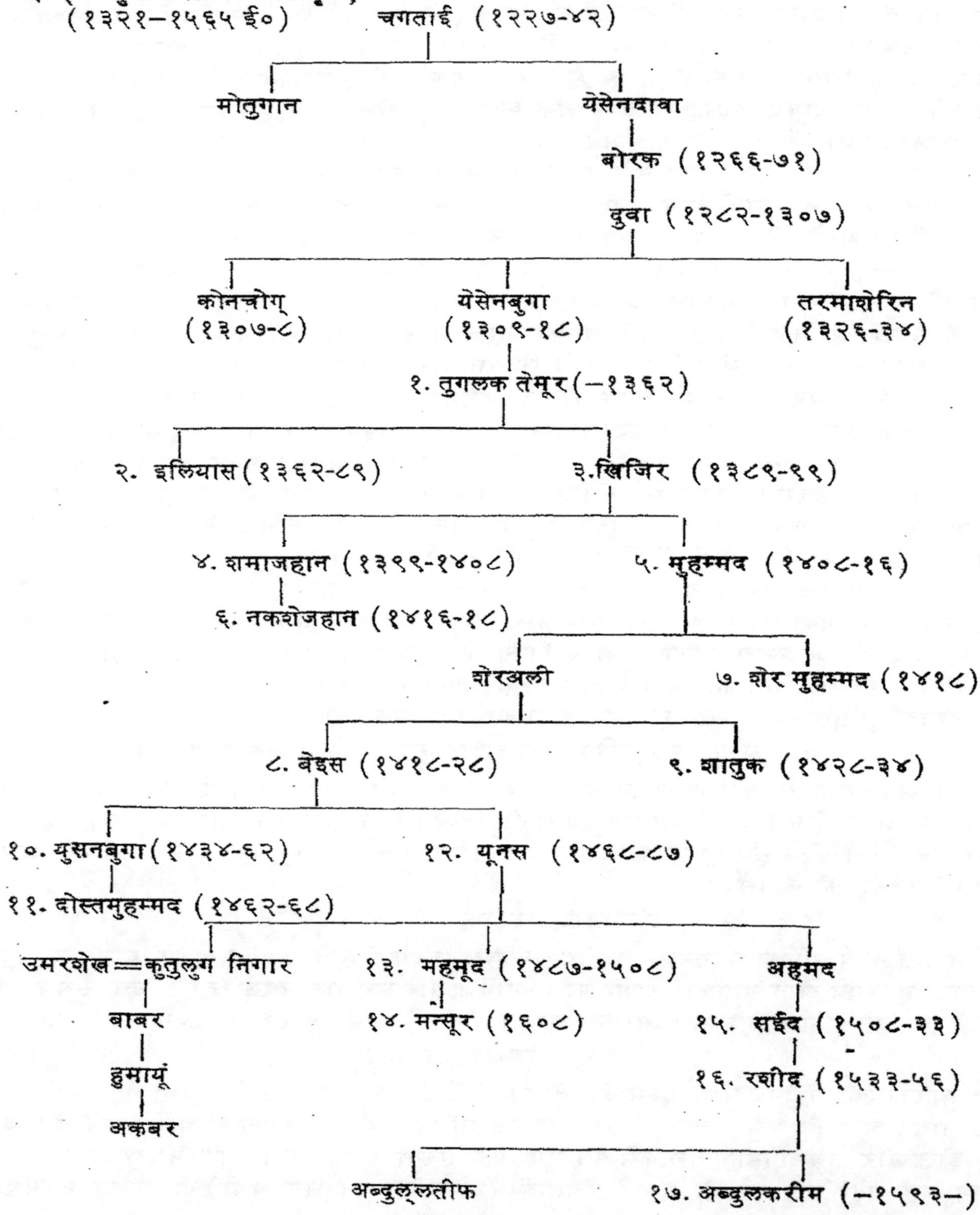

स्रोत-ग्रन्थ

१. तारीख रशीदी (मिर्जा मुहम्मद हैदर दुगलत्, लन्दन १८८८)
२. ,, **(Tr. E. D. Ross, London 1895)**
३. ओचर्क इस्तोरिइ सेमिरेच्या (व. व. बर्तोल्द)

अध्याय ५

सिबिरखान

(१५००–१६५९ ई०)

येरमकके सिबिर नगरके ध्वंस और पश्चिमी साइबेरियापर रूसके शासनके स्थापित होनेकी बात कहते हुये हमने सिबिरके खान कूचुमका जिक्र किया था। १७ वीं सदीमें साइबेरियामें बसनेवाली जातियोंके बारेमें भी हम बतला चुके हैं।

सिबिरके खान भी अपना संबंध छिङ-गिस्-पुत्र जू-छिके पुत्र शैबान खानसे जोड़ते हैं, जो कि बा-तू खानका भाई था। शैबानके बाद उसके पुत्र बा-तू खान, तत्पुत्र जूजीबुका, तत्पुत्र बादाकुल, तत्पुत्र मंगू तेमूर, तत्पुत्र तुकाबेक, तत्पुत्र अलीओगलान, तत्पुत्र हाजी मुहम्मद खान, तत्पुत्र इलबक (या ईबक), तत्पुत्र मुर्तजा, तत्पुत्र कूचुमखानके पास पहुंचकर हम येरमकके समकालमें आ जाते हैं। ७ नवम्बर १५८१ ई० में कूचुमको ही हराकर येरमकने उसकी राजधानी सिबिरको दखल किया था। कूचुमके बाद उसके पुत्रों अली और इशिमने कुछ समय तक शासन किया। इशिमका पुत्र अबले गिराई और उसके बाद इशिमके भाई चुवाकके पुत्र दौलात गिराईने शासन किया। साइबेरिया जैसे सभ्यताके छोरपर बसे देशके बाकायदा इतिहास लिखनेकी सम्भावना नहीं हो सकती थी, इसलिये इन खानोंके बारेमें बहुत बातें हमें मालूम नहीं हैं। वस्तुतः कबीलेशाही-धर्ममें इतिहास द्वारा अमर होनेकी संभावना न देख शासकोंका सामन्तशाही-धर्मकी तरफ झुकनेका एक कारण यह भी है, कि सामन्तशाही पुरोहित अपने इतिहास-ग्रंथों या पुराणों द्वारा अपने यजमानोंको अमर कर देनेकी क्षमता रखते थे। सिबिरतक इस्लाम पहुंचा तो था, लेकिन अभी वहांके लोगोंपर उसका गहरा प्रभाव नहीं पड़ा था। बा-तूके वंशके खतम होनेपर सुवर्ण-ओर्दूके सिंहासनपर शैबानी-वंशज खिजिरखां बैठा, जो कि मङ-गू तेमूरका संबंधी था। खिजिरखांका सिक्का ख्वारेज्ममें भी मिला है, जिससे जान पड़ता है, शायद ख्वारेज्मपर भी उसका अधिकार था। मङ-गू तेमूरके छ पुत्रोंमें किपचकका खान पुलाद या पोलाद-तेमूर है। इसने किपचक खान अजीजको १३६७ ई० के आसपास मार डाला। पोलादके दो पुत्रोंमें अरबशाहके वंशजोंने ख्वारेज्मपर शासन किया, और इब्राहिमके वंशजोंने बुखारापर, यह हम बतला आये हैं। मेङ-गू तेमूरके पौत्र हाजी मुहम्मद खानके पुत्र ईबकसे हम सिबिरके खानोंपर पहुंचते हैं।

१. इबक, हाजी मुहम्मद-पुत्र (१४९३ ई०)

ईबक या इलबक उस समय हुआ, जब कि जू-छि-उलुस विशृंखलित-सा हो चुका था। साइबेरिया और बश्किरोंके छोटे-छोटे राजा इसे अपना अधिराज मानते थे। पुराने पंवाड़ोंमें इसे कजानका जार उपक कहा गया है। इसने अपनी बहिनका ब्याह साइबेरियाके शासक मारसे किया था, जिसे झगड़ा हो जानेके कारण पीछे इसने मार डाला। उसके बाद वह त्यूमेन (प० साइबेरिया) प्रदेशका राजा हुआ। ईबक १४९३ ई० के बाद किसी समय मरा।

२. मुर्त्तुजा, ईबक-पुत्र

इसके शासनकालमें उज्बेक-उलुसका अधिकांश भाग मुहम्मद शैबानी और इल्बर्सके नेतृत्वमें अन्तर्वेद और ख्वारेज्ममें चला गया। जिसका कारण था पूरबमें मंगोल राजा अलतन खानके

नेतृत्वमें मंगोलों द्वारा कल्मकोंपर भारी प्रहार पड़नेसे उनका पश्चिमकी ओर भागते हुए उज्बेकोंके ऊपर पड़ना। उन्हें कल्मकोंकी बाढ़ने डुबाना चाहा, और उधर तेमूरी साम्राज्यके नष्ट-भ्रष्ट होनेके कारण दक्षिणसे न्यौता आया। उज्बेक-उलुसमेंसे जो यहां रह गये, वह मुर्त्तुजाको अपना खान मानते रहे। मुर्त्तुजाने नोगाइयोंपर बड़ा अत्याचार किया, जिसका बदला पीछे उन्होंने उसके पुत्र कूचुमको मारकर लिया।

३. कूचुम, मुर्त्तुजा-पुत्र (१५५५–९५ ई०)

१५५६ ई० में सिबरके खान यादगारने रूसी जारके पास कर न भेजनेका यह कारण बतलाया था, कि शबानी राजकुमार हमारे देशमें लूट-मार कर रहा है। यह शैबानी राजकुमार कूचुम खान था, जो उस समय सिबिरसे पश्चिमके त्यूमन प्रदेशका शासक था। १५६३ ई० के आसपास कूचुमने यादगारको हटाकर सिबिर राजधानी दखल कर ली। १५६९ ई० में रूसी उसे सिबिरका जार (राजा) कहते थे, जिसे रूसी जारने एक संधि द्वारा अपने संरक्षणमें ले लिया था। संरक्षणकी एक शर्त यह थी, कि सिबिर खान हर साल सेबलकी हजार छालें और स्क्वाइरलों (गिलहरी) की हजार छालें प्रतिवर्ष भेजा करेगा। इस सोनेके मुहर लगे संधि-पत्रको चाबुकोफ साइबेरिया ले गया। कूचुमकी एक बीबी कजानके किसी छोटे खानकी लड़की थी, जिसके साथ कितने ही रूसी और चुवाश गुलाम भी सिबिर गये थे। उसकी दूसरी दो बीबियां मिर्जा दौलतबेगकी लड़कियां थीं। इस प्रकार सभ्यताके सीमान्तपर बसे होनेपर भी सिबिर नगरीमें सभ्यताके संदेशवाहक स्त्री-पुरुष पहुंच चुके थे। लेकिन कूचुमकी प्रजामें अभी बर्बर अवस्थामें रहनेवाली कितनी ही जातियां थीं। इर्तिश और तोबोलके कितने ही तारतार ओर्दू तथा बाराबिनके तारतार भी इसे अपना खान मानते थे। इसीके समय त्यूमनमें रूसियोंके साथ मिला हुआ एक अर्ध-स्वतंत्र राजा रहता था। इस तरह कूचुमका राज्य तूराके मुहानेसे अधिक पश्चिम नहीं था। तरखनके तारतार इसकी अन्तिम प्रजा थे। तोबोलके सबसे नजदीकवाले बश्किर और ओस्तियाक कबीले भी कूचुमके अधीन थे। कहते हैं, कूचुम पहला खान था, जिसने साइबेरियामें इस्लामका प्रवेश कराया, लेकिन अभी वह बहुत फैला नहीं था। उसने अपने पिता मुर्त्तुजाको लिखा, जिसपर उसने एक आखुन (बड़े मुल्ला) और कई मुल्लाओंके साथ अपने पुत्र अहमद गिराईको कजानसे इस्लामके प्रचारके लिये कूचुमके पास भेजा। कूचुमने प्रजाको जबर्दस्ती मुसलमान बनानेकी कोशिश की, तो भी वह अभी तारतारोंको पूरी तौरसे मुसलमान बनानेमें सफल नहीं हुआ था। इर्तिश-उपत्यकाके तारतार अब भी मूर्तिपूजक थे। रूसी यात्री मुलरसे यालीनिश तारतारोंके एक सरदार (बी) ने कहा था: अपनी जवानीसे ही हम अपने मां-बाप, अपनी प्रजा तथा पड़ोसियोंके साथ सदा मूर्तिपूजक रहे। तोबोल्स्क और देमियान्स्कोयके बीचके निवासी लेबाउज्की ओर्दूके तारतार तथा तूरिन्स्कके पड़ोसवाले तारतार भी तबतक मूर्तिपूजक रहे, जबतक ओस्तियाकोंके साथमें उन्हें ईसाई नहीं बना लिया गया। बारबिन्स्की कबीलेके बहुतसे लोग १८वीं सदीतक मूर्तिपूजक रहे, यद्यपि उनके इलाकेमें बहुत पहले कूचुमके समयमें ही मुसलमान पहुंच चुके थे। एक दूसरे रूसी लेखक फिशरके अनुसार निजार-उपत्यकाके तूरिन्स्क तारतारोंके कितने ही परिवार १६३९ ई० तक मूर्तिपूजक रहे।

७ नवम्बर १५८१ ई० को येरमकने किस तरह कूचुमकी राजधानी सिबिरपर अधिकार किया, यह हम बतला चुके हैं। १७ या १८ अगस्त १५८४ ई० को येरमक लड़ाईमें हारकर अपने कवचके भारी बोझके कारण नदीमें डूबकर मर गया, लेकिन उससे रूसी अधिकारको साइबेरियामें क्षति नहीं पहुंची। येरमक और उसके साथियोंका स्थान दूसरे रूसी बराबर लेते रहे। येरमककी मृत्युके दो साल बाद १५९६ ई० के बसन्तमें वोयवोद वासिली बोरिस-पुत्र सूकिन और इवान म्यास्नोईके साथ तीन सौ रूसी सैनिक आये—उन्होंने युगुरके पहाड़ों और ओब नदीके रास्ते चढ़ाई की। १० जुलाई १५८६ ई० को सूकिन तारतारोंके एक पुराने किले चिंगीपर पहुंचा, जो कि तुरा नदीके तटपर था। वहां उसन

त्यूमनके नामसे एक नगर बसाया, जो आजकल पश्चिमी साइबेरियाका एक जिला है । त्यूमन तुरा नदीके दक्षिण तटपर बसा उरालसे पूर्व रूसियोंकी प्रथम स्थायी बस्ती थी । रूसियोंने बहुत आसानीसे तुरा, पिशिमा, इसेत, तोदा और तबोलकी उपत्यकाओंके तारतारोंको अपना करद बना लिया और कुछ ही समय बाद सैदिक खानको भी अपनी अधीनता स्वीकार करनेके लिये मजबूर किया। सैदिक कूचुमसे पहलेके सिबिर-खानोंका वंशज था ।

कूचुम अब भी हाथमें नहीं आया था । वह भागकर नोगाइयोंके भीतर बराबिनके मैदानोंमें चला गया, जहांसे १५९० ई०में उसने तोबोल्स्कके पासवाले इलाकेपर आक्रमण किया, और रूसी प्रजा बननेके कारण कौरदक और सालिन्स्कके तारतारोंको लूटा । इसपर तोबोल्स्कके नये वोयवोद राजुल (क्न्याज) कोल्जोफ-मोसाल्स्कीने कुछ रूसी और तारतार सैनिकोंके साथ अगले साल जुलाई १५९१ ई०में कूचुमके विरुद्ध अभियान किया, और वह चिलिक झीलके पास इशिमके तटपर कूचुमको हराकर उसकी दो बेगमों, एक पुत्र (अबूल्खैर) और बहुतसी लूटी हुई सम्पत्तिको लेकर वह लौटा। १५९४ ई० में रूसियोंने तारानगरका निर्माण किया, जिसके लिये जारने राजुल अन्द्रेइ वासिली-पुत्र लेज्कोइको वोयवोद नियुक्त किया । वह मास्कोसे एक सौ पैंतालीस स्त्रेलत्सी, सौ कजान-तारतार, तीन सौ बाश्किर, पचास पोल और पचास पोलकसाक भरोको साथ लेकर आया था । त्यूमनसे भी उसके साथ कितने ही लोग आये थे, जिनमें लिथुवानी, चेरकासी, निर्वासित-कसाक, तथा कुछ साइबेरियाके तारतार थे। इस सेनामें अधिकांश सवार थे । उनके पास तोपखाना और काफी गोला-बारूद था । पहले नगरको तारा नदीके तटपर बसानेका ख्याल था, किन्तु पीछे विचार बदलकर उसे इर्तिशकी शाखा अगरकापर बसाया गया, पर नाम तारा ही रहा । रूसी अब कूचुमको दबानेके लिये उतारू थे । कूचुमको अधीनता स्वीकार करनेके लिये कहा गया, और यह भी वचन दिया गया, कि छोटे पुत्रोंमेंसे एक तथा दो-तीन प्रमुख तारतारोंको जामिनके तौरपर मास्को भेज देनेपर बड़े लड़के अबुल्खैर तथा दूसरे संभ्रान्त बंदियोंको लौटा दिया जायगा । अबुल्खैरने भी जार फ्योदोरकी उदारताकी प्रशंसा करते हुये बापको चिट्ठी लिखी । कूचुमने जवाब दिया—"मैंने येरमकको सिबिर नहीं दिया, यद्यपि उसने उसे जीत लिया । मैं शांतिसे रहना चाहता हूं, यदि इर्तिशके किनारेको सीमान्त मान लिया जाय ।"

१५९५ ई० में फ्योदोर येलिज्की नया वोयवोद होकर आया । उसने तुरन्त कूचुम और उसके मित्र नोगाई खान अलीके ऊपर चढ़ाई करनी चाही। तोबोल्स्क और त्यूमनसे भी मदद आई, जिसमें पांच तोपें भी थीं। पहले जाड़ों में ९० कसाक-सैनिक भेजे गये, जो अयालिन्स्कके अट्ठाईस तारतारोंके साथ लौटे । कूचुम इन कसाकोंको अपने रहनेकी जगह ऊपरी इर्तिशमें ले जाना चाहता था । इस समय वह ओबके जलप्रपातसे दो दिन आगे गाड़ियां-नगरमें डेरा डाले पड़ा था। फिर वोयवोदने नया अभियान भेजा, जो कूचुमके रहनेकी जगहको नष्ट करके तारा लौट गया । लेकिन कूचुम अभी दबा नहीं था। १५९६ ई० के बसन्तमें दोमोशेरोफके अधीन तेंतालीस सैनिकोंका अभियान भेजा गया वह २९ मार्चको बरफानी जूतोंपर रवाना हुये । मामूली संघर्षके बाद रास्तेके चमगुल, लुगुई, लुबा, केलेमा, तुराश, बरमा (उलुकबरमा), किरकिपी आदि गांवोंने अधीनता स्वीकार की। इसी समय नोगाई मिर्जा चिन, और कितनोंने भी अधीनता स्वीकार की, लेकिन कूचुम अब भी प्रतिरोधके लिये तैयार था। अगस्त १५९८ ई० में ३९७ रूसी सैनिकोंके साथ अन्द्रेइ बोयेकोफ कूचुमके विरुद्ध ओब नदीकी ओर चला । चारों ओर फसलें खड़े खेतोंके बीचमें कूचुम अपने परिवार तथा पांचसौ अनुयायियोंके साथ छिपा हुआ था। २ सितम्बर को सूर्यास्तसे पहले रूसियोंने आक्रमण कर दिया । सारे दिन लड़ाई होती रही, जिसमें कूचुमका एक भाई, एक पुत्र, राजकुमार इलितन और पांच-छ अमीर, दस मिर्जा और एक सौ पचास सैनिक मारे गये । शामके वक्त नदीकी ओर शत्रु भगे । उनमें एक सौसे ज्यादा नदीमें डूब गये, पचास बन्दी बने, और कुछ लोग नावों द्वारा भागनेमें सफल हुये । वोयकोफको बहुतसे लूटके माल के अतिरिक्त आठ बेगमें, पांच कुमारियां और पांच राजकुमार हाथ लगे । वोयकोफने तारा

लौटकर जार बोरिस गदुनोफको अपनी सफलताके बारेमें लिखा—"कूचुम खान दो आदमियोंके साथ ओबके किनारे-किनारे चाता प्रदेशमें चला गया।" वोयकोफने समझा-बुझाकर कूचुमको अधीनता स्वीकार करनेके लिये तैयार करना चाहा। उसने इसके लिये मुल्ला तूल मेहमतको भेजा। उस वक्त ओब नदीके तटके एक जंगलमें रूसियों द्वारा मारे गये अपने तारतारोंकी लाशोंके बीचमें अंधा-बूढ़ा कूचुम खान तीन बेटों और तीस अनुचरोंके साथ एक पेड़के नीचे बैठा था। मुल्लाने कहा—"अधीनता स्वीकार कर लो, फिर तुम मास्कोमें जाकर अपने परिवारके साथ आरामसे रह सकते हो। जार तुम्हारे साथ बहुत अच्छा बर्ताव करेगा।" बूढ़ेका जवाब था—"जब मेरे दिन भले थे, मैं समृद्ध और सबल था, तब मैं नहीं गया; तो क्या इस समय मैं अपमानपूर्ण मृत्युके लिये वहां जाऊं? मैं अन्धा और बहरा हूं, गरीब और बेचारा हूं। मैं अपनी सम्पत्तिके विनाशके लिये अफसोस नहीं करता, लेकिन मैं अपने प्यारे पुत्र असमानकके लिये अफसोस करता हूं, जिसे रूसी पकड़ ले गये। राज्यके बिना भी मैं उसके साथ संतोषसे रह सकता था, चाहे मेरी दूसरी बीबियां और बच्चे न भी होते। अब मैं अपने बचे-खुचे परिवारको बुखारा भेज दूंगा और स्वयं नोगाइयोंमें चला जाऊंगा।" कूचुमके पास उस समय न गरम कपड़े थे, और न घोड़े ही। उसने अपनी पुरानी प्रजा चातोंसे कुछ चीजें भीखके तौरपर मांगीं। इसके बाद वह युद्धक्षेत्रमें पहुंचा। फिर दो दिनतक मुर्दोंको दफनानेमें लगा रहा। इसके बाद एक घोड़ेपर चढ़कर वह रूसी इतिहासकार करमजिनके अनुसार "इतिहाससे विलुप्त हो गया।"

कूचुम इर्तिशके रास्ते सइसान झील (नोर) की ओर जा कल्मकोंके देशमें कुछ समय ठहरा, फिर उनके कितने ही घोड़ोंको लूट कर इशिमके जिलेमें गया। कल्मकोंने पीछा करके इशिम नदीके पास करगालचेन झीलपर उसपर आक्रमण किया। उसके कितने ही अनुचर मारे गये, और कूचुम नोगाइयों (मंगुतों) में भाग गया। लेकिन, नोगाइयोंको कूचुमके बाप मुर्त्तुजाके हाथों बहुत कष्ट उठाना पड़ा था, इसलिये उन्होंने बूढ़े कूचुमको मारकर उसका बदला लिया। कूचुमके परिवारके जो लोग रूसियोंके हाथमें पड़े थे, वह जनवरी १५९९ ई० में मास्को पहुंचे। खानके पुत्रों और पुत्रियोंको अमीरों और धनी व्यापारियोंके घरोंमें रखकर जारने उनके लिये मामूली पेंशन निश्चित कर दी। महमेतकुल रूसी सेनामें शामिल हुआ, और १५९० ई० में रूसकी तरफ से स्वीडनके विरुद्ध लड़ा। १५९८ ई० में क्रिमियाके तारतारोंके विरुद्ध भी वह जार बोरिस गदुनोफके साथ गया था। कूचुमका पुत्र अबुल्खैर १५९१ ई० में ईसाई बनकर अन्द्रेई नामसे प्रसिद्ध हुआ, और कूचुमके पुत्र अलीका लड़का अल्पअर्सलन पीछे कासिमोफका खान बना।

४. अली, कूचुम-पुत्र (—१५९८ ई०)

१५९८ ई० की लड़ाईमें बापके साथ अली भी था। इस पराजयके बाद वह जहां-तहां घुमन्तू जीवन बिताता घूमता रहा। अभी रूसियोंके शासनके आरम्भिक दिन थे। अली अपने अनुयायियोंको जमा करके वह इर्तिश, इशिम और तबोलकी उपत्यकाओंमें लूट-मार करते यायिक नदी तथा कूफा तक धावा करने लगा। १६०३ ई० में वह लगातार रूसियोंके साथ छेड़खानी करता रहा। १६०६ ई० में पहली बार उसके आदमी ताराके जिलेमें दिखलाई पड़े, जहां उन्होंने रूसी बस्तियोंको लूटा। रूसियोंने पीछा करके अलीकी मांको पकड़ लिया, जिसे वह त्यूमन ले गये। १६०७ ई० में कूचुमके पुत्र असिम, इशिम और कंचुवार कल्मकोंके झंडेके नीचे हो, त्यूमन जिलेपर आक्रमण कर वहांसे रूसी बच्चों और औरतोंको पकड़ ले गये। फिर एक नोगाई मुर्जा कनाईके साथ दो सौ आदमियोंको ले उन्होंने तोबोल्सकके आसपास लूट-मार की। पीछा करके शमशीके जंगलोंमें अलीकी स्त्री दो पुत्र, असिमकी दो बीबियों और दो लड़कियों, तथा अलीकी एक बहिनको पकड़कर रूसी त्यूमन ले गये। आखिरमें किबिरली झीलके पास दो दिनके युद्धमें जो बन्दी पकड़े गये, उनमें अली भी था। उसे बन्दी बनाकर मास्को भेज दिया गया। वहां कुछ समय रहनेके बाद उसे यारोस्लाव्ल नगरमें नजरबन्द कर दिया गया, जहां १६३८ ई० के बाद वह किसी समय मरा।

५. इशिम, कूचुम-पुत्र (—१६१६ ई०)

१६१६ ई० में इशिम सलबर और कोशुर दो कल्मक राजकुमारोंके साथ ऊपरी इर्तिशमें सेमीप्लातिन्स्कमें रहता था। वहांसे वह साइबेरियाके नगरोंमें ऊफा तक लूट-मार करता था। अलीके पकड़े जानेके बाद इसने अपनेको खान घोषित किया था। १६१८ ई० में कल्मकोंके साथ मिलकर इसने रूसियोंपर आक्रमण किया, जिसमें इर्तिशके मैदानों और तोबोलके बीचमें उसे बहुत बुरी तरहसे हारना पड़ा। इस लड़ाईमें इसके बहुत-से आदमी काम आये। १६२० ई० में इशिम कल्कम सेचक थैशीके साथ मिल कर शूचिये झीलकी ओर जा खबर लाया, कि पूर्वी मंगोलोंने कल्मकोंको बुरी तरह हराया है, और वह पश्चिमकी ओर भागे जा रहे हैं। इसके बाद इशिम तोरगुत राजा उरलुककी लड़कीसे ब्याह करके अपने ससुरके साथ रहता रहा। उरलुक वोल्गा-कल्मकोंका प्रथम सरदार था। इस समय कल्मक पश्चिमी साइबेरियाके स्तेपीमें रूसी सीमाके दक्षिणकी भूमिमें रह रहे थे। १६२२ ई० में इशिम त्यूमनसे सात दिनके रास्तेपर तोबोल-तटपर अवस्थित खामा करागाईमें रहता था। इसके बाद वह ऊफा शहरके पास चला गया।

६. अबलइ गिराई, इशिम-पुत्र (१६३५–१६५० ई०)

अबलइ गिराई भी कल्मकोंके साथ मिलकर लूट-पाट करता था। कल्मक सरदार कोरुशुल, उरलुक और बाइबेगिश इसके दोस्त थे, जिनकी सहायतासे इशिमने बराबिनके तारतारोंको कल्मकोंका करद बनाया। इस प्रकार सहायता करके अबलइ गिराईने कल्मकोंके थैशियों (राजाओं) तेलेंगुत राजा ओबक, कुरचाकिश सैची केशेसके साथ मित्रता बढ़ाई। अबलइ अपनी लूट-मार जारी रक्खे रहा। १६३२ ई० में वह इसेतके तटपर अलीबयेफ यूर्ति नामक गांवमें था। १६३५ ई० में इसेत-तट, वेर्ख्ने-निजिन्सकया और चूबावोफामें था। इसी साल रूसियोंने इसके विरुद्ध अभियान भेजा, लेकिन कुछ कल्मकोंके मारे जानेके सिवा उसका कोई फल नहीं हुआ। १६३६ ई० में ऊफासे अभियान भेजा गया। बहुतसे कल्मक मारे गये। अबलइ ५४ कल्मकोंके साथ पकड़कर ऊफा लाया गया, जहांसे उसे मास्को भेज दिया गया। पीछे वहांसे उसके चचेरे भाई दौलत गिराईको उसके मरनेकी खबर भेज दी गई।

७. दौलत गिराई, चुवाक-पुत्र (१६३७ ई०)

१६३७ ई० में तारामें बुखाराके बाईस व्यापारी आये, जिनके साथ दौलतका दूत भी था। १६४० ई० में कल्मकोंको साथ ले दौलतने तरखन्स्कोये ओस्त्रोग (राजकुमार द्वीप) को लूटा। इसपर १६४१ ई० में रूसियोंने दो सौ बहत्तर सैनिक भेजे, जिन्होंने उनमेंसे बहुतोंको मारा और कितनों को बंदी बनाया। बंदियोंमें तोरगुत-सरदार उरलुकका एक भतीजा और एक भतीजी भी थी। १६४६, १६४८, १६४९, १६५१ और १६५५ ई० में कूचुमवंशी राजकुमारोंकी लूट-मारकी खबर लगती रही। १६५९ ई० में बुगई, कुचुक, कंचुवार और चूचेलेईने एक हजार आदमियोंके साथ कितने ही कल्मक थैशियोंसे मिलकर बहुत-सी रूसी बस्तियोंको लूटा, और ३५८ पुरुषों और ३७५ स्त्रियोंको बन्दी बनाकर ले गये। पीछे इन बंदियोंमेंसे बहुतोंको जुंगारियाके खुन थैशीके बीचमें पड़नेपर छोड़ दिया। अब वस्तुतः सिबिरके खानोंकी प्रभुता खतम हो चुकी थी, और यायिक (उराल) नदीके पूरबवाले प्रदेशके स्वामी कल्मक थे। उन्हींमें सिबिर खानके आदमी विलीन हो गये, और आगे इतिहासमें उनका नाम नहीं मिलता।

३.(५. **सिबिरखान-वंशवृक्ष**)
(१५००-१६५९ ई०)

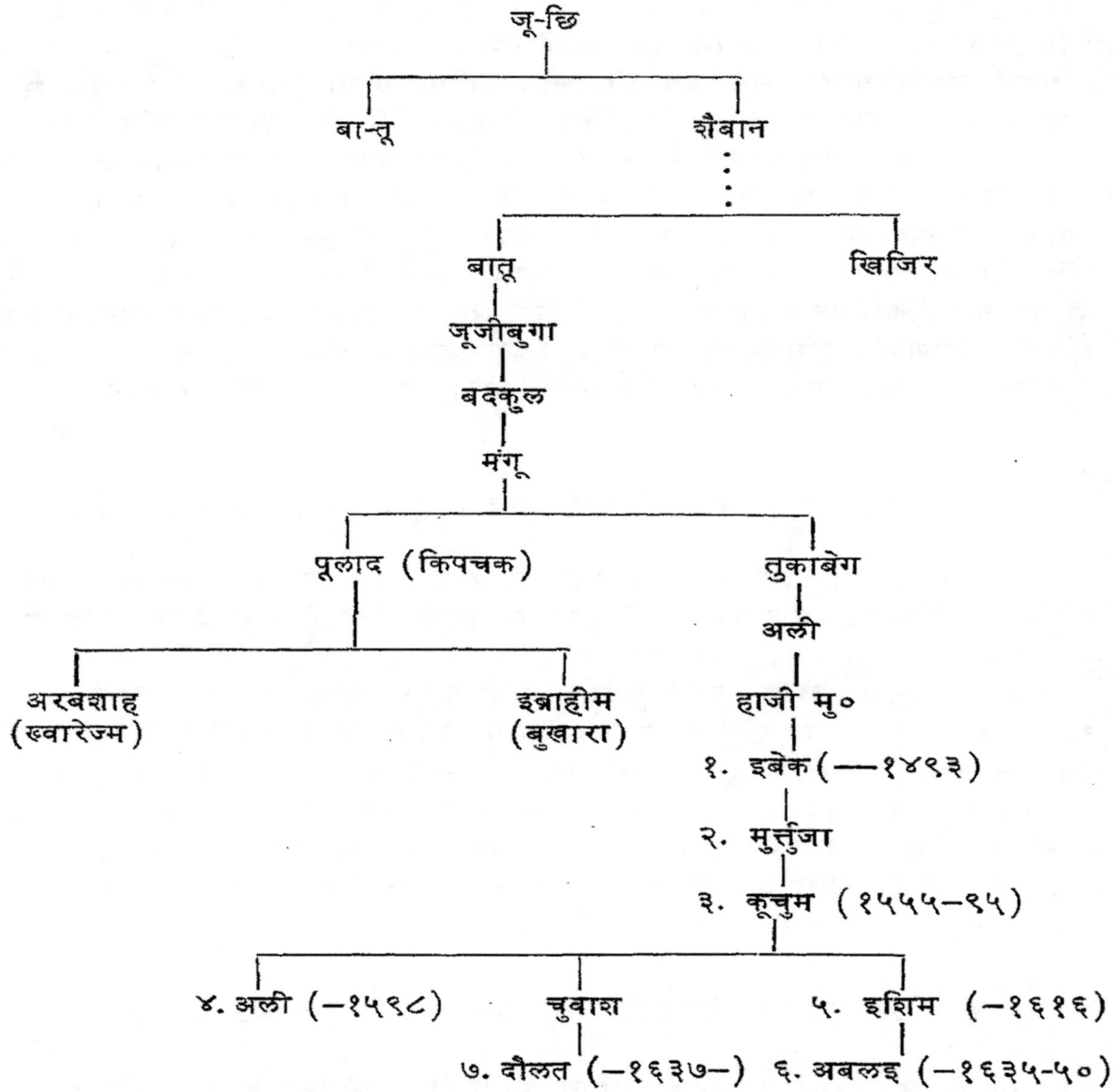

स्रोत ग्रन्थ

१. ओचेर्क पो इस्तोरिइ कलोनिजात्सि इ सिविरि (मास्को १९४६)
२. History of Mongol (H. H. Howorth)

अध्याय ६

जुङ्गर-साम्राज्य

(१५८२–१७५७ ई०)

कल्मक-मंगोल—मंगोलोंकी एक शाखाका नाम कल्मक था। इनका मंगोल नाम तोरगुत था, लेकिन मुसलमान और रूसी लेखक इन्हें अधिकतर कल्मकके नामसे पुकारते हैं। १६०० ई० (अर्थात् अकबरकी मृत्युसे पांच साल पूर्व) के पहले अल्ताई पर्वतमालाके पश्चिममें कल्मक नहीं थे। पूर्वी मंगोलोंके शक्तिशाली राजा अल्तन खानने जब १६२० ई० में तोरगुतोंको बुरी तरहसे हराया, तो वह अपने सरदारों खराखुला, दालय और मेरेगनके नेतृत्वमें पश्चिमकी ओर भागने लगे और फिर यम्बा नदी, उराल पर्वतमालासे पूर्व और अल्ताई पर्वतमालाके पश्चिममें छा गये। १६ वीं सदी तक यह भूभाग उज्बेक-कजाकों (शैबानी और कजाक) से नोगाइयोंके हाथमें चला गया था। वह इस भूमिमें अपना घुमन्तू-जीवन बिताते थे। कल्मकोंका उनसे संघर्ष होने लगा। कल्मक लगातार पश्चिमकी ओर बढ़ते बश्किरोंके देशमें पहुंचे। कल्मक राजा उरुसलन थैशीने बश्किरोंसे कर मांगा—बश्किर अभी तक नोगाइयोंके अधीन थे, जिससे नोगाइयोंसे झगड़ेकी नौबत आ गई। इस्माईल-पुत्र दीनेबेइका पुत्र कनाई उस वक्त नोगाइयोंका राजा था। तोरगुत (कल्मक) सरदार उरलुक और उसके पुत्र दाइशिंगने नोगाई खानके विद्रोही सलतानियासे मिलकर १६३३ ई०में कनाईपर चढ़ाई की। कनाई रूसके अधीन था, इसलिये जारकी सरकारने तोबोल्स्क, त्यूमन और तुराके रूसी सेनापतियोंको उसकी मदद करनेके लिये हुक्म दिया।

१६४३ ई०में रूसियोंने आक्रमण करके उरलुक और उसके कुछ पुत्र-पौत्रोंको भी मार डाला। इसके बाद उरलुक-पुत्र येलदेङ और लोब्जाङने यायिक पार कर वोल्गाके मैदानोंमें प्रवेश किया, और नोगाइयोंको किताई-किपचक, मैलबाश और येदिस्सन (एतिसन) के तीन भागोंमें बांट दिया। साथ ही उन्होंने उलाङतुमान (लाल ऊंटवाले ओर्दू)के तुर्कमानोंको भी उनकी भूमि येम्बाके दक्षिणी भागसे हटा दिया। अब वोल्गाके दोनों पारका इलाका नोगाइयोंके हाथसे निकलकर कल्मकोंके हाथमें चला गया। इस प्रकार नोगाई अपनी मूल-भूमिसे वंचित हुये। करीब डेढ़ शताब्दियों तक कल्मक इस भूमिमें छाये जरूर रहे, लेकिन अन्तमें फिर कजाक आकर आबाद हो गये, जिसके ही कारण आज यह भूमि कजाकस्तानके नामसे मशहूर है। पश्चिमी मंगोलोंको तोरगुत या कल्मक कहा जाता था, जब कि पूर्वी मंगोल खलखा नामसे प्रसिद्ध थे।

(१) कल्मकोंके भीतर ओइरोद, कुरी, तुला, तुमेत, बरगुत, कुरतुतके कबीले थे, जो अंगारा नदी और बैकाल सरोवरके पश्चिममें रहते थे। हो सकता है, पश्चिमी मंगोलोंका कोई मुख्य सरदार कल्मक रहा हो, जिसके नामपर कबीलेका यह नाम पड़ा।

(२) उरियानकुत मंगोल कोस्सागोल (झील)के पास रहते थे।

(३) सुवाइत (सूनित) कबतेरून (कैरून) भी मंगोलोंका कबीला था।

तायनखान (१४७०-१५४४ ई०) के पुत्रोंने आपसमें मंगोलोंका बंटवारा किया था।

कल्मकोंके बाद ज्यादा शक्तिशाली खलखा मंगोल थे। आज भी बाह्य-मंगोलिया इन्हींकी है। खलखाके उन्चास झंडे थे, अर्थात् ये उन्चास छोटे-छोटे कबीलोंमें विभक्त था। इनके चार मुख्य भेद थे—(१) जस्सक्तुखानके पश्चिमी खलखा, (२) तूशीयेतूखानके उत्तरी खलखा, जो कि तुला और केरुलोन-उपत्यकाओंमें रहते थे, (३) साइननोयनके मध्य खलखा, और (४) सेतजेनखानके पूर्वी खलखा।

मंगोलराजावलि—चीनसे मंगोल-शासनके उठनेके बाद मंगोलोंकी शक्ति तितर-बितर हो गई थी, जिसको एक बार फिर एकत्रित करके १४७० ई० में तायनखान सारे मंगोलियाका शासक बना। तायनखानका वंश-वृक्ष निम्न प्रकार है:—

३. (६ क. मंगोलिया-वंशवृक्ष)
(१३३२-१६०३ ई०)

- छिङ्-गिस् (१२०६–२७)
  - तूलुइ
    - कुबिले (१२६०–९४)
      - छिङ्-गेम् (चिङ्-किन्)
        - धर्मपाल
          - बोयन्थू (१३११–२०)
            - थुग-थेमूर
              - १. थेगोन थेमूर (१३३३–६८–७०) अंतिम चीन-सम्राट
                - २. बिलिकतू (१३७०–७८)
                - ३. उस्साखल (१३७८–८८)
                  - ४. एङ्के सोरिकतू (१३८८–९२)
                  - ५. एल्बेक (१३९२–१४००)
                    - ६. गुनथेमूर (१४००–३)
                    - ७. उल्शैथेमूर (१४०३–११)
                      - ८. देल्बेक (१४११–१५)
                  - खरगोत्सोक
                    - १०. अदसै (१४३४–३९)
                      - ११. तैस्सोङ (१४३९–५२)
                        - १३. केतकू (१४५३)
                        - १४. मोलोन (१४५३–६३)
                      - १२. अकबर्शी (१४५२–५३)
                        - खर्गोतक्षोक
                          - बोलखो पजनोङ
                            - १६. तायन (१४७०–१५४४)
                              - बरसाबोल
                                - गुनबिलिक
                                - अलतन (१५०७–८३)
                              - तोरोवोलोद
                                - १७. बोदी (१५४४–४७)
                                  - १८. कुतङ (१५४७–५७)
                                    - १९. सस्सकतू (१५५७–९२)
                                      - २०. सेत्जेन (१५९२–१६०३)
                      - १५. मंदगोल (१४६३–७०)

- उत्सुकेन
  - ...... ९. अदै (१४१५–३४)

तायनखान बहुत शक्तिशाली शासक था, लेकिन उसने बड़ी गलती यह की, कि राज्यको अपने ग्यारह पुत्रोंमें बांट दिया। इसके ग्यारह पुत्र थे—(१) तोरोबोलोद, जिसका पुत्र बोदी तायनकी गद्दीपर बैठा, (२) उलुस थैशी, (३) बुर्सबोल, (४) अरसू, (५) अल्तिशन, (६) वतुशिर, (७) अरा, (८) गेरेबोल, (९) गेरेसंजा, (१०) वुशिगुन, (११) गेरेतू। इस विभाजनके बाद मंगोल शक्ति फिर दुर्बल हो गई, और छिङ-गिस्के वंशके दावेदार बहुतसे छोटे-छोटे खान हो गये।

अन्तर्-मंगोलिया—यह तायनखानके बड़े पुत्रोंके हाथमें गई। अन्तर्-मंगोलिया मंचूरियाके पड़ोस में थी, इसलिये दोनोंकी घनिष्ठता बढ़ी, और अन्तमें मंगोलोंकी मददसे मंचू नूर-हाचू या (ताई-चू) ने १५८३ ई०में अपने मंचू (छिङ)-वंश (१५८३-१९१२ ई०)की स्थापना की, जिसके द्वारा मंगोल सम्राटोंके स्थानपर स्थापित मिङ-वंश (१३६८—१६४४ ई०)का उच्छेद हो गया। चीनके ऊपर अधिकार करके मंचुओंने कलके अपने सहायक मंगोलोंके ऊपर हाथ फेरा, और उन्हें अधीनता स्वीकार करनेके लिये मजबूर किया। इस प्रकार अन्तर्-मंगोलिया चीनका भाग बन गई।

बाह्य-मंगोलिया—इसे खलखा भी कहते हैं। यह तायनखानके छोटे लड़कोंके हाथमें गई। १६८९ ई०में उनमें और उनके पश्चिमी पड़ोसी ओइरोद—कल्मक—कबीलोंके बीचमें लड़ाई छिड़ गई। अन्तमें खलखा (बाह्य-मंगोलियावालों)को ओइरोदोंसे हारकर अपने कितने ही भूभागको गंवाना पड़ा। कल्मकोंके प्रहारसे मजबूर होनेपर खलखोंने रूसकी अधीनता स्वीकार करके अपना बचाव करना चाहा, लेकिन इस समय मंगोलियामें तिब्बतके दलाई लामाकी तरह एक बौद्ध संघराज—हू-तुक्-तू—का बहुत प्रभाव था। उसने यह कहकर रूसकी अधीनता स्वीकार करनेसे मना कर दिया, कि वह बौद्ध देश नहीं है। इसपर खलखोंने चीनकी सहायता चाही। इस समय मंचू-सम्राट् खाङ-सी (शेङ-चू १६६१-१७२३ ई०) चीनकी गद्दीपर था। उसने खलखोंकी मदद की, और ओइरोदों (ओलिओतों)को असानीसे दबा दिया। १६९१ ई०में खाङ-सीने दोलोन-नोर (दक्षिणी मंगोलिया) में खलखोंकी एक बड़ी परिषद् बुलाई, जहांपर एकत्रित होकर बाह्य-मंगोलियाके राजुलोंने चीन की अधीनता स्वीकार करते हुये अभय वर प्राप्त किया। तबसे प्रायः मंचू-वंशके अंतिम समय (१९११ ई०) तक बाह्य-मंगोलियाने चीनकी अधीनता स्वीकार कर रक्खी, और प्रतिवर्ष आठ सफेद घोड़े, और एक सफेद ऊंट—नौ श्वेत—करके रूपमें चीन सम्राट्के पास भेजे जाते रहे, और चीनका 'अम्बन' (महामात्य) बाह्य-मंगोलियाकी राजधानी उरगा (ताहुरे, आधुनिक उलानबातुर) में रहता रहा। उसके अतिरिक्त कोब्दो (पश्चिमी मंगोलिया) और उलियस्सुतैमें सैनिक राज्यपाल रहते थे।

कल्मक (जुंगर), ओइरोद (ओलियोत) खलखा मंगोलोंके प्रतिद्वंद्वी थे, इसे हमने अभी देखा। यद्यपि चीनकी सहायतासे खलखोंकी रक्षा हो गई, और कल्मकोंने खलखोंके हाथ बड़ी बुरी तरहसे हार खाई, लेकिन तो भी कल्मकोंकी शक्ति अपनी पश्चिमी और दक्षिणी पड़ोसियोंपर बढ़ती ही गई। पूर्वकी तरफ बढ़ावके रुक जानेपर वह अपने सरदारों खराखुल, ताले और मेरेगनके नेतृत्वमें छू-मिश, ओब और तोबोलकी उपत्यकाओंमें रहने लगे। कल्मक पशुपाल थे, इसलिये चरागाहोंके लिये उनका नोगाइयोंसे झगड़ा हो गया। नोगाइयोंके अधीनस्थ बाश्किरोंसे कर मांगनेपर नोगाइयोंसे संघर्ष हुआ, यह हम बतला चुके हैं।

कल्मकोंकी शक्तिका संस्थापक तूमेतवंशी अल्तन खान (१५०७—८३ ई०) को माना जाता है। इसने १५५२ ई० में ओइरोतोंके नेताके तौरपर कजाकोंके खान तवक्कल शिगाई-पुत्र तथा ताहिर खानके वंशजोंको लड़कर भगा दिया। तवक्कल ताशकन्द पहुंचा, जहांका खान नौरोज अहमद (मृत्यु १५५६ ई०) था। तवक्कलने मंगोलोंके विरुद्ध उससे मिलकर लड़नेकी बात की, तो उसने जवाब दिया: हमारे जैसे दस खान भी कल्मकोंका कुछ नहीं बिगाड़ सकते।

इस समय सप्तनद और उसके आसपासकी भूमिमें किर्गिज और कजाक दो घुमन्तू जातियां रहती थीं। ९९० हि० (१५८२ ई०) अर्थात् अकबरके समकालीन एक अज्ञात लेखकके अनुसार किर्गिज मंगोलोंके वंशके हैं, और उनके यहां कोई राजा नहीं होता—उसकी जगह उनके नेता बेक होते हैं, जो कि काफिर हैं। वह पहाड़ोंमें रहते हैं। यदि कोई उनके ऊपर अभियान करता,

तो वह अपने परिवारको पहाड़ोंमें छिपा देते, फिर शत्रुका मुकाबिला करते हैं। उनकी भूमि बहुत ठंडी होनेसे सहायक होती है, जिसके कारण सफल विजेता भी उन्हें हाथमें नहीं रख सकता।

कजाक—काफिर किर्गिजोंके पड़ोसी कजाक थे, जिनकी संख्या दो लाख परिवार थी। यह मुसलमान तथा केवल इमाम अबू-हनीफाके अनुयायी (हनफी) थे। इनके पास बहुतसे ऊंट थे। यह अपने तम्बुओंको गाड़ियोंपर ले चलते थे। मुसलमान होनेकी वजहसे इनका संबंध बुखारासे बहुत घनिष्ठ था। कजाकोंके खान तवक्कलने १५९४ ई० में जार फ्योदोरके पास अधीनता स्वीकार करनेके लिये अपने दूत मास्को भेजे। उस समय रूसी तवक्कलकको 'कजाकों और कल्मकोंका राजा' कहते थे, जिससे यह पता लगता है, कि १६वीं सदीके अन्तमें उसने कल्मकोंके विरुद्ध कोई सफलता प्राप्त की थी। अपनी मृत्युके समय तवक्कल तुर्किस्तान-शहर (निम्न सिर-उपत्यका) और काशगरका शासक था। ये दोनों नगर कजाकोंके हाथमें प्रायः १७२३ ई० तक रहे। १७ वीं सदीमें कजाकोंकी शक्ति बहुत मजबूत थी। उस वक्त वह सप्तनदपर भी अधिकार रखते थे, और उनका केन्द्र तुर्किस्तान और ताश्कन्दके नगर थे। उसी शताब्दीके अन्तमें ख्वारेज्म और वोल्गातट तक उनका प्रभुत्व फैला था। लेकिन इसी समय कजाकोंके प्रतिद्वंद्वी कल्मकों (जुंगरों)की शक्ति बढ़ी। कल्मकोंके राजा निम्न प्रकार थे—

जुंगर-(कल्मक) राजावलि—

१. खराखुल या कराकुल	—१६३४ ई०
२. बातुर थैची, खराखुल-पुत्र	१६३४—५३ "
३. सेङ्-गे, बातुर-पुत्र	१६५३—७१ "
४. गल्दन, गन्दन, बातुर-पुत्र	१६७१—९७ "
५. छेवङ्-रब्तन, सेङ्-गे-पुत्र	१६९७—१७२७ "
६. गल्दन, छेरिङ्-छेवङ्-पुत्र	१७२७—४५ "
७. छेवङ्-दोर्जे,गल्दन छेरिङ्-पुत्र	१७४५—५० "
८. दावा छेरिङ्, सेङ्-गे-वंशज	—१७५५ "
९. अमुरसना, बातुर-थैची-वंशज	१७५०—५७ "

१. खराखुल, कुतुगैतू अबूदा अबलई-पुत्र, ओनगोजो-पौत्र, अरखान चिङ्-सेन-प्रपौत्र (—१६३४ ई०)

तायन खानके समय (१४७०—१५४४ ई०), कल्मकों [१ करइत (केरगुदी), २. जुंगर, ३. देरबेत, ४. खोरोत (चोरोस)] की भूमि त्यानशान-पर्वतमालाके उत्तर तथा बोग्दोउला-पर्वतके पड़ोसमें थी। सोलहवीं सदीमें इनका केन्द्र कुल्जाके आसपास इलि-उपत्यकामें था। खराखुल (चोरोस) मंगोलोंके खान खराखुलने १६३४ ई०के आसपास (शाहजहांके समय) ओइरोतोंको एकताबद्ध करके अपनी शक्तिको बढ़ानेकी कोशिश की, लेकिन उसमें सफलता उसके पुत्र बातुर थैची (तैची, तैसी, थैशी) को हुई।

२. बातुर थैची, खराखुल-पुत्र (१६३४—५३ ई०)

१६३४ ई० में बातुर (बहादुर) ने अपने बापका राज्य पा खुन-थैचीकी उपाधि धारण की। इसके समय ओइरोतों या जुंगरों (वामदल) का राज्य दृढ़ हुआ। इसने १६४० ई०में कूरिल्ताई (महापरिषद्) बुलाई, जिसमें रूसके राज्यमें रहनेवाले कल्मकोंके भी प्रतिनिधि आये थे। यहां पर बातुरको खुन-थैची (सारे कल्मकोंका सरदार) बनाया गया। बातुर ऊपरी इर्तिश-उपत्यका तथा जाइसन सरोवरके पासकी भूमिमें चारण करता था। इसने तवक्कल खानके भाई और उत्तराधिकारी कजाकोंके खान इशिमसे सफल लड़ाइयां कीं। १६५३ ई०में बातुरके मरनेके समय कल्मक एकताबद्ध हो चुके थे।

अल्ताईके उत्तरमें रहनेके कारण बातुरके कल्मकोंको उत्तरी एलियोत (ओइरोत) भी कहा जाता था, और दाहिनेकी ओर प्रवास करनेके कारण जुंगर—सेगोनगर—या वामपक्ष भी। बातुरने तोर्गुतोंके राजा उर्लुककी लड़की ब्याही थी, लेकिन पीछे उर्लुकसे झगड़ा हो गया, जिसके कारण भी तोर्गुत पश्चिमकी ओर प्रयाण करनेके लिये मजबूर हुये। करा-इर्तिशकी उपत्यकामें बातुरके रूसी तथा खलखा पड़ोसी हुये। रूसी अबतक साइबेरियाके खानोंकी शक्तिको छिप-भिन्न कर चुके थे। ताराके आसपासके बराबिस्की तथा दूसरे तुर्की कबीलोंपर बातुर थैचीका दावा था। उसके आदमी १६०६ ई० में कर उगाहनेके लिये इस इलाकेमें गये, तो रूसियोंने विरोध किया, लेकिन वह उन्हें वहांसे भगा नहीं सके। अगले साल कल्मकोंने कूचुमके पुत्रोंको साथ ले तारासे पश्चिमकी ओर बढ़ते हुए तोबोल्स्क, त्यूमन आदि जिलोंपर भी हमला किया। तारा-उपत्यकाके निवासी इर्तिशके मैदानोंसे नमक लाकर सारे देशमें बेंचते थे। १६१० ई० में कल्मकोंने नमककी खानोंको दखल कर लिया। इसपर तारतारों और दूसरे कबीलोंने लड़नेकी तैयारी की, लेकिन जब १६१३ ई० में नमककी खानें उन्हें मिल गईं, तो झगड़ा खतम हो गया। १६१५ ई० में बातुर थैची (खराखुल तैची ?) के दूत तारा गये। और अगले साल थैची, बातुर और कई दूसरे थैचियोंने तोबोल्स्कसे आये रूसी कसाकोंके सामने जारके प्रति राजभक्तिकी शपथ ली, लेकिन यह शपथ नाममात्रकी थी। कल्मकोंने छेड़-छाड़ जारी रक्खी, और १६१८ ई०में इर्तिश और तोबोलकी बीचकी भूमिमें सिबिर खानके पुत्रोंके साथ आये कल्मकोंको रूसियोंने हराकर उनके सत्तर ऊंट और एक बक्सी (भिक्षु)को पकड़ लिया, जिसे पचास घोड़ा देनेपर छोड़ा गया।

१६२० ई० में बातुर तैची (?) खराखुलने अल्तन खान खलखाकी राजधानीको दखल किया, जो कि उबसा सरोवरके ऊपर थी, लेकिन खलखोंने जल्दी ही कल्मकोंके ऊपर आक्रमण करके उन्हें हरा दिया। कल्मक तैचीको अपने एक पुत्रके साथ ओबकी ओर भागनेके लिये मजबूर होना पड़ा। कल्मक तैचीने चूमिश नदीके तटपर एक दुर्ग बनाया। उसके दूसरे जुंगर-कल्मक इर्तिश, तोबोल आदिकी उपत्यकाओंमें चले गये। इसी समय देरबेत-मंगोल भी भागकर साइबेरियामें गये।

धीरे-धीरे बातुरका राज्य बढ़ा। किर्गिज और कजाक खास तौरसे अधीनता स्वीकार करने के लिये मजबूर हुये। कुछ कल्मकोंने किर्गिज और कजाक बंदियोंको रूसियोंके पास भेजकर उनसे अपने बन्दी छुड़ाये। १६२३ ई०में खलखोंने फिर कल्मकोंको हराया। अबतक पिछले चालीस सालोंमें खलखोंमें लामाओंका जोर बहुत बढ़ गया था। इसके बाद उनका प्रभाव जागन नोमेन खान द्वारा कल्मकोंपर भी पड़ने लगा, और जुंगर खान खराखुल, दरबेतोंके थैची तालेई और तोर्गुतोंके सरदार उर्लुकने अपने एक-एक बेटेको भिक्षु बनाया। इसका एक अच्छा परिणाम यह हुआ, कि खलखों और कल्मकोंके बीच चला आता झगड़ा शांत हो गया।

१६३४ ई० में रूसियोंको नमक न ले जाने देनेके लिये कल्मकोंने दो हजार सेना बैठा दी। रूसी डरके मारे नहीं गये, तो उन्होंने तारापर चढ़ाई कर दी, लेकिन वहांसे मार भगाये गये। १६३८ ई० में रूसी कसाक यामिश सरोवरपर पहुंचे, जहां कल्मकोंके साथ उनकी पंचायत बैठी, जिसमें निम्न शर्तोंपर सुलह हुई—(१) हम रूसी बस्तियोंपर आक्रमण नहीं करेंगे, (२) शिकार और मछलीके लिये गये रूसियोंके साथ छेड़-छाड़ नहीं करेंगे, (३) नमक ले जानेमें कोई रुकावट नहीं पैदा कर, उसके ढोनेके लिये अपने पशु भी देंगे। यह एकतरफा शर्तोंकी सुलह थी, जिसमें रूसियोंका ही पलड़ा भारी था। लेकिन कल्मक घुमन्तू ऐसी शर्तोंको माननेके लिये क्यों तैयार होने लगे? सीमान्तपर उनकी लूट-मार बराबर जारी रही।

बातुर थैचीका डेरा अपनी पुरानी जगह इली नदीके तटपर पड़ा था, जहांसे उसने सन् १६३४ ई० में त्यानशानके दक्षिणके नगरोंपर आक्रमण किया। बातुरकी धर्मभक्तिसे प्रसन्न होकर १६३५ ई०में दलाई लामाने उसे खुङ-थैशी और एर्दन-बआतुरकी उपाधि प्रदान की। उसकी रूसियोंसे भी दोस्ती थी। उसने अल्ताईके उत्तर ओब-इर्तिशके बीचकी भूमिके अपने उपराज कुला थैचीको हुक्म दिया, कि तारा (रूसी नगर)से पकड़ लाये परिवारोंको लौटा दो। सौ परिवार—जिसमें रूसी भगोड़े भी शामिल थे—हजार घोड़ोंके साथ रूसियोंके पास लौटा दिये गये। अब रूसियों और बातुर थैचीमें दूतोंका

दानादान होने लगा। इस समय बातुर एक बौद्ध विहार बनवा रहा था। निश्चय ही विहार अबतक तम्बुओंमें रहे होंगे, लेकिन तम्बुओं वाले विहारोंसे तो कीर्ति स्थायी नहीं हो सकती थी, इसलिये तिब्बतके विहारोंके अनुकरणपर वह एक भव्य इमारत खड़ी कर रहा था। उसने यह भी देखा, कि घुमन्तूगिरीसे जीविकाका स्थायी प्रबन्ध नहीं हो सकता, इसलिये वह चाहता था, कि कल्मक खेती करें। कल्मकोंकी एक प्रधान बस्ती थी कुबकसरी। बातुर अपना अधिक समय दे अपने देशको सुन्दर तथा खेती द्वारा समृद्ध करनेमें लगा था। १६४० ई०में नौ सौ रूबल (चांदी)के रेशम और दूसरे कपड़े मास्कोसे उसके लिये भेजे गये। थैचीके कहनेके अनुसार वोयवोदको हुक्म मिला था, कि साइबेरियासे सूअर, मुर्गे और कुत्ते भी भेजे जायं। इससे मालूम होता है, कि बातुर अपने लोगोंके आर्थिक ढांचेमें परिवर्तन करना चाहता था।

रूसियोंके कारण बातुर थैचीका बढ़ाव उत्तर (साइबेरिया) में नहीं हो सकता था, और पूर्वमें चीनके कारण भी आगे बढ़नेकी गुंजाइश नहीं थी, इसलिये उसका ध्यान अपने पश्चिमके किर्गिज-कजाकोंपर ही जाना स्वाभाविक था। १६४५ ई० में उसने कजाकोंके सबसे बड़े खान इशिम खानको हराया, और उसका पुत्र यंगिर सुल्तान कल्मकोंके हाथमें पड़ा। लेकिन वह जल्दी ही उनके हाथसे निकल भागा और शक्ति संचय करके १६४३ ई० में उसने बातुरको पीछे हटनेके लिये मजबूर किया। पर इस हारका कोई स्थायी प्रभाव नहीं पड़ा। इसी समय बातुरका प्रधान शिविर इमिल नदीके तटपर कुब्रकसरीमें था। यहींपर रूसी राजदूत इलिन उससे मिला। लौटते समय बातुरने पत्र देकर इलिनके साथ अपने दो दूत कर दिये। बातुरके पत्रमें लिखा था :—

"परमभट्टारक महाराज (जार)को बगतिर खुङ थैची अभिनन्दन करता है। हम अच्छी तरह हैं, और जानना चाहते हैं कि आप कैसे हैं। आप महाराज, और मैं खुङ थैची अबतक शांतिके साथ रहे हैं। आप मेरे पिता हैं और मैं आपका पुत्र। दूरतम देशोंके लोग हम दोनोंके पारस्परिक अच्छे बर्ताव और सौहार्दको सुन चुके हैं। मेरे और आपके लोग साथमें व्यापार करते हैं, और एक दूसरेको नहीं लूटते, न एक दूसरेसे लड़ते हैं, बल्कि दोनोंके बीचमें शांति है। लेकिन आपके लोगोंने हमारी प्रजापर करसागलेनमें तोम नदीके तटपर आक्रमण किया, और उनमेंसे कुछको बन्दी बनाया। अगर महाराज, आपको यह बात मालूम है, या आपकी आज्ञासे ऐसा किया गया, तो बिना मुक्ति-धन लिये बंदियोंको लौटा दो। अगर ऐसा नहीं हो, तो अपराधीको हमारे पास जुरमाना देनेके लिये मजबूर करो। आपके आदमी हमारे हरएक बंदीके लिये चार सौ सबलें (समूरी छाल) मांगते हैं, चाहे वह दस सालका बच्चा ही क्यों न हो। यदि आप कृपा करके उन्हें बिना मुक्ति-धनके छोड़नेको आज्ञा नहीं देंगे, तो हमारी मित्रता खतरेमें पड़ जायेगी। हम आपके पास २ पातरके छालें, ६ रत्थी (धनुर्धरोंके कामका मोटा चमड़ा), और दो घोड़े भेज रहे हैं, जिनके बदलेमें हम एक कवच, एक बन्दूक, चार लड़नेवाले मुर्गे, आठ लड़नेवाली मुर्गियां चाहते हैं। यदि परमभट्टारक, आपको किसी चीजकी जरूरत हो, तो पत्रमें लिखें। हमारे दूतोंको मास्को जानेकी इजाजत मिले, जिसमें वह अपने घोड़ोंको साथ ले जा सकें।" इस समय जुंगारियामें अकाल पड़ा हुआ था, जिसके कारण बहुतसे कल्मक बरेबास्तेपीमें साइस्सननोर (श्रेष्ठ सरोवर)में मछली मारकर गुजारा कर रहे थे। इसके पहले इस सरोवरका नाम कीसलपू-नोर था।

शिकायतोंका कुछ भी फल न देखकर १६४९ ई० में खुङ थैचीके प्रतिनिधि कुला थैची-पुत्र सकिलने तोम्स्क जिलेपर आक्रमण करके सगर्स्का गांवको उजाड़ दिया। अगले साल रूसियोंने कप्तान क्लपकोफको शिकायत करनेके लिये बातुरके पास कुबकसरीमें भेजा। उस समय बातुर वहां पत्थरोंकी इमारतोंवाले एक नगरके बनानेमें लगा हुआ था। बातचीत करनेपर मालूम हुआ, कि पहले रूसियोंने आक्रमण किया था। क्लपकोफके साथ फिर बातुरने अपने दूतोंको भेजकर दो बढ़ई, दो राजगीर, दो लोहार, दो बन्दूक बनानेवाले मिस्त्री, एक तोप, कुछ सोनेके आभूषण, बीस सुअरियां, पांच सूअर, पांच लड़ाई के मुर्गे, दस लड़ाईवाली मुर्गियां और एक घंटा मांगा था।

बातुर थैची बिखरे कल्मकोंको एकताबद्ध करके कल्मक साम्राज्यका संस्थापक तथा जबर्दस्त विजेता ही नहीं था, बल्कि उसकी जैसी प्रतिभा घुमन्तुओंमें मुश्किलसे पाई जाती थी। अकालोंके

भयसे त्राण पाने और दूसरे अभावोंको हटानेके लिये उसने अपने लोगोंको स्थायी तौरसे बस जाने की प्रेरणा दी, जिसके लिये जुंगारिया (कल्मक भूमि) में जगह-जगह बौद्ध विहार बनवाये। बातुर थैचीकी भारी मददसे कोकोनोरके खोसोतोंके सरदार गूशी (गूश्री) खानने तिब्बतके छोटे-छोटे राजाओं को खतम करके सारे तिब्बतको एकताबद्ध कर १६४३ ई०में पांचवें दलाई लामाको प्रदान करके लामा-राज्यकी स्थापना की। बातुर थैची १६५३ ई०में मरा।

३. सेङ-गे, बातुर-पुत्र (१६५३—७१ ई०)

बातुरका बड़ा लड़का सेत्सेन खान या सेङगे इरशि ऊपरी इतिश-उपत्यकामें चारण करता था। वह सेङगेका सलाहकार था। सेङगेंका बापके साथ अच्छा संबंध नहीं था। उसने कई बार पिताके रास्तेमें रुकावट डालनी चाही। पिताके मरनेके बाद यह कल्मकोंका थैची बना, तो भी सौतेले भाइयोंसे इसका झगड़ा बराबर चलता रहा, जिसमें ही वह १६७१ ई०में मारा गया।

४. गल्दन, बातुर-पुत्र (१६७१—९७ ई०)

सेंगेके बाद उसका भाई गल्दन बोशोक्तू (बुश्तू) खान गद्दीपर बैठा। गल्दन पहले बौद्ध भिक्षु बन तिब्बतमें अध्ययनके लिये गया हुआ था। लौटकर देश आनेपर भाई सेङगे (सेत्सेन खान) से अनबन हो गई। दोनोंमें लड़ाई हुई, और १६७६ ई० के अन्तमें सेत्सेनको ताल्की डांड़े और सेइराम झीलके पास हारकर भागना पड़ा। गन्दनका कजाकों और किर्गिजोंसे भी झगड़ा रहा।

तिब्बतमें लूट-मार करनेके कारण गन्दनने अपने चचा शूकेरको किजिलपू सइस्सन (झील)के तटपर हराया। भिक्षुके तौरपर तिब्बतमें रहते समय इसका दलाई लामासे घनिष्ठ संबंध था, इसलिये उसका प्रभाव कल्मकोंपर बहुत जल्दी बढ़ा—जुंगर ही नहीं खोशोत आदि दूसरे कल्मक कबीलोंने भी इसकी अधीनता स्वीकार की, और १६७६ ई०में बापकी तरह इसने भी खुङ-थैचीकी उपाधि धारण की। इसके समय त्यान्-शानके दक्षिण (पूर्वी तुर्किस्तान)के शासक खोजा (पीर) थे, जिनमें आपसमें झगड़ा लगा हुआ था। काले पहाड़ियोंका नेता काशगरका खान इस्माईल था। उसने सफेद पहाड़ियोंके नेता अप्पक खोजाको देशसे भगा दिया था। अप्पक खोजा पहले कश्मीर गया। औरंगजेबको अपने धर्म-बंधुकी मदद करनेकी फुर्सत नहीं थी। फिर वह तिब्बतमें दलाई लामाके पास पहुंचा। दलाई लामाने खोजाको काश्गर और यारकन्द दिलानेमें मदद करनेके लिये गन्दनके पास लिखा। १६७८ ई०में गन्दनने पूर्वी तुर्किस्तानको जीतकर अप्पकको अपना उपराज बना यारकन्दमें बैठा दिया, और काशगरके खानके परिवारको ले जाकर इली-उपत्यकाके मुसलमान नगर कुल्जामें बसा दिया। तबसे जबतक (१७५५ ई०में) कि चीनियोंका पूर्वी तुर्किस्तानपर अधिकार नहीं हो गया—अर्थात् ७७ वर्षोंके लिये—एक बार फिर पूर्वी तुर्किस्तानकी प्राचीन बौद्ध-भूमि कल्मक बौद्धोंके हाथमें जा जुंगर-साम्राज्य-का अंग बन गई। वहांके प्रबन्धका काम गन्दनने खोजाके हाथमें दे रक्खा था, जो प्रतिमास चार लाख तंका कर भेजता था। इसी समय गन्दनने तुर्फान और खामिलको भी जीत लिया, और बुश्तू खान (बोधिसत्व राजा) की उपाधि धारण की, जिसे कि अबतक छिङ-गिस्की सन्तान ही धारण करती थी। गन्दनने चीन-सम्राट्के पास भेंट भेजी, जिसके लिये सम्राट्ने प्रति-भेंटके साथ-साथ राजमुद्रा प्रदान की। १६८२ ई०में सम्राट् खाङ-सी गन्दन (गल्दन) के पास भारी भेंट भेजते हुये उसके प्रतिद्वंद्वी खलखा राजा तुशियेतूको भी भेंट भेजना नहीं भूला। १६८८ ई०में गन्दनने खलखोंके तुशियेतू खानपर चढ़ाई की। खलखोंमें भगदड़ मच गई, और तूशियेतूकी बीबी और बच्चे भी तीन सौ आदमियोंके साथ जान लेकर भागे। गन्दनको मालूम हुआ, कि उसके भाई सेंङ-गेके मरवानेमें तूशीयेतूका भी हाथ था, इसीलिये उसने दलाई लामाके दूतसे कहा था—"यदि मैं तूशियेतू खानसे सुलह कर लूं, तो मेरे भाईके खूनका बदला कौन लेगा? मैंने निश्चय किया है, कि अपनी सारी सेनाको ले उसके साथ चार-पांच वर्षतक लड़ाई करूं। मैं खलखोंको नष्ट करना चाहता हूं और तबतक संतोष नहीं लूंगा, जबतक कि तूशियेतूके भाई चुपसुन तन्पा*को हथकड़ियों-बेड़ियोंमें अपने पैरोंमें पड़ा नहीं देखूंगा।"

लेकिन अब गन्दन दूसरे झगड़ेमें फंसा। उसका भतीजा सेंङ-पुत्र छेवङ अर्बतन बापके सिंहासनका दावेदार था। उसने १६८९ ई०में चचाको हराया। इस लड़ाईमें गन्दनके लोगोंकी हालत इतनी बुरी हो गई, कि कुछने तो जीवन-रक्षाके लिये आदमीका मांसतक खाया। लेकिन यह अवस्था देरतक नहीं रही। गन्दन यदि अपने पूर्वी पड़ोसी खलखोंसे लोहा ले रहा था, तो साथही उसने रूसके साथ खूब मित्रता स्थापित की थी। रूसी व्यापारी बराबर उसके राज्य (जुंगारिया) में जाते रहते थे। १६८८ ई० में गन्दनने दरखन (तरखन, राजकुमार) सइस्सनको दूत बना पत्र और भेंटके साथ इर्कुतुस्क भेजा।

चीन चुपचाप यह कैसे देखता रहता, कि उसके अधीन खलखोंसे कल्मकोंकी ताकत अधिक बढ़ जाये? इसीलिये वह बीचमें कूद पड़ा। रूसी अभी दूर थे, इसलिये वह अपने मित्र कल्मकोंकी अधिक मदद नहीं कर सकते थे। चीन-सम्राट् खाङ सीने बड़ी सैनिक तैयारी की। पहले वह स्वयं सेनाका संचालक बनकर आना चाहता था, लेकिन कहने-सुननेपर अपने बड़े भाई ऊ-हो-चे-यू चिङ-वाङको प्रधान सेनापति बनाया। गन्दन भी कोई ऐसा-वैसा प्रतिद्वंद्वी नहीं था। उसने चीनकी राजधानी पेकिङसे अस्सी योजन (लीग) पर जाकर लड़ाई छेड़ी। उसके पास चीनके बराबर सेना नहीं थी और न तोपें ही। पहले उसके हरावलको बहुत हानि उठानी पड़ी, लेकिन उसकी सेना दलदलके पीछे थी, जहां चीनी सेनाके लिये पहुंचना बहुत कठिन था। लड़ाई रात तक होती रही, और किसी निर्णयपर पहुंचे बिना ही दोनों सेनायें लौट गईं। चीनने इस शर्तपर समझौता किया, कि यदि गन्दन इस बातकी शपथ खाये, कि मैं सम्राट् और उसके मित्रोंकी भूमि-पर आक्रमण नहीं करूंगा, तो वह अपनी सेनाके साथ लौट जा सकता है।

गन्दनकी शक्तिको कमजोर करनेके लिये चीनियोंने उसके भतीजे अर्बतनको उसकाया। गन्दनका राज्य इस समय उत्तरमें केरुलोन नदीसे दक्षिणमें कोकोनोर सरोवरतक, और पूर्वमें खलखाकी सीमासे पश्चिममें किर्गिज-कजाकोंकी सीमातक फैला हुआ था। चीनी इतिहासकारोंके अनुसार—"वह (गन्दन) कजाकों और तुर्कोंको प्रसन्न करनेके लिये अपनेको इस्लामका भक्त बताता था, और तूशियेतू खानके भाई *जेचुन तन्पाके प्रतिद्वंद्वी दलाई लामाके पक्षका समर्थन करते हुये मंगोलोंके बीचमें झगड़ा पैदा किये हुये था।" गन्दनने मंचू सम्राट्के भक्त कोरचिन मंगोलोंके सरदारके पास लिखा था—"हमारे लिये इससे बढ़कर अयुक्त बात क्या हो सकती है, कि जिनके ऊपर एक बार हमने शासन किया, आज उनके ही हम दास बनें? हम मंगोल हैं, (बौद्ध) धर्मके नीचे एकताबद्ध हैं, इसलिये आओ हम अपनी शक्तियोंको मिलकर उस साम्राज्यको फिर प्राप्त कर लें, जो कि हमारा है, और हमें पूर्वजोंसे उत्तराधिकारमें मिला है। मैं अपने विजयके लाभ, यश और आनन्दमेंसे उनको अपना भागीदार बनाऊंगा, जो कि विपद्‌में भागीदार बननेके लिये तैयार हैं। लेकिन अगर कोई भी मंगोल राजा—और मैं समझता हूं, कि ऐसे कोई नहीं है—ऐसे हैं, जो हमारे सबके एकसे दुश्मन मंचुओंका दास रहना चाहते हैं, तो सबसे पहले मेरे क्रोधके भाजन वही होंगे, चीनको जीतनेसे पहले मैं उनका सत्यानाश करके रहूंगा।"

अप्रैल १६९६ ई०में एक बहुत जबर्दस्त चीनी सेनाने गन्दनके विरुद्ध प्रस्थान किया। इस सेनाके साथ जेसुइत (ईसाई) साधु गेर्बिलोन भी था। सम्राट् खाङ-सी भी सेनाके साथ था। दरबारियोंने सम्राट्को रास्तेसे लौटनेके लिये बहुत जोर दिया, लेकिन उसका उत्तर था—"मैं यह बात बिल्कुल नहीं करूंगा। क्या मैंने अपने पूर्वजोंके सामने शपथपूर्वक अपने अभिप्रायको प्रकट नहीं किया? क्या हरएक सिपाही यह नहीं जानता, कि प्रस्थान करनेसे मेरा क्या मतलब था? क्या मेरे पूर्वजोंने खतरे और कठिनाइयोंका मुकाबिला करके सिंहासनको नहीं प्राप्त किया? शक्तिशाली वीरोंकी संतान होकर खतरेके डरसे औरतकी तरह मैं कैसे भाग सकता हूं? ऐसा आचरण करके मैं कौनसा मुंह लेकर अपने पितरोंसे भेंट कर सकूंगा?"

---

* जे-चुन् तन्-पा=भट्टारक शासन (धर) उर्गाके महालामाकी उपाधि थी।

आगे जानेपर पता लगा, कि गन्दन तुला नदीके तटपर था, जहांसे वह केरुलोन नदीके किनारे-किनारे लौट गया। चीनी मुख्य-सेना सम्राट्के नेतृत्वमें केरुलोनके किनारे-किनारे पश्चिम की ओर बढ़ती दोनों ओर सूइलहितू तक गई। लेकिन, अब आदमियोंके लिये रसद और जानवरोंके लिय चारा मिलना मुश्किल हो गया, इसलिये चीनी सेनाको मुड़कर तोइरिनके उपजाऊ इलाकेमें जाना पड़ा। गन्दनका पीछा करनेके लिये पांच-छ हजार सैनिक छोड़ दिये गये थे। चीनी सेनापति चे-ताइने गन्दनको बहुत मजबूत पाया, इसलिये कुछ गोलियां दागकर वह लौट पड़ा। गन्दनने उसका पीछा किया, और यह ख्याल नहीं किया, कि दूसरा सेनापति तेयेन्कू काफी सेना लेकर उसकी ताकमें है। तो भी बड़ा जबर्दस्त मुकाबिला किया। यदि तोपचियों और बन्दूकचियोंने गोले-गोलियोंकी वर्षा न की होती, तो गन्दन पराजित न होता। अन्तमें कल्मक पीछेकी तरफ भागे। तीस ली (८ मील) तक चीनी सैनिकोंने उनका पीछा किया। गन्दनकी रानी गोलीकी शिकार हुई। गन्दन अपनी लड़कियों, एक लड़के तथा कुछ अनुचरोंके साथ भागकर पश्चिमकी ओर चला। उसके सैनिकोंने चीनी जेनरलके पास आत्म-समर्पण किया। उसके बाद गन्दनके दूतने चीन-सम्राट्के पास पहुंचकर कहा—"जल्दी ही मेरा स्वामी भी खलखोंकी तरह साम्राजी सिंहासनके पास आ शांतिपूर्वक अधीनता स्वीकार करेगा।" खाङ-सोने चिट्ठी लिखकर गन्दनको अस्सी दिनका अवकाश दिया। लेकिन चीनी दूतोंमेंसे केवल एक गन्दनके सामने जाने पाया। उस समय गन्दन खुली जगहमें पत्थरोंके ढेरपर बैठा हुआ था। उसने पोची (दूत) को अपने पास आने नहीं दिया। सम्राट्की शुभेच्छाके लिये धन्यवाद दे अपनी इच्छा प्रकट करनेके लिये दूत भेजनेकी बात कही। कुछ क्षणोंकी भेंटके बाद गन्दन घोड़ेपर चढ़कर चला गया। चीनी दूतने देरतक प्रतीक्षा की। वह कुछ सैनिक कार्रवाई करना चाहता था, किन्तु असफलतासे निराश और भतीजेके विद्रोहसे हताश हो गन्दनने ५ जून १६९७ ई० को आत्महत्या कर ली। कहते हैं, छ सप्ताह पहले वह सूर्योदयके समय बीमार पड़ा, और उसी रातको मर गया। यह खबर छ सप्ताह बाद चीन-दरबार को मिली।

गन्दनकी योग्यताके कायल उसके शत्रु भी थे। सम्राट् खाङ-सीने स्वयं लिखा था—

"गन्दन एक बड़ा ही दुर्धर्ष शत्रु था। उसने समरकन्द, बुखारा, बुरुत (किर्गिज), उरगंज, काश्गर, सूइरमान (? सैराम), तुर्फान और खामिलको मुसलमानोंसे ले लिया, और बारह सौसे अधिक नगरोंपर अधिकार किया, जो बतलाता है, कि उसकी बांह कितनी लम्बी थी। सातों झंडोंके खलखोंने व्यर्थ ही अपने एक लाख जवानोंको जमा करके उसका विरोध किया। उन्हें तितर-बितर करनेके लिये गन्दनके वास्ते एक वर्ष पर्याप्त था।"

यदि अपने प्रतिद्वंद्वियोंकी तरह गन्दनके पास भी बारूदके शक्तिशाली हथियार होते, या उदीयमान मंचू-शक्तिके यह आरम्भिक दिन न होते, तो कौन जानता है, उसने फिर छिङ-गिस्का अनुसरण करते हुये चीनके ऊपर मंगोलोंकी विजय-ध्वजा न गाड़ी होती?

१६८१-८३ ई०में गन्दन सैरामपर आक्रमण कर रहा था। १६८३, १६८४ और १६८५ ई० में किर्गिजों और फरगानियोंके ऊपर उसने प्रहार किया। गन्दन प्रथम खुङ-थैची था, जिसने इलीकी उपत्यकामें चारण किया। जाड़ोंमें वह कभी-कभी इर्तिशके तटपर रहता था। तुर्क जातियोंमेंसे केवल बुरुत (किर्गिज) १८ वीं सदीमें इस्सिक्कुलके पास विचरण करते थे। गन्दनके भतीजे छेवङ-रब्तनने १६७८ ई० में चचाको मंगोलियामें अभियान करनेके लिये गया देखकर आक्रमण किया था।

५. छेवङ-रब्तन, सेङ-गे-पुत्र (१६९७–१७२७ ई०)

छेवङ औरंगजेबके शासनके अन्तिम दस सालोंके साथ-साथ और भी बीस वर्षतक मध्य-एसियाका शासक रहा। इसने अपने चचा और दादाकी सफलताओंको अक्षुण्ण रखते हुये अपने राज्यमें एकता स्थापित की। चीनको अपने रास्तेमें बाधक देखकर थोड़े ही समयमें छेवङ भी चचाकी तरह उसका शत्रु हो गया। तो भी पहले सत्रह सालोंतक वह चीनके साथ शांतिपूर्ण बर्ताव करता रहा। १७१४ ई०में उसने चीन-अधिकृत हामीपर आक्रमण किया। चीनने आल्क (अलताऊ) तकके इलाकेको उससे मांगा, जिसे छेवङने देनेसे इन्कार कर दिया। चीनके जैसे बलिष्ठ शत्रुका विरोध करनेसे पहले

छेवङने जरूरी समझा, कि रूसियोंको अपना प्रभु मान लें। इसी संबंधमें बात करनेके लिये कल्मकोंके पास इवान चेरेदोफ १७१९ ई०में भेजा गया इससे पहले १७१७ ई०में छोटी सी नदी खर्किरपर मूजार्तके पास रहते हुये छेवङने तोबोल्स्कके रूसी राज्यपाल बेल्यानोफके पास अपना दूत भेजा था। १७२२ ई० में रूसी कप्तान उन्कोव्स्कीने इलीके दक्षिणी तटपर खुङ-थैचीके शिविरमें मुलाकात की। जिस स्थानपर मुलाकात हुई, वह चारिनसे कुछ वेर्स्तपर था। उन्कोव्स्की सितम्बर १७२३ ई०तक छेवङके दरबार में उसके ओर्दूके साथ ल्यूप और जरगलानकी उपत्यकाओंमें घूमता रहा, लेकिन इसका कोई अधिक फल नहीं हुआ, क्योंकि १७२२ ई० में मंचू-सम्राट् खाङ-सीके मर जानेके कारण अब छेवङको चीनियोंसे उतना डर नहीं रह गया।

१७२३ ई० में कल्मकोंने कजाकोंपर भारी विजय प्राप्त करके सैराम, तुर्किस्तान-शहर और ताशकन्दको ले लिया। कप्तान उन्कोव्स्कीके अनुसार छेवङके पास एक लाख सैनिक थे। वह बहुत ही जनप्रिय था। वह बिना अपने सेनापतियों और सरदारोंकी सम्मतिके कोई निर्णय नहीं करता था। खुङ थैचीका सौतेला भाई छेरिङ-दोण्डुब (दीर्घायु सिद्धार्थ) उसका एक बड़ा सरदार और सलाहकार था, जो कि लेप्सा और करातलाके तटपर चारण करता था। इस समय कितने ही कल्मक भी खेती करने लगे थे। खरगोशके मुहानेके नजदीक सरतों (ताजिकों) की कई बस्तियां थीं। शांतिकालमें चीनियोंके साथ कल्मक व्यापार करते थे, रूसियों, तंगुतों (अम्दुओं), अन्तर्वेदियों और भारतीयोंके साथ तो वह बराबर व्यापार करते रहते थे।

१७१५-१६ ई०के जाड़ोंमें एक कारवांके साथ स्वीडन-निवासी रेनाड कल्मकोंके हाथमें पड़ गया। वह प्रायः सत्रह साल (१७३३ ई० तक) उनके देशमें रहा। उसने उन्हें युरोपकी कितनी ही बातें सिखलाईं, और उनके बारेमें भी जानकारी प्राप्त की। कल्मक-भूमिकी स्थिति और विचार के बारेमें उसने लिखा है:—(१) सप्तनदका (अलाताउ), तेकुशचिख नदी तथा बलखाशकी तटभूमि, (२) उत्तरमें इलीसे कोकताल और कोकतेरेकके बीच अलतिन-एमेल और कोइबिनके बीचकी भूमि, (३) उत्तरमें केगेनके किनारेसे और चारिनसे पूर्वमें केतनेन पहाड़तक, (४) ऊपरी चिलिक-उपत्यका और उसकी पासकी भूमि, (५) त्यूपाके तटसे इस्सिक्कुलके दक्षिणी तट तक पश्चिमी छोरसे उत्तरमें कोइसू और अक्सूके बीच तक, (६) महाकेबिन-उपत्यका चूके संगम करातास तक।

चवाके साथ विरोधका कारण एक यह भी बतलाया जाता है, कि उसे पश्चिमी जुंगारियामें अधिकार न देकर उसके भतीजेको नियुक्त किया गया था, तथा त्यान्शानके पासवाले नगरोंमें भी उसे कुछ अधिकार-बंचित किया गया। १६९६ ई० में अर्बतन (रब्-तन) * के पांच सौ सैनिक तुर्फानमें थे। खामिल और आसपासका शासक उस समय अब्दुल्ला तरखनबेग था। १६९७ ई० में अब्दुल्लाने चीनसम्राट्से यह कहकर मदद मांगी, कि खुङ-थैची हमारे ऊपर आक्रमण करना चाहता है। अर्बतनने उसके ऊपर दोषारोप किया, कि अब्दुल्ला कल्मकोंकी सीमाके भीतर घुसकर गन्दनके पुत्र छेरतन पल्जोर † (सेप्तेन बल्जुर) तथा दूसरे जुंगरोंको भी पकड़ ले गया, और हमारे दूतोंको रोके रक्खा। चीनने अब्दुल्लासे मांग की, कि गन्दनके पुत्रको दिखलाओ और हमारे दूत तथा बंदियोंको तुर्फान लौटा दो। अब्दुल्लाने कैदियोंको चीन भेज दिया, जिनमेंसे सत्तर आदमियोंको वहां जेलमें डाल दिया गया।

रब्तन कैसे पसन्द करता कि चवाके समयसे उसके करद लोग चीनकी छत्रछायामें चले जायं ? बहुतसे छोटे-छोटे राजाओंने उसकी अधीनता स्वीकार कर ली थी। अर्बतनने तंत्सीलाको हराया, जिसमें उसे चेरेन सन्लुप (छेरिङ सम्डुब्) गन्दन-पुत्र, चोनसी हाई (गन्दन-पुत्री), गन्दनकी स्त्री कुलीन और गन्दनकी चिताभस्म भी मिली। चीन-सम्राट् देख रहा था, कि छेवङ फिर चवाकी तरह जुंगरोंको एकताबद्ध करनेमें सफल हो रहा है। उसने रब्तनको रोकना चाहा, और पहले रब्तन को विजयमें प्राप्त वस्तुओंको अपने पास भेजनेके लिये लिखा। रब्तनका जवाब था:—"लड़ाई अब समाप्त हो गई, इसलिये दावोंको भूल जाना चाहिये। हमें पराजितोंपर दया करनी

* रब्-तन=प्रशासन (तिब्बती)

† महाशासन श्रीयोगी (तिब्बती)

चाहिये । उन्हें नष्ट करनेका ख्याल बर्बरोचित होगा, मानवताका यह प्रथम विधान है, जिसे कि एलियोतों (ओइरोतों) ने सदा पवित्र मानकर पाला है ।" रब्तनने गन्दनके लड़के और पत्नीको भेज दिया, लेकिन लड़कीके बारेमें कहा—'ओइरोतोंमें कायदा नहीं है, कि अपने शत्रुओंकी लड़कीसे बदला ले । और गन्दनकी चिताभस्मसे सम्राट्के विजयमें कोई वृद्धि नहीं होगी ।' इसके बाद चीनसे कई दूत आते-जाते रहे । बहुत दबाव पड़नेपर उसने गन्दनकी चिताभस्म और उसकी पुत्रीको चीन भेज दिया । सम्राट्ने भी अपने पुराने शत्रुकी संतानके साथ बड़ी उदारता दिखलाई, और दोनों बहिन-भाइयोंको क्षमा कर दरबारमें उन्हें ऊंचे पद दिये ।

अपने पश्चिमी पड़ोसियों किर्गिज-कजाकोंके साथ रब्तनने भयंकर युद्ध जारी रखा। १६८८ ई० के अपने एक पत्रमें रब्तनने सम्राट् खाङ-सीको लिखा था, कि कैसे गन्दनने तबक्कल तुर्कके पुत्रको पकड़कर दलाई लामाके पास भेज दिया था । लेकिन मैंने उसके बापकी प्रार्थनापर पांच सौ आदमियोंके साथ उसे लौटा दिया, और केवल पांच सौ कृतघ्नोंको ही मारा । लेकिन ये कृतघ्न मेरे प्रदेश हुलीजन हानपर चढ़ाई करके सौ परिवारोंको पकड़ ले गये । मेरे ससुर आयुका खानने मेरी बीबीको मेरे साले सन्त्सित-चापूके साथ जब मेरे पास भेजा, तो तबक्कलने उन्हें पकड़नेकी कोशिश की। उसने रूससे लौटते वक्त हमारे कारवांको भी लूटना चाहा । रब्तनके पास कजाकोंके खिलाफ कार्रवाई करनेके कई कारण हो सकते थे, लेकिन सबसे बड़ा कारण था चचाकी तरह उसकी राज्य-विस्तारकी अभिलाषा । उसने किर्गिज-कजाकोंके मध्य-ओर्दूके बहुत बड़े भागको अपने अधीन कर लिया, और इस्सिक्कुल-सरोवरके पास रहनेवाले बुरुतों (काले किर्गिजों) को भी जीत लिया ।

उस समय तिब्बतका गद्दीधारी (छठा दलाई लामा) उसके चचा गन्दनका आदमी था। खोशोत ल्हचन खानने उसे मार भगाया और तिब्बतसे जुंगरोंके प्रभावको खतम कर दिया। ल्हचनकी सफलतासे अब तिब्बतमें चीनके प्रभावके जमनेकी संभावना हो गई । इसपर रब्तनने कोकोनोरके पासवाले खोशोत मंगोलोंसे मिलकर दो सेनायें भेजीं, जिनमेंसे एक सीनिङ-फू शहर पर पड़ी, जहांपर कि दलाई लामा नजरबन्द था, और दूसरी सेना पोतलाके विरुद्ध गई । पहली सेना को सफलता नहीं प्रप्त हुई, लेकिन दूसरीने जाकर ल्हासाको ले लिया । ल्हचन खानने पोतला-प्रासादमें शरण ली, लेकिन उसे पकड़कर मार डाला गया । तिब्बतके बहुतसे नगर और गांव उजाड़ दिये गये, मंदिर लूट लिये गये, स्वयं दलाई लामाके महल (पोतला) में बहुत सालोंसे जमा होती सम्पत्तिको भी जुंगरोंने लूट लिया । कितने ही विरोधी लामा थैलोंमें बन्द करके ऊंटोंपर लादकर जुंगारिया भेज दिये गये । तिब्बतकी मददके लिये आती एक सेनाको एक दुर्गम डांड़ेपर जुंगरोंने मारकर भगा दिया। १७१७ ई० या १७२२ ई० में जुंगरोंकी सेनाने तिब्बतमें आकर जो ध्वंसलीला की थी, उसके चिह्नस्वरूप अब भी मध्य-तिब्बतमें बहुतसे उजड़े हुये गांवोंकी दीवारें खड़ी मिलती हैं, जिनकी जुड़ाई और दूसरी स्थितिके देखनेसे पता लगता है, कि जुंगरोंके इस भयंकर प्रवाहके बाद फिर तिब्बतकी वास्तुकला अपनी पूर्व-स्थितिमें नहीं पहुंची । चचा गन्दनने जहां तिब्बतकी समृद्धि बढ़ानेकी कोशिश की, वहां उसके भतीजे रब्तनने उसके नाशमें हाथ बंटाया।

रब्तनकी यह कार्रवाई चीनको पसन्द नहीं थी । दो साल बाद चीनने उसे दंड देनेके लिये सेना भेजी, लेकिन वह उसके हाथसे केवल तुर्फानको ही छीन पाई । इससे पहिले १७१७ ई० में करासर नदीतक चीनी सेना पहुंची थी, जहांपर उसे कल्मकोंसे हारना पड़ा। १७१९ ई० में एक दूसरी चीनी सेनाने साइसन सरोवर तक धावा मारा । सम्राट् खाङ-सीके शासनकालके अन्त (१७२३ ई०) तक चीन और जुंगरोंका संघर्ष जारी रहा । उसके उत्तराधिकारी युङ-चेन (शी-चुङ १७२३–३५ ई०) ने सीधे लड़ाईमें भाग लेनेकी जगह अपनी सेनाको हटाकर रेगिस्तानी कबीलोंको आपसमें लड़नेके लिये छोड़ दिया ।

रब्तनके शासनके अधिक समयतक पूर्वी तुर्किस्तानपर उसका वैसा ही प्रभुत्व रहा । एक बार वहांके मुसलमानोंने विद्रोह किया, जिसपर बड़ी संख्यामें जुंगर-सेना यारकन्द पहुंची, जिसका साथ काले-पहाड़ी नेता खोजा दानियलने भी दिया । काश्गरियोंको नगरका द्वार खोलनेके लिये मजबूर होना पड़ा। लोगोंके मनोनीत हाकिमबेगको कल्मकोंने भी अपना हाकिमबेग बनाया, और

वह काशगरके खोजा अहमद तथा अपने सहयोगी दानियल खोजाको उनके परिवारोंको बन्दी बनाकर इली ले गये। १७२० ई०में रब्तनने दानियलको छ नगरोंका शासक बनाकर भेजा। दानियलने अपने लिये एक लाख तंका कर निश्चित किया, जब कि अप्पकके लिये हजार तंका मिलना निश्चित था।

रब्तन जुंगर-वंशका सबसे शक्तिशाली राजा था। उसकी प्रजा उसे बहुत पसन्द करती थी, क्योंकि उसका बर्ताव उनके साथ बहुत अच्छा था। दलाई लामाने उसे "एर्देनी सुरिकतू बआतुर खुङ-थैशी" की उपाधि प्रदान की थी।

रूसी अठारहवीं सदीके शुरूमें साइबेरियाके एक छोरसे दूसरे छोरतक पहुंच गये थे। मध्य-एसियाके भी कितने ही खान उनकी अधीनता स्वीकार किये हुये थे, इसलिये इस देशके बारेमें उनको बहुत-सी झूठी-सच्ची खबरें मिली थीं। किसीने उन्हें बतलाया था, कि पूर्वी तुर्किस्तानमें सोनकी खानें हैं। इसपर १७१४ ई०में साइबेरियाके रूसी राज्यपाल राजुल गगरिनने खुङ-थैर्चीके पास इस प्रदेशको लेनेके लिये इर्तिशसे यारकन्दतक किला बनानेका प्रस्ताव किया। साथ ही तोबोल्स्कमें वहांसे आई सोनेकी कुछ धूल भी भेजी। जारने इस कामके लिये इवान बुखोल्जको भेजा, जो २९३२ सेनाके साथ जुलाई १७१५ ई०में तोबोल्स्कसे ताराके रास्ते रवाना हुआ, और इर्तिशसे साढ़े छ वेर्स्त (१ फर्संख) पर अवस्थित यामिशकी नमकवाली झीलपर पहुंचा। इस झील तथा इर्तिशके बीचमें एक छोटी-सी मीठे जलकी झील प्रयाज्नोये ओजेरो थी, जिससे एक छोटी नदी प्रयाज्नुखा निकलकर इर्तिशमें गिरती थी। इसी नदीके मुंहके पास कुछ ऊंची भूमिपर रूसी यामीशेफका मिट्टीका छोटा-सा किला बनाने लगे। इसकी खबर पाकर, रब्तनके भाई छेरिङ दोंडुब्ने आक्रमण किया, और रसदके कारवांको भी लूट लिया। रूसियोंके पास आधुनिक अस्त्र-शस्त्र थे, तो भी उन्हें बहुत हानि उठानी पड़ी। उनके पास जब सात सौ आदमी रह गये, तो वह किला तोड़कर उत्तरकी ओर लौट गये। तारासे दो सौ सतहत्तर वेर्स्त (१३ फर्संख) पर ओब नदीके मुहानेपर उन्होंने ओम्स्कया-क्रेपोस्त नामक किला बनाया। उसी साल १७१६ ई०में बुखोल्जको बुला मंगाया गया, और पीतर I ने मरिगोरोफकी मातहत दूसरा अभियान यामीसेफको लेनेके लिये भेजा। पीतर I इस योजनामें विशेष तौरसे दिलचस्पी रखता था। १७१७ ई० में स्तूपिनकी अधीनतामें दूसरा अभियान भेजा गया। उसने यामीशेफमें पहुंचकर बाकायदा एक मजबूत किला तैयार किया। १७१८ ई० के वसन्तमें विलियनोफने रब्तनके पास पहुंचकर उसे पीतरका पत्र किया। रब्तनने धमकी देते हुए किला तोड़ देनेके लिये कहा। किलेके तोड़नेकी बात तो दूर रही, स्तूपिनने १६१८ ई०में यामीशेफसे भी दो सौ अट्ठाईस वेर्स्त (३४ फर्संख) आगे इर्तिशपर एक नया किला सेमीप्लातिन्स्क (सप्तप्रासाद) बनाया। यह किला एक बौद्ध विहारके ध्वंसपर बना, जिसकी नींव खोदते समय बहुतसे तिब्बती हस्तलेख मिले थे, जो युरोपमें जानेवाले सबसे पहले तिब्बती हस्तलेख थे।

पीतरको गति मन्द मालूम हुई, इसलिये १७१९ ई०के आरम्भमें उसने इस कामकी देख-भालके लिये जेनरल लिखारेफको नियुक्त किया, जो भारी संख्यामें अफसरोंको लेकर मई १७२० ई० में तोबोल्स्क पहुंचा, फिर सेमीप्लातिन्स्क होते ४४० आदमियोंके साथ नावोंपर सैसन झीलकी ओर बढ़ा। रूसियोंकी इस गतिविधिसे कलमकोंको संदेह होना स्वाभाविक था। रब्तनके पुत्र और उत्तराधिकारी गन्दन छेरिङके नेतृत्वमें बीस हजार कल्मक प्रतिरोधके लिये जमा हुये। दोनों पक्षोंकी संख्यामें बहुत अन्तर था, लेकिन रूसी आधुनिक हथियारोंसे सज्जित थे। उनके पास बहुतसी छोटी-छोटी तोपें थीं, जब कि कल्मकोंके पास सिर्फ तलवार और तीर-धनुष थे। तीन दिनकी लड़ाईमें एक रूसी मरा और तीन घायल हुये, जब कि कल्मकोंकी भारी क्षति हुई। अन्तमें दोनोंमें समझौता हो गया। सेमीप्लातिन्स्कसे १८१ वेर्स्त (३० फर्संख) पर एक झीलके पास ऊंची जगहपर लिखारेफने उस्तका-मेन्नेगोर्स्कैया नामका किला बनाया। लेकिन, यारकन्द की सोनेकी भूमिमें पहुंचनेका यह प्रयत्न यहीं खतम हो गया। पीतर I के बाद फिर किसीको उसके लिये दिलचस्पी नहीं हुई।

शासन-व्यवस्था—रूसी दूत उन्कोस्कीने १७२२ ई०में कलमकोंकी शासन-व्यवस्थाको देखा था। उसने लिखा है, कि खुङ-थैची (महाराजा) के बाद सबसे बड़ा दर्जा सइस्सनका था, जिस पदपर उस समय राजकुमार छेरिङ दोण्डुब् था। इसके बाद एक परिषद् (सर्गी) थी, जिसके सदस्य

थे—सइस्सन, सम्डुब बआतुर, शरातञ्जिन, सङ-जी फुनछोक, सोद्बो, बतुमसी, जिम्बिल, सनजक, बसुन, बक्सीगिर तथा पारिषत्क नमिस्का तर्खन जारुक्तू और खुङतैशीका सचिव सोलम्दर्क्सा। इसके देखनेसे मालूम होगा, कि कल्मकोंके ऊपरी शासन-यंत्रमें बहुसंख्यक मुसलमान प्रजाका कोई आदमी नहीं था।

उपज—पिछले तीस वर्षोंमें जुंगारियामें खेतीमें बहुत प्रगति हुई थी। सदाके घुमन्तू ये मंगोल अपने एक हूण पूर्वजकी तरह अब खेतीकी महिमा अनुभव करने लगे थे। अकालोंने बतला दिया, कि ऐसे समयमें अधिक समयतक जमा रक्खे जा सकनेवाले अनाज ही अधिक सहायक होते हैं। उस समय भी यहां गेहूं, जौ, चावल और बाजरा प्रधान फसलें थीं। फलोंमें सेब, लाल-सफेद अंगूर, खूबानी, तरबूजा-खरबूजा, बड़े कुम्हड़े आदि होते थे। अल्मा-अता (सेबका बाप) के नामसे प्रसिद्ध आजका नगर इसी भूमिमें है, जहांके सेब अच्छे होते थे। इली और चूकी उपत्यकायें बहुत पहलेसे ही कृषि और बागबानी में प्रधानता रखती थीं, इसे हम शकोंके कालमें भी देख चुके हैं।

ग्राम्य पशुओंमें घोड़ा, ऊंट, बैल, बड़ी भेंड़ें, बकरियां और खच्चर मुख्य थे, जो अभी भी कल्मकोंके सबसे बड़े धन थे, क्योंकि किसानी-जीवनकी अपेक्षा अभी भी वह पशुपालोंके जीवनसे अधिक प्रेम रखते थे।

दस्तकारियोंमें ऊनी कपड़े और चमड़ेका काम कल्मक जानते थे, जिसमें पिछले दो थैंचियोंके शासनमें बाहरके दस्तकारोंने आकर अधिक उन्नति कराई। कल्मकोंकी भूमिमें लोहा-तांबा प्रचुर परिमाणमें मिलता था,। यहांकी तांबे और सोनेकी खानोंमें तो नव-ताम्र-युगमें भी काम होता था, यह हम बतला आए ह। अब लड़ाइयोंमें तोपों और बारूदी हथियारोंसे मालूम हो गया था, कि उनके तीर-धनुष आजकलके हथियारोंके सामने बेकार हैं, और कुछ सौ रूसी-कसाक बीस हजार कल्मक बहादुरोंको घास-मूलीकी तरह काटके रख सकते हैं, इसलिये वह लोहेकी उपजकी ओर भी विशेष ध्यान देने लगे थे। वस्तुतः कल्मक यदि मध्य-एसियामें साइबेरियासे विवनलन् पामीरके पर्वतों, तथा आमू और कास्पियनतक पहुंचकर भी वहांपर अपना एक स्थायी साम्राज्य नहीं स्थापित कर सके, तो उसका कारण यही था, कि वह उस तरहके हथियार नहीं तैयार कर सकते थे, जैसे कि रूसियों और चीनियोंके पास थे। उन्होंने अगर लोहेके बनानेकी ओर ध्यान भी दिया, तो वह भी कुटीर-शिल्पके तौरपर ही उपजको संगठित करके। कल्मकोंका साम्राज्य घुमन्तुओं का अन्तिम साम्राज्य था, जिसे और सब योग्यता रहनेपर भी निर्बल हथियारोंके कारण सफलता नहीं प्राप्त हुई। रब्तन और गन्दन दोनोंने अपने लोगोंको पशुपालन-युगसे कृषि-युगमें ला रखनेकी कोशिश की, लेकिन वह अपने समसामयिकोंकी तरह लौह-युगमें नहीं आ सके।

कहते हैं, उसकी जुंगर-सेनाने तिब्बतमें लामाओं और मठोंके साथ जो अत्याचार किये थे, उसीके कारण कितने ही लोग असंतुष्ट हो गये थे, और रब्तन उन्हींके षड्यंत्रका शिकार हो १७२७ ई०में मारा गया।

६. गल्दन (गन्दन) II छेरिङ, रब्तन-पुत्र (१७२७–४५ ई०)

रब्तनके बाद उसका पुत्र गल्दन (गन्दन) छेरिङ गद्दीपर बैठा। इसके समयमें भी कई रूसी राजदूत आये, जिनमें उग्रिउमोफ उसके साथ-साथ १७३२-३३ ई०में जहां-तहां घूमता रहा। अप्रैल और मईमें छेरिङका ओर्दू निम्न इली उपत्यकामें कोजितेरमें था। मईके अन्तसे सारी गर्मियोंमें वह तेमिरलिक, चेगेन, करकर और तेकेसमें घूमता रहा। सितम्बरसे मार्चके अन्ततक सारे जाड़ोंमें वह इली तटपर रहा। छेरिङकी भी खलखा-मंगोलोंसे लड़ाई जारी रही, लेकिन दलाई लामाने अपने दोनों धर्मानुयायियोंमें इस खून-खराबीको पसन्द नहीं किया, और १७३४ ई०में उनके बीचमें पड़नेसे लड़ाई बन्द हो गई। छेरिङने मंचू-सम्राट् चि-येन-लुङ (काउ-चुङ १७३५-९५ ई०) की अधीनता स्वीकार की, यह जुंगर-साम्राज्यके लिये अच्छा ही हुआ। १७४५ ई०में छेरिङके मरनेके साथ जुंगर-साम्राज्यकी समृद्धिका समय खतम हो गया।

७. बायन बीजिगन, अदसान खान, छेरिङ-पुत्र (१७४५ ई०)

बायन १७३३ ई०में पैदा हुआ था, और अभी बारह ही सालका था, जब कि उसे बापकी गद्दी मिली। इस अवस्थामें भी वह भारी अत्याचारी, जिससे जनतामें अप्रिय हो गया, इसका कोई अर्थ नहीं है। हां, उसका चचा दोर्जे (दर्शा) लामा गद्दीका अभिलाषी था, लेकिन रखेलीका पुत्र होनेके कारण उसे वंचित कर दिया गया था। दोर्जेको बुखारा और किर्गिजोंके इलाकोंमें बड़ी जागीर मिली थी। उसने सरदारोंको मिलाकर षड्यंत्र किया और बायनको पकड़कर उसकी आंखें निकलवा पूर्वी तुर्किस्तान (सिङक्याङ) के एक नगरमें कैद कर दिया। सभी सैसन (राजकुमार) तथा बहुतसे जुंगर तथा लामा दोर्जेके साथ थे।

८. छेवङ दोर्जे, दरशा लामा, गन्दन छेरिङ-पुत्र (१७४५–५० ई०)

दोर्जे लामाके गद्दीपर बैठनेसे तिब्बतके दलाई लामा भी बहुत प्रसन्न थे। उन्होंने इसे "एरदेनी लामा बातुर खुङ थैची"की पदवी प्रदान की। दोर्जे लामाकी बातुरी (बहादुरी) थी अपने वंशके सभी राजकुमारोंको मारकर सिंहासनके सारे खतरोंको खतम कर देना। वैसे जुंगर राजवंशमें बुढ़ापेके लक्षण पहले हीसे दिखलाई पड़ने लगे थे, लेकिन दोर्जेने राज्यके सर्वनाशकी घड़ीको जल्दी लानेमें बहुत काम किया।

९. दावा छेरिङ, सेङ-गे-वंशज (१७५०–५५ ई०)

जुंगर राजाओंके नाम प्रायः सभी तिब्बती भाषाके बौद्ध हैं। दावा छेरिङका अर्थ है, 'चन्द्र दीर्घायु'। इसे कहनेकी अवश्यकता नहीं, कि आजकलकी तरह उस समय भी खलखा, जुंगर (कलमक) और दूसरे मंगोल बौद्ध-धर्मको अपना जातीय धर्म मानने लगे थे, और तिब्बतके महन्तराज दलाई लामा का इनके ऊपर बहुत प्रभाव था।

दावा रब्तनके भाईका पोता था। अधिकांश जुंगरोंने दोर्जे लामाको नहीं माना था। रब्तनके वंशको दोर्जेने मारकर खतम कर दिया था, लेकिन उसके भाई छेरिङ दोण्डुब्की संतानें अभी मौजूद थीं। दावाने तिब्बत आदिके अभियानोंमें सेनाका संचालन किया था, इसलिये अपनेको गद्दीके योग्य समझता था। खोयेत कबीलेके सरदार अमुरसनाने भी दावाके पक्षका समर्थन किया, लेकिन दोर्जे लामा बहुत मजबूत था। उससे हारकर दावा और अमुरसानको कजाकोंके भीतर भागना पड़ा, लेकिन जुंगरोंमें उनके समर्थक कम नहीं थे। जुंगरों और कजाकोंकी मददसे अचानक एक रातको दावाने हमला कर दिया। लड़ाईमें दोर्जे लामा मारा गया, और दावाने गद्दी संभाल ली। अमुरसना अपनी दूसरी ही योजनायें रखता था। वह गर्मियोंमें इली-तटपर तम्बुओं और राजकीय झंडेको गाड़कर दरबार करता। दावा एक म्यानमें दो तलवारोंको कैसे पसन्द करता? उसके आक्रमण करनेपर अमुरसना चीन भाग गया, और कुछ समयके लिये दावा सारी जुंगारिया और पूर्वी तुर्किस्तानका भी खान हो गया। दावाने छेरिङ द्वारा नियुक्त काशगरके शासकको इली प्रदेशमें रहनेके लिये मजबूर किया, लेकिन वह बहाना बनाकर काशगर पहुंच वहां लड़ाईकी तैयारी करने लगा। उधर काशगरी नेता यूसुफने काफिरोंका जूवा उतार फेंकनेके लिये लोगोंको उस्काया—"इलाकेके नगरद्वारोंपर बाजे बजे, और अपने देशकी स्वतंत्रताको फिरसे प्राप्त करनेके निश्चयके लिये लोगोंने शपथ खाई।" खोजा यूसुफ एक कट्टर मुसलमान था। उसने लोगोंके सामने सुझाव रक्खा, कि नगरके पड़ोसमें डेरा डालकर पड़े हुये तीन सौ कल्मक व्यापारियोंको मुसलमान बना लेना चाहिये। अगर वह इन्कार करें, तो उन्हें मार डालना चाहिये। उन्होंने उनके साथ ऐसा ही किया, और कसाकान (पुलिस अफसर) के तौर पर काम करनेवाले जुंगरोंको खानके पास भेज दिया। यारकन्दमें कल्मकोंकी तरफसे नियुक्त शासक हाजीबेगने आखोंमें आंसू और सिरपर कुरान रखकर क्षमा मांगी, और लोगोंने उसे क्षमादान दे दिया। जब लोगोंने उसे जुंगरोंके दूत और अनुचरोंको मार डालनेकी बात कही, तो उसने जवाब दिया—"काफिरको सिर्फ युद्धमें मारा जा सकता है।" एक मजबूत पहरेमें कल्मकोंको शहरसे बाहर

भेजकर उसने हुक्म दिया, कि तुम फिर इस देशमें न आना। खोजा यूसुफने अन्तर्वेदके नगरों—खोकन्द, बुखारा, समरकन्द आदि—से काशगरियाके स्वतंत्र होनेकी खबर देते हुए सहायता मांगी, अन्दिजानके किर्गिज सरदार किबत मिर्जासे भी मुसलमानोंकी सहायता करनेके लिये कहा।

दावासे हारकर भागा अमुरसना चीन-दरबारमें पहुंचा था। उसने अपनेको सिंहासनका वास्तविक अधिकारी प्रमाणित किया। सम्राट्ने उसे च्वाङ-चिन्-वाङ (प्रथम श्रेणीके राजकुमार)की उपाधि प्रदान कर लफ्टनेन्ट-जेनरल (उपमहासेनापति) नियुक्त किया। १७५५ ई०में चीनी सेना लेकर अमुरसना प्रस्थान किया। सेनाको मुश्किलसे कहीं धनुष खींचनेकी अवश्यकता पड़ी होगी। सभी जगह लोग अधीनता स्वीकार करनेके लिये तैयार थे। दावा अपने तीन सौ अनुचरोंके साथ मुजार्त डांड़ेसे होकर उश-तुर्फानकी ओर भागा, लेकिन शहरके हाकिम हाजिमबेगने उसे पकड़कर चीनियोंके हाथमें दे दिया, जिसके लिये हाजिमबेगको "वाङ" (राजकुमार) की उपाधि प्राप्त हुई।

१०. अमुरसना, बातुर-वंशज (१७५५–५७)

दावाके गद्दीपर बैठनेके समय भी अमुरसना अपनेको कलमकोंका राजा समझता था। १७३४ ई० में वह कजाकोंकी मददसे, एमिल और ऊपरी इर्तिशकी भूमिको लेनेमें सफल हुआ था।

चीनी सेनाके साथ आकर अमुरसनाने समझा, कि जुंगारियाको जीतकर चीनी उसे सारा अधिकार सौंप देंगे। लेकिन उसकी यह आशा सफल नहीं हुई। दावा और छेरिङको पकड़कर पेकिंग भेज दिया गया था। अमुरसनाको पता लगा, कि उसके साथ भी मंचू-सम्राट् मेरे ही जैसा बर्ताव कर रहा है। असलमें चीनने दावाको अपने हाथमें एक बड़ा हथियार बनाकर रख छोड़ा था, जिसमें कि अमुरसनाके जरा भी विरोध प्रकट करनेपर उसे इस्तेमाल किया जाय। लेकिन दावा बहुत दिनोंतक नहीं जिया। हाथसे निकल गये पूर्वी तुर्किस्तानको अमुरसनाने फिरसे लेना चाहा और थोड़ेसे संघर्षके बाद उसके कितनेही भागोंको फिर अपने हाथमें कर लिया। चीनी अमुरसनाको कठपुतली बनाकर रखना चाहते थे। इसका विरोध करते इलीमें पड़ी हुई छोटी-सी चीनी सेना और उसके जेनरलको अमुरसनाने मार डाला। इसपर चीनसे नई सेना आई। एकाध बार झड़प हुई। अमुरसनाने देख लिया, कि उसके लिये चीनी सेनाका सामना करना आसान नहीं है। १७५७ ई०में—जिस सालमें अंग्रेजोंने पलासीकी लड़ाई जीतकर भारतमें अपने राज्यकी दृढ़ नींव रक्खी—दो चीनी सेनाओंने आकर जुंगर-साम्राज्यको खतम कर दिया। इनमेंसे एक उत्तरके रास्ते आई, और दूसरी दक्षिणके रास्ते। कलमकोंमें उस वक्त आपसमें भारी फूट थी, तो भी अमुरसना हिम्मत करके इलीकी ओर बढ़ा। लोगोंको बड़ी संख्यामें अपने झंडेके नीचे आते देखकर उसे बहुत उत्साह मिला, लेकिन जब चीनकी अपार सेनाको देखा, तो उसके होश उड़ गये, और वह कजाकोंकी ओर भागा। जेनरल चाउ-होइने कुछ सैनिकोंको पीछा करनेके लिये छोड़ जुंगारियापर चीनी शासनको व्यवस्थापित करना शुरू किया। दूसरा चीनी सेनापति फू-ते अमुरसनाका पीछा करते हुये कजाकोंमें पहुंचा। कजाकोंने चीनकी अधीनता स्वीकार की। कजाक-खान अबले उसे पकड़कर चीनको देना चाहता था, इसलिये अमुरसना वहांसे लोचा (साबेरिया)की ओर भागा। एक बार चीन-सम्राट्को दरबारियोंने कहा—"इली प्रान्तको बिल्कुल छोड़ दिया जाय। हमसे यह बहुत दूर है। वहां जाकर शासन करना आसान नहीं है, इसलिये जिसकी इच्छा हो वह उसे ले लें।" चीन-सम्राट्ने इस सलाहको नहीं माना, और चाउ-होइ तथा फू-तेको युद्ध जारी रखते शासनको दृढ़ करनेका हुक्म दिया। अमुरसना अन्तमें साइबेरियामें कुछ समयतक मारा-मारा फिरा, लेकिन इस आफतसे चेचकने उसे जल्दी ही (१७५७ ई०)में छुटकारा दे दिया। हम बतला आये हैं, कि अमुरसना और उसके अनुयायियोंको साइबेरियामें शरण देनेके कारण रूस और चीनके संबंधमें खिचाव पैदा हो गया था। जब रूसियोंने कहा, कि अमुरसना मर गया, तो चीनने उसके शवको मांगा, शव न होनेपर चिताभस्मको भेजनेके लिये कहा। रूसियोंने चीनी अमात्यको अमुरसनाके चिताभस्मको दिखला दिया, किन्तु उसे अपमानपूर्वक बिखेरनेके लिये देनेसे इन्कार कर दिया—"हरएक जातिके अपने रीति-रवाज होते हैं, जिन्हें वह पवित्र मानती है। जिस अभागे व्यक्तिने हमारे पास शरण ली, वह तुम्हारा दुश्मन मर चुका है। हमने उसके शरीरा-

वशेषको दिखला दिया, इससे अधिक हम कुछ नहीं कर सकते ।" रूसकी भूमिमें पहुंचनेसे-पहलेही अमुरसनाकी बीबी बीतेइ—जो गन्दन छेरिङकी पुत्री भी थी—पतिसे आ मिली थी । पतिके मरनेके बाद उसे पीतरबुर्ग भेज दिया गया ।

मंचू सैनिकोंने बड़ी निष्ठुरतापूर्वक कल्मकोंका संहार किया । उनके अत्याचारोंके कारण इलीकी सुन्दर उपत्यका उजड़ गई, जहां चीनियोंने अपने कैदियोंके लिये कालापानी स्थापित किया । पांच लाखके करीब ओइरोत (कल्मक) चीनियोंके हाथों मारे गये । उनका तहस-नहस करनेके बाद चीनो सेनाने आगे भी अपनी दिग्विजय जारी रक्खी । १७५६-५८ और १७६० ई०में चीनी सेना कजाकोंके मध्य-आर्दूकी भूमिमें घुसी । अबलै खानने चीनियोंके सामने अधीनता स्वीकार की । उसके बाद लघु-ओर्दूके सरदार नूरअलीने भी चीनियोंको अपना प्रभु माना । बूरुत (किर्गिज) सरदारोंने भी उनके सामने सिर झुकाया । १७६६ ई०में चीनने अबलैको वाङ (राजा) की उपाधि दी । अब मध्य-एसियामें सब जगह चीनियोंकी जय-दुंदुभी बजने लगी । नूरअलीने भेंटके साथ अपने दूतमंडलको पेकिंग भेजा । खोकन्दके खान एर्देनिया बीने भी १७५८ ई०में वही काम किया ।

जुंगर-साम्राज्यके विच्छिन्न होने और चीनियोंद्वारा पांच लाख कल्मकोंके मारे जानेपर जनशून्य सप्तनद भूमिमें फिर कजाक और किर्गिज लौट आये, और कुछ समयतक वह चीनकी प्रजा बने रहे । पीछे सप्तनदका बहुत भाग रूसियोंने ले लिया, और सिर्फ ऊपरी इली-उपत्यका चीनके भीतर बनी रही ।

३. (६ ख. जुंगर-वंशवृक्ष)
(१५८२-१७५७ ई०)

अबलै
१. खराखुल (–१६३४)
२. बातुर (१६३४–५३)
३. सेङ-गे (१६५३-७१)
४. गल्दन (१६७१-९७)
५. छेवङ रब्तन (१६९७-१७२७)
६. गल्दन छेरिङ (१७२७-४५)
७. छेवङ दोर्जे (१७४५-५०)
८. दावा छेरिङ (–१७५५)
९. अमुरसना (१७५०-५७)

स्रोत ग्रन्थ

१. ओचेर्क इस्तोरिइ सेमिरेच्या (व. व. बर्तोल्द)
२. History of Mongol (H. H. Howorth)

अध्याय ७

वोल्गा-कल्मक

(१६१६–१७७१ ई०)

हम कह आये हैं कि कैसे १६२० ई०में कल्मकोंने खलखा मंगोलोंके हाथों भयंकर हार खाई, और उन्हें पश्चिमकी ओर भागनेके लिये मजबूर होना पड़ा। उन्हींका एक भाग नोगाइयोंकी भूमि होते पश्चिमकी ओर बढ़ा। इनके नेता उर्लुक (तोर्गुत राजा), और उसके पुत्र दै-शिङने १६३३ ई०में नोगाई-विद्रोही सल्तानियासे मिलकर कन्हाईपर चढ़ाई की, जिसपर मास्कोने तोबोल्स्क, त्यूमन और तुराके रूसी कमांडरोंको कल्मकोंके दबानेके लिये हुक्म दिया। इस प्रकार कल्मकोंको साइबेरियासे हटना पड़ा। यही उर्लुक वोल्गा-कल्मकों या तोर्गुत-मंगोलोंका प्रथम शासक था। वोल्गाके कल्मकोंकी राजावली निम्न प्रकार हैं:—

१. खुङ थैची उर्लुक, सुलसेगा-पुत्र	१६१६–४३ ई०
२. दै-शिङ, उर्लुक-पुत्र	१६४३–५६ "
३. फुन्-छोग्, दै-शिङ-पुत्र	–१६७२ "
४. आयुका, फुन्-छोग्-पुत्र	१६७२–१७२४ "
५. छेरिङ-दोण्डुब्, आयुका-पुत्र	१७२४–३५ "
६. दोण्डुब् अम्बो, आयुका-पुत्र	१७३५–४१ "
७. दोण्डुब् थैची, छग्दोर-पुत्र	१७४१–६१ "
८. उबासा, दोण्डुब् थैची-पुत्र	१७६१–७१ "

१ खुङ थैची उर्लुक (१६१६–४३) ई०

वोल्गा-कल्मक राजवंशका वास्तविक संस्थापक सुलसेगा उर्लुकका ज्येष्ठपुत्र खुङ-थैशी (थैची) उर्लुक था। १५६२ ई०में अल्तन खानके भतीजेके लड़के खुतकताई सेसेनने एर्चिश (इर्तिश) नदीके तट पर चार ओइरोत (कल्मक) कबीलोंको करारी हार दी, जिसके कारण तोर्गुतोंकी शक्ति क्षीण हो गई, और जुंगरों (कल्मकों) की ताकत बढ़ने लगी। १६०६ ई०में जुंगरोंका बड़ा सरदार बातुर बापसे अलग हो इर्तिशपर चला आया। यहांपर उसका मुकाबिला तोर्गुतोंके साथ हुआ, जिसके कारण तोर्गुतोंको पश्चिमकी ओर भागना पड़ा। पहले उन्होंने कूचुम खानके बेटोंके साथ मिलकर साइबेरियामें अपनी जड़ जमानी चाही, लेकिन रूसियोंने उनकी एक भी नहीं चलने दी। फिर कल्मक अरब मुहम्मदके समय ख्वारेज्मके इलाकेकी ओर बढ़े, और उनका जब-तब ख्वारेज्मी उज्बेकोंके साथ झगड़ा होता रहा——इसके बारेमें हम पहले कह चुके हैं। १६३२ ई०में वह अपने थैची उर्लुककी अधीनतामें अस्त्राखानके आसपासमें रहते रूसी प्रतिनिधिका स्वागत करते रहे। १६३९ ई०में तोर्गुतोंने मंगिशलकके तुर्कमानोंको लूटा। १६४३ ई०में उर्लुकके अधीन पचास हजार किबित्का (तम्बू, परिवार) थे। १६४३ ई०में उर्लुकके खतरेको समझकर रूसियोंने हमला किया, और वह लड़ाईमें मारा गया। उर्लुकके तीन पुत्र थे——दैशिङ, येल्दिङ और लोब्जङ। बापके मरनेपर भाइयोंमें भी झगड़ा हो गया।

२. दै-शिङ, उर्लुक-पुत्र (१६४३–५६ ई०)

उर्लुकके मरनेके बाद उसके लोग पूरबकी ओर भागे, लेकिन कुछ ही समय बाद एल्देर और लोब्जाङ यायिक (उराल) नदी पार हो वोल्गाके मैदानोंमें चले आये। उन्होंने तीन

कबीलों—किताई-किपचक, मैलेबाश और एतीसनको अपने आधीन किया, साथ ही उलान-तुमान (लाल ऊंट कबीला) के तुर्कमानोंने भी इनकी अधीनता स्वीकार की, जो कि उस समय येम्बाके दक्षिणमें रहते थे। अब नोगाइयोंका अधिक भाग कल्मकोंकी प्रजा था। १६५६ ई०में ही दै-शिङ और उसके पुत्र फुन-छोगने जारको अपना प्रभु स्वीकार किया।

३. फुन-छोग्, दै-शिङ-पुत्र (–१६७२ ई०)

इसके बारेमें इतना ही मालूम है, कि १६७० ई०में अधिकांश वोल्गा-कल्मक इसके अधीन थे और वह ख्वारेज्मके भीतरतक लूट-मार किया करते थे।

४. आयुका थैची, फुन-छोग्-पुत्र (१६७२–१७२४ ई०)

वोल्गा-कल्मकोंका यह सबसे अधिक शक्तिशाली राजा था। पीतर का समकालीन रहते हुये इतनी शक्ति संचय करना इसकी दूरदर्शिता और राजनीतिक चातुरीका परिचायक है।

१६७२ ई०में यह प्रतापी तोर्गुत (कल्मक) राजा आयुका गद्दीपर बैठा। उसके समय लघु-ओर्दूके नोगाई तथा पहाड़ी चिरकासी क्रिमियाके खानके अधीन थे। आयुकाने उन्हें क्रिमिया-के अधिकारसे छीन लिया, साथ ही नोगाइयोंके दूसरे दो ओर्दू कसाई और येदिसनको भी अपने यहां जामिन भेजने के लिये मजबूर किया। आयुका जानता था, कि अपने पड़ोसी मुसलमान कबीलोंकी शत्रुता मोल लेनेके साथ-साथ रूससे भी बिगाड़ करना अच्छा नहीं होगा; इसीलिये उसने २६ फर्वरी १६३९ ई०में अस्त्राखानमें जाकर रूसियोंको अधीनता स्वीकार करनेका वचन दिया। लेकिन तब भी उसका बर्ताव बहुत स्वतंत्रतापूर्वक होता था। रूसी डरते थे, कि तोर्गुतोंके अतिरिक्त, नोगाइयोंके भिन्न-भिन्न ओर्दू भी लूट-मारमें आयुकाके साथ सम्मिलिति हो सकते हैं, इसलिये उन्होंने अधिकतर साम और दानसे ही आयुकापर अंकुश रखना चाहा। आयुकाने १६९३ ई०में रूसियोंकी ओरसे जाकर बाश्किरोंको जीता। आयुकाका डेरा अधिकतर कुबनस्तेपीके करातेपे स्थानमें रहा करता था। महानोगाईके थोड़ेसे लोगोंको छोड़कर बाकी सभी नोगाई आयुकाके अधीन थे, और उनमेंसे अधिकांशने यायिक और वोल्गाकी स्तेपियोंको छोड़ कुबान और कुमामें डेरा डाला था—महानोगाई अब भी अस्त्राखानके आसपास रहा करते थे। १७२४ ई०में आयुकाके मरनेके समयतक नोगाइयोंकी यही हालत थी। नोगाइयोंके तम्बू मुर्गियोंके बड़े टोकरेकी तरह होते थे, जिनमें नीचे गोल ढांचा होता, जिसे बीचमें धुआं निकलनेके लिये छेद छोड़कर ऊंटके बालोंके नम्देसे छा दिया जाता। कच्चे चमड़ेके टुकड़ोंको भी कभी-कभी नम्देकी जगह इस्तेमाल किया जाता था।

१६१३ ई०में आयुकाने छग्‌दोरको अपना युवराज घोषित किया। १७२२ ई०में जब पीतर I ईरानके विरुद्ध अभियान लेकर गया था, तो उसने अपने जहाजपर आयुका और उसकी पत्नीका सत्कार-सम्मान एक स्वतंत्र राजाके तौरपर किया। १७२४ ई०में मरनेके समय आयुका ८३ वर्षका था।

५. छेरिङ दोण्डुब्, आयुका-पुत्र (१७२४–३५ ई०, १७४१–६५ ई०)

आयुकाके बाद धर्मपाल-पुत्र छेरिङ गद्दीपर बैठा। यह बहुत ही कमजोर स्वभावका आदमी था। रूसियोंकी कृपा प्राप्त करनेके लिये ईसाई बनकर इसने अपने लोगोंकी सहानुभूति खो दी।

१७३५ ई०में यह मर गया।

६. दोण्डुब् अम्बो, आयुका-पुत्र (१७३५–४१ ई०) और ७. दोण्डुब् थैची छग्‌दोर-पुत्र (१७४१–६१ ई०)

इनके समय कोई उल्लेखनीय घटना नहीं घटी।

८. उबासा, दोण्डुब् थैची-पुत्र (१७६१–७१ ई०

यह एक लाख कल्मक-परिवारोंका राजा था। तुर्कीके युद्धोंमें इसके नेतृत्वमें कल्मक बड़ी बहादुरीके साथ रूसियोंकी ओरसे लड़े थे, लेकिन उसके बदलेमें रूसियोंका बर्ताव रूखा देखकर इसने पचास वर्षसे चले आते "स्वदेश चलो"के आन्दोलनका समर्थन किया और वोल्गाके दक्षिण तटके पन्द्रह हजार तम्बुओंको छोड़कर बाकी कल्मक इसके नेतृत्वमें इली उपत्यकाकी ओर चले गये।

कल्मकोंका भागना—१७०३ ई०में आयुका खान और जुंगर थैची छेवङ-रब्तनसे लड़ाई हुई। वर्तमान कजाकस्तानके पूर्वी भागके स्वामी जुंगर थे, और पश्चिमी भागके तोर्गुत (वोल्गा-कल्मक)। दोनोंकी सीमा मिलती थी, इसलिये इस तरहकी लड़ाई स्वाभाविक थी। वोल्गाके कल्मक भी उसी तरहके कट्टर बौद्ध थे, जिस तरह उनके भाई जुंगर। वह तिब्बत तथा ल्हासाको अपनी धर्म-भूमि समझकर तीर्थयात्राके लिये जाया करते थे। आयुकाका भांजा या भतीजा करा-कुचिन छेरिङ अपनी मांके साथ तीर्थयात्राके लिये तिब्बत गया हुआ था। लड़ाईके कारण देश लौटनेका रास्ता न मिलनेसे वह चीन चला गया। चीन-दरबारमें उसका बड़ा स्वागत हुआ। इस समय मंचुओंका सबसे अधिक प्रभावशाली सम्राट् खाङ-सी (१६६१-१७२३ ई०)का शासन था। सम्राट्ने राजकुमार कराकुचिनको उसके अनुयायियोंके साथ शेन्सी प्रदेशके पश्चिमी सीमान्तपर बसा दिया। इसी बीचमें सम्राट्ने निश्चय किया, कि वोल्गाके तटपर भागे हुये मंगोलों (तोर्गुतों)को फिर देशमें बुलाया जाय। कराकुचिनसे बढ़कर इस कामके योग्य और कौन हो सकता था? नौ साल रहनेके बाद १७१२ ई०में सम्राट्के दूतके साथ वह वोल्गातटपर लौटा। उसने अपने लोगोंके सामने जन्मभूमिमें लौट चलनेका प्रस्ताव रक्खा। यद्यपि इसी समय वह लौटनेके लिये तैयार नहीं हुये, लेकिन यह आन्दोलन कल्मकोंके भीतर चलता रहा। चीन इस काममें तिब्बतके लामाओंसे भी सहायता लेने लगा। अन्तमें वोल्गाके तोर्गुत ओर्दूका मुख्य लामा लोब्जाङ जाजेर अरन्त शिम्बा जैसा योग्य व्यक्ति चीनको इस कामके लिये मिल गया। वह राजकुमार बम्बरका पुत्र था जिसका तोर्गुतोंपर उसका बहुत प्रभाव था। पन्द्रह भिक्षु और साथ ही एक टुल्कू (अवतारी) लामा (जिसके शरीरमें किसी बड़े महापुरुषने अवतार धारण किया) के साथ उसने अपने आदमियोंमें बाह्य-धर्मियों (रूसियों) के देशसे स्वधर्मियोंके देश और अपने पूर्वजोंकी जन्मभूमिमें लौट चलनेके लिये प्रचार करना शुरू किया। इस समय आयुकाका पौत्र उबासा तोर्गुतोंका खान था। उसने १७६९-७० ई०के तुर्की-युद्धमें रूसकी ओरसे अपने तीस हजार आदमियोंके साथ भाग ले अपनी बहादुरीका परिचय दिया था, और तुर्कोंको कई जगहोंमें करारी हार दी थी। इन सफल-ताओंके कारण उबासाका आत्मविश्वास और बढ़ गया था, और वह हर बातमें रूसियोंकी नाजबरदारी करनेके लिये तैयार नहीं था। जब रूसियोंने दबानेकी कोशिश की, तो स्वदेश लौटनेकी बातको जोर मिलने लगा। उस समय अस्त्राखानमें रूसी राज्यपाल प्रिस्तोफ किशिन्स्की था। उसको भनक लग गई, कि तोर्गुत चले जानेकी तैयारीमें हैं, लेकिन उसने उन्हें समझाने-बुझानेकी जगह कड़े शब्दोंका इस्तेमाल किया—"तुम अपनेको समझते हो, कि हम बहुत भाग्यशाली होकर अपना काम-काज करेंगे, लेकिन तुमको समझ रखना चाहिये, कि तुम जंजीरमें बंधे भालूसे अधिक कुछ नहीं हो। जंजीर पकड़कर तुम्हें जहां ले जाया जाये, वहीं जा सकते हो।" तोर्गुतोंको सचमुच ही एक घेरेमें डाल रक्खा गया था। उनके पूर्वमें यायिक नदीकी उपत्यकामें कितने ही रूसी किले थे, जिनमें कसाक सैनिक थे। पीतर I के बादके रूसी जारोंके जर्मन होनेका एक फल यह हुआ था, कि बहुत काफी संख्यामें जर्मनोंको लाकर वोल्गाके दाहिने तटपर बसा दिया गया था। यह जर्मन-उपनिवेश तोर्गुतोंके उत्तरमें पड़ते थे। पश्चिममें क्रिमियाके तारतारोंकी चोट भी कल्मकोंको ही बर्दाश्त करनी पड़ी थी। पिछले सालोंमें कुछ अकाल भी पड़ गया था, इन सब कारणोंसे 'स्वदेश चलो' आन्दोलनको बड़ी मदद मिली। वोल्गाके दाहिने तटके देर्बेत कबीलेने इस योजनाको पसन्द नहीं किया, और प्रयाणके लिये जो दिन निश्चित हुआ था, उस दिन वोल्गाके न जमनेका बहाना करके उन्होंने साथ नहीं दिया। सारी तैयारी इधर हो रही थी, लेकिन प्रिस्तोफ जैसे अयोग्य शासकके कारण रूसियोंने उन्हें रोकनेके लिये

कोई तैयारी नहीं की। कल्मकोंके पास दो रूसी तोपें भी थीं, जिनको वह पूर्वकी ओर जाते समय अपने कजाक विरोधियोंके विरुद्ध इस्तेमाल कर सकते थे। यह मालूम ही है, कि १७५७ ई०के विजयके बाद त्यान्‌शान-सप्तनद चीनियोंके हाथमें था, इसलिये तोर्गुतोंको सीमान्ततक पहुंचनेकी ही दिक्कत थी। आगेके लिये उन्हें बहुत-बहुत-से प्रलोभन दिये गये थे।

बड़े लामाने ५ जनवरी १७७१ ई०को प्रयाणका दिन निश्चित किया था। उसी दिन उबासा सत्तर हजार परिवारोंके साथ चल पड़ा। उस समय अधिकांश कल्मक वोल्गाके बायें तटके मैदानोमें जमा थे। सब उबासाके पीछे-पीछे चलने लगे, केवल वोल्गाके दक्षिण तटके पन्द्रह हजार परिवार रूसमें रह गये। यह पन्द्रह हजार परिवार १९४१ ई० तक संख्यामें कई लाख हो गये थे, और उनका एक स्वायत्त प्रजातंत्र भी स्थापित हो गया था, लेकिन जर्मनोंके प्रहारके कारण द्वितीय युद्धके समय इन्हें वोल्गातट छोड़कर पूर्वमें अपने पूर्वजोंकी भूमिमें जानेके लिये मजबूर होना पड़ा, जहांसे वह फिर लौटकर नहीं आये। द्वितीय विश्वयुद्धने इस भूभागमें जो परिवर्तन किये, उनसे वोल्गाके जर्मन-उपनिवेश सारे रूसमें बिखर गया, और क्रिमियाके तारतार साइबेरियाकी ओर चले गये।

तोर्गुत (कल्मक) हल्की चीजें ही अपने साथ ले जा रहे थे। जब आगे यात्राकी कठिनाइयां मालूम हुईं, तो उन्होंने रूसी तांबेके सिक्कोंको भी फेंक दिया, जिन्हें वर्षों बाद पाया गया। तोर्गुतोंको कजाकोंकी भूमिमेंसे जाना था, जो उनके पुराने दुश्मन थे, और जो हर जगह लूट-मार करनेकी कोशिश करते थे। कल्मकोंने स्त्री-बच्चों और अपने पशुओंको बीचमें रक्खा था। चारों ओर हथियारबन्द पुरुष प्रतिरक्षाके लिये तैयार होकर चलते थे। उबासा स्वयं पन्द्रह हजार आदमियोंके साथ यायिकके किनारे पहुंचा, जिसमें कि रूसी कसाकोंसे अपने लोगोंकी रक्षा कर सके। आठ दिनमें तोर्गुत वोल्गासे यायिकके स्तेपीमें पहुंचे। उस समय यायिकके कसाक (रूसी) कास्पियनमें मछली मारने गये हुये थे, इसलिये तोर्गुत असानीसे यायिक पार कर गये। फिर किर्गिजोंकी भूमिमें बर्फपर चलना पड़ा। अभी नदी पार करके बहुत दूर नहीं गये थे, कि मित्रासोफकी अधीनतामें दो हजार कसाकोंने उनका पीछा किया, और वह येकाजुखोरके एक हजार तम्बुओंको लौटानेमें सफल हुये। आगे कल्मकोंकी कठिनाइयां और बढ़ीं। बर्फ पिघलनेके कारण कीचड़में घोड़ों, ऊंटों, पशुओंका चलना मुश्किल था, ऊपरसे घास-चारेकी कमीके कारण वह बहुत दुर्बल होने लगे। गरीब लोगोंको पैदल चलना पड़ता था, जब कि धनी मंगोल सवारियोंपर चल रहे थे। इस विषमताने भी लोगोंके हृदय में जलन पैदा की। लेकिन जैसे भी हो, अब तो उनके लिये आगे बढ़नेके सिवा और कोई रास्ता नहीं था। दो मासकी यात्राके बाद वह इर्गिच नदी पार हुये। अब उनकी यात्रा सबसे कठिन थी। वसन्तके कारण बर्फ पिघलनेसे सभी नदी-नाले भरे हुये थे, जिन्हें पार करनेके लिये उन्होंने नरकटके मुट्ठोंको बांधकर तैरते पुल तैयार किये थे। इर्गिच और तुरगाई नदियोंके बीचमें तोर्गुतोंके सबसे अधिक आदमी मरे। तुरगाई पार होकर उन्होंने दोनों तोपोंको छोड़ दिया। इसी समय रूसी सेनाके साथ जेनरल त्राउब्रेन्बर्ग ओरेन्बर्गसे चला, किर्गिज-कजाक लघु-ओर्दूका खान नूरअली भी कल्मकोंके पीछे पड़ा। वह तुरगाईसे आगे होकर उन्हें रोकना चाहते थे, लेकिन तोर्गुत दस दिन पहले ही आगे जा चुके थे। उन्होंने दूत भेजकर कल्मकोंको लौटनेके लिये कहा, लेकिन कल्मकोंने आगे जानेका निश्चय नहीं छोड़ा। इशिम नदीके तटपर पहुंचनेपर उनकी अवस्था कुछ बेहतर हुई, लेकिन यहांपर किर्गिज-कजाकोंसे दो बार संघर्ष हुआ। अब कंगरबेइन, शर्रा-उसुनकी १५० वेर्स्त (२५ फर्सख) चौड़ी स्तेपी जैसी भयंकर भूमि मिली, जिसमें वह तीन दिन चले। यहां पीले रंगका दुस्स्वादु पानी मिला। प्याससे मजबूर होकर उन्होंने उसे पिया, जिसके कारण बीमार होकर कई सौ आदमी मर गये। इस स्तेपीको पार करते ही नूर अली (लघु-ओर्दू) और अबलाई (मध्य-ओर्दू) के कजाकोंने आक्रमण कर दिया। दो दिनतक भयंकर लड़ाई हुई। इसके बाद तोर्गुत बलखासके किनारे पहुंचे, जहां फिर कजाकोंसे युद्ध हुये। आठ महीनेकी भयंकर यात्राके बाद १७७१ ई०के मध्यमें इली नदीसे नातिदूर चरापेन स्थानमें वह चीनी सीमाके भीतर घुसे। एक रूसी इतिहासकारने लिखा है—"इस प्रकार आधुनिक

कालकी एक अत्यन्त असाधारण प्रवास-यात्रा समाप्त हुई, रूसी साम्राज्य एकाएक एक ऐसी योद्धा जातिसे वंचित हो गया, जिसका जीवन कास्पियन तटकी स्तेपीके बिल्कुल अनुकूल था, और जिसे घूमन्तू हजारों परिवारोंने अपने असंख्य पशुओंका चारण करके आबाद रखा था, लेकिन अब वह बहुत वर्षोंके लिये निर्जन हो गया।

चीनकी ओरसे उनके स्वागतकी भारी तैयारी की गई थी। एक सालके खाने-कपड़ेका इंतिजाम था। चीनने उन्हें इलीपर बसानेका प्रबन्ध किया था, जहां खेती और पशुचारणके लिये बहुतसी जमीन पड़ी हुई थी और जिसे १४ ही साल पहले उनके जुंगर भाइयोंने खाली कर दिया था। खाने-कपड़ेके अतिरिक्त बहुतसी नकद चांदी भी कल्मकोंको चीनने दी। चीन-सम्राट्ने इस यात्राके स्मारक के तौरपर तोर्गुतोंकी नई भूमिमें इली-तटपर चार भाषाओंमें अभिलेख लिखकर पत्थरपर खुदवाया, जिसके कुछ वाक्य हैं—"यदि वह अपनी इच्छाओंको सीमित रख सके, तो किसी को क्षुब्ध होनेकी अवश्यकता नहीं, किसीको डरनेकी अवश्यकता नहीं, यदि वह अपनेको ठीक समयपर रोक सकता है। ये भाव हैं, जिन्होंने कि मुझे इस काममें लगाया। आकाशके नीचे सभी जगहोंमें समुद्रसे पार दूरतम कोनोंमें ऐसे आदमी हैं, जो कि दास या प्रजाके नामपर आज्ञा पालन करते हैं। क्या मैं यह मान लूं, कि वह सब मेरे अधीन हैं, और वह मेरे करद हैं ? यह गलत बात होगी। मैं अपने मनमें यही समझता हूं, जो कि बिल्कुल सच है, कि तोर्गुत लोग बिना मेरी ओरसे दबाव डाले अपने आप अबसे मेरे कानूनोंके अधीन रहनेके लिये चले आये हैं। निःसंदेह दैवने उन्हें ऐसा करनेकी प्रेरणा दी। उन्होंने ऐसा करके दैवी आज्ञाका पालन किया। मेरे लिये यह ठीक नहीं होगा, यदि इस घटनाका एक प्रामाणिक रूपसे स्मारक तैयार न करूं।"

वोल्गातटसे चले सत्तर हजार परिवारोंमेंसे केवल पच्चीस हजार परिवार (तीन लाख व्यक्ति) इलीके तटपर पहुंच पाये थे। इनमेंसे कितने ही इली-उपत्यकामें बस गये, और कितने ही जाकर गोबीके पश्चिमी भागमें रहने लगे।

३. (७. **वोल्गा-कल्मक-वंशवृक्ष**)
(१६१६–१७७१ ई०)

सुलसेगा
|
१. उर्लुक (१६१६–४३)
|
२. दै-शिङ (१६४३–५६)
|
३. फुन्छोग् (–१६७२)
|
४. आयुका (१६७२–१७२४)
|
छग्दोर | ५. छेरिङ दोण्डुब् (१७२४–३५) | ६. दोण्डुब् अम्बो (१७३५–४१)

(छग्दोर)
|
७. दोण्डुब् थैची (१७४१–६१)
|
८. उबासा (१७६१–७१)

स्रोत ग्रन्थ

१. History of Mongol (H. H. Howorth)

अध्याय ८

कजाक-ओर्दू

(१७१८–१८१२ ई०)

१८ वीं सदीमें जिस तरह किपचकों (जू-छि-उलुस) का एक भाग मध्य-ओर्दू, महाओर्दू और लघु-ओर्दूके रूपमें बंट गया, इसके बारेमें हम कह चुके हैं। इन्हीं तीनों ओर्दुओंसे वर्तमान कजाक जातिका विकास हुआ।

क. मध्य-ओर्दू (१७१८–१८१८ ई०

श्वेत-ओर्दू जू-छिके दूसरे पुत्र ओर्दाका उलुस था, इसे हम बतला आये हैं। सुवर्ण-ओर्दूके प्रभुत्व के समय श्वेत-ओर्दू उसके अधीन रहा, लेकिन बा-तू-वंशके उच्छेदके बाद श्वेत-ओर्दूके खानोंने प्रधानता प्राप्त की। इसी श्वेत-ओर्दूकी एक शाखा मध्य-ओर्दू था, जिससे इसके खान भी जू-छिके पुत्र ओर्दासे अपना संबंध जोड़ते हैं। श्वेत-ओर्दूको विच्छिन्न करनेमें नोगाइयोंका भी खास हाथ था, यह भी हम बतला चुके हैं। मध्य-ओर्दूका प्रथम खान पुलाद (बुलात) श्वेत-ओर्दूका सीधा उत्तराधिकारी था, जिसके वंशके मुख्य खान निम्न प्रकार हुये—

१. पुलाद, बुलात, शेमीअका खान	१७१८–३४ ई०
२. अबुल मोहम्मद, पुलाद-पुत्र	१७३४–४८ ,,
३. अबलइ, शिगाईवंशज	१७४८-८१ ,,
४. वली, अबलइ-पुत्र	१७८१–१८१८ ,,

१. पुलाद, बुलात, शेमीअका खान (१७१८–३४ ई०)

श्वेत-ओर्दूकी शक्तिको चूर्ण करनेमें काफी हाथ जुंगर-कल्मकोंका था। पुलादके समय इसका ओर्दू अपने चरम उत्कर्षपर पहुंचा हुआ था। जुंगरोंने मध्य-ओर्दूके कजाकोंको उनकी अपनी भूमिसे भगा दिया। कजाकों (उज्बेक-कजाकों) को केवल सप्तनद ही छोड़कर नहीं भागना पड़ा, बल्कि १७२३ ई० में जुंगरोंने कजाक खानोंकी पुरानी राजधानी तुर्किस्तान-शहरको भी दखल कर लिया, जहांपर कि उनके कितने ही खानोंकी समाधियां बनी थीं। जुंगरोंने ताशकन्द और सैरामको भी लेकर मध्य-ओर्दूको बहुत क्षीण हालतमें छोड़ा। उनमेंसे अधिकांश कजाक समरकन्दकी ओर भागे, महा-ओर्दू तथा मध्य-ओर्दूका कुछ भाग खोजन्दकी ओर और लघु-ओर्दू बुखारा और खीवाकी तरफ शरण लेने गया। अभागे भगोड़ोंका अकाल और महामारीने पीछा किया। इस तरहकी भारी आफतमें पड़नेपर उज्बेक-कजाकोंने कुछ समयके लिये अपने भीतरी बैरको भुला दिया, और एक बड़ी सभामें जमा होकर उन्होंने अपनी पितृभूमिको काफिरोंसे मुक्त करनेका निश्चय करते हुये लघु-ओर्दूके सरदार अबुलखैरको अपना प्रधान सेनापति बनाया, और अपनी शपथको पक्का करनेके लिये हूणोंके समयसे चली आती प्रथाके अनुसार एक सफेद घोड़ेकी कुर्बानी की। कुछ लड़ाइयोंमें सफलता जरूर मिली, लेकिन जुंगर थैची गन्दन छेरिङने उन्हें हराकर भयंकर बदला लिया। कजाकोंने अब पितृभूमिका ख्याल छोड़कर भागनेमें ही कल्याण समझा। लघु-ओर्दूने पश्चिमकी ओर वोल्गा-कल्मकों (तोर्गुतों) को भगाते जाकर येम्बा तथा यायिक (उराल) की उपत्यकाओंमें विचरण करना शुरू किया। मध्य-ओर्दूने उत्तरकी ओर भागकर पहले ओरी और उई नदियोंकी उपत्यकाओंमें जा वहांसे बाश्किरोंको भारी

संख्यामें भगा दिया। पीछे बाश्किर उरालके कसाकों (रूसियों)से मिलकर इनके बगलमें कांटे बन गये। चारों ओरसे खतरा ही खतरा दिखलाई देनेपर मध्य-ओर्दूने रूसियोंकी अधीनता स्वीकार करनेमें खैरियत समझी १७३२ ई०में शेमीअकाने रानी अन्नाकी वफादारीकी शपथ ली, लेकिन कसाकोंने इसे पसन्द नहीं किया, जिसके कारण मध्य-ओर्दूमें झगड़ा हो गया। बाश्किरोंपर इन्होंने असफल आक्रमण किया। जिस समय अपनी मूलभूमिको कसाक छोड़कर भाग रहे थे, उस समय महा-ओर्दू अपनी पुरानी भूमिमें जुंगरोंकी अधीनता स्वीकार कर किसी तरह रह गया।

जिस समय शमीअका रूसकी अधीनता स्वीकार करके अपनी रक्षा करनेकी कोशिश कर रहा था, उस समय सारे कजाकोंका सबसे बड़ा नेता तथा लघु-ओर्दूका खान अबुल्खैर भी रूसका खैरखाह था। मध्य-ओर्दूको रूसकी अधीनता स्वीकार करानेमें उसका काफी हाथ था। १७३४ ई०में रूसी सीमान्त (ओरेनबुर्ग) के राज्यपाल किरिलोफको शेमिअकाको खानकी पदवी-दानके लिये नियुक्त किया गया था, लेकिन पदवी प्राप्त करनेसे पहले ही शेमीअका मर गया। इस पदवीके साथ जो पत्र रूसी रानीने भेजा था, उसमें लिखा था—"हमारी प्रजा शेमीअका खान और मध्य-ओर्दूके किर्गिज-कजाकोंकी सेनाके मुखियोंको।"

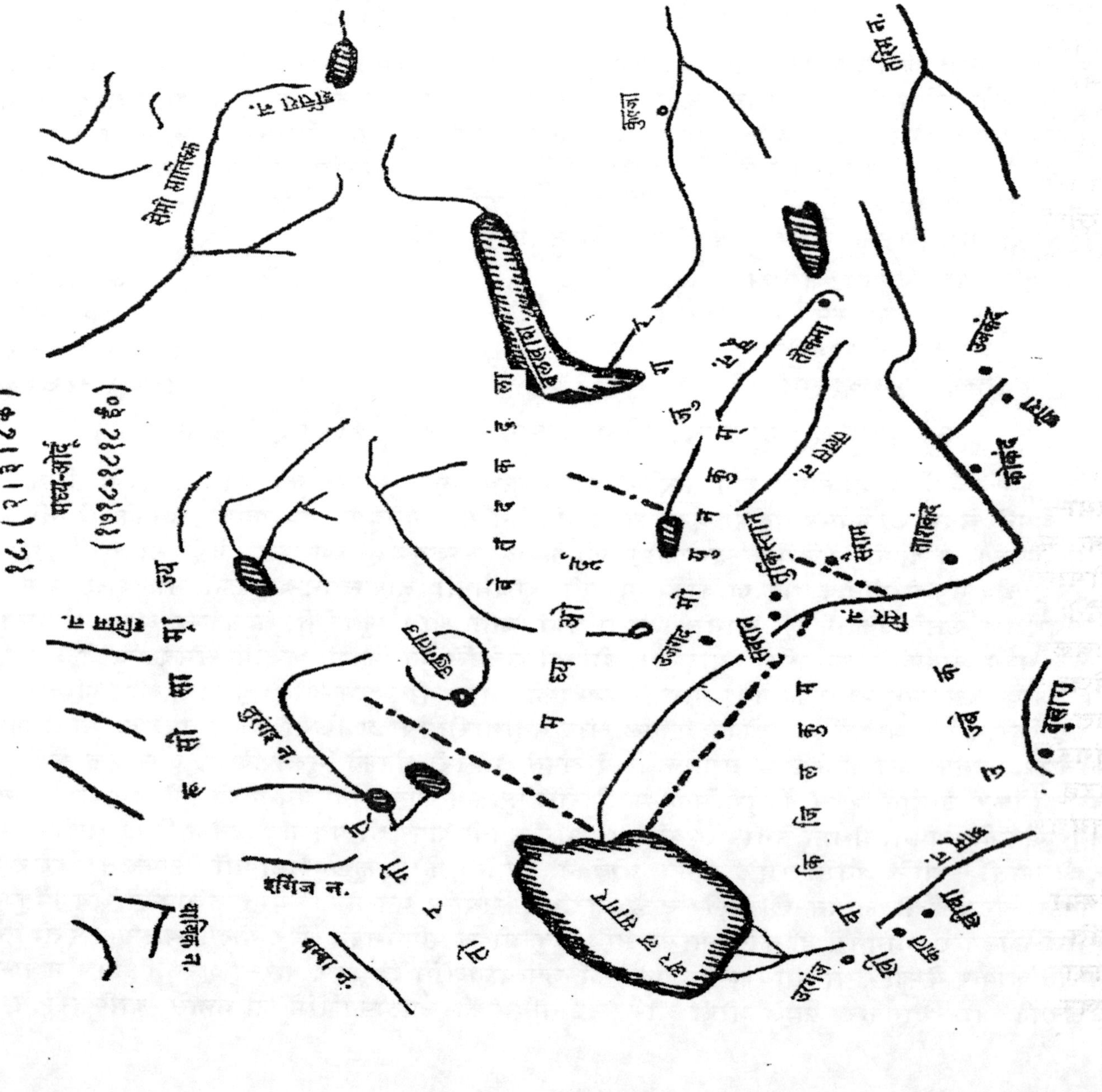

२. अबुल् मुहम्मद, पुलाद-पुत्र (१७३४–४८ ई०)

शेमीअका (पुलाद) खानके मरनेके बाद मध्य-ओर्दूके अबुल् मुहम्मद और उसके बाद अबलइ खान हुये। किसी-किसीके मतमें अबुल् मुहम्मद पुलाद खानका पुत्र था। इस समय किरिलोफकी जगह तातिश्चेफ १७३० ई०में ओरेनबुर्गका राज्यपाल था। उसने अबुल् और अबलइ दोनोंको ओरेनबुर्गमें बुलाया। स्वयं न आकर उन्होंने अगस्त १७३८ ई०में संदेश भेजा, कि हम बहुत दूर इर्तिशके किनारे हैं, इसलिये अगले साल आकर राजभक्तिकी शपथ लेंगे।

लेकिन यह भी बात उन्होंने पूरी नहीं की। इसी बीचमें १७३९ ई०के आरम्भमें राजुल उरुसोफ ओरेनबुर्गका राज्यपाल होकर आया। मध्य-ओर्दूका अभीतक कोई पक्का खान नहीं चुना गया था, लेकिन अबुल् मुहम्मद उसका सबसे बड़ा प्रभावशाली नेता था। लघु-ओर्दूका खान अबुल्खैर दावा करता था, कि वह हमारे अधीन है। इसके कारण दोनोंमें झगड़ा खड़ा हो गया। १७४० ई०में अबुल् मुहम्मद, अबलइ सुल्तान और दूसरे कितने ही सरदारों और साधारण कजाक मुखियोंके साथ ओरेनबुर्ग पहुंचा। राजुल उरुसोफने उसका उसी तरह सम्मान किया, जैसा कि अबुल्खैरके साथ किया था। उन्होंने राजभक्तिका पत्र अर्पित किया, जिसे एक दुभाषियेने पढ़ा। इसके बाद अबुल् मुहम्मद और अबलइने, एक जरदोजीके खंडपर घुटने टेककर शपथ ली, कुरानको अपने माथेपर लगाया, और शपथपत्रकी मुहरको सिरसे छू कुरानको चूमा। पासके ही तम्बूमें मध्य-ओर्दूके १२८ अमीरोंने उसी तरह जारके प्रति शपथ ली। रस्मकी समाप्ति होनेपर तोपें दागी गईं, और अन्तमें भोज हुआ। वहांके सेनापतिने दूसरे दिन भेंट करते समय मध्य-ओर्दूके नेताओंसे कहा, कि अपने देशसे गुजरते समय रूसी कारवांकी रक्षा करना, और मूलरके कारवांकी जो वस्तुएं महा-ओर्दूने लूट ली हैं, उन्हें लौटवानेका प्रयत्न करना। उसने कजाकों और वोल्गा-कल्मकोंके साथ शांति स्थापन करनेकी कोशिश की। लेकिन यदि लूटके मालको लौटाना या लूट-मार बन्द करना हो सकता, तो वह कजाक ही क्यों होते? जिस समय यह कार्रवाई हो रही थी, उसी समय ओरेनबुर्गमें अबुल्खैरके दो पुत्र नूरअली और एरअली मौजूद थे, लेकिन उनको डर लगा, कि अबुल् मुहम्मद कहीं रूसियोंसे चुगली करके हमें कैद न करा दे, इसलिये वह जल्दी-जल्दी वहांसे चले गये।

१७४१ ई० में बाश्किर विद्रोहियोंके नेता कराशक्काल (काली दाढ़ी) ने भागकर कजाकोंमें पनाह ली, और उसने मध्य-ओर्दूकी एक टोलीको लेकर जुंगरोंको लूटा। जुंगर उनका पीछा करते आ रहे थे, कि रास्तेमें कजाकोंके डेरोंको पा उन्होंने उन्हें लूट लिया। राजुल उरुसोफने जुंगर- राजा और रूसके बीचमें हुई सुलहका हवाला देकर ऐसा न करनेके लिये कहा। इसपर जुंगरों ने जवाब दिया—"हम नहीं जानते, कि कजाक रूसी प्रजा हैं।" अबुल् मुहम्मदने देशमें जुंगरोंसे प्रतिरक्षार्थ एक मजबूत किला बनानेके लिये रूसियोंको लिखा। उधर कजाकोंका आक्रमण जुंगारियाकी सीमान्तपर जारी रहा। १७४१ ई०में जुंगर-राजा गल्दन छेरिङ्गने मध्य-ओर्दू और लघु-ओर्दूको दंड देनेके लिये दो सेनायें भेजीं, जिन्होंने अबलइको बंदी बनाकर अपने साथ ले जानेमें सफलता पाई। अबलइ रूसी प्रजा था, इसलिये उसे छुड़ानेके लिये रूससे १७४२ ई०में मेजर मूलरको जुंगरोंके पास भेजा गया। मुहम्मदने भी दूतमंडलके साथ अपने पुत्रको जामिनके तौरपर भेजा। रूसियोंको यह बात पसन्द नहीं आई, कि हमारी प्रजा होते हुये कजाक कल्मकोंसे सीधे बातचीत करें। कजाकोंने जुंगरोंसे बहुत कहा, कि अब हम लूट-मार नहीं होने देंगे, लेकिन जुंगर कजाकोंके स्वभावसे अच्छी तरह परिचित थे, इसलिये वह जामिन रखनेपर जोर देते रहे। अबुल् मुहम्मदको अपने लोगोंपर नियंत्रण रखनेके लिये सावधान किया गया, और मामला उस समयके लिये सुधर गया।

अबुल् मुहम्मद यद्यपि अधिकांश कजाकोंके लिये मध्य-ओर्दूका खान था, लेकिन उनकी भारी संख्या तुरसुनखान-पुत्र बुर्राकको अपना खान मानती थी, जिसने भी इसी समय रूसियोंके जारके प्रति राजभक्तिकी शपथ ली थी। १७४३ ई०में उसने अपना दूतमंडलन भेज साधारण संदेशवाहक द्वारा पत्र और सुनहरी समूरी खाल भेजी, जिसे लौटानेपर उसने रूखासा जवाब दिया। उधर मेजर मूलरके प्रयत्नसे १७४२ ई०में जुंगरोंने अबलेई सुल्तानको छोड़ दिया था।

१७४४ ई०में जुंगरोंने साइबेरियामें रूसी सीमाके पास शक्ति प्रदर्शन किया । अबुल्-मुहम्मद और उसके लोग तुर्किस्तानकी ओर खिसक गये, और उन्होंने गन्दन छेरिङके साथ घनिष्ठ मित्रता करनी चाही—अबुल् मुहम्मदका लड़का अब भी गन्दनके पास जामिनके तौरपर था । अबुल् मुहम्मदको आशा थी, कि इस तरह वह गन्दनसे मध्य-ओर्दूकी पुरानी राजधानी तुर्किस्तान-शहरको पा लेगा । लेकिन उसका प्रतिद्वंद्वी बुर्राक सुल्तान भी अपने पुत्रको जुंगरोंके पास जामिन दे मध्य-ओर्दूको अपनी ओर करनेकी चेष्टा कर रहा था । इस्लाम और बौद्ध धर्मको लेकर कजाकों और जुगरोंका झगड़ा बहुत पुराना था, जिसके कारण यदि रूसियों और जंगरों (कल्मकों) में लड़ाई छिड़ती, तो कजाक जरूर रूसियोंकी ओर हो जाते । खैर, रूसी सीमान्तके पास प्रदर्शन करके ही जुंगर लौट गये, और लड़ाई नहीं हो पाई। इस शांतिसे लाभ उठाकर दो सालके बाद फिर मध्य-ओर्दू रूसी सीमान्तपर पहुंचा, और अबुल् मुहम्मद तथा बुर्राक दोनोंने पुनः जार-भक्तिकी शपथ ली । १७४६ ई०में जुंगर आक्रमण करके कजाकोंके बहुत-से घोड़े छीन ले गये । यह वही साल था, जिस साल कि जुंगर-राजा गन्दन छेरिङ मरा ।

१७४८ ई०में बुर्राकने लघु-ओर्दूके खान अबुल्खैरको हराया । पीछे रूसी प्रजा करा-कल्पकोंको लूटा । जिसके लिये रूसी दंड देते, इसलिये डरके मारे पूर्वकी ओर बढ़ बुर्राकने ईकान, ओतरार और सिगनकपर अधिकार कर वहां डेरा डाला । अगले साल एक खोजाके साथ-रहते बुर्राक और उसके दो पुत्रोंको जहर खिलाकर मार डाला गया । शायद अबुल्खैर-पुत्र नूरअलीने पिताकी हत्याकी शिकायत जुंगरोंसे की । इस समय (१८वीं सदीके मध्यमें) मध्य-ओर्दूके अधिकांश सुल्तानों और सरदारोंने जुंगरोंके यहां अपने जामिन दे रक्खे, थे, इसीलिये जुंगर मध्य-ओर्दूको अपनी प्रजा मानते थे । इसी समय अबुल् मुहम्मद तुर्किस्तानकी ओर गया, जहांपर वह अपनी मृत्युके समयतक रहा ।

३. अबलइ, शिगाई-वंशज (१७४८—८१ ई०)

अबुल् मुहम्मदके दक्षिणकी ओर, चले जानेपर मध्य-ओर्दूके कुछ सरदारोंने मृत बुर्राकखान के भाई सुल्तान कूचुकको अपना खान चुना, लेकिन रूसियोंने उसे स्वीकार नहीं किया । इस पर वह जुंगरोंकी ओर झुके । शिगाई खानके वंशज अबलइकी दूसरी ही नीति थी । उसका कबीला अधिकतर रूसी सीमाके पास रहता था, इसलिये वह रूसियोंका अधिक पक्षपाती था—खासकरके तबसे, जब कि मध्य-ओर्दूने १७५१ ई०में उलुकतागमें जुंगरोंसे करारी हार खाई। १७५४ ई०में उनके ऊपर जुंगरोंका इतना अधिक दबाव था, कि बहुत-से अमीरोंने रूसियोंसे आज्ञा मांगी, कि हमारे बीबी-बच्चोंको अपने यहां शरण दो, और सीमान्तपर जमीन दो, तो हम खेती करके अपने गांव बसा लेंगे । इसपर कितने ही कजाकोंको उइस्कके पास बस जानेकी इजाजत मिली, और उचित जामिन दे देनेपर कितनों हीको हटकर रूसी सीमान्त रेखाके पीछे आनेकी भी इजाजत मिल गई । लेकिन इसी समय जुंगर-साम्राज्यको चीनियोंने नष्ट कर दिया, जिसमें अबलइका भी काफी हाथ था । साम्राज्यके पतनमें अमुरसना और दावा छेरिङ (१७५०—५५ ई०) का झगड़ा मुख्य कारण था, इसे हम पहले बतला आये हैं । चीनियोंकी सहायतासे अमुरसना खान बना था, लेकिन वह चीनियोंके हाथकी गुड़िया नहीं बनना चाहता था, इसलिये विद्रोही बना, और भारी चीनी सेना आनेपर उसने कजाकोंमें भागकर शरण ली । अबलइ खानने घोड़े और संरक्षक दिये, और गिरफ्तार करनेके लिये वचन देकर चीनी सेनापतियोंके पता पूछनेपर बहाना कर दिया, कि अमुरसना रूसियोंके पास भाग गया । इसपर नाराज हो चीनी जेनरल तलतंगा कजाकोंके देशमें घुसा । फिर कजाकोंने उसे भुलावेंमें डाला । उधर मंगोलों और मंचू सैनिकोंको अपने जेनरलका आचरण बुरा लगा, इसलिये उनमेंसे बहुतेरे साथ छोड़कर चले गये, और जेनरलको पीछे हटना पड़ा । इन लड़ाइयोंमें सबसे बहादुर चीनी सेनापति हो मारा गया, और वही हालत कल्मक सेनानायकों—नीमा, पयार, सीला और मंगलिक आदिकी हुई, जो कि अमुरसनाके विरुद्ध हो चीनकी ओरसे लड़े थे । इस हारकी खबर मिलनेपर चीनसे एक

नई सेना आई, जिसने कजाकोंको हरा उनके बहुत-से मुखियों को पकड़कर पेकिंग भेज दिया, जहां उन्हें प्राणदंड दिया गया।

जुंगरों जैसी अजेय शक्तिको इतनी आसानीसे खतम करते चीनियोंको कोई दिक्कत नहीं मालूम हुई, यह देखकर अबलई रूसका पक्ष छोड़ चीनकी ओर झुका, और कुछ समय बाद उसने चीनी सम्राट् चियान-लुङ (काउ-चुङ १७३५—९५ ई.) की अधीनता स्वीकार की। सम्राट्ने इतने प्रभावशाली खानको अपना सामन्त बनते देखकर उसे राजा (वाङ) की उपाधि भेजी। अगले साल १७५७ ई० में जब उसे अपने ओर्दूके साथ चीनी प्रजा घोषित करनेकी आज्ञा आई, तो अबलइने टालमटोल कर दिया।

१७५८ ई०में मध्य-ओर्दूके एक भागके कजाक रूसी सीमापर आक्रमण कर दोनों ओरके करद २२० तारतारोंको पकड़ ले गये, और इनका दूसरा भाग पूर्वकी ओर बढ़कर जुंगर उच्छेद-से खाली पड़ी भूमिको आबाद किया। अबलइ जहां एक ओर चीनियोंको विश्वास दिलाता था, कि मैं सम्राट् का करद सामन्त हूं, वहां दूसरी ओर उसने रूसको भी विश्वास दे रक्खा था, कि मैं यह सब कुछ ऊपरी मनसे कर रहा हूं, समय आनेपर मैं रूसकी ओरसे चीनके साथ लड़ूंगा। रूसी रानीने बड़ी प्रशंसा करते हुये उसके लिये एक बहुमूल्य समूरी छाल भेजी। मध्य-ओर्दूका अधिकांश अबलइको अपना खान मानता था। रूसी नहीं चाहते थे, कि अबलइका प्रभाव और शक्ति अधिक बढ़े। उन्होंने तब भी कूटनीतिसे ही काम लेना चाहा, और कहा, कि लघु-ओर्दूके नूरअली खानकी तरह तुम भी अपने पुत्रको जारके दरबारमें जामिन भेजकर सम्मान प्राप्त करनेकी प्रार्थना भेजो। अबलइने इसे पसन्द नहीं किया।

१७६० ई० में मध्य-ओर्दूके कजाकोंने चीनकी प्रजा बुरूतों (जंगली किर्गिजों) पर आक्रमण किया। चीनियोंने इसपर विरोध प्रकट करते हुए अपनी सेना अबलइको दंड देनेके लिये भेजी। तीन ही वर्ष पहले जुंगरोंकी क्या दशा हुई, यह कजाक देख चुके थे, इसलिये उन्होंने तुरन्त चीनियोंकी अधीनता स्वीकार कर ली, लेकिन साथ ही रूसको प्रसन्न रखनेके लिये भी कितने ही बाश्किर और बराबिन तारतार बंदियोंको उनके पास लौटा दिया। रूसी चाहते थ, कि अबलइका संबंध चीनसे न हो। १७६२ ई० में उन्होंने हुक्म दिया, कि कजाक बड़ोंमें भेंट बांटनी है, सीमान्तके पास घोड़ोंके लिये अस्तबल, गाड़ियोंके रखनेके लिये गाड़ीखाने, चारों ओर प्राकार और दूकानसे घिरा एक छोटा महल खासकरके खानके लिये बनाना है। वह महल पेत्रोपावलोव्स्कके सामने बना भी दिया गया है। रानी एकातेरिना II की गद्दीके समय अबलइ, ऐचुवक और लघु-ओर्दूके नूरअलीने भी राजभक्तिकी शपथ ली, यद्यपि अबलइ अब भी चीनियोंकी अधीनताको मानता था। इस प्रकार उसकी चाल दोरंगी थी।

चीनी सेना जुंगरोंको हरानेके बाद पश्चिमकी ओर बढ़ती गई। उसने खोकन्द और ताशकन्दपर आक्रमण किया। इसपर वहांके शासकोंने अफगानिस्तानके अमीर अहमदसे इस्लामके नामपर मदद मांगी। काश्गर और यारकन्द आदिके लोगोंने भी जाकर काबुलपतिके पास गुहार की। अहमदशाह अब्दाली भारतमें भारी विजय (१७५६ ई०) प्राप्त करके काफी नाम कमा चुका था, इसलिये वह उत्तरसे आई गुहारको ठुकरा कैसे सकता था? उसने काफी सेना अन्तर्वेद की ओर भेजी। ताशकन्द और खोकन्दके बीचमें चीनी सेनासे बातचीत चलती रही, फिर सारे मध्य-एसियामें जहाद (धर्मयुद्ध) की घोषणा कर दी गई। उधर चीनियोंने अबलइको सनद देकर इलीपर बसनेकी इजाजत देते हुये, दुश्मनोंसे रक्षाका भार अपने ऊपर ले लिया। अबलइने अपने ससुर सुल्तान अहमद, कुछ कजाक अमीरों और उनके लड़कोंको जामिन बनाकर चीनियोंके हाथमें दिया, और इस प्रकार अबलइ मुसलमानोंके जहादमें शामिल नहीं हुआ।

रूसियोंने कोल्चवली नदीपर १७६४ ई०में एक छोटासा किला सेमीप्लातिन्स्क बनाया था, जो कजाकोंके साथ व्यापार करनेका केन्द्र था। अबुल्मोहम्मद-पुत्र अबुल्फैज, तथा तुर्किस्तानके पुलाद खानके भाई अबुल्फैजके कहनेपर ही रूसियोंने यह किया था। अबुल्फैज मध्यओर्दूके सबसे अधिक शक्तिशाली कबीले नैमनका मुखिया था। जुंगारियामें रहनेके कारण अब वह चीनियोंपर अधिक

निर्भर करता था। रूसियोंने अबलइको सेमीप्लातिन्स्कमें व्यापार करनेकी आज्ञा दे दी। कजाकोंने खेती सीखनेकी इच्छा प्रकट की, तो समुचित जामिन लेकर दस खेती सिखानेवालोंको भी रूसियोंने भेज दिया। इतिहासके आदिकालसे अबतक खेतीसे अछूते कजाक जुगरोंकी भांति अब खेतीके महत्त्वको समझने लगे।

अब हम उस समयमें पहुंचते हैं, जब कि १७७० ई०में वोल्गा-तटसे तोर्गुत (कल्मक) भगे थे। कल्मकोंका रास्ता अपने पुराने दुश्मन कजाकोंकी भूमिके बीचसे था। रूसियोंने भी उन्हें भड़का रक्खा था, इसलिये अबलइ और उसके आदमियोंने सुल्तान अबुल्फैजकी तरह कल्मकोंपर आक्रमण करके बहुत लूट-मार की, और उनमेंसे भारी संख्याको अपना बन्दी बनाया।

१७७५ ई०में अबुल्फैज तथा मध्य-ओर्दूके और कितने ही सरदारोंने साइबेरियाकी सीमापर जाकर रूसी प्रजा होनेकी आज्ञा मांगी—प्रजा होनेका मतलब था वार्षिक पेंशन और भेंट-इनाम-की प्राप्ति। रूसियोंने कहा—"तुम तो पहले हीसे हमारी प्रजा हो।"

अबलइ अपनी चालाकी-चतुराईके बलपर बहुत शक्तिशाली बन गया, और बराबर रूस और चीनके बीचमें अपने दावपेच चलाता रहा। तो भी चीनकी ओर उसका झुकाव अधिक था, वह चीनी भाषा बोल भी सकता था। अपनी शक्तिको १७७१ ई०के बाद उसने अपनेको देश खुल्लमखुल्ला खान (राजा) कहना शुरू किया। कहांसे यह पदवी मिली, पूछनेपर वह बड़े अभिमानके साथ जवाब देता—तोर्गुतोंपर विजय प्राप्त करनेसे अबुल्मुहम्मदके मरनेपर तुर्किस्तान और ताशकन्दके कजाकोंने मुझे अपना खान निर्वाचित किया। अपने पूर्वजोंकी भांति वह भी चाहता था, कि मैं भी कजाकोंके सबसे बड़े संत खोजा अहमदकी समाधिके पास रहूं। रूसियोंने दबाव दिया, कि अपने पुत्रको जामिन भेजकर जारसे खानकी पदवी प्राप्त करो। इसपर १७७७ ई०में उसने अपने पुत्र तोगुमको खान-पदवी प्राप्त करनेकी प्रार्थनाके साथ पीतरबुर्ग भेजा। दरबारमें उसका अच्छा स्वागत हुआ, और २२ अक्टूबर १७७८ ई०को कुछ और भेंटोंके साथ खानकी उपाधिका शासनपत्र ओरेनबुर्ग के राज्यपालके पास भेज दिया गया। अबलइको सूचित किया गया, कि उपाधि प्राप्त करनेके लिये त्रोइतस्क या साइबेरियाके किसी दूसरे रूसी नगरमें आओ। अबलइने ऐसा करनेसे इन्कार कर दिया। इसपर उसे उसके डेरेमें एक रूसी अफसरके सामन शपथ दी गई। लेकिन अबलइ चीनियोंको नाराज नहीं करना चाहता था, इसलिये, उसने रूसी रानीकी भेजी हुई भेंटको स्वीकार नहीं किया। चूंकि रूसियोंने बुरूतों (जंगली किर्गिजों) के विरुद्ध मदद देनेसे इन्कार कर दिया था, इसलिये अबलइने अपने पासके रूसी बंदियोंको वहीं लौटा दिया, और उन तुर्कमानोंको भी, जिन्हें कि तोर्गुत अपने साथ ला महायात्रामें कजाकोंके देशमें छोड़ गये थे। इसपर रूसियोंने नाराज हो अबलइकी पेंशन बन्द कर दी, और कुछ कजाक सुल्तानोंको भी उसके विरुद्ध उकसाया, जिन्होंने उसे पकड़कर रूस ले जानेका असफल प्रयत्न किया। अबलइ बुरूतोंके विरुद्ध सफल अभियान करके तुर्किस्तान-शहर लौटा। उसने अपने लड़के हादिलके लिये तलस नदीके तटपर एक प्राकारबद्ध महल बनवाया। पास हीमें महाओर्दूके कजाकों—जो कि इस समय अबलइकी प्रजा थे—के कहनेपर एक शहर भी बसाया, जहां कराकल्पक किसान आकर आबाद हो गये। बन्दी बनाकर लाये बुरूतोंको वह मध्य-ओर्दूके देशके उत्तरमें ले गया, जहां वह पीछे यानी-किर्गिज (नये किर्गिज) के नामसे प्रसिद्ध हुये। १७८१ ई०में अबलइ रूसी सीमान्तकी ओर जा रहा था, इसी समय ७० वर्षकी उमरमें उसका देहान्त हो गया। उसकी कब्र तुर्किस्तान शहरमें बनाई गई। चीनमें खबर मिली, तो वहांसे एक विशेष अफसर भेजा गया, जिसने परिवारको जमाकर राजसी ढंगसे अबलइकी अन्त्येष्टि-क्रिया कराई।

४. वली, अबलइ-पुत्र (१७८१—१८१८ ई०)

अबलइके मरनेपर मध्य-ओर्दूको महा-ओर्दूवाले बुरी तौरसे हराकर भारी संख्यामें उनके पशुओं को छीन ले गये। मध्य-ओर्दूकी शक्ति अब बिखरने लगी। उसके उत्तरी भागने अबलइ-पुत्र वलीको अपना खान चुना, और प्रार्थना करनेपर रूसने उसे स्वीकार भी कर लिया। १७८२ ई०में लेफ्टेनेन्ट-जेनरल याकोबने बड़ी धूमधूमसे पेत्रोपावलोव्स्कमें वलीको खान घोषित किया, लेकिन मध्य-ओर्दूके

संबसे प्रभावशाली कबीले नैमनने वलीको न मंजूर कर अबुल्मुहम्मद-पुत्र अबुल्फज (मृत्यु १७८३ ई०) को अपना खान चुना, जिसे चीनने मंजूर कर लिया। लेकिन नैमनोंमें भी सब एकराय नहीं थे। अबुल्फैजका पुत्र बुपू और दामाद खान खोजा बुर्राक-पुत्र इससे सहमत नहीं हुये। नैमनोंमें काफी संख्या खान खोजाकी पक्षपाती थी, जिसे स्वीकार करते हुये चीनियोंने अपना शासनपत्र भेजा। वलीको छोड़कर अबलइके सारे संबंधी रूस नहीं, बल्कि चीनके पक्षपाती थे। वलीके एक भाई जिंगिसने १७८४ ई०में सेना ले जाकर ताशकन्दमें एक विद्रोहको दबाया। उसके दूसरे भाई सुल्तान तीजकी बुरूतोंसे भारी दुश्मनी थी। बुरूत लड़ाकू चीनी सेनाको भी अनेक बार पराजित कर चुके थे। सुल्तान तीजको भी उन्होंने एक वार हराकर पकड़ लिया, और उसने अपने कई गुलामोंको देकर छुट्टी पाई। वलीका बड़ा भाई बेर्दी खोजा चीनी सीमान्तपर रहनेवाले मध्य-ओर्दूके कजाकों का शासक था। इसे भी लड़ाकू बुरूतोंसे पाला पड़ा था, और इसने उन्हें कई बार हराया। १७८५ ई०में ऐयागुज नदीके तटपर इसने बुरूतों (जंगली किर्गिजों)के विरुद्ध अपनी सबसे बड़ी और अंतिम विजय प्राप्त की। लेकिन उस समय वह चीनी सेनाके सहायकके तौरपर लड़ रहा था, जिससे उत्साहित हो अपनी छोटी सेनाके साथ जब वह यिदिस्से नदीके तटपर पहुंचकर कुमक आनेकी प्रतीक्षा कर रहा था, इसी समय बुरूतोंने आक्रमण करके उसे पकड़ लिया। तीजको अब प्राणों की आशा क्या हो सकती थी? उसने एक रक्षरक्षीको मार डाला, जिसपर बाकी टूट पड़े, और उन्होंने उसे हाथ-पैर अलग-अलग काट, पेटको चीरकर उसीके भीतर हाथों-पैरोंको डालके मारा। पीछे तीजके भाई अककियक और उसके पुत्रों लेपेस तथा चोकाने युद्धमें हराकर बुरूत सरदारके पुत्रको पकड़ा, और उसे घर ले जाकर बेर्दी खोजाकी स्त्रियोंको दे दिया, जिन्होंने उसे पीट-पीटकर मार डाला।

१७८६ ई०में रूसियोंने अबुल्खैर-पुत्र नूरअलीको लघु-ओर्दूका खान बनाया।

इस समय मध्य-ओर्दूके उत्तरी भागमें शांति छाई हुई थी। इनके पड़ोसी थे महा-ओर्दू, लघु-ओर्दूके कजाक, रूसी, ताश्कन्द-तुर्किस्तान राज्यके शांतिप्रिय निवासी। दूसरे पड़ोसी लड़ाकू बाश्किर, त्रोइत्स्कके पासमें रहते थे। दूसरी ओर बुरूत भी चैनसे रहने देना नहीं चाहते थे। मध्य-ओर्दूकी स्थिति इस समय दूसरे दोनों ओर्दुओंसे कुछ बेहतर थी। महा-ओर्दू और लघु-ओर्दूकी अपेक्षा वह अधिक संस्कृत और स्थायी जीवन बिता रहा था, तथा अपने खानों और सुल्तानोंकी बात मानते थे। वलीने भी अपने पिताकी तरह शक्ति-संचय करनेमें सफलता प्राप्त की। अस्त्राखानसे तोर्गुतोंद्वारा छीने गये तुर्कमानोंको लौटानेसे इन्कार करके उसने रूसियोंको नाराज कर लिया। रूस-पक्षपाती अमीरोंका भी वह दमन करता था। १७८९ ई०में महा-ओर्दूके एक सुल्तान तुगुमके साथ वलीके ओर्दूके भी कितने ही लोग रूसमें चले गये, और रूसियोंने उन्हें उस्त-कामेन्नोगोर्स्कके किलेके पास जगह देकर बसा दिया। १७९३ ई०में जेनरल स्त्रान्दमानने जबर्दस्ती तुर्कमानोंको वलीके हाथसे छुड़ाया, जिसकी शिकायत कजाक खानने रूसी रानीके पास की। बापकी तरह यह भी दुरंगी चाल चल रहा था। १७९५ ई० में इसने एक पुत्रको चीनमें अधीनता स्वीकार करनेके लिये भेजा था। प्रजाको इसने अपने जुल्मोंसे इतना नाराज कर दिया था, कि १७९५ ई०में मध्य-ओर्दूके दो सुल्तान, उन्नीस जेठे, ४३३०८ अनुचरों तथा ७९००० दूसरे कजाकोंने रानी एकातेरिनाIIसे प्रार्थना की, कि हमें वलीके पंजेसे छुड़ाकर रूसी प्रजा बना लो। खानने इसपर क्षमा मांगी। १७९५ ई०में बाश्किरोंके पड़ोसी मध्य-ओर्दूके एक दलने चेलियाबिन्स्क और त्रेख्ने उरालस्कमें जाकर लूट-मार की।

१७९८ ई०में पावलके शासनकालमें कजाकोंके आपसी झगड़ोंके मिटानेके लिये पेत्रो- पालोव्स्कमें रूसियों और कजाकोंकी एक सम्मिलित अदालत बैठी, लेकिन उसने अपना काम १८०६ ई०में शुरू किया। वली १८१८ ई०में मरा। अन्तिम वर्षोंमें कजाकोंमें उसकी चलती नहीं थी, और कितने ही अमीर उसकी आज्ञा माननेसें इन्कार करते थे। इसपर जार अलेक्सान्द्रI (१८०१-२५ ई०)ने बोराक-पुत्र बूकेइको मध्य-ओर्दूका द्वितीय खान १८१६ ई०में नियुक्त किया। बूकेइ भी १८१८ ई०में मर गया, जिसके साथ ओर्दूके खानोंकी परम्परा खतम हो गई, और उनके कजाक सीधे रूसी प्रजा हो गये, जिनके शासनके लिये रूसियोंने एक विशेष प्रबन्ध कर रक्खा था।

ख. लघु-ओर्दू (१७४४–१८१२ ई०)

तेअवका, तौफीक या तवक्कल खान (१६९८-१७१८ ई०) के बाद श्वेत-ओर्दू तीन भागोंमें विभक्त हो गया था, जिनमें लघु-ओर्दूके अमीर थे—यादिक खानके भाई उजियक सुल्तानके वंशज। तेअवकाने अदिया (आइतिक) को लघु-ओर्दूके शासनका भार सौंपा। इस प्रकार अदिया लघु-ओर्दूका प्रथम खान था। लघु-ओर्दूके खानोंके नाम निम्न प्रकार हैं:—

१. अदिया, जानीबेग वंशज, ईरिश-पुत्र	—१७१७ ई०
२. अबुल्खैर, अदिया-पुत्र	१७१७–४९ ”
३. नूरअली, अबुल्खैर-पुत्र	१७४९–९० ”
४. एरअली, अबुल्खैर-पुत्र	१७९०–९४ ”
५. इशिम, नूरअली-पुत्र	१७९४–९७ ”
६. एचुवक, अबुल्खैर-पुत्र	१७९७–१८०५ ”
७. जन्ती उरा, एचुवक-पुत्र	१८०५–९ ”
८. शेरगाजी, एचुवक-पुत्र	–१८१२ ”

१. अदिया, एतीयक, इरिश-पुत्र (–१७१७ ई०)

श्वेत-ओर्दूके अन्तिम खान तेअवका (तौफीक)ने इसे लघु-ओर्दूका शासक बनाया था, लेकिन अदियाके समय अभी लघु-ओर्दू अपने स्वतंत्र अस्तित्वको कायम नहीं कर पाया था। यह काम उसके पुत्र अबुल्खैरने किया।

२. अबुल्खैर, अदिया-पुत्र (१७१७–४९ ई०)

१७१७ ई०में अबुल्खैर भी तौफीक और काइपके साथ जुंगरोंके विरुद्ध सहायता मांगनेके लिये रूस गया था। बापके मरनेपर काइपके साथ अबुल्खैरकी प्रतिद्वंद्विता शुरू हो गई। १७१७ ई०में रूसियोंसे भी उसका झगड़ा हो गया, उसने कजान प्रदेशमें नवोशेश्मिन्स्कतक लूट-मारकरके बहुतसे बन्दी पकड़ लिये। जुंगरोंने भी लघु-ओर्दूकी लूट-मारोंसे तंग आकर १७२३ ई० में उन्हें तुर्किस्तान-ताश्कन्द-सैरामसे भगा दिया। तबतक अबुल्खैरने तुर्किस्तान शहरमें रहते अपनी शक्ति भी बहुत बढ़ा ली थी। आपसी झगड़ोंसे जुंगरोंको लाभ और अपने वंशका नाश देखकर उसने एक महापरिषद् बुलाकर फैसला कराना चाहा, जिसने अबुल्खैरको अपना मुखिया चुनकर सफेद घोड़ेकी कुर्बानी दी। लघु-ओर्दूने उसके नेतृत्वमें कई बार जुंगरोंको छोटी-मोटी हार दी, लेकिन इससे उनके राजा छेवङ अर्पचन (रब्तन)का कुछ बिगड़नेवाला नहीं था। जब जुंगरोंने जोरका प्रहार किया, तो लघु-ओर्दूको पश्चिमकी ओर भागना पड़ा, और उन्होंने यम्बा नदीको पार हो तोर्गुतों (वोल्गा-कल्मकों)को भगाकर यायिक (उराल)तक की भूमिको ले लिया। अब तोर्गुत उनके विरोधी हो गये और बादमें उरालके कसाक भी दुश्मन बन गये। इन दोनोंके प्रहारसे इन्हें इतनी हानि उठानी पड़ी, कि १७२६ ई०में इनके प्रतिनिधियोंने जाकर रूससे संरक्षण पानेकी प्रार्थना की, लेकिन उसमें वह सफल नहीं हुये। यद्यपि ओर्दूका बहुमत तैयार नहीं था, तो भी अबुल्खैरने इसीमें खैरियत समझकर १७३० ई०में ऊफाके वोयवोद बूतुलिनके पास अधीनता स्वीकार करनेके लिये पत्र भेजा। दूत जुलाई १७३० ई०को ऊफा पहुंचे, जहांसे उन्हें पीतरबुर्ग भेज दिया गया। दूतोंने दरबारमें कल्मकों (तोर्गुतों), बाश्किरों और उरा-कसाकोंके साथ लड़ाई करनेका वचन दिया—हम रूसके शत्रुओंसे लड़नेके लिये सदा तैयार हैं, और यदि खीवा, कराकल्पक तथा अरबी कबीलोंको दबानेके लिये हमें सैनिक दिये जायं, तो हम उनपर अभियान कर सकते हैं। उन्होंने अपने ओर्दूकी ओरसे रूसी प्रजा होनेको स्वीकार किया, पीतरबुर्गमें इसके लिये बड़ी खुशी मनाई गई, क्योंकि बिना एक गोली दागे रूसको इतने नये प्रजाजन मिल गये। बाश्किर जब-तब रूसियोंके विरुद्ध विद्रोह कर देते थे।

खीवावालोंने हाल हीमें रूसी राजदूत राजुल बेकोविच-चेरकास्कीको मार डाला था, उसको भी बदला लेनेका मौका मिल रहा था। रानी अन्नाने सहायता और संरक्षण देनेका वचन-पत्र दिया। दूत जब अपने देशको लौटे, तो कजाक भूमिका नक्शा बनानेके लिये दो इंजीनियर अफसर भी साथ कर दिये गये। सारा ओर्दू विरोधके लिये खड़ा हो गया। फिर एक बड़ी परिषद् बुलाई गई, और किसी तरह झगड़ा शांत हुआ। १७३२ ई०म लघु-ओर्दूके अबुल्खैर और मध्य-ओर्दूके सेमीअका खान दोनोंने राजभक्तिकी शपथ ली। अबुल्खैरने दश्तकिपचकको छोड़ सिर-दारियाके मुहानेपर अपना डेरा डाला वहांके कराकल्पकोंको भी अपने अधीन करके रूसकी प्रजा बनाया।

जनवरी १७३४ ई०में अबुल्खैरका पुत्र एरली सुल्तान और भी कितने ही कजाक-मुखियोंके साथ पीतरबुर्ग गया। रानीने उसका स्वागत करके बहुत इनाम दिया। एरलीने अबुल्खैर-परिवारमें खानकी पदवी पानेकी प्रार्थना की, और यह भी कहा, कि ओरी और उराल नदियोंके संगमपर रूसी किला बनाया जाय, अपने आसपाससे जानेवाले कारवांकी रक्षाका भार अबुल्खैरको मिले, तथा सैनिक सहायताके लिय कल्मकों और बाश्किरोंकी तरह समूरी छालके रूपमें भेंट दी जाय। शर्तें मानना आसान था, लेकिन कजाक-जैसे कबीलोंके लिये उनका पालन करना बहुत मुश्किल था। एक और भी बात थी: कजाकोंमें मुखिया या खानकी उतनी चलती नहीं थी। लोग जनतंत्रताके अत्यन्त पक्षपाती थे, इसलिये खान द्वारा स्वीकृत शर्त-को माननेके लिये मजबूर नहीं थे। प्रसिद्ध भौगोलिक किरिलोफको कुछ इंजीनियरोंके साथ किला बनाने तथा नक्शा तैयार करनेके लिये भूमापक बनाकर भेजा गया। तीन अफसर, कुछ मिस्त्री और नाविक नाव बनानेके लिये, एक खनिज इंजीनियर, कुछ तोपची-अफसर, एक वनस्पतिशास्त्री, एक चित्रकार, एक डाक्टर, कजाकोंकी भाषा सीखनेके लिये कुछ तरुण विद्यार्थी किरिलोफके नेतृत्वमें भेजे गये। कजान पहुंचनेपर एक रेजिमेंट पैदल सेना, कुछ तोपखाना भी साथ हुआ। ऊफामें कसाकोंकी एक पैदल बटालियन साथ हो गई। तेवकेलेफ नामक एक बाश्किरको कर्नलका दर्जा दे दुभाषिया नियुक्त किया गया। ऊफाकी आमदनी इस अभियानके खर्चके लिये निश्चित कर दी गई। किरिलोफको आज्ञा दी गई थी, कि ओरीके मुहानेपर नगर बसाकर लोगोंको वहां बसनेके लिये आकृष्ट करे, तथा अबुल्खैरको खान उपाधिका शासन-पत्र प्रदान करे। शेमीअका, महा-ओर्दूके दूसरे मुखियों और कराकल्पकोंके मुखियोंको किरिलोफसे मिलनेके लिये हुक्म दिया गया था। यह भी हुक्म था, कि मध्य-ओर्दू और महा-ओर्दूके मुखियोंको राजभक्तिकी शपथ लेनेके लिये कहे, एरलीको अच्छे रक्षियोंके साथ उसके बापके पास भेजे, कजाकोंको भेंट-रिश्वत या कड़े हाथोंसे शान्त रक्खे, नये नगरमें उनके अमीरोंको घर और मस्जिद बनाने और आसपासमें उनके पशुओंके चरनेकी इजाजत दे, उराल (यायिक) नदीको सीमा मानकर कजाकोंको उसके पार होनेसे मना करे, झगड़ोंको तै करनेके लिये रूसियों और कजाक-बड़ोंकी सम्मिलिति अदालत स्थापित करके देशके रीति-रवाजके अनुसार फैसला कराये। किरिलोफ १७ जुलाई १७३४ ई०को पीतरबुर्गसे चला।

उसी साल अबुल्खैरने अपने पुत्र एरलीको फिर भेजा। किरिलोफ आगेके कामके लिये नेता था। १५ अगस्त १७३५ ई०में ओरी और उराल नदियोंके संगमपर उसने कोरेनबुर्गकी नींव डाली। रूसके इस प्रकार लगातार आगे बढ़नेको देखकर इस भूमिके घुमन्तू कबीले कैसे संतुष्ट रह सकते थे? उनमेंसे कुछने विद्रोह भी किया, लेकिन तोपों और बन्दूकोंके सामने उनका क्या बस चलता? दीवारोंके तैयार हो जानेपर १७३६ ई०के वसन्तमें अबुल्खैरको आनेके लिये निमंत्रण दिया गया, और ताशकन्दके व्यापारियोंको भी ओरेनबुर्गकी मंडीमें व्यापार करनेकी सलाह दी गई। इस समय सबसे ज्यादा विद्रोही थे बाश्किर, जिनके विरुद्ध रूसियोंको सेना भेजनी पड़ी, और नये किले भी बनाने पड़े, जिनमें उराल नदीके तटपर गुर्लिन्स्क, ओजेर्नया, स्रेदनी, बेर्देस्कोइ और किरिलोफ थे। समारा नदीके ऊपर भी कुछ किले बनाये गये, लेकिन रूसियोंको अपने हितके लिये इससे भी ज्यादा आवश्यक यह था, कि वोल्गा-कल्मकों, बाश्किरों और कजाकोंके आपसी झगड़े बराबर बने रहें।

किरिलोफ अप्रैल १७३७ ई०में मर गया। इसी समय रूसी व्यापारियोंका एक कारवां ताशकन्द जानेवाला था, जिसके साथ कप्तान येल्तन गया, जो पीछे भारतपर आक्रमण करने-

वाले नादिरशाहका नौकर हो गया। रूसकी ओरसे येल्तनको अराल समुद्रमें नौसंचालन तथा सिरके मुहानेपर कैदियोंके लिये नगर बसानेके बारेमें विवरण देनेके लिये भेजा गया था। किरिलोफके मरनेके बाद उसकी जगह तातीशेफ नियुक्त किया गया। बाश्किर विद्रोहियोंको दबानेके लिये अबुल्खैरको उनपर मनमानी करनेकी छूट दे दी गई थी। उसने बाश्किरोंमें विद्रोही और और अविद्रोही का फर्क किये बिना सबके ऊपर भारी अत्याचार किये। उसीके बाद वही काम कजाकोंने कल्मकोंपर आक्रमण करके किया, और वह कल्मकोंको ही नहीं, बल्कि रूसियोंको भी बन्दी बनाकर ले गये। बन्दी बनाकर ले जानेका मतलब था अन्तर्वेदमें उन्हें दासोंके बाजारमें बेच डालना। इसके कारण रूसी नाराज हो गये, और अबुल्खैरको, नूरअलीको ज़ामिन बनाकर हटनेका हुक्म दिया। डरके मारे अबुल्खैर नहीं आया। अगस्त १७३८ ई०में वह आनेको राजी हुआ। उसके आनेपर रास्तेकी दोनों तरफ पांती बांधे सेना खड़ी थी। जब वह उस तम्बूमें आया, जिसमें रूसी रानी अन्नाका चित्र रखा हुआ था, तो नौ तोपें दागकर उसके लिये सलामी दी गई। तातीशेफको सम्बोधित करते हुये उसने कहा—"परम-भट्टारिका महारानी उसी तरह दूसरे राजाओंमें श्रेष्ठ है, जैसे सूर्यका प्रकाश तारोंमें। यद्यपि दूर होनेसे मैं उन्हें नहीं देख सकता, लेकिन उनके हितकारी प्रतापको मैं अपने दिलमें महसूस करता हूं। उनके प्रकाशद्वारा रोशनी पाकर मैं रानीकी अधीनता और एक राजभक्त प्रजाकी तरह अपनी आज्ञाकारि-ताको घोषित करता हूं। मैं अपने परिवार और अपने ओर्दूको परमभट्टारिकाके संरक्षणमें एक शक्ति-शाली बाजके पंखके नीचे जैसे रखता हूं, और सदाके लिये अधीन रहनेकी प्रतिज्ञा करता हूं। साथ ही महान् जेनरल, मैं तुम्हारी ओर भी अपनी मित्रताका हाथ फैलाता हूं।" फिर अबुल्खैरने हाथमें कुरान लेकर वफादारीकी कसम खाई, और रूसी बंदियोंको लौटानेका वादा किया। यही नहीं, उसने अपनी स्त्री पपाइको भी दरबारमें भेंट-स्वरूप भेजनेकी इच्छा प्रकट की। इस प्रकार अबुल्खैर जैसे शक्तिशाली घुमन्तू खानको अपने अधीन पाकर रूसियोंको भारी प्रसन्नता होनी ही चाहिये थी।

१७३९ ई०में तातीशेफकी जगह राजुल उरुसोफ वोयवोद होकर आया। आते ही उसने सुना, कि लघु-ओर्दूवालोंने दो रूसी कारवानोंको लूट लिया। १७४० ई०में अबुल्खैरने अपने तीन हजार कजाकोंको वोल्गा-कल्मकोंको लूटनेके लिये भेजा। इसी बीचमें कुछ समयके लिये अबुल्खैर खीवाका खान भी बन गया था, लेकिन नादिरशाहने उसे वहां टिकने नहीं दिया। इस समय उसकी पूर्वी सीमान्तपर जुंगरोंका प्रताप छाया हुआ था। अबुल्खैर उन्हें भी खुश रखना चाहता था। जुंगर कजाकोंके बार-बारके आक्रमणसे तंग आ गये। उन्होंने दो बड़ी-बड़ी सेनायें मध्य-ओर्दू और लघु-ओर्दूके विरुद्ध भेजीं, और अबुल्खैरसे जामिन भेजनेके लिये कहा।

रूसी राज्यपाल नेप्लुयेफने इसे उचित नहीं समझा, कि रूसी प्रजा होते हुये अबुल्खैर जुंगरोंके पास जामिन भेजे। १७४२ ई०में शपथ लेते वक्त अबुल्खैर और दूसरोंने यह वचन दिया था, कि हम जुंगरोंसे छेड़छाड़ नहीं करेंगे। अबुल्खैरने अपने पुत्रके स्थानपर किसी दूसरेको रूसी राज्यपालके यहां जामिन रखना चाहा, लेकिन रूसियोंने इसे नहीं माना। इसपर उसने कजाकोंको भड़काया, और १७४३ ई०में दो हजार कजाक आकर नये बसे शहर ओरेनबुर्गको लूट वहांके निवासियोंको पकड़ ले गये। इन कजाकोंका नेता अबुल्खैरका संबंधी दरवेशअली सुल्तान था।

अभीतक अबुल्खैर पर्देकी आड़में शिकार खेल रहा था, लेकिन १७४४ ई०में उसने नकाब उठा फेंका। अब उसके आदमी खुलकर रूसी कारवांको लूटने लगे। अन्तमें २४ अप्रैल १७४४ ई०को रूसियोंने कल्मक राजा दोण्डुब् थैंचीको बारूद और शीशाके साथ पत्र लिखकर हुक्म भेजा, कि तुम अपने आदमियोंको जमा करके कजाकोंपर हमला करो, जो भी लूटमें हाथ आये, वह तुम्हारा होगा। लेकिन यह पत्र भेजा नहीं जा सका, क्योंकि इसी समय जुंगर-कल्मकोंका साइबेरियापर आक्रमण होनेवाला था, जिसमें अबुल्खैरके कजाकोंकी सहायता आवश्यक थी। अब भी अबुल्खैरकी लूट-मार बन्द नहीं हुई। उसके आदमी फर्वरी १७४६ ई० और जनवरी १७४७ ई०में जमे हुये कास्पियनपरसे होकर वोल्गा-कल्मकोंको लूटने गये। बहुत इधर-उधर करनेके बाद १७४८ ई०की गर्मियोंमें अबुल्खैरन खोजा अहमदकी जगहपर अपने पुत्र ऐचुवक तथा कुछ दूसरे कजाक अमीरोंके लड़कोंको जामिन देना स्वीकार किया, और यह भी वचन दिया, कि मैं अपने पासके रूसी बंदियोंको लौटा दूंगा, और मेरे

आदमी फिर साम्राज्यपर आक्रमण नहीं करेंगे। इधर वह रूससे इस तरहकी प्रतिज्ञायें कर रहा था, और उधर चुपचाप जुंगरोंके खुङ-थैचीको अपनी लड़की देनेकी बात चला रहा था।

अपने स्थानपर लौटनेके बाद लोगोंको जमाकर अबुल्खैरने कराकल्पकोंपर चढ़ाई की, लेकिन मध्य-ओर्दूके शक्तिशाली कबीले नैमनका एक अत्यन्त प्रभावशाली खान बुर्राक कराकल्पकोंको अपनी प्रजा कहता था। अबुल्खैरकी रूसने जो आवभगत की थी, उससे भी बुर्राक जल-भुन गया था। दोनोंकी लड़ाई हुई, जिसमें अबुल्खैरको हारकर भागना पड़ा। बुर्राक-पुत्र शिगाईने दौड़कर उसे घोड़ेसे उतार भाला घुसेड़ दिया, इसी समय बुर्राक आ पहुंचा, जिसने अपने हाथों अबुल्खैरको खतम किया। फिर वह कराकल्पकोंको लूटने गया, लेकिन कराकल्पकोंके रक्षक अब रूसी थे, जिनके डरके मारे उसने तुर्किस्तान लौट इकान, सिगनक और ओतरारपर अधिकार किया। पर जैसा कि पहले कहा, अगले ही साल १७४९ ई०में दो पुत्रों सहित उसे जहर देकर मार डाला गया—कहते हैं, इसमें जुंगर खुङ-थैशी छेवङ दोर्जेका भी हाथ था, जिसके पास अबुल्खैर-पुत्र नूरअलीने बापकी निर्मम हत्याकी शिकायत की थी। अबुल्खैरकी कब्र उत्किया नदीकी शाखा कादिर नदीके पास अक्षांश ५०°.३० देशान्तर ८६-०१० में मौजूद हैं।

३. नूरअली, अबुल्खैर-पुत्र (१७४९—९० ई०)

अबुल्खैरके मरनेके बाद राज्यपाल नेप्लुयेफके प्रयत्नसे अबुल्खैर-पुत्र नूर अलीको खान चुना गया। वह लघु-ओर्दू और मध्य-ओर्दू दोनोंका खान बनना चाहता था, पर रूसियोंने २६ फरवरी १७३९ ई० को शासनपत्र भेज उसे किर्गिज-कजाकोंका खान बनाया। नूरअलीकी मां पपाईका प्रभाव कजाकों और पीतरबुर्ग दोनोंमें था। ओरेनबुर्गमें नूरअलीको बड़े ठाट-बाटके साथ खान घोषित करनेकी रसम अदा हुई। उसे दरबारी खिलअत, टोपी और तलवार दी गई, फिर घुटने टेककर उसने राजभक्तिकी शपथ ली। ओर्दूमें लौटनेपर जुंगर खुङ-थैचीका दूत आ मिला, जिसने उसकी बागदत्ता बहिनको मांगा। उसने यह भी कहा, कि खुङ-थैची तुर्किस्तान शहरको तुम्हें देनेके लिये तैयार है, जहांपर तुम्हारे बाप-दादोंकी हड्डियां कलिममें गड़ी हुई हैं। लेकिन नूरअलीके सुल्तान और ओर्दूके मुखिया रूसियोंको नाराज नहीं करना चाहते। रूसी जुंगरोंकी ताकतको समझते थे, जिनके प्रभुत्वको महा-ओर्दू और मध्य-ओर्दू मानता था, और दोनों मध्य-एसियाई उनके हाथोंसे बाहर जानेकी शक्ति नहीं रखते थे। इसलिये उन्होंने खुङ-थैचीको नूरअलीका बहनोई बननेसे रोका। १७५० ई०में बहिन मर गई, संदेह था, वह स्वाभाविक मौतसे नहीं मरी। अबुल्खैर और काइपमें प्रतिद्वंद्विता चलती रही। काइप-पुत्र बातिर (बहादुर)को लघु-ओर्दूके एक भागने अपना खान चुना। फिर बातिर-पुत्र काइप II खीवाका शासक चुना गया। बातिरने खीवासे बुखारा जानेवाले कारवांकी रक्षाका भार अपने ऊपर लेनेकी मांग की, जिसे कुछ अंशमें रूसियोंने मंजूर भी कर लिया, इसपर नूरअली नाराज हो गया। नूरअलीके भाई ऐचुवकने १७५० ई० के वसन्तमें शांतिप्रिय कबीला अरालीपर आक्रमण किया, जो कि खीवाके खानके अधीन था। इसका बदला लेनेके लिये खीवा-खान काइपने खीवामें व्यापारके लिये गये नूरअलीके लोगों तथा उसके दूतको बन्दी बना लिया, और लूटे माल तथा बन्दी अरालियोंको लौटा दिया। एचुवकके दूसरे भाई एरलीने कराकल्पकोंपर हाथ मारा, लेकिन यहां मुकाबिला निर्बलोंसे नहीं था, इसलिये एरलीके अधिकांश आदमी मारे गये, और स्वयं एरली भी कितने ही महीनोंतक कराकल्पकोंका बन्दी रहा।

नूरअली नहीं पसंद करता था, कि खीवाके कारवांसे बातिर छेड़-छाड़ करे। १७५३ ई० में उसने एक रूसी कारवांको खीवा जाते वक्त लुटवा लिया, ऐसी ही और भी कितनी ही मनमानियां कीं, जिसकी शिकायत करनेपर उसने जवाब दिया—"बातिर और उसके पुत्र काइपने जो अत्याचार किये, उन्हींके कारण ऐसा हुआ। वह रूसके इलाकेपर हमला करना चाहते हैं, यदि मुझे दस हजार सेना और तोपखाना मिले, तो मैं चन्द दिनोंमें उन्हें दबा सकता हूं। रूसियोंने इसे स्वीकार नहीं किया। खीवावालोंके साथ झगड़ा होनेपर रूसियोंने नूरअलीको खीवपर आक्रमण

करनेके लिये उकसाया। नूरअलीने अपने ओर्दूके मुखियोंको राय लेनेके लिये बुलाया, लेकिन दुआ देनेवाले खोजा (सैयद)के बीचमें पड़ जानेपर खीवा और लघु-ओर्दूका झगड़ा रुक गया।

१७५५ ई०में बाश्किरोंने रूसियोंके खिलाफ विद्रोह कर दिया। मुल्ला बातिर शाहने उन्हें काफिरों (रूसियों)के विरुद्ध भड़काया, और कजानके तारतारों तथा कजाक-ओर्दूसे भी जहाद करनेके लिये कहा। उनमेंसे कुछने रूसी बस्तियोंको लूटा-मारा। इसपर राज्यपाल तथा कमांडर नेप्लुइयेफने कजाकोंके शत्रुओं—दोन-कसाक, कल्मक, मेश्केरियक, तेपियर आदि कबीलोंसे सहायता ली। ओरेनबुर्गके अखुन (जिलेके अमीर शरियत या धर्माचार्य)ने फतवा दिया, कि रूसियोंके मार भगानेके बाद कजाकोंको बाश्किर खतम कर डालेंगे, इसलिये रूसके खिलाफ नहीं लड़ना चाहिये। रूसी राज्यपालने फतवाको कजाकोंमें बंटवाया। रूसी दरबारकी सहमतिके साथ उसने कजाक खान और सुल्तानोंको वचन दिया, कि उनके बीचमें रहनेवाले सभी बाश्किर औरतों और बच्चोंको हम इस शर्तपर तुम्हारे हवाले कर देंगे, कि तुम उनके पुरुषोंको सीमान्तसे बाहर भगा दो। इस समय विद्रोहके कारण बहुत भारी संख्यामें बाश्किर भागकर यायिक (उराल) नदीके पार चले गये थे। लोभी कजाक ऐसे मौकेसे फायदा उठाये बिना कैसे रह सकते थे, उन्होंने इन सभी अभागे लोगोंको पकड़ लिया। बाश्किर मरदोंमें प्रतिरोध करनेकी शक्ति नहीं थी, उनमेंसे कितने ही मारे गये, और कितनों हीको कजाकोंने पकड़कर रूसियोंके हाथमें दे दिया, और कुछ देश लौट बदला लेनेकी तैयारी करने लगे। रूसियोंने उन्हें भीतर-भीतर सहायता दी। फिर बाश्किर बड़ी संख्यामें यायिक पार हो कजाकोंके ऊपर पड़े। रूसी दोनों जातियोंमें दुश्मनीकी आग भड़काकर चैनकी वंशी बजाने लगे। बश्किरों और कजाकोंका झगड़ा अब पीढ़ियोंके लिये जारी हो गया। अपनी सीमान्तकी रक्षाके लिये जारशाहीने क्या-क्या तरीके इस्तेमाल किये, इसका एक उदाहरण देखिये—अभी रूसी इतने साधन-सम्पन्न नहीं थे कि सीमान्तपर अपने बलपर शांति स्थापन कर सकते। नूरअलीने इसकी शिकायत जब रूसियोंके पास की, तो उन्होंने जवाब दिया—"बाश्किर भगोड़ोंको शरण देनेका यह फल है।" जब बाश्किरों और कजाकोंका खूनी संघर्ष काफी हो चुका, और दोनों जातियां खूब कमजोर हो गईं, तो नेप्लुइयेफने यायिक नदीको दोनोंके बीचमें सीमा निश्चित करके उसे पार करना निषिद्ध कर दिया। थोड़े दिनोंके लिये झगड़ा रुक गया, लेकिन कबीलोंकी बदला लेनेकी प्रवृत्ति कितने दिनोंतक रुक सकती थी? फिर वह एक दूसरेके इलाकेमें घुसकर लूट-मार करने लगे, यदि सरदार रोकना चाहता, तो उसे काफिर रूसियोंका आदमी कहकर बदनाम करते। इसी बीचमें प्रुशिया (जर्मनी) के साथ रूसका सप्तवर्षीय युद्ध छिड़ गया, इसलिये रूसियोंका सारा ध्यान उधर खिंच गया।

१७५७ ई०में कल्मक शासक दोण्डुब्-थैचीने नूरअली और क्रिमियाके खानसे कहा, कि आओ मिलकर रूसियोंके ऊपर हमला करें। लेकिन इसी समय चीनियोंने आक्रमण करके जुंगर-साम्राज्यको खतम कर दिया, और विजयी चीनी सेनाके कारण रूसी सीमान्त खतरेमें पड़ गया। नूरअली रूसियोंकी शहरपर चीनियोंसे लड़नेके लिये तैयार था, लेकिन चीनी सेना जुंगरोंके प्रभावक्षेत्रसे आगे नहीं बढ़ी।

१७५९ ई०में ओरेनबुर्गमें नया रूसी राज्यपाल था, जिसने नूरअलीके साथ उचित शिष्टाचार नहीं दिखलाया, जिसपर कजाकोंने फिर लूट-मार शुरू कर दी, और रूसी भी बदला लेने लगे। एब्लुवकने जुंगारियामें चले चलनेका प्रस्ताव किया। इसकी भनक मिलनेपर रूसियोंने वार्षिक पेंशन और दूसरे साम-दानके हथियारोंसे कजाकोंको ठंडा कर दिया, और ओरेनबुर्गके हाकिमोंको हिदायत दी, कि कजाकोंके साथ बहुत अच्छी तरह बर्ताव किया जाय, उनमें उदारताके साथ भेंटें बांटी जायं, जाड़ोंमें उनके ढोरों और घोड़ोंके रहनेके लिये गौशालायें और अस्तबल बना दिये जायं। रूसी समझ रहे थे, कि ऐसा न करनेपर कजाक चीनियोंकी सीमान्तकी ओर चले जायेंगे, और लघु-ओर्दूका यह इलाका तथा मध्य-एसियाका वणिक्पथ निर्जन और उजाड़ हो जायेगा।

१७६२ ई० में एकातेरिना II जब गद्दीपर बैठी, तो उस समय नूरअली, एब्लुवक तथा मध्य-ओर्दूके अबलइ खानने भेंटें भेजीं, लेकिन उसी समय नूरअलीने पेकिंगमें भी एक दूतमंडल भेजा, जिसका

वहां अच्छा स्वागत हुआ। इसपर फूलकर नूरअलीने रूसियोंके साथ अपने लोगोंकी छेड़छाड़को नहीं रोका। इसके बाद उसने वोल्गा-कल्मकोंपर भी आक्रमण किये। उस समय जाड़ोंमें उत्तरी कास्पियन समुद्र जम गया था, इसलिये बर्फपरसे होकर आक्रमण करनेमें उसको सुभीता था। रूसियोंने यायिक नदीकी सीमा निश्चित की थी, लेकिन अब नूरअली उसके पश्चिममें जाड़ा बितानेकी मांग करने लगा। जुंगरोंके ऊपर विजय प्राप्त करके चीनी सेनाको सामने खड़ी देखकर मध्य-एसियाके मुस्लिम राज्य अपने घरू झगड़ोंको भूलकर थोड़े समयके लिये एक हो गये। नूरअली भी उनके साथ था। १७६४ ई०में नूरअलीने रानी एकतेरिनाको लिखा, कि मध्य-एसियाके मुसलमानोंने मुझे निमंत्रित किया है। साथ ही उसने रूसी इलाकेमें लूट-मार भी जारी रक्खी। १७६५, १७६६ और १७६७ई०में इस तरहके कई हमले किये। इसके बाद १७७० ई० का वह समय आया, जब कि तोर्गुत-मंगोल वोल्गाके तटको छोड़कर पूर्वकी ओर भागने लगे। तोर्गुतोंके भागनेमें जहां चीन-सम्राट् और दलाई लामाकी प्रेरणा काम कर रही थी, वहां कजाकोंके बार-बारके आक्रमणसे भी वह तंग आ गये थे। रूसियोंने तोर्गुतोंको रोकनेके लिये नूरअली और उसके कजाकोंको कहा। काफिर तोर्गुतोंकी लूट-मार मुसलमान कजाकोंके लिये पुण्य-अर्जनकी बात थी। नूरअली, उसका भाई एचुवक, खीवा का भूतपूर्व और अब लघु-ओर्दूका एक खान काइपअपने आदमियोंके साथ अभागे प्रवासियोंपर टूट पड़े। इन भयंकर दुश्मनोंने चीनी सीमान्ततक उनका पीछा किया। कभी-कभी कल्मकोंने भी उन्हें हराया—सागिजके पास कजाकोंको भारी हार खानी पड़ी, लेकिन मुगजर पहाड़ और इशिम नदी के तटपर कजाकोंने अधिक सफलता पाई।

१७७३-७४ ई०में पुगाचेफके नेतृत्वमें वोल्गाके किसानोंने विद्रोह कर रक्खा था, यायिकके कसाक और बाश्किर भी उसके साथ थे। दोनों ही कजाकोंके शत्रु थे, इसलिये वह विद्रोहमें शामिल नहीं हुये; हां, देशकी गड़बड़ीसे लाभ उठाकर रूसी बस्तियोंको लूटनेमें वह पीछे नहीं रहे, जिसके लिये १७७४ ई०में रूसियोंने भी इनकी खूब मरम्मत की। इसी समय नूरअलीके पुत्र पीरअलीको खीवा और सराइचुकके बीचके तुर्कमानोंने अपना खान चुना, और उसने खीवा जानवाले कारवांसे कर लेना शुरू किया। कजाकोंने जो लूट-मार की थी, उसका बदला लेनेके लिये १७८४ ई०में ३४६२ रूसी सैनिकोंने यायिक पार हो असली लुटेरोंको न पा दूसरे ४३ कजाकोंको पकड़ लिया, जिसपर सिरिमके नेतृत्वमें कजाकोंने भी जवाब दिया। अगले साल (१७८५ ई०) में दो डिवीजन रूसी सेना यम्बाकी ओर बढ़ी, जिसने २३० औरत बच्चोंको पकड़ लिया, और कजाकोंने मजबूर होकर उनके बदलेमें रूसी बंदियोंको लौटाया। कजाकोंके साथके झगड़ेको मिटानेके लिये १६ आदमियोंकी एक विशेष अदालत बैठाई गई, जिसमें ओरेनबुर्गका सेनापति, दो सरकारी, दो व्यापारी, दो किसान इस प्रकार सात रूसी और एक सुल्तान तथा छ मुखिया—सात कजाक, एक बाश्किर और एक मेशकेरी प्रतिनिधि थे। इस अदालतने शांति स्थापित करनेका प्रयत्न किया। रूसियोंने यह भी देखा, कि लड़ाकू कजाकोंको केवल तलवारके बलपर नहीं दबाया जा सकता, इसलिये १७८५ ई०में ओरेनबुर्ग और त्रोइत्स्कमें कजाकोंके लिये मदरसा, मस्जिदें और कारवांसराय बनानेका हुक्म दिया। रूसियोंके सामने वही समस्या थी, जो कि हिन्दुस्तान छोड़कर जानेतक पश्चिमोत्तर सीमान्तपर अंग्रेजोंके सामने।

१७८५ ई०में नये राज्यपाल बैरन इगेलस्त्रोमने क़जाकोंको दबानेके लिय एक नया तरीका इस्तेमाल किया। उसने लघु-ओर्दूके तीन टुकड़े—सेमीरोद्सक, बेउलिन और अलीमुल—करके उनपर अलग-अलग खान नियुक्त किये, और लघु-ओर्दूके खान पदको उठा देना चाहा। साथ ही कजाकोंकी महापरिषद् बुलानेका अधिकार खानके हाथमें न रख सुल्तानों और जेठोंके हाथमें दे दिया। लेकिन इस तरह महापरिषद् बुलानेपर अपमान समझकर कोई कजाक सुल्तान उसमें शामिल नहीं हुआ, तो भी परिषद् जमा हुई, और उसका सभापति डाकू नेता सिरिम बातिर बना, जो कि आनुवंशिक कुलीनताका विरोधी था। उसने जोर देकर कहा—हमें खानकी जरूरत नहीं। कुल नहीं योग्यताको देखना चाहिये। रूसियोंकी अधीनता स्वीकार करना ही हमारी भलाईका एकमात्र रास्ता है। उसने रूसियोंसे मांग की, कि अबुल्खैरके वंशको खान-पदसे वंचित कर दो। रूसियोंने आंशिक रूपसे उसकी बात मान भी ली। १७८६ ई०में उसका अच्छा परिणाम भी दिखाई पड़ा, जब कि पहलेकी अपेक्षा अधिक पशु

सीमान्तके मेलोंमें बिकनेके लिये आये और १७८६ और १७८७ ई०में पहलेकी अपेक्षा कम रूसी कजाकोंके बन्दी बने। कजाकोंने पहलेके रूसी बंदियोंको भी भारी संख्यामें छोड़ दिया। १७८४ ई०में यायिक (उराल) नदीके पश्चिममें पैंतालीस हजार कजाक परिवारोंने आरामसे जाड़ा बिताया। बातिर (सिरिम) ओरेनबुर्गके राज्यपालका बड़ा ही विश्वासपात्र आदमी हो गया। नूरअलीने उसे विश्वास-घाती बनानेकी बहुत कोशिश की, लेकिन उसका कोई फल नहीं हुआ। नूरअली इसपर ठंडा पड़ गया। उसने रूसी बंदियोंको लौटा दिया। अन्तमें रूसियोंने उसे परिवार-सहित ऊफामें और एचुवकको उराल्स्कमें भेज दिया।

नूरअलीके ज्येष्ठ पुत्र एरलीको १७८१ ई०में कराकल्पकोंने अपना खान बनाया था। वह उनके साथ निम्न सिर-उपत्यकामें रहता था। वह थोड़ी-सी सेना लेकर अपने पिताके दुश्मन सिरिम बातिरके ऊपर चढ़ा। इसी समय लघु-ओर्दूके कुछ कबीलोंने भूतपूर्व खीवा-खान काइपको अपना खान बना लिया था, कुछने नूरअली या दूसरेके लिये राज्यपाल इगेल्स्त्रोमके पास आवेदनपत्र दिया था, लेकिन इगेल्स्त्रोम काइपके पक्षमें था, जिससे रानी एकातरिना सहमत नहीं हुई। वह चाहती थी, कि खानका पद उठा दिया जाय। मध्य-ओर्दूका आग्रह था, कि नूरअलीको फिर खान बना दिया जाय। बेंउलिन कबीलेका मुखिया सिरिम बातिर दो सहायकोंके साथ ओर्दूके एक भागका नेता था। रूसियोंने इन्हें सरकारी पदाधिकारी-सा बनाकर नकद और अनाजके रूपमें वेतन मुकर्रर कर दिया। कजाक-ओर्दूमें यह सब होते देख पीढ़ियोंसे चले आते खान्दानी अमीर अधिकार-वंचित होनेके कारण भीतर ही भीतर जले-भुने हुये थे। इसी समय तुर्कोंके साथ रूसियोंकी लड़ाई छिड़ गई, बुखाराने अपने खलीफा और धर्मभाइयोंका साथ दिया और कजाकोंको भी रूसियोंके खिलाफ भड़कानेकी पूरी कोशिश की—"बहादुर योद्धा, बेग और मुखिया सरतइबेग, सिरिम बातिर, शुकुरअली बेग, सादिरबेग, बोरकि बातिर, देदाने बातिर आदिको मालूम हो, कि हम ने तुर्कोंके बादशाह, और अल्लाके खलीफासे सुना है, कि सात ईसाई राज्योंके साथ काफिर रूसी तुर्कोंके विरुद्ध एक हो गये हैं। कजाकोंको चाहिये, कि उन्हें दंड देनेके लिये सच्चे मुसलमानोंका साथ दें।" बुखारा सारे मध्य-एसियाकी काशी थी, जहांके मदरसोंमें पढ़नेके लिये कजाक-कबीलोंके तरुण भी आया करते थे। सिरिमने जवाब दिया, कि मैं और मेरे लोग इस बातकी प्रतीक्षा कर रहे हैं, कि कब बुखारा और दूसरे मध्य-एसियाई लोग रूसियोंपर आक्रमण करें, तो हम उनका साथ दें। कजाकोंके भीतर क्या हो रहा है, इसका पता रूसियोंको भी था। कजाकोंने फिर लूट-मार शुरू की। उन्होंने अपने जेठोंकी बात नहीं मानी। जेठोंका काम था ओरेनबुर्ग जाकर अपनी तनखा ले आना। रूसियोंकी परेशानीसे फायदा उठाकर कितने कजाकों और उनके सुल्तानोंने फिरसे खानके नियुक्त करनेके लिये कहा। १७९० ई० में नूरअली ऊफामें रहते हुये मर गया, तबतक रूसी रानी खानके पदको फिरसे कायम करनेके पक्षमें हो चुकी थी।

४. एरली, अबुल्ख़ैर-पुत्र (१७९०–९४ ई०)

जनवरी १७९० ई०में रानीके हुक्मसे नूरअलीके भाई एरलीको लघु-ओर्दूका खान बनाया गया। १७९१ ई० में सिरिम बातिरने यम्बाके मुहानेपर सारे लघु-ओर्दूकी परिषद् बुलाई, जिसमें यह प्रस्ताव रक्खा, कि सभी कजाक एक होकर रूसियोंपर आक्रमण करें, लेकिन अबुल्ख़ैरके वंशजोंने अपने खान्दानके दुश्मन सिरिमकी बातको विफल करनेकी पूरी कोशिश की। ६ सितम्बरको उसी साल नूरअलीके पुत्र तुर्किस्तान-खान पीरअलीने रूसकी अधीनता स्वीकार करनेके लिये अर्जी दी। काइप-पुत्र अबुल्गाजीने उसे यह कहकर बहुत भड़काया, कि तुम्हें न चुनकर एरलीको खान बनाना अन्याय है। उसने कुरानके वाक्यको उद्धृत करते हुए यह भी समझानेकी कोशिश की, कि किसी मुसलमानका हिजरत कर ईसाईकी प्रजा होना धर्मविरुद्ध है, इसलिये हमें रूसी प्रदेश छोड़ देना चाहिये। बुखाराका खान मेरा दोस्त है, वहां हमें रहनेको जगह मिल जायगी। इस सबका परिणाम यही हुआ, कि कजाकोंने लूट-मार बढ़ा दी। एरली खानने रूससे सेनाकी मदद चाही, लेकिन वह न मिली। जून १७९४ ई०में एरली मर गया।

५. इशिम, नूरअली-पुत्र (१७९४–९७ ई०)

लघु-ओर्दूके अधिकांश जेठे सहमत नहीं थे, तो भी रूसियोंने इशिम सुल्तानको खान बनाया। सिरिम बातिरने एकाएक नवम्बर १७९७ ई०में क्रास्नोयार्स्कके दुर्गपर आक्रमण करके इशिमको मार डाला और उसकी सम्पत्ति लूट ली। सिरिमके अनुयायी कजाक बराबर ऐसा ही करने लगे, जिसका बदला यायिकके कसाकोंने १७९७ ई० और १७९८ ई० में आक्रमण करके उनके बहुतेरे आदमियोंको मार हजारों घोड़ोंको लूट कर लिया। कुछ ही समय बाद बाश्किरोंने भी कजाकोंको लूटना-मारना शुरू किया।

६. ऐचुवक, अबुलखैर-पुत्र (१७९७–१८०५ ई०)

इशिमके मारे जानेके बाद लघु-ओर्दूके शासनका भार एक परिषद्‌के हाथमें दिया गया, जिसका प्रधान ऐचुवकको बनाया गया। इस परिषद्‌में ओर्दूके प्रत्येक कबीलेके दो-दो प्रतिनिधि थे। इस समय बैरन इगेल्स्त्रोम फिर राज्यपाल होकर आया था। लघु-ओर्दूकी सरकारका केंद्र खोब्दा नदीपर रखना निश्चित हुआ। ओर्दू इस प्रबंधसे संतुष्ट नहीं था। उन्होंने फिर अपने लिये खानकी मांग की। रूसियों ने ऐचुवकका समर्थन किया, रूपये-पैसोंके बलपर ऐचुवक खान निर्वाचित हो गया और जार पावलने भी स्वीकृतिकी मुहर लगा दी। ऐचुवक बूढ़ा था। वह कजाकोंको काबूमें नहीं रख सकता था। ओर्दूमें अब बिखराव शुरू हुआ। उनमेंसे कुछ कबीले मध्य-ओर्दूमें मिल गये, कुछने सिर नदीके तटपर जा कराकल्पकोंको दबाकर काइप-पुत्र अबुल्गाजीको अपना खान चुना। कुछने उस्तउर्तके अधिकांश भागपर अधिकार करके वहांसे तुर्कमानोंको भगा दिया। नूरअली-पुत्र बकेइ ऐचुवकके परिषद्‌का सभापति था। उसने गुर्जी-अस्त्राखानके महाराज्यपाल क्नोरिंगके पास प्रार्थनापत्र भेजा, कि हमें कल्मकोंद्वारा परित्यक्त भूमि (यायिक-वोल्गाके बीचके इलाके रिन्पेस्की) में रहनेकी इजाजत दी जाय। उनमें व्यवस्था कायम रखनेके लिये सौ कसाक नियुक्त कर ११ मार्च १८०१ ई०के उकाज (राजादेश) द्वारा सरकारने मंजूरी दे दी। ये कजाक मुख्यतः बाउलिन कबीलेके थे, जिनकी संख्या दस हजार थी। नई भूमिमें आकर वह खूब फलने-फूलने लगे, और सात-आठ सालके भीतर ही उनके पास पहलेसे दस गुना पशु हो गये, जब कि यायिक पारवाले उनके भाई फूट और भूखकी मारसे अपने बच्चोंको रूसियोंके हाथ बेच रहे थे।

१८०५ ई० में बुढ़ापेके कारण ऐचुवकने अपने पदको छोड़ दिया।

७. जन्ती उरा, ऐचुवक-पुत्र (१८०५–९ ई०)

नया खान थोड़े ही समयतक रहा, जिसके बाद नूरअलीके एक पुत्रने उसे कत्ल कर दिया। दो सालतक लघु-ओर्दूका कोई खान नहीं बनाया गया। इसी समय १८१०ई०में ओरेनबुर्ग प्रदेशके इलेत्स्क इलाकेमें—जहांपर कि नमककी बड़ी अच्छी खानें थीं—लाकर बहुत भारी संख्यामें रूसी बसा दिये गये। कजाकोंके बीचमें रूसियोंकी बस्तियोंको बसा-बसाकर जारशाही अपने शासनको दृढ़ करती थी, यह हम प्रशान्त महासागरतक फैली हुई रूसी बस्तियोंसे जानते हैं। इस बातमें उनकी नीति, भारतमें अंग्रेजोंसे भिन्न थी। अंग्रेज हिन्दुस्तानमें केवल अपने शासकों, सैनिकों और कुछ व्यापारियोंको रखकर शासन और शोषण जारी रखना चाहते थे, जब कि रूसी अपने अधीन पूर्वी देशोंमें भारी संख्यामें रूसी किसानों और मजदूरोंको लाकर बसाते जाते थे।

८. शेरगाजी, ऐचुवक-पुत्र (१८१२–४४ ई०)

भाईकी जगहपर शेरगाजी लघु-ओर्दूका खान बना। इसी समय यायिक और वोल्गाके बीचमें बसे बुकेई-कबीलेका भी एक खान बुकेई था। १८२४ ई०में उसके मर जानेपर बुकेईके ज्येष्ठ पुत्र जहांगीरको खान नियुक्त किया गया। शेरगाजीके ओर्दूके भी तीन टुकड़े हो गये थे, जिनपर

तीन सुल्तान शासन करते थे। किर्गिज लोगोंमें अपने राजवंशके प्रति बहुत सम्मान था, और वह काली हड्डीवाले (साधारण जनता) सफेद हड्डी (पुराने राजवंश) के जूयेको बड़ी खुशीसे उठानेके लिये तैयार थे।

अब कास्पियनके पूर्वी तटपर भी रूसने हाथ-पैर फैलाना शुरू किया था। १८३३ ई०में वहां उन्होंने नवोअलेक्सान्द्रोव्स्की, फिर मंगुइलक (मंगिश्लक) किलोंको बनाया। १८३५ ई०में यायिक (उराल) और उई नदियोंके बीचमें एक नई दुर्ग-पंक्ति बनाई, और इसके बीचमें पड़नेवाली भूमि ओरेनबुर्गके कसाकोंके इलाकेमें मिला दी गई। कुछ ही साल बाद मध्य-ओर्दूके प्रसिद्ध खान केनीसर कासिमोफने साइबेरियाके कजाकोंमें भारी विद्रोह फैलाया, और लघु-ओर्दूके भी कुछ कजाक विद्रोहियोंमें जा मिले। इस विद्रोहने छ सालतक रूसी सरकारको परेशान रक्खा। १८४४ ई०में रूसी सेनाने कासिमोफका पीछा करके उसे बुरूतों (करा-किर्गिजों) में भागनेके लिये मजबूर किया, जहां उनसे लड़ते हुये कासिमोफ मारा गया। इस विद्रोहके दबानेके प्रयत्नके फलस्वरूप तुरगाई नदीपर ओरेनबुर्ग-इर्गिजपर उरालके किले १८४७ ई०में बने। अगले साल कराबुलात-तटपर उसी नामका एक रूसी किला बनाया गया। रूसी सीमाके भीतर रहनेवाले कजाकोंपर खोकन्दी और खीवावाले लूट-मार किया करते थे, जिसके प्रतिरोधके लिये रूसियोंने १८४७ ई०में ही निम्न-सिरपर अरालस्क (भूतपूर्व राइम्स्क) का किला बनाया। इस प्रकार रूस कदम-कदम आगे बढ़ता जा रहा था, फिर भला कजाकोंके भीतर शांति कैसे कायम हो सकती थी? जबतक इजत कुतेबेरोफको भगा नहीं दिया गया, और प्रसिद्ध बातिर जान खोजा मारा नहीं गया, तबतक दश्त (स्तेपी) में रूसियों और कजाकोंका संघर्ष जारी रहा, फिर कजाक पूरीतौरसे रूसियोंके संरक्षणमें आ गये।

१८६९ ई०में ओरेनबुर्गके दश्तमें नया शासन-सुधार हुआ, जिसके अनुसार सारे लघु-ओर्दूको उरालस्क और तुरगाई दो जिलोंमें बांट दिया गया। हरएक जिलेमें एक रूसी सैनिक कमांडर रहता था, जिसके अधीन कजाकोंद्वारा निर्वाचित कुछ औल-जेठे (डेरेके मुखिया) शासन-प्रबंधमें सहायता देते थे। कजाकोंमें इसका भारी असंतोष था, कि उनके ऊपर रूसी कसाक शासन करनेके लिये नियुक्त किये गये हैं। खीवाके खान कजाकोंके खान-वंशके ही होते थे और उनका रूसियोंसे अच्छा संबंध नहीं था। खीवाके खानने कजाकोंके असंतोषसे फायदा उठाकर उन्हें भड़काया, जिसके कारण १८६९-७० ई०में सारे दश्तमें विद्रोहकी आग भड़क उठी, डाकके रास्ते बंद हो गये। कजाकोंने डाककी चौकियोंको नष्ट कर दिया, मुसाफिरोंमेंसे पकड़कर कुछको मार दिया और कुछको दास बनाकर बेंच दिया। इसके लिये रूसियोंने घोर दमन किया, और कबीलोंको जबर्दस्ती जहां-तहां भेज दिया। लेखक श्माइलर १८७३ ई०में तुर्किस्तानमें कजाक राजुल छिङ-गिस्के साथ रहा, जो कि बुकेइयेफ ओर्दूके अन्तिम खानका पुत्र था। पिताके मरनेपर जारने उसे राजुलकी रूसी उपाधि प्रदान की थी, लेकिन वह पक्का मुसलमान था, और हाल हीमें मक्कासे लौटकर आया था। समारा जिलेमें उसे जमींदारी मिली थी। श्माइलरके अनुसार वह बड़ा ही संस्कृत, भद्र पुरुष था। उसका अधिक समय फ्रेंच उपन्यासोंके पढ़नेमें लगता था। लघु-ओर्दू १९वीं सदीके चतुर्थ पादतक पहुंचते-पहुंचते अपने स्वभावमें कितना परिवर्तन कर चुका था, इसका उदाहरण यह राजुल था। लेकिन यह परिवर्तन अमीरों और राजवंशियोंतक हीमें सीमित था, अभी साधारण कजाक-जनता बहुत-कुछ पुरानी दुनियामें रहनेकी कोशिश कर रही थी, और बोल्शेविक क्रांतिके बाद ही उसमें वास्तविक सामाजिक क्रांति हुई।

ग. महा-ओर्दू (१७४०—६० ई०)

मध्य-ओर्दू और लघु-ओर्दू रूसी सीमांतके पास रहते थे, इसलिये उनका संबंध बहुत पहले ही से रूसियोंके साथ हो गया था, लेकिन महा-ओर्दू बहुत दूर रहता था, इसीलिये रूसियोंके साथ संबंध बहुत कम रहनेके कारण उनके इतिहासके बारेमें भी हमें बहुत अधिक मालूम नहीं है। महा-ओर्दूके कई कबीले थे, जो अपने अलग-अलग सुल्तान, बेग या खानके अधीन रहते थे। यह कहनेकी अवश्यकता नहीं, कि सारे कजाक-ओर्दुओंकी तरह यहांपर भी छिङ-गिस् खानके खूनसे संबंध रखनेवाले ही शासकके तौरपर पसंद किये जाते। महा-ओर्दू पहले जुंगरोंके अधीन था, पीछे उन्होंने चीनियोंकी

३. (८. कजाक लघु-ओर्दू-वंशवृक्ष)

(१७१८—१८१८ ई०) जानीबेग

उजियक

बोलियकइ

ऐचुवक

इरिश

१. अदिया (–१७१७)

२. अबुल्खैर (१७१७-४९)

३. नूरअली (१७४९-९०) ४. एरली (१७९०-९४) ६. ऐचुवक (१७९७-१८०५)

५. इशिम (१७९४-९७) [नूरअली से]

७. जन्तिउरा (१८०५-९) ८. शेरगाजी (१८१२) [ऐचुवक से]

अधीनता स्वीकार की। यद्यपि नाम महा-ओर्दू था, लेकिन संख्या और प्रभाव दोनोंमें यह श्वेत-ओर्दूके मध्य और लघु-ओर्दूसे निर्बल था। तौफीक (तियाअवका) खानने श्वेत-ओर्दूको तीन हिस्सोंमें बांटकर तिउलको महा-ओर्दूका शासक नियुक्त किया था। १७२३ ई०में जब जुंगरोंने कजाकोंकी भूमि और तुर्किस्तान शहरको ले महा-ओर्दू और मध्य-ओर्दूके कितने ही कबीलोंको अपने अधीन किया, तो बाकी बचा हुआ महाओर्दू और मध्य-ओर्दूका कुछ भाग खोजन्दकी ओर चला गया। पीछे कितने ही कजाक उत्तरकी ओर चले गये, लेकिन महा-ओर्दूवाले जुंगरोंकी प्रजा बनकर अपने पुराने देशमें बने रहे। महा-ओर्दूके निम्न खानोंका पता है :—

१. यलबर्स, इलबर्स	१७४० ई०
२. तिउल बी	१७४०—ई०
३. कुसियन बी	१७४२—ई०

१. एलबर्स (–१७४० ई०)

१७३८ ई०में महा-ओर्दूके खान एल्बर्सने रूसियोंसे उनकी प्रजा बनकर व्यापार करने की इजाजत मांगी, जब कि मालूम हुआ, कि ओरी नदीपर किलाबंद नगर बन गया है, और मध्य तथा लघु-ओर्दूके लोग व्यापार करके बड़े मौजमें रह रहे हैं। एलबर्स इस प्रकार ओरेनबुर्गके साथ व्यापार करनेके लाभको देखकर ही रूसी प्रजा बननेके लिये तैयार हुआ। पीछे राजादेश तैयार हो ओरेनबुर्गके अभिलेख-गृहमें आकर यों ही पड़ा रहा। इसी समय जुंगर-राजा गन्दनने महा-ओर्दूके प्रत्येक कजाकपर एक छाल कर लगाया। १७३९ ई०में मूलरके नेतृत्वमें एक रूसी कारवां जा रहा था, जिसे महा-ओर्दूके कजाकोंने लूटा। मूलरने ९ नवम्बर १७३९ ई०को ताशकन्द पहुंचकर एलबर्ससे इसकी शिकायत की, और लूटे मालको लौटानेके लिये कहा। खानने जवाब दिया—"मैंने दुर्घटनाकी खबर पहले ही सुनी थी, अल्लाका शुक्र करो, जो कि जिन्दा बच गये। मैंने गिरोहके नेता कोगिलदेसे माल लौटानेके लिये कहा है, और माल न लौटानेपर उसे दंड देनेकी धमकी दी है। लेकिन मुझे मालके लौटनेकी बहुत कम आशा है।" उस समय ताशकन्दका शासक सईद सुल्तान था, लेकिन कजाक और उनका खान करीब-करीब स्थायी तौरसे ताशकन्दके इलाकेमें डेरा डाले ताशकन्दियोंको मनमाना लूटा करते थे। मूलरके

कारवांके प्रस्थान करनेके चौथे अप्रैल १७४० ई०में दिन सरत नागरिकोंने एलबर्सको पकड़कर मार डाला, जिसका बदला कजाकोंने शहरको लूटकर लिया। एलबर्सके मरनेके बाद उसका साथी तिउल बी सारे ओर्दूका शासक बना।

२. तिउल बी (१७४०–ई०)

तिउल बीको शायद तौफीक खानने नियुक्त किया था। उसे अधिक दिनोंतक शासन करनेका मौका नहीं मिला, और उसे भगाकर गन्दन कुसियन बी छेरिङ्ग की ओरसे शासन करने लगा। १७३९ ई०में तिउल बीने रूसियोंकी अधीनता स्वीकार करके अपने खोये अधिकारको प्राप्त करनेका असफल प्रयत्न किया।

३. कुसियन बी, कुसियक बी (–१७४२–ई०)

१७४२ ई०में कुसियन बी अब जुंगरोंके राज्यपालके तौरपर ताशकन्दपर शासन कर रहा था। इस समय यद्यपि कजाकोंकी राजनीतिक प्रधानता नहीं थी, लेकिन शहरके चारों ओर जिस तरह वह डेरा डाले पड़े थे, उससे जान पड़ता था, कि मानो नगरका मुहासिरा किये हुये हैं और किसी वक्त भी टूट पड़नेके लिये तैयार हैं। तुर्किस्तान शहरकी भी हालत कुछ समयतक ऐसी ही रही, लेकिन जुंगरोंकी शक्ति इतनी मजबूत थी, कि वह उनके व्यापारमें कोई बाधा नहीं डालते थे। तुर्किस्तान और ताशकन्द नगरोंके बीचके दीहाती इलाकेपर महा-ओर्दूके कजाकोंका स्थायी अधिकार था। जुंगरोंके दबानेपर कजाक भागकर फरगानामें चले गये, जहां वह वहांके पुराने बाशिन्दोंपर प्रभुत्व जमाने लगे, यद्यपि उन्हें बराबर जुंगरोंका भय बना रहता था। जुंगरोंके अंतिम संघर्षके समय कजाकोंने भी हाथ साफ किया और अमुरसनाके विद्रोह करनेपर ये भी उसके पक्षमें रहे। १७५६-५७ ई०में जुंगर-राज्यके पतनके बाद कजाकोंकी बन आई, और वह जुंगरोंकी छोड़ी हुई भूमि सप्तनदमें चले गये। चीनियोंने १७५८ ई०में ताशकन्द लेकर जुंगरोंकी भूमिमें कजाकोंके बसनेके लिये प्रोत्साहन दिया।

इस समयतक महा-ओर्दूके कई टुकड़े हो चुके थे, इनमेंसे जो जुंगारिया लौटे, उनमेंसे कुछ चीन की प्रजा बने हुये थे, और कुछ चीनके विरोधी। दोनों पक्षोंमें बराबर लड़ाई होती रहती थी, फिर इनके पड़ोसी बुरूत (करा-किर्गिज) भी इन्हें चैनसे रहने देना नहीं चाहते थे। १७७१ ई०में जब तोर्गुत वोल्गा छोड़कर पूर्वकी ओर भाग रहे थे, उस समय अपने दूसरे कजाक भाइयोंकी तरह इन्होंने भी उन्हें खूब लूटा। एरली सुल्तानने तोर्गुत थैची उबासा (उपासक)को बहुत तंग किया, और इनके कारण उसे अठारह दिनतक एक जगह डेरा डालके पड़ा रहना पड़ा। इसी बीच एरलीने कलमकोंके धन और सुंदर स्त्रियोंका लोभ देकर भारी संख्यामें जहादी जमाकर उन्हें चढ़ाया। कजाकोंकी शक्तिको देखकर उबासा डर गया। एरलीने उन्हें इली-उपत्यकामें चले जानेकी इजाजत दी। तोर्गुत जब निश्चित हो किसी जगह डेरा डाले हुये थे, उसी समय एरलीने आक्रमण करके भारी संख्यामें मंगोलोंकी निर्मम हत्या की, और कजाक बहुतसा लूटका माल और स्त्री-बच्चे पकड़ ले गये।

ताशकन्द इलाकेमें कुछ कजाक अब स्थायी तौरसे रहने लगे थे, ताशकन्द-शहर [illegible] उनकी दयाका भिखारी था। वह पास-पड़ोसके लोगोंको भी लूटते-उजाड़ते थे, जिसके कारण [illegible] प्रजा न होनेपर भी वहांके लोग कर देनेके लिये मजबूर थे। १७६० ई०में लघु-ओर्दूद्वारा सिर नदीके मुहानेसे भगाया कराकल्पकोंका एक समूह इनके साथ आ मिला। सालों अत्याचार बर्दाश्त करते-करते १७९८ ई०में ताशकन्दके नागरिक अपने शासक यूनस खोजाके अधीन उठ खड़े हुये, और उन्होंने कजाकोंसे घोर बदला लिया—कजाकोंके सामने उनके भाइयोंका शिर काटकर मीनार (स्तूप) बनवाया। यूनस खानने उन्हें पूरी तौरसे दबाकर ताशकन्दकी क्षतिपूर्तिको भी भरनेके लिये मजबूर किया। हर सौ भेड़ पर एक भेड़ कर वसूलकर उन्हें सेनामें भर्ती होनेके लिये भी मजबूर किया। १८१४ ई०में जब ताशकन्द खोकन्दके खानके हाथमें चला गया, तो ये कजाक भी खोकन्दकी प्रजा हो गये, लेकिन चिमकन्दके पास रहनेवाले कजाकोंमेंसे कितनों हीने अपने घरों और बागोंको छोड़कर चीनी सीमाके भीतर जाना पसंद किया। कुछ अपने स्थायी निवासके जीवनको न पसंदकर मध्य-ओर्दूके पास इर्तिश-तटपर चले

गये, और कुछ अकताग पहाड़की ओर। उनका एक भाग कितने ही समयतक सेमेरेक (सप्तनद), कुस्तू, और करातालके इलाकोंमें स्वतंत्र विचरता रह १८१९ ई०में रूसके अधीन बना। इस समय उनका शासक मध्य-ओर्दूके खान अबलइका पुत्र सिउक था, जिसकी राजधानी अलमाअता थी, इसे रूसियोंने वेर्नोय (श्रद्धा) नाम दिया था—जो बोल्शेविक क्रांतिके बाद फिर अलमाअता बन आजकल कजाकिस्तान गणराज्यकी राजधानी तथा एक समृद्ध नगरी है। सिउक सुल्तान महा-ओर्दूके सबसे बड़े कबीले दोगलत (दूलत) का शासक था। रूसी उसे ३५० रूबल पेन्शन देते थे। रूसी अफसर वेनीउ-कोफने एक बार सुल्तानसे कहा—"मैं नहीं समझता, तुम्हारे लोग तुम्हें अपना शासक पाकर खुश हैं ?" इसपर बूढ़ेने जवाब दिया—"ऐसा मत कहो, मैं तो पादिशाह (जार)की आज्ञाके अनुसार अपने लोगोंपर शासन करता हूं, अल्ला जारकी रक्षा करे।"

रूसी अफसरने फिर कहा—"तुम बड़े नम्र हो सुल्तान ? हम सभी सम्राट् (जार)की इच्छाका अनुसरण करना चाहते हैं, और वेर्नोयेके हरएक आदमीको वैसा करना चाहिये, लेकिन सुल्तान तुम्हारा ओर्दू तुम्हारी बात मानता है ; इसलिये उनका बादशाहका भक्त होना तुम्हारे ऊपर निर्भर करता है।"

"मेरे लोगोंको बादशाहका हुक्म मानना छोड़कर और कुछ नहीं करना चाहिये। जिन्हें बादशाहने हमारे ऊपर नियुक्त किया है, वह उनकी आज्ञा मानते हैं। हम यहां दो हाथोंकी तरह साथ-साथ रहते हैं—तुम रूसी लोग दाहिने हाथ हो, हम बायें, और राज्यपाल प्रिस्तोफ हमारा सिर है। यह बुरा होगा, यदि बायां हाथ दाहिनेकी आज्ञा नहीं माने, या दोनों ही सिरके कहेको न मानें।"

महा-ओर्दूके कुछ कजाक-परिवार रानी एकातेरिनाके उंकाजे (राजादेश)के अनुसार अपने सुल्तान खुरिगेइके साथ चार हजार परिवारोंको ले १७८९ ई०में उस्तकामेन्नोगोर्स्कमें बस गये, और १७९३ ई०में महा-ओर्दूके कितने ही कजाक अपने सुल्तान तुगुमके साथ साइबेरियाके सीमांतपर जा बसे। कजाकोंको अपनी ओर खींचनेके लिए चीनी नाममात्रका कर लगाते थे। भेंड़ोंपर प्रति-हजार एक और ढोरोंपर प्रतिशत एक कर लेते थे। कजाक कितनी ही बार पेकिङ जाते, और उन्हें सम्राट्-की ओरसे बहुत-बहुत इनाम मिलते। रूसी भी उनको अपनी और खींचना चाहते थे। कजाक अब भी अपने अक्खड़पनको छोड़नेके लिये तैयार नहीं थे। सीमांतपर कर मांगनेपर एक चीनी अफसरको एक कजाकने कहा था—"घास और पानी अल्लाने बनाये हैं, और पशु उसीका दान है। हम उनकी चरवाही करते हैं, फिर हम क्यों किसीको कर दें ?"

लेकिन कजाक बहुत दिनोंतक अपना अक्खड़पन नहीं चला सकते थे। रूसी गोले-गोलियोंके सामने उन्हें सिर नवाना ही पड़ा। अबलइ-जैसे साहित्य और संस्कृतिके नेताओंने रूसियोंसे सीखकर अपनी कजाक जातिमें प्रकाश फैलानेकी कोशिश की, लेकिन उसमें सफलता १९१८ ई०के बाद ही हुई, जब कि बोल्शेविक क्रांतिने उन्हें समानताका अधिकार दे नये भविष्यके निर्माणमें हाथ बंटानेके लिये निमंत्रित किया।

स्रोत ग्रन्थ

१. History of Mongol (H. H. Howorth)

२. Medieval Researches from Eastern Asiatic Sources (E. Bretschneider, London 1888)

भाग ४

दक्षिणापथ

अध्याय १

जारशाहीका अन्तिम प्रसार

(१८०१–१९१७ ई०)

पावल I के शासनके बारेमें कहते हुये हम बतला चुके हैं, कि १८ वीं सदीके अन्तमें रूस अब युरोपकी एक सबसे बड़ी शक्ति माना जाता था। पावलकी हत्याके बाद उसका लड़का अलेक्सान्द्र गद्दीपर बैठा।

१. अलेक्सान्द्र I, पावल I-पुत्र (१८०१–२५ ई०)

अलेक्सान्द्र अपनी दादी एकातेरिना II की देख-रेखमें युरोपीय शिक्षा-दीक्षामें पला था। एकातेरिनाने एक गणतंत्री स्विस-विद्वान् लहार्पको अलेक्सान्द्रका अध्यापक नियुक्त किया था, जो उसके साथ गणतंत्रताकी बातें किया करता था। उधर प्रुशिया (जर्मनी) की सैनिक-कला उसके खूनमें थी। पीतर-वंशके समाप्त होनेपर जर्मनीसे लाकर जो जार और उनकी संतानें रूसी सिंहासन पर बैठाये गये थे, वह अपने जर्मन होनेका अभिमान करते रूसियोंको हीन दृष्टिसे देखते थे। अलेक्सान्द्रकी घनिष्ठता जेनरल अरक्चेयेफसे भी पहले ही स्थापित हो गई थी, जो कि किसानोंकी अर्ध-दासताका जबर्दस्त पक्षपाती था। नये जारके बारेमें लोगोंका कहना था—"वह आधा स्विटजर्लैंडका नागरिक और आधा प्रुशियाका जमादार है।" लेकिन अरक्चेयेफ जैसे अर्ध-दासताके पक्षपाती चाहे कितना ही चीखें-चिल्लायें, १९ वीं सदीके आरम्भके साथ रूसमें पूंजीवादका प्रभाव और कारखानोंका विस्तार जोरसे होने लगा, जिससे खेतीके अर्ध-दासोंकी नहीं, बल्कि कारखानोंके मजदूरोंकी अवश्यकता बढ़ी। व्यापारने नदियों और समुद्रोंके सस्ते जलपथोंके महत्त्वको बतलाया, जिसके लिये कृत्रिम जलपथोंके बनानेकी ओर ध्यान जाना जरूरी था। १८०३ ई०में उत्तरी-एकातेरिना-नहर बनाकर कामा और उत्तरी द्वीना नदियोंको मिला दिया गया। अब उत्तरी द्वीनासे नौकायें वोल्गामें आने-जाने लगीं। १८०४ ई०में ओगिन्स्की नहर बनाई गई, जिसने बाल्तिक और काला सागरको मिला दिया। अलेक्सान्द्रके शासनकालके प्रथम दस वर्षोंमें मारीइन्स्क और तिखविन्की नहर-प्रणाली बनकर तैयार हो गई, जिनके द्वारा रूसके भीतरी भागोंका संबंध बाल्तिक समुद्रसे हो गया। नहरोंके साथ-साथ व्यापारके सुभीतेके लिये बंकोंकी भी स्थापना होने लगी। १७८६ ई०में पीतरबुर्गमें राजकीय ऋण-बंक स्थापित हुआ था। इससे सरकार और जमींदारोंको फायदा था। १८०७ ई०में मास्कोमें व्यापारिक बंककी स्थापना हुई। अब मास्को, आर्खांगेल्स्क, तगनरोग और फ्योदोसिया (क्रिमिया) में कितने ही बंक-केंद्र स्थापित हो गये। मालकी मांग अधिक होनेसे उद्योग-धन्धोंको बढ़नेका मौका मिला। १८०४ ई०में चुकंदरकी चीनीके सात कारखाने काम कर रहे थे, जब कि १८१२ ई०में उनकी संख्या तीस हो गई। १८०८ ई० में पहली सूती कताई मिल स्थापित हुई। १८१२ ई०में जितने कारखाने चल रहे थे, उनमेंसे बासठ प्रतिशत व्यापारियोंके थे, और केवल सोलह प्रतिशत के स्वामी जमींदार थे। इस प्रकार अब औद्योगिक पूंजीवाद रूसमें पैर बढ़ाता जा रहा था।

शासन-सुधार—१८वीं सदीके अन्तमें फ्रांसीसी क्रांति हो चुकी थी, जिसके प्रभावको दबानेके लिये जार पावलने बड़ी कोशिश की थी। उसके पुत्रको मालूम हो गया था, कि शासनमें बिना सुधार किये क्रांतिको रोका नहीं जा सकता। जब अलेक्सान्द्र अभी युवराज ही था, तभी उसने

लाहार्पको एक पत्रमें लिखा था--"देशको स्वतंत्रता दूंगा, और इस प्रकार मैं उसे पागलोंके हाथका खिलौना नहीं बनने दूंगा।" गद्दीपर बैठते ही अलेक्सान्द्रने घोषित किया, कि मैं अपनी दादी एकातेरिना II के विधानों और उसके भावोंके अनुसार शासन करूंगा। उसने जो सुधार किये, उनके द्वारा दो सौमेंसे एक किसान अर्ध-दासको फायदा हुआ। इन अर्ध-दासोंको मुक्ति पानेके लिये पांच हजार रूबल जमींदारको क्षति-पूर्ति देनी थी। भला इतना पैसा गरीब किसान कहांसे लाते ?

अलेक्सान्द्रके सुधारोंमेंसे एक था १८०२ ई०में आठ मंत्रालयोंकी स्थापना। इसके पहले एकातेरिनाके शासकीय विभाग काम कर रहे थे। शिक्षाकी ओर भी नये जारने कुछ ध्यान दिया। १९ वीं सदीके आरम्भमें मास्को और दोरपतमें दो विश्वविद्यालय मौजूद थे, १८०५ ई०में खरकोफ और कजानमें नये विश्वविद्यालय स्थापित हुये, और १८१९ ई०में पहलेसे मौजूद केन्द्रीय-शिक्षण-प्रतिष्ठानको फिरसे संगठित करके पेतरबुर्ग (लेनिनग्राद) विश्वविद्यालय स्थापित किया गया। इसी समय शिक्षा-मंत्रालयकी स्थापना हुई। लेकिन साथ ही अलेक्सान्द्र शिक्षाके खतरेको भी समझता था, इसीलिये मुद्रणपर अंकुश रखनेके लिये पुस्तकोंको छापनेसे पहिले उनके हस्तलेख सेंसर को दिखला लेनेका नियम बनाया।

नेपोलियनसे युद्ध (१८०५-७ ई०)—अलेक्सान्द्र उस समय जार हुआ, जब कि १७९२-९३ ई०की फ्रेंच-क्रांति समाप्त हो गई थी, और उसके बाद नेपोलियनने मौकेसे फायदा उठाकर अपनी विजय-यात्रा शुरू कर दी थी। वाणिज्य और बाजारके संबंधमें इंगलैंड और फ्रांसकी उस समय बड़ी प्रतिद्वंद्विता थी, जिसका प्रभाव तत्कालीन भारतमें भी देखा जा सकता था। रूसका व्यापार अधिकतर इंगलैंडके साथ था, इसलिये अलेक्सान्द्रने गद्दी संभालते ही इंगलैंडसे मित्रताकी संधि कर ली, और बापके समयसे जो अंग्रेजी जहाज रोक रक्खे गये थे, उन्हें मुक्त कर दिया। लेकिन नेपोलियनकी शक्ति उस वक्त बहुत जबर्दस्त थी। यदि बीचमें ब्रिटिश चैनलकी खाड़ी न होती, तो नेपोलियनके चंगुलसे इंगलैंड नहीं बच सकता था। इसपर भी १८०२ ई०में आमिनकी संधिद्वारा इंगलैंडने नेपोलियनसे त्राण पानेकी कोशिश की। लेकिन यह मित्रता या युद्धविराम अधिक समयतक नहीं टिक सकेगा, यह इंगलैंड भी जानता था, इसलिये उसने आस्ट्रिया, रूस और स्वीडनसे शत्रुके खिलाफ सैनिक मित्रताकी संधि कर ली। इंगलैंडको भारत-जैसी धनकी खान और दुनियाका व्यापार मिला था, इसलिये चांदीके भरोसे वह अपनी युद्ध लड़नेके लिये दूसरोंको तैयार कर रहा था, जैसे कि, आजकलका अमेरिका। इंगलैंड और रूसकी इस संधिका एक मतलब यह भी था, कि नेपोलियनको हराकर फ्रांसके पुराने राजवंश बूरबं को फिर गद्दीनशीन किया जाय, और सामन्तवादियोंके शासनको फिरसे स्थापित करके पूंजीवादियोंकी सफलताको खतम किया जाय।

अगस्त १८०५ ई० में रूसी सेनापति कतुजोफकी अधीनतामें एक बड़ी सेना युरोपमें नेपोलियनके विरुद्ध भेजी गई। उस समय नेपोलियन अपनी डेढ़ लाख सेनाके साथ इंगलैंडपर आक्रमण करनेके लिये तैयार था। कतुजोफ जिस वक्त जर्मनी (बवेरिया) के नगर ब्रौनौमें पहुंचा, तो मालूम हुआ, कि आस्ट्रियाकी मुख्य सेनाने हथियार रख दिये हैं। नेपोलियनकी विशाल सेनाके पांचवें ही भागके बराबर कतुजोफकी सेना थी, इसलिये लौटनेके सिवा उसके लिये और कोई चारा नहीं था। लौटनेमें भी जो कौशल रूसी सेनापतियोंने दिखाया, वह अद्वितीय था। रूसी सेनापति बगरातियोनके पास छ हजार सेना थी, जिसे तीस हजार फ्रेंच सैनिकोंने शोनग्राबेनमें घेर रक्खा था। बगरातियोनकी सेना बड़ी बहादुरीसे लड़ी और फ्रेंच-पंक्ति तोड़कर निकलनेमें सफल हुई। इस वीरताके उपलक्षमें उन सारे सैनिकोंके "पांचके प्रति एक" के अभिलेखके साथ बांहोंपर फीता प्रदान किया गया। सबसे बड़ी लड़ाई ऑस्टर्लिज (बोहीमिया) में २ दिसम्बर १८०६ ई० को हुई, जिसमें एक ओर नेपोलियनकी नब्बे हजार सेना थी, और दूसरी ओर रूस और आस्ट्रियाक छियासी हजार। सेनापति इस समय और स्थानको युद्धके लिये उचित नहीं समझते थे, लेकिन आस्ट्रियाके सम्राट् फ्रांसिस I ने तुरंत युद्ध आरम्भ करनेके लिये जोर दिया। २ दिसम्बर १८०५ ई० को सबेरे कुहरा पड़ रहा था, जब कि रूसी फौजोंने फ्रेंच सेनाके दाहिने पक्षपर असफल आक्रमण किया। रूसी और आस्ट्रियन सेनायें दूर तक बिखरी हुई थीं, इसलिये नेपोलियनके प्रत्याक्रमणको वह बर्दाश्त नहीं कर सकीं, तो भी रूसी

सैनिकोंने लड़ाईमें जो बहादुरी दिखाई थी, उसके बारेमें नेपोलियनने खुद कहा—"ऑस्टर्लिज (चेकोस्लावाकिया) में रूसियोंने जैसा भारी पराक्रम दिखलाया, वैसा मेरे विरुद्ध दूसरे किसी युद्धमें नहीं दिखलाया गया।"

१८०६ ई० के शरद्‌में अलेक्सान्द्रने अपने मित्र प्रुशिया (जर्मनी) की सहायताके लिये सेना भेजी, लेकिन नेपोलियनने येनामें आक्रमण करके प्रुशियन सेनाको तितर-बितर कर दिया। बर्लिनने बिना लड़ाईके ही अपनेको नेपोलियनके हाथमें समर्पित कर दिया, और १८०६-८ ई० में दो वर्षों तक वह नेपोलियनके सैनिकोंके हाथ में रही। जनवरी १८०७ ई० में नेपोलियन वरसावा (पोलंद) में दाखिल हुआ। रूसी-सेनाको भी उसने दो जगह जबर्दस्त हार दी, जिसमें १८०७ ई० के ग्रीष्ममें फ्रीड-लैंडकी लड़ाईमें रूसी सेनाका पंचमांश नष्ट हो गया। जून १८०७ ई० में जारके वास्ते इसके सिवा कोई चारा नहीं था, कि नेपोलियनकी विजय और उसके सम्राट् पदको तिलजितकी संधिद्वारा स्वीकार करे।

नेपोलियन चाहता था, कि इंगलैंड युरोपकी दूसरी शक्तियोंसे सहायता न पा सके। इसके लिये उसने दूसरे देशोंका इंगलैंडके साथ व्यापार करना मना कर दिया। रूस तकने नेपोलियनकी निषेध-आज्ञाको मानते हुये इंगलैंडको अपना अनाज भेजना बंद कर दिया, लेकिन इससे इंगलैंडको नहीं, बल्कि स्वयं रूसके बड़े जमींदारोंको अनाजके न बिकने या सस्ता हो जानेसे भारी क्षति उठानी पड़ रही थी, जिससे रूसमें आर्थिक संकट पैदा हो गया। तो भी रूस नेपोलियनको नाराज करनेकी हिम्मत कैसे कर सकता था?

इसी बीच (१८०८-९ ई०) रूस और स्वीडनमें लड़ाई छिड़ गई। नेपोलियन रूसकी शक्ति को अपने फायदेके लिये इस्तेमाल करना चाहता था। उसके कहनेपर रूसने इंगलैंडके साथ अपना कूटनीतिक संबंध तोड़ लिया था, और उसीके शह देनेपर रूसने स्वीडनके खिलाफ यह युद्ध घोषित किया। स्वीडनका यही कसूर था, कि उसने नेपोलियनकी आज्ञा न मानकर इंगलैंडके साथ मित्रताका संबंध कायम रक्खा। फरवरी १८०८ ई० में रूसी सेनाने सीमांत पार किया। उस समय फिनलन्द स्वीडनके हाथमें था। १८०८ ई०के अन्त तक फिनलन्दको लेकर रूसी सेना स्वीडनकी भूमिमें दाखिल हो गई। १६ मार्च १८०६ ई० को, जब कि स्वीडनके साथ घनघोर युद्ध हो रहा था, अलेक्सान्द्रने फिन्-संसद्‌को बोर्गो नगरमें बुलाकर वचन दिया, कि फिनलन्दके विधानको हम पूरी तौरसे मानेंगे। इसी समय फिनलन्द रूसका एक प्रदेश घोषित हुआ, और तबसे बोल्शेविक-क्रांतिके समय (१९१७ ई०) तक वैसा ही रहा। ५ सितम्बर १८०९ ई० को संधि करके स्वीडनने फिनलन्दपर रूसके अधिकारको स्वीकार किया। नेपोलियनके आदेशानुसार इंगलैंडके घिरावेमें युरोपके दूसरे देशोंने साथ देना स्वीकार किया।

नेपोलियन जानता था, जब तक रूसको अपने हाथमें नहीं किया जाता, तब तक उसकी विजय अधूरी रहेगी। बीचके समयमें नेपोलियनने रूसके बारेमें बहुतसी जानकारी प्राप्त की, और आक्रमण करनेके लिये पोलन्दको आधार-भूमिके तौरपर तैयार करता रहा। इसपर जारने नेपोलियनसे मांग की, कि पोल-राज्यको फिरसे जीवित करनेकी कोशिश न करे, और दरेदानियाल तथा कान्स्तन्तिनोपलपर रूसके अधिकार करनेके साथ सहमत हो। नेपोलियनने इसे स्वीकार नहीं किया। सुलहके लिये नेपोलियन और जारने आपसमें मुलाकात करके भी बातचीत की, लेकिन उसका कोई फल नहीं हुआ। नेपोलियनने मोल्दाविया और बलाचियाका रूसके हाथमें जाने देना स्वीकार किया। इसी बीच १८१० ई०में उसने हालैंडको अपने राज्यमें मिला लिया, और रूसके विरोधकी कोई पर्वाह नहीं की। रूस समझने लगा, कि नेपोलियन मौकेकी ताकमें है, इसलिये उसने १८०६ ई०से चली आती तुर्कीकी छेड़छाड़को आगे बढ़ाना चाहा। युरोपके युद्धक्षेत्रमें रूसियोंके हारकी बात सुनकर तुर्कीकी भी हिम्मत बढ़ी, और उसने अपने छिने हुये कालासागर-तटवर्ती पश्चिमी काकेशस-प्रदेशको रूससे ले लेना चाहा। शांति और सुलहकी बात बेकार गई, क्योंकि तुर्की जानता था, कि इस समय रूसकी प्रधान सेना युरोपमें फंसी हुई है। तब भी रूसी सेनाने नवम्बर १८०६ ई० में दन्यूबकी ओर आक्रमण करके बेसराबिया, मोल्दाविया और बलाचियाके तुर्की प्रदेशोंको ले लिया। रूसी प्रगतिको दन्यूब-तटवर्ती तुर्की किलोंने नहीं रोक पाया। ८ मई १८२२ ई०को बुखारेस्तकी संधिके अनुसार

तुर्कीने बेसराबियाके ऊपर रूसके अधिकारको स्वीकार किया, और साथ ही खोतिन, बन्दर, अकर-मान और इस्माइलके किलोंको भी उसके हवाले कर दिया। रूसने पोती और अखल्कलाकी तुर्कीको लौटा दिये। तुर्कीसे इस तरह छुट्टी पाकर रूस अब नेपोलियनके आक्रमणका जवाब दे सकता था।

नेपोलियन रूसको विश्राम लेने देना नहीं चाहता था। वह रूसकी ओर अपनी सेना भेजकर मई १८१२ ई०में स्वयं भी ड्रेसडनसे नीमन नदीकी ओर चल पड़ा। २४ जून (पुराना १२ जून) १८१२ ई० को नेपोलियनने हिटलरकी तरह बिना युद्ध-घोषणाके ही रूसपर आक्रमण कर दिया। नेपोलियनके पास जहां पांच लाख सेना थी, वहां रूसकी कुल सेना एक लाख अस्सी हजार थी। हिटलरकी सेनाकी तरह नेपोलियनकी सेनामें जर्मन, इतालियन, स्वीस, क्रोआत, स्पेनिश आदि युरोपकी सभी जातियोंके सैनिक थे। इतनी बड़ी सेनाके साथ सामने होकर लड़ना बवकूफी थी, इसलिये रूसी सेनाने कमसे कम संघर्ष करते हुये पीछे हटने को पसंद किया। नेपोलियनकी सेना आगे बढ़ती अगस्तमें स्मोलेन्स्क पहुंची। उसकी तोपोंने शहरपर तेरह घंटे गोलाबारी की, सारा नगर जलने लगा। नेपोलियनके विरुद्ध रूसियों-ने उसी नीतिका पालन किया, जिसे एक सौ तीस वर्ष बाद उन्होंने हिटलरी आक्रमणके समय किया। आक्रमणकी गतिको धीमी करनेके लिये कहीं-कहीं लड़ते रूसी पीछेकी ओर हटते गये, और साथ ही नेपोलियनको परित्यक्त भूमिसे खाने-पीने-रहनेकी कोई चीज न मिल सके, इसके लिये अपने घरोंमें अपने हाथसे आग लगाते गये। स्मोलेन्स्कके निवासी भी अपने घरों और सम्पत्तिमें अपने हाथों आग लगाकर वहांसे चल दिये। उस समयके रूसमें प्रतिभाशाली पुरुषोंकी कदर बहुत कम होती थी, क्योंकि जार-वंश एक विदेशी वंश था, जो रूसियोंसे अधिक अपने जर्मन संबंधियोंको मानता था। सुवारोफकी उपेक्षाके बारेमें हम कह चुके हैं। कतुजोफकी प्रतिभाकी भी उतनी कदर नहीं की गई, लेकिन नेपोलि-यनके इस भयंकर आक्रमणके समय जार अलेक्सान्द्रको मजबूर होकर ६७ वर्षके बूढ़े कतुजोफको सारी रूसी सेनाका महासेनापति नियुक्त करना पड़ा।

राजुलवंशी मिखाइल ईलारियोन-पुत्र कतुजोफ सुवारोफका योग्य शिष्य था। २९ वर्षकी उमरमें क्रिमियामें तुर्कीके साथ लड़ते हुये उसकी एक आंख जाती रही। वह सुशिक्षित था, बहुत-सी विदेशी भाषाओंको जानता था, और युद्ध-विद्यापर युरोपकी भिन्न-भिन्न भाषाओंमें जितनी पुस्तकें प्राप्य थीं, उनका उसने गम्भीर अध्ययन किया था। १८१२ ई० में महासेनापति नियुक्त करते हुये भी जार अलेक्सान्द्रने अपने एक दरबारीसे कहा था—"लोग उसकी नियुक्ति चाहते थे, इसलिये मैंने नियुक्त कर दिया, लेकिन व्यक्तिगत तौरसे मैंने उससे अपना हाथ धो लिया।" नेपोलियनकी सेनायें अब मास्कोकी ओर बढ़ रही थीं। मास्को उस समय रूसकी राजधानी नहीं था, लेकिन उसका महत्व पीतरबुर्ग राजधानीसे भी अधिक था, क्योंकि वही व्यापारका सबसे बड़ा केंद्र था। कतुजोफको बगरातियान जैसे दूसरे योग्य सेनापति मिले थे। बगरातियोनने युद्धके बारेमें कहा था—"यह साधारण युद्ध नहीं बल्कि लोक-युद्ध है।" सचमुच ही सारी रूसी जनता उस वक्त अपने देशके लिये सब कुछकी बाजी लगाकर नेपोलियनके आदमियोंसे लड़ रही थी। रूसी ही नहीं, बल्कि बाश्किर, कल्मक, तारतार आदि जातियोंके सैनिक भी साथ-साथ बहादुरी दिखला रहे थे। लड़नेसे भी ज्यादा नेपोलियनकी कठिनाइयां इसलिये बहुत बढ़ गई थीं, कि रूसी रास्तेके गांवों, नगरों या खड़ी फसलोंमेंसे कोई चीज उसके लिये नहीं छोड़ते थे। २३ सितम्बर १८१२ ई० में नेपोलियनने रूसी सेनापतिके पास इस तरहके "बर्बरतापूर्ण और असाधारण" युद्धके तरीकेका विरोध करते हुये शांति करनेका प्रस्ताव किया। उसने जब इस बातपर जोर दिया, कि "लड़ाईमें युद्धके सर्वस्वीकृत नियमोंको पालन करना चाहिये," तो कतुजोफने जवाब दिया—"लोग तुम्हारे इस युद्धको तारतार (मंगोल) आक्रमण जैसा समझते हैं। इसीलिये वह प्रतिरोधके सभी तरीकोंको इस्तेमाल कर रहे हैं।" जार और दरबारी चाहते थे, कि नेपोलियनसे जमकर लड़ाई हो, लेकिन कतुजोफका कहना था, काल और देश (दूरी) की सहायतासे ही हम दुश्मनको हरा सकते हैं। यदि मास्को भी शत्रुके हाथमें चला जाय, तो उसके लिये भी हमें तैयार रहना चाहिये, क्योंकि हमें मास्को नहीं रूसकी रक्षा करनी है। नेपोलियनकी सेनाको भारी क्षति हो रही थी। वह चाहता था, कि कतुजोफ लड़नेके लिये तैयार हो, ताकि युद्धक्षेत्रमें रूसी सेनाकी रीढ़ तोड़ दी जाय, लेकिन कतुजोफ अपनी निश्चित की हुई जगहपर ही लड़ना चाहता

था। ५ सितम्बर (२३ अगस्त) को रातको सेवर्दिनो गांवमें एक छोटीसी रूसी सेनाने डटकर लड़ाई करके उस युद्धका आरम्भ किया, जो कि ८ सितम्बर (२६ अगस्त) के प्रातःकाल मास्कोसे ९० किलोमीतरपर अवस्थित बोरोदिनो गांवके ऐतिहासिक युद्धके रूपमें हुआ। युद्धक्षेत्रमें ११२ हजार रूसी सैनिक थे, जिनके अतिरिक्त सात हजार कसाक और दस हजार नागरिक सैनिक भी शामिल हुये थे। नेपोलियनके पास अब एक लाख तीस हजार सेना और ५८७ तोपें रह गई थीं। युद्धमें बगरातियोन घायल होकर अन्तमें मर गया। बेहोश होनेसे पहले उसके मुंहसे अन्तिम शब्द निकले थे —"हमारे आदमी कैसे हैं ?" उसने "डटे हुये हैं" जवाब सुनकर प्राण छोड़ा। पीतर इवान-पुत्र बगरातियोन एक गुर्जी-वंशका सैनिक था, जिसे सुवारोफके चरणोंमें बैठकर युद्धविद्या सीखनेका सौभाग्य प्राप्त हुआ था। यद्यपि बोरोदिनो में रूसी नेपोलियनकी सेनाको हरा नहीं सके, लेकिन उसके सालों बाद अपने मृत्युसे जरा सा पहले नेपालियनने स्वीकार किया था—"मैंने जितनी लड़ाइयां लड़ीं, उनमें सबसे भयंकर लड़ाई वह थी, जो मास्कोके पास हुई। फ्रांसीसियोंने अपनेको विजयके योग्य यदि साबित किया, तो रूसियोंको भी अजेय होनेका अधिकार वहीं प्राप्त हुआ।" रूसी महान् कवि लेर्मन्तोफने बोरोदिनोके बारेमें लिखा था —

"उस दिन शत्रुने अच्छी तरह समझा
कि हम रूसी सिपाही कैसे लड़ते हैं—
भयंकर हाथसे हाथ
घोड़े और आदमी एक साथ लड़ते,
और तो भी तोपोंकी गड़गड़ाहट।
हमारी छातियां वैसे ही कांप रही थीं,
जैसे वहां धरती कांपती थी।
फिर पहाड़ों और मैदानोंमें अंधकार छाया,
तो भी हमें अभी फिर लड़ना था।"

बोरोदिनोमें रूसी सेनामें पराजितकी तरह भगदड़ नहीं मची, बल्कि वह सुव्यवस्थित रीतिसे मौजाइस्क होते मास्को पहुंची। १४ सितम्बर १८१२ ई० को मास्कोके पास फिली गांवमें कतुजोफने युद्धपरिषद् की। सेनापति लड़नेके पक्षमें थे, लेकिन कतुजोफने यह घोषित करते हटनेका हुक्म दिया—"मास्कोका हाथसे जाना रूसका हाथसे जाना नहीं है।" १४ (२) सितम्बरके सबेरे रूसी सेना मास्को छोड़कर बाहर जाने लगी। मास्कोके नागरिक भी जो कुछ साथ ले जा सकते थे, उसे लेकर पैदल या गाड़ियोंपर नगरसे निकल पड़े। रातको मास्कोमें आग लग गई। हवा तेज थी, जिसने लकड़ीके मकानोंमें चिनगारी फेंक-फेंककर सारे नगरको जला दिया, जिससे फ्रेंच सैनिकोंको खुलकर लूटनेका मौका नहीं मिला। आग छ दिनोंतक जलती रही। मास्को नेपोलियनके हाथमें था। लेकिन जला-भुना आश्रयहीन मास्को जल्दी ही शुरू होनेवाले जाड़ेसे उसकी सेनाको कैसे बचा सकता था ? नेपोलियनने बहुत कोशिश की, बहुत बार जार अलेक्सान्द्रको संधि करनेके लिये लिखा, लेकिन जारने उसका जवाब भी देना पसंद नहीं किया। जाड़ा भयंकर रूप लेता जा रहा था, उसके कारण सैनिकोंकी हालत खराब होती जा रही थी। नेपोलियनको अब कतुजोफके युद्ध कौशलका पता लगा, और उसने मास्को छोड़नेका निश्चय कर लिया।

१८ (६) अक्तूबरके सबेरे सात बजे नेपोलियनने मास्कोसे हटना शुरू किया। उसने क्रेमलिनको बारूदसे उड़ा देनेका हुक्म दिया, लेकिन वर्षाके कारण कितने ही पलीते भीग गये थे, इसलिये क्रेमलिनका एक मीनार तथा दीवारका कुछ भाग ही नष्ट हो पाया। नेपोलियनको लौटते समय अब कतुजोफकी सेनाका मुकाबिला करना था, जो बीच-बीचमें फ्रेंच सेनापर भयंकर प्रहार कर रही थी। रास्तेके नगर और गांव बिल्कुल उजाड़ थे। घोड़ोंको मारकर खानेके सिवा नेपोलियनकी सेनाके लिये प्राण बचानेका कोई उपाय नहीं था। भुखमरीके साथ-साथ बीमारीने भी अपना आक्रमण कर दिया था। रास्तेपर पड़ी आदमियों और घोड़ोंकी लाशें नेपोलियनके लौटनेका परिचय दे रही थीं।

सैनिकोंके अतिरिक्त रूसी गोरिल्लोंने नेपोलियनकी सेनाके नाकमें दम कर दिया था। सर्दी अब इतनी बढ़ गई थी, कि भूखे फ्रेंच सिपाही गाड़ियों, घरोंके सामानों या मकानोंमें आग लगाकर उससे बचनेकी कोशिश करते थे। लेकिन यह केवल रूसी जाड़ा नहीं था, जिसने कि १८१२ ई० में शत्रुकी सेनाको नष्ट किया। उस सालका जाड़ा अपेक्षाकृत नरम था, १२ सेंटिग्रेड हिमबिन्दुसे नीचे तक ही चार-पांच दिन तापमान गया था। इससे कहीं अधिक सर्दी १७९५ ई० और १८०७ ई० में हुई थी, जिसको कि सहते हुये नेपोलियनकी सेनाने हालैंड आदिके युद्ध लड़े थे। दिसम्बरके अन्ततक जब वह बेरेजिना नदीको पार हुई, तो नेपोलियनकी महासेना अब तीस हजार रह गई थी। नेपोलियन अपनी सेनाको वहीं छोड़ जल्दी-जल्दी पेरिसकी ओर दौड़ा। अभी उसे अपने अन्तिम दिन देखने थे। १८१३ ई०की शरद्‌में लाइपजिकमें मित्र-शक्तियोंने नेपोलियनको हराया, फिर मित्र-सेनायें जार अलेक्सान्द्र I के नेतृत्वमें मार्च १८१४ ई० में पेरिसके भीतर दाखिल हुईं। क्रांति द्वारा अपसारित बूरबों राजवंशको फिरसे फ्रांसमें प्रतिष्ठापित किया गया, नेपोलियनको एल्ब द्वीपमें निर्वासित कर दिया गया। आगेकी बातोंका फैसला करनेके लिये मई १८१५ ई० में वीना की कांग्रेस हुई, जिसमें पोलन्दके बहुत बड़े भागको "सदाके लिये" रूसके हाथमें दे दिया गया। अभी कांग्रेस चल ही रही थी, कि नेपोलियन एल्बसे भागकर पेरिस पहुंचा, और वह फिरसे अपनी खोई शक्तिको हाथमें करने लगा, लेकिन सौ दिन बीतते-बीतते अंग्रेज और जर्मन सेनाओंने वाटरलूके मैदानमें उसे अन्तिम तौरसे हराकर हेलेना द्वीपमें भेज दिया, जहां वह १८२१ ई० में मर गया। फ्रांसके सिंहासनपर अठारहवां लुई बैठाया गया। फ्रेंच-क्रांतिने मुकुट-धारियोंकी जो दुर्दशा की थी, उससे युरोपके सभी राजाओंमें आतंक छा गया था। जार अलेक्सान्द्रने फिर ऐसा मौका न देनेके लिये आस्ट्रिया और प्रुशियाके राजाओंके साथ मिलकर १८१५ ई० में पवित्र-संधिके नामसे एक समझौता किया। नेपोलियनके हारनेके बाद अब युरोपमें सब जगह रूसी जारकी तूती बोल रही थी। कार्ल मार्क्सने पवित्र-संधिके बारेमें कहा था—"यह युरोपके सभी राज्योंपर जारकी प्रधानताका ही दूसरा नाम था।"

सुधार—यह बतला आये हैं, कि तरुणाईमें जारको लाहार्प जैसे प्रगतिशील विचारोंवाले अध्यापकके सम्पर्कमें आनेका मौका मिला था। इसके अतिरिक्त अपने शासनके आरम्भिक दिनोंमें जारपर स्पेरन्स्की जैसे एक प्रतिभाशाली व्यक्तिका भी प्रभाव पड़ा था। स्पेरन्स्की एक गांवके ईसाई पुरोहितका लड़का था। उसकी शिक्षा पीतरबुर्गकी एक धार्मिक पाठशालामें हुई थी। अपनी असाधारण प्रतिभाके कारण वह एक मामूली क्लर्कसे बढ़ते-बढ़ते राज्यसचिव हो गया। तिल्जितकी संधिके बाद स्पेरन्स्की जारका प्रधान सलाहकार था। रूसकी शक्तिको दृढ़ करनेके लिये उसने यह जरूरी समझा, कि शासनमें सुधार किया जाय। १८०९ ई०में स्पेरन्स्कीने "राज्य-विधानोंका संहितीकरण" के नामसे एक सुधार मसौदा तैयार किया। इस सुधार द्वारा वह चाहता था कि सामन्तशाही राजतंत्रकी जगह बूर्ज्वा राजतंत्र स्थापित हो, तथा "विज्ञान, व्यापार और उद्योग" की रक्षा की जाय। उसने कहा—"दुनियाके इतिहासमें ऐसा एक भी उदाहरण नहीं मिलता, कि नव-शिक्षित और व्यापारप्रधान जाति अधिक दिनोंतक दासतामें रहे।" स्पेरन्स्कीने सुझाव पेश किया था, कि सभी सम्पत्ति रखनेवाले लोगोंकी एक राज्यदूमा (संसद्) बुलाई जाय, जिसके लिये हरएक बोलोस्त (पर्गना) के सम्पत्तिवाले चुनकर एक बोलोस्त-दूमा बनायें, फिर बोलोस्त-दूमाओंके सदस्य ओक्रुग (जिले) की दूमाके सदस्योंका चुनाव करें, फिर ओक्रुग-दूमाओंके सदस्य गुबर्निया (प्रदेश) की दूमाओं-का निर्वाचन करें, और गुबर्नियाकी दूमायें राज्य-दूमाके सदस्योंको निर्वाचित करें। इस प्रकार चार जगहोंसे होकर चुनाव किया जाय। बिना राज्यदूमा और राज्यपरिषद्‌की स्वीकृतिके कोई विधान पास न किया जाय। शासन-प्रबंध मंत्रियोंके हाथमें रहे, जो दूमाके सामने जवाबदेह हों। इसमें शक नहीं, आजसे सवा सौ वर्ष पहलेके लिये स्पेरन्स्कीका कानूनी मसौदा प्रगतिशील था। लेकिन सत्ताधारी जमींदार इसे क्यों पसंद करने लगे? वह स्पेरन्स्कीको "बदमाश", "क्रांतिकारी" और "क्रामवेल" कहकर बदनाम करते। उनके विरोधके कारण मजबूर हो अलेक्सान्द्रने मसौदेको अस्वीकार कर दिया, और उसकी जगह अपने नियुक्त किये सदस्योंकी एक राज्य-परिषद् १८१० ई०में स्थापित की। राज्यपरिषद् का काम जारको केवल सलाह देनाभर था। यह राज्यपरिषद् १८१० ई० से १९०६ ई० तक बनी रही।

मंत्रियोंकी संख्या अबसे आठकी जगह ग्यारह कर दी गई थी——पुलिस, संचार और राज्य-नियंत्रण के तीन और मंत्रालय स्थापित किये गये। राजुलों और जमींदारोंने प्रसिद्ध इतिहासकार तथा भारी जमींदार न० म० करमजिनके नेतृत्वमें मांग की, कि स्पेरन्स्कीसे इस्तीफा लिया जाय। करमजिनने इन सुधारोंकी जगह "पचास अच्छे राज्यपालों" को नियुक्त करनेकी सलाह दी। स्पेरन्स्कीके प्रयत्नके असफल होनेपर तुर्की और नेपोलियनके बड़े युद्धोंके भीतरसे रूसको गुजरना पड़ा।

नेपोलियनके पतनके बाद जार समझता था—युरोपके भाग्य और व्यवस्थाकी जिम्मेवारी मेरे ऊपर है। देशके भीतर अरक्चेयेफकी सलाहको मानकर जार सारा काम करता था। लोग अरक्चेयेफको कितनी घृणाकी दृष्टिसे देखते थे, यह पुश्किनकी निम्न कवितासे मालूम होगा :——

वह सारे रूसको अपनी एड़ीके नीचे पीस रहा है,
ढांचेपर बैठा वह चक्का चलाना जानता है।
जारका राज्यपाल और मुद्राधर स्वामी,
उसका मित्र और बिल्कुल जमुआ भाई,
बदला लेनेके लिये, घृणाके लिये भरा,
मस्तिष्कहीन, हृदयहीन और बिल्कुल सम्मानहीन,
कौन है यह "सच्चा अनतिशियोक्तिपूर्ण, वीर" ?
एक सिपाही, नहीं वह तो उसे छू भी नहीं गया।

उसने सैनिक बस्तियां बसाई थीं। किसानोंको जबर्दस्ती इन बस्तियोंमें रहकर जन्मजात सिपाही-का काम करना पड़ता था। रूसके पश्चिमी सीमांतपर १८२० ई०के आसपास ३७५ हजार सैनिक किसानोंकी बस्तियां बसी थीं। किसान इस जबर्दस्तीको बर्दाश्त नहीं करते थे, जिसके कारण कितने ही विद्रोह हुये। अरक्चेयेफने इन विद्रोहोंको बड़ी निष्ठुरतापूर्वक दबाया। अलेक्सान्द्र I को जब इन बस्तियोंको अनावश्यक कहकर रोकनेके लिये कहा गया, तो उसने जवाब दिया——"हर हालतमें सैनिक बस्तियां मौजूद रहेंगी, चाहे इसके लिये हमें पीतरबुर्गसे चूदवा तकके सारे रास्ते (७० किलोमीटर ५० मीलसे ऊपर) लाशोंसे भी ढांक देना पड़े।"

काकेशस-विजय——१८०१ ई०में पूर्वी गुर्जीको रूसने ले लिया था। इसके बाद जारको सारे काकेशस-प्रदेशपर हाथ साफ करनेका ख्याल आया। इस काममें एक गुर्जी (जार्जियन) अमीर राजुल त्सित्सियानोफ जारका भारी सहायक था। १८०२ ई०में अलेक्सान्द्रने उसे उधरकी सेनाका मुख्य-सेनापति नियुक्त किया। उसने काकेशसके छोटे-छोटे राजाओंको जीतकर रूसमें मिलाना शुरू किया। १८०४ ई०में त्सित्सियानोफने येरेवान (अरमनी)के राज्यपर चढ़ाई की। दो महीनेतक येरेवानके दुर्गको घेर रखनेके बाद उसे असफल लौटना पड़ा। १८०५ ई० के अन्तमें उसने बाकूके खानके विरुद्ध अभियान किया। बाकूका महत्त्व इसलिये भी ज्यादा था, कि उसे आधार बनाकर ईरानके विरुद्ध सैनिक कार्रवाई की जा सकती थी। खानसे उसने किलेकी चाभी मांगी, लेकिन खानने धोखेसे मारकर गुर्जी राजुलका सिर ईरानके युवराजके पास भेज दिया। पर बाकू बच नहीं सका, और १८०६ ई० की शरद्में वह रूसका अंग बन गया। इसके बाद उसी समय पड़ोसी कूबाके खानको भी रूसियोंने जीता। रूसियोंने इन जीते हुये छोटे-छोटे राज्योंका दो प्रदेश—एलिजाबेतापोल और बाकू—बना दिया। जारके रास्तेमें ईरान और तुर्की बाधा दे रहे थे, रुपये-पैसे दे इंगलैंड और फ्रांस उनकी पीठ ठोक रहे थे। ईरानने रूसके विरुद्ध १८०५ ई०में युद्ध-घोषणा की, और तुर्कीने १८०६ ई० के अन्तमें। यह युद्ध कई सालों तक चलते रहे। ईरानी और तुर्की सेनाने कई बार करारी हारें खाईं। ईरानने अंतमें दागिस्तान और गुर्जीको रूसके हाथमें देना स्वीकार किया, और कास्पियन समुद्रमें सैनिक जहाज न रखनेका भी वचन दिया। तुर्कीके साथकी लड़ाई मई १८१२ ई० में बुखारेस्तकी संधिके साथ समाप्त हुई, इसे हम बतला आये हैं। तुर्कीने पश्चिमी गुर्जीपरसे अपने दावेको हटा लिया, जो रूसकी कुतैसी गुबर्निया बन गई। ईरानके साथका युद्ध १८१३ ई०में खतम हुआ, जिसमें इंगलैंडने भी तत्परता दिखलाई, क्योंकि वह चाहता था, कि रूस इधरसे मुक्त होकर दोनोंके दुश्मन

नेपोलियनके खिलाफ अपनी सारी शक्ति लगाये। १८१३ ई० की गुलिस्तान-संधि के अनुसार आजकल-के रूसी आजुर्बाइजानको ईरानने सदाके लिये जारके हाथमें दे दिया।

वोल्गाके लोग---वोल्गाके बाश्किर, चुवाश, मोर्दवी, तारतार आदि जातियां लड़ाकू स्वभाव-की थीं, इसलिये उन्होंने आसानीसे रूसी जूयेको अपने कंधेपर नहीं रक्खा। रूसियोंने उनके भीतर अपने शासनको दृढ़ करनेके लिये कई तरीके इस्तेमाल किये। इन इलाकोंकी उर्वर भूमिको रूसी जमींदार अपने हाथमें करके उनपर अपना रोब कायम करते, कहीं-कहीं रूसी किसानोंको भी ले जाकर उनके भीतर बसाते, जो कि किसानीके साथ-साथ सैनिकका भी काम देते। इसके अतिरिक्त ईसाई पादरियों-को जबर्दस्ती ईसाई बनानेकी भी छूट थी। नये बने ईसाइयोंको काफी प्रलोभन भी दिया जाता था। कितनी ही जगहोंपर प्रत्येक नवईसाईको एक सलेब, एक रूबल और एक सफेद कमीज दी जाती थी। तारतारों और दूसरोंके सरदारों और सुल्तानोंको ईसाई-धर्म न स्वीकार करनेपर कितनी ही बार अपने असामियोंसे वंचित कर दिया जाता था। इनके अतिरिक्त निम्न-वोल्गाके किनारे ले जाकर जर्मन किसानोंको बसा दिया गया। रूसी जार ऊपरसे रूसी थे, नहीं तो उनकी सारी मनोवृत्ति जर्मन थी, इसीलिये जर्मन शिक्षितों, सैनिकों और दरबारियोंके प्रति ही नहीं, बल्कि साधारण जर्मनोंके प्रति भी उनका विशेष पक्षपात था। १८ वीं सदीके उत्तरार्धमें वोल्गाके दोनों किनारोंपर सरातोफसे और दक्षिण तक जगह-जगह जर्मन प्रवासियोंके गांव बसने लगे थे। १७६३ ई०में एकातेरिना II ने विशेष राजघोषणा निकालकर बाहरसे रूसमें लोगोंको आनेका निमंत्रण दिया था, जिसके अनुसार बीस हजारसे अधिक विदेशी---अधिकांश जर्मन आकर वोल्गाके किनारे बस गये। इन प्रवासियोंको प्रति परिवार तीस देसियातिन (अस्सी एकड़) जमीन तथा कुछ नकद ऋण भी दिया जाता था। कजाकों और कल्मक घुमन्तुओंको रोकनेके लिये उक्रे-इनसे लाकर बहुतसे कसाकोंको वोल्गाके पूर्वमें बसा दिया गया था। इस प्रकार हम देख रहे हैं, कि वोल्गा और उसके पूर्वकी एसियाई जातियोंपर अपने शासनको मजबूत करनेके लिये जारशाहीने रूसी ही नहीं, युरोपके दूसरे देशोंके साधारण लोगोंको भी लाकर बसाना जरूरी समझा। इसपर भी बाशकिर, तारतार, चुवाश आदि जातियां हथियार रखनेके लिये जल्दी तैयार नहीं हुईं।

साइबेरियाके लोगोंको जमींदारी या अर्ध-दासता प्रथा क्या है, इसका पता नहीं था। उनके पड़ोसी कजाक और दूसरी जातियां मौका पाकर उनके आदमियोंको पकड़कर दास बनाकर बेंच देती थीं। रूसियोंने उनके भीतर भी पहुंचकर अपने शोषणके नये तरीकेको जारी किया। १८१२ ई० से स्पेरेन्स्की जारके मनसे उतर गया था, लेकिन १८१९ ई०में जारने उसे साइबेरियाका महाराज्यपाल बनाकर भेजा। स्पेरन्स्कीने वहां जाकर कुछ सुधार किये, लेकिन इसी समय साइबेरियाके लोगोंको जबर्दस्ती ईसाई बनानेका काम भी आरम्भ हुआ, जिसमें मिशनरियोंने लोभ, धमकी हर तरहसे काम लिया।

भौगोलिक अभियान—नेपोलियनके युद्धोंमें सम्मिलित होकर रूस और बातोंमें भी दूसरे देशोंसे क्यों पीछे रहने लगा? अब उसने भी अपने भौगोलिक अभियान भेजने शुरू किये। १८०३-६ ई० में आदम क्रूजेन्स्तने जहाज द्वारा पृथिवी-प्रदक्षिणा की। उस समय रूस अपने समूरी छालोंका व्यापार चीनके साथ स्थलमार्गसे क्याखता होकर करता था। क्रूजेन्स्तने सोचा, जलमार्गसे इसे और सस्तेमें किया जा सकता है; इसके लिय १८०३ ई०के ग्रीष्ममें उसने एक सामुद्रिक अभियानकी योजना बनाई और वह अतलान्तिक समुद्र पार हो दक्षिणी अमेरिकाका चक्कर काटते प्रशान्त महासागरमें पहुंचा। फिर काम्चत्का और जापानके तटसे वह एसिया और अफ्रीकाके बाहर-बाहर होते अतला-न्तिकमें लौटा। इस अभियानने सखालिन, काम्चत्का, कूरिल और एलूतियान द्वीपोंके किनारोंकी खोज-पड़ताल की, और उत्तरी अमेरिकाके उत्तर-पश्चिमी किनारेको भी देखा-भाला। अपनी पुस्तकमें क्रूजेन्स्तने इस यात्रा का वर्णन किया। १८०९-११ ई० में एक दूसरे अभियानने हेदेनस्त्रोमके नेतृत्वमें ध्रुवीय समुद्र के बीचमें नवसिबेरीय द्वीपोंकी जांच-पड़ताल की। १८१० ई० में इसी अभियानके एक सदस्य सपिक्रोफने इन द्वीपोंके सबसे उत्तरवाले द्वीपका पता लगाया, और यह भी दावा किया, कि वहां स्थलमार्ग है, जिसे सोवियतकालीन अभियानोंने गलत बतलाया। १८१५-१८ ई० में "रूरिक"

जहाजने काम्चत्का, चुकोतस्क और बेरिंग जलडमरूमध्यके बारेमें विशेष खोज-पड़ताल की। १८२१-२४ ई०में प्रसिद्ध रूसी नाविक लित्केने कम्चत्का और चुकोत्स्कका पहला नक्शा बनाया। १८२०-२४ ई०में रेंगलके नेतृत्वमें एक अभियान गया, जिसने साइबेरियाके उत्तरी तटकी लेनासे बेरिंग जलडमरूमध्य तक जांच-पड़ताल की।

दिसम्बरी-विद्रोह (१८२६ ई०)——नेपोलियनकी पराजयके बाद जारका प्रभुत्व और प्रभाव बहुत बढ़ गया। जारने यद्यपि फ्रेंच-क्रांतिके रूपमें ऊपर आनेवाली नई शक्तियोंको दबानेकी जिम्मेवारी अपने ऊपर ले रक्खी थी, लेकिन वह विचारोंको कैसे रोक सकता था? अब रूसमें कल-कारखाने भी खुलने लगे थे। १८०४ ई० में जहां रूस में २४२७ कारखाने और ९५००० मजदूर थे, वहां १८२५ ई० में ५२६१ कारखाने और २११ हजार मजदूर हो गये थे। पुराने हस्तशिल्प और कुटीरशिल्पकी जगह अब कारखानोंकी चीजें बाजारोंमें आ रही थीं। उधर १८ वीं सदीके मध्यसे ही रूसी कुलीन घरानोंमें फ्रेंच भाषा और साहित्यका जोर हो चला था, और फ्रेंच साहित्यके साथ फ्रेंच-क्रांतिके विचार देनेवाले साहित्यिकोंकी कृतियोंका भी प्रचार हो रहा था। जार साधारण रूसी जनताका ही देवता नहीं था, बल्कि उसके सामने राजुलों और अमीरोंको भी घुटने टेककर दंडवत् करनी पड़ती थी। शिक्षित अमीर तरुण जब फ्रेंच प्रगतिशील साहित्यके प्रकाशमें देखते, तो उन्हें यह असह्य मालूम होता। उनमेंसे कितने ही पश्चिमके देशोंको घूमने जाते, और वहांके जीवनके सम्पर्कमें आते, जिससे उन्हें रूसकी पुरानी जारशाही बुरी लगती। फ्रेंच-क्रांतिने फ्रांसमें ही एक नये भावको पैदा नहीं किया, बल्कि उससे बल्कान, इताली और स्पेन सब जगह जातीय स्वतंत्रताकी लहर फैली। दिसम्बरी विद्रोहियोंके नेता पेस्तेलने लिखा था——"युरोपके एक छोरसे दूसरे छोरतक वही एक बात घटित हो रही है; पोर्तगालसे रूसतक सभी देशोंमें——जिसके अपवाद इंगलैंड या तुर्की भी नहीं हैं। सुधारकी शक्तियां, कालकी मांगें चारों ओर आदमीके दिमागको उत्तेजित कर रही हैं।" चूंकि शिक्षाका प्रसार अभी अमीरों और कुलीनोंमें ही था, इसलिये नये विचारोंके वाहक भी वही थे। इन्हीं क्रांतिकारी कुलीनोंने रूसमें परिवर्तन लानेके लिये गुप्त राजनीतिक समितियां संगठित कीं। ऐसी पहली समिति १८१६ ई० में स्थापित की गई, जिसका नाम था "पितृभूमिके सच्चे और भक्त पुत्रोंकी सभा", अथवा "मुक्ति-संघ"। कर्नल अलेक्सान्द्र मुरावयोफ इस समितिका संस्थापक था। इसके बीस और सदस्य थे। इसका उद्देश्य था——किसानों को अर्ध-दासतासे मुक्त करना और रूसमें वैधानिक राजतंत्रकी स्थापना। इसके जल्दी ही दो दल हो गये, जिनमें एक दल नरम था और दूसरा गरम। गरम दलवालोंका नेता कर्नल पावल इवान-पुत्र पेस्तेल (१७९३--१८२६ ई०) था। दो साल बाद (१८१८-२१ ई०) "समृद्धि-संघ" के नामसे एक और सभा स्थापित हुई, जिसकी कितनी ही शाखायें जगह-जगह खोली गईं। इनमें सबसे अधिक क्रांतिकारी दक्षिणी शाखा थी, जिसे कर्नल पेस्तेलने उक्रइनके तुलचिन नगरमें संगठित किया था। समृद्धि-संघने पेस्तेलके प्रभावमें आकर अपनेको गणराज्यके पक्षमें घोषित किया। मास्कोमें जनवरी १८२१ ई० में संघका सम्मेलन हुआ, जिसमें नरमदली सदस्योंने डरकर संघको बंद कर देनेकी घोषणा की, लेकिन पेस्तेलने इसे नहीं स्वीकार किया और उसने "दक्षिणी सम्मिलनी" (१८२१-२५ ई०) के नामसे एक नया संगठन स्थापित किया, जिसमें पेस्तेल, दाविदोफ आदि कई प्रमुख व्यक्ति शामिल थे। पेस्तेल सुशिक्षित तथा प्रतिभाशाली व्यक्ति था। समकालीन महाकवि पुश्किनने उसके बारेमें लिखा था——"पेस्तेल पूरे अर्थोंमें चतुर पुरुष है। जहां तक मैं जानता हूं, वह सबसे मौलिक विचारोंका आदमी है।" पेस्तेल १८१२ ई०में नेपोलियनकी सेनासे लड़ते बोरोदिनोके युद्ध-क्षेत्रमें घायल हुआ था। १८१३-१५ ई०के विदेशी अभियान में भी पेस्तेल रूसी सेनाके साथ था। वोल्तेर, दिदेरो, रूसो जैसे बहुत-से युरोपीय विचारकोंके ग्रंथोंका उसने गम्भीर अध्ययन किया था। पेस्तेलने रूसके वैधानिक सुधारका एक प्रोग्राम "रुस्कया प्राव्दा" (रूसी सत्य अधिकार) के नामसे बनाया था, जिसके अनुसार सशस्त्र क्रांति द्वारा रूसका एक अखंड गणराज्य कायम करना था। उसका प्रस्ताव था: राजवंशके सभी आदमियोंको मार डाला जाय, इसके बाद एक कामचालू सरकार घोषित की जाय। शासनके लिये उसने तीन उच्च संस्थाओंका निर्माण होना आवश्यक समझा था: विधान-संस्था——नरोदनये वेचे (लोकसभा), प्रशासन-संस्था—देर्झावनया दूमा

(राज्यदूमा) और निरीक्षक संस्था——वेर्खोव्नी सबोर (उच्चतम सभा)। वोटका अधिकार सम्पत्ति और शिक्षा दोनोंपर निर्भर है। सभी नागरिकोंको समान अधिकार और समान स्वतंत्रताको देते हुये समाजके भीतरके विभाजनको बंद किया जाये। "रुस्कया प्राव्दा" ने घोषित किया था, कि जमींदारोंको बिना क्षति-पूर्तिके दिये किसानों और उनकी जमीनको मुक्त कर दिया जाय। पेस्तेलने जो बात १८१२ ई० में घोषित की थी, वहां तक अभी १९५५ ई० के भारतीय भूमिसुधारक भी जानेके लिये तैयार नहीं हैं।

१८२२ ई० में पीतरबुर्गमें भी एक क्रांतिकारी संस्था "उत्तरी सम्मिलनी" स्थापित की गई, जो कि १८२५ ई० तक मौजूद रही। इस सम्मिलनीका मुखिया निकिता मुरावयोफ (१७९८-१८२६ ई०) था, जो कि जारकी गारदका एक अफसर था। १८१२ ई० में तरुण मुरावयोफ घरसे भागकर सेनामें भरती हो रूसी सेनाके साथ दूसरे देशोंमें लड़ाई लड़ता रहा। इसने नेपोलियनके खिलाफ लड़ाइयोंमें भाग लिया था। पेरिसमें रहते उसने निर्वाचन होते देखा। वहीं उसने क्रांतिकारी पुस्तकोंका भी एक संग्रह किया। देश लौटनेपर वह क्रांतिके संगठनमें जुट गया। "उत्तरी सम्मिलनी" के सदस्योंमें कवि कोन्द्राती फ्योदोर-पुत्र रिलेयेफ (१७९५-१८२६ ई०) भी था। १८२३ ई०में "उत्तर तारा" नामसे एक पत्रिका निकाली, जिसमें उसने जारके कृपापात्र अरक्चेयेफके अत्याचारोंकी खूब खबर ली। जल्दी ही वह और उसका पत्र जनप्रिय हो गया। १८२३ ई० में वह "उत्तरी सम्मिलनी" में शामिल हो १४ दिसम्बर १८२५ ई० के विद्रोहकी तैयारीमें पूरी तौरसे जुट पड़ा। वह कहता था——"मैं कवि नहीं, बल्कि एक नागरिक हूं।"

नवम्बर १८२५ ई० में जार अलेक्सान्द्र I एकाएक तगनरूकमें मर गया। इस प्रकार दिसम्बरी विद्रोहकी तैयारी हो जानेपर भी वह अलेक्सान्द्रके समय नहीं हो सका। अलेक्सान्द्रका कोई पुत्र नहीं था, इसलिये उसके भाई कन्स्तन्तिनको सिंहासन मिलना चाहिये था, लेकिन उसने अलेक्सान्द्रके जीवन-काल ही में अपने अधिकारको त्याग दिया था, इसलिये जारके तीसरे भाई निकोलाइ I को गद्दी मिली।

चीनसे संपर्क——अलेक्सान्द्रको युरोपका ही नहीं बल्कि पूर्वमें प्रशान्त महासागर तक फैले अपने साम्राज्यका भी ख्याल था। उसने गोलोउकिनके नेतृत्वमें १८०५ ई०में एक बड़ा दूतमंडल पेकिङ् भेजा। सीमांतपर चीनियों ने बहाना बनाकर देर तक दूतमंडलको रोके रक्खा। आगे बढ़नेके पहले रूसी राजदूतसे मांग पेश की, कि चीन-सम्राट्के चित्रके सामने साष्टांग दंडवत् (कौतौ) करो। राजदूतने यह कहकर इसे माननेसे इन्कार कर दिया, कि हाल हीमें अंग्रेज राजदूतको कौतौ (साष्टांग दंडवत्) करनेसे मुक्त कर दिया गया है। इस बहानेसे उन्होंने रूसी दूतमंडलको आगे बढ़ने नहीं दिया और उसे वहींसे लौट जाना पड़ा। अगले साल १८०६ ई० में क्रुजेन्स्तर्नकी अधीनतामें दो रूसी जहाजोंने कान्तन पहुंच अपने मालको वहां उतारा। इसकी खबर पाकर राजधानीसे हुक्म आया, कि रूसियोंको स्थलमार्गसे ही व्यापार करनेका अधिकार है, उन्हें सामुद्रिक मार्गसे व्यापार नहीं करने दिया जा सकता, इसलिये उनके जहाजोंको रोक लिया जाये। लेकिन पेकिङ्की आज्ञाके आनेसे पहले ही रूसी जहाज वहांसे विदा हो चुके थे।

रूसके एसियाके विस्तारमें येरमक (१५७९-८४) और खबारोफ (१६५४) दो प्रमुख व्यक्तियोंके बारेमें हम बतला चुके हैं। १९ वीं सदीमें रूसके प्रभावको साइबेरियामें दृढ़ करनेका काम मुरावेफने किया।

२. निकोलाइ I, पावल I-पुत्र (१८२५–५५ ई०)

एंगल्सने "रूसी जारशाहीकी वैदेशिक नीति" पर लिखते हुये १८९० ई० में इस जारके बारेमें कहा था——"एक क्षुद्र मिथ्याभिमानी आदमी था, जिसका दृष्टिक्षेत्र एक जमादार (कम्पनीके अफसर) से अधिक दूर तक नहीं जाता था। वह ऐसा आदमी था, जो कि क्रूरताको शक्ति, हठधर्मीको मनोबल समझता था। सबसे अधिक जो चीज उसको पसंद थी, वह था शक्तिका प्रदर्शन।" निकोलाइ प्रुशियाके सैनिकवादका सभी जारोंसे अधिक पक्षपाती था। उसकी बीबी चार्लोतका बाप

प्रुशियाका राजा फ्रेड्रिक विल्हेल्म III था, जिसका भी उसे और उसकी बीबीको बहुत अभिमान था। सिपाहियोंको निष्ठुरतापूर्वक कवायद-परेड कराके कठपुतली बना देनेको वह सैनिक विज्ञानका बहुत भारी कौशल मानता था। उस क्रूर, मंदबुद्धि और अभिमानी आदमीने कभी पुस्तक नहीं पढ़ी। उसने अरक्चेयेफकी शासन-व्यवस्थाको पूरी तौरसे कायम रक्खा। लेकिन, निकोलाइके लिये सर मुड़ाते ही ओले पड़े। उसे बापके समयसे भीतर ही भीतर पकती क्रांतिका मुकाबिला करना पड़ा। वह इसके बारेमें कहता था—"षड्यंत्रियों और षड्यंत्री नेताओं के विरुद्ध (मेरा) युद्ध अत्यन्त क्रूर और निर्दयतापूर्ण होगा। मैं उसके लिये कोई बात उठा नहीं रखूंगा। मेरा कर्तव्य है, कि रूस और युरोपको इसके बारेमें शिक्षा दूं।"

उसने क्रांतिकारियोंको निर्मम होकर शिक्षा दी भी, जिसमें उसे इस बातका सुभीता था, कि क्रांतिकारी अभी नौसिखिये थे, अभी वह दृढ़तापूर्वक अपने कामपर डटे नहीं थे। क्रांतिकारियोंने २६ (१४) दिसम्बरको विद्रोह करनेका दिन निश्चित कर रक्खा था, जिस दिन कि नये जारके प्रति शपथ लेनी थी। उस दिन (२६ दिसम्बर १८२५) सबेरे दिसम्बरी अफसरों द्वारा संचालित रेजिमेंट सीनेटके मैदानमें एकत्रित हुई, तीन हजारसे ऊपर विद्रोही सैनिक और नौसैनिक पीतर I के स्मारकके चारों ओर जमा हुये, लेकिन वह निष्क्रिय रहे, क्योंकि अभी विद्रोहके बारेमें क्रांतिके नेता अनिश्चित-से मालूम होते थे। अन्तिम क्षणमें क्रांतिका अधिनायक सेर्गेइ त्रूबेत्स्की मैदानमें नहीं आया और विद्रोही बिना नेताके रह गये, जिसके कारण उनका संगठित बल खतम हो गया। निकोलाइ I कायर तो था ही, पहले वह हिचकिचाता रहा, लेकिन जब उसको विद्रोहियोंकी अवस्थाका पता लगा, तो अपने विश्वास-पात्र सैनिकों और तोपचियोंको बारह बजे मैदानमें भेजा। तमाशा देखनेके लिये कितने ही मजदूर, कारीगर और नगरके गरीब मैदानमें जमा हो गये थे। उस समय रूसका सबसे बड़ा गिर्जा ईसाइकी सबोर बन रहा था। मजदूरोंमें भी इतना जोश आ गया था, कि उन्होंने जारके सैनिकोंको अपने पास पड़े लकड़ीके कुंदों और डंडोंसे मारा। लेकिन मालूम हो गया, विद्रोही आक्रमण करनेके लिये तैयार नहीं हैं। किसी भी विद्रोहमें आक्रमणकी नीति सबसे लाभदायक होती है, क्योंकि उसमें थोड़ेसे भी आदमी बहुसंख्यक शत्रुको घबराहटमें डाल सकते हैं। जारके हुक्मपर सवारोंने आक्रमण किया। विद्रोही सैनिकोंने गोलियोंकी वर्षा करके उन्हे भगा दिया। गोलियोंके अतिरिक्त समझा-बुझाकर भी शांत करनेकी कोशिश की गई। आखिर किसी भी निरंकुश शासनकी आधारशिला सैनिक अफसर हैं। जब उनमें विद्रोहकी भावना पैदा हो गई, तो भविष्यके लिये क्या विश्वास किया जा सकता है? ईसाई संघराजने समझानेकी कोशिश की, लेकिन विद्रोही सैनिक उसकी बातको माननेके लिये तैयार नहीं थे। फिर पीतरबुर्गके महाराज्यपाल मिलोरदोजिचने जाकर समझानेका प्रयत्न किया, जिसमें उसे विद्रोही अफ्सर कखोस्कोने मरणासन्न घायल कर दिया। जारको आता देख उसके ऊपर भी सैनिकोंने बन्दूक दागीं। जार बहुत घबरा गया और उसको डर लगा, कि देर करनेमें शायद नगरके गरीब भी इस झगड़ेमें शामिल होकर लूट-मार करने लगें, इसलिये उसने तोप छोड़नेकी आज्ञा दी। सीनेट मैदान, नेवा नदीके बांध और सड़कोंमें चारों ओर लाशें बिछ गईं। नेवा बर्फ बनी हुई थी। रातके वक्त बर्फमें छेद करके बहुतसे हत और आहत लोगोंको उसके भीतर डालकर समुद्रकी ओर बहा दिया गया। विद्रोही नेताओंको पकड़ लिया गया।

इस प्रकार पीतरबुर्गमें दिसम्बर की क्रांतिको दबा दिया गया। उक्रइनमें चेर्निगोफकी रेजिमेंटने भी १० जनवरी १८२६ ई० (पुराने पंचांगके अनुसार २९ दिसम्बर १८२५ ई०) को विद्रोह किया, लेकिन उसे भी दबा दिया गया। पेस्तेलको किसी विश्वासघातीने पकड़ा दिया था। सेर्गेइ मुराव्योफ-अपोस्तोलने वहां विद्रोहका नेतृत्व किया, लेकिन चेर्निगोफने भी आक्रमण न करनेकी गलती की, जिससे वह जारशाहीको बहुत नुकसान नहीं पहुंचा सके। "संयुक्त स्लाव सम्मिलनी" के कुछ दृढ़ सदस्य चाहते थे, कि एक विद्रोही रेजिमेंट भेजकर कियेफ पर अधिकार कर लिया जाय। इसमें सुभीता भी था, क्योंकि कियेफमें छावनीकी पलटनमें विद्रोहसे सहानुभूति रखनेवाले काफी आदमी थे, लेकिन यहां भी नेताओंने ढिलमिलयकीनीका प्रमाण दिया। निकोलाइ I ने विद्रोहको दबाकर विद्रोहियोंके प्रति क्रूरतापूर्वक बदला लेनेका काम शुरू किया।

२५ (१३) जुलाई १८२६ ई०में पांच विद्रोही नेताओं—पेस्तेल, कवि रिलेयेफ, काखोवस्की, मुराव्योफ-अपोस्तोल और बेस्तुजेफ-र्‍यूमिनको फांसी दे दी गई। फांसी देते वक्त रिलेयेफ, कखोवस्की और मुराव्योफ-अपोस्तोलके गलेकी रस्सी टूट गई, जिसपर उन्हें दुबारा फांसी दी गई। बहुतसे विद्रोहियोंको कड़ी-कड़ी सजायें दी गईं, और कितनोंको साइबेरियामें आजीवन कालापानीका दंड देकर भेज दिया गया। सिपाहियोंको कितनी यातनायें दी गईं, इसका उदाहरण अनोइचेंको था, जिसे अदालतने बारह हजार बेंत लगानेकी सजा दी और बेंत खाते-खाते वह मर गया।

दिसम्बरका विद्रोह उच्चवर्ग—अमीरों—का विद्रोह था, उसमें साधारण जनताको शामिल करनेकी कोशिश नहीं की गई, और न ऐसा कोई तरीका इख्तियार किया गया, जिससे जनसाधारण उस ओर खिंचता—भारतमें १८५७ ई०के विद्रोहमें भी कुछ ऐसाही हुआ था। इसीलिये विद्रोहके दबते देर नहीं हुई। लेनिनने उसके बारेमें लिखा था—"क्रांतिकारियोंका घेरा बहुत छोटा था। जनसाधारणसे उनका कोई संबंध नहीं था। लेकिन उनका काम व्यर्थ नहीं गया। दिसम्बरियोंकी असफलतासे पीछे रूसके क्रांतिकारियोंने शिक्षा ली। उसने प्रगतिशील मस्तिष्कोंमें गर्मी पैदा की, जिसने हर क्षेत्रमें क्रांतिके लिये जगह तैयार की।"

निकोलाइ I को राजकाज संभालते ही जिस तरहके खतरेका मुकाबिला करना पड़ा। वह दिलोदिमागसे कमजोर आदमी था। इसके कारण उसको हर जगह प्राणोंका भय मालूम होने लगा। उसने पुलिस-राज्य कायम करते हुये "तृतीय भाग" के नामसे एक राजनीतिक गुप्त पुलिसका संगठन किया। जैसे ही किसी सैनिक या असैनिक अफसर अथवा सरकारी नौकरपर संदेह होता, उसे नौकरीसे निकाल बाहर किया जाता। उसे शिक्षण-संस्थाओंसे भी भय था, क्योंकि सभी विद्रोही नेता नवशिक्षित थे। इसीलिये शिक्षण-संस्थाओंपर भी पुलिसकी निगाह रहने लगी।

पूंजीवादी विकास—चाहे इंगलैंड और फ्रांससे पीछे ही क्यों न हो, किन्तु पूंजीवादी उत्पादनके साधनों—कल-कारखानों—के विस्तारको किये बिना रूस सैनिक तौरसे कैसे सबल रह सकता था? पूंजीवादी नफेको देखकर कितने ही रूसी इस तरफ झुके। इनमें काफी संख्या उनकी थी, जिन्होंने छोटे-छोटे व्यापारों या दस्तकारियों द्वारा पैसा जमा किया था। पूंजी कम रहनेके कारण अपने कारखानेको बढ़ाने और पूंजी जमा करनेके लिये काम भी वह मजूरोंके भीषण शोषण द्वारा करना चाहते थे। निकोल्स्कया फैक्ट्रीका स्वामी मोरोजोफ पहिले अर्धदास किसान था, जिसने १८२० ई० में जमींदारको क्षति-पूर्ति देकर मुक्ति प्राप्त की थी। फिर वह पशुपाल (चरवाहा), बादमें कोचमैन (कोचवान), फिर मिलमजदूर और दर्जीका काम करता रहा। बादमें उसने दूकान खोली और अन्तमें अपनी फैक्ट्री स्थापित की। १९ वीं शताब्दीके और भी कितने ही रूसी पूंजीपतियोंका यही इतिहास था। १९ वीं शताब्दी के पूर्वार्धमें पूंजीवादी ढंगके धातु-उद्योगका आरम्भ हुआ। यद्यपि उसकी प्रगति मंद रही। उक्रइनमें भी लोह-धून मिली, और वहां भी लोहा बनानेका काम शुरू हुआ था, पर मुख्य लौहकेंद्र एसिया सीमापर उराल रहा, जहांपर मजदूर बहुत सस्ते मिलते थे। १८३० ई०के बाद साइबेरियाकी सोनेकी खानोंमें—पहले पूर्वी साइबेरिया, येनिसेइ-उपत्यका और फिर प्रसिद्ध लेनाके सुवर्ण-क्षेत्रमें—काम शुरू हुआ। १८१५ ई०में रूसकी ४१८९ फैक्ट्रियों और मिलोंमें १७३ हजार मजदूर काम कर रहे थे, जब कि १८५८ ई०में क्रमशः उनकी संख्या १२२५९ और ५५९ हजार हो गई। १८४० ई०के बाद ही वाष्पचालित मशीनोंका उपयोग होने लगा, जिन्हें रूसी उद्योगपति इंगलैंड और दूसरे देशोंसे मंगाते थे। १८३५ ई० में इस कामके लिये जितनी मशीनें मंगाई गई थीं, पचीस साल बाद १८६० ई०में वह उनसे पच्चीस गुना अधिक मंगाई जाने लगीं। अभी तक किसानोंकी अर्धदासता बंद करनेका प्रयत्न आदर्शवादी भावुकतासे प्रेरित होकर किया जाता था, लेकिन अब अर्धदासताका सबसे बड़ा शत्रु औद्योगिक पूंजीवाद आ गया था, जिसको गैरजिम्मेवार अर्धदास मजूरों की नहीं, बल्कि मजूरीके लिये अपनेको बेचनेवाले कुशल कारीगरोंकी जरूरत थी। इसलिये अर्धदासताके विरुद्ध कानून पास करनेसे बहुत पहले ही अर्धदास किसान कारखानोंमें भाग-भागकर मजदूर बनते जा रहे थे।

यातायातका सुभीता पूंजीवादके लिये सबसे आवश्यक चीज है, क्योंकि तभी माल एक जगहसे दूसरी जगह सस्तेमें भेजा जा सकता है। अंग्रेज नहीं, बल्कि एक रूसीने सबसे पहले रेल-इंजन बनाया

था, लेकिन सामन्तशाही रूसमें उसकी कदर नहीं हुई। इंगलैंडने पहले उससे फायदा उठाया। उसने १८२५ ई० में अपनी पहली रेल बनाई, जिसके बीस बर्ष बाद कलकत्तासे पश्चिमकी ओर रेलकी पटरियां ही नहीं बिछीं, बल्कि १८४५ ई० में भारतमें रेलोंके कामके लिये ईस्ट इंडिया रेलवे कम्पनीकी स्थापना की गई, और १५ अगस्त १८५४ ई० में हवड़ा और हुगलीके बीच रेलका यातायात शुरू हो गया। रूसमें पीतरबुर्ग और जार्स्कोयेसेलो (आधुनिक पुश्किन) के बीच पहली रेलवे लाइन १८३७ ई० में बनी, जिसके लिये सारा सामान इंगलैंड से आया था। सबसे पहली महत्त्वपूर्ण रेलवे लाइन पीतरबुर्ग और मास्कोकी थी, जो नौ वर्षमें बनकर १८५१ ई० में यात्राके लिये खोल दी गई। तब भी रूसमें रेलोंके प्रसारकी गति बहुत मंद ही रही। १८५५ ई० में रूसी रेलें फ्रांसकी रेलवे लाइनोंका पंचमांश और जर्मन रेलोंका षष्ठांश ही थीं। अब भापके इंजन और भापसे चलनेवाले जहाजोंके महत्त्वको उपेक्षित नहीं किया जा सकता था, इसलिये रूसमें वाष्पचालित जहाजों के बनानेके कारखाने भी स्थापित हुये। सैनिक हथियार और शक्ति तो लोहेके ऊपर निर्भर करती है, इसलिये उसके उत्पादनकी तरफ जारशाहीका ध्यान जाना जरूरी था। १८ वीं शताब्दीके अन्तमें रूस और इंगलैंड दोनों ही अस्सी लाख पूद (१ पूद = ३६ पौंड = १८ सेर) लोहा पैदा करते थे, लेकिन १९वीं सदीके पूर्वार्धमें जब कि रूसने अपनी लोहेकी उपजको दुगुना ही कर पाया था, इंगलैंडमें १८५९ ई०में कच्चे लोहेकी उपज तीस गुना (२३४० लाख पूद) हो गई थी।

निकोलाइ I के शासनकालमें विद्रोहोंकी कमी नहीं रही। पोलोंने रूसी शासनके विरुद्ध १८३०-३१ ई०में विद्रोह किया था। वहांसे विद्रोहकी लहर बेलोरूसिया, उक्रइन और लिथुवानियामें फैली। उक्रइनमें इस विद्रोहने किसानोंके विद्रोहका रूप लिया। १८२६-३४ ई०में १४५ विद्रोह हुये थे, जब कि १८४५-५४ ई०में उनकी संख्या ३४८ हो गई। जारशाही अत्याचारोंके मारे कभी-कभी सारे किसान अपने गांवको छोड़कर भाग जाते थे।

ईरान (१८२६-२८ ई०) और तुर्की-युद्ध (१८२७-२९ ई०)—रूसके खिलाफ ईरान और तुर्कीको उकसाना इंगलैंड और फ्रांसकी नीति हो गई थी, और उधर जारशाही भी अपने राज्य-विस्तारके लिये इन देशोंकी ओर हाथ बढ़ा रही थी, इसलिये युद्ध होना स्वाभाविक ही था। १८२६ ई० की गर्मियोंमें रूसके काकेशसमें बढ़ावको देखकर ईरानने लड़ाई शुरू कर दी। ईरानी सेनाने आजुर्बाइजानको लेकर दागिस्तान और चेचनपर धावा किया, लेकिन १८२७ ई० के वसंतमें रूसी सेनाने ईरानियोंको हरा दिया। १८२८ ई० के जाड़ोंतक ईरानको नखचेवान और येरिवानके इलाकोंसे भी हाथ धोकर संधि करनी पड़ी। इसी समय रूस पश्चिमी काकेशसके लिये तुर्कीसे भी लड़ रहा था। निकोलाइ I तो कान्स्तन्तिनोपल और दरेदानियलपर भी अपना झंडा गाड़ना चाहता था। यद्यपि रूसके आक्रमणोंका वह फल नहीं हुआ, जो कि निकोलाइ चाहता था, तब भी १८२९ ई०की संधिके अनुसार कालासागरके सारे काकेशस-तटको रूसने ले लिया, और केवल बातू अब तुर्कीके पास रह गया।

शामिलका विद्रोह—काकेशसमें यद्यपि ईरान और तुर्कीको रूसियोंने दबा दिया, लेकिन वहांके वीर पहाड़ियोंने आसानीसे जारके शासनको नहीं स्वीकार किया। इमाम काजी मुल्लाने १८३२ ई०में ईसाइयोंके खिलाफ मुरीदवादके नामसे मशहूर एक सम्प्रदाय स्थापित किया। आरम्भमें यह एक धार्मिक सम्प्रदाय था, जिसने काफिरोंके शासनके स्थापित होनेपर राजनीतिक रूप ले लिया। काजी मुल्लाने स्वयं अपने अनुयायियोंको लेकर रूसी सेनापर जहां-तहां आक्रमण किया। उसके मरनेपर उसका चेला शामिल नेता हुआ, जिसने १८३४ से १८५९ ई०के पच्चीस वर्षोंमें काकेशसमें जारशाही अफसरोंको नाकों चने चबवाये। शामिल बड़ा ही बहादुर और चतुर नेता था। उसने मुरीदोंका संगठन बहुत मजबूत किया। काकेशसकी दुर्गम पहाड़ियोंसे लाभ उठाकर वह रूसियोंके ऊपर आक्रमण करता रहा। पांच वर्षके संघर्षके बाद अगस्त १८३९ ई० में दागिस्तानके अपने केंद्रको छोड़कर उसने चेचनके दुर्गम पहाड़ियोंका आश्रय लिया। काकेशसके बेग और खान पहले ही जारशाहीके गुलाम बन चुके थे, इसलिये शामिलने उनके खिलाफ भी लड़ाई जारी रखते साधारण पहाड़ियोंको अपनी ओर खींचा। १८५९ ई० में दागिस्तानके गूनिब किलेमें शामिलने अन्तिम बार रूसियोंका मुका-

बिला किया। २५ अगस्त १८५९ ई०को रूसी सेनापतिने खबर भेजी—"गूनिब हाथमें आ गया, शामिल बंदी कर लिया गया।" शामिलको पकड़कर पीतरबुर्ग भेज दिया गया, जहांसे उसे ले जाकर कलुगामें बसा दिया गया। पीछे वह हजके लिये मदीना जा वहीं मरा। काकेशसके मुस्लिम-प्रधान इलाकोंमें जारशाहीको चैनसे शासन करनेका मौका नहीं मिल सकता था, इसलिये एक ओर जहां जारशाही अत्याचारके कारण वाशिंदे अपना गांव और देश छोड़कर भागते जाते थे, या उन्हें खास-खास जगहों से हटाया जाता था, तो दूसरी ओर रूसी किसानों और कसाकोंको ले जाकर उत्तरी काकेशसमें बसाया जाता था।

मध्य-एसियाकी रियासतें—आगे हम बतलायेंगे, कि कैसे १८ वीं शताब्दीके अन्तमें पश्चिमी मध्य-एसियामें खीवा, बुखारा और ख़ोकन्दकी तीन रियासतें कायम हो गईं। इन्हीं तीनों रियासतोंकी भूमि-पर आगे चलकर उज्बेक, ताजिक, किर्गिज और तुर्कमान गणराज्य बने। तुर्कमानोंकी भूमिको नादिर-शाहके समयसे ही ईरानके अधीन माना जाता था। तुर्कमान घुमन्तू समय-समयपर बुखारा, अफगानि-स्तान और ईरानके भीतर भी जाकर लूट-मार किया करते थे। ये तीनों रियासतें भी आपसमें लड़ती रहती थीं। १९ वीं शताब्दीके आरम्भमें खोकन्दका खान ज्यादा शक्तिशाली हो गया था, जब कि उसने ताशकन्द जैसे एक बड़े ही महत्त्वपूर्ण व्यापारिक और सैनिक केंद्रको अपने हाथमें कर लिया। ताशकन्दको ले लेनेके बाद कजाकों और किर्गिजोंकी बहुतसी भूमिको भी खोकन्दने ले लिया। खोकन्दियोंने इस भूमिमें जहां बहुतसे सैनिक महत्त्वके किले बनवाये, वहां लोगोंको पक्का मुसलमान बना अपनी ओर खींचनेके लिये भिन्न-भिन्न जगहोंपर कितने ही मदरसे भी स्थापित किये। अकमेचेत (श्वेत-मस्जिद), औलियाअता विशेषकर इसी समय महत्त्वपूर्ण नगर बने। १९ वीं सदीके दूसरे पादमें पहुंचते-पहुंचते खोकन्द मध्य-एसियाका सबसे बड़ा राज्य हो गया। वह पश्चिमी चीन और पामीरसे निम्न सिर-दरिया तक फैला हुआ था।

खीवाने भी खोकन्दकी तरह कजाकों, तुर्कमानों और कराकल्पकोंकी भूमिपर अधिकार करके १९ वीं सदीके आरम्भमें अपनी सीमाका काफी विस्तार कर लिया था। खोकन्द और खीवाके बीचमें बुखाराका खान था, जिसके हाथमें पहले तुर्किस्तान (निम्न और मध्य सिर-उपत्यका) था, लेकिन खोकन्दने उसे छीन लिया। बुखाराके नीचे रहनेवाले तुर्कमानोंमेंसे कितनोंको खीवाने ले लिया था। इस प्रकार बुखारा उतना शक्तिशाली नहीं था, तो भी शताब्दियोंसे बुखारा इस्लामिक संस्कृतिका केंद्र चला आया था, और वहांकी दस्तकारी और शिल्पकी बड़ी धाक थी, जिसके द्वारा उसे व्यापारमें काफी नफा रहता था। इन रियासतोंके खान (राजा) और बड़े अमीर अधिकतर उज्बेक थे, उनके बाद मुल्लाओं और खोजों (संतों) का प्रभाव ज्यादा था।

कजाकोंके बारेमें लिखते हुये हम बतला चुके हैं, कि १९वीं सदीके पूर्वार्धमें उनके लघु, मध्य और महा-ओर्दूके नामसे तीन ओर्दू थे। १८वीं सदीके पूर्वार्धमें ही लघु और मध्य-ओर्दूने रूसकी अधीनता स्वीकार कर ली थी, और १८२० ई० के आसपास रूसी प्रवासी भी इनकी भूमिमें जगह-जगह बसने लगे थे। १८३५-३७ ई०में ओरेनबुर्गके महाराज्यपाल व० अ० पेरोव्स्कीने ओर्स्क और त्रोयत्स्कके बीचमें किलोंकी पंक्ति बना करके जंगल और चरागाहकी दस हजार वर्ग किलोमीतर बड़ी अच्छी भूमि कजाकोंसे छीन ली, जिसके बाद कजाकोंने विद्रोह किया, इसे हम पहले बतला चुके हैं।

१८४५ ई० में दश्तेकजाकके गर्भमें जारशाहीने नई किलाबंदियां तैयार कीं। कजाक लोग सुल्तान केनेसरी कासिमोफके नेतृत्वमें रूसी बस्तियोंपर आक्रमण करते आगे-पीछे हटते जा रहे थे। कासिमोफका पीछा करते रूसी सेना इली नदीकी ओर बढ़ी। अब रूसियोंको उनका रास्ता अल्ताई और त्यान्‌शानमें चीनी सीमाके पास ले जा रहा था। सबसे पहले रूसियोंका ध्यान खीवाकी ओर गया। यह मालूम ही है, कि खीवा (ख्वारेज्म) बहुत पुराने समयसे रूसके व्या-पारकी एक मुख्य शृंखला थी। खीवामें भी १९ वीं सदीके पूर्वार्धमें बड़ी अव्यवस्था थी, जिससे रूसियोंको आगे बढ़नेका बहाना और सुभीता मिल गया। महाराज्यपाल पेरोव्स्कीने एक छोटीसी सेनाको लेकर १८३९ ई०की शरद्‌में ओरेनबुर्गसे खीवाके विरुद्ध अभियान किया। इस सेनामें कसाक, बाशकिर और कितने ही कजाक सवार भी थे। पंद्रह हजार ऊंटोंपर सेनाके लिये रसद चल रही थी। पहला

अभियान सफल नहीं हुआ। बर्फानी तूफान और सख्त सर्दीने बहुतसे घोड़ों और ऊंटोंको मार डाला, जिसपर पेरोव्स्कीको पीछे हटना पड़ा। इस असफलताके बाद पेरोव्स्कीने अपने इरादेको छोड़ा नहीं, बल्कि दश्तेकिर्गिजकी तरफसे बढ़नेका निश्चय किया। भूमिके बारेमें पता लगाया, पानीके लिये कूयें तैयार किये, जगह-जगह किलें बनाये। इस तरह रास्तेको सुरक्षित करनेकी कोशिश की। सिर-दरियाके ऊपर अरालस्काका किला बनाकर वहां (अराल समुद्रके तटपर) रूसी किसानोंकी बस्तियां बसा दी गई। यही नहीं, बल्कि वाष्पचालित अग्निबोट भी अराल समुद्र और सिर-दरियाके भीतर चलने लगे। इस तरह ओरेनबुर्ग और अराल समुद्रके बीचके रास्तेको यातायातके लिये सुरक्षित कर दिया गया। इतनी तैयारीके बाद १८५३ ई०के वसंतमें पेरोव्स्की एक बड़ी सेनाके साथ सिर-दरियाके द्वारा ऊपरकी ओर बढ़ा, और खोकन्दकी राज्यसीमाके भीतर जाकर उसने अकमेचित किलेको घेर लिया। रूसियोंके सामने खोकन्दी कितने दिनों तक ठहरते ? अकमेचित पेरोव्स्कीके हाथमें आई। उसने सिर-दरियाके ऊपर पांच नये किले बनवाये। रूसियोंने पिशपेक, तोकमक आदि कितने ही नगरोंको ले लिया। ये किले किर्गिजिस्तानकी चूइस्क-उपत्यकोंमें थीं, जिनके शासक यद्यपि खोकन्दी थे, लेकिन निवासी किर्गिज थे। इसी समय किर्गिजोंको पश्चिमके नये स्वामियोंसे वास्ता पड़ा। तो भी वह १८७० ई०से पहले पूरी तौरसे रूसियोंके अधीन नहीं हो पाये थे। उधर साइबेरियाकी तरफ बढ़ते हुये १८५४ ई०में रूसी वेर्नोयेके किलेको बनानेमें सफल हुये, जहांपर पीछे वेर्नी (आधुनिक अल्माअता) नगर की स्थापना हुई।

इतना कर लेनेके बाद १८५४ ई०में अब फिर पेरोव्स्की खीवाके खिलाफ चला। खानको संधि के सिवा और कोई रास्ता नहीं दिखलाई पड़ा, और उसने रूसियोंके पास अपना दूत भेजकर जारकी अधीनता स्वीकार कर खीवामें व्यापार करनेकी रियायतें प्रदान कीं। निकोलाइ I के शासनके अन्तिम वर्षोंतक कजाक और किर्गिजके दश्त (स्तेपी) पूर्णतया रूसियोंके हाथमें हो गये, और सिर-दरियासे लेकर अल्ताइके उत्तरमें सेमीप्लातिन्स्क तक जगह-जगह रूसी किले बना दिये गये। खीवाका खान अब रूसके अधीन था तथा खोकन्द और बुखाराके खान अब खीवाका अनुसरण करनेके लिये प्रतीक्षा कर रहे थे।

निकोलाइ I के शासनकाल ही में फर्वरी १८४८ ई०में पेरिसमें क्रांति हुई। यद्यपि यह प्रथम क्रांति जितनी सबल नहीं थी, लेकिन इसने जारके दिमागमें खलबली जरूर पैदा कर दी। निकोलाइ उस समय नाचमें था, जब कि उसे इसकी खबर मिली। वह गुस्सेमें पागल होकर अपने दरबारियोंसे बोल उठा—"भद्र पुरुषो, अपने-अपने घोड़ोंको कस लो, पेरिसमें क्रांति हो गई है।" पेरिसकी इस क्रांतिके समय ही वीना-आस्ट्रियामें भी क्रांति हो गई। दूसरी जगहोंपर भी उसका प्रभाव पड़ रहा था। निकोलाइने इतालीके राष्ट्रीय स्वतंत्रता-आन्दोलनको दबानेके लिये साठ लाख रूबल दिये। लेकिन निकोलाइको क्या पता था, कि उसी समय एक ऐसी सबल ज्वाला तैयार की जा रही है, जिसका शिकार सबसे पहले रूस और उसका पोता निकोलाइ II होनेवाला है ? पेरिसकी इसी क्रांतिके समय मार्क्स अपने क्रांतिकारी कार्यक्षेत्रमें प्रविष्ट हो चुके थे। उन्होंने उस सिद्धान्त और उस सैनिक कौशलका भी पता लगा लिया था, जिसके द्वारा विश्वमें सहस्राब्दियोंसे चला आता मुट्ठीभर धनियोंका राज्य खतम होकर उनकी जगह सर्वहारोंके नेतृत्वमें बहुजनका शासन स्थापित होनेवाला था। कार्ल मार्क्सने पेरिसकी इस द्वितीय क्रांतिके एक साल पहले १८४७ ई० में प्रथम कम्युनिस्ट पार्टीको कम्युनिस्ट लीगके नाम से संगठित किया था। उसीके लिये मार्क्स और उनके साथी एंगल्सने "कम्युनिस्ट पार्टीकी घोषणा" तैयार करके १८४८ ई० में प्रकाशित की थी। निकोलाइको दुनियाके सबसे अधिक शक्तिशाली क्रांतिके हथियार इस "घोषणाके" बलका पता नहीं था। वह नहीं समझता था, कि उसके दरबारी घोड़ोंको कितना ही कसें, वह घोषणाके पथको रोक नहीं सकेंगे। पेरिसकी द्वितीय क्रांतिके बाद लायोस कोसुतके नेतृत्वमें मगयार (हुंगरी) की जनताने आस्ट्रियाके सामन्ती शासनके विरुद्ध विद्रोह किया। निकोलाइने एक लाख चालीस हजार सेना लेकर अपने सेनापति पस्केविचको उसे दबानेके लिये भेजा, और १८४९ ई०में विद्रोही मगयारोंकी तेईस हजार सेनाने आत्म-समर्पण किया। रूस अब सिद्ध कर रहा था, कि प्रुशिया हो या आस्ट्रिया, फ्रांस हो या इताली, सभी जगह क्रांतिको दबानेका सबसे जबर्दस्त

साधन निरंकुश जारशाही है, इसीलिये तो नहीं क्रांतिने सबसे पहले रूसके जारको ही खतम किया ?

निकोलाइको अपने शासनके अन्तिम कालमें क्रिमियाका युद्ध (१८५३-५६ ई०) देखना पड़ा। इस युद्धके लिये भी फ्रांस और इंगलैंडने तुर्की सुल्तानको उकसाया था, लेकिन उसके आरम्भ करनेका मौका निकोलाइने दिया। फिलस्तीन उस समय तुर्कीके हाथमें था, जिसके कारण ईसाइयोंके योरोशिलम आदि तीर्थस्थान भी सुल्तानके अधीन थे। १८५३ ई०में एक विशेष दूतमंडल कान्स्तन्तिनोपल भेज-कर निकोलाइने सुल्तानसे मांग की, कि फिलस्तीनके बेतलहेमके मंदिरकी कुंजी रखनेका अधिकार रूसी चर्चको दिया जाय, लेकिन फ्रांस और तुर्कीके बीच जो संधि हुई थी, उसके अनुसार यह अधिकार कैथलिक चर्चको मिला था। सुल्तान जानता था, कि इस बातमें फ्रांस और इंगलैंड हमारे समर्थक होंगे, इसलिये उसने रूसकी बात माननेसे इन्कार कर दिया। दोनों देशोंका दौत्य संबंध तोड़ दिया गया, और जून १८५३ ई०में अस्सी हजार रूसी सेना तुर्कीकी ओर अभियान करते मोल्दाविया और वलाचियामें दाखिल हुई। समझौतेकी कोशिश की गई, लेकिन उसमें सफलता नहीं हुई। तुर्की सेनाने कालासागरके पूर्वी और पश्चिमी तटोंपरसे होकर आक्रमण शुरू किया। सबसे पहला जबर्दस्त संघर्ष कालासागरके दक्षिणी किनारेपर अवस्थित सीनोपमें हुआ। नवम्बर १८५३ ई०में रूसी नौसेनापति नखिमोफने एकाएक वहां आक्रमण करके तुर्कीके जंगी बेड़ेको नष्ट कर दिया। अब इंगलैंड-फ्रांस और अधिक पर्देकी आड़में शिकार नहीं कर सकते थे, इसलिये वह सीधे मैदानमें कूद पड़े। प्रुशिया और आस्ट्रियाने भी गाढ़के समय रूसका पक्ष छोड़ दिया। रूसको इंगलैंड और फ्रांसके मजबूत जंगी बेड़ेका मुकाबिला करना था, जो उसकी अपेक्षा कहीं अधिक सबल था। १ अप्रैल १८५४ ई० को फ्रांस और इंगलैंडके जंगी बेड़ेने अदेस्सा नगरपर बम वर्षा की। यही नहीं, उन्होंने उससे बहुत दूर उत्तर श्वेत-सागरके किनारेके रूसी नगर सोलोवेत्स्कपर जहां गोलाबारी की, वहां प्रशान्त महासागरके कामचत्का प्रायद्वीपमें पेत्रोपावलोव्स्क नगरको भी तोपोंका निशाना बनाया। सबसे अधिक संघर्ष हुअ। कालासागरमें। सितम्बर १८५४ ई०के आरम्भमें अंग्रेज और फ्रेंच नौसैनिक सेवस्तापोलको पीछेसे लेनेके लिये समुद्र-तटपर उतरे। सेवस्तापोलने बड़ा जबर्दस्त मुकाबिला किया। यद्यपि अन्तमें जीत उन्हींकी हुई, लेकिन एक अंग्रेज कमांडरने इस विजयके बारेमें कहा था—"यदि इस तरहकी एक और विजय प्राप्त हुई, तो इंगलैंडके पास कोई सेना नहीं रह जायेगी।" सेवस्तापोलने ग्यारह महीनेतक बड़ा जबर्दस्त प्रतिरोध किया था। इसी समय फर्वरी १८५५ ई०में निकोलाइ I मर गया। सेवस्तापोलके प्रतिरोधमें भाग लेनेवाले रूसी अफसरोंमें महान् साहित्यकार लेव ताल्स्त्वा (ताल्स्ताय) भी था, जिसने "सेवस्तापोलकी कथायें" को लिखकर इस समयकी रूसियोंकी वीरताका बड़ा सुंदर चित्र खींचा है। इसी समय दाशा सेवस्तापोल्स्कयाने दुनियामें पहिली बार युद्धके घायलोंमें नर्सका काम किया था। अंग्रेज इसका श्रेय फ्लोरेन्स नाइटिंगलको देते हैं। इसी प्रतिरोधमें अदमिरल नखीमोफ मारा गया। ३४९ दिन तक भारी मुकाबिला करनेके बाद सेवस्तापोलकी सभी चीजोंको नष्ट करते तथा अपने सभी पोतोंको डुबाते रूसियोंने सिर्फ खंडहरोंको शत्रुओंके हाथमें जाने दिया।

निकोलाइके मरनेके बाद १८५६ ई०में पेरिसमें संधि हुई। अंग्रेज और फ्रेंच विजयी हुये थे, लेकिन वहांके शासक भली प्रकार जानते थे, कि हमारे विरुद्ध होनेवाली जबर्दस्त क्रांतियोंमें जार ही हमारा सबसे बड़ा सहायक होता आया है, इसलिये वह कब पसंद करते, कि जारशाही रूसको अधिक निर्बल कर दिया जाय ? तो भी रूसको कालासागरमें अपने जंगी बेड़े या तट-भूमिपर किले रखनेके अधिकारसे वंचित कर दिया गया। तुर्की साम्राज्यकी रक्षाकी जिम्मेवारी ले ली गई, और रूस और तुर्कीकी पुरानी सीमायें कायम रक्खी गईं। सर्विया, मोल्दाविया और वलाचियाको युरोपियन शक्तियोंके संरक्षणमें दे दिया गया। दरेदानियल और कालासागरमें सभीको व्यापार करनेका समानाधिकार मिला। क्रिमियाके युद्धमें असफल होकर रूसने युरोपकी राजनीतिमें कायम की हुई अपनी प्रधानताको खो दिया, और अब उसका स्थान अन्तर्राष्ट्रीय राजनीतिमें वह नहीं रह गया, जो कि १८१५ ई०से १८५३ ई० तक था।

साइबेरिया में प्रसार—साइबेरियामें रूसी शक्तिके प्रधान प्रसारक और संस्थापक येर्मक और खबारोफके बारेमें हम पहले कह चुके हैं। मुरावेफ तीसरा और अन्तिम पुरुष था, जिसने साइबे-

रियामें जारशाहीकी शक्तिको बढ़ाने और मजबूत करनेमें काम किया। ६ सितम्बर १८४७ ई० को जार निकोलाइ तुलाकी ओर गया हुआ था, जहां उसने तरुण मुरावेफको साइबेरियाका राज्यपाल नियुक्त किया। इसके बादके कितने ही वर्षोंका साइबेरियाका इतिहास मुरावेफके कामोंका लेखा है। इस समय रूसी नौसेना-मंत्रालय अखोत्स्क समुद्रके दक्षिणी छोरपर तुंगरकी खाड़ीमें एक नया बंदरगाह बनाना चाहता था। मुरावेफने उसे ठीक नहीं समझा और उसने सुझाव रक्खा, कि ऐसे बन्दरकी स्थापनाके लिये नेवेल्स्कीके नेतृत्वमें अमूरकी खोज-पड़ताल की जानी चाहिये। १८४९ ई० में इसपर विचार करनेके लिये जारने एक समिति नियुक्त की, लेकिन इससे पहले ही छ हथियारबंद नौसैनिक, एक तोपके साथ एक नावपर आमूरकी जांच-पड़तालके लिये चल पड़े थे, जिन्होंने आमूरके मुहानेसे २५ वर्स्त (४ फर्सख) पर जारके नामसे निकोलायेव्स्क नामका एक बन्दरगाह स्थापित किया, और ६ अगस्त १८४९ ई०को पड़ोसके गिलियक लोगोंके सामने रूसी झंडा गाड़कर एक पौंड-वाली तोपका गोला दागा। नेवेल्स्कीने जल्दी-जल्दी स्वयं पहुंचकर इस बातकी सूचना मुरावेफको दी। मुरावेफने तुरंत इसकी खबर राजधानीमें भेजी। जब इस कामके लिये नियुक्त समितिके सामने यह बात आई, तो उसने बिना आज्ञाके ऐसा करनेका बहुत विरोध किया, और नेवेल्स्कीको कठोर दंड देनेपर जोर देते तुरंत वहांसे हट आनेकी सिफारिश की, लेकिन मुरावेफने इसका विरोध किया। जब यह बात जारके पास निर्णयके लिये पहुंची, तो उसने समितिकी बात माननेसे इन्कार कर दिया, और कहा—"जब एक बार रूसी झंडा गाड़ दिया गया, तो फिर उसे नीचे नहीं उतारा जा सकता।" युद्ध-मंत्रालय पसंद नहीं करता था, कि सुदूर-पूर्व साइबेरियामें बड़ी सेना रक्खी जाय। इस समस्याका हल मुरावेफने आसानीसे कर दिया। उसने नेर्चिन्स्कके रूसी किसानोंको कसाक सैनिकोंके रूपमें परिणत कर दिया, और इस प्रकार पूर्वी साइबेरियाके लिये एक सुसंगठित सेना मिल गई। यदि साइबेरियामें जगह-जगह रूसियोंकी बस्तियां कायम न हुई होतीं, तो मुरावेफको यह सुभीता न मिलता।

नेवेल्स्कीको दंड क्यों मिलने लगा? वह फिर सुदूर-पूर्वमें अपना काम करने लगा। १८५२ ई० में प्रशान्त महासागरके भीतर सखालिन द्वीपकी उसने जांच-पड़ताल की, और सखालिनके देकास्त्री और किजी नामके द्वीपोंको अपनी जिम्मेवारीपर दखल कर लिया। ये दोनों द्वीप तारतारी खाड़ीके लिये बड़े सैनिक महत्त्वके थे। नेवेल्स्कीने पोयारकोफ या खबारोफकी नीतिको छोड़कर देशवासियोंको अपने अच्छे बर्तावसे जीतनेकी कोशिश की, जिसमें उसे बहुत सफलता मिली।

२२ अप्रैल १८५३ ई०को एक सम्मेलन हुआ, जिसमें मुरावेफने प्रस्ताव किया, कि आमूरके बारेमें चीनसे फैसला कर डालना चाहिये। अभी यह बात विचाराधीन ही थी, और इसमें मुरावेफके विरोधी कितने ही प्रभावशाली व्यक्ति थे, लेकिन इसी बीचमें रूस और तुर्कीके बीच १८५३ ई०में क्रिमियाका युद्ध छिड़ गया, जिससे सरकारका सारा ध्यान उधर हो गया, और मुरावेफको पूर्वमें खुल खेलनेका मौका मिल गया। तुर्कीके साथके युद्धमें युरोपमें रूसको बड़ी बुरी तरहसे हारना पड़ा, लेकिन इसी समय प्रशान्त महासागरके तटपर उसे भारी विजय प्राप्त हुई। इस सफलताकी खबर सुनकर निकोलाइ इतना प्रसन्न हुआ, कि ११ जून १८५४ ई०को उसने आदेश दिया, कि सुदूर-पूर्वके सीमांतके सवालोंके बारेमें मुरावेफ सीधे पेकिङ्ग सरकारसे बातचीत कर इन्हें हल करे। इस अधिकारको प्राप्त करके मुरावेफने अब फिर सुदूर-पूर्वमें अपने कामको नये जोशसे आरम्भ किया, जिसका ही परिणाम था, आमूरका प्रथम प्रसिद्ध अभियान। नावोंके बेड़ेको लेकर आगे बढ़नेसे पहले मुरावेफने पेकिङ्गको इस बातकी सूचना दे दी थी, और उसने कारण बतलाते हुये कहा था, कि युरोपके युद्धके कारण प्रशान्त महासागरकी अपनी अधिकृत-भूमिकी रक्षाके लिये हमें ऐसा करना आवश्यक पड़ रहा है। १४ मई १८५४ ई० को मुरावेफ आठ सौ सैनिकोंकी एक बटालियन, कुछ कसाक सैनिक, एक पहाड़ी तोपखाना, पचहत्तर नावोंके बेड़के साथ नौसैनिक जहाज "अरगून" के साथ रवाना हुआ। अट्ठाइसवें दिन मुरावेफ चीनियोंके दुर्गबद्ध नगर ऐगुनमें पहुंचा। यहां उसने स्थानीय चीनी अधिकारियोंसे यह पता लगानेके लिये अपने आदमी भेजे कि उनके पास पेकिङसे कोई हुक्म आया है, या नहीं। वहां कोई हुक्म नहीं आया था, और न स्थानीय चीनी अधिकारीके पास इतनी शक्ति थी, कि मुरावेफको रोकता। मुरावेफ बिना किसी विरोधके आमूर नदीमें आगे बढ़ता प्रशान्त महासागरमें पहुंचा, फिर काम्स्चत्काके

पेत्रोपावलोव्स्कमें पहुंचकर फ्रेंच और अंग्रेजी नौसनासे सुरक्षित रखनेके लिये उसकी किलाबंदी शुरू की। मुरावेफको इसमें सफलता हुई, और शत्रुओंको असफल लौट जाना पड़ा।

सांस्कृतिक और साहित्यिक प्रगति——निकोलाइ जैसे अयोग्य और अल्पपठित अल्प-संस्कृत शासकके समय रूसको बड़ी-बड़ी प्रतिभाओंके पैदा करनेका सौभाग्य प्राप्त हुआ। इसी समय हेर्जन (१८१२-७० ई०), बेलिन्स्की (१८११-४८ ई०) जैसे विचारक, लोबाचेव्स्की (१७९३-१८५६ ई०) जैसे विज्ञानवेत्ता और रिलेयेफ, पुश्किन, ग्रिबोयदेफ, लेर्मन्तोफ (१८१४-४१), वेनेवितिनोफ, कोल्तसोफ, बेलिन्स्की, बरातिन्स्की जैसे प्रतिभाशाली कवि और साहित्यकार पैदा हुये, जिन्होंने उस पृष्ठभूमिको तैयार किया, जिसने रूसको बौद्धिक क्षेत्रमें महान् बनाया। यदि निकोलाइ क्रांतिको फूटी आंखों भी नहीं देखना चाहता था, तो उससे क्या, रूसकी इन प्रतिभाओंने क्रांतिके मार्ग-को साफ करनेका काम शुरू किया। जहां रूसी शिक्षामंत्री उवारोफ (१८३३-४९ ई०) इस बातका दावा कर रहा था, कि रूसी लोग स्वाभाविक तौरसे धार्मिक हैं, वह सदासे जारके भक्त रहते आये हैं और किसानोंकी अर्धदासताको वह बिल्कुल प्राकृतिक मानते हैं; वहां अलेक्सान्द्र इवान-पुत्र हेर्जन दूसरे ही विचारोंका प्रचार कर रहा था।

हेर्जन (१८१२–७० ई०)——हेर्जनने दिसम्बरी वीरोंकी कुर्बानीका प्रभाव अपने ऊपर स्वीकार करते हुये लिखा था—"पेस्तेल और उसके सहयोगियोंकी हत्याने अन्तमें अपनी बचपनकी नींदसे मेरी आत्माको [illegible] दिया।" हेर्जन १८१२ ई०में एक धनी रूसी जमींदारके घर पैदा हुआ था। उसके बापने एक जर्मन स्त्रीसे शादी की थी, लेकिन शादी वैधानिक नहीं हुई थी, इसलिये हेर्जनको बापका कुल-नाम कोबलेफ नहीं प्राप्त हुआ और उसे एक साधारण-सा नाम हेर्जन (हेर्ज, जर्मनमें हृदय) मिला। हेर्जन मस्तिष्कके साथ बड़ा ही सहृदय पुरुष था। हेर्जनके पिताके पास फ्रेंच और जर्मन पुस्तकोंका बहुत अच्छा संग्रह था। उसने अपने फ्रेंच अध्यापकसे फ्रेंच क्रांति और गणराज्यके प्रति सम्मान करना सीखा। रिलेयेफकी कविता "ध्यान" से वह उसी वक्त प्रभावित हुआ था। वही रिलेयेफ जब फांसीपर लटका दिया गया, तो हेर्जनके ऊपर उसकी सदाके लिये अमिट छाप पड़ गई। हेर्जन अपने क्रांतिकारी विचारोंको लेकर ज्यादा दिनोंतक निकोलाइके राज्यमें नहीं रह सकता था। १८४७ ई०में वह देशसे बाहर गया, और क्रांतिकारी फ्रांस और इतालीको अपनी आंखों देखा। १८४८ ई०की क्रांतिके समय हेर्जन पेरिसमें था। पश्चिमी युरोपमें क्रांतिकी असफलताको देखकर हेर्जन निराश हुआ, और उसे आशा बंधी, कि शायद रूसी किसान क्रांतिको सफल बनायें। इस प्रकार उसने किसानोंके समाजवादका स्वप्न देखना शुरू किया। हेर्जन कार्ल मार्क्सका समकालीन था। मार्क्सकी तरह ही उसे भी अपनी जन्मभूमिसे भागकर मारा-मारा फिरना पड़ा, और अन्तमें उन्हींकी तरह उसने लंदनमें अपना डेरा डाला। १८५३ ई० में उसने वहां "स्वतंत्र रूसी प्रेस" की स्थापना की, जिससे अपनी क्रांतिकारी पत्रिका "पोल्यार्नया ज्वेज्दा' (ध्रुवतारा) का प्रकाशन शुरू किया। इस पत्रिकाके मुख्य मुखपृष्ठपर दिसम्बरी शहीदोंकी तस्वीर रहती थी। १८५७ ई०से १८६७ ई०तक हेर्जनने "कोलोकोल" (कलकल) के नामसे एक और भी प्रसिद्ध पत्रिका प्रकाशित की। हेर्जनके विचारोंने रूसी तरुणोंकी समकालीन पीढ़ीपर बहुत प्रभाव डाला, और उसी प्रभावमें आकर बोल्शेविकोंसे पहलेके क्रांतिकारियोंने किसानोंमें क्रांतिका संदेश पहुंचानेके लिये भगीरथ प्रयत्न किये।

व. ग. बेलिन्स्की (१८११–४८ ई०)——बेलिन्स्की हेर्जनका समकालीन था। वह साहित्य-समालोचकके तौरपर लोगोंमें नया भाव पैदा करनेमें सफल हुआ। उसकी आलोचनाओंने रूसी साहित्यमें यथार्थवादकी स्थापना की। उस समय जारशाही सेंसरके कारण कोई भी स्वतंत्रतापूर्वक कुछ लिख नहीं सकता था। बेलिन्स्कीने अपने मित्र प्रसिद्ध लेखक गोगलको लिखा था—"रूसकी मुक्ति उप-देश या प्रार्थनासे नहीं हो सकती, बल्कि वह अर्धदासताके उच्छेद तथा लोगोंमें मानवसम्मानके प्रति जागृति और सद्भाव स्थापित करनेसे हो सकती है। बेलिन्स्की अपनी लेखनीसे क्रांतिका प्रसार कर रहा था, लेकिन उसके रास्तेमें सभी जगह रुकावटें थीं। उसने अपनी इस विवशताको दिखलाते हुये लिखा था——"प्रकृतिने मुझे कुत्तेकी तरह भूंकने, सियारकी तरह हुआं-हुआं करनेके लिये मजबूर किया है। कभी-कभी परिस्थितियां बिल्लीकी तरह म्याउं-म्याउं करने और लोमड़ीकी तरह पूंछ हिलानेके

लिये भी मजबूर करती हैं।" लेकिन वह भविष्यके लिये बड़ा आशावादी था। उसने मरनेसे थोड़ा ही पहले लिखा था—"मुझे अपने उन पौत्रों और प्रपौत्रोंपर ईर्ष्या होती है, जो कि १९४० ई०में रूसको शिक्षित दुनियाका मुखिया बनते, विज्ञान और कलाके सिद्धांतोंको स्थापित करते, और ज्ञानवान् मानव-जातिसे सम्मानकी भेंट पाते देखेंगे।" बेलिन्स्कीका भविष्य-कथन सच निकला, इसमें क्या संदेह है? जारकी सरकार उसे जेलमें बंद करने ही जा रही थी, कि ३७ वर्ष की अवस्थामें १८४८ ई०में विसारियोन ग्रेगोरी-पुत्र बेलिन्स्की तपेदिकके हाथों मारा गया।

वैज्ञानिक—वासिली व्लादिमिर-पुत्र पेत्रोफ (१७६२-१८३४ ई०) प्रसिद्ध रूसी भौतिक शास्त्री था, जिसने दुनियामें सबसे पहले (१८०२-३ ई०में) आधुनिक विद्युत्-रसायनके आधारभूत एलेक्ट्रोलीसिसका आविष्कार किया। उसने डेवीसे कितने ही वर्ष पहले वोल्ताइक आर्क (प्रदीप) का आविष्कार किया। १८३२ ई०में पीतरबुर्गमें दुनियाका सबसे पहला तार शीलिंगने स्थापित करके संचार-मंत्रालय और हेमन्त-प्रासादके बीचमें संदेश भेजकर दिखलाया, लेकिन सामन्तशाही रूसने इन आविष्कारोंको आगे बढ़नेका मौका नहीं दिया। १८३८ ई०में याकोबी (१८०१—७४ ई०)ने बिजली बनानेका पहला इंजन तैयार किया, और उसकी बिजलीकी नावने नेवाके ऊपर यात्रियोंको ढोया। यह आविष्कार इंगलैंडमें आधी शताब्दी बादमें हुआ, और दुनियाने याकोबीको भूलकर अंग्रेजको इसका आविष्कारक माना। आविष्कार और खोजके क्षेत्रमें रूसी प्रतिभायें इस प्रकार अपने चमत्कारको दिखानेके लिये तैयार थीं, लेकिन वहां अभी उनको सहारा देनेवाले नहीं थे।

साहित्यकार—निकोलाइके कालमें रूसी साहित्य-गगनमें बड़े-बड़े नक्षत्र उदित हुये, लेकिन उनमेंसे अधिकांश अकालमें ही कालकवलित हुये, जैसे—

रिलेयेफ (कवि)—जारने १८२६ ई०में फांसी दिलवा दी।
पुश्किन (कवि)—१८३७ ई० में ३८ वर्षकी आयुमें द्वंद्व-युद्धमें मारा गया।
ग्रिबोयेदोफ (कवि)—तेहरानमें हत्यारेके हाथों मारा गया।
लेर्मन्तोफ (कवि)—द्वंद्व-युद्धमें २७ वर्षकी उम्रमें १८४१ ई० में मारा गया।
वेनेविलिनोफ (कवि)—२२ वर्षकी उम्रमें मारा गया।
कोल्त्सोफ (कवि)—३३ वर्षकी उम्रमें अपने परिवार द्वारा मारा गया।
बेलिन्स्की—३५ वर्षकी उम्रमें १८४८ ई०में भूख और गरीबीकी बलि चढ़ा।

अलेक्सान्द्र पुश्किन (१७९९-१८३७ ई०)—पुश्किन रूसी साहित्यका कालिदास है। वह "प्रतिभाशाली रूसका सबसे बड़ा कवि और विश्व-साहित्यका प्रतिभाशाली साहित्यकार रूसी यथार्थ-वादका संस्थापक, रूसी साहित्यिक भाषाका निर्माता, रूसी जनताका गर्व और कीर्ति" कहा जाता है। यद्यपि वह उच्चकुलमें पैदा हुआ था, किन्तु गोर्कीके अनुसार "उसके लिये कुलीन वर्गके हितसे ऊपर सारे राष्ट्रका हित था, और उसका व्यक्तिगत अनुभव कुलीनोंके अनुभवसे (कहीं) विस्तृत और गम्भीर था।" पुश्किन (अलेक्सान्द्र सरगेइ-पुत्र) १७९९ ई०में मास्कोमें एक सामन्तवंशमें पैदा हुआ था, जिसकी आर्थिक अवस्था उतनी अच्छी नहीं थी। कुलीन वर्गके लिये स्थापित जास्कोंयसेलोके विशेष स्कूलमें वह भरती हुआ और १८१५ ई०में जब कि वह अभी सोलह वर्ष ही का था, उसने परतंत्रता और दासताके प्रति अपनी घृणा प्रकट की थी। १८१७ ई०में अठारह वर्षकी अवस्थामें उसने स्कूलकी पढ़ाई समाप्त की। जिस वर्गमें पैदा हुआ था, उसके अत्याचारोंसे वह कितना क्षुब्ध था, यह उसकी निम्न पंक्तियोंसे मालूम होगा—

ओ दुष्कर्मी, स्वेच्छाचारी, सुन मेरी घृणाको
जो कि तेरे, राजदंड और तेरे सिंहासनके प्रति है।
तेरे बच्चोंकी मौत, तेरे अपने काले भाग्यको देख
मैं पत्थर जैसे कड़े हृदयकी तरह हर्षित होता हूं।

अपने उग्र विचारोंके लिये रूसी साहित्यके कालिदासको पहले दक्षिण (काकेशस) में निर्वासित किया गया, फिर किशिनेफ और अदेस्सामें निर्वासित करके रखा गया। अदेस्सासे उसे अपने पिताकी जमींदारी मिखाइलोव्स्कयो गांवमें भेज दिया गया और उसके बापको पुत्रपर निगाह रखनेके लिये हुक्म

दिया गया। यहींपर पुश्किनने अपना महान् काव्य "यूगेनी-ओनेगिन" लिखा, और "बोरिस गदुनोफ" दुःखान्त नाटकको भी यहीं उसने रचा। कई सालोंतक जारने "बोरिस गदुनोफ" को निषिद्ध कर दिया था। पुश्किन दिसम्बरी क्रांतिकारियोंके साथ बड़ी सहानुभूति रखता था। दिसम्बरियोंको फांसीपर चढ़ानेके थोड़े ही समय बाद जार निकोलाइ I ने पुश्किनको बुलाकर पूछा—"यदि तुम १४ दिसम्बरको पीतरबुर्गमें होते, तो क्या करते?" पुश्किनने साफ जवाब दिया—"मैं भी विद्रोहियोंमें शामिल हुआ होता।" इसके बादसे जारने पुश्किनकी रचनाओंके सेंसर करनेका भार अपने ऊपर लिया। जहांतक रूसी जाति का संबंध था, पुश्किन निराशावादी नहीं था, लेकिन अपने लिये उसे प्राणोंका जरा भी मोह नहीं था। उसके ऊपर अत्याचार करनेवालोंमें जार निकोलाइ I वैसे बहुत अल्प-पठित था, लेकिन तब भी शायद वह महान् कविकी अमरताको जानता था, और इसीलिये वह उसके खूनसे अपने हाथको रंगना नहीं चाहता था, लेकिन और तरहसे उसने और उसके दरबारियोंने पुश्किनके जीवनको दूभर कर दिया था। पुश्किन अड़तीस वर्षका था, जब कि अपमान करनेका बदला लेनेके लिये उसने एक सरकारी अफसरको द्वंद्वयुद्धके लिये ललकारा और घायल होकर १८३७ ई०में मरा। पुश्किनकी प्रतिभा सर्वतोमुखीन थी। उसके काव्य और नाटक उतने ही सम्मान और दिलचस्पीके साथ पढ़े जाते हैं, जैसे कालिदासके। उसके नाटक आज भी रंगमंचपर बहुत जनप्रिय हैं। उसने कहानियां और लघुउपन्यास भी लिखे हैं, जिनमें भाषा और भावोंकी प्रौढ़ता, व्यंग, रसाप्लावन अद्वितीय है। उसके समयमें अभी फ्रांसीसी भाषा और साहित्यको रूसी लोग उसी दास-मनोवृत्तिसे अपनाये हुये थे, जैसे हमारे देशके नौकरशाह लोग। "कप्तानकी कन्या" में पुश्किनने उनकी खूब खबर ली है। वह अपनी रूसी जातिका परम भक्त था, लेकिन उस जातिको अपना जौहर पूरी तौरसे दिखानेमें जो बाधायें थीं, उनको साफ-साफ कहनेसे बाज नहीं आता था। साथ ही वह वर्ण और देशके भेदोंको माननेवाला नहीं था। भारतसे गये सिगानों (रोमनियों) पर उसकी मधुर कविता इसका प्रमाण है।

मिखाइल, यूरी-पुत्र लेर्मन्तोफ (१८१४–४१ ई०) पुश्किनका तरुण समकालीन और महान कवि था, जिसने भी द्वंद्व-युद्धमें सत्ताईस वर्षकी उमरमें अपने जीवनको समाप्त किया। अपनी प्रभावशाली कविता "एक कविकी मृत्यु" में पुश्किनकी प्रशंसा और उसके हत्या करनेवाले वर्गकी घृणाको बड़े कठोर शब्दोंमें प्रकट करनेके लिये उसे काकेशसमें निर्वासित कर दिया गया। पुश्किनके बाद रूसी कवियोंमें लेर्मन्तोफका दर्जा है। निकोलाइ I ने उसकी मृत्युकी खबर सुन बहुत खुश होकर कहा—"कुत्ता, कुत्तेकी मौत मरा।"

निकोलाइके समयका दूसरा महान् अमर साहित्यकार निकोलाइ वासिली-पुत्र गोगल (१८०९-५२ ई०) है। उसके उपन्यास "इन्सपेक्टर-जेनरल", "मृत आत्मायें" आदि विश्व-साहित्यके रत्न माने जाते हैं। "मृत आत्मायें" को पढ़कर हेर्जनके अनुसार सारा रूस कांप उठा। गोगल महान् कलाकार है। उसकी जैसी सशक्त लेखनी बहुत कम देखनेमें आती है। यह महान् साहित्यकार भी तेंतालीस वर्षकी उमरमें मर गया।

इस समयके महान् कलाकारोंमें क० फ० ब्रूलोफ, अ० अ० इवानोफ अद्वितीय हैं। इवानोफने अपनी महान् कलाकृति "ईसाका लोगोंमें प्रकट होना" को अपने जीवनके तीस वर्ष लगाकर बनाया। यथार्थवादके साथ आदर्शवाद या अध्यात्मवादका कितना सुन्दर सम्मिश्रण हो सकता है, इसका यह सुन्दर नमूना है। इस चित्रको बनानेके लिये इवानोफने कई साल ईसाकी जन्मभूमि फिलस्तीनमें बिताये।

अभी तक रूसका संगीत लम्बी नाकवालों और गंदे ग्रामीणोंकी कलाके रूपमें विभक्त था। उच्च वर्गके लोग पश्चिमी संगीतको संगीत मानते थे, और समझते थे, कि रूसकी भूमिने संगीतके लिये कोई देन नहीं छोड़ी है। इसी समय प्रतिभाशाली संगीतकार (उस्ताद) म० ई० ग्लिन्का (१८०९–५७ ई०) पैदा हुआ, जिसने पश्चिमी संगीतका पारंगत आचार्य होते भी रूसी जनसंगीतको अपनाया, और घोषित किया, कि हमारी राष्ट्रीय संगीत-कला किसीसे कम नहीं है। ग्लिन्का पहिले ही से प्रसिद्ध संगीतकार हो चुका था, इसलिये उसे तुच्छ नहीं कहा जा सकता था, लेकिन उसकी कलाको तुच्छ करनेके लिये सम्भ्रान्त वर्गने कोई कसर नहीं उठा रक्खी। उसे "गाड़ीवानोंके गीत" का रचनेवाला कहते थे।

ग्लिन्काने इसकी पर्वाह नहीं की। "इवान सुसानिन" जैसे देशके लिये मरनेवाले वीरको चुनकर उसने अपने ओपेरा (पद्यनाटक) को रचा, जिसने जल्दी ही लोगोंको अपनी तरफ खींच लिया। जिस तरह काव्य और साहित्यका पिता पुश्किन माना जाता है, वही स्थान संगीत और रंगमंचमें ग्लिन्काका है। मास्कोका बल्शोइ तियात्र (महानाट्यशाला) यद्यपि १७८० ई०में स्थापित हुआ था, जब उसे पेत्रोफका तियात्र कहते थे। १८०५ ई०में नाट्यशाला आगसे नष्ट हो गई, और बीस साल बाद (१८२५ ई०) में उसे फिरसे बनाया गया। इसके बाद फिर एक बार आगसे नष्ट होनेपर १८५३ ई० में उसका पुनर्निर्माण हुआ, जब कि "इवान सुसानिन"के निर्माता ग्लिन्काके मरनेमें चार सालकी देर थी। १८२४ ई० हीमें मास्कोमें "माली तियात्र" (लघु नाट्यशाला) की स्थापना हुई, और बड़ी जल्दी ही उसकी ख्याति चारों ओर फैल गई। पुश्किन, लेर्मन्तोफ, गोगल, इवानोफ और ग्लिन्का जैसी प्रतिभाओंको पैदा करनेवाला १९ वीं सदीका पूर्वार्ध रूसकी कला और साहित्यका सुवर्ण-युग था, इसमें संदेह नहीं।

१६. अलेक्सान्द्र I, निकोलाइ I-पुत्र (१८५५—८१ ई०)

अलेक्सान्द्र जब अभी युवराज ही था, तभी उसने किसानोंकी अर्धदासताको कायम रखकर अमीरोंके हितको अक्षुण्ण करनेकी प्रतिज्ञा की थी, लेकिन अब रूस १९वीं सदीके मध्यको पार कर चुका था। औद्योगिक पूंजीवाद बड़े जोरसे अपने प्रभावको बढ़ा रहा था, इसलिये सामन्तवादका अक्षुण्ण रहना सम्भव नहीं था। उसे मजबूर होकर किसानोंकी अर्धदासताको खतम करते १८५६ ई० में कहना पड़ा—"भूमिके स्वामित्वकी वर्तमान प्रथा बिना बदले नहीं रह सकती। यह बेहतर है, कि किसानी अर्धदासताको नीचेसे अपने आप खतम होने देनेकी जगह ऊपर (सरकारी ओर) से खतम कर दिया जाय।" अलेक्सान्द्रने यद्यपि "१९ फर्वरीके (१८६१ ई०) कानून" द्वारा अर्धदासता प्रथाको खतम किया, लेकिन जमींदारोंके हितोंका पूरी तौरसे ध्यान रखते। किसानोंको पीढ़ियोंसे अपने जोते खेतोंके लिये भारी रकम देनी पड़ी। किसानोंको जो जमीन मिली थी, उसका मूल्य पैंसठ करोड़ रूबल होता था, लेकिन उसके लिये उनसे नब्बे करोड़ दिलानेका निश्चय किया गया। यह रकम सरकारने देना स्वीकार किया, जिसे वह उन्चास सालकी किस्तोंमें किसानोंसे ले लेनेवाली थी। १९०५ ई०तक इस मदमें किसानोंसे दो अरब रूबल लिये गये। १९ फर्वरी १८६१ ई०के भूमिसुधारके कानूनने बहुत मंहगे ढंगसे एक करोड़ किसानोंको जमींदारोंकी दासतासे मुक्त किया। किसानी अर्धदासताका खतम करना रूसमें पूंजीवादी व्यवस्थाके विजयकी घोषणा थी। लेकिन यह सुधार रूसके अधीन दूसरी जातिवाले प्रदेशोंमें नहीं स्वीकार किया गया। कल्मकोंके प्रदेशमें पुरानी अर्धदासता प्रथा १८९२ ई० तक रही, और मध्य-एसियामें तो वह बोल्शेविक-क्रांतिसे पहले खतम ही नहीं हुई।

इतनी बड़ी रकमको क्षतिपूर्तिमें चुपचाप किसान कैसे दे सकते थे? इसके लिये किसानोंका संघर्ष होना ही था। किसानोंके पक्षको लेकर इसी समय एक खास आन्दोलन शुरू हो गया। चेर्नीशेव्स्कीने "सव्रेमेन्निक" (समकालीन)के नामसे एक पत्रिका निकाली, जो किसानोंके पक्षका बहुत जोरदार ढंगसे समर्थन करती थी। रूसी सिपाही किसानोंमेंसे ही आते थे, इसीलिये चेर्नीशेव्स्कीके मित्र और सहकारी न० व० शेलगुनोफने "सिपाहियोंको" नामसे एक घोषणा लिखी थी। घोषणा छप नहीं पाई थी, कि उससे पहिले ही वह तृतीय विभाग (खुफिया विभाग) के हाथमें पड़ गई। लेकिन रूसी जनताको आगे बढ़नेसे रोका नहीं जा सका। १८६२ ई०के वसंतमें "तरुण रूस"के नामसे एक घोषणा मास्कोके क्रांतिकारी विद्यार्थी जाइचनेव्स्कीने प्रकाशित कर हथियार लेकर उठ खड़े हो शासक-वर्गको नष्ट करनेका आह्वान किया। चेर्नीशेव्स्की इस कालके जन-आन्देलनका सबसे बड़ा नेता था। उसकी कलममें अद्भुत ताकत थी। जारशाहीने उसे पकड़कर दो साल तक पीतरबुर्गके पीतर-पावल-दुर्गमें बंद रक्खा, फिर चौदह वर्षके लिये साइबेरिया-निर्वासन (कालापानी) का दंड देनेसे पहले १९ मई १८६४ ई० को सार्वजनिक तौरपर उसे नागरिक मृत्युका दंड दिया। फांसी देनेवालोंने उसे पीतरबुर्गके मित्लिन्स्कया चौरस्ते पर ले जाकर फांसीवाले आदमीकी तरह उसे घुटने टिकवाया, और उसकी गर्दनपर एक तलवार रक्खी। जिस समय फांसीकी टिकटीपर इस रसमको अदा करनेके बाद उसे ले जाया जा रहा था, उसी समय भीड़मेंसे एक लड़कीने उस पर कुछ फूल फेंके, जिसके लिये उसे गिरफ्तार कर लिया गया।

चेर्नीशेव्स्कीको नेर्चिन्स्कके जेलखानेमें रक्खा गया, जहां उसके दंडकालको आधा कर दिया गया, लेकिन कैदकी अवधि पूरा होनेके साथ ही अलेक्सान्द्र II ने उसे फिर सुदूर साइबेरियाके कस्बे विल्युइन्स्कमें बन्दी कर दिया। १८८३ ई०में वहांसे लाकर उसे अस्त्राखानमें रखा गया, और गिरफ्तारीके सत्ताइस वर्ष बाद १८८९ ई०में उसे अपने जन्मनगर सरातोफमें रहनेकी इजाजत मिली। अब वह साठ वर्षका हो चुका था। जेलमें उसका स्वास्थ्य बिल्कुल खराब हो गया था। अक्तूबर १८८९ ई०में सरातोफमें उसने अपने प्राण छोड़े। चेर्नीशेव्स्कीकी तपस्या व्यर्थ गई, इसे कौन कह सकता है? आज उसका सम्मान रूसके घर-घरमें है, और सारे सोवियत संघके स्कूली विद्यार्थी पढ़ते हैं—"न० ग० चेर्नीशेव्स्की महान् रूसी देशभक्त था, जिसने अपने सारे जीवनको अपने देश और जनताके लिये कुर्बान किया।" अभी चेर्नीशेव्स्की जब तरुण ही था, तभी उसने लिखा था—"अपने देशके अनन्त, और सनातन यशके लिये तथा मानवताकी भलाईके लिये काम करनेसे बढ़कर और कौन-सी बड़ी और सुन्दर बात हो सकती है?"

चेर्नीशेव्स्की महान् जनतंत्रतावादी और महान् विद्वान् ही नहीं था, बल्कि वैज्ञानिक ज्ञानका वह अदम्य प्रचारक था। उसके अर्थशास्त्र संबंधी ग्रंथोंके बारेमें मार्क्स और एंगेल्सने लिखा था—"वह वस्तुतः रूसके लिये सम्मानकी चीज है।"

तुर्की-युद्ध (१८७७-७८ ई०)—क्रिमियाके युद्धमें हारकर रूसने युरोपमें अपने प्रभावको खो दिया था, इसे हम बतला चुके हैं, लेकिन रूसने अपने प्रभावको विशेषकर कालासागर और भूमध्य-सागर तटपर बढ़ानेकी कोशिश बराबर जारी रक्खी। अब रूसके हाथमें एक और हथियार आ गया था—बल्कानके लोग पिछली चार शताब्दियोंसे तुर्की-सुल्तानके स्वेच्छाचारी शासनके नीचे कराह रहे थे। उनमें जातीय स्वतंत्रता की लहर फैली हुई थी, और वह नहीं चाहते थे, कि एसियाई मुस्लिम सुल्तान उनकी जैसी युरोपीय जातियोंको अपना दास बनाकर रक्खें। इंगलैंड और फ्रांस रूसके विरुद्ध तुर्कीकी पीठ ठोंकना अपने हितके लिये आवश्यक समझते थे, इसलिये बल्कानकी जातियोंमें नवजागरणमें वह कैसे सहायक हो सकते थे? संयोगसे बल्कानकी यह अधिकांश जातियां रूसियोंकी भांति स्लाव थीं, इसलिय वह अपने स्लाव-भाइयोंकी ओर आशाभरी दृष्टिसे देखती थीं। रूस भी उनका समर्थन कर रहा था। १८७५ ई० में बोसनिया और हेर्जेगोविना (आधुनिक युगोस्लाविया) में लोगोंने सुल्तानके खिलाफ आन्दोलन शुरू कर दिया। अगले साल बुल्गारियोंने विद्रोह कर दिया। तुर्कीने बड़ी कठोरता-पूर्वक विद्रोहोंको दमन किया, कहीं-कहीं तो उसने गांवके गांव निर्जन बना दिये। तुर्की अपनी पुरानी संधिके कारण समझता था, कि रूस लड़ाईके मैदानमें नहीं कूदेगा, लेकिन रूसने सर्बिया (बोसेनिया), हेर्जेगोविनाके निवासियों और मोन्तेनिग्रोको तुर्कीके विरुद्ध युद्ध घोषित करनेके समय १८६७ ई०के ग्रीष्ममें सहायता देना शुरू किया। रूसमें सब जगह तुर्कीके खिलाफ आन्दोलन ही नहीं किया जाने लगा, बल्कि एक रूसी जेनरल चेर्न्यायेफ सर्वियन सेनाका संचालन करने लगा। रूसकी सहायता होनेपर भी अक्तूबर १८७६ ई०में सर्वियन सेनाकी हार हुई। मोन्तेनिग्रोके लोगोंने तब भी अपने संघर्षको अकेले जारी रक्खा। अंग्रेजोंकी शहके कारण तुर्कीके सुल्तानने स्लाव विद्रोहियोंके साथ किसी तरहका समझौता करनेसे इन्कार कर दिया। आस्ट्रियाने तटस्थताकी नीतिको स्वीकार किया था। अन्तमें १८७७ ई०के वसंतमें रूसने तुर्कीके विरुद्ध युद्ध-घोषणा की। रूस अब भी क्रिमियाके युद्धके समयके हथियारों और सैनिक विज्ञानसे लड़ रहा था, जब कि जर्मन कल-कारखानोंसे नये तरहके हथियार तुर्की-को मिल रहे थे। तो भी अपनी बहादुरीके कारण १८७७ ई० के ग्रीष्ममें रूसी सेना दन्यूब पार करनेमें सफल हुई। मुकाबिला कठिन था, लेकिन जब रूसी सेनाका कान्स्तन्तिनोपलमें पहुंचना निश्चितसा मालूम होने लगा, तो अंग्रेज अपने नौसैनिक बेड़ेको मारमोरा समुद्रमें लाकर युद्ध घोषित करनेकी धमकी देने लगे। आस्ट्रिया और जर्मनीने भी रूसके खिलाफ रुख लिया। बल्कानमें युद्ध जारी रखते हुये रूसी सेनाने काकेशससे भी तुर्कीके खिलाफ लड़ाई जारी की थी, जहांपर तुर्कोंको बुरी तरहसे हराकर रूसियोंने अर्दहान और कर्सके किलोंको ले लिया। अन्तमें फर्वरी १८७८ ई०में सान्स्तेपानो (कान्स्तन्तिनोपलके नजदीक) की संधिके अनुसार लड़ाई बंद हुई, और दन्यूबका मुहाना रूसको मिला, बल्कानमें बुल्गारियाकी एक रियासत कायम की गई, तुर्कीको सर्विया, मोन्तेनिग्रो और रूमानिया-

की स्वतंत्रता स्वीकार करनेके लिये मजबूर होना पड़ा। काकेशसमें अर्दहान, कर्स, बायजिद और बातूम के नगर रूसको मिले, साथ ही तुर्कीने एकतीस करोड़ रूबल रूसको क्षतिपूर्ति देना स्वीकार किया। इस प्रकार रूसने अपने खोये हुये प्रभावको फिर सान्स्तेफानो-संधिके अनुसार प्राप्त किया। आस्ट्रिया और इंगलैंड इस संधिको पसंद नहीं करते थे, इसलिये १८७१ ई०में बर्लिन-कांग्रेसमें उन्होंने रूसकी जीती हुई जगहोंमेंसे कितनोंको छोड़नेके लिये मजबूर किया। बुल्गारियाके दक्षिणी भागको तुर्कीके हाथमें लौटा देना पड़ा, और उत्तरी भागको भी सुल्तानके अधीन एक रियासतका रूप दिया गया।

राजनीतिक आन्दोलन—चेर्नीशेव्स्कीके किसान-आंदोलनके बारेमें पहले बतलाया जा चुका है। रूसमें मार्क्सवादके आनेसे पहले जिस राजनीतिक आन्दोलनने गरीब जनताके भीतर काम किया था, वह नरोद्‌निक (जनवादी) आन्दोलन था, जो कि इसी समय शुरू हुआ था। यह दल किसान और मजदूर दोनोंमें काम करता था, लेकिन वह मजदूरोंको उतना महत्त्व नहीं देता था। उसकी सबसे कमजोर बात यह थी, कि वह मार्क्सवादका विरोधी था। हमारे यहांके कितने ही वामपक्षियोंकी तरह नरोद्‌निक जोर देकर कहते थे, कि (१) रूसके लिये पूंजीवाद एक आकस्मिक घटना है, इसका यहां विकास नहीं होगा, इसलिये सर्वहारा यहां न बढ़ सकते न विकसित हो सकते हैं। (२) नरोद्‌निक मजूर-वर्गको क्रांतिका सबसे अग्रणी वर्ग नहीं मानते थे। वह विश्वास करते थे, कि बिना सर्वहाराकी सहायतासे ही समाजवाद स्थापित हो सकता है। वह मानते थे, कि बुद्धिजीवियोंके नेतृत्वमें किसान ही क्रांतिकारी शक्ति हैं, और किसानोंका पंचायती जीवन ही समाजवादका अंकुर तथा नींव होगा। नरोद्‌निक नहीं मानते थे कि किसानोंकी बिखरी शक्ति सेना और पुलिस द्वारा सुरक्षित और मजबूत शासन-यंत्रको नहीं उखाड़ फेंक सकती। नरोद्‌निक तरुण-तरुणी बड़ी कुर्बानीके साथ गांवमें किसान बनकर रहते अपने विचारोंका प्रचार करते थे। उन्होंने बहुत कोशिश की, कि किसानोंको भड़काकर जमींदारोंके खिलाफ खड़ा किया जाय, लेकिन वह उसमें सफल नहीं हुये। १८७४ ई० में बहुतसे नरोद्‌निक किसानों-में पहुंचे थे, लेकिन १८७६ ई० तक वह भारी संख्यामें पकड़ लिये गये, और बचे हुओंने "जेम्ला-इ-वोल्या" (भूमि और स्वतंत्रता) के नामसे एक गुप्त संगठन किया। इसके संस्थापक ग० व० प्लेखानोफ और उसके साथी थे। मार्क्सवादके विरुद्ध "जेम्ला-इ-वोल्या" संगठनने आगे चलकर बकुनिन (१८१४—७६ ई०) के अराजकतावादको अपनाया, जिसकी मांग थी—सब तरहकी सरकारको तुरंत बंद कर दो। नरोद्‌निकोंने वैयक्तिक हत्यापर भी बहुत जोर दिया, और रूसी जनतापर जुल्मके पहाड़ ढानेवाले जारको उन्होंने अपना लक्ष्य बनाया। लेकिन यह काम नरोद्‌निकोंके असफल होनेपर "नरोद्‌नया वोल्या" (जनता संकल्प) पार्टीने किया। वस्तुतः जारके खूनी अत्याचारोंने अब क्रांतिकारियोंके दिलमें भय नहीं रहने दिया था। "नरोद्‌नया वोल्या" ने जार अलेक्सान्द्र II की हत्याके लिये कई बार प्रत्यन किये। फर्वरी १८८० ई०में हेमन्त प्रासादमें स्तेपान खलतुरिन नामक एक मजदूर-क्रांतिकारीने बम रक्खा, लेकिन उससे जारको कोई चोट नहीं पहुंची, और अब वह ज्यादा सावधान रहने लगा। हेमन्त प्रासादको भी खतरेका स्थान समझकर वह वहां अधिक नहीं रहता था। अन्तमें १ मार्च १८८१ ई०को "नरोद्‌नया वोल्या"के सदस्योंने अलेक्सान्द्र II की हत्या करनेमें सफलता पाई, और इसी हत्यामें शामिल होनेके संदेहपर लेनिनके भाईको भी फांसीपर चढ़ना पड़ा।

मध्य-एसियामें प्रसार—निकोलाइ I के समयमें किस तरह अराल समुद्रसे अल्ताई तकके प्रदेशको रूस साम्राज्यमें मिला लिया गया, इसे हम बतला चुके हैं। खीवाके खानने जारको अपना प्रभु मान लिया था, लेकिन खोकन्द और बुखारा अभी जारशाही जूयेके नीचे नहीं आये थे। १८६५ ई०में जेनरल चेर्न्यायेफने खोकन्दके खानको हराया, और १८६५ ई०में ताशकन्द जैसे मध्य-एसियाके आर्थिक केंद्रको अपने हाथमें ले लिया। इसके बाद महाराज्यपाल काफमानने १८६८ ई०में बुखाराके विरुद्ध अभियान किया, और जारकी सेनाने अमीरको हराकर समरकन्दको ले लिया। इस पराजयके बाद अमीर-बुखारा अब जारका एक सामन्त भर रह गया। १८७३ ई०के वसंतमें रूसी सेनाको फिर खीवा के खानके विरुद्ध जाना पड़ा, लेकिन खानने बिना लड़ाईके ही जारके अधीन होना स्वीकार कर लिया। अमीरों और खानोंके ऐशोआराममें जारशाही उसी तरह कोई दखल नहीं देना चाहती थी, जैसे भारतके राजा और नवाबोंके मौज-मेलेमें अंग्रेज बाधा नहीं डालते थे। लेकिन वहांकी जनता चुपचाप रूसियोंके

शासन और शोषणको बर्दाश्त करनेके लिये तैयार नहीं थी—रूसी मध्य-एसियाको कच्चे मालकी खान मानते थे। १८७५-७६ ई०में खोकन्दके मुल्लोंने रूसके विरुद्ध जहाद घोषित की, जिसे क्रूरतापूर्वक दबा देनेमें रूसियोंको देर नहीं लगी, और साथ ही उन्होंने खोकन्दके खानको खतम करके फर्गानाके नामसे उसे रूसका एक प्रदेश बना दिया। अलेक्सान्द्र II के शासनके अन्तिम कालमें तुर्कमानोंपर भी रूसने अपना हाथ फैलाना शुरू किया। १८८० ई०में जेनरल स्कोबेलेफने तेक्के तुर्कमानोंको अपने अधीन किया, और अगले साल उसने ग्योकतेपेपर अधिकार करके अश्काबादको ले लिया। १८८४ ई० में अलेक्सान्द्र III के शासनकालमें मेर्वको भी लेकर सारे तुर्कमानोंमें रूसियोंका शासन स्थापित हो गया, और १८८५ ई०में अफगानिस्तानके किले कुश्कको लेकर रूसने मध्य-एसियाके अपने सीमांतको पूरा कर दिया। इस विजयके बाद अब मध्य-एसियामें रूसी डाक्टर, शिक्षक, विज्ञानवेत्ता और बड़ी संख्यामें मजदूर भी जाने लगे, जिनका प्रभाव मध्य-एसियाके लोगोंपर पड़ने लगा।

साइबेरिया और चीन—आमूर-उपत्यकामें किस तरह मुरावेफने रूसी सीमाका विस्तार अपने प्रथम अभियान द्वारा किया, इसे हम बतला चुके हैं। निकोलाइ I मर चुका था, लेकिन मुरावेफने अगले जारके शासनकालमें भी अपने कामको जारी रक्खा। पहले अभियानसे भी बड़े पैमानेपर अगस्त १८५६ ई०में एक दूसरा अभियान आमूर नदीके साथ-साथ नीचेकी ओर भेजा गया, जिसमें स्त्री-पुरुष सब मिलाकर आठ हजार आदमी थे। अभियानको तीन भागों में विभक्त करके अलग-अलग स्थानोंसे प्रयाण करने का प्रबंध किया गया था। चीनी समझने लगे कि अब रूसी निम्न आमूरको सदाके लिये अपने हाथमें कर लेना चाहते हैं, इसलिये उन्होंने ऐगुनमें आनेपर विरोध प्रकट किया। ९ सितम्बर को मरुन्स्कमें एक सम्मेलन किया गया। मुरावेफ बीमार होनेसे शामिल नहीं हो सका, और उसने अद्मिरल ज्वोइकोको अपने स्थानपर भेजा। रूसियोंका इसी बातपर बराबर जोर था, कि युरोपीय शत्रुओंसे प्रतिरक्षा करनेके लिये हमें आमूरके मुहानेकी अवश्यकता है, जिन स्थानोंको हमने लिया है, अब वह रूसकी सम्पत्ति हैं, और आमूरके बायें तटपर हमें रूसी बस्तियां बसानी हैं, जिसमें नदीका रास्ता सुरक्षित रहे। रूसी विदेश-विभागने चीनसे बातचीत करनेमें कुछ नरमीसे काम लेना चाहा था, यह बात मुरावेफको पसंद नहीं आई, और उसने स्वयं पीतरबुर्ग जाकर चीनके साथ नये संधिके बारेमें बातचीत करनेके लिये अपनेको राजप्रतिनिधि नियुक्त करवाया। मई १८६५ ई० के मध्यमें कोर्साकोफके नेतृत्वमें तीसरा अभियान रवाना हुआ। रूसी जहाजोंके आमूरमें आने-जानेपर चीनी कोई रुकावट डालना नहीं चाहते थे, लेकिन आमूरके बायें तटपर रूसी बस्तियोंका बसाना वह पसंद नहीं करते थे। उन्हें यह देखकर भी बहुत बुरा लगा, कि चीन-अधिकृत नगर ऐगुनके सामने दूसरे तटपर जेया नदीके संगमपर पांच सौ रूसी डेरा डाले पड़े हैं। तीसरे अभियानने भी बिना किसी रुकावटके अपनी यात्रा समाप्त की।

१८५७ ई० में नये अधिकार प्राप्त कर मुरावेफ फिर साइबेरिया लौट एक और बड़े अभियानकी तैयारी करने लगा। अबकी बार वह चाहता था, कि जगह-जगहपर रूसी बस्तियां बसा दी जायं, इसलिये वह अपने साथ अधिकसे अधिक प्रवासियोंको ले आया था। आदमियोंकी कमीको पूरा करनेके लिये उसने जेलोंसे एक हजार कैदियोंको मुक्त कर दिया, और वह नई बस्तियोंमें जाकर खेती करनेके लिये तैयार कर दिये गये। उनमेंसे जिनके पास बीबियां थीं, उन्हें उन्होंने अपने साथ ले लिया। जिनके पास बीबियां नहीं थीं, उन्हें मुरावेफने शादी कर लेनेके लिये कहा। एक प्रसिद्ध क्रांतिकारी प्रत्यक्षदर्शी राजुल क्रोपत्किन ने इसके बारेमें अपने संस्मरणोंमें लिखा है—"मुरावेफने कठोर कैदमें पड़ी सभी कैदी स्त्रियोंको—जिनकी संख्या करीब एक सौ थी—मुक्त करके पुरुष चुननेके लिये कहा। समय बीता जा रहा था, और नदीका पानी कम होता जा रहा था, बेड़ेको जल्दी प्रस्थान करना था, इसलिये मुरावेफने उन्हें जोड़े-जोड़े तटपर खड़ा होनेके लिये कहा, और फिर यह कहते हुये आशीर्वाद दिया—"बच्चो, मैं तुम्हारा ब्याह कराता हूं, एक दूसरेके साथ मेहरबानीसे बर्ताव करना। पुरुषो, तुम अपनी बीबियोंसे बुरा बर्ताव नहीं करना। जाओ आनन्दसे रहो।"

फ्रांस और इंगलैंड इस समय रूसके मुख्य प्रतिद्वंद्वी थे। वह पेचिङ (पेकिङ) में रूसके खिलाफ अपनी कार्रवाई निराबाध रूपसे करते जा रहे थे, इसलिये रूसको वहां अपने राजदूतके रखनेकी

अवश्यकता थी। जारने अद्‌मिरल पुतियातिनको चीन दरबारमें अपना दूत बनाकर भेजा। अंग्रेजोंकी तरह रूसियोंकी भी धारणा थी, कि पूर्वी लोग तड़क-भड़क से अधिक प्रभावित किये जा सकते हैं। मुरावेफने चीनियों पर प्रभाव डालनेके लिये रूसी राजदूतके आनेपर क्याखतामें भारी स्वागतकी तैयारी की, नगरमें दीपमाला जलाई गई, रूसी सेनाने कवायद-परेड की। लेकिन चीनियोंपर इसका कोई प्रभाव नहीं पड़ा। पेकिङसे हुक्म आनेका बहाना करके चीनियोंने राजदूतको आगे बढ़नेसे रोके रक्खा। पुतियातिनने इसपर आमूर द्वारा ऐगुन पहुंच और वहांसे पेकिङ जानेकी इजाजत मांगी, लेकिन वहां भी चीनियोंने रास्ता नहीं दिया। पुतियातिन जबर्दस्ती जाना चाहता था, लेकिन मास्कोकी आज्ञा बिना ऐसा करना मुरावेफको पसंद नहीं था। इसपर पुतियातिनने समुद्रके रास्ते पेकिङ जानेका निश्चय किया। आमूरके द्वारा २४ जलाई १८५७ ई० को वह उसके मुहानेपर पेइ होमें पहुंचा। वहां भी पेकिङ जानेके लिये चीनी अधिकारियोंसे बहुत माथापच्ची की, लेकिन कोई फायदा नहीं हुआ। वहांसे फिर वह शांघाई पहुंचा, और ब्रिटिश और फ्रेंच नौसेनासे मिलकर उन्हें पेइ-होके मुहानेपर घेरा डालनेका परामर्श दिया। चीन अभी फ्रांस और इंगलैंडको अपने विरुद्ध करके उनकी तोपोंकी मार खा चुका था, इसलिये वह रूसको भी अपना दुश्मन नहीं बनाना चाहता था।

११ मई १८५७ को मुरावेफ अपने मामूली अभियानोंके दौरानमें ऐगुनमें ठहरा। वहां उसने चीनी सेनापति राजकुमार शानसे भेंट करके अपनी मांग रक्खी। चीनियोंने कुछ आनाकानी करनेके बाद उसे मंजूर किया। छ दिनके भीतर ही बातचीत खतम हो गई, और १६ मई १८५८ ई०को ऐगुन-संधिपर हस्ताक्षर भी हो गया। इस संधि द्वारा चीनने आमूरके वाम तटपर रूसके अधिकारको स्वीकार किया, और उसुरीके संगम तक दक्षिण तट चीनका माना गया। उसुरीके संगमसे आगे समुद्र तककी भूमिकी सीमाका निर्णय आगेके लिये छोड़ रक्खा गया। दोनोंने नदी द्वारा स्वतंत्रतापूर्वक व्यापार और यात्रा करनेके अधिकारको भी मंजूर किया। मुरावेफने कृपा दिखलाते हुये यह मंजूर किया, कि रूसी तटके ऊपर जेयाके पासमें रहनेवाले मंचू चीनकी प्रजा रहेंगे। इस बड़ी सेवाके लिये जार अलेक्सान्द्र II ने मुरावेफको "काउन्ट (ग्राफ) आमूर्स्की" की उपाधि प्रदान की। मुरावेफने रास्ता साफ कर दिया, इसलिये पुतियातिनको जून १८५८ ई०में तियान्त्सिनकी शांति-मित्रता-व्यापार नौचालन-संधि करनेमें कोई रुकावट नहीं हुई। लेकिन पुतियातिनको ऐगुन-संधिका पता नहीं था। तियान्त्सिनकी संधिने चीनके खुले बन्दरगाहोंमें रूसको व्यापार करनेकी इजाजत दी, और दूसरे राज्योंने जहां अपने वाणिज्य-दूत स्थापित किये हैं, वहां रूसियोंको भी वैसा करनेकी स्वीकृति दे दी। यदि कोई रूसी आदमी चीनमें रहते कोई अपराध करे, तो उसे सबसे समीपवाले रूसी वाणिज्य-दूतके पास या सीमांतके बाहर भेजनेकी बात मानी गई। इस संधिने रूसी ईसाई-मिशनरियों और उनके चीनी अनुयायियोंके लिये भी रक्षाका विशेष अधिकार प्रदान किया। संधिपत्र रूसी, मंचूरी और चीनी तीन भाषाओंमें लिखा गया था और माना गया था, कि यदि किसी वाक्यके बारेमें विवाद हो, तो मंचूरी भाषाका अभिलेख सर्वोपरि प्रमाण माना जायगा।

चीनको नोचनेके लिये इस समय पश्चिमी युरोपके राज्य गिद्धकी तरह चिमटे हुये थे, वह हर तरहसे उसे दबाना चाहते थे। २६ जून १८६० ई०में एक बहाना करके उन्होंने अपनी सेनायें भेज दीं, जो लड़ती हुई पेकिङतक पहुंच गईं और वहांके कला और सौन्दर्यके सुन्दर संग्रहालय युवान-मिङ-युवानके प्रासादको लूट लिया। मालूम हो रहा था, पश्चिमी शक्तियाँ चीनसे मंचू-वंशको खतम करके छोड़ेंगी, लेकिन निरंकुश राजतंत्रको कायम रखना जारशाहीने अपना कर्त्तव्य मान लिया था। इसी समय रूसी दूत इग्नतियेफ मंचू-वंशका संरक्षक बनकर पेकिङ पहुंचा, जिसने पश्चिमी राज्यों और मंचू-वंशके बीचमें संधि करा दी। इग्नतियेफने पश्चिमी सेनाओंके पेकिङ जानेसे पहले ही फ्रेंच दूतसे तियान्त्सिनमें सुन लिया था, कि पश्चिमी शक्तियां पेकिङमें बराबरके लिये अपनी सेना नहीं रखना चाहतीं। उसने चीनके महामंत्री कुङकोसे यह बात छिपाकर बतलाया, कि मैं कोशिश करूंगा, कि अंग्रेज और फ्रेंच सेनायें पेकिङ छोड़कर चली जायें; लेकिन शर्त यह है, कि चीन ऐगुन-संधिको स्वीकार करे, और उसुरी-संगमसे समुद्र तकके भागको रूसको दे दे। पेकिङको शत्रु-सेनाओंसे मुक्त करानेके लिये चीन सब कुछ करनेको तैयार था। २४ अक्तूबरको इंगलैंडके साथ और २५ को फ्रांसके

साथ संधि करानेमें इग्नतियेफ़ने तत्परता दिखलाई। ५ नवम्बरको पश्चिमी सेनायें पेकिङ छोड़कर चली गई। अब अपने इनामके रूपमें इग्नतियेफने १४ नवम्बरको हस्ताक्षरित होनेवाली चीन-रूस-संधिको करवाया, जिसके द्वारा प्रशान्त महासागरके तट तकका एक बहुत भारी भूभाग चीनके हाथसे निकल आया।

येर्मक और खबारोफके साइबेरियामें उठाये हुये कामको इस प्रकार मुरावेफने पूरा किया। यही तीनों साइबेरियाके लिये जारशाही क्लाइव, हेस्टिंग्स और वेल्जली थे।

१७. अलेक्सान्द्र III, अलेक्सान्द्र II-पुत्र (१८८१–९४ ई०)

बापकी हत्याके बाद अलेक्सान्द्र गद्दीपर बैठा। उसके समयमें घोर अत्याचारके मारे लोग कराहने लगे। अलेक्सान्द्रको हर वक्त मौतका डर लगा रहता था, इसलिये वह पीतरबुर्ग छोड़कर गत्चिनामें रहता, जिससे उसके समसामयिक उसे "गत्चिनाका बंदी" कहा करते थे। शिक्षित लोग सबसे अधिक जारके निरंकुश शासनके प्रति घृणा रखते थे, इसलिये सार्वजनिक शिक्षाका वह सबसे बड़ा विरोधी था। तोबोलके राज्यपालने जब उसे सूचित किया, कि साइबेरियामें बहुत कम शिक्षित लोग हैं, तो उसने जवाबमें कहा—"इसके लिये हमें भगवान्‌को धन्यवाद देना चाहिये।" उसका कहना था—"गाड़ीवानों, कोचवानों, नौकरों, धोबियों, छोटे दूकानदारों आदिके बच्चोंको सिवाय विशेष प्रतिभाकी अवस्थाके उस स्थितिसे ऊंचे उठनेके लिये प्रोत्साहित नहीं करना चाहिये, जिस स्थितिमें कि वह पैदा हुये।" अभी तक रूसी विश्वविद्यालयोंको अपने कुलपति (रेक्तर) और प्रोफेसर निर्वाचित करनेका अधिकार था, लेकिन १८८४ ई०में नया कानून बनाकर जारने उनसे यह अधिकार छीन लिया। अच्छे-अच्छे प्रोफेसर निकाल दिये गये, और स्त्रियोंके लिये उच्च-शिक्षा एक तरहसे वर्जित कर दी गई।

रूस-भिन्न जातियोंका शोषण और कठोर शासन और बढ़ता गया। अलेक्सान्द्र III ने यहूदियोंको भूमि खरीदने और गांवमें बसनेका निषेध कर दिया। १८८७ ई०में माध्यमिक और उच्च-शिक्षण संस्थाओंमें यहूदी विद्यार्थियोंके लिये उसने संख्या निश्चित कर दी। उदमूर्त जैसी कितनी ही जातियोंको ईसाई बनानेके लिये मिशनरियोंको प्रोत्साहन दिया गया। जो उदमूर्त अपने बाप-दादोंके धर्मको छोड़ना नहीं चाहते थे, उन्हें देवताओंके सामने नर-बलि करनेका अपराध लगाकर कठोर दंड दिया जाता था।

जारशाहीका ध्यान अब मध्य-एसियाकी ओर विशेष तौरसे गया था। वहांसे कपासकी गांठें रूसके कारखानोंमें भेजी जाती थीं। पहले वह ऊंटोंपर लदकर आती थीं, अब उसके लिये रेलके बनानेकी अवश्यकता पड़ी। १८८० ई०के बाद समरकन्दको रेलद्वारा कास्पियन-तटसे मिला दिया गया। कास्पियनके दूसरे तटपर रूससे मिलानेवाली रेल इससे पहले ही तैयार हो गई थी। लेकिन रूस जिस तरह मध्य-एसियामें बढ़ रहा था, उसे अंग्रेज नहीं पसंद करते थे। रूस अब अफगानिस्तानका पड़ोसी था। हमें मालूम है, कि अंग्रेज सरकार रूसका ही डर बतलाकर भारतके वार्षिक बजटका बहुत भारी भाग पश्चिमोत्तर सीमांतकी सैनिक तैयारीपर खर्च करती थी। १८८५-८६ ई० में निश्चित मालूम हो रहा था, कि रूस और इंगलैंडमें लड़ाई छिड़ जायेगी, लेकिन १८८७ ई०में रूस और ईरानकी सीमा, और १८९५ ई० में रूस और अफगानिस्तानकी सीमाको ठीक कर देनेसे युद्धकी सम्भावना कम हो गई।

जिस वक्त इंगलैंडके साथ रूसके संबंध बिगड़ रहे थे, उसी समय फ्रांसके साथ उसके संबंध अच्छे हो रहे थे, जिसके कारण फ्रांसीसी पूंजी बहुत भारी परिमाणमें रूसमें लग रही थी, और फ्रांसीसी सरकारने जारशाहीकी बात मानकर रूसी क्रांतिकारियोंके ऊपर अपने यहां देख-रेख रखनेका वचन दिया। जर्मनी बिस्मार्कके नेतृत्वमें बहुत एकताबद्ध और शक्तिशाली हो चुकी थी। १८७० ई०में एक बार विजयिनी जर्मन सेना पेरिसमें पहुंच चुकी थी, इसलिये फ्रांस रूसके साथ घनिष्ठता स्थापित करना चाहता था। १८९१-९३ ई० में फ्रांस और रूसके बीच कई संधियां हुईं, और जर्मनीके आक्रमण करनेपर आठ लाख सेना भेजनेका रूसने वचन दिया था।

प्रथम मजदूर आन्दोलन——यद्यपि बकुनिन-जैसे बुद्धिजीवी क्रांतिकारी मार्क्सकी अपेक्षा स्वाप्निक (उटोपियन) समाजवादकी तरफ अधिक आकृष्ट हुये थे, लेकिन रूसके मजदूरोंमें मार्क्सके विचार पहले ही पहुंच चुके थे, जैसा कि मार्च १८७० ई०में प्रथम अन्तर्राष्ट्रीय (इन्टर्नेशनल) महापरिषद्में प्रवासी रूसी क्रांतिकारियोंके कार्ल मार्क्सको रूसका प्रतिनिधि बनानेसे मालूम होता है। मार्क्सने उनकी बातको स्वीकार करते हुये जवाबमें लिखा था—"रूसमें जारशाहीका विनाश सिर्फ रूसी जनताके लिये ही आवश्यक नहीं है, बल्कि युरोपीय सर्वहाराकी मुक्ति भी उसीपर निर्भर करती है।" हम देख चुके हैं, कि युरोपकी जन-क्रांतियोंको दबानेके लिये रूसी जार हमेशा खुलकर अपनी सेना और पैसा देनेके लिये तैयार थे। १८७१ई०में फ्रांसपर जर्मनीके विजय होनेके बाद पेरिसके कमकरोंने "पेरिस कमून"के नामसे विश्वमें प्रथम कम्युनिस्ट सरकार कायम की, रूसी कमकरोंने उसके साथ अपनी सहमति और सहानुभूति दिखलाई। १८७८ ई०में पेरिस कमूनके वार्षिकोत्सवके समय अदेसाके मजदूरोंने अपनी सद्भावनाके संदेश भेजे। १८७० ई०के बाद नरोद्निकोंके कार्यक्रमके असफल होनेपर क्रांतिका स्रोत वहीं सूख नहीं गया, बल्कि अब मजदूरोंने क्रांतिके झंडेको अपने हाथमें लिया। मई १८७० ई० में पीतरबुर्गकी नेवा कपड़ा मिलमें मजदूरोंकी पहिली सबसे बड़ी हड़ताल हुई, जिसको तोड़ने और मजदूरोंको दबानेमें जारशाहीको काफी दिक्कत उठानी पड़ी। यह पेरिस-कमूनकी स्थापनाके एक साल पहिलेकी घटना है। १८७५ ई० में उक्रइनमें कारखानेके डेढ़ हजार मजदूरोंने हड़ताल की। १८७७ ई०में अदेसाके रेलवे मजदूरोंने साढ़े तीन सप्ताह तक अपनी हड़तालको चलाया। मजदूरोंकी मांग थी—जुरमानोंका कम करना, बच्चोंसे कम घंटे काम लेना। इस तरह हम देखते हैं, कि १८७० ई० के बाद रूसके मजदूरोंमें सामूहिक वर्गचेतना प्रारम्भ हो गई थी। सबसे पहला मजदूर वासिली गेरासिमोफ था, जिसे सिपाहियों और मजदूरोंमें क्रांतिकारी प्रचारके अपराधमें नौ वर्षकी सजा हुई, और वह साइबेरिया (याकुतस्क) में १८९२ ई०में मरा। उस समयका दूसरा मजदूर क्रांतिकारी प्योत्र अलेक्सियेफ था। वह स्मोलेन्स्कके एक किसान घरमें पैदा हुआ था, पीछे नरोद्निक दलका सदस्य बना। प्योत्र अपनी शिक्षा और अनुभवसे समझ गया, कि नरोद्निक कार्यक्रमसे सफल क्रांति नहीं हो सकती, इसलिये वह समाजवादी बन कारखानोंके मजदूरोंमें प्रचार करता रहा। मास्कोके मजदूर उसे बहुत प्यार करते थे, और अपने असाधारण स्नेहको दिखलानेके लिये उसे पित्रुस्का कहकर पुकारते थे। प्योत्रको साइबेरिया (याकुतिया) में दस सालकी कालेपानीकी सजा हुई। १०·मार्च १८७७ ई०में अदालतमें भाषण देते हुये उसने कहा था——"मजबूत नसोंवाले लाखों मजदूरोंके हाथ उठेंगे, और सैनिकोंकी संगीनोंसे संरक्षित स्वेच्छाचारिताका जूआ चूर्ण-विचूर्ण हो जायेगा।" लेनिनने इसे "रूसी मजदूर क्रांतिकारीकी महान् भविष्यद्वाणी" कहा था। प्योत्र १९८१ ई०में साइबेरियामें डाकुओंके हाथों मारा गया।

प्रथम क्रांतिकारी मजदूर संगठन १८७५ ई०में अदेसामें "दक्षिणी रूसी मजदूर संघ" के नामसे युगेनी जास्लाव्स्की द्वारा स्थापित हुआ। इस संघने मार्क्सके प्रथम अन्तर्राष्ट्रीय नियमोंको अपनाया था। इस संघके डेढ़-दो-सौ धातु-कमकर सदस्य बने थे। इसकी कई शाखायें खुलीं, और करीब साल भर तक जीवित रहकर जारशाही अत्याचारोंने इसे छिन्न-भिन्न कर दिया। जास्लाव्स्कीको दस सालकी सजा दी गई, और वह थोड़े दिनों बाद जेल हीमें मर गया।

दक्षिणके मजदूरोंके संगठनको देखकर पुलिसके हाथों वहांसे भागकर एक मिस्त्री (फिटर) विक्तर अबनोर्स्की उत्तरकी ओर आया, और उसने उस समयके एक प्रसिद्ध क्रांतिकारी स्तेपान खलतुरिनके साथ मिलकर १८७८ ई०में पीतरबुर्गमें "रूसी मजदूरोंका उत्तरी संघ" स्थापित किया। इस संघने हड़तालोंके संचालनका काम भी अपने हाथमें लिया। वह अपना गुप्त प्रेस खोलकर मजदूर क्रांतिकारी पत्रिका "रबोचया जार्या" (कमकरोंकी उषा) का प्रथम अंक निकालने जा रहा था, इसी समय पुलिसने आकर प्रेसको छीन लिया, और पत्रिका निकल नहीं सकी। १८८० ई०में पुलिसने उत्तरी संघको छिन्न-भिन्न कर दिया। विक्तर अबनोर्स्कीको दस सालकी सजा हुई; स्तेपान खलतुरिन इधरसे निराश होकर नरोद्निकोंके आतंकवादमें भाग लेने लगा, और १८८२ ई०में अलेक्सान्द्र II को मारनेके प्रयत्न करनेमें उसे फांसीपर चढ़ा दिया गया।

शिक्षा और संस्कृति——जार शिक्षा और विज्ञानके प्रचारसे कितने डरते थे, इसके बारेमें हम पहले बतला आये हैं। लेकिन सरकारके सैनिक और असैनिक विशाल यंत्र को चलानेके लिये शिक्षितोंकी अवस्यकता थी, पर वह उसका कमसे कम प्रचार चाहते थे। लेकिन कालबली के सामने जारोंकी क्या चलती ? अब पूंजीवादी युग आरम्भ हो चुका था, जिसके लिये शिक्षाके अधिक व्यापक रूपमें फैलानेकी अवश्यकता थी। किसानोंकी अर्धदासताके उच्छेदके बाद गांवोंमें भी शिक्षाकी मांग हुई, और ऐसे ही ग्राम-स्कूलोंके संगठनमें विशेष भाग लेनेवाला लेनिनका पिता इलिया निकोलाइ-पुत्र उलियानोफ (१८३१-८६ ई०) था, जिसने सिंबिर्स्ककी गुबर्निया (प्रदेश) में बहुत काम किया। अब १८६० ई०के बाद लड़कियोंके भी स्कूल कायम होने लगे, और पीतरबुर्गमें एक महिला विद्यालय और मेडिकल स्कूल (१८७० ई० के बाद ही) खोला गया।

रूसी सामन्तशाहीकी तरफसे यद्यपि विज्ञान-प्रचारके लिये वैसा कोई प्रोत्साहन नहीं मिलता था, जैसा कि पश्चिमी युरोपमें देखा जाता था, लेकिन रूसी जातिके पास प्रतिभा मौजूद थी, इसलिये वह ऊपर आनेके लिये प्रयत्न किये बिना नहीं रह सकती थी। विश्वविख्यात रसायनशास्त्रवेत्ता दिमित्रि इवान-पुत्र मेन्देलेयेफ (१८३४–१९०७ ई०) इसी समय अपनी खोजों द्वारा दुनियाकी विद्वन्मंडलीको चकित कर रहा था। उसकी बनाई "रासायनिक तत्त्वोंकी युगक्रमिक पद्धति" को सारे संसारने स्वीकार किया। लेकिन अलेक्सान्द्र III ने इस विश्वविख्यात विज्ञानवेत्ताको उसके स्वतंत्र विचारोंके लिये पीतरबुर्ग विश्वविद्यालयसे निकाल दिया। इस कालके दूसरे विज्ञानवेत्ता शरीरशास्त्री इवान मिखाइल-पुत्र सेचेनोफ और बनस्पतिशास्त्रवेत्ता क० अ० तिमिरियाजोफ (१८४३–१९२० ई०) थे। तिमिरियाजोफकी खोजोंका सम्मान सारी दुनियाने उसके जीवनमें ही किया। लेकिन यह दोनों विज्ञानवेत्ता जारके कोपभाजन हुये। तिमिरियाजोफका यह सौभाग्य था, कि उसने बोल्शेविक-क्रांतिको अपनी आंखोंके सामने सफल होते देखा, और कम्युनिस्ट सरकार और रूसी जनताके महान् सम्मानको प्राप्त किया।

साहित्य——इस कालके प्रगतिशील पत्रकारों और समालोचकोंमें दिमित्रि इवान-पुत्र पिसारोफ (१८४०–६८ ई०)का विशेष स्थान है। यह २८ ही वर्षकी उमरमें मर गया, लेकिन इतने ही कालमें उसने स्वेच्छाचारी शासकोंके दिलको दहला दिया। उन्होंने उसे पीतर-पावल-दुर्ग (लेनिनग्राद) में १८६२–६६ ई० में बंद रक्खा। जेलमें रहते हुये भी पिसारोफकी कलम बंद नहीं हुई।

कवि नेक्रासोफ और समालोचक सल्तिकोफ-श्चेद्रिनके सम्पादकत्वमें "अतेचेस्तत्वेन्नीये जापिस्की" (मातृभूमिकी टिप्पणियां) एक प्रभावशाली जनतंत्रवादी पत्रिका निकलती थी, जिसका बहुत प्रचार था, विशेषकर नरोद्निक क्रांतिकारियोंमें। उसके बाद इस पत्रिकाका सम्पादक न० क० मिखाइलोव्स्की हुआ, जो क्रांतिका पक्षपाती होते हुये भी अपने अवैज्ञानिक दृष्टिकोण और प्रतिगामी दार्शनिक विचारोंके कारण लेनिनकी कड़ी समालोचनाका पात्र हुआ।

अब रूसके साहित्यकारोंने गोगल और पुश्किनकी कलमको इतना आगे बढ़ाया, कि प्रसिद्ध विचारक एंगल्सको लिखना पड़ा——"रूसी भाषा कितनी सुंदर है, इसमें भयंकर भद्देपन को छोड़कर जर्मन भाषाके सभी गुण मौजूद हैं।" इसी कालमें इवान सेर्गेइ-पुत्र तुर्गेनेफ (१८१८–८३ ई०) जैसा रूसका महान् लेखक पैदा हुआ। "एक शिकारीके पत्र" में उसने जमींदारोंके नीचे कराहते अर्धदास किसानोंके जीवनका चित्र खींचा था। "अमीरोंका घोंसला", "रूदिन", "संध्याको", "पिता और पुत्र" उपन्यासोंमें उसने १८४० और १८६० ई०के आसपासके रूसके सामाजिक जीवनका स्पष्ट चित्र उपस्थित किया है। अपने "धुआं", "बंजर भूमि" में भी उसने उसी तरहसे अपनी लेखनीका चमत्कार दिखलाया है। तुर्गेनेफ किसानोंकी मुक्ति चाहता था, और अर्धदासताके उच्छेदको अवश्यम्भावी बनानेमें उसकी लेखनीने भी काम किया था। इसी समयका महान् साहित्यिक सूर्य फ०म० दोस्तोयेवेस्की (१८२१–८१ ई०) था, जिसका उपन्यास "गरीब लोग" १८४० ई०के बाद निकला और जल्दी ही प्रसिद्ध हो गया। उसके दूसरे कथाग्रंथ "मृतक ग्रह के संस्मरण", "अपराध और दंड", "मूर्ख", "करमाजोफ भाई" जैसी रूसी साहित्यकी अमर कृतियां इसी समय लिखी गईं। लेव लेव ताल्स्त्वा (ताल्स्ताय १८२८-१९१० ई०) जैसी प्रतिभा इसी समय प्रकट हुई। उसके ग्रंथ १८५० ई०

के बाद ही प्रकाशित होने लगे। अपने "युद्ध और शांति", "अन्ना करेनिना" जैसे ग्रंथोंमें रूसी जीवनका उसने अनुपम चित्र खींचा है। "युद्ध और शांति" में १८१२ ई०में रूसियोंके वीरतापूर्ण संघर्षका बड़ा सजीव वर्णन है।

चित्रकला, नाट्यकला और संगीतकलामें भी इस कालमें चित्रकार ई० न० कराम्स्की (१८३७–८७ ई०), व० ग० पेरोफ (१८३३–८२ ई०), अद्भुत चित्रकार इलिया एफिम-पुत्र रेपिन (१८४४–१९३० ई०) हुये। संगीतकारोंमें म० अ० बलाकिरेफ (१८३६–१९१० ई०), व० व० स्तासोफ (१८२४–१९०६ ई०), अ० प० बोरोदिन (१८३३–८७ ई०) जैसे संगीतकार, और म० न० येर्मोलोवा, और ग० न० फेदोतोवा जैसी अभिनेत्रियां, और प० म० सदोव्स्की जैसे प्रतिभाशाली अभिनेता पैदा हुये।

मार्क्सवादका प्रचारारंभ——मार्क्सके महान् ग्रंथ "पूंजी" के प्रथम जिल्दका रूसी अनुवाद १८७२ ई० में प्रकाशित हुआ। उस समय अभी मजदूरोंमें वर्गचेतनाका आरम्भ ही हुआ था। पहला मार्क्सवादी संगठन "मजदूरोंकी मुक्ति" (श्रमिकमुक्ति) की स्थापना जनेवा (स्वीजलैंड) में १८८३ ई० में प्लेखानोफने की, जिसमें कितने ही रूसी क्रांतिकारी शामिल हुये थे। जार्ज वलेन्तिन-पुत्र प्लेखानोफ (१८५६–१९१८ ई०) पहले नरोद्निक क्रांतिकारी था, पीछे प्रथम मार्क्सवादी महालेखक हुआ। जारशाही अत्याचारोंने उसे देशसे बाहर जानेके लिये मजबूर किया, जहां उसने मार्क्सके ग्रंथोंको पढ़कर उसके सिद्धांतोंको स्वीकार किया। १८८३ ई०में उसने "समाजवाद और राजनीतिक संघर्ष" पुस्तक प्रकाशित की। दो साल बाद "हमारे मतभेद" को प्रकाशित किया। प्लेखानोफने अपनी लेखनी द्वारा अच्छी तरह साफ कर दिया, कि नरोद्निकवादसे कुछ होने-जानेवाला नहीं है। रूसमें पूंजीवाद आकस्मिक घटना नहीं है। रूसके विकासके लिये पूंजीवादी मार्ग छोड़ दूसरा रास्ता नहीं है, और पूंजीवादके विकासके साथ-साथ क्रांतिकारी सर्वहारा वर्गको भी विकसित होनेसे रोका नहीं जा सकता। "मजदूर मुक्ति" संगठनने रूसमें समाजवादी विचारोंको फैलानेका काम किया। इसीने मार्क्स और एंगेल्सके "कम्युनिस्ट घोषणा", "श्रम-वेतन" और "पूंजी" आदि ग्रंथोंको प्रकाशित किया, जिनसे एक पीढ़ीके रूसी क्रांतिकारियोंको शिक्षा मिली। मजदूरोंमें भी अब इन विचारोंका प्रचार होने लगा। पूंजीवादके लिये समय-समयपर मालकी खपत कम हो जाने, मालकी उपज बढ़ जानेके कारण चीजोंका दाम घट जानेसे समय-समयपर आर्थिक संकटका आना स्वाभाविक है। आर्थिक संकटके समय पूंजीपति अपने कारखानोंको बंद करके लाखों मजदूरोंको बाटका भिखारी बना देते हैं। नफा उठानेके समय वह दोनों हाथोंसे लूटते हैं, लेकिन अब वह उनके लिये पैसा कमानेवाले मजदूरोंको भूखा मारनेसे बाज नहीं आते। पर मजदूर चुपचाप कैसे भूखे मरना बर्दाश्त कर सकते हैं? १८८० ई० के बाद जो आर्थिक संकट आया, उसमें और मिलोंकी तरह मोरोजोफ मिलने भी १८८२ ई० में अपने आठ हजार मजदूरोंका वेतन घटाना शुरू किया, और १८८४ ई० तक मिलमालिकोंने एकके बाद एक पांच बार मजूरी घटाई। इसके साथ-साथ मजदूरोंको जरा-जरा-सी बातपर जुरमाना करना अथवा उन्हें कामसे निकाल देना मामूली बात थी। इस समय मजदूरोंमें "उत्तरी संघ" द्वारा क्रांतिकारी विचारोंका प्रचार हो चला था। ७ जनवरी १८८५ ई०को सात बजे सबेरे ही पहले निश्चित संकेतके अनुसार चिल्लाकर कहा गया——"आज छुट्टी है, काम बंद करो, गैस रोक दो, स्त्रियो, बाहर चली जाओ।" उसी समय सारी मिल बंद हो गई। मजदूरोंने उत्तेजित किये जानेपर मिलकी कितनी ही चीजोंको तोड़-फोड़ दिया, मनेजरके मकानको नष्ट-भ्रष्ट कर दिया। इसपर जारशाही पुलिस और सेनाने धावा बोल दिया। वह वोल्कोफ आदि बहुतसे हड़ताली मजदूरोंको पकड़कर सीधे जारके सामने ले गये। अलेक्सान्द्र III ने पूछा—"क्या मैं सबके लिये हूं, या तुम सब मेरे लिये हो?" मजदूरोंने जवाब दिया——"हरएक आदमी तुम्हारे लिये है।" लोगोंने कसाकोंसे वोल्कोफको छुड़ानेकी कोशिश की, बहुत भारी प्रदर्शन किया। इसके बाद मजदूरोंके संगठनको दबाने और उनकी हिम्मत तोड़नेके लिये जारने पूरी कोशिश की। इस समयके हड़ताली नेताओंमें एक मजदूर प० अ० मोइसेयंको भी था, जिसे जारशाही अदालतने छोड़ दिया था, लेकिन जार अलेक्सान्द्र III ने अपनी विशेष आज्ञासे उसे कालापानीका दंड दिया। मोइसेयंकोने १९१७ ई०की बोल्शेविक क्रांतिमें भाग लिया, गृहयुद्ध-कालमें लाल सैनिक

बनकर लड़ा, और १९२३ ई० में मरा। १८९१ ई० में पीतरबुर्गमें मार्क्सवादियोंने मई-दिवसके बहानेसे प्रथम गुप्त क्रांतिकारी बैठक बुलाई। इसमें एक बुनकर मजदूर अफनासेयेफने उपस्थित मजदूरोंसे पुकारकर कहा—"साथियो, हम जरूर सीखेंगे, जरूर संगठित होंगे, और अपनेको एक मजबूत पार्टीके रूपमें संघबद्ध करेंगे।" लेनिनने पीतरबुर्गके मजदूरोंके इस पहले प्रयासके बारेमें लिखा था—"१८९१ ई०का साल शेलगुनोफकी श्मशानयात्राके प्रदर्शनमें पीतरबुर्गके मजदूरोंके भाग लेनेके लिये विशेष तौरसे उल्लेखनीय है, और वह पीतरबुर्गमें मई-दिवस मनानेके समय दिये गये राजनीतिक व्याख्यानोंके लिये भी विशेष तौरसे उल्लेखनीय है।" न० व० शेलगुनोफ सारे जीवनभर मजदूरों और गरीबोंकी स्वतंत्रताके लिये काम करता रहा। मरनेके समय मजदूरोंने उसे अभिनन्दन-पत्र भेंट किया था।

अलेक्सान्द्र III के शासनकालमें पूंजीवादी उद्योगका विस्तार बहुत हुआ, रेलोंका भी प्रसार बढ़ा। लेकिन जारशाही कालमें रूसमें विदेशी पूंजी सबसे अधिक लगी हुई थी, जिसमें भी फ्रेंच और बेल्जियन पूंजीपतियोंका भाग अधिक था। किसानोंकी अर्धदासता खतम हो गई थी, लेकिन अब भी उनका शोषण कम नहीं हो रहा था।

१८. निकोलाइ II, अलेक्सान्द्र III-पुत्र (१८९४—१९१७ ई०)

रूसका यह अन्तिम जार बहुत कमजोर दिमागका, किंतु बड़ा ही घमंडी और क्रूर था। प्रगतिशील विचारोंके प्रति घृणा उसने अपने बाप-दादोंके खूनसे पाई थी। १८९६ ई०में सिंहासनारोहणके समय मास्कोमें एक महामेलेका प्रबंध किया गया था, जिसमें लाखों आदमी आये, किंतु सरकारकी ओरसे व्यवस्थाका कोई प्रबंध नहीं किया गया, जिससे हजारों नर-नारी और बच्चे पैरोंके नीचे दबकर मर गये। उस घटनाके दूसरे दिन सबेरे निकोलाइ II अपनी स्त्री और विदेशी अतिथियोंके साथ घटना-स्थलपर आया। लाशोंको हटा लिया गया था और खूनके दागोंपर बालू डाला जा रहा था। इतनी बड़ी दुर्घटना हो जानेके बाद भी उस शामको निकोलाइ अपनी बीबी अलेक्सन्द्राके साथ मस्त होकर नाचता रहा, मानो कुछ हुआ ही नहीं। इसपर यदि रूसी जनता निकोलाइको "खूनी" की उपाधि दे, तो क्या आश्चर्य ?

मध्य-एसियापर रूसके पूंजीवादी विस्तारका खास तौरसे बड़ा प्रभाव पड़ रहा था, क्योंकि रूसी कपड़ामिलोंके लिये कपास वहींसे आती थी। खोकन्दके राज्यको अब फरगाना-उपत्यकाके नामसे कपासकी उपजका केंद्र बना दिया गया था। धनी खेत-मालिक अपने असामियोंसे खेती करवाकर नफा उड़ाते थे, और साधारण जनता भूखों मरती थी। ऊपरसे १८९० ई०के करीब सरकारी कर तिगुना बढ़ गया था। इन अत्याचारोंको बर्दाश्त करते-करते लोग तंग आ गये, और मई १८९० ई० में अन्दिजान नगरमें बलवा हो गया। इसके लिये ईशान (संत, मुल्ला) मुहम्मद अली जैसा एक प्रभावशाली धार्मिक नेता अगुवा बना था। फरगानासे बाहर भी भीतर ही भीतर आन्दोलन और संगठन किया गया था। हथियारोंका भी संग्रह हुआ था, जिसमें अंग्रेजी बन्दूकोंको अफगान व्यापारियोंने विद्रोहियोंके पास पहुंचाया था। १८ मई १८९८ ई० की रातको दो हजार हथियारबंद उज्बेक और किर्गिज अन्दिजानकी छावनीपर चढ़ आये, और उन्होंने नगरपर अधिकार करना चाहा। "गजवा" (जेहाद) की घोषणा पहिले हीसे हो गई थी, इसलिये मध्य-एसियाकी मुस्लिम जनता जारशाहीकी विरोधी तथा विद्रोहियोंकी पक्षपाती थी। लेकिन रूसकी सैनिक शक्तिके सामने ये थोड़े-से लोग क्या कर सकते थे? मुहम्मद अली और उसके उन्नीस साथी फांसीपर चढ़ा दिये गये, ३४८ उज्बेकोंको लम्बी-लम्बी सजायें हुईं। जारशाही पुलिसने लोगोंपर गजब ढाया, तीन उज्बेक गांवोंको उजाड़कर वहां रूसियोंको लाकर बसा दिया, दूसरे गांवोंपर भारी सामूहिक कर लगाये।

लेनिन—रूसकी इस राजनीतिक और सामाजिक पृष्ठभूमिमें व्लादिमिर इलिया-पुत्र उलियानोफका जन्म २२(१०) अप्रैल १८७० ई०को सिम्बिर्स्क (उलियानोव्स्क) नगरमें एक स्कूल-शिक्षकके घरमें हुआ। व्लादिमिर उलियानोफ लेनिनके नामसे सब समयके विश्वका महान् पुरुष स्वीकृत किया गया है। इलिया उलियानोफ प्रगतिशील विचारोंका बुद्धिजीवी पुरुष था।

उसके सभी बच्चोंने क्रांतिमें भाग लिया। लेनिनके सबसे बड़े भाई अलेक्सान्द्रको जार अलेक्सान्द्र III को १८८७ ई०में मारनेके प्रयत्नका संगठन करनेके लिये फांसीपर चढ़ा दिया गया। अपने प्रिय भाईकी हत्याका प्रभाव लेनिनके ऊपर सदाके लिये पड़ना ही चाहिये था, किन्तु उसकी पैनी बुद्धिने बतला दिया, कि नरोद्निकोंका आतंकवाद सफल क्रांतिका रास्ता नहीं है। बिना साधारण जनताके सहयोग और सहानुभूतिके मुट्ठी भर "वीर" दुनियाको नहीं बदल सकते। "नहीं, हम उस पथको नहीं लेंगे, वह जानेका रास्ता नहीं है—" लेनिनने अपने १७ वर्षके भाई वोलोद्या उलियानोफके फांसी-पर चढ़नेकी खबर सुनकर कहा था। १७ वर्षकी उमरमें लेनिन कजानके विश्वविद्यालयमें दाखिल हुआ, लेकिन विद्यार्थियोंके राजनीतिक प्रदर्शनमें भाग लेनेके कारण उसे पकड़कर एक गांवमें निर्वासित कर दिया गया। पकड़ते वक्त पुलिस अफसरने लेनिनसे कहा था—"जवान, तुम क्यों विद्रोह कर रहे हो? देख नहीं रहे हो, तुम्हारे सामने एक दीवार खड़ी है?" ब्लादिमिरने जवाब दिया—"दीवार, हां वह खड़ी है, लेकिन सड़ी हुई दीवार है, जरा-सा धक्का दो और यह गिर पड़ेगी।" अभी वह ब्लादिमिर उलियानोफ ही था, पीछे अपने अन्तर्धान जीवनमें उसे लेनिनका छद्म नाम स्वीकार करना पड़ा। विश्वविद्यालयकी शिक्षासे यद्यपि लेनिन उस समय वंचित हो गया, लेकिन उसने अपने अध्ययनको जारी रक्खा, और जब उसे फिर गांव लौट आनेका मौका मिला, तो उसने मार्क्स और एंगेल्सके ग्रंथोंका बहुत गम्भीर अध्ययन किया। समारा जानेपर वहां उसने मार्क्सवादियोंका प्रथम अध्ययन-चक्र संगठित किया। १८९३ ई०की शरद्में वह पीतरबुर्ग गया, जहांके मार्क्सवादियोंने जल्दी ही उसे अपना नेता मान लिया। १८९४ ई०में लेनिनने कई व्याख्यान तैयार करके पढ़े, जो पीछे "जनताके मित्र कौन हैं और वह कैसे समाजवादी जनतांत्रिकोंसे लड़ते हैं?" के नामसे प्रकाशित हुये। इसे कहनेकी अवश्यकता नहीं, कि इसमें लेनिनने नरोद्निकोंकी खबर ली थी। इस आरम्भिक पुस्तकमें ही लेनिनने भविष्यद्वाणी की थी—"जनतांत्रिक तत्वोंका मुखिया बनकर विद्रोह करके रूसी मजदूर स्वेच्छाचारिताका अन्त करेंगे और विजयी कम्युनिस्ट रूसी सर्वहाराको क्रांतिके लिये खुले क्रांतिकारी संघर्ष के सरल पथपर ले जायेंगे।"

नरोद्निकोंसे संघर्ष करते हुये पीतरबुर्गके मार्क्सवादियोंने "मजदूर वर्गकी मुक्तिके लिये संघर्ष का संघ" के नामसे एक संगठन स्थापित किया था। लेनिन इस संघका जल्दी ही नेता हो गया, जिसने उस समय मार्क्सवादी क्रांतिकारी विचारोंके प्रचारके लिये बहुत काम किया और प्रचारक्षेत्रको बढ़ाया। उसके कार्यमें बाबुश्किन, शेलगुनोफ और दूसरे कर्मी साथ दे रहे थे। १८९५ ई०की शरद्से पीतरबुर्गके "संघर्ष संघ"ने मजदूरोंको संगठित कर हड़तालोंका नेतृत्व करना शुरू किया। १८९६ ई० में राजधानीके तीस हजार जुलाहोंने जारके सिंहासनारोहणके महोत्सवके समय लेनिनद्वारा तैयार की हुई मांगोंके लिये हड़ताल कर दी। मजदूरोंके दबावके कारण जारशाही सरकारको कामके घंटोंको कम करनेका वचन देना पड़ा। रूसके मजदूरोंको अब क्रांतिका क्रियात्मक पाठ मिलने लगा, वह अपनी शक्ति अनुभव करने लगे। इससे पहले ही दिसम्बर १८९५ ई०में लेनिनको गिरफ्तार करके जेलमें बंद कर दिया गया था। लेकिन जेलकी दीवारें लेनिनके प्रभाव और नेतृत्वको रोक नहीं सकती थीं। १८९७ ई०में सरकारने लेनिनको तीन वर्षका कालापानी देकर पूर्वी साइबेरियामें (१८९७ ई०से १९०० ई०तक) येनिसेई गुबर्निया (प्रदेश) के मिनुसिन्स्की उयेज्द (जिले) के शुशेन्स्कोये गांव में बंद कर दिया। इसी समय १८९९ ई०में उसने अपने महान् ग्रंथ "रूसमें पूंजीवादका विकास" को लिखकर समाप्त किया। जब लेनिन साइबेरियामें बंद था, उसी समय मार्च १८९८ ई० में "रूसी समाजवादी जनतांत्रिक मजदूर पार्टी"की प्रथम कांग्रेस मिन्स्क नगरमें हुई, जिसमें "रूसी समाजवादी जनतांत्रिक मजदूर पार्टी"की स्थापना घोषित की गई। सरकारने जल्दी ही पार्टीकी केंद्रीय समितिके लोगों और कार्यमें भाग लेनेवालोंको पकड़ लिया, तो भी वह क्रांतिकारी आन्दोलनको बंद नहीं कर सकी। मार्क्सवादी विचारोंकी मजदूरों पर गहरी छाप पड़ती जा रही थी, और वह रूसी साम्राज्यके भिन्न-भिन्न प्रदेशोंमें भी फैलने लगे। २० वीं सदीके अन्ततक काकेशसको भी इसकी हवा लगी, जहां किसानोंके विद्रोह अक्सर हुआ करते थे। इसी समय योसेफ विसारियोनोविच जुग-शिवली मार्क्सवादी क्रांतिके प्रभावमें आया, जो कि २१ (९) दिसम्बर १८७९ ई०में गुर्जीके एक

छोटे-से कस्बे गोरीके एक जूते बनानेवालेके घरमें पैदा हुआ था। तरुण योसेफ "होनहार बिरवानके होत चीकने पात" के अनुसार संघर्षमें भाग लेनेके लिये छटपटाने लगा। स्वयं अशिक्षित होते हुये भी योसेफके माता-पिताने उसे शिक्षा देनेकी कोशिश की, और चाहा कि वह ईसाई-धर्मका पुरोहित बनकर सम्मानका जीवन बिताये। लेकिन ईसाई-धर्मकी पाठशालाके वातावरणमें भी मार्क्सवादने घुसकर उसे अनीश्वरवादी बना दिया। १८९८ ई०में ही योसेफ तिफलिसके समाजवादी जनतांत्रिक संगठनमें सम्मिलित हो गया था, और इसी समय उसे लेनिनकी प्रथम पुस्तक पढ़नेका अवसर मिला। योसेफ जुगेश्विलीने अपने क्रांतिकारी जीवनमें स्तालिनका छद्म नाम स्वीकार किया था, जो कि उसके गुरु-की तरह ही उसका भी नाम बन गया।

संस्कृति, साहित्य और विज्ञान—१९ वीं सदीके अन्त और २० वीं सदीके आरम्भतक रूसी प्रतिभाका लोहा दुनियामें सर्वत्र माना जाने लगा, यद्यपि अंग्रेजोंके गुलाम भारतको रूस देशका तब तक पता नहीं लगा, जब तक कि १९१७ ई०की बोल्शेविक क्रांतिकी खबर बिजलीकी तरह दुनियामें दौड़ने नहीं लगी। इसी कालमें इलिया मेचनिकोफ (१८४५–१९१६ ई०) जैसा महान् प्राणिशास्त्री, इवान पीतर-पुत्र पावलोफ (१८४९–१९३६ ई०) जैसा अद्वितीय शरीरमनोविज्ञानशास्त्री हुये। बिजलीके प्रथम आर्क-लैम्पका आविष्कारक प० य० याब्लोचकोफ (१८४७–९४ ई०) भी इसी समय हुआ, जिसके बिजलीके लैम्पकी कदर देशमें नहीं हुई, तो वह पेरिस चला गया, जहां १८७६ ई०में उसने अपने आविष्कारको पेटेंट कराया, और पेरिसमें पहलेपहल उसकी बिजली-बत्ती जलाई गई। बाहरके लोग अभी भी नहीं जानते, कि बिजली-बत्तीका आविष्कारक अमेरिकन नहीं, एक रूसी था। एडिसनने बिजली-बत्तीके आविष्कारक होनेका दावा किया, लेकिन उससे पहले एक दूसरे रूसी आविष्कारक लादिगिनने उस तरह की बिजली-बत्ती तैयार कर दी थी, इसलिये अमेरिकन अदालतने एडिसनके दावेको मंजूर नहीं किया। हां, लादिगिनके आविष्कारकी कदर उसकी मातृभूमिमें नहीं हुई और उसका विकास अमेरिकनोंने किया। अलेक्सान्द्र स्तेपान-पुत्र पापोफ (१८५९–१९०५ ई०) ने १८९५ ई०में बेतारके तारका आविष्कार किया। बेतारके तारको इतालियन मार्कोनिका आविष्कार बतलाया जाता है, लेकिन उससे पहले रूसी पापोफ और भारतीय जगदीशचन्द्र बोस उसका आविष्कार कर चुके थे। इन दोनों देशोंकी सरकारोंकी जड़ता और पक्षपातके कारण उन्हें आगे बढ़नेका मौका नहीं मिला। पापोफने १८९५ ई०में युद्धमंत्रीके पास अपने प्रयोगोंके लिये एक हजार रूबल अनुदान करनेके लिये प्रार्थना की थी, जिसका जवाब मिला था—"मैं इस तरहके ख्याली पुलावके लिये पैसा देनेकी इजाजत नहीं दे सकता।"

साहित्य और कला—इस कालके साहित्य-गगनके महान् नक्षत्र हैं—अन्तोन पावल-पुत्र चेखोफ (१८६०–१९०४ ई०), और अ० म० गोर्की (१८६८–१९३६ ई०)। इन दोनों महान् लेखकोंकी कितनी ही कृतियोंसे भारतीय पाठक भी परिचित हैं। इन दोनों ही को जारशाहीका कोपभाजन बनना पड़ा था। चेखोफ ४४ वर्षकी उमरमें तपेदिकसे मर गया, गोर्कीने नवीन रूसको अपने सामने फलते-फूलते देखा, और उसके निर्माणमें भाग लिया।

इस कालके चित्रकारोंमें रूसी ऐतिहासिक चित्रकलाका सर्वश्रेष्ठ आचार्य व० ई० सुरकोफ (१८४८–१९१६ ई०), छबि-चित्रकलाका महान् निर्माता व० अ० सेरोफ (१८६५–१९११ ई०), प्रकृतिचित्रणका जादूगर ई० ई० लेवितन (१८६१–१९०० ई०) हुये। संगीतके अद्भुत कलाकार प्योत्र इलिया-पुत्र चेकोव्स्की (१८४०-९३ ई०) का समय भी यही है।

२० वीं सदीके आरम्भ होते-होते सामन्तवादी जमींदारों और उनके स्वार्थोंकी रक्षाकी कोशिश करते हुये भी रूस पूंजीवादी युगमें पूरी तौरसे प्रविष्ट हो गया। लेकिन उद्योगीकरणमें पश्चिमी युरोप के पूंजीपतियोंका सबसे बड़ा हाथ था, फ्रांसीसी और जर्मन बंक इसमें खास तौरसे भाग ले रहे थे। वर्तमान शताब्दीके आरम्भमें पश्चिमी युरोपीय पूंजीपतियोंका एक अरब सुवर्ण रूबल रूसके उद्योग-धंधोंमें लगा हुआ था। यह सब किसी पुण्यके लिये नहीं किया जा रहा था, इसे कहनेकी जरूरत नहीं। १८९५ ई०से १९०४ ई० तक अपने इस व्यवसायसे विदेशी पूंजीपतियोंने तिरासी करोड़ सुवर्ण

रूबल नफा कमाया, जो कि उतने समयमें लगाई गई पूंजीसे कहीं अधिक था। जारकी सरकारपर १९०३ ई०में तीन अरब सुवर्ण रूबलका विदेशी कर्ज था, जिसपर तेरह करोड़ रूबल प्रतिवर्ष सूद देना पड़ता था। रूसी सामन्त और जमींदार अपने पुराने स्वत्वोंको अक्षुण्ण रखनेमें इतने मस्त थे कि उन्हें अपनी पूंजीको इकट्ठा करके उद्योग-धंधोंमें लगानेकी उतनी फिक्र नहीं थी, जितनी कि पेरिस और दूसरी युरोपकी विलासपुरियोंमें गरीबके गाढ़की कमाईको उड़ानेमें।

लेकिन अब इस पुराने रूसको बदलनेके लिये एक ठोस क्रांतिकारी शक्ति पैदा हो गई थी। १९०० ई०के दिसम्बरमें "इस्क्रा" (चिनगारी) के नामसे लेनिनने अपना पत्र निकाला, जिसके सम्पादनमें प्लेखानोफ और दूसरे समाजवादी जनतांत्रिक भी सहायता करते थे। बाहर छपकर वह रूसमें गुप्त रीतिसे भेजा जाता था। अपने मुखपृष्ठपर छपे सूत्र "चिनगारी ज्वाला जलायेगी" के अनुसार सचमुच ही रूसमें ज्वाला जलानेमें उसने बहुत काम किया। पीतरबुर्गके एक जुलाहे पाठक ने इसके बारेमें लिखा था—"जब तुम इस पत्रको पढ़ते हो, तो तुम्हें मालूम होता है कि जारशाही सेना और पुलिस हम कमकरों और हमारे बुद्धिजीवी नेताओंसे क्यों इतना डरते हैं? ......पुराने समयमें प्रत्येक हड़ताल एक बड़ी घटना थी, किन्तु अब हरएक आदमी जानता है कि केवल हड़तालें कुछ नहीं हैं, हमें इनके लिये लड़ते हुये मुक्ति भी प्राप्त करनी है।" १९०० ई० और १९०१ ई०में भी प्रथम राजनीतिक प्रदर्शन होने लगे, जिनके द्वारा समाजवादी क्रांतिकारियोंके बढ़ते हुए प्रभावका पता लगने लगा। १९०० ई०के मई-दिवसमें खरकोफके मजदूरों और विद्यार्थियोंने लाल झंडेके साथ सड़कोंपर जलूस निकाला था, जिसमें वह नारा लगा रहे थे—"स्वेच्छाचारकी क्षय"। १९०१ ई० का मई-दिवस सारे देशमें हड़तालों और प्रदर्शनोंके साथ मनाया गया। १९०२ और १९०३ ई०में और भी राजनीतिक हड़तालें और प्रदर्शन हुये। १९०२ ई०में किसानोंके भी कई आन्दोलन हुये और उनके पथप्रदर्शनके लिये लेनिनने "गांवके गरीबोंसे" नामकी एक छोटी किन्तु बहुत ही प्रभावशाली पुस्तक लिखी। इस तरह क्रांतिकी शक्तियां बढ़ रही थीं, लेकिन दूसरी तरफ इन शक्तियोंमें कमजोरी पैदा करने के लिये नरमदली क्रांतिकारी फूट भी पैदा करने लगे थे। गरमदल के क्रांतिकारी प्रोग्रामको लेनिन और उनके समर्थक मानते थे, जिनका समाजवादी जनतांत्रिक पार्टीमें बहुमत था। इसीलिये लेनिन और उसके अनुयायी बोल्शेविक (बहुमतीय) कहे जाने लगे। नरमदली अल्पमतमें होनेके कारण मेंशेविक (अल्पमतीय) कहे जाने लगे। १९०३ ई०की जुलाई और अगस्तमें ब्रुसेल्स और पीछे लन्दनमें पार्टीकी जो द्वितीय कांग्रेस हुई थी, उसी समय उसके यह दो टुकड़े हो गये। अपनी सूझ, तत्परता और त्यागसे बोल्शेविक मजदूरों और दूसरी शोषित जनतामें अपने प्रभावको बढ़ाते गये, जब कि मेन्शेविक बुद्धि-जीवियोंमें अपनी कलाबाजी दिखानेतक ही अपने कामकी इतिश्री समझते थे।

रूस-जापान-युद्ध (१९०४ ई०)—रूसका प्रसार जिस तरह प्रशान्त महासागर तक हुआ, इसे हम बतला आये हैं। अभी तक उसका प्रतिद्वंद्वी चीन था, जिसकी निर्बल और भ्रष्टाचारपूर्ण सरकार रूसके सामने बराबर दबती रही, अब पूर्वी एसियामें जापान-जैसी एक बड़ी शक्ति पैदा हो गई थी। १८९४-९५ ई० में जापानने चीनको हराकर अपनी शक्तिका परिचय दिया था, और क्षतिपूर्तिकी बहुत भारी रकम तथा कोरिया, पोर्ट आर्थर, ल्याउतुङ-प्रायद्वीपके साथ मंचूरियाके सारे दक्षिणी समुद्रतटपर अपने अधिकारको चीनसे मनवाया था। "कंटकेनैव कंटकम्" की नीतिको अपनाते हुये चीन चाहता था, कि जापानको रूससे भिड़ा दिया जाय। १८९६ ई०में जारके वित्तमंत्रीने चीनी पूर्वी रेल बनवानेके लिये चीनके साथ एक संधि की। इससे पहले साइबेरियाकी रेलवे बन चुकी थी। इस रेलको बनाकर जारशाही रूस मंचूरिया और कोरियापर हाथ साफ करना चाहता था। १८९८ ई० में ल्याउतुङ प्रायद्वीप और उसके पोर्ट आर्थर बन्दरगाहको भी रूसने ठीकेपर ले लिया, और उसने जल्दी-जल्दी हर्बिनसे पोर्टआर्थर तक रेल बनानेका काम शुरू कर दिया। इस समय गिद्धकी तरह पश्चिमी युरोपकी शक्तियां चीनमें बन्दरबांट कर रही थीं। जर्मन कैसरने क्याउ-चाउके बन्दगाहको दखल कर लिया। इंगलैंडने हांगकांगको तो आधी शताब्दी पहले ही ले लिया था, अब उसने वेई-हाइ-वेइ बन्दर-गाहपर भी अधिकार कर लिया। फ्रांस क्यों पीछे रहने लगा? उसने भी अपने हिन्दचीन अधिकृत प्रदेशकी सीमाको चीनके भीतर बढ़ाया। संयुक्त राष्ट्र अमरीकाने सबके लिये "खुला दरवाजा"

मांग करके पूंजीपति घड़ियालोंको चीनमें खुल खेलनेकी मांग रक्खी। पश्चिमी शक्तियोंकी इस लूटके कारण चीनी जनतामें बहुत असंतोष हुआ, और १९०० ई० में बक्सरका भयंकर विद्रोह हो गया, जिसके दबानेमें पश्चिमी शक्तियों के साथ रूसने भी भाग लिया। निकोलाइ II की सरकारने कोरियाकी सीमांत नदी यालू-उपत्यकाके जंगलोंकी लकड़ीका ठेका एक रूसी कम्पनीको दिलवाया, जिसका अर्थ केवल यही था, कि उसके द्वारा रूसी सेनाको आसानीसे कोरियामें पहुंचाया जा सके। पोर्टआर्थरको भी रूसी नौसैनिक अड्डेके रूपमें परिणत कर दिया गया। जापान यह सब देखते हुये चुप नहीं रह सकता था और न रूसके प्रतिद्वंद्वी अंग्रेज ही मौकेसे चूकनेवाले थे। दूसरोंको लड़ाकर अपना उल्लू सीधा करना अंग्रेजोंकी पुरानी नीति थी। उन्होंने १९०२ ई० में रूसके विरुद्ध जापानसे सैनिक-संधि की, जिससे जापानको बहुत बल मिला।

रूसमें अब भी सामन्ती मनोवृत्ति काम कर रही थी, उद्योग-धन्धोंको पश्चिमके पूंजीपतियोंके सहारे खड़ा किया गया था, जो इस बातका पूरा ध्यान रखते थे, कि औद्योगिक वस्तुओंके लिये रूस हमसे स्वतंत्र न होने पाये। और तो और, सैनिक हथियारोंमें भी रूस परमुखापेक्षी था। शासक वर्गकी अदूरदर्शिता और अयोग्यताके कारण किसी क्षेत्रमें भी प्रतिभायें आगे नहीं बढ़ने पाती थीं। रूसी सेनापतियों और युद्ध-संचालकोंको चुस्ती किसे कहते हैं, यह मालूम ही नहीं था। सुवारोफ, कतुजोफके समयसे सैनिक प्रतिभाओंकी उपेक्षा करके खुशामदी एरे-गैरे नत्थूखैरे सामन्त-पुत्रों और जारके कृपापात्रोंको आगे बढ़ाया जाता था। रूस अभी युद्धके लिये तैयार नहीं है, यह जापानियोंको पता था। सारे मंचूरियामें उसके गुप्तचर फैले हुये थे, जिनसे जापानियोंको सारे भेद मालूम थे। इसी समय २६ जनवरी १९०४ ई०की रातको बिना युद्ध घोषित किये जापानी ध्वंसक पोतोंने अंधेरेमें छिपकर पोर्ट-आर्थरपर आक्रमण कर दिया। इस समय मुख्य सेनापति अद्मिरल स्तार्ककी जयन्ती मनाते हुये रूसी नौसैनिक अफसर नाचमें मस्त थे। जापानियोंने रूसके सर्वश्रेष्ठ तीन युद्धपोतोंको डुबा दिया, और २७ के सबेरे बम-वर्षा करके उन्होंने चार और युद्धपोतोंको नुकसान पहुंचाया। आरम्भ रूसियोंके लिये बहुत बुरी तरह हुआ, और उसके बाद जारशाही सेना हारपर हार खाती गई। अपने हाथियारों और वीरताकी अपेक्षा ईसाकी मूर्तियोंपर मुख्य सेनापति जेनरल कुरोपात्किनका अधिक विश्वास था। उसने गाड़ियोंमें भर-भरकर युद्ध-क्षेत्रमें ले जा इन मूर्तियोंको बंटवाया। रूसी नौसैनिकों और सैनिकोंने लड़नेमें अपनी आनुवंशिक बहादुरीको दिखलाया, लेकिन हथियारोंके अभाव और सेनापतियोंकी अयोग्यताके कारण वह जापानियोंके खिलाफ पासा नहीं पलट सके। फर्वरी १९०४ ई० में रूसी ध्वंसक "स्तेरेगुश्नीने" चार जापानी ध्वंसकों और क्रूजरोंका मुकाबिला किया, जिसमेंसे एकको उसने डुबा दिया। आत्मसमर्पण करनेके लिये कहनेपर रूसी नौसैनिकोंने साफ इन्कार कर दिया। और जब उन्होंने देखा, कि हमारा जहाज जापानियोंके हाथमें जाना चाहता है, तो गोलोंकी वर्षाके भीतर दो अज्ञात नौसैनिकोंने नीचे जाकर पानी आनेके रास्तेको खोल दिया, और इस प्रकार अपने जहाजके साथ समुद्रतलमें बैठकर उन्होंने अपनी वीरताका परिचय दिया। पोर्टआर्थरने कुछ समय तक जापानी घिरावेमें रहते हुये प्रतिरोध किया, लेकिन उसे अन्तमें आत्मसमर्पण करना पड़ा।

१९०५ ई०में जारशाही रूसने जापानके हाथों बुरी तौरसे हार खाई, लेकिन रूसकी सैनिक पराजयने क्रांतिके आरम्भ करानेका काम दिया।

१९०५ ई० की क्रांति---रूस जापान युद्धके कारण रूसकी आर्थिक अवस्था बहुत ही बिगड़ गई। खर्चकी सीमा नहीं थी। बड़े-बड़े सूदपर विदेशसे कर्ज लेना पड़ा, जिसके लिये कर बढ़ाना जरूरी था; इस प्रकार जीवनोपयोगी सभी चीजोंका दाम बढ़ गया। उधर भारी संख्यामें किसानोंकी सेनामें भरती करनेके कारण खेतीको भी बहुत नुकसान पहुंचा। कारखानोंमें पूंजीपतियोंने मजूरी कम करनी चाही, जिसका परिणाम हुआ हड़तालें। नवम्बर और दिसम्बर १९०४ ई०में ही पीतरबुर्ग, मास्को और दूसरे नगरोंमें बोल्शेविकोंने सड़कोंमें जलूस संगठित किये, जिनका नारा था "स्वेच्छाचारिताकी क्षय, युद्ध बंद करो।" लोगोंके असंतोषको शांत करनेके लिये १२ दिसम्बर १९०४ ई०को घोषणा निकालकर जारने कुछ हलके-से अधिकारोंको देनेका वचन दिया।

३ जनवरी १९०५ ई० को पुतिलोफ (आधुनिक किरोफ) कारखानेमें चार मजदूरोंको निकाल दिया गया, जिसका परिणाम हुआ अगले ही दिन बारह हजार मजदूरोंकी हड़ताल। पीतरबुर्गके दूसरे कारखानोंके मजदूरोंने भी उनकी सहानुभूतिमें हड़ताल की और ८ जनवरीको डेढ़ लाख मजदूरोंने काम छोड़कर उसे सार्वजनिक हड़तालका रूप दे दिया। इतनी बड़ी संख्यामें उत्तेजित और बेकार मजदूर कोई और बड़ा कदम न उठा लें, इसके लिये ईसाई पादरी गपोनने सलाह दी, कि मजदूरोंकी ओरसे जारके पास आवेदन-पत्र भेजा जाय। अभी भी जारके प्रति लोगोंकी सद्भावना बनी हुई थी, और वह इसके लिये तैयार हो गये। उधर गपोनने इसकी सूचना खुफिया पुलिसको दे दी थी, और जारशाहीने खुलकर गोली चलानेकी तैयारी कर रक्खी थी। आवेदन-पत्रके कुछ वाक्य थे—"हम पीतरबुर्गके मजदूर, हमारी बीबियां, हमारे बच्चे और हमारे असहाय बूढ़े मां-बाप, हे प्रभु, तेरे पास सहायता और रक्षा पानेके लिये आये हैं। हम गरीबीसे पीड़ित, अत्याचारके मारे असह्य मेहनत के बोझसे दबे जा रहे हैं। हमें अपमान सहना पड़ता है। हमारे साथ मानवोचित बर्ताव नहीं होता। हमारा धैर्य टूट रहा है, हम गरीबीके दलदलमें और नीचे डूबते जा रहे हैं। हम अधिकार और ज्ञानसे वंचित हैं। स्वेच्छाचारिता और क्रूरताने हमारा गला घोंट रक्खा है। हमारा धैर्य खतम हो रहा है। वह भयंकर घड़ी आ गई है, जब कि इस असह्य पीड़ाको और अधिक सहनेकी जगह मरना हमारे लिये अच्छा है।" इसमें कुछ आर्थिक और राजनीतिक मांगोंके साथ संविधान सभाके बुलानेके लिये मांग की गई थी। बोल्शेविकोंने बहुत समझाया, कि जारके पास प्रार्थनापत्र देनेसे स्वतंत्रता नहीं मिल सकती, लेकिन अब भी बहुत-से मजदूर कह रहे थे—"हम तजर्बा करके देखेंगे। जार हमारी उचित मांगोंको अस्वीकार नहीं करेगा।"

२२ (९) जनवरी १९०५ ई० रविवारका दिन था, जब कि एक लाख चालीस हजार मजदूर जारके चित्र, झंडे और ईसाई मूर्तियां लिये प्रार्थनाके गीत गाते हेमन्त प्रासादकी ओर चले। जारकी सरकारको मजदूरोंका स्वागत गोलियों और संगीनोंसे करना था। हेमन्त प्रासादकी सड़कोंपर जगह-जगह पलटन तैनात थी, लेकिन तो भी बहुत-से मजदूर प्रासादके मैदानमें पहुंचनेमें सफल हुये। निहत्थी जनता पर गोलियोंकी वर्षा होने लगी, एक हजार मजदूर मारे गये, दो हजार से अधिक घायल हुये। बोल्शेविकोंने यद्यपि पहले मना करनेकी कोशिश की, लेकिन न माननेपर उन्होंने मजदूरोंका साथ नहीं छोड़ा, और वह भी साथमें जाकर गोलीके शिकार हुये। मजदूरोंने ९ जनवरीके दिनको "खूनी-रविवार" का नाम दिया, उनके हृदयसे आवाज निकलने लगी—"हमारा कोई जार नहीं है।" उन्होंने अपने घरोंमें टांगे हुये जारके चित्रोंको फाड़कर फेंक दिया, और उसके बाद जबतक बोल्शेविक क्रांति नहीं हुई, "खूनी रविवार" मजदूरोंके लिये शहीदोंका स्मारक पर्व-दिन बन गया। बोल्शेविकोंने पुस्तिकायें निकालकर कहा—"हथियार, साथियो।" इसपर मजदूर बन्दूककी दूकानों और मिस्त्री-खानोंपर टूट पड़े, वहांसे उन्होंने हथियार लेकर अपनेको हथियारबंद किया। उसी ९ जनवरीके अपराह्न में पीतरबुर्गके एक मुहल्ले वासिलियेव्स्की द्वीपमें लोगोंने लड़नेके लिये सड़कपर बाड़ें खड़ी कीं। चारों ओर "स्वेच्छाचारिताकी क्षय" की आवाज गूंजने लगी। सड़कोंपर कई जगह पुलिसके साथ जनताकी मुठभेड़ हुई। इस दिन जो पाठ रूसके मजदूरवर्गको पढ़ाया गया, उसके बारेमें लेनिनने लिखा था—"अपने महीनों और वर्षोंके दरिद्र, दुःखी और उदास जीवनमें जिसे नहीं सीख सकते थे, वैसी क्रांतिकी शिक्षा सर्वहारोंने एक दिनमें पाई।" "खूनी रविवार" जारशाहीके लिये जलियानवाला बाग सिद्ध हुआ। हड़तालका जोर और बढ़ा। जनवरी ११ (२४) १९०५ ई०को मास्कोमें भी हड़ताल हुई, और इसके बाद पोलन्द, फिनलन्द, उक्रइन, काकेशस और साइबेरिया सभी जगह हड़तालोंका तूफान आ गया।

१९०५ ई०के ग्रीष्ममें सर्वहारोंका क्रांतिकारी संघर्ष चारों ओर फैल गया। प्रथम मईके महोत्सव में दो लाख बीस हजार मजदूरोंने पीतरबुर्गमें काम छोड़ दिया। मजदूरोंके संघर्षने किसानोंपर भी प्रभाव डाला और गांवोंमें आन्दोलन बढ़ चला। रूसके केंद्रीय इलाकों, गुर्जी और बाल्तिक प्रदेशोंमें एक ही साथ किसानोंने जबर्दस्त आन्दोलन शुरू किया। फर्वरी १९०५ ई०में कितनी ही जगहोंपर किसानोंने जमींदारोंके खुदकाश्त खेतोंको छीनना शुरू किया, और उस सालके वसंततक रूसकी

देहातमें सर्वत्र किसान-संघर्ष शुरू हो गया। किसानोंने जमींदारोंके महलों और मकानोंको नष्ट कर दिया, उनके खेतों और चरागाहोंपर अधिकार करके मनमाना जोतना शुरू किया। इतने व्यापक पैमानेपर हो रहे विद्रोहको दबाना जारशाहीके लिये आसान काम नहीं था, पर अभी सेनामें उतना असंतोष नहीं था।

अब उसमें भी लक्षण दिखलाई देने लगे। १९०५ ई०में ही, जब कि अभी जापानसे लड़ाई चल रही थी, कालासागरके नौसैनिक बेड़ेमें असंतोष फैल गया, और १४ (२७) जून १९०५ ई०को युद्धपोत "पोतोम्किन" के नौसैनिकोंने विद्रोह कर दिया, जिसका तुरन्तका कारण था, सड़े-गले कीड़े पड़े हुये अधपके मांसको सिपाहियोंमें परोसना। नौसैनिकोंने उसे खानेसे इन्कार कर दिया। कमांडरने मुखियोंको गोली मारनेका हुक्म दिया, जिसके विरोधमें सारे जहाजके सिपाहियोंने विद्रोह कर दिया। यद्यपि बड़े नौसैनिक अफसरोंने विद्रोही नेता वकुलिन्चुकको मार दिया, लेकिन तुरन्त मत्युशेंको नामक दूसरे नाविकने नेतृत्वको संभाला। नाविकोंने बहुतसे अफसरोंको मारकर युद्ध-पोतको अपने हाथमें कर लिया। लाल झंडा उड़ाते हुये जब वह अदेस्सा शहरके सामने पहुंचे, तो वहांके मजदूरोंमें बिजली दौड़ गई, लेकिन नरमदली समाजवादी मेन्शेविकोंने उलटा समझा-बुझाकर लोगोंको रोका। "पोतम्किन" कितने ही दिनोंतक लाल झंडा उड़ाते हुये कालासागरमें इधरसे उधर घूमता रहा, लेकिन जब तटके किसी नगरसे सहायता नहीं मिली, और उधर गोला-बारूद भी कम होने लगा, तो रूमानियाके तटपर जाकर नाविकोंने आत्मसमर्पण कर दिया। रूमानियन सरकारने पीछे १९०६ ई० में क्रांतिकारियोंको जारकी सरकारके हाथमें दे दिया, जिसने उनमेंसे बहुतोंको फांसीपर चढ़ाया और बहुतोंको कालापानीकी सजा दी। यह पहली बार था, जब कि एक विशाल युद्धपोतके सारे सैनिकोंने जारके खिलाफ खुल्लमखुल्ला विद्रोह किया। इतिहासमें हम दूसरे तरहके विद्रोह देख चुके हैं। प्रभुवर्गमें ही किसी एक व्यक्ति या दलके विरुद्धने दूसरे दलका हथियार उठाना पहले भी देखा गया था, लेकिन यह विद्रोह बिल्कुल नये तरहका था, जिसमें दरिद्र और निरीह वर्ग सहस्राब्दियोंसे शासक दलके खिलाफ खुल्लमखुल्ला उठ खड़ा हुआ, मानो जिन ईंटोंसे प्रासाद बना था, वही अब प्रासाद को ढानेके लिये हिलने-डुलने लगीं।

जापानसे संधि—जारशाही सेनापतियोंकी अयोग्यता और रूसके पिछड़ेपनके कारण जापान हारपर हार दे रहा था। इसी बीच "खूनी रविवार" और मजदूरों, किसानों तथा नौसैनिकोंके विद्रोहोंने ऐसी हालत पैदा कर दी, कि जारशाहीके लिये और अधिक दिनतक जापानके साथ लड़नेका मतलब था घरमें ही तख्ता उलट जाना। चूशिमाकी खाड़ीमें रूसी जंगी बेड़ेका जब जापानियोंने संहार कर दिया, तो विदेशी पूंजीवादियोंको भी भय लगने लगा, कि कहीं पेरिसकी आवृत्ति बड़े पैमानेपर रूसमें न होने लगे, इसीलिये उन्होंने जारकी सरकारपर युद्ध बंद करके जापानके साथ सुलह कर लेनेके लिये जोर देना शुरू किया, और यह भी कि जारको भीतरी शांति बनानेके लिये कुछ वैधानिक सुधार देकर लोगोंको अपनी तरफ खींचना चाहिये। उधर जापानकी भी भीतरी हालत अच्छी नहीं थी, क्योंकि युद्धमें अपार धन और जनका संहार हो रहा था, जिससे वहांके लोगोंमें भी असंतोष फैलनेका डर था। जापानके कहनेपर संयुक्त राष्ट्र अमेरिकाके राष्ट्रपति थ्योडोर रूजवेल्टने बीचमें पड़ना स्वीकार किया। जारशाही युद्धपरिषद्ने ६ जून (२४ मई) १९०५ ई०को जारकी अध्यक्षतामें बहुमतसे शांतिके पक्षमें फैसला किया, क्योंकि "हमारे लिये विजयसे भी अधिक महत्त्वकी चीज है घरेलू शांति हम असाधारण स्थितिमें आज पड़े हुये हैं। हमें रूसके भीतर शांतिको पुनः स्थापित करना है।" जारशाहीने सुलह करना स्वीकार किया। जापानकी शर्तें बहुत कड़ी थीं, लेकिन रूजवेल्टने भी दबाव डाला, और अन्तमें ५ सितम्बर (२३ अगस्त) १९०५ ई०को पोर्टस्मिथकी संधिपर हस्ताक्षर हुये। रूसने कोरियामें जापानके सैनिक, राजनीतिक तथा आर्थिक हितों और अधिकारोंको स्वीकार किया। पोर्ट-आर्थर और दलनीके अपने ठेकेवाले प्रदेशको उसने जापानके हाथमें सौंप दिया, सखालिन द्वीपका दक्षिणार्ध और पासके द्वीपोंको भी जापानके हाथमें दे दिया, एवं पूर्वी चीनी रेलको केवल व्यापारिक दृष्टिसे चलाना स्वीकार किया।

जापानने जारशाही गर्वको चूर-चूर कर दिया। इस युद्धमें रूसके चार लाख आदमी हत, आहत

या बंदी हुये और तीन अरब रूबल धनका नाश हुआ। रूसी जनतापर इसका बुरा प्रभाव पड़ना ही चाहिये था, लेकिन जारशाही अब पूरबके झगड़ेसे छुट्टी पाकर क्रांतिको कुचलनेमें समर्थ थी, तो भी संधिपर हस्ताक्षर होनेके सत्ताईस दिन बाद २ अक्तूबर (१९ सितम्बर) १९०५ ई०में मास्कोके प्रेसकर्मियोंने आम हड़ताल कर दी, जिनका साथ वहांके रोटी बनानेवालों, तम्बाकू-मजदूरों तथा दूसरे कमकरोंने दिया। पुलिस और कसाक सैनिकोंने उनके प्रदर्शनोंको बलपूर्वक छिन्न-भिन्न करना चाहा, इसपर मजदूरोंने भी पुलिसके ऊपर तमंचे चलाये। छ दिन बाद २५ सितम्बर (पुराना पंचांग) को मास्को की एक सड़कपर मजदूरों और जारके कसाकोंमें बाकायदा लड़ाई हुई। दो मजदूर मारे गये, आठ घायल हुये और १९२ गिरफ्तार हुये। ७ अक्तूबरको मास्को-कजान्स्कया रेलवेके मजदूरोंने हड़ताल कर दी, जिनका साथ ८ अक्तूबरको दूसरी रेलोंके मजदूरोंने भी दिया। ११ अक्तूबरको रेलवे हड़तालने सारे राष्ट्रमें आम हड़तालका रूप लिया, जिसमें स्कूलके अध्यापक, आफिसोंके कर्मचारी, कानूनपेशा लोग, इंजीनियर और विद्यार्थी भी सम्मिलित हुये। उन्होंने संविधान-सभाके बुलानेकी मांग की। जारने बहुत चाहा, कि गोलियोंकी वर्षासे विद्रोहको दबा दिया जाय, लेकिन वह उसमें आसानीसे सफल कैसे हो सकता था? अक्तूबर महीनेकी इन हड़तालोंने सरकारी शासन-यंत्रको अकर्मण्य बना दिया था।

इसी समय विद्रोहियोंने अपने संगठन, संघर्ष और शासनको चलानेके लिये एक नये यंत्रका आविष्कार किया, जिसने १९०५-६ ई०की क्रांतिमें ही बहुत काम नहीं किया, बल्कि १९१७ ई०की बोल्शेविक-क्रांतिकी सफलतामें भी उसका बहुत बड़ा हाथ था। यह संगठन था मजदूर-प्रतिनिधियोंकी सोवियत। सोवियत शब्दका वही अर्थ है, जो हमारे यहां पंचायतका, लेकिन शासन और सैनिक अधिकारोंके भी हाथमें लेनेसे सोवियतको मामूली पंचायत नहीं कहा जा सकता। १३ (२६) अक्तूबरको, जब कि हड़ताल चल रही थी, पीतरबुर्गके कमकरोंने अपने कारखानोंमें सभायें कीं, और हड़तालका नेतृत्व करनेके लिये मजदूर-प्रतिनिधियोंकी सोवियतके लिये अपने आदमी चुने। यद्यपि इसका आरम्भ हड़तालकी संयुक्त समितिके रूपमें हुआ था, लेकिन क्रांतिने जल्दी ही उसे शक्तिको संभालनेके लिये मजबूर किया। पीतरबुर्गके मजदूरोंकी देखादेखी रूसके सभी बड़े-बड़े नगरोंमें मजदूर-प्रतिनिधि सोवियतें १९०५ ई० के अक्तूबरसे दिसम्बर तक कायम होती रहीं। मास्को सोवियत बोल्शेविकों के प्रभावमें थी, इसलिये वह हथियारबंद विद्रोहकी तैयारीका संगठन बन गई। काकेशस, लतविया और त्वेर एवं मास्को गुबनिया जैसे कितने ही केंद्रीय रूसके इलाकोंमें सैनिक प्रतिनिधि भी सोवियतके सदस्य बने।

रूसके भिन्न-भिन्न जगहोंमें क्रांति और विद्रोहकी जो लहर फैली हुई थी, उसका प्रभाव वोल्गा-प्रदेश तथा दूसरे इलाकोंकी एसियाई जातियोंपर भी पड़े बिना नहीं रहा। वोल्गासे अल्ताइ और अफगानिस्तानतक जारकी हुकूमत मुसलमानोंके ऊपर थी। वहां अभी राजनीतिक जागृति इतनी नहीं हुई थी, कि वहांके लोग धर्म और साम्प्रदायिकतासे ऊपर उठते। वोल्गा-प्रदेश और बाशकिरियामें राष्ट्रीयतावादी मध्यमवर्गने मुस्लिम लीग कायम की। लीगने धीरे-धीरे मध्य-एसिया और काकेशस के मुसलमानोंको भी प्रभावित करना शुरू किया। साम्प्रदायिकतापर निर्भर आन्दोलन और संगठनका नेतृत्व मुल्लोंके हाथमें जाना जरूरी था, और मुल्ला रूसियोंके खिलाफ जहाद करनेका ही तरीका पसंद कर सकते थे, लेकिन बहुतसे एसियाई इलाकोंमें रूसी उनके पड़ोसी किसान और मजदूर बनकर बस गये थे, जो विशाल दृष्टिपूर्वक संचलित राष्ट्रीय आन्दोलनमें एसियाई जातियोंके स्वतंत्रताके युद्धमें सहायक बन सकते थे। लेकिन अभी यह काम बारह साल बाद होनेवाला था। १९०५ ई०के अन्तमें तातार मध्यमवर्गीय राजनीतिक नेताओंने कजानमें प्रथम मुस्लिम कांग्रेस बुलाई, जिसने हमारे यहां के पुराने कांग्रेसियों की तरह जारसे भक्तिपूर्वक प्रार्थना की, कि मुसलमानोंको भी वही अधिकार मिलने चाहियें, जो कि बादशाहकी रूसी प्रजाको प्राप्य हैं। १९०५ ई०में चुवाशोंमें भी राष्ट्रीय आन्दोलन शुरू हुआ, लेकिन वह शुद्ध किसान आन्दोलन था, जो चाहता था, कि किसानोंको धरती और मुक्ति मिले। चुवाश और मारी लोगोंके भीतर हो रहे किसान आन्दोलनको अखिल रूसी किसान संघके सदस्योंने संचालित किया था। किसानोंने जमींदारोंसे जमीन छीनने और अपनी भाषामें स्कूलोंके खोलनेकी मांग की। साइबेरियाके बुरियत मंगोल भी जारशाही अफसरोंके अत्याचारसे तंग आ गये थे, उन्होंने

साइबेरीय जातियोंकी लीग स्थापित की। १९०५ ई० ही में याकूतोंमें भी जागृति हुई, और उन्होंने याकूत लीग कायम की, जिसे जारशाहीने जल्दी ही दबा दिया।

दिसम्बरका विद्रोह——रूसी कमकर समझने लगे थे, कि केवल राजनीतिक हड़तालोंसे काम नहीं चल सकता। अक्तूबरकी हड़तालोंके बाद सबसे पहले हथियारबंद विद्रोह करनेवाले थे क्रोन्स्तात् नौसैनिक अड्डेके नाविक और तोपची। २६ और २७ अक्तूबर (पुराना पंचांग) के दो दिन और दो रातोंतक रूसका यह मशहूर नौसैनिक अड्डा विद्रोहियोंके हाथोंमें रहा, लेकिन अभी उनका भीतर-बाहरका संगठन इतना मजबूत नहीं था, इसलिये २८ अक्तूबरको जारशाही सेनाने उसे दबा दिया। दो सौ विद्रोहियों तथा उनके नेताओंको फौजी अदालतद्वारा कड़े दंड दिये गये।

इस समय रूस-अधिकृत पोलन्दमें फौजी कानून घोषित किया गया था। उसके उठा लेने तथा क्रोन्स्तातके नाविकोंको मुक्त करानेके लिये १४(१) नवम्बर १९०५ ई०को पीतरबुर्गकी मजदूर-प्रतिनिधि-सोवियतने एक आम हड़ताल घोषित की। जारकी सरकारको मजबूर होकर उनकी मांगोंको स्वीकार करना पड़ा, पोलन्दसे मार्शल-ला (फौजी कानून) उठा दिया गया, और क्रोन्स्तातके नाविकों पर फौजी अदालतमें कोर्ट मार्शल द्वारा फांसीका दंड दिलानेकी जगह साधारण सैनिक अदालतमें मुकदमा चलाया गया, जिसने ८३ विद्रोहियोंको छोड़ दिया, १२३ को जेलकी और केवल नौ को कालापानीकी सजा दी। इसमें शक नहीं, पीतरबुर्गके कमकरोंकी हड़तालने क्रोन्स्तातके बहुतसे विद्रोहियोंके प्राणोंकी रक्षा की। क्रांतिकी इस दूसरी लहरने कालासागरके नौसैनिकोंको प्रभावित किया। २७ (१४) नवम्बरको क्रूजर "ओचाकोफ' के नाविकोंने विद्रोह किया। "पोतेम्किन"के नाविकोंकी जो गति हुई थी, उससे ये नाविक हताश नहीं हुये थे। २८ (१५) नवम्बरको दूसरे सैनिक पोतों और सेवस्तापोलके दुर्गमें काम करनेवाले सैनिकों और कमकरोंने ओचाकोफके विद्रोहियोंका साथ दिया। "पोतोम्किन" का नाम "पतेलेइमोन" रखकर जारशाहीने उसे सुरक्षित समझा था, लेकिन पोतेम्किनके ऊपर फिर लाल झंडा फहराने लगा। अभी भी दूसरे युद्धपोत और सैनिक जारशाहीके भक्त थे। २८(१५) नवम्बर को ही तट और जहाजकी तोपोंने "ओचाकोफ" पर गोलाबारी शुरू की, जिससे उसमें आग लग गई। नाविकोंने समुद्रमें कूदकर बचनेकी कोशिश की, लेकिन उन्हें मशीनगनोंकी गोलियोंसे भून दिया गया। विद्रोहियोंका नेता लफटेनेंट स्मिथ और दूसरे नेताओंको कोर्टमार्शल करके गोलीसे उड़ा दिया गया। इस प्रकार कालासागरका विद्रोह दबा दिया गया।

नवम्बर और दिसम्बरके महीनोंमें अबकी किसानोंके विद्रोहने और भी जोर पकड़ा। युरोपीय रूसके एक तिहाईसे अधिक इलाकोंमें किसान जमींदारोंको भगाकर उनसे खेतोंको छीन रहे थे, उनके मकानों और महलोंको लूटते बरबाद कर रहे थे।

क्रांतिकी प्रगतिको लेनिन अपने निर्वासित स्थान (जेनेवा)से गम्भीरतापूर्वक बराबर देख रहे थे। नवम्बर (१९०५ ई०)में क्रांतिकारी संघर्षका नेतृत्व करनेके लिये उन्होंने रूसमें आना जरूरी समझा। दिसम्बर १९०५ ई०में फिनलैंडमें तम्मेरफोर्स नगरमें बोल्शेविकोंका एक सम्मेलन हुआ। यहींपर स्तालिनको लेनिनको देखनेका सर्वप्रथम सौभाग्य प्राप्त हुआ। लेनिनके सुझावपर सम्मेलनने सदस्योंको अपने-अपने इलाकेमें विद्रोह-संचालन करनेका आदेश दिया। लेकिन दिसम्बरके आरम्भ तक जारशाहीने अपनी शक्तिको पहलेसे अधिक दृढ़ कर लिया था। मंचूरियाके युद्धक्षेत्रसे कितनी ही सेनायें लौटकर युरोपीय रूसमें पहुंच गई थीं। अबकी मास्कोका नम्बर पहला था। वहांकी सोवियतके नेता बोल्शेविक थे। उन्होंने हथियारबंद विद्रोहकी तैयारी बड़े जोर-शोरसे शुरू की। उनके प्रयत्नसे मास्कोकी छावनीमें भी विद्रोहकी लहर फैल गई, जिसमें रस्तोफ रेजिमेंट पहिले रही। १५ (२) दिसम्बरको सिपाहियोंने अपने अफसरोंको गिरफ्तार कर लिया, और रेजिमेंटके कामके संचालनके लिये सिपाहियोंकी एक समिति निर्वाचित की। लेकिन मास्कोकी दूसरी रेजिमेंटोंने उनका अनुसरण नहीं किया, इसलिये १७ (४) दिसम्बरको इन सैनिकोंको दबा दिया गया। अगले दिन मास्कोके बोल्शेविकोंने एक सम्मेलनमें मास्को सोवियतपर जोर दिया, कि वह हथियारबंद विद्रोहको बढ़ानेके लिये आम हड़ताल घोषित करे। २० (७) दिसम्बरके सबेरे आम हड़ताल शुरू हुई। बन्दूकें-पिस्तौल पर्याप्त नहीं थे, इसलिए मज़दूरोंने अपने मिस्त्रीखानोंमें कामचलाऊ हथियार बनाये। दो हजार मजदूर--जिनमें क़रीब आधे

बोल्शेविक थे—लड़नेवाले दलमें शामिल हुये। सड़कोंमें प्रदर्शन हुये, और मजदूर मुहल्लोंमें पुलिसके साथ मुठभेड़ हुई। सारी अस्त्राखानी रेजिमेंट अपने पूरे सामानके साथ विद्रोहियोंकी मददके लिये तैयार हो गई, लेकिन जारभक्त कसाकोंने उन्हें घेरकर अपनी बारकोमें लौटनेके लिये मजबूर किया। दूसरी कितनी ही संदिग्ध रेजिमेंटोंको भी अपनी बारकोंमें ही रखा गया। सचमुच मास्को-स्थित उस समयके पन्द्रह हजार सिपाहियोंमें तेरह सौ नब्बे ही ऐसे थे, जिनपर जारशाही विश्वास कर सकती थी। मास्कोके महाराज्यपालने राजधानीमें सेना भेजनेके लिये संदेशपर संदेश भेजे थे। लेकिन क्रांतिकारी इस स्थितिसे पूरा फायदा नहीं उठा सके। २२ (९) दिसम्बरको सरकारी सेनाका पल्ला भारी हो गया, और उन्होंने जगह-जगह आक्रमण करके विद्रोहियोंको दबाना शुरू किया। स्थितिको प्रतिकूल देखकर मास्कोकी पार्टी कमीटी और मजदूर-प्रतिनिधि सोवियतने ३१ (१८) दिसम्बरकी रातको विद्रोहको बंद करनेका निश्चय किया। सब जगह विद्रोहियोंने लड़ाई बंद कर दी। क्रांतिकारियोंको मौतसे कैसे बचाया जाय, इसका भार उख्तोम्स्की नामक इंजन-ड्राइवरने अपने ऊपर लिया, और ट्रेनमें क्रांतिकारियोंको बैठाकर वह मशीनगनों और राइफलोंकी गोलियोंकी वर्षाके बीचसे ट्रेनको बड़े वेगसे भगा ले गया। इस प्रकार उसने कितने ही क्रांतिकारियोंको फांसी पानेसे बचा लिया। जारकी सेनाने मजदूरों और उनके परिवारके ऊपर भयंकर अत्याचार किये, सैकड़ोंको बिना मुकदमा चलाये ही गोलियोंसे ठंडा कर दिया।

मास्कोके बाहर दूसरे कितने ही शहरोंमें भी हथियारबंद विद्रोह हुये। दक्षिणमें गोरलोवकामें विद्रोहियोंने जारके राज्यको खतम करके मजदूर-प्रतिनिधियों का शासन आरम्भ कर दिया। मजदूरोंके पास अपने हाथकी बनाई तलवारों, छुरों तथा थोड़ेसे तमंचोंके सिवा और हथियार नहीं थे, तो भी चार हजार क्रांतिकारियोंने जारके कसाकोंके साथ पांच घंटे तक बड़ी बहादुरीसे लड़ाई की, जिसमें उनके तीन सौ आदमी काम आये। दोनेत्स-उपत्यकामें सभी जगह पुलिस और सेनाके साथ विद्रोहियोंकी लड़ाई हुई। लुगान्स्कमें सशस्त्र विद्रोह और हड़तालका नेतृत्व क० ई० बोरोशिलोफने किया। १९०५ ई० के ग्रीष्ममें बोरोशिलोफको गिरफ्तार कर लिया गया, लेकिन दिसम्बरमें हजारों मजदूरोंने जाकर "अपने लाल जेनरल" को जेलसे छुड़ा लिया। बोरोशिलोफकी संगठन शक्ति और सैनिक सूझ-बूझको देखकर एक सभामें एक मजदूरने कहा—"हम तुम्हें अपना लाल जेनरल नियुक्त करते हैं।" जिसका जवाब बोरोशिलोफने हंसते हुये दिया—"तुम बहुत दूरकी बातकर रहे हो, मुझे सैनिक विद्याका कुछ भी पता नहीं है।" उस समय सचमुच ही किसको पता था, कि बोल्शेविक-क्रांतिके समय वह अपनी सैनिक प्रतिभाका सुन्दर परिचय देगा, और अन्तमें रूस-जैसी दुनिया की एक शक्तिशाली सेनाका फील्ड-मार्शल और आज सोवियत संघ का राष्ट्रपति बनेगा।"

इसी प्रकार नवोरोसिस्कमें भी मजदूर-प्रतिनिधियोंकी सोवियतने शासन अपने हाथमें संभाल लिया। कालासागर-तटवर्ती नगर सोचीमें भी यही बात हुई। साइबेरियाके क्रास्नोयार्स्क और चीता नगरोंकी सेना विद्रोही मजदूरोंसे मिल गई और यहां सिपाहियोंके भी प्रतिनिधियोंने मजदूर-प्रतिनिधियोंकी सोवियतोंमें शामिल होकर विद्रोहका संचालन किया।

१९०५ ई०का विद्रोह खूनी हाथोंसे दबा दिया गया। प्लेखानोफ अब नरमदली समाजवादी हो गया था। उसका कहना था—"उन्हें हथियार उठाना नहीं चाहिये था।" जिसका जवाब लेनिनने दिया—"इसके विरुद्ध हमें सारी शक्तिके साथ और दृढ़तापूर्वक आक्रमणात्मक रूपमें हथियार उठाना चाहिये था।" दिसम्बरकी क्रांतिके असफल होनेके कारण थे—किसानोंसे मदद नहीं मिलना, सेनाके भी अधिक भागका जारशाहीके साथ होना, विद्रोहियोंका अच्छी तरह संगठित न होना और एक साथ उठनेकी जगह विद्रोह का भिन्न-भिन्न जगहोंमें भिन्न-भिन्न समयोंमें आरम्भ होना। विद्रोहियोंके पास काफी हथियार नहीं थे, उन्होंने आक्रमण करनेकी जगह प्रतिरोध करना पसंद किया, तो भी इस क्रांतिको असफल नहीं कहा जा सकता, क्योंकि क्रांतिकारियोंने जो भूलें इस समय की थीं, अपनेमें जो कमियां पाई थीं, उन्हें हटानेमें सफल होकर ही वह १९१७ ई०की क्रांतिमें विजयी हुये। इसीलिये इस क्रांतिको १९१७ ई० की क्रांतिका रिहर्सल कहा जाना बिलकुल ठीक है।

शासन-सुधार—जारशाहीने क्रांतिको दबा दिया, लेकिन वह जानती थी, कि लोगोंको संतुष्ट

करने या धोखेमें रखनेके लिये कुछ सुधार देना भी जरूरी है। ११ सितम्बर १९०५ ई०को इसीलिये राज्यदूमा (संसद)के चुनावकी घोषणा की गई। लेकिन यह पहिले ही निश्चय कर लिया गया, कि निर्वाचनमें राजभक्तोंका ही पलड़ा भारी रहे, इसीलिये जहां जमींदारोंको दो हजार मतदाताओं पर एक प्रतिनिधि और नगरोंके सम्पत्तिवालोंको सात हजार वोटरोंपर एक प्रतिनिधि भेजनेका अधिकार दिया गया था, वहां तीस हजार किसान और नब्बे हजार मजदूर वोटरोंपर एक प्रतिनिधि भेजनेका नियम बनाया गया था। निर्वाचन भी सीधा नहीं था। प्रत्येक गांवके वोटर वोलोस्त (जिले) के लिये निर्वाचक चुनते। ये निर्वाचक हरएक जिलेसे दो प्रतिनिधियोंको कमिश्नरीके लिये चुनते। कमिश्नरियोंके चुने हुये निर्वाचक गुबर्नियों (प्रदेशों) के लिये निर्वाचक चुनते, और गुबर्नियोंके यह निर्वाचक दूमा (संसद) के लिये प्रतिनिधि चुनते। वोट भी गुप्त नहीं देते थे। जारकी सरकारने इस प्रकार समझ लिया था, कि हम ऐसे आदमियोंको ही संसदमें आने देंगे, जो कि हमारी हांमें हां मिलायें। मार्च और अप्रैल १९०६ ई०में राज्यदूमाके लिये निर्वाचन हुये। उस समय पुलिसके अत्याचारोंसे सब जगह त्राहि-त्राहि मची हुई थी। बोल्शेविकोंने निर्वाचनके बायकाट करनेका निश्चय किया था। इसी समय १९०६ अप्रैलमें स्टाकहोममें समाजवादी जनतांत्रिकोंकी कांग्रेस हुई। जारशाही अत्याचारोंसे सबक सीखकर बोल्शेविक और मेन्शेविक दोनों इस कांग्रेसमें सम्मिलित हुये, और समाजवादी जनतांत्रिक पार्टीके भीतर अलग अलग दो गुटोंको रखते हुये भी वह एक हो गये।

नवनिर्वाचित दूमाके उद्घाटनसे तीन दिन पहले अप्रैल १९०६ ई०के अन्तमें जारशाहीने "आधारिक राज्यविधान" प्रकाशित किये, जिसके द्वारा "सभी रूसोंके सम्राट्में सर्वोच्च परमस्वतंत्र राज्यशक्ति निहित है" को घोषित किया गया। साथ ही दूमापर अंकुश रखनेके लिये एक राज्य-परिषद् बनाई गई, जिसकी स्वीकृतिके बिना कोई भी कानून दूमा द्वारा पास होकर जारके पास भेजा नहीं जा सकता था। परिषद्में आधे सरकारी उच्च अधिकारी थे, जिनकी नियुक्ति जार करता, बाकी आधेमें स्थानीय बोर्डों (जेम्स्त्वों), अमीरों, पादरियों और विश्वविद्यालयोंके प्रतिनिधि लिये जानेवाले थे।

इतने छंद-बंदके बाद निर्वाचित दूमा भी पूरी तौरसे जारशाहीके अनुकूल सिद्ध नहीं हुई। उसके ५२४ सदस्योंमें २०४ किसान थे, जोकि वैसे किसान नहीं थे, जिन्हें जारका सलाहकार प्रधान-मंत्री काउंट वित्ते चाहता था। समाजवादी जनतांत्रिक समूहके अठारह प्रतिनिधि दूमामें पहुँचे थे। वैधानिक जनतांत्रिक या नरमदलियोंकी संख्या १७९ थी।

यद्यपि विद्रोहका वेग दब गया था, लेकिन वह बिल्कुल खतम नहीं हुआ था। १९०६ ई०में मईसे अगस्ततक देशके आधे भागमें किसानोंके आन्दोलन और बलवे चलते रहे। दूमा जनताके हितके लिये नहीं बनाई गई थी, इसलिये वह लोगोंको शांत करनेमें कैसे समर्थ होती? जब भूमि-संबंधी समस्याके बारेमें किसान-प्रतिनिधियोंने अपने अनूकूल प्रस्ताव पास करना चाहा, तो घबड़ाकर सरकारने ८ जुलाई १९०६ ई०को दूमाको खतम कर दिया।

उसी साल दूसरी दूमाका निर्वाचन हुआ। प्रथम दूमाका बोल्शेविकोंने बायकाट किया था, लेकिन प्रथम दूमाके तजर्बेसे उन्हें पता लग गया, कि दूमाको अपने विचारोंके प्रचारके लिये एक अच्छा प्रभावशाली भाषणमंच बनाया जा सकता है, इसीलिये लेनिनके परामर्शके अनुसार बोल्शेविकोंने अबके निर्वाचनमें भाग लेनेका निश्चय किया। वामपक्षी दलने भी भाग लिया, जिसके कारण द्वितीय दूमा जारशाहीके लिये प्रथमसे भी अधिक कड़वी साबित हुई। नरमदली संवैधानिक जनतांत्रिक पहलेकी अपेक्षा आधे ही (१७९ : ९८) आ पाये। किसान गुट तथा नरम समाजवादी क्रांतिकारी जहां पहली दूमामें ९४ थे, वहां अब उनकी संख्या बढ़कर १५७ हो गई। समाजवादी जनतांत्रिक अब अठारहकी जगह पैंसठ थे। यद्यपि द्वितीय दूमामें प्रगतिशील विचारोंका प्रतिनिधित्व ज्यादा था, लेकिन अब क्रांतिका वेग उतारपर था, इसलिये वह जनताके किसी भी हितको करनेमें असमर्थ थी, ३ जून १९०७ ई०को प्रतिगामी जारके पिट्ठुओंने कानूनके दिखावेको भी छोड़कर चारों ओर अत्याचार करना शुरू किया। उसी साल १५९ मजदूर सभाओंको भंग कर दिया गया, १९०८ ई०में और १९०९ ई०में छानवे मजदूर-संगठन निषिद्ध कर दिये गये। द्वितीय दूमाको

खतम कर देनेके बाद भी निकोलाइ II अपनेमें इतनी शक्ति नहीं पाता था, कि दूमाके बिना ही शासनको जारी रक्खे, इसीलिये वह तृतीय दूमाके निर्वाचन करनेकी घोषणा करनेके लिये मजबूर हुआ। अबकी बार जारशाहीने चुनावके नियम और भी अनुकूल बनाये : जमींदार २३० वोटरोंपर एक, बूर्ज्वा (पूंजीवादी) हजारपर एक, किसान साठ हजारपर एक और मजदूर सवा लाखपर एक प्रतिनिधि भेज सकते थे। रूसी प्रजाको जहां दूमामें अपना प्रतिनिधि भेजनेका इस प्रकार अधिकार प्राप्त था, वहां मध्य-एसियाके लोगोंको एक भी प्रतिनिधि भेजनेका अधिकार नहीं दिया गया था—युरोपीय रूसके जहां ४०३ थे, वहां सीमांती इलाकोंके ३९ ही लिये जानेवाले थे, जिनमें बारह रूसी-पोलन्दके प्रतिनिधि थे। इस नियमके अनुसार जो निर्वाचन हुआ, उसमें २०२ अथवा ४६ प्रतिशत सदस्य जमींदारोंके थे। वामपक्षी दलोंको केवल ७ प्रतिशत जगहें मिली थीं, लेकिन जारशाही तो दूमाको केवल दिखावेकी चीज रखना चाहती थी। वह दूसरी तरहसे भी विरोधी शक्तियोंको कुचलनेके लिये तैयार थी। विद्रोही किसानोंकी शक्तिको सर्वथा नष्ट कर देनेके लिये उसने यह तरीका निकाला था—गांवकी पंचायती सत्ताका नष्ट कर देना, देहातमें भूमिपर सामूहिक अधिकार रखनेकी जगह किसानोंको वैयक्तिक तौरसे खेतोंपर अधिकार देना, एवं किसानोंको विद्रोही गांवों और इलाकोंसे ले जाकर दूसरी जगह बसाना। इसकी वजहसे वह कुछ समयके लिये किसानोंकी शक्तिको तोड़नेमें सफल हुई। गांवकी जमीनपर सामूहिक अधिकार होनेपर धनी और गरीब किसानोंके बीच भारी भेद नहीं कायम किया जा सकता था, लेकिन अब गांवोंमें कुलक (धनी किसान) पैदा होने लगे।

जारशाही समझने लगी थी, कि लेनिनके रूपमें उसे एक बड़े शत्रुसे मुकाबला पड़ा है। १९०७ ई०के जाड़ोंमें सरकारने लेनिनकी गिरफ्तारीका हुक्म निकाला। लेनिन फिनलन्दमें गुप्त रीतिसे रहते थे। पार्टीकी सलाहपर लेनिनको देश छोड़ जाना पड़ा। गुप्त रीतिसे जिस जहाज द्वारा उन्हें बाहर जाना था, उसे पकड़नेके लिये पुलिसकी आंख बचाकर फिनलन्दकी बर्फ जमी खाड़ीके ऊपरसे चलना पड़ा। एक जगह कमजोर बर्फके कारण लेनिन मौतसे बाल-बाल बचे। आखिर वह जहाज द्वारा देश छोड़कर प्रायः दस सालके लिये विदेशमें जीवन बिताने चले गये। क्रांतिके असफल होनेका एक प्रभाव यह हुआ, कि क्रांतिके साथ सहानुभूति रखनेवाले बुद्धिजीवियोंमें निराशा और उसीके कारण विचारोंमें गड़बड़ी पैदा हो गई। लेकिन तब भी बोल्शेविकोंने अपनी पार्टीको नष्ट होनेसे बचानेके लिये पूरी कोशिश की। जनवरी १९१२ ई०में बोल्शेविकोंने स्वतंत्र बोल्शेविक पार्टी स्थापित करनेके लिये प्राहा (चेकोस्लोवाकिया) में अपना सम्मेलन किया, जिसका बहुत भारी ऐतिहासिक महत्त्व है, क्योंकि इसीके निर्णय द्वारा स्थापित बोल्शेविक पार्टीने पांच वर्ष बाद रूसमें सफल क्रांति की। इस वक्त जो केंद्रीय समिति नियुक्ति की गई थी, उसमें लेनिन, स्तालिन और य० म० स्वेर्द्लोफ मुख्य थे। इसी समयसे पार्टीके पुराने नाम "रूसी समाजवादी जनतांत्रिक मजदूर पार्टी"के साथ-साथ ब्रैकेटमें "बोल्शेविक" भी लिखा जाने लगा। इसी सम्मेलनके समय से बोल्शेविक नेताओंने दृढ़तापूर्वक कार्य आरम्भ किया। इन नेताओंमें लेनिन सर्वोपरि थे। उनके सहायकोंमें याकोब मिखाइल-पुत्र स्वेर्द्लोफ भी एक प्रसिद्ध कार्यकर्त्ता था, जिसने कजान और उरालमें बहुत काम किया और पीछे साइबेरियामें निर्वासित कर दिया गया था। सोवियत शासनकी स्थापनाके बाद यही रूसका प्रथम राष्ट्रपति हुआ। मिखाइल वासिली-पुत्र फ्रुंजे दूसरा जबर्दस्त बोल्शेविक क्रांतिकारी था, जिसने बोल्शेविक क्रांतिके समय अपनी सैनिक सूझ और संगठनका बहुत अच्छा परिचय दिया। आज मध्य एसियाके किर्गिजिस्तान गणराज्यकी राजधानी फ्रुंजेके नामपर मशहूर है। सेर्गेई मीरन-पुत्र किरोफ १८ वर्षकी उमरमें बोल्शेविक पार्टीमें शामिल हुआ, और १९०५ ई०की क्रांतिमें उसने जबर्दस्त भाग लिया। क्रांतिके सफल होनेके बाद उसने बहुत-से जवाबदेह पदोंको संभाला, और द्वितीय पंचवार्षिक योजनाके समय दुश्मनकी गोलीका शिकार हुआ। स्तालिनकी जन्मभूमि गुर्जीका ग्रिगोरी कान्स्तन्तिनो-पुत्र ओर्जोनीकिद्ज़े १९०३ ई०में बोल्शेविक पार्टीमें शामिल हुआ। १९०५ ई० की क्रांतिमें इसने बड़ी तत्परतासे भाग लिया। जब क्रांतिके असफल होनेपर गिरफ्तारियां होने लगीं, तो वह विदेशमें भाग जानेमें सफल हुआ। १९०९ ई०में वह ईरानमें था, और वहांकी क्रांतिमें भी

उसने भाग लिया था। पीछे ईरानमें रहना असम्भव देखकर वह लेनिनके पास पेरिस चला गया। प्राहा (प्राग)के सम्मेलनके बाद वह फिर गुप्त रीतिसे रूसमें लौटकर काम करने लगा। व्याचिस्लाव मिखाइल-पुत्र मोलोतोफ १९०६ ई०में पार्टीमें सम्मिलित हुआ, जब कि अभी वह १६ वर्षका विद्यार्थी था और कालेजकी पढ़ाई समाप्त नहीं कर पाया था। इसी समय १९ वर्षकी उमरमें उसे बलोग्दामें भेजकर नजरबन्द कर दिया गया, लेकिन तो भी उसने अपने कार्यको जारी रक्खा।

प्रथम क्रांतिके असफल होनेके बाद चारों ओर राजनीतिक शिथिलता छा गई। उस समय गुप्त रहकर क्रांतिकारी आन्दोलनको जारी रखनेवालोंमें मिखाइल इवान-पुत्र कलिनिन और क्लिमेंती एफरेम-पुत्र वोरोशिलोफ भी थे। कलिनिनने कई साल जारशाही जेलोंमें बिताये, और वह कई सालोंतक सोवियतका राष्ट्रपति रहकर मरा। वह एक मामूली किसानका लड़का था, जो चरवाही, साईसीके जीवनसे मजदूर और फिर क्रांतिकारी बना। वोरोशिलोफके बारेमें हम बतला चुके हैं। वह १९०३ ई०में पार्टीमें शामिल हुआ, और १९०५ ई०में लुगान्स्कके विद्रोहका "लाल जेनरल" बना। उसे पकड़कर १९०७ ई०में तीन सालके लिये साइबेरियामें निर्वासित कर दिया गया, लेकिन वह वहांसे तीन बार निकल भागनेमें सफल हो अपने काममें जा डटा।

वैदेशिक संबंध—उत्पादनके बेहतर साधनोंके कारण पूंजीवादी व्यवस्था सामन्तवादी व्यवस्थासे कहीं अधिक समृद्धि और शक्तिकी वाहक है। इसका प्रत्यक्ष उदाहरण हम २० वीं सदीके आरम्भमें इंगलैण्ड और फ्रांसका रूससे मुकाबिला करके देख सकते हैं। रूस यद्यपि जनसंख्या और प्राकृतिक स्रोतोंमें पश्चिमी युरोपके इन दोनों देशोंके सम्मिलित साधनोंसे भी कहीं बेहतर स्थितिमें था, लेकिन पूंजीवादी प्रगति अतएव उद्योग-धंधोंके विकासमें पिछड़ा होनेके कारण वह परमुखापेक्षी था। इसीके कारण जापानके साथ उसे बुरी तौरसे हारना पड़ा। लेकिन इस समय पश्चिमी युरोपमें जर्मनी-आस्ट्रिया और इंग्लैण्ड-फ्रांसके दो प्रतिद्वंद्वी पैदा हो चुके थे। जबतक जर्मनी छिन्न-भिन्न अवस्थामें था, तबतक फ्रांस और इंगलैण्ड अपने उपनिवेशिक स्वार्थोंके कारण एक दूसरेके शत्रु बने रहे, लेकिन १८७० ई०में संयुक्त जर्मनीकी सेनायें पेरिसमें घुसकर फ्रांसको यह समझानेमें सफल हुईं, कि अब उसे खतरा ब्रिटिश चेनल पार पश्चिमसे नहीं, बल्कि पूरबसे है। इसका निश्चय होते ही अब फ्रांस और इंगलैण्ड एक दूसरेके नजदीक हो गये। उद्योग-धंधों तथा दूसरे खर्चोंके लिये जारशाहीको इंगलैण्ड और फ्रांसका मुंह देखना पड़ रहा था। यदि पश्चिमी युरोपके इन दोनों देशों और जारशाही रूसमें मेल न होने देनेका कोई कारण हो सकता था, तो वह था तुर्की और ईरानके भीतर उनका स्वार्थ। लेकिन समझौता करना जरूरी था। बिस्मार्क जर्मनीकी एकता स्थापित करनेके बाद हट गया और अब हिटलरका पूर्ववर्ती कैसर विलहेल्म II सारे विश्वपर नजर दौड़ाने लगा। जिस वक्त पश्चिमी युरोपकी दोनों शक्तियां दुनियाके बाजारों और राजनीतिक प्रभुत्वको आपसमें बांट रही थीं, उस समय जर्मनी सोता रहा। सैनिकवाद जर्मनीकी पुरानी परम्परासे चला आया था। सैनिक दृष्टिसे मजबूत होनेके लिये भी उद्योग-धंधोंके बढ़ानेकी बड़ी अवश्यकता थी, इसलिये जर्मनीने बड़ी तेजीके साथ अपने कल-कारखानों और वैज्ञानिक खोजोंको आगे बढ़ाया। लेकिन जर्मनीके कल-कारखानोंकी चीजोंको दुनियाके बाजारोंमें भेजकर नफा कमानेमें फ्रांस और इंगलैण्ड पग-पगपर बाधक थे, इसलिये अब उसे अपना रास्ता निकालनेके लिये तलवार छोड़कर दूसरा कोई साधन नहीं रह गया था। कैसर विल्हेल्मने देखा, कि रूसका पश्चिमी गुटमें शामिल होना हमारे लिये अच्छा नहीं है। उधर निकोलोइ II भी देख रहा था, कि जर्मनीसे समझौता हो जानेपर तुर्की और ईरानमें हमारे लिये रास्ता खुल जायेगा। जार और कैसरने ब्योर्कमें एक गुप्त संधिपत्रपर हस्ताक्षर भी किया, लेकिन संधिपत्रपर अमल करनेपर फ्रांस और इंगलैण्डसे वित्तीय सहायता बन्द हो जाती। फ्रांस और इंगलैण्डने १९०६ ई०में ढाई अरब फ्रांकका ऋण देकर जापानी युद्धके परिणामस्वरूप दिवालिया बननेसे जारशाहीको बचा लिया था। उन्होंने पोर्ट्स-मौथ संधिमें भी शर्तोंको रूसके अनुकूल बनवानेमें सहायता दी थी। फ्रांसका ईरान और तुर्कीके बारेमें भी रूससे समझौता हो गया। ईरानको इंगलैण्ड और रूसने अपने-अपने प्रभाव-क्षेत्रोंमें बांट लिया—उत्तरी ईरानको रूसके प्रभावमें रखा गया और पेट्रोलवाले दक्षिणी क्षेत्रको

इंगलैण्डने अपने हाथमें रक्खा, बीचके थोड़ेसे भूभागको तटस्थ क्षेत्रके तौरपर रहने दिया गया। इंगलैण्ड और रूसके साथ समझौता हो जानेपर फ्रांस और रूसके बीचमें भी समझौता होना आसान था। वस्तुतः यह त्रिगुट समझौता १९०४ ई० ही में हो गया था, जिसके अनुसार इंगलैण्ड, फ्रांस और रूस जर्मनीके विरुद्ध एक होकर तैयार थे। अपने पिछड़ेपनके कारण रूस फ्रांस और इंगलैण्डके लग्गू-भग्गूकी स्थिति रखता था। उसके पश्चिमी दोस्तोंने अब भी रूसी नौसेनाको बासफोरस और दरेदानियाल द्वारा जाने-आनेकी स्वतंत्रता नहीं दी थी। १९०८ की मई और जूनमें जार और इंगलैण्डके राजा एडवर्ड सप्तमने रेवेलमें मुलाकात कर जर्मनीके विरुद्ध मिलकर तैयारी करनेका समझौता किया। उन्होंने मकदूनियाको तुर्कीसे अलग करनेकी बातको भी मान लिया, लेकिन दरेदानियालके रास्तेको रूसी नौसेनाके लिये मुक्त करनेपर अभी भी समझौता नहीं हो पाया। उधर जर्मनी भी आस्ट्रियाको अपने साथ मिलाकर अपने शत्रुओंकी चालोंको व्यर्थ करनेके लिये तैयार था, जिसके लिये सबसे पहले बल्कानमें अपनी स्थितिको मजबूत करना जरूरी था। मई-जूनकी मुलाकात रूसको निश्चित तौरसे पश्चिमी गुटके साथ मिलानेमें सफल नहीं हो पाई थी, इसीलिये रूस अभी दूसरे पक्षकी ओर भी हाथ बढ़ानेकी कोशिशमें था। १९०८ ई० के वसंतमें आस्ट्रिया और रूसके विदेश-मंत्रियोंने आपसमें बातचीत करके निश्चय किया, कि आस्ट्रियाके बोसनिया और हेर्जेगोविनाके अधिकारपर जारशाही कोई आपत्ति नहीं करेगी, जिन्हें कि बर्लिन कांग्रेसके समय (१८७८ ई०)से ही आस्ट्रियाने तुर्कीसे छीनकर अपने हाथमें कर लिया था। बदलेमें आस्ट्रियाने दरेदानियालसे रूसी युद्धपोतोंके स्वतंत्रतापूर्वक आने-जानेके दावेको मंजूर किया। लेकिन इस बातको इंगलैण्ड माननेके लिए तैयार नहीं था। आस्ट्रियाने उधर अपने वचनको बिना पूरा किये ही बोसनिया और हेर्जेगोविनाके सर्बोंको अपने राज्यमें मिलानेकी घोषणा कर दी। जारशाही बल्कानके स्लावोंको अपने प्रभावक्षेत्रमें मानती थी, जिसके लिये बहुत समयसे वृहत्तर स्लाववादको प्रोत्साहन दे रही थी। १९०८-९ ई०में आस्ट्रियाके इस कामसे युद्ध घोषित होनेमें कोई कसर नहीं थी, लेकिन जापानसे हार खानेके बाद अभी रूस इस स्थितिमें नहीं था, कि युद्ध छेड़कर आस्ट्रियाको जवाब देता।

जापानसे रूसके हारनेपर एसियाकी परतंत्र जातियोंमें स्वतंत्रताकी भावना बहुत बढ़ गई, और एक एसियाई जाति द्वारा युरोपके सबसे शक्तिशाली साम्राज्यके पराजित किये जानेके बाद वह यह माननेके लिये तैयार नहीं थी, कि युरोपकी जातियोंको काली जातियोंपर शासन करनेका अधिकार भगवान्‌की ओरसे मिला है। उधर १९०५-७ ई०में रूसमें क्रांतिकी जो प्रचंड आंधी आई थी, उसके कारण भी उसकी धाक ईरानके ऊपरसे हट गई। स्वतंत्रता-प्रेमी ईरानी देख रहे थे, कि जब तक पुराने शाही शासनमें सुधार नहीं किया जाता, तबतक हम अपने देशको अंग्रेजों और रूसियोंके चंगुलसे नहीं निकाल सकते। २० वीं सदीके आरंभमें ईरानमें जो राष्ट्रीयताकी लहर फैली, उसका परिणाम १९०६ ई०की ईरानी क्रांति थी। शाहने पहले गोलियों और जंजीरोंद्वारा स्वतंत्रताकी भावनाओंको दबाना चाहा, लेकिन अन्तमें उसमें असफल हो जनताकी संसद (मजलिस) को स्थापित करनेकी मांगको स्वीकार किया। लेकिन जारशाही इसे कब पसंद कर सकती थी? १९०८ ई०के ग्रीष्ममें कर्नल ल्याखोफने कसाकोंके ब्रिगेडको लेकर तेहरानमें पहुंच मजलिसपर तोपके गोले बरसाये, और शाहको मजलिस तोड़ देनेके लिये मजबूर किया। नवस्थापित मजलिसके कितने ही सदस्योंको फांसी दी गई, और कितनोंको जेलमें डाल दिया गया। इससे भी शाह लोगोंको दबा नहीं सका, और एक बच्चेको सिंहासनका अधिकारी बना रूसमें भाग गया। क्रांतिकारी ईरानको आगे न बढ़ने देनेके लिये इंगलैण्ड और रूसने मिलकर उसके चारों ओर आर्थिक घिरावा डाल दिया। दूसरी ओर ईरानी प्रतिगामियोंको सहायता और प्रोत्साहन दे १९११ ई०में प्रति-क्रांतिके सफल होनेमें मदद दी। ईरानी क्रांति समाप्त कर दबा दी गई, और उत्तरी ईरानमें रूस और दक्षिणी ईरानमें इंगलैण्डने अपनी-अपनी सेना रखनेके अधिकारको बनाये रक्खा।

ईरानमें जिस समय वहांके मध्यवर्गी राष्ट्रीयतावादी देशको नवजीवन देना चाहते थे, उसी समय पहलेसे चली आती राष्ट्रीय भावनाके प्रसार द्वारा अपनेको मजबूत देख तरुण तुर्कोंने १९०८ ई०में सैनिक विद्रोह द्वारा तुर्कीमें सफलता प्राप्त की। इस सफलताके फलस्वरूप तुर्कीकी सरकारमें वैधानिक

सुधार किये गये, जिन्हें विफल करनेके लिये पहला प्रहार था, आस्ट्रियाका बोसनिया और हेर्जेगोविनाको अपने राज्यमें मिलानेकी घोषणा। तरुण तुर्कोंके प्रयत्नोंसे तुर्की शक्तिशाली बन जाय, इसे रूस भी पसंद नहीं करता था, क्योंकि तब तो दरेदानियालके लिये उसकी आशाओंपर सदाके लिये पानी फिर जाता। रूसकी शह पा १९०९ ई०में अफ्रीकाके तुर्कोंके दो प्रदेशों——सेरेनेइका और त्रिपोलितानियाको इतालीने अपने अधिकारमें कर लिया। रूसने फ्रांस और इंगलैण्डके अरबीभाषी अफ्रीकी प्रदेशोंपर हाथ साफ करनेका भी समर्थन किया। इतनेसे भी तरुण तुर्कोंकी शक्तिको कमजोर न होते देख तुर्कोंसे लड़नेके लिये रूसके नेतृत्वमें बल्कान-लीगकी स्थापना हुई। इन परिस्थितियोंमें तरुण तुर्कोंके लिये जर्मन साम्राज्यवादकी ओर मुंह करनेके सिवा और कोई रास्ता नहीं रह गया। यह भी याद रखनेकी बात है, कि जिस वक्त पूर्वी युरोपमें यह घटनायें घट रही थीं, उसी समय १९११ ई० में चीनकी महाक्रांति हुई—चीनी सामन्तवादी शासकोंने पश्चिमी युरोपके साम्राज्यवादियोंकी नोंच-खसोटसे देशको बचानेमें असफल होकर अपनेको अयोग्य साबित कर दिया था, इसलिये वहांके मध्यमवर्गने राष्ट्रीय मुक्तिके लिये पुराने शासकोंको हटाना जरूरी समझा। भला इतनी बड़ी बातको पश्चिमी साम्राज्यवादी शक्तियां कैसे सह सकती थीं? उन्होंने चीनका वित्तीय बायकाट कर क्रांतिको निर्बल बना प्रति-क्रांतिकारी राष्ट्रपति युवान-शि-काईको क्रांतिका गला घोंटनेमें सहायता दी——इस काममें इंगलैण्ड, फ्रांस, रूस, जर्मनी और युक्त राष्ट्र अमेरिकाके साथ जापान भी शामिल था।

आपसमें कहीं मेल और कहीं बिगाड़के साथ ऐसी घटनायें हो ही रही थीं। दुनियाके सबसे बड़े साम्राज्यवादी देश इंगलैण्ड और फ्रांस देख रहे थे, कि अन्तमें हमें जर्मनीसे निबटना है, जिसके लिये रूसका हमारे साथ रहना आवश्यक है। १९११ ई०में इन तीनों शक्तियोंके मुख्य सेना-संचालकों-का सम्मेलन हुआ, जिसमें फ्रांसके प्रतिनिधिने कहा——"रूसी सेनाओंका लक्ष्य यही होना चाहिये, कि जर्मनी अपनी सेनाके सबसे बड़े भागको पूर्वी मोर्चेमें फंसा रखनेके लिये मजबूर हो।" इसके लिये रूसी सेनाको उसी समय जर्मनीपर आक्रमण कर देना चाहिये, जिस वक्त कि इंगलैण्ड और फ्रांसकी सेनायें पश्चिममें आक्रमण शुरू करें। इतनेसे भी संतुष्ट न होकर १९१२ ई०में तीनों शक्तियोंके सेना-संचालकोंका जो सम्मेलन हुआ, उसमें फ्रांसने मांग की, कि आठ लाखसे कम रूसी सैनिक आस्ट्रिया और जर्मनीके सीमांतपर नहीं होने चाहिये, और पश्चिममें स्थिति चाहे जैसी भी हो, सेना-चालनके सोलहवें दिन, रूसको आस्ट्रिया और जर्मनीपर आक्रमण कर देना चाहिये। इसके लिये सैनिक रेलोंको बहुत भारी परिमाणमें बढ़ानेकी अवश्यकता थी, जिसके लिये जारशाहीको कर्जा और सामग्री देनेके वास्ते पश्चिमी राष्ट्र तैयार थे। स्तालिनके शब्दोंमें—"जारशाही रूस पश्चिमी साम्राज्यवादके लिये अपरिमित संरक्षित शक्ति थी, यही नहीं, कि वहां विदेशी पूंजी लगानेका स्वतंत्र अवसर मिला था, जिसके कारण रूसके आधारिक उद्योग-धंधों तथा राष्ट्रीय अर्थनीतिपर साम्राज्यवादियोंका नियंत्रण हो गया था——उदाहरणार्थ कोयला, तेल और धातुके उद्योग——बल्कि यह भी कि रूस अपने लाखों सैनिकों द्वारा पश्चिमी साम्राज्यवादियों को मदद कर सकता था।"

औद्योगिक प्रगति——यद्यपि रूसी सामन्त अपने पुराने ढांचेको बनाये रखना चाहते थे, लेकिन बिल्कुल उलटी गंगा तो बहाई नहीं जा सकती। उद्योग-धंधोंको बढ़ाये बिना सैनिक तौरसे जारशाही मजबूत कैसे हो सकती थी? जापानसे हारकर उसने देख लिया था, कि कमसे कम सैनिक उद्योग-धंधोंको आगे बढ़ाना अनिवार्य है। इससे पूंजीपतियोंको सबसे अधिक लाभ था——सेनाके ठेके बहती गंगामें हाथ धोना था, नफा नहीं लूट थी, जिसे हरएक उच्च अधिकारी अपनोंमें बांटना चाहता था। १९०५-१३ ई० के बीच ढाई अरब रूबलका सैनिक ठेका दिया गया, और दो सालके भीतर साढ़े तीन हजार किलोमीतर रेलवे लाइनों तथा इंजनों और डब्बोंके बनानेका ठेका भी पूंजीपतियोंको मिला। इस तरह बड़े-बड़े नफेके साथ बड़े-बड़े ठेके मिले, जिन्हें कार्यरूपमें परिणत करनेके लिये इजारादारीवाले बड़े पूंजीपति संगठनोंकी अवश्यकता हुई, जिसके फलस्वरूप १९००-१० ई० के बीच पूंजीपतियोंकी कुछ सेंडीकेटोंने खान और धातु-उद्योग अपने हाथमें कर लिये। बारहसे पंद्रह बड़े-बड़े धातु-कारखानोंने मिलकर प्रोदमेतके नामसे अपनी सेंडीकेट कायम की, जिसने देशके सम्पूर्ण धातु-उद्योगका दो-तिहाई अपने हाथमें कर लिया। १९०६ ई०में प्रोदुगोल नामसे संगठित

सेंडीकेटने दोनेत्स-उपत्यकाकी साठ सैकड़ा कोयलेकी खानोंको अपने हाथमें कर लिया। १९०८ई० में स्थापित प्रोद्रूद सेंडीकेटके हाथमें दक्षिणी रूसकी खनिज धूनोंका अस्सी सैकड़ा था। इसी तरह कपड़ेके कारखानोंवालोंकी एक सेंडीकेट १९०८ ई०में मास्कोमें कायम हुई, जिसके हाथमें सैंतालीस कपड़ा मिलें थीं। इन सेंडीकेटोंने उद्योग-धंधोंके अधिक भागको अपने हाथमें ले आपसी प्रतियोगिताको इतना कम कर दिया, कि वह चीजोंके दामको मनमाना रख सकती थीं। जिस समय सेंडीकेटें प्रबल रूप धारण कर रही थीं, और नफेके कारण उनके द्वारा उद्योग-धंधेको बढ़ावा मिल रहा था, उसी समय बंकोंकी शक्तिका बढ़ना स्वाभाविक था, जिन्होंने बहुतसे औद्यागिक कारखानोंको अपने हाथमें कर लिया। सेंडीकेटोंने अपने मत्स्य-न्यायसे जिस तरह छोटी कंपनियोंके अस्तित्वको खतरेमें डाल दिया, उसी तरह अब छोटे बंकोंको निगलकर बड़े बैंकोंने अपनी प्रधानता स्थापित की और दिवालिया बननेके डरसे छोटे-छोटे बंक बड़े-बड़े बंकोंके पेटमें चले गये। १९०८ ई०में पीतरबुर्ग-अजोफ-ओरेल और दक्षिणी बंकोंने मिलकर संयुक्त बंकका रूप लिया। १९१० ई०में उत्तरी बंक रूसी-चीनी और रूसी-एसियाई बंकोंसे मिलकर एक हो गया। अब सात बड़े बंकोंके पास रूसकी बंकमें लगी अधिकांश पूंजी चली आई। लेकिन सेंडीकेटों और महाबंकोंका शक्तिशाली होना केवल रूसी पूंजीपतियोंके लाभकी ही बात नहीं थी, इनकी पूंजीका बहुत अधिक भाग विदेशियोंका था। १९१४ ई०में रूसके अठारह प्रधान बंकोंमें ३३५५ लाख रूबलकी पूंजी लगी हुई थी, जिसमें ४२ प्रतिशत (१८५५ लाख रूबल) विदेशी पूंजी थी। विदेशी पूंजीमें भी फ्रांसकी २१.९ प्रतिशत, जर्मनीकी १७ प्रतिशत, और अंग्रेजोंकी ३ प्रतिशत थी। इंगलैण्ड और फ्रांस दोनोंकी सम्मिलित पूंजी विदेशी पूंजीमें सबसे अधिक थी। पूंजीके अनुसार ही रूसमें उनका प्रभाव भी होना आवश्यक था।

१९०५-७ ई०की क्रांतिके देशमें असफल हो जानेपर घरके भीतर जारशाहीके लिये कोई भयंकर खतरा नहीं था। पूंजीके विस्तार और उद्योग-धंधोंके प्रसारद्वारा पूंजीपतियोंकी पांचों घीमें थीं, चाहे उसके कारण प्रथम विश्वयुद्धके पहले रूसका राष्ट्रीय ऋण ८८ अरब रूबल हो गया था, जिसमें सबसे अधिक वह फ्रांसका कर्जदार था। अभी भी बिजली, इंजीनियरी, तर्बाइन-निर्माण, मशीन-टूल-निर्माण, भारी इंजीनियरी, मोटर-उद्योग और भारी रसायन-उद्योग जैसे आधारभूत उद्योगोंका रूसमें अभाव था, और इन चीजोंके लिये उसे पश्चिमका मुंह देखना पड़ता था। तेल-उद्योग अवश्य आगे बढ़ा था, लेकिन उसपर भी विदेशी पूंजीका नियंत्रण था। रूस बड़ी तेजीसे प्रथम विश्वयुद्धकी ओर बढ़ता चला जा रहा था। रूसके राजनीतिक आकाशमें इस समय कोई राजनीतिक परिवर्तनके लिये बड़ी घटना घटनेकी संभावना नहीं थी, चारों ओर राजनीतिक अकर्मण्यता और उदासी छाई हुई थी। इसी समय चार ४ अप्रैल १९१२ ई० में लेनाकी सोनेकी खानोंके मजदूरोंपर गोलियां चलाई गईं, जिसके बारेमें स्तालिनने "ज्वेज़्दा" (तारा) नामक बोल्शेविक पत्रमें १९१२ ई० में लिखा था—"लेना-गोलीकांडने मौन रूपी बर्फको तोड़ दिया, और जनताके आन्दोलनकी नदी फिरसे बहने लगी।"

लेनाकी सोनेकी खानें एक कंपनीके हाथमें थीं, जिसकी स्थापना १९०८ ई०में हुई थी, और जिसमें तीन-चौथाई पूंजी अंग्रेजोंकी थी। कंपनीको इस खानसे प्रतिवर्ष सत्तर लाख रूबलका फायदा होता था, और साइबेरियाके ध्रुवीय कक्षाके भीतर दूरके इस भूभागके मजदूरोंका बहुत क्रूरतापूर्वक शोषण होता था। यह सोनेकी खानें रेलसे डेढ़ हजार मील (१७०० किलोमीतर) दूर अवस्थित थीं। ध्रुवीय कक्षाके भीतर होनेके कारण यहांकी नदियां सालके अधिक भागमें बर्फ बनी रहतीं, जिससे यातायात थोड़े-से महीनोंके लिये खुलता, जब कि लेना नदी मुक्त-प्रवाह होती। मजदूर एक मर्तबे वहां जा अत्याचारोंके मारे यदि भागना चाहते, तो आसानीसे भाग नहीं सकते थे। उनसे दससे साढ़े ग्यारह घंटा रोज काम लिया जाता। लेना सुवर्ण-क्षेत्र कंपनीकी तानाशाहीके मारे उनका नाकों दम था। कंपनीका मैनेजर वेलोज्रेरोफ लेनाका बिना मुकुटका राजा माना जाता था। अत्याचारोंसे तंग आकर फर्वरी १९१२ ई०के अन्तमें खानके एक भागमें हड़ताल हो गई। इसकी खबरसे प्रोत्साहित हो १ मार्च तक और कितने ही भागोंमें हड़ताल फैल गई, और सारे सुवर्ण-क्षेत्रमें आम हड़ताल संगठित कर ली गई। केंद्रीय हड़ताल कमेटीने कंपनीके प्रबंध-विभागसे बातचीत शुरू

की। कंपनीके स्थानीय इंजीनियर तुलचिन्स्कीने बड़ी अच्छी तरह बातचीत करके मेन्शेविक प्रतिनिधियोंको हड़ताल उठा लेनेपर राजी किया, लेकिन हड़ताल कमेटीके बोल्शेविक विचार रखनेवाले सदस्योंने हड़तालके पक्षमें प्रचार जारी रखना चाहा। इसपर तै हुआ, कि हड़तालके बारेमें गुप्त मतदान द्वारा कमकरोंसे राय ली जाय। २५ मार्चके सबेरे दो बड़े-बड़े पीपे हरएक क्षेत्रमें रख दिये गये, जिनमेंसे एकपर लिखा था—"कामपर लौट जायेंगे", और दूसरेपर "कामपर नहीं लौटेंगे।" मजदूरोंको एक-एक कंकड़ अपने मतको प्रकट करनेके लिये पीपोंमें डालना था। जल्दी ही "काम पर नहीं लौटेंगे" वाला पीपा पत्थरोंसे भर गया, जब कि दूसरे पीपेमें केवल सत्रह पत्थर मिले। इसपर २७ मार्चको छ हजार कमकरोंने आम हड़ताल कर दी।

१७ (४) अप्रैलको हड़ताली प्रदर्शन करते हुये जब नदेज्दिन्स्क सुवर्ण-क्षेत्रके पास पहुंचे, तो सेनाने रास्ता रोक दिया। इंजीनियर तुलचिन्स्कीने कमकरोंको बिखर जानेके लिये कहा, जिसपर कुछ लोग रुक गये, लेकिन दूसरे एक छोटे रास्तेसे आगे बढ़े। इसी समय धड़ाधड़ गोलियां चलने लगीं। दो सौ पचास कमकर निहत हुये और दो सौ सत्तर आहत। यहां भी "खूनी रविवार" की तरह जारशाही अत्याचारने मजदूरोंमें भारी विद्रोहकी भावना पैदा कर दी, और सचमुच ही लेनाके गोलीकांडने अकर्मण्यताके बर्फको तोड़ दिया।

लेनाके गोलीकांडकी खबर सारे देशमें फैल गई। बोल्शेविकोंने फिर अपनी तत्परता दिखलानी शुरू की। इसी समय बोल्शेविकोंने अपने दैनिक "प्राव्दा" (अधिकार, सत्य) के निकालनेकी तैयारी की। "प्राव्दा" रूसी मजदूरोंका पत्र था। उसमें उन्हींकी भाषामें सरल लेख होते थे। यह कुछ मध्यमवर्गके शिक्षितोंके लिये पराई भाषामें कठिन शब्दोंके साथ अपनी मार्क्सवादकी पंडिताई दिखलानेके लिये नहीं निकाला गया था। १९१२ ई०के जनवरीमें "प्राव्दा" के लिये चन्दा होने लगा, जिसमें रूसके सभी भागोंके मजदूरोंने पैसा भेजे। चंदेमें इतनी सफलता हुई, कि लेनिनने उसके बारेमें लिखा—"प्राव्दाका निर्माण रूसी कमकरोंकी एकता, वर्गचेतना और शक्तिका सबसे बड़ा प्रमाण है।" "प्राव्दा"का प्रथम अंक स्तालिनके सम्पादकत्वमें ५ मई (२२ अप्रैल) १९१२ ई० को निकला, इसीलिये आज भी रूसमें ५ मईको कमकर-प्रेस-दिवस मनाया जाता है।

चतुर्थ दूमाका चुनाव—१९१२ ई० में तृतीय राज्यदूमाका कार्यकाल समाप्त होनेपर उसे तोड़ दिया गया, और चतुर्थ दूमाके निर्वाचनका निश्चय हुआ। कई सालोंसे स्तोल्पिनके हाथमें रूसी राज्यकी बागडोर थी। वह अपने अत्याचारोंके कारण लोगोंकी भारी घृणाका पात्र था। १९११ ई०में उसकी हत्या हो जानेपर फिर सभी जगह पुलिस अत्यचार होने लगा। दूमाका निर्वाचन ऐसे ही वातावरणमें हो रहा था। बोल्शेविकोंने दूमाके भाषणमंचके फायदेको अच्छी तरह समझ लिया था, इसलिये उन्होंने निर्वाचनका बायकाट नहीं किया। लेनिन उस समय पेरिसमें रहते रूसके भीतर राजनीतिक कार्यका संचालन कर रहे थे। उनको और नजदीक आनेकी जरूरत महसूस हुई, इसलिये १९१२ ई०के ग्रीष्ममें पेरिस छोड़कर वह पोलन्दके नगर क्राकोमें चले आये। निर्वाचनके बाद १९१२ ई०के अन्तमें चतुर्थ राज्यदूमाकी पहली बैठक हुई। इसमें प्रतिगामियोंकी संख्या और बल अधिक था—४१० सदस्योंमें १७० दक्षिणपंथी थे, अक्तूबरियोंकी संख्या सौ थी, जो दक्षिणपंथके अनुयायी थे। कादेतोंकी संख्या पचास थी, इनमें और अक्तूबरियोंमें इतना ही अन्तर था, कि कादेत वामपक्षकी बातोंको इस्तेमाल करते थे, यद्यपि दूमाके भीतर उनका गठजोड़ा अक्तूबरियोंसे था। निम्न मध्यमवर्गके सदस्योंमें दस त्रुदोविकी और सात मेन्शेविक थे। मेन्शेविकोंने बोल्शेविकोंके साथ दूमाके भीतर एकता रखनेका प्रयत्न किया, लेकिन बोल्शेविक छ थे, इसलिये अपने एकके बहुमतका फायदा उठाकर मेन्शेविक बोल्शेविकोंको दूमामें बोलनेसे रोका करते थे, इसपर बोल्शेविक अलग हो गये। ४१० सदस्योंमें ६ की संख्या नगण्य है, लेकिन बोल्शेविक जनताके हितोंके पक्षपाती तथा जारशाही क्रूरताको नंगा करनेके लिये वहां पहुंचे थे, इसलिये उनके भाषणोंका असर लोगोंपर बहुत पड़ता था। अपने प्रचारका यहां बहुत अच्छा अवसर था, और क्रांतिसे पहलेके वर्षोंमें लेनिनके दलने इसका खूब फायदा उठाते जनताके भीतर जारशाहीके विरुद्ध भारी घृणा पैदा करनेमें सफलता पाई। बोल्शेविक अपनी

क्रांतिको केवल रूसियोंके ही लाभके लिये नहीं चाहते थे, बल्कि उनका लक्ष्य था रूसके भीतर रहनेवाले सभी लोगोंको शोषण और उत्पीड़नसे मुक्त करना। ऐसी हालतमें अ-रूसी जातियोंके बारेमें अपने रुखको स्पष्ट कर देना बहुत जरूरी था, इसीलिये १९१३ ई० में दो महत्त्वपूर्ण कृतियां प्रकाशित हुईं—लेनिनका "राष्ट्रीय प्रश्नपर समालोचनात्मक टिप्पणियां" और स्तालिनका "मार्क्सवाद और राष्ट्रीय प्रश्न"। इन दो ग्रंथोंने सारी जनताके सामने साफ कर दिया, कि साम्यवादी रूसमें "सभी जातियोंको आत्मनिर्णयका पूरा अधिकार होगा, और वह अपनी इच्छानुसार चाहें तो रूसी संघसे बाहर भी जा सकेंगी।"

विश्व-युद्धकी तैयारी—आनेवाले विश्व-युद्धमें रूसको अपनी ओर शामिल करनेके लिये पश्चिमी युरोपके दोनों गुटोंने किस तरह कोशिश की, इसके बारेमें हम बतला चुके हैं। युद्ध कैसर विलियम (विल्हेल्म) की सनकके कारण नहीं हुआ, बल्कि उसका ठोस कारण परस्पर-विरोधी साम्राज्यवादी आर्थिक स्वार्थ थे। जर्मन साम्राज्यवादने तुर्कीकी ओर बढ़ना चाहा। जर्मन-बंकने रेलों द्वारा जर्मनीको तुर्कीसे मिलाना चाहा। जर्मन सैनिक अफसर तुर्की सेनाको संगठित और शिक्षित करके उसे रूस और इंगलैण्डके विरुद्ध तैयार कर रहे थे। जर्मनीके पास नाममात्रके थोड़ेसे उपनिवेश (अफ्रीकामें) थे। जर्मनीकी सामरिक शक्तिसे भयभीत इंगलैण्ड नहीं चाहता था, कि उसके उपनिवेशोंके बीचमें जर्मनीको कहीं भी पैर रखनेको मिले। वह चाहता था, कि जर्मनीकी नौसेना और व्यापारिक बेड़ेको नष्ट कर जर्मन उपनिवेशको अपने हाथमें कर ले। तुर्कीको मसोपोतामिया (इराक) और फिलस्तीनसे वंचित करके मिस्रपर अधिकार करनेके लिये भी वह उतारू था। फ्रांस जर्मनीकी सैनिक शक्तिको दबाकर अलसस्-लोरेन प्रदेशको जर्मनीसे छीनकर राइन नदीके बायें तटपर अधिकार करना चाहता था, और तुर्की-साम्राज्यकी बंदरबांटमें इंगलैण्डका सहभागी भी होना चाहता था। जारशाही रूसकी योजना थी बासफोरस और दरेदानियालपर अधिकार, तुर्कीके भीतरकी अर्मेनियापर हाथ साफ करना, तथा आस्ट्रिया-हंगरी साम्राज्यको छिन्न-भिन्न करते हुये बल्कान प्रायद्वीपपर अपने प्रभावको स्थापित करना। जापान भी चीनमें अपनी मनमानी करनेके लिये एक ऐसे बड़े मौकेकी खोजमें था। लेकिन विश्वयुद्धका पहले एक छोटे-से युद्धमें रिहर्सल हुआ, यह था बल्कान-युद्ध।

बल्कान-युद्ध (१९१२-१३ ई०)—बोस्निया और हेर्जेगोविनामें आगे बढ़कर आस्ट्रियाने रूसको बहुत क्रुद्ध कर दिया था। जारशाही सर्बिया, बुल्गारिया, मोन्तेनिग्रो और ग्रीसको बल्कान-संघके रूपमें एकताबद्ध करके उन्हें तुर्कीके विरुद्ध तैयार करना चाहती थी। फ्रांस भी इसमें उसका पृष्ठपोषक था, क्योंकि पश्चिमी देशोंके सामने सबसे बड़ी समस्या थी जनबल या सिपाहियों-की संख्या। वह समझता था, कि इस प्रकार बल्कानकी दस लाख संगीनें हमें आसानीसे मिल जायेंगी। जर्मनी और आस्ट्रिया तुर्कीकी पीठपर थे। प्रथम बल्कान-युद्ध १९१२ ई०के शरद्में आरम्भ हुआ। १९११ ई०से ही इतालीके साथ तुर्कीकी लड़ाई छिड़ी हुई थी, इसलिये बल्कान-संघ उसीको आगे बढ़ाते हुये युद्धमें कूदा। तुर्क नये हथियारोंसे सुसज्जित नवसंगठित पूर्वी युरोपके सिपाहियोंके सामने जल्दी ही परास्त हो गये, लेकिन फिर विजेताओंमें आपसमें झगड़ा खड़ा हो गया, जिसके कारण अगले साल १९१३ ई०के ग्रीष्ममें दूसरा बल्कान-युद्ध विजेताओंके भीतर हो गया। बुल्गारियाने सर्बियापर आक्रमण कर दिया, जिससे नाराज होकर दूसरे बल्कान राज्य बुल्गारियाके विरुद्ध हो गये। फलतः बुल्गारियाकी हार हुई, और उसे अगस्त १९१३ ई० में बुखारेस्त-संधिपर हस्ताक्षर करनेके लिये मजबूर होना पड़ा। इस संधिके अनुसार बुल्गारियाके अपने कितने इलाके पड़ोसियोंको देने पड़े, और अद्रियानोपोल बुल्गारियाके हाथसे निकलकर फिरसे तुर्कीके हाथमें चला गया। इसी युद्धमें सर्बियाने अल्बानियापर अधिकार कर लिया, लेकिन जब आस्ट्रियाने मैदानमें आनेकी धमकी दी, तो उसे छोड़ना पड़ा।

इन युद्धोंने बल्कानके स्लावोंको तुर्कीकी अधीनतासे मुक्ति प्रदान की, लेकिन अब युरोपकी बड़ी शक्तियां उनपर प्रभाव डालनेके लिये कशमकश कर रही थीं। बर्लिन-बगदाद रेलवेके लिये जर्मन और फ्रेंच दोनों पूंजी लगा रहे थे, और इन विरोधी स्वार्थोंके संघर्षने बल्कानको सचमुच ही

बारूदका ढेर बना दिया था, जिसमें एक चिनगारी पड़ जानेसे भीषण विस्फोटक हो जानेका भय था। सभी युरोपीय शक्तियां हथियार बढ़ानेपर आंख मूंदकर खर्च कर रही थीं। जारशाहीने १९१४ ई०में साढ़े सत्तानबे करोड़ स्वर्ण रूबल सेनाके लिये रक्खा था। १९०७ ई० से १९१३ ई० तक उसने इस मदमें चार अरब रूबल खर्च किये। इंगलैण्ड भी अपनी शक्तिको इसी तरह बढ़ानेमें लगा हुआ था। अपने नौसैनिक बलको बढ़ानेके लिये १९०६ ई०में उसने प्रकांड ड्रेडनाट युद्धपोत बनाया, जिसका अनुकरण करते जर्मनी और फ्रांसने भी अपने-अपने ड्रेडनाट बनाने शरू किये। फ्रांसीसी पूंजीकी मददसे जारशाहीने भी नौसैनिक निर्माणके लिये बहुत बड़ा प्रोग्राम रक्खा, लेकिन उसकी मंद गतिके कारण अभी एक भी युद्धपोत तैयार नहीं हुआ था, जब कि १९१४ ई०का विश्वयुद्ध छिड़ गया। प्रोफेसर न० ई० जूकोव्स्की पहला आदमी था, जिसने विमान-विद्याका आविष्कार किया, लेकिन जारशाहीने उससे लाभ नहीं उठाया। प० न० नेस्तोरोफने पहिली बार कलैया मारकर अपने हवाई जहाजको उड़ाया, लेकिन जारशाही इसके महत्त्वको नहीं समझ पाई। यही नहीं, वैसा करनेमें एक छोटे-से पुर्जेके खो जानेके लिये नेस्तोरोफको "अनुशासनहीनता" के लिये जुरमानेका दंड दिया गया।

जैसे-जैसे युद्ध-घोषणाके दिन नजदीक आ रहे थे, वैसे ही वैसे रूसके भीतर जनतामें असंतोष भी फैलता जा रहा था। १९१४ ई० के आरम्भमें सर्वहारोंके क्रांतिकारी संघर्ष जगह-जगह होने लगे। ९ जनवरीको "खूनी रविवार"के वार्षिकोत्सवको ढाई लाख मजदूरोंने हड़ताल करके मनाया। १९१४ ई० के पूर्वार्धमें पंद्रह लाख मजदूरोंने हड़ताल की। १९१४ ई० के ग्रीष्ममें बाकूके तैल क्षेत्रमें भी एक बड़ी राजनीतिक हड़ताल हुई, जिसे तोड़नेकी जारशाहीने बहुत कोशिश की। बोल्शेविकोंके अपील करनेपर बाकूके हड़तालियोंकी सहानुभूतिमें पीतरबुर्गके नब्बे हजार कमकरोंने काम छोड़ दिया, और ११ जुलाई को तो राजधानीके दो लाख मजदूरोंने हड़ताल करके अपनी सभाओंमें नारा लगाया—"बाकूके साथियो, हम तुम्हारे साथ हैं।" "बाकूके कमकरोंकी विजय हमारी विजय है।"

प्रथम विश्वयुद्ध (१९१४–१८ ई०)—बल्कानका बारूदका ढेर तैयार ही था। एक ओर जर्मनी और आस्ट्रिया, दूसरी ओर इंगलैण्ड, फ्रांस और रूस नखसे शिखतक हथियारोंसे लैस होकर खड़े थे। सेराजिवामें आस्ट्रियाके युवराजकी हत्याने बारूदमें चिनगारी डालनेका काम किया, और जुलाई १९१४ ई० में जर्मनीके भड़कनेपर महायुद्ध छिड़ गया। इस युद्धके दो दलोंमें एक था चतुर्दलीय पक्ष, जिसमें जर्मनी, आस्ट्रिया-हंगरी, बुल्गारिया और तुर्की शामिल थे, दूसरा त्रिदलीय पक्ष, जिसमें इंगलैण्ड, फ्रांस और रूसके साथ सर्बिया और बेल्जियम भी सम्मिलित थे। १९१४ ई० में ही जापान भी त्रिदलीय गुटमें शामिल हो गया, इताली १९१५ ई०में युद्धमें कूदा, और अन्तमें १९१७ ई०में युक्त राष्ट्र अमेरिकाने भी शामिल हो इसे विश्वयुद्ध बना दिया। प्रथम विश्वयुद्धमें छोटे-बड़े तैंतीस देश शामिल हुये, ७४० लाख सैनिक युद्धके लिये चालित किये गये, जिनमें तीन करोड़ प्राणोंकी हानि हुई—इनमें लाखों भारतीय भी थे। पैसेके रूपमें इसमें तीन अरब रूबल धन स्वाहा हुआ।

त्रिदलीय गुटमें पहले ही निश्चय हो गया था, कि युद्ध छिड़ते ही रूसको पूर्वसे आस्ट्रिया और जर्मनीपर आक्रमण करना होगा। युद्धके आरम्भ होते ही युरोपमें तीन मोर्चे बन गये। पश्चिमी मोर्चा उत्तर समुद्रसे स्वीजलैण्ड तक फैला हुआ था, जिसपर इंगलैण्ड और फ्रांसकी सेनायें जर्मन सेनाओंका मुकाबिला कर रही थीं। पूर्वी मोर्चा वस्तुतः रूसी मोर्चा था, जो बाल्तिक समुद्रसे रूमानिया तक फैला हुआ था। इनके अतिरिक्त एक बल्कान-मोर्चा था, जो दन्यूब नदीके किनारे-किनारे चला गया था। रूसी मोर्चा उत्तर-पश्चिमी और दक्षिण-पश्चिमी दो भागोंमें विभक्त था। उत्तर-पश्चिमी मोर्चा बाल्तिक समुद्रसे बुग नदीके निम्न भागतक चला गया था, और दक्षिणी-पश्चिमी मोर्चा रूस-आस्ट्रियाके सीमांतको लेते रूमानिया तक फैला हुआ था। इन्हीं दोनों मोर्चोंमें रूसको आक्रमण करना था। बल्कान-मोर्चेपर आस्ट्रियाकी सेनाका मुकाबिला सर्बियाकी सेनाको करना था। जर्मनीने अपने सुभीतेको देखकर फ्रांसकी राजधानी पेरिसकी ओर जल्दी बढ़नेके लिये बेल्जियमकी तटस्थता भंग कर दी, और इसके कारण फ्रांस और इंगलैण्डकी सेनाके लिये मुकाबिला बहुत जबर्दस्त हो गया।

रूसी सेनाने जर्मन सेनाओंको पश्चिमकी ओर बढ़नेसे रोकनेके लिये उसके पूर्वी सीमांतपर आक्रमण किया। पश्चिममें प्रगति जारी रखते हुये जर्मनोंने इसी समय जेनेरल समसानोफकी रूसी सेनाको मसूरी झीलों—दलदली भूमिमें घेर लिया। लाखों रूसी मारे गये। समसानोफने लज्जाके मारे आत्म-हत्या कर ली। जारशाहीके लिये यह कोई अच्छा सगुन नहीं था। समसानोफकी सेनाको हरानेके बाद जर्मनोंने रेतेनकाम्फकी अधीनतामें लड़ती रूसी सेनापर आक्रमण किया, और वह भी एक लाख दस हजार आदमियोंको खोकर पीछे हटी। रूसियोंने इतनी भारी क्षति उठाई, लेकिन इसके लिये जर्मनीको अपनी सेनाका काफी भाग पूर्वकी ओर भेजना पड़ा, जिसके कारण पेरिस बच गई। पश्चिमी साम्राज्यवादियोंकी मनोकामना पूरी हुई, रूसने सारी चोटें अपने ऊपर लेकर फ्रांसको पराजित होनेसे बचा दिया।

उत्तर-पश्चिमी मोर्चेपर रूसी सेनाके असफल आक्रमण करते समय ही अगस्त १९१४ ई० में चार रूसी अक्षोहिणियोंने दक्षिण-पश्चिमी मोर्चेपर आस्ट्रियाके विरुद्ध आक्रमण किया। यहां सफलता मिली, और शत्रुओंको हराकर उन्होंने ल्वोफ और गोलिचपर अधिकार कर लिया, करीब-करीब सारी गलिसिया रूसी सेनाके हाथमें आ गई, लेकिन सितम्बरके अन्तमें जर्मन सेनायें आ धमकीं, जिससे दिसम्बर १९१४ ई० के मध्य तक रूसी सेनाओंकी प्रगति रुक गई। अब दोनों ही पक्ष एक दूसरेको ढकेलनेमें असमर्थ थे। लेकिन १९१४ ई०के शरद्‌में काकेशसका एक नया मोर्चा तैयार हो गया था। दो जर्मन युद्धपोत "गोयेबेन" और "ब्रेस्ला" भूमध्यसागरसे कालासागरमें घुस आये। तुर्क जर्मनीके पक्षमें थे, इसलिये उन्हें दरेदानियाल पार होनेमें कोई अड़चन नहीं हुई। तुर्कोंने रूसके विरुद्ध जर्मनीसे संधि की थी, इसलिये उसने रूसके विरुद्ध युद्ध-घोषणा कर दी। "गोयेबेन" और "ब्रेस्ला"ने अदेसा और फ्योदोसियापर बमवर्षा की, तुर्क सेनाने भी अपना प्रभुत्व दिखलाना चाहा, लेकिन दिसम्बर १९१४ ई०में सरिकामिशके युद्धक्षेत्रमें उसे रूसियोंने बुरी तरह हराया। दक्षिण-पश्चिमी मोर्चेपर कितने ही समय तक दोनों पक्षोंकी प्रगति रुके रहनेके बाद १९१५ ई०के अप्रैलके अन्त और मईके आरम्भमें एक जर्मन सेना गोर्लिच और तरनोफके बीच रूसी मोर्चे-का भेदन करनेमें सफल हुई, जिसके कारण रूसी सेना जल्दीसे पीछे हटनेके लिये मजबूर हुई। अब सारे रूसी मोर्चेपर जर्मन छा गये। आस्ट्रियन सेनाने पर्जेमिसल और ल्वोफको ले लिया, जुलाईमें एक जर्मन सेनाने इवानगोरदके किलेपर अधिकार किया, जुलाईके अन्तमें वारसा (वरसावा) और ब्रेस्त-लितोव्स्क जर्मनोंके हाथमें चले गये, फिर आगे बढ़ते हुए उन्होंने ग्रोद्नो और विल्नोसूपर अधिकार किया। १९१५ ई०के शरद्‌में इस प्रकार पोलन्द, लिथु-वानिया और बाल्तिक प्रदेशोंके कितने ही भाग जर्मन और आस्ट्रियन सेनाके हाथमें चले गये। १९१५ ई० के मईसे अक्तूबरके छ महीनेमें डेढ़ लाख रूसी सैनिक मारे गये, और दस लाख आहत या बंदी हुये। इस प्रकार १९१४-१५ ई०में पूर्वी मोर्चेपर रूसी सेनाकी भारी हार हुई। रूसके लिये अब कोई आशा नहीं थी। लोगोंमें युद्धके भीषण संहार, पराजय तथा जारशाही शासनके अत्याचारोंके विरुद्ध भारी असंतोषकी आग भड़क उठी। बोल्शेविक पहलेसे ही युद्धके विरोधी थे। जिस वक्त युद्ध छिड़ा, उस वक्त लेनिन आस्ट्रियामें थे। आस्ट्रियनोंने लेनिनको पकड़कर अपने देश से निकाल दिया, और वह स्वीजलैंण्ड चले गये। बोल्शेविक इस युद्धको अनुचित युद्ध कहते थे, क्योंकि वह परतंत्र देशोंकी मुक्ति या स्वतंत्र देशोंकी प्रतिरक्षाके लिये नहीं लड़ा जा रहा था, बल्कि उसका उद्देश्य था विदेशी राज्यों और जातियोंको जीतकर गुलाम बनाना।

रूसमें चारों ओर आर्थिक अव्यवस्था फैली हुई थी। उसकी पिछड़ी हुई आर्थिक-व्यवस्था तथा उद्योग-धंधोंकी निर्बलताके कारण जर्मनोंसे हारनेके सिवा रूसकी सेनाओंके लिये और कोई रास्ता नहीं था। युद्धके कारण कोयलेका अभाव-सा हो गया, जिससे फैक्टरियों और मिलोंने कामको कम कर दिया। १९१६ ई०में धौंकू भट्ठोंने लोहा तैयार करना बन्द कर दिया—फौलादके कारखाने देशके लिये आवश्यक धातुका आधा ही पैदा करते थे। रेलें युद्ध-कालीन यातायातको ठीकसे कायम नहीं रख सकीं। सेनायें ऐसी अस्त-व्यस्त अवस्थामें पीछे हटीं, जिसके कारण बहुतसे इंजन और गाड़ियां दुश्मनोंके हाथोंमें जानेसे नहीं बचाई जा सकीं। सैनिकोंके सेनामें भर्ती होनेके कारण

कृषिकी उपज भी पहलेसे बहुत कम हो गई, वयस्क पुरुषोंमेंसे ४७ प्रतिशत (१४० लाख) सेनामें भर्ती किये गये थे। खेतीके लिये उपयोगी घोड़ोंमें पचास लाखकी कमी हो गई थी, फिर कृषिकी उपज क्यों न कम होती? १९१६ ई०मे १९०९ ई०की अपेक्षा पचासी प्रतिशत ही खेत बोये गये। लड़ाईके लिये सामान खरीदनेके वास्ते इंगलैण्ड, फ्रांस और युक्त राष्ट्र अमेरिकाको ७७६९० लाख रूबल देना था, यह चोट सबसे भयंकर थी। युद्धक्षेत्रमें घोर पराजय और देशके भीतर आर्थिक प्रलय दोनोंने मिलकर रूसी शासकों और पूंजीपतियोंका होश बिगाड़ दिया। रूसी सैनिकोंके खूनकी गिनती न करके जारशाहीके मित्र अपने कर्जोंको जल्दी उगाहना चाहते थे। इंगलैण्डका तीन अरब रूबल कर्जा हो गया था, जिसके बदलेमें उसने जारशाही सरकारसे उसकी संरक्षित सुवर्ण-निधिको लंदन भेजनेके लिये मांग की, और साथ ही वह इसपर जोर दे रहा था, कि रूस और भी ताजी सेनायें युद्धक्षेत्रमें भेजे। १९१६ ई०में फ्रांसने अपने प्रतिनिधि भेज चार लाख रूसी सेना फ्रांसके भीतर लड़नेके लिये मांगी। यदि क्रांति न हो गई होती, तो जारशाही रूस फ्रांसकी मांगको ठुकरा नहीं सकता था।

इस तरहकी आर्थिक अराजकता और संकटको बर्दाश्त करना जनताकी शक्तिके बाहर था। जनताके सबसे जागरूक भाग मजदूरोंने अपने मनोभावको १९१५ ई०के बसंतसे ही जगह-जगह हड़ताल करके प्रकट करना शुरू कर दिया था। ९ जनवरी १९१६ ई०का "खूनी रविवार" उन्होंने एक बड़ी राजनीतिक हड़तालके रूपमें मनाया। अक्तूबर १९१६ ई०में ऐसी हड़ताल और प्रदर्शन बड़े जोरदार होने लगे, और कमकरोंने नारा लगाना शुरू किया---"युद्ध बन्द करो", "स्वेच्छाचारिता की क्षय।"

सेनाका मनोभाव कैसा था, इसका पता सिपाहियोंके अपने घरोंमें भेजे पत्रों द्वारा मिलता था। एक सिपाहीने लिखा था---"आजके सिपाही वह सिपाही नहीं हैं, जो कि जापानी-युद्धके समय थे। दासताभरी आज्ञाकारिताके बाहरी परदेके भीतर उनके दिलोंमें भारी गुस्सेकी आग धधक रही है, एक छोटी-सी दियासलाई जलाने भरकी देर है, और वह भड़क उठेगी।" और दियासलाई जलानेका काम बोल्शेविक बड़ी तत्परतासे कर रहे थे। उनमेंसे कितने ही सेनामें काम कर रहे थे। म० व० फ्रुंजे जैसा युद्धकौशल पटु क्रांतिकारी १९१५ ई०में जेलसे भाग निकला था। उसने मिन्स्क नगरमें एक बोल्शेविक संगठन कायम करके पश्चिमी मोर्चेके सिपाहियोंके साथ घनिष्ठ संबंध स्थापित किया। अ० अ० ज्दानोफ सेनाके लिये चालित किया गया था। वहां जाकर उसने सेनामें बोल्शेविक प्रचार शुरू किया। व० व० विवबिशियेफ और स० म० किरोफ काकेशस और समारामें विद्रोह फैला रहे थे। ल० म० कगानोविच पहले कियेफ और बादमें एकातेरिनोस्लावमें मजदूरों और सैनिकोंके बीचमें प्रचार कर रहा था। इस प्रकार मालूम होगा, कि बोल्शेविक इस स्थितिसे फायदा उठानेके लिये तैयार थे।

मध्य-एसियामें युद्धका प्रभाव---युद्धके कारण जो आर्थिक कठिनाइयां युरोपीय रूसमें पैदा हुई थीं, मध्य-एसिया उसके प्रभावसे मुक्त कैसे रह सकता था? चीजोंके दाम मंहगे हो गये थे, करके भारसे लोग वैसे ही दबे हुये थे, और अब युद्धके कारण उसे और बढ़ा दिया गया था। रूसी पूंजीपतियोंको कपासकी जरूरत थी, इसलिये मध्य-एसियाकी कृषि-भूमिमें कहीं-कहीं आधेसे ज्यादाको कपासके खेतोंमें परिणत कर दिया गया था, जिसके कारण पर्याप्त अनाज पैदा नहीं हो सकता था, और देशमें अन्नका अकाल फैला हुआ था। रूसी सरकार और उसके गोरे अफसर किर्गिज और कजाक घुमन्तुओंको उनकी चरागाहोंसे वंचित करके वहां रूसी किसानोंको बसा रहे थे। १९१५ ई०में पैंतालीस लाख एकड़ बढ़िया जमीन कजाकों और किर्गिजोंसे छीनकर रूसी जमींदारों, सरकारी अफसरों और कुलकों (धनी किसानों) को दे दी गई। युद्धके लिये रिसालोंके वास्ते घोड़ों और खानेके लिये पशुओंको छीन-छीनकर मध्य-एसिया और कजाकस्तानके चरवाहोंकी अवस्थाको और भी बुरा बना दिया गया। लोग पहले हीसे "त्राहि मां, त्राहि मां" कर रहे थे। इसपर जून १९१६ ई० में राजाज्ञा निकली, कि १९ से ४३ वर्षके उमरवाले पुरुषोंको फौजमें भर्ती होना पड़ेगा, और उन्हें युद्धक्षेत्रमें खाइयां खोदने तथा दूसरे कामोंमें लगाया जायेगा। रूसके कानूनके अनुसार रूस-भिन्न जातियोंसे सैनिक सेवा नहीं ली जा सकती थी। भला जारशाही द्वारा शोषित और

उत्पीड़ित उज्बेक, कजाक, किर्गिज, तुर्कमान क्यों सैनिक सेवा करनेके लिये तैयार होते ? सो भी ऐसे समयमें, जब कि खेतमें फसल काटनेके लिये तैयार थी। उज्बेक और कजाक विद्रोह करनेमें पहले थे। ताशकन्द और समरकन्द जिलेके गांवों और कस्बोंमें उज्बेकोंने सरकारी कचहरियों और दफ्तरोंपर आक्रमण किया, और सैनकि भरतीकी सूचीको जला दिया। जुलाई १९१६ ई० के मध्यमें विद्रोह सारे फरगानामें फैल गया। समरकन्द जिलेमें जीजकके पास जारशाही सेनाके साथ बाकायदा लड़ाई हुई, जिसमें रूसी सेनाने तोपोंका इस्तेमाल किया। विद्रोहियोंने वेर्नी (आधुनिक अल्माअता) और ताशकन्दके बीचके यातायातको काट दिया, और अपने विरुद्ध भेजी गई हथियारोंकी ट्रेन लूट ली। इन हथियारोंसे हथियारबन्द होकर किसान रूसी सेनासे लड़नेके लिये तैयार हो गये, और अक्तूबरसे पहले जारशाही उनके विद्रोहको दबा नहीं सकी। तुरगाई (आधुनिक अकत्यूबिन्स्क) जिलेके कजाकोंका विद्रोह सितम्बर १९१६ ई० में शुरू हुआ। उसके दबानेमें जारशाहीको काफी कठिनाई उठानी पड़ी। इस विद्रोहका नेता अमनगेल्दी ईमानोफ था। जब जिलेके कजाकोंने सेनामें भरती होनेसे इन्कार कर दिया, तो रूसी राज्यपालने स्वयं जाकर उन्हें समझाना चाहा, इसपर अमनगेल्दीने उससे पूछ दिया—"इजाजत दीजिये सरकार, एक प्रश्न पूछनेकी। अपने अज्ञानके कारण हमें समझमें नहीं आता, कि इस युद्धमें शामिल हो हम किसकी प्रतिरक्षा करेंगे ?" राज्यपालने अमनगेल्दीको गिरफ्तार करनेका हुक्म दिया, लेकिन वह वहांसे अन्तर्धान हो गया, और थोड़े ही समयमें उसने काफी संख्यामें विद्रोहियोंको संगठित कर जारशाही सेनाका मुकाबला पहलेपहल किजिलकुल (लाल सरोवर) में किया। लड़ाई सारे दिन होती रही, सेनाको पीछे हटना पड़ा। अक्तूबर १९१६ ई०के अन्तमें अमनगेल्दी और उसके साथियोंने तुरगाई नगरको घेर लिया, लेकिन वह उसके ऊपर अधिकार नहीं कर सके। वहांसे हटकर अमनगेल्दीने बतबकरा गांवमें किलेबन्दी करके उसे अपना केंद्र बनाया। वहां उसने हथियारोंके बनानेके लिये एक मिस्त्रीखाना स्थापित किया, जिसमें कारीगर रात-दिन लगकर तलवार और दूसरे हथियार बनाने लगे। उसने कजाकोंको बन्दूक चलाना और फौजी कवायद सिखाना भी शुरू किया। फर्वरी १९१७ ई०के मध्यमें एक काफी बड़ी सेना अमनगेल्दीके विरुद्ध भेजी गई, जिसने बतबकरापर अधिकार कर लिया, लेकिन विद्रोहियोंको उनके बाप-दादोंका दश्त (निर्जन भूमि) शरण देनेके लिये तैयार था। बोल्शेविक-क्रांतिके अब आठ ही महीने रह गये थे। उतने दिनों तक किसी तरह लड़ते और आत्मरक्षा करते अमनगेल्दी और उसके आदमियोंने बिताया। बोल्शेविक-क्रांतिके समय अमनगेल्दी बोल्शेविकोंमें शामिल हो गया, और बोल्शेविक पार्टीका सदस्य बन क्रांतिके लिये लड़ते हुये उसने वीरगति प्राप्त की।

तुर्कमानोंमें भी संघर्ष देरतक रहा। तुर्कमान प्रायः सारे घुमन्तू थे, इसलिये अपने विरुद्ध भेजी सेनासे आसानीसे बचते हुये वह तुर्कमानिस्तानकी विस्तृत तथा बहुत कुछ निर्जन और रेगिस्तानी भूमिमें घूमते रहे, और कहीं-कहीं विद्रोही ईरानकी सीमाके भीतर भी चले गये। जारशाही सैनिकोंने जहां भी मौका मिला, तुर्कमानोंके डेरोंको जला दिया, उनकी सम्पत्ति और पशुओंको छीन लिया। इस अत्याचारके कारण कितने ही इलाकोंमें जनसंख्या आधी रह गई। महाराज्यपाल कुरोपत्किनने ३४७ विद्रोहियोंपर मुकदमा चला ५१ को फांसी दिलवा दी। जारशाहीने इस तरह अपने अन्तिम दिनोंमें मध्य-एसियाके लोगोंपर भीषण अत्याचार किये। जहां दक्षिणवाले अपने परिवारों और पशुओंको लेकर ईरान और अफगानिस्तानमें भागनेके लिये मजबूर हुये, वहां कितने ही हजार किर्गिज और कजाक चीनी तुर्किस्तानके भीतर भाग गये। सोवियत शासनके स्थापित होनेके बाद उनमेंसे अधिकांश फिर अपनी जन्मभूमिमें लौट आये।

फर्वरी-क्रान्ति—अन्तिम दिनोंमें जारशाही शासन सचमुच ही जिन्दा सड़ी लाश था। ऊपरसे नीचेतक सारे शासक आकंठ भ्रष्टाचार और अत्याचारमें मग्न थे। मिथ्या विश्वासकी यह हालत थी, कि एक ढोंगी बदमाश ग्रेगोरी रस्पुतिन जारका गुरु बन गया। रस्पुतिन साइबेरियाका एक किसान तथा भूतपूर्व घोड़ाचोर था। ईसाई साधु बनकर मठोंमें इधर-उधर घूमते उसने देख लिया, कि लोगोंकी अंधश्रद्धासे बहुत फायदा उठाया जा सकता है, इसीलिये वह त्रिकालज्ञ महात्मा बन गया।

देहातसे उसकी प्रसिद्धि जल्दी ही राजधानीमें पहुंची। जारिना संतों और सिद्धोंकी बड़ी भक्तिन थी। उसके इकलौते पुत्रको डाक्टरोंने असाध्य रोगी बतला दिया था, इसलिये वह किसी संतकी करामातसे अपने पुत्रकी रक्षा कराना चाहती थी। रस्पुतिनके किसी गणने जारिनाके पास उसकी लम्बी-चौड़ी तारीफ की। जारिनाने उसे राजमहलमें बुला लिया, और घोड़ाचोरने ऐसा जादू चलाया, कि जारिना इस ढोंगीको दूसरा ईसा मसीह समझने लगी। घरके काममें ही नहीं, बल्कि राजके कारबारमें भी रस्पुतिनकी राय ली जाती। उसकी कृपाके बलपर कितने ही लोग बड़े-बड़े दर्जोंपर पहुंचे। इस निरक्षरप्राय ढोंगीके कहनेपर जार मंत्रियों तकको नियुक्त और बर्खास्त करता था, जैसा अभी हाल ही में पंजाबके एक मुख्यमंत्रीके यहां देखा गया। जिस वक्त युद्धक्षेत्रमें रूसी सेनायें हारपर हार खा रही थीं, उस समय जार-परिवार रस्पुतिनकी भविष्यद्-वाणियोंका तिनकेका सहारा ले रहा था। उसके हदसे ज्यादा बढ़े हुये प्रभावको देखकर जारवंशी महाराजुल तथा उच्चकुलीन लोग भी रस्पुतिनको खतरेकी चीज समझने लगे। उनके ख्यालमें सारी बुराइयों और विपदाओंका कारण वही बदमाश था। उसके विरुद्ध षड्यंत्र करके जारके अपने संबंधियों तथा दूसरोंने १७ दिसम्बर १९१६ ई०को रस्पुतिनको मार डाला, और उसे बर्फ जमी हुई नेवा नदीमें छेद करके बहती धारामें डाल दिया। लेकिन जारशाहीके राजनीतिक और सैनिक ढांचोंको निर्बल करनेका कारण रस्पुतिन नहीं था, और न उसकी वजहसे मजदूरों और किसानोंमें देशव्यापी असंतोष फैला था। पिछड़ा हुआ रूस एक आधुनिक महायुद्धके भारको उठाने योग्य नहीं था। बहुसंख्यक सैनिक बिना बन्दूकोंके थे। वह कैसे लड़ते? रेलोंका यातायात बन्द-सा हो गया था, कारखानोंको कच्चा माल और ईंधन नहीं मिलता था। आहार मिलना मुश्किल हो गया था, फिर लोग क्यों न विद्रोह करनेके लिये तैयार होते, और उस अवस्थामें, जब कि सुसंगठित क्रांतिकारी व्यापक रूपसे उनमें प्रचार करते मुक्तिका रास्ता दिखला रहे थे? ९ जनवरी १९१७ ई० को "खूनी रविवार"का पर्व-दिन पड़ा। उस दिन राजधानी पेत्रोग्रादमें युद्धके विरुद्ध भारी प्रदर्शन हुआ। मास्को, बाकू, निजनी-नवोगोरद तथा दूसरे नगरोंमें भी लोगोंने अपने विरोधी भावोंको "खूनी रविवार"के विशाल जलूसोंद्वारा प्रकट किया। मास्कोमें लाल झंडा लेकर "युद्ध बन्द करो" का नारा लगाते हजारों कमकर सड़कोंपर निकल पड़े, जिन्हें सवार-पुलिसने जबर्दस्ती तितर-बितर कर दिया। कितने ही नगरोंमें हड़तालें हुईं। मेन्शेविक और समाजवादी क्रांतिकारी शासनमें परिवर्तन करना चाहते थे, लेकिन इस समय युद्धके पक्षमें होना वह अपना राष्ट्रीय कर्त्तव्य मानते थे। १४ फर्वरी १९१७ ई० को दूमाके उद्घाटनके दिन बोल्शेविकोंकी प्रेरणासे भारी संख्यामें मजदूर सड़कोंमें "स्वेच्छाचारिताकी क्षय", "युद्ध बन्द करो" के नारे लगाते निकल आये। फर्वरीके उत्तरार्धमें पेत्रोग्रादमें क्रांतिकारी आन्दोलन बड़ी तेजीसे बढ़ा। १८ फर्वरीको पुतिलोफके कारखानेमें तीस हजार मजदूरोंने हड़ताल कर दी, और २३ फर्वरीके सबेरे जब उन्होंने अपना जलूस निकाला, तो दूसरे कारखानोंके भी बहुतसे मजदूर शामिल हो गये।

पेत्रोग्रादकी बोल्शेविक पार्टीकी कमीटीने लोगोंसे कहा, कि ८ मार्च (२३ फर्वरी)को अन्तर्राष्ट्रीय मजदूरिनोंका दिवस राजनीतिक हड़ताल और प्रदर्शनोंके साथ मनाना चाहिये। उस दिन ९०००० स्त्री-पुरुषोंने काम छोड़ दिया। अगले दिन ९ मार्च (२४ फर्वरी) को दो लाख मजदूरोंने हड़ताल कर दी, और नगरके सभी भागोंमें क्रांतिकारी सभायें होने लगीं। पुलिसने सावधानी करते हुये नेवा नदीके सभी पुलोंपर अधिकार कर रक्खा, लेकिन नेवा उस वक्त बर्फ बनी हुई थी, इसलिये मजदूरोंको शहरमें आनेके लिये पुलोंकी अवश्यकता नहीं थी। १० मार्च (२५ फर्वरी) को राजनीतिक हड़तालने सार्वजनिक हड़तालका रूप ले लिया। पेत्रोग्रादके सेनापतिको जारने हुक्म भेजा—"मैं तुम्हें हुक्म देता हूं, कि कलसे पहले ही राजधानीकी दुर्व्यवस्थाका अन्त कर दो।" इसपर पुलिसने प्रदर्शनकारियोंको छतोंपर रखी मशीनगनोंकी गोलियोंसे भूनना शुरू किया। सड़कों और चौरस्तोंमें नगरके केन्द्रीय भागके सभी जगहोंमें सैनिक बैठे हुये थे। मजदूरों और बोल्शेविकोंको पकड़-पकड़कर अंधाधुन्ध जेलोंमें बन्द किया जा रहा था। पेत्रोग्रादकी बोल्शेविक कमीटीके सदस्य जेलोंमें बन्द कर दिये गये थे। इस समय मोलोतोफके

नेतृत्वमें केन्द्रीय कमीटीका ब्यूरो विद्रोहका संचालन कर रहा था। यहां यह याद रखना चाहिये, कि अभी तक रूसमें पुराना पंचांग चल रहा था, जिसकी तारीख तेरह दिन बाद पड़ती थी——२३ फर्वरी वस्तुतः ८ मार्च थी। प्रथम क्रांति मार्चमें हुई थी, लेकिन पुराने पंचांगके अनुसार उसे फर्वरी-क्रांति कहा जाता है। इसी तरह आठ मास बाद होनेवाली बोल्शेविक-क्रांति वस्तुतः नवम्बरमें हुई थी, लेकिन पुराने पंचांगके अनुसार अक्तूबरमें होनेसे उसे तबसे आजतक अक्तूबर-क्रांति कहा जाता है।

२७ फर्वरी (१२ मार्च)को पेत्रोग्रादमें सेनापर क्रांतिका प्रभाव पड़ने लगा, सैनिक समझने लगे, कि उनका हित जारशाहीके साथ रहनेमें नहीं, बल्कि विद्रोहियोंका साथ देनेमें है। इसी दिन दो रेजीमेंटोंने वीबोर्ग मुहल्लेमें कमकरोंका साथ दिया। मजदूरोंने एक हथियारखानेपर अधिकार करके वहांसे चालीस हजार बन्दूकें और दूसरे हथियार लेकर अपनेको हथियारबन्द किया। उन्होंने जेलोंसे राजनीतिक बंदियोंको छुड़ा लिया। इसी दिन जेनरल खबारोफने राजधानीमें मार्शल-ला घोषित कर दिया। लेकिन जब सेनामें ही विद्रोह फैल रहा हो, तो मार्शल-ला क्या कर सकता था? उस समय जार नगरसे बाहर डेरा डाले हुये थे, और जारिना राजधानीमें बैठी अपने पतिके पास बराबर आशापूर्ण संदेश भेज रही थी। उसने अपने एक पत्रमें लिखा——"यह गुण्डोंका आन्दोलन है। तरुण लड़के-लड़कियां चारों ओर चिल्लाते फिर रहे हैं, कि रोटी नहीं है——यह केवल लोगोंको भड़कानेके लिये।" जारने युद्धक्षेत्रपर हुक्म भेजकर सेनाको पेत्रोग्राद भेजनेके लिए कहा। एक सेना भरी हुई ट्रेन जेनरल इवानोफके नेतृत्वमें मुश्किलसे जास्कोंयेसेलो (पेत्रोग्रादके पास जारग्राम) में पहुंची भी, किंतु सैनिकोंने क्रांतिकारी सिपाहियोंसे मेल-मिलाप बढ़ाकर अपने जेनरलको पकड़वाना चाहा। जारने अब जास्कोंयेसेलोको भी अरक्षित देखकर पेत्रोग्रादके लिये ट्रेनपर प्रस्थान किया, लेकिन वहां भी उसे खतरा मालूम हुआ, और ट्रेनको प्स्कोफकी ओर मोड़ दिया गया। सभी जगह सेना क्रांतिकी ओर हो रही थी।

१९०५ ई०की क्रांतिमें हम देख चुके हैं, कि किस तरह अपने आप मजदूरोंने संगठित रूपसे जारशाहीका मुकाबिला करनेके लिये कमकर-प्रतिनिधि-सोवियतें संगठित कीं। अब इस क्रांतिमें भी उस तजर्बेसे फायदा उठाकर मजदूर-सिपाही-प्रतिनिधियोंकी सोवियतें कायम हुईं, जिनमें सबसे पहले कायम हुई थी पेत्रोग्राद-सोवियत। २७ फर्वरी (१२ मार्च) को क्रांतिकी विजय हुई। हथियारबन्द मजदूरों और सैनिकोंने राजनीतिक बंदियोंको जेलोंसे छुड़ा लिया। इस प्रकार हम देखते हैं, कि जारशाही शासनयंत्रका स्थान लेनेके लिये सोवियतका पहला तजर्बा तुरन्त काममें आया। अभी सड़कोंमें गोलियां चल रहीं थीं, इस वक्त भी करखानोंके मजदूर सोवियतके लिये अपने सदस्य निर्वाचित कर रहे थे। फर्वरी १९१७ ई० की सोवियतें केवल मजदूरों ही नहीं, बल्कि सैनिकोंके प्रतिनिधियों द्वारा भी संगठित की गई थीं। २७ फर्वरी (१२ मार्च) तक निर्वाचन हो गया था,। उसी शामको पेत्रोग्राद सोवियतकी प्रथम बैठक हुई। पेत्रोग्रादमें क्रांतिके सफल होनेकी खबर मिलते ही सारे देशमें क्रांति फैल गई। २७ फर्वरी (१२ मार्च) को ही मास्कोकी बोल्शेविक पार्टीके संगठनोंने वहांके मजदूरों और सैनिकोंसे पेत्रोग्रादकी क्रांतिका समर्थन करनेकी अपील की। अगले दिन बड़े-बड़े कारखानोंके मजदूर हड़ताल करके सड़कोंपर निकल आये, और वहींपर मास्को छावनीके सैनिक उनमें आ मिले। १ मार्च (१४ मार्च)को मजदूरोंने बोल्शेविक बंदियोंको मुक्त किया, जिनमें प्रसिद्ध क्रांतिकारी तथा पीछे गृहमंत्री फ० ई० जेर्जिन्स्की भी था। निजनी-नवोग्राद (आधुनिक गोर्की) में भी क्रांतिकी विजय हुई। २ (१५) मार्च को तुलाके हथियारके कारखानोंके मजदूरोंने विद्रोह कर दिया, और वहांके जारशाही अफसरोंको पकड़कर अपनी सोवियत (पंचायत) स्थापित की। यद्यपि क्रांति सफल हुई थी मजदूरों और सिपाहियोंकी कुर्बानी और बलपर, लेकिन उससे प्रथम लाभ उठानेवाले थे अवसरवादी समाजवादी-क्रांतिकारी और मेन्शेविक। १ मार्चकी रातको उन्होंने बोल्शेविकोंसे बिना पूछे ही दूमाके प्रतिगामी सदस्योंके साथ समझौता करके सरकार बनानेके लिये समझौता कर लिया। २ मार्चके सबेरे राजुल लूवोफके नेतृत्वमें अस्थायी सरकार घोषित कर दी गई। यह कहनेकी अवश्यकता नहीं, कि अस्थायी सरकारके सभी सदस्य

पुरानी व्यवस्थाके समर्थक थे । ल्वांफ बहुत बड़ा जमींदार था । मिल्यूकोफको विदेश-मंत्री बनाया गया । गुचकोफ अक्तूबरी दलका नेता तथा मिलमालिक और बैंकर था, जिसे युद्ध-उद्योग-समितिका युद्ध-मंत्री बनाया गया था । प्रगतिशील पार्टीका सदस्य तथा कपड़ामिलका मालिक कोनोवलोफ व्यापार-उद्योग-मंत्री बनाया गया, और चीनी कारखानोंका मालिक करोड़पति तेरेस्चेंको वित्त-मंत्री नियुक्त किया गया । ग्यारह मंत्रियोंमें केवल एक जनसमाजवादी दल (पीछे समाज-वादी क्रांतिकारी दल) का सदस्य वकील केरेन्स्की था, जिसे न्याय-मंत्री बनाकर टरका दिया

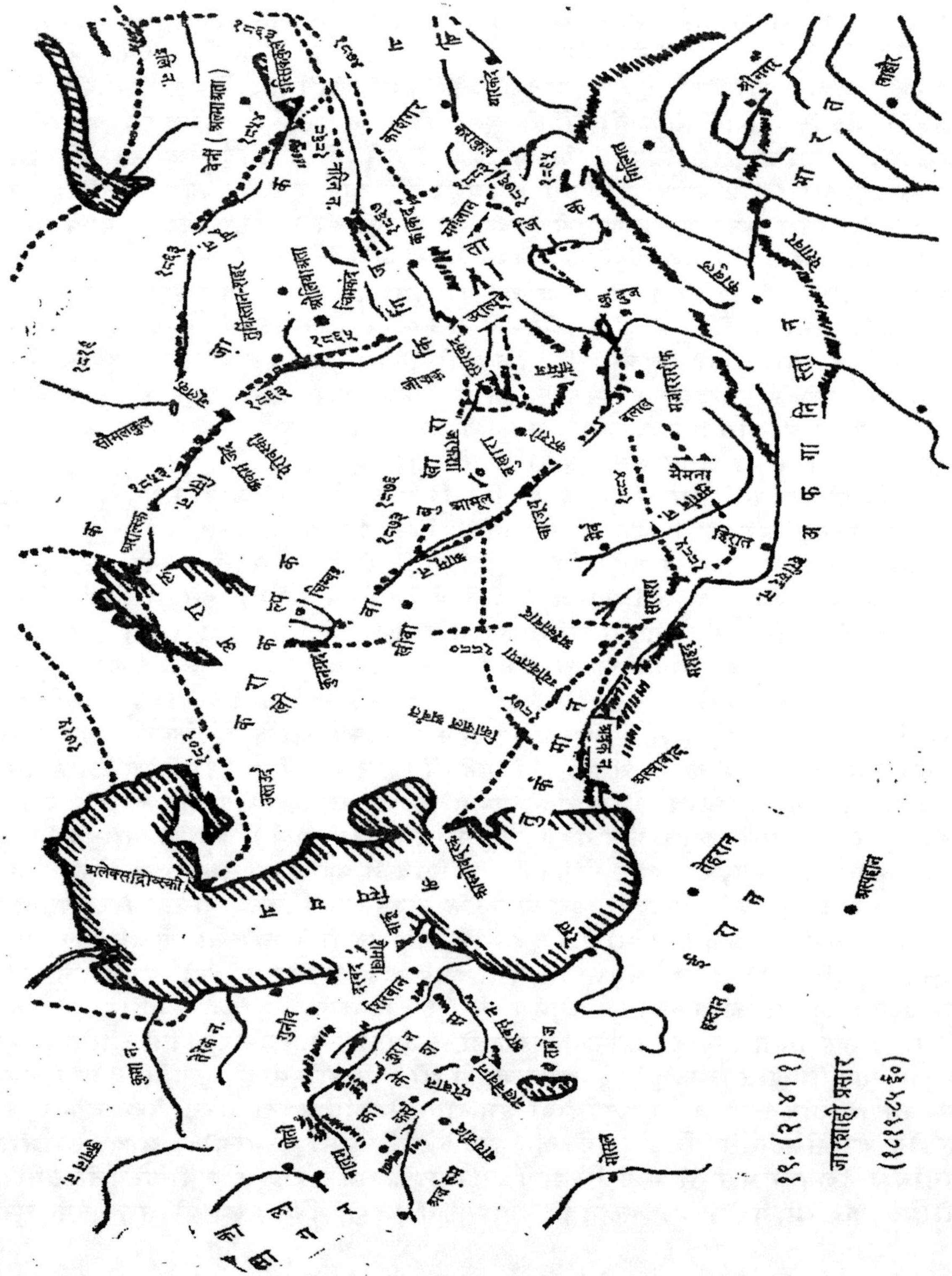

१९. (२१४११) जारशाही प्रसार (१८१९-८५ ई०)

गया। इस मंत्रिमंडलके बारेमें लेनिनने अपने एक पत्रमें लिखा था—"हितकारी व्यक्तियोंका समूह नहीं है यह सरकार। यह रूसमें राजनीतिक शक्ति हथियानेमें सफलता पानेवाले एक नये वर्गके प्रतिनिधि हैं। यह पूजीपति जमींदारों और पूंजीवादियों (बूर्ज्वा वर्ग) के प्रतिनिधि हैं, जो कि लम्बे अर्सेसे हमारे देशका आर्थिक तौरसे शासन कर रहे थे।"

अस्थायी सरकारका पहला प्रयत्न यह हुआ, कि राजमुकुटकी रक्षा कैसे की जाय? जार पहले ही अधिकार वंचित होकर प्स्कोफमें बैठा हुआ था। गुचकोफ और शुलगिनने अस्थायी सरकार के नामसे वहां पहुंचकर जारपर जोर दिया, कि वह अपने पुत्र अलेक्सीके पक्षमें सिंहासन त्याग दे। लेकिन जारने अपने भाई मिखाइलके पक्षमें सिंहासन-त्याग करना स्वीकार किया। पेत्रोग्राद लौटनेपर दूमा सदस्य गुचकोफने मजदूरोंके सामने भाषण देते हुये निकोलाइ II के सिंहासन-त्यागको घोषित करते हुये अन्तमें "सम्राट् मिखाइल जिंदाबाद" के साथ अपने व्याख्यानको समाप्त किया। इसपर मजदूरोंने तुरन्त गुचकोफके गिरफ्तार करनेकी मांग पेश की। अस्थायी सरकारने बहुत जल्दी देख लिया, कि राजवंशकी रक्षा नहीं की जा सकती, और उसने एक प्रतिनिधिमंडल भेजकर मिखाइल रोमानोफसे सिंहासन त्यागकर सारी शक्ति अस्थायी सरकारके हाथमें दे देनेकी प्रार्थना की। ३ मार्च को मिखाइल रोमानोफने भी सिंहासनसे इस्तीफा देनेके पत्रपर हस्ताक्षर किया, और लोगोंको अस्थायी सरकारकी आज्ञा माननेके लिये कहा।

इस प्रकार रूसका अंतिम राजवंश खतम हो गया, लेकिन क्रांतिसे फायदा उठाकर प्रजाके नामसे जिस गुटने शासन अपने हाथमें लिया, वह साधारण जनताके हितोंकी पक्षपाती नहीं, बल्कि उसने पश्चिमी युरोपकी तरह सम्पत्तिशाली पूंजीवादी वर्गके लिये शासनयंत्रको अपने हाथमें संभाला था। लेकिन हिन्दीकी पुरानी कहावत क्या झूठी हो सकती है—"जो शालिग्रामको भूनकर खा गया, उसे बैंगन भूनकर खाते कितनी देर लगेगी?" जिन कारणोंने जारशाही जैसे शक्तिशाली शासन-यंत्रको उखाड़कर फेंक दिया, वह अब भी मौजूद थे।

स्रोत ग्रन्थ

१. आज़ियात्स्कया रोस्सिया (अ. क्रुवेर आदि मास्को १९१०)
२. पो गरामि पुस्तिन्याम् स्रेद्नेइ आज़िइ (न. म. फेदोरोव्स्की, मास्को १९३७ ई०)
३. पुतेशेस्त्विये व् जापद्नीइ किताइ (ग. ये. और म. ये. ग्र्झिमाइलो, पेतेरबुर्ग १९०१)
४. इस्तोरिया दिप्लोमातिइ (३ जिल्द, व. प. पोतेम्किन्, लेनिनग्राद १९४५)
५. यज़ीकोज्नानिये इ इस्तोरिया लितेरातुरी (स. ग. विलिन्स्की आदि मास्को १९१४)
६. इस्तोरिया रोस्सिइ (२९ स. सोलोवियेफ्, पेतेरबुर्ग, १८७९-८५)
७. तुर्केस्तान्स्कओ वोयेन्नओ ओक्रुग् (३ जिल्द १८८०)
८. History of U. S. S. R. (A. M. Pankratova)
९. Heart of Asia (E. D. Ross)
१०. Manuel historique de politique etrengere (E. Boureois, Paris 1927)
११. La rivalite anglo-russe on xix siecle on Asie (A. M. F. Roure, Paris 1908)
१२. Europe and China (G. F. Hundson London 1931)
१३. Russo–Chinese Diplomacy (Ken Shen-Feigh, Shanghai 1928)
१४. Histoire de Russie (N. Brian-Chaninov Paris 1929)

अध्याय २

खोकन्दके खान

(१७४७–१८७६ ई०)

अस्त्राखानियोंके शासनके निर्बल होनेपर उत्तरके कजाकोंने नोच-खसोट शुरू कर दी। इससे पहले जुंगर-कल्मक अपने प्रभुत्वको बढ़ाते चले आये थे। १७४० ई०तक ताशकन्द और तुर्किस्तान शहरके इलाकोंपर कजाकोंका पूरा अधिकार हो गया था, और पलासीके युद्धके समय (१७५७ ई०) चीनने जब जुंगरोंकी शक्तिको खत्म कर दिया, उसी समय अन्तर्वेदमें शक्तियोंका फिर बंटवारा हुआ—मंगितोंने बुखारा और अन्तर्वेदकी भूमिको अपने हाथमें किया, फरगाना और ताशकन्दपर एक नये वंशकी स्थापना हुई। इस इलाकेके नगरोंमें प्रभावशाली खोजा (सैयद) शासन कर रहे थे, जिन्होंने केंद्रके निर्बल होनेपर अपनेको स्वतंत्र शासक बना लिया। फरगानाका शासक यादगार खोजा भी ऐसा ही था, जिसकी लड़कीसे शाहरुख बेकने शादी की, जिसके वंशमें निम्न खान हुये थे—

१.	शाहरुख बेक, यादगार खोजा-दामाद	१७४७ ई०
२.	रहीम बेक, शाहरुख-पुत्र	
३.	अब्दुलकरीम बेक, शाहरुख-पुत्र	
४.	एर्दनी बेक, अब्दुलकरीम-पुत्र	—१७७० ,,
५.	नरबुले, नरबुते, अब्दुलकरीम-दौहित्र	१७७०-१८०० ,,
६.	आलम खान, नरबुले-पुत्र	१८००-९ ,,
७.	उमर, नरबुले-पुत्र	१८०९-२२ ,,
८.	मुहम्मद अली, मदली, उमर-पुत्र	१८२२-४२ ,,
९.	शेरअली, हाजिबी-पुत्र	१८४२ ,,
१०.	मुराद, आलिम-पुत्र	१८४२ ,,
११.	खुदायार, शेरअली-पुत्र	१८४२-५७ ,,
१२.	मुल्ला, शेरअली-पुत्र	१८५७-५९ ,,
१३.	शाहमुराद, सरिसक-पुत्र	१८५९ ,,
	खुदायार (पुनः)	१८५९ ,,
१४.	सैयद सुल्तान, मुल्ला-पुत्र	१८५९-६५ ,,
	खुदायार (पुनः)	१८६५-७५ ,,

१. शाहरुख बेक, यादगार खोजा-दामाद (१७४७ ई०)

जैसा कि कहा, अस्त्राखानियोंकी निर्बलतासे फायदा उठाकर इसने अपना वंश स्थापित किया। वोल्गाके पास रहनेवाले तुर्कोंके किसी कबीलेका यह एक अमीर किंतु राजवंशी नहीं था। १८ वीं सदीके आरंभमें यह वोल्गा-तटसे फरगाना पहुंचा, और खुर्रमसरायके शासक यादगार खोजाने इसे अपनी लड़की दे दी। वह अपने अनुयायियोंके साथ खोकन्दसे बारह मील पश्चिम, गूरगान (कूरकान) स्थानमें बस गया। शायद शाहरुख मंगीती था और खोकन्दमें प्रधानता रखनेवाली शाखासे संबंध रखता था। शाहरुखने ससुरको मारकर उसके राज्यको हाथमें कर उसे आगे बढ़ाया। चाहे वह छिङ-गिस् वंशका न भी रहा हो, लेकिन अपनी धाक जमानेके

लिये छिङ-गिस्के खूनका दावा करना फायदेकी बात थी, जैसा कि उससे एक सौ वर्ष पहले बाबर और उसके वंशजोंने भारतमें किया था।

२. रहीम बेक, शाहरुख-पुत्र

बापके मरनेपर बेटा उत्तराधिकारी हुआ, लेकिन अभी राज्य छोटा होनेसे वह खान न होकर बेक (अमीर) ही रहा।

३. अब्दुलकरीम बेक, शाहरुख-पुत्र

रहीम बेकके मरनेपर उसका भाई अब्दुलकरीम गद्दीपर बैठा, जिसके समयसे खोकन्दका प्रताप बढ़ने लगा। इसीने वर्तमान खोकन्द नगरको आबाद करके उसे अपनी राजधानी बनाई।

४. एर्दनी बेक, अब्दुलकरीम-पुत्र (–१७७० ई०)

नहीं कहा जा सकता, एर्दनी बेक अब्दुल-करीमका पुत्र था या भाई। इसने फरगानाके सभी बेकोंको अपने अधीन किया। १७५८ ई०में ताशकन्द चीनके हाथमें चला गया था। चीनी जेनरल चाउ-हो-येइ ने खोजी जानका पीछा करते अपनी एक सैनिक टुकड़ीको बुरूतों (करा किर्गिजों) को दबानेके लिये भी भेजा। एर्दनी बेकने मांस और शराबसे उनका सत्कार किया, और लौटते वक्त उनके साथ गया। उसने अपने एक अफसरको सम्राट् च्यान्-लुङ (काउ-चुङ १७३७–१७९५ ई०) के दरबारमें अधीनता स्वीकार करनेके लिये भेजा। अन्दिजानके शासक तुकतू मुहम्मद, मरगिलानके इलास पिङलीने भी बाज और दूसरी भेंटोंके साथ चीन-दरबारमें अपने दूत भेजे। १७६० ई०में तोकतू मुहम्मद स्वयं पेकिङमें उपस्थित हुआ। एर्दनीने ओश (अजीबी) के इलाकेपर आक्रमण किया, लेकिन चीनी जेनरलके हुक्मपर उसे लौट जाना पड़ा। १७६३ ई० में बुरूतोंकी भूमिपर चीनियोंने दूसरी बार आक्रमण किया। इस तरह १७७० ई० में जब एर्दनी मरा, उस समय चीनका प्रभाव मध्य-एसियामें जोरोंपर था और उसकी इच्छाके विरुद्ध स्थानीय शासकोंको मनमानी करनेकी हिम्मत नहीं थी।

५. नरबुते, नरबुले, अब्दुलकरीम-दौहित्र (१७७०-१८०० ई०)

अब्दुलकरीम बेककी लड़की अर्थात् एर्दनी बेककी बहिनको बाबर-वंशज अब्दुर्रहीम बेकने शादी की थी, जिससे नरबुते बी पैदा हुआ। इस प्रकार वह बाबरके प्रतापी वंशका उत्तराधिकारी होनेका भी दावा कर सकता था, यद्यपि इस समय भारतमें इस वंशकी भी दशा बहुत बुरी थी। नरबुतेके गद्दीपर बैठनेसे पहले सुलेमान बेक और शाहरुख बेक बारी-बारीसे कुछ महीनों तक खोकन्दकी गद्दीपर बैठ चुके थे। नरबुलेका बाप अब्दुर्रहीम बातिर (बहादुर) उज्बेकोंके मिंग-कबीलेका और इसफाराके इलाकेका शासक था। दूसरी परम्परा यह भी है, कि यह यामच बी (बाबर)का वंशज था। इसफारा लेनेके लिये एर्दनीने अब्दुर्रहमान (अब्दुर्रहीम) को धोखा देकर मार डाला, लेकिन उसके पुत्र नरबुतेको बच्चा समझकर छोड़ दिया। एर्दनीके उत्तराधिकारियोंके भी विच्छिन्न या भाग जानेपर खोकन्दियोंने नरबुतेको लाकर गद्दीपर बैठाया। यह बुखाराके अमीर शाह-मुरादका समकालीन था, और शायद उसकी अधीनता भी स्वीकार करता था। नरबुतेके पास पचास हजार सेना थी। चीन-सम्राट्ने उसे "पुत्र" की उपाधि प्रदान की थी। हर दूसरे साल घोड़ों, समूरी खालों आदिकी भेंट लेकर खोकन्दका दूत चीन जाता था, और बदलेमें लाखों रुपयोंकी बहुमूल्य चीजें इनाम मिलती थीं। उस समय चीनी सीमांतसे आगे सवारीके लिये संदूकनुमा घोड़ागाड़ी चढ़नेको मिलती, जिसमें दो घोड़े जुतते। खाना-पीना सारा सामान इसी गाड़ीमें रक्खा जाता। जगह-जगह मुसाफिरोंके लिये पड़ाव बने हुये थे, जहां पांच सौ चीनी सैनिक रहते थे, यात्री इन्हीं पड़ावोंमें रातको ठहरते। रास्ता ऐसे इलाकोंसे जाता था, जहां आबादी बहुत कम थी। चीनकी सीमासे एक मासके करीब पेकिङ था। चीनी दरबारके अपने कायदे थे। दूतको काउ-ताउ

(दंडवत्) करनी पड़ती, फिर प्रतिहार चीनी-तुर्कीमें कुछ बोलता, जिसका अर्थ था "सम्राट् श्रीमुख से पूछ रहे हैं, कि मेरा पुत्र नरबुते स्वस्थ और प्रसन्न तो है ?" दूत फिर दंडवत् करता, और पहलेसे सिखलाये हुये वाक्योंमें उत्तर देता—"नरबुतेको इसके सिवा और कोई इच्छा नहीं है, कि परमभट्टारककी आज्ञाका पालन करें।" भेंट-मुजरेके बाद सम्राट्ने दस लाख मूल्यका इनाम उसे दिया, जिसे घोड़ागाड़ियों में रख दिया गया। अफगान राजदूतने नरबुतेके बारेमें लिखा था—"नरबुतेने अपने लिये एक बड़ा ही सुन्दर महल बनाया है, जिसकी दीवारें चमकीली प्रोसलीन (चीनी मिट्टी) से ढंकी हैं। वह दस हजार सिपाहियोंके साथ शुक्रवारकी नमाज पढ़ता है।" उसके भोजनमें चावल भी सम्मिलित था। अफगान दूत मासूम खोजाके अनुसार नरबुतेने खोजन्द छोड़ सारे फरगानाको जीत लिया था, अन्दिजान, नमंगान, ओश आदिके नगर उसके हाथमें थे। खोजन्दके शासक फाजिल बी और तत्पुत्र तथा उरातिप्पाके राज्यपाल खुदायारसे उसका झगड़ा रहता था। उसने अमीर बुखारासे मिलकर उरातिप्पापर अधिकार करना चाहा, लेकिन खुदायारने बुरी तरहसे हराकर भगा दिया। १७९९ ई०में नरबुतेने ताशकन्दके शासक यूनस खोजापर आक्रमण किया। कजाकोंके खान एलबर्सके मारे जानेके बाद १७४० ई०में ताशकन्द जुंगर कल्मकोंके हाथमें चला गया था, जिनकी ओरसे कुसियक बी १७४९ ई० तक शासन करता रहा। जुंगर साम्राज्यको नष्ट करके १७५० ई० में चीनियोंने ताशकन्दपर अधिकार कर लिया। कुछ दिनों छोटे छोटे अमीर जहां तहां राज्य करते रहे, फिर खलीफा अबूबकरके वंशज यूनस खोजाने ताशकन्दको अपने हाथमें कर लिया, और इसने आसपासके इलाकेको दबाकर १७९८ ई०में महाओर्दूके कजाकोंको भारी दंड दिया। इसी यूनससे १७९७ ई०में नरबुतेकी पहली भिडंत हुई। १८०० ई० में नरबुतेको यूनसने पकड़कर मार डाला।

६. आलम खान, नरबुते-पुत्र (१८००-९ ई०)

नरबुतेके मारे जानेके बाद उसके बड़े बेटे आलमने अपने भाई रुस्तम बेक और दूसरे संबंधियोंको मारकर गद्दी संभाली। खोकन्दके खानोंमें पहलेपहल इसीने खानकी पदवी धारण की, और अपने नामका खुतबा तथा सिक्का चलाया। यूनस खोजा कजाकोंके साथ खोकन्दपर चढ़ा, खुदायार-पुत्र बेक मुराद भी उसका सहायक था। सिर-दरियाके आर-पारसे दोनों सेनाओंने गोलाबारी की, किन्तु अन्तमें यूनसको खाली हाथ लौट जाना पड़ा। १८०३ या १८०५ ई०में आलम खानने ताशकन्दको एक बार सर किया, लेकिन अन्तिम विजय उसके भाई उमर खानके हाथों हुई, जिसने यूनसके पुत्रको वहांसे भगा दिया। आलमने कजाकोंको हराकर बुखारासे उरातिप्पाको छीननेकी पहली बार असफल कोशिश की; दूसरी बार उसे सफलता मिली। तो भी खुदायारके भतीजे खानने उरातिप्पको फिर लौटा लिया।

चीनियोंके पूर्वी तुर्किस्तानके अल्ती शहरपर विजय प्राप्त करनेपर वहांका शासक खोजा सेरिसक बुखारा भाग गया। उसे काश्गर न लौटने देनेके लिये चीनने खोकन्दको हिदायत दे रक्खी थी, जिसके लिये खोकन्दको कुछ वार्षिक रुपये भी मिलते थे, जिसे लानेके लिये हर दूसरे-तीसरे साल चीनमें खोकन्दसे दूत जाता था। एक बार चीनने कारणवश रुपया नहीं दिया, जिसपर आलमने खोकन्दसे काश्गरकी ओर जानेवाले बुखाराके कारवांको रोक दिया। इसकी खबर मिलने-पर चीनने पेंशनकी बाकी रकमको भी देकर फिर खोकन्दको राजी कर लिया। आलम खान बड़ा ही स्वेच्छाचारी और दुराचारी था। अपनी प्रजाकी लड़कियां उसके मारे सुरक्षित नहीं थीं। निरपराध लोगोंको भी मरवा डालनेका उसे व्यसन हो गया था। एक बार उसने अपने भाई उमरबेक और मामा तुगाईके संचालनमें भारी सेना देकर हुक्म दिया—कजाकोंके देशको जाकर बरबाद कर दो। हुक्मको न पूरा करना खानके क्रोधका भाजन होना था। मौसिम प्रतिकूल था, लेकिन तो भी खानके हुक्मको पूरा किया गया। कजाकोंने अधीनता स्वीकार की, और उमरने भाईको सूचना दी, कि मैंने कुछ कजाकोंको मार डाला और बाकियोंने अधीनता स्वीकार कर ली। ऐसी दया दिखलानेके लिये आलम खानने उसे गाली देकर फिर बड़ी क्रूरतासे नरसंहार करनेके लिये लौटा दिया। उमरने

जाकर देखा, कि उसके पास दस हजार सेना है, जो इतने बड़े कामके लिये पर्याप्त होगी, इसमें संदेह था। उसने तुगाई तथा दूसरे अफसरोंसे सलाह ली। सबने कहा, कि हमारे घोड़े लौटकर ताशकन्द जानेकी शक्ति नहीं रखते, ऊपरसे मौसिम भी बहुत खराब है, साथ ही कजाक मुसलमान और निरपराध हैं, उनका कत्ल-आम करना ठीक नहीं है, रेगिस्तानमें बिखरे हुये कजाकोंको पकड़ पाना भी संभव नहीं है। उमरने पूछा——"फिर क्या करना चाहिये ?" इसपर मामाने जवाब दिया——"उमरबेकको खान बनना होगा। हम आलम खान-जैसे अत्याचारीकी आज्ञा नहीं मान सकते।" वहीं उसने उमरके लिये राजभक्तिकी शपथ ली। सेनाने खोकन्दके भीतर पहुंचकर उमरको खान घोषित किया। आलमके साथ तीन सौ आदमी रह गये थे। उसने अपने अनुयायियोंमें खूब इनाम बांटे, और अपने खजाने, हरम, अन्तःपुर, पुत्र शाहरुखके साथ ताशकन्दसे खोकन्दके लिये प्रस्थान किया। रास्तेमें एक किलेमें घिर गया, और आत्मसमर्पण करनेसे भी इन्कार कर दिया। रातको वहीं मुकाम रहा। सबेरे उठकर देखा, तो उसके तीन सौ अनुयायी भी साथ छोड़कर खोकन्द चले गये थे। आंखोंमें आंसू भरकर आलमने अपने पुत्रको हजार तिला (पांच सौ गिन्नी) दे अमीर हैदरके पास बुखारा भेज दिया। अपनी बेगमों तथा खजानोंको गांवके एक मुखियाके हाथमें सौंप बीस सवारों तथा अपने दीवानबेगी (वजीर) के साथ दर्राकोह चला गया। इस दर्रा (पहाड़ी डांडे) से खोकन्द नगर दिखलाई पड़ता था। दीवानबेगीने खानको खोजन्द चलनेकी सलाह दी, जहांपर चार हजार खोकन्दी सैनिक रहते थे। लेकिन आलम खान अब भी अपनी राजधानीमें जानेका हठ कर रहा था। इसपर उसके और भी साथी हट गये और सिर्फ तीन आदमियोंके साथ वह चला। शत्रु सैनिकोंने उसका पीछा किया, और खानका घोड़ा दलदलमें फंस गया। उसने दीवानबेगीसे घोड़ा मांगा, किन्तु उसने उसे न दे स्वयं दौड़ाते शहरका रास्ता लिया। उमरके सिपाहियोंमेंसे किसीने खानकी पीठमें गोली माकर रातमें दफना दिया। यह १२२४ हि० (१६ II १८०९—७ I १८१० ई०) की बात है। पहले उमरने दीवानबेगी मुहम्मद जहूरका स्वागत किया, पीछे उससे सारा धन छीन लिया। जहूरका अन्तिम समय भक्ति-पूजामें बीता।

मध्य-एसियाके शासकोंमें एक बड़ी कमजोरी यह थी, कि वह शेखों-खोजोंके बड़े भक्त होते थे, उनकी दिव्य शक्तिपर बहुत विश्वास करते थे, लेकिन आलम इसे नहीं मानता था। खोकन्दमें एक बहुत बड़ा शेख रहता था, जिसके बहुत-से मुरीद (चेले) थे, और जिसकी दिव्य शक्तिकी बड़ी प्रसिद्धि थी। आलमने एक बार उस शेखको बुलाया, और तालाबके किनारे रस्सी तानकर कहा——"ओ शेख, कयामतके दिन निश्चय ही तुम अपने चेलोंको पुलेसिरात (स्वर्ग और नर्कके बीचकी पतली दीवार) को पार कराओगे, मैं चाहता हूं, कि इस रस्सीसे जरा तुम इस तालाबको पार हो जाओ।" शेखने बहुत कहा, कि कुरानमें दिव्य शक्ति दिखलाना मना है। आखिर शेखको जबर्दस्ती रस्सीपर चढ़ाया गया। गिरना तो था ही, इसपर लोगोंने डंडे मार-मारकर उस ढोंगीके प्राण ले लिये। उसने बहुत-से दरवेशों और साधुओंको पकड़कर ऊंटबानी करनेके लिये मजबूर किया था। आलम खानके जारी किये हुये सिक्के चांदी मिले हुये कांसेके थे।

७. उमर खान, नरबुते-पुत्र (१८०९—२२ ई०)

आलम खानने अपने बेटे शाहरुखको बुखारा भेजा था, लेकिन वह वहां न जाकर ताशकन्द चला गया। पहले वहांके कुशबेगी (सेनापति) ने खानजादेका स्वागत किया, लेकिन आलम खानके मरनेकी खबर पाकर उसने उसे खोकन्द रवाना कर दिया, और चचाके पास पहुंचनेसे पहले ही वह रास्तेमें मार डाला गया। उमर कमजोर दिलो-दिमागका आदमी था। शासन वस्तुतः मामा मुहम्मद रजाबेक तुगाईके हाथमें था। उमरके शासनकालमें खोकन्द एक बहुत बड़ा व्यापार-केंद्र बन गया। इसीके समय उरातिप्पा भी खोकन्दके हाथमें चला आया। यही नहीं, तुर्किस्तान-शहरको भी उसने छीन लिया और वहांके अन्तिम कजाक खान तोगाईने बुखारामें भागकर शरण ली, और वहीं मारा गया। मुहम्मद रजब कराजा बुखारामें भागकर ठहरा हुआ था। आलम खानके बाद वह खोकन्द लौटा। उस समय मामा मुहम्मद रजाबेक और उसके मित्र सेनापति कितकी कराकल्पक

में वैमनस्य हो उठा। एक दिन महलमें भोजनके लिये निमंत्रित मुहम्मद रजाको पकड़कर जेल में डालकर मार डाला गया। इसपर कितकीको भी बोटी-बोटी करके मरवाकर उसकी संपत्ति जब्त कर ली। मुहम्मद रजब कराजा अब खोकन्दका राज्यपाल तथा दरबारमें बहुत प्रभावशाली अमीर बन गया।

उमरने अपने दूत भेजकर रूसियोंको खोकन्दमें अपने कारवां भेजनेके लिये कहा, और यह भी वचन दिया, कि यदि हमारी ओरके आधे रास्तेमें कारवांको लूटा गया, तो मैं व्यापारियोंकी क्षतिपूर्ति दूंगा। इसपर कारवां आने-जाने लगा। किजिलजारमें एक खोकन्दी दूतका रूसी सैनिकसे झगड़ा हो गया, जिसे रूसी सिपाहीने मार डाला। रूसियोंने एक हजार तिला (पांच हजार गिन्नी) जुरमानाके रूपमें दूतके मारे जानेके लिये दिया। १८१३-१४ ई० में कर्नल नजारोफने खोकन्दकी यात्रा की, और रूसी सीमांतपर खोकन्दी दूतके मारे जानेके लिये अफसोस करते हुये बहुत समझाया। नजारोफ रक्षक सैनिकों और बीस हजार रूबलके मालके साथ गया था। उसे महलके बगीचेमें ठहराया गया, आदमियों के लिये सफेद रोटी, चावल, चाय, खरबूजा आदि खानकी ओरसे मुफ्त दिया जाता था, और जानवरोंको घास-चारा भी। बारह दिनकी प्रतीक्षाके बाद नजारोफसे खानने मुलाकात की। नजारोफ घोड़ेपर सवार था, लेकिन उसके कसाक पैदल थे। महलके पास जाकर नजारोफ घोड़ेसे उतर गया। रूसियोंको देखनेके लिये सड़कों और मकानोंकी छतोंपर तमाशबीनोंकी भीड़ थी। खान दर्शन देनेके लिये झरोखेपर बैठा था। नजारोफसे कहा गया, कि जैसे अपने बादशाहको सलाम करते हो, वैसे ही यहां भी करो। इसपर नजारोफने अपने सिरको नंगा कर दिया, और सिरपर जारके पत्रको रखकर खानको प्रदान किया। खानकी ओरसे रूसी दूतको एक भोज दिया गया, जिसमें गुलाबी रंगका चावल और घोड़ेका मांस भी सम्मिलित था। नजारोफने घोड़ेके मांसको धर्म-विरुद्ध कहकर नहीं खाया। उसके साथी कसाकोंको खलअत और इनाम देकर लौटा दिया गया, लेकिन नजारोफको रोककर उससे मांग की गई—या तो हमारे दूतकी मौतका हरजाना दो, या मुसलमान बनो, नहीं तो तुम्हें फांसीपर चढ़ाया जायगा। यह धमकी वस्तुतः दिखावटी थी। नजारोफके साथ खानका बरताव बहुत अच्छा था, कितने ही भोजोंमें निमंत्रित कर उसकी नाच-गानेसे खातिर की जाती थी। सिर्फ यही खयाल रक्खा जाता था, कि वह भागने न पाये। खान उसे अपने साथ शिकारमें मरगिलान ले गया, जहांपर काफिर होनेके कारण नजारोफको मुसलमानोंने पत्थर भी मारा। कुछ समय बाद खानने नजारोफको छोड़ दिया, क्योंकि रूसका व्यापार बड़े नफे की चीज थी। उमर १८२२ ई० में अपनी मौत मरा, या शायद भाई मुहम्मद अलीने उसे मार डाला। उसके सिक्कोंपर, "सैयद मुहम्मद उमर सुल्तान" और "मुहम्मद खान सैयद उमर" अंकित रहता है।

८. मुहम्मदअली, मदली खान, उमर-पुत्र (१८२२–४२ ई०)

उमरके उत्तराधिकारी मदलीके बारेमें नहीं कहा जा सकता, कि वह उसका भाई था या बेटा। इसने अपने कई संबंधियोंको देशसे निकाल दिया, जिसमें उसके एक भाई महमूद सुल्तानने शहरसब्ज (किश) जाकर वहांकी राजकुमारीसे शादी की, पीछे बुखाराके अमीर नसरुल्लाका कृपापात्र बन खोजन्द और कुरमीतानका राज्यपाल भी रहा। शायद महमूदको शरण देनेके लिये बुखारासे मदलीका १८२५ ई० में झगड़ा हो गया, और उसी समय जीजकको बुखारियोंने ले लिया। १८२६ ई० में काश्गर-राजवंशके जहांगीर खोजाने चीनियोंके विरुद्ध असफल विद्रोह कर दिया, फिर किर्गिजोंसे भी झगड़ा कर लिया और अन्तमें भागकर मदलीके हाथमें पड़ा। मदलीने उसे कुछ दिनोंतक नजरबन्द-सा रक्खा, फिर वह भागकर किर्गिजोंमें चला गया। जहांगीरने उन्हें चीनपर आक्रमण करनेके लिये राजी किया। चीनी काफिरोंका जूआ मुसलमानों के ऊपर रहे, इसे पूर्वी-तुर्किस्तानके अमीर, जहांगीर खोजा और खुद मदली कैसे पसंद करते? मदलीने मुसलमानोंके साथ बुरे बरताव करनेका बहाना लेकर एकाएक आक्रमण करके बहुतसे चीनियोंको मार डाला। जहांगीर खोजा काश्गरपर चढ़ा और मदली खानने सारे चीनी-तुर्किस्तानको

दबा लिया। मदली गाजीका झंडा अब यारकन्द, अक्सू और खोतनपर फहराने लगा। जहांगीर खोजा इसे क्यों पसंद करने लगा? लेकिन इसी बीच चीनी सेना आ गई, मदली भाग गया, और जहांगीर खोजा पकड़कर पेकिङ भेजा गया, जहां उसे फांसी मिली। चीनियोंने मदलीसे सुलह करके उसे यह अधिकार दिया, कि उसका प्रतिनिधि काश्गरके मुसलमानोंके धर्मकी देख-भाल और चीनको वहांके शासनमें सहायता करेगा।

१८२८-२९ ई० में इतिहासकार मिर्जा शम्स खोकन्दमें था, जब कि जहांगीर खोजाका भाई यूसुफ खोजा भी वहींपर रहता था। यूसुफ खोजाके मांगनेपर मदलीने शाही खलअत और पच्चीस हजार आदमी देकर उसे काश्गरके लिये रवाना किया। वह खुद भी ओश तक साथ-साथ गया। ओशसे बीस दिनके रास्तेपर चीनी सीमांतकी फौजी चौकी थी, जिसमें एक सौ पचास सैनिक रहते थे। लेकिन खोजाको भी विकट आदमियोंसे मुकाबिला पड़ा था। चीनियोंको निष्ठुर शत्रुओंसे दयाकी आशा कहां हो सकती थी? उन्होंने बढ़ियासे बढ़िया कपड़े पहन, खूब शराब पी और इसके बाद बारूदकी मेगजीनमें आग लगा दी। खोजन्दियोंने पीछे वहां पचास साठ जली हुई लाशें पाईं। केवल पंद्रह जीते बंदी मिले, जिन्हें खोजाने मदलीके पास भेज दिया। पंद्रह वर्स्त (२½ फर्सख) और आगे बढ़नेपर पांच सौ चीनी सैनिकोंकी छावनी मिली, जिसके पास ही ७८०० सेना पड़ी थी। उनके साथ लड़ाई हुई, जिसमें खोकन्दी जीते। चीनी सैनिकोंमेंसे एक-एक या तो मारे गये, या उन्होंने आत्महत्या कर ली। अब यूसुफ खोजा मूसी और लियांगरके रास्ते काश्गरसे दस वर्स्त (१⅔ फर्सख) पर पहुंचा। वहांपर उस समय काले और सफेद खोजोंका झगड़ा चल रहा था। सफेद खोजे यूसुफके पक्षपाती थे और काले चीनियोंके। सफेद खोजोंने शहरसे निकलकर गाजियोंका विजयीके तौरपर स्वागत करके बाजे-गाजेसे शहरके भीतर प्रवेश कराया। इस समय काले खोजोंका नेता इसहाक बेक अपने तेरह सौ साथियोंके साथ गुलबागके किलेमें था। यूसुफ स्वयं एक सौ पचास वर्स्त (८⅓ फर्सख) आगे बढ़कर यंगीहिसार पहुंचा, फिर वहांसे यारकन्द जा अपने पुत्र मिर्जा शम्सको शासक बना काश्गर भी छोड़कर लौट गया। राजधानी काश्गर छोड़नेके चार महीने बाद खबर आई, कि लाखों चीनी सेना फैजाबाद पहुंच गई है। इसपर मिर्जा शम्स अपने बहुमूल्य खजानेको साठ संदूकोंमें बन्द करके भागना चाहा, लेकिन काले खोजोंने उसे लूट लिया, खोकन्दी चीनी-बाढ़के सामने बड़ी तेजीसे भागने लगे। उनके साथ उनके पक्षपाती सफेद खोजा भी भगे, जिनकी संख्या पचाससे साठ हजार तक बतलाई जाती है—स्त्री-पुरुष-बच्चे सभी पैदल, घोड़ों और गदहोंपर सवार होकर खोकन्दकी ओर भाग रहे थे। उस समय मौसिम बहुत ठंडा था, त्यान्शानके पहाड़ोंमें बर्फ और सर्दीके मारे उनमेंसे बहुत तो रास्तेमें मर गये। पांच महीने बाद यूसुफ भी खोकन्दमें मर गया। पूर्वी-तुर्किस्तानसे भागे मुसलमान शरणार्थियोंके लिये मदली खानने शेत्रीखाना नगर बसाया, तथा खोकन्दके नीचे सिर-दरियापर भी उनके बसनेका प्रबन्ध किर दिया।

खोकन्द बहुत दिनों तक चीनको नाराज नहीं रख सकता था। रूस अभी उसकी सीमासे बहुत दूर था, इसलिये उसकी अधीनता स्वीकार करके चीनको टरकाया नहीं जा सकता था। १८३१ ई० में खोकन्द और चीनके बीच संधि हुई, जिसके अनुसार "खोकन्दको अक्सू, ओश, तुर्फान, काश्गर, यंगी हिसार, यारकन्द और खोतनमें आयात किये जानेवाले सभी विदेशी मालपर कर पानेका अधिकार मिला, और कर उगाहनेके लिये इन सभी नगरोंमें अकसक्काल (शब्दार्थ श्वेत दाढ़ी, अफसर) रखने तथा मुसलमानोंकी रक्षा करनेका दायित्व मिला। इसके बदलेमें खोकन्दको चीनकी ओरसे यह सेवा करनी थी, कि खोजा राज्यको छोड़ने न पाये, और यदि कोई छोड़ना चाहे, तो उसे दंड दे।" इससे मालूम होगा, कि १९ वीं शताब्दीके पूर्वार्धके समाप्त होते समय काशगरँपर खोकन्दियोंका काफी प्रभाव था।

उत्तरके कजाक विशेषकर महा-ओर्दूवाले अधिक संख्यामें इसी समय खोकन्दके भीतर भागे। इसपर सीमाके लिये रूसियोंके साथ खोकन्दका झगड़ा हो गया।

रूसियोंसे झगड़ा—आपसी झगड़ेको बातचीतसे तै करनेके लिये १८२७ या १८२८ ई०में ओरेनबुर्गसे रूसी दूत भेजे गये, जो अपने साथ खानके लिये भेंटके तौरपर कितने ही बड़े-बड़े

दर्पण, एक भारी घड़ी, कुछ बंदूकें और पिस्तौल ले आये थे। बातचीतके बाद निश्चय हुआ, कि कोक्सू नदी सीमा रहे, जिसके उत्तरकी भूमि रूसियोंकी और दक्षिणकी खोकन्दकी। सीमाकी पहिचानके लिये वहां चिह्न खड़े किये गये, लेकिन रूसियोंने इस समझौतेको देरतक नहीं माना, और अपनी सीमासे दक्षिणमें भी किले बनाये। इसके विरोधमें खानने एक हाथी तथा कुछ चीनी गुलामोंकी भेंटके साथ अपना दूत सीधे राजधानी पीतरबुर्गमें भेजा।

यह ऐसा समय था, जिस वक्त अंग्रेजों और रूसियोंके संबंध अच्छे नहीं थे, और मध्य-एसियामें अपने प्रभाव को बढ़ानेके लिये अंग्रेज हर तरहकी कोशिश कर रहे थे। इसके लिये उन्होंने कर्नल स्टुअर्टको बुखारा भेजा और कप्तान कोनोली खीवाके खानके पास पहुंचा। कोनोलीको हुक्म दिया गया था, कि खीवासे वह खोकन्द जाये और दोनों राज्योंके रास्तेकी जांच-पड़ताल करे। कोनोली अल्तून-कला, अकमस्जिद, अचकियान हो छ सप्ताहके बाद खोकन्द पहुंचा। रूसकी जबर्दस्तीसे मदली जला-भुना बैठा था, इसलिये उसे अपनी तरफ करना कोनोलीके लिये मुश्किल नहीं हुआ। कोनोली बहुत मूल्यवान् बन्दूकें और दूसरे हथियार कश्मीरी दुशाले तथा कीमती भेंटें, खान और प्रभावशाली दरबारियोंमें बांटीं। अपने दबदबेको दिखलानेके लिये वह अस्सी नौकरोंके साथ यात्रा कर रहा था, और उसके पास बहुत भारी परिमाणमें असबाब था। जिस-जिस इलाकेसे वह गुजरा, वहांके मुखियों और सरकारी अफसरोंको उसने दिल खोलकर इनाम और भेंटे दीं। यह कहनेकी अवश्यकता नहीं, कि यह सारा "परमुंडे फलाहार" भारतके मत्थे हो रहा था। कोनोलीकी इस मुक्तहस्तताके कारण खोकन्दमें उसके बहुतसे समर्थक हो गये थे। लौटते वक्त अमीरने उसे मार्ग-पत्र दिया। लेकिन जीजक में बुखाराका अमीर कोनोलीसे बड़े रूखे तौरसे पेश आया, जिससे उसे पता लग गया होगा, कि खीवा और खोकन्दकी सफलताके बाद आगे उसे कैसे दिन देखने पड़ेंगे।

१८३९ ई०में रूसियों और चीनियोंके दबावके कारण मदलीने बुखाराके प्रभुत्वको स्वीकार कर लिया था, लेकिन कोनोलीकी चाटुकारितासे उसका दिमाग आसमानपर पहुंच गया और उसने बुखारासे झगड़ा कर लिया। कोनोलीने दोनों खानोंमें थोड़े दिनोंके लिये समझौता करानेमें सफलता पाई। अंग्रेज रूसके प्रभावको आगे बढ़नेसे रोकनेके लिये यही चाहते थे, कि खीवा-बुखारा-खोकन्द मेलसे रहें। कोनोलीको खोकन्दके मित्रोंने बुखारा जानेसे मना किया, लेकिन हिंदुस्तानके मालिकोंका हुक्म था, इसलिये वह बुखारा गया, और वहां कर्नल स्टुअर्टके साथ कैसे उसे अपने प्राणोंको खोना पड़ा, यह आगे बतलायेंगे।

अपनी तरुणाईके जमानेमें मदली सैनिक-जीवनको अधिक पसंद करता था। उसने कोहिस्तानकी ओर अपनी सीमाको बढ़ाया—करातगिन जीता, कूल्याब, दरवाज और शुगनानने उसकी अधीनता स्वीकार की। लेकिन १८४० ई०के करीब उसके स्वभावमें भारी परिवर्तन हुआ। अब वह मदिरा और मदिरेक्षणाके सेवनमें दिन-रात डूबा रहने लगा, जिसके कारण शासन-केंद्र कमजोर हो चला। ताशकन्दके कुशबेगी-लश्कर काजी कलियां, महासेनापति ईसा खोजा आदिने खानके खिलाफ षड्यंत्र शुरू किया और चाहा, कि उसको हटाकर आलम-पुत्र शेरअली, या नरबुतेके भाई हाजी बी पुत्र, मुराद बीको गद्दीपर बैठायें। शेरअली बहुत समयसे भागकर किपचक-कजाकोंमें रहता था, और मुरादबी खीवामें, जहां अल्ला कुल्लीखांने उसे अपनी लड़की ब्याह दी थीं। षड्यंत्रकारियोंने मदलीके विरुद्ध बुखाराके अमीर नसरुल्लाको बुलाया। दूसरी बारके निमंत्रणपर अप्रैल १८४२ ई० में वह अठारह हजार सेना ले खोकन्दसे पंद्रह-सोलह मीलपर पहुंचा। डरके मारे मदलीने अपने पुत्र मोहम्मद अमीन और कुशबेगी लश्कर (सेनापति) काजी कलियनको भेजकर अधीनता स्वीकार करते हुये नसरुल्लाके नामसे खुतबा और सिक्का चलाना मंजूर किया। नसरुल्लाने मदलीके पुत्र और काजी कलियानको लौटाकर कुशबेगीसे एकांतमें पूछा, तो मालूम हुआ, कि खोकन्दके लोग आत्म-समर्पण करनेके लिये तैयार हैं। इसपर नसरुल्लाके पास जानेका क्या परिणाम होता, यह मदलीको मालूम था, इसलिये उसने बहुमूल्य वस्तुओं और खजानेको सौ गाड़ियोंपर लदवाकर हजार आदमियोंके साथ नमंगानका रास्ता लिया। राजधानीके बड़ों द्वारा निमंत्रित हो नसरुल्ला बड़े सज-धजके साथ खोकन्द नगरमें प्रविष्ट हुआ और नागरिकोंमें भय संचार तथा अपने सैनिकोंको संतुष्ट करनेके लिये नगरको चार घंटे लूटनेकी

आज्ञा दी। मुल्लोंकी किताब तक भी लुटे बिना नहीं रहीं, बच्चों और स्त्रियोंपर अमानुषिक अत्याचार हुये। सोना-चांदी छोड़कर बाकी लुटे मालको दूसरे दिन खोकन्दके नागरिकोंमें बेंच दिया गया।

उधर मदलीकी गाड़ियोंको लेकर उसके अनुयायी चम्पत हो गये, और उसके पास सिर्फ तीन सेवक रह गये। मां, बीबियों, बेटों और भाईके साथ आत्म-समर्पण करनेके लिये वह आ रहा था, इसी समय रास्तेमें पकड़ लिया गया। चालीस गाड़ियोंपर उसके हरम (अन्तःपुर) को सवार कर बुखारा रवाना कर नसरुल्ला अब मदलीके मरवानेकी सोच रहा था। इतना सब हो जानेके बाद कुशबेगी, काजीकलां और एरन्दिचकी आखें खुलीं और उन्होंने खोकन्द-वंशके किसी राजकुमारको अपने हाथकी कठपुतली बना अमीर नियुक्त करनेके लिये नसरुल्लासे कहा। इसपर बुखाराके काजीकलांने विरोध करते हुये कहा—"मदलीने अपनी सास या नानी (उमर खानकी विधवा) को शरीयतके विरुद्ध ब्याहा, इसलिये इस काफिरको उसके परिवारके साथ मृत्युदंड मिलना चाहिये।" नसरुल्लाने मदली, उसकी मां, भाई तथा ज्येष्ठ पुत्र मुहम्मद अमीनको परिषद्के सामने उपस्थित करके कत्ल करवाया। खोकन्दी अमीर और प्रभावशाली मुखिया षड्यंत्र करनेके लिये न रह जायें, इसलिये परिवार सहित उनमेंसे ढाई सौ आदमियोंको पकड़कर बुखारा भेज दिया गया। खोकन्दके सारे राज्यमें नसरुल्लाके विजयकी घोषणा की गई। अमीर-बुखाराने छ सौ सैनिकोंके साथ समरकन्दके राज्यपाल इब्राहीम दादखांको अपनी ओरसे खोकन्दका उपराज नियुक्त किया।

९. शेरअली, हाजी बी-पुत्र (१८४२ ई०)

बुखारियोंकी विजय देरतक नहीं रही। तीन ही महीने बाद खोकन्दियोंने विद्रोह कर दिया, और शेरअलीको तख्तपर बैठानेके लिये किपचक-कजाकोंको बुलाया, जिन्होंने बुखारी-सैनिकोंको मार डाला। इब्राहीम जान लेकर भागा, जिसपर नाराज होकर नसरुल्लाने उसे मरवा दिया। अब शेरअली खोकन्दकी गद्दीपर बैठा। नसरुल्ला फिर बीस हजार सेनाके साथ खोकन्दपर चढ़ा। नसरुल्लाके हाथमें पड़े खोकन्दियोंमें मुसलमानकुल चूलाक (लुंज) नामक एक व्यक्ति नसरुल्लाका विश्वासपात्र बन गया था। उसे खोकन्दके सैनिकोंको समझानेके लिये भेजा गया, लेकिन वहां उसने उन्हें भड़काना शुरू किया और बुखारी अमीरोंके नामसे जाली चिट्ठी भेजी, जिसे पढ़कर नसरुल्ला अपने अमीरोंसे नाराज हो गया। इसी समय खीवावालोंने बुखारापर चढ़ाई की। नसरुल्लाको खबर मिली, कि वह हमारे बहुत-से आदमियोंको पकड़ ले गये। इसपर नसरुल्ला दूसरे जामिनोंको भी छोड़कर बुखारा लौट गया।

शेरअलीने मदलीकी लाशको निकलवाकर उसे बड़े सम्मानके साथ दफनाया, मुल्लोंने शवक्रिया कराई। शेरअलीको किपचक-कजाकोंकी सहायतासे तख्त मिला था। इससे पहले खोकन्दमें सर्त (फारसी-भाषी, ताजिक) बड़ा प्रभाव रखते थे। अब वहां किपचकोंकी तूती बोलने लगी। उनका नेता यूसुफ मिंगवाशी खोकन्दका हाकिम (राज्यपाल) बना और मुसलमानकुल चूलाक अन्दिजानका। किपचकों और सर्तोंका झगड़ा उठ खड़ा हुआ। सर्तोंका मुखिया शादी था, जिसपर खानका विश्वास था। उसने यूसुफ मिंगवाशीको मरवाकर उसके अनुयायियोंको खत्म करनेका हुक्म दिलवाया। फिर मुसलमानकुलको खोकन्द आनेके लिये संदेश भेजा। मुसलमानकुलने यूसुफ मिंगवाशीके आदमियोंको अपने पास जमा किया। शादीने कुछ हत्यारे भेजकर अन्दिजानमें चूलाकका काम खतम कराना चाहा, लेकिन चूलाक बहुत चालाक निकला। उसने शादीके आदमियोंको पकड़कर मरवा दिया। इसके बाद किपचकों (तुर्कों) और सर्तोंका खुला युद्ध हुआ। सर्तोंको हार खानी पड़ी। शादी मारा गया और उसका पृष्ठपोषक शेरअली खान किपचकोंके हाथमें बन्दी बना। लेकिन किपचकोंको तख्तके लिये दूसरा आदमी न मिला, इसलिये उन्होंने शेरअलीको ही खान रहने दिया। यूसुफ मिंगवाशी और शादीके पदको भी मुसलमानकुलने अपने हाथमें रक्खा। चारों ओर किपचकोंकी तूती बोलने लगी। सर्तोंके दो नेता रहमतुल्ला और मुहम्मद करीमने शहरसब्ज जा आलम खांके पुत्र मुरादको तख्तके लिये तैयार किया। बुखाराने भी सेनाकी सहायता दी। १८४५ ई० में जब मुसलमानकुल सेना-सहित किर्गिजोंमें कर उगाहने गया हुआ था, उसी समय सर्तोंने चढ़ाई कर दी और उन्हें खोकन्द

शहरपर अधिकार करनेमें बहुत दिक्कत नहीं हुई। मुरादने अपनेको बुखाराके उपराज घोषित किया।

१०. मुराद, आलम-पुत्र (१८४२ ई०)

मुरादका शासन भी दृढ़ नहीं हो पाया, क्योंकि अमीर नसरुल्लाके अत्याचारोंके कारण खोकन्दी उससे बहुत घृणा करते थे। इसीलिये मुसलमानकुलने फिर बड़ी आसानीसे खोकन्दपर अधिकार कर लिया। मुराद शायद मारा गया या भाग गया।

शेरअलीके पांच पुत्र थे, जिनमें सिरम्सक किपचक-खान तोख्तानजरकी पुत्री जारकिनका बेटा बाईस सालका था। उसका दूसरा पुत्र खुदायार मर्गिलानका बेक तथा मुसलमानकुलका दामाद था। मुसलमानकुल सिरम्सकको पसंद नहीं करता था और उसे खुदायारकी मुहरसे पत्र भेज बुलाकर मरवा डाला। फिर अपने सोलह सालके दामादको खोकन्दकी गद्दीपर बैठाया। इसे कहनेकी अवश्यकता नहीं, कि राज्यकी सारी शक्ति चूलाकके हाथमें थी। इसी समय किपचक-दलके भीतर भी झगड़ा उठ खड़ा हुआ। खासकर ताशकन्दका राज्यपाल नूर मुहम्मद मुसलमान कुलसे ईर्ष्या करने लगा था। चूलाकके विरुद्ध १८५१ ई०में किया गया पहला षड्यंत्र विफल रहा। इसी समय खजानेसे भारी रकम गायब हो गई। खजांचीने उसे अपने मित्रों और नूर मुहम्मदमें भी बांटा था। जब मिंगबाशी (वजीर) मुसलमानकुलने जवाब तलब किया, तो अपराधी अफसरोंने तलवार निकाल ली, फिर वह ताशकन्द भाग गये। मिंगबाशीने ताशकन्दके राज्यपाल नूर मुहम्मदको उन्हें समर्पण करने तथा खुद आनेके लिये लिखा। उसके इन्कार करनेपर मुसलमानकुल चालीस हजार सेना ले ताशकन्दके ऊपर चढ़ा, लेकिन मर्गिलानके बेकके विश्वासघात करनेसे उसे सफलता नहीं मिली। जून १८५२ ई० में उसने तीस हजार सेनाके साथ फिर चढ़ाई की। उधर नूर मुहम्मदने भी पूरी तैयारी कर रक्खी थी, और आसपास के नगरोंमें अपने हाकिम नियुक्त कर दिये थे। इसलिये मिंगबाशी मुसलमानकुलको नूर मुहम्मद नहीं, बल्कि औरोंसे भी लोहा लेना था। ताशकंदपर जल्दी अधिकार न होते देख कुछ सेना वहां छोड़ मिंगबाशी, ने तुर्किस्तानपर सेना भेजी, और स्वयं कुछ सेनाके साथ चिरची नदीके उद्गमके पास बने नियाजबेग किलेको सर करने गया। उसकी मनशा थी, कि नियाजबेगको लेकर ताशकन्दकी ओर पानी लाने-वाली नहरको तोड़ दिया जाय। नहर तोड़नेमें सफल हो उसने ताशकन्दके उत्तर चिमकन्तके किलेको जाकर भी दखल कर लिया। इसी बीच ताशकन्दियोंने छापा मारकर नियाजबेगमें छोड़ी सेनाको हरा नहरको फिर जारी कर दिया। वह ताशकन्दियोंसे भिड़नेके लिये लौट पड़ा, लेकिन युद्धके आरम्भमें ही खुदायारखां उसका साथ छोड़ दुश्मनोंमें जा मिला। खानके इस तरह हट जानेपर सेनामें भगदड़ मच गई। उनमेंसे कितने ही मारे गये, कितने ही चिरचिक नदीमें डूब मरे। मुसल-मानकुल बड़ी मुश्किलसे भागकर कराकिर्गिजोंमें पहुंचा—उसकी मां कराकिर्गिजोंकी लड़की थी।

इस समय खोकन्दमें तीन राजनीतिक दल थे, जो शक्ति हथियानेके लिये दूसरेसे मिलकर या अलग ही बराबर प्रयत्न करते रहते थे। किपचकोंमें मुसलमानकुल और नूर मुहम्मदकी दो पार्टियां थीं, तीसरी पार्टी थी सर्तोंकी। उक्त घटनाके दो महीने बाद सर्तोंने किपचकोंके विरुद्ध एक सफल षड्यंत्र किया। उतेनबी और दूसरे कितने ही किपचक नेता मारे गये, और उनका स्थान सर्तोंने लिया। खानने अपने भाई मुल्लाबेकको नूर मुहम्मदकी जगह ताशकन्दका हाकिम (राज्यपाल) नियुक्त किया। खुदायारने किपचकोंको बहुत नाराज कर लिया था, इसलिये उसे हमेशा उनसे डर लगा रहता था। उसने अपने राज्यमें अकमस्जिद (पेरोव्स्की बन्दर) से खोकन्द और काश्गरको अलग करने-वाले पहाड़ोंतक सभी जगह किपचकोंको कत्लआम करनेका हुक्म दे दिया। किपचिक जहां भी, बाजारों, सड़कों, गांवों या मैदानोंमें मिले, मारे गये। १८५३ ई०में बीस हजार किपचिकोंको इस तरह तलवारके घाट उतारा गया। खुदायारकी मां स्वयं किपचकानी थी, लेकिन उससे क्या? अपने किपचक मुख्य-सेनापति सफर बीको और भी सासत देकर मरवाया—पहले उसके हाथ-पैर तोड़ डाले गये, फिर उसके सरपर सीसेका इतना भारी भार रक्खा गया, कि आंखें अपने गोलकसे बाहर निकल आईं। फिर उसके शरीरपर लेई लपेटी गई, और ऊपरसे कड़कड़ाता हुआ तेल डाला गया। अन्तमें उसकी बोटी-बोटी

काट गई। इसके बाद मुसलमानकुल भी गिरफ्तार करके खोकन्द लाया गया। एक खुली जगहमें सिरपर लंबी टोपी पहिना उसे जंजीरोंमें जकड़-बन्द करके लकड़ीके ऊंचे चबूतरेपर रक्खा गया। तीन दिन तक उसी जगह रखकर उसके सामने छ सौ किपचक जबह किये गये, फिर उसे फांसी दे दी गई। खोकन्दको दो बार बुखारियोंसे बचानेवाले इस नीतिकुशल प्रसिद्ध उज्बेकके जीवनका इस प्रकार अन्त हुआ।

किपचकों (उज्बेकों) को इस तरह दबा देनेके बाद अब सर्तों और उसके नेता कासिम तथा मिर्जा अहमदका बोलाबाला हुआ। उनका मल्लाबेकसे झगड़ा हो गया। इसपर उससे ताशकन्दकी राज्यपालता छीन ली गई, और उसका पद मिर्जा अहमदको मिला। मल्ला भागकर बुखारा चला गया।

१८५७ ई० में नये राज्यपाल मिर्जा अहमदने चिमकन्द और औलियाआताके कजाकोंको अपना दुश्मन बना लिया, लेकिन पीछे अपनी कमजोरी देखकर उसने उनकी मांगोंको पूरा करके सुलह कर ली। उधर मल्लाने भी खोकन्दमें लौटकर किपचकों (कजाकों) और कराकिर्गिजोंको मिलाकर अपनी पार्टी बनाई। उज्बेक-नेता आलमकुल उसका सहायक था।

१२. मल्ला खान, शेरअली-पुत्र (१८५७–५९ ई०)

विद्रोहियोंने आक्रमण किया। समंचीके युद्धमें हारकर खुदायार बुखारा भाग गया और उसकी जगह मल्ला खान घोषित किया गया।

रूसी अभियान—१८१४ ई०में खोकन्दियोंने जब तुर्किस्तान शहरको जीता, तबसे वह इस इलाकेके कजाकोंसे कर मांगने लगे। लेकिन निम्न सिर-दरियाके कजाक अपनेको रूसकी प्रजा कहते थे, इसलिये रूसने खोकन्दियोंका विरोध किया। खोकन्दियोंने अपनेको मजबूत करनेके लिये तुर्किस्तान-शहरसे नीचे यानी कुर्गान, जूलेक, कूनिशकुर्गान, ताशकुर्गान, चिमकुर्गान आदि कई स्थानोंमें अपने गढ़ बनाये, जिनमेंसे सबसे महत्त्वका था अकमस्जिदका गढ़, जिसे खोकन्दियोंने १८१७ ई०में पहलेपहल सिरनदीके बायें तटपर बनाया था, लेकिन अगले ही साल उसे दाहिने तटपर परिवर्तित कर दिया। अकमस्जिदमें खोकन्दियोंका बेक (बड़ा हाकिम) रहता था, जिसके अधीन निम्न-सिरके दूसरे किले भी थे। बेक स्वयं ताशकन्दके उपराजके अधीन माना जाता था। गढ़ोंको बना मजबूत हो खोकन्दियोंने कजाकोंपर भारी कर लगाये। प्रति किबित्का (तम्बू या परिवार) सालाना चार भेड़ें, जिसका तिहाई कर उगाहनेवाले (जकातची) को देना पड़ता। इसके अतिरिक्त लकड़ी-कोयले-भुसपर भी प्रति किबित्का चौबीस बोरा कोयला, चार बैल सखसौल (फरास ईंधन), हजार पूला नरकट देना पड़ता था। प्रत्येक किबित्काका एक आदमी अपने खर्चपर बेगार करनेके लिये जाता था। ये बेगारू खोकन्दियोंके बगीचोंमें काम करते, किलेकी मरम्मत या भीतरके अस्तबलोंकी सफाई आदि करनेके लिये सालमें एक बार जाते। लड़नेके समय हरएक हट्टे-कट्टे कजाकको अपने घोड़े और हथियारके साथ सिपाही बनना पड़ता था। खोकन्दी कजाकोंपर सचमुच ही बहुत पाशविक अत्याचार करते थे—बिना कलीम (भेंट) दिये वह कजाक औलों (गांवों) से औरतें ले जाते, और शरीयतके विरुद्ध उनकी बेइज्जती करते।

निम्न सिर-दरियापर खोकन्दियोंके बहुत सैनिक नहीं थे, लेकिन तब भी उनकी धाक जमी हुई थी। अकमस्जिदमें सबसे बड़ा किला था, जहांपर पचास सिपाही रहते थे। उनके अतिरिक्त वहां सौ बुखारी और खोकन्दी व्यापारी बसे हुये थे। कूनिशकुर्गानके गढ़में पचीस सिपाही, खोशकुर्गानमें चार, जूलेक (१८५३ ई०) में चालीस, और यानीकुर्गानकी आयताकार चार-पांच फुट ऊंची दीवारोंके भीतर दो या तीन खोकन्दी सैनिक रहते थे।

अपनी प्रजा कजाकोंके साथ ऐसा बरताव होते रूसी देख नहीं सकते थे। इसलिये १८४६ ई० में कप्तान शूल्जको सिरके मुहानेकी पड़तालकर वहां किला बनानेके लिये भेजा गया। अराल्स्क के नामसे मशहूर राइम्स्क किलेकी नींव अगले साल पड़ी। १८५० ई० में कजाकोंका मन बिगड़ते देख खोकन्दियोंने उन पर आक्रमण कर दिया, और पहली बार वह उनके छब्बीस हजार तथा दूसरी बार तीस हजार पशु और १८५१ ई० में पचहत्तर हजार पशु छीन ले गये। इसपर अराल्स्कके

रूसी कमांडरने कोशकुर्गानपर अधिकार कर लिया। रूसी आगे बढ़नेके लिये निश्चय कर चुके थे। अराल समुद्रमें गिरनेवाली सिर नदी हमारे यहां की गंगा जैसी बड़ी नदी है। उसकी धाराको सैनिक यातायातके लिये इस्तेमाल किया जा सकता था। इसके लिये स्वीडनमें बने दो स्टीमरोंको पुर्जे-पुर्जे अलग करके अराल समुद्रमें पहुंचा जोड़कर मई १८५२ ई०में तैयार कर लिया गया। उसी सालकी गर्मियोंमें कर्नल ब्लारम्बेर्गने अकमस्जिद तक सिर दरियाकी सर्वे की, और वहांसे फौजी चौकी हटानेके लिये खोकन्दियोंको कहा। कर्नलके साथ चार सौ सैनिक और दो नौपौंडी तोपें अकमस्जिद आईं। टोकनेपर कर्नलने जवाब दिया, कि हम रूसी तटपर चल रहे हैं, और तुम सिर नदीके दाहिने किनारेपर अपने किलेको नहीं रख सकते। किलेके पास पहुंचनेपर खोकन्दियोंने कर्नलसे चार दिनकी मोहलत मांगी। उन्हें आशा थी, कि इसी बीच कुमक आ जायेगी, लेकिन वह नहीं आई। दिन पूरा होनेपर रूसियोंने ग्रेनेड (हथ-बम) फेंके। खोकन्दियोंने बन्दूकों और दीवारोंपर लगी तोपोंसे जवाब दिया। रूसियोंने उनकी तोपें जल्दी ही चुप कर दीं, लकड़ी-का फाटक तोड़ दिया, लेकिन किलेकी दीवार मजबूत साबित हुई। रूसियोंने भीतर पहुंचकर आग लगा दी। इस लड़ाईमें पंद्रह रूसी मारे गये और पचहत्तर घायल हुये। लौटते समय उन्होंने कूनिशकुर्गान, चिमकुर्गान और कोशकुर्गानकी चौकियोंको भी नष्ट कर दिया।

१८५३ ई०में रूसियोंका अभियान और भी बड़ी सेनाके साथ हुआ, जिसमें २१३८ सैनिक, २४४२ घोड़े, २०३८ ऊंट, और २२८० बैल, बारह तोपें और एक चलता-फिरता लकड़ीका पुल था। अरालस्कके किलेको छोड़नेसे पहले ही रास्तेके चारेकी रक्षाके लिये अबकी गर्मियोंमें कजाकोंको वहां डेरा न डालनेका हुक्म दे दिया गया था। यात्रा बहुत रक्षित तौरसे होने लगी, मदद करनेके लिये स्टीमर "पेरोव्स्की" नदीमें साथ-साथ चल रहा था। कराउजियक होते २ जुलाईको रूसी सैनिक अकमस्जिद पहुंचे। इस बीचमें खोकन्दियोंने किलेको काफी मजबूत कर लिया था। उसके चारों तरफ गहरी खाई खोद दी थीं, महीने भरकी रसदके साथ तीन सौ खोकन्दी सैनिक वहां तैनात थे। दीवारोंपर उन्होंने तीन तोपें भी लगा रक्खी थीं। लेकिन रूसी सेना और तोपोंके सामने वह कितने दिन तक ठहरते? खोकंदियोंने आत्मसमर्पण करनेके लिये पंद्रह दिनकी मुहलत चाही। इसी बीच तीन दिनके बाद एक सैनिक टुकड़ी और आगे ताशकन्दकी ओर भेजी गई। जूलेकके सैनिक भाग गये और रूसी वहांके किलेको ध्वस्त कर बीस तोपों और बहुत-से गोला-बारूदके साथ अकमस्जिद लौट गये। अकमस्जिदवालोंको आनाकानी करते देख बारूदकी सुरंगसे दीवारके एक भागको उड़ा दिया गया, किलेदार मुहम्मदअली अपने ढाई सौ आदमियोंके साथ मारा गया। रूसियोंके हाथमें घोड़ेकी पूंछोंवाले दो झंडे, दो भालेवाले झंडे, दो कांसेकी तोपें, ६६ छोटी और अधिकतर टूटी-फूटी तोपें, १५० तलवारें और दो कवच हाथ आये। रूसियोंने कजालाको ऊपरी धारपर पहला किला, कर्मकचीपर दूसरा, कूनिशकुर्गानमें तीसरा किला बनाया, और अकमस्जिदका नाम बदलकर पेरोव्स्की कर दिया।

रूसके इस खतरनाक अभियानके समय खोकन्दियोंमें घोर गृहयुद्ध चल रहा था। १८५३ ई० के शरद्‌में सबदान खोजाके नेतृत्वमें ७००० सेना ताशकन्दसे अकमस्जिदकी ओर भेजी गई, जिनके मुकाबिलेके लिये दो तोपें ले २७५ रूसी सैनिक गये, जो बड़ी बुरी तौरसे पिटे और बानबे ऊंटोंपर घायलोंको लिये रातको १९३ लाशें पीछे छोड़ भाग आये। जाड़ा आनेपर फिर अभियान शुरू हुआ। १४ दिसंबरको १२-१३ हजार सैनिकों और सत्रह पीतलकी तोपोंके साथ खोकन्दियोंने आकर पेरोव्स्कीके सामने मुकाबिला किया। नवीन और प्राचीन हथियारोंका मुकाबिला क्या? दो हजार खोकन्दी मारे गये, जब कि रूसी अठारह हत और उन्चास आहत हुये।

अब तैयारी करना और आगे बढ़ना जारशाही रूसका हर सालका काम हो गया। बड़े परिश्रमके साथ १८५४ ई०में फिर रूसियोंके विरुद्ध खोकन्दियोंने भी तैयारी की। तुर्किस्तानसे तोप ढालनेवाले कारीगर लाये गये। ताशकन्दके बेकने लोगोंके घरोंसे सारे पीतलके बर्तन ले लिये। उधर रूसी जेनरल पेरोव्स्कीने अकमस्जिदके किलेको और मजबूत किया, और कमजोर अतएव बेकार समझकर किला नम्बर दोको छोड़ दिया। इसी समय उनपर बुखारावालोंने आक्रमण

कर दिया था, इसलिये खोकन्दी नहीं आये। उन्होंने खीवाको भी अपनी ओर मिलानेकी कोशिश की, लेकिन काफिरोंकी चपतपर चपत खाकर भी मध्य-एसियाके खानोंको होश नहीं आया था, कि वह एक हो जायें।

यह मालूम ही है, कि मल्ला खानके गद्दी संभालते समय खुदायार खान भागकर बुखारा चला गया था। अमीर नसरुल्लाने पहले उसे समरकन्दमें फिर जीजकमें रक्खा। खुदायारको अपना खर्च चलानेके लिये मांके भेजे पैसेसे व्यापार करना पड़ता था। दो सालके शासनके बाद उज्बेक (किपचक) अमीरोंने मल्ला खानको मार डाला। बड़ा प्रभावशाली अमीर आलमकुल अन्दिजानका बेग नियुक्त हुआ था। उसकी अनुपस्थितिका फायदा उठाकर षड्यंत्रियोंने महलमें घुसकर मल्ला खानको सोतेमें मार डाला---षड्यंत्रियोंका नेता शादमान खोजा था।

१३. शाह मुराद, सरिन्सक-पुत्र (१८५९ ई०)

खुदायारको भगा षड्यंत्रियोंने पंद्रह सालके लड़के शाह मुरादको गद्दीपर बिठाया। निहत मल्ला खानका यह भतीजा था। मल्लाखान का पुत्र सैयद सुल्तान भागकर अन्दिजानके स्वामी आलमकुलकी शरणमें गया, और ऊपरसे शाहमुरादकी भक्तिका दिखावा किया। खोकन्दके भीतर पार्टियोंका संघर्ष चल रहा ही था। तुर्किस्तानके बेग खनायत शाहने खुदायार खांको जीजकसे बुलाया। ताशकन्द उसके हाथमें चला गया। शाहमुराद सेनाके साथ आया, लेकिन एकतीस दिनके मुहासिरेके बाद खाली हाथ लौट रहा था, इसी बीच आलमकुलने अन्दिजानसे आकर चार षड्यंत्रियोंको मरवा डाला। खुदायार फिर गद्दीपर बिठाया गया, और आलमकुल उसका अभिभावक बना। खुदायारने भागती हुई सेनाका पीछा करके पहले खोजन्द (आधुनिक लेनिनाबाद) और फिर खोकन्द ले लिया। आलम-कुल मर्गिलानके पीछेके पहाड़ोंमें भाग गया। खुदायारने शाहमुरादको मार डाला।

खुदायार पुनः (१८५९ ई०)

इस समय खोकन्दमें दो दलोंमें खूनी संघर्ष चल रहा था। सर्त और नगरनिवासी खुदायार के समर्थक थे और किपचक (उज्बेक और कराकल्पक) आलमकुलके दोनों दलोंमें सेना ही नहीं, बल्कि नागरिक भी मौका पाते एक दूसरेके ऊपर टूट पड़ते। उज्बेक दल अपने तीन उम्मीदवारों---शाहरुख, सादिक बेग और हाजीबेगमें बंटा हुआ था। आलमकुलने तीनोंको पकड़-कर ओश नगरमें कत्ल करवा डाला, जहां ही तख्त-सुलेमान पहाड़की बगलमें तीनों की कब्रें हैं। इसके बाद आलमकुलने सुल्तान सईदको खान घोषित किया। मर्गिलान और अन्दिजानपर नये खानका अधिकार रहा। खुदायारकी सेना वहां दो बार हारी, इसपर खुदायारने बुखाराके अमीर मुजफ्फर खांसे मदद मांगी। मुजफ्फरके आनेपर आलमकुल कराकुल्जाकी पहाड़ियोंमें हट गया। इसी बीच खुदायारसे मुजफ्फरका झगड़ा हो गया। आलमकुलको खुश करनेके लिये सोना मढ़ी छड़ी, एक टोपी, एक सुनहला कमरबन्द और एक बहुत ही सुन्दर हस्तलिखित कुरान भेजकर वह बुखारा लौट गया। बुखाराके पीठपर न रहनेपर खुदायार कमजोर हो गया। आलमकुलने आकर खोकन्दपर आसानीसे अधिकार कर लिया और खुदायार फिर अन्तर्वेदकी ओर भागा।

१४. सैयद सुल्तान, मल्ला-पुत्र (१८५९-६५ ई०)

यह नाम का ही खान था, सारी ताकत आलमकुलके हाथमें थी। अपने विरोधियोंपर आलमकुलने खूब हाथ साफ किया, और चार हजार आदमियोंको मरवा डाला। लोगोंमें असंतोष पैदा होना ही था, अब उनकी नजर जीजकमें बैठे खुदायारपर थी।

रूसियोंसे छेड़छाड़---१८५९ ई० में ओरेनबुर्गके राज्यपालकी रायमें पेरोव्स्कीका किला सुरक्षित नहीं था, इसलिये रूसियोंने जूलेक किलेपर अधिकार करके दो साल बाद १८५१ ई० में वहां एक मजबूत किला बनाया। उन्होंने यानीकुर्गानके किलेको भी ध्वस्त कर दिया। निम्न सिर-दरियाके कजाक रूसी प्रजा थे, किन्तु मध्य-सिरके कजाक खोकन्दियोंके हाथमें थे। रूसियोंने आगे

बढ़ते खोकन्दियोंके तोकमक, पिशपेक आदि किलोंपर अधिकार कर लिया। अब उन्होंने खोकन्दकी भूमिपर दो तरफसे प्रहारकी योजना बनाई। एक सेना औलियाआता या तलसपर उत्तरकी ओरसे चढ़ी और दूसरी पश्चिमसे तुर्किस्तान शहर (यस्सी) पर। इसी समय पोलन्दमें विद्रोह हो गया और पश्चिमी युरोपमें युद्धकी आशंका बढ़ गई थी, इसलिये खोकन्दपर चढ़ाईकी योजना १८६४ ई० में स्थगित कर दी गई। तो भी करातउ और बोरोलदाईताउकी पहाड़ियोंके खोकन्दी किले एकके बाद एक रूसी लेते गये। तुर्किस्तान शहर और औलियाआताके रास्तेपर अवस्थित चिमकन्दके किलेको खोकन्दी मजबूत करने लगे, जिसकी खबर पाकर निम्न-सिरका रूसी कमांडर जेनरल चेर्नेयेफ सितम्बर १८६४ ई०में रवाना हुआ। चन्द दिनोंके मुहासिरेके बाद चिमकन्दपर उसने अधिकार कर लिया। दस हजार युद्धबंदी और बहुत सा लूटका माल हाथ आया। चिमकन्दके हाथमें आ जानेपर अकमस्जिदसे वेर्नोये (अल्माआता) का रास्ता साफ हो गया, और खोकन्दका एक बहुत महत्त्वपूर्ण इलाका—चू-उपत्यका—खानके हाथसे निकल गया।

खोकन्दी चुप कैसे रह सकते थे? ९ मई १८६५ ई० को ताशकन्दके पास जेनरल चेर्नेयेफकी सेनासे लड़ते हुए आलमकुल घायल हुआ। डाक्टर असदुल्ला उसकी चिकित्सा कर रहा था। डाक्टर आलमकुलकी पोशाकको एकके बाद एक उतरवा रहा था, जिसमें कि मरणासन्न आहत पुरुषको कुछ स्वच्छ हवा मिले। उधर उतारे कपड़ोंको उज्बेक लेकर चम्पत हो रहे थे। अलीकुलको बिल्कुल नंगा देख दूसरा कपड़ा न होनेसे डाक्टरने अपनी खलअतसे उसे ढांक दिया।

ताशकन्द प्राचीनकालसे ही भारी व्यापारिक महत्वका नगर था। यहींपर बुखारा, खीवा, खोकन्द और रूसके कारवां-पथ मिलते थे। अब वह अधिक देर तक रूसियोंके हाथसे बाहर नहीं रह सकता था। रोज-रोजके खूनी संघर्ष और अशांतिसे परेशान हो वहांके धनी व्यापारियोंने रूसके दृढ़ शासनको ही पसंद किया। अगस्त १८६५ ई० में शहरके रईसों और मुल्लाओंने चांदीकी तश्तरीमें नमक-रोटीकी भेंट जेनरल चेर्नियेफके सामने रखकर अभिनन्दनपत्र देते हुये अपनेको जारकी प्रजा घोषित किया—"तुम एक समुद्रको दो समुद्रमें नहीं विभक्त कर सकते, और न एक राज्यके भीतर दूसरा राज्य ही बना सकते।" रूसियोंने तुर्किस्तानका एक नया प्रदेश (गुर्बनिया) बना दिया, जिसका शासन-केंद्र ताशकन्द बना।

खुदायार खान पुनः (१८६५-७५ ई०)

अभी भी खोकन्दका कितना ही भाग रूसियोंके हाथमें नहीं था। खुदायार ताकमें था। ताशकन्दमें रूसियोंके जम जानेपर उसने बुखारी सेना ले खोजन्दको जीतते खोकन्द पहुंचकर अपनी गद्दी संभाल ली। बुखारियोंने अपनी सेवाओंके बदलेमें १८६५ ई० में खोजन्दको अपने अधिकारमें कर लिया। यही नहीं, बुखारी अमीर मुजफ्फरने रूसियोंको हुक्म दिया, कि खोकन्दी इलाकेसे हट जाओ, नहीं तो हम जहाद घोषित करेंगे। और भी आगे बढ़ते हुये मुजफ्फरने बुखारामें रूसी व्यापारियोंकी सम्पत्ति जब्त कर ली, जिसके बदले रूसियोंने ओरेनबुर्गमें बुखारी व्यापारियोंके साथ भी वैसा ही किया, और मुजफ्फरके दूतको ओरेनबुर्गमें रोककर उसे पीतरबुर्ग नहीं जाने दिया। सीमाके झगड़ोंके निर्णयके लिये मुजफ्फर खानके बुलानेपर जो रूसी अफसर स्त्रूबे तथा कितने ही इंजीनियर आये थे, उन्हें अमीर-बुखाराने गिरफ्तार कर लिया। इस अपमानको रूसी कैसे बर्दाश्त करते? मुजफ्फरकी गोशमालीके लिये ११ फर्वरी १८६६ ई०को दो हजार सेना ले जेनरल चेर्नियेफ सिर पार हो सीधे समरकन्दकी ओर बढ़ा। रेगिस्तानके रास्ते सात मंजिलें पारकर वह जीजक पहुंच गया, लेकिन बुखारियोंके सैनिक संख्याबलको देखकर उसने लौट जाना ही पसंद किया। बुखारी इसे अपनी विजय समझकर रूसियोंका पीछा करते हुए सिर दरिया पार कर गये। इसपर मेजर जेनरल रोमानोव्स्कीने आक्रमण कर ८ अप्रैलको बुखारियोंको हरा खोजन्दकी ओर भगा दिया। अब सिरपर रूसी स्टीमर सेना और रसद ढो रहे थे। मुजफ्फरने सारे अन्तर्वेदमें रूसियोंके विरुद्ध जहाद घोषित करके धार्मिक जोश पैदा कर दिया था, इसलिये गाजियोंकी कमी नहीं थी। वह चालीस हजार सेना ले ताशकन्दपर आक्रमण करने गया, जब कि वहां रूसियोंकी संख्या

३६०० थी। खोजन्दसे उत्तर-पश्चिम कुछ ही मीलोंपर सिर-तटपर इरजारमें २२ मईको भयंकर युद्ध हुआ। आधुनिक हथियारोंसे लैस रूसियोंने बुखारियोंको घास-मूलीकी तरह काट डाला, और अमीर मुजफ्फर एक हजार सरबाजों (सैनिकों) के साथ प्राण लेकर भागा। उसके डेरेमें "चूल्हेपर रक्खे खानेसे भाप निकल रही थी, और हुक्का पीनेके लिये तैयार था।" अमीरका डेरा, उसकी कितनी ही तोपें, बहुत भारी परिमाणमें गोलाबारूद और रसद रूसियोंके हाथ आई। खुदायारने मनमें घृणा रखते हुये भी विजयके लिये रूसियोंको बधाई दी।

बुखाराकी यह जबर्दस्त हार थी, और मध्य-एसियाकी उस समय बुखारा ही सबसे बड़ी शक्ति थी। रूस जैसे जबर्दस्त साम्राज्य के सिरपर पहुंच जानेपर भी खुदायारकी अकल ठिकाने नहीं हुई। वह अपनी प्रजापर अत्याचार करता, मनमाना कर लगाता, या ऐसे ही उनकी सम्पत्तिको जब्त कर लेता। घुमन्तू कजाकों और किपचकोंके ऊपर उसने पहलेपहल खास कर लगाये। इस समयकी अवस्थाका वर्णन एक मध्य-एसियाई लेखकने निम्न शब्दोंमें किया था—

'सड़कोंकी मरम्मत, राजमहलोंके निर्माण, खानके बागोंके जोतने-खोदने और नहरोंकी सफाईके लिये सारे देशसे आदमियोंको पकड़कर जबर्दस्ती काममें लगाया जा रहा है। मजूरी क्या उन्हें खाना भी नहीं दिया जाता। साथ ही यदि गांवके आधे लोगोंको कामपर लगाया गया है, तो दूसरे आधे से दो तंका (बारह आना) जबर्दस्ती कर उगाहा जा रहा है। कामसे भागने या इन्कार करनेपर कोड़ोंसे खबर ली जाती है। कभी-कभी कोड़ोंसे मार-मारकर लोगोंके प्राण ले लिये जाते हैं, और कितनोंको प्राण रहते ही कामकी जगहमें ही दबा दिया जाता है। ऐसी बेगार पहले खानोंके समय में भी ली जाती थी, लेकिन उन्हें खाना तो मिल जाता था। पहले खानको बिना कर दिये लोग घास, नरकट और ईंधनकी लकड़ी जमा कर सकते थे, लेकिन अब उसमेंसे आधी खानको देनी पड़ती है, जिसे सरकार निश्चित दामपर बेंच देती है। इसके साथ ही ईंधन या सरकंडेकी गाड़ी जब शहरके फाटकपर पहुंचती है, तो आधा तंका वहां और फिर एक तंका बाजारमें महसूल देना पड़ता है। पहले झाड़ियोंकी लकड़ी (लीच) कर-मुक्त थी, लेकिन अब खानने प्रत्येक पर चार चेका (दो पैसा) चुंगी देनेके लिये मजबूर किया है। चुंगीवाले जोंकोंके तालाबके पास रहते हैं। पशुओंके बेचनेपर साधारण जकात (शुल्क) के अतिरिक्त खानके लिये प्रति ढोर एक तंका, प्रति भेड़ आधा तंका, प्रति ऊंट दो तंका और प्रति घोड़ा-गदहा एक तंका महसूल देना पड़ता है—उस समय खोकन्दी सिक्का सोनेका तिला, जिसमें साठ चांदीका तंका होता और तंकेमें चौवालीस चेका या तांबेके पैसे होते। आयात मालपर मूल्यका चालीसवां भाग जकात और ऊपरसे बीसवां भाग और खानके लिये अर्मानियाना देना पड़ता था। निर्यातके मालोंमें रेशम और रूईपर प्रति ऊंट दस तंका देना पड़ता। बाजारमें बिकनेवाली स्त्री-पुरुषोंकी पोशाक, तोशक, रेशमी कपड़ों तथा दूसरी मूल्यवान् चीजोंपर एक तंका एक थान, और कम कीमती मालपर आठवेंसे चौथाई तंका कर देना पड़ता। दूकानोंकी हिफाजतके लिये पहरा देनेके लिये रातको सिपाही आते। उनके खर्चके लिये भी हर दूकानको हर चौथे महीने दोसे दस तंका देना पड़ता। बाजारोंमें बिकनेवाले अनाजपर प्रति चारयक (दो मन दस सेर) पर चार चेका देना पड़ता। सब्जी, खरबूजा और अनाजपर प्रति बोझ एकसे तीन तंका तक कर है, जिसे तेकजाई (बाजारमें बेचनेका हक) कहा जाता है। इनके अतिरिक्त खराज और तनाब (भूकर) अलग है। दूध, खट्टी मलाई आदिपर प्रति प्याला दो चेका कर है। बत्तक या तालकी चिड़ियोंमें हर जोड़ेमें एक खानका होता, और पालतू मुर्गे-मुर्गियोंमें प्रत्येकपर दो चेका, दस अंडेपर एक चेका देना पड़ता।

भारतीय सिरकीवालोंने शताब्दियों पहले भारतकी पश्चिमी सीमासे बाहर अपना घुमन्तू-जीवन बिताना शुरू किया, और धीरे-धीरे पश्चिमकी ओर मध्य-एसिया ही नहीं, युरोप तक फैल गये। इन्हें अंग्रेजीमें जिप्सी, रूसीमें सिगान और उनकी अपनी भाषामें रोमनी या रोम कहा जाता है। विद्वानोंने निश्चित किया है, कि रोम वस्तुतः हमारे डोम शब्दका ही अपभ्रंश है। रोमनी लोगोंकी भाषाको देखनेसे इसमें संदेह नहीं रह जाता, कि वह भारतीय है। ईरान और मध्य-एसियामें

रोमनी लोगोंको लोली या ल्यूली कहते हैं। बहुत पुराने समयसे यह भारतके मदारियोंकी तरह बन्दर, भालू और बकरे लिये नगरों और गांवोंमें तमाशा दिखलाते अपनी जीविका करते थे। "खुदायारने इन गरीबोंको भी चैनसे नहीं रहने दिया। उसने उनके ऊपर भी अपने कारिन्दे नियुक्त किये, जिन्होंने उनके जानवरोंकी संख्या बढ़ाकर बतलाई। हर बाजारके दिन और बड़े शहरोंमें सप्ताहमें तीन बार लोली अपने पालतू भालुओं, भेड़ियों, बन्दरों, बकरियों, लोमड़ियों और सूअरोंके साथ बाजार होकर निकलते, और प्रत्येक दूकानको चार चेका उन्हें देना पड़ता। खानके विदूषक भी बाजारमें फिरते, और उन्हें भी दूकानदारोंको पैसा देना पड़ता। यह पैसा खानके रसोईखानेके खर्चके लिये जाता। मजिस्दका इमाम नियुक्त करते वक्त उसे खानको दस तंका देना पड़ता, सूफी (मुअज्जिन) को पांच तंका। यदि खानको मालूम हो जाय, कि किसी परिवारमें दावत, शादी या खतना है, तो वह अपने गायकोंको भेज देता। गृहपतिको उनमेंसे हरएकको एक चोगा, और दोस पांच तिला (अशर्फी) तक खानके लिये देना पड़ता। प्रति वसंत खोकन्द शहरसे बाहर दरवेश-खानाका भारी मेला लगा करता। उस समय हर एक पेशेवालेको खानके सामने अपनी क्षमता के अनुसार नजर भेंट करनी पड़ती, जो सौसे हजार तिला तक होती। अगर इसमें जरा भी गफलत होती, तो पंच लोग पीटे जाते। अगर कोई आदमी किसी दूसरे आदमीसे जमीन या बगीचा लेना चाहता, तो खान उसे उसको मूल कीमतपर ही बेचनेके लिये मजबूर करता, और इसका जरा भी ध्यान नहीं रखता, कि नये मालिकने उसमें मेहनत और खाद-पानीसे कितनी तरक्की की है। खान अपने लिये सभी चीजें सस्तेमें लेना चाहता है। राज्यसे बाहर अगर कोई जाना चाहता, तो दो तंकाके साथ आवेदनपत्र देना पड़ता। यह पत्र फिर महरम (एक अफसर) के सामने रक्खा जाता, जो उसके लिये एक तंका लेता। जानेवालेकी जान इतनेसे ही नहीं बचती, उसे सड़ककी हर मंजिलपर अलग कर देना पड़ता। घास, ईंधनके कर, प्रतिपशु प्रतिमास बारह चेका है। चराईका ठेका खानने सिदीक कुश्चीको बीस हजार तिला सलानापर दे रक्खा है। खराज या फसलके महसूलके रूपमें दो लाख चारयक (एक चारयक=दो मन दस सेर) अनाज मिलता, जिसे बेंच दिया जाता। इसके प्रबंधके लिये हर किलेमें विशेष अफसर नियुक्त है। शरिकाना जिलेसे नौ हजार चारयक अनाज मिलता है, बालीकिचीसे एक लाख, सोखसे चौदह हजार, मेरकेन्दसे बारह हजार चारयक। बगीचों और मेवाके बागोंके करको तनाब कहते हैं, जिससे साठ हजार तिला आता। बालीकिची और चिल महरमके बीचमें सिर नदीपर चुंगी कर लगता। विवाहकी लिखाई-पढ़ाईपर भी कर था, जो कि आधा तिला तक होता है। वरासत (उत्तराधिकार) पर सम्पत्तिका चालीसवां हिस्सा मृत्यु-करके रूपमें खान लेता है। नमक बनानेके लिये करसे खानको बीस हजार तिला प्राप्त होता। देहाती लोगों और घुमन्तू कबीलोंपर अलग जकातका कर लगा, जिसका ठेका ग्यारह हजार तिलापर चेर्चीबाशीको दिया गया। व्यापारियोंसे जकात उगाहनेवाला मेहतर पैंतीस हजार तिला, खानकी कारवांसरायों और हजार दूकानोंका ठेकेदार ईसाइया तीस हजार तिला देता है। कपास-कर और दलाली-करसे दस हजार तिला राजकोषमें जाता। तेलके कोल्हू, अनाजमंडी, रेशम बाजार, घासहट्टा, दूधहाटसे प्रति वर्ष पांच हजार तिला, ब्याह और मुल्ला आदिकी नियुक्तिसे भी पांच हजार तिला प्रति वर्ष मिलता है।"

लेकिन डंडेके सामने खानकी अकल ठीक रहती, इसलिये रूसियोंको व्यापार करनेमें कोई बाधा नहीं दी जाती थी। इतने भारी करके बोझसे कराहते लोग कब तक चुपचाप रहते? १८७१ ई० में लोगोंने विद्रोह कर दिया, लेकिन उसे जल्द ही दबा दिया गया। काले किर्गिजोंपर प्रति परिवार एककी जगह तीन भेंड़ें तथा पहाड़पर जोते उनके खेतोंपर खानने नया कर लगाना चाहा। किर्गिजोंने कर देनेसे इन्कार कर दिया और खानके तहसीलदारोंको पीट भी दिया। सेनाके आनेपर वह पहाड़ोंपर भाग गये। इसी समय मुसलमानकुलका बेटा तथा खानका साला आफताबचा अब्दुर्रहमान हाजी मक्काकी हज करके खलीफाके नगर कान्स्तन्तिनोपल (कसतुन्तुनिया) होते लौटा था। वह स्वयं भी किर्गिज था, लेकिन खानका संबंधी होनेके कारण दूसरे वर्गसे संबंध रखता था। खानने उसे सेना देकर किर्गिजोंको दबानेके लिये भेजा। उसने किर्गिजोंसे कहा—अपनी

तकलीफको कहनेके लिये खानके पास अपने पचास प्रतिनिधि भेजो, हम उन्हें बिना नुकसान पहुंचाये जामिनके तौरपर रखेंगे। लेकिन वहां आनेपर खुदायारने बड़ी क्रूरताके साथ किर्गिज प्रतिनिधियोंको मरवा डाला। आफताबचाको इसके लिये बड़ी शर्म आई और वह किर्गिजोंकी भूमि छोड़कर खोकन्द लौट गया। किर्गिजोंने बदला लेनेके लिये हथियार उठाया और उजकन्द तथा सुकको ले लिया—सुकमें एक छोटा-सा किला था, जिसमें खानका खजाना रहता था। पहाड़ी इलाकोंमें सफल होते ही मैदानी इलाकेमें जानेपर किर्गिज आक्रमणमें असफल रहे, उनके बहुत-से आदमी खानके हाथमें बंदी बने, जिनमेंसे पांच सौको खोकन्दकी बाजारोंमें फांसीपर चढ़ा दिया गया। किर्गिजोंने मदलीखानके पुत्र मुजफ्फरको अपना खान बनाया था। खुदायारने उसकी जिंदा खाल खिंचवा ली। लेकिन विद्रोहियोंकी शक्ति बढ़ती गई, और उसकी क्षीण। इसपर खानने रूसियोंसे मदद चाही, लेकिन वह इस नरराक्षसको क्यों मदद देने लगे? लोगोंकी भी सहानुभूति विद्रोहियोंके साथ थी। खुदायारको अपने बेटे तथा अन्दिजानके बेक (राज्यपाल) नासिरुद्दीनपर भी संदेह हुआ। चारों तरफसे आशाकी एक भी झलक न देखकर खुदायारने खजाने और परिवारको लेकर अपने पदको छोड़ दिया। विद्रोहियोंने बहुत जल्दी ही ओश, अन्दिजान, सूजक, उचकुर्गान और बालिकचीको अपने हाथमें कर लिया। बालिकचीके बेगने विरोध करना चाहा, इसपर मुंहके रास्ते डंडा घुसेड़कर उसे जमीनमें गाड़ दिया गया। खानके बहुतसे सिपाही विद्रोहियोंकी ओर मिल गये और उनके कमांडर तथा खानके साले आफताबचाने नमंगानके पास तुराकुर्गानके किलेमें अपनेको बंद कर आगे कोई भी कार्रवाई करनेसे इन्कार कर दिया। १८७३ ई० के जाड़ोंमें विद्रोहियोंकी शक्ति कुछ निर्बल हुई, और कुछ शहर फिर खुदायारको मिल गये, लेकिन १८७४ ई० के वसंतमें खुदायार-पुत्र अमीनको आगे करके विद्रोहियोंने फिर बगावतका झंडा उठाया। अमीनकी बहुत अधिक बात करनेके स्वभावने परदा फाश कर दिया। उसके चचा बातिरखान तुरा सोलह और षड्यंत्रियोंके साथ राजमहलमें बुलाये गये, जहांसे वह फिर नहीं लौटे। तरुण खानजादेको निगरानीमें रक्खा गया। मेहतर मुल्ला कामिलने सूचना देकर सावधान नहीं किया था, इसलिये खुदायारने उसे जहर देकर मरवाया। इसके बाद फिर दूसरा षड्यंत्र खुदायारके चचा फाजिलबेगके पौत्र अब्दुल करीम बेकको खान बनानेके लिये किया गया। रूसियोंने अब्दुल करीमको पकड़कर ताशकन्दमें और उसके मुख्य सलाहकार अब्दुल करीमको चिमकन्दमें रख दिया। खानको अब हरएक आदमीपर संदेह होने लगा। उसे आंखोंके सामने मौत नाचती दिखाई पड़ती थी; इसलिये वह काफी समय तक महलसे बाहर नहीं निकला। हबशी गुलाम नसीम तोगा खानका बड़ा ही विश्वासपात्र सेवक था, जो हर वक्त महलके द्वारकी रक्षा करता। उसे भी अपने बीबी-बच्चोंको भीतर न आने देनेका हुक्म था। जब शंका और संदेहका इतना बाजार गर्म हो, तो हर जगह गुप्तचरोंका जाल बिछना स्वाभाविक था।

रूसी खोकन्दकी सारी हालत बड़े गौरसे देख रहे थे। १८७५ ई०में तुर्किस्तान-प्रदेशका शासक जेनरल काफमान था। उसने खोकन्द होते रूसी सैनिक टुकड़ीको काश्गर भेजनेके लिये सहमति लेनेके वास्ते अब्दुल करीमको खोकन्द भेज दिया। इधर आफताबचा भी अपने पिता मुसलमानकुलकी हत्याका बदला लेना चाहता था, इसलिये खुदायारके खिलाफ नये विद्रोहका अगुवा बना। सारी सेना उसकी तरफ हो गई। खुदायारके भाई और पुत्र भी उससे आ मिले। खान अपनी बेगमों और दस लाख गिन्नी खजाना लेकर ताशकन्द भागा। रूसियोंने उसे बड़ी खुशीसे आश्रय दे नजरबन्द कर दिया। फिर थोड़े समय बाद उसे औरेनबुर्गमें रहनेके लिये भेज दिया।

१५. नासिरुद्दीन, खुदायार-पुत्र (१८७५ ई०)

खुदायारके भाग जानेपर विद्रोहियोंने उसके पुत्र नासिरुद्दीनको खान घोषित किया। अब्दुर्रहमान आफताबचा मुखिया था—आफताबचाका अर्थ है हाथ धोनेके आफताबा या गडवेका उठानेवाला। मुल्ला ईसा औलिया और हाकिम नजर परमांचीने जेनरल काफमानके पास अनुनय-विनयके पत्र भेजे, और खुदायारकी गलतियोंको दुरुस्त करनेका वचन देते हुये काफमानकी ओर मित्रताका हाथ

बढ़ाया। काफमानने इस शर्तपर बात स्वीकार की, कि नासिरुद्दीन बापकी की हुई संधियोंको स्वीकार करे, रूसी प्रजाके नुकसानोंकी क्षतिपूर्ति दे। नये खानसे रूसी बहुत आशा करतेथे, क्योंकि वह रूसियोंकी चाल-ढालको पसंद करता और रूसी जातीय पेय वोद्का (शराब) का बहुत प्रेमी था।

लेकिन खान अकेला क्या करता? खोकन्दी मुसलमान काफिर रूसियोंके विरुद्ध जहाद करनेकी तैयारी कर चुके थे। उन्होंने राजधानीमें घोषणा की, कि सभी रूसी मुसलमान हो जायं, नहीं तो इसका नतीजा उनके लिये बुरा होगा। लेकिन यह कब होनेवाला था? अन्तमें विद्रोह उठ खड़ा हुआ। ताशकन्द और खोजन्दके बीचके तीन और खोजन्द तथा समरकन्दके बीचके कई रूसियोंके डाक-स्टेशन लूटकर जला दिये गये। डाकमास्टर और मेल ढोनेवाले मारे या बन्दी बनाये गये। यात्रियोंकी भी वही दशा हुई। कुछ समय तक खोजन्दके लिये भी भारी खतरा पैदा हो गया।

रूसियोंके लिये इससे सुनहला मौका और कब मिल सकता था? काफमानने भारी तैयारी की, और जेनरल गलवाचेफके नेतृत्वमें एक सेना भेजी, जिसने विद्रोहियोंको हराकर कुरामा जिलेको उनसे मुक्त कर लिया। ३१ अगस्तको वह खोजन्द पहुंचा। विद्रोही वहांसे हट चुके थे। रूसी सीमांत और खोकन्दके बीचमें महरमका बड़ा किला था, जहां विद्रोहियोंसे मुकाबला हुआ। एक घंटासे कम हीमें किला सर हो गया। ग्यारह सौ गाजियोंकी लाशें वहीं गाड़ी गईं। इस इलाके को भी रूसके तुर्किस्तान-प्रदेशमें मिला लिया गया। ७ सितंबरको रूसी सेनाने खोकन्दकी ओर कूच किया। नासिरुद्दीनने मुल्ला ईसा औलियाको भेजकर क्षमा मांगनी चाही। रूसियोंने उसे पकड़कर अपनी विजययात्रा जारी रखी। सर्वत्र रूसी सेनापतिके सामने लोग रोटी-नमक पेश करते अधीनता स्वीकार करते जा रहे थे। खानने अब एक दूसरा दूतमंडल भेजा, जिसके साथ भेंटके अतिरिक्त डाक-स्टेशनोंमें पकड़े बंदी भी थे। उन्होंने बतलाया कि हमारे सिरको मुड़ा दिया गया, लेकिन और तरहसे कोई बुरा बर्ताव नहीं किया गया। रूसी स्त्रियों और बच्चोंको खानके अन्तःपुरमें रखा गया था। बिना प्रतिरोध किये ही अन्तमें खोकन्दने रूसियोंके हाथमें आत्मसमर्पण किया। खान स्वयं जेनरल काफमानसे मिलने के लिये आया। जेनरल काफमान अपने स्टाफके साथ कुछ दूर तक जाकर खानके साथ अपने डेरेमें लौट आया। रूसियोंने कुछ समयके लिये वहां डेरा डाल दिया। लोगोंपर धाक जमानेके लिये नगरमें बराबर रूसी सेनाका प्रदर्शन होता रहा। जेनरलने दूसरे स्थानोंको भी आत्म-समर्पण करनेके लिये घोषणा निकाली। आफताबचाने मर्गिलानमें काफी सेना जमा कर रक्खी थी। यह सुनकर १७ सितम्बरको काफमान मर्गिलान पहुंचा। आफताबचा किपचकों (उज्बेकों) के साथ वहांसे खिसक गया और मर्गिलानने अधीनता स्वीकार की। आफताबचाका पीछा करते स्कोबेलेफ ओश तक गया—अन्दिजान, बलिकची, सरीखाना और ओशने उसके हाथमें आत्म-समर्पण किया, विद्रोहियोंके तीन नेताओंमेंसे एक खालिक नजरने भी प्रतिरोधको बेकार समझकर आत्मसमर्पण कर दिया। नासिरुद्दीनको संधि करनेके लिये काफमानने मर्गिलान बुलाया। समझौतेके अनुसार सिर नदीसे उत्तरका इलाका नमंगान रूसियोंके हाथमें चला गया, साथ ही नासिरुद्दीनने छ सालमें तीस लाख रूबल (चार लाख दस हजार पौंड) हरजाना देना स्वीकार किया। और लोगोंको क्षमादान कर दिया गया, लेकिन विद्रोहियोंके जबर्दस्त नेताओं—ईसा औलिया, जुल्फेकार बी और मुहम्मदखान तुरा—को साइबेरियामें निर्वासित कर दिया गया।

लौटते समय नमंगानकी नई बनी रूसी प्रजाने जेनरल काफमानके स्वागतार्थ एक बड़ा तम्बू गाड़कर एक सौ बीस गाड़ी रसद और चालीस हजार रोटियोंकी भेंट पेश की। नदीसे तम्बू तक जेनरलके चलनेके लिये रेशमी पांवड़े बिछाये गये, और उसके ऊपर चांदीके सिक्के बरसाये गये।

लेकिन यह अधीनता स्थायी नहीं रही। थोड़े दिनों बाद फिर विद्रोह हो गया और आठ तोपोंके साथ चौदह हजार आदमी विद्रोह दबानेके लिये अन्दिजान भेजे गये, जहां साठ-सत्तर हजार आदमियोंको आफताबचाने जमा कर रक्खा था। किर्गिजोंने भी पूलादबेकको खान घोषित कर अपने पंद्रह हजार योद्धा जमा किये थे। रूसियोंको जबर्दस्ती नगरपर अधिकार करना पड़ा, और उनकी गोलाबारीमें बाजार और बहुत से मकानोंमें आग लग गई। शत्रुओंकी संख्या अधिक होनेके कारण रूसी रास्तेके

गांवोंको जलाते नमंगान लौटे। शत्रु उनका पीछा कर रहे थे। यद्यपि असफल होकर ही जनरल त्रोत्स्कीको लौटना पड़ा था, लेकिन फिर भी जारशाहीने उसे सम्मानित किया।

खान नासिरुद्दीनने रूसियोंकी कड़ी शर्तोंको मानकर अपनी प्रजाको जल्दी ही असंतुष्ट कर दिया और उसे उनके क्रोधके मारे भागना पड़ा। पूलादके समर्थक तथा उरातिप्पाके भूतपूर्व बेकने राजधानी (खोकन्द) पर अधिकार कर लिया। खोकन्दियोंका पलड़ा भारी होते देख नमंगानवालोंने भी रूसियोंके खिलाफ विद्रोहका झंडा उठाया, और उसपर भी किपचकों (उज्बेकों) का अधिकार हो गया। इस विद्रोहको दबानेके लिये जेनरल स्कोबेलेफने बड़ी निष्ठुरताका परिचय देते अंधाधुंध तोपोंसे गोलाबारी की। खोकन्द राज्यमें इस वक्त चारों ओर अराजकता फैली हुई थी, लेकिन रूसके विरुद्ध सभी एक थे। इस्लामके नामपर वह सर्वस्व-त्यागके लिये बेकरार थे। रूसी सेनाके खूनी अत्याचारोंसे उनकी हिम्मत नहीं टूटी थी। सिर और नरिन नदियोंके बीचमें उस समय लड़ाकू किपचक रहा करते थे। स्कोबेलेफको हुक्म हुआ, कि इस इलाकेको उजाड़ दे। जनवरी १८७६ ई०में उसने प्रस्थान किया। जाड़ेके कारण किपचक घुमन्तू इस समय अपने हेमन्त निवासोंमें जमा थे। सिरके उत्तरी तटसे बढ़ते हुये रूसियोंने किपचकोंकी मुख्य बस्ती पैताको नष्ट किया, और हराकर उन्हें भागनेके लिये मजबूर किया। आगे सरखाबा तक हर चीजको जलाते बरबाद करते रूसी बढ़े। शत्रुको भयंकर हत्या और हानि पहुंचाकर अन्दिजान सर किया गया। दूसरी विजय थी अस्साकीकी, जहां शहरेखान और मर्गिलानके लोगोंने अधीनता स्वीकार की। अन्तमें पहली फर्वरीको आफताबचाने भी बिना शर्तके आत्म-समर्पण कर दिया। उसके साथ बातिर त्यूरा, इसफन्दियार और दूसरे सरदार भी थे।

रूसमें विलयन—खोकन्दवाले पूलादबेकसे उकता गये थे। उन्होंने खोजन्दसे नासिरुद्दीनको बुला भेजा था। लेकिन पूलादके समर्थकोंने उसपर आक्रमण कर दिया, और बड़ी मुश्किलसे नासिरुद्दीन जान बचाकर महरम भाग सका। फिर प्रहार करनेपर पूलादबेकने भागकर उच-कुर्गानके पास अलई पहाड़में जाकर शरण ली, उसके बहुत-से आदमी पकड़े गये और नासिरुद्दीन अभियानमें सफल हो खोकन्द लौटा। लेकिन रूसी देख चुके थे, कि कैसे खान और मुल्ला आसानीसे लोगोंमें जहादका प्रचारकर विद्रोह खड़ा कर सकते हैं, इसलिये अब और खानको कायम रखना वह अच्छा नहीं समझते थे। जेनरल स्कोबेलेफको हुक्म हुआ और उसने २० फर्वरी १८७६ ई०को खोकन्दपर अधिकार कर लिया। नासिरुद्दीन, आफताबचा और दूसरे नेता बन्दी बनाकर ताशकन्द भेज दिये गये। जारने अपने सिंहासनारोहणके वार्षिकोत्सवके समय २ मार्च १८७६ ई० को एक उकाजे (राजादेश) निकाला, जिसके अनुसार खोकन्दके राज्यको फरगानाके प्रदेशके नामसे रूसी साम्राज्यमें मिला लिया गया। पूलादबेक भागा-भागा फिरता रहा। उसे भी किर्गिजोंने पकड़कर दे दिया और बारह रूसी सिपाहियोंकी हत्याके अपराधमें उसे मर्गिलानमें फांसीपर चढ़ा दिया गया। इस प्रकार बाबरकी प्रिय जन्मभूमि फरगाना जारके राज्यकी अंग बन गई, और वहांकी प्रजा प्रायः आधी शताब्दीके लिये निरीह बना दी गई।

४. (२ खोकन्द खान-वंशवृक्ष)
(१७४७–१८७६ ई०)

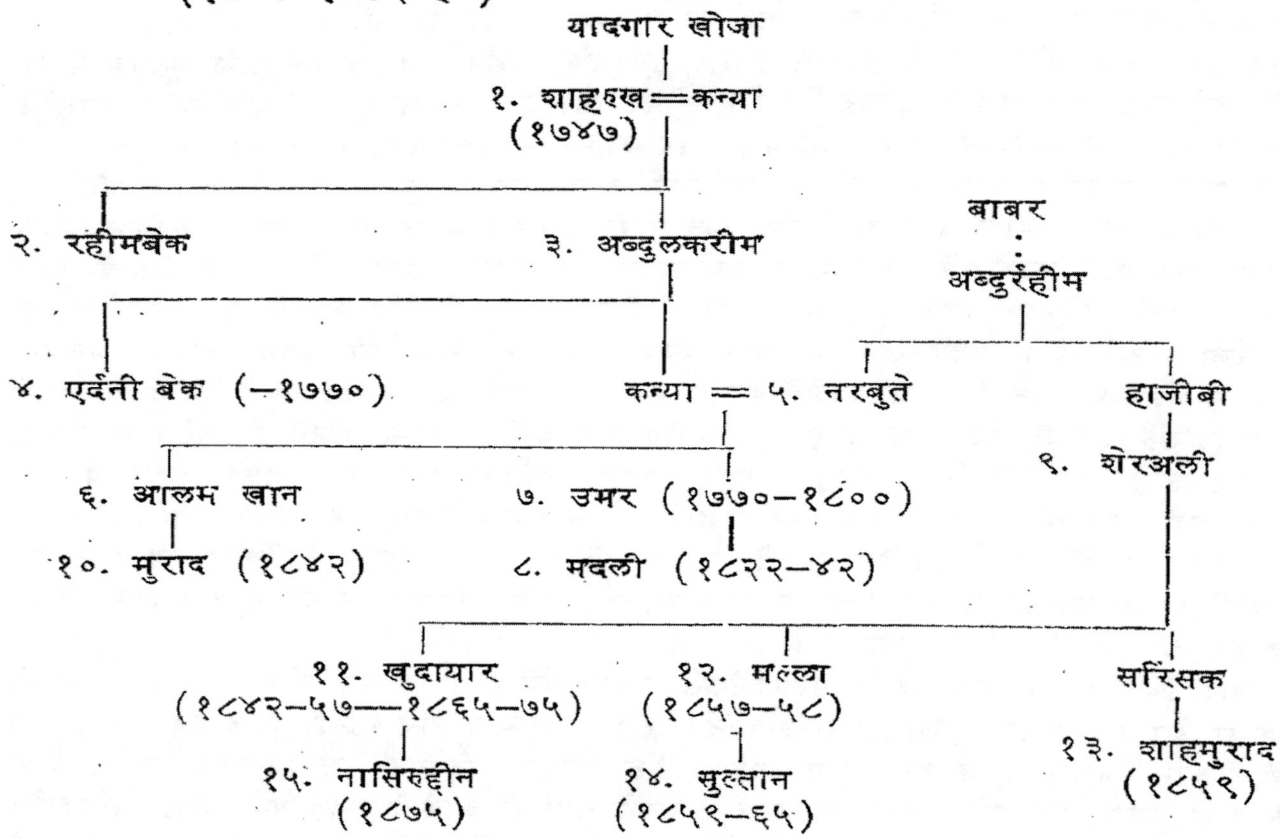

स्रोत ग्रन्थ

१. इस्तोरिया सससर (अ. म. ४ जिल्द, व. इ. रब्दोनिकस्)
२. History of U. S. S. R. (Ed. A. M. Pankratova, Moscow 1947)
३. Heart of Asia (E. D. Ross)
४. History of Mongol (H. H. Howorth)
५. ओचेर्क पो इस्तोरिइ कलोनिजात्सिइ सिविर (मास्को १९४६)
६. इस्तोरिया रोस्सिइ (चित्रमय)
७. इस्तोरिया रोस्सिइ (स. सोलोवियेफ्, पेतेरबुर्ग १८७९–८५)
८. आजियात्स्कया रोस्सिया (अ. क्रूवेर आदि, मास्को १९१०, पृ० २४९–५८)

अध्याय ३

बुखाराके अमीर

(१७४७–१९२० ई०)

अस्त्राखानी-वशका स्थान किस तरह अतालीकवंशी मंगीतोंने लिया, इसका वर्णन हम पहले* कर चुके हैं। खुदायार अतालीकके पुत्र मुहम्मद रहीम और दानियाल बी थे। रहीम बी अस्त्राखानी अमीर सैयद अब्दुलफैजका दामाद था। सैयद अब्दुलफैजकी लड़की शम्सबान् आइम दानियाल बीके लड़के शाहमुराद (अमीर मासूम बेगीखान) की बीबी थी, जिससे सैयद अमीर हैदर पैदा हुआ था। यद्यपि अब्दुर्रहीम बीके समयसे ही राज्यशासन नये खानदान (मंगीत-वंश) के हाथमें चला गया था, लेकिन अमीर हैदरके समय तक अस्त्राखानी-वंशके खानको खतम नहीं किया गया। मंगीती-वंश बुखाराका अन्तिम राजवंश था, जिसका उच्छेद बोल्शेविक-क्रांतिकी सफलताके बाद १९२० ई० में हुआ।

राजावली—इस वंशमें निम्न अमीर हुये—

१.	मुहम्मद रहीम बहादुर, अतालीक खुदायार-पौत्र	१७४७ ई०
२.	दानियाल बी, खुदायार-पुत्र	—१७७० "
३.	शाहमुराद, अमीर मासूम, दानियाल-पुत्र	१७७०-९९ "
४.	हैदर, शाहमुराद-पुत्र	१७९९-१८२६ "
५.	हुसैन, हैदर-पुत्र	१८२६ "
६.	उमर, हैदर-पुत्र	१८२६ "
७.	नसरुल्ला, हैदर-पुत्र	१८२६-६० "
८.	मुजफ्फरुद्दीन, नसरुल्ला-पुत्र	१८६०-६७ "
९.	अब्दुल अहद, मुजफ्फर-पुत्र	—१८९४ "
१०.	मीर आलम, अहद-पुत्र	—१९२० "

१. मुहम्मद रहीम बहादुर, अतालिक खुदायार-पौत्र (१७४७ ई०)

मंगीत-कबीलोंको छिङ-गि [खानने मंगोलियाके उत्तर-पूर्वसे लाकर वक्षुके मुहाने और बुखारासे एक सौ चालीस मील दक्षिण-पूर्व करशीमें बसा दिया था। मूलतः यह चाहे मंगोलोंके बंधु-बांधव रहे हों, लेकिन आगे तुर्कोंमें मिलकर ये उज्बेकोंके मुखिया बन गये। अस्त्राखानियोंकी प्रभुताके समय ये उनके बड़े भक्त थे। अब्दुर्रहीम उज्बेकोंके मंगीत-कबीलेका मुखिया था। इसके दादा खुदायारने अतालीक (मुख्य परामर्शक) होकर अपनी शक्तिको बहुत बढ़ा लिया था, लेकिन प्रभुताको पूरी तौरसे अपने हाथमें करनेमें उसके पोते मुहम्मद रहीमबीने ही सफलता पाई। इसने अपने चचा दानियालको समरकन्दका शासक बनाया। अस्त्राखानियोंकी कमजोरीके कारण शहरसब्ज, हिसार (ताजिकिस्तान) और ताशकंद बुखारियोंके हाथसे निकल गये थे। अपने पक्षको मजबूत करनेके लिये रहीमको अफगान अहमदशाह अब्दालीसे मदद लेनेकी जरूरत पड़ी, जो दिल्ली तककी लूट-मार करके काफी प्रसिद्ध हो चुका था। इस मददके बदले उसे वक्षुके दक्षिणके

* यहीं जिल्द २।५।१३

भूभागको गिल्जइयों (अफगानों) के हाथमें देना पड़ा। अब्दुर्रहीमने अस्त्राखानी खानको मारकर ही संतोष नहीं किया, बल्कि उसके तरुण पुत्र तथा अपने दामाद अब्दुल मोमिनको एक महफिलमें दावत करके मनोरंजनके लिये कुंएके गहरे जलको देखते वक्त ढकेलकर मार दिया। अब्दुर्रहीम बुढ़ापेमें ईरानी गुलाम तथा अपने वजीर दौलत बीके हाथमें खेलता रहा, जो अपने दुःशासनके लिये बदनाम था। रहीम इस वक्त बहुत विचित्र स्वभावका हो गया था। एक दिन वह दर्वेश बन संसारकी असारतापर व्याख्यान देता, और दूसरे दिन मौज-मेलेमें अपनेको भुलाना चाहता। इसी तरहके जीवनमें वह बीमार होकर मर गया। उसके कोई पुत्र नहीं, बल्कि दो लड़कियां थीं। मरते समय उसने अपने चचा दानियाल बीको अपना उत्तराधिकारी बनाया।

२. दानियाल बी खुदायार-पुत्र (–१७७० ई०)

रहीमके मरनेपर उसकी इच्छानुसार वजीर दौलतबीने दानियालको सिंहासन संभालने के लिये बुलाया। दानियालने स्वयं खान न बन अतालीक ही रहना चाहा, और गद्दीपर उसने अस्त्राखानी अबुल्गाजीको खान बनाकर बैठाया। दौलत बी अब भी राजकाज चलानेमें सर्वेसर्वा था। यही समय है, जब कि बुखाराके बाजारोंमें कलियान (हुक्के) और तम्बाकूका प्रचार बढ़ा, साथ ही काफिर-रबातमें रंडीखाने खुले। दानियालका ज्येष्ठ पुत्र शाहमुराद इनके लिये बहुत अफसोस करता था, क्योंकि वह कट्टर इस्लामका प्रचार करना चाहता था। उसने शाह सफर नामक एक सूफीके यहां जाकर शिक्षा लेनी चाही। शेखने उसे फटकारते हुये कहा—"अत्याचारीका पुत्र कैसे भले काम कर सकता है?" फिर परीक्षा लेनेके लिये उसने कहा—"जाकर पल्लेदारी करते बोझ ढो।" मुराद गंदे कपड़े पहिनकर तुरन्त बाजारमें चला गया, और अपने गुरुकी आज्ञाके अनुसार कितने ही महीनों तक पल्लेदारी करता रहा। बापके टोकनेपर मुरादने जवाब दिया—"इल्म और धर्मकी खान बुखारा आज अन्याय और दुराचारमें कितना डूबा हुआ है? जहां तुम्हारे पुत्र व्यसनमें पड़े हुये हैं, जब कि दौलत कुशबेगी जैसा एक दास देशका स्वामी बन बैठा है।" यह कहते हुये मुरादने कहा, कि मैं तो दर्वेश (साधु) बनूंगा। एक साल तक हम्माली (पल्लेदारी) करनेके बाद शेख सफरने मुरादको अपना मुरीद (चेला) बनाया। अब वह अपना सारा समय आलिमों और दर्वेशोंकी सेवामें बिताने लगा। लेकिन साथ ही खोकन्दके दूतकी स्वागतकी तैयारीके लिये उसने कुशबेगीको बुला चुपचाप जल्लादोंको भेजकर उसका काम तमाम किया, और उसकी धन-सम्पत्तिको जब्त कर लिया। अब मुरादकी चलने लगी। उसने एक काजीको हुक्का पीनेके अपराधमें चाल सुधारनेके लिये साल भरका समय देकर उसे मरवा डाला। उसके डरके मारे भाइयोंने भी अपनी चाल बदली। बुरे साथियोंको मारनेमें उसने जरा भी आनाकानी नहीं की, और रंडीखानेको भी जल्दी ही बन्द करवा दिया। बुखारा फिर "स्वर्ग" बन गया। दानियाल बीने शाह मुरादके आगे बढ़नेमें कोई रुकावट नहीं पैदा की, और बेटा भी अपने बापकी बड़ी इज्जत करता था। मृत्युके समय दानियालने शाह मुरादसे प्रतिज्ञा करवाई—"भाइयोंको न मारना न निर्वासित करना, मेरी विधवाओंको ब्याह करनेके लिये मजबूर न करना, ख्वाजासरा खोजा सादिकके साथ अच्छा बर्ताव करना, भाइयों-बहनोंको काफी धन देना और मुझे शाह नक्शबंदकी कब्रके पास दफन करना।"

दानियालका शासन इस प्रकार बहुत कुछ उसके बेटे शाह मुरादका शासन था। उसने उरगंज (खीवा), खोकन्द और मेर्वके शासकोंके साथ मित्रता रक्खी। सिक्का और खुतबा उसने अपना नहीं चलाया। दानियालके मरनेके बाद भी अभी तख्तपर अबुलगाजी अस्त्राखानी ही रहा, यद्यपि शाह मुरादको यह पसंद नहीं था।

३. शाह मुराद, अमीर मासूम बेगीखान; दानियाल-पुत्र (१७७०-९९ ई०)

शाह मुराद बड़ा ही ढोंगी था। वह अपनेको संत सूफी प्रकट करना चाहता था। बापके मरनेपर वह बुखाराके लोगोंसे पिताके दुष्कर्मों तथा कसूरोंके लिये क्षमा मांगता फिरता रहा। बापकी

वरासतमें मिली सम्पत्तिको उसने स्वयं न लेकर खैरातके कामोंमें दे दिया। पहलेसे ही वह अपने पल्लेदारीके जीवन तथा दूसरे विचित्र कामोंके कारण कट्टर मुसलमानोंमें सर्वप्रिय हो चुका था, लेकिन उसका अपना भाई तख्तामिश उससे सख्त घृणा करता था, और चाहता था कि किसी तरह गद्दी अपने हाथमें ले लें। उसने शाह मुरादकी हत्याके लिये फरीदून नामक एक आदमी को नियुक्त किया। फरीदूनने शयनकक्षमें जाकर तलवार चलाई, जिससे मुंहसे कानतक घाव लग गई, लेकिन इसी समय जागकर शाह मुरादने हत्यारेकी दाढ़ी पकड़ ली, पर वह किसी तरह जान छुड़ाकर भागनेमें सफल हुआ। सबेरे उसी तरह घावपर पट्टी बांधे शाह मुराद दरबारमें आया। फरीदूनको मृत्युदंड हुआ, भाईको उसके कसूरके लिये देशनिकाला मिला। बापको दिये हुये वचनपर ख्याल करके मुरादने उसको और कोई कठोर दंड नहीं दिया। जब उसके दूसरे भाई सुल्तान मुराद—जो कि कर्मिनियाका हाकिम था—ने विद्रोह किया, तो उसे भी बन्दी बनाकर बुखारामें रख दिया।

मेर्व इस समय ईरानी काजार-वंशके संस्थापक बहराम अली खांके हाथमें था, जिसने १७८१ ई०में इस महत्त्वपूर्ण प्राचीन नगरको लेकर उसे अपनी राजधानी बना पुराने मेर्वके ध्वंसावशेषपर एक किला बनाया। बहराम स्वयं भी तुर्कमान था, इसलिये तुर्कमानोंपर सत्ता जमानेमें उसे बहुत कठिनाई नहीं हुई। शीया होनेसे धर्मांध शाह मुराद मेर्वपर काजार-शासनको फूटी आंखों नहीं देख सकता था। उसके लिये यह धर्मयुद्धका अच्छा मौका था। दानियाल बीके मरनेपर बहराम अलीने अपनी भक्ति दिखाते हुये यद्यपि कुरान-पाठ करके दान-खैरात दी थी, लेकिन इसका सुन्नी दर्वेश शाह मुरादपर कोई असर नहीं हुआ। १७८५ ई०में शाह मुराद छ हजार सवारों के साथ मेर्वकी ओर चला। छापा मारकर पहले ही हल्लेमें उसने बहराम अलीको मार डाला। लेकिन उसकी राजधानी आत्म-समर्पण करनेके लिये तैयार नहीं थी। बहराम अलीने सुल्तान संजर सल्जूकी द्वारा बनवाये मुर्गाब नदीके बांध—जोकि मेर्वसे तीस मील ऊपर था—की सुरक्षाके लिये उसपर बने किलेको तोड़ दिया। बांधका हाकिम अपनी स्त्रीके लिये बहराम अलीके पुत्र मुहम्मद खानसे नाराज था। इसी कारण उसने किलाबन्द महलको शाह मुरादको अर्पित कर दिया। शाह मुरादने बन्दको तोड़कर दुनियामें अत्यन्त उर्वर मेर्वकी हरितावली और नहरोंको खराब करके बरबाद कर दिया। इससे भयंकर अकाल पड़ा, जिसके कारण मर्वेवाले आत्मसमर्पणके लिये मजबूर हुये। अधिकांश निवासियों—तेरह हजार परिवार—को गुलाम बनाकर शाह मुराद बुखारा ले गया। इसके बाद उसने खुरासानपर धावा करके लूटमार मचाई। शीया ईरानियोंको मारना या गुलाम बनाना सुन्नी धर्मांध शाह मुरादके लिये पुण्यार्जनका सबसे अच्छा उपाय था। तारीफ यह कि इसपर भी इस समय क्रूरकर्मा शासकको अमीर मासूम (निष्पाप शासक) कहा जाता था। अपने सुन्नी धर्म-भाइयोंकी दृष्टिमें वह ऐसी खून-खराबी और लाखों आदमियोंको गुलाम बनाकर कोई पाप नहीं कर रहा था। उसके सालाना हमलोंके कारण खुरासानके गांव और नगर उजड़ गये। ईरानी गुलामोंकी अधिकताके कारण बुखाराकी बाजारोंमें गुलामोंका दाम गिर गया।

मेर्व शहरको बहरामअलीके पुत्र मुहम्मद करीम खांने बड़ी बहादुरीसे बचाया था। उसके बाद उसके भाई मुहम्मद कुल्ली खांने भी शाह मुरादसे मेर्वकी रक्षा की थी। बांधके संरक्षकने एक वेश्याके प्रेममें अंधे धोखा दिया। हुसेन खां मेर्वका राज्यपाल था, उसने जबर्दस्ती उसकी वेश्याको पकड़ मंगवाया था।

अफगानिस्तानके अहमद शाह अब्दालीसे शाह मुरादके बापका अच्छा संबंध था। सुन्नी होनेसे वह शाह मुरादकी सहायता करनेके लिये कुछ करना पुण्यकी बात समझता था। इस समय अहमदशाह अब्दालीका पुत्र तेमूरशाह काबुलकी गद्दीपर था। उसने लश्करीशाहके साथ एक सेना शाह मुरादकी सहायताके लिये भेजी। लश्करीशाहका पुत्र खंजर खां मेर्वके राज्यपालकी बहिनके प्रेममें फंस गया। हुसेन खांने उसे पकड़कर घायल किया, और वह उसी घावसे मर गया। फिर उसने अपनी बहिनको भी मरवा दिया। लश्करीशाह दो हजार परिवारोंके साथ अपनी सेना ले हिरात लौट गया। हुसेनने दूत भेजकर बुखारासे शांति-भिक्षा मांगी, और बादमें स्वयं बुखारा गया। उसे चहारबागमें बड़ी अच्छी तरह ठहराया गया। उसके बाद उसका भाई मुहम्मद करीम खां भी मशहदसे शाह मुरादके

दरबारमें गया। करीम खांके परिवार तथा मेर्वसे लाये सत्रह हजार परिवारोंमेंसे बहुतोंको हुसेन खां, लौटा ले जानेमें सफल हुआ। अन्तमें मेर्वके तीन हजार सुन्नी और दो हजार शीया-परिवार बुखारामें रह गये। शाह मुरादकी उस चोटके बाद मेर्व तब तक नहीं संभल सका, जब तक कि बोल्शेविक-क्रांतिने उसे एक आधुनिक ढंगके उद्योगप्रधान नगरमें परिणत नहीं कर दिया।

१७५१-५२ ई०से ही वक्षु (आमू-दरिया)के दक्षिणवाले इलाकेके स्वामी अफगान बन गये—यह वही इलाका है, जहां बलख, कुंदुज जैसे महत्त्वपूर्ण नगर हैं, और जिसे पहले वाह्लीक, फिर दक्षिण तुखारदेश कहा जाता था और १८ वीं सदीसे आजतक जहां के रहनेवाले अधिकतर उज्बेक हैं। शाह मुरादके बापने अपनी निर्बलताके कारण इस इलाकेको अफगानोंके हाथमें दिया, लेकिन शाह मुरादको यह पसंद नहीं था। अहमदशाह अब्दालीका पुत्र शाह तेमूर १७८६ ई०में सिंधके अभियानमें फंसा हुआ था। इसी समय उज्बेक सरदारोंने लोगोंको भड़काकर बलख और अक्सी में विद्रोह कर दिया। शाह मुरादने भी सहायताके लिये सेना भेजी और इस इलाकेसे अफगान हाकिमोंको मार भगाया गया। तेमूर अब्दालीने शाह मुरादको सख्त पत्र लिखकर कहा—"बाहरसे नम्रता दिखलाते हुये तुम इस तरह आक्रमण करते हो? मेर्वमें हमसे यह कहकर सहायता ली, कि हम शीयोंको सच्चे धर्ममें लायेंगे, और कहा था, कि मेर्वके शीयोंको असली मुसलमान बनानेकी जिम्मेवारी हम ले लेंगे और इस प्रकार हिन्दुस्तानको हिन्दुओं, यहूदियों, ईसाइयों और दूसरे काफिरोंसे मुक्त करनेके लिये अफगान स्वतंत्र रहेंगे। लेकिन, तुमने शहरसब्ज, खोजन्दके सुन्नियोंको तंग किया। अब हम तुर्किस्तानके लिये कूच करनेका निश्चय कर चुके हैं। हिम्मत हो, तो तुम मैदानमें आओ।

तेमूरशाह अब्दाली १७८९ ई०में एक लाख सेनाके साथ काबुलसे रवाना हुआ। हिन्दूकुश पार हो पहले उसने कुंदुजपर अधिकार किया। फिर अक्सी गया। शाह मुराद भी तीस हजार सेनाके साथ किलिफमें वक्षु पार हुआ। लेकिन तेमूरशाहकी सेनाके सामने अपनी शक्तिको निर्बल देखकर उसने नम्रताकी नीतिसे काम लेना चाहा। मुल्ला बीचमें पड़े और उन्होंने कहा, कि दो सुन्नी बादशाहोंको आपसमें लड़कर अपनी शक्तिको बरबाद नहीं करना चाहिये। शाह मुरादने अपने पुत्रको तेमूरके डेरेमें भेजा और किसी तरह तेमूरशाहकी मृत्यु तकके लिये शांति स्थापित हो गई।

१७९६ ई०में तुर्कमान सरदार आगा मुहम्मदने मशहदको नादिरशाहके पौत्र अंधे शाहरुख से छीन लिया। काजार-वंशका—जिसने ईरानपर २० वीं सदीके प्रथमपाद तक शासन किया—वास्तविक संस्थापक आगा मुहम्मद था। यह हिजड़ा था। मशहदसे वंचित हो जानेपर शाहरुखका बड़ा बेटा नादिर काबुल-दरबारमें गया और उसने अपने भाइयों तथा सरदारोंको मदद मांगनेके लिये बुखारा भेजा। अबुलफैजने अस्त्राखानीकी लड़कीके संबंध और रहीमपर दिखलाई अपनी दया, तथा सुन्नी धर्मके नामपर सेना मांगी। उसने शाह मुरादसे यह भी कहा, कि सफलता प्राप्त करनेपर हम बुखाराके अमीरके नामका खुतबा पढ़वायेंगे। १२ मार्च तक प्रतीक्षा करके कोई सफलता न देखकर वह हिरातकी ओर लौटे। नदीमें धोखेसे डुबानेके लिये पुरानी नावपर चढ़ाया गया था, लेकिन राजकुमार किसी तरह नदी तैरकर चारजूइ पहुंच गये। असफल होनेपर ख्वारेज्मके एल्बर्स खानके पौत्र तूरा कजाकको नादिरके दामादके मारनेका बदला लेनेके लिये भेजा गया। तूरा कजाक चारजूइके हाकिमके घर ठहरा। बात खुल गई, तो उसने बहुत गिड़गिड़ाकर कहा, कि हम सुन्नी हैं, और तुम्हारे मेहमान हैं। लेकिन उनको क्षमा न करके तुरा कजाकने नादिरशाही राजकुमारोंको मार डाला।

अबुलगाजीके जीवन भर उसीके नामका खुतबा और सिक्का बुखारामें जारी रहा। शाह मुरादने खानकी गद्दीपर बैठ अपनेको केवल "नवाब" या "वली-निअम" ही बनाकर रक्खा। शाह मुराद बड़े ही नाटकीय ढंगसे अपने त्याग और तपस्याको दिखलाता था। दरबारमें कितने ही बकरीके छाले रक्खे रहते थे, वह उन्हींमेंसे किसीपर बैठ जाता और अपनेको दूसरोंसे बड़ा नहीं समझता था। छोटे-से-छोटे कामोंको भी वह अपने हाथसे करनेमें नहीं हिचकिचाता था। उसके रसोईघरमें एक लकड़ीका कटोरा, एक लोहे की कड़ाही और कुछ मिट्टीके वर्तन थे। वह स्वयं बाजारसे चीजें खरीद लाता और अपने हाथसे खाना पकाता। मेहमानोंका हाथ धुलानेके लिये स्वयं पानी डालता

और उनके जूठे कटोरोंमें खाता। एक बहुत सस्ते गदहेपर बिना चारजामाके ही बैठकर बुखाराके बाजारोंमें चलता। वह अपनेको फकीर कहता था। अपने खर्चके लिये राजकोषसे प्रतिदिन एक तंका लेता। अपने बावर्ची, चाकर और मुल्लाके लिये भी एक-एक तंका देता। बीबी शाही खानदान की थी, इसलिये उसे प्रतिदिन तीन तंका दे, ऊपरसे शिक्षा देता—"खातून थोड़ेसे संतोष करो, जिसमें कि अल्ला तुमपर संतुष्ट हो।" लेकिन जब खातूनको पुत्र पैदा हुआ, तो खुश होकर मां-बेटेके लिये पांच तिला (अशर्फी) प्रतिदिन देने लगा। दूसरे दो पुत्रोंके पैदा होनेपर उतना ही और देता रहा। इस प्रकार अपने परिवारको यद्यपि उसने सुखपूर्वक रक्खा, लेकिन स्वयं एक बिल्कुल बिना सजाई छोटी-सी कोठरीमें रहता, जहांपर हर वर्गके आदमी उसके पास हर हमय जा सकते थे। फकीरोंकी तरह उसकी पोशाक बड़ी मोटी-झोटी होती। न्यायालयमें उसने चालीस मुल्ला रक्खे थे, जिनका अध्यक्ष स्वयं था। डाका डालनेके अपराधके लिये मृत्युदंड, चोरीके लिये हाथ काटना, शराबीको खुलेआम कोड़े लगाना, तमाकू पीनेके लिये भी कड़ी सजा होती थी। लोगोंको नमाजमें भेजनेके लिये पुलिस डंडा लिये तैयार रहती। विद्यार्थियोंको राजकोषसे खर्च मिलता, जिससे बुखारा-के मदरसोंमें एक समय तीस हजार विद्यार्थी रहते थे। विदेशी मालपर छोड़कर और किसी तरहका शुल्क नहीं था। गैर-मुस्लिमोंसे इस्लामी शरीयतके अनुसार जजिया ली जाती थी, और सिपाही शीयोंको लूटकर जो माल लाते, उसका पंचमांश शाही खजानेमें देते।

उज्बेक उसे सचमुच ही अल्लाका वली मानते। जब वह जहादियोंकी सेना लेकर खुरासानपर लूटके लिये जाते, तो भारी रसदके सामानको कई मँजिल पीछे छोड़ देते, हरावलमें केवल सवार-सैनिक होते। गाजियोंकी सेना इलाकेमें छा जाती, और लूटमार तथा लोगोंको बंदी बनानेका काम शुरू कर देती। हरएक जहादी (धर्मयोद्धा) को अपने और अपने घोड़ेके लिये सात दिनका आहार साथ ले जाना पड़ता। अभ्यासके साथ शाह मुरादके मुजाहिद (धर्मयोद्धा) इतने अभ्यस्त हो गये थे, कि बे-रोक-टोक एकाएक किसी किले, प्राकारबद्ध गांव, नगर या काफिलेपर टूट पड़ते। बंदी बनाये हुये आदमियोंके लिये मुक्ति-धन मांगते, जिसके न मिलनेपर उन्हें दास बनाकर बेच देते। शाह मुराद ईरानियोंके विरुद्ध धर्म-युद्धोंमें स्वयं अपने आदमियोंके आगे-आगे रहता। फकीरोंकी पोशाक पहने एक छोटे-से टट्टूपर बैठा वह गाजियोंका संचालन करता। उसके अनुशासन बड़े कड़े थे। नमाज, रोजा आदि धार्मिक कर्त्तव्योंकी बड़ी कड़ाईसे पालन कराता। सभी इस्लामी देशोंमें "रईस शरीयत" (धर्माधिकारी) पदको उठे बहुत दिन हो गये थे, लेकिन शाह मुरादने बुखारामें फिरसे इस पदकी स्थापना की। चोरों और वेश्याओंको वह सीधे जल्लादके हाथमें दे देता, लेकिन इन सारी धार्मिक कड़ाइयोंका परिणाम बुखारावालोंके लिये उलटा ही पड़ा।

चिन्नरनके सरदार मएश खानने शाह मुरादके बहनोई तथा जीजकके हाकिम ईशान मखदूम-पुत्र ईशान नकीबके नाम चिट्ठी देकर दूत भेजा। दूतने अपने कामका इस प्रकार वर्णन लिखा है—"मुझे ईशान नकीबके सामने पेश किया गया। वह एक बड़े ही सुंदर तम्बूके दूसरे छोरपर बैठा था। अभी हमें बैठे देर नहीं हुई थी, कि एक अफसर तम्बूमें आया और उसने ईशान नकीबको कहा, कि बेगीजान (शाह मुराद) की इच्छा है, कि आप अपने मेहमानके साथ आवें।... हम खड़े हो गये और अपने-अपने घोड़ोंपर चढ़कर ईशान नकीबके साथ चले। कुछ दूर जानेके बाद हमें एक बांसका तम्बू मिला, जिसकी शकल-सूरत और फटी हालतको देखकर मैंने समझा, कि किसी बावर्ची या भिस्तीका तम्बू होगा। एक बूढ़ा आदमी धूपसे बचनेके लिये उसीकी छायामें घासपर बैठा हुआ था। सब घोड़ेसे उतर पड़े और हरे तथा अत्यन्त गंदे कपड़े पहने हुये बूढ़े आदमीकी तरफ बढ़े। उसके पास जाकर खड़े हो सबने अपने दोनों हाथोंको छातीपर रखकर आदरके साथ सलाम किया। उसने हरएक आदमीको सलामका जवाब दिया, और अपने सामने बैठनेके लिये कहा। वह ईशान नकीबके लिये बहुत मेहरबानी दिखलाता मालूम होता था, और उसे अपनी बातचीतमें उतखुर सूफीके नामसे संबोधित करता था।....मैंने अपना पत्र ईशान नकीबके हाथमें दिया। उसने उसे हरे कपड़ेवाले बूढ़ेके हाथमें थमा दिया, जिसके बारेमें अब मुझे पता लगा, कि वह बेगीजान (शाह मुराद) है। उसने चिट्ठीको खोलकर पढ़ा और फिर अपनी जेबमें डाल लिया।

...हमारी बातचीत होने लगी। इसी बीच बहुत-से दरबारी अमीर आये और मैं उनके असाधारण भड़कीले, तथा मूल्यवान् हथियारों तथा पोशाकको देखता रहा। .....उनके आनेके थोड़ी देर बाद उनका सरदार (शाह मुराद) एक गहरे ध्यानमें डूब गया और जब तक कि शामके नमाजकी घोषणा नहीं हुई, तब तक वह उसी ध्यानमें लीन रहा। दूसरे दिन बिदाईकी बात होते समय उसका रसोइया कमजोर आंखोंवाला एक नाटा आदमी तम्बूके भीतर आया। बेगीजानने कहा—"क्यों नहीं तुम खानेका प्रबंध करते हो? जल्दी ही नमाजका समय होनेवाला है।" नाटा रसोइया तुरन्त एक बड़ा काला बर्तन लाया और पत्थरोंको रखकर चूल्हा बना उसने चार-पांच तरहके अनाज और थोड़ासा सूखा मांस डालकर उसे चूल्हेपर चढ़ा बर्तनको पानीसे गले तक भरकर, आग जला उसे पकनेके लिये रख दिया। फिर वह तश्तरियां ठीक करने लगा। यह लकड़ीकी तश्तरियां वैसी ही थीं, जैसी कि अत्यन्त गरीब लोग इस्तेमाल करते हैं। उसने तीन तश्तरी रखकर पकी हुई चीजको उसमें उड़ेल दिया। बेगीजान रसोइयेकी ओर नजर लगाये हुये था। उसकी नजर के संकेतसे रसोइया जानता था, कि कितना कमबेसी तश्तरीमें डालना चाहिये। जब सब ठीक हो गया। उसने एक गंदे कपड़ेको लेकर फैला दिया, फिर उसके ऊपर एक पुरानी जौकी रोटीका टुकड़ा रख दिया, अल्ला ही जानता होगा, कि हिजरीके कौनसे सनमें उसे पकाया गया था। बेगीजान ने रोटीको पानीके प्यालेमें भिगोया। पहली तश्तरी उज्बेकोंके शासक (शाह मुराद) को दी गई, दूसरी तश्तरी मेरे और ईशान नकीबके बीचमें रक्खी गई, और तीसरीको रसोइया ले अपने स्वामीके सामने खानेके लिये बैठ गया। मैं पहले ही खा चुका था, इसलिये अपने सामने रखी चीजको सिर्फ चख भर लिया। बड़ी ही दुस्स्वादु थी, गोश्त तो करीब-करीब सड़ा हुआ था, लेकिन तो भी भीतर आयें बहुत-से अमीरोंने हमारे छोड़े हुये खानेको खाकर खतम कर दिया, उनके देखनेसे मालूम होता था, कि वह भोजन उन्हें बहुत पसंद आया, लेकिन शायद वह अपने पवित्र नेताको प्रसन्न करनेके लिये ही ऐसा कर रहे थे।

४. हैदर, शाह मुराद-पुत्र (१७९९–१८२६ ई०)

अब हम उस समयमें आ गये, जब कि अंग्रेज कंपनीका शासन भारतमें दृढ़ता पूर्वक स्थापित हो चुका था और १९ वीं सदीका आरम्भ होनेवाला था। शाह मुरादने रहीम खानकी विधवा तथा अस्त्राखानी अबुलफैजकी लड़की शैम्सबानू आयमसे ब्याह किया था। इसीसे शाह मुरादका सबसे बड़ा बेटा हैदर तुरा (कुमार हैदर) पैदा हुआ। मुरादके मरनेपर तख्तके लिये उमर बी, फाजिल बी, महमूद बीके बीच झगड़ा हुआ, लेकिन नागरिक अपने औलिया फकीर बादशाहके अंधभक्त थे, वह क्यों चाहने लगे, कि तख्तसे औलियाके बेटेको वंचित करके चचा शासन करें। बुखारावाले उमरके लोगोंपर टूट पड़े। उमर किसी तरह जान लेकर भागा, लेकिन लोगोंने उसके घरको लूट लिया, बीबी-बच्चोंको कपड़ा छीन नंगा करके छोड़ दिया। शाह मुरादकी ल.श तीन दिनसे महलमें पड़ी हुई थी। हैदर बड़ी तड़क-भड़कवाले अनुचरोंके साथ गद्दीपर बैठा। पीछे बच्चों सहित उमर बी और फाजिल बी भी पकड़कर मार डाले गये। महमूद बी भागकर खोकन्द चला गया। अभी सिंहासनपर बैठे देर नहीं हुई थी, कि भाई मुहम्मद हुसेनपर भी षड्यंत्रमें शामिल होनेका संदेह हुआ। इसपर समरकन्द छीनकर ईरानी दौलतकुश बेगीको वहांका हाकिम बना, भाईको पेंशन दे नजरबन्द कर दिया। इसके बाद हैदरकी निगाह मेर्वके हाकिम हाजी मुहम्मद खां तथा उसके संबंधी करीम खां और बहरामअली खांपर पड़ी, और इन बारह राजकुमारोंको पकड़कर भेड़-बकरियों की तरह मरवा डाला। उनकी बीबियों और बच्चोंको भेंटके रूपमें लोगोंमें बांट दिया। किस कसूरपर उन्हें यह दंड मिला, इसे कोई नहीं जानता। हैदरकी हत्याओंसे डरकर उसका भाई नासिरुद्दीन परिवार-सहित मेर्वसे मशहद भाग गया।

अब हैदरने अपनी दिग्विजयोंको शुरू किया। १८०४ ई०तक उरातिप्पा, खोजन्द और ताशकन्दको उसने ले लिया। इसी साल हैदरने अपना दूत रूसी जारके पास पीतरबुर्ग भेजा, जो मास्को, अस्त्राखान, खीवा और उरगंजके रास्ते लौटा। खीवाके खान इल्तजारने बुखाराके इलाकेमें आकर

लूट-मार की, जिसपर नियाज बीके नेतृत्वमें तीस हजार बुखारी-सेनाने जाकर इल्तजारको हराया, और वक्षु पार हो जान बचानेके प्रयत्नमें डूबकर इल्तजारने अपने प्राण खोये। लूटके मालमें खीवावालोंका बहुत-सा खजाना बुखारियोंके हाथमें आया, जिसके साथ एक तुर्क (घोड़ेकी पूंछ वाला) झंडा भी था। सेना बंदियोंके साथ लूटका माल लिये बुखारा लौटी । हैदरने हथियार छीनकर बंदियोंको छोड़ दिया और अफसरोंको खलअत भी दी। इल्बर्सकी जगहपर उसके भाई कुतलीमुराद बेकको ईनककी पदवी देकर हैदरने खीवाका हाकिम नियुक्त किया, लेकिन वहां पहुंचनेसे पहले ही उसके छोटे भाईको लोग खान बना चुके थे।

हैदरने यद्यपि आरम्भमें अपने संबंधियों, और जिससे भी खतरेका डर मालूम हुआ, उसे बुरी तरहसे मारा और बरबाद किया, किन्तु पीछेके जीवनमें वह नरम स्वभावका, उदार, न्यायप्रिय आदमी बन गया। उसकी भी इस्लाम-भक्ति बापकी तरह धर्मान्धता तक पहुंच गई थी। यद्यपि बापके इतना नहीं, तो भी वह सादगीसे रहता था। उसके कपड़े सीधे-सादे तथा प्रायः सफेद रंगके होते थे। रोटी और सब्जी यही उसका भोजन था। अपने खर्चके लिये वह यहूदियोंपर लगाये करको इस्तेमाल करता था। उसका दरबार किसी दर्वेश या मुल्लाका दरबार था। वह मेम्बरपर खड़ा हो व्याख्यान देना बहुत पसंद करता था। वह लम्बा और सुन्दर था, उसका रंग कुछ पीला लिये हुये अधिक गोरा था। मुंहपर भरी हुई दाढ़ी थी। अपनेको सदाचारी दिखलानेका बहुत शौक था और इस्लामी शरीयतके अनुसार चारसे अधिक बीबियां नहीं रखता था। हां, यदि दूसरी कोई सुन्दरीको बीबी बनाना चाहता, तो एकको वर और पेंशन दे तलाक दे देता था। दासियोंकी संख्यापर शरीयतने कोई प्रतिबंध नहीं रक्खा है, इसलिये हर महीने कोई न कोई सुन्दरी दासी उसके हरममें दाखिल होती रहती। अपनी दासियोंकी कन्याओंको वह मुल्लाओं या सैनिकोंको प्रदान करता।

शासन-प्रबंध—बुखाराका राज्य उस समय सात तुमानोंमें बंटा हुआ था। हरएक तुमान-का हाकिम नकीम और उसका सहायक वजीर होता, जिन्हें अमीर नियुक्त करता। हर तूमानमें बहुत-से गांव होते, जिनके लिये ग्रामकी जनता अपना अक्सक्काल (श्वेत दाढ़ी) नामक ग्रामपति निर्वाचित करती। अक्सक्काल एक मर्तबे निर्वाचित होकर, यदि किसी अपराधके कारण हटाया न जाय, तो जिन्दगीभर अपने पदपर रहता, बल्कि अक्सर उसका पद पैतृक हो जाता। अक्सक्कालका काम था—आपसी झगड़े तै करना, कर उगाहना और राज्यके लिये सिपाही देना। गांवमें हर ब्याहमें कुछ भेंट और भोजमें उसे निमंत्रण मिलता, साथ ही फसलके अनाजमें भी उसका हिस्सा बंधा था। जमीनपर कर दहयक (दशांश), गल्लेपर चालीसवां हिस्सा, और सौदेपर भी चालीसवां हिस्सा देना पड़ता। नायब नकीमके सहायक होते, जो अधिकतर मुल्ला थे। गांवोंके शासनमें उनका भी अधिकार था। धनी और प्रभावशाली उज़्बेकोंको बेग या बाय कहा जाता। बुखाराके पास चालीस हजार सेना थी, जिसे आवश्यकता पड़नेपर नये रंगरूटों-का भर्ती करके बढ़ाया जा सकता था। सैनिकोंके पास भाला, ढाल-तरवारके अतिरिक्त थोड़ी संख्यामें पलीतेवाली बन्दूकें भी थीं।

बैदेशिक संबंध—१८२० ई०में रूसका एक दूतमंडल बुखारा आया। इसका नेता नैगरी था, जिसके साथ बोरोन मेयेदोर्फ भी था। १८१६ ई० और १८२० ई०में बुखाराके दूत दो बार जारके दरबारमें जा चुके थे, उसीके जवाबमें यह रूसी दूतमंडल आया था। दूतमंडलके साथ कुछ कसाक सैनिक भी थे। कई सौ ऊंटोंपर रसद और सामान ले दूतमंडलने १०० अक्तूबर १८२० ई० को ओरेनबुर्ग छोड़ा। दश्त-कजाक (दश्ते किप्चक) पार हो अगतमामें पहुंचा। बुखाराकी सीमापर उसका बड़ा स्वागत हुआ। बस्तियोंमें उन्होंने बुखारियोंके बीचमें सफेद पगड़ीवाले रूसी गुलामोंको भी अपनी आंखों देखा। दूतमंडल २० दिसम्बरको बुखारा नगरमें दाखिल हुआ। वह अमीरकी भेंटके लिये अपने साथ समूरी छाल, चीनी बर्तन, बढ़िया कांचके बर्तन, घड़ियां और बन्दूकें लाये थे। शहरके एक दरवाजेसे सैनिक ढंगसे दाखिल हो महलके पास पहुंच रूसी घोड़ोंसे उतर पड़े। वहां करीब चार सौ सैनिक बन्दूक लिये दो पांतियोंमें खड़े थे, जिनके बीचसे

दूतमंडल आगे बढ़ा। एक महलके आंगनमें तीन-चार सौ सफेद पगड़ीवाले बुखारी स्वागतके लिये खड़े थे। अन्तमें वह दरबार-हाल में पहुंचे। खान वहां एक सुनहली किनारेवाली लाल गद्दीपर बैठा था। उसकी बाईं ओर उसके दो पुत्र थे, जिनमें बड़ा पंद्रह सालका था, दाहिनी ओर कुशबेगी (प्रधानसेनापति) था। रूसियोंने अपना प्रमाणपत्र पेश किया। इसके बाद अमीरने कसाक सैनिकोंको देखना चाहा। जब कसाक हालमें लाये गये, तो अमीर हैदर बच्चोंकी तरह खिलखिलाकर हंसा।

बुखारामें यहूदी काफी संख्यामें रहते थे, लेकिन वह सिर्फ तीन महल्लोंमें ही बस सकते थे। अधिकतर उनमें दस्तकार, रंगरेज और कुछ रेशमके व्यापारी थे। उनसे जजियाके रूपमें प्रतिवर्ष अस्सी हजार रूबल वसूल किया जाता। नगरके भीतर कोई यहूदी न घोड़ेपर चढ़कर निकल सकता था, न रेशमी पोशाक पहन सकता था। अपना परिचय देनेके लिये एक खास तरहकी चौड़ी टोपी काले मेमनेके चमड़ेकी पट्टी लगाकर उन्हें पहिननी पड़ती। वह अपने लिये नया मंदिर नहीं बनवा सकते थे। बुखारा और रूसका व्यापार पुराने जमानेसे चला आता था। पहले इसके लिये एक बहुत भारी मेला मकरियेफमें लगता था, जिसे १८१८ ई०में निज्नीनवोगोरद (आधुनिक गोर्की) में बदल दिया गया। ओरेनबुर्ग और त्रोइत्स्कमें बुखारी व्यापारके लिये जाते, जिन्हें रास्तेमें कजाक अक्सर लूट लिया करते थे। रूसियोंने अपनी यात्राका जो वर्णन लिख छोड़ा है, उससे मालूम होता है, कि वहां चारों तरफ लूट-खसूटका बाजार गर्म था, और कोई अपनी सम्पत्तिका दिखावा करनेसे डरता था। शौकीनी और विलासिताके जीवनका भी आकर्षण काफी था, यद्यपि बाहरसे अपनेको बड़ा सदाचारी दिखलाया जाता। खान अपने निजी जीवनमें किसी तरहकी पाबन्दी नहीं रखता था। उसको डर था, कि कहीं कोई विष न दे दें, इसलिये उसके खानेको पहले बावर्ची चखता, फिर कुशबेगी भी चखकर उसे ढांककर अपनी मुहर लगा देता। शहर छोड़ते समय वह पुत्रको भी छोड़ जाता। रूसियोंके कथनानुसार हैदरके हरममें दो प्रकारकी स्त्रियां थीं, जिनमें चार ब्याही थीं--हिसारी, समरकन्दखोजाकी पुत्री, अफगानके शाहजमाकी पुत्री··।

हैदरका पुत्र नसरुल्ला करशीमें रहता था। १८२६ ई० में वह बेटेके पास गया, जहांसे लौटते समय बीमार हो बुखारामें पहुंच ६ अक्तूबर १८२६ ई० को मर गया।

इन दो पीढ़ियोंमें लाठीके जोरसे लोगोंको जो सदाचारी बनानेका प्रयत्न किया गया था, उसका परिणाम अब अप्राकृतिक व्यभिचारके रूपमें बहुत बुरी तौरसे फैला। शराब और तम्बाकू वर्जित कर दिये गये थे, लेकिन उनका स्थान अब अफीम और भंगने ले लिया था।

५ हुसेन, हैदर-पुत्र (१८२६ ई०)

पिताके मरनेपर हुसेन बुखारामें था, इसलिये वह झट गद्दीपर बैठ गया, लेकिन तीन मास बाद ही वह मर गया। फिर उसके भाई मीर उमरने गद्दी संभाली।

६. उमर, हैदर-पुत्र (१८२६ ई०)

मीर उमरने गद्दी संभाली, लेकिन नसरुल्ला ताकमें था। उसने २४ अप्रैल १८२७ ई० को आकर बुखारा ले लिया।

७. नसरुल्ला, हैदर-पुत्र (१८२६-६० ई०)

अपने शासनके आरम्भिक कालमें नसरुल्ला नेक और न्यायप्रिय था। उसे "अमीरुल् मोमिनीन" (मुसलमानोंका अमीर), "हजरत" और "इस्लामके खलीफा (तुर्कीके सुल्तान) का धनुर्धर" कहा जाता। लेकिन पांच-छ वर्षसे अधिक वह इस जीवनको नहीं बिता सका। इसी समय १८३२ ई०के आस पास तब्रेजमें पैदा हुआ अब्दुसमद खां नामक ईरानी बुखारा दरबारमें पहुंचा। उसने जेनरल कोर्ट (एक अंग्रेज अफसर) के नीचे रहकर कुछ पश्चिमी सैनिक-विद्या सीखी थी। मुहम्मदअली

मिर्जाने उसे कुछ समय किरमानशाहका हाकिम बनाया था, जहां किसी कसूरमें उसके कान काटे गये। फिर भारत और पेशावरमें कितने ही समय रहकर वह काबुलके अमीर दोस्त मुहम्मद खांकी सेवामें रहा। तब अंग्रेजोंके प्रति भारी घृणा लेकर वह बुखारा पहुंचा। कुशबेगी हाकिमबेग अब्दुस्समदसे बहुत प्रसन्न हुआ, और उसे अपना नायब बना सेनाको फिरसे संगठित करनेके काममें लगा दिया। अब्दुस्समद बुखारामें अंग्रेजोंकी कोई बात चलने नहीं देता था।

उबेज्क कहावतके अनुसार "राजा उस युगका दर्पण होता है" मान लिया जाय, तो नसरुल्लाके रूपमें बुखारा दुराचार और अत्याचारमें अपनी पराकाष्ठामें पहुंचा था। नसरुल्ला हैदरका पुत्र था, लेकिन अपनी कुटिल नीतिमें अपने दूसरे भाइयोंसे कहीं आगे बढ़ा हुआ था। कुशबेगी (सेनापति) हाकिम बी और ससुर आयाज तोपची बाशी (तोपखानाका जेनरल अयाज) उसके पक्षमें थे। जब हैदरके मरनेपर बड़ा भाई हुसेनखां गद्दीपर बैठा, तो नसरुल्लाने अपनी बड़ी गर्मा-गर्म वफादारी दिखलाई, लेकिन साथ ही करशीसे वह आगेके लिये तैयारी भी करता रहा, जिसमें उसका प्रधान-सहायक मीर अमीन बेग दादखा था। तीन ही महीनेके शासनके बाद भाई मर गया—कहा जाता है कुशबेगीन उसे जहर दे दिया। करशीके प्रधान काजीने नसरुल्लाके पक्षमें अपना फैसला दे समरकन्दके काजीको भी वैसा ही करनेके लिये कहा, लेकिन इसी बीच दूसरे भाई उमरखांने बुखारापर अधिकारकर समरकंद को किसी हालतमें भी न देनेके लिये हुक्म दिया। लेकिन नसरुल्लाके आनेपर दरवाजा खोल दिया गया, क्योंकि समरकन्दके मुल्ला उसके पक्षमें थे। कोकताश (नील-पाषाण) के ऊपर तेमूरके जमानेसे ही गद्दी देनेकी रसम पूरी की जाती थी। वहीं नसरुल्लाके सिरपर ताज रक्खा गया। कत्ताकुर्गानि, करमीना आदि नगरोंने उसका शासन स्वीकार किया, फिर बुखाराको उसने घेर लिया। घेरावेके कारण लोगोंकी हालत बुरी हो गई। आध सेर मांस चांदीके सात तंकेमें बिकने लगा। बाहरसे कोई खानेकी चीज आने नहीं पाती थी। उन्हें लोग लाशोंके साथ जनाजेमें छिपाकर लाते। नहरके पानीमें भी असह्य सड़ांद आने लगी थी। भीतरसे कुशबेगी और ससुर अयाज नसरुल्लाके पक्षमें थे ही। उनको बहाना मिल गया। बड़ी तोपको दागकर फोड़ दिया गया था। नसरुल्लाने २२ मार्च १८२६ ई०को दो तरफसे शहरपर आक्रमण कर दिया। चारों ओर विश्वासघात देखकर उमर जान लेकर भाग गया, लेकिन उसके तीन भाइयों और बहुत-से अनुयायियोंको पकड़कर नसरुल्लाने मरवा डाला। अपनेको काफी मजबूत कर लेनेपर अपने सहायक कुशबेगीको पहले करशी और फिर समरकन्दमें निर्वासित कर दिया। अपने ससुर तोपची बाशीको बुलाकर सुन्दर घोड़ेपर सवार कर समरकन्दका हाकिम बनाकर भेजा, लेकिन तुरन्त ही बुखारा लौटनेका हुक्म देकर उसे जेलमें कुशबेगीके साथ बन्द कर दिया। फिर जिनके विश्वासघातके बलपर उसे गद्दी मिली थी, उन दोनोंको उसने १८४० ई०में कत्ल करवा दिया। सैनिक अफसरोंमेंसे भी उसने चुन-चुनकर बिना मुकदमा किये कितनोंको मरवाया और कितनोंको निर्वासित कर दिया। अन्तमें मुल्लोंके ऊपर पड़ा और उन्हें हर तरहसे दबाकर शरीयतकी जगह अपने हुक्मको सर्वोपरि बनाया।

कुशबेगी तोपची बाशीको १८४० ई०के वसंतमें मरवानेके बाद अब नसरुल्लाके सामने कोई बाधा देनेवाला नहीं रह गया। तुर्कमान रहीमवर्दी माजूमको हथियार बनाकर वह अपना काम लेता था। किसी समकालीन लेखकने उसके शासनके बारेमें लिखा है—"नमाज पढ़नेके लिये लोगोंको डंडोंसे पीटा जाता, सिपाही जबह किये जाते या जान बचाकर भागनेके लिये मजबूर होते।"

लेकिन कुशबेगी और तोपची बाशीके मरनेसे पहले ही १८३९ ई०में माजूम तुर्कमानका समय बीत चुका था। अब सभी पदोंको अमीरने अपने हाथमें रखना चाहा। वजीरके लिये कोई चाहिये, तो वह अपने प्रिय छोकरोंमेंसे किसीको तीन-चार सालके लिये बैठा देता, उसके बाद फिर किसी दूसरेको लाता—हटाते वक्त उनके सारे धनको छीन लेता।

ऐसे अत्याचारी, क्रूर और पतित आदमीको सब जगहसे भय होना जरूरी था। इसके लिये उसने नगर, बाजारों, मदरसों, मस्जिदों, हम्मामोंको अपने गुप्तचरोंसे भर रक्खा था।

पिशागरमें किलेको न ढानेसे नाराज होकर वह खोजन्दके खान बेगलर बेकके विरुद्ध

चढ़ा। तीन सौ सरबाजों और नायब समदकी ढाली कुछ तोपोंके साथ जा अगस्त १८४० ई० में खोकन्दियोंको हराया। १८४१ ई०की शरद्‌में खोकन्दियोंकी लूट-मारका बदला लेनेके लिये वह फिर हजार सरबाजों (सिपाहियों), ग्यारह तोपों और दो मारतोलोंके साथ गया। २१ सितम्बर को याम, और २७ को जमीनपर अधिकारकर वह उरातिप्पाको लूटते ८ अक्तूबरको खोजन्द नगरमें दाखिल हुआ। खोकन्दके खानने मजबूर होकर सुलह की और भारी हर्जानेके साथ खोजन्द तकका प्रदेश नसरुल्लाको देकर नसरुल्लासे सुलह की, साथ ही अधीनता स्वीकार करते उसके नामका खुतबा और सिक्का चलाया। नसरुल्ला खोकन्दके खानके भाई तथा प्रतिद्वंद्वी सुल्तान महमूदको खोजन्दका हाकिम बनाकर बुखारा लौट गया। लेकिन उसके लौटते ही सुल्तान महमूदने अपने भाईसे मेल कर लिया। जब इसकी खबर नसरुल्लाको लगी, तो वह फिर दंड देनेके लिये आया, और २ अप्रैल १८४२ ई०को खोजन्दको हाथमें करके राजधानी खोकन्दको भी आसानीसे सर कर लिया। खोकन्दी खान मदली दस दिन बाद मर्गिलानमें पकड़ा गया, और अपनी खास मांके साथ व्यभिचार करनेका अपराध लगाकर उसे, उसके भाई, स्त्री तथा दो पुत्रोंके साथ मरवा डाला गया——मदलीकी गर्भिणी स्त्रीके भी प्राणोंको नहीं छोड़ा गया।

अंग्रेजोंकी चालें——१७ वीं सदीमें पीतर I के समयसे ही रूसने बुखाराके साथ अपना संबंध स्थापित किया था, और तबसे जब-तब दूतमंडल आते-जाते रहे। १८३४ ई०में डाक्टर देमेसोन मुल्ला बनकर बुखारा गया। १८३५ ई०में वित्कोविच कजाकका भेष बनाकर पहुंचा। १८ वीं सदीमें ही पहला अंग्रेज कप्तान बार्निस बुखारा गया। ओरेनबुर्ग बुखारी व्यापारियोंके लिये एक महत्त्वपूर्ण व्यापारिक नगर था, जिसके जरिये १९ वीं सदीके पूर्वार्धसे रूस और बुखारामें व्यापार होने लगा था। उस समय खीवावालोंसे रूसका संबंध जितना बिगड़ा हुआ था, उतना बुखारियोंसे नहीं। १८३४ ई०में ओरेनबुर्गके राज्यपालने अमीर नसरुल्लाके पास पत्र लिखकर शिकायत की, कि खीवावाले रूसियोंके साथ बुरा बर्ताव करते हैं, और उन्होंने कितने ही रूसियोंको दास बना रक्खा है, खीवावाले रूसी प्रजा कजाकोंपर लूटमार करते हैं, इसीलिये जारने हुक्म दिया है, कि जबतक खीवावाले रूसी प्रजाको नहीं छोड़ते, तबतक खीवाके व्यापारियोंको रोक रक्खा जाय। १८३६ ई०में ही कुर्बान बेक अशुरबेक अमीर-बुखाराका वकील बनकर ओर्स्क होते पीतरबुर्ग पहुंचा।

बुखारामें अपनी कार्रवाई शुरू करनेसे पहले कितने ही सालोंसे ईरानी दरबारमें अंग्रेज और रूसी अपने दांव-पेंच चला रहे थे। अंग्रेजी राजदूतने बुखारासे संबंध पैदा करनेके लिये १८३८ ई०में कर्नल स्टोडर्टको भेजा। इसी समय बुखाराके दूतमंडलने बीस आदमियोंके साथ एक हाथी, कश्मीरी शाल और कुछ रूसी बन्दियोंको छुड़ाकर साथ लिये ओर्स्क होते हुये पीतरबुर्ग पहुंच जारके दरबारमें कहा——"मेरे स्वामी रूसियोंके साथ मित्रतापूर्ण संबंध स्थापित करना चाहते हैं। अंग्रेजोंने बुखारामें अपने एजेंट भेजकर व्यापार करनेकी कोशिश की है। रनजीतसिंहके खतरेसे परेशान हो काबुलके अमीरने भी हमारे मालिकसे संधि करनेका प्रस्ताव किया है।"

इस प्रकार उसने जारकी मित्रता और सदिच्छा प्राप्त करनेकी कोशिश करते हुये सोना तथा दूसरे मूल्यवान् धातुओंका पता लगानेके लिये अपने यहां एक इंजीनियर अफसरको भेजनेके लिये प्रार्थना की। बुखाराके राजदूतको लौटते वक्त जारकी ओरसे बहुत-सी भेंट मिली। अप्रैल १८३९ ई०में अमीरके बुलावेके अनुसार धातु-इंजीनियर कप्तान कोवालेव्स्की और कप्तान हेर्नगियोस, एक दुभाषिया, एक मुख्य खनक, चार कसाक सैनिकों तथा कुछ और आदमियोंके साथ बुखाराकी ओर रवाना हुये। उनको यह भी भार दिया गया था, कि अमीरसे बुखारामें एक रूसी कौंसल रखनेके लिये बातचीत करे। यद्यपि अभी पंजाबपर रणजीतसिंहका अधिकार था, लेकिन सिंध अंग्रेजोंके हाथमें था, जहांसे वह काबुलमें अपने प्रभावको बढ़ानेकी कोशिश कर रहे थे। रूस भी वहां अपने प्रभावको बढ़ाना चाहता था। इस प्रकार अफगानिस्तानमें दोनों साम्राज्योंकी जोरकी प्रतिद्वंद्विता चल रही थी। दिसम्बर १८३७ ई० में वित्कोविच काबुल पहुंचा। अंग्रेजोंके मनमें संदेह बैठ गया, कि अमीर दोस्त मुहम्मदको रूसियोंने अपनी ओर मिला लिया है। अंग्रेजोंने दोस्त मुहम्मदके विरुद्ध उसके प्रतिद्वंद्वी शाह शुजाकी पीठ ठोंकी, और रणजीतसिंहको भी

काबुल तक चढ़ दौड़नेके लिये उभाड़ा। इतनेसे भी संतुष्ट न हो काबुलसे रूसियोंके प्रभावको बिल्कुल खतम करनेके लिये १८३९ ई०के वसंतमें अंग्रेजी सेना अफगानिस्तानकी सीमामें दाखिल हुई, और ७ अगस्तको काबुलमें पहुंचकर शाह शुजाको गद्दीपर बैठानेमें सफल हुई। दोस्त मुहम्मद अपने परिवार तथा तीन सौ पचास परिचारकोंके साथ भागकर बुखारामें नसरुल्लाके पास चला गया। नसरुल्लाने पहले उसका बड़ा स्वागत किया, लेकिन जब उस पतितने दोस्त मुहम्मदके सुन्दर पुत्र सुल्तान जानको अपनी कामुकताका शिकार बनाया, तो मनमुटाव हो गया। अब नसरुल्ला अंग्रेजोंसे मेल करना चाहता था, और शाह शुजासे भी मिलकर उसके भाई तथा अपने मेहमान दोस्त मुहम्मदको खतम करना चाहता था। इसपर दोस्त मुहम्मदकी ओरसे ईरानके शाहने धमकी दी, जिसके डरके मारे नसरुल्लाने दोस्त मुहम्मदको मक्का जानेकी इजाजत दे दी, साथ ही चुपके-चुपके मल्लाहोंको भी हुक्म दे दिया, कि वक्षुमें नावको डुबा देना। इसकी खबर पहले ही लग गई, इसलिये स्त्री-भेसमें दोस्त मुहम्मद पहले शहरसब्ज फिर खुल्म और अन्तमें काबुल लौट गया।

कर्नल स्टोडर्ट हिरातके हाकिमके परिचय-पत्रके साथ रमजानके आरम्भ होनेसे दो दिन पहले बुखारा पहुंचा। अफगानोंसे अच्छा संबंध न होनेके कारण पत्रने संदेहको और बढ़ानेका काम किया। कर्नलको पैदल जाकर रेगिस्तान नामक मैदानमें अमीरसे भेंट करनेके लिये कहा गया, लेकिन उसने घोड़ेपर चढ़कर जानेकी जिद्द की। बुखारामें मुसलमान छोड़कर कोई घोड़ेपर चढ़कर निकल नहीं सकता था, फिर इस ईसाईको कैसे वैसे करने दिया जाता? और रेगिस्तानके मैदानमें तो सिर्फ अमीर ही घोड़ेकी सवारी कर सकता था। कर्नल घोड़ेपर चढ़कर वहां पहुंचा और अमीरके आनेपर भी उसने घोड़ेपर चढ़े ही सैनिक सलाम दिया। अमीरने इसे अपना अपमान समझा। उसे महलमें बुलाया गया। प्रतिहारने "अर्ज बंदेगान" (सेवकोंका निवेदन) जब कहा, तो कर्नलने इसका भी विरोध करते कहा: "परमभट्टारक" सिर्फ भगवान्‌के लिये कहा जाता है। "आपका अत्यन्त नम्र सेवक" कहनेपर भी उसने आपत्ति की। दरबारी प्रथाके अनुसार दो आदमियोंको बगलमें सहारा देकर चलनेसे भी इन्कार कर दिया। जब हथियारकी पड़ताल करनेकी रसम अदा करने के लिये दरबारी अफसर आये, तो उन्हें भी कर्नलने मुक्का मारकर गिरा दिया। चुपचाप अर्ज करनेकी जगह स्टोडर्टने बड़े ऊंचे स्वरसे फारसी भाषामें भगवान्‌के लिये प्रार्थना करनी शुरू की। अमीर उस समय अपने तख्तपर बैठा इस ढीठ विदेशीके प्रति अपार घृणासे जलता-भुनता दाढ़ीपर हाथ फेर रहा था। अमीरने प्रमाणपत्र मांगा, तो उसने अंग्रेज राजदूत जान मेकनेलका पत्र दिया, जिसमें रूसियोंके भीतर न आने देनेपर ईस्ट इंडिया कंपनीकी ओरसे सहायतार्थ धन देनेका वचन दिया गया था। अमीरने उत्तरमें कहा—"बहुत खूब, मैं जानता हूं, तुम लोग मुझे अपना गुलाम बनाना चाहते हो। बहुत अच्छा, मैं तुम्हारी खिदमत करूंगा;" और उठकर चला गया

इसके दो दिन बाद कर्नलको वजीरके घरमें बुलवा कुछ आदमियोंने पकड़कर उसके हाथ-पैर बांध दिये, फिर वजीरने उसकी गर्दनपर तलवार रखकर कहा—"अभागे भेदिया, काफिर कुत्ते, तू अपने अंग्रेज-स्वामियोंकी ओरसे आकर बुखाराको भी उसी तरह खरीदना चाहता है, जैसे कि काबुलको खरीदा? लेकिन यहां तुम सफल नहीं हो सकते। मैं तुझे मार डालूंगा।" इसके बाद वजीरके आदमी अमीरके समूरी चोगेके साथ लाशकी तरह स्टोडर्टको लिये शहरकी सुनसान सड़कोंमेंसे गुजरे, और उन्होंने एक अंधेरे घरमें उसे ले जाकर बन्द कर दिया। नौकर साथमें रोशनी लिये थे। उनकी आंखें भर खुली थीं। "यदि ऐसा ही करना था, तो मुझे बुखारा न आने देना चाहिये था, अब मुझे जाने दो" —कर्नलने मीरशब (कोतवाल) से जब यह कहा, तो उसने इतना ही जवाब दिया, कि मैं अमीरसे कहूंगा। कर्नलके सारे कागजोंको लेकर उसके सामने जला दिया गया। उसके घोड़ेको भी बेंच दिया गया। इसके बाद उसे स्याहचाह (अंधकूप) नामक एक उन्नीस फुट गहरे गंदे गड्ढेमें रस्सीके सहारे डाल दिया गया। इसी कुएंमें दो चोर और एक हत्यारा भी बन्द थे। कुएंमें छिपकलियां, खटमल, पिस्सू भरे हुये थे। उसमें स्टोअर्ट दो महीने रहा। खानेके लिये रस्सीसे रोटियां लटका दी जाती थीं। इसके बाद उसे निकालकर कहा गया, कि अगर जान

बचाना चाहता है, तो मुसलमान हो जा। अक्खड़ कर्नलने अपने सारे गर्व और अभिमानको ताकपर रखकर भारी भीड़के सामने कलमा पढ़ा और एक चौरस्तेपर ले जाकर उसका खतना किया गया।

रूसियोंने कर्नलको मुक्त करानेकी बड़ी कोशिश की। अफगानिस्तानमें जब अंग्रेजोंकी सफलता हुई, तो कर्नलने हिम्मत करके इस्लामको छोड़ दिया, और अमीरसे भी कहा, कि तुम्हें अपनी भलाईके लिये मुझे अपने पास रखना चाहिये, जैसा कि रणजीतसिंहने कितने ही अंग्रेजोंको अपने पास रक्खा है। अमीरकी ओरसे कर्नलको कहा गया, कि रूसी दूतमंडलके साथ तुम पीतरबुर्ग चले जाओ, लेकिन उस बेवकूफने जानेसे इन्कार करते हुए कहा कि हमारी सरकारका हुक्म है, कि मैं बुखारासे न जाऊं। इससे संदेह और बढ़ गया। इसी समय कर्नलने कुछ पत्र लिखकर खुरासानियों, कुर्दों, ईरानियों और यहूदियोंके हाथ भेजे। इसके बाद फिर उसे बन्दीखानेमें बन्द कर दिया गया। तुर्कीके सुल्तान, खीवाके खान और जारने भी उसे छोड़नेके लिये अमीरको बहुत लिखा। एक अंग्रेज लेखकने कर्नल स्टोडर्टके बारेमें लिखा है—"वह अपनी शिक्षा और स्वभावसे किसी भी दौत्यकार्यके लिये बिल्कुल अयोग्य था। उसके रूखे और ढिठाई भरे हुये व्यवहारने अमीरको बहुत ही अपमानित और कुपित कर दिया।" स्टोडर्टको दुबारा जेलमें बन्द करके उसे बहुत-बहुत यातनायें दी जाने लगीं। १८४० ई०में कप्तान आर्थर कोनोली खीवा और खोकन्द होते बुखारा पहुंचा। उसने बुखाराके अमीरको रूसके विरुद्ध हो अंग्रेजोंके साथ मैत्री करनेके लिये उभाड़ा। नसरुल्लाने कोनोलीको भी पकड़कर उसकी सारी सम्पत्ति जब्त कर ली, और बन्दी बना स्टोडर्टके पास भेज दिया। इसी बीचमें नसरुल्लाको अपनी ओर करनेके लिये १८५० ई०में रूसने मेजर बतानियेफको व्यापार-मैत्री संधिके लिये भेजा। इससे पहले १८२० ई० में प्रथम रूसी दूत रेगनी गया था, और अंग्रेज बार्नेसके जवाबमें १८३४ ई०में बित्कोविच पहुंचा था। मेजर बतानियेफ का अमीरकी ओरसे बड़ा गर्मागर्म स्वागत हुआ। जारने बहुमूल्य भेंट भेजी थी, उसने भी प्रभाव डाला, लेकिन संधिकी बात करनेपर अमीरने टाल-मटोल कर दिया। इस प्रकार १८४१ ई०में बतानियेफको खाली हाथ लौटना पड़ा।

प्रथम अफगान-युद्धके समय जनवरी १८४२ ई०में १६५०० अंग्रेजी सेना काबुल पहुंची थी, जिनमें अधिकांश हिन्दुस्तानी थे। लेकिन काबुलमें अफगानोंने उन्हें घेरकर खतम कर दिया और सिर्फ उनका एक आदमी किसी तरह जान बचाकर खबर देनेके लिये जलालाबाद पहुंच सका। अंग्रेजोंकी इस जबरदस्त हारसे नसरुल्लाकी हिम्मत बढ़ी। उसके हुक्मसे १७ जून १८४२ ई०को स्टोडर्ट और कोनोलीको कैदखानेसे निकालकर बाहर लाया गया। स्टोडर्ट प्राण बचानेके लिये मुसलमान बन चुका था, लेकिन उसकी गर्दन पहले काटी गई, फिर कोनोलीको मुसलमान बन प्राण बचानेके लिये कहा गया, लेकिन उसने इन्कार कर दिया और उसे भी मार डाला गया। इसके बाद सात और अंग्रेज कत्ल किये गये, लेकिन इनका बदला अंग्रेज कभी न ले सके।

१८४४ ई० में दोनों अंग्रेज बन्दियोंका हाल जाननेके लिये डाक्टर वोल्फ बड़ी कोशिशके बाद बुखारा गया। तब तक दोनों अंग्रेज मारे जा चुके थे। वोल्फको भी लौटनेमें बड़ी मुश्किलका सामना करना पड़ा। उसने एक चिट्ठीमें लिखा था—"बदनाम नायब अब्दुस्समद खांके बगीचेमें उसके लुटेरे डाकुओंसे घिरा तथा मजबूर होकर छ हजार तिला देनेके लिये आपको यह नोट लिख रहा हूं।"

पामीरसे लगे हुये पहाड़ोंमें केश (शहरसब्ज) का एक छोटा-सा राज्य बहुत दिनोंसे अपनी स्वतंत्रताको कायम रक्खे हुये था—यह वही शहरसब्ज था, जहां तेमूर लंग पैदा हुआ। जब कभी भी बुखारावाले शहरसब्जपर आक्रमण करते, तो वहांवाले बहादुरीसे लड़ते साथ-साथ बंधोंको तोड़कर आसपासकी भूमिको जलमग्न कर देते। बुखाराके पड़ोसी राज्य खोकन्दका शासक बाबरकी बेटीकी संतानोंमेंसे था। खोकन्दी खान मदलीको नसरुल्लाने किस तरह मरवाया, इसके बारेमें हम अभी कह चुके हैं। नसरुल्लाका सबसे बड़ा सलाहकार अब्दुस्समद था।

नसरुल्लाका संबंध खीवासे भी बहुत बुरा था। जब रूसी जेनरल पेरोव्स्कीने खीवापर अभियान किया, तो नसरुल्लाने भी उसपर हमला बोल दिया। अपने राज्यकी सीमाको बढ़ानेके लिये

नसरुल्लाने बहुत हाथ-पैर मारे, लेकिन बलख, अन्दखूय और मेमनाकी छोटी-छोटी रियासतों-पर कितनी ही बार आक्रमण करनेके बाद वह सफल हुआ और मरते वक्त ही १८२६ ई०में उसे खबर मिली, कि शहरसब्जपर बुखारियोंका अधिकार हो गया। उसने उसी समय वहांके अमीर तथा अपने सालेको स्त्री-बच्चों सहित अपने सामने कत्ल कर देनेको हुक्म दिया।

नसरुल्ला इन्सानियतसे गिरा हुआ निरा पशु था, तो भी उसकी धाक बुखारामें इतनी थी, कि जब वह अपने महलसे निकलता, तो पासमें कोई शरीर-रक्षक नहीं होता। बाजारोंमें हफ्तेमें दो-तीन बार दर्वेशका कपड़ा पहने, केवल एक नौकरके साथ उसे घूमते देखा जा सकता था। उसने बनियोंको कह रक्खा था, कि ऐसे समय कोई उसके लिये सम्मान प्रदर्शित न करे, और उसे एक साधारण आदमी-सा जाने। इसीलिये कोई उसके लिये रास्तेसे हटता भी नहीं था। वह एक दूकानसे दूसरी दूकानमें जा अनाज या दूसरे सौदेके भावके बारेमें पूछता और जहां-तहां कोई चीज भी खरीदता।

८. सैयद मुजफ्फरुद्दीन, नसरुल्ला-पुत्र (१८६० ई०)

मुजफ्फरुद्दीनकी जवानी करशीमें बीती थी। अपने बापसे वह अधिकतर अलग ही रहा। वह एक ईरानी दासीका पुत्र था। उसे चौदह सालकी उमरमें ही नसरुल्लाने करशीका हाकिम और अपना युवराज बना दिया। अड़तीस सालकी उमरमें मुजफ्फर अमीर हुआ। बापके सारे दुर्गुण इसमें भी मौजूद थे। उसने पहले मुल्लोंको हाथमें करनेका प्रयत्न किया।

नसरुल्लाके मरते समय यद्यपि शहरसब्ज सर हो गया था, लेकिन इस दुर्गम पहाड़ी इलाकेके लोग अब भी बगावत किये हुये थे, इसलिये मुजफ्फरका ध्यान उधर जाना जरूरी था। उसके बाद उसने खोकन्दपर चढ़ाई की, जहांका खान इस समय मदलीका पौत्र खुदायार था, और जिसकी सारी शिक्षा-दीक्षा नसरुल्लाके दरबारमें हुई थी। रूसने १८५३ ई०में अकमस्जिद (सफेद मस्जिद) पर, तथा ग्यारह साल बाद तुर्किस्तान और चिमकन्दपर भी अधिकार कर लिया। १८६४ ई०में ताशकन्दमें असफल होनेपर उसका बढ़ाव रुका। खुदायारने चाहा, कि तुर्किस्तान शहरको भी लौटा ले, लेकिन उसमें विफल होकर उसे राजधानी लौटना पड़ा। किपचकोंने वहां उसके छोटे भाई मुल्लाखांको गद्दीपर बैठा दिया था, इसपर अमीर खुदायार मदद लेने मुजफ्फरके पास आया। मुल्लाको कत्ल करवा मुजफ्फरने खोकन्दमें जा खुदायारको स्वयं तख्तपर बिठाया। किपचक (उज्बेक) अब भी फरगानामें विरोध करते रहे, और उन्होंने खुदायारके आधे राज्यको छीन भी लिया; लेकिन, रूसियोंने इसी समय उनके नेताको ताशकन्दमें मार डाला, जिसके कारण मुजफ्फरको १८६५ ई०में अपने आक्रमणके वक्त बहुत सुभीता हुआ। चेर्नियेफ ताशकन्दको ले चुका था, खोकन्द भी उसकी दयापर था। मुजफ्फर जहादके नामपर सारे मध्य-एसियाको शत्रु बनाकर एक करना चाहता था। खोकन्द, बुखारा और खीवाको राजनीतिक तौरसे एकताबद्ध करनेका यह अच्छा मौका था, क्योंकि तीनों ही राज्य अपनेको रूसी राहुके मुखमें देख रहे थे। मुजफ्फर समझता था, कि धर्मान्ध मुल्ला मध्य-एसियाकी सबसे बड़ी शक्ति हैं। वह रूसके सबसे जबर्दस्त शत्रु भी थे, इसलिये मुजफ्फरने उनके ही हाथोंमें खेलना पसंद किया। तीनों राज्योंके शहरों और बाजारोंमें जहादका धुआंधार प्रचार हो रहा था। इससे मुजफ्फरको एक भारी सेना तैयार करने में देर न हुई। उसके बलपर मुजफ्फरने अभियान करके समरकन्दसे उत्तर-पूर्व तथा रूसी तुर्किस्तानकी राजधानी ताशकन्दसे सिर्फ सौ मीलपर अवस्थित खोजन्द (आधुनिक लेनिनाबाद) को दखल कर जेनरल चेर्नेयेफको ताशकन्द खाली करनेके लिये अल्टीमेटम दे दिया।

रूससे युद्ध—चेर्नेयेफ चौदह पैदल कंपनी, छ कसाक स्क्वाड्रन और सोलह तोपोंके साथ समरकन्दसे साठ मीलपर अवस्थित जीजकके किलेपर चढ़ आया। प्रतिरोध जबर्दस्त हुआ और रसदकी भी कमी थी, इसलिये उसे लौटनेके लिये मजबूर होना पड़ा। इस सफलतासे प्रोत्साहित हो चालीस हजार सेना ले मुजफ्फर ताशकन्दपर चढ़ा। चेर्नेयेफने रूसी सरकारके हुक्मके बिना ही ताशकन्दको

ले लिया था, इसलिये उसे हटा युद्ध बन्द करनेका हुक्म देकर जेनरल रोमानोव्स्कीको भेजा गया, लेकिन सैनिक परिस्थितिने उसे भी सरकारी हुक्मके विरुद्ध जानेके लिये मजबूर किया। ताशकन्दसे सिर्फ तीनी मंजिलपर बुखारी सेना रह गई थी, और सत्तर हजार आबादीका नगर रूसियोंको फूटी आंखों भी नहीं देखना चाहता था। रोमानोव्स्की चौदह पैदल कंपनी, पांच कसाक स्क्वाड्रेन और बीस तोपोंके साथ सिर नदीके बांये तटसे होते आगे बढ़ा। जैसा कि पहले बतला चुके हैं, जीजक और खोजन्दके बीच इर्जइमें २० मई १८६६ ई०को मध्य-एसियाकी पलासीकी लड़ाई हुई, और ३६०० रूसियोंने बुखारियोंकी पांच हजार पैदल, ३५०० सवार और दो तोपोंवाली सेनाको बुरी तरहसे हराया। हारी हुई सेना अस्त-व्यस्त होकर भगी। आठ दिनके मुहासिरेके बाद ६ जूनको खोजन्द भी रूसियोंके हाथमें चला गया। रूसी अल्टीमेटमकी पर्वाह न करके मुजफ्फरने युद्धकी तैयारी जारी रक्खी, जिससे रूसियोंको फिर आगे बढ़नेके लिये मजबूर होना पड़ा। अक्तूबर तक वह उरातिप्पा और जीजक ले जरफ्शां-उपत्यकाके ऊपरी भागके स्वामी बन गये। १८६७ ई०के वसंतमें यानीकुर्गानपर भी रूसियोंका अधिकार हो गया, जिसे लौटानेके लिये ४५ हजार बुखारी सेनाने दो बार कोशिश की। इस प्रकार १८६७ ई० के मध्य तक सिर और जरफ्शांकी उपत्यकायें जारके साम्राज्यमें चली गईं। ओरेनबुर्ग शासन-केंद्र बहुत दूर पड़ता था, इसलिये २३(११) जुलाई १८६७ ई०के उकाजे (राजादेश) के अनुसार तुर्किस्तानका एक अलग प्रदेश बना दिया गया, और ताशकन्दको तुर्किस्तानके महाराज्यपालकी राजधानी बननेका सौभाग्य प्राप्त हुआ। तुर्किस्तान-सूबा (गुबर्निया)में सिर-दरिया, सप्तनद (सेमीरेचिन्स्क अर्थात् इस्सिकुल और बल्काशकी द्रोणियां) तथा जरफ्शांके इलाके थे। जेनरल काफमान प्रथम महाराज्यपाल नियुक्त हुआ। बुखारा अब भी जब-तब रूसी सीमांत-चौकियोंसे छेड़छाड़ करता था। काफमानने मुजफ्फरके सामने सुलहके लिये निम्न शर्त्तें पेश कीं—मौजूदा सीमांतको स्वीकार किया जाय, व्यापारमें रूसी और बुखारी प्रजाके समान अधिकार हों, युद्धके हरजानास्वरूप सवा लाख तिला (पांच लाख रूबल या तिरपन हजार गिन्नी) रूसको मिले। मुजफ्फरने इसके जवाबमें खीवाकी ओरसे अपनी सेनाको बुलाकर जीजकपर आक्रमण करनेके लिये तैयारी की। रूसी अब समरकन्द लेनेके लिये तैयार हो गये। ३६०० सेनाके साथ १७ मई १८६८ ई०को उन्होंने खीवा और बुखाराकी चालीस हजार सम्मिलित सेनापर धावा बोल दिया, और उथली नदी पार हो समरकन्दसे पन्द्रह मीलपर जरफ्शांके बायें किनारेकी ऊंचाईपर एकत्रित शत्रु-सेनापर आक्रमण कर दिया। बुखारियोंकी भीषण पराजय हुई। अगले ही दिन समरकन्दने आत्मसमर्पण कर दिया, और नगरके सरतों (ताजिकों) ने विजेताओंका खूब स्वागत किया—आखिर उज्बेकोंके जूयेको वह प्रसन्नतापूर्वक नहीं ढो रहे थे। यहूदियोंने रूसियोंका और भी अधिक विश्वास प्राप्त किया, और उन्होंने सरतोंसे सजग रहनेकी सलाह दी। जेनरल काफमानने अपने घायलोंको नगरके बीचमें अवस्थित किलेमें साठ-बासठ गारदके साथ छोड़ शत्रुका पीछा किया। रूसियोंके कुछ ही दूर जानेपर शहरसब्जवाले बीस हजार सैनिक चुपकेसे भीतर घुस गये, उन्होंने किलेको घेर लिया। एक सौ नवासी रूसी प्रतिरक्षक हताहत हुये और किला भारी विपद्में पड़ गया। काफमान शत्रुको फिर करारी हार दे चुका था, जब कि उसे समरकन्दकी खबर मिली, और उसने लौटकर बड़ी बुरी तरहसे नागरिकोंके साथ बदला लिया। एक अंग्रेज लेखकके अनुसार—"जैसे गिलेस्पीने वेल्लोरके विद्रोहियोंके साथ बदला लिया था। उनके चूतड़ों और जांघोंपर कोड़े लगवाये, हजारोंको बड़ी निष्ठुरताके साथ मरवाया। सरतोंके विश्वासघातका बदला आत्मसमर्पणके बाद सेना द्वारा नगरको लगातार तीन दिन तक लुटवाकर लिया।"

मुजफ्फरका सारा अभिमान अब चूर-चूर हो चुका था। उसने रूसी जेनरलसे तख्त छोड़कर मक्का जानेकी इजाजत मांगी, लेकिन रूसी उसे अपनी गुड़िया बनाकर बुखाराकी गद्दीपर रखना चाहते थे। आखिर वह रूसी लोहेको देख चुका था, और अपने जीवन भर फिर सिर उठानेकी हिम्मत नहीं रखता था। दूसरा अमीर उसकी जगहपर शायद फिर नया तजर्बा करना चाहता। रूसियोंने उसीको अमीर स्वीकृत किया, समरकन्दको तुर्किस्तानमें मिला वहांपर

उपराज्यपाल बनाकर अब्रामोफको भेजा। मुजफ्फरके बाद १७ सालके युवराज अब्दुल् अहदने बापसे बगावत करके करकीके किलेपर अधिकार कर लिया, लेकिन जनरल अब्रामोफने विद्रोह-को आसानीसे दबा दिया। यही नहीं, उसने मंगीत-राजवंशके मूल-स्थान करशीको भी ले लिया और करकीपर गोलाबारी की। युवराज बुखारा राज्यकी मध्य पहाड़ियोंमें भागा, जहांसे भी उसे समरकन्दके पश्चिमी छोरपर भागनेके लिये मजबूर होना पड़ा। विद्रोहोंमें सफलताकी तो आशा नहीं थी, ऊपरसे प्रजाको सारी आफत सहनी पड़ रही थी, इसलिये कोई आश्चर्य नहीं, यदि एक किसानने अहदको पकड़वा दिया। मुजफ्फरके पास लाये जानेपर उसने उसके सिरको काटकर महलके दरवाजेपर लटकानेका हुक्म दिया। इस विद्रोहके समय अब्रामोफने पीढ़ियोंसे स्वतंत्रताकी लड़ाई लड़नेके अभ्यस्त शहरसब्जवालोंको भी अपने अधीन कर लिया। मुजफ्फर अब परम जारभक्त था। हिन्दुस्तानमें रहते अंग्रेज इसके लिये अफसोस कर रहे थे, कि मुजफ्फरने अपने पूर्वजोंके भव्य दायभागको इतना जल्दी खो दिया। लेकिन मुजफ्फरने दस-दस पंद्रह-पंद्रह गुनी अधिक सेनाके साथ भी लड़कर देख लिया था, कि आधुनिक हथियारोंके सामने उसके जहा-दियोंकी भीड़ टिक नहीं सकती। जरफ्शांकी ऊपरी उपत्यका और ऐतिहासिक नगर समरकन्द रूसियोंके हाथमें होनेसे बुखारा उनकी दयापर निर्भर करता था। रूसी जरफ्शांके पानीसे किसी समय भी वंचित कर बिना एक गोली खर्च किये ही बुखारियोंको मरनेके लिये मजबूर कर सकते थे। अपने जीवनभर मुजफ्फरको मौज करनेमें कोई बाधा नहीं थी, और हमारे रियासती राजाओंकी तरह वह अपनी प्रजाके साथ चाहे जो भी कर सकता था।

९. अब्दुल अहद, मुजफ्फर-पुत्र (–१८९४ ई०)

मुजफ्फरके उत्तराधिकारी अहदने भी अपने बापका पदानुसरण किया। शरीरमें वह लंबा हट्टा-कट्टा और बहुत सुन्दर था। हर साल वह काकेशसके गर्म चश्मोंमें बिहारके लिये जाता और अक्सर जाड़े भी उसके क्रिमियामें बीतते थे, अर्थात् उसके जीवनका ढंग और विलास-प्रेम वैसा ही था, जैसा कि हमारे यहां पिछली पीढ़ीके राजा-नवाबोंका।

१०. मीर आलम, अहद-पुत्र (–१९२० ई०)

युवराजकी अवस्थामें इसे शिक्षाके लिये पीतरबुर्ग भेजा गया, जहां रहते अपनी शिक्षा-दीक्षासे वह बिल्कुल यूरोपीय बन चुका था, लेकिन दुराचारमें वह अपने परदादा नसरुल्लाका भी कान काटता था। जबतक जारशाही मजबूत रही, तबतक वह उसका अनन्य भक्त बना रहा, और अपना काम केवल विलासमय जीवन बिताना समझता था, लेकिन बोल्शेविक-क्रांतिके समय सब जगह अशांति मची देख एक बार फिर उसने बुखारामें अपनी तानाशाही शुरू की। शासन-सुधार चाहनेवाले अपने यहां के सुधारवादी जदीदों (नवीनतावादियों) के खूनसे इसने अपने हाथोंको खूब रंगा, लेकिन जैसा कि हम आगे देखेंगे, क्रांतिके सामने इसे देश छोड़कर अफगानिस्तान भागना पड़ा। मुजफ्फरुद्दीनके समयसे बुखारा एक देशी रियासतके रूपमें चला आया था। क्रांतिने उसे मिटाकर मध्य-एसियाकी जातियोंको उनकी सीमाओंके अनुसार उज्बेकिस्तान, तुर्कमानिस्तान, कजाकस्तान, किर्गिजिस्तान और ताजिकिस्तानके गणराज्योंमें परिणत कर दिया।

शासन-प्रबंध—बुखारा समुद्रतलसे १२०० फुट ऊपर मेर्वसे १४० मीलपर अवस्थित है। १९ वीं सदीके चतुर्थ पाद हीमें रेल द्वारा इसका संबंध हो गया था, यह हम आगे बतलायेंगे। बुखारा मुसलमानोंके आनेसे पहले ही एक प्रसिद्ध सांस्कृतिक नगर बन चुका था। सामानी बादशाहोंके जमानेमें इसकी बहुत तरक्की हुई। इसकी जामा मस्जिदका २१० फुट ऊंचा मीनार (मीनारकलां) बहुत प्रसिद्ध है, जिसकी गोलाई नीचे छत्तीस फुट है।

बुखाराके शासकोंमें सूबा (प्रदेश) के अधिकारीको बेक कहा जाता था, जिसके नीचे जिलेके अफसर होते थे, जिन्हें अमलाकदार कहते थे। किसानोंसे दशांश (दहयक) कर लिया जाता था, जिसे मिल्की-खराज कहते थे। कितने ही गांव मस्जिदों और मदरसोंकी देवोत्तर-सम्पत्ति (वक्फ)

थे। फसल तैयार होनेपर अमीरके अफसर खेतोंमें जाकर भूकरके लिये हरएक खेतका अलग-अलग कूत करते थे। बुखाराका काजी (न्यायाधीश) काजीकलां था, जिसके दो नायब होते थे। अदालतकी मुहर मुफ्तीके हाथमें होती थी। धार्मिक बातोंका अधिकारी रईस था।

४. (३. बुखारा अमीर-वंशवृक्ष)
(१७४७–१९२० ई०)

खुदायार अतालीक
- १. मु० रहीम (१७४७)
- २. दानियालबी (–१७७०) = शम्शबानू आइम (पुत्री: अब्दुल हफीज (अस्त्राखानी))
  - ३. शाहमुराद (१७७०–९९)
    - ४. हैदर (१७९९–१८२६)
      - ५. हुसैन (१८२६)
      - ६. उमर (१८२६)
      - ७. नसरुल्ला (१८२६–६०)
        - ८. मुजफ्फरुद्दीन (१८६०–६७)
          - ९. अ. अहद (–१८९४)
            - १०. मीर आलम (१८९४–१९२०)

स्रोत ग्रन्थ

१. पो स्रेद्नेइ आजिइ (ल. ये. द्मित्रियेफ-कव्काज्स्की, पेतेरबुर्ग १८९४)
२. ना ग्रानित्साख् स्रेद्नेइ आजिइ (द. न. लोगोफेत्, पेतेरबुर्ग १९०९)
३. इस्कुस्स्त्वो स्रेद्नेइ आजिइ (व. व. वेइमार्न, मास्को, १९४०)
४. रेगिस्तान इ येओ मेद्रेसे (म. य. मस्सोन्, ताशकन्द १९२६)
५. आजियात्स्कया रोस्सिया (अ. क्रूवेर आदि, मास्को १९१०, पृष्ठ १७७–२२६, २९३–९९)
६. History of U. S. S. R. (Moscow 1947)
७. Heart of Asia (E. D. Ross, London 1899)
८. History of Mongol (3 Vols. H. H. Howorth, London 1876–88)
९ History of Bokhara (A. Vambery, London 1873)

अध्याय ४

छोटे-छोटे राज्य

१. उरातिप्पा और जीजक

उरातिप्पा—अस्त्राखानी-वंशकी समाप्तिपर बुखारामें बहुत-सी छोटी-बड़ी रियासतें अस्तित्वमें आईं, जिनमें उरातिप्पा भी था, जो समरकन्द, खोजन्द और खोकन्दके रास्तोंके संगम तथा जीजक, समरकन्द और ताशकन्दके रास्तेपर था। उज्बेकोंके उज कबीलेके लोग जीजकमें अपने डेरे डाला करते थे। फजल बी नामक उज-सरदारने १८ वीं सदीमें उसपर अधिकार कर लिया। खोकन्दके नरबुते और बुखाराके रहीम बीने बहुत कोशिश की, लेकिन फजल बीने उन्हें सफल नहीं होने दिया, और शत्रुओंके सिरोंको काटकर उनका मीनार चुनवाया।

फजल बीके बाद उसका लड़का खुदायार बी स्वामी हुआ, वह १७९४ ई०में एक लाख परिवारोंका शासक था। बुखाराके अमीर शाह मुरादने जब उसकी ओर कदम बढ़ाया, तो खुदायार बीने उसे बुखाराके फाटकों तक खदेड़ा। वह दिन भर सोता और रातको जाग कर काम करता। शरीरसे पूरा देव था, और एक पूरी भेड़ अकेले ही खा जाता था, तब भी कहता कि भूख अभी पूरी तरह नहीं गई। उसका भाला इतना भारी था, कि किसी दूसरेके लिये उठाना भी मुश्किल था। लड़ाईमें बड़ा बहादुर होनेसे घुमन्तू-कबीलोंका वह आदर्श नेता था।

बाबा बेक, बेकमुराद—खुदायार बीके मरनेपर उसका भाई बाबा उरातिप्पापर और बेटा बेकमुराद खोजन्दपर शासन करने लगे। उमरखान खोकन्दीकी मददसे बाबाने अपने भतीजेको खोजन्दसे भगा पीछे उसे मरवा डाला। बापका बदला लेते हुये बाबाबेकके लड़केने समरकन्दमें मुरादको मार डाला और कुछ समयके लिये उरातिप्पा बुखारामें रहा। फिर खोकन्दके अमीर आलम खांने कुछ समय तक उसपर अधिकार रक्खा, लेकिन जल्दी ही खुदायार बेकके भान्जे तथा प्रसिद्ध खोजा हिरातके वंशज खोजा महमूद खांने खोकन्दी हाकिमको भगा उरातिप्पाको बुखाराके नामसे अपने हाथमें कर लिया। १८१२ ई०में खोजा महमूद उरातिप्पाका शासक था। उमर खांने आक्रमण करके महमूदको पकड़ लिया, लेकिन तीन महीने बाद उसने फिर भागकर अपने संघर्षको जारी रक्खा। इसी समय जीजक बुखारामें और उरातिप्पा खोकन्दमें शामिल कर लिये गये, और इस प्रकार उरातिप्पाकी स्वतंत्र सत्ता खतम हो गई। महमूदका पुत्र तुराबेक यिरुवाकी खोकन्द-दरबारके अमीरोंमेंसे था। जिस समय उरातिप्पाने अपनी स्वतंत्रता खोई, उस समय यहांके उज कबीलेके बहुत-से लोग दक्षिणकी पहाड़ी काफिरनिहां-उपत्यकामें जाकर बस गये।

२. शहरसब्ज

किश या शहरसब्ज तेमूर लंगकी जन्मभूमि थी। बुखारासे जानेपर रास्तेमें दुर्लंघ्य रेगिस्तान पड़ता था, और समरकन्दसे दुर्गम पहाड़ी, इस प्रकार उसे प्रकृतिने प्रतिरक्षाके सुन्दर साधन दे रक्खे थे। १८ वीं सदीमें मंगीत रहीम बी (१७४७ ई०) ने शहरसब्जपर अधिकार किया, लेकिन पांच ही साल तकके लिये। भारी लड़ाकू कैरोसली उज्बेक-कबीलेके डेरे इस इलाकेमें रहा करते थे। उनके सरदारने रहीम बीसे शहरसब्जको मुक्त करा लिया।

(१) **दानियाल अतालीक** (१८११-३६ ई०)—शहरसब्जके शासकोंमें यह बड़ा शक्तिशाली था। इसने अमीर हैदर और उसके पुत्र नसरुल्लाके सारे प्रयत्नोंको निष्फल कर दिया।

दानियालने "वलीनिअम" की पदवी धारण की थी। उसके दो पुत्रोंमें खोजाकुल शहरसब्जमें और बाबा दादखाह् किताबमें शासन करते थे।

(२) **खोजाकुल** (१८३६-४६ ई०)—बापके मरनेपर दोनों भाई आपसमें झगड़ पड़े, जिससे अमीर नसरुल्लाने फायदा उठाकर आक्रमण कर दिया। लेकिन नसरुल्लाके पहुंचनेसे पहले ही खोजाकुलने अपने भाईको मार भगाया, इसलिये बुखारी सेनासे लड़नेके लिये वह स्वतंत्र था। उसने नसरुल्लाकी सेनाको बुरी तरहसे हराया। नसरुल्लाने अजेय शहरसब्जकी भूमिपर हथियारसे विजय पानेकी आशा नहीं देखी। इसके बाद वह सालमें दो बार वहांकी भूमिको तबाह करने लगा। सुलह क्षणिक ही हो पाती थी। अपनी मृत्युके समय (१८४६ ई०) तक खोजाकुल बुखारियोंसे लड़ता रहा। उसने अपने भाई इस्कन्दरको किताब देकर संतुष्ट करना चाहा था।

(३) **अशुर बेक** (१८४६ ई०)—खोजाकुलके पुत्र अशुरबेकको बापकी गद्दीपर अधिक दिनोंतक बैठनेका अवसर नहीं मिला, और चचाने भतीजेको खदेड़कर गद्दी संभाल ली।

(४) **इस्कन्दर** (१८४६-५६ ई०)—इस्कन्दर "वली-निअम" की उपाधि धारण कर, दस साल तक बराबर नसरुल्लासे लड़ता रहा, लेकिन अन्तमें घिरावा डाल तथा खेतों और गांवोंको बरबाद करके भूखा मारकर नसरुल्लाने शहरसब्जको सर किया। इस्कन्दरने किताबमें जाकर अपना प्रतिरोध जारी रक्खा, और अन्तमें अनुकूल शर्तोंके साथ बुखाराकी अधीनता स्वीकार कर वह बुखारा चला गया, जहां कराकुलकी सारी आमदनी उसे जागीरमें मिली। इस्कन्दरकी बहिन केनिंगेज आइम अपने सौंदर्यके लिये बहुत मशहूर थी। वह ब्याही हुई थी। उसपर नसरुल्लाकी नजर पड़ गई। उसने पतिको चारजूइ भेज आइमको अपने हरममें डाल लिया और शहरसब्जके मुख्य-मुख्य खानदानोंको ले जाकर चारजूइ, करशी आदिमें बसा दिया। नसरुल्लाने मरनेसे पहले इस्कन्दर और उसकी बहिनके खूनसे अपने हाथको रंगा। एक प्रत्यक्षदर्शीने इस घटनाके बारेमें लिखा है—

"इस्कन्दर और उसका भाई चुमचू खान रोज एक बार अमीरको सलाम करने जाते थे। उनके जानेके बाद अमीरने मुझे उन्हें बुला लानेके लिये कहा।......लाकर उन्हें अलग कमरोंमें बैठाया गया। उन्होंने कहा—'बुखारामें किसीको पता नहीं, कल क्या होनेवाला है। आज तुम जिन्दा हो और कल तुम्हारा सिर कटा दिखाई पड़े।'.... कुछ प्रतीक्षाके बाद एक बादाचा आया, जिसमें इस्कन्दर और वहां आनेवाली स्त्रीका गर्दन काट लेनेका हुकुमनामा लिखा हुआ था। बादाचा बादामके आकारकी एक मुहर हुआ करती थी। मृत्युदंडका हुक्म देते समय अमीर इसी मुहरका इस्तेमाल करता था। दूसरे कामोंके लिये इस्तेमाल होनेवाली मुहर बड़ी होती थी। जैसे ही हमने हुकुमनामा पाया, तुरन्त इस्कन्दरको वधस्थानपर लानेको कहा। अमीरके किलेमें एक कूयें जैसी गहरी तथा तख्तोंसे ढंकी जगह है। काटनेके बाद लाश इसी कुएंमें फेंक दी जाती है। वहां बहुत-सी लाशें पड़ी थीं। वधिक हमारी प्रतीक्षामें था। हमारे आते ही उसने तुरन्त इस्कन्दरको जमीनपर पटक दिया। इस्कन्दरके दाढ़ी नहीं थी। बधिकने अपनी अंगुलियोंको उसके नथुनोंमें डाल सिरको पकड़े गलेको काट दिया। इसके बाद लोग एक औरतको लाये। जैसे ही उसने इस्कन्दरके मृत शरीरको देखा, वह अमीरको बुरा-भला कहते रोने लगी। तब हमें मालूम हुआ, कि वह इस्कन्दरकी बहिन तथा अमीरकी बीबी आइम केनिंगेज है। वह केनिंगेज-परिवारकी लड़की थी, इसीलिये सभी उसे "मेरी केनिंगेज चांद" कहते थे। जल्लादने उसके हाथोंको बांध दिया, फिर पिस्तौलसे सिरके पीछेसे गोली चलाई—हमारे लोगोंमें स्त्रियोंका गला नहीं काटते, बल्कि उन्हें गोली मार देते हैं। एक ही गोलीमें वह उसे नहीं मार सका। वह गिरकर कुछ देर तक छटपटाती रही। बधिकने उसके स्तनों और पीठपर बारह बार ठोकर लगाई, तब वह मरी।"

(५) **बाबा बेक**—केनिंगेज-परिवारका यह सरदार अमीरकी अरदलीमें था। नसरुल्लाके मरते समय वह शहरसब्ज लौटा। छ महीने बाद अमीर मुजफ्फर शहरसब्ज आया।

उसी समय उसने बाबा बेक से उसकी बहिन मांगी, जो कि पहले ही उसके बापकी कामुकताको तृप्त कर चुकी थी। मुजफ्फरके ऐसी मांग करनेपर बड़ा हल्ला मचा, और उसने बुखारा लौटकर बहुत बड़े-बड़े आदमियोंको जेलमें डाल दिया। लेकिन लोगोंने उन्हें बन्दीखानेसे मुक्त करके बाबा बेकको शहरसब्जका और जरा बेकको किताबका शासक नियुक्त किया। बुखाराके अफसर वहांसे मार भगाये गये। मुजफ्फरने चढ़ाई की, किंतु खोकन्दके झगड़ेके कारण मुहासिरा उठा लेना पड़ा। पीछे बाबा बेकने वार्षिक भेंट और सैनिक सहायता देकर मुजफ्फरकी अधीनता स्वीकार की, पर राज्यके भीतरी मामलोंमें वह स्वतंत्र था।

१८६६ ई०में रूसियों द्वारा मुजफ्फरके हराये जानेपर बुखारामें दो दल हो गये। मुजफ्फर-का पुत्र केत्तात्युरा विरोधी और मुजफ्फरका भतीजा सईद खान समर्थक था। समर्थकोंका मुखिया जुरा बेक था, जो अमीरके रूसियोंपर चढ़ाई करके हारनेके बाद शहरसब्ज भाग गया। रूसियोंने समरकन्दको लेकर अमीरसे बदला लिया। जब अमीर बुखारा रूसियोंका विरोधी बना, तो उसकी सहायतार्थ शहरसब्जके बेकोंने तीस हजार सेना लेकर समरकन्दपर चढ़ाई की। इससे पहले वह जेनरल कॉफमानसे अलग समझौता करनेकी बातचीत कर रहे थे, लेकिन जब जेनरलने उन्हें मुलाकातके लिये बुलाया, तो उनके मनमें संदेह होने लगा, और मुजफ्फरकी ओर होकर लड़नेके लिये तैयार हो गये। अमीरने विवादास्पद नगर चिरागचीको देनेका वचन दिया था, इसलिये भी शहरसब्जवाले उसके पक्षमें हुए। रूसी सैनिकोंको समरकन्दके किलेके भीतर घेरकर शहरसब्जवालोंने बड़ी विपदमें डाल दिया था, लेकिन इसी समय जुरा बेकको कॉफमानके आनेकी झूठी खबर लगी, और उसके एक अफसरने अपने आदमियोंको हटा लिया। इसी सहायता देनेके लिये अमीर मुजफ्फरने जुरा बेकको "दादखाह"की उपाधि तथा दस हजार तंका इनाम दिया था।

१८७० ई०में जेनरल अब्रामोफ इस्कन्दरकुलके खिलाफ चढ़ा था। उस वक्त कर उगाहनेके लिये गये राजुल उरुसोफको कुछ विद्रोहियोंने मार भगाया। ये आदमी जुरा बेकके पक्षपाती हैदरखोजाके अनुयायी बतलाये जाते थे। जुरा बेकको हैदरको समर्पण करनेका हुक्म हुआ, लेकिन उसने कहा कि हैदर कहीं दूसरी जगह है। इसपर जेनरल कॉफमानने शहरसब्जको खतम करनेका निश्चय कर लिया। जेनरल अब्रामोफने किताबको आक्रमण करके ले लिया, फिर शहरसब्जको आत्मसमर्पण करनेके लिये मजबूर किया। बेक भागकर खोकन्द चला गया। रूसियोंने शहरसब्ज-के इलाकेको अमीर-बुखाराके हाथमें दे दिया। विश्वासघाती कहकर खोकन्दके खानने शहरसब्ज-वाले बेकोंको रूसियोंके हाथमें दे दिया। कुछ समयतक वह ताशकन्दमें नजरबंद रहे, फिर बुखारासे दो हजार रूबल पेंशन मिलने लगी। जुरा बेक इसके बाद रूसियोंका बहुत जबर्दस्त पक्षपाती हो गया और वह उसे बहादुर, ईमानदार और निष्कपट कह कर तारीफ करते थे।

३. कोहिस्तान

समरकन्दसे पूर्वका पहाड़ी इलाका अर्थात् जरफशांकी ऊपरी उपत्यका कोहिस्तानके नामसे प्रसिद्ध थी। १८७० ई०में वहां फाराब, मागियान, कश्तुत, फान, यग्नान, माचा और फलगर-के छोटे-छोटे सात शासक (बेक) थे। ये पहाड़ी बेक (ठाकुर) कुछ गांवोंके शासक थे, और बुखाराको थोड़ा-सा कर दे अपने लोगोंके ऊपर मनमाना शासन करते थे।

उरगुत—उरगुतका बेक खानदानी राजा था। मागियान, कश्तुत और फाराबके बेक अपनेको इसके अधीन मानते थे। १९वीं शताब्दीके आरंभमें अमीर हैदर उरगुतको जीतकर उसके बेक युल्दाश परमांचीको बंदी बना बुखारा ले आया। बाकी तीनों बेकोंने बुखाराकी अधीनता स्वीकार की, लेकिन कुछ समय बाद युल्दाशके पुत्र कत्ता बेकने उरगुतको फिर अपने हाथ-में कर लिया, और दूसरे बेकोंसे नाराज होकर उसने अपने भाई सुल्तान बेकको मागियान और कश्तुतका शासक बनाया। अब बुखारासे झगड़ा छिड़ गया। पहाड़ियोंने समरकन्दको खतरा पैदा कर दिया। लेकिन अमीर-बुखाराके सामने तलवार उठाकर खड़े रहनेमें बहुत दिनों

तक लाभ नहीं था, इसलिय उरगुतका बेक नसरुल्लाखानको अपनी बेटी दे बुखाराके सरदारके तौरपर उरगुतोंका शासक बना रहा। कत्ता बेकके मरनेके बाद उसके पुत्र आदिल परमांची उरगुतपर और उसका भाई अलायार दादखाह मागियानपर शासन करने लगे। मरनेसे थोड़े ही समय पहले अमीर नसरुल्लाने उन्हें बुखारा बुलाकर सपरिवार चारजूयमें निर्वासित कर दिया। रूसियोंके समरकन्द ले लेनेपर अमीर द्वारा नियुक्त अफसर उरगुत छोड़कर भाग गया। इसपर चारजूयमें निर्वासित कुमारोंमेंसे एक हुसेन बेकने खोकन्द होते वहां पहुंचकर उरगुतको ले लिया। रूसियोंने जब वहांसे भगाया, तो वह स्वयं मागियानमें और अपने छोटे भाई शादीको कश्तुत और चचेरे भाई सईदको फाराबपर नियुक्त करके शासन करने लगा। इन छोटी-छोटी पहाड़ी रियासतोंका बुखारी कर उगाहनेवालोंसे बराबर लड़ाई-झगड़ा होता रहता था। १९वीं सदीके आरंभमें ही फलगरके बेक अब्दुश्शकूर दादखाहने सारे पहाड़ी इलाकेको अपने अधीन कर कितने ही दुर्गम पहाड़ी स्थानोंको सुगम बनानेके लिये रास्ते और पुल बनवाये। अमीर हैदर (१७९९—१८२६ ई०) के समय इन इलाकोंमें बुखाराने अपने बेक नियुक्त किये और किले बनवाये। यही हालत नसरुल्लाके शासनके अन्ततक रही।

समरकन्दके रूसियोंके हाथमें जानेपर वहांसे बुखारी बेक (हाकिम) भाग गया। उसी समय बेक अब्दुल गफ्फारने उरातिप्पाके पूर्व उर्मितानको ले अपनेको फलगरका बेक घोषित किया, लेकिन माचाके लोगोंने शासक मुजफ्फरशाहकी अधीनता स्वीकार की, जिसने अपने भतीजे रहीमखानको अपनी ओरसे शासक नियुक्त किया। रहीमखानने फलगरसे अब्दुल गफ्फारको मार भगाया और उसकी सहायताके लिये आये कश्तुतके शादीबेकको भी हराया। इसने यग्नान और फानको भी जीत हिसारपर चढ़ाई की। रास्तेमें सेना बिगड़ गई, और उसने रहीमको भगाकर पाचा खोजाको अपना नेता बनाया। ये पहाड़ी लोग बहुत पिछड़े हुये थे, लेकिन फलगर-वाले अपनेको माचावालोंसे अधिक संस्कृत समझते थे। उन्होंने फिर अब्दुल गफ्फारको अपने यहां बुलाया, किन्तु उसने हार खाकर समरकन्दमें जा रूसियोंकी अधीनता स्वीकार की। इस अशांतिसे लाभ उठा मई १८७० ई०में जेनरल अब्रामोफ एक छोटी-सी सेना ले पहाड़ोंके भीतर घुसा। १२ मईको उसने उर्मितान ले लिया, २१ को वरसामिनार भी उसके हाथमें चला गया। यह दोनों जगहें फलगरके बेकके अधीन थीं। माचाका बेक पाचा खोजा बहुत जनप्रिय था। वह धमकीके पत्र लिखता रहा। अब्रामोफने माचाकी ओर बढ़कर २८ मईको आबुर्दनको ले लिया। पाचा खोजा भाग निकला। रूसियोंने फलगरके किलेको तोड़ दिया, जिसे कि बुखारियोंने पहाड़ी लोगोंको दबा रखनेके लिये बनाया था। अब्रामोफ आगे बढ़ते-बढ़ते अलई पर्वतमालाकी उस हिमानीके पास पहुंचा, जो कि जरफशां (प्राचीन सोग्द) नदीका उद्गम है। लौटकर उसने फान नदीपर अवस्थित सर्वदा, फिर यग्नान-उपत्यकाको जीतते इस्कन्दरकुल (महासरोवर) तक गया। वहांसे पश्चिमी कोहिस्तानकी ओर घूमकर उसने दस हजार फुट ऊंचे कश्तुतके डांडेको पार किया, जिसके पश्चिमी पहाड़ियोंमें एक जबर्दस्त संघर्ष हुआ। कश्तुतको अपने हाथमें करके अब्रामोफ पंजकन्द होते समरकन्द लौट गया।

शहरसब्जकी विजयके बाद रूसियोंकी एक टुकड़ी कश्क-उपत्यकासे हो फाराब और मागियान-पर पड़ी। इन दोनों इलाकोंके बेक रूसके विद्रोहियोंके साथ हो गये थे। रूसियोंने यहांके दोनों किलोंको तोड़ दिया और वहांके बेकों—सईद और शादीबेक—ने आत्मसमर्पण किया। मागियानका बेक हुसेन कुछ महीनेतक हाथ नहीं आया। रूसियोंने फाराब और मागियानको उरगुत जिलेमें मिला लिया। कितने ही समयतक बाकी पहाड़ी लोग रूसियोंके साथ विद्रोही बने रहे, लेकिन कब तक इतनी बड़ी शक्तिका मुकाबला करते ?

४. हिसारके इलाके

आजकल यह पहाड़ी इलाका ताजिकिस्तान गणराज्यका एक बड़ा भाग है। ऊपरी जरफशां-उपत्यकाकी तरह यहांपर भी उस समय कितने ही छोटे-छोटे राजा थे, जैसेः—

(१) **करातगिन**—वक्षु नदीकी मुख्य पहाड़ी शाखा सुरखाब करातगिनके इलाकेसे बहती है। यहांके शासक अपनेको ऐतिहासिक ग्रीक सम्राट् अलिकसुन्दरका वंशज बतलाते थे। कोई आश्चर्यकी बात नहीं है, यदि ग्रीक या शक-शासनके पतनके बाद वहांके कुछ राजकुमारोंने इन दुर्गम पहाड़ियोंमें शरण लेकर अपने लिये स्थान बनाया हो। लेकिन यह साबित करना मुश्किल है, कि सचमुच ही ये छोटे-छोटे शाह और बेक यूनानी सम्राटोंके वंशज थे। दरबाजवालोंने कुछ समयतक करातगिनको जीतकर उसे अपने हाथमें रक्खा, लेकिन जल्दी ही वह फिर स्वतंत्र हो गया। १८३९ ई०में खोकन्दने करातगिनको जीतकर अपने अधीन कर लिया।

(२) **दरबाज**—करातगिनसे दक्षिणमें यह छोटा पहाड़ी राज्य था, जिसके शासक भी अपनेको सिकन्दरवंशी कहते थे—यह उज्बेक नहीं ताजिक थे। खोकन्दके मदली खानने १८३९ ई०में करातगिनके साथ इसे भी अपने अधीन बना लिया था।

(३) **कुल्याब**, (४) **शगनान**—यह भी दो छोटी-छोटी पहाड़ी रियासतें थीं, जो कि पीछे तबतक खोकन्दका अंग बनकर रहीं, जबतक खोकन्दको रूसियोंने हजम नहीं कर लिया।

(५) **हिसार**—करातगिन, दरवाज और शगनानकी पहाड़ी रियासतोंके पश्चिममें हिसार और कुल्याबके इलाके हैं, जिनमें उज्बेकोंके कबीले कंकुरत और कतगन रहते थे। उन्होंने इन इलाकोंको अपने हाथमें करके बहुत-से पुराने बाशिंदों—ताजिकों—को भगा दिया था। बुखारावाले उस समय हिसारके इलाकेको उज्बेकिस्तान कहते थे। जान पड़ता है, १८वीं सदीके मध्यमें हिसारका इलाका बुखाराके हाथसे निकल गया था।

हिसार और कुल्याबके पड़ोसमें कई और छोटे-छोटे उज्बेक राजा थे, जिनमें कुरगानका अल्लाबर्दी जौज १८वीं सदीके अन्तमें पड़ोसियोंके लिये काल बन गया था। उसने हिसारको घेरा था, जब कि बेक अल्लायार और करशीके राजुलने उसे मारकर हिसार और कुरगानपर अधिकार कर लिया। तब भी प्राचीन वंशका शासक सईद हिसारका बेक, यदि कामके लिये नहीं तो नामके लिये, माना जाता था। बुखाराके अमीरने सईद बेककी लड़कीसे ब्याह किया था, और इस प्रकार वह अमीरका कृपापात्र था। कुरगानको हिसारमें मिला लिया गया था। इज्जतुल्लाके समय हिसारमें सईद बेक और कुरगानमें अल्लायार बेकका शासन था। पड़ोसी कबादियान इलाकेके बेक थे दोस्त मुहम्मद और मुराद अली। इन छोटी-छोटी रियासतोंको हिसारने हजम कर लिया। १९वीं सदीके उत्तरार्धमें कुल्याब हिसारका शासक कतगन अमीर सरीखान था, जिसके डरके मारे करातगिनके शासकको १८६१ ई०में खोकन्दकी शरण लेनी पड़ी थी, लेकिन इसी समय बुखाराने उसे अपने अधीन कर लिया। १८७२ ई०में हिसारमें सात जिले थे, जिनके अपने-अपने बेक थे, कुल्याबमें भी दो जिले थे। ये सभी बेक बुखारा द्वारा नियुक्त होते थे। इन जिलोंके नाम थे—शेराबाद, बाइसून, देहनौ, युर्ची, हिसार (कुर्गानत्यूबे, कबादियान), बल्जुबान और कूल्याब। इनके अतिरिक्त दरबन्द, सरेजूय और फैजाबादपर अमीरका शासन स्थानीय बेकों द्वारा नहीं बल्कि सीधे बुखारासे होता था।

५. तुखारिस्तान

प्राग्-मुस्लिम तुर्कोंके शासनकाल तथा स्वेन्-चाङकी यात्राके समय पहाड़ोंसे उतरकर पश्चिमी-भिमुख बहनेवाली पहाड़ोंतक फैली वक्षुके दोनों तटकी समतल-सी मैदानी भूमिको तुषार या तुखार कहा जाता था। पीछे यह उज्बेकोंकी भूमि हो आजतक है। यहांके निवासी अधिकतर उज्बेक हैं। वक्षुके उत्तरवाला तुखारिस्तान अब सोवियत उज्बेकिस्तानका अंग है, पर दक्षिणी तुखारिस्तान उज्बेक होते हुये भी काबुलके शासनमें हैं। १८वीं सदीके मध्यमें ही, जब कि अफगानोंका सितारा ऊंचा होने लगा था, दक्षिण तुखारिस्तानमें कितनी ही छोटी-छोटी रियासतें थीं:—

(१) **खुल्म**—१७५१-५२ ई०में अफगानोंने दक्षिणी वक्षु-उपत्यकाको बुखारासे छीन लिया।

१७८६ ई०में अमीर शाहमुरादने उसे लौटानेकी बहुत कोशिश की, किन्तु सफल नहीं हो सका। पीछे यहांपर खिलिच अलीने अपनी प्रभुता जमाई।

खिलिच अली (—१८१७ ई०)—खुल्म बलखसे उत्तर-पूर्वमें है। यहांके उज-कबीलेका सरदार खिलिच अली धीरे-धीरे बहुत शक्तिशाली हो गया, और उसने अपने पड़ोसी इलाकों ऐबक, गोरी, माजूर, दर्रागूजको अपने अधीन कर लिया, तथा कुरगानतेप्पाके उज्बेक सरदार अल्लाबर्दी तौजको हजरत-इमामसें मार भगाया। कुन्दुजका उज्बेक सरदार खिलिच अलीका ससुर था, जिससे उसने मित्रता स्थापित की। काबुलमें भी उसका प्रभाव बढ़ा और वहांसे उसे "अतालीक"की उपाधि मिली। बलखके अफगान राज्यपाल हुकूमतखान-पुत्र सरदार नजीबुल्ला खानपर भी उसका काफी रोब था। तालिकान छोड़कर बाकी सभी जगहोंपर अफगान राज्यपाल नहीं, बल्कि खिलिच अलीकी तूती बोल रही थी। यहांके तीस हजार रुपयाके करमेंसे एक तिहाई काबुल जाता, बाकी पुराने नौकरों, मुल्लों और शासकोंके खर्चमें आता। खिलिच अपने प्रभावको बढ़ा लेनेके बाद अफगानोंका भक्त रहा। उसके पास बारह हजार सवार सैनिक थे, जिनमेंसे दो हजारका वेतन वह खुद देता, बाकीको उनकी सेवाओंके लिये भूमि और जागीर मिली हुई थी। कुन्दुजवाले भी उसे पांच सौ सैनिक दिया करते थे। सेनाका खर्च करनेके बाद उसकी आमदनी उन्नीस हजार गिन्नीके बराबर थी। खिलिच अलीके ज्येष्ठ पुत्रको नौ हजार गिन्नी वार्षिक वृत्ति मिलती। उसे काबुलसे "बलखका बली" (बलख-राज्यपाल)की उपाधि मिली हुई थी। खिलिच अलीका रहन-सहन बहुत सीधा-सादा था। वह १८१७ ई० के करीब मरा। इसके बाद उसके पुत्रोंमें झगड़ा हो गया, जिसमें कुन्दुजके मुराद बीने आगमें घी डालनेका काम किया। खिलिचके दो पुत्रोंमें एकको खुल्म और दूसरेको ऐबक मिला। बलख भी ऐबकवालेके हाथमें था, लेकिन अब दोनों भाई कुन्दुजके अधीन अमीरमात्र रह गये थे।

(२) कुन्दुज (क) मुराद बी (१८१२–४० ई०)—उज्बेकोंके कतगन कबीलेका कुन्दुज प्रधान नगर था। चिङ-गिस् खानके समयमें भी नगरका यही नाम था। १८वीं सदीके अन्तमें कतगन-अमीर खोकन्द बेक शक्तिशाली होकर बहुत कुछ स्वतंत्र हो गया और उसने अपने पूर्वी इलाके बदख्शांको लूटमारकर उजाड़ दिया। उसके बाद उसका पुत्र मुराद बी उत्तराधिकारी बना। अपने समयमें यह मध्य-एसियाके बहुत शक्तिशाली शासकोंमें था। इतिहासकार इज्जतुल्लाके समय यह कुन्दुजपर शासन करता था। खिलिचके जिन्दा रहनेतक यह अपनी शक्तिको बहुत आगे नहीं बढ़ा सका, लेकिन इसके बाद बड़ी तेजीसे अपने राज्यको बढ़ाया। अंग्रेज यात्री मूरक्राफ्टने अपनी यात्राके प्रबन्धके लिये कुछ आदमी भेजे थे, जिनपर वहांवालोंने गुप्तचर होनेका संदेह किया—"अंग्रेज एसियाके किसी भागमें इसके सिवा और किसी मतलबसे प्रवेश नहीं करते, कि अन्तमें वह वहांके स्वामी बन जायं।" पीछे मूरक्राफ्ट स्वयं वहां गया। उस समय मुराद बी खुल्म, कुन्दुज, तालिकान, अन्दराब, बदख्शां और हजरत-इमामका स्वामी था। मूरक्राफ्टने ऐबकसे आगे पहाड़ोंके भीतर बहुत-से कस्बे उजड़े देखे थे, जिसका कारण मुराद बी था। वहांके निवासियोंको वह गुलाम बनाकर ले गया था। मुराद बीका वजीर आत्माराम दीवानबेगी मूलतः पेशावरका निवासी था। आमतौरसे हिन्दुओंको वहां बहुत नीची निगाहसे देखा जाता था, लेकिन आत्मारामने अपनी योग्यतासे मुराद बीका कृपापात्र बनकर ऐसे ऊंचे पदको प्राप्त किया। उसके पास बहुत सम्पत्ति और चार सौके करीब दास-दासी थे।

मुराद बी बड़ा ही कर्मठ आदमी था। वह स्वयं अपनी सेनाका संचालन करता और बलख तथा हजाराके शीयोंके ऊपर आक्रमण करके उन्हें दास बनाकर बेंच देता था। चित्रालका मेहतर भी डरके मारे मुराद बीको करके रूपमें गुलाम देता। हिन्दूकुशकी पहाड़ियोंमें सियापोश काफिर आज भी कुछ मुसलमान न बन अपने बाप-दादोंके धर्मको मानते चले आ रहे हैं। मुराद बीने १८२० ई०में दास-दासी बनाकर बेचनेके ख्यालसे उनपर आक्रमण किया, लेकिन उसे सफलता नहीं मिली, काफिरोंने उसे आगे बढ़नेसे रोक दिया। इसी समय बर्फानी आंधी आई, जिससे फायदा उठाकर सियापोशोंने आक्रमण कर दिया, और बीके चार हजार सवार काम

आये। मुराद बीके कोपका भारी शिकार बदख्शांकी सुन्दर भूमि हुई, जहांके अधिकांश लोगोंको पकड़कर वह कुन्दुज ले गया, और वहांके सिकन्दर-वंशी शासनको राज्यसे वंचित कर दिया। १८२३ ई०में किला-अफगानमें मीरयार बेग खानने मुराद बीके दस हजार सवारोंसे नौ हजार सेनाके साथ मुकाबिला किया, लेकिन उसे हार खानी पड़ी। १८२९ ई०में यहांके बाशिन्दोंको भी उसने कुन्दुज भेज दिया। वूड अपने यात्रा-ग्रंथ (१८३८ ई०)में लिखता है—"इस प्रकार इस अस्वास्थ्यकर दलदली भूमिमें १८३० ई०से लेकर आज (१८३८ ई०) तक उज्बेकोंने करीब-करीब पच्चीस हजार परिवार या प्रायः एक लाख विदेशियोंको लाकर बसा दिया है, इसमें सन्देह है, कि १८३८ ई०में उनमेंसे छ हजार परिवार भी जिन्दा हैं। इन पिछले आठ वर्षोंमें उनमेंसे बहुतेरे मर गये। कहावत है—'अगर तुम मरना चाहते हो, तो कुन्दुज जाओ।' हमारे वहां पहुंचनेसे बारह महीने पहले कुल्याबके निवासी बहुत भारी संख्यामें अपने पहाड़ी इलाकेसे लाकर हजरत इमाममें बसाये गये। डाक्टर लार्ड और मैं उस भूमिसे गुजरे, जहांपर कि उनके घर थे, जिनमेंसे कुछ अब भी खड़े थे, लेकिन चारों ओर नीरवता छाई हुई थी, और चारों ओर फैली बहुसंख्यक कब्रें उनके बहुसंख्यक निवासियोंकी आपबीती बतला रही थीं।" वक्षुके उत्तर कुल्याबसे लेकर दक्षिणमें सिगान (हिन्दूकुशके दो डांडोंके परे तथा बामियानसे तीस मील भीतर) तक और बखान भी मुराद बीका था। मुराद बी १८४० ई०के आसपास मरा।

(ख) मुहम्मद अमीन, खिलिच-पुत्र, खुल्म (१८४०-४५ ई०)—मुराद बीके बाद उसका स्थान खिलिच अलीके पुत्र मुहम्मद अमीनने लिया, जिसको "मीरवली"की उपाधि मिली थी। वह १८४५ ई०में शासन कर रहा था। उसका पुत्र गजअलीबेग बदख्शांका शासक था। कुन्दुजमें मुराद बीका पुत्र मीर रुस्तम खान शासन करता था, किन्तु वह मुहम्मद मीरवलीके अधीन था। मीरवली बुखारा और काबुल दोनोंको खुश रखता था। उसने अन्दखुदको भी अपने अधीन कर लिया था। १८४५ ई०में ऐबकमें उज्बेकोंका कंगली कबीला रहता था। मीरवलीका शासन सरीपुल, अन्दखुद, कुल्याब और बखानसे हिन्दूकुश और बलखतक फैला हुआ था। खिलिच अलीके समय ही तुखारिस्तानमें काबुलका नाममात्रका प्रभाव था, लेकिन अफगानोंकी आंखें इस ओर लगी हुई थीं, जिसमें उन्हें १८५० ई०में जाकर सफलता प्राप्त हुई। काबुलके अमीर दोस्त मुहम्मदने बुखाराके अमीर नसरुल्लाके विरुद्ध युद्ध-घोषणा कर दी। मीरवलीको दोस्त मुहम्मदने राह देनेके लिये कहा, लेकिन मीरवलीके इजाजत देने या न देनेकी कोई बात नहीं थी। दोस्त मुहम्मदका पुत्र अकबर खान निर्वासित होकर खुल्ममें रहता था, जहांसे वह मीरवलीकी एक दासीपर मुग्ध होकर उसे काबुल भगा ले गया। दासी किसी तरह भागकर खुल्म पहुंच गई। काबुलसे भागकर आनेपर मीरवलीने उसे देनेसे इनकार कर दिया। इस प्रकार दोस्त मुहम्मदके लिये आक्रमण करनेका अच्छा बहाना मिल गया। १८४५ ई०में अफगानोंने चढ़ाई की, लेकिन लड़ाईमें तुरन्त सफलता नहीं मिली, जिसमें सबसे बड़ी बाधा हिन्दुकोह (हिन्दूकुश)की दुर्गम पहाड़ियां थीं। १८५० ई०में अफगानोंने हिन्दूकुश पार करके बलखको जीत लिया। १८५९ ई०में कुन्दुजको भी लेकर वह दक्षिणी तुखारिस्तानपर अधिकार करके अपनी आजकी सीमाको स्थापित करनेमें सफल हुये—अफगान अपने इस इलाकेको तुखारिस्तान नहीं तुर्किस्तान कहते हैं।

दोस्त मुहम्मदके बाद उसके पुत्र अफजलखांने—जो बलखका राज्यपाल था—१८५४ ई०में अपने भाई शेरअलीके विरुद्ध असफल विद्रोह किया। १८६४ ई०में फिर उसे अपने पदपर बहाल कर दिया गया। अफजलके पुत्रने बुखारा भागकर अमीरकी लड़कीसे ब्याह किया। फिर वह अपने ससुरकी सहायता तथा दूसरोंकी मददसे विद्रोह करके १८६६ ई०में शेरअलीको हटा खुद काबुलकी गद्दीपर बैठा। शेरअलीका तब भी कन्दहार और हिरातपर अधिकार रहा। शेरअलीने फिर १८६८ ई०में तैयारी करके मुकाबिला किया, और अन्तमें सिंहासन पानेमें सफल हुआ। अफ़जल-पुत्र अमीर अब्दुर्रहमान मशहद भागा, जहांसे मार्च १८७० ई०में ताशकन्दमें रूसियोंके पास गया। उन्होंने उसे पचीस हजार रूबल वार्षिक पेंशन दे समरकन्दमें रख दिया।

अफगानिस्तान ब्रिटिश और जारशाही साम्राज्यके बीचमें था। उसपर दोनों महाशक्तियां अपना प्रभाव डालनेकी कोशिश करती थीं, इसलिये रूसियोंका अब्दुर्रहमानको समरकन्दमें या अंग्रेजोंका अमीर याकूबको लाकर मसूरी (१८८३ ई०)में रखना कोई व्यर्थका सिर-दर्द नहीं था। अफगानोंने दक्षिणी तुखारिस्तानपर अधिकार करके बदख्शांमें फिर एक स्थानीय शासकको नियुक्त किया।

(३) **बदख्शां**—१३वीं सदीमें प्रसिद्ध यात्री मार्कोपोलो बदख्शांके रास्ते चीन गया था। उस समय वहांका शासक अपनेको ग्रीक-सम्राट् अलिकसुन्दरका वंशज बतलाता था। बाबरके समय भी उनके बारेमें यही ख्याति थी। कोई आश्चर्य नहीं, यदि ग्रीक-बाख्तरी साम्राज्यके नष्ट होनेपर कोई राजकुमार वहां जाकर शासक बना हो, या कोई कुषाणवंशी राजकुमार जाकर रहने लगा हो, जिसके उत्तराधिकारी ग्रीकों और शकोंमें भेद करना भूल गये हों। उज्बेकोंने बदख्शांको जीतकर बुखाराके अधीन कर लिया था। बुखाराके शासनके निर्बल होनेपर १८वीं सदीमें बदख्शां स्वतंत्र हो गया। अंग्रेज यात्री मूरक्राफ्ट १८३२ ई०में इधरसे गुजरा था, उस समय तत्कालीन राजवंशको स्थापित हुये सौ साल हो चुके थे।

सुल्तानशाह बदख्शांके राजवंशका संस्थापक था, जिसकी राजधानी फैजाबादको भी उसीने बसाया था।

(क) **सुल्तानशाह (१७६५ ई०)**—जिस साल चीनन वहांके शासक खान खोजासे काशगरको जीता, उस समय बदख्शांका शासक सुल्तानशाह था। खान खोजाने भागकर चालीस हजार आदमियों के साथ बदख्शांमें शरण ली थी। उसके धन और बेगमोंके लोभसे सुल्तान शाहने उसपर आक्रमण कर दिया। खान खोजाने हार खाते समय शाप दिया, कि बदख्शां तीन बार निर्जन बनेगा, और वहां एक कुत्ता भी जिन्दा नहीं रह जायगा। कुछ साल बाद १७६५ ई०में अफगान अमीर अहमदने बदख्शां जीत लिया, जिसमें सुल्तानशाह मारा गया। उस समय बदख्शांमें पैगम्बर मुहम्मदका कुर्ता बड़ी पवित्रताकी चीज समझा जाता था, जिसे अफगान फैजाबादसे काबुल ले गये।

(ख) **मीर मुहम्मद शाह (१७६५–१८१२ ई०)**—सुल्तानकी जगहपर उसके पुत्र मीर मुहम्मदको बैठाया गया। १८१२ ई०में जब इज्जतुल्ला इधरसे गुजरा, तो यही बदख्शांका शासक था।

(ग) **मीर यारबेक खान (१८२३ ई०)**—मुराद बीने इसे १८२३ ई०में किला-अफगानमें हराया, और १८२९ ई०में बदख्शां बिलकुल मुराद बीके हाथमें चला गया। वह यहांके बाशिन्दों-को कुन्दुज ले गया। मीरयार बेकका भाई मीर मुहम्मद रजाबेक तालिकानमें भाग गया।

(घ) **जहांदारशाह (१८५९–६१ ई०)**—अफगानोंने बदख्शांपर अधिकार करके १८५९ ई० में पुराने वंशके जहांदारशाहको फिर अपनी ओरसे गद्दीपर बैठाया। चित्रालके मेहतरने इक्कीस दास-दासियोंको भेजकर अपनी लड़कीका ब्याह जहांदारके लड़केके साथ किया। १८६१ ई०में इसे गद्दीसे हटा दिया गया।

(ङ) **महमूदशाह (१८६१ ई०)**—जहांदार अमीर शेरअलीके प्रतिद्वंद्वीका पक्षपाती था, इसीलिये उसे हटाकर उसके भतीजे महमूदशाहको गद्दीपर बैठाया गया। इस समय बदख्शां कई इलाकोंमें बंटा हुआ था, जिनमें फैजाबाद और गर्म सीधे महमूदशाहके शासनमें थे, और दराइम, शहरसब्ज (दक्षिणी), गुम्बज, फराखर, किश्म, रूस्तक, इशकासिन, वखान, जेबक, मिनजान, राग, दौग और आसियाबीमें खानदानी अमीर महमूदशाहकी अधीनतामें शासन करते थे।

तुखारिस्तानके पश्चिमी भागमें कई और छोटे-छोटे राज्य थे, जो अन्तमें अफगानिस्तानके हाथमें चले गये थे।

(४) **मेमना**—नादिरशाहकी मृत्युके बाद वहांके राज्यपाल हाजीखानने अपनेको स्वतंत्र घोषित कर दिया। उसके बाद उसका छोटा लड़का अहमद १७९८ से १८०९ई० तक शासन करता रहा। फिर उसका चचेरा भाई अलायार खां १८१० से १८२६ ई०तक मेमनाका स्वामी रहा। इसके बाद मिजराब खान गद्दीपर बैठा, जिसे उसकी एक बीबीने जहर दे दिया। उसके पुत्रोंमें उत्तराधिकारके लिये झगड़े शुरू हो गये, जिसका फैसला हिरातके अफगान-राज्यपाल यारमुहम्मदने किया—बनियों और किसानोंका शासक उकमेत और किलेकी सेनाका कमांडर शेरखांको

बनाया गया। शेर खां १८५३ ई०तक शासक रहा। उकमेत खानको उसके भाई मिर्जा याकूबने किलेकी दीवारसे गिराकर मार दिया, जिसके बाद उकमेतका पुत्र हुसेन खां गद्दीपर बैठा, किन्तु सारी शक्ति उसके चचा याकूबके हाथमें थी। याकूब जुरमानाकी जगह आदमियोंको बुखारामें गुलाम बना बेंचनेके लिये भेज देता था। हुसेन खां काबुलका नहीं, बल्कि बुखाराका पक्षपाती था। उसने लम्बे केशोंवाली अफगानोंकी तीन सौ खोपड़ियोंसे अपने किलेके दरवाजेको सजाया था, और १८६३ ई०में काबुलपर चढ़ाई करनेकी सोच रहा था, लेकिन इसके बाद ही उसके संरक्षक अमीर-बुखाराको भी रूसियोंकी अधीनता स्वीकार करनी पड़ी।

(५) अन्दखुद (अन्दखोइ)——यह बुखारा और हिरातके बीचमें खुरासानका एक भाग है जो देरतक अफगानिस्तानके हाथमें रहा। यहां अहमदशाह अब्दालीके पुत्र तेमूरशाहके नामका खुतबा और सिक्का चलता रहा। तेमूरशाहकी ओरसे अफशार कबीलेका सरदार रहमतुल्ला यहांका शासन करता था। बुखाराके अमीर शाह मुरादसे लड़ते वक्त वह मारा गया। इसके बाद इल्दुज खान शासक था। १८४० ई०में अन्दखुदको बुखाराने ले लिया। यहांके बाशिन्दे मुख्यतः तुर्कमान हैं। अन्दखुदको वास्तविक नर्क कहा जाता था——यहांका पानी खारा और कड़ुवा है, रेगिस्तानमें बालू तपती है, और जहरीली मक्खियां और बिच्छू यहां बहुत मिलते थे। लेकिन अब तो वह कलका नर्क सोवियत तुर्कमानिस्तानका भाग बनकर वास्तविक स्वर्ग बननेके रास्तेमें है।

(६) साबिरगान——१८१२ ई०में यहां इरज खान फिर रुस्तम खान शासक रहा। १८५३ ई० में इसे अफगानोंने ले लिया, और तबसे अफगानिस्तानमें है।

(७) सरीपुल——महमूद खान यहांका शासक था, लेकिन काबुलके अमीर दोस्त मुहम्मदने १८५३ ई०में जब शाबिरगानको लिया, उसी समयसे सरीपुल भी काबुलके हाथमें चला गया।

१९वीं शताब्दीके उत्तरार्धमें एक अंग्रेज लेखकने अफगानी तुर्किस्तानके बारेमें लिखा था——"इन उज्बेक रियासतोंका अधिकांश, चाहे नामके लिये ही हो, अब अफगानोंकी प्रजा हैं, लेकिन अभी हाल हीमें अफगानोंने इन्हें जीता है, और वह अफगानी जूयेको खुशीसे उठानेके लिये तैयार नहीं हैं। यह अंग्रेजोंके लिये कहांतक बुद्धिमानीकी बात है, जो कि वह आजतक इन रियासतोंको अफगानिस्तान-का अभिन्न अंग माननेपर जोर दे रहे हैं। अंग्रेजोंका ऐसा करना राजनीतिक बात हो सकती है, लेकिन नृवंश और इतिहासकी वह बात नहीं है। इसे असंदिग्ध रूपसे कहा जा सकता है, कि नसल और इतिहास दोनोंकी दृष्टिसे यहांके सबसे अधिक निवासी काबुल नहीं बुखारासे संबंध रखते हैं।"

अंग्रेजोंके बलपर अफगानोंने इस शुद्ध उज्बेक इलाकेको अपने हाथमें बनाये रक्खा। पहले तो अमीरों-अमीरोंका सवाल था, लेकिन अब वक्षु नदीके उत्तरमें मध्य-एसियाके बहुत शक्तिशाली, तथा विद्या और उद्योग-धंधेमें आगे बढ़ी उज्बेक जातिका अपना गणराज्य है। वक्षुके दक्षिण तटके उज्बेक परले पार तेर्मिज नगरीको रातको हजारों बिजलीके चिरागोंसे जगमगाते और दिनको कारखानोंकी चिमनियोंसे धुंआ उगलते देखकर ठंढी आह लेकर कहते हैं——"कबतक हम अपने उत्तरी भाइयोंसे अलग रक्खे जायंगे?"

स्रोत-ग्रन्थ

१. आजियात्स्कया रोस्सिया (अ. क्रुवेर आदि, १९१० ई० पृष्ठ २३६—४८)
२. इस्तोरिया ससस र (अ. म. र. दोनिकन् ४ जिल्द)
३. तुर्केस्तान्स्कओ वोयेन्नओ ओक्रुग् (३ जिल्द, १८८०)
४. ओत्चेत् ओ कोमेन्दिरोव्के व् तुर्केस्ताने (व. व. वेर्तोल्द, "इज्वेस्तिया रोस्सिइस्कोइ अकदमिइ इस्तोरिइ मतेरिअल्नोइ कुल्तुरी, जिल्द १. पृष्ठ १—२२)
५. La rivalite anglo-russie on XIX siecle en Asie (A.M.F. Rouire, Paris 1908)
६. History of Mongol (H. H. Howorth, London (1876-88)

अध्याय ५

खीवाके खान (१७००--१८८१ ई०)

खीवा अर्थात् प्राचीन ख्वारेज्ममें किस तरह उज्बेकोंके खान शासन करने लगे, इसके बारेमें हम पहले बतला चुके हैं। १८वीं सदीके आरम्भमें पहला उज्बेक-वंश खतम हो गया, लेकिन मध्य-एसियामें अब भी चिङ्-गिस् खानवाले राजकुमारोंकी बड़ी मांग थी, इसलिये उन्हें ढूंढ़-ढूंढ़कर लाकर खान बनाया जाता था। ऐसे ही बाहरसे लाये हुये खानोंने प्रायः सौ सालोंके लिये खीवाको अपने हाथमें रखा, जिसके बाद अन्तिम कंकुरत-वंशने शासन किया।

§१. बाहरी वंश (१७००--१८०४ ई०)

अधिकारच्युत वंशके राजकुमार अब भी ढूंढ़नेसे मिल जाते, लेकिन अन्तिम खानोंके अत्याचारोंसे तंग आकर खीवाके प्रभावशाली आदमियोंने उन्हें लेना पसंद नहीं किया, और बुखाराके राजवंश एवं कजाकों और कलमकोंमें दूत भेजकर किसी राजकुमारको ढूंढ़ना चाहा। इस समय पुराने राजवंशके कितने ही लोग अरालके एक द्वीपमें रहते थे। पहला खान अरंक बनाया गया, जो कराकल्पकके खानोंसे संबंध रखता था।

१. अरंक, एवरंक, अवरंग खान

बादशाह औरंगजेबका ही नाम इस खानका भी था, और शायद यह औरंगजेबका अन्तिम समकालीन था। लेकिन यह या इसके वंशने बहुत दिनोंतक शासन नहीं किया और लोगोंने इसके बाद शेरगाजीको खान बनाया।

२. शेरगाजी (--१७१३ ई०)

खीवाका खान बननेसे पहले शेरगाजी बुखारामें रहता था, वहींसे इसे लाया गया। १७१३ ई०में तुर्कमान सरदार खोजा नफस अस्त्राखान गया था। वहां वह राजुल समानोफसे मिला। समानोफ गेलानका निवासी था, लेकिन पीछे रूसमें ईसाई बनकर बस गया था। खोजाने उसे समझाया, कि तुर्कमानोंको मिलाकर निम्न-वक्षुके जिलोंको रूसियोंको ले लेना चाहिये, वहां बहुत सोना है। उसने यह भी बतलाया, कि उज्बेक-शासकोंने रूसियोंके भयसे ही बांध बांधकर वक्षुको कास्पियनसे हटा अराल समुद्रमें डाल दिया, उसे फिर कास्पियनमें डाला जा सकता है, उसके बाद आसानीसे वोल्गाके जहाज कास्पियन होकर वक्षुके भीतर जा सकेंगे। खोजाकी यह बात यद्यपि अब २०वीं शताब्दीके उत्तरार्द्धमें सच्ची होने जा रही है, लेकिन उस समय उसने इसे रूसियोंको लोभमें डालनेके लिये कहा था। इसी समय राजुल गागरिनसे पीतर I को पता लगा, कि यारकन्दके पास सोनेकी खानें हैं। पीतरको अपने युद्धोंके लिये सोनेकी बड़ी अवश्यकता थी। ऐसे समय कितने ही शासक कीमियांगरोंके जालमें पड़ते देखे गये हैं, इसलिये यदि सोनेकी खानोंकी ओर पीतर असाधारण रूपसे आकृष्ट हुआ हो, तो कोई आश्चर्यकी बात नहीं। खोजाको अपने साथ ले राजुल समानोफ राजधानी पीतरबुर्ग गया। उस समय गारद-कप्तान तथा मुसलमानसे ईसाई बना राजुल बेकोविच चेर्कास्की सम्राट्का बहुत प्रिय दरबारी था। उसने दोनोंको जारसे मिलाया। पीतरबुर्गमें रहते खीवाके दूत अशुरबेक (१७१३–१५ ई०)

ने उनकी बातका समर्थन करते हुये कहा, कि रूसियोंको वक्षुके कास्पियनमें गिरनेके पुराने स्थान (शायद क्रास्नोवोद्स्क) को दस हजार सैनिकोंके रखने लायक बनाना चाहिये । यदि रूसी वक्षुको उसकी पुरानी धारमें डालना चाहेंगे, तो हमारा खान (शेरगाजी) विरोध नहीं करेगा । अशुर-बेक बहुत-सा भेंट-उपहार पाकर १७१५ ई०में अपने खानके पास लौटा, लेकिन अरंग और शेरगाजीके सिंहासनारोहणके समय हुई गड़बड़ीके कारण वह अस्त्राखानमें रुक गया । इसी समय पीतरने अशुरबेकको भारत जा वहांसे तोता और चीता लानेके लिये कहा । राजुल बेकोविच चेर्कास्की (चेरकास-राजकुमार) ने ईरानके शाह हुसेनके शासनकी गड़बड़ियोंके समय रूसमें शरण ली थी । उसके मरनेपर उसके पुत्र अलक्सान्द्रने ईसाई बन राजुल बोरिस अलक्सान्द्र-पुत्र गालितजिनकी लड़कीसे ब्याह किया, और पीतरका गारद-अफसर बना । इसी अलक्सान्द्रके नतत्वम पीतरने खीवाके लिये एक अभियान भेजा । उसके जिम्मे काम दिया गया था—वक्षुकी पुरानी धाराकी सर्वे करना, ख्वारेज्मके खानसे रूसकी अधीनता स्वीकार कराना, और उपयुक्त स्थानोंपर किले बनवाना । यह सब काम कर लेने पर बुखारा के अमीरसे बातचीत करना, फिर लेफ्टिनेंट कोजिनको भेजकर स्थलमार्गसे भारत जानेके रास्ते-का पता लगाना, और एक दूसरे आदमीको यारकन्दके सोनेकी खानोंके बारेमें जाननेके लिये भेजना ।

पीतरने उज्बेक-खानों और दिल्लीके बादशाहके लिये चिट्ठियां दी थीं । १७१६ ई०की गर्मियोंमें राजुल बकोविच चार हजार आदमियोंके साथ रवाना हुआ । उसने कास्पियन तटपर करागन, अलक्सान्द्रोवस्क और क्रास्नोवोद्स्कके किले बनाये, जिनमें अन्तिम उसी जगह बनाया गया, जहांपर पहले वक्षु कास्पियनमें गिरती थी । इन किलोंमें सैनिकोंको रखकर बेकोविचने खीवाके खानको अपने आनेकी खबर देनेके लिये किरियक (ग्रीक) वोरानिनको भेजा । वोरानिन अस्त्राखानम बसे ग्रीकोंमेंसे था । राजुल स्वयं वोल्गाके तटपर लौट आया । कजानसे पांच सौ स्वीड युद्धबंदियोंको भर्ती करके मेजर फ्रांकेनबर्गको उनका अफसर बना बेकोविचने फिर वोल्गातटसे १ जुलाई १७१७ ई०को प्रस्थान किया । अबकी उसने ग्रेबेन्स्कके रूसी कसाकों और नोगाइयोंके इलाकेमें होते स्थलमार्गसे यात्रा की । बेकोविचके साथ अस्त्राखानके रहनेवाले तीन सौ तारतार, कितने ही और बुखारी कारीगर आदि भी थे । गुरियेफमें पहुंचनेपर उरालके पंद्रह सौ कसाक आ मिले । दो दिन बाद यम्बा नदीके तटपर पहुंच बेड़ोंका पुल बना उसे पार किया । बेकोविचने भारतका रास्ता ढूंढनेके लिये मिर्जा तौकेलेफको भेजा, लेकिन उसे ईरानियोंने अस्त्राबादमें रोक लिया, जहांसे पीछे उसे अस्त्राखान भेज दिया गया । यद्यपि उस समय अस्त्राखान, बाकू, बुखारा, समरकन्द आदिमें काफी संख्यामें भारतीय ब्यापारी रहते थे, जिनसे भारतका रास्ता आसानीसे मालूम हो सकता था, लेकिन पीतर सैनिक दृष्टिसे भी सुभीतेका कोई रास्ता ढूंढना चाहता था ।

यहां बेकोविचको कलमक थैची आयुका और पहले भेजे दूत वोरानिनने बतलाया, कि खीवावाले अभियानका विरोध करेंगे । यम्बा तटसे दो दिन चलनेके बाद वह बगचतोक और पांच दिन और चलकर इरकित्श-गिरि (उस्तउर्त या चिंक) पहुंचा । उस्तउर्तकी ऊंची अधि-त्यकाको पार करके वह अराल समुद्रके तटपर गया । अब वह ऐसी भूमिमें थे, जहां इतने आदमियोंके लिये पानी मिलना आसान नहीं था । इसके लिये उन्हें जगह-जगह नये कुएं खोदने पड़े, और कितने ही पुराने कुंओंकी मरम्मत करनी पड़ी । इस प्रकार पानीका प्रबंध करके वह सात सप्ताहतक चलते गये । जब खीवा चार दिन रह गया, तो खानके दूत घोड़ों, चोगों आदिकी भेंट ले बकोविचके पास आये । यद्यपि उन्होंने एक ओर बाहर से इस तरह शिष्टा-चार दिखलाया, दूसरी ओर खीवाके घुड़सवार बेकोविचके ऊपर आक्रमण करते रहे । बेकोविचके आदमियोंने भी अपने बारूदी हथियारोंसे मुकाबिला किया, जिसपर लोग अपने कस्बों और गांवोंको छोड़कर खीवाकी ओर भागने लगे । खानने शत्रुकी शक्तिका अंदाजा लगा चाल चलते हुये कहा—"गलतीके लिये हम क्षमा मांगते हुये आपका स्वागत करते

हैं, लेकिन आपकी सेनासे लोग भयभीत हैं। सेनाको वहीं रखकर आप मामूली आदमियोंके साथ पधारिये।" इसपर पांच सौ आदमियोंको साथ ले बेकोविच खीवा शहरमें पहुंचा। खानने पीछे छोड़े सैनिकोंके नाम बेकोविचसे जबर्दस्ती या जाली चिट्ठी लिखवाई, जिसमें कहा गया था कि अपने हथियारोंको खानके अफसरको दे दो और एक नगरमें जाकर डेरा डालो। रूसियोंको क्या पता था? उन्होंने चिट्ठीको सच्ची मानकर हथियार दे दिये, और भिन्न-भिन्न जगहोंमें जाकर डेरा डाला। इसी समय खीवावालोंने उनके ऊपर आक्रमण कर दिया। जो मारे जानेसे बचे उन्हें उन्होंने दास बना लिया। कुछ रूसी सैनिक और तोपखानेके आदमी डरके मारे खानकी सेनामें भी भर्ती हो गये। बेकोविचको लाल कपड़ा पहनाकर खानके तम्बूके सामने ला उसे सिज्दा करनेके लिये हुक्म दिया गया। इन्कार करनेपर पहले उसके पैर काट डाले गये, फिर बड़ी क्रूरतासे उसके प्राण लिये गये। उसकी खालमें भूसा भरकर बुखाराके खानके पास भेज दिया गया, लेकिन उसने उसे लेनेसे इन्कार कर दिया, और खीवाके दूतको यह कहकर भगा दिया, कि तुम मनुष्यका खून पीनेवाले नरभक्षक हो। राजुल समानोफ और दूसरे प्रमुख व्यक्तियोंके सिरोंको काटकर खीवाके दरवाजोंपर भालेसे लटका दिया गया, जो बहुत सालों तक वैसे ही लटकते रहे। तुर्कमानोंने उस समय उज्बेकोंसे खरीदे दो रूसी गुलामोंको हेन्वे नामक एक युरोपीय सरदारको बेचना चाहा। कहते हैं, बेकोविचके बच्चे और बीबी वोल्गामें डूब मरे थे, जिसके कारण भी उसका दिमाग ठीकसे काम नहीं कर रहा था, और वह इतनी बड़ी गलती कर बैठा।

पीतरने फिर भी मध्य-एसियाको छोड़ा नहीं। उसने तुर्की-फारसी जाननेवाले अपने एक इतालियन नौकर फ्लोरियो बेनेवेनीको भेजा, जो ईरानके रास्ते नवम्बर १७२१ ई०में बुखारा पहुंचकर वहां चार साल रहा। अबुलफैज मुहम्मद खांने बेनेवेनीकी बहुत खातिर की थी।

शेरगाजीको पहिले कितने ही उज्बेक बुखाराके तख्तपर बैठाना चाहते थे, लेकिन उसमें सफल न हो वह जब खीवाकी गद्दीपर बैठा, तो उसके आदमी बुखारामें लूटमार करने लगे। इसपर बुखारियोंने खीवाके पुराने वंश अरालियोंका पक्ष लेना चाहा। उन्होंने १७०७ ई०में अबुलगाजीके वंशज तेमूर सुल्तानको शेरगाजीका प्रतिद्वंद्वी खड़ा किया—वह मूसाखानका पुत्र था, जो बापके मरनेपर बुखारामें रहता था। तेमूरका बड़ा भाई बलखका राज्यपाल था। बड़े भाईको अरालियोंने अपना खान चुना था। बुखारियोंकी मददसे तेमूर सुल्तानने दो बार खीवापर आक्रमण किया। शेरगाजीको बुखारा और तेमूरसे ही मुकाबिला नहीं करना था, बल्कि उसे रूसियोंसे भी बहुत भय था। उसने पीतरको प्रसन्न करनेके लिए रूसी बंदियोंको छोड़ दिया और बेनेवेनीको खीवा आनेके लिये बहुत आग्रह किया। इस समय बुखारामें बड़ी अराजकता फैली हुई थी। वहांके खान अबुलफैजके खिलाफ यह भी इल्जाम लगाया जाता था, कि उसने एक काफिर (बेनेवेनी) को अपने पास रख रक्खा है। पीतरने ईरानपर जो सफल अभियान किया था, उसकी खबर पा उज्बेकोंका दिमाग कुछ ठंढा हुआ, लेकिन शेरगाजीकी परेशानी कम नहीं हुई। १६ मार्च १७२५ ई० को बेनेवेनीने अपनी सरकारके पास पत्र लिखा था, कि बुखाराकी हालत बहुत डांवाडोल है; सारे रास्ते लुटेरोंके हाथमें हैं। बलखके पुराने शासकने तेमूरके भाईसे उस इलाकेको छीनकर उसे मार डाला। शेरगाजीके लिये दो साल बहुत मुसीबतके थे। तेमूर सुल्तान और उसके सहायक अरालियों और कराकल्पकियोंने दो बार खीवापर चढ़ाई की। रजीम खानके समरकन्दसे आकर बुखारापर चढ़ाई करनेकी खबर आई, जिससे लोगोंमें बड़ी घबराहट मच गई। जिस समय बुखाराकी यह हालत थी, उसी समय बेनेवेनीने मशहदका रास्ता लेना चाहा। तब खीवाका पल्ला भारी हो गया था। १० फर्वरी १७२५ ई०को बेनेवेनी चुपकेसे निकल पड़ा और किसी तरह तुर्कमानोंके खतरेसे बचते खीवा पहुंचा। लोग कहीं गुप्तचर न समझ लें, इसलिये उसने युरोपीय छोड़ एसियाई पोशाक पहिन दाढ़ी रख ली थी। खीवा-खानने उसके साथ अच्छा बर्ताव किया, और गुलाम रूसियोंके छोड़ देनेका वचन दिया। बेनेवेनीके खीवा पहुंचनेसे पहले ही तेमूर सुल्तान खीवापर आक्रमण करनेकी तैयारी कर रहा था, इसलिये भी शेरगाजी बहुत परेशान था। पीतरका दूत खीवाके राजदूत सुभानकुल्लीको ले वहांसे अगस्तमें रवाना हुआ,

और रूसकी सीमामें सुरक्षित पहुंच गया। इस समय ख्वारेज्म मध्य-एसियामें गुलामोंका सबसे बड़ा बाजार था। वहां दस हजार रूसी और ईरानी गुलाम खेतों और नहरोंपर काम करते थे। रूसी तो ईसाई होनेके कारण काफिर थे ही, ईरानियोंको शीया होनेकी वजहसे मुल्लोंने काफिर होनेका फतवा दे दिया था, इसलिये उनके बेचने-खरीदनेमें कोई रुकावट नहीं थी। खीवाकी बाजारोंसे इन अभागे गुलामोंको कजाक, तुर्कमान और कल्मक खरीद ले जाते थे। १७२८ ई०में रूसी और ईरानी गुलामोंने शेरगाजीको मारकर तेमूर सुल्तानको खान बनानेकी योजना बनाई थी, लेकिन पहिले ही भंडाफोड़ हो गया। बहुतसे षड्यंत्रकारी मार डाले गये, और अरालके खानको दो दिन बाद आकर खाली हाथ लौटना पड़ा।

१७३१ ई०में रूसकी शासिका रानी अन्ना (१७३०-४० ई०) थी। उसने कर्नल एर्दबेर्गको दूत बनाकर खीवा भेजा, लेकिन रास्तेमें ही डाकू उसपर टूट पड़े, और सब माल गंवाकर उसे पीछे लौटनेके लिये मजबूर होना पड़ा।

३. इलबर्स (—१७४० ई०)

शेरगाजीके तुरन्त ही या कुछ साल बाद इलबर्स खीवाका खान बना। यह कजाकोंके खानवंशका था। १७३९ ई०में दिल्लीकी सड़कोंपर खूनकी नदियां बहा नादिरशाह जब लौटा, तो बुखाराके अमीर अबुल्फैजने उसे स्वागतका न्यौता दिया। उसने इलबर्सको भी इसकी खबर दी, जिसपर उसने जवाब दिया—"एक पापी आत्माको जबर्दस्ती तुम स्वर्गमें नहीं प्रविष्ट करा सकते।" नादिर जिस वक्त भारतमें लूटमार करनेके लिये गया था, उसी समय मैदान खाली पाकर इलबर्सने खुरासानको लूटा। भारतसे लौटनेपर चारबेकरसे नादिरने इलबर्सको अपने पास आनेके लिये संदेश भेजा, लेकिन जाकर नादिरके सामने कोर्निश करनेकी जगह इलबर्सके तीन हजार यामूद चारजूयपर चढ़ आये, जिन्हें नादिरके हाथों पिटना पड़ा। अबुल्फैजने बीचमें पड़कर क्षमादान दिलानेका प्रयत्न किया, और इसके लिये अपने तीन दूत इलबर्सके पास भेजे। इलबर्सने दो दूतोंको मरवा दिया और तीसरेको नाक-कान काटकर लौटाया। नादिर भला खीवाके खानकी इस गुस्ताखीको कैसे सह सकता था? उसने अपनी सेनाको दो भागोंमें बांटकर खीवापर चढ़ाई की। एक सेना वक्षुके बायें तटसे बढ़ी, और दूसरी दाहिनेसे। साथमें बहुत-सी नावोंका बेड़ा भी चल रहा था। नादिरकी सेना जल्दी ही हजारास्प पहुंच गई। इलबर्स भी तैयार था। नादिरने हजारास्पसे आगे बढ़कर एक सेनाको खानकाह जानेका हुक्म दिया—इलबर्स उस समय खानकाहमें था। नादिरने आत्म-समर्पण करनेके लिये तीन दिनकी मुहलत दी। इसपर इलबर्स गर्दनमें तलवार और रस्सी बांधे नादिरके सामने आया, जिसने उसे माफ कर दिया। लेकिन इलबर्सने किसी खोजा (सैयद)का सिर कटवा लिया था। खोजाके पुत्रोंने खूनका बदला लेनेकी मांग की, जिसपर नादिरके हुक्मसे इलबर्स और उसके बीस अफसर मारे गये। खीवा छोड़ ख्वारेज्मके बाकी शहरोंने नादिरके सामने आत्म-समर्पण किया। इस संघर्षके समय इलबर्सने लघु-ओर्दूके प्रसिद्ध खान अबुल्खैरसे सहायता मांगी थी, और उसने आकर खीवापर अधिकार कर लिया था। इसी समय अबुल्खैरके बुलानेपर रूसी सैनिक इंजीनियर ग्लादिशोफ, मुराविन और नजिमोर सिर-दरियाके मुहानेपर रूसी किला बनाने आये थे। वह दश्ते-कजाककी सर्वे कर चुके थे। खानको उसके डेरेमें न पा वह भी खीवा गये। अबुल्खैरने कुछ सुल्तानोंके साथ मुराविनको नादिरके पास भेजा, जिसने उनका अच्छा स्वागत किया। उसने अबुल्खैरको बुला भेजा, लेकिन वह नादिरपर क्यों विश्वास करने लगा? नादिरकी कृपासे खीवाको हाथमें रखनेकी जगह अबुल्खैरने देश लौट जाना ही अच्छा समझा। खीवाके नागरिकोंने चार दिनतक नादिरके आक्रमणको विफल करनेकी कोशिश की, लेकिन अन्तमें आत्म-समर्पण करना पड़ा। नादिरने चार हजार तरुण उज्बेकोंको अपनी सेनामें भर्ती करके खुरासान, और बारह हजार रूसी तथा ईरानी गुलामोंको मुक्त करके अपने घर भेज दिया। उन्हींके बसनेके लिये नादिरने अबीवर्दके पास एक नया शहर बसाया।

४. ताहिरखान (१७४०–४१ ई०)

इलबर्सके मारे जानेके बाद बुखारा-खानके संबंधी ताहिरको खीवाका खान बना नादिर चारजूयकी ओर लौट पड़ा। ताहिर बहुत समयतक राज्य नहीं कर पाया। अगस्त १७४१ ई०में नादिर कास्पियनके पश्चिमी तटवर्ती दागिस्तानमें लड़ाईमें फंसा था। इसी समय उज्बेक अरालियोंने अबुल्खैरके पुत्र नूरअलीको बुलाया, जिसने खीवा पहुंचकर ताहिरको मार डाला। थोड़ी देरके लिये नूरअलीने शासन संभाला, लेकिन जब नादिरशाहके फिर आनेकी खबर मिली, तो वह कजाकोंमें भाग गया। नादिरकी सेना नसरुल्ला मिर्जाके नेतृत्वमें मेर्व पहुंची। विद्रोही नेता एर्तुक ईनकने वहां जाकर क्षमा मांगी, नादिरने उसे माफ कर दिया।

५. अबुल् मुहम्मद, इलबर्स-पुत्र (१७४१ ई०)

इलबर्सका पुत्र अबुल् मुहम्मद नादिरकी शरणमें था। नादिरने उसीको खीवाका खान और एर्तुकको उसका वजीर बनाया। एर्तुकको बहुत जल्दी उज्बेक और यामूद विद्रोहियोंने मार डाला और खान अबुल् मुहम्मद भी खीवासे लुप्त हो गया।

६. अबुलगाजी II (१७४५ ई०)

विद्रोहियोंने अब अबुलगाजीको अपना खान बनाया। इस समय उज्बेकोंके साथ-साथ तुर्कमान यामूद कबीलेका भी खीवा-राज्यमें बहुत जोर था। उधर ईरान नहीं चाहता था, कि खीवावाले उसके हाथसे निकल जायं। विद्रोह होते ही रहते थे। ईरानी जेनरल अलीकुल्लीने १७४५ ई०में ख्वारेज्मपर आक्रमणकर उरगंजके पास यामूदोंको हराकर बलखानकी पहाड़ियोंकी ओर भगा दिया, और नये खानको नियुक्त करके ईरानका रास्ता लिया।

७. काइप, बातिर-पुत्र (१७५० ई०)

बातिर शायद कराकल्पकोंका खान था। १७५० ई०में इरबेक नामक एक दूतने रूसमें जाकर कहा था, कि खीवा जानेवाले कारवांको बातिरके राज्यके भीतरसे आना चाहिये, नूरअलीके राज्यके भीतरसे आना सुरक्षित नहीं है। इसी समय कजाक अरालियोंपर आक्रमण करके उनके बहुतसे आदमी और पशु पकड़ ले गये। ये नूरअलीके आदमी थे, इसलिये खीवामें नूरअलीके प्रजाजनोंको पकड़कर उन्हें लूटका माल लौटानेके लिये मजबूर किया गया। बातिरका पुत्र काइप खीवामें आनेसे पहले लघु-ओर्दूके एक कबीलेका खान रह चुका था। काइपने नूरअलीके राज्यसे ओरेनबुर्ग जानेके रास्तेको बंद कर दिया—रूसियोंके व्यापारका केंद्र होनेके कारण ओरेनबुर्गसे व्यापारियोंको बहुत फायदा था। काइपके हुक्मका बदला लेनेके लिये १७५३ ई०में नूरअलीने खीवाके कारवांको लूटा और रूससे कहा, कि यदि तोपखानेके साथ दस हजार सेना मिले, तो रूसके लिये हम खीवाको जीत सकते हैं। लेकिन रूसियोंने उसे माननेसे इन्कार ही नहीं कर दिया, बल्कि हुक्म दिया, कि लूटे मालको उसके मालिकोंको लौटा दो। रूस इस तरह खीवासे निरबाध व्यापार होने देना चाहता था, लेकिन मध्य-एसियाके शासकों और अमीरोंके लिये लूट तो एक वैध आय थी। १७५४ ई०में काइपने खीवामें आये एक रूसी कारवांको रोक लिया, और साल भर बाद उसे छोड़ा। काइपके दूतने रूसमें जाकर कहा, कि उज्बेक हमारे खानको पसंद नहीं करते, इसलिये उसकी मददके लिये रूसको हाथ बढ़ाना चाहिये। रूसने इन्कार कर दिया,। नूरअली और उसके पुत्र एरलीके पकड़े जानेपर मुक्ति-धन देकर छुड़ानेका वचन देते हुये सेना एकत्रित की। सेनाको आशीर्वाद देनेके वक्त खोजाने ऐसा करनेसे मना कर दिया।

काइप विद्वान् और साथ ही अत्यन्त क्रूर आदमी था। उसकी क्रूरताके कारण लोगोंने विद्रोह करके उसे लघु-ओर्दूके कजाकोंमें भागनेके लिए मजबूर किया, जिनके ही भीतर रहते

१७७० ई०में वोल्गा तटके तोरगूत मंगोलोंके प्रस्थानके समय उसने उनपर आक्रमण करके "गाजी" (धर्मयोद्धा)का नाम पाया। पीछे १७८६ ई०में लघु-ओर्दूके एक कबीलेने उसे अपना खान भी चुना। काइपने अमीर-बुखारा अबुल्‌फैज खांकी लड़की ब्याही थी। उसकी मृत्यु १७९१ ई० के आसपास हुई।

८. अबुलगाजी III (--१७५५ ई०)

खीवामें अब वास्तविक शक्ति ईनकों (प्रधान-मंत्रियों)के हाथमें थी। उज्बेकोंमें कंकुरत (कुनगरद) कबीलेका प्रभाव छिङ्-गिस् (चिंगिस) खानके समयसे ही बहुत था, यह हम पहले बतला आये हैं। मूलतः यह मंगोल कबीला था, जो पीछे तुर्क बन गया। कंकुरतोंके बी (बेग या अमीर) वंशानुवंश क्रमसे ईनक (वजीर) तथा हजारास्पके राज्यपाल होते आये थे। १८वीं सदीमें बुखारा और खीवा दोनोंमें हालके नेपाल और पिछली सदी तकके जापानकी तरह दो राजा हुआ करते थे। खानको बस अच्छा-अच्छा खाना और सुनहला जामा पहनकर मौज करनेकी छुट्टी थी। उसके दरबारमें सलाम करनेके लिये प्रति दिन ईनक और बड़े-बड़े दरबारी जाते थे। राज्यका सारा काम ईनकके हाथमें था। प्रत्येक शुक्रवारको दरबारी महलमें जाते, जहां खानके पास ईनक बैठता। जब नमाजका वक्त आता, तो ईनक खानको उठनेमें सहारा देता, उसे मस्जिद ले जाता, और नमाजके बाद लौटा लाता। खीवाके खान इसी तरहके गुड़िया खान थे, जिनका काम था ईनकोंके हाथमें नाचना। इसी गुड़िया-खानकी जगह लेनेके लिये कजाकों या कराकल्पकोंमेंसे किसी छिङ-गिस्-वंशीको लाया जाता, और जबतक पसंद आता, रखकर उसे निर्वासितकर किसी दूसरेको खान बनाया जाता। इशमद बी सबसे पुराने ईनकोंमेंसे था। पता लगता है, कि उसके बाद उसका पुत्र मुहम्मद अमीन १७५५ ई०में ईनक बन सत्रह साल-तक शासन करता रहा। इसके शासनकालमें खीवाकी समृद्धि बढ़ी। उस समय खीवाका अपना कोई सिक्का नहीं था, ईरान और बुखाराके सिक्के ही वहां भी चलते थे। शुक्रवारकी नमाजके खुतबेमें गुड़िया-खानका नाम लिया जाता था। मुहम्मद अमीनकी मुहरपर खुदा हुआ था—"अल्लाह और पैगम्बरकी मेहरबानी, खानका एक दास, जिसपर वह विश्वास कर सकता है।" जिस तरह खीवामें ईनकोंकी चलती थी, उसी तरह बुखारामें इसी समय अतालीकोंकी चल रही थी। बुखाराका अतालीक दानियाल बी ईनक मुहम्मद अमीनका गहरा दोस्त था, जिसने हाथसे निकल गये अधिकारको पानेमें अमीनकी मदद की थी। मुहम्मद अमीनके बाद उसका पुत्र एवज ईनक बना। यह बड़ा ही समझदार और सादगीसे रहनेवाला आदमी था। इसके समय यामूदों (तुर्कमानों), मंगिशलकों (तुर्कमानों) और कजाकोंने विद्रोह किया, जिसमें उसके अपने संबंधी तथा अरालके कंकुरतोंके नेता तुरासूफीने भी विद्रोहियोंका साथ दिया।

अक्तूबर १७९३ ई०में रूसी डाक्टर मेजर ब्लांकेन्नागेल् खीवा पहुंचा। गुप्तचर समझकर उसे शहरके नजदीक एक घरमें नजरबन्द करके मारना चाहते थे; किन्तु ईनकके भाई, बुढ़ापेके कारण अंधे फाजिल बीको डाक्टरकी दवासे फायदा हुआ, जिससे उसका मान बढ़ गया। डाक्टरने बहुत समझाया, कि खीवावालोंको मंगिशलकमें जा रूसियोंके साथ व्यापार करनेसे बहुत फायदा होगा, लेकिन आम एसियाइयोंकी तरह खीवावाले भी यूरोपियोंपर विश्वास नहीं करते थे। डाक्टरके लिखे-अनुसार उस समय खीवाके राज्यमें एक लाखसे अधिक आदमी नहीं थे, जिनमें उज्बेक ४१ प्रतिशत, सर्त (फारसीभाषी) १५ प्रतिशत, कराकल्पक १० प्रतिशत, यामूद ५ या ६ प्रतिशत थे। बाकी १८ या १९ प्रतिशत दास थ। खीवाकी सेनामें बारह या पंद्रह हजार सिपाही थे, जिनमेंसे दो हजारके पास ही बन्दूकें थीं, बाकी तलवार, भाला, तीर, कमानवाले थे। यामूद और कराकल्पक सबसे अच्छे सिपाही माने जाते थे, जिनके बाद उज्बेकोंका नम्बर आता था। उस समय काइपका पुत्र अबुलगाजी खान था, जो एकांतमें रक्खा जाता, और साल भरमें तीन बार ही प्रजाके सामने आने पाता था।

१८०४ ई०में ईनक एवज मर गया। भाइयों और दूसरे अमीरोंने कुथमुराद बेकको ईनक

बनाया, लेकिन उसने अपने भाई इल्तजारके लिये पदको लेनेसे इन्कार कर दिया। इल्तज़ारने छ महीनेतक ईनकके तौरपर काम किया। वह रोज खान (कजाक) के पास मुजरा करने जाता। एक रात उसने अपने भाई कुतुलुक मुरादको बुलाकर कहा—"तेमूर लंग, नादिरशाह और बुखारा-अमीर मुहम्मद रहीम कौनसे छिङ-गिस्-वंशके खानोंके पुत्र थे, उन्होंनें अपन भाग्यको अपने आप बनाया। अल्लाहकी मेहरबानी है, कि मेरे पास निर्णय करनेकी शक्ति, साहस और सिपाही हैं। कबतक मैं इस गुड़ियाको सम्हाले बैठा रहूंगा? मैं स्वयं खान बनना चाहता हूं। इसके बारेमें तुम्हारी क्या सलाह है? मैं कजाक खानको कुछ पैसा देकर उसे उसके घर भेज दूंगा, और फिर यामूदोंसे पिंड छुड़ाऊंगा।" भाईने उसकी बातका समर्थन करते हुये फातेहा पढ़ा। दूसरे दिन इल्तिजारने गुड़िया-खानको किलेसे निकालकर कजाकोंमें भेज दिया और फिर अपने गद्दीपर बैठते हुये कंकुरत राजवंशकी स्थापना की।

§२. कंकुरत-वंश (१८०४-८१ ई०)

इस वंशमें निम्न खान हुये:—

१.	इल्तजार, ईरज-पुत्र, एवज-पुत्र	१८०४-६ ई०
२.	मुहम्मद रहीम, इल्तजार-पुत्र	१८०६-२५ "
३	अल्लाकुल, मुहम्मद रहीम-पुत्र	१८२५-४२ "
४.	रहीमकुल, अल्लाकुल-पुत्र	१८४२-४५ "
५.	मुहम्मद अमीन, अल्लाकुल-पुत्र	१८४५-५५ "
६.	अब्दुल्ला, इबादुल्ला-पुत्र	१८५५ "
७.	कुतुलुक मुराद, इबादुल्ला-पुत्र	१८५५ "
८.	सैयद मुहम्मद, मुहम्मद रहीम-पुत्र	१८५५-६५ "
	(मुहम्मद फना, तुरासूफी-भतीजा)	१८६५ "
९.	सैयद मुहम्मद रहीम, मुहम्मद-पुत्र	१८६५ "

१. इलतजार, इराज-पुत्र, एवज-पुत्र (१८०४-६ ई०)

जानेवाले खानसे इल्तजारने कहा था—मैं दूसरे खानको बुला रहा हूं। उसने अपनी सेना बढ़ा दस हजार उज्बेकोंको कवचबद्ध किया, फिर मौलवियों, दूसरे धार्मिक नेताओं, अतालीकों, ईनकोंको बुलाकर कहा, कि दूसरे कजाक-खानके बुलानेकी जरूरत नहीं। उइगुर अतालीक बेक फुलाद सहमत नहीं हुआ, बाकी सबने फातेहा पढ़कर दुआ मांगी। इल्तजार उस समय चुप रहा। बड़े दरबारियों, आलिमों और कबीलोंके अकसक्कालों (ज्येष्ठों) में उसने खलअत और इनाम बांटे, उसके नामसे खुतबा पढ़ा गया। यामूदोंको छोड़ उज्बेकों, कराकल्पकों और तुर्कमानोंने नये खानको बधाई दी। इल्तजार जानता था, कि अन्तमें मेरे भाग्यका फैसला तलवार द्वारा होगा, इसलिये उसने अपना सारा ध्यान सेनाको बढ़ाने और मजबूत करनेमें लगाया। तैयारी हो जानेपर वह सरकश यामूदोंके ऊपर पड़ा, जो कि उस समय अस्त्राबाद (ईरान) और गूरगानके इलाकोंमें रहते थे। उसने उनसे मांग की—लूटपाटके जीवनको छोड़ दो, ऊंट-भेड़-फसलपर कर दो, नहीं तो हमारे राज्यसे निकल जाओ। उज्बकोंको लूटनेवाली यामूदोंकी एक टोलीके मुखियाको नाकमें रस्सी डालकर बाजारमें घुमाया गया, लेकिन यामूद घुमन्तुओंका लूटना तो पीढ़ियोंसे व्यवसाय था, उसे वह भला कैसे छोड़ते? इल्तजार भी निश्चय कर चुका था। उसने एक बार आक्रमण करके पांच सौ यामूदोंको मारा, पांच सौको कैदी बनाया, बाकी प्राण लेकर रेगिस्तानमें भाग गये। अराल द्वीपवाले भी लूट-मारसे तंग कर रहे थे, इसलिये इल्तजार उनके नेता तुरासूफीके ऊपर पड़ा, पर उसे असफल होकर ही खीवा लौटना पड़ा। उसने बुखारामें लूट-मार करके धन जमा करना चाहा, लेकिन बेक पुलादने इसे बुद्धिमानीकी बात नहीं कही। इसपर वह पुलादसे नाराज हो गया, और दरबार छोड़ते समय उसे मरवा दिया। पुलादके

परिवार तथा कबीले (उइगुर)ने विद्रोह किया, इसपर इल्तजारन उइगुर-उज्बेकोंका भीषण हत्याकांड किया। जो कत्ल होनेसे बचे, वे भाग गये, बाकियोंने 'भेड़िये द्वारा जबर्दस्ती लादी शांति'के सामने सिर नवाया। इल्तजारने अपने राज्यकी सीमाको बढ़ानेकी कोशिश की। उस समय उरगंजमें एक बड़ा पुराना खानदानी सैयद अख्तेखोजा रहता था। इल्तजारने बिना बापकी मर्जीके उसकी लड़की ब्याह ली। इसपर खोजाने बुखारा भाग गये यामूदोंको लूटका प्रलोभन देकर बुलाया, और उरगंजमें उन्हें रहनेके लिये जमीन दी। अब खान लोगोंपर पहलेसे भी ज्यादा खुलकर अत्याचार करने लगा। बाहर अब भी इल्तजारके अभियान चलते रहे। १८०५ ई०में वह बुखाराके ऊपर चढ़ा। उस समय अमीर-बुखाराका दूत अब्दुल करीम जारके दरबारमें जाते हुये उरगंज आया था। उसे जल्दी ही करशी पहुंचकर राज्यपाल बननेका प्रलोभन दे तैयारी करनेके लिये कहा। महीने बाद इल्तजारने बुखाराके इलाकेमें घुसकर लूट-मार की, और वहांसे पचास हजार भेड़ें तथा हजारों ऊंट लूट लाया। अमीर-बुखाराने तैयारी करके मुहम्मद नियाज बीको तीस हजार सेना देकर रवाना किया। इधर इल्तजार भी तेक्के, यामूद, सलार, चन्दोर, अमीरअली, बूजेजी, कंकुरत, कंकली, मंगित आदि तुर्कमान और उज्बेक कबीलोंके बारह हजार जवानोंको लिये वक्षुके किनारे-किनारे चला। उसने बुखाराकी पहली टुकड़ीपर अकस्मात आक्रमण कर बुखारी दादखाहके पुत्रको खतमकर पांच सौ आदमियोंको मारा या पकड़ लिया। बंदी रस्सीमें बंधे इल्तजारके तम्बूपर लाये गये। खीवाकी सेनाने बुखारियोंके लौटनेके रास्तेको भी काट दिया था, अतः बुखारियोंके लिये लड़ने-मरनेके सिवा कोई रास्ता नहीं था। वह खूब लड़े। खीवावाले हार गये। उनके बहुतसे आदमी भागते वक्त नदीमें डूब गये। इल्तजारने नावमें बैठकर भागना चाहा। उसके बहुतसे साथी भी प्राण बचानेके लिये उसी नावपर सवार हो गये, और बोझके मारे नाव डूब गई——बहुतसे आदमियों-के साथ इल्तजार भी वक्षुमें डूब मरा। उसके भाई हसनमुराद और जानमुराद भी डूब मरे। मुहम्मद रहीम बुखारियोंके हाथमें बन्दी बना और सिर्फ कुतुलुक मुराद बक बचकर खीवा पहुंचा। यह घटना १८०६ ई०की है।

२. मुहम्मद रहीम, इल्तजार-पुत्र (१८०६——२५ ई०)

बुखारामें उस समय अमीर हैदरका शासन था। खीवावालोंसे निर्दयतापूर्वक व्यवहार करके खूनी झगड़ेको और बढ़ाना उसने पसंद नहीं किया, और बंदियोंको क्षमा करके उन्हें खलअत और इनाम दे मुक्त कर दिया। इस दयाके लिये कुतुलुक मुरादने अपने भावोंको प्रकट करते हुये कहा——"मैं अमीर हैदरका कुत्ता, दास हूं, उसका हुक्म माननेके लिये तैयार हूं।" कुतुलुक मुरादको ईनककी पदवी देकर अमीर हैदरने खीवाका राज्यपाल नियुक्त किया था, लेकिन उसके आनेसे पहले ही ख्वारेज्मियोंने उसके छोटे भाई मुहम्मद रहीमको खान बना दिया था। कुतुलुकने भी उसे स्वीकार किया, और बुखाराके अमीरके पास लिखकर अपनी मजबूरी प्रकट की। अरालियोंने इसी समय उज्बेकोंको लूटा-मारा। नये खानके चचा मुहम्मद रजाबेकने उइगुरोंके विद्रोहके समय उनका साथ दिया था। उसने अब भी विद्रोह करना चाहा, लेकिन उसे हारना पड़ा। कजाकोंके कई साल लूट-मार करनेका जवाब खानकी ओरसे था, जाड़ोंमें रजाबेकका चेकली, तुर्त-कारा (शेरगाजी), चूमेके, जलैर (बुल्की-सुल्तान)के कजाकोंको लूटने जाना। कजाकोंने मजबूर होकर सौ भेड़ोंपर एक भेड़ खानको देना मंजूर किया। शेरगाजी स्वयं १८१९ ई०में खीवा-दरबारमें आया, और वहीं मरा। उसके बाद रहीम खानने अपने बेटेको उसके स्थानपर नियुक्त किया, जिसे कजाकोंने भी मान लिया। अगले साल तुर्तकारा और ओई कजाकोंके ऊपर भी वैसी ही बीती। जाड़ोंमें सरकश कंकुरतोंके अरालद्वीपपर बर्फके ऊपरसे चढ़ाई की, लेकिन आक्रमण उतना सफल नहीं रहा, तो भी खीवाके एक शरणार्थी और उसके पुत्रने तुरासूफी मुरादके सिरको काटकर बोरेमें ला खानके सामने पेश किया। मुहम्मद रहीमने खुश होकर बाप-बेटेको नौकर रख लिया। जब अराली कंकुरतोंको अपने नेताके मारे जानेकी खबर लगी, तो

उन्होंने खीवाके सुलतानकी अधीनता स्वीकार की । तुरामुरादके परिवार और खजानेको ले खानने खीवा लौटकर मुरादकी लड़कीसे ब्याह किया । पुराने खानके वंशसे ब्याह करनेके कारण अब वंशका सम्मान बढ़ गया । रहीमने इलतजारकी सैयद-पुत्री विधवाको भी ब्याहा। अब्दुल्करीमने अब्दुर्रहीमको क्रूरतामें शैतान लिखा है । उसने गर्भिणी अराली स्त्रियोंका पेट चीर गर्भके बच्चोंको टुकड़े-टुकड़े करके अपनी पशुताका परिचय दिया था । रहीमने अपने विरोधियोंको एक-एक करके मार डाला, या उन्हें देशसे बाहर निर्वासित कर दिया । उसके कठोर शासनके कारण यह फायदा जरूर हुआ, कि अब लूट-मार बन्द हो गई, और व्यापारी कारवांसे कबीलोंने मनमाना कर लेना छोड़ दिया । उसने कर की दर निश्चित कर दी, और कर उगाहनेके कस्टम (आयातकर) घर बनवाये । अपनी टकसाल स्थापित करके उसने खीवामें चांदी-सोनेके सिक्के ढलवाये ।

ईरान शीया था । मध्य-एसियाके सुन्नी मुसलमान शीयोंको काफिरसे भी बदतर समझ उनके ऊपर लूट-मार करना पुण्य कार्य समझते थे । १८१३ ई०में खीवावालोंने खुरासानपर आक्रमण किया, लेकिन ईरानी सेनाने भी मुकाबिला किया, और चार दिनकी झड़पके बाद दोनों सेनायें पीछे हटीं। लौटते समय रहीम खान गोकलान तुर्कमानोंके ऊपर पड़ा, और उनमेंसे बहुतेरे बंदी बनाये । फिर तेक्के तुर्कमानोंके ऊपर धावा बोल उनके जीते हुये खेतोंको छीनकर दक्षिणके नंगे पहाड़ोंमें खदेड़ दिया । इनमेंसे कुछ पीछे जाकर नहरके किनारेवाले इलाकेमें बस गये । रहीमने मंगिशलकके इलाकेमें डेरा रखनेवाले चन्दोर तुर्कमानोंको भी अधीनता स्वीकार करनेके लिये मजबूर किया। रहीमने तलवारके बलपर शांति स्थापित की। इससे खीवा और रूसके बीच कारवांका आना-जाना सुगम हो गया, और पूर्व तथा पश्चिमम व्यापार खूब बढ़ा । रहीमको बिना लड़े चैन नहीं आंता था। १८२० ई०में उसने बुखारापर चढ़ाई की, और जाकर चारजूयको एक महीनेतक घेरे रक्खा । इसी बीच उसके सैनिक पड़ोसमें घुमक्कड़ी करनेवाले तेक्के तुर्कमानोंको भी लूटते रहे । खीवावालोंके पास रूसके साथ संबंध होनेके कारण तोप भी थी, जिसने मदद अवश्य की, किन्तु बिना फैसलेके ही दोनों सेनाओंको लौट जाना पड़ा । रहीमका समकालीन अमीर हैदर भी बहुत मजबूत शासक था । अगले साल वह खुद सेनाके साथ आया । खीवाके नावोंके बेड़ेको उसकी तोपोंने रोक लिया । नदीमें पानी कम था, इसलिये दूर हटकर निकल भागनेका मौका नहीं मिला । रहीम खानके भाई कुतुलुक मुरादको हैदरने हराया । उसकी बहुतसी नावें नष्ट हो गयीं, और खीवा-सेना पराजित हो पीछे लौटी । लेकिन १८२२ ई०में फिर कुतुलुक मुरादने बुखाराके राज्यमें कराकुलतक लूट-मार की। मरते वक्त कुतुलुकने मुसलमान भाइयोंपर वार करनेके लिये अमीर-बुखारासे क्षमा मांगी—"सचमुच गाजीके लिये यह शोभा नहीं देता था।"

१९वीं सदीके आरम्भमें काकेशसमें जारका शासन स्थापित हो चुका था, और अब पश्चिमी तटसे ही संतुष्ट न हो वह कास्पियनके पूर्वी तटपर भी अधिकार करनेके लिये व्यग्र था। उधर रहीम खानने पूर्वी तटपर रहनेवाले तुर्कमानोंको बुरी तरहसे दबा रक्खा था, इसलिये रूस उससे फायदा उठाना चाहता था। १८१९ ई०में गुर्जी (जार्जिया) के राज्यपालने पूर्वी कास्पियनके तटपर रहनेवाले तुर्कमानों तथा खीवासे भी संबंध स्थापित करनेके लिये मुरावेफको दूत बनाकर भेजा । मुरावेफ १९ सितम्बरको क्रास्नोवोद्स्कमें जहाजसे उतरा, और ६ अक्तूबरको खीवाके पास पहुंचा । उस समय खान शिकारमें गया हुआ था । उसके आदमियोंने मुरावेफको गुप्तचर समझ नजरबन्द कर खानने मुरावेफको मेहतर (वित्त-मंत्री) आगा यूसुफके घरमें ठहरा दिया । फिर किसी तरह मुरावेफ खानके दरबारमें उपस्थित होनेमें सफल हुआ । मुरावेफने खानके बारेमें लिखा था—"वह अपने सफेद रंगमें उज्बेकोंसे अधिक रूसी-सा मालूम होता था ।" मुरावेफने राज्यपालका संदेश देते हुए कहा—"मंगिशलककी जगह क्रास्नोवोद्स्क द्वारा व्यापार-संबंध स्थापित करनेपर तीसकी जगह सत्रह दिनमें ही कारवां समुद्रतक पहुंचने लगेंगे । लेकिन क्रास्नोवोद्स्कका इलाका उस वक्त ईरानी काजार-वंशके हाथमें था, जब कि मंगिशलक

खीवाका था, इसलिये खान कारवां-पथको कैसे बदल सकता था ? मुरावेफके लिखनेसे पता लगता है, कि उस समय खीवामें एक शासन-परिषद् थी, जिसका अध्यक्ष मेहतर यूसुफ आगा था। यूसुफ सर्त अर्थात् फारसी-भाषी ताजिक व्यापारीवर्गका प्रतिनिधि था। द्वितीय वजीर कुशबेगी उज्बेक, तीसरा खोजेश मेहरम खानके गुलामका पुत्र था, जो कस्टमका उच्चाधिकारी भी था। परिषद्के सबसे अधिक प्रभावशाली सदस्य थे—खानका भाई कुतुलुक मुराद और काजी (धर्माधिकारी)। परिषद्में चार प्रधान उज्बेक कबीलोंके सरदार भी सम्मिलित थे।

यह बतला आये हैं, कि खीवा उस वक्त गुलामोंका बहुत भारी बाजार था, जिसमें रूसी गुलामोंकी कीमत ज्यादा थी, लेकिन रूसी औरतोंकी अपेक्षा ईरानी औरतें ज्यादा महंगी बिकती थीं।

मुहम्मद रहीम १२४१ हि०* में मरा।

३. अल्लाकुल, रहीम-पुत्र (१८२५-४२ ई०)

रहीमके मरनेपर उसका बड़ा बेटा गद्दीपर बैठा। इसने बापके जमा किये हुये खजानेको बरबाद करना शुरू किया। १८३२ ई०में मेर्वपर चढ़ाई करके तेक्का तुर्कमानोंपर कर लगाया, जिसके लिये खीवासे रेगिस्तान (कराकुम) के बीचसे मेर्व जाते रास्तेपर हर पड़ावपर कुआं खोदना पड़ा। सरख्शके सलोरोंपर भी जबर्दस्ती कर लगाया। कर उगाहनेके लिये दोनों जगह कस्टम-गृह बनवाये। सरख्शसे लौटते समय अलमान्सके साथ बारनेस वहां आया था। उसने लिखा है—"नगरसे चंद मीलपर लूटके मालको गिना गया—एक सौ पंद्रह आदमी, दो सौ ऊंट और उतने ही ढोर थे। उन्होंने पहले ही लूटके मालको बांट लिया था, लेकिन पांचवां हिस्सा उरगंजके खानको भी दिया।" उस समय किजिलबासों (ईरानी शीयों) के ऊपर लूट करना धर्मयुद्ध माना जाता था, जैसा कि स्पेनवाले मेक्सिको और पेरूमें अपने हाथोंको खूनसे रंगनेको समझते थे, वह भी अपने लूटके मालका पांचवां हिस्सा स्पेनके राजाके पास भेजते थे। इस प्रकार उससे कुछ ही शताब्दियों पहले स्पेनके युरोपीय भी उसी सिद्धांतको मानते थे, जिसे १९वीं सदीके आरम्भमें खीवाके सुन्नी मुसलमान।

बापके समयसे ही लूटपाटके बन्द होनेके कारण ख्वारेज्ममें व्यापार चमक उठा था, और बुखारा उरगंज-मंगिशलकके बीच स्थलसे, फिर अस्त्राखानतक समुद्र-मार्गसे बराबर व्यापारिक कारवां आते-जाते रहते थे। अराल समुद्रके पूर्वी तटसे एक नया व्यापारमार्ग खोलनेके लिये रहीम खानके समय १८२० ई०में रूसियोंने इस इलाकेकी सर्वे की। फिर पांच सौ सिपाहियों और दो तोपोंके साथ एक रूसी कारवां चला। खीवावाले क्यों पसंद करते, कि उत्तरका मार्ग खुल जाय, जिससे उरगंज और मंगिशलकका समृद्ध वणिक्पथ उजड़ जाय। उनकी शहपर तुर्कमानोंने रूसी काफिलेपर प्रहार किया, लेकिन उन्हें हारकर भागना पड़ा। तो भी काफिलेको अपने सौदेको जलाकर खाली हाथ पीछे लौटना पड़ा।

पहली बार असफल होनेके बाद अब अल्लाकुलके शासनकालमें १८३५ ई०में रूसियोंने मंगिशलकके बन्दरगाहके पास अपना किला बना खीवावालोंको डराना चाहा, लेकिन खानने उसकी परवाह नहीं की। इसी समय १२० रूसी इलाकेकी जांच-पड़ताल कर रहे थे, जिन्हें पकड़कर खीवावालोंने बुखाराके बाजारमें बेंच दिया। इसपर १८३६ ई०में जार निकोलाइ I के हुक्मसे ओरेनबुर्ग और अस्त्राखानमें खीवावाले व्यापारियोंको पकड़ लिया गया। उसी साल अगस्तमें निज्नीनवोगोरदके मेलेसे लौटते खीवाके छियालीस व्यापारियोंको भी जेलमें डाल दिया गया। यह स्मरण रहना चाहिये, कि बोल्शेविक-क्रांतिसे पहलेतक निज्नीनवोगोरदका मेला दुनियाका सबसे बड़ा व्यापारिक मेला था। हमारे सोनपुर मेलेका नम्बर उसके बाद आता था। ओरेनबुर्गके रूसी राज्यपाल जेनरल पेरोव्स्कीने खानको कड़े शब्दोंमें लिखा—"तुम्हारी कार्रवाई बुरी है। बुरे बीजका बुरा फल पैदा होता है। तुम्हें चाहिये, कि रूसी बंदियोंको लौटा दो, और कजाकोंके भीतर दखल देने और लूट-मारको बन्द करो। ऐसा करनेसे रूसियोंके साथ

*१६ VIII १८२५–७VII १८२६ ई०

तुम्हारा-जैसा व्यवहार होगा, वैसी ही सुविधायें खीवावालोंको रूसमें मिलेंगी ।" लिखा-पढ़ी चलती रही, और दो सालमें सौ रूसी बंदी लौटाये गये, लेकिन दूसरी ओर १८३९ ई०में ही खीवावाले दो सौ रूसी मछुओंको कास्पियनसे पकड़ ले गये।

असफल रूसी अभियान (१८३९ ई०)—खीवाके खानकी गुस्ताखियोंको शक्तिशाली रूस भला कबतक बर्दाश्त करता ? और यह तो वह समय था, जब कि युरोपमें भी रूसकी धाक जमी हुई थी। जेनरल पेरोव्स्कीने २६ नवम्बर १८३९ ई०के जाड़ोंमें छ हजार पैदल सेनाके साथ दस हजार ऊंटोंके ऊपर रसद ले ओरेनबुर्गसे प्रस्थान किया, लेकिन रास्तेमें उसे हिमविन्दुसे ४० डिग्री नीचेकी सर्दीका सामना करना पड़ा—नीचे बर्फकी ऊंची ढेर थी, ऊपरसे भयंकर हवा चलने लगी। हजारों सिपाहियोंने हिम-आहत हो अपनी अंगुलियों, पैरों और हाथोंको गंवाया, बहुतसे सर्दीमें मर गये। इस स्थितिका मुकाबिला करते हुये जैसे-तैसे रूसी खीवाकी सीमा पर अकबुलाकमें पहुंचे। खीवाका कुशबेगी (प्रधान-सेनापति) भी रूसियोंके मुकाबिलेके लिये तैयार था। बर्फ आठ फुट मोटी थी। कजाकोंने घोड़ोंके झुंडको दौड़ाकर बर्फमें रास्ता बनाया, जिसके दोनों तरफ बर्फकी दीवार खड़ी थी। सब कोशिश करनेपर भी आगे बढ़ना सर्वनाशके मुंहमें पड़ना समझ पेरोव्स्की लौट गया।

रूसियोंको मध्य-एसियाकी ओर—अर्थात् भारतके सीमांतके पास—पहुंचनेकी कोशिश करते देख अंग्रेज कैसे चुप रह सकते थे ? मेजर टाड अंग्रेजोंके लिये अफगानिस्तान और बुखारामें अपना जाल बिछा रहा था। उसने हेरातसे काजी मुहम्मद हसनको दूत बनाकर बुखाराके अमीरके पास भेजा। अमीरने मिलकर काजीको बहुत फटकारा, कि वह इस्लामकी भूमिमें काफिरोंको घुसाना चाहता ह । इसपर काजीने कहा—"अपने हथियारों, अनाज, सोना, खून और अपनी बुद्धिके साथ मुहम्मद शाहके हथियारोंसे ध्वस्त होते प्राचीरकी रक्षा करने अंग्रेज आये। उन्होंने काफिरोंसे सच्चे मुसलमानोंकी रक्षा की।" और फिर अमीर बुखारासे पूछा— "काफिर कौन हैं ? ईरानी किज़िलबास हैं, जिनकी कि आपने रक्षा की, या अंग्रेज जिन्होंने कि सच्चे मोमिनोंकी रक्षा की ? बहुत समय नहीं बीतेगा, कि रूसके आक्रमणको रोकनेके लिये भी उनकी सहायताकी अवश्यकता होगी।" काजीने रूसका भय दिखलाकर बुखाराके अमीरको प्रभावित किया, और सफलताकी सूचना देत ज़रीके रेशमी थैलेके भीतर मेजर टाडके पास अपना पत्र भेजा।

बुखारामें सफलताकी आशा देखकर टाडने कप्तान एबटको खीवाके सुल्तानके पास भेजा। उसके हुक्मके मुताबिक एबटन खानको रूसी कैदियोंके छोड़ देने तथा स्वयं अस्त्राखानमें जा वहां पकड़े गये खीवाके व्यापारियोंको छुड़ानेकी कोशिश की। एबट १८४० ई०के बसंतमें चला था, जब कि अभी-अभी जेनरल पेरोव्स्कीका अभियान भयंकर आफतमें पड़नेके बाद नष्टप्राय होकर लौटा था। उस समय खान एक काले तम्बूमें बैठा था, जब कि एबट उससे मिलने गया । एबटने जूता निकाल परदा उठाकर भीतर प्रवेश किया, फिर अपने हाथोंको अदबसे छातीपर रखकर "सलाम् अलेकुम्" कहकर बातचीत की। खानने उसके साथ बड़ा अच्छा बर्ताव किया। उसके आनेकी खबर सुनकर स्वागत करनेके लिये पहले ही सैनिक भेजे थे । नगरके बाहर वजीरके एक महलमें एबटको टिकाया गया था। एबटने पहलेसे खीवामें बन्दी अंग्रेज गुप्तचर कर्नल स्टोडर्टको छोड़ देनेपर जोर दिया। एबटने यह भी कहा, कि खीवा यदि अंग्रेजोंसे मदद पाना चाहता ह, तो रूसी बंदियोंको छोड़ना जरूरी है। स्टोडर्ट बुखाराके अमीरके बंदीखानेमें था । खीवा-खानने उसे छोड़नेके लिये अपना दूत बुखारा भेजा। कास्पियन और ओरेनबुर्गकी ओरसे जिस तरह रूसका फौलादी पंजा मध्य-एसियाकी ओर बढ़ता आ रहा था, और जिस तरह हिन्दुस्तानमें मुस्लिम बादशाहतको खतम करके अंग्रेजोंने अपना राज्य कायम किया था, उसे देखते हुये मध्य-एसियाके शासकोंकी नींद हराम हो गई थी। अंग्रेजों और रूसियोंको वह एक तरफ आग और दूसरी तरफ खड्ड-सा देखते थे, इसलिये किसी निश्चय पर पहुंचना उनके लिये आसान नहीं था। तो भी रूसका खतरा बिलकुल सामने था—पेरोव्स्की यद्यपि इस साल सफल नहीं हुआ था, लेकिन एक बारकी असफलतासे खीवावाले कैसे अपनेको सुरक्षित समझ लेते ? इसीलिये अल्लाकुल

समझा-बुझाकर कर्नल स्टोडर्टको छोड़ देनेके लिये बुखाराके अमीरको तैयार करना चाहता था। एबटने अपनी एक मुलाकातमें फारसी अक्षरोंमें लिखे एक नक्शेको अल्लाकुलके सामने रखकर बतलाया, कि इंगलैंडका स्वार्थ इसीमें है कि मध्य-एसिया रूसके हाथमें न जाय। हम मध्य-एसियाके राज्योंको स्वतंत्र और तटस्थ देखना चाहते हैं, और रूसके मनसूबेको असफल करनेमें सहायता देनेके लिये तैयार हैं। लेकिन खान रूसकी शक्तिको ज्यादा अच्छी तरह जानता था, इसलिये उससे बहुत भयभीत था। उसने चांदीकी तरह सफेद चमकते तीन पौंडके एक तोपके गोलेको दिखलाकर एबटको बतलाना चाहा, कि रूसी बहुत जबर्दस्त शक्ति रखते हैं। एबटने साफ देखा कि जबतक रूसी तोपका यह सफेद गोला खानके तम्बूमें रहेगा, तबतक उसे कुछ भी साहस नहीं होगा, और मुझे अपने काममें सफलता नहीं मिलेगी।

एबटके काममें सबसे बाधक मेहतर था, जो रूसी बंदियोंके छोड़ देनेपर जोर देनेके कारण एबटको रूसियोंका गुप्तचर समझता था। एबटके बहुत कहनेपर मेहतरने कहा—अगर हमारे भाग्यमें यही लिखा होगा, तो फिर क्या चारा ? इसपर एबटने कहा—तो इसका अर्थ है खीवाको रूसियोंके हाथमें दे देना। मेहतरने गुस्सेमें आकर कहा—"आह ! अगर हम काफिरोंसे लड़ते मारे गये, तो सीधे स्वर्गमें जायंगे।" इसपर एबटने जवाब दिया—"और तुम्हारी औरतें ? तुम्हारी बीबियां और लड़कियां रूसी सिपाहियोंकी गोदमें जाकर किस तरहके स्वर्गको प्राप्त करेंगी ?" ईरानसे आये हुये दूतने जब ईरानी गुलामोंको छोड़नेके लिए कहा, तो अल्लाकुलने जवाब दिया—"मुहम्मदशाहको कहो, कि अभी वह बच्चा है, अभी उसे दाढ़ी भी नहीं आई है। वह क्यों नहीं पहले रूसियोंको ईरानसे निकालता ?" दरअसल खीवा ऐसी परिस्थितिमें था, कि उसके लिये इस समय कुछ भी निश्चय करना बहुत मुश्किल मालूम होता था। प्रस्थान करते वक्त एबटने खानसे कहा था—बड़ी सावधानीसे काम करनेकी जरूरत है। खानने जवाब दिया—"यह बहुत मुश्किल है। दुनिया भरमें मेरे राज्यको छोड़कर रूसियोंको कोई दूसरा युद्धक्षेत्र नहीं मिलता।"

एबट सुरक्षित तौरसे कास्पियनके तटपर गुयेदिकके बन्दरगाहमें पहुंचा, लेकिन जले-भुने वजीरने ऐसी चाल चली, कि बन्दरगाहपर एबटको जहाज नहीं मिला। फिर वह वहांसे चार दिनके रास्तेपर दक्षिणमें अवस्थित रूसियोंकी फौजी चौकी दाशकलाकी ओर रवाना हुआ। चौकीपर पहुंचनेमें दस घंटेका रास्ता रह गया था, जब कि उज्बेकोंने उसे लूट लिया। एबटकी दो अंगुलियां टूटीं, और सिर भी फूटा। फिर उन्होंने उसे ले जाकर घुमन्तुओंके डेरेमें रखकर बहुत बुरा बर्ताव किया। टाडने अखुन्द-जादा नामक अफगानको भेजा, जिसने एबटको छुड़ाकर रूसकी ओर रवाना किया। हेरातमें टाडके पास एबटके मरनेकी खबर पहुंची। जिसपर उसने लेफ्टिनेंट शेक्सपियरको खीवाके साथ फिर बातचीत करनेके लिये भेजा। लेकिन खानने उसकी बातोंपर अविश्वास प्रकट करते हुये कहा—"यह क्या बात है, जो हमारेसे इतनी दूर रहनेवाला तुम्हारा देश हमारे देशके साथ मित्रता करनेके लिये इतना उतावला है?" शेक्सपियरने जवाब दिया—"हमारे पास भारत-जैसा एक विशाल उद्यान है, कहीं कोई उसपर टूट न पड़े, इसलिये हम अपने बगीचेके चारों ओर दीवारें खड़ी करना चाहते हैं, और वे दीवारें हैं—खीवा, बुखारा, हिरात और काबुल।" याकूब मेहतरने काफिर कहकर जब ताना मारा, तो उसका जवाब शेक्सपियरने दिया—"हममेंसे कौन काफिर है ? तुम, जो कि कभी न बुझनेवाली ईर्ष्याके कारण रोज गुलामोंको सासत देते हो, बापसे लड़कियोंको, पतिसे पत्नीको जबर्दस्ती छीनकर अपनी बाजारोंमें सबसे अधिक दाम देनेवालोंके हाथ बेंच देते हो। या हम जो कहते हैं—ये अभागे लोग मुक्त कर दिये जायं। इन्हें इनके देश और परिवारमें भेजनेकी कोशिश करते हैं।"

शेक्सपियर कुछ सफलताके साथ बिदा हुआ। ४२० रूसी बंदियोंको मुक्त करा पुराने उरगंजसे रवाना हो वहां समुद्र तटपर पहुंचा, फिर वहांसे नाव पकड़कर अस्त्राखान, आगे राजधानी पीतरबुर्ग-में गया। जारने उसकी सेवाओंके लिये बहुत सम्मान करते, उसे रूसी 'सर'की उपाधि प्रदान की।

जुलाई १८४० ई०में अल्लाकुल्लीने समझ लिया, कि रूसियोंके साथ झगड़ा मोल लेना अच्छा नहीं है। उसने घोषणा करके रूसी दासोंके व्यापारको बंद कर दिया, और रूसके राज्यमें लूटपाट मचानेकी मनाही कर दी। लेकिन इसी समय ईरानी गुलामोंको छोड़नेके लिये जोर देनेसे झगड़ा

बढ़नेकी सम्भावना देख ईरानी शाहने अंग्रेज कप्तान कोनोलीको खीवा भेजा। खानने ईरानी गुलामोंको छोड़नेसे इन्कार कर दिया। कोनोली खीवामें चार महीना रहा। इसी समय हिरातके राज्यपाल यार मुहम्मदने मेजर टाडके षड्यंत्रोंसे परेशान होकर उसे हिरातसे निकाल दिया, और खीवाको भी लिखा, कि अंग्रेज गुप्तचरको अपने पास न रक्खें। किन्तु खानने यार मुहम्मदकी बात न मान कोनोलीको खलअत दी, और उससे कहा—खीवाको अपना देश समझिये और इस महलको अपना घर। लेकिन याकूब मेहतरने कोनोलीको पंसद नहीं किया। धीरे-धीरे उसने खानपर प्रभाव डाला, और अन्तमें कोनोलीको उसने कहा—"तुम हमारे रास्तेमें बाधक हो। अगर तुम यहांसे बिदा हो जाओ, तो मुझे इसके लिये दुःख नहीं होगा।" खीवामें असफल हो कोनोली खोकन्दपर अंग्रेजोंका डोरा डालने गया, जहांसे बुखारा जानेपर उसने अपने प्राण गंवाये, यह हम बतला चुके हैं।

रूस भी मध्य-एसियाके खानको हर तरहसे अपनी ओर करनेकी कोशिश करता रहा। १८४० ई०में लेफ्टिनेंट आइतोफ मध्य-एसियाकी यात्रासे पीतरबुर्ग लौटा, फिर कप्तान निकिफोरोफ १८४२ ई०में खीवा भजा गया, जिसने रूस और खीवाके बीच पहली संधि करवानेमें सफलता पाई। अभी वह खीवा हीमें था, जब कि अल्लाकुल मर गया।

४. रहीमकुल, अल्लाकुल-पुत्र (१८४२-४५ ई०)

रहीमकुलके गद्दीपर बैठते ही जमशेदियोंने विद्रोह कर दिया। जमशेदी ईरानी कबीला था, जो मुरगाबनदीके बायें तटपर रहते थे। उनमेंसे दस हजारको जबर्दस्ती ले जाकर ख्वारेज्मके इलाकेमें वक्षुतटपर किलिजबेके पास बसा दिया गया था। जमशेदियोंके विद्रोहसे प्रोत्साहित होकर मेर्वके पास डेरा रखनेवाले सारिक तुर्कमान भी बिगड़ उठे। रहीम खानने अपने छोटे भाई मुहम्मद अमीनको पंद्रह हजार सेनाके साथ तुर्कमानोंको दबानेके लिए भेजा, लेकिन रेगिस्तानमें उसको बहुत क्षति उठानी पड़ी। उधर अमीर-बुखाराने हजारास्पका मुहासिरा कर रक्खा था। खानके भाईने अमीरकी सेनापर टूटकर उसे हराके संधि की। तीन साल शासन करनेके बाद रहीमकुल मर गया।

५ अमीन, अल्लाकुल-पुत्र (१८४५-५५ ई०)

रहीमके मरनेके बाद उसका भाई गद्दीपर बैठा, जो कि वाम्बेरीके अनुसार आधुनिक कालके ख्वारेज्मके खानोंमें सबसे बड़ा था। अमीनने तख्तपर बैठते ही सारिकोंको सर करनेके लिये अभियान किया, लेकिन वह छ चढ़ाइयोंके बाद काबूमें आये। मेर्वके किले तथा पासके योलोतेन किलेको भी उसने ले लिया। उसके लौटनेपर सारिकोंने खान द्वारा नियुक्त राज्यपाल और छावनीकी सेनाको मार डाला। लड़ाई फिर शुरू हो गई। अबकी बार सारिकोंके पुराने दुश्मन जमशेदी और उनका नेता पीर मुहम्मद भी अमीनके साथ थे। विजय करनेके बाद अमीनने बड़ी तड़क-भड़कके साथ खीवामें प्रवेश किया। उसने तेक्कोंके विद्रोहको भी दबानेमें सफलता पाई। निम्न सिर-उपत्यकामें कजाक डेरा डाले रहते थे, वह खोकन्दकी प्रजा थे। उनके लिये खोकन्दसे खीवाका झगड़ा हो गया। १८४६ ई०म खीवाने सीमांतपर खोजा नियाज बी किला बनवाया। लेकिन कजाकोंको खोकन्दका खान ही नहीं बल्कि रूसी भी अपनी प्रजा मानते थे, इसलिये दश्ते-कजाक पूरी तौरसे अपने हाथमें करनेके लिये १८४७ ई०में रूसियोंन दश्तमें कितने ही किले बनाये। इसी साल अराल समुद्रपर राइम्स्क या अरालस्क नामक रूसी किला बना। खीवावाले कजाकोंको दबाना चाहते थे। उनके दो हजार सैनिकोंने आक्रमण करके हजारसे अधिक कजाक-परिवारोंको पकड़ लिया, जिसके लिये रूसियोंने आक्रमणकर कजाकोंको छुड़ा खीवा-वालोंको दंड दिया। १८४८ ई०में इस इलाकेमें कई बार लूट-मार होती रही। निम्न-सिरमें अब खोकन्द, खीवा और रूस तीनोंका झगड़ा चल रहा था। १८५३ ई०में जेनरल पेरोव्स्कीने आक्रमण करके निम्न-सिरपर बनाये गये खोकन्दियोंके किलोंको तोड़ दिया।

दक्षिणमें तुर्कमान-भूमि अभी भी खीवाके लिये कांटा बनी हुई थी। १८५५ ई०में अमीनने सरख्शके विरुद्ध अभियान भेजा, लेकिन उधर ईरानी शाह भी निर्बल नहीं था। मशहदके राज्यपाल फरीदून मिर्जाने हमला किया। हारकर अमीन लौट रहा था, इसी समय धोखेसे पकड़ लिया गया। उसके साथके दो सौ ख्वारेज्मियोंमेंसे कितने ही मारे गये और कितने ही भग गये। खानको वहीं काट

दिया गया, और उसके तथा २६९ दूसरे मुंडोंको शाहके पास तेहरान भेज दिया गया। इन सिरोंके ऊपर पहले एक रौजा बनाया गया, लेकिन इमामजादाकी संतान होनेसे वहां पूजा चल निकली, जिसके डरके मारे ईरानियोंने उसे तोड़ दिया। हम देख चुके हैं, कि अमीन और उसका वंश सैयद-जादियोंकी संतान था।

६. अबदुल्ला, इबादुल्ला-पुत्र (१८५५ई०)

ईरानियोंके सामने भागकर लौटी सेनाने खाली गद्दीपर कुतुलुक मुरादके पौत्र तथा इबादुल्लाके पुत्र अब्दुल्लाको बैठाया। गद्दीके लिये आपसमें झगड़ा हो गया। इस गड़बड़ीसे फायदा उठा पंद्रह हजार यामूद तुर्कमानोंने आक्रमण कर दिया। खान मुकाबिलेके लिये सेना लेकर गया। किजिलतेकेरमें लड़ाई हुई। खीवावाले बुरी तरहसे पिटे और उनका खान अबदुल्ला मारा गया।

७. कुतुलुक मुराद, इबादुल्ला-पुत्र (१८५५ई०)

मृत खानकी जगहपर उसका १८ वर्षका भाई २० जिल्‌हिजा १२७१ हि० (३ सितम्बर १८५५ ई०)को गद्दीपर बैठाया गया, जो हालके युद्धमें घायल हुआ था। यामूदोंका विद्रोह चल रहा था। सारे राज्यमें अशांति फैली हुई थी। इसी समय उत्तरके कराकल्पकोंने यारलिक तुराको अपना खान बनाकर विद्रोह कर दिया। कुतुलुकने सारे तुर्कमानोंको मार डालनेका हुक्म दिया, लेकिन यामूदोंका समर्थक नियाज बी मौजूद था, जिसने मुजरा करनेका बहाना करके महलमें जा खान और उसके सात वजीरोंको मार डाला। मेहतरने किलेकी दीवारसे खबर दी, जिसपर तुर्कमानोंका भी कत्लेआम शुरू हुआ, और बहुत कम तुर्कमान उज्बेकोंकी तलवारसे बच पाये। खीवाकी सड़कोंपर इतनी लाशें पड़ी थीं, कि उन्हें हटानेमें छ दिन लगे।

अमीन खानके बाद बहुत जल्दी-जल्दी दो खान हो गये। इस सारे समयमें खीवा राज्यमें विद्रोह और अशांति फैली हुई थी। यामूद, तुर्कमानोंका सबसे शक्तिशाली कबीला था, जो खीवाके खान-वंशके साथ सर्वस्वकी बाजी लगाकर लड़ रहा था। १८५५-५६ ई०में उत्तरके कराकल्पकोंने भी विद्रोह कर दिया था। यामूदोंने दक्षिणमें और कराकल्पकोंने उत्तरमें खानके विरुद्ध बगावत करके उसकी स्थितिको बहुत खतरनाक बना दिया था। लेकिन, १२ दिसम्बर १८५५ ई० (८ रबि १२७२ हि०)को खीवावाले कराकल्पकोंको हराकर बहुतसे लूटके मालके साथ राजधानी लौटे, जिसमें बहुतसे स्त्री-बच्चे भी थे।

८. सैयद मुहम्मद, रहीम-पुत्र (१८५५-६५ई०)

कुतुलुकके मरनेपर रहीमखानके बड़े पुत्र सैयद महमूदको गद्दी दी गई, लेकिन अशांत खीवाके इस तीसरे खानको भी अफीमची होनेके कारण गद्दीसे हटना पड़ा, और उसके छोटे भाई सैयद मुहम्मदने तीस वर्षकी अवस्थामें गद्दी सम्हाली। यामूद तुर्कमानों और कराकल्पकोंके विद्रोह अब भी चल रहे थे। कराकल्पक यारलिकके साथ कुहना-उरगंज (प्राचीन उरगंज)पर चढ़े। मुहम्मद खानने उन्हें हराकर उनके उम्मीदवार यारलिकको मार डाला। अब कराकल्पकोंका एक कबीला बुखाराकी प्रजा बन गया। गृहयुद्धने भयंकर रूप लिया था—गांव उजाड़ दिये गये, कस्बों और नगरोंका सत्यानाश हो गया। एक ओर यामूद और उज्बेक आपसमें कट-मर रहे थे, दूसरी ओर मुरगाबसे बढ़ते जमशेदियोंने फित्सूसे फितनियेक तकके इलाकेको लूटा। लूटके मालके साथ वह दो हजार ईरानी गुलामोंको भी छुड़ाकर ले गये। सीमांती किलेके राज्यपाल खोजा नियाजकी जगह उसका पुत्र इरजान बनाया गया था। वह १८५६ ई०में अपनी छावनीके ४० सिपाहियोंके साथ खीवा गया। कजाकोंने अफसरोंको मार भगाया, और भयंकर अत्याचार करते हुये खीवाकी बहुत-सी सम्पत्ति लूट ली। कजाकोंने खीवाके भीतरकी ही लूटसे संतोष नहीं किया, बल्कि उन्होंने रूसी सीमांतके भीतर भी गड़बड़ी मचाई। निम्न-सिर-उपत्यका-में खोकन्दी अपने किलोंके लिये दावा कर रहे थे, और पिछले दस सालोंमें उन्होंने आक्रमण करके उनपर दो बार अधिकार भी कर लिया था। पिछली बार अकमस्जिदके राज्यपालने भारी संख्यामें

पशु देकर खीवियोंको बिदा किया। तीनों शक्तियोंका संघर्ष निम्न-सिर भूमिके लिये चल रहा था। अब निम्न-सिरके खोकन्दी इलाकेपर रूसियोंका दृढ़ अधिकार हो गया। खोकन्दियोंने अपने किलोंको लौटानेके लिये कहा। इन्कार करनेपर उन्होंने सैनिक टुकड़ी भेजी, लेकिन वहां ईंधन-पानी आदिकी बड़ी कठिनाई थी, इसलिये किलोंको तोड़-फोड़कर खोकंदी सेना लौट गई।

खीवा राज्यमें भारी गड़बड़ी मची हुई थी, जिसके कारण वहां अकाल पड़ गया फिर १८५७ ई०में हैजा भी फैल गया। इसी साल खानने अपने राज्यारोहणकी खबर देते, जार निकोलाइ I की मृत्युके लिये शोक-प्रकाशन करने तथा जार अलेक्सान्द्रके गद्दीपर बैठनेके समय बधाई देने के लिये शेखुल-इस्लाम फाजिल खोजाको दूत बना पीतरबुर्ग भेजा।

मई १८५८ ई०में जेनरल इग्नातियेफने भी एक दूतमंडल खीवा भेजा, जो ईलक येम्बा और अराल तटसे ऐबुगिरकी खाड़ी, उर्गा अन्तरीप तथा करालियोंकी पुरानी राजधानी कुंग्रद होते फिर नावसे दस मील प्रति दिनकी चालसे चलते खीवाकी राजधानीकी ओर बढ़ा। गांवों और शहरके लोग रूसियोंके आनेकी खबर सुनकर बड़े भयभीत थे। रूसियोंने देखा, कि वक्षु नदीके दोनों तरफके गांव और शहर उजड़े पड़े हैं। कराकल्पकोंके औलों (डेरों) में सिर्फ बूढ़े-बच्चे रह गये हैं, बाकियोंको पकड़कर खीवा या ईरानी सीमापर ले जाकर बेंच डाला गया था। कराकल्पकोंसे किपचकों और खोजे-इली कबीलोंकी हालत बेहतर नहीं थी। रूसी दूतमंडल जब नवीन उरगंजमें पहुंचा, जो कि खीवाका-दूसरा सबसे बड़ा शहर था, तो एक वजीरने आकर स्वागत किया। दूतमंडलको शहरसे बाहर एक बागमें ठहराया गया। पहले मेहतरने स्वागत किया, राजमहलमें मेहतरके लिये अपना एक खास निवास-स्थान था। रूसी खानके पास पहुंचाये गये। खान एक ऊंची गद्दी पर बैठा था। उसके सामने छुरा और पिस्तौल रक्खा था और पीछेकी ओर राजकीय झंडा फहरा रहा था। प्रधान-सेनापति (कुश-बेगी), वित्तमंत्री (मेहतर) और दीवानबेगी (प्रधान वजीर) खानके सामने बैठे हुये थे, और महा-प्रतिहार द्वारपर खड़ा था।

रूसी दूतमंडलने खीवाकी हालतका अच्छी तरह अध्ययन किया, और समझा-बुझाकर खानको अपनी ओर करनेकी कोशिश की।

उस समय खीवाके अपने सिक्के चल रहे थे। दो तरहके सोनेके सिक्के (तिला) थे, जिनमें से एकका मूल्य अंग्रेजी गिन्नीसे थोड़ा कम और दूसरा उससे आधा था। चांदीके सिक्केको 'तंगा' कहा जाता था, जो अठन्नीके बराबर था। उससे आधेसे कमका चांदीका सिक्का 'शाही' था। तांबेके सिक्केको पूल या करापुल कहते थे, जो एक तंकेमें अड़तालीस होता था।

रूसी मिशनके खीवासे बिदा होते ही कराकल्पकों और कुंग्रदोंने तुर्कमान-सरदार अतामुरादके साथ मेल कर कुतुलुक मुरादको उसके कितने ही आदमियोंके साथ मार डाला।

मुहम्मद खानके समयमें ही १८६३ ई०में पर्यटक वाम्बेरी कितने ही हाजियोंके साथ खीवा पहुंचा था। उस समय चन्दोर तुर्कमान खुला विद्रोह किये हुये थे। उसने खीवाको बहुत सुंदर नगर पाया। शहरके दरवाजेपर जय घोष करते तथा हाजियोंके दामनको चूमते, सूखे मेवे और रोटीकी भेंटके साथ लोगोंने स्वागत किया। लेकिन कारवांसरायमें टिकानेके बाद बड़े रुखेपनसे उनकी तलाशी ली गई। समझते थे, कि ये फिरंगियों (अंग्रेजों) या उरुसों (रूसियों)के जनसीज (गुप्तचर) हैं। वाम्बेरी यद्यपि एसियाई पोशाकमें हाजी बना हुआ था, लेकिन उसकी युरोपीय शकल-सूरत छिप नहीं सकती थी। तत्कालीन खानका दूत शुकरुल्ला बी कान्स्तन्तिनोपलमें इस्लामके खलीफाके दरबारमें हो आया था। वाम्बेरी उससे मिला। तुर्की भाषापर अधि-कार होनेके कारण वाम्बेरीको इस्ताम्बूलके आफन्दी (मुल्ला) बन जानेमें सफलता मिली। उसने बतलाया, कि अपने पीर (गुरु)के हुक्मसे मैं बुखारा-शरीफकी तीर्थयात्राके लिये जा रहा हूं। शुकरुल्ला बीने विश्वास करके उसका स्वागत किया। उसने कान्स्तन्तिनोपलके अपने परिचितोंके बारेमें पूछा, जिसका जवाब वाम्बेरीने संतोषजनक दिया। दूसरे दिन खानके बुलानेपर शुकरुल्ला बी वाम्बेरीको साथ लिये दरबारमें गया। वाम्बेरीने वहां सब उमर और सब तरहके बहुतसे आदमियोंकी भीड़ देखी, जो कि खानके सामने अपना आवेदनपत्र

देनेके लिये आये थे। भी ने जब सुना, कि एक बड़ा दर्वेश (साधु) हमारे खानको दुआ देने आया है, तो उसने वाम्बेरीके लिये रास्ता दे दिया। मेहतरसे बातचीत करनेसे पहले उसने फातेहा पढ़ा। वहांके दरबारी श्रोताओंने 'आमीन' कहकर अपनी दाढ़ियोंपर हाथ फेरा। फिर वाम्बेरीने सुल्तानकी मुहर लगे अपन छपे हुये पासपोर्टको पेश किया। मेहतरने इस्लामके खलीफाके प्रति सम्मान दिखलाते हुये मुहरको चूमकर अपने सिरसे लगाया, और उठकर उसे खानके हाथमें दिया। लौटकर फिर वह दर्वेशको दरबार हालमें ले गया। खान ऊंची मखमलकी गद्दीपर रेशमी मसनदके सहारे बैठा था। उसके हाथमें एक छोटा-सा सोनेका राजचिन्ह था। वाम्बेरीने उसकी शकलको बिलकुल निस्तेज और सब तरहसे एक बर्बर अत्याचारी खूसट-जैसी बतलाया है। दर्वेशने सलाम करनेके लिये अपना हाथ उठाया, जिसका जवाब वैसा ही करके खान और उसके दरबारियोंने भी दिया। इसके बाद दर्वेशने कुरानके एक छोटे सूरा (अध्याय) का पाठ किया, और 'अल्लाहुम्मा रब्बेना' कहते अन्तमें जोर-की आवाजमें आमीन कहते हुये पाठको समाप्त किया। इसपर चारों ओर 'आमीन' कह-कर लोग अपनी-अपनी दाढ़ियोंपर हाथ फेरने लगे। अमीन खान अपनी दाढ़ीपर हाथ फेर ही रहा था, कि प्रत्येक दरबारीने 'कबूल बोलगुय' (तुम्हारी दुआ स्वीकृत हो) की आवाज लगाई। खानने वाम्बेरीसे यात्राके कुशल-मंगलके बारेमें पूछा। दर्वेशने अपना नाम जमाल बतलाया। हजरत जमालको देखकर सब लोग अपनेको कृतकृत्य समझ रहे थे। खानने उसके साथ मुसाफा (हाथ मिलाने) के द्वारा अपनेको धन्य-धन्य समझा। दर्वेशके लिये लोगोंने एक सौ सत्तर साल जीनेकी कामना प्रकट की। वाम्बेरीने खानसे खीवाके सुन्नी संतोंकी दरगाहोंकी जियारत करके जल्दी बुखारा शरीफ जानेकी इजाजत मांगी। खानने पैसा देना चाहा, तो दर्वेशने उसे लेनेसे इन्कार कर दिया, किन्तु तीर्थयात्राके लिये सफेद गदहा लेना स्वीकार किया। रास्तेमें भीड़के स्वागत-घोषके साथ वाम्बेरी अपने डेरेपर लौटा। उसने अपनी यात्रामें साथी दर्वेशके बारेमें लिखा है—"उनमेंसे हरएकने सेर-सेर भर चावल, दुम्बेकी पूंछकी आध सेर चर्बीके अतिरिक्त रोटियां, मूली, गाजर चट किये और पंद्रहसे बीस बड़े-बड़े शोरवाके प्यालोंको गलेके नीचे उतारा। प्यालोंमें हरी चाय डाली जा रही थी।" वाम्बेरीके पास जिज्ञासुओंकी भीड़ लगी रहती थी। लोग इस्लामकी राजधानी इस्ताम्बुल (कान्स्तन्तिनोपल) के संतोंके बारेमें जानना चाहते थे। कभी-कभी लोग बीमारीसे छूटनेके लिये झाड़फूंक करानेके लिये भी आते थे। वाम्बेरीने अपनी आंखों देखा—खानसे इनाम पानेके लिये बहादुर लोग कटे हुये सिरोंको बोरोंमें भरे ले आते थे, जो कभी-कभी आलुओंकी तरह रास्तेमें गिर पड़ते थे। हरएक आदमीको मुंडोंकी संख्याके अनुसार इनाम मिलता था। खीवा छोड़नेसे पहले एक बार फिर वाम्बेरीने जाकर खानको आशीर्वाद दिया।

(मुहम्मद फना, तूरासूफी-भतीजा, १८६५ ई०)

मुहम्मद खानको मारकर विद्रोहियोंने मृत तूरासूफीके भतीजे मुहम्मद फनाको गद्दीपर बैठाया। लेकिन अरालियोंकी यह सफलता देरतक नहीं चली। फनाको रूसियोंका समर्थन प्राप्त होनेपर भी साल भर हीमें मार डाला गया, और अरालियोंको खीवाकी अधीनता स्वीकार करनेके लिये मजबूर होना पड़ा। फनाने ख्वारेज्मका खान बनकर अपना सिक्का चलाया था।

९. सैयद मुहम्मद रहीम, मुहम्मद-पुत्र (१८६५ ई०)

गद्दीपर बैठते समय सैयद मुहम्मद बीस सालका तरुण था। उसे शासनसे भी ज्यादा बाघके शिकारका शौक था। पैतृक सिंहासनके साथ-साथ उसे लूटमारसे बाजार गर्मवाला राज्य मिला था, और ऊपरसे रूस-जैसी शक्ति सिरपर पहुंच गई थी। १८६७ ई०में कॉफमान तुर्किस्तानका राज्यपाल बनकर आया। उसने आते ही अपनी नियुक्तिकी सूचना देते हुये खानको लिखा—सिर-दरियाके पार लुटेरे हमारी भूमिमें बड़ी गड़बड़ी मचा रहे हैं, इसलिये उनके विरुद्ध हम

अपनी सेना भेजनेका अधिकार रखते हैं। खानने जवाब दिया—सिर-दरियाके दोनों तट हमारे हैं। लेकिन जबानी दावेको कौन मानता है? उधर रूसी-प्रजा घुमन्तू कजाक जाड़ोंमें बहुत भारी संख्यामें सिरके दक्षिणमें तथा कुवान और यानी-दरियामें अपने डेरे डालते थे। खानकी पर्वाह न करके रूसी सैनिक सिर पार हो डाकुओंको दंड देने लगे। एक ओर इधर सिरसे दक्षिणकी ओर उन्होंने पैर बढ़ाना शुरू किया, और दूसरी ओर कास्पियनके पूर्व तटपर भी रूसी अपने प्रभावको बढ़ाते जा रहे थे। नवम्बर १८६९ ई०में एक रूसी सैनिक टुकड़ी क्रास्नोवोद्स्कमें उतरकर वहां किला बनाने लगी। उसके बाद उन्होंने दूसरा किला चिकिस्लरमें बनाया। इसी समय वोल्गाकी उपत्यका और उरालभूमिमें दोनकसाकों, कल्मकों तथा कजाकोंके विद्रोह और उनका घोर दमन हो रहा था। भयके मारे लोग अपने गांवोंको छोड़कर भाग रहे थे, जिसके कारण १८७० ई०की गर्मियोंतक कोई व्यापारी कारवां नहीं गया। रूसी सेना जब दंड देने आई, तो पता लगा कि इस विद्रोहमें खीवाके खानका हाथ था। क्रास्नोवोद्स्क किला बनानेके विरुद्ध खानने कुओंमें मुर्दे कुत्तोंको फेंककर पानीको विषैला बनाना चाहा था। खीवावाले जानते थे, कि उनकी इस कारवाईका जवाब रूसी किस तरह देंगे, इसलिये राजधानी खीवाकी किलाबन्दी कर प्राकारपर बीस तोपें लगा दी गई। खीवाने तलदिक धाराको रोककर वक्षुके प्रवाहको कई धाराओंमें बदल दिया, जिसमें कि उथली हो जानेके कारण रूसी जहाज अराल समुद्रसे वक्षु दरियाके भीतर होकर आगे न बढ़ सकें।

१८७० ई०में जेनरल कॉफमानने कड़ा पत्र लिखकर धमकी दी, कि अगर बात ठीक-ठाक नहीं की गई, तो हम कड़ी काररवाई करनेके लिये मजबूर हैं। खीवाके कुशबेगी (प्रधान-सेनापति) और दीवानबेगी (वजीर)ने उत्तरमें लिखा—"जहां भी उसकी प्रजा है, वहां रूसी सम्राट्का शासन; इसलिये यानी-दरिया अकचाक् झीलतक—जहांपर कि रूसी कजाक घूमत हैं—सम्राट्का है, साथ ही बुकान पहाड़, और किजिलकुमसे इकिबई तकके यानी-दरियाके ऊपरका सारा रास्ता बुखाराके साथ की गई संधिके अनुसार सदासे रूसका माना गया है।" लेकिन इस जवाबसे रूसी क्यों संतुष्ट होनेवाले थे? उन्हें तो आगे बढ़ना था, जिसके लिये खीवावाले अपने लूटपाटकी आदतसे मौका देनेको तैयार थे। दश्त(स्तेपी)के विद्रोहको दबानेके लिये रूसियोंने उस्तउर्तमें अपनी सेना भेजी, और तुर्किस्तानके बड़े अभियानके लिये सैनिक तैयारी होने लगी। खीवाने रूसियोंको कड़ा देखकर बुखाराको साथ मिलानेके लिये दूत भेजा, जिसे अमीर-बुखाराने रूसियोंके इशारेपर जेलमें डाल दिया। खीवाके आदमियोंको भी अमीर-बुखाराने बहुत समझाया, कि रूसी बंदियोंको छोड़ दो, लूट-मार बंद करो और जेनरल कॉफमानके साथ बातचीत करनेके लिये अपने प्रतिनिधि ताशकन्द भे ो। लेकिन, तरुण खान और दरबारी अपनी अकड़में थे। उन्होंने अमीर-बुखाराकी सीख नहीं मानी।

रूसी अभियान (१८७२ ई०)—१८७२ ई०के वसंतमें कर्नल मर्कोजोफके नेतृत्वमें एक मजबूत सैनिक टुकड़ी कास्पियनमें गिरनेवाली वक्षुकी पुरानी धार—उज्बोइ—की जांच-पड़ताल करनेके लिये क्रास्नोवोद्स्क बंदरगाहसे रवाना हुई। वह आगे बढ़ते हुए बल्खान पर्वतके तीन सौ वेर्स्त पूर्वमें अवस्थित ओर्तकू चश्मेपर पहुंची। फिर वहांसे दक्षिणकी ओर मुंह करके उशामला इलाकेके सर्कस-तुर्कमानोंको दंड देते किजिल-अर्वत किलेपर पहुंची। तुर्कमान घुमन्तुओंने आक्रमण किया, लेकिन इससे रूसी सेनाको कोई भारी नुकसान नहीं हुआ। इतनी जांच-पड़तालके बाद रूसी पीछे लौट गये। जिस वक्त रूसी सेना कास्पियन तटसे जाकर कराकुम रेगिस्तानके एक भागपर खोज-पड़ताल कर रही थी, इसी समय वक्षु और सिर-दरियाके बीचवाले महान् रेगिस्तान—किजिलकुम—की भी जांच-पड़ताल करनेके लिये एक रूसी सेना तुर्किस्तान-शहरसे भेजी गई थी, जिसने मिंगबुलाक और बुकान पर्वतोंकी सर्वे की। दोनों तरफसे रूसियोंकी इस कारवाईको देखकर सैयद मुहम्मद घबड़ा उठा। उसने महाराज्यपाल कॉफमानकी उपेक्षा करते अपना एक दूत ओरेनबुर्गके महाराज्यपाल और दूसरा तिफलिसके महाराज्यपालके पास भेजा, साथ ही महाराजुल मिखाइलको भी लिखा—"कई रूसी अभियान मेरे देशपर चढ़ाई कर रहे हैं। मेरे पास ग्यारह रूसी बंदी हैं, जिन्हें मैं

भेजनेके लिये तैयार हूं। यदि यह काररवाई रोकी न गई, तो मैं न बंदियोंको भेजूंगा, न लूट-मार बंद होगी। अगर ये बंदी तुम्हारे लिये मेरे विरुद्ध युद्ध करनेका बहानामात्र हैं, और तुम अपने राज्यको बढ़ानेपर तुले हुए हो, तो अल्लाहकी जो मर्जी होगी, वही होगा।" खीवाके दूतोंको बंद करके रूसी राज्यपालोंने कहा, कि हम कोई चिट्ठी नहीं लेंगे, जबतक कि रूसी बंदी नहीं छोड़े जाते, और दूतको ताशकन्दके महाराज्यपालके पास नहीं भेजा जाता। रूसियोंसे इस प्रकार निराश होनेके बाद खीवाके खानने अंग्रेजोंकी ओर हाथ बढ़ाया और अपने एक प्रतिनिधिको भारतके उप-राज नार्थबुकके पास भेजकर रूसके विरुद्ध सैनिक सहायता मांगी। लेकिन अंग्रेज क्या भांग खाये हुए थे, कि खीवाकी रक्षाके लिये एक महायुद्ध सिरपर लाते। उपराज (वाइसराय)का जवाब था—"रूसके साथ शांति करो, उनकी मांगोंको पूरा करो, और उन्हें नाराज होनेका मौका मत दो।"

यद्यपि इस प्रकार खीवाका कोई धनी-धोरी नहीं था, और केवल अपने बलपर वह रूसियोंका मुकाबिला नहीं कर सकता था, लेकिन खीवा (ख्वारेज्म) इतिहासके आरम्भिक कालसे ही अपने पड़ोसके दो महान् रेगिस्तानों किजिलकुम और कराकुम, तथा निर्जन अधित्यका उस्तउर्त एवं उत्तर-के जनशून्य दश्त-किपचकके कारण बड़े-बड़े विजेताओंके मनोरथको अनेक बार भंग करता आया था। अभी भी रूसके लिये अभियान भेजनेमें सबसे कठिनाई इन्हीं रेगिस्तानों और निर्जन भूमियोंके कारण थी। वस्तुतः ख्वारेज्म एक विशाल रेगिस्तानसे घिरी हुई हरितावली है। ताशकन्द-से ६०० मील, ओरेनबुर्गसे ९३० मील और क्रास्नोवोद्स्कसे ५०० मीलकी यात्रा तै करके खीवा कैसे पहुंचा जाय, रूसियोंके लिये यह सबसे बड़ी कठिनाई थी। यद्यपि अरालमें रूसियोंने अपने जहाज तैरा दिये थे, लेकिन उनका बेड़ा काफी शक्तिशाली नहीं था, और वक्षुकी धार भी उथली थी, जिसमें जहाज नहीं चलाया जा सकता था। लेकिन खीवाको दंड देना आवश्यक था। रूसियोंने तीन सेना-स्तम्भ भेजनेका निश्चय किया—(१) प्रधान स्तम्भ तुर्किस्तान शहरसे जेनरल कॉफमानके संचालनमें अपने साथ ३४२० पैदल, ११५० सवार, ६७७ तोपची, बीस तोपें, दो हलकी तोपें, आठ राकेट लिये भेजा गया। इसके दो विभाग थे, जिनमेंसे एक विभागका संचालक जनरल गोलोवात्शोफ जीज़कसे चला, और दूसरा विभाग कर्नल गोलोफके नेतृत्वमें कजालिन्स्कसे रवाना हुआ। रसद ढोनेके लिये आठ हजार ऊंट—ऊंटके मालिकों कजाकोंको एक ऊंटके मरनेपर पचास रूबल देना तै हुआ था, चार स्टीमर भी और इसी सेनाकी सहायता करनेके लिये लकड़ीके बेड़ोंके साथ वक्षुके ऊपरकी ओर बढ़ रहे थे।

(२) दूसरा सेना-स्तम्भ कसाक जेनरल आतमन वेरेफ्किनके अधीन ओरेनबुर्ग रवाना हुआ, जो यम्बा पहुंचकर अराल समुद्रके पश्चिमी तटपर गया। इस स्तम्भमें ३४६१ सैनिक, १७९९ घोड़े, और सात तोपें थीं।

(३) तृतीय सेना-स्तम्भके तीन विभाग थे, जिसमेंसे एक विभागको कर्नल लोमाकिनके नेतृत्व में मंगिशलकसे बीशअक्ति, इल्लेइजे, तबिनसू होते अइबुगिरकी खाड़ीमें पहुंच ओरेनबुर्गवाले स्तम्भसे मिलना था। बाकी दो विभागोंके दो हजार सैनिक कर्नल मार्कोज़ोफके संचालनमें क्रास्नो-वोद्स्क और चिकिस्लरसे रवाना हुए थे।

कजालिन्स्कवाला स्तम्भ पहले रवाना हुआ, जो बारह दिनमें यानी-दरियापर अवस्थित इर्किबइमें पहुंचा। रास्तेमें इसके कुछ ऊंटोंको नुकसान हुआ। वहांपर यह सेना ब्लागोवेश्श्चेन्स्क किलेको बना फिर तीन दिन चलकर किजिलकाकमें पहुंची। मौसम खराब हो गया, दोपहरको सूर्यने बरफ-को गला दिया, जिससे ऊंटोंके लिये चलना मुश्किल हो गया। इस वनस्पतिहीन निर्जन भूमिमें ईंधन-का कहीं पता नहीं था। इस मुसीबतमें दो दिन और दक्षिणकी ओर बढ़नेपर सेना बुकन्दकी पहाड़ियों-में जा, आगे युसकुदुक कोकपताश, कोपकन्ताश और मिंगबुलाक होते तम्दी जा पहुंची।

जीज़कसे चला प्रधान सेनांग उचमा, फरिश, सिन्ताब, तिमुरकबुक, बंल्तासलदिर चश्मा हो बुखारा सीमापर करातआउ पर्वतश्रेणीकी ओरसे नूरताउ पहाड़ीके उत्तरसे प्रदक्षिणा करते आगे बढ़ा। सर्दी बहुत तेज थी, जिससे इस सेनाके भी कितने ही ऊंट रास्तेमें मर गये। पानीकी कमीके कारण तेमूरबेकसे जीज़कवाली सेनाको दो भागोंमें बांटकर आगे बढ़नेके लिये हुक्म हुआ, इनमेंसे एक भाग बिशचगन, यानीकसगन और किदेरीके चश्मोंसे होते आगे बढ़ा, और दूसरे भागने कोशबैगी,

बैमनतंती, मस्ची और अरिस्तनूबेल कुदुकका रास्ता लिया। १२ अप्रैलको कुदुकमें दोनों सेनायें मिल गयीं। खानने घबड़ाकर इक्कीस रूसी गुलामोंके साथ पत्र लिखकर कजाला भेजा, लेकिन अब तो 'चिड़ियां चुग गई खेत' वाली बात थी। इतने खर्च और परिश्रमके साथ भेजा गया महाभियान बातों-बातोंसे कैसे लौट सकता था? रूसी गुलामोंसे पता लगा, कि उनसे बगीचेमें काम लिया जाता और ईरानी गुलामों-जैसा बर्ताव किया जाता था। खानेके लिये उन्हें फल-चावल और कभी-कभी गोश्त और चर्बी भी मिल जाती थी। मिंगबुलाक और शूरखानासे अच्छा और छोटा समझ सेनाने खलता और उच्उचकका रास्ता पकड़ा। लेकिन आगे अरिस्तान-बेलकुदुकमें एक पखवारा रुकना पड़ा। यहीं रूसियोंने ईस्टरके त्योहारको मनाया। किजिलकुमके कजाकोंने ८०० नये ऊंट दिये, फिर रवाना होकर ६ मईको सेना खलता पहुंची। यहीं कजालासे आनेवाली सेना भी मिल गई। रास्तेमें टूटे-फूटे बुखारी किलोंकी मरम्मत करके उसका नाम संत-जार्ज किला रक्खा गया।

खलता और आमूके बीच ८० मीलका फासला था, लेकिन रास्ता अच्छा नहीं था। १२० मील-तक फैली हुई हवाके झोंकेपर इधरसे उधर चलनेवाली बालू सबसे कड़ी समस्या थी, और पानी भी केवल आदमक्रिल्गन (मनुष्यमार) कूओंका था, जो खलतासे २४ मीलपर थे। चारों ओर रेगिस्तान-ही-रेगिस्तान था, जिसमें कहीं वनस्पतिका नाम नहीं था—लाल रंग-जैसी बालू थी, जिसके कारण इस रेगिस्तानका नाम किजिलकुम (लाल बालू) पड़ा। रास्तेमें एकाध ही सो भी बुरे कुएं थ, जिनसे सेना और उसके पशुओंका काम नहीं चल सकता था। पौने सात घंटेके कूचके बाद प्रत्येकको आमू-दरियाके ऊपर उच्उचकमें भेजनेका निश्चय किया गया। लेकिन बालूमें चलना भारी परिश्रमका काम था। ऊपरसे असह्य धूप पड़ रही थी, इसलिये हरावल सेना १३ मीलसे आगे नहीं बढ़ सकी, और उसके लिये आदमक्रिल्गनसे मीठा पानी भेजना पड़ा। एक रूसी लेखकके अनुसार "अवस्था बहुत भयंकर हो गई। आगे बढ़ना असम्भव मालूम होता था, और पीछे लौटना भारी शरमकी बात होती। आदमक्रिल्गनमें पानी थोड़ा था, और मशकोंमें भरकर साथ लाया पानी खतम हो चुका था।" अन्तमें सुरक्षाकी एकमात्र आशा वह चिथड़ाधारी किर्गिज दिखलाई पड़ा जो कि इर्किबइसे कजालाकी वाहिनीके साथ हो लिया था, और जिसके महत्त्व और गुणका पता जनरल निकोल्स और कर्नल द्रेस्चेर्नने पहलेपहल लगाया। किर्गिजने बतलाया, कि रास्तेसे कुछ ही मील दाहिने अल्तीकुदुकके कुएं हैं। जेनरल कॉफमानने अपनी जेबी पानीकी कुप्पी देकर कहा, कि यदि इसमें पानी भर लाओ, तो तुम्हें सौ रूबल इनाम दिया जायगा। किर्गिजने वैसा कर दिखलाया, और सेनाकी एक टुकड़ी अल्तीकुदुक भेजी गई। कुओंकी संख्या कम थी, वह बहुत गहरे नहीं थे, लेकिन उनमें काफी पानी था। पानी निकालकर घोड़ों और ऊंटोंको पिलाया गया, सेनाने भी प्यास बुझाई, फिर कई दिनोंतक यहां डेरा डाल दिया गया, और छोटी-छोटी टुकड़ियोंमें दो की जगह ग्यारह दिनमें कॉफमानकी वाहिनी २३ मईको वक्षु (आमू-दरिया)के तटपर पहुंची। यात्राकी भीषणताका पता इसीसे लगेगा, कि दस हजार ऊंटोंमें सिर्फ बारह सौ बच रहे। खलतासे आगे सारे रास्तेमें रसदकी चीजें, अफसरोंके असबाब, और गोलाबारूदका सामान बिखरा हुआ था। कई जगहोंपर युद्ध-सामग्रीको इस आशासे बालूके नीचे दबा दिया गया था, कि अव-श्यकता पड़नेपर सैनिकोंको लानेके लिये भेज दिया जायगा। कुछ सप्ताह बाद एक रूसी अफसर इस रास्ते गुजरा, जिसने इसके बारेमें लिखा था—"सारे रास्ते भर ऊंटों और घोड़ोंकी कंकाल तथा सड़ते हुए शरीर फैले थे। दुर्गन्धसे नाक फटी जाती थी। पड़े हुये सामानोंके देखनेसे मालूम होता था कि कोई बाजार लगी हुई है।"

खीवावालोंने भी लड़नेकी तैयारी की थी, और जबर्दस्ती लोगोंकी भर्ती करके सैनिकोंकी संख्या बढ़ाई थी। इस सेनाका एक भाग कुंग्रादकी ओर उर्गा खाड़ीके पास यानीकलामें गया, जिसका काम था, उस्तउर्तसे आनेवाली रूसी सेनाका प्रतिरोध करना। छ-सात हजार सैनिक अरालके पूर्वी तटसे आनेवाली सेनाके मुकाबिलेके लिये दौकरामें थे। खीवावालोंने इन्हीं दो जगहोंसे खतरेकी सम्भावना समझी थी। जेनरल कॉफमानके आ जानेकी खबर पा ३५०० तुर्कमानों और कजाकोंको उच्उचकमें भेजा गया, जिनमेंसे पंद्रह सौका कमांडर दीवानबेगी मुहम्मद नियाज था, और दो हजारका

दीवानबेगी मुहम्मद बुराद। यह सेनायें उच्उचकसे पूर्वमें सरदाबाकुल (झील) के परे जाकर जम गयीं, लेकिन पहली ही झड़पमें थोड़ेसे गोले-गोलियोंकी बौछारसे इनके पैर उखड़ गये। शूरखानसे वक्षुके दाहिने तटसे रूसी सेना चली, और चौथे दिन अककामिश पहुंची। वक्षुपार शेखआरिक किलापर थोड़ेसे गोलोंके छोड़नेकी जरूरत पड़ी, और शत्रु वहांसे भी भाग गया। नदी उथली थी, केवल छाती भर पानी था। कितने लोग पैदल ही नदीमें घुसकर पार हो गये, और कुछने दुश्मनसे पकड़ी नावोंसे या साथ लाये बेड़ेको बांधकर परले पार जा खीवावालोंके डेरेपर अधिकार कर लिया। वहां उन्हें चावल और नमक भर मिल पाया। रूसियोंके केवल दो घोड़े मारे गये, जिन्हें भूखे सिपाहियोंने तुरन्त पकाकर खा लिया।

२८ मईको शूरखानाके आदमियोंके एक प्रतिनिधि-मंडलने रूसी सेनापतिसे मिलकर तुर्कमानों और खीवावालोंके अत्याचारकी शिकायत की। व्यवस्था कायम करनेके लिये कसाक सैनिकोंकी एक टुकड़ी भेजी गई, जो वहां चार दिनतक रही। रूसियोंने अभयदानकी घोषणा करके निवासियोंमें ऐसा विश्वास पैदा कर दिया, कि लोग सेनाके खानेके लिए ढोर, अंगूर आदि फल, तथा जानवरोंके लिये चारा लाने लगे।

आगे शेखआरिकमें थोड़ीसी झड़प हुई। यहींपर खानका पत्र मिला, जिसमें कहा गया था, कि मैं जेनरलकी आज्ञा-पालन करनेके लिए तैयार हूं। लेकिन जेनरल कॉफमानने कहा, कि अब बात खीवामें ही होगी। ५ जूनको फिर सेना आगे रवाना हुई, और शेखआरिकसे चन्द घंटा चलनेपर हजारास्प पहुंच गई। यहां भी कुछ गोले छोड़ने पड़े, और खीवावाले सैनिक भाग खड़े हुये। खीवाका यह सबसे मजबूत किला था। इतिहास बतलाता है, कि हजारास्प (सहस्राश्व) ने कितने ही विश्वविजयी शत्रुओंके दांत खट्टे कर कितनी ही बार ख्वारेज्मको बचाया था। लेकिन अब हम बारूदके युगमें आ गये थे, जब कि हजारास्प अपनी करामातको तीर-धनुषके युग हीमें दिखला सकता था। खीवाके छोटेसे राज्यके हाथमें शक्तिशाली आधुनिक हथियार नहीं थे, इसलिये वह रूसियोंका कैसे मुकाबिला करता? हजारास्पके किलेके तीन तरफ पानीसे भरी गहरी खाई थी, और एक तरफ तीन फैदम (३ × ६ = १८ फुट) मोटी दीवार। यहां अवश्य कड़ा प्रतिरोध किया जा सकता था, लेकिन नागरिकोंने सर्वनाशके डरसे किलेको समर्पण कर दिया। रूसियोंने वहां कांसे-पीतलकी चार अच्छी तोपें, कुछ गाड़ियां, गोला-बारूदके एक बड़े ढेरके साथ हजार पूद (४०० मन) गेहूं, ६०० पूद (२७२ मन) चावल और घोड़ोंके लिये ८०० पूद (३२० मन) बाजरा पाया।*

६ जूनको जेनरल कॉफमानको खबर मिली, कि ओरेनबुर्गकी वाहिनी भी आ गई। अगले दिन अमीर-बुखाराने कॉफमानके पास बधाई भेजी। ९ जूनको फिर सेना कूचकर अगले दिन यंगीआरिक झीलके तटपर पहुंच गई।

कर्नल मार्कोजोफको बुगदैली और ऐदिनके रास्ते उज्बोइ (कास्पियनकी ओर जानेवाली वक्षुकी सूखी धार) से होते तोपियातान, इगदी, ओर्ताकुया, दंदुरसे आनेपर जामुकशिरका ध्वस्त किला मिला, जो कि खीवासे चालीस मील पश्चिम है। यहां पहुंचकर मार्कोजोफको तुर्किस्तानसे आनेवाले सेना-स्तम्भकी प्रतीक्षा करनी थी। कर्नल मार्कोजोफकी सेना करीब आधे रास्तेपर इगदी-तक सुरक्षित पहुंची, और तेक्के-तुर्कमानोंको हराकर उसे बहुतसा लूटका सामान मिला। लेकिन इगदी और ओर्ताकुयाके बीचमें भयंकर बालुकाराशिसे मुकाबिला पड़ा। इस दुर्गम रास्तेसे गुजरकर सबसे पहले पहुंच खीवा जीतनेकी जल्दी थी, जिसका श्रेय काकेशसकी सेनाको मिला, जो कि कास्पियनके पूर्वी किनारेकी बन्दरगाहोंसे रवाना हुई थी। लेकिन बीचकी रेगिस्तानी भूमिकी भयंकर धूप और जलके अभावने सेनाके बढ़ावको रोक दिया। ओर्ताकुयासे आगेके रेगिस्तानकी भीषणताको जानकर सेनाको क्रास्नोवोद्स्क लौटनेके लिये मजबूर होना पड़ा। उस समय सैनिक भारी संख्यामें बीमार होकर ऊंटोंपर ढोये जा रहे थे, और उधर तेक्के-तुर्कमानोंने हमला शुरू कर दिया। सारे सैनिक किसी-न-किसी बीमारीमें फंसे थे, जिनमें साठ तो लूसे मर गये। सेना

* २॥ पूद = १ मन

बिना हथियारके समुद्र तटपर लौटी। ऊंटोंको तुर्कमान लूट ले गये, और रसदका बोझा हलका करनेके लिये रेगिस्तानमें फेंक दिया गया था। काकेशसकी सेनाकी क्या दशा हुई थी, यह इसीसे मालूम होगा, कि एक स्टाफ-अफसरने अपने सारे चांदीके प्लेटोंके सेटको फेंक दिया था। कुछ तोपोंको बालूके नीचे गाड़ दिया गया। बन्दूकोंमेंसे कितनी ही पीछे कजाकों और तुर्कमानोंने लौटाईं। यद्यपि यह अभियान असफल रहा, लेकिन बुखाराकी सेनापर अपनी धाक जमाकर इसने उसे खीवाकी मददके लिये जानेसे रोक दिया।

कास्पियन तटसे कर्नल लोमाकिनने उस्तउर्तके रास्ते कूच किया। यह सेना कास्पियन तटपर अवस्थित किंद्रेली किलेसे तीन भागमें बंटकर आगे-पीछे २७, २८ और २९ अप्रैलको रवाना हुई। धूप और पानीकी इसे और भी तकलीफ हुई। इसका रास्ता कौनदी, सेनेकसे, बिशअक्ति, कमिस्ती, करस्त्चिक, सइकुयु, बुस्साग, कराकिन, किनिर, अल्पइमास, अकमेचेत, इल्तेइजी, बाइलियर, किजिलअगिर, बैचगिर, मेन्दली, अलान, इलिबइ (ऐबुगिर खाड़ीके दक्षिण-पश्चिम) से था। बिशअक्तिमें कजाकोंको आक्रमण करके पिटना पड़ा। अलानके पास सेना राजुल बेंकोविचके बनवाये किलेके ध्वंसावशेषके पाससे गुजरी। जेनरल बेरेत्किन ओरेनबुर्गसे अपनी सेना लेकर आ रहा था। उससे बातचीत करके ऐबुगिरसे आगे बढ़ कुंग्राद पहुंची, और चन्द घंटों बाद ओरेनबुर्गकी सेना आ मिली। इस सेनाको उस्तउर्तकी चार सौ मील लम्बी रेगिस्तानी अधित्यकाको रसद-पानीकी कमीके साथ पार करना पड़ा, लेकिन उन्तीस दिनोंमें उसने यह यात्रा पूरी कर ली।

ओरेनबुर्गकी वाहिनी ११ अप्रैलको वहांसे रवाना हुई थी। ओरेनबुर्गसे अराल-समुद्र तकका रास्ता अब रूसियोंकी भूमिमें होनेके कारण सुपरिचित था, इसलिए इस सेनाको अपनी यात्रा पूरी करनेमें कम तकलीफ हुई। पहले यह पूर्वकी ओर बढ़ती बरसुककी बालुकाराशितक गई, फिर वहांसे मुड़कर अरालके पश्चिम उर्गाकी खाड़ीपर पहुंची। जेनरल बेरेव्किनने घोषणा निकाल दी थी, कि कराकल्पक और तुर्कमान घुमन्तू अपन-अपने डेरों और घरोंमें रहें, तथा सेनाके साथ केवल रूसी कसाक शरणार्थी ही चलें। कबीलोंके कितने ही सरदार रूसी सेनाके साथ आ मिले थे, जिन्होंने यात्रामें बड़ी सहायता की। जेनरल बेरेव्किनकी सेना ऐबुगिर पार हो यानीकलाको सर और ध्वस्तकर कुंग्रादमें पहुंची। यहां खीवावालोंकी काफी सेना थी, लेकिन रूसियोंके आते ही वह भाग खड़ी हुई, और शहरपर निर्विरोध अधिकार हो गया। शहरके प्राकार और घर पहले हीके संघर्षमें ध्वस्त हो चुके थे। रूसी जेनरलने खानके प्रासाद और जेसाउल मामितके घरको तुड़वा दिया। शहरमें सिर्फ एक हजार पूद (४०० मन) चावल और ज्वारकी रोटियां मिलीं। लोग पहले ही भाग गये थे, लेकिन रूसियोंके अच्छे बर्तावकी खबर पाकर वह जल्दी ही लौट आये।

यहींपर जेनरलको रूसी बेड़ेके बारेमें बुरी खबर मिली। २९ अप्रैलको बेड़ेने सिरके मुहानेको छोड़ दो दिन बाद तकमकअता द्वीपके आगे ऐबुगी खाड़ीमें पहुंच लंगर डाला। कुछ दिन ठहरनेके बाद ९ मईको वह उलकुम-दरियाकी पश्चिमी शाखा किचकिन-दरियामें घुसा, और अककला नामक एक छोटेसे किलेके सामने आया। जहाजी तोपोंने बमवर्षा करके किलेके भीतर रहनेवाली सेनाको भगा दिया। फिर बेड़ा उलकुन-दरियामें होकर ऊपरकी ओर चला। कुंग्राद नगर ५० वेर्स्त (८·७ फर्संख) के करीब था, किन्तु नदीमें पर्याप्त पानी नहीं था, इसलिए वहीं लंगर डालना पड़ा। कुछ आदमी जहाजोंसे उतरकर आसपासकी भूमिके बारेमें पता लगानेके लिये भेजे गये, जिन्हें दुश्मनोंने धोखेसे पकड़कर मार दिया। इनकी लाशें पीछे कुंग्रादमें दफनाई गयीं। अब फिर बेड़ा आगे चला। कुंग्रादसे ३० वेर्स्त पहले ही खोजेइलीमें खीवाके चार-पांच हजार सैनिकोंके साथ मामूली झड़प हुई। आगे मंगितसे पहले यामूद तुर्कमानोंसे लड़ाई हुई। रूसी शहरपर अधिकार करके शत्रुओंको पीछा करते ही रहे। एक टुकड़ी किताई (करागोसकी नहर)की ओर बढ़ी, और दूसरीने कर्नल स्कोबेलेफके नेतृत्वमें किळिज-नियाजबीकी ओर पीछा किया। आगे बढ़नेपर गुरलान आया। यहीं खानकी मुख्य

सेना थी, जिसपर खीवावालोंकी सारी आशायें केंद्रित थीं। लेकिन इस सेनाने भी रूसियोंका नाममात्र ही प्रतिरोध किया। खानने जेनरल बेरेव्किनके पास चिट्ठी भेजकर तीन-चार दिनकी विराम-संधिकी बात करते हुये कहा, कि हमने जेनरल कॉफमानके पास भी इसके बारेमें निवेदन किया है। लेकिन जेनरलने अपने बढ़ावको जारी रक्खा। कात और काशकुपिरके रास्ते वह आगे बढ़ा। वहां कितनी ही बार दुश्मनसे झड़प करते बहुत-सी नहरोंको पार करना पड़ा। रूसियोंने चौबीस घंटेके भीतर किलिज नियाजबी नहरपर १८९ फुटका बेड़ेवाला पुल तैयार किया। ७ जूनको खीवा तीन मीलसे भी कम रह गया था। वहां खानके बागमें जेनरल बेरेव्किनने डेरा डाला। किलेसे तोपें दगने लगीं। एक फटे गोलेसे जेनरलके सिरमें भारी चोट आई। रूसी तोपखानेने भी जवाब दिया। नागरिकोंका प्रतिनिधिमंडल रूसी सेनापतिसे मिलने आया। उसने बतलाया, कि खान भाग गया है, नगरमें बड़ी बदअमनी फैली हुई है। बेरेव्किनने तुरन्त गोलाबारी बन्द कर दी, तथा दूतमंडलको कहा, कि जेनरल कॉफमान ही शांति दे सकते हैं, उन्हींके पास जाओ। साथ ही यह भी धमकी दी, कि किलेकी तोपोंको बन्द करो, नहीं तो दो घंटेके भीतर हम नगरपर गोलाबारी करने लगेंगे। दूसरे नागरिक-मंडलने आकर कहा, कि तुर्कमान सैनिक हमारी बात माननेके लिये तैयार नहीं हैं। दस बजे राततक गोलबारी होती रही। उधर कॉफमानका पत्र आया, कि हम खीवासे सिर्फ १६ वेर्स्त (२·७ फर्सख) पर यंगीआरिकपर हैं, पूर्वद्वारसे तीन मीलपर अवस्थित पुलपर आकर मिलो।

जेनरल कॉफमानने ६ जूनको ही ओरेनबुर्गकी सेनाके आनेकी खबर सुन ली थी। यंगीआरिकमें उसके पास खानका चचेरा भाई ईनक इरताश अली खानका पत्र लेकर आया, जिसमें कहा गया था, कि मैं जारकी प्रजा हूं, यामूद मेरे हाथमें नहीं हैं, कल मैं स्वयं सेवामें आ रहा हूं।

शहरमें सचमुच ही अराजकता फैली हुई थी। प्रतिरोध और समर्पणके लिये तैयार लोगोंके दो दल हो गये थे, जिनके बीच भीषण संघर्ष हो रहा था। ईनकके लौटकर आनेसे पहले ही खान राजधानी छोड़कर भाग गया था। दीवानबेगी मतमुराद प्रतिरोध-पार्टीका अगुवा था। खानका भाई अताजान तिमूर, जो सात महीनेसे बंदीखानेमें पड़ा था, अब खान बनाया गया था। उसका चचा सैयद अमीरुलउमरा संयुक्त शासकके तौरपर काम कर रहा था। दोनों चचा-भतीजे समर्पण-पक्षपातियोंके मुखिया थे। अगले दिन सबेरे ईनक इर्तसली और दूसरे अमीरोंने जेनरल कॉफमानके पास जाकर अधीनता स्वीकार की।

जेनरल बेरेव्किनने अपनी सेनाके एक बड़े भागको तुर्किस्तानी सेनासे मिल जानेके लिये भेजा, बाकियोंके ऊपर किलेसे गोलाबारी होने लगी। रूसियोंने भी तोपोंको छोड़कर उसका जवाब दिया। वह खीवाके उत्तरी दरवाजे शाहबादको तोड़कर नगरके भीतर घुस गये। कर्नल स्कोबेलेफ सड़कसे महलकी ओर चला। उधर जेनरल कॉफमानने हजारास्प दरवाजेपर पहुंचकर विजयीके तौरपर नगरमें प्रवेश किया। उस समय नगरमें झंडे-पताके फहरा रहे थे, बाजे बज रहे थे। खानके अन्तःपुर (हरम) और सम्पत्तिकी रक्षाके लिये रूसियोंने गारद नियुक्त कर दिया और सैनिकोंने नगर-प्राकारपर अधिकार कर लिया। जेनरलके हुक्मपर लोगोंके हथियार छीने जाने लग। नगरके बड़े मैदानमें रूसी सेनाने जमा होकर सम्राट्के लिये दुआ और धन्यवादकी रसम अदा की। कॉफमान खानके दरबार-हालमें पहुंचा, जहां नागरिकोंके कितने ही प्रतिनिधि बधाई देनेके लिये आये। सैयद मुहम्मद खान भागकर यामूदोंमें चला गया था, इसलिये रूसी जेनरलने अताजान त्युराको अस्थायी खान बनाया। उसने सैयद मुहम्मदके पास संदेश भेजा, कि मैं तुम्हें खान पदपर पुनः स्थापित करनेके लिये तैयार हूं, इसपर चन्द घंटों बाद खान आ मौजूद हुआ।

खान जड़ाऊ जीन लगे घोड़ेपर चढ़कर अपने महलके बगीचेतक आ जेनरल कॉफमानके तम्बूकी ओर जानेवाले रास्तेके छोरपर उतर पड़ा। फिर अपनी टोपी उतार पासमें पहुंचकर उसने कॉफमानके सामन घुटने टेक दिये। कॉफमान उस वक्त एक कुर्सीपर बैठा रहा। उसने अपने पराजित शत्रुके साथ वीरोचित बर्ताव नहीं किया। खान घुटना टेके कालीनपर बैठ गया। वह तीस वर्षका

तरुण था। उसका चेहरा असुन्दर नहीं था। चौड़े चेहरेपर मंगोलायित आंखें कुछ तिर्छी थीं, लेकिन नाक तोते-जैसी थी। बड़े मुखपर छोटी पतलीसी काली दाढ़ी-मूंछ थी। कदमें वह छ फुटका लम्बा-तगड़ा जवान था। उसके सीधे-सादे-जीवनका बुखाराके अमीरसे मुकाबिला करनेपर आश्चर्य होता था। उसका सबसे बड़ा शौक था——सुन्दर तुर्कमान घोड़ोंसे अपने अस्तबलको भरे रखना, और कभी-कभी नई बीबी लाना। एक सौ रखेलियोंके अतिरिक्त इस्लामी शरीयतके अनुसार उसकी चार बीबियां राज्यकी चारों जातियोंकी थीं। खानके राज्यकी आमदनी उस समय नब्बे हजार रूबल (पैंतालीस लाख पौंड) थी। किजिलकुमके घुमन्तुओंको छोड़कर उसके राज्यमें पांच लाख आदमी बसते थे। उसे पढ़ने-लिखनेका भी शौक था, और उसके पुस्तकालयमें तीन सौ जिल्द हस्तलिखित ग्रंथोंके थे, जिनमेंसे अधिक इतिहासपर, सो भी फारसीसे तुर्कीमें अनुवादित थे।

जेनरल कॉफमानने खानकी सहायताके लिये एक शासन-परिषद् कायम कर दी, जिसमें तीन रूसी (लेफ्टिनेंट-कर्नल इवानोफ, लेफ्टिनेंट-कर्नल पोशारोफ, लेफ्टिनेंट-कर्नल खोरोशिन) और तीन खीवावाले सदस्य (दीवानबेगी मतनियाज, ईनक इर्तसअली और मेहतर अब्दुल्ला बी) थे। मतनियाज इनमें सबसे योग्य था। इस परिषद्का अध्यक्ष नामके लिये खान था, नहीं तो असली अध्यक्ष कर्नल इवानोफ था। इस्लामी शरीयत और स्थानीय राज्यपालोंकी नियुक्तिका अधिकार खानको दिया गया था। रूस-विरोधी मतमुराद और रहमतुल्लाको बंदी बनाकर पहले कजाला, फिर रूस भेज दिया गया। अताजान रूसी सेनामें शामिल हो गया।

रूसियोंने खीवापर विजय प्राप्त करके वहांके तीस हजार गुलामोंको मुक्त कर दिया। उन्हें पांच-छ सौके दलमें क्रास्नोवोद्स्क भेजकर वहांसे जहाजोंपर ईरान भेज दिया जाता। पहले जो दो दल भेजे गये थे, उनमेंसे एकपर तुर्कमानोंने प्रहार करके कितनों हीको मारा और कितनोंको पकड़कर फिर गुलाम बना लिया। रूसियोंके खीवा छोड़नेपर मुक्त होकर वहां रहते सैकड़ों गुलाम मार डाले गये।

अन्तमें खीवाने संधिपत्रपर हस्ताक्षर किया, जिसमें खानने अपनेको जारका वफादार सेवक रहनेका वचन दिया और यह भी स्वीकार किया, कि मैं किसी भी दूसरी विदेशी-शक्तिसे व्यापार आदिकी संधि नहीं करूंगा, न रूसियोंकी स्वीकृति या जानकारीके बिना कोई सैनिक अभियान संगठित करूंगा।

राज्यकी सीमा निर्धारित हुई थी——अराल समुद्रतक वक्षुकी सबसे पश्चिमी धारा। अरालके तटसे होते उर्गा अन्लरीप तथा उस्तउर्तके उत्तरी छोरतक——वक्षुकी पुरानी धारासे दाहिने तटकी सारी भूमि रूसको मिली, जिसके कुछ भागको इच्छा होनेपर रूस बुखाराको दे सकता था। वक्षुमें नौसंचालनका अधिकार सिर्फ रूसको था, व्यापार और कारखाना बनानेकी भी उसे पूरी स्वतंत्रता थी। रूससे भागे हुये अपराधीको लौटा देना खीवाने स्वीकार किया। दासता-प्रथा बन्द कर दी गई। हरजानेमें बाईस लाख रूबल (दो लाख चौहत्तर हजार पौंड) देना तै हुआ, जिसमें पहले दो सालोंतक लाख-लाख रूबल, फिर १८८१ ई०तक क्रमशः बढ़ाते हुये दो लाख सालाना अदा करना था।

खीवाके साथ जो संधि हुई थी, उसे पीतरबुर्गमें प्रकाशित होनेसे पहले ही जेनरल कॉफमानने "तुर्किस्तान गजेत" में प्रकाशित कर दिया था। इससे मालूम होगा, कि रूसके दूर-दूरके महाराज्यपालोंको कितने विशेष अधिकार प्राप्त थे।

इस प्रकार १८७२ ई०में खीवाकी स्वतंत्रता समाप्त हुई। खीवाके राज्यमें सर्त, उज्बेक, कराकल्पक और तुर्कमान चार जातियां रहती थीं, जिनमेंसे सर्त (फारसीभाषी) अधिकतर व्यापारजीवी थे, और सैनिक तौरसे उनका कोई विशेष महत्त्व नहीं था। बाकी तीन जातियां लड़ाकू और बहुत कुछ घुमन्तू थीं। वही उज्बेक यहां भी थे, जो कि बुखारा और खोकन्दके राज्योंमें रहते थे। कराकल्पक निम्न-वक्षु-उपत्यकामें अराल समुद्रतक फैले हुये थे। बोल्शेविक-क्रांतिके बाद जब जातियोंके अनुसार राजनीतिक इकाइयां बनने लगीं, तो सभी उज्बेकोंकी भूमिको मिलाकर उज्बेकिस्तान गणराज्य बना दिया गया, जिसकी राजधानी ताशकन्द हुई। कराकल्पकोंकी संख्या

थोड़ी थी, लेकिन उन्हें भी उज्बेकिस्तान गणराज्यमें कराकलपकियाके नामसे अपना स्वायत्त गणराज्य बनानेका मौका मिला। ईरानकी सीमातक तुर्कमान---यामूद, तेक्के आदि---कबीले रहते थे, जिन्होंने पीछे अपना तुर्कमानिस्तान गणराज्य स्थापित किया, लेकिन खीवाके सर होनेके बाद ही तुर्कमानोंने रूसकी अधीनता स्वीकार नहीं की।

४. (५. ख. खीवा कुंकरत वंशवृक्ष)
(१८०४-६५ ई०)

- इश्मद बी
  - ईराज
    - १. इलतजार (१८०४-६)
      - २. मु० रहीम (१८०६-२५)
        - ३. अल्लाकुल (१८२५-४२)
          - ४. रहीमकुल (१८४२–४५)
          - ५. मु० अमीन (१८४५–५५)
        - ८. सै० मुहम्मद (१८५५–६५)
          - ९. मु० रहीम (१८६५)
      - कुतुलुक मुराद ईनक
        - इबादुल्ला
          - ६. अब्दुल्ला (१८५५)
          - ७ कुतु० मुराद (१८५५)

स्रोत-ग्रंथ

१. ओत्चेत ओ कोमन्दिरोव्के व् तुर्केस्ताने (व. व. व. वर्तोल्द, "ज० रोस्० अकद० इस्त० मतेरि० कुल्तुरी" जिल्द २, पृष्ठ २०)
२. History of Mongol (3 vols, H. H. Howorth, London 1876–88)
३. Heart of Asia (E. D. Ross, London 1899)
४. La rivalite anglo-russie an xix siecle en Asie (A. M. F. Rouire, Paris 1908)

अध्याय ६

तुर्कमान

१ तुर्कमान-भूमि

१८७३ ई०में खीवाने जारकी अधीनता स्वीकार कर ली, इससे चार साल पहले १८६९ ई०में कास्पियनके पूर्वी तटपर क्रास्नोवोद्स्कका प्रसिद्ध बन्दर स्थापित हुआ था। जारशाहीने क्रास्नोवोद्स्कसे मंगिशलक प्रायद्वीपतक बीच-बीचमें रूसियोंकी बस्तियां और किलेबंदियां कायम कर दी थीं। खीवाके पतनके बाद मध्य-एसियामें रूसी साम्राज्यकी सीमा वक्षुकी धाराके साथ-साथ थी। लेकिन कास्पियन और वक्षुके बीचकी भूमिपर अभी भी रूसियोंका अधिकार नहीं हुआ था। वहां अधिकतर घूमन्तू-जीवन बितानेवाले तुर्कमान रहते थे। यह भूमि एक त्रिकोणकी शकलमें है, जिसके सिरेपर खीवा है, और दो भुजाओंमें एक कास्पियन तट और दूसरी वक्षुकी धारा। इस त्रिकोणका आधार बलखसे दक्षिण-पश्चिमसे लेकर कास्पियनके कोनेतक चला गया है। यह सारी भूमि दो लाख चालीस हजार वर्गमील होनेके कारण बहुत विशाल है, लेकिन इसके उत्तरी भागकी सबसे अधिक धरती कराकुमका रेगिस्तान है। यद्यपि इस भूमिको बिलकुल बालूकी भूमि नहीं कह सकते, क्योंकि कहीं-कहींपर इसकी वज्र-जैसी भूमिपर घोड़ोंकी टाप पड़नेपर जोरकी आवाज सुनाई देती है, हां दूसरी जगहोंपर केवल बालू-ही-बालू है, जिसका कराकुम या कालाबालू नाम रंगकी समानताकी वजहसे पड़ा। बसंतमें वर्षा होनेपर इस भूमिमें जगह-जगह हरियाली, लम्बी घास तथा तरह-तरहके फूल दिखाई पड़ते हैं। इस भूमिको इस अवस्थामें केवल पानीके अभावने पहुंचाया है। यदि पानी होता, तो यहां की चरागाहोंमें असंख्य भेड़ें और दूसरे जानवर पल सकते थे। यह रेगिस्तान किसी समय मध्य-एसियाके विशाल समुद्रके भीतर था। उस समय आसपासके पहाड़ोंसे निकलनेवाली नदियां इस महासागरमें गिरती थीं, लेकिन अब वह हमारी पुरानी सरस्वतीकी तरह सूखे बालूमें विलीन हो जाती हैं। मुर्गाब और ताजन्दकी नदियां अफगानिस्तानके पहाड़ोंसे निकलकर उत्तरकी ओर बहते कराकुमके रेगिस्तानमें गायब हो जाती हैं। कितनी ही और भी छोटी-छोटी नदियां इसी तरह अपने अस्तित्वको खोती हैं। पुराने समयमें इस मरुभूमिके पश्चिमी भागको वक्षुकी धारा सिंचित करती थी, जब कि वह कास्पियनकी मिखाइलोव्स्की खाड़ीमें गिरती थी। हम जानते हैं, चिङगिस् के हमलेके समय १३वीं सदीमें वक्षुकी एक शाखा कास्पियनमें गिरने लगी। बसंतके थोड़ेसे समयको छोड़कर यह सारी भूमि प्रायः वनस्पतिहीन हो जाती है, और केवल थोड़ेसे कंटीले वृक्ष, ऊंटोंके खाने लायक कुछ छोटी-छोटी झाड़ियां और फरास (झाऊ)के कितने ही वृक्ष जहां-तहां दिखलाई पड़ते हैं। जंगली जानवरोंमें यहां क्यांग (जंगली गदहे), कई तरहके हरिन, जिनमें कुछ भेड़ोंके बराबर छोटे-छोटे मिलते हैं।

रेगिस्तानमें कारवांके रास्तोंपर जहां-तहां कुयें हैं, या यों कहिये कि कुओंके जलके सुभीतेके कारण उधरसे कारवां पथ जाता है। ऐसे ही पानीके स्थानोंपर कितने ही पक्षी उड़ते और चहचहाते मिलते हैं, नहीं तो चारों ओर असह्य नीरवता छाई रहती है। बालूके न उड़ते समय आकाश शुद्ध रहता है, और दूरका क्षितिज नजदीक दिखलाई पड़ता है। गर्मीमें मृगतृष्णाकी हिलती हुई लहरें पथिकको मृत्युकी ओर आह्वान करती हैं। कराकुममें दिसम्बर और जनवरीमें सख्त सर्दी पड़ती है, जब कि तापमान हिमविन्दुसे ५०° से० नीचे चला जाता है। गर्मी भी वहां हद

दर्जेकी होती है——लू आदमियोंकी जान ले लेती है, और बालूके अंधड़में पड़नेपर सांस लेना मुश्किल हो जाता है। इस मरुभूमिमें मनुष्यके लिये बहुत प्राचीन कालसे जीवनका रास्ता रुका हुआ है। यदि इससे कोई फायदा था, तो यही, कि ख्वारेज्म बहुत दिनोंतक बाहरी शत्रुओंके आक्रमणसे बचा रहा। लेकिन जान पड़ता है, अब कराकुममें बिराजती मृत्युकी नीरवता अधिक दिनोंतक नहीं रह सकेगी। खीवाके पास वक्षुसे उज्बोई होते कास्पियनमें मिलनेवाली नहरके बनानेमें आधुनिकतम यंत्रोंका उपयोग किया जा रहा है, और कुछ ही वर्षोंमें वक्षुका बहुतसा पानी कराकुमके एक बहुत बड़े भागको सरसब्ज बनानेमें सफल होगा। लेकिन सोवियत रूस इतने हीसे संतुष्ट नहीं है, बल्कि जैसा कि पहले हम बतला चुके हैं, वह चार सौ फुट ऊंचे बांधको बना कर ओब और येनिसेइके अधिकांश पानीको ध्रुवीयमहासागरमें जानेसे रोककर कजाकस्तान और कास्पियन तटतक फैले एक समुद्रके रूपमें बदलना चाहता है। बलकाश, और अराल समुद्रको अपने गर्भमें लेते यह महासमुद्र कास्पियनतक जब फैल जायगा, तो मध्य-एसियाके विशाल रेगिस्तानों-का पता भी नहीं रहेगा। इस योजना से पहले ही सोवियत कालमें कराकुमके कुछ भागोंको अच्छी चरागाहोंमें बदल दिया गया। जाड़ेके महीनोंमें तापमानका हिमविन्दुसे दर्जनों डिग्री नीचे जाना इसमें सहायक हुआ। कराकुमके रेगिस्तानमें जहां-तहां उगनेवाले वनस्पति और घासें बतलाती हैं, कि धरतीके नीचे वहां पानी भी है। लेकिन पानी अधिकतर बहुत खारा है, जिसे पशु और प्राणी पी नहीं सकते। रूसी वैज्ञानिकोंने इस खारे पानीको मीठे पानीमें बदलनेके लिये जगह-जगह कूओंपर सीमेंट किये हुये बड़े-बड़े तालाब बनाये, और जाड़ोंमें बर्फ जमा कर मीठे पानीको नमकसे अलग करके पशुओं और प्राणियोंके लिये जमीनदोज तालाब स्थापित किये, इस प्रकार वहां लाखों पशु पलने लगे।

लेकिन, तुर्कमानोंकी भूमिका कुछ दक्षिणी भाग ऐसा भी है, जहां रेगिस्तान नहीं है। कास्पियनके दक्षिण-पूर्वमें गूरगान और अतरक नदियों द्वारा सिंचित भूमि है, जो यद्यपि समुद्रके पास दलदली है, लेकिन ऊपरकी ओर बड़ी सुन्दर उपत्यकायें हैं। एक पश्चिमी यात्रीने इस भूमिमें चलते हुये लिखा था——"हमारा मार्ग हरे-भरे खेतों और सुन्दर स्वाभाविक चरागाहोंके भीतरसे था, जिनकी पहाड़ियोंमें बड़े कोमल रंगके बांज (ओक) के किसलय शोभा दे रहे थे। जहां-तहां हरा मखमली फर्शसा बिछा मालूम होता था।" कराकुमकी नीरव और निर्जीव भूमिके अतिरिक्त ऐसी भूमि भी थी, जिसमें तुर्कमान घूमा करते थे। ईरान और तुर्कमानिस्तानकी सीमापर कोपेकदाग पर्वतमाला है, जिससे निकलनेवाली नदियोंने किजिल अरबतसे लेकर गियाउर-तककी एक सौ सत्तासी मील लम्बी और पंद्रहसे पचीस मील चौड़ी भूमिको बहुत ही उर्वर बना दिया है। इस प्रदेशको अक्कलकी हरितावल (ओसी) कहा जाता है। जहांसे मुर्गाब पहाड़ोंको छोड़कर रेगिस्तान और बढ़ती है, वहींपर मेर्वकी प्रसिद्ध हरितावल है, जिसे दुनियाकी अत्यन्त उर्वर भूमियोंमें माना जाता है। ऐतिहासिक कालमें मेर्वके महत्त्वको हम देख चुके हैं। बुखाराके अमीर मुरादकी सेनाने १७८४ ई०में जब आक्रमण करके मेर्वके इलाकेको बरबाद कर दिया, तबसे इस उजड़ी भूमिके स्वामी तुर्कमान हो गये। मेर्व-हरितावल ईरानकी उत्तरी सीमासे बहुत थोड़ी ही दूरपर है, दोनोंके बीचमें एक छोटी-सी पर्वतशृंखला है, जिसको पार करनेमें कभी किसी आक्रमणकारीको रुकावट नहीं हुई। इस पहाड़की चढ़ाई इतनी धीरे-धीरे है, कि आदमीको ऊपर पहुंचनेमें वह नहीं-सी मालूम होती।

२. तुर्कमान कबीले

पीछे हम बतला चुके हैं, कि तुर्कमानोंके मूल पुरुष गूज या आगूज बहुत पुराने समयमें अल्ताईकी तरफसे अराल और कास्पियन समुद्रकी ओर आये थे। सल्जूकियोंके नेतृत्वमें इनका प्रभाव बहुत बढ़ा और ये उत्तरी ईरान तथा मेर्वसे कास्पियनतक फैल गये। १९वीं सदीके आरम्भमें भी इनमेंसे अधिकांश अभी घुमन्तू ही थे। करा और येली इन्हीं तुर्कमानोंके पूर्वज थे, जिन्होंने सुल्तान संजरको ११५३ ई०में अन्दखूय और मेमनामें हराकर बन्दी बनाया

था। पिछली शताब्दियोंमें इनके कुछ कबीले मंगिशलक प्रायद्वीपमें घूमा करते थे। अपने घुमन्तू और लड़ाकू जीवनके कारण ये बाहरी प्रभावसे बहुत कम प्रभावित हुये। कभी इन्होंने ईरानी शाहोंकी अधीनता स्वीकार की, और कभी खीवाके खानोंकी। शाह अब्बास (१५८५-१६२६ ई०) ने इन्हें कोपेतदागकी उर्वर उपत्यकासे भगाकर वहां पंद्रह हजार लड़ाकू कुर्दोंको ला बसाया, जिसमें कि वह तुर्कमानोंको घुसने न दें। लेकिन तुर्कमान अपने स्वभावसे लाचार थे। नादिरशाह खूनसे स्वयं तुर्कमान था। २०वीं सदीके आरम्भतक चले आये ईरानके काजार राजवंशका संस्थापक आगा मुहम्मद (१७९६ ई०) स्वयं तुर्कमान था। उसने सभ्यताके महत्त्वको समझकर तुर्कमानोंको भी उस रास्ते ले जाना चाहा, लेकिन उसमें सफल नहीं हुआ। उसके उत्तराधिकारी फतेहअलीने १८१३ ई०में जब उन्हें दबाना चाहा, तो तुर्कमानोंने रूसकी अधीनता स्वीकार करनी चाही, लेकिन नेपोलियनके आक्रमणसे रूसको कहां होश था, कि इस अधीनता-स्वीकृतिसे लाभ उठाता। १८३१ ई०में अंग्रेज यात्री बार्नेस मध्य-एसियामें गया था। उसने अपनी पुस्तक "बुखाराकी यात्रायें"में तुर्कमानोंका जिक्र किया है। बार्नेसके समय सबसे अधिक संख्या उनमें तेक्के कबीलेकी थी, यद्यपि अभी तुर्कमानोंमें उसको प्रधानता नहीं मिली थी। अपने इतिहासके आरम्भमें तेक्के लोग कास्पियनके पूर्वी तटपर मंगिशलक प्रायद्वीपमें रहते थे। १७१८ ई०में जब कल्मक-मंगोलोंका इनपर बार-बार आक्रमण हुआ, तो तेक्कोंने किजिल अरबतसे यामूदों और कोपेतदागकी उर्वर उपत्यकावाली अक्कल हरितावलीसे कुर्दों और येलियोंको भगाकर वहां अपना अधिकार जमाया। तेक्केका अर्थ तुर्कमानी भाषामें है पहाड़ी बकरी, जो कि सिद्धहस्त पहाड़ी घुड़सवार होनेके कारण इनके लिये उपयुक्त नाम था। खीवाके खानको यह मानते थे और प्रत्येक ग्राम (तम्बुओंका झुंड) सालमें एक ऊंट कर देता था। नादिरशाहने भी इन्हें अपनी अधीनता स्वीकार करनेके लिये मजबूर किया था। जबतक इनकी संख्या बहुत बड़ी नहीं थी, तबतक ये किजिल अरबत और अक्कलमें रहते रहे। संख्या बढ़नेपर १८३० ई०में इनके दस हजार परिवार पूर्वकी ओर जा ताजन्द-उपत्यकामें बस गये, और वहांपर अपने सरदारके नामसे उन्होंने अराज खानकला बनाया। बार्नेसके समय (१८३१ ई०में) तेक्कोंके चालीस हजार परिवार (तम्बू) थे। इस समय ऊपरी मध्य-वक्षुपर सारिकोंके बीस हजार तम्बू थे, जो कि मेर्वपर हाल हीमें अधिकार करनेवाले खीवियोंसे लड़ रहे थे। संख्यामें उन्हींके बराबर यामूद कबीला खीवा और अस्त्राबादके बीच चरवाही जीवन बिताता था। गोखलान तुर्कमानोंकी एक शाखा थी, जो कि अतरक और गुरगानके बीच ईरानी प्रजा होकर रहती थी। सलोर कबीला भी लड़नेमें बहुत बहादुर था, किन्तु उसकी संख्या अपेक्षाकृत अधिक नहीं थी। सलोर सरख्शके नजदीक ऊपरी ताजन्द-उपत्यकामें रहते थे। इनकी बार-बारके लूट-मारसे तंग आकर ईरानी शाह फतहअलीके पुत्र अब्बास मिर्जाने भारी सेनाके साथ १८३२ ई०में इनपर आक्रमण किया। बहुत खून-खराबीके बाद सरख्शपर ईरानियोंने अधिकार कर लिया, और मारे जानेसे बचे हुये सलोर भागकर मेर्वके दक्षिण योलेतानकी हरितावली में बस गये।

ताजन्दके ऊपरी भागमें बसे हुये तेक्के उत्तरी-ईरानमें बराबर लूट-मार किया करते थे ईरान बराबर प्रतिरोध करता था, लेकिन कास्पियनसे हिरातके पासतक फैली अपनी सारी उत्तरी सीमाको तुर्कमानोंसे सुरक्षित रखना सम्भव नहीं हुआ। १८४८ ई०में खुरासानके ईरानी राज्यपाल आसफुद्दौलाने तेक्कोंके ऊपर आक्रमण करके उन्हें बरबाद कर दिया, किन्तु घुमन्तुओंका इतनी जल्दी सर्वनाश नहीं किया जा सकता। बचे-खुचे तेक्कोंने अपने भाई-बन्दोंके पास अक्कलकी हरितावलीमें शरण लेनी चाही, लेकिन वहां पहले हीसे जनसंख्या अधिक थी, इसलिये जगह न मिली और फिर वह आसफुद्दौलाकी शरणमें गये, जिसने उन्हें सरख्शके उजड़े हुये इलाकेमें रहनेकी इजाजत दी। यह इलाका तेरह साल पहले सलोरोंके हाथसे निकलकर वीरान हो गया था। अब तेक्के खीवाके इलाकेमें लूट-मार करने लगे, इसलिये खीवाके खान मुहम्मद अमीनने सरख्शको जीत वहां राज्यपाल नियुक्तकर छावनी बैठा दी। लेकिन खानके हटते ही तेक्कोंने उन्हें तलवारके घाट उतार दिया। खानने फिर लौटकर चढ़ाई की, लेकिन एक टेकरीपर तुर्कमानोंने घेरकर उसका काम तमाम करके

उसके मुंडको काटकर ईरानी शाहके पास भेज दिया, केवल धड़ ले जाकर खीवामें दफनाया गया। तेक्कोंने अब ईरानके भीतर भी लूट-मार शुरू की। जिस खुरासान-राज्यपालने इन्हें इस भूमिमें बसाया था, उसीने सरख्शको जलाकर तेक्कोंको उत्तरमें मेर्वकी ओर भगा दिया। १७८४ ई०के पहलेसे मेर्वमें सारिक कबीला रहता आया था। अब सारिकों और तेक्कोंका खूनी संघर्ष चला। सारिकोंने अपने पक्षको कमजोर देखकर खुरासानके ईरानी राज्यपालको बुलाया, जो अठारह बटालियन पैदल और सात हजार सवार सेनाके साथ आया। तेक्कोंने अन्तमें ईरानकी अधीनता स्वीकार करके राज्यपालको बहुत मूल्यवान् भेटें दीं। फिर वह अपने शत्रु सारिकोंके ऊपर टूट पड़े, और उन्हें मेर्वकी हरितावलीसे निकालकर ऊपरी मुर्गाब-उपत्यकामें योलेतान और पंजदेहकी ओर खदेड़ दिया, जहांसे जाकर उन्होंने ईरानके हुक्मसे हरीरूद नदीके बायें तटपर जराबादसे सलोरोंको बेदखल किया।

कई शताब्दियों बाद मुर्गाबकी उर्वर उपत्यकाके स्वामी अब सारिक थे। उनकी शक्ति इतनी अधिक थी, कि इन्होंने खीवाकी सेनाको हरा दिया। तेक्कोंने खेतीके फायदेको भी समझकर उसके प्रचार-की कोशिश की, लेकिन सिंचाई यहांकी सबसे बड़ी समस्या थी। इसके लिये पुराने समयमें बड़े-बड़े बांध बना जल-निधियां स्थापित की गई थीं, जो कि लड़ाइयोंमें बनती-बिगड़ती रहीं। मेर्वके स्वामी बनकर तेक्कोंने मेर्व नगरसे पचीस मील ऊपर एक ऊबड़-खाबड़-सा बांध बना पचीस मील लम्बी नहर खोदी, जिसके सहारे अड़तालीस हजार परिवार खेती करने लगे। बांध और नहरकी मरम्मतके लिये हर पचीस परिवार एक आदमी देता। १८८० ई०में अंग्रेज यात्री ओडोनोवेन इधरसे गुजरा था। उसने इस बांधके बारेमें लिखा था—"नदी-तटके दोनों तरफ बीस गजतक बड़े-बड़े नरकटोंकी घनी पंक्ति है। पानीकी धाराके लिये मुश्किलसे दस फुट चौड़ी जगह छोड़ी गई है। इस संकरे मार्गसे पानी जोरसे आवाज करता बहता है। पचास गजतक यह पानीका रास्ता चला जाता है। इस दूरीमें भी नरकटोंके बांधको और समेटकर पानीको रोकनेकी कोशिश की गई है।"* लेकिन कृषि-जीवनके लिये जैसी शांतिकी अवश्यकता थी, अभी वह तेक्कोंमें नहीं आ पाई थी। दक्षिणमें सारा खुरासान उनके शिकारकी जगह बना हुआ था, फिर वह क्यों लूट-मारसे हाथ खींचते? वह मशहदसे साढ़े चार सौ मील दक्षिणतक धावा मारते। उनसे प्रतिरोध करनेके लिये १८६० ई०में ईरानने नवीन सरख्शमें एक किला बनाया, फिर अगले साल ईरानी मुख्य-सेनापतिने बारह हजार पैदल, दस हजार घुड़सवार सेना तथा तेंतीस तोपोंके साथ चढ़ाई की। तेक्कोंने सुलह करनी चाही, लेकिन इन लड़ाकुओंकी सुलहकी बातपर कौन विश्वास करता? तेक्के भी जानपर खेलकर लड़े, और सारी ईरानी पैदल-सेना मारी या उनके हाथमें बंदी बनी, केवल सवार अपने कायर सेनापतिके साथ भागनेमें सफल हुये। इस लड़ाईमें इतने अधिक ईरानी गुलाम तेक्कोंके हाथ आये, कि मध्य-एसियाके बाजारोंमें गुलामोंकी कीमत एक गिन्नी कम हो गई। तेक्कोंको अपने अधीन बनानेका ईरानका यह अन्तिम प्रयास था। अपनी इस सफलताके बाद तेक्के अक्कल और मेर्वमें जम गये, जहांसे वह बराबर ईरानमें लूट-मार किया करते। मेर्व हरितावलके पूर्वी भागमें तेक्कोंकी तोकतामिश-शाखा रहती और पश्चिममें ओतामिश पूर्वी छोरपर बेक रहते। इन शाखाओंके अतिरिक्त उनके कुछ और भी छोटे-छोटे विभाग थे।

३. तेक्कोंका शासन

तेक्के घुमन्तू कबीलेशाही अवस्थामें थे, इसलिये उनका शासन जन-सत्ताको छोड़ और हो ही क्या सकता था? अंग्रेज यात्री बोल्फने × इनके बारेमें लिखा है—"इन लुटेरे कबीलोंमें रहनेके बाद मैं इस निश्चयपर पहुंचा हूं, कि भीड़की इतनी बुरी स्वेच्छा-चारिता कहीं नहीं हो सकती। इससे बढ़कर बुरी बात क्या हो सकती है, कि अपने पागलपनके ही कारण यह अशिक्षित और असभ्य भीड़ अपनी शान दिखलाती है।" लेकिन वोल्फका यह

* मेर्वकी कहानी। × बुखारा

एकतरफा फैसला था। राजकाजकी बातोंपर निर्णय करनेके लिये सारी जनताकी सभामें वह बहस करते। इन्हीं सभाओंमें वह अपना खान चुनते, जो कि शासनका उच्च पदाधिकारी होता। लेकिन जबतक जनता उसे स्वीकार करती, तभीतक वह खान रहता। इस पदके लिये कोई आकर्षण नहीं था, क्योंकि खानको शिष्टाचार और सम्मान पानेके अतिरिक्त कोई लाभ या अधिकार नहीं था। उसके पास चालीस जिगित (बहादुर) रहते, जो सरकारी आज्ञाको पालन करवाते, लेकिन खजाना खानके हाथमें नहीं था। कोई विशेष काम आनेपर कबीला इख्तियार नामक एक विशेष प्रतिनिधि चुनता। सम्मतिदाता कबीलेके सारे लोग होते। १८८१ ई०में ओडोनोवेनके मेर्वमें जानेपर उसे वहां एक 'इख्तियार' मिला था, जिसे तेहरानमें शाहके पास सुलहकी बातचीतके लिये भेजा गया था। ओडोनोवेनके अनुसार पिछले कुछ समयसे तेक्के अब एक साधारण राज्यपद्धतिकी ओर बढ़ रहे थे, जिसमें जनतंत्रताका स्थान खानदानी राजतंत्र लेने जा रहा था। यह परिवर्तन नूरबर्दी खानके समयसे होने लगा, जो कि खीवा, ईरान और सारिकोंके युद्धोंकी विजयोंमें नेता रहा—सफल नेता राजा बन जाता है। उसने अपने पुत्र मखदूम कुलीको अक्कलके तेक्कोंका मुखिया बनाया, और वह स्वयं मेर्वका खान रहा। उसे इतना आगे बढ़नेमें रूसकी ओरसे पैदा हुये खतरेने भी सहायता की। अगर इतना भय न होता, तो शायद घुमन्तू इतनी एकतंत्रताके लिये भी तैयार न होते। तेक्के खीवामें रूसकी प्रभुता स्थापित होते देख चुके थे, उन्हें अपने भविष्यके लिये डर मालूम होने लगा था।

सभी तुर्कमानोंकी तरह तेक्के सुन्नी मुसलमान थे, लेकिन वह धर्ममें कट्टर नहीं थे, और न मुल्लोंकी पर्वाह करते थे। वोल्फके समय (१८४३ ई०में) खलीफा अब्दुर्रहमान नामक मुल्लाकी बड़ी इज्जत थी। अपनी बहादुरी और बुद्धिके लिये प्रसिद्ध आदमियोंके हाथमें सैनिक जिम्मेवारी दी जाती थी। वह ऐसे आदमीको अपना सरदार (सेनापति) बनाते, जिसे कि आक्रमण की जानेवाली धरतीका सूक्ष्म ज्ञान होता। इस लूटमें उन्हें जहां माल हाथ आता, वहां बहुतसे नर-नारी भी मिलते। यदि मुक्ति-धन चुकानेके लिये कोई तैयार होता, तो तुर्कमान अपने बंदियोंको छोड़ देते, नहीं तो खीवा या बुखाराके बाजारोंमें उन्हें गुलाम बनाकर बेच देते। तुर्कमान बहादुर होनेके लिये तीन बातोंकी अवश्यकता थी—अच्छा घोड़ा, हथियार और मृत्युसे निर्भयता। कहावत मशहूर थी—"जिसने अपनी तलवारकी मुट्ठीपर हाथ रख दिया, उसे और किसी तर्ककी अवश्यकता नहीं।" और "घोड़ेकी पीठपर सवार तेक्का न बापको समझता, न मांको।" युद्धका निश्चय हो जानेपर स्वाभाविक नेता अपने किबित्का (तम्बू) के सामने झंडा गाड़ता, और अल्ला और रसूलके नामपर भले मुसलमानोंको शीया काफिरोंके ऊपर हमला करनेके लिये बुलाता। थोड़े ही समयमें उसके तम्बूके चारों ओर सैकड़ों योद्धा जमा हो जाते, जो अपने सरदारके हुक्मपर आगमें कूदनेके लिये तैयार रहते। निश्चित दिनपर अनुचर सुशिक्षित घोड़ेपर सवार हो रसद लिये सरदारके पास पहुंचते। यदि अभियान खुरासानकी ओर करना होता, तो कोपेतदाग पर्वत श्रेणीके तीन डांड़ोंमेंसे किसी एकसे पार होते। पहाड़ पार करके दूसरी ओरके पर्वतसानुपर चन्द सवारोंकी रक्षामें रसदको छोड़, गाजी (धर्मयोद्धा) सारे दिन आगेकी तैयारीमें लगे रहते। दूर उपत्यकामें ईरानके शांत गांव बसे हुये हैं: शाम नजदीक आ रही है। दरख्तोंके बीच सफेद घरोंसे चूल्हेका धुंआ निकलकर आकाशमें मंडरा रहा है। बूढ़े गप कर रहे हैं, तरुणियां चरागाहोंसे अपने पशुओंको ला रही हैं। यह समय है, तेक्कोंके शिकारका। चन्द मिनटोंमें ही गांवकी गलियोंमें तुर्कमान छा जाते। वे अपने धनुष-वाणों और तलवारोंको आंख मूंदकर दाहिने-बायें चलाते; कितनोंको मारते और सारे गांवको भयभीत कर देते। फिर बचे-खुचे लोगों, उनके ढोरों और कीमती चीजोंको इकट्ठा करके जितनी जल्दी आये थे, उतनी ही जल्दी अन्तर्धान हो जाते। यदि पीछा किये जानेका डर होता, तो बिना लगामको रोके सौ-सवा-सौ मीलतक भागते चला जाना उनके लिये साधारणसी बात थी। लड़के और बच्चे ज्यादा कीमती समझे जाते, जिन्हें सवार चारजामोंसे बांधकर दूसरे घोड़ोंपर लाद लेते। ये घोड़े तुर्कमान सवारके घोड़ेसे बंधे होते, इसलिये पीछे-पीछे भगते जाते। दौड़ सकनेवाले आदमियोंको कभी-कभी जंजीरोंसे बांधकर घोड़ोंके साथ भगाया जाता। यदि वह थककर

न चल पाते, तो तुर्कमानकी तलवार उनके दुःखोंका अन्त करनेके लिये तैयार थी। कारवांपर जब आक्रमण करना होता, तो वह किसी रेगिस्तानी कुयेंके आसपास छिपे रहते, और जब कारवां विश्राम करने लगता, तो चारों ओरसे उसके ऊपर टूट पड़ते। यदि तुर्कमान अपनी संख्या पर्याप्त नहीं देखते, तो यात्रामें पीछे रह गये ऊंटोंपर हमला करते। तुर्कमानोंकी सफलताकी कुंजी थी, उनके तेज और मजबूत घोड़े, तथा यकायक फुर्तीसे आक्रमण।

कितनी ही बार अपने दासों और दासियोंको बेचनेके लिये तेक्के स्वयं खीवा और बुखारा जाते। लेकिन इसकी उन्हें इतनी जरूरत नहीं थी, क्योंकि गुलामोंके सौदागर उनकी बस्तियोंमें आकर गुलामोंको थोक दरपर खरीद ले जाते। रूसियोंने जबतक मध्य-एसियामें अपना प्रभुत्व नहीं जमाया, तबतक वहां गुलामोंकी यह लूट और बेच ऐन इस्लामी शरीयतके अनुसार मानी जाती थी। पीतर I को इतालियन यात्री फ्लोरियों बेनेवेनीने सूचित किया था, कि बुखारामें तीन हजार रूसी गुलाम हैं, और उतने ही खीवामें भी। अंग्रेज-यात्री वोल्फके अनुसार बुखारामें दो लाख ईरानी गुलाम थे, और उसी समय गये मेजर एबटके अनुसार खीवामें सात लाख थे, जिनमें बच्चों और तरुण लड़कियोंका मूल्य सयानोंसे दुगुना था।

तेक्के अपने घोड़ेका महत्त्व सरदारसे भी बढ़कर मानते थे। उनके घोड़े बहुत समयसे अच्छी जातिके माने जाते थे। कहा जाता है, तेमूर लंगने पांच हजार अरब घोड़ोंको लाकर तेक्के घोड़ोंकी नसलको बढ़िया बनाया था। शाह नासिरुद्दीनने पिछली शताब्दीमें पांच सौ अरब घोड़े तेक्कोंके पास भेजे। लेकिन जान पड़ता है, तुर्कमान घोड़ोंके लिए अरबी प्रभावकी अवश्यकता नहीं थी, और न वह अपने रूप और ढांचेमें अरब घोड़ों-जैसे होते हैं। वह कदमें बड़े, लंबे पैर, संकरी छाती, और लम्बे सिरवाले होते हैं। प्रशिक्षित तथा खास चारेपर रक्खे तुर्कमान घोड़े एक दिनमें साठ मीलका रास्ता तै करते, इस तरहकी यात्रा वह बहुत दिनोंतक जारी रख सकते थे। तेक्के-सवारोंको भी इतना अभ्यास था, कि वह चौबीस घंटा घोड़ेकी पीठपर बिता सकते थे। तेक्कोंके घोड़ोंका चारजामा वही था, जो कि चीनी दीवारके उत्तरके मंगोल घुमन्तुओंमें पाया जाता है। तुर्कमान अपने घोड़ोंसे इतना प्यार करते, कि वह अपने पीनेके पानी, या जौकी आखिरी रोटीको भी घोड़ेको दिये बिना नहीं खाते। उनके हाथोंमें चाबुक केवल शोभाके लिए रहता, नहीं तो घोड़ोंके लिये लगामका इशारा काफी था। सोवियत शासनने तुर्कमान घोड़ोंकी इस बढ़िया नसलको सुरक्षित रखते हुये उसको बहुत बढ़ाया, और अश्काबादसे मास्कोतककी दौड़ करके देख लिया, कि उनकी प्रसिद्धि झूठ नहीं है। तेक्कोंके ईरानमें जा लोगोंको लूटकर गुलाम बनानेका बड़ा ही सजीव चित्रण मध्य-एसियाके महान् उपन्यासकार सदरुद्दीन एनीने अपने ग्रंथ 'गुलामानमें' किया है।*

१९वीं सदीके उत्तरार्धमें तुर्कमानोंमें बस्तीवासी भी काफी हो गये। बस्तीवासियोंको 'चरवा' और घुमन्तुओंको 'चोमरी' कहा जाता था। चोमरी तीन दिनसे अधिक शायद ही कभी एक जगह रहते। उनका धन केवल पशु थे। चोमरी-तुर्कमान सालके कुछ भागमें 'कला' (दुर्ग)में एक स्थान पर रहते, लेकिन इस किलेका साधारण किलेसे कोई संबंध नहीं। एक खुली जगहमें तुर्कमानोंके तम्बू खड़े होते, जिसके चारों तरफ कच्ची मिट्टीकी दीवार होती, जिसमें खतरेके देखनेके लिए संतरीके वास्ते मीनार बने होते। 'चरवा'के अपने औल (ग्राम) होते, जिनकी चारों ओर गांववालोंके खेत और बाग रहते। वहां जौ, ज्वार और चावलकी खेती ही ज्यादा थी। फलोंमें अंगूर, सेब और सबसे अधिक तरबूज होते। तुर्कमानोंके 'कला'में सिर्फ एक दरवाजा होता। पश्चिमके क़िजिल अरबतसे पूर्वमें अश्काबादतकके औलोंमें प्रसिद्ध 'कला' ग्योक-तेप्पेकी उपत्यकाके सबसे चौड़े भागमें अश्काबाद था, जिसमें आठ औल सम्मिलित थे।

४. पोशाक और रूपरेखा

तुर्कमान शरीरमें मझोले कदके होते। उनका रंग गेहुंआ तथा गालकी हड्डी मंगोलायितोंकी तरह उभड़ी हुई होती। आंखें भी उसी तरह बादामी, नाक चौड़ी—जो सिरे-

*"जो दास थे" (राहुल)

पर उठी, होंठ मोटा, मूंछ-दाढ़ी नाममात्र, कान बहुत बड़े——इस प्रकार पता लगेगा कि तुर्कमानोंने शताब्दियोंसे मध्य-एसियामें रहके भी अपने मंगोलायित-खूनको बहुत कुछ शुद्ध रक्खा। ईरानकी लूटी हुई गुलाम स्त्रियोंको अपने पास रखनेकी जगह वह बेंच देना ही ज्यादा पसंद करते थे। लेकिन तो भी पिछली शताब्दियोंके यात्रियोंका कहना था, कि तुर्कमान स्त्रियोंकी रूपरेखा मंगोलायित कम होती है। उनके बाल छोटे, मोटे और रूखे होते हैं। तरुणाईमें वह लम्बी और सुगठित दीख पड़ती हैं। मोजेरने लिखा था——"मध्य-एसियामें तेक्के ही ऐसी स्त्री है, जो कि जानती है कि कैसे चलना चाहिये। जब कोई तेक्के-लड़की पानी भरनेके लिये अपने कंधेपर पानीका कूजा लिये कुयेंपर जा रही हो, तो उससे सुन्दर दृश्य देखनेको नहीं मिलेगा।" तरुणाईमें इनके गाल गुलाबी होते हैं, लेकिन मध्यवयके शुरू होते ही मुंहपर झुर्रियां पड़ जाती हैं।

तुर्कमान पुरुषोंके सिरपर एक बहुत ऊंची और देखनेमें भारी काली भेड़के खालकी टोपी (कल्पक) होती है। टोपीके नीचे आधा सिर ढका होता है। देखनेसे तो मालूम होता है, कि कल्पक पांच सेरसे कमकी न होगी, लेकिन वह बहुत हलकी होती है। लाल रंगका पायजामा और ऊपरसे एड़ी-तक लटका हुआ काले रंगका जब्बा (चोगा) तुर्कमानोंकी पोशाक है। गर्मियोंमें वह सूती कपड़ेका व्यवहार करते और जाड़ोंमें ऊंटके ऊनके बने हुये कपड़ोंका। पैर जूते और मोजेसे ढका रहता। औरतोंकी पोशाक लम्बे-चौड़े घांघरेकी होती, जिसका रंग लाल या नीला और कपड़ा कभी-कभी रेशमका भी होता। उनकी छातीपर चांदीके सिक्कों या दूसरी चीजोंका हमेल पड़ा रहता। ब्याहता स्त्रियां जूड़ा बांधतीं, कुमारियोंके बाल कंधेपर लटकते रहते। मुंह ढांकनेके लिये बरंजक वह बहुत कम इस्तेमाल करतीं। तुर्कमानियां अपरिचित आदमीसे भी बातचीत करतीं। उनके हाथका बनाया कालीन बहुत प्रसिद्ध था। बहु-विवाह यद्यपि विहितथा, लेकिन व्यवहारमें बहुत थोड़े ही आदमी अनेक बीबियां रखते। तुर्कमान वैसे लुटेरे थे, लेकिन अपने पूर्वजोंके वक्तसे चले आते अतिथि-सेवाधर्मको वह बहुत मानते थे। कोई भी परदेशी तेक्केके धुर्रे भरे किबित्कामें पहुंचने-पर तन्दूरी रोटी, मट्ठा, चाय, हुक्का, पनीर, मट्ठेमें पके चावलमें भागीदार बन जाता। स्वागतके बाद फिर वह शतरंज और बांसुरीसे मनोरंजन कर सकता। तेक्के डाकू थे, लेकिन चोर नहीं। वह गाली देना नहीं जानते थे, उनके यहां सबसे बड़ी गाली थी 'कायर' कहना।

५ रूससे युद्ध

खीवाको रूस दबा चुका था, लेकिन तुर्कमान घुमन्तू अपनी शानमें मस्त थे। १८७३ ई०में जब रूसी सेनायें खीवामें आईं, तो यामूद-तुर्कमानोंने रूसियोंका जबर्दस्त मुकाबिला किया था, इसे हम देख आये हैं। कॉफमानने यामूदोंको पाठ पढ़ाना चाहा, और इसके लिये सारी दक्षिणी मरुभूमिमें सर्वनाशका युद्ध छेड़ दिया, क्रूरतामें जारशाही घुमन्तूओंको भी मात करने लगी। ईरानी राज्यपालने १८६९ ई०में अतरक नदीकी उपत्यकामें रहनेवाले गोखलान-तुर्कमानोंको दबाना चाहा। कास्पियन समुद्रमें नावों और जहाजोंको लूटनेवाले गोखलानोंको रूसी नौसेनाने दबा दिया। खीवा-विजयके बाद १८७६ ई०में कास्पियनका पूर्वी तट काकेशसके महाराज्यपालके अधीन रहा, जिसकी सेना यहां रक्षाका काम करती थी। तेक्कोंने अपनी उत्तर-पूर्वी सीमांतमें इस प्रकार रूसियोंकी जबर्दस्त दीवार देखी। यही हालत पूर्व दिशामें भी थी। खीवा और बुखाराने संधि करके रूसकी बातको मान अपने यहां दासताको निषिद्ध कर दिया था, इसलिये तेक्कोंके लाये गुलामोंके बेचनेके लिये अब मध्य-एसियाके बाजार बन्द हो गये थे। उन्होंने रूसियोंसे भी छेड़खानी जारी रक्खी। १८७५ ई०में एक रूसी-कारवां क्रास्नोवोद्स्कसे खीवाकी ओर जा रहा था, जिसे उन्होंने बीचमें लूट लिया। इसी तरह १८७७ ई०में अतरकके उत्तरमें भी एक कारवांको लूटा। रूसी इसका बड़ी कठोरतासे जवाब देने लगे। तेक्कोंको मालूम होने लगा, कि अब हमारी भी वही हालत होनेवाली है, जो कि खीवाकी चार साल पहले हुई। १८७७ ई०में उन्होंने ईरानकी अधीनता स्वीकार करनी चाही, लेकिन अब रूस उसकी इजाजत नहीं दे सकता था। तुर्कमानोंकी लूटमारके कारण इधर तुर्कमान-मरुभूमिसे खीवा-बुखाराका

व्यापार बन्द हो गया, और सुरक्षित समझकर ओरेनबुर्गके बहुत फेरवाले रास्तेसे कारवां जाने लगे। पीतरके समयसे ही रूसियोंके दिमागमें समाया था, कि वक्षुको कास्पियनमें मिलाकर वोल्गा-उपत्यकासे जलमार्ग द्वारा व्यापार करें, लेकिन यह काम जारशाही नहीं कर सकी।

खीवाके विजयके बादके तीन-चार वर्षोंमें तेक्कोंने अपनी लूट-मारसे रूसियोंको बहानेका रास्ता दे दिया, और १८७७ ई०में जेनरल लोमाकिनको हुक्म हुआ, कि तेक्कोंके किले किजिल अरबतपर अधिकार कर लो। किजिलअरबत कास्पियन तटपर अवस्थित क्रास्नोवोद्स्क बन्दरगाहसे दो सौ मील पूर्व था। जेनरल लोमाकिन १२ अप्रैलको नौ कंपनी पैदल, दो स्क्वाड्रेन कसाक और आठ तोपें लेकर रवाना हुआ। भला आधुनिक हथियारोंके सामने तेक्के कैसे डटते? वह पहली ही मुठभेड़में भाग गये। इसके बाद अक्कर-उपत्यकाके प्रत्येक औल (गांव) के प्रतिनिधि रूसकी अधीनता स्वीकार करनेके लिये आये, लेकिन लोमाकिन इससे पहले ही डरकर पीछे हट गया था। इसी बीच तुर्कीसे सका युद्ध (१८७७—७८ ई०) छिड़ गया, जिसके कारण तुर्कमानोंके साथ युद्धको स्थगित करना पड़ा। १८७८ ई०में तुर्कीके युद्धके खतम होते ही फिर जारशाहीने तेक्कोंकी ओर ध्यान दिया। १८७८ ई०में एक रूसी सेना अतरक नदीके मुहानेके पास अवस्थित चिकिस्ल्यरसे चली। बेन्देसेन डांड़ेसे कोपेतदाग पर्वतश्रेणीको पारकर ९ सितम्बरको उसने दंगिल-तेप्पेपर आक्रमण किया। वहां पंद्रह हजार तेक्के योद्धा अपने पांच हजार स्त्री-बच्चोंके साथ मिट्टीकी दीवारसे घिरे स्थानमें लड़नेके लिये तैयार थे। तोपके सामने यह मिट्टी-की दीवारें क्या बचाव करतीं? वह प्राण बचाकर भाग निकले। रूसी सवार उन्हें पीछे पड़कर घेरने लगे। चारों ओरसे उन्हें मौत-ही-मौत दिखलाई पड़ रही थी। अपने स्त्री-बच्चोंको दुश्मन-के हाथमें पड़ते देख "मरता क्या न करता" पर उतर आये, और उन्होंने शैतानकी तरह लड़ाई लड़ी। लोमाकिनका मनोरथ भंग हुआ, साढ़े चार सौ रूसी हताहत हुये, और बाकी सेनाको लेकर उसे चिकिस्ल्यर लौट जाना पड़ा। इस विजयकी खबरसे सारे मध्य-एसियामें आशाकी किरण दौड़ पड़ी। अब और भी लूट-मार होने लगी। १८८० ई०में तीन हजार तुर्कमानोंने वक्षु-तटपर बुखाराकी भूमिमें अवस्थित चारजूय-किलेके पासतकके कितने ही गांवोंको लूटा। मध्य-एसियासे जारका रोब उठते देखकर जेनरल स्कोबेलेफने पीतरबुर्ग लिखा था—"यदि हम अपनी पिछले पांच सालकी स्थितिपर विचार करते हैं, तो सामने भयंकर खतरा दिखलाई दिये बिना नहीं रहता, क्योंकि वह साम्राज्यकी आर्थिक और राजनीतिक स्थितिको अस्त-व्यस्त कर सकता है। अंग्रेजोंने एसिया-इयोंको विश्वास दिलाना चाहा है, कि उन्होंने कान्स्तन्तिनोपलके सामने रूसियोंको रोक दिया, और उन्हें बल्कान प्रायद्वीप छोड़नेके लिये मजबूर किया। बर्लिनकी संधि जो हमारे अनुकूल नहीं हुई, उसकी भी खबर उन्होंने सारे एसियामें फैलाई है।"

जनवरी १८८० ई०में जार अलेक्सान्द्र II ने पीतरबुर्गमें युद्ध-परिषद्की। सबसे कठिन समस्या थी यातायातकी। और देरतक रुका नहीं जा सकता था, इसलिए उसी साल तेक्कों (तुर्कमानों) के विरुद्ध अभियान भेजा गया। बारह हजार ऊंट रसद ढोनेके लिये रक्खे गये, जिनमें हजारों रास्तेमें मर गये। रेगिस्तानमें रसद पहुंचाना बहुत मुश्किल था, इसीलिये ग्योक-तेप्पेका मुहासिरा हटाना पड़ा था, लेकिन अब रेलोंके प्रचारसे यातायातकी समस्या उतनी मुश्किल नहीं थी, यद्यपि उसपर खर्च बहुत पड़ता था। रूसियोंने रेलवे लाइन बनानेके लिये एक खास बटालियन संगठित की, और १८८० ई०के अन्ततक कास्पियनके पूर्व उजुनअदासे मुल्लाकारीतक तेरह मीलकी रेलकी सड़क बना दी। काकेशसके सेनानायकके अधीन जेनरल स्कोबेलेफ अभियानका मुख्य-संचालक था। दंगिल-तेप्पेके तजर्बेसे मालूम हो चुका था, कि तुर्कमानोंके नमदेके तम्बुओंपर आग जल्दी असर नहीं करती। इसके लिये स्कोबेलेफने पेट्रोल भरे गोले तैयार किये। क्रास्नोवोद्स्कमें यद्यपि पासमें समुद्र लहरें मार रहा था, लेकिन उसके खारे समुद्रपर पशु-प्राणी गुजारा नहीं कर सकते थे। इसके लिये वहांपर एक बहुत बड़ा कारखाना बनाया गया, जिसका काम था पानीको भाप बना फिर जलके रूपमें परिणत करके प्रतिदिन साढ़े सात लाख गैलनके मीठा पानी देना। स्कोबेलेफ

मई १८८० ई०में ही क्रास्नोवोद्स्क पहुंचकर तैयारी करने लगा। काकेशससे बारह हजार सेना और सौ तोपें आयीं। सितम्बर १८८० ई०के आरम्भतक तैयारी प्रायः पूरी हो गई।

रूसियोंने १८ दिसम्बरको बामिर, एगमनबातिर (समुस्कें) पर अधिकार किया। पता लगा, कि शत्रुका मुख्य जमाव दंगिल-तेप्पेमें है। दंगिल-तेप्पा प्रायः एक वर्गमीलमें फैली आयताकार भूमि थी, जिसके चारों ओर अठारह फुट मोटी और दस फुट ऊंची दीवार थी, जो बाहरसे दस फुट होते हुये भी भीतरसे पंद्रह फुट ऊंची थी। दीवारके बाहर चार फुट गहरी खाई थी। तेप्पेके पश्चिमोत्तरमें गोल टीला था, जिसे तुर्की भाषामें "दंगिल-तेप्पा" कहते हैं, उसीके कारण इस स्थान-का यह नाम पड़ा। इसी गोल टीलेपर ईरानियोंसे पकड़ी पुराने ढंगकी एक तोप रक्खी हुई थी। तीस हजार तेक्के योद्धा अपनी स्वतंत्रताके लिये प्राण देनेको तैयार थे। पानीका यहां कोई दुख नहीं था, क्योंकि पाससे एक नदी बहती थी। रूसी पानीकी धारको चाहते, तो बदल सकते थे, लेकिन तब उन्हें इतनी भारी संख्यामें शिकार एक जगह नहीं मिलता। एक सप्ताहतक आगे बढ़ना रोककर २४ दिसम्बरको रूसियोंने जांच-पड़ताल भर की। १८८१ ई०के नववर्षके दिन यंगीकलापर भीषण आक्रमण शुरू हुआ। कला एक पहाड़ीकी जड़में था। आठ हजार रूसी सैनिक तीन स्तम्भोंमें विभक्त हो बावन तोपों और ग्यारह मशीनगनोंको लिये आगे बढ़े। दक्षिणवाले स्तम्भने पीछे और सामने दो ओरसे भयंकर गोलाबारी की, जिससे तेक्के यंगीकला छोड़ दंगिल-तेप्पेकी सेनामें जाकर मिलनेके लिये मजबूर हुये। उन्होंने रातको फिर यंगीकलाको लेनेका प्रयत्न किया, लेकिन रूसी तोपोंने उन्हें मार भगाया। ३ जनवरीको रूसियोंने अपने कैम्पको यगमनबातिरसे यंगीकलामें परिवर्तित कर दिया। अगले दिन शत्रुओंके सामने आठ सौ गजपर रूसियोंकी पंक्ति खड़ी थी। रूसियोंके घिरावेको तोड़नेके लिये मेर्वसे पांच हजार और तुर्कमान आये, जिन्होंने रूसियोंकी पंक्तिपर छापा मारा। पागलकी तरह वह रूसी सनिकोंपर पड़े और गोलियोंसे जलते-भुनते भी कितनोंने एक हाथसे रूसी सैनिकोंकी बन्दूकोंको पकड़ा और दूसरे हाथसे अपनी तेज तलवारों द्वारा शत्रुओंकी गर्दनें काटीं। सारी भूमि लोगोंके मुंडों और कटे हुये अंगोंसे ढक गई। चारों तरफ "अल्लाह"की आवाज या रूसियोंका "उरा" सुनाई पड़ता था। रूसियोंके दाहिने पक्षपर तीन सौ तेक्के बहादुरोंकी लाशें पड़ी थीं। लेकिन, आधुनिक हथियारोंके सामने अल्ला या यह वीरता क्या कर सकती थी?

४ जनवरी १८८१ ई०को दूसरी पंक्ति तैयार की गई, जिसमें छब्बीस सौ सैनिक थे। संध्या-के समय तेक्कोंने छापा मारा तथा बाहरी खाइयोंपर अधिकार कर लिया, और तोपचियोंको काट-कर चार पहाड़ी तोपें, और रेजिमेंटके तीन झंडे भी अपने साथ ले गये। लेकिन, तुरन्त ही यंगीकलासे कुमक आ गई, और तोप छोड़ बाकी चीजोंपर फिर रूसियोंने अधिकार कर लिया। झड़प इसी तरह चलती रही। १० जनवरीको रूसी सेना तेक्कोंकी बाहरी चौकियोंपर अधिकार करनेमें सफल हुई। लेकिन आध घंटे बाद ही तेक्कोंने जबर्दस्त प्रत्याक्रमण किया। तोपचियोंकी एक कंपनीके टुकड़े-टुकड़े करके वह दो तोपोंको खाइयोंकी ओर खींच ले गये। रूसियोंने भी नई कुमक पाकर उनके आक्रमणको निष्फल कर दिया। रातके अंधेरेमें तेक्के रूसियोंपर आक्रमण करते। १६ जनवरीकी रातको उन्होंने अपना अन्तिम जबर्दस्त आक्रमण किया, जिसे रूसियोंने बेकार कर दिया। १६ जनवरीको अपनी किलाबन्दीके पूर्वी छोर-पर चौबीस गजके पासतक तेक्के ढकेल दिये गये। २० जनवरीसे उनका किला तोड़ा जाने लगा। किलेके भीतर नमदेके किबितकोंपर पेट्रोलके गोले फेंके जा रहे थे। इन्हीं तम्बुओंमें सात हजार बच्चे और स्त्रियां थीं। तब भी बहादुर तेक्के तीन सप्ताहतक डटकर लड़ते रहे। अन्तिम आक्रमणके दिन जेनरल स्कोबेलेफने अपने सैनिकोंको आदेश देते हुये कहा था—"हमें एक बड़े ही बहादुर और भारी आत्मसम्मानवाले लोगोंसे मुकाबिला करना पड़ रहा है।" अंतिम प्रहारके समय रूसियोंने औरतों और बच्चोंको हटानेके लिये कहा। तेक्कोंने समझा, ये हमारी स्त्रियों और बच्चोंको अपने लिये लेना चाहते हैं, इसलिये उनका जवाब था—"अगर तुम हमारी स्त्रियों और बच्चोंको लेना चाहते हो, तो हमारी लाशोंपरसे होकर ही उन्हें पा सकते हो।" २४ जनवरीके ७ बजे

सबेरे किलेपर चारों तरफसे टूट पड़नेके लिये रूसियोंके चार सेना-स्तम्भ बनाये गये। संकेत पाते ही एक भारी धड़ाका हुआ, और तीन सौ फुटकी दीवार गिर गई। अब तेक्कोंको पता लग गया, कि प्रतिरोध करना असम्भव है। दूसरे ही क्षण सेना-स्तम्भ भी उनपर टूट पड़े और जरा ही देरमें भागते हुए घोड़ोंके टापोंकी धूल दिखलाई पड़ने लगी, जिनके पीछे-पीछे कुछ दूसरे भी शरणार्थी जा रहे थे। रूसियोंकी आठ हजार सेनामेंसे बारह सौ मारे गये, लेकिन दंगिल-तेप्पेपर जारशाही झंडा गड़ गया। रूसी सवारोंने दस मीलतक तेक्कोंका पीछा किया। तीस हजार तेक्कोंमेंसे दस हजार काम आये। बच्चों और स्त्रियोंपर रूसियोंने हाथ नहीं छोड़ा। रूसी जेनरल जिन तेक्कोंको बहादुर और भारी आत्मसम्मानी जाति मानता था, उन्हींके बारेमें एक पेंशन प्राप्त आई० सी० एस० अंग्रेज एफ० एच० स्कीन लिखता है—"अलावके पास बैठके राजनीति बघारनेवाले लोग ग्योक-तेप्पेकी खून-खराबी और ओम्दुर्मानके घायल शत्रुओंके कत्लको सभ्यताके खिलाफ कहेंगे, लेकिन एसियाइयोंके स्वभावका यदि थोड़ा भी परिचय हो, तो उन्हें मानना पड़ेगा, कि एसियाई बर्बरता और धर्मान्धताकी शक्तियोंके ऊपर प्रहारका सबसे अच्छा उपाय क्रूरताकी नीति है।"

ग्योक-तेप्पामें मध्य-एसियाकी स्वतंत्रताकी अन्तिम लड़ाई लड़ी गई। उसकी विजयके साथ मध्य-एसियापर जारशाहीका अखंड शासन और शोषण स्थापित हुआ, जिसका अन्त बोल्शेविक-क्रांतिके साथ हुआ, और उसके बाद तेक्के और दूसरे तुर्कमान अपने स्वतंत्र तुर्कमानिस्तान गणराज्यके स्वामी बनकर एक आधुनिक सुसंस्कृत जातिके रूपमें अपने समाज और देशका नव-निर्माण करते हुये आगे बढ़ने लगे।

तुर्कमानोंके संघर्षके बाद ईरानके शाहकी आंखें खुलीं, और उसने रूसियोंको हटानेकी कोशिश की, जिसका परिणाम हुआ अतरक नदीके बायें तट और मेर्वसे हाथ धोना।

६. अंग्रेजोंसे तनातनी

ग्योक-तेप्पेकी लड़ाईके बाद रूसियोंको फिर हथियार इस्तेमाल करनेकी जरूरत नहीं पड़ी। दिसम्बर १८८ई०में उन्होंने एक सैनिक प्रदर्शन किया। ३१ जनवरी १८८४ ई०को मेर्वकी भिन्न-भिन्न बस्तियोंके एक सौ चौबीस प्रतिनिधियोंने अपने चार कबीलोंके चार सरदारोंकी प्रधानतामें एकत्रित हो महाराज्यपाल कमारोफके सामने जारके प्रति भक्तिकी शपथ ली। एक अफगान साहसीने तुर्कमानोंमें विद्रोह फैलाना चाहा, जिसे ३ मार्चको रूसियोंने दबा दिया। अगली मईमें काकेशसके महाराज्यपालने जीते हुये इलाकेका निरीक्षण किया। फिर थोड़े ही दिनों बाद मेर्वसे ३६ मील दक्षिण योलतन-उपत्यकाके पचास हजार सारिकोंने अधीनता स्वीकार की और उसके बाद गियाउर और सरख्शके बीचके कबीले भी रूसी-प्रजा बन गये। रूसकी दक्षिणी सीमा इस तरह आगे बढ़ अफगानिस्तानसे मिल गई। हिरातमें अंग्रेजोंने अफगानोंको एक मजबूत किला बनानेमें मदद दी थी। वह कैसे रूसके इस बढ़ावको पसंद करते? एक अंग्रेजी लेखकने रूस और इंगलैण्डके इस समयके संघर्षके बारेमें लिखा है*:—

"भारतीय प्रायद्वीपकी ऐसी भौगोलिक स्थिति है, कि कोई भी युरोपीय शक्ति तबतक इसपर अधिकार नहीं कर सकती, जबतक वह समुद्रपर प्रभुत्वन रखे।····हमारी प्रतिष्ठाके लिये यह जरूरी है, कि हम ऐसे साम्राज्यपर अधिकार रक्खें, जो दुनियाके लिये आश्चर्य और ईर्ष्याकी चीज है। उसपर अधिकार करके हम नफा भी खूब उठा रहे हैं, हमारे कारखानोंके लिये वहां बाजार है, और हमारे मध्यवर्गकी बेकार शक्तिके लिये वहां काम रक्खा है।

"इंगलैण्डने रूसके कान्स्तन्तिनोपलके रास्तेको रोका। १८८४ ई०में दुनियाकी कुंजी दरे-दानियालको तुर्कोंके हाथोंमें रखनेके लिये इंगलैण्डने रूसके खिलाफ तलवार उठाई और उसके एक-चौथाई शताब्दी बाद, जब कि रूसियोंके हाथमें यह भव्य शिकार जाने ही वाला था, जारकी विजयिनी सेनाको इंगलैण्डने पीछे हटा दिया।····मानवता (?) का हरएक मित्र 'इंगलैण्ड और रूस'की दो शक्तियोंके बीचमें विरोधकी भारी खाईको देखकर अफसोस किये बिना नहीं रहेगा।

*"जार और इंगलैण्ड: मित्र या शत्रु"

यदि दोनों एक हो जायं, तो वह एसियाको सभ्यता और दुनियाको शांति प्रदान कर सकते हैं।

"एसियाके लोग कास्पियनसे चीनतक, और साइबेरियासे ईरान तथा अफगानिस्तानकी सीमातक उससे कहीं अधिक सुख और स्वतंत्रताको भोग रहे हैं, जितना कि भारतीय राज्यके किसी भागके लोग।.... लेकिन वहां (रूसी एसियामें) अब भी २०वीं सदीके आरम्भमें, भारी रक्षात्मक आयकर, अंग्रेजी व्यापारकी रक्षाके लिये वाणिज्य-दूतोंकी नियुक्ति, तथा युरोपियनोंके आने-जानेके ऊपर भारी रुकावट मौजूद है।....सिवाय संगीनोंके बलपर हम सदा भारतके स्वामी नहीं रह सकते हैं, उसीपर हमारा सिंहासन खड़ा है। हमारा राज्य यहां (भारतमें) कभी गहरी जड़ नहीं जमा सकता। संगीनोंके बिना हमारे पूर्वगामियोंकी तरह हमारा भी शासन खतम हुये बिना नहीं रहेगा। लेकिन मध्य-एसिया उतना घना नहीं बसा है, और वहांके लोगोंका जीवनतल 'भारत'की अपेक्षा अधिक ऊंचा है।

"हमें विश्वास है, कि यदि 'हमारे इंगलैण्ड और रूस'—एसियाकी दोनों महाशक्तियों—के बीच खुले दिलसे कोई समझौता हो जाय, तो इससे सभ्यताको आगे बढ़नेमें सहायता मिलेगी।"

इन उद्धरणोंसे मालूम होगा, कि अंग्रेज रूसियोंके दक्षिणी बढ़ावको पसंद नहीं करते थे, लेकिन साथ ही वह जानते थे, कि दोनोंके संघर्षके कारण एसियामें कहीं युरोपियनोंका शासन खतम न हो जाय, इसीलिये सीमाके निश्चित करनेके लिये दोनोंकी ओरसे जुलाई १८८४ ई०में एक संयुक्त कमीशन नियुक्त हुआ। रूसियोंने पंचदेहके सारिकोंके रूसी-अधीनता स्वीकार करनेका हवाला दे मांग पेश की, कि तुर्क जातिकी सीमा हमारी सीमा है, और अफगान-बस्तियोंसे अंग्रेजोंका प्रभावक्षेत्र माना जाय। लेकिन अंग्रेज इसे माननेके लिये तैयार नहीं थे। अपने दावेको मजबूत करनेके लिए अंग्रेजोंके शहपर इसी बीच अफगानोंने आक्रमण करके बालामुर्गाब और पंचदेह दोनों वादियों (उपत्यकाओं)को दखल कर लिया। इसके जवाबमें जेनरल कमारोफने पुले-खातून, जुल्फिकार डांड़ा और अक-रबातपर रूसी झंडा गाड़ दिया, और फर्वरी १८८५ ई०में पंचदेह-वादीके छोरपर पुले-कश्तीको भी ले लिया। इंगलैंडमें इसपर बड़ा गुस्सा प्रकट किया जाने लगा, और हिरातके किलेको मजबूत करनेके लिये अंग्रेज इंजीनियर भेजे गये, अफगानिस्तानमें हथियार और गोला-बारूद बड़े परिमाणमें भेजा जाने लगा, और भारतके पश्चिमोत्तर सीमांतपर जेनरल राबर्टकी अधीनतामें भारी सेना जमा की गई। पार्लयामेंटने एक करोड़ दस लाख पौंड सैनिक तैयारीके लिए मंजूर किये। उधर रूसने भी एक भारी नौ-सेना जमा की, और चाहा कि भूमध्यसागरके अंग्रेजी-व्यापार-मार्गको नष्ट कर दे। लेकिन दोनों साम्राज्योंको यह समझनेमें देर नहीं लगी, कि आपसकी लड़ाईसे अंतमें भारी क्षति उठानी पड़ेगी। अंग्रेजोंने अफगानिस्तानको रोका, और अप्रैल १८८६ ई०में दोनों देशोंके प्रतिनिधि पीतरबुर्गमें जमा हुए। रूसियोंको हरीरूदका दाहिना किनारा जुल्फिकार डांड़ेतक और पंचदेहसे दक्षिण बागी-उपत्यका, जिसमें पंचदेह हरितावली भी शामिल थी, मिली। इस प्रकार रूसी सीमा हिरातसे ५३ मीलपर पहुंच गई, जिसके और हिरातके बीचमें कोई प्राकृतिक बाधा नहीं थी। लेकिन दूसरी तरफ रूसको अमीर-बुखाराके हाथसे वक्षुके बायें तटपर अवस्थित ख्वाजासालेके दक्षिणके सुन्दर चरागाहोंको अफगानिस्तानको दिलवाना पड़ा। संयुक्त कमीशनने जितनी सफलतापूर्वक अपना काम किया था, उससे उत्साहित होकर १८९५ ई०में दूसरा सीमांत-कमीशन नियुक्त किया गया, जिसने पामीरमें अंग्रेजी और रूसी प्रभावक्षेत्रोंकी सीमा निर्धारित की। यह सीमा विक्टोरिया (जोर कुल) झीलके दक्षिणी किनारेसे शुरू होकर सरिकौल पर्वतमालाके मेरुदण्डपर होते चीनी सीमांततक पहुंच सारिकौल पर्वतमालाकी एक ऊभड़-खाभड़ और दुर्गम बाहीसे ६ मीलपर सनातन हिमवाले प्रदेशमें जाती है, जहांपर कि कई पर्वतश्रेणियां आकर मिलती हैं। "इसी निर्जन एकांत स्थानमें समुद्र तटसे बीस हजार फुटके ऊपर मनुष्योंकी पहुंचसे बिलकुल बाहर तीन साम्राज्य—भारत (अंग्रेजी), चीन और रूस मिलते हैं।"

२५ नवम्बर १८९७ ई०में जरनल क्रोपत्किनने अश्काबादमें अंग्रेज यात्रियोंके सामने भाषण करते हुए कहा था—"भीतरी लड़ाई-झगड़ेकी संभावनाको खतम करनेके लिए हमने देशियोंको बिना हथियारकर उन्हें शांतिपूर्ण जीवन स्वीकार करनेके लिए मजबूर करनेमें कोई

कसर नहीं उठा रक्खी है।....अब एक अकेला यात्री भी कास्पियन तटसे साइबेरियाके सीमांततक, बिना जरा भी भयके यात्रा कर सकता है।....(यहांका) व्यापारीवर्ग सरकारका सबसे बड़ा समर्थक है, जिसके बाद कृषक हैं।....विरोध अब मुल्लाओंके षड्यंत्र हीका रह गया है।''

७. रेल-निर्माण

तेक्कोंके साथ युद्ध करनेके लिए तेरह मीलकी रेलवे लाइन बनकर कास्पियन तटसे रेलोंका जाल शुरू हुआ। रेल-निर्माणके लिए खास तौरसे संगठित बटालियनने १८८३ ई०के अंततक उसे कास्पियनसे १३५ मीलपर किजिल अरबततक बना दिया। मेर्वके ऊपर अधिकार हो जानेपर रेल बनानेमें और भी उत्साह हुआ, और अप्रैल १८८५ ई०के उकाजे (राजादेश) द्वारा रेलको आगे बढ़ानेकी स्वीकृति दी गई। ३० जूनको काम शुरू हुआ। इस रेलवे लाइनके बनानेमें बाईस हजार तेक्के मजदूर काम करते रहे, और चौदह महीनेके भीतर रेल किजिल अरबतसे ३५२ मील मेर्वतक पहुंच गई। मेर्वसे चारजूयकी लाइनपर काम अगस्त १८८६ ई०में आरंभ हुआ। इस लाइनको साठ मील रेगिस्तानमेंसे जाना था। चार मासमें यह एक सौ एकतालीस मील लंबी रेल भी तैयार हो गई। कास्पियन तटसे वक्षुके बायें किनारेपर अवस्थित चारजूय-तक अब ६६४ मील लंबी रेल बनकर तैयार हो गई। वक्षु हमारी गंगाकी तरह एक बड़ी नदी है, जिसका पाट चारजूयमें सवा मीलका है। नदीसे थोड़ा ही हटकर दोनों किनारोंपर रेगि-स्तान हैं, जो कि कराकुम और किजिलकुमके महान् रेगिस्तानके भाग हैं। आमू (वक्षु)पर पुल बनानेके लिए लकड़ियोंके ३३३० बेड़े रूससे लाये गये। पहला पाया जून १८८७ ई०में बैठाया गया और काम इतनी तत्परतासे हुआ, कि छ महीनेके बाद जनवरी १८८८ ई०में वक्षुका पुल यातायातके लिये खोल दिया गया। यह पुल ४६००गज लंबा था, जिससे २२७० गज चौड़ी जल-धारा बहती थी। सितंबर १८८७ ई०में वक्षु तटसे २१६ मीलपर अवस्थित समरकंदतककी लाइन-पर काम शुरू हो गया, जिसे २८ मीलका रेगिस्तान पार करके कराकुलमें जरफ्शां-सिंचित उपत्यका में पहुंचना था। अंतमें मई १८८८ ई०में कास्पियनसे समरकंदतक ८७९ मीलकी रेल तैयार हो गई। इस रेलवे लाइनपर प्रति मील औसत खर्च ६१४४ पौंड (अस्सी हजार रुपया) आया था, जब कि हिंदुस्तानमें अंग्रेजी कंपनियोंने रेलोंपर प्रति मील अठारहसे बीस हजार पौंड खर्च किये। १८९५ ई०में समरकन्द और ताशकंदके बीच रेल बननी शुरू हुई। उसके बाद अंदिजान (फरगाना)की लाइन भी तैयार की गई। मेर्वसे अफगानिस्तानकी सीमाके पास कुश्क तक १९२ मीलकी रेल बनी। कुश्कसे हिरात, गीरिश्क, कंधार और चमन होते मध्य-एसियाकी रेलोंको क्वेटामें पाकिस्तानी रेलोंसे आसानीसे मिलाया जा सकता था, इस रास्ते कुश्क और चमनके बीच सिर्फ ४५० मीलकी लाइन बनानी थी। इस सारे रास्तेमें कोई दुर्लंघ्य बाधा नहीं है. सिर्फ खुम्बान (चश्मेसब्ज) डांड़ेको पार करते लाइनको समुद्र तलसे ३४०० फुट ऊपर उठना पड़ता। चश्मेसब्जके डांड़ेसे तीस मीलपर ही सब्जवार है।

८. अश्काबाद

कास्पियन तटपर अवस्थित क्रास्नोवोद्स्कसे ३२२·२५ मीलपर अवस्थित अश्काबादको रूसियोंने अपना शासन-केंद्र बनाया, जिसकी स्थापना १८८३ ई०में अक्कल हरितावलीके सबसे चौड़े तथा कोपेतदाग पर्वतमालाके सानुपर है। १८९९ ई०में इसकी जनसंख्या सोलह हजार थी, जिसमें दस हजार सैनिक थे। अश्काबादसे नातिदूर कोपेतदागके पहाड़ोंमें २४०० फुटकी ऊंचाईपर फीरोजा और ३००० फुटकी ऊंचाईपर खैराबाद मंसूरी-शिमला-जैसे ठंढे पहाड़ी नगर हैं, जहांपर रूसी अफसर अपनी गर्मियां बिताया करते थे। अश्काबादका अर्थ आंसुओंकी नगरी या इश्काबादसे प्रेमनगरी भी हो सकता है।

९. मेर्व

यद्यपि यह ऐतिहासिक नगरी, ध्वंसावशेषके रूपमें ही सही, मौजूद थी, लेकिन इसके पहले ही इश्काबादको शासन-केंद्र बनाया जा चुका था, इसलिये मेर्व एक छोटा-सा कस्बा ही रह गया, और उसे बोल्शेविक-क्रांतिके बाद ही आगे बढ़नेका मौका मिला।

स्रोत-ग्रन्थ

१. ओचेर्क इस्तोरिइ तुर्कमान्स्कओ नरोदा (व. व. बर्तोल्द, १९२८)
२. आजियात्स्कया रोस्सिया (अ. क्रूवेर आदि, मास्को १९१०, पृष्ठ १७२-७७)
३. तुर्कमानिया इ येये कुरोत्नया बगात्स्वा (व. अ. अलेक्सन्द्रोफ, मास्को, १९१०)
४. Heart of Asia (E. D. Ross, London, 1899)
५. History of Mongol (H. H. Howorth, London, 1876-88)
६. La rivalite anglo-russie en xxi siecle en Asie (A. M. F. Rouire, Paris, 1908)

भाग ५

बोल्शेविक-क्रांति

अध्याय १

रूसमें क्रांति

१. लेनिन रूसमें (१९१७ई०)

यद्यपि ज़ार अब तख्तसे उतार दिया गया था, और लोग बड़ी-बड़ी आशा कर रहे थे, लेकिन फर्वरी-क्रांतिके परिणामस्वरूप जिन लोगोंके हाथमें शासन गया, वह अब पुराने स्वार्थोंको उसी तरह सुरक्षित रखना चाहते थे, जिस तरह जारशाही करती आ रही थी। औद्योगिक पूंजीवादकी स्थापनाके बाद भी रूसमें अभीतक सामन्तशाही स्वार्थोंके हाथमें ही सैनिक और असैनिक शक्ति थी। फर्वरी-क्रांतिने पूंजीपतियों और मध्यवर्गको ऊपर आनेका मौका दिया, जो पश्चिमी युरोपकी तरह शुद्ध पूंजीका शासन मजबूत करना चाहते थे। लड़ाईने लोगोंकी जैसी आर्थिक अवस्था कर डाली थी, और किसानों और मजदूरोंके संघर्षोंने जो भावनायें पैदा कर दी थीं, उनके लिये अस्थायी सरकारने कुछ नहीं किया। लेनिनके अनुसार अस्थायी सरकार "रूसके लोगोंको न शांति दे सकी, न रोटी, न पूर्ण स्वतंत्रता", बल्कि जारशाहीके हट जानेसे पश्चिमी दोस्त कहीं कोई दूसरा अर्थ न लगाने लगें, इसलिये अस्थायी सरकारने युद्धको पहले हीकी तरह सरगर्मीके साथ चालू रखनेका विश्वास दिलाया। यही नहीं, बल्कि उसीके लिये छ अरब रूबलके 'स्वतंत्रता-ऋण' के उठानेका प्रयत्न किया। भूमि अब भी जमींदारोंके हाथमें अछूती रही, पूंजीपतियोंके हाथसे कारखानोंको जरा भी इधर-उधर करनेकी कोशिश नहीं की गई। कुर्स मोगिलेफ और पेर्मकी गुबर्नियों (प्रदेशों) में किसानोंने कुछ करना चाहा, तो मार्चमें उनके ऊपर सेना भेजी गई। जारशाही अफसर और पुराना शासन-यंत्र वैसा ही अक्षुण्ण रक्खा गया, जिस तरह भारतसे अंग्रेजोंके जानेके बाद हिन्दुस्तानमें। बड़े-बड़े जमींदार और पक्के राजभक्त अब भी सर्वेसर्वा थे; समाजवादी क्रांतिकारी दलका वकील करेन्स्की न्यायमंत्री बना था। उसने जारशाही समयके सरकारी वकीलोंको अपनी जगहपर कायम रक्खा। और तो और, पुरानी उपाधियों—राजा, कौण्ट, बारोन आदि—को भी जैसे-का-तैसा ही बनाये रक्खा। नई सरकारने जारके परिवारको सुरक्षित रखनेके लिये उसे इंगलैंड भेजनेकी कोशिश की, लेकिन जबर्दस्त विरोध देख वैसा नहीं कर पायी। फर्वरी-क्रांतिके बाद जो मूर्तियां सामने आईं और उन्होंने जो रवैया अख्तियार किया, उसने बतला दिया, कि इनसे साधारण जनता-का कोई हित नहीं हो सकता।

लेनिनको जैसे ही फर्वरी-क्रांतिकी खबर मिली, वैसे ही वह रूस पहुंचनेके लिये बेकरार हो गये। लेकिन उनका नाम मित्रशक्तियोंके खुफिया-विभागकी काली-सूचीमें दर्ज था। अंग्रेज अपने प्रदेशसे होकर जानेकी आज्ञा देनेके लिये तैयार नहीं थे। सोवियतोंकी मांगसे मजबूर होकर अस्थायी सरकारके वैदेशिक विभागने सभी निर्वाचित रूसियोंको देश लौटनेके लिये मित्रशक्तियोंको लिखा, लेकिन साथ ही यह भी कह दिया, कि अन्तर्राष्ट्रीयता-वादियोंको न आने दिया जाय। इस प्रकार लेनिनका लौटनेका रास्ता बन्द था। वह लौटनेका कोई उपाय सोच रहे थे। उनको यह भी ख्याल आया, कि स्वीडनका पासपोर्ट लेकर जर्मनी-के रास्ते जायं, लेकिन उन्हें स्वीडिश भाषाका एक शब्द भी मालूम नहीं था। तब उन्होंने गूंगा बननेकी भी सोची। सब देखकर अन्तमें उन्हें यह साफ मालूम होने लगा, कि जर्मनीके रास्तेसे ही लौटा जा सकता है। रूसी निर्वासितों—विशेषकर अन्तर्राष्ट्रीयतावादी समाजवादियों

——के रूसमें लौटनेसे जर्मन अपना नुकसान नहीं समझते थे। इसीलिये स्वीजरलैंडके समाजवादी प्लातेनके बहुत लिखा-पढ़ी करनेपर जर्मनीने इस शर्तपर अपने देशके भीतरसे लेनिनको जानेकी आज्ञा दी, कि वह उसी खास ट्रेनमें जायं, जिससे दूसरे निर्वासित रूसी जायंगे। वह न रास्तेमें उतरें, और न किसीसे बातचीत करें। लेनिनको तो रूसमें पहुंचनेसे मतलब था, उन्होंने इस शर्तको स्वीकार कर लिया और मुहरबन्द ट्रेनपर बैठ गये। जब फिनलैंड और रूसकी सीमापर उनकी ट्रेन पहुंची, तो बोल्शेविक नेताओंने उन्हें देशकी परिस्थिति समझाई। पेत्रोग्रादके पास बेलोअस्त्रोफ स्टेशनपर १६ (३) अप्रैल १९१७ ई०को उन्हें उनके साथियोंने देशकी परिस्थिति समझाई। जब वह पेत्रोग्रादके फिनलैंड रेलवे स्टेशनपर पहुंचे, तो हजारों फौजी सिपाही अपने प्रिय नेताके स्वागतके लिये पांतीसे खड़े सलामी दे रहे थे, सैकड़ों लाल झंडे फहरा रहे थे। पताकोंपर बड़े-बड़े अक्षरोंमें "स्वागत लेनिन" लिखा था। एक हथियारबन्द गाड़ीपर खड़े होकर लेनिनने एक छोटा-सा भाषण दिया, जिसको समाप्त करते हुये "समाजवादी क्रांति जिन्दाबाद"का नारा लगाया। १७ (४) अप्रैलको बोल्शेविकोंकी एक बैठकमें लेनिनने अपने प्रसिद्ध निबन्ध "वर्तमान क्रांतिमें सर्वहारोंके सामने काम" को रक्खा, जिसमें लेनिनने बतलाया, कि यह संक्रांतिकी अवस्था है, जिसके द्वारा शक्ति पूंजीवादियोंके हाथमें चली गई है। अब शक्तिको सर्वहारों और गरीब किसानोंके हाथमें करते क्रांतिकी दूसरी सीढ़ीको पार करना है। लेनिनने यह भी कहा, कि लड़ाईसे हमें अपना हाथ एकदम हटा लेना चाहिये। इसे उनके सहयोगियोंमेंसे भी कितनोंने पसन्द नहीं किया। उनका कहना था——तब तो जर्मन बेधड़क सारे रूसको दखल कर लेंगे और हम जारशाहीके फंदेसे निकलकर जर्मनशाहीके हाथमें चले जायंगे। लेकिन लेनिन अपने निश्चयपर दृढ़ थे——"अब जब कि रूसमें भाषण और लेखनकी पूर्ण स्वतंत्रता प्राप्त है, तो हमारा सबसे पहला काम है, शासनको कमकरों और गरीब किसानोंके हाथमें लानेकी कोशिश करना। अस्थायी सरकारको हमें कोई मदद नहीं करनी चाहिये। यह पूंजीवादियोंकी सरकार साम्राज्यवादी छोड़ और हो ही क्या सकती है? . . . . सोवियतोंको भी कमकरों और किसानोंके हाथमें होना चाहिये। जमींदारोंकी जमींदारीको छीनकर किसानोंको दे देना चाहिये। अलग-अलग बैंकोंको मिलाकर एक राष्ट्रीय बैंक बना देना चाहिये। यद्यपि समाजवादकी स्थापना तुरन्त नहीं हो सकती, लेकिन राष्ट्रकी उपज और उसके वितरणके साधनोंको सोवियतों (पंचायतों)के हाथमें होना चाहिये। जनतांत्रिक समाजवादी (बोल्शेविक) पार्टीका नाम कम्युनिस्ट (साम्यवादी) कर देना चाहिये, जिससे मालूम हो कि हम पैरिसकम्यून (साम्यवादी समाज)के नमूनेपर साम्यवादी राष्ट्रकी स्थापना करना चाहते हैं।" लेनिनके यह विचार रूसके तत्कालीन राजनीतिज्ञोंके ऊपर बमकी तरह पड़े। बोल्शेविक नेता भी घबड़ा उठे—— "यह शेखचिल्लीका महल है। वास्तविकतासे इसका कोई संबंध नहीं है। लेनिन दस साल तक रूसको नहीं देख पाये, इसीलिये वह इस तरहकी ऊल-जलूल बातें करते हैं।"

लेकिन लेनिनकी बातें ऊल-जलूल नहीं थीं, और न वह रूसी जनताकी नब्ज पहचाननेमें गलती कर सकते थे। उन्हें जितना ही अधिक जनतासे मिलनेका मौका मिल रहा था, उतना ही वह उन्हें अच्छी तरह समझानेमें सफल हो रहे थे। उस समय बोल्शेविक पार्टीका केन्द्र क्शेन्स्की भवनमें था, जिसकी सामनेकी सड़कपर लेनिन रोज व्याख्यान देते थे। तीन महीनेतक लगातार उनकी कलम और जबान चलती रही। कुछ ही समयमें लेनिन अपनी बातोंको मनवानेमें समर्थ हुये। पेत्रोग्रादके कमकर तो पहले हीसे उनपर अद्भुत विश्वास रखते थे, अब बोल्शेविक पार्टीके नेता भी उनसे सहमत हुये। वह देख रहे थे, कि अस्थायी सरकारके जोर देनेपर भी सैनिक मैदान छोड़कर भागते जा रहे हैं; जर्मन फौजें आगे बढ़ती आ रही हैं। ऐसी अवस्थामें अच्छी शर्तोंपर जर्मनीसे सुलह कर लेना ही अच्छा है। अप्रैलमें बोल्शेविक पार्टीकी सातवीं अखिल रूसी कांफ्रेंस हुई, जिसमें भी एक प्रस्ताव पास करके मांग की गई, कि जमींदारोंसे जमीन छीनकर किसान-कमेटियोंके हाथमें दे दी

जानी चाहिये। इसी कांफ्रेंसमें स्तालिनने जातियोंकी समस्यापर प्रकाश डालते हुए कहा था, कि सभी जातियोंको आत्म-निर्णयका अधिकार मिलना चाहिये, यदि वह रूससे अलग होना चाहें, तो उसके लिये भी उन्हें स्वतंत्रता मिलनी चाहिये। ३ और ४ मई (२० और २१ अप्रैल) को अस्थायी सरकारकी साम्राज्यवादी नीतिके विरुद्ध पेत्रोग्रादमें एक लाख आदमियोंने प्रदर्शन किया। इसके विरुद्ध पूंजीवादियोंने सैनिक अफसरों, विद्यार्थियों, दूकानदारोंका जलूस निकाला, जिसका नारा था "अस्थायी सरकारमें विश्वास"। पेत्रोग्राद सैनिक क्षेत्रके कमांडर जेनरल कोर्निलोफने हुक्म दिया था, कि मजदूरोंके प्रदर्शन पर सेना गोली चलाये, लेकिन सिपाहियोंने वैसा करनेसे साफ इन्कार कर दिया।

२. करेन्स्की सरकार

१५ (२) मईको अस्थायी सरकारमें कुछ परिवर्तन हुआ, और अब मंत्रिमंडलमें मेन्शेविकों और समाजवादी क्रांतिकारियोंकी प्रधानता थी। समाजवादी क्रांतिकारी नेता करेन्स्की अब युद्धमंत्री था। उसने जर्मनीके खिलाफ युद्धको और भी जोरसे चलानेका प्रयत्न किया, लेकिन रूसी जनता इसके लिये तैयार नहीं थी, प्राचीनपंथी अत्याचारी जारशाही गुलामोंकी बातोंमें पड़कर वह और लड़नेके लिये सन्नद्ध नहीं थे। बोल्शेविक इस वक्त वही कर रहे थे, जिसे रूसी जनता चाहती थी। अबतक बोल्शेविकोंका प्रभाव पेत्रोग्रादके मजदूर-संगठनोंमें बहुत बढ़ गया था। इसका परिणाम यह हुआ, कि मजदूरोंने सोवियतोंके नये चुनावमें मेन्शेविकों और समाजवादी क्रांतिकारी प्रतिनिधियोंको हटाकर बोल्शेविकोंको निर्वाचित किया। सोवियतोंमें ही नहीं, मजदूर सभाओंमें भी, विशेषकर फैक्ट्री कमेटियोंमें, बोल्शेविकोंकी प्रधानता हो गई। १२ जून (३० मई) को पेत्रोग्रादमें फैक्ट्री कमेटियोंकी पहली कांग्रेस हुई, जिसके तीन चौथाई प्रतिनिधियोंने बोल्शेविकों-के पक्षमें अपनी राय दी। गांवों और शहरोंसे लेनिन और बोल्शेविक पत्रिका 'प्रावदा'के पास हजारों पत्र आते रहते थे। सिपाहियोंने अपने एक पत्रमें लिखा था—"साथी, मित्र लेनिन, याद रक्खो, कि हममेंसे एक-एक आदमी जहां है, वहां तुम्हारा अनुगमन करनेके लिये तैयार है। तुम्हारे विचार ठीक किसानों और मजदूरोंके संकल्पको प्रकट करते हैं। सोवियतोंकी प्रथम अखिल रूसी कांग्रेस जून १७ में हुई, जिसके हजार प्रतिनिधियोंमें एक सौ पांच ही बोल्शेविक थे, लेकिन अब वह इतने प्रभावित हो गये थे, कि उन्होंने बोल्शेविकोंकी नीतिका समर्थन किया। जिस समय कांग्रेस हो रही थी, इसी समय बोल्शेविक पेत्रोग्रादके मजदूरों और सैनिकोंके एक भारी प्रदर्शनकी तैयारी कर रहे थे। इसके नारे थे—"सभी शक्ति सोवियतोंको", "पूंजीवादी दसो मंत्री मुर्दाबाद", "रोटी, शांति और स्वतंत्रता"। मेन्शेविकों और समाजवादी क्रांतिकारियोंको भय लगा, कि इससे बोल्शेविकों-का प्रभाव और भी बढ़ जायगा, इसलिये उन्होंने तीन दिनतक सभी तरहके प्रदर्शनोंको बंद रखने-का प्रस्ताव पास कराया, साथ ही पेत्रोग्राद सोवियतकी कार्यकारिणी समितिने १ जुलाई (१८ जून) को एक साधारण प्रदर्शन करनेका प्रस्ताव पास किया, जिसके द्वारा वह "अस्थायी सरकारमें विश्वास"का नारा लगवाना चाहते थे। बोल्शेविकोंने प्रदर्शन करना मंजूर किया, लेकिन उसमें उन्होंने अपने नारे लगवाये। उस दिनके प्रदर्शनमें चार लाखसे अधिक कमकरोंने भाग लिया। मेन्शेविक और समाजवादी-क्रांतिकारी जो चाहते थे, वह नहीं हुआ और प्रदर्शनने अस्थायी सरकारमें अविश्वासके जलूसका रूप ले लिया।

अप्रैल १९१७ ई०में युक्त राष्ट्र अमेरिका भी युद्धमें शामिल हो गया था, लेकिन तबतक इंगलैंड और अमेरिकाकी हालत बुरी हो गई थी। यदि पूर्वी मोर्चेपर रूसी भी प्रतिरोध बन्द कर देते, तो वह कुछ नहीं कर सकते थे। इसीलिये वह करेन्स्कीपर जोर दे रहे थे। जुलाईमें मंत्रिमंडलमें परिवर्तन होकर करेन्स्की प्रधान-मंत्री बन गया। केरेन्स्कीने जोर देकर आक्रमण करवाया, लेकिन रूसी सेनाको तार्नोपोलमें बुरी तरहसे हारकर जल्दी ही हटनेके लिये मजबूर होना पड़ा। दस दिनके आक्रमणमें साठ हजार रूसी हताहत हुये। लेकिन इससे क्या? रूसी पूंजीवादी अपने पश्चिमी भाई-बन्दोंके दामनको पकड़े रहना चाहते थे। अभीतक अस्थायी

मंत्रिमंडलका काम बहुत कुछ मेल-जोलके साथ चल रहा था, लेकिन अब प्रधान-सेनापति कोर्निलोफ और प्रधान-मंत्री करेन्स्कीमें झगड़ा हो गया। सितम्बरके आरम्भमें कोर्निलोफ कई दूसरे सेनापतियोंकी सहायतासे करेन्स्कीको अल्टीमेटम दे सेना ले पेत्रोग्रादपर कब्जा करनेके लिये चल भी पड़ा। करेन्स्की जनतासे डरता था, लेकिन अब उसकी मदद लिये बिना कोई चारा नहीं था। कोर्निलोफसे मुकाबिला करनेके लिये सबसे आगे थे बोल्शेविक। करेन्स्कीने अपना नया मंत्रिमंडल बनाया, इसमें भी नरमदली ही अधिक थे, जिनमें जेनरल वेर्खोव्स्की और एडमिरल बेर्देव्स्की भी थे। यह दोनों समाजवादी नहीं थे, तो भी उन्होंने अपने साथी मंत्रियोंसे कहा, कि सेना और नहीं लड़ सकती, इसलिए लड़ाई बन्द कर देनी चाहिये और सैनिकोंको युद्धक्षेत्रसे हटा लेना चाहिये। लेकिन मित्रशक्तियोंके पिट्ठू करेन्स्की और उसके साथियोंने उनकी बात नहीं मानी।

युद्धसे प्रति दिन चार करोड़ रूबलका खर्च देशके मत्थे पड़ रहा था। यह पैसा कहांसे आये? सरकारने अन्धाधुन्ध कागजके नोट छापकर उसे पूरा करना चाहा, जिसका परिणाम हुआ सभी चीजोंके दामका अप्रत्याशित रूपसे बढ़ना—मुद्रास्फीति। लोग अपने वेतनसे जीविका नहीं चला सकते थे। साथ ही कारखानोंके लिये कच्चा माल और ईंधन तथा मजदूरोंके लिये रोटी मिलनी मुश्किल हो गई। रेल और यातायातके दूसरे साधन भी ठप हो गये। मिलें और कारखाने बेकार हो गये। मईमें १०८ कारखाने जिनमें ८७०० मजदूर काम कर रहे थे, जूनमें १२५ कारखाने (३८४५५ आदमी), जुलाईमें २०६ कारखाने जिनमें ४७७५४ मजदूर काम करते थे, बन्द हो गये। इस प्रकार मईमें जहां कारखानोंके बंद होनेसे ८७०० मजदूर बेकार थे, वहां जूनमें ३८४५५ और जुलाईमें ४७७५४ मजदूर बेकार हो गये। इस बेकारीने अस्थायी सरकारके विरुद्ध लोगोंके भावोंको और भड़का दिया। इसीलिये कोई आश्चर्य नहीं, यदि १७ (४) जुलाईको पांच लाख मजदूरोंने अस्थायी सरकारके विरुद्ध जबर्दस्त प्रदर्शन किया। मेन्शेविक और समाजवादी क्रांतिकारी देख रहे थे, कि वह लोगोंपर अपने प्रभावको खोते जा रहे हैं, और अधिक समयतक वह शासनको अपने हाथमें नहीं रख सकेंगे। इसलिये उन्होंने गोलीसे लोगोंकी हिम्मत तोड़नेकी कोशिश की। १७ (४) जुलाईको युद्धक्षेत्रसे लौटाकर मंगाये गये सैनिक अफसरों और कसाकोंने प्रदर्शनकारियोंपर गोलियां चलाईं, अगले दिन भी वह गोलियां चलाते रहे। उन्होंने बोल्शेविक पत्रिका 'प्रवदा'के कार्यालयपर आक्रमण करके उसे तोड़-फोड़ दिया। वह लेनिनको पकड़नेके लिये उनकी जगहपर भी पहुंचे, लेकिन तबतक लेनिनको वहांसे हटा दिया गया था। वह पेत्रोग्रादसे दूर एक जंगलमें झोंपड़ीके भीतर रहते थे। बोल्शेविक पार्टी अब आधी गैरकानूनी हो चुकी थी। करेन्स्कीकी सरकार लेनिनपर 'देशद्रोह'का अपराध लगा रही थी। रूइकोफ, कामेनेफ और त्रोत्स्की-जैसे ढिलमिलयकीन क्रांतिकारियोंने जोर दिया, कि लेनिनको आकर अदालतमें अपनी पैरवी करनी चाहिये, लेकिन बोल्शेविकोंने इसका विरोध करते हुये कहा—"वह लेनिनको पकड़कर जेल नहीं ले जायंगे, बल्कि रास्तेमें ही मार डालेंगे।" इस दूरदर्शिताका समर्थन इतिहासने किया। बोल्शेविक-क्रांति लेनिनके बिना बहुत निर्बल हो जाती, उस महान् प्रतिभाके प्राणोंकी रक्षा उस समय इसी दूरदर्शितासे हो सकी। ८ अगस्त (२६ जुलाई)को बोल्शेविक पार्टीकी छठी कांग्रेस पेत्रोग्रादमें शुरू हुई। पुलिसके डरके मारे कांग्रेस गुप्त रीतिसे हो रही थी, तब भी लेनिनका उसमें आना खतरेसे खाली नहीं था, इसलिये वह नहीं आ सके। इसी कांग्रेसने स्तालिनके प्रस्तावको स्वीकार करते हुये बोल्शेविकोंके आर्थिक प्रोग्रामका समर्थन किया—जमींदारोंकी जमींदारियोंको जब्त किया जाय, सभी भूमिको राष्ट्रीय, सभी बैंकों और बड़े-बड़े उद्योग-धंधोंको राष्ट्रीय बना दिया जाय, और उत्पादन और वितरणपर कमकरोंका अंकुश हो। इसी कांग्रेसने सशस्त्र विद्रोहकी तैयारीका काम किया।

२५ (१३) अगस्त १९१७ ई०को राज्यपरिषद्‌की बैठक मास्कोमें बुलाते हुये करेन्स्कीने चाहा कि उसके द्वारा सैनिक अधिनायकत्व कायम करके अपने शासनको मजबूत कर दिया

जाय। बोल्शेविक भी कच्चे गुइये नहीं थे। मास्को बोल्शेविक पार्टीकी केन्द्रीय समितिने उसी दिन चार लाख मजदूरोंका प्रदर्शन संगठित किया, सभी जगह मजदूरोंने हड़ताल कर दी। राज्यपरिषद्को बिजलीकी रोशनी बिना अपनी बैठक करनी पड़ी। अगले दिन जेनरल कोर्निलोफ मास्कोमें आया। वहांके पूंजीपतियोंने उसका सरकारी तौरसे स्वागत करनेका प्रबन्ध किया, लेकिन राज्यपरिषद्वालोंने खतरेको समझ लिया, इसलिये सैनिक अधिनायकत्वकी घोषणा करनेकी उन्हें हिम्मत नहीं हुई, और कोर्निलोफको खाली ही हाथ लौट जाना पड़ा।

रूसकी इस स्थितिको देखकर मित्रशक्तियां घबरा रही थीं। वह कभी करेन्स्कीकी पीठ ठोंकतीं, और कभी प्रधान-सेनापति कोर्निलोफकी। उन्होंने कोर्निलोफको पांच अरब रूबल कर्ज देनेका वचन इस शर्त पर दिया, कि रूसमें एक मजबूत सरकार कायम हो जाय। लेकिन मजबूत सरकार कायम करना कोर्निलोफके बसकी बात नहीं थी। कोर्निलोफने जब पेत्रोग्रादको हाथसे बाहर जाते देखा, तो १ सितम्बर (१९ अगस्त)को उसने रीगाको जर्मनोंके हाथमें समर्पण कर दिया, जिसमें कि उनकी सेनायें सीधे पेत्रोग्राद पहुंच जायं। करेन्स्कीसे कोर्निलोफने यह भी मांग की, कि सारी सैनिक और असैनिक शक्ति हमारे हाथमें दे दो, फिर हम पेत्रोग्रादके कमकरोंको ठीक कर लेंगे। करेन्स्कीको अब जनताके गुस्सेका भी ख्याल करके और अपने लिये उपस्थित डरकी वजहसे भी कोर्निलोफको प्रधान-सेनापतिके पदसे हटाना पड़ा, लेकिन कोर्निलोफने आज्ञा माननेसे इन्कार कर दिया और ७ सितम्बर (२५ अगस्त)को उसने पेत्रोग्रादके विरुद्ध एक सेना जेनरल क्रीमोफकी अधीनतामें भेजी। अब घबराये हुये करेन्स्की और उसके सहयोगियोंको बोल्शेविकोंके सामने सहायताके लिये हाथ पसारनेके सिवा कोई रास्ता नहीं रह गया। बोल्शेविकोंने इस वक्त अपनी सूझ और संगठनका परिचय दिया, जिसके कारण कोर्निलोफकी बुरी हार हुई। जेनरल क्रीमोफने आत्महत्या कर ली। कोर्निलोफ, देनिकिन और कितने ही दूसरे जेनरल गिरफ्तार कर लिये गये, लेकिन करेन्स्की बोल्शेविकोंसे और भी ज्यादा डरता था, इसलिये इन देशद्रोही जेनरलोंके भाग जानेमें कोई दिक्कत नहीं हुई। कोर्निलोफके पराजयके बाद बोल्शेविकोंका लोहा शत्रु, मित्र और उदासीन सभी मानने लगे। मजदूरों और गरीबोंमें उनका प्रभाव बहुत बढ़ गया। सोवियतोंके संगठन उनके हाथमें आने लगे। १३ सितम्बर (३१ अगस्त)को पेत्रोग्रादके कमकरों और सैनिकोंके प्रतिनिधियोंकी सोवियतने बहुमतके साथ बोल्शेविक प्रस्तावको पास किया। १८ (५) सितम्बरको मास्कोकी सोवियतने भी वैसा ही किया। इस प्रकार राजनीतिक राजधानी पेत्रोग्राद और औद्योगिक राजधानी मास्को दोनोंकी सोवियतें बोल्शेविकोंके हाथमें आ गईं। सितम्बर-अक्तूबरके बीचमें सदस्योंकी संख्या और प्रभाव दोनोंमें लेनिनकी पार्टी दिन-दूनी रात-चौगुनी जनताके विश्वासको पाती गई। अप्रैल १९१७ ई०में जहां उसके सदस्योंकी संख्या अस्सी हजार थी, वहां अगस्तके अन्तमें वह ढाई लाख और अक्तूबरके मध्यमें चार लाख हो गई। कहीं भी हड़ताल करा देना या बड़े-बड़े प्रदर्शन निकाल देना उनके बायें हाथका खेल था। देशमें जो क्रांति मची हुई थी, उसमें सैनिक भी शामिल थे। वह अपने गांवोंमें संबंधियोंको उसके बारेमें चिट्ठी लिखते, जिससे किसानोंने जमींदारीके खेतोंको छीनना शुरू कर दिया। करेन्स्कीकी सरकारने जमींदारोंकी रक्षाके लिए अपने कमजोर हाथोंको बढ़ाते हुये किसान-समितियोंके सदस्योंको गिरफ्तार करनेकी कोशिश की, लेकिन उसके पास इतनी शक्ति कहां थी?

विद्रोहकी तैयारियां—सितम्बरमें लेनिन हेलसिंकी (फिनलैंड)में छिपकर रहे थे, जहांसे वह बराबर बोल्शेविक पार्टीकी केन्द्रीय समितिके पास अपने सुझाव भेजा करते थे। २५ (१२) और २७ (१४) सितम्बरको लेनिनने केन्द्रीय समितिको दो बड़े ही महत्त्वपूर्ण पत्र भेजे थे—"बोल्शेविकोंको अवश्य अधिकार हाथमें लेना चाहिये" और "मार्क्सवाद और विद्रोह"। पहले पत्रमें लेनिनने बतलाया था, कि पेत्रोग्राद और मास्कोकी सोवियतोंमें अपना बहुमत

स्थापित हो जानेपर बोल्शेविकोंके लिये अधिकार हाथमें लेना मुश्किल नहीं है। "पार्टीके कर्तव्यको अच्छी तरह साफ कर देना चाहिये। पेत्रोग्राद और मास्कोमें सशस्त्र विद्रोह, अधिकारको हाथमें लेना, और सरकारको निकाल बाहर करना—यह काम आजका हमारा प्रोग्राम होना चाहिये।" लेकिन अभी भी बोल्शेविक नेताओंमें कुछ ऐसे लोग थे, जो इतने बड़े कदमको उठानेमें भारी खतरा समझते थे। लेकिन खतरा लिये बिना क्या कभी कोई बड़ा काम किया जा सकता है? केन्द्रीय समितिने सशस्त्र विद्रोहकी तैयारियां बड़ी तेजीसे शुरू कर दीं। पेत्रोग्राद-सोवियतकी एक क्रांतिकारी सैनिक समिति स्थापित की गई, जो विद्रोह-का संचालन-केन्द्र थी। पेत्रोग्रादमें उस समय बारह हजार हथियारबन्द लाल गारद मौजूद थे। निश्चय हुआ, कि उनकी सहायताके लिये हेलसिंकीसे बाल्तिक नौसैनिक बेड़ेके नाविकोंको भी बुलाया जाय। सिर्फ पेत्रोग्राद हीमें नहीं, दूसरी जगहोंपर भी विद्रोहकी तैयारियां करना जरूरी समझा गया। दोनेत्स-उपत्यकामें बोरोशिलोफ, खार्कोफमें अर्त्योम सेर्गेयफ, वोल्गा-प्रदेशमें कुइबिशियेफ, उरालमें ज्दानोफ, पोलेसिये इलाकेमें कगानोविच, इवानोवो-वोज्नेसेन्स्कमें म० व० फ्रुन्जे, उत्तरी काकेशसमें स० म० किरोफ सशस्त्र विद्रोहके संचालक-नियुक्त हुये।

जिस समय इस तरह जबर्दस्त तैयारी की जा रही थी, उसी समय त्रोत्स्की और कुछ दूसरे ढिलमिलयकीन बोल्शेविक-नेताओंने अस्थायी सरकारको यह जाननेका मौका दे दिया, कि ७ नवम्बर (२५ अक्तूबर) १९१७ ई०को—जिस दिन कि सोवियतोंकी दूसरी कांग्रेस शुरू होनेवाली थी—विद्रोह शुरू होनेवाला है। करेन्स्की सरकारने उसे दबा देनेका निश्चय किया। बोल्शेविक पार्टीकी केन्द्रीय समितिका केन्द्र स्मोल्नी प्रतिष्ठान था। प्रति-क्रांतिके संचालकोंने योजना बनाई, कि स्मोल्नीपर अधिकार करके बोल्शेविक नेताओंको पकड़ लिया जाय।

३. राजधानीपर अधिकार

६ नवम्बर (२४ अक्तूबर)को एक खुली मोटर लारीपर सरकारपक्षी कादेतोंकी टुकड़ी 'रबोची-पुत' (कमकरपथ)की नई कापीको जब्त करनेके लिये उसके आफिसमें पहुंची—'प्रावदा' इस समय इसी नामसे निकल रही थी। खबर लगते ही क्रांतिकारी सैनिक एक सशस्त्र कारमें वहां पहुंच गये, और उन्होंने कादेतोंको भागनेके लिये मजबूर किया। 'रबोची-पुतमें' उस दिन "हमें क्या चाहिये"के हेडिंगसे स्तालिनका एक लेख छपा था, जिसमें कहा गया था—"अब वह समय आ गया है, जब कि और देरी करना क्रांतिके लिये खतरनाक होगा। जमींदारों और पूंजीपतियोंकी वर्तमान सरकारकी जगह हमें मजदूरों और किसानोंकी सरकारको अवश्य कायम करना है।" अगले दिन सोवियतोंकी कांग्रेसके उद्‌घाटनके शुरू होते ही कार्रवाई करनेका निश्चय करके क्रांतिकारी सैनिकोंको तुरन्त विद्रोह करनेकी हिदायत दी गई। ६ नवम्बर (२४ अक्तूबर)के सबेरे क्रांतिकारी सैनिक समितिने अपनी सैनिक टुकड़ियोंको कार्रवाईकी तैयारीके लिये आज्ञा दे दी, और यह भी, कि राजधानीकी ओर आनेवाली हरएक सैनिक टुकड़ीपर निगाह रक्खी जाय। उसने बाल्तिक नौसैनिक बेड़ेके युद्धपोतों और नौसैनिकोंको मददके लिये बुलानेका भी निश्चय कर लिया, और हेलसिंकीमें बाल्तिक नौसैनिक बेड़ेकी सोवियतोंकी केन्द्रीय समितियोंको पुराने संकेतके अनुसार तार दे दिया—"नियमोंको भेजो", जिसका अर्थ था विद्रोह आरम्भ हो गया, पोतों और आदमियोंको भेजो। ६ नवम्बरको ही एक और भी जबर्दस्त सैनिक शक्ति क्रांतिकी सहायताके लिये राजधानीके भीतर प्रविष्ट हुई, जब कि लेनिन मजदूरके भेसमें चेहरा बांधे, एक साथीके साथ स्मोल्नीमें पहुंचे। स्मोल्नीकी रक्षाके लिये पूरा इन्तिजाम कर लिया गया था, क्योंकि वही क्रांतिका प्रधान संचालकमंडल, क्रांतिके दिमागका केन्द्र था।

उसी दिन पीतर-और-पालके किलेके हथियारखानेसे हथियार लेकर कितने ही सैनिक बोल्शे-

विकोंकी तरफ चले आये थे। आधी रातसे थोड़ी देर बाद केन्द्रीय टेलीफोन-आफिस, राज्यबैंक, बड़ा डाकखाना, सभी रेलवे-स्टेशन और मुख्य सरकारी कार्यालय बोल्शेविक क्रांतिकारियोंके हाथमें थे। क्रांतिकारी सैनिक समितिने आज्ञा दी, कि सैनिकपोत (क्रूजर) आरोरा नेवामें ऊपरकी ओर बढ़कर हेमन्त-प्रासादके पास जाये। आरोराके कमांडरने यह कहकर हुक्म माननेसे इन्कार किया, कि नेवा नदीमें पानी पर्याप्त नहीं है। इसपर नौसैनिकोंने थाह लिया, तो पानी काफी गहरा देखा। उन्होंने कमांडरको गिरफ्तार कर लिया और वह युद्धपोतको अस्थायी सरकारके अंतिम शरण-स्थान जारके भव्य महल हेमन्त-प्रासादके पास ले गये। आरोराकी तोपें अब उस प्रासादकी ओर मुंह किये तैयार थीं। विद्रोह पहलेसे बनाई हुई सूक्ष्म योजनाके अनुसार चल रहा था। ७ नवम्बर (२५ अक्तूबर)के ९ बजे सबेरे विद्रोही पलटनोंने हेमन्त प्रासादकी ओर जानेवाले सभी रास्तोंपर अधिकार कर लिया। अस्थायी सरकारका मंत्रि-मंडल उस वक्त प्रासादमें अपनी बैठक कर रहा था। अब साफ मालूम हो गया, कि अस्थायी सरकारकी मददके लिये एक भी सैनिक टुकड़ी नहीं है। करेन्स्कीको कसाकोंने सहायता देनेका वचन दिया, किन्तु वह रेडक्रासकी नर्सका भेस बना उसी दिन सबेरे युक्त-राष्ट्र अमेरिकाकी झंडेवाली एक मोटरपर बैठकर राजधानीसे भाग गया।

७ नवम्बर (२५ अक्तूबर)के १० बजे क्रांतिकारी सैनिक समितिने अस्थायी सरकारके उलट देनेकी घोषणा की। यह घोषणा लेनिनने तैयार की थी, जिसमें लिखा था——

"अस्थायी सरकार उलट दी गई। राज्यशक्ति पेत्रोग्रादके कमकर-सैनिक-प्रतिनिधियोंकी सोवियत और क्रांतिकारी सैनिक समितिके हाथमें चली गई। वही पेत्रोग्रादके सर्वहारों और सैनिकोंकी मुखिया है।

"जनताके इस संघर्षके उद्देश्य निम्न हैं——तुरन्त ही जनतांत्रिक-संधिका प्रस्ताव रखना, जमींदारीको खतम करना, उत्पादनपर कमकरोंका अंकुश स्थापित करना और सोवियत सरकारका निर्माण करना।

"मजदूरों, सिपाहियों और किसानोंकी क्रांति जिन्दाबाद।"

उसी दिन पेत्रोग्राद सोवियतकी एक खास बैठक हुई, जिसमें लेनिन भी उपस्थित थे। लोगोंने बड़ी गर्मागर्म तालियां बजाकर अपने नेताका स्वागत किया। लेनिनने इस बैठकमें भाषण देते हुए कहा——"साथियो! बोल्शेविक जिसकी अवश्यकताके बारेमें बराबर कहते थे, वह मजदूरों और किसानोंकी क्रांति हो गई। अबसे रूसके इतिहासमें एक नया अध्याय शुरू हो रहा है। यह क्रांति, तीसरी रूसी क्रांति, अन्तमें समाजवादके विजयकी ओर ले जायगी।"

पेत्रोग्राद सोवियतने प्रस्ताव पासकर क्रांतिका स्वागत किया। इस समयतक हेमन्त प्रासाद छोड़कर सारा पेत्रोग्राद-नगर बोल्शेविकोंके हाथमें था। आज ही सोवियतोंकी कांग्रेस शुरू होनेवाली थी, लेकिन उसके शुरू होनेसे पहले ही हेमन्त-प्रासाद पर अधिकार करनेके लिए लेनिनने हुक्म दिया था। अस्थायी सरकारको तुरंत आत्मसमर्पण करनेके लिए अल्टीमेटम दिया गया, लेकिन उसने ऐसा करनेसे इन्कार कर दिया। इसपर ९ बजे शामको हेमन्त-प्रासादपर आक्रमण शुरू कर दिया गया। पूर्व संकेतके अनुसार पीतर-और-पाल किलेसे एक तोप दागी गई। आरोराने कुछ गोले चलाये। इसके बाद बोल्शेविकोंके नेतृत्वमें नौसैनिकों और सैनिकोंने जारोंके हेमन्त-प्रासादपर हल्ला बोल दिया। अस्थायी सरकारको बाहरसे मदद मिलनेकी आशा थी; लेकिन वह कहां आनेवाली थी?

सोवियतोंकी द्वितीय कांग्रेस स्मोल्नीमें उस दिन (७ नवम्बर) पौने ११ बजे रातको शुरू हुई। हेमन्त-प्रासादके ऊपर इस वक्त भी हमला हो रहा था। कांग्रेसमें भाग लेनेवाले कितने ही प्रतिनिधि संघर्षमें भाग लेकर यहां आये थे। कांग्रेस शुरू होते समय मेन्शेविकों, दक्षिणपक्षी समजवादी क्रांतिकारियों और कुछ दूसरे प्रतिनिधियोंने कहा, कि सैनिक और बिना पार्टीवाले प्रतिनिधि कांग्रेस छोड़कर चले चलें, लेकिन उनका साथ देनेवाले मुट्ठीभर आदमी थे। उनके हाल छोड़नेके समय रोष प्रकट करते हुए प्रतिनिधियोंने चिल्लाकर कहा——'कोर्निलोफी', 'भगोड़े'। बारहवीं सेनाके एक प्रतिनिधिने उठकर

कहा—"हमें अधिकार अपने हाथमें लेना है। जाने दो इन्हें। सेना उनके साथ नहीं है।"

रातके २ बजकर १० मिनटपर हेमन्त प्रासादको बोल्शेविकोंने दखल कर लिया और अस्थायी सरकारके मंत्रियोंको गिरफ्तार करके पीतर-और-पालके किलेमें बंद कर दिया।

आधी रातके बाद (अब ८ नवम्बरकी तारीख हो गई थी) ५ बजे सोवियतोंकी कांग्रेसने घोषित किया, कि सारी शक्ति सोवियतोंके हाथमें आ गई। तेरह दिन पीछे होनेके कारण पुराने रूसी पंचांगके अनुसार उस दिन २५ अक्तूबरका महीना था, इसलिए इसे अक्तूबर-क्रांति कहते हैं। ८ नवम्बरकी शामको ८ बजकर ४० मिनटपर कांग्रेसकी दूसरी बैठक हुई, जिसमें लेनिनने शांति-घोषणा, भूमि-घोषणा पढ़ी। शांतिकी घोषणामें कहा गया था—युद्धमें पड़ी सभी जनता और उनकी सरकारें न्यायोचित जनतांत्रिक सुलहनामा करें, न किसीकी जमीन छीनी जाय, न किसीसे हरजाना मांगा जाय, और सभी उत्पीड़ित जातियोंको आत्म-निर्णयका अधिकार मिले। भूमिकी घोषणा द्वारा किसानोंको पंद्रह करोड़ हेक्तर (प्राय: चालीस करोड़ एकड़) जमीन दी गई और पचास करोड़ सुवर्ण-रूबल वार्षिक मालगुजारीसे मुक्त कर दिया गया। इस घोषणाने किसानोंको बतलाया, "गांवोंमें अब कोई जमींदार नहीं रह गया"। उसी दिन ढाई बजे सबेरे कांग्रेसने प्रथम सोवियत सरकार जन-कमीसरोंकी परिषद्के कायम होनेकी सूचना दी, जिसके अध्यक्ष व्लादिमिर इलिच (उलियानोफ) लेनिन बनाये गये और जातियोंके जनकमीसर (मंत्री) का पद योसेफ विसारियोन-पुत्र स्तालिन हुए। सोवियतमें दूसरे विश्वयुद्धके कुछ समय बादतक भी मंत्रियोंको जनकमीसर कहा जाता था। पहली सोवियत सरकारके सभी सदस्य बोल्शेविक थे, दूसरोंको अभी उतना साहस भी नहीं था, कि उसमें शामिल हों, लेकिन पीछे वामपक्षी समाजवादी क्रांतिकारी भी मंत्रिमंडलमें सम्मिलित हुए। ९ नवम्बर (२७ अक्तूबर) को ५ बजे सबेरे कांग्रेसकी बैठक समाप्त हुई, और लोगोंने "क्रांति चिरंजीव", "समाजवाद चिरंजीव"के गगनभेदी नारे लगाये।

करेन्स्कीने हेमन्त-प्रासादसे भागकर कसाक-जेनरल क्रास्नोफसे मिलकर फिर अधिकार प्राप्त करनेकी कोशिश की। क्रास्नोफने १० नवम्बर (२८ अक्तूबर) को पेत्रोग्रादके नजदीक जास्कोयेसेलो (आधुनिक पुश्किन) पर अधिकार कर लिया, लेकिन राजधानीके कगकर भला यह क्यों होने देने लगे। वह बड़ी तादादमें क्रांतिकारी सैनिकोंके साथ लड़नेके लिए गये। जिस समय क्रांतिकारी उधर फंसे हुए थे, उसी समय १० नवम्बरकी रातको क्रांति-विरोधियोंने तख्ता उलटनेके लिए षड्यंत्र किया। लेकिन उन्हें सफलता नहीं हुई। १३ नवम्बरको क्रास्नोफके कसाकोंको पुलकोवोके पास क्रांतिकारियोंने बुरी तरहसे हराया, और उससे भी ज्यादा वह कसाक सैनिकोंको समझानेमें सफल हुए, कि क्रांतिका विरोध करना अपने हितोंका विरोध करना है। कसाकोंने अपने जेनरलकी आज्ञा माननेसे इन्कार कर दिया। गत्चिनामें सोवियत नौसैनिकोंके प्रतिनिधिने कसाकोंसे मिलकर उन्हें कहा, कि अगर तुम सोवियतोंसे लड़ना बंद कर दो, तो तुम्हें घर जानेकी छुट्टी मिल जायगी।

पेत्रोग्रादके विद्रोहकी खबर सुनकर ७ नवम्बरको ही मास्कोकी बोल्शेविक पार्टीकी कमेटीने भी विद्रोह आरम्भ कर दिया। उसी रातको क्रेमलिनके विद्रोही सैनिकोंको विद्रोह कर देनकी आज्ञा देनेकी जगह वहांकी क्रांतिकारी सैनिक समितिके नेताओंने क्रांति-विरोधी सैनिक हेडक्वार्टरसे समझौता करनेकी बातचीत शुरू की। ८ नवम्बरकी शामको मास्को की बोल्शेविक पार्टीकी कमेटीने समझौतेकी बातचीत बंद करनेकी मांग की। इस सुस्तीके कारण क्रांति-विरोधियोंको मौका मिल गया और उन्होंने ९ नवम्बरको मास्को नदीके ऊपरके सभी पुलोंको अपने अधिकारमें कर लिया। इसके बाद क्रेमलिनको भी उन्होंने घेर लिया। देरी करना गलती थी। क्रांतिकारी शक्तियां मास्कोमें भी संगठित और सशक्त थीं। १३ नवम्बरको मास्कोके बड़े डाकखाने, केन्द्रीय तारघर और रेलवे स्टेशनोंपर क्रांतिकारियोंका अधिकार हो गया। दो दिन बाद उन्होंने क्रेमलिनपर गोलाबारी शुरू की। १५ नवम्बरको ९ बजे शामको ६ दिनकी लड़ाईके बाद क्रांति-विरोधियोंने हार खाकर आत्मसमर्पण किया और उसी दिन सारी शक्ति मास्को सोवियतकी क्रांतिकारी सैनिक समितिके हाथमें चली आई।

मास्को और पेत्रोग्रादमें बोल्शेविक सरकारके स्थापित हो जानेपर अब और जगहोंमें भी क्रांतिका वेग जोरसे फैला। क्रांति-विरोधी हजार कोशिश करते रह गये, लेकिन वह बोल्शेविकोंकी बाढ़ रोक न सके। फर्वरी-क्रांतिकी तरह पुराने शासनयंत्रके बलपर बोल्शेविक शासन नहीं कर सकते थे, इसलिए उन्होंने सबसे पहले उस यंत्रमें परिवर्तन किया। पुराने शासन-संबंधी बड़े-बड़े अफसरोंका स्थान सोवियतों और उनके द्वारा निर्वाचित प्रतिनिधियोंने लिया, और शासनयंत्रके भीतर रहकर षड्यंत्र करनेका मौका पुराने स्वार्थोंके लिए नहीं रह गया। १२ नवम्बरको सोवियत सरकारने घोषित करके मजदूरोंके लिए आठ घंटेका कामका दिन निश्चित कर दिया। २७ दिसम्बरको सभी निजी बैंकोंको राष्ट्रीय बनाकर उन्हें राज्यबैंकमें मिला देनेकी सरकारी घोषणा निकली।

सशस्त्र विद्रोहके समय स्मोल्नी पार्टीका तथा सैनिक-असैनिक शासनका केन्द्र रही। अब मंत्रालयोंको अपने-अपने कामको और सुव्यवस्थित रीतिसे करनेके लिए पुराने कार्यालयोंमें परिवर्तित कर दिया गया। २८ नवम्बरको जनकमीसर परिषद् (मंत्रिमंडल)ने आज्ञा दी, कि सभी मंत्रालय अपनी-अपनी इमारतोंमें चले जायं और मंत्री केवल शामके वक्त स्मोल्नीमें एकत्रित हों।

१५ नवम्बर १९१७ ई०को वह महत्त्वपूर्ण घोषणा की गई, जिसके द्वारा जारके राज्यमें रहनेवाली सभी जातियोंको बिना किसी भेदभावके समानाधिकार दिया गया :—

(१) रूसमें रहनेवाली सभी जातियां समानता और पूर्ण प्रभुत्व रखती हैं, (२) रूसकी जातियोंको स्वतंत्रतापूर्वक आत्मनिर्णय तथा अलग होकर अपना स्वतंत्र राज्य कायम करनेका अधिकार है, (३) किसी जाति या जातीय धर्मके विशेषाधिकार या हस्तक्षेपको उठा दिया जाता है, (४) रूसकी भूमिमें रहनेवाली अल्पसंख्यक जातियों और वंशिक समूहोंको स्वतंत्र विकासका अधिकार है।

इस घोषणाने जारशाही साम्राज्यकी सभी जातियोंको एक सूत्रमें बांध दिया, उनके भीतर फूट पैदा करनेके सारे प्रयत्न सदाके लिये निकम्मे हो गये।

४. दास जातियोंकी मुक्ति

मध्य-एसियामें क्रांतिके बारेमें आगे हम कहनेवाले हैं। यहां इतना जान लेना चाहिये, कि जिस समय पेत्रोग्रादमें सशस्त्र विद्रोहकी सफलता और उसके बादके विरोधोंको हटानेके लिये संघर्ष हो रहा था, उस समय ताशकन्दके बोल्शेविक भी चुप नहीं थे। हमें मालूम ही है, कि जारशाही मध्य-एसियाका शासनकेन्द्र ताशकन्द था। १० नवम्बर १९१७ ई०को बोल्शेविकोंको दबानेके लिये कसाक और कादेतोंने ताशकन्द सोवियतको घेरकर वहांकी क्रांतिकारी समितिके सदस्योंको पकड़ लिया। इसकी सूचना कारखानेके भोंपूको बजाकर दी गई, इसपर तीन हजार हथियारबन्द रूसी और उज्बेक मजदूरोंने बोल्शेविक बंदियोंको छुड़ानेके लिये युद्ध छेड़ दिया। कसाक और कादेत ताशकन्दके किलेमें जमा थे, जहांसे नगरपर प्रहार करनेके लिये वह हथियारबन्द मोटरें भेजते थे। क्रांतिकारी कमकरोंने रास्तेको रोकनेके लिये जगह-जगह बाड़ें खड़ी कर दी थीं। चार दिनतक लड़ाई होती रही। खबर मिलनेपर आसपासके गांवोंके उज्बेक और किर्गिज मजदूर भी मदद करनेके लिये आ गये। जबर्दस्त संघर्षके बाद १३ नवम्बरको राजशक्ति सोवियतोंके हाथमें चली गई, क्रांतिकारी समितिके सदस्य जेलसे निकाल लिये गये, और उसी दिन तुर्किस्तानकी सोवियत सरकार ताशकन्दमें स्थापित हुई। सोवियत शक्तिको मध्य-एसियासे खतम करनेके लिये पूंजीवादके पक्षपाती, राष्ट्रीयतावादी मध्य-एसियाई तथा रूसी क्रांति-विरोधी एक हो गये। अंग्रेजोंने भी उन्हें मदद पहुंचाई। राष्ट्रीयतावादियोंने नवम्बर १९१७ ई०में खोकन्दमें अपनी सरकार कायम की। उसका नाम रक्खा "खोकन्द स्वशासन"। इसीने मध्य-एसियामें गृहयुद्ध आरम्भ किया। फर्वरी १९१८ ई०में खोकन्दकी सरकारको तुर्किस्तानके लाल गारदने खतम कर दिया। लाल गारदमें जहां नगरके रेलवे और कारखानोंके रूसी मजदूर थे, वहां बहुत-से उज्बेक, किर्गिज, कजाक और तुर्कमान कारीगर और किसान भी थे।

बोल्शेविक-क्रांतिने जारशाही रूसके भीतर ही अपने प्रभावको नहीं दिखलाया, बल्कि सुदूर बाह्य मंगोलियाके लोगोंको भी समाजवादके पथपर आरूढ़ किया। जारशाही सेनाके भगोड़े जेनरलोंने वहांपर अड्डा जमाकर क्रांतिका विरोध करनेका मनसूबा बांधा था, लेकिन उन्हें उसमें विफल होना पड़ा।

दूसरे पूंजीवादी और सामन्तशाही सरकारोंकी तरह जारशाहीके भी शासनका स्रोत नीचे नहीं ऊपर था। जार सर्वेसर्वा था। वह अपनी ओरसे महाराज्यपाल और राज्यपाल नियुक्त करता, जो अपने प्रदेशके छोटे जार होते। इसकी जगह बोल्शेविक-क्रांतिने शासनयंत्रके ढांचेको सोवियतोंपर आधारित किया। सोवियतका अर्थ वही है, जो हमारे यहां पंचायतका, यदि अन्तर है, तो यही कि सोवियत प्रभुत्व-सम्पन्न पंचायत है। ग्रामोंके शासनका काम ग्राम-सोवियतोंने लिया, और जिलोंके शासनका काम वयस्क मताधिकार द्वारा निर्वाचित जिलाकी सोवियतोंने, इसी तरह प्रदेशोंके शासनका काम वहांकी सोवियतोंने। अपने कामोंको सफलतापूर्वक करनेके लिये, तथा जनताको क्रियात्मकरूपसे यह दिखलानेके लिये, कि सरकार उनकी है, अब जारशाही गुबर्नियोंका अनुकरण नहीं किया जा सकता था। उसकी जगह क्रांतिके दो साल ही बाद १९२० ई०के आरम्भमें रूसका विभाजन जातियोंके अनुसार हुआ, और १९२०-२२ ई०के बीचमें इस तरहके कितने ही स्वायत्त सोवियत समाजवादी गणराज्य कायम किये गये, जिनके संघको रूसी सोवियत संयुक्त समाजवादी गणराज्य कहा जाने लगा। इन स्वायत्त गणराज्योंमें बाश्किर भी था, जिसकी स्थापना मार्च १९१९ ई०में हुई थी। रूसी जमींदारों और कुलकोंने जारशाहीके जमानेमें बाश्किर-किसानोंसे जो जमीन छीन ली थी, अब उसके मालिक बाश्किर किसान हो गये। अभीतक बाश्किर अधिकतर घुमन्तू थे, लेकिन अपना खेत मिल जानेपर अब वह अपने गांव बसाने लगे। उनमें शिक्षाका प्रचार भी बढ़ने लगा। बोल्शेविकोंने अच्छी तरह समझ लिया, कि सोवियत शासनकी मजबूतीके लिये यह जरूरी है, कि लोग लिखना-पढ़ना जानें। तभी वह बोल्शेविकोंके उद्देश्यको समझ पायेंगे, और मुल्लों तथा क्रांतिविरोधी सत्ताधारियोंके हाथमें नहीं खेलेंगे। इसीलिये उन्होंने मातृभाषाको शिक्षाका माध्यम स्वीकार करके उसीमें लोगोंको जल्दी-से-जल्दी शिक्षित बनानेका प्रयत्न किया। अपनी भाषाको सीखनेकी अवश्यकता नहीं थी, उसके लिये जरूरत थी लिपिकी। सोवियत रूसके भीतरकी अधिकांश भाषायें अभी न अपनी लिपि रखती थीं, न लिखित साहित्य। ऐसी भाषाओंको रोमन लिपिमें पहले लिखा जाने लगा, पीछे (१९४१ ई० में) लोगोंने रूसी लिपि अपना ली। शिक्षाकी वृद्धि कितनी जल्दी हुई, इसके लिये इतना ही कहना काफी है, कि प्रायः पचीस लाखकी आबादीवाले बाश्किर गणराज्यमें १९२४ ई०में ही दो हजार स्कूल खुल चुके थे।

१९२० ई०के वसन्तमें बाश्किरोंके पड़ोसमें तारतारोंका स्वायत्त सोवियत गणराज्य कायम हुआ। अक्तूबर १९२० ई०में कजाकस्तानकी सोवियतोंकी प्रथम कांग्रेसमें किर्गिज स्वायत्त गणराज्यकी स्थापनाकी घोषणा हुई। इस प्रकार सोवियत रूस सोवियत गणराज्यों-के संघका रूप धारण करने लगा। पहले रूसके अतिरिक्त उक्रइन-जैसे गणराज्य कायम हुये थे। दिसम्बर १९२० ई०में उक्रइन सोवियत समाजवादी गणराज्य और रूसी सोवियत संयुक्त समाजवादी गणराज्यने आपसमें एक सैनिक और आर्थिक मित्रताकी संधि की। इसी तरहकी संधि बेलोरूसिया, आजुर्बाइजान, अर्मनिया और गुर्जीके गणराज्योंमें भी हुई। तबतक निम्न की सात स्वतंत्र सोवियत गणराज्य बन चुके थे:—

(१) रूसी सोवियत संयुक्त समाजवादी गणराज्य, (२) उक्रइनी सोवियत समाजवादी गणराज्य, (३) बेलोरूसी सोवियत समाजवादी गणराज्य, (४) आजुर्बाइजान सोवियत समाजवादी गणराज्य, (५) अर्मेनियन सोवियत समाजवादी गणराज्य, (६) गुर्जी सोवियत समाजवादी गणराज्य, और (७) तुर्किस्तान सो० स० ग०। इस प्रकार सात गणराज्य और कितने ही स्वायत्त गणराज्य, पांच वर्ष बादतक चलते आये। ३० दिसम्बर १९२२ ई०को सोवियतोंकी प्रथम

कांग्रेस हुई, जिसने निश्चय किया, कि अबसे सारे बहुजातिक राज्यका नाम सोवियत समाजवादी गणराज्य संघ रखकर उसे एक केन्द्रीय राष्ट्रका रूप दिया जाय। सभी जातियोंकी समानताको अक्षुण्ण रखनेके लिये यह विधान स्वीकार किया गया, कि सोवियत संसद्के "प्रतिनिधि-सदन"में जहां संख्याके अनुसार प्रतिनिधि भेजे जायं, वहां "जातिक सदन"में सभी स्वतंत्र गणराज्योंको उनकी संख्याका कोई भी ख्याल किये बिना बराबर संख्यामें प्रतिनिधि भेजनेका अधिकार है।

इस प्रकार सफल क्रांति और सफल सोवियत शासनकी स्थापनाके बाद २१ जनवरी १९२४ ई०को लेनिनका देहान्त हुआ।

स्रोत-ग्रन्थ

१. History of Civil War in U. S. S. R. (2 vols., G. F. Alexandrov and others, Moscow 1946)
२. History of U. S. S. R. (Ed. A.M. Pankratova, Moscow 1947)
३. La Revolution russie (4 vols., Cloude Anet, Paris 1918-20)
४. La reign de Raspoutine (Rodzianko, Paris 1928)
५. La revolution russie (Al. Ular, Paris 1905)
६. इस्तोरिया सससर (अ. म. स्वदोनिकस्, ४ जिल्द)

अध्याय २

उज्बेकिस्तानमें क्रांति

१. उज्बेक जाति

उज्बेक गणराज्यका क्षेत्रफल १८८००० वर्गमील, तथा आबादी बासठ लाखसे ऊपर है। उज्बेक जाति तुर्कोंकी ही एक शाखा है। सुवर्ण-ओर्दू के मंगोल खान उज्बेकके नामपर तुर्कोंके बहुत से कबीलोंने यह नाम धारण किया। उज्बेक कबीलोंमें कितने ही कजाकोंमें भी मिलते हैं, इसलिए उज्बेकों और कजाकोंका पहले एक होना सिद्ध है। उज्बेकोंके सबसे बड़े चार विभाग हैं—(१) उइगुर-नैमन, (२) कंगली-किपचक, (३) कियात-कुंग्राद, (४) नोकुस-मंगित। और छोटे-छोटे विभाग मिलकर उज्बेक कबीलोंकी संख्या ९७ होती है, जिनके नाम निम्न प्रकार हैं :—

उज्बेक कबीले—

१. मंगुत (मंगित)(करशी-बुखारा; जुक मंगुत, जुकअकरा)
२. मिंग
३. युज
४. किर्क
५. उंग
६. उंगाचित
७. जलैर
८. सराय (समरकन्द और करशीके रास्तेपर)
९. कुंग्राद (करशी और शहरसब्जमें)
१०. येलचिन
११. अरगन
१२. नैमन
१३. किप्चक (कत्ताकुर्गान और समरकन्दके बीच)
१४. चीचक
१५. थअवरत
१६. कल्पक
१७. कर्लू
१८. बरलस
१९. बसलक
२०. सेमारचिम
२१. कतगन
२२. कलेची
२३. कुनेगज
२४. बतरेक
२५. उजोय
२६. कबात
२७. खिताई (बुखारा और करमीनाम)
२८. कंगली
२९. उज
३०. चपलेनी
३१. चपची
३२. उतार्ची
३३. उपुलेची
३४. जूलून
३५. जिद (आमू-दरियापर)
३६. जुयुत
३७. चिलजूयत
३८. बुइमौत
३९. उएमौत
४०. अरलत
४१. किरेइत
४२. उंगुत
४३. कंगित
४४. खलेउअत
४५. मसद
४६. मेरकत
४७. बेर्कूत
४८. कुरालस
४९. उगलान
५०. करी
५१. अरबत (करशी और बुखारामें)

५२. उलेची
५३. जूलेगन
५४. किशलिक
५५. गेदोई
५६. तुर्कमान (आमू-दरिया)
५७. दुर्मेन
५८. ताबिन
५९. तामा
६०. रिनदान
६१. मूमिन
६२. उइशुन
६३. बेरोई
६४. हाफिज
६५. किनगिज
६६. उइरुची
६७. जुइरेत
६८. बूजाची
६९. सिहतियान
७०. बेताग (बुखारा)
७१. यागरिनी
७२. शुल्दुर
७३. तुमाई
७४. तलेउ
७५. किरदार
७६. किरकिन
७७. उलगान
७८. गुरलेत
७९. इगलान
८०. चिलकेस
८१. उइगुर
८२. अगिर
८३. याबू
(बुखारा और मियानकुलमें)
८४. नरगिल
८५. यूजक
८६. कहेल
८७. नचार
८८. कूजालिक
८९. बूजन
९०. शीरिन
९१. बखरिन
९२. तूमे
९३. नीकुज
९४. मुगुल
९५. कयान
९६. तारतार

किसी-किर्मीके अनुसार उज्बेकोंके पांच विभागोंमें निम्न कबीले हैं :—

I. उइगुर चौदह—

१. उरुस
२. कराकुरसक
३. चुल्लिक
४. उयान
५. कुल्दोली
६. मिल्तेक
७. कुरतुगी
८. गाले
९. तुपकारा
१०. कारा
११. कराबुरा
१२. नोगाई
१३. बिलकेलिक
१४. दुसतनिक

II. ओमली नौ —

१. अखताना
२. कारा
३. चुरान
४. तुर्कमान
५. कुउक
६. बिसबाला
७. कराकल्पक
८. कचाई
९. हजबेचा

III. कुश्तमगली नौ —

१. कुलअबी
२. बरमक
३. कुजहुर
४. कुल-
५. चुबुरगान
६. कराकल्पक-कुश्तमगली
७. सफरबीज
८. दिलबेरी

९. चचकली

IV. यकतमगली सात —

१. तर्तुगू
२. अगामइली
३. इशिकली
४. किजिनजिली
५. उयुगली
६. बूकजली
७. कैंगली

V. फिर पांच —

१. जुजिली
२. कूसउली
३. तिर्स
४. बलिकली
५. कूबा

इतिहासकार वाम्बेरीने उज्बेकोंके बत्तीस कबीलोंको मुख्य माना है, जो कि निम्न प्रकार हैं :—

१. अकबेत
२. अचमइली
३. अलचिन
४. अज
५. इशकिली
६. उइगुर
७. उशुन
८. कनली
९. कराकुरसक
१०. कंजिगली
११. किपचक
१२. कुंग्राद कीयेत
१३. कूलन
१४. केत्तेकेसेर
१५. केनेगुज
१६. खिताई
१७. जगताई
१८. जेलेर
१९. ताज
२०. इशकिली
२१. तिकिश
२२. दुर्मेन
२३. नैमन
२४. नोक्स
२५. नोगाई
२६. बागुर्लू
२७. बलगली
२८. बिरकुलक
२९. मंगित (ओगुत)
३०. मिंग
३१. मितन
३२. सायत

इन कबीलोंके नामोंको देखनेसे मालूम होगा, कि इनमें ऊसुन-जैसे शक कबीले, कुंग्राद-जैसे मंगोल, किपचक-जैसे पुराने तुर्क, खिताई-जैसे चीनी, बर्मक-जैसे खुरासानी कबीलों और जातियोंका भी नाम है। इसीलिये तुर्की अंशकी प्रधानता रहते भी उज्बेक जातिमें बहुतसी दूसरी जातियोंका सम्मिश्रण है। उसकी भाषामें व्याकरणका ढांचा तुर्की होते भी शब्दकोष और मुहावरे अधिकतर ईरानी (फारसी) हैं।

उज्बेक जातिका निर्माण—उज्बेकों, तुर्कमानों तथा किर्गिजों का ऐतिहासिक विकास निम्न प्रकार हुआ :—

काल	सिर-उपत्यका	सोग्द	तुखार	ख्वारेज्म
ई० पू० १०००००		मुस्तेर	मुस्तेर	
,, ५००००		मदलेन		
,, ४०००	फिनो-द्रविड़	फिनो	फिनो-द्रविड़	फिनो-द्रविड़
,, ३५००	,,	,,	,,	,,
,, ३००० नवपाषाण	शक-आर्य-द्रविड़	शकाय-द्र०	शकार्य-द्र०	शकार्य-द्र०
,, २५००	शक	आर्य	आर्य	आर्य
ई० पू० १५०० पित्तल	शक	सोग्दी	ईरानी	ईरानी
,, ७००	शक	सोग्दी	ईरा०	शक

ई०पू०	५५०		शक	सोग्दी	ईरा०	शक
"	३२६		शक	सोग्दी	ईरा०	शक
"	२०६		शक	सोग्दी	ईरा०	शक
"	१३०		हूण-शक	सो०-शक	ईरा०	शक
"	१००		हूण-शक	सो०-शक	ईरा०	शक
ईसवी	१००	कुषाण	हूण-शक	सो०-शक	ईरा०-शक	शक
"	४२५	हेथता	हूण-कंगली	सो०-शक	ईरा०-शक	हेफ्ताल-कंग
"	५५७	तुर्क	तुर्क-कंगली	सो०-तुर्क	ईरा०-शक	सो०-तुर्क
"	६७३	अरब	तुर्क	सो०-तुर्क	ईरा०-तुर्क	सो०-तुर्क
"	८९२	सामानी	तुर्क	ईरानी-तुर्क	ईरा०-तुर्क	ईरा०-तुर्क
"	१२२०	मंगोल	तुर्क	ईरा०-तुर्क	ईरा०-तुर्क	ईरा०-तुर्क
"	१५००		तुर्क (उज्बेक)	उज्बेक-ईरा०	ईरा०-उज्बेक	उज्बेक-ईरा०
"	१७४७		उज्०-कजाक	उज्०	उज्०	उज्०
"	१८६५		उज्०-कजाक	उज्०	उज्०	उज्०
"	१९१७		उज०-कजाक	उज्०	उज्०	उज्०

२. उज्बेकभूमि

वर्तमान उज्बेकिस्तान खोकन्द, खीवा (ख्वारेज्म), और बुखारा रियासतोंकी भाग सम्मिलित हैं, जिनमें बुखाराका तो करीब-करीब सारा ही भाग उज्बेकिस्तानमें है। उज्बेकोंकी वर्तमान राजधानी ताशकन्द बिलकुल एक छोरपर कजाकोंकी भूमिके पास पड़ती है, लेकिन रूसियोंके आनेसे पहले ही वह प्रसिद्ध नगर उज्बेकोंकी भूमिके साथ संबद्ध था। तुर्किस्तानकी राजधानी बननेपर जहां वहां रूसी काफी संख्यामें आये, वहां एसियाइयोंमें सबसे अधिक उज्बेकोंकी आबादी थी, इसलिये वह पहले तुर्किस्तान गणराज्य, फिर उज्बेकिस्तान और ताजकिस्तानके सम्मिलित उज्बेक गणराज्य और अन्तमें उज्बेकिस्तानकी राजधानी रह गया। मध्य-एसियाके समरकन्द और बुखारा-जैसे प्रसिद्ध ऐतिहासिक नगर भी उज्बेकिस्तानमें ही पड़ते हैं।

३. क्रांतिकी लपट

रूसमें फर्वरी-क्रांति होनेपर भी उस समय बूर्ज्वा रूसी शासकोंने मध्य-एसियाकी जातियों—उज्बेकों, कजाकों, किर्गिजों, ताजिकों, तुर्कमानों—के ऊपर होते आये जारशाही शासनमें कोई परिवर्तन करनेकी अवश्यकता नहीं समझी। अप्रैल १९१७ ई०में शचेप्किनकी अध्यक्षतामें एक तुर्किस्तान समिति बनाकर भेजी गई, जिसको तुर्किस्तानके सूबेके शासनका पूरा अधिकार दे दिया गया था। जब पेत्रोग्रादमें अस्थायी सरकारमें थोड़ा और परिवर्तन हुआ, और वैधानिक जनतांत्रिकोंकी जगहपर मेन्शेविकोंकी प्रधानता हुई, तब तुर्किस्तान कमेटीमें नाममात्रका ही परिवर्तन किया गया। यह कमेटी पुराने जारशाही अफसरों और सफेद क्रांति-विरोधियोंके प्रभावको कम करना नहीं चाहती थी। क्रांतिका एक फल यह हुआ, कि मार्च १९१७ ई०से मध्य-एसियाइयोंमें शूरा-इस्लामिया और शूरा-उलेमा जैसे धार्मिक या अर्धधार्मिक राजनीतिक संगठन अस्तित्वमें आये। उज्बेक राष्ट्रीयतावादी मध्यवर्गने शूरा-इस्लामिया नामकी पार्टी स्थापित की थी, और मुल्लाओंने हमारे यहांकी जमायतुल-उलमाकी तरह उलमाओं (धर्माचार्यों) की एक पार्टी खड़ी की थी, जिसके पोषक बड़े-बड़े जमींदार और दूसरे सामन्त थे। दोनों संस्थाओंने अस्थायी सरकारके प्रति अपनी भक्ति कई बार प्रकट की थी।

तुर्किस्तान-कमेटी क्रांतिके और युद्धके कारण उठ खड़ी हुई समस्याओंमेंसे किसीको भी हल करनेमें समर्थ नहीं हुई। एसियाई जातियोंके ऊपर पहलेकी तरह ही शासन और अत्याचार होता रहा। किसानोंकी अवस्था वैसी ही रही। कारखानेके मजदूरोंकी ओर भी ध्यान नहीं दिया

गया। १९१७ ई०के सितम्बरमें तुर्किस्तानके मजदूरोंको अब भी बारह घंटे काम करना पड़ता था, जब कि रूसमें वह आठ घंटेका कर दिया गया था। तुर्किस्तान-कमेटीको आगे बढ़नेकी कोई जरूरत नहीं थी, क्योंकि इस इलाकेमें १९१७ ई०के अन्ततक बोल्शेविकोंके अपने स्वतंत्र संगठन नहीं थे । ताशकन्द, समरकन्द, पेरोव्स्की (किजिल ओर्दा), नवीन-बुखारा आदिमें जो बोल्शेविकोंके भिन्न-भिन्न गिरोह थे, वह रूसी समाजवादी जनतांत्रिक मजदूर पार्टीसे सम्बद्ध थे । इस पार्टीकी द्वितीय स्थानीय कांग्रेस २१-२७ जूनको ताशकन्दमें हुई थी, जिसमें मेन्शेविकोंकी प्रधानता थी, जिसके कारण कांग्रेसने अस्थायी सरकारमें अपना विश्वास प्रकट किया । ताशकन्दमें बोल्शेविकोंका अपना कोई पत्र नहीं था, इसलिये समाजवादी जनतांत्रिक मजदूर पार्टीके अखबार "रबोचेये देलो" (मजदूरोंका कार्य) पत्रमें ही उन्हें भी अपने विचारोंको प्रकट करना पड़ता था, जिन्हें मेन्शेविक कितनी ही बार छापनेसे इन्कार कर देते थे । बोल्शेविक-नेता स्वेर्दलोफने ओरेनबुर्गके बोल्शेविकों द्वारा तुर्किस्तानके बोल्शेविकोंके पास कभी-कभी संबंध स्थापित करनेकी कोशिश की, लेकिन उसमें बहुत सफलता नहीं हुई। लेकिन जब मध्य-एसियाके लोगोंको मालूम हुआ, कि रूसमें बोल्शेविक क्या कर रहे हैं, तो वहांके लोगोंमें भी बोल्शेविकोंका प्रभाव जल्दीसे बढ़ने लगा। ई० प० बाबुश्किनके नेतृत्वमें खोकन्दमें बोल्शेविकोंकी एक मजबूत जमात कायम हो गई——बाबुश्किन १९०३ ई०से ही बोल्शेविक था, और खोकन्दके मजदूर-सैनिक प्रतिनिधियोंकी सोवियतका उस समय अध्यक्ष था । समरकन्दमें समाजवादी जनतांत्रिकोंके भीतर रहते हुये बोल्शेविक बड़ी तत्परतासे काम करने लगे । अक्तूबर (बोल्शेविक) क्रांतिके समय नवीन बुखारामें पोल्तरोत्स्कीके नेतृत्वमें एक बोल्शेविक गिरोह काम करने लगा था। पोल्तरोत्स्की १९१८ ई०में समाजवादी क्रांतिकारियोंके हाथ मारा गया, जिनका मुखिया करेन्स्की था।

ताशकन्दके बोल्शेविकोंका नेता अ० पेर्शिन रेलवे मजदूर, और न० शूमिलोफ कारखानेमें मिस्त्री था । शूमिलोफ १९१८ ई०में ताशकन्द सोवियतका अध्यक्ष बनाया गया।

इस प्रकार हम देख रहे हैं, कि तुर्किस्तानके बोल्शेविक अधिकतर रूसी थे, लेकिन उनको वहांके मुसलमान मजदूरोंके "इत्तिफाक" (लीग) का सहयोग प्राप्त था । स्कोबेलेफमें मार्च १९१७ ई०में फरगानाके मुसलमानोंका प्रथम मजदूर संगठन स्थापित हुआ था——मध्य-एसियाई लोगोंको रूसी मुसलमान कहा करते थे। फरगानाके बाद इस तरहके संगठन ताशकन्द, समरकन्द, खोकन्द, मर्गिलान, कत्ताकुर्गान, खोजंन्द (आधुनिक लेनिनाबाद) तथा दूसरे नगरोंमें भी स्थापित हुये । १९१६ ई०में जारशाहीने बहुतसे एसियाइयोंको मजदूर-सेनामें भर्ती करके युद्धपंक्तिके पीछे काम करनेके लिये भेजा था। यही मजदूर जब लौटकर तुर्किस्तान आये, तो रूसमें बोल्शेविकोंका काम देखे होनेके कारण उन्होंने यहां भी "मजदूर-इत्तिफाक" (मजदूर लीग) को संगठित करनेकी घोषणा करते हुये अपने उद्देश्यके बारेमें कहा——"तातार (मंगोलायित) और सर्त (ताजिक) गरीब किसानों और मजदूरोंका एक परिवार बनाना है, जो कि पूंजीवादके खिलाफके संघर्षमें मजदूरवर्गका समर्थन करेगा और सच्चे जनतांत्रिक सिद्धान्तोंके आधारपर नये समाजके निर्माणमें सहायता करेगा।" इस उद्देश्यसे ही मालूम हो जायगा, कि मध्य-एसियाके देहकान (किसान) और मजदूर रूसमें रहते वक्त बोल्शेविक पार्टी और वहांके मजदूरोंके सम्पर्कमें आकर कितने प्रभावित हुये थे । आरम्भमें इत्तिफाकी दलवाले मेन्शेविकोंके जबर्दस्त प्रभावमें रहे, लेकिन जल्दी ही उन्हें मालूम हो गया, कि मेन्शेविकों और जारशाही साम्राज्यवादियोंमें बहुत अन्तर नहीं है; इसलिये वह बोल्शेविकोंके नजदीक आने लगे। स्थानीय सरकारी संस्थाओं और संविधान-सभाके चुनावोंके समय उन्होंने बोल्शेविकोंसे मिलकर अपने उम्मीदवार खड़े किये। शूरा-इस्लामिया और उलमाके साथ इत्तिफाकियोंका संघर्ष दिन-पर-दिन बढ़ता गया। मुल्लों और मुस्लिम साम्प्रदायिक नेताओंने हर तरहसे लोगोंको यह समझानेकी कोशिश की, कि मुसलमान-मुसलमानमें कोई अन्तर नहीं, सभी मुसलमानोंको एक हो जाना चाहिये । लेकिन मध्य-एसियाके मजदूर-किसानोंको यह समझनेमें देर नहीं लगी, कि उनकी भलाई इस्लामके नारा लगानेवालोंके साथ रहनेमें नहीं, बल्कि बोल्शेविकोंका साथ देनेमें है । सितम्बर १९१७ ई०में मजदूरी बढ़ाने और आठ घंटा काम करनेकी मांगके लिये

ताशकन्द, समरकन्द, नमंगान, अन्दिजान, कत्ताकुर्गान और नवीन-बुखाराके मजदूरोंने हड़तालें कीं। देहातमें किसानोंने भी जमींदारोंके विरुद्ध संघर्ष छेड़ दिया।

रूसमें फर्वरी-क्रांतिके होनेके बाद तुर्किस्तान-प्रदेशमें उतना भी परिवर्तन नहीं किया गया, जितना कि रूसके पासवाले इलाकोंमें। सेना और शासनमें अब भी यहां जारशाही जमानेके ही अफसर थे। जब करेन्स्की प्रधान-मंत्री हो गया, तो एस्-एर् (समाजवादी क्रांतिकारी) दल अपनेंको सरकारी दल समझने लगा, और उसकी यहां प्रधानता हो गई। लेकिन इससे पहिले १९१६ ई०में जो विद्रोह मध्य-एसियाके लोगोंने किया था, यद्यपि उसे दबा दिया गया था, तो भी उसके प्रभावसे लोगोंके हृदयोंमें शासनके प्रति विद्वेषका भाव अब भी कम नहीं हुआ था। बल्कि अब उसने एक नया रूप लिया था, जिसमें उज्बेक मध्यवर्गने अपने पुराने खोये हुये राज्य खोकन्दके नाम-पर "खोकन्द स्वायत्तता"की मांग पेश की। अभीतक बुखाराका अमीर अपनी जगहपर बना हुआ था। जारशाही अफसरों और पूंजीपतियोंने भी स्वायत्ततावादियोंके पक्षका समर्थन करना आरम्भ कर दिया, और जब रूसमें बोल्शेविक-क्रांति हो गई, तो उन्होंने खुल्लमखुल्ला उनका साथ देना शुरू किया। यद्यपि स्वायत्ततावादियोंने अपना काम ताशकन्दमें शुरू किया था, लेकिन वहां उनको उतनी सफलता नहीं हुई, इसलिये उन्होंने खोकन्दको अपना केन्द्र बनाया।

४. बोल्शेविक-प्रभाव-वृद्धि

ताशकन्दमें पहले मेन्शेविकों और एस्-एर्-दलका ही जोर रहा। ताशकन्द एसियाका सबसे बड़ा औद्योगिक केन्द्र था। वहांके कारखानोंमें रूसी मजदूर बड़ी संख्यामें काम करते थे। इनके ऊपर पहले नरमदली समाजवादियोंका प्रभाव होना स्वाभाविक था, क्योंकि रूसी मजदूरोंको एसियाई मजदूरोंकी अपेक्षा ज्यादा रियायतें मिली हुई थीं, लेकिन धीरे-धीरे मजदूरोंकी आंखें खुलने लगीं, जब कि उन्होंने देखा कि यह दक्षिणपक्षी दल उनका हित-साधन नहीं कर सकता। वामपक्षकी ओर झुकाव देखकर एस्-एर् (समाजवादी क्रांतिकारी) दलमें फूट पड़ गई। वामपक्षी उनसे अलग हो गये, जो कितने ही समयतक बोल्शेविकोंके साथ मिलकर काम करते रहे। जून (१९१८ ई०)के अन्तमें बोल्शेविकोंकी पहली कांग्रेस हुई, जिसमें चालीस-पचास प्रतिनिधि शामिल हुये थे, लेकिन जब १९-२९ दिसम्बर (१-१० जनवरी) १९१९ ई०को द्वितीय कांग्रेस हुई, तो उसमें एक सौ अस्सी प्रतिनिधि थे। इस समयतक अंग्रेजोंकी मददसे वर्तमान तुर्कमानिस्तानपर क्रांति-विरोधी रूसियोंकी प्रभुता कायम हो गई थी, इसलिये वहांके प्रतिनिधि इस कांग्रेसमें शामिल नहीं हो सके, लेकिन सप्तनदके प्रतिनिधि आये थे। इस कांग्रेसके प्रधानमंडलमें जूराबयेफ, बेदीलोफ जैसे स्थानीय (एसियाई) बोल्शेविक भी निर्वाचित हुये थे, जिससे मालूम होगा, कि मध्य-एसियामें रूसी बोल्शेविक कहांतक अपनेको एसियाइयोंके साथ एकताबद्ध करनेमें सफल हो चुके थे। नरम समाजवादियों और बोल्शेविकोंके बीच किसका साथ देना चाहिये, इसका निर्णय करनेमें एसियाई कमकरोंको दिक्कत नहीं हुई, जिसका पता कांग्रेसमें एसियाई बोल्शेविकोंकी संख्याकी वृद्धिसे मालूम है।

ताशकन्द—पहली कांग्रेसतक बोल्शेविक पार्टीके २६१ सदस्य थे, जिनमें २८ स्थानीय (प्रायः उज्बेक) थे। इनके अतिरिक्त पुराने ताशकंदमें भी १२५ व्यक्ति पार्टीके साथ थे। दूसरी पार्टीके समयतक बोल्शेविक पार्टीमें २००० सदस्य हो गये थे, जिनमें ९०० स्थानीय, ७०० रूसी और ४०० विदेशी कमकर थे। विदेशियोंमें लत्वियन, उक्रइनी, ईरानी, तारतार और किर्गिज जातियोंके भी लोग थे। १२ अक्तूबर १९१८ ई०में सारे ताशकंद नगरकी पार्टी-कांफ्रेंस हुई।

समरकंद—१९१७ ई०के सितंबरके अंतमें यहां बोल्शेविककी पहली जिला-कांफ्रेंस हुई थी। अक्तूबरके मध्यतक समरकन्द जिलेमें अट्ठाइस शाखायें और पैंतीस सौ सदस्य थे।

खोकंद—१९१७ ई०के अक्तूबरमें यहां बोल्शेविकोंकी तीस-पैंतीस जमातें थीं। पहली कांग्रेस-तक सदस्योंकी संख्या दो सौ हो गई और रूसियोंसे बाहरके कमकरोंमें भी काम होने लगा था। १९१८ ई०के अंततक पार्टीके सदस्योंकी संख्या ७५० थी। आगे हम देखेंगे, कि मध्य-एसियाके

पूंजीवादियोंकी संगठित शक्तिका मुकाबला सबसे ज्यादा खोकन्दके बोल्शेविकोंको करना पड़ा था। यहांके ७५० सदस्योंमें २५० स्थानीय लोगोंमें से थे।

खोजन्द (लेनिनाबाद)——सिर नदीके तटपर अवस्थित इस ऐतिहासिक नगरमें भी बोल्शेविकों और नरम-दलियोंका संघर्ष रहा। १९१८ ई०के अप्रैलतक यहां बोल्शेविकोंका संगठन हो गया था, और उनकी प्रथम कांग्रेसमें यहांसे बीस प्रतिनिधि शामिल हुए थे। खोजन्दमें पार्टी-मेम्बरोंकी संख्या २४६ थी, और इलाकेके दूसरी जगहोंमें भी बोल्शेविक थे, जिनमेंसे २१६ खोजन्द नगरमें, पचीस खोजन्द रेल स्टेशनमें, छत्तीस द्रागोमिरोफ स्टेशनमें, तीस कोपीमें, अस्सी पर्लाविकामें, ८०० सरी-दुमानमें, ३१२ उरालके जिले (वोलोस्त)में, पैंतीस चपकुल जिलेमें, पच्चीस बोकल वेदर्गनमें, साठ इनफान इलाकेमें थे। १९१८ ई०के जून और दिसंबरके छ महीनोंमें बड़ी तेजीसे बोल्शेविकोंकी शक्ति और संख्या बढ़ी। उन्होंने तबतक अपनी लाल सेना भी संगठित कर ली। पीछे प्रतिगामी हो गया शेख एरगस, एक समय बोल्शेविकोंके साथ था।

अन्दिजान——फरगानाका मशहूर औद्योगिक केंद्र होनेके कारण यह बोल्शेविकोंका भी गढ़ था। दूसरी कांग्रेसके समय (१९१८ ई०के अंत)तक यहां दो सौ पार्टी-मेम्बर थे। लेकिन यहांपर जनतांत्रिक संगठन औरोंकी अपेक्षा बहुत पीछे हुआ था और १९१८ ई०के अंतमें ही नगर-दूमाकी स्थापना हुई।

फरगाना——फरगाना-उपत्यका रूसी कारखानोंके लिये कपास पैदा करती थी। इसके कारण वहां अन्दिजान, फरगाना तथा दूसरे शहरोंमें छोटे-छोटे कारखाने खुल गये थे, जिनमें रूसी मजदूर भी काम करते थे। १९२८ ई०की जुलाईमें अर्थात् रूसमें बोल्शेविकोंके राज्य संभालनेके नौ महीने बाद यहां पार्टीका संगठन हुआ और इस सालके अंततक २३७ पार्टी-सदस्य हो गये।

नमंगान——यहां १९१७ ई०के दिसंबरमें सात पार्टी-सदस्य थे। अप्रैल १९१८ ई०में १८० और द्वितीय कांग्रेसके समय सदस्योंकी संख्या छ सौ थी, जिनमें दो तिहाई स्थानीय और केवल दो सौ रूसी थे।

किजिलकिया——१९१८ ई०की फर्वरीमें सात सदस्योंको लेकर बोल्शेविकोंका यहां काम शुरू हुआ, लेकिन दिसंबरतक उनकी संख्या ४५१ हो गई।

मर्गेलान——यहां १९१८ ई०के अगस्तमें पार्टीकी टुकड़ी स्थापित हो गई, और द्वितीय कांग्रेस के समयतक बोल्शेविकोंकी संख्या १७० पहुंच चुकी थी।

कत्ताकुर्गान——१९१८ ई०के अंतमें द्वितीय कांग्रेसके समय यहां सदस्योंकी संख्या करीब तीन सौतक पहुंच गई थी, और यहांके तीन प्रतिनिधि द्वितीय कांग्रेसमें शामिल हुए थे।

ओशक——यहां १२६ सदस्य १९१८ ई०के अंततक हो गए थे।

चारजूय——आमू-दरियाके बायें तटपर अवस्थित इस महत्त्वपूर्ण स्थानमें १९१८ ई०के दिसंबरमें बोल्शेविकोंका संगठन हो चुका था और द्वितीय तुर्किस्तान पार्टी कांग्रेस जब ताशकन्दमें हुई, तो यहां-के बोल्शेविक सदस्योंकी संख्या सौतक पहुंच चुकी थी। लेकिन इस इलाकेमें अंग्रेजोंकी मददसे क्रांति-विरोधियोंका बल बढ़ गया, इसलिये यहांके बोल्शेविकोंको उनका सख्त सामना करना पड़ा।

इन आंकड़ोंसे मालूम होगा, कि मध्य-एसियामें बोल्शेविकोंका प्रभाव कितनी जल्दी बढ़ा। इस समय तुर्किस्तान-प्रदेशकी आर्थिक स्थिति बड़ी खतरनाक हो गई, तेल और कोयला मिलना मुश्किल हो गया, रेलका यातायात बिगड़ गया था। कपासका उद्योग मध्य-एसियाकी आयका सबसे बड़ा साधन था और उसको कोई पूछनेवाला नहीं था। ऊपरसे अन्नका अकाल पड़ा हुआ था। साथ ही क्रांतिके कारण संघर्ष बहुत उग्र हो रहा था। मेन्शेविकों और दक्षिणपंथी एस्-एर् इन कठिनाइयोंके लिये कोई रास्ता निकालनेमें असमर्थ थे। ऊपरसे काशगर, ईरान, अफगानिस्तान आदिके रास्ते क्रांति-विरोधी शक्तियोंको अंग्रेज पूरी तौरसे मदद दे रहे थे।

५. खोकन्द स्वायत्ततावादियोंका अन्त

प्रथम विश्व-युद्धके समय एसियाकी बहुतसी पिछड़ी जातियोंमें राजनीतिक स्वतंत्रताके भाव

जगे। मध्य-एसियामें तो १९१६ ई०में उसने खूनी विद्रोहका रूप लिया था। इसी समय भारतमें प्रथम विश्वयुद्धके बाद देशकी परतंत्रताको और भी कड़ा करनेके लिये अंग्रेज रोलेट-कानून बनाने जा रहे थे। अंग्रेज मध्य-एसियामें 'खोकन्द स्वायत्तता'को सहायता देनेके लिये पूरी कोशिश कर रहे थे। जारशाहीके उच्छेद, क्रांतिकारियोंकी निर्बलता और अंग्रेजोंकी शहसे मध्य-एसियाके मध्यवर्गने इस आंदोलनको खड़ा करके नवंबर १९१७ ई०में खोकन्दमें अपनी सरकार भी कायम कर ली, जो तीन महीने बाद (फर्वरी १९१८ ई०)तक शासन करती रही। जिस समय ताशकन्दमें ग्यारह दिन (११ जनवरी १९१९ ई०)तक बोलशेविकोंकी पार्टी कांग्रेस होती रही, उसी समय खोकन्दके क्रांति-विरोधी अपने शासनको कायम करके आगेके लिये बड़े-बड़े स्वप्न देख रहे थे। लेकिन खोकन्दके इस आंदोलनमें खोकन्दसे बाहर सारे तुर्किस्तानके मध्यमवर्गकी सहानुभूति रहते भी उनसे सहायता उतनी नहीं मिल सकी। नवंबर १९१७ ई०में बोलशेविक-क्रांति रूसमें सफल हो चुकी थी, इसलिए मध्य-एसियामें कारबार करनेवाले रूसी पूंजीपति बदहवास हो गये थे। अन्दिजानका सबसे बड़ा रूसी पूंजीपति खोकन्द-स्वायत्तताका सबसे जबर्दस्त समर्थक था, और वहांका एक बड़ा रूसी वकील नेन्सबेर्ग उसमें खास तौरसे भाग ले रहा था। लेकिन सभी जगहके क्रांति-विरोधी बूर्ज्वाजीके भीतर एकता नहीं थी, नमंगानवाले खोकन्दियोंके साथ नहीं हुये। खोकन्दके इस आन्दोलनमें सबसे बड़ा हाथ फरगानाकी बूर्ज्वाजीका था, जिन्हें ताशकन्दके देशी और रूसी बूर्ज्वाजीसे भी पूरी सहायता मिली। ताशकन्द तो वस्तुतः इस आन्दोलनका उद्गम स्थान ही था, और पहले वही उसका केन्द्र भी रहा। लेकिन सबसे पिछले खानकी राजधानी खोकन्द थी, इसलिये वहां सामन्तशाही तत्त्वोंकी अब भी कमी नहीं थी। खोकन्दके नामपर राष्ट्रीय भावनाके जगानेमें आसानी थी, इससे भी लाभ उठानेके लिये इसी नगरको प्रतिगामियोंने अपना अड्डा बनाया।

खोकन्द स्वायत्तताका आन्दोलन समरकन्दके मध्यवर्गमें भी बढ़ा, और वहां उन्होंने 'इत्तिफाक' के नामसे अपना संगठन मजबूत किया। किर्गिज-मध्यवर्गने भी इस आन्दोलनमें अपने लाभकी आशा देखी, और वह भी इसमें क्रियात्मक रूपसे भाग लेनेकी प्रतीक्षा कर रहा था। यही नहीं, वर्तमान तुर्कमानिस्तानमें कास्पियन तटतक खोकन्दकी 'स्वायत्तता'की गूंज सुनाई देने लगी। सब होते हुए भी इस आन्दोलनका केन्द्र ताशकन्द या समरकन्द न होकर खोकन्द रहा। खोकन्द फरगानाका सबसे बड़ा नगर होनेके कारण आर्थिक केन्द्र भी था, लेकिन वह औद्योगिक केन्द्र नहीं था। कमकरोंकी कमजोरीके कारण खोकन्द क्रांति-विरोधी स्वायत्ततावादी इसे अपना केन्द्र बना सके। यहांपर जहां मिलें और फैक्टरियां बहुत ही कम थीं, वहां सैनिक महत्त्वका स्थान न होनेसे रूसी सैनिकोंकी संख्या कुछ दर्जनोंसे अधिक नहीं थी, जो भी घर लौटनेमें सफल न होनेके कारण खोकन्दके किलेमें रह गये थे। प्रतिगामियोंने इस्लाम धर्मकी भी आड़ लेकर जहादका प्रचार शुरू कर दिया था। यद्यपि इससे उनके पृष्ठपोषक रूसियोंको खतरा था, लेकिन तब भी वह इस समय बोल्शेविकोंके खिलाफ उनकी सहायता करनेके लिये तैयार थे। स्वायत्ततावादियोंका नेता मुस्तफा चोकायेफ था। लेकिन जैसा कि ऊपरकी बातोंसे मालूम होगा, असली सूत्रधार रूसी पूंजीपति और अफसर थे, जिनमें पीछे मेन्शेविक और दक्षिणपन्थी समाजवादी क्रांतिकारी भी शामिल हो गये। खोकन्द स्वायत्तता-विधानके निर्माणमें नेंसबेर्ग-जैसे कितने ही रूसी वकीलोंका मुख्य हाथ था। कजखोफ स्वायत्ततावादियोंकी सेनाका मुख्य शिक्षक था। करेन्स्कीकी पार्टी (समाजवादी क्रांतिकारी)का खोकन्दके आन्दोलनमें खास हाथ था। ताशकन्दके शिक्षकोंके संघने भी प्रस्ताव द्वारा १० (२३) दिसम्बर १९१७ ई०के अपने सम्मेलनमें स्वायत्तताका समर्थन किया था। खोकन्दकी स्वायत्ततावादी सरकारने गांववालोंको अपने हाथमें करनेके लिये शिक्षितों और मुल्लोंको तैनात किया था। मदरसों, मस्जिदों, चायखानों, बाजारोंमें जहां देखो तहां 'स्वायत्तता'का घनघोर प्रचार हो रहा था, उसी तरह जैसे कि इसके साल-डेढ़ साल बाद भारतमें असहयोग आन्दोलन देशके कोने-कोनेमें। लेकिन जहां हमारी राष्ट्रीयताको अंग्रेजोंकी सड़ी-गली व्यवस्थासे भिड़ना था, वहां मध्य-एसियामें वहांके नब्बे प्रतिशत लोगोंके

हितोंके जबर्दस्त समर्थक बोल्शेविकोंके साथ संघर्ष जारी हुआ था। इसलिये मध्य-एसियाके मुल्ला और शिक्षित बहुत दिनोंतक लोगोंको धोखेमें नहीं रख सकते थे। वह प्रचारके साधनके तौरपर लोगोंकी भुखमरीका उदाहरण दे रहे थे, लेकिन उसके कारण बोल्शेविक नहीं थे। वह बोल्शेविकोंके अत्याचारोंकी मनगढ़न्त बातें सुनाते थे, लेकिन मध्य-एसियामें जो थोड़े-से बोल्शेविक देखे जाते थे, वह गरीबोंके सबसे गहरे मित्र छोड़ और कुछ नहीं थे। यह भी कहा जाता था, कि बोल्शेविक काफिर इस्लाम और अल्लाहको यहांसे उखाड़ फेंकना चाहते हैं, लेकिन इस झूठको वह तभीतक लोगोंमें फैला सकते थे, जबतक कि रक्त-बीजकी तरह बढ़कर बोल्शेविक अपने उद्देश्योंके प्रचारके लिये सब जगह फैल नहीं गये। बोल्शेविक भी दूसरे रूसियोंकी तरह साम्राज्यवादी हैं, इस प्रचारको वहांके लोग अपनी आंखों देखकर झूठा समझ सकते थे, जब कि स्वायत्ततावादी नेताओंको जारशाहीके बड़े-बड़े अफसरों और पूंजीपतियोंके साथ घुलते-मिलते देख रहे थे।

ओरेनबुर्गमें आतमन दूतोफके विद्रोहके कारण उधरसे रूसका मध्य-एसियाके साथ संबंध कट गया था, और इधर कास्पियनके पूर्वी तटमें अंग्रेजी षड्यंत्रने कुछ समयके लिये सफलता प्राप्त की थी। ताशकन्दपर बोल्शेविकोंका अधिकार हो जानेसे उनका विरोधी दूतोफ ओरेनबुर्गसे अनाज आने देनेके लिये कैसे तैयार हो सकता? सारे झूठे प्रचारके होनेपर भी मध्य-एसियाके कमकर-किसान बोल्शेविकोंके कामको देख रहे थे। उन्होंने किसानोंको अपनी जोती जमीन देकर अपनी तरफ कर लिया था। मजदूरोंमें काले-गोरे दोनोंको मिलाकर कल-कारखानोंके प्रबन्धमें भागीदार बना दिया था। धीरे-धीरे स्वायत्ततावादियों और बोल्शेविकोंके कामोंकी तुलना करनेसे इस्लाम और जातीय स्वतंत्रताके नाम पर होते हुये प्रचारका प्रभाव घटने लगा, और समझदारोंको यह समझनमें दिक्कत नहीं हुई, कि खोकन्दके स्वायत्ततावादकी आड़में बड़े-बड़े रूसी स्वामी, पूंजीपति और पुराने शासक शिकार खेल रहे हैं।

फर्वरीतक फरगानामें भी वर्ग-संघर्ष उग्र रूप ले चुका था और खोकन्दमें अब क्रांति-विरोधियोंका प्रभाव बहुत घट चुका था। उनका शासन केवल पुराने नगरमें रह गया था। नये शहरमें बोल्शेविकोंने सोवियत-शासन स्थापित कर दिया था। किलेमें जो १६ रूसी सैनिक रह गये थे, वह भी बोल्शेविकोंके साथ हो गये थे। खोकन्द सोवियतका अध्यक्ष बाबुश्किन था। क्रांति-विरोधियों (जिसमें सफेद रूसी भी थे)ने पहरेदारको मारकर बाबुश्किनके घरपर आक्रमण किया। उसके बीबी-बच्चे भी साथ थे, लेकिन बाबुश्किन पिस्तौलसे लड़ता रहा। क्रांतिविरोधियोंने योजना बनाई कि पहले किलेको हाथमें किया जाय, फिर टेलीफोनके स्टेशनको, और अन्तमें सोवियत-अध्यक्ष बाबुश्किनको। लेकिन इसी समय फरगानाके पूर्वी भागमें बोल्शेविकोंने सफलता पाई। उन्होंने अन्दिजानको लेकर सारे फरगानापर बोल्शेविक-शासन स्थापित कर लिया।

खोकन्दके पुराने नगरमें सजोनोफ और निकोलायेको खोकन्द स्वायत्त-सरकारके साथ बात-चीत करने गये। १२ फर्वरीके सबेरे दिन बहुत अच्छा था। बोल्शेविकोंका संगठन मजबूत था। १३ फर्वरीको सबेरे स्कोबेलेफ और अन्दिजानसे १२० आदमियोंकी सहायता आ गई। स्वा-यत्ततावादियोंने बोल्शेविकोंकी बढ़ी हुई शक्तिको देखकर अपनी योजनाको आगे बढ़ानेकी हिम्मत नहीं की, बल्कि लड़नेकी जगह सुलहकी बातचीत करनेको ही ठीक समझा। १७ फर्वरी (२ मार्च)को दोनों ओरके प्रतिनिधि बात करनेके लिये जमा हुये, जिसमें सोवियतके सत्ताइस और स्वायत्तियोंके चौबीस प्रतिनिधि थे। लेकिन स्वायत्ती अपनी इच्छासे कैसे अपना खातमा कर देते? इसपर बोल्शेविकोंने उन्हें अल्टीमेटम दे दिया। समझौतेमें सबसे बाधक एर्गस और तानीशेफ थे। समझौता होते न देखकर उस दिन १० बजकर ३० मिनटको बैठककी काररवाई रोक दी गई, और तानीशेफके पाससे उत्तरके आनेकी प्रतीक्षा की जाने लगी। अगले दिन तानीशेफने अपनी सहमति दे दी, लेकिन एर्गस मुल्लाओंके बलपर कूद रहा था। जिस समय समझौतेके लिए बातचीत हो रही थी, उसी समय खोकन्दकी सभी

मस्जिदोंमें मुल्ला जहादपर व्याख्यान दे रहे थे। समझौता न होनेपर अब शक्ति मुल्लोंके हाथ-में चली गई थी, जो कि किसी तरहके सुधारको माननेके लिये तैयार नहीं थे। उनके लिये सुधारवादी उज्बेक भी काफिर थे, इसलिये उनके एक भागको मुल्लोंने गिरफ्तार कर लिया, और दूसरा भाग भागनेके लिये मजबूर हुआ। खोकन्दके सेठोंमेंसे कुछ तटस्थ हो गये और कुछने एर्गस तथा मुल्लोंका पक्ष लिया। जहांतक देहकानों (किसानों)का संबंध था, वह समूहरूपेण सोवियत-सरकारके पक्षपाती हो गये थे। इस प्रकार एर्गसको भारी जनसंख्याका बल प्राप्त नहीं हो सका। खोकन्दमें मजदूरोंकी भी स्थिति डावांडोल रही, उनकी सभा (इत्तिफाक) एक बार मुल्लोंके प्रचारके प्रभावमें इतनी आ गई थी, कि उसने सोवियतके विरुद्ध प्रस्ताव पास करके अपनेको स्वायत्तियोंके पक्षमें घोषित किया, लेकिन जब एर्गस और मुल्लोंकी सरकारका मजा चखा, तो उनकी आंखें खुलीं। उन्होंने "मुसलमान कम-कर संघ" नामक बोल्शेविक-पक्षपाती संघ बनाया, फिर 'इत्तिफाक' भी सोवियत शासनका समर्थक बन गया। व्यापारियोंमें जरूर काफी भाग ऐसा था, जो मुल्लोंकी तरफ था।

खोकन्दकी ऐसी स्थिति थी, जब कि बोल्शेविकोंने स्वायत्ततावादियोंको खतम करनेका निश्चय किया। अबतक ताशकन्दसे भी उन्हें सहायता मिलने लगी थी। सोवियत कमांडरने १९ फर्वरी (४ मार्च) १९१८ ई०के १० बजकर १५ मिनटपर एर्गसको अल्टीमेटम दिया। दिनके १ बजे अल्टीमेटमका समय बीतनेवाला था। पौन बजे एर्गसका जवाब मिला। उसने सोवियत-कमांडरकी मांग पूरा करनेसे इन्कार कर दिया। १ बजेसे बीचमें कभी-कभी रुककर शामके अंधेरेतक तोपें पुराने नगरपर गोला-वर्षा करती रहीं। २० फर्वरीको सबेरे लाल सैनिकोंने पुराने नगरपर धावा बोल दिया। एर्गस अपने आदमियोंको लेकर पहली ही झड़पमें भाग खड़ा हुआ, इसलिये नगरपर अधिकार करनेमें अधिक प्रतिरोधका सामना नहीं करना पड़ा। एर्गसके भाग जानेपर अब पुराने खोकन्दके प्रतिनिधि सुलह करनेके लिये आये। सुलह-सम्मेलन २१-२२ फर्वरी (८-९ मार्च) १९१८ ई०को रूसी-एसियाई बैंकके मकानमें हुआ। सुलहकी शर्तोंके अनुसार हथियारोंको सोवियत कमांडरके हाथमें दे देना पड़ा, खोकन्दमें स्वायत्ती सरकार तोड़कर प्रादेशिक सोवियत जनकमीसर मंडलके शासनको स्वीकार किया गया। इस प्रकार खोकन्दपर किसानों-मजदूरोंका राज्य स्थापित हुआ। एर्गसने यद्यपि यहां असफलता पाई, लेकिन आगे बासमची (डाकू) बन अपनी निष्ठुर खून-खराबियों द्वारा उसने तथा मध्य-एसियाके और भी कितने ही अधिकारच्युत धनियों और अमीरोंने बोल्शेविकोंको हटाकर अपनी तानाशाही स्थापित करनेका असफल प्रयत्न किया।

खोकन्द स्वायत्तीय आन्दोलन और सरकारके जीवनका चिट्ठा पुराने रूसी पंचांगकी तारीखों (जो कि तेरह दिन पहले पड़ती थीं)के अनुसार निम्न प्रकार है:—

दिसम्बर	६-७,	१९१८ ई०	फरगाना जिलेकी सोवियतोंकी कांग्रेस
,,	९-११,	,,	मुसलमानोंकी कांग्रेस
,,	११,	,,	खोकन्द स्वायत्तताका आरम्भ
,,	२१-२४,	,,	खोकन्दमें अखिल तुर्किस्तान समाजवादी क्रांति-कारी कांग्रेस
दिसम्बर	२७,	१९१८ ई०	ताशकन्दमें बोल्शेविकोंका प्रदर्शन
फर्वरी	१२,	१९१९ ई०	खोकन्द दुर्ग बोल्शेविकोंके हाथमें और खोकन्दमें सैनिक क्रांति-समितिका संगठन
,,	१३,	,,	स्कोबेलेफ और अन्दिजानसे खोकन्दमें कुमक आई, खोकन्द स्वायत्ती सरकारसे प्रथम बातचीत
,,	१४,	,,	स्वायत्ती सरकारसे द्वितीय बातचीत
,,	१४-१६,	,,	एर्गसका किलेपर आक्रमण करनेका प्रयत्न
,,	१५,	,,	स्कोबेलेफ नगरकी दूमाका खोकन्दके शांति-

		सम्मेलनोंमें एक प्रतिनिधि भेजनेका निश्चय
फर्वरी	१७, ,,	शांति-सम्मेलनका उद्‌घाटन
,,	१८, ,,	मुल्लोंका स्वायत्ती सरकारको अपने हाथमें ले लेना
,,	१९, ,,	ताशकन्दसे खोकन्दमें सेना आनेपर सोवियत कमांडरने अल्टिमेटम भेजा, पुराने नगरपर गोला-बारी शुरू
,,	२०, ,,	एर्गस खोकन्द छोड़कर भागा
,,	२२, ,,	सुलहनामेपर हस्ताक्षर

६. समरकन्द-विजय

खोकन्द स्वायत्तियोंपर विजय प्राप्त करना मध्य-एसियामें साम्यवादकी जबर्दस्त विजय थी। उसके बाद यह निश्चय-सा हो गया, कि नगरोंसे बोल्शेविकोंको हटाना बहुत मुश्किल है। १९१८ ई०में बोल्शेविकोंका शासन सिर्फ नगरोंपर था। नगरोंके आसपासके कुछ किसान भी उनके प्रभावमें आये थे। खासकर सिर-दरियाके आसपासवाले इलाके, फरगाना जिला और समरकन्दके जिलोंके किसानोंपर बोल्शेविकोंका प्रभाव बढ़ता जा रहा था, लेकिन उधर मुल्लाओंका संगठन "शूरा-इस्लामिया" (इस्लामी लीग) भी काफिरोंके विरुद्ध धुआंधार प्रचार करके मुस्लिम-जनसाधारण-को रूसियोंके, खासकर बोल्शेविकोंके, विरुद्ध खूब भड़का रहा था। दिसम्बर १९१७ ई०के अन्त और जनवरी १९१८ ई०के शुरूमें समरकन्दमें क्रांतिकारियोंने विरोधियोंको दबा दिया। वहां बोल्शेविकोंका संगठन भी हो गया और रेव-कम (रेव्यूल्यूशनरी कमेटी, क्रांति-समिति) ने बोल्शेविक सेनाके संगठनका भी सूत्रपात कर दिया। लेकिन इसी समय कजाकोंने समरकन्दको खतरेमें डाल दिया। मध्य-एसियाकी जातियोंमें कजाक सबसे ज्यादा लड़ाकू और अभी भी बहुत कुछ घुमन्तू जीवन बिताते थे। साइबेरियामें क्रांति-विरोधियोंने अपने पक्षको मजबूत किया था, और इन कजाकोंका उनसे सीधा संबंध था। समरकन्दके आसपासको घेरनेवाले कजाकोंके साथ बात करनेके लिये बोल्शेविकोंने अपना प्रतिनिधि-मंडल भेजा। किजिल-तेप्पेमें दोनों ओरके प्रतिनिधियोंने बातचीत की। फिर क्रांति-सरकारके नामसे अल्टीमेटम दिया गया, और कुछ अफसरों और प्रतिगामी कजाकोंको छोड़ सबके हथियार ले लिये गये।

अक्तूबर-क्रांतिके तुरन्त ही बाद समरकन्द-जैसे मध्य-एसियाके महत्त्वपूर्ण नगरमें क्रांतिकी सशस्त्र सेना तैयार करनेमें कैसे ढिलाई की जा सकती थी? इस सेनामें रूसी और एसियाई दोनों ही जातियोंके आदमी थे। जारकी सेनामें काम किये हुये सिपाहियोंके अतिरिक्त काफी संख्यामें नये आदमी भर्ती हुये। इस प्रकार जनवरी १९१८ ई०में लाल सेनाका प्रथम संगठन यहां हो चुका था। समरकन्दको रूसी गैरिसनके सिपाही पहलेसे सैनिक शिक्षा पाये हुये थे, नये क्रांतिके सिपाहियोंने भी सैनिक-शिक्षा तेजीसे ली। साथ ही पुराने सिपाहियोंमें राज-नीतिक चेतना लानेके लिये पूरी कोशिश की गई। कजाक कत्ताकुर्गान शहरपर अधिकार किये हुये थे। अभी भी उनसे खतरा दूर नहीं हुआ था। प्रदेश (क्राइ) की सरकारने पोल्तरा-त्स्कीको उनसे बात करनेके लिये नियुक्त किया। कजाकोंके भी प्रतिनिधि आये। समरकन्दमें दोनोंकी बातचीत होते समय क्रांतिकारी कमेटीने उनसे हथियार रखनेकी मांग की, लेकिन कोई निश्चय नहीं हो सका। फिर बोल्शेविक-प्रतिनिधि सीधे कजाक सैनिकोंसे बात करनेके लिये समरकन्दसे दस वर्स्त (१·६ फर्संख) पर अवस्थित जूमा रेलवे स्टेशनपर गये, लेकिन कजाक किसी बातको सुननेके लिये तैयार नहीं थे। वह समरकन्दपर आक्रमण करनेके लिये उतारू थे। समरकन्दमें भी कमकरोंने बड़ी तेजीसे सैनिक तैयारी की। मजदूरोंने अपने परिवारको छोड़-कर बन्दूक उठाई और कजाकोंको जीजक स्टेशनमें ही रोकनेका प्रयत्न किया। बोल्शेविक पार्टीका एक भाग सेनाके लिये बाहरी तैयारीपर नियुक्त हुआ। बहुतसे पार्टी-मेम्बर किलेकी

रक्षामें लगे और कितने ही युद्धक्षेत्रमें गये। एसियाई और युरोपीय दोनों ही मजदूर और बोल्शेविक-कर्मी एक-दूसरेसे मिलकर कजाकोंसे समरकन्दको बचानेके लिये बड़ी तत्परतासे काम कर रहे थे। कजाक अपनेको करेन्स्की की अस्थायी सरकारका सैनिक बतलाते थे, जब कि वह सरकार रूसमें खतम हो चुकी थी। सारा प्रयत्न करनेपर भी कजाक सफल हुये। वह मुक्ति-दाताके तौरपर समरकन्द शहरमें दाखिल हुये। रूसी और एसियाई बूर्ज्वाजीने उनका भारी स्वागत किया, बढ़िया शराब पिलाई, भोज और उत्सव मनाया। क्रांतिकारियोंमेंसे जो भी हाथ आये, उन्हें कजाकोंने बड़ी निष्ठुरतासे मारा। लेकिन अधिकांश बोल्शेविक अन्तर्धान हो चुके थे। उनका संगठन भी नष्ट न हो, अन्तर्हित हो गया था। इस समय कमजोर दिलवाले अपने आप पार्टीसे अलग हो गये, लेकिन पक्के बोल्शेविक और मजबूतीके साथ अपने संगठनको चलाते रहे। बोल्शे-विकोंकी कार्य-तत्परता, कुर्बानी और बर्तावने एसियाई गरीबों और मजदूरोंके दिलमें और भी उनके प्रति विश्वास पैदा कर दिया।

लेकिन, समरकन्द थोड़े ही दिनोंके लिये बोल्शेविकोंके हाथसे गया। ताशकन्दमें बोल्शे-विक शासन मजबूत हो गया था। खोकन्दमें भी शत्रुओंको दबा दिया गया था। अब समरकन्दको फिरसे लेनेके लिये उन्होंने तैयारी शुरू की। ताशकन्दने भी सेना भेजी, समरकन्दके मजदूरों-ने भी बहुतसे सैनिक दिये। समरकन्दके पुराने सैनिकोंमेंसे बहुतसे उनके साथ थे, और कुछ ओरेनबुर्गमें क्रांतिविरोधियोंसे लड़कर अभी लौटे थे। बोल्शेविकोंके सब मिलाकर तीन हजार पैदल और सवार दोनों ही तरहके सैनिक कजाकोंके मुकाबिलेके लिये तैयार थे, लेकिन इनके पास एक ही मैदानी तोप थी। उधर क्रांति-विरोधियोंके पास २७०० सैनिक थे, जिनमें ईरान और खीवाके युद्धक्षेत्रसे आये हुए भी कितने ही थे। उनके पास दो मैदानी तोपें और दो दूसरी तोपें थीं। यह बतला चुके हैं, कि ओरेनबुर्गमें आतमन दूतोफ साइबेरियाके क्रांति-विरोधी जेनरलोंके साथ था, और उसका प्रभाव खीवा होते कास्पियनके पूर्वी तट तथा ईरानकी सीमातक पहुंच रहा था। बुखाराका अमीर यद्यपि अभी सीधे तौरसे बोल्शेविकोंके विरुद्ध होनेकी हिम्मत नहीं रखता था, लेकिन उसके अफसर वहांके पूंजीपति क्रांति-विरोधियोंकी हर तरहसे सहायता कर रहे थे। युद्धके दो दिन पहलेतक कजाकोंके साथ उनकी बराबर बैठकें होती रहीं। अन्तिम आक्रमणके पहले जीजक स्टेशनके पास एक बहुत बड़ी सभा हुई, जिसमें एसियाई मजदूर बड़ी संख्यामें शामिल हुये थे। तुर्किस्तान गणराज्य सोवियत जनकमीसर-परिषद्के अध्यक्ष कोलेसोफने अपने भाषणमें गणराज्यकी सारी स्थितिपर प्रकाश डाला। इसी सभाके बाद योजना बनाई गई। फिर क्रांतिकी सेना दक्षिणवाले रास्तेसे रेलवेके साथ-साथ लाइनसे दाहिने और बायें होते आगे बढ़ी। रोस्तोव्त्सेवो स्टेशनोंमें पहुंचनेपर गोलाबारी शुरू हुई। कजाक समर-कन्दकी ओर पीछे हटे। बोल्शेविक आगे बढ़ते गये। अन्तमें सोवियतकी क्रांति-विरोधियोंपर विजय हुई, और लाल सेनाके हाथमें बहुतसा गोला-बारूद और दूसरे हथियार आये। पेरफिल्येफ लाल सेनाका कमांडर था। दूसरे अफसर थे——फेदोर कोलेसोफ, पोल्तरात्स्की, फ्रोलोफ, पोनोमारेफ, पेन्दो, दूनायेफ, मिखाइलोफ, पेस्पेलोफ, एसाउलेंको, बेर्ग, शुस्तोफ, बारकुस, ओर्लोफ, इसायेफ आदि। क्रांति-विरोधियोंकी तरफ थे——कजाची, कर्नल जायित्सेफ, सिलको, सिबको, स्तेपानोफ, गिंजबुर्ग, सियानोफ, तोकारेफ, गोरेलोफ, गपेयेफ आदि जारशाहीके पुराने सैनिक अफसर तथा दूसरे।

जनवरी १९१८ ई०के आरम्भमें हुई समरकन्दकी इस विजयने फरगाना, समरकन्द और ताश-कन्दके बीचकी भूमिको बोल्शेविकोंका एक दृढ़ केन्द्र बना दिया।

लेकिन, अभी भी बोल्शेविक निश्चिन्त नहीं बैठ सकते थे, क्योंकि अफगानिस्तान और ईरानके रूसी सीमान्तपर अंग्रेजोंका षड्यंत्र बड़े जोरसे चल रहा था, और चर्चिल सारी शक्ति लगाकर रूससे बोल्शेविकोंको उखाड़ फेंकनेके लिये तैयार था।

७: बुखारा-अमीर भगा (१९२०ई०)

मध्य-एसियामें रूसका शासन स्थापित हो जानेके बाद भी बुखाराके अमीरका शासन हमारे यहांकी बड़ी रियासतोंके ढंगपर हो रहा था। मध्य-एसियाके लोग भी तुर्क हैं, और

तुर्कीके लोग भी। मध्य-एसियाके तुर्क सुन्नी होनेसे तुर्कीके खलीफाको अपना सबसे बड़ा धर्माचार्य मानते हैं। इस प्रकार भाषा और धर्मके घनिष्ठ संबंधके कारण मध्य-एसियाके शिक्षितोंका तुर्कीके साथ घनिष्ठता होनी स्वाभाविक थी। इसीलिये जिस तरहके आन्दोलन तुर्कीमें होते, उसका कोई-न-कोई रूप मध्य-एसियामें उठ खड़ा होता। तुर्कीमें नवीन-तुर्क दलने सुधारके लिये बहुत जद्दो-जहद की, और वर्तमान शताब्दीके आरम्भमें उसने इतनी सफलता पाई, कि तुर्कीके सुल्तानको अनवर पाशा और दूसरे नवीन तुर्क-नेताओंको शासनमें साझीदार बनानेके लिये मजबूर होना पड़ा। नवीन-तुर्क पुराने जमानेकी कितनी ही बातोंको हटाकर तुर्कीको सामन्तशाहीसे पूंजीवादी समाजमें लाना चाहते थे। इन्हीं नवीन-तुर्कोंकी नकलपर मध्य-एसियामें 'जदीद' (नवीन) आन्दोलन शुरू हुआ, जिसका केन्द्र बुखारा था। रूसी इलाकेमें अक्तूबर-क्रांतिके बाद खोकन्दी स्वायत्तियोंने शक्तिको अपने हाथमें लेना चाहा, लेकिन जदीदोंने इतना जोर नहीं दिखलाया। जदीद मुल्लाशाहीके भी खिलाफ थे, इसलिये मुल्ला उन्हें फूटी आंखों देखना नहीं चाहते थे। वर्तमान शताब्दीके आरम्भसे ही जदीदवादका प्रचार बुखारामें होने लगा था। १९१७ ई०के मार्च-अप्रैलमें जदीदोंका नारा 'हुर्रियत' (स्वतंत्रता) बड़े जोरोंपर था। फर्वरी-क्रांति द्वारा जारके सिंहासनसे हटा दिये जानेके बाद बुखाराका अमीर आलमखान भी डर गया, और उसने एक बार तुर्कीके सुल्तानका अनुगमन करते हुये जदीदोंकी बहुतसी मांगें मान लीं। लोगोंको मालूम होने लगा, कि यहांपर भी अब जदीदोंका शासन स्थापित होगा। लेकिन सालभर बीतते-बीतते अमीरको फिर इतनी हिम्मत हो गई, कि मार्च १९१८ ई०से उसने जदीदोंका कत्लेआम शुरू कर दिया। चारों ओर मुल्लोंका जोर था। बड़े-बड़े पगड़वाले मुल्ला जदीदोंके खूनकी नदी बहते देखकर दाढ़ी फड़फड़ाते कह रहे थे—"देखा न शरीयत-शरीफ (सद्धर्म)की ताकत!" बुखारामें सैकड़ों आदमी बुरी तरहसे पकड़-पकड़कर तलवारके घाट उतारे जा रहे थे, खूनसे भरी खाइयोंके पास बीसों मुर्दे दम तोड़ रहे थे।

जदीदोंके प्रभावके जमानेमें नसरुल्ला कुशबेगीने जदीदोंके साथ सहानुभूति दिखलाई थी, जिसके लिये उसे अपने बीबी-बच्चों और संबंधियोंके साथ बुखारासे निर्वासित करके करमीनामें नजरबन्द कर दिया गया, और उसकी जगहपर मिर्जा उरगंज महामंत्री बनाया गया। जदीदोंने पुराने ढंगके मकतबोंकी जगहपर लड़कोंके पढ़नेके लिये नये ढंगके स्कूल स्थापित करना चाहा। मुफ्ती हाजी अकरामने उनके कामका समर्थन किया था, इसलिये उसे भी गुजारमें निर्वासित कर दिया गया। बुखारा-शरीफका रईस अब्दुस्समद खां जदीद होनेके कारण पदच्युत कर दिया गया। इसी तरह मिर्जा शहबाई और हाजी दादखाह-जैसे प्रभावशाली दरबारी जदीद होनेके इलजाममें निर्वासित करके कबादियान भेज दिये गये। जिस तरह खोकन्दमें मुल्लोंने अन्तमें सारी शक्ति अपने हाथमें ले ली थी, वही बात अब १९२० ई०में बुखारामें दुहराई जा रही थी। चारों तरफ जहाद (धर्मयुद्ध)का नारा घोषित हो रहा था। मुल्लोंने फतवा दे रक्खा था, कि जदीदोंका खून हलाल और उनकी जोरू हलाल।

लेकिन अमीर और मुल्लोंकी यह धींगा-धींगी छ महीने भी नहीं चल पाई। २० अगस्त १९२० ई०को बुखाराकी हालत परेशान देखी जाने लगी। बुखाराके आर्क (किले)से अमीरका सामान घोड़ा-गाड़ियोंपर ढोया जा रहा था, और उधर बोलशेविक तोपें समय-समयपर भूमिको कंपाते हुये गुम्-गुम्की आवाज कर रही थीं। अमीर आर्क छोड़कर सितारामुखासा नामक बागमें ठहरा हुआ था, जहांपर उसकी बेगमें और उसकी कामुकताके शिकार छोकरे गाड़ियोंपर चढ़ा-चढ़ा करके भेजे जा रहे थे। बोल्शेविक केवल तोपके गोले ही नहीं छोड़ रहे थे, बल्कि उनके कागजी गोले और भी शक्तिशाली रूपमें लोगोंके बीचमें फेंके जा रहे थे, जिनकी आखिरी पंक्तियों—"बुखाराके मेहनतकश जिन्दाबाद; बोलशेविक पार्टी जिन्दाबाद; सोवियत-सरकार जिन्दाबाद; अमीर और उसकी सरकार नेस्तबाद" को पढ़-सुनकर बुखाराके गरीब बड़े उत्साहके साथ नये दिनकी प्रतीक्षा कर रहे थे, और उधर जनाब आली अमीर-बुखारा मीर आलम खान भागनेकी फिकरमें परेशान थे।

३०-३१ अगस्त और १ सितम्बर (१९२० ई०)के सोमवार, मंगल और बुधके तीन दिनोंमें सारा बुखारा उलट-पलट गया। नगरमें आग लगी हुई थी। आर्क (किले)के अन्दर हर जगह, खासकर अमीरके गद्दीघर और रनिवासमें, आगकी ज्वालायें लपलपा रही थीं।

अमीरके लिये अब सुरक्षित जगह अपने देशके भीतर नहीं रह गई थी। जब उसकी प्रजामें सबसे अधिक संख्या रखनेवाले गरीब किसान और मजदूर बोल्शेविकोंके फेरमें पड़ गये थे, तो उसे कैसे त्राण मिल सकता था? उसे अब अफगानिस्तानके भीतर ही जान बचानेकी जगह दिखलाई पड़ने लगी। लेकिन, वह उज्बेकोंके मैदानी इलाकोंसे गुजरना खतरेकी बात समझता था, इसलिये उसने पहाड़ी रास्ता लिया। बाइसूनमें जाकर उसने डेरा डाला। मुल्लोंके धुंआधार जहादी व्याख्यानोंसे, और उससे भी अधिक लूटके लोभसे पूर्वी बुखारावाले हिसार, कुल्याब, बलजुवान, दरवाज और करातगिनके इलाकोंसे बहुतसे गाजी आये थे, लेकिन आधुनिक हथियारोंसे सुसज्जित और सुशिक्षित बोल्शेविकोंके सामने भला यह शिवजीकी पलटन क्या कर सकती थी? अमीरको बाइसूनसे भी भागकर दुशाम्बा जाना पड़ा। वहांपर एक ही यूरोपीय ढंगकी इमारत 'दोस्तरखाना' थी, जिसे अमीरने अपना महल बनाया। जब लुटेरोंकी पलटन उसके आसपास आकर जमा होने लगी, तो अमीरको विश्वास हो गया, कि अब बुखारा तो गया, दुशाम्बा (आधुनिक स्तालिनाबाद) राजधानीमें ही शायद मैं संगीतोंके शासनको मजबूत करनेमें सफल होऊं। लेकिन फर्वरी १९२१ ई०में फिर अमीरका पैर कांपने लगा। पासके खजानेको कहीं गाजीके नामसे इकट्ठा हुये यह डाकू न छीन लें, यह भी उसको डर था। इसलिये निराश हो कुल्याब होता वह कुछ समय बाद पंज (वक्षुकी ऊपरी शाखा)के किनारे पहुंच दरकदके घाटसे वक्षु पार हो अफगानिस्तान चला गया। जाते-जाते वह डाकुओं (बासमचियों)के सरदारोंको अपना प्रतिनिधि बनाकर छोड़ गया, जिन्होंने १९२१ से १९२६ ई० तकके पांच वर्षोंतक पूर्वी बुखारा (ताजिकिस्तान)में बहुत लूट-पाट मचाई, गरीबोंके खूनसे हाथ रंगा, लेकिन अन्तमें उन्हें सोवियत-शासनने खतम कर दिया। बोल्शेविक क्रांतिके बाद सारा रूसी मध्य-एसिया तुर्किस्तान गणराज्यके नामसे संगठित हुआ था। इसके बाद उज्बेकिस्तानका गणराज्य स्थापित हुआ, जिससे १९२४ ई०में ताजिकिस्तान पहले स्वायत्त गणराज्य फिर पांच साल बाद १९२९ ई०में स्वतंत्र गणराज्य होकर अलग हो गया।

स्रोत-ग्रन्थ

१. स्पिसोक् नरोद्नोस्तेइ तुर्केस्तान्स्कओी क्राया (इ. इ. जारुबिन्, लेनिनग्राद १९२५)
२. रेवोल्युत्सिया व् स्रेद्नेइ आजिइ (ताशकन्द १९२९)
३. "वोस्तोको वेदेनिया" (१९४५/३, पृष्ठ ५९-७९, लेनिनग्राद)
४. नसेलेनिये समरस्कदस्कोइ ओब्लास्ति (इ. इ. जारुबिन्, लेनिनग्राद, १९२६)
५. दाखुन्दा (उपन्यास, सदरुद्दीन ऐनी, अनु० राहुल सांकृत्यायन, प्रयाग, १९४८)
६. जो दास थे (उपन्यास, सदरुद्दीन ऐनी, अनु० राहुल सांकृत्यायन, प्रयाग, १९४९)
७. बुखारा (संस्मरण, सदरुद्दीन ऐनी, अनुवादक स. बोरोदिन्, मास्को, १९५२)

अध्याय ३

कजाकस्तानमें क्रांति

१. कजाक-जाति

इतिहासके आरम्भसे वर्तमान कजाकस्तानकी भूमिमें किस तरह मानव जातियोंका आगमन, निस्सरण और सम्मिश्रण होता रहा, इसे हम जगह-जगह कह चुके हैं। आज जो विशाल भूमि कजाकस्तान गणराज्यके नामसे प्रसिद्ध है, वह भौगोलिक तौरसे इतिहासकी दृष्टिसे साइ-बेरिया, किपचकभूमि, अल्ताई और सप्तनदके भिन्न-भिन्न भागोंमें विभक्त रही। मध्य-पाषाण-युग (ई० पू० ४०००)से पहलेकी पुरापाषाणयुगीन मुस्तेर आदि जातियोंमें से कौन इस भूमिमें रही, इसके बारेमें हमारे पास पुरातात्विक प्रमाण नहीं हैं। तुलनात्मक नृवंश-तत्त्व और भाषा-तत्त्वके अध्ययनसे हम यह कह सकते हैं, कि मध्य-पाषाणयुगमें दश्तकिपचकमें फिनो-द्रविड़ थे और वही जाति सप्तनदमें भी थी, अर्थात् तुर्किस्तान शहर और जम्बुल जिलेके इलाकोंमें किसी समय वही फिनो-द्रविड़ जाति रहती थी, जिसके अवशेष भारतमें द्रविड़ तथा सोवियतमें कौमी स्वायत्त गणराज्य, और एस्तोनिया तथा फिनलैंडके लोगोंके रूपमें अब भी मौजूद हैं। लेकिन उससे हजार वर्ष बाद नव-पाषाण-युगमें हम यहां विशेषकर अराल और निम्न-सिर-दरियाकी उपत्यकाओंमें आर्य घुमन्तुओंके आनेका पता पाते हैं। २५०० ई० पू०में फिर किपचक-भूमि और अल्ताईमें उनका स्थान उन्हींके भाई-बन्द शक लेते हैं। सारे पित्तल-युग और लौह-युगमें घुमन्तू पशुपाल और कुछ थोड़ेसे खानोंमें काम करनेवाले शक, किपचक, सप्तनद और अल्ताईके निवासी थे। हम देख चुके हैं, कि ई० पू० ५वीं शताब्दीमें भी, जब कि दुनियाके बहुतसे भागोंमें लोहेका प्रचार हो चुका था, अभी ये शक पीतलके हथियारोंका ही इस्तेमाल करते थे। ई० पू० ४थी सदीमें कजाकस्तान (उस समय शक-भूमि)के पूर्वी भाग अर्थात् अल्ताई-प्रदेशके पड़ोसी हूण थे, जो ई० पू० २री शताब्दीमें शक-भूमिके ऊपर टूट पड़े, और उन्होंने शकोंकी प्रभुता वहांसे खतम कर दी। उस समयसे शक-आर्य शरीराकृतिका स्थान मंगोलायित आकृतिने लेना शुरू किया। जो शक इस भूमिमें रह गये, वह मंगोलायितोंमें मिल गये। ईसाकी ५वीं सदीके पूर्वार्ध-में किपचक-सप्तनद-अल्ताईकी भूमिमें रहनेवाले हूण-वंशज मंगोलायित अपनी सामान ढोने-वाली गाड़ियोंके कारण कंगली कहे जाते—वर्तमान शताब्दीके आरम्भमें पश्चिमसे आनेवाले घुमन्तू सिरकी वालोंको पूर्वी उत्तरप्रदेशमें कंगडा कहा जाता था। ६ठी सदीके उत्तरार्धमें फिर तुर्कोंका प्रभुत्व स्थापित होनेके बाद इस भूमिके निवासी तुर्क नामसे प्रसिद्ध होने लगे। तबसे मध्य-एसियाके और भागोंकी तरह आज भी तुर्क जाति यहां रहती है, जो भाषाके थोड़े भेदके कारण कहीं कजाक, कहीं किर्गिज, कहीं उज्बेक और कहीं तुर्कमानके नामसे पुकारी जाती हैं। यदि हम आजकी कजाक जातिके ऐतिहासिक विकासको देखते हैं, तो हमें उनके भीतर निम्न क्रमसे जातियोंके स्तर मिलते हैं :—

कजाक जातिका निर्माण :—

काल	किपचकभूमि	सप्तनद	अल्ताई
ई० पू० ४००० (मध्य-पाषाण)	फिनो-द्रविड़ (अराल-सिर)	फिनो-द्रविड़ (जम्बुल)	
,, ३५००	,,	,,	...
,, ३००० (नवपाषाण)	शकार्य	,,	...

” २५००	शक	शक	शक
” १५०० (ताम्र-युग)	श०	श०	श०
” ७००	श०	श०	श०
” ५५०	श०	श०	श०
” ३२६	श०	श०	श०-हूण
” २०६	श०	श०	श०-हूण
” १३०	हूण	हूण-श०	हूण
” १००	हूण	हूण-श०	हूण
ईसवी १००	हूण	हूण-श०	हूण
” ४२५	कंगली	कंगली	कंगली
” ५५७	तुर्क	तुर्क	तुर्क
” ६७३	तुर्क	तुर्क	तु०-किर्गिज
” ८९२	तुर्क	तुर्क	किर्गिज
” १२२०	तुर्क	तुर्क	किर्०-मंगोल
” १५००	तु० (कजाक)	तु० (कजाक-किर्०)	किर्०-मंगोल
” १७५७	कजाक	कज-किर्०-मंगोल	किर्०-मंगोल
” १८६५	कजाक	कज०-रूस	कज०-रूस
” १९१७	कज०-रूस	कज०	कज०-रूस
	कजाक		

अक्तूबर-क्रांतितक कजाक लोग अब भी बहुत कुछ घुमन्तू पशुपाल थे। हम यह देख चुके हैं, कि इन घुमन्तू जातियोंका पशुपाल-अवस्थामें रहना उनके सामन्ती समाजके विकसित होनेमें बाधक नहीं था। इस प्रकार वर्गके तौरपर कजाकोंके मुखिया और शासक सामन्ती जीवन व्यतीत करते सामन्ती संस्कृतिसे भी परिचित थे। घुमन्तू जातियोंमें दूसरी घुमन्तू जातियोंका हजम होना बहुत आसान है, और अपने सरदारों या वीरोंके नाम स्वीकार करनेके कारण उनके प्राचीन नामोंका पता लगाना भी मुश्किल है। कजाकोंके बारेमें हम देख चुके हैं, कि पहले इन्हें उज्बेक या उज्बेक-कजाक कहा जाता था। सुवर्ण-ओर्दूका नाम एक शक्तिशाली उज्बेक खान (१३१३-४० ई०) के अधीन होनेके कारण पड़ा। कजाकका शब्दार्थ चाहे अरबी भाषामें डाकू हो, लेकिन यहांपर तुर्कोंने इसका इस्तेमाल साहसी लोगोंके लिये किया। किर्गिज-कजाक और उज्बेक-कजाक नामके अन्तके कजाक और किर्गिज नाम अब रह गये, जो अपनी-अपनी जातिके परिचायक हैं। कजाक कबीलोंके नामोंके देखनेसे हमें पता लगता है, कि पुराने कौन-कौन-से कबीले या जातियां आकर इस भूमिमें मिश्रित हो एक जातिके रूपमें परिवर्तित हुईं। कबीलोंके ये नाम कजाकों और उज्बेकों में बहुत-कुछ एक-से मिलते हैं, जिससे इस बातकी पुष्टि होती है, कि मूलतः कजाक और उज्बेक एक ही कबीलेके अंग थे। दोनों जातियोंके कुछ कबीले हैं :—

कजाक	उज्बेक	आनेका काल
कुंग्राद (सुवर्ण-ओर्दू)	कुंग्राद	मंगोल-काल
किपचक (मध्य-ओर्दू)	किपचक	तुर्क-काल
किताई (लघु-ओर्दू)	खिताई	
नैमान (मध्य-ओर्दू)	नैमान	मंगोल-काल
उजुन (मध्य-ओर्दू)	ओशुन	शक-काल
उसिउन (सुवर्ण-ओर्दू)	”	
तज़लर (लघु-ओर्दू)	ताज	
तरी-उइगुर (मध्य-ओर्दू)	उइगुर	मंगोल-काल

कंजीगली (मध्य-ओर्दू)	कंजीगली	
जलैर (सुवर्ण-ओर्दू)	जलैर	मंगोल-काल
कंगली (सुवर्ण-ओर्दू)	इचकिली	
अलचिन (लघु-ओर्दू)	अलचिन	

इतिहासमें इन कबीलोंमेंसे कितनोंका हमें पता लगता है। कंगली (कंकली, कंग) बहुत पुराना नाम है, जो यहां आये हूणोंके पुराने वंशजोंको दिया गया। नैमन किसी समय इर्तिशसे मंगोलियाकी पुरानी राजधानी कराकोरमतक—अर्थात् पीछेकी उत्तरी जुंगारियामें बसते थे, जहांसे मंगोल-विजेताओंके ओर्दूका भाग बनकर यह मध्य-एसियामें आये।

जलैर बैकाल-प्रदेश तथा दौरियाके बीचमें किसी समय रहते थे, जहांसे ये मंगोलोंके साथी बने।

उइगुर लोगोंका केन्द्र भी किसी समय बिशबालिग था। एक बार तुर्कोंके स्थानमें इन्होंने अपनी प्रभुता स्थापित की थी, फिर मंगोलोंके अनुयायी हो उनकी विजयोंमें शामिल हो गये।

कुंकुर्द या कुग्राद मंगोलोंका एक बहुत प्रतिष्ठित कबीला था, जो किसी समय दोलेनोर सरोवर, निम्न केरुलोन तथा अर्गुनकी उपत्यकाओंमें रहता था।

अलचिन पहले खिंगन पर्वतमालाके वासी थे।

कजाक कबीलोंको आजके कजाकस्तानके भिन्न-भिन्न भागोंमें हम निम्न प्रकार वितरित देखते हैं:—

(१) महा-ओर्दू—इसके उइसुन और सीखिम कबीले ताशकन्दके जिलेमें मिलते हैं। औलि-याअता (जम्बुल) में इसके जानी, तेमिर, चीमिर और बोतपाई (खित्तन) कबीले रहते हैं। तुर्किस्तान-शहरके पास और चू-उपत्यकामें सिरगिली, उस्ती, ओतकची, जलैर, चपराच कबीले बसते हैं। कंगली ताशकन्दके पासमें रहते हैं।

(२) मध्य-ओर्दू—इस ओर्दूका किपचक कबीला ताशकंदके पास रहता है। कुंग्राद भी वहीं बसते हैं। इनके अतिरिक्त ताशकन्दके आसपास मध्य-ओर्दूके अल्तीअता, कोकतुनगुलू अल्तीअता, कोकतुनचुई, अर्गुन, नैमन भी बसते हैं।

२ १९१६ ई० का विद्रोह
(जारशाहीसे)

जारशाहीके प्रसारके बारेमें लिखते वक्त हम यह बतला चुके हैं, कि किस तरह अपने शासनको दृढ़ करनेके लिये साइबेरिया और दूसरी जगहोंपर रूसी किसानों और व्यापारियोंकी औपनिवेशिक बस्तियां बसानेकी कोशिश की गई। कजाकस्तानकी भूमिमें ये बस्तियां अधिकतर उसके उत्तर तथा उत्तर-पूर्वमें हैं। लेकिन, आगे चलकर वह ओरेनबुर्गसे सिर-दरियाके किनारे ताश-कन्द, और फिर सप्तनद तथा अल्ताई होते साइबेरियाके ओम्स्क आदि नगरोंतक चली गई। पीछे ओरेनबुर्गसे अराल समुद्रके तटतक और फिर ताशकन्द होते बेर्नीतक रेल बन गई। तुर्किस्तानको साइबेरियासे मिलानेवाली रेलवे लाइन बोल्शेविक-क्रांतिके बाद बनी, लेकिन इससे पहले भी ओरेनबुर्ग, अराल्स्क, अरिस, चिमकन्द, वेर्नी (अल्माअता), बुर्ल्युत्युबे, आयागुज, सेमीप्लातिन्स्क, बर्नोल, नवोसिबिर्स्कके आधुनिक रेल-मार्गपर जहां-तहां रूसियोंकी बस्तियां बस चुकी थीं। जार शाहीने पूरी कोशिश की, कि गोरोंके साथ विशेष रियायत करके उन्हें किर्गिजोंसे अलग रक्खा जाय। भारतमें अंग्रेजोंके लिये ऐसा करनेमें सुभीता था, क्योंकि यहांपर अंग्रेज किसान और मजदूर आकर बसने नहीं पाते थे, और भारतीयोंके लिये सभी अंग्रेज साहेब (स्वामी) थे; लेकिन कजाकभूमिके लोग साहेब-रूसियोंको ही अपने पास नहीं, बल्कि लाखोंकी संख्यामें रूसी मूजिकों (गरीब किसानों)को भी देखते थे। उपनिवेशोंमें आकर बसे रूसियोंकी हालत कुछ बेहतर जरूर थी, और मूजिक या मजदूरकी शकलमें आये रूसी भी कुलक (धनी किसान) बननेमें

सफल हो जाते थे, इसलिये भी वह स्थानीय कजाकोंके साथ भाईचारा स्थापित नहीं कर सके। घुमन्तू पशुपाल कजाकोंको कृषि-भूमिकी उतनी अवश्यकता नहीं थी, जितनी कि गोचर-भूमिकी, इसलिए वह अपनी भूमिके साथ उतनी घनिष्ठताका भाव नहीं रख सकते थे, जितना कि किसान। जारशाही सरकारकी बराबर कोशिश रहती थी, कि खेतीके लिये उपयुक्त भूमि कजाकोंसे छीनकर रूसियोंको दे दी जाय। ९ नवम्बर १९०६ ई०को इसके बारेमें बल्कि भूमि-संबंधी एक नया कानून बनाकर कजाकोंको उनकी भूमिसे वंचित करनेका भारी उपक्रम किया गया। कजाकोंकी जमीनपर रूसी कुलकोंके पलनेकी यही कथा है।

कजाकोंकी सांस्कृतिक अवस्था बड़ी हीन थी। उनमें निरक्षरताका अखंड राज्य था, और केवल उनके बाय (सामन्त) और मुल्ला पढ़-लिख सकते थे। स्त्रियोंकी अवस्था तो इस्लाम-की रुकावटोंके कारण और बुरी थी। कजाक अपने पूर्वजोंके स्वतंत्रता-संघर्षको बहुत-कुछ भूल चुके थे। अगर उनमें कोई संघर्ष होता था, तो आपसी कबीलोंका, जिसको जाग्रत रखनेके लिये जारशाही शासक पूरी कोशिश करते थे। एक प्रकारसे कजाक गहरी नींदमें सोये थे, या किस्मत-की बदनसीबी समझकर निष्क्रिय-से हो गये थे। इसी समय १९०६ ई०का अन्यायपूर्ण भूमि-संबंधी कानून जारी हुआ, और उधर १९०५-६ ई०की रूसी-क्रांतिकी प्रतिध्वनि कजाकस्तानके रूसी मूजिकों द्वारा कजाकोंमें भी पहुंची। यहां आकर बसे रूसी सरकारी अफसरों, व्यापारियों या कुलकोंको उस क्रांतिसे कोई सहानुभूति नहीं थी, लेकिन तो भी उसकी चर्चा तो होनी ही थी; इसलिये रूसकी सुनी-सुनाई खबरोंने कजाकोंमें फिर कुछ चेतना पैदा की। ऊपरसे जारशाहीकी न तृप्त होनेवाली लालचने थप्पड़ लगाकर उन्हें जगानेकी कोशिश की। १९१३ ई०में सप्तनदके राज्यपाल फोलबौमने लिखा था——रूसी सरकारके प्रति कजाक गरीबोंमें शत्रुताके भाव देखे जाते हैं।

प्रथम विश्वयुद्धमें कजाकोंके ऊपर और भी संकट पैदा हुआ। उनसे बड़ी भारी संख्यामें घोड़े, ऊंट ले लिये गये, फौजोंके खानेके लिये बकरी, भेंड़ और दूसरे जानवरोंका मांस लाखों टन भेजा जाने लगा। अनाज भी ढो-ढो कर सेनाके खानेके लिये भेजा गया। जीवनोपयोगी सभी चीजों-का अभाव तो होना ही था, ऊपरसे जारशाही अफसरों, देशी-विदेशी व्यापारियों और जमींदारोंने चीजोंके दाम को मनमानी और सट्टेबाजीसे बहुत चढ़ा दिया, जिसके कारण कजाक जन-साधारणकी अवस्था दुस्सह हो गई। फिर २५ जून १९१६ ई०को जार निकोलाइ II का उकाजे (राजादेश) निकला, जिसके अनुसार १९ से ४३ वर्षके पुरुषोंको जबर्दस्ती भर्ती करके युद्ध-पंक्तियोंके पीछे काम करनेके लिये भेजा जाने लगा। कितने ही वर्षोंसे भीतर-ही-भीतर सुलगती हुई असंतोषकी आग १९१६ ई०के विद्रोहके रूपमें भड़क उठी, और सप्तनद तथा तुरगाईके जिलोंमें सब जगह बगावत फैल गई। ३ अगस्तको पहलेपहल वेर्नी (आधुनिक अल्माअता) के उयेज्द (जिले)के किजिल बुरकोव्स्की मंडलमें विद्रोह शुरू हुआ, और १० अगस्ततक वह सारे इलाकेमें फैल गया। १९१६ ई०के सितम्बरके उत्तरार्धमें तुरगाई ओब्लास्त (तहसील)में विद्रोह शुरू हुआ। इस विद्रोहका नेता एक गरीब मां-बापका लड़का अमनगेल्दी इमानोफ था, जिसने अपनी वीरता और सूझ-बूझसे विद्रोहियोंका इतना अच्छा नेतृत्व किया, कि जारशाही सरकार वर्षों-तक उससे परेशान रही और केवल अपने खातमेके साथ ही उसे उससे छुट्टी मिली, यह पहिले बतला चुके हैं। १९१६ ई०के अक्तूबरमें हजारों विद्रोही जत्थे जारशाहीसे लोहा ले रहे थे, जिनमें कभी-कभी पन्द्रह हजारतक आदमी शामिल थे। उनको दबानेके लिये जेनरल लावरे-न्तेफके अधीन सैनिक अभियान भेजा गया, लेकिन विद्रोह दबनेकी जगह, उस सालके नवम्बर महीनेतक सभी कजाकोंमें फैल गया, तुरगाई ओब्लास्तके पचास हजार आदमी उसमें शामिल थे। यह विद्रोह गरीबोंके विद्रोहका रूप ले चुका था, जिसके कारण कजाक धनियों और सामन्तोंको, उससे डर लगा, और वह जारशाहीको विद्रोह दबानेमें पूरी तौरसे मदद करने लगे। बाइतुरसूनोफ, दुलातोफ आदि ऊपरी वर्गके कजाक-नेताओंने उस समय रूसी सरकारके प्रति अपनी क्रियात्मक राजभक्ति दिखलानेमें कोई कसर उठा नहीं रक्खी। नवम्बरके उत्तरार्धमें रूसी सेनाओंके प्रहारके कारण अमनगेल्दी इमानोफको तुरगाईसे भागकर बतपक-कराके इलाकेमें जाना पड़ा

पड़ी, और खुली लड़ाईकी जगह उसने छापामारी स्वीकार की । १९१७ ई०की जनवरीमें इमानोफने फिर तुरगाईमें आकर विद्रोहको भड़काया । जेनरल लावरेन्त्येफने फर्वरी १९१७ ई०में बतपक-करापर चढ़ाई करके इमानोफकी शक्तिको खतम करनेका निश्चय किया, और २४ फर्वरीको उसने इमानोफके प्रतिरोध-केन्द्र बतपक-करापर अधिकार कर लिया। इमानोफ अपने बहुतसे सहकारियोंके साथ दश्त (स्तेपी)की ओर भाग गया। विद्रोहको दमन करनेमें जारशाहीने बड़ी क्रूरताका परिचय दिया। सप्तनदके निवासियोंमेंसे एक-चौथाई——तीन लाख स्त्री-पुरुष——भागकर चीनके इलाकेमें चले गये, कितने ही गांव-के-गांव उजड़ गये। १९१६ ई०के विद्रोहको यद्यपि जारशाहीने दबा दिया, किन्तु उससे कजाकोंको जो शिक्षा मिली थी, उनके मनमें जारशाहीके विरुद्ध जो घृणा पैदा हुई थी, उसने बोल्शेविक-क्रांतिको मदद पहुंचाई। अपने संघर्षमें उन्होंने निम्न श्रेणियोंके रूसियोंको उतना क्रूर नहीं पाया था । उनका नेता इमानोफ जल्दी ही समझ गया, कि अब सभी गरीबों और कमकरोंकी भलाई बोल्शेविक-क्रांतिमें ही है । वह अन्तमें बोल्शेविक पार्टीमें शामिल हो क्रांतिके लिये लड़ा। आज अमनगेल्दी इमानोफ कजाकस्तानका सबसे बड़ा यशस्वी वीर है ।

फर्वरी-क्रांतिके हो जानेके बाद १९१७ ई०की मईके अन्तमें भी तुरगाईमें अभी पूरी तरहसे शांति स्थापित नहीं हुई थी । अस्थायी सरकारने तुरगाई ओब्लास्तके लिये अलीखान बुकेइखानोफ-की सहायतासे बहुत-से कजाक-विद्रोहियोंको गिरफ्तार किया, जिनमें इमानोफ भी था । अक्तूबर-क्रांति सिरपर आई, जिसने सप्तनदमें भी रूसियोंको क्रांतिकारी और क्रांति-विरोधी दो दलोंमें विभक्त कर दिया । उधर बोल्शेविक सरकारने जातियोंके आत्म-निर्णयका अधिकार देकर कजाकों-के हृदयमें अपने प्रति विश्वास और भक्ति भर दी, जिसके लिये १९१६ ई०के विद्रोही अब क्रांतिके सिपाही बन गये । इसी समय दूतोफके नेतृत्वमें ऊपरी वर्गके कजाकोंने ओरेनबुर्गमें अपनी सरकार कायम करके लोगोंकी आंखोंमें धूल झोंककर अपनी ओर करना चाहा, लेकिन उसमें उन्हें सफलता नहीं हुई। नवम्बर १९१७ ई०से मार्च १९१८ ई०तक क्रांति और प्रतिक्रांतिका संघर्ष होकर अन्तमें सारा कजाकस्तान जारशाहीके अवशेषोंसे मुक्त हो गया ।

कजाकस्तान उस समय जारशाही नीतिके कारण एसियाई और यूरोपीय दो प्रकारकी जमातोंमें बंटा हुआ था, इसलिये क्रांतिके लिये संघर्ष भी दोनों जमातोंमें अपने-अपने तौरसे हुआ । सप्त-नदके क्रांतिके रूसी नेताओंमें से एक ग० फेदेरोफ भी था। उसने वहांके बारेमें लिखते हुये बतलाया है, कि फर्वरी-क्रांतिके होनेतक वेर्नी (आधुनिक अल्माअता) में सिर्फ एक तरुण संगठन था, जिसके सदस्य रूसी सरकारी अफसरों और व्यापारियों-पूंजीपतियोंके लड़के-लड़कियां होते थे, और जिनका नेतृत्व जारभक्त अध्यापकोंके हाथमें था। फर्वरीके बाद अल्माअताके स्कूलके विद्यार्थियोंने "नौजवान विद्यार्थी संघ"के नामसे एक संगठन कायम किया । लेकिन, फर्वरी-क्रांतिके पक्षपाती जारको हटा कर भी जारशाहीकी हरएक बातको कायम रखना चाहते थे, इसलिये इस विद्यार्थी संघका काम था वनभोज, नाच-गान और पान-गोष्ठियों द्वारा मनोरंजन करना——आखिर, उसके सदस्योंमेंसे ९९ फीसदी अफसरों, सेठों और कुलकोंकी संतानें ही तो थीं।

३. क्रांति-संघर्ष

अक्तूबर-क्रांतिके होते समय यहांपर क्रांति-विरोधियोंका बोलबाला था। वह हर तरहसे कोशिश करते, कि यहां सोवियतका प्रभाव स्थापित न होने पावे। लेकिन अब समाजवादकी बातें अल्माअतामें भी पहुंचने लगी थीं। मार्च-अप्रैल (१९१८ ई०) तक तरुणोंने अपने कितने ही अध्ययनचक्र तथा दूसरे संगठन कायम कर लिये। अब गृहयुद्ध साफ दिखलाई पड़ रहा था, इसलिये कमकरों और तरुणोंके जबर्दस्त संगठनकी जरूरत पड़ी। फेदेरोफने लिखा है——एक दिन मैं अपने एक साथीसे मिला। उसने इर्कुत्स्कके छपे एक समाचारपत्रको दिया। मैंने उसे पढ़कर देखा, कि साइबेरियाके तरुण क्रांतिके लिये कितना काम कर रहे हैं। इसके बाद हमने इर्कुत्स्कके नमूनेपर तरुणोंका संगठन करना शुरू किया । इस प्रकार तरुण-विद्यार्थी-समाजवादी-

संघ अस्तित्वमें आया। फेदेरोफ और उसके साथियोंने जब अपने संगठनको मजबूत करते प्रचार करना शुरू किया, तो उनके एक सहकारी अध्यापकने कहा—"हम बोल्शेविकोंके साथ काम नहीं करना चाहते। लेकिन अब प्रवाहको रोका नहीं जा सकता था।" लाल सेनाकी सफलताओंकी खबरें भी क्रांति-पक्षियोंमें उत्साह और क्रांति-विरोधियोंमें निराशा पैदा कर रही थीं। फेदेरोफने एक दिन अपने क्लासमें कहा—क्रांति-विरोधी पथ सेठोंके हितका पथ है, हमको क्रांतिका पथ लेना चाहिये। इसपर अलमाअताके एक रूसी सेठके पुत्रने उसे मार डालनेकी धमकी दी। संघर्ष और ज्यादा बढ़ता गया। फेदेरोफ-जैसोंको गुप्त गुटोंका संगठन करना पड़ा। जनवरी १९१९ ई०तक अभी सप्तनदमें क्रांति-विरोधियोंका ही पल्ला भारी था, लेकिन जब ताशकन्दपर कमकरोंकी विजय हो गई, तो अलमाअतामें भी उसका प्रभाव बढ़ा, और वहाँ बोल्शेविक विद्यार्थी संघ स्थापित हुआ, जिसका निर्वाचन करनेके लिये २५ जनवरी १९१९ ई०को सौ सदस्य एकत्रित हुये।

इस प्रकार हम देखते हैं, कि अक्तूबर १९१७ ई०तक अलमाअतामें कोई राजनीतिक पार्टी नहीं थी। मार्क्सवादी साहित्यका वहाँ मिलना भी मुश्किल था, और कुछ तरुण गुपचुप केवल क्रांतिके बारेमें विचार-विनिमय भर कर लिया करते थे। कजाकों और रूसियोंको इस तरह अलग-अलग रक्खा गया था, कि वह एक-दूसरेके साथ अभी विचारों द्वारा भी सहयोग नहीं कर पाते थे। लेकिन, ताशकन्दमें लालझंडा गड़ जानेपर सप्तनदमें भी क्रांतिके लिये रास्ता साफ था। जून १९१९ ई०में पार्टीके संबंधमें लोगोंको शिक्षा देनेके स्तेल्माशेरकी लिये आया। इससे पहले वह लाल सेनामें राजनीतिक प्रचारका काम कर चुका था। फेदेरोफ १९१९ ई०में साइबेरियाके क्रांति-विरोधियोंके साथ लड़नेके लिये युद्धक्षेत्रमें चला गया था, लेकिन जब वह नवम्बर १९१९ ई०में वहाँसे लौटा, तो उस समयतक सप्तनदके क्रांतिकारियोंने बहुत बड़ा संगठन खड़ा कर दिया था, और किसानों और मजदूरोंमेंसे तीन सौसे अधिक तरुण क्रांतिके प्रचारमें पूरा भाग ले रहे थे। इस संगठनका नाम "लाल समाजवादी तरुण-संघ" था। इसके प्रचारक अब रूसी गाँवों और कजाक औलोंमें भी पहुँच चुके थे। इस समयतक करकोल, पिशपेक (आधुनिक फ्रुंजे) और जारकेन्द आदि नगरोंमें भी संगठन हो चुका था। "यूनी कम्युनिस्त" (युवक कम्युनिस्ट) पत्र भी निकलने लगा था, जिससे और जगहोंमें क्रांतिके लिये क्या हो रहा है, इसकी खबरें मिलने लगीं, और अल्माअता तथा सप्तनदके तरुण समझने लगे थे, हम अकेले नहीं हैं, क्रांति सब जगह सफलतापूर्वक आगे बढ़ रही है। इसके कारण लोगोंमें उत्साह बढ़ना जरूरी था। दिसम्बर १९१९ ई०में एक सम्मेलन हुआ, जिसमें रूसी और कजाक दोनों जातियोंके तरुण रायन (जिले)के भिन्न-भिन्न भागोंसे आकर शामिल हुये। इसीमें ताशकन्दमें होनेवाली तुर्किस्तान-प्रदेश-तरुण-कम्युनिस्ट कांग्रेसके लिये प्रतिनिधि चुने गये। प्रदेश कमेटीके अब्दुर्रहमानोफ, औय-कुलोफ और कजाक तरुण भी मेम्बर चुने गये। कजाकों और रूसियोंके बीचमें खड़ी की गई दीवार ढह गई थी, इसलिये दोनों एक होकर काम करने लगे। यसमोफ, सदारोफ, येल्दाकोफ, यार मुहम्मदोफ, इसायेफ-जैसे तरुण कजाक आगे बढ़े। उस समय लेनिनग्राद और मास्कोमें गृहयुद्धके कारण भारी अकाल पड़ा हुआ था, जिसमें सहायता देनेके लिये तरुणोंने अन्न जमा करना शुरू किया। पिशपेककी तरुण कम्युनिस्ट कमेटीने अपने कार्यालयकी छतको अन्नसे भर दिया था।

अप्रैल १९२० ई०के अन्तमें प्रथम सप्तनद तरुण कम्युनिस्ट कांग्रेस हुई, जिसमें अल्माअता, पिशपेक, फ्रुंजे, जारकेन्द और करकोलके प्रतिनिधि शामिल हुये। इन प्रतिनिधियोंमें दस कजाक थे। एक सालके भीतर ही दूसरी कांग्रेस हुई, जिसमें सभी तहसीलों तथा बहुतसे औलोंके भी एक सौ पचास तरुण शामिल हुये।

अल्माअताके अतिरिक्त कजाक भूमिमें किजिलओर्दा (भूतपूर्व पेरोव्स्की), कजालिन, तुर्किस्तान शहर, औलियाअता आदिमें क्रांतिके पक्षपातियोंने सबसे पहले अपने संगठन मजबूत किये। १९१८ ई०में ताशकन्दमें जो कांग्रेस हुई थी, उसमें किजिलओर्दाके तीन प्रतिनिधि शामिल हुये थे। १९१८ ई०में यहाँके अधिकांश पार्टी-मेम्बर बन्दूकें लेकर युद्धक्षेत्रमें क्रांति-विरोधियोंसे लड़ने चले

गये थे। १९१८ ई०के अन्ततक किजिलओर्दाकी पार्टीमें चार सौ मेम्बर थे, जिनमें दो सौ रूसी और दो सौ कजाक थे। राजनीतिक जागृतिके साथ-साथ कजाकोंमें पढ़नेके लिये ज्यादा उत्साह होना स्वाभाविक था, जिसके लिये कजाक भाषामें पुस्तकें और पत्र छापे जाने लगे।

कजालिनमें बोल्शेविकोंका पहला संगठन जून १९१८ ई०में हुआ। यहांके लोगोंको भी क्रांति-विरोधियोंके साथ लड़कर अपनी निष्ठाका परिचय देना पड़ा।

तुर्किस्तान शहरमें नगरकी कम्युनिस्ट पार्टीका संगठन पहलेपहल अप्रैल १९१८ ई०में हुआ, और औलियाअतामें वह उसी सालके अगस्तमें। औलियाअताकी पार्टीमें सालके अन्ततक एक हजार कजाक मेम्बर थे। वामपक्षी क्रांतिकारी समाजवादी पहले पार्टीके साथ सहयोग देते रहे, लेकिन पीछे उन्होंने विरोध शुरू कर दिया, और इस प्रकार वह क्रांतिसे भी दूर हो गये।

अल्माअताके बारेमें हम पहले कह चुके हैं। तरुणोंके संगठनके बाद जनवरी १९१८ ई०में वहां पार्टीका संगठन हुआ। अगस्तमें कराकुल, जुलाईमें जारकेन्दमें भी संगठन हुये।

४. सोवियत-शासनकी स्थापना

१९१८ ई०में मध्य-एसियामें सोवियतका शासन स्थापित हो चुका था, और उसी सालके अप्रैल-में ताशकन्दमें प्रदेश-सोवियतोंका सम्मेलन हुआ। इसीमें तुर्किस्तान स्वायत्त सोवियत गणराज्य-का निर्माण हुआ, जिसमें अल्माअता, औलियाअता (जम्बुल), दक्षिण-कजाकस्तान, और किजिल-ओर्दाके जिलोंको मिलाकर कजाक-सोवियत-समाजवादी-गणराज्यकी स्थापना हुई, और कजाक भाषाको गणराज्यकी मुख्य भाषाके तौरपर स्वीकार किया गया। वसन्त १९१८ ई०से १९१९ ई०की समाप्तितक कजाकस्तानमें भीषण गृहयुद्ध होता रहा। क्रांति-विरोधी रूसी और कजाक दोनों ही तरुण सोवियत सरकारको उखाड़ फेंकनेके लिये हर तरहकी कोशिश कर रहे थे, लेकिन उनका संघर्ष जितना ही सख्त होता गया, उतना ही रूसी सर्वहारोंका कजाक सर्वहारोंसे भ्रातृभाव दृढ़ होता गया, और रूसी क्रांतिकारियोंने अपने आचरणसे दिखला दिया, कि सर्वहाराके राज्यमें काले-गोरेका कोई भेद नहीं है। गृहयुद्धके समय १९१८ ई०की जुलाईके आरम्भमें कई भागोंको क्रांति-विरोधियोंने छीन लिया था, तो भी अल्माअता, जम्बुल, दक्षिण-कजाकस्तान, किजिलओर्दा, अक्त्युबिन्स्कके जिले सोवियत शासनमें रहे। १९१९ ई०में क्रांति-विरोधी जेनरल कोलचेकसे आखिरी लड़ाई हुई, जिसमें कजाकस्तानके क्रांतिकारियोंने पूरी तौरसे भाग लिया। कोलचेकके हारनेके बाद ४ अप्रैल १९१९ ई०को कजाकस्तानकी सोवियतोंकी कांग्रेस हुई, जिसमें किर्गिजोंके बारेमें भी विचार करके किर्गिज क्रांतिकारी कमेटी संगठित की गई। अभीतक किर्गिज और कजाक दोनों एक ही गणराज्यमें थे, बल्कि यह कहना चाहिये, कि मध्य-एसिया-की सभी जातियां अभी एक तुर्किस्तान स्वायत्त गणराज्यमें मानी जाती थीं। लेकिन आगे जातियोंके आत्मनिर्णयके सिद्धान्तके अनुसार किर्गिजोंको भी अपने स्वतंत्र गणराज्यके कायम करनेका अव-सर मिला। बोल्शेविक-क्रांतिने सोवियत संघके क्षेत्रफलमें दूसरे नंबरके सबसे बड़े गणराज्य कजाकस्तानको स्थापित किया। अनेक पंचवर्षीय योजनाओंने कजाकोंके आर्थिक और सांस्कृतिक तलको बहुत ऊंचा कर दिया। इर्तिश नदीके जलको ध्रुवीय समुद्रसे हटाकर दक्षिणकी ओर मोड़नेकी जो विशाल योजना बनाई जा रही है, उसके कारण तो मनुष्य अपनी महान् शक्तिका उपयोग करके इस भूमिको एक-दूसरा ही रूप देने जा रहा है।

स्रोत-ग्रंथ

१. History of Civil War in U. S. S. R (2 vols., G. F. Alexandrov and others, Moscow 1946)

२. History of U. S. S. R. (Ed. A. M Pankratova, Moscow 1947)

३. रेवोल्युत्सिया व् स्रेद्नेइ आज़िइ (ताशकन्द, १९२९)

४. द्वादत्सत् लेत् कजाखस्ताना (लेनिनग्राद १९४०, पृष्ठ ७—१५)

अध्याय ४

किर्गिजिस्तानमें क्रांति

१. किर्गिज

किर्गिजिस्तान मध्य-एसियाके सबसे ऊंचे पहाड़ों त्यानशान्का देश है। यहींपर सात हजार मीतरसे भी अधिक ऊंचे लेनिन्स्का और खानतिंगरीके सनातन हिमाच्छादित पर्वतशिखर हैं। इसकी कितनी ही हिमानियां ८० किलोमीतर (६० मीलसे ऊपर) लम्बी हैं, और मध्य-एसियाकी सबसे बड़ी नदियां सिर-दरिया, आमू-दरिया (वक्षु), चू, तलस और जरफशां यहींसे निकलती हैं। हमारे यहांके हिमालयके सबसे अधिक सुन्दर दृश्य यहां देखे जा सकते हैं। प्राकृतिक सौंदर्यके अतिरिक्त किर्गिजिस्तान (किर्गिजिया) में कोयला, पेट्रोल, रांगा, सुरमा, सोना, चांदी आदि धातुओंकी बड़ी-बड़ी खानें हैं। चू-उपत्यका, फरगाना, तलस-उपत्यका और इस्सिक्कुलकी द्रोणी-जैसी खेती और बागबानीके लिये बहुत ही उर्वर भूमि यहांपर मौजूद है। प्रकृतिने इतना समृद्ध इस भूमिको बनाया था, लेकिन यहांके निवासी किर्गिज बोल्शेविक-क्रांतिसे पहले मध्य-एसियाकी सबसे पिछड़ी हुई जातियोंमेंसे थे, और घुमन्तू तथा अर्ध-घुमन्तू रहते अपने भेड़-बकरियों तथा घोड़ों-ऊंटोंको लिये जगह-जगह चराते फिरना ही उनकी जीविकाका साधन रखते थे। जारशाही शासन यद्यपि १९वीं शताब्दीके उत्तरार्धके शुरू हीमें स्थापित हो गया था, लेकिन उसने यहांके लोगोंको चूसना छोड़ और कोई काम नहीं किया।

किर्गिज साइबेरियासे मध्य-एसियामें सबसे पीछे आनेवाली जातियोंमेंसे हैं। घुमन्तू होनेकी वजहसे उनके लिये पूर्वमें इर्तिश और पश्चिममें वोल्गाको भी अपनी विचरणभूमि बनाना कोई मुश्किल नहीं था। लेकिन मूलतः यह अल्ताईके उत्तर-पूर्वके रहनेवाले थे, जहांपर उनके भाई-बन्द खकाश अब भी रहते हैं। अलाताउ १७१६-१९ ई०में ओब और इर्तिशके बीचकी भूमिके रूसके हाथमें चले जानेके समय इनको अपनी मूलभूमिसे हटना पड़ा, नहीं तो पन्द्रह सौ मीलतक साइबेरियाकी दक्षिणी सीमा किर्गिजोंकी भूमिसे मिलती थी। घुमन्तू किर्गिज लूट-मार किया करते थे, जिसके कारण रूसी बस्तियोंको खतरा रहता था, इसलिये रूसियोंने इन्हें तितर-बितर करना आवश्यक समझा। किर्गिजोंकी परम्पराके अनुसार इनके किसी पौराणिक खान अलशने इन्हें तीन ओर्दुओंमें बांटा था, जिनमें महा-ओर्दू बल्काश महासरोवरके आसपास सप्तनद और चीनी तुर्किस्तानमें घूमा करता था, मध्यओर्दू अरालके उत्तर-पूर्वी तटपर और लघु-ओर्दू तोबोल नदी और अरालके बीचमें पशुचारण करता था। रानी अन्ना (१७३०-४० ई०) के शासनकालमें मध्य-, लघु-ओर्दूका महा-ओर्दूके साथ झगड़ा हुआ। बाकी दोनों ओर्दुओंने महा-ओर्दूसे अपनी रक्षाके लिये १७३२ ई०में रूससे अधीनताके लिये प्रार्थना की। इससे बढ़कर जारशाहीके लिये और अवसर क्या मिलता? ओरेनबुर्गका व्यापारिक नगर इस वक्ततक स्थापित हो चुका था। मध्य और लघु-ओर्दूके हाथमें आ जानेपर साम्राज्यके बढ़ानेमें बड़ी सहायता मिली, और इसके बाद मध्य-एसिया और ईरानकी सीमातक पहुंचना रूसके लिये आसान हो गया। १८२२ ई०के राजादेशके अनुसार किर्गिज लघु-ओर्दूको ओरेनबुर्गकी सरकारमें डाल दिया गया, और मध्य-ओर्दू या पश्चिमी किर्गिजोंकी भूमिको पश्चिमी साइबेरियाके प्रदेशमें। किर्गिजोंको रूसका बल मिलनेसे, अब वह बुखारा, खीवा या खोकन्दकी पर्वाह नहीं करते थे, और उनके कारवांको लूटा करते थे। यही नहीं, वह रूसी कारवांको भी लूटनेसे बाज नहीं आते थे। इसके लिये रूसको कई

सैनिक गढ़ियां बनानी पड़ीं। किर्गिज रूसियोंको लूटते तो दक्षिणवाले खान उनकी सहायता करते और खानोंसे झगड़ा होनेपर वह रूसकी शरण लेते। वह रूसी नर-नारियोंको भी गुलाम बना कर मध्य-एसियाके बाजारोंमें बेच दिया करते थे।

किर्गिज जातिका निर्माण——किर्गिजोंका ऐतिहासिक विकास——निम्न प्रकार हुआ :

काल	स्वानशान	पामीर
ई०पू० २५००	शक	आर्य
,, १५००	शक	सोग्दी
,, ७००	शक	सोग्दी
,, ५५०	शक	सोग्दी
,, २०६	शक	सोग्दी
,, १३०	शक-हूण	सोग्दी
ईसवी १००	हूण-शक	सोग्दी
,, ५५७ तुर्क	तुर्क	सोग्दी
,, ६७३ अरब	तुर्क	ताजिक
,, ८९२	तुर्क	,,
,, १२२०	तुर्क	,,
,, १५००	किर्गिज	,,
,, १७४७	किर्गिज	किर्गिज-ताजिक
,, १८६५	किर्गिज-रूसी	किर्गिज-ताजिक
,, १९१७	किर्गिज	किर्गिज-ईरा०
,, १९४७	किर्गिज	

२. १९१६ ई०का विद्रोह

वर्तमान कजाकस्तानकी भूमिमें कई जगह बिखरे हुये किर्गिज कजाकोंमें मिल गये, बाकी भी बोल्शेविक-क्रांतिके बाद कितने ही दिनोंतक कजाकोंमें सम्मिलित थे। जब पता लगा, कि किर्गिजों-की संस्कृतिमें कुछ अपनी विशेषताएं हैं, इस पर जातियोंके आत्मनिर्णयके सिद्धान्तके अनुसार उनका गणराज्य बना। १९१६ ई०में कजाकोंमें भी जबर्दस्त विद्रोह हुआ था, लेकिन किर्गिजोंका विद्रोह उनसे भी बढ़ा हुआ था, जिसके कारण पहले जहां जारशाहीको बहुत क्षति उठानी पड़ी, वहां बादमें किर्गिजोंको भी जारशाहीके भयंकर अत्याचारोंका सामना करना पड़ा।

विद्रोहके कारण——एसियामें अपने राज्यका विस्तार अंग्रेजों और रूसियों दोनोंने किया, लेकिन दोनोंके ढंगोंमें अन्तर था। अंग्रेज हिन्दुस्तानसे बहुत दूरके वासी थे, वह अपनी जन्मभूमिसे समुद्रके रास्ते ही संबंध स्थापित रख सकते थे। पर, एसियासे रूसकी भूमि मिली हुई है। रूसी झंडेके आगे बढ़नेके साथ-साथ जहां रूसी सैनिक-असैनिक अफसर, व्यापारी और जमींदार आगे बढ़कर अच्छे-अच्छे पदों और भूमिपर अधिकार करते थे, वहां रूसी किसान और मजदूर भी अपने-अपने गांव बसानेमें लग जाते थे। यह रूसी गांव आत्मरक्षाके लिये रूसकी सेनाका एक अंग बने हुये थे। रूसी अफसर अपने किसानों-मजदूरोंका सब तरहसे विशेष ख्याल रखते थे, और स्थानीय लोगोंकी उपयुक्त जमीनको किसी-न-किसी बहाने छीनकर रूसियोंको दे देते थे। १८७४ ई०में पहिले पहिल सप्तनद और पासकी भूमि (पिशपेक, औलियाअता, चिमकेन्द आदि जिलों)में रूसियोंके गांव बसने शुरू हुये, जो तेजीके साथ आगे बढ़ते स्थानीय लोगोंकी पैतृक-भूमियोंपर हाथ साफ करते रहे। वर्तमान शताब्दीमें १९१५ ई०तक १८ लाख एकड़ (७१२०८९ हेक्तर) भूमि केवल पिशपेकके जिलेमें किर्गिजोंके हाथसे छिन गई। उसी साल किर्गिजोंवाले फरगानाके इलाकेमें ८०००० हेक्तर जमीन छीनकर रूसी किसानोंको दे दी गई। पर इतनेसे भी संतोष नहीं हुआ, और

९ जुलाई (२५ जून) १९१६ ई०को (प्रथम विश्वयुद्धके समय) जारने जलेपर नमक छिड़कते हुए एक राजादेश निकाला, जिसके अनुसार किर्गिजों और दूसरी एसियाई जातियोंको जबर्दस्ती सैनिक सेनाके पीछे काम करनेके लिये भर्ती किया जाने लगा। किर्गिजोंने कौन-सा सुख ज़ारशाही शासनमें पाया था, कि वह सेनाके पीछे कुलीका काम करनेके लिये अपनी जन्मभूमि छोड़ दूर देशमें जाते? उन्हें यह भी क्या विश्वास था, कि वहां जाकर कुलीका काम करना पड़ेगा या सिपाही बनकर मरना पड़ेगा। इस राजादेशके निकलनेपर मध्य-एसियाकी सभी जातियोंमें तहलका मच गया। किर्गिज सबसे ज्यादा शोषित, थे क्योंकि ये सबसे पिछड़े हुये घुमन्तू पशुपाल थे; लेकिन ज़ारने इनके मनापों (सरदारों)को अपने हाथमें कर रक्खा था। धनी मनाप जारशाही-का विरोध करके पहले देख चुके थे, कि इससे वह रूसके जूयेको हटा नहीं सकते। इस समय सारा तुर्किस्तान एक रूसी प्रदेश था, जिसमें त्यानशान्‌के पहाड़ों—सप्तनदसे ताशकन्द लेते अराल समुद्र तकके इलाके भी सम्मिलित थे। तुर्किस्तानका महाराज्यपाल करोपत्किन था और सेना अध्यक्ष फोलबौम बेर्नी (अल्माअता)का सैनिक सेनापति था।

राजादेश निकलते ही लोगोंने उसके प्रतिरोधके बारेमें सोचना शुरू किया। ११ (२४) जुलाईको ज़ारकेन्तके किर्गिजों और कजाकोंने इसके प्रतिरोधके लिये अपनी सभायें कीं। किर्गिजों-कजाकोंके भीतर दुंगान (चीनी मुसलमान) भी रहते थे, जो अधिकतर धनी बनिये और महाजन थे। किर्गिजों-कजाकोंमें अशांतिके लक्षणको देखकर सबसे पहले २६ (१३) जुलाईको उन्होंने चीनी इलाकेकी ओर भागना शुरू किया। ५ अगस्त (३० जुलाई)को पिशपेक जिलेके किर्गिजों-ने विरोध-प्रदर्शन किया।

६ (१९) अगस्तको पिशपेक जिलेके अतेकिन इलाकेमें किर्गिजोंने पहले पहल सशस्त्र विद्रोह आरम्भ किया। उसी दिन बतबयेफ इलाकेके किर्गिजोंने भी विद्रोह कर दिया।

७ (२०) अगस्तको तोकमकके किर्गिजोंने हथियार उठाया, उसी दिन सरीबागिसेफ इलाके-वालोंने भी विद्रोहका झंडा फहरा दिया।

९ (२२) अगस्तको कराकेञ्चिन, जम्बल्, उरमान जोजिन, पोवकर, आबेलदिनके इलाकोंमें विद्रोह फैल गया।

१० (२३) अगस्तको पिशपेक जिलेके बेलोवद्स्क इलाकेके किर्गिज विद्रोही हुये। उसी दिन जमानसरतोफ, तलेउबेर्दिन, शाकिन, तलदीबुलाकके इलाकोंमें बगावत हो गई, और औलिया-अताके करालतिन इलाकेके किर्गिज भी विद्रोहमें शामिल हो गये।

११ (२४) अगस्तको प्रझेवाल्स्क जिलेके मारिन्स्क गांवके दुंगान (चीनी, मुसलमान) भी विद्रोहमें शामिल हुये।

१२ (२५) अगस्तको प्रझेवाल्स्कके जेलखानेमें बंदियोंपर रूसियोंने गोली चलाई, जिसमें उनसठ किर्गिज मारे गये और बहुतसे घायल हुये।

१३ (२६) अगस्तको तोकमकमें किर्गिजोंपर रूसी सेनाने प्रहार किया, उसी दिन बेलोवद्स्कमें भी विद्रोहियोंको सैनिकोंने दबानेका प्रयत्न किया, और १३८ किर्गिज मारे गये।

१४ (२७) अगस्तको किर्गिजोंने तोकमकको घेर लिया।

२२ अगस्त (४ सितम्बर) को रूसियोंने तोकमकमें किर्गिजोंपर प्रहार करके उन्हें तितर-बितर कर दिया।

१६ (२९) अक्तूबरतक रूसी विद्रोहपर काबू पा सके।

इस विद्रोहमें किर्गिजोंके मनाप (धनी) अधिकतर जारशाहीके साथ रहे और सबसे ज्यादा आगे किर्गिज जनसाधारण थे। कितना भीषण जनसंहार हुआ, यह इसीसे मालूम होगा, कि विद्रोहसे पहले जहां ६२३४० किर्गिज रहते थे, उसी जगह जनवरी १९१७ ई०में उनकी संख्या २०३६५ रह गई, अर्थात् ४१९७५ आदमी मारे गये, कितने ही जगहोंपर ६६% किर्गिज मारे गये। इस अत्याचारके मारे यदि बहुत भारी संख्यामें किर्गिज भागकर चीनी इलाकेमें चले गये, तो इसमें आश्चर्य क्या? कुरोपत्किनने इस मौकेसे फायदा उठाते हुये चाहा था, कि किर्गिजोंकी छोड़ी भूमिमें

रूसियोंको बसा दिया जाय। लेकिन, किर्गिजोंके विद्रोहको दबाते देर नहीं हुई, कि जारशाही ही खतम हो गई। यद्यपि उसका स्थान लेनेवाली पूंजीपतियोंकी करेन्स्की-सरकारने पुरानी नीतिको जारी रखना चाहा, लेकिन उसे भी सात महीनेके भीतर ही खतम हो जाना पड़ा।

जैसा कि अभी बतलाया, उस समय किर्गिज कजाकोंसे अलग नहीं समझे जाते थे, और सप्तनद तथा सिर-उपत्यकाके कजाकोंकी तरह किर्गिज भी तुर्किस्तान-प्रदेशके माने जाते थे। इसलिये विद्रोहके बाद जो घटनायें घटीं और स्थितियोंमें जिस तरह परिवर्तन हुआ, वह वही था, जो कजाकस्तान-उज्बेकिस्तानमें हुआ। जब बोल्शेविक-क्रांतिने किर्गिज भूमिमें कदम रक्खा, उस समय वहांके किर्गिज धनी पहले हीसे धनी रूसियोंके समर्थक हो चुके थे।

किर्गिज शिक्षा और संस्कृतिमें बहुत पिछड़े हुये थे, जिसके कारण राजनीतिक तौरसे भी उनका पिछड़ा होना स्वाभाविक था। इनकी भूमिमें ओश, उज्गेंद, पिशपेक, प्रझेवाल्स्क जैसे कुछ नगर थे, लेकिन वहांपर भी किर्गिजोंकी अपेक्षा दूसरोंकी संख्या या प्रभाव अधिक था। ताशकन्दमें बोल्शेविकोंके आ जानेके बाद किर्गिज भूमिके कस्बोंमें भी क्रांति फैलने लगी। यहांके रूसियोंमें अधिकतर मेन्शेविक और एस्.एर्. (समाजवादी क्रांतिकारी) ही जारशाहीके विरोधी थे, और वह पुराने आर्थिक ढांचेमें नाममात्रका परिवर्तन करना चाहते थे, तथा एसियाइयोंको समानताका अधिकार देनेके पक्षपाती नहीं थे। ओशमें दिसम्बर १९१७ ई०में दो सौसे अधिक एस्.एर्.के सदस्य थे, जब कि बोल्शेविकोंको अंगुलियोंपर गिना जा सकता था। पिशपेक (आधुनिक किर्गिज-राजधानी फ्रुंजे) में मार्च १९१८ ई०में अब भी एस्.एर्.का प्रभाव था। लेकिन जब बोल्शेविकोंके उद्देश्यका पता लगा, तो गरीब किर्गिजोंने बड़ी तेजीके साथ आगे बढ़कर उनका साथ देना शुरू किया। वह देखते थे, कि बोल्शेविक दिलसे और व्यवहारसे भी समानताके पक्षपाती हैं, सचमुच वह गरीबोंके राज्यको कायम करना चाहते हैं। क्रांति सफल हुई। आगे १९२६ ई०में किर्गिजोंकी भूमिका अलग स्वायत्त गणराज्य कायम हुआ, जिसे १९३६ ई०में स्वतंत्र गणराज्यके तौरपर सोवियत संघका अंग बननेका मौका मिला।

किर्गिजिस्तानका क्षेत्रफल ७८००० वर्गमील तथा जनसंख्या इस वक्त पन्द्रह लाखसे ऊपर है। आज वह मध्य-एसियाकी सबसे पिछड़ी जाति नहीं है, बल्कि रूसियोंकी तरह आगे बढ़ी हुई जाति है।

स्रोत-ग्रंथ

१. रेवोल्युत्सिया व्स्रेद्नेइ आजिइ (ताशकन्द १९२९)
२. किर्गिजिया (व. वित्कोविच, १९३८)
३. वोस्तानिये १९१६ गदा व् किर्गिजिस्ताने (ल. व लेस्नोइ, मास्को १९३७)
४. किर्गिजिया (त्रुदी पेर्वोइ कान्फ़ेन्त्सिइ, लेनिनग्राद १९३४)
५. तुर्केस्तान्स्कओ वोयेन्नओ ओक्रुग् (जिल्द १, पृष्ठ ३३८-५१)
६. तेमिर (उपन्यास, तो तुगेल्बाइ सिदिकवेकोफ् अनु० व. रोझ्देस्त्वेन्स्की, लेनिनग्राद, १९४७)
७. History of civil war in U. S. S. R. (2 vol., G. F. Alexandrov and others, Moscow 1946)

अध्याय ५

ताजिकिस्तान में क्रांति

१. सोग्दियोंके वंशज

हम देख चुके हैं, कि किसी समय सिर-दरियासे वक्षु-दरियातक, पामीरसे कास्पियन तटतक सोग्द और ख्वारेज्मकी ईरानी जातियां बसती थीं, जिनके समयमें यहांका सामाजिक और सांस्कृतिक विकास बहुत हुआ। ईसाकी पांचवीं सदीतक यद्यपि शक और हेफ्ताल-जैसी जातियां बाहरसे आकर इस भूमिमें बसती गईं, किन्तु वह हिन्दी-यूरोपीय जातिकी होनेकी वजहसे इनके भीतर आसानीसे घुल-मिल गईं और पुरानी सांस्कृतिक परम्पराके आगे चलते रहनेमें बाधक नहीं हुईं। छठी शताब्दीमें तुर्क मंगोलायित भाषा और मुखमुद्रा लिये यहां आये, जिन्होंने भी यद्यपि मुखमुद्रामें कुछ परिवर्तन किया, लेकिन सांस्कृतिक तौरसे बहुत भेद नहीं पैदा किया। ७वीं सदीका अन्त होते-होते अरब इस भूमिमें छा गये, और कुछ ही समयमें यहांके सभी लोग मुसलमान हो गये। लेकिन पुराने सोग्दियोंने अपने संघर्षको जारी रक्खा, इसका परिणाम यह हुआ, कि अरब-शासकों और उनके अनुचर खुरासानी मुसलमानों ने सोग्दी वीरों और उनकी भाषाको दुर्गम पहाड़ोंमें शरण लेनेके लिये मजबूर किया। १९वीं सदीसे बहुत पहले ही पुराने अन्तर्वेदकी भाषा तुर्की हो गई, केवल शहरों और कुछ गांवोंके रहनेवाले सर्त या ताजिक ईरानी भाषा बोलते थे, लेकिन यह ईरानी भाषा सोग्दी नहीं, बल्कि खुरासानी मुसल्मानोंके साथ आई उनकी फारसी थी। पहाड़ोंमें भाग गये सोग्दियोंके पीछे एकके बाद एक दूसरे भी फारसीभाषी शरणार्थी आते रहे, जिनके कारण धीरे-धीरे सोग्दी भाषाका स्थान वहां भी फारसीकी स्थानीय बोली ताजिकी लेती गई। आज तो पुरानी सोग्दी भाषाकी बोली गल्चा या यग्नाबी केवल जरफ्शांकी एक शाखा यग्नाब नदीके किनारेके कुछ थोड़ेसे गांवोंमें रह गई है। वहांपर भी ताजिकी भाषा कितनी घुस गई है, यह १९३४ई०के वहांके गांवोंके आंकड़ोंसे मालूम होगा:—

ग्राम	यग्नाबी	ताजिक
नवाबाद	१५१८	६३४
यग्नाब	६४०	१७७०
दोनों गांवोंमें	२१५८	२४०४

इस प्रकार पुराने सोग्दियोंकी भाषा और उनके प्राचीन समाजके कुछ अवशेष वर्तमान ताजिकिस्तान गणराज्यमें जरफ्शां नदीकी शाखा यग्नाब और बरजाबके किनारेके कुछ गांवोंमें अब मौजूद हैं। सोवियत शासनके स्थापित होनेके बाद इन प्राचीन सांस्कृतिक अवशेषोंके जांच-पड़तालकी काफी कोशिश की गई। रूसी वैज्ञानिकोंने वहांपर प्राचीन संघवादी पारिवारिक जीवनके चिह्न पाये। कितने ही गांवोंमें कई परिवारोंके रहने लायक एक-एक घर उन्हें मिले, जिनकी बड़ी-बड़ी शालायें केवल यग्नाबियोंमें ही मिलतीं। कोकतेपा, जूमान, गराब, आबेसफेद-जैसे कितने ही गांवोंको उन्होंने देखा। देहबुलन्द ऊपरी यग्नाबमें सामूहिक परिवारोंका आलाखाना और मेहमानखाना इस बातका प्रमाण था।

यग्नाबी भाषा—यग्नाबी भाषाको कोई-कोई ईरानी और भारतीय आर्यभाषा-वंशोंसे अलग बतलाते हैं, लेकिन यह बात सही नहीं मालूम होती। वस्तुतः सोग्दीकी पुत्री यग्नाबी ताजिकी और पारसीसे कितनी ही बातोंमें अन्तर रखते भी ईरानी-भाषावंशकी ही है। सोवियतके भाषा-शास्त्रियोंने यग्नाबी भाषाके बहुतसे नमूने कहानियों आदिके रूपमें जमा किये हैं। बाइस वर्षीय इब्राहिम सफर

द्वारा कही गई एक जनकथाका कुछ अंश हम यहांपर देते हैं। गांवके 'मेहमानखाने' (सामूहिक घर)में जमा हो ऐसी कहानियोंके कहनेका यग्नाबियोंमें बहुत रवाज है* :—

इकम्पिरओइ । ईकल् ज़ूतश् ओइ । के ई मेत् कलि व अवोफ़—"अने दौंदो-त् बिसियार पैदागर खोइ । यक् तंग अवारिश्त् सत् तंगा अकुन अउर् ।" के कल् यक् तंगा अनोस् अनीज् अतेर अशौ इयो-कइ इ मूसफ़ेदे तीरक् अस्त् ख़रे वोरा ई वुज़् चि ख़रे दुम् बस्तगी । कल् ऑस्ताक् अशौ वीत पक्क अकुन् वूज़ अनोस् अवोउ बूज़ अउर कोये अखश् । तिक् अमोन अतेर अशौ मूसफ़ेदे अबियोर अवोव ये बॉबो वीत जाम् कुन् । अख् अगोर, अवोव अने वीत-म् ई वुज़ ओइ वुज़् नख। खरे अवोव् इगुम् चक् दॉर मन सोउम बूज़ कोवॉम् । कल् अवोव बॉबो दर वॉउ ख़रे लॉइ ख़स्चे । मूसफ़ेद अतेर। कल ख़रे गूश दुम्-श पक्क अकुन् अवार ई कोये अखश् गूश दुम्-श अउर लोइ नुत् अनीदोन् के अवोव ए बॉबॉ वॉऊ ख़रे लोइ अखश् ।

(एक बुढ़िया थी । उसका एक दुष्ट लड़का था। एक दिन उसने अपने दुष्ट लड़केको कहा—"तेरा बाप बहुत पैदा करनेवाला था। एक तंगा ले जाता और अभी सौ तंगा ले आता।" फिर दुष्ट लड़का एक तंगा लेकर बाहर गया। एक जगह एक गदहेके ऊपर सवार एक श्वेतकेश (बूढ़े)को आते देखा, गदहेकी दुममें एक बकरी बंधी हुई थी। दुष्ट लड़का आहिस्तेसे गया, और रस्सीको काटकर बकरीको ले गया।....पीछे बूढ़ेको आकर कहा:—"हे बाबा, रस्सी समेट लो।" उसने देखकर कहा—"मेरी रस्सीमें बकरी थी, किन्तु बकरी नहीं है।" दुष्ट लड़केने कहा—"जल्दी जाओ बाबा....।" बूढ़ा चला गया। दुष्ट लड़केने गदहेके दुम और कानको काट लिये। फिर आकर उसने बूढ़ेसे कहा—"हे बाबा, चलो, गदहा कीचड़में फंस रहा है।" बूढ़ा चला गया।)

इस भाषाको देखनेसे मालूम होगा, कि फारसी समझनेवालेके लिये भी इसका समझना मुश्किल है। एकके लिये यहां ई और थीके लिये आई शब्दका प्रयोग हुआ है। दिनके लिये मैतका शब्द पुरानी सोग्दीमें 'मुद' था, जिसका फारसीमें कहीं पता नहीं । इसी प्रकार गदहेकी पूंछके लिये दुमे-खरकी जगह खरे-दुम (खर-पुच्छ) आया है। हिन्दीकी समीपता देखनेके लिये यग्नाबी भाषाके गरीब ताजिक "करके" (करके) रोद्द-के (रोकर) शब्दोंको भी देखें।†

बुखारा और खोकन्दके पिछले इतिहासके बारेमें लिखते हुये हम बतला चुके हैं, कि ताजिकिस्तानका पहाड़ी प्रदेश कभी अलग-अलग छोटे-छोटे सामन्तोंके स्वतंत्र राज्योंमें बंटा रहता और कभी उसे खोकन्दके मदली खान-जैसे बाहरी शासकोंके अधीन बनना पड़ता। यह पहाड़ी इलाका अपनी खनिज और दूसरी सम्पत्तियोंको रखते हुये भी उस समय बहुत गरीब था। यहांके लोग सुन्नी मुसलमान थे, इसलिये उनके लड़के-लड़कियोंको गुलाम बनाकर बेंचा नहीं जा सकता था। तो भी अपने सौंदर्यके लिये प्रसिद्ध यहांकी लड़कियोंकी अमीर और उसके सामन्तों-के हरमोंमें बड़ी मांग थी। यहांके पुरुष मजदूरी करनेके लिये बुखारा, समरकन्द, खोकन्द आदि शहरोंमें चले जाते। पुरुष जब वर्षोंके वास्ते रोटीके लिये धक्का खाने चले जाते, तो उनकी स्त्रियां बेचारी घर और खेतीको संभाले बाट जोहा करतीं । इस समयकी अवस्थाका वर्णन बहुतसे लोकगीतोंमें पाया जाता है। एक लोकगीतमें कहा गया है :—

बुलबुल बागमें रोती हुई आई,
गुलाबकी सूखी डालीपर जाकर बैठी।
बुलबुल अपने मुंहसे बोली—
"यह वियोगका घाव कितनोंके दिलपर है।"

× × ×

*"वृदि ताजिकिस्तान्स्कोइ बाज़ा", इस्तोरिया-यज़ीक लितेरातुरा (अकदमी नाउक सससर १९४० मस्क्वा)

† कितनी ही बातोंमें फारसी या ताजिकीसे विलक्षण है, यह उसके गाउ (गाय) कुतर (कुत्ता) और ओर्ता (आटा) शब्द भी बतलाते हैं।

जगत्के कर्ता ते ी विचित्र महिमा,
तेरे बन्दे सोये और तू खुद जागा।
अमृत-भोजन दुनियाके सामने फेंककर,
चुगने और जानेका तू तमाशा देखता,

× × ×

अपने सफेदेके लिये अपनी हरनीको खोया,
लोगोंके द्वारपर अपनेको फेंका।
लोग कहते कि तू दीवाना हुआ,
दीवाना हूं, क्योंकि मैंने अपनी प्रियाको खोया।

× × ×

हे पथिक, किसीके साथ मैं नहीं हंसी,
न केश धोया न कुर्ता पहना।
बहुतेरे कारवां आये, पूछनेपर
उन्होंने कहा—"मैंने न देखा न जाना।"

इसी अवस्थामें ताजिकिस्तानके पहाड़ी लोग अमीर-बुखाराके पूर्वी इलाके (पूर्वी बुखारा) में रह रहे थे, जब कि बोल्शेविक-क्रांति हुई।

ताजिकिस्तान भाषाके तौरपर पुराने सोग्दियोंकी विस्तृत भूमिका अवशेषमात्र है, जिसके दक्षिणी सीमांत वक्षु नदी और उत्तरी टेढ़ा-मेढ़ा होता सिर-दरियाके उत्तरतक पहुंच गया है। आजकल इसका क्षेत्रफल पचपन हजार वर्गमील और जन- संख्या पन्द्रह लाख है। ताजिक भाषा-भाषियोंकी बस्तियां वैसे वक्षुसे बहुत दक्षिण काबुल नगरके पासतक चली आई हैं, लेकिन अभी अफगानिस्तानमें रहनेवाले ताजिक उतने सौभाग्यशाली नहीं हैं, जितने कि क्रांतिकी अग्निमें तपकर निकले उत्तरी ताजिक। मध्य-एसियाकी और किसी जातिको क्रांतिके समय नरपिशाच बासमचियों की निष्ठुरताका उतना शिकार नहीं होना पड़ा, जितना कि कश्मीरके उत्तरी-पूर्वी सीमान्तके पासके इन पहाड़ियोंको।

ताजिक जातिका निर्माण——ताजिकोंका ऐतिहासिक विकास निम्न प्रकार हुआ:——

काल			पामीर	सिर-उपत्यका
ई० पू०	४०००	(मध्य-पाषाण)		फिनो-द्रविड़
”	३५००			शकार्य-द्रविड़
”	३०००	(नव-पाषाण)		”
”	२५००		आर्य	शक
”	१५००	(पित्तल-युग)	ईरानी	श०
”	७००		ईरा०	श०
”	५५०		ईरा०	श०
”	३२६		ईरा०	श०
”	२०६		ईरा०	श०
”	१३०		ईरा०	हूण-श०
”	१००		ईरा०	हू०-श०
ईसवी	१००	(कुषाण)	ईरा०	हू०-श०
”	४२५	(हेफ्ताल)	ईरा०	हूण-कंगली
”	५५७	(तुर्क	ईरा०	कंगली-तुर्क
”	६७३	(अरब)	ईरा०	तुर्क
”	८९२	(सामानी)	ईरा०	तुर्क
”	१२२०	(मंगोल)	ईरा०	तुर्क

ईसवी	१५००	ईरा०	तुर्क (उज्बेक)
"	१७४७	तुर्क-ईरा०	तुर्क-उज्०
"	१८६५	ईरा० तुर्क	उज्०-ईरा०
"	१९१७	ईरा०-तुर्क	उज्०-ईरा०
"	१९४७	ताजिक	

२. बासमची-उत्पीड़न

खोकन्दके स्वायत्तियोंके हार खानेके बाद बासमचियों (जहादी डाकुओं) ने जोर पकड़ा। १९१९ ई०के वसन्तमें ओश नगर और पामीरके बीचका रास्ता सफेद रूसियों और बासमचियोंके हाथमें था, जिनका मुखिया मुखानोफ और एरगेशताम थे। पीछे कर्नल तिमोफियेफ नामक एक शाही अफसरने यहां नेतृत्व करना शुरू किया। बुखारा की कमजोरियों को देखकर अब यहांके पहाड़ी सामन्त स्वयं बादशाह बननेका स्वप्न देखने लगे। जब १९२१ ई०के फर्वरीमें आलम खान (बुखारा-अमीर) दुशाम्बे होकर अफगानिस्तानकी ओर भाग गया, तो यहांके कुछ लोगोंने अफगानिस्तानके अमीरको भी राज्य संभालनेके लिये लिखा, लेकिन ताजिकिस्तानके पहाड़ोंके लिये काबुलको न उतना प्रलोभन हो सकता था, न उसमें उतनी शक्ति ही थी। हां, मीर आलम खान ताजिकिस्तानमें लूट-मार मचानेवाले बासमचियोंसे पैसा पाता और उसके बदलेमें कुछ हथियार जरूर भेज देता था। जब-तब अंग्रेजोंने भी हथियारसे मदद की, लेकिन उस वक्त असहयोग का आन्दोलन सारे भारतमें चल रहा था, जिससे अंग्रेजोंका दिमाग बहुत परेशान था, और वह बासमचियोंको खुलकर मदद देनेके लिये तैयार नहीं हो सकते थे।

(१) अनवर पाशा—अमीरके जानेके बाद एक तरफ बासमची भिन्न-भिन्न गिरोहोंमें बंटे लूट-मार मचा रहे थे, दूसरी तरफ क्रांतिकारियोंने भी गरीबोंको संगठित करनेका काम शुरू किया। लेकिन, बुखारा अभी पूरी तौरसे बोल्शेविकोंके हाथमें नहीं आया था। उनकी ओरसे जो आदमी शासनका भार देकर भेजे गये थे, वह उच्चवर्गके होनेसे अपने पुराने स्वार्थोंको छोड़नेके लिये तैयार नहीं थे, इसीलिये उन्होंने क्रांतिके साथ विश्वासघात किया। बासमचियोंमें जिस तरहके पत्र-व्यवहार हो रहे थे, उनसे उस समयकी स्थितिका कुछ पता लगेगा। एक पत्रमें मुल्लोंने लिखा था—

अमीरुल्-मोमिनीन् :हलमल्लाह तआला

वह महाविजयी

रक्षक प्रभु सम्माननीय मीर-बी-बादशाह, लश्करबाशीको दुआ और सलामके उपायनके बाद मालूम हो, कि हम आपके दुआ-वाचक परमभक्त आलिम (पंडित) लोगोंने सुल्तानाबादमें पुण्य ईद पर्वके समय इकट्ठा हो आपसमें मंत्रणा की। कुछ लोगोंके बारेमें हमने सुना, कि वह जनाबअली (अमीर-बुखारा) और श्रीमान्के विरोधी और बागी हैं। श्रीमान उनके बारेमें हमें सूचित करें। जो कोई अनवरका अनुयायी है, उसे कुरान और हदीस (स्मृति)के अनुसार काफिर सिद्ध कर सभी यहां एकत्र हुये हम आलिम-फाजिल शरीअतके अनुसार कत्ल करा देंगे। जो लके (किर्गिज) ताजिक या कर्लुक अनवरका अनुसरण करते हैं, उनके बारेमें सूचित कीजिये। उनको भी शरीअतके अनुसार हम आलिम-फाजिल लोग एकत्र हो कत्ल करायेंगे। हम लोग शरीअतके अनुसार काम करेंगे। यह सब (काम) हम लोगोंके सिरपर हैं, यदि वह श्रीमानको उचित जान पड़े। आगे आप स्वयं भली भांति जानते हैं। अस्सलाम् व अलैकुम्।

पत्र भेजनेवालोंकी मुहर और हस्ताक्षर

मुल्ला अहमद सलीमी मुदर्रिस मुल्ला अली महमदी मुदर्रिस

खलीफा मुल्ला अल अंजर मखदूम	**मुल्ला अस्मतुल्ला मखदूम**
मुल्ला तुगाय मुरादी मुदरिस	**मुल्ला अब्दुर्रहमान मखदूम**
	मखदूम महमदी तुकसाबा

इस पत्रसे मालूम है, कि उस समय अनवरपाशा इन पहाड़ोंमें अपनी भाग्य-परीक्षाके लिये आया हुआ था। प्रथम विश्व-युद्धके बाद जर्मनोंके पक्षपाती अनवरका प्रभाव तुर्कीमें उड़ गया, जब कि मुस्तफा कमाल नवीन तुर्कीका नेता हुआ। इसके कारण अनवरको तुर्की छोड़कर भागना पड़ा। कुछ समयतक वह बुखारामें रहा, फिर वहांसे भी भागकर इन पहाड़ोंमें आ गया। अनवर नवीन तुर्कीका नेता था, जिससे बुखाराके जदीदोंको भी प्रेरणा मिली थी। लेकिन बुखाराके मुल्ले जदीदोंके खूनके प्यासे थे, इसीलिये वहां अनवर और उसके अनुयायी कुछ नहीं कर सकते थे।

इन पहाड़ोंके सभी लोग क्रांति-विरोधी मुल्लोंकी तरह अन्धे नहीं थे, वह अनवरकी योग्यता और प्रभावसे पूरा फायदा उठाना चाहते थे। इसीलिये अनवरको यहांपर काफी समर्थन प्राप्त हुआ। लेकिन तो भी महत्त्वाकांक्षी बासमची तथा दूसरे सरदार अनवरकी सैनिक योग्यताको अपने मतलबके लिये इस्तेमाल करना चाहते थे, इसलिये स्वनिर्वाचित "अमीर-लश्कर-इस्लाम, नायब-अमीर-बुखारा व दामाद खलीफा-मुसलमीन अनवर" को सफलता प्राप्त करनेका मौका नहीं मिला और अगस्त १९२२ ई०में बल्जुवान इलाकेके एक गांवमें ४२ वर्षकी उम्रमें वह मरा। और चगन गांवमें दफनाया गया।

(२) **ईशान सुल्तान***—ताजिकिस्तानमें क्रांतिका एक और जबर्दस्त विरोधी ईशान सुल्तान था। ईशान मध्य एसियामें पीर या गुरुको कहते हैं, जिनका कई शताब्दियोंसे वहांपर जबर्दस्त प्रभाव रहा है। १९वीं सदीमें दरवाज कला-खुम्बके शाहोंका बहुत प्रभाव था। यह अपने खानदानको सिकन्दर और दूसरे पुराने राजाओंसे मिलाते थे। सीधे-सादे पहाड़ी लोगोंमें राजवंशके होनेसे इनका बहुत मान था। इन्हींके इलाकेमें १८वीं सदीके अन्तमें सागिद दश्तसे डेढ़ मीलपर अवस्थित सैदान गांवमें सैयद-वंशमें एक आदमी पैदा हुआ, जो कि आगे ईशान औलिया (मृत्यु १८६७ ई०) के नामसे प्रसिद्ध हुआ। ईशान औलिया या मिर्जा रहीम पहले कन्दहारमें जाकर किसी पीर ईशान आखुनसाहेबकी सेवामें रहा, जहां उसने ईशानोंके सभी हथकंडे सीखे। फिर लौटकर कुछ दिनों वह अपने गांव सैदानमें रहा, फिर सफेदारान और बादमें दराजमें रहने लगा। उसकी ख्याति दिन-पर-दिन बढ़ती गई और बहुतसे लोग उसके मुरीद हो गये। ईशानके लिये अमीरों और सामन्तोंकी तरह बीबी-बच्चोंके रखनेमें कोई दिक्कत नहीं थी। ईशान औलियाकी कई बीबियां थीं, जिनसे उसके सात पुत्र हुये। उनमें शेख मिर्जाको दरवाजके शाह याकूब खांने अपनी लड़की दी थी। ईशान औलियाको कई गांव बिर्त-बंधानमें मिले थे। औलियाके मरने (१८६७ ई०) के बाद उसके सातों पुत्र भी ईशानगिरीसे धन और सम्पत्ति जमा करने लगे। उनमें ईशान शेख अपने समयमें इन पहाड़ोंमें बड़ा ही सम्पत्तिमान तथा प्रभावशाली आदमी था। उसके मुरीदों (चेलों) की संख्या बहुत थी, और बहुतसे गांव भी उसे मिले थे। चिहकाका, सैदानके अतिरिक्त ईशान शेखकी हवेलियां सफेदारान, याइकपस्ते, याजगंद और दरा-जूमें भी थीं। इसीका लड़का ईशान सुल्तान था, जो पूर्वी बुखाराका सबसे बड़ा धनी सामन्त था। इसका जन्म याहकपस्तेमें हुआ था, जहां दस सालकी उमरतक रहा। इसके बाद याजगन्द चला गया। जिस वक्त १९१७-१८ ई०में क्रांतिकी लहर पहाड़ोंमें पहुंची, उस समय ईशान ४५ वर्षका बहुत तजुर्बेकार और शक्तिशाली आदमी था। बापके बाकी भाइयोंमें सबसे बड़ा होनेसे उसका प्रभाव सबसे ज्यादा था। उसकी जागीरमें याजगन्द, याहकपस्त, यानकुर्गान आदि बहुतसे गांव थे। अमीर-बुखाराकी तरफसे वह अपने इलाकेका 'हाकिम' (सरकारी अफसर) था। ईशान सुल्तानकी धनसे भी ज्यादा धार्मिक प्रभुता थी। आसपासके इलाकोंके लोग उसकी

*"त्रुदि ताजिकिस्तान्स्कोइ बाजि (९), इस्तोरिया-यजीक-लितेरा तुरा" (अकदमी, नाउक १९४०, पृष्ठ ३-२७)

आज्ञाको खुदाकी आज्ञा मानते थे। भूमिका मालिक और बहुत बड़ा जमींदार होनेकी वजहसे प्रजाको भी कष्ट हुये बिना नहीं रहता था। याहकपस्तेके एक किसान परिवारको इसने बुरी तौरसे सताया था। जब वह लोग दुशाम्बेमें फरियाद करने लगे, तो काजी मुल्ला कामिलको इतनी हिम्मत कहां थी, कि प्रभावशाली ईशान सुल्तानके विरुद्ध फैसला देता। वहांसे बुखारा दाद-फरियाद करने गया, तो वहांपर भी वही हालत हुई। फिर रूसियोंके पास ताशकन्द-तक पहुंचा, लेकिन कहीं सुनवाई नहीं हुई। ईशान सुल्तानकी जागीरदारीमें लोगोंसे बेगारमें काम लिया जाता था। उसके लंगरखानेमें भक्तों और मुरीदोंके खानेके लिये दरवाजा खुला था, बराबर सत्संग और ज्ञान-ध्यान चलता रहता था। ईशानकी कई स्त्रियां थीं, जिनमेंसे एक याजगन्दमें, दूसरी याहकपस्तेमें, तीसरी हिसारमें, बाकी और जगहोंपर रहती थीं, लेकिन संतानोंमें उसे सिर्फ एक लड़की थी।

जब बोल्शेविकोंने फरगाना और ताशकन्दमें सफलता पाई, और क्रांतिकी लपट पूर्वी बुखाराके पहाड़ोंमें भी पहुंचने लगी, तो ईशान सुल्तानको अपनी जागीर और धनके लिये डर पैदा हो गया। १९२१ ई०के जाड़ोंमें बुखारा-अमीर सैयद आलम खां जब भागकर दुशाम्बे आया, तो उसने यहांके पहाड़ी सामन्तोंको संगठित करनेका प्रयत्न किया, और ईशान सुल्तानको 'सुदूर' (अध्यक्ष) की पदवी प्रदान की। २१ फर्वरी १९२१ ई०को जब अमीर दुशाम्बेसे अफगानिस्तान भागा, तो ईशान सुल्तान बोल्शेविकोंसे लड़नेकी तैयारी करनेके लिये याजगन्द चला आया। दुशाम्बे (आधुनिक स्तालिनाबाद) में ईशानको कुछ हथियार मिले। तबिलदरा और चिहलदराके इलाकोंमें काजी कुर्गान, नियाज तुकसाबा, अकबर तुकसाबा, सैयद अली उराक आदि स्थानीय अफसरोंको इकट्ठा करके उसने "गजा" (धर्मयुद्ध) करनेका निश्चय किया। अपने मुरीदोंमेंसे उसने पचासको हथियारबन्द 'गाजी' बनाया। दुशाम्बा और गरमपर अधिकार हो जानेके बाद मेर्कुलोफकी अधीनतामें ओरेनबुर्गसे सवार-सेना आ गई, जिसके कारण बोल्शेविकोंका पलड़ा इन पहाड़ोंमें भारी हो गया। लेकिन सुरखाबकी उपत्यका और गरम उस समय बासमची-सरदार फुजैल मखदूम और लायकपंसदके हाथमें थे, और पीतर दर्रेसे बखियातक को ईशान सुल्तानने अपने हाथमें किया था। लाल सेनाने ईशान सुल्तानको तवील दर्रासे भागनेके लिये मजबूर किया, तो वह सागिरदश्त चला गया। जब फुजैल मखदूम हारकर अफगानिस्तान भाग गया, तो ईशान सुल्तानने बोल्शेविकोंके साथ सुलह करने हीमें अपनी भलाई समझी। इसपर वह इस्लामके गाजियोंमें बदनाम हो गया, जैसा कि अपनेको अनवरका उत्तराधिकारी बतलानेवाले एक तुर्की अफसर सामी पाशाके १९ नवम्बर १९२२ ई०के निम्न पत्रसे मालूम होगा—

"ईशान सुल्तान खोजा सूबा दरवाजके हाकिम और अस्कर बाशी सेनानायक का विश्वासघात

"अफगानिस्तानकी भूमिमें विराजमान जनाबअली अमीर बुखाराशरीफ सैयद अमीर आलमकी सेवामें अभिवादनके बाद मालूम हो, कि ईशान सुल्तानने दरवाजपर अपना अधिकार जमानेके लिये सेना जमा की और इलाकेको जुवान, आक्सू अधिकृतकर बल्कानीतिल्ला और कुलाबदर्राको दबाकर तरह-तरहके झगड़े फसाद और अत्याचार किये। जनाबआलीकी ओरसे नियुक्त नायब और राजप्रतिनिधि दिवंगत शहीद अनवरपाशाके सैनिक और नागरिक शासनके खतम करनेके लिये ईशान सुल्तानने इस्लामके मुजाहिदोंके भीतर उक्त सेनापतिके सामने फूट डाल दी, जिसके परिणामस्वरूप मुजाहिदोंकी छ हजार सेना बायूसुन इलाकेसे घबड़ाकर भागी और दुश्मनसे लड़नेकी जगह परस्पर हत्याकांड मचाया, जिसमें सैकड़ों मुसलमान कुर्बान हुये। ईशानकी मददसे फरगानावालोंने उसके प्रतिद्वंद्वियोंको कत्ल किया, जिससे देशवासियोंको भारी क्षोभ हुआ। बुखारावालों और दूसरे कबीलोंके आपसी झगड़ेसे फायदा उठा (ईशानने) उज्बेकों और ताजिकोंको

एक-दूसरेसे लड़ा अपने विश्वासघातका परिचय दिया, साथ ही इस्लामके मुजाहिदोंसे तीन सौ बन्दूकों और दो सौ मशीनगनें देकर रूसियोंके साथ सुलह की, जिसके कि कागज-पत्र हमारे हाथ लगे।

"फरगानियों और किर्गिजोंमें झगड़ा डालकर इस्लामी मुजाहिदोंकी शक्तिको निर्बल करनेकी मंशासे उसने रूसियोंके साथ मेल किया। इस तरह इस्लामी उद्देश्यको हानि पहुंचाने और लोगोंके युद्ध करनेके उत्साहको दबानेके लिये वहांके प्रबन्धालयोंको खतम कर दिया, और इस तरह निराशा फैल गई। अल्लाके रास्तेमें लड़नेवाले मुहम्मद अकबर तुकसाबाको (ईशानन) अपने घरमें ले जा दस्तरखानपर बैठाकर उसे कत्ल करवा दिया, उसके मालको ले बाल-बच्चोंको नंगा कर बाटका भिखारी बना दिया। इसके अतिरिक्त (उसने) कितने ही मातबर सेनानायकोंको कत्ल कराया। फिर फरगानावाले शेरमहम्मद (शेरमत) बेकीको खबर दे तुर्की और करातगिनके स्वामी फुजैलुद्दीन मखदूमको पराजित करनेका निश्चय किया। हमारे ऊपर भी उसने आक्रमण किया, लेकिन हमने सैनिक तरीकेके अनुसार उसके हमलेका मुकाबिला किया और ईशान सुल्तानकी फौजको भागना पड़ा। पहले हमने शेरमहम्मदको रोकनेके लिये वहलदर्राके रास्तेको खराब किया था। ईशानने खराब रास्तेको फिरसे तैयारकर शेरमहम्मदकी फौजको रास्ता दिया और हमारी फौजको न जाने देनेके लिये रास्तेको खराब कर दिया। फिर अपने भाई ईशान सुलेमानको हमारे मुकाबिलेके लिये भेजा, इस प्रकार शेरमुहम्मदको दरवाजके रास्ते निकल जाने दिया। इसके अतिरिक्त दरवाजवाले गैरतशाह बी दादखाह, दिलावरशाह बी लश्करबाशी और कितने ही दूसरोंको कत्ल करवाया। हमारी फौजोंका पीछा करते हुये ईशान सुलेमान तबीलदर्रा और सगीरदश्तमें बन्दूकवाले सैनिकोंको जमाकर शेरमुहम्मदकी सेनासे मिलकर हमारे ऊपर हमला किया। जब हम दरवाजमें थे, उसी समय दर्रासे होकर उसने कूलाबवाले महम्मद अशुरबेक बी दादखाह लश्करबाशीको कत्ल कराया। अब हमारी फौजको आगेसे घेरकर दरवाजे-में भूखे मार आत्म-समर्पण करने या अफगानिस्तान भागनेके लिये मजबूर करना चाहता है। उसकी इस तरहकी योजनायें और पत्र हमारे हाथमें आये हैं,....इसलिये उसके इन कामों, अपराधों और विश्वासघातोंके लिये शरीयत और सैनिक कानूनके अनुसार उसे मृत्युदंड देनेका निश्चय किया गया है....।

२८ माह रबीउल अव्वल सन् १३४१ (२१ नवंबर १९२२ ई०)

मुहर सेनापति मुसलमान जन-सेना सामीपाशा"

लेकिन ईशान सुल्तान अनवरपाशाका बहुत कदरदान दोस्त था। अगस्तको अनवरपाशा जब मारा गया, तो इसका ईशानको बहुत भारी दुःख हुआ। अनवरके सहायक सामीपाशा (खाजा सलीम बी) का भी वह बहुत सहायक रहा। सामीपाशा १९२२ ई०के शरदमें सीमान्तपर गया, तो कलाखुमके पास उसे दरवाजके बासमची नेताओं दिलावरशाह और हैरतशाहने पकड़ लिया। पता लगते ही ईशान सुल्तान स्वयं वहां गया और सामीपाशाको छुड़ाकर अपने साथ याजगन्द ले आया। ईशानने और भी घनिष्ठता स्थापित करनेके लिये याजगन्दकी एक ७-८ वर्षकी लड़कीसे सामीपाशाका ब्याह करवाया—लड़की पहले ही किसी दूसरेको दी जा चुकी थी। लड़कीके बापने इसका विरोध किया, तो उसे गिरफ्तार करवा लिया।

बोल्शेविकोंके साथ प्रतिरोधको बेकार तथा बासमची सरदारोंके आपसके विश्वासघातोंके कारण जब ईशान सुल्तानका विचार बदलने लगा, तो फुजैल और सामीपाशाने अफगानिस्तान भागनेसे थोड़ा पहले ईशानको मारनेका निश्चय किया, जैसा कि उपर्युक्त पत्रसे मालूम होगा। फिर सामीपाशाने ईशान सुल्तानको गिरफ्तार कर लिया और फुजैलके आदमियोंने उसके भाई ईशान सुलेमानको भी पकड़ लिया। यही नहीं सामीके आदमियोंने याजगन्दमें ईशानोंके घरोंको ध्वस्त कर दिया, वहांकी सभी कीमती चीजें तथा स्त्रियोंको लूट लिया और ईशानके तीसरे भाई

शाह रहमतुल्लाको भी पकड़ लिया। इसके बाद बासमची सरदारों सामीपाशा, फुजैल और दानियाल ने तवील दर्राके सभी अफसरों, मुल्लों, काजियों, मुफ्तियोंको जमा करके शरीयतके अनुसार अभियोग लगाया कि ये ईशान लाल बोल्शेविकोंसे मिले हैं, इन्होंने एक बासमची सरदार अकबरको मारा। इसपर उन्हें मृत्युकी सजा हुई, और दोनों भाइयोंको १९२२ ई०की शरदमें मौतके घाट उतारा गया।

(३) **फुजैल मकसूम**—बासमचियोंके सरदार फुजैल मकसूमने १९२३ ई०में उत्तरी ताजिकिस्तानके पहाड़ोंमें लूट-पाट करते अपना दृढ़ शासन स्थापित कर लिया था। गरमका इलाका अच्छे समयमें भी जीविकाके लिये स्वावलम्बी नहीं था। वहांके बहुतसे लोग नेपालियोंकी तरह फरगानामें जाकर मजदूरी किया करते थे। बासमचियोंके उपद्रवके कारण अब वह रोजी कमाने बाहर नहीं जा सकते थे, इसलिए सारे इलाकेमें भुखमरी फैली हुई थी, जिससे गरीबोंमें बोल्शेविकोंका प्रभाव बढ़ रहा था। इसी साल लाल सेनाने वहां पहुंचकर फुजैलको बुरी तरहसे हराया, जिसके बाद फुजैल फिर नहीं संभल सका। मजार गांवमें एक बार फिर उसने मुकाबिला करनेकी कोशिश की, लेकिन उसका घोड़ा मारा गया, फिर दूसरा घोड़ा लेकर वह सीधे अपने गांव मोतीनान गया, और सब तरफसे निराश होकर नकद और मालको ले उसने अपने हाथसे घरमें आग लगा दी, फिर चोपचाकके रास्ते वखेया इलाकेमें होते पंज (वक्षु) नदीके किनारे पहुंचा। रक्षियोंने पकड़ना चाहा, लेकिन वह अपने दो-तीन आदमियोंके साथ नदी पार हो अफगानिस्तान निकल जानेमें सफल हुआ।

बोल्शेविकोंने कुछ ही महीनोंमें करातेगिन, दरवाज और वखेयासे बासमचियोंका उच्छेद कर दिया। १८ जुलाई १९२३ ई०को गरम बोल्शेविकोंके हाथमें आ गया, ११ अगस्तको कला-खुम्ब (दरवाज) पर भी अधिकार हो गया, इस प्रकार ताजिकिस्तानपर क्रांतिकी विजय हुई। लेकिन अभी भी ताजिक जन निश्चित नहीं हो पाये।

(४) **इब्राहीम गल्लू**—बासमचियोंके सरदार पुराने डाकू इब्राहीम गल्लूने बहुत सालोंतक ताजिकिस्तानके पहाड़ोंमें लूट-पाट मचाकर लोगोंको तंग किया, लेकिन अन्तमें जून १९२६ ई० में उसे भागकर अमीरकी तरह अफगानिस्तानमें शरण लेनेके लिये मजबूर होना पड़ा। उस समयतक वह "मुल्ला मुहम्मद इब्राहीमबेक, दीवानबेगी, तोपचीबाशी, लश्करबाशी, चक्कवे, तुकसाबा-पुत्र"की बड़ी-बड़ी उपाधियोंसे विभूषित तथा अमीर-बुखाराका नायब था।

३. ताजिकिस्तान गणराज्य

पूर्वी बुखारा या ताजिकिस्तान पहले तुर्किस्तान गणराज्यका अंग था। १९२४ ई०में वह स्वायत्त गणराज्य बना और १९२९ ई०में संघ गणराज्य बनकर सोवियत संघके स्वतंत्र गणराज्योंमें से एक हो गया।

स्रोत-ग्रंथ

१. History of civil war in U.S.S.R. (2 vols., G.F. Alexandrov and others, Moscow 1946)
२. रेवोल्युत्सिया व् स्रेद्नेइ आज़िइ (ताशकन्द १९२९)
३. नुदी ताजिकिस्तान्स्कोइ बाजी : इस्तोरिया यजीक—लितेरातुरा (लेनिनग्राद १९४९)
४. सोवियत्स्कया एत्नोग्रफ़िया (लेनिनग्राद १९३६/६, पृ० १११)
५. दाखुन्दा (उपन्यास, स० ऐनी, अनु० राहुल, प्रयाग १९४८)
६. गुलामान (उपन्यास, स० ऐनी, अनुवाद "जो दास थे" राहुल, प्रयाग १९४९)

तुर्कमानिस्तानमें क्रांति

१. तुर्कमान कबीले

तुर्कमान कबीलोंने किस तरह अपनी स्वतंत्रता कायम रखनेके लिये रूसियोंसे अंतिम लड़ाई लड़ी, इसके बारेमें हम पहले बतला आये हैं। तुर्कमानोंके मुख्य-मुख्य कबीले थे :——

१. चौदार	उस्त-उर्तमें
२. यामूद	चौदारोंके दक्षिण कास्पियन और निम्न वक्षुके बीचमें
३. गोकलान	ईरानकी सीमापर
४. तेक्के	सबसे अधिक शक्तिशाली मुर्गाब-उपत्यका और पासके रेगिस्तानोंमें
५. सरिक	मेर्वमें
६. सलार	मशहदके पूर्व बुखाराके रास्तेमें
७. एरसारी	
८. करदाखली	बुखारा-राज्यकी सीमापर वक्षुके किनारे

आठ सौ वर्ष पहले महमूद काश्गरीने और इतिहासकार रशीदुद्दीनने भी तुर्कमान कबीलोंके बारेमें लिखा है। उनके कथनानुसार पौराणिक आगूज खानके छ लड़के थे, जिनमेंसे प्रत्येकके चार-चार लड़कोंके अनुसार तुर्कमानोंके चौबीस कबीले बने। इन दोनों लेखकोंके अनुसार वह कबीले निम्न प्रकार हैं :—

महमूद काश्गरी	रशीदुद्दीन
१. कीनिक	कीनिन
२. काईइग	काइई
३. बायोन्दुर	बायोन्दुर
४. ईवे	ईइवे
५. सल्गुर	सलगुर
६. अफशर	अवशा
७. बेकतिली	केबदिली
८. व्युकद्युज	व्युकद्युज
९. बयात	बयात
१०. याजगिर	याजिर
११. येएम्युर	येइम्युर
१२. करायुल्युक	कराएवली
१३. इगदेर	ईइगदेर
१४. यूरेकी, यूरेकिर	यूरेकिर
१५. तूतिरगा	दूदुरगा

१६. उला-इओन्दलुग	उला-इओन्तली
१७. त्युकेर	थ्युकेर
१८. पेचेनेत	बीजने
१९. जूवाल्दर	जावुल्दुर
२०. जेबनी	चेबनी
२१. जारूकलुग	.....
	याचिर ली
	कारिक
	कार्किन
	तमगी

दोनों सूचियोंका एक-दूसरेसे न मिलना, यही बतलाता है, कि कितने ही पुराने तुर्कमान कबीलोंने नये नाम धारण किये और कुछ दूसरे तुर्कोंमें विलीन हो गये।

तुर्की भाषाएं उराल-अल्ताई भाषा-जातिसे संबंध रखती हैं, जिसके भेद हैं:—

१. **तुंगुस**—जिसमें मंचू भाषा भी सम्मिलित है।

२. **समोयद**—उत्तरी साइबेरियावालोंकी भाषा।

३. **फिन्नी**—फिन (सूओमी) तथा मगयार (हुंगरी) भाषा।

४. **मंगोल**—इसमें खलखा, कल्मक और बुरयत मंगोलोंकी भाषाएं सम्मिलित हैं।

५. **तुर्की**—इसकी एक शाखा (क) चगताई, जिसकी शाखायें उइगुर, तुर्कमान, उज्बेक, कजानकी तारतारी भाषाएं हैं, (ख) शुद्ध तारतार-भाषा, जिसमें किर्गिज, बाश्किर और कराकल्पक भाषाएं हैं, (ग) शुद्ध तुर्क-भाषा, जिसमें ईरानी और उस्मानी तुर्कोंकी भाषायें सम्मिलित हैं। भाषाकी दृष्टिसे तुर्कमानी भाषा पश्चिमी तुर्की अर्थात् तुर्की और आजुर्बाइजानकी भाषाके समीप है।

तुर्कमान जाति-निर्माण—तुर्कमानोंका ऐतिहासिक विकास निम्न प्रकार हुआ:—

काल	ख्वारेज्म	मेर्व	कास्पियन-तट
ई०पू० ५००००			मदलेन
,, ४००० (मध्य-पाषाण)	फिनो-द्रविड़		फिनो-द्रविड़
,, ३५००	द्र०		द्रविड़
,, ३००० (नव-पाषाण)	आर्य-द्र०	आर्य-द्र०	आर्य-द्र०
,, २५००	आर्य	आर्य	आर्य
,, १५००	ईरानी	ईरानी	ईरानी
,, ७००	शक	ईरानी	ईरानी
,, ५५०	शक	ईरानी	शक
,, ३२६	शक	ईरानी	शक
,, २०६	शक	ईरानी	शक
,, १३०	शक	ईरानी-शक	शक
ईसवी १०० कुषाण	शक	ईरा०-श०	शक
,, ४२५ हेफ्ताल	ईरानी-हूण	ईरा०-श०	श०-कंग
,, ५५७ तुर्क	ईरा०-तुर्क	ईरा०	ईरा०-तुर्क
,, ६७३ अरब	ईरा०-तु०	ईरा०	तुर्क
,, ८९२	तु०-ईरा०	ईरा०-तुर्क	तुर्क
,, १२२० मंगोल	तु०-ईरा०	ईरा०-तु०	तुर्क
,, १५००	तुर्क	तुर्क	तुर्क

ईसवी	१७००	तु०-उज्बेक	तुर्कमान	तुर्कमान
"	१७४७	उज्बे०-तुर्क	तुर्कमान	तुर्कमान

तुर्कमान

२. लालसेना-निर्माण

करेन्स्कीकी अस्थायी सरकारको रूसी गरीबों और मजदूर-किसानोंके बलपर निकाल फेंकना आसान था, क्योंकि रूसमें क्रांति-विरोधियोंके साथ लोहा लेनेवालोंकी संख्या और शक्ति कम नहीं थी, लेकिन मध्य-एसिया और उसमें भी तुर्कमानिया बहुत पिछड़ा देश था, जहांके लोगोंमें शिक्षा एक प्रकारसे नहीं-सी थी। जो साक्षर और शिक्षित भी थे, वह मुल्लोंके मक्तबोंमें पढ़े और उन्हींके प्रभावमें थे, इसलिए अपने द्वेष और असंतोषको वह गैर-मुस्लिमोंको काफिर कहकर ही निकालना जानते थे। तुर्कमानोंमें साम्यवादका संदेश और आन्दोलन पहलेसे बिलकुल ही नहीं था। क्रांतिके बाद वह पहिले मध्य-एसियामें रहनेवाले रूसी मजदूरोंमें फैला, जिसके बाद एसियाई लोगोंमें भी घर बनाने लगा। करेन्स्कीकी सरकारको हराकर जब बोल्शेविकोंने शासन-सूत्र अपने हाथमें लिया, तो मध्य-एसियामें भी उन्हें पुराने शासकोंका स्थान ग्रहण करनेमें पहले अधिक कठिनाईका सामना नहीं करना पड़ा, तो भी बोल्शेविक आनेवाले खतरेको समझते थे। ताशकन्दमें अक्तूबर-क्रांतिसे महीना भर पहले (सितम्बर १९१७ई०में) ही रेलवे मजदूरोंने अपनेको हथियारबन्द कर लाल-गारदका संगठन कर लिया। लेकिन सैनिक के तौरपर उनका संगठन अक्तूबर-क्रांतिके संघर्षके समय ही हुआ, जब कि ताशकन्दके बहुतसे मजदूर लाल-गारदमें भर्ती हो गये। लालगारदके सैनिक ओरेनबुर्गके मोर्चेपर सफेद-जेनरल दूतोफकी सेनासे भी लड़ने गये थे, जिसने लड़ाकू कजाकोंको भी अपने साथ मिला लिया था।

ताशकन्दका अनुकरण करते हुये मध्य-एसियाके दूसरे शहरोंमें भी लाल-गारदका संगठन हुआ। उस समय तुर्कमानियाको पारे-कास्पियान (जाकास्पिइ) कहा करते थे। पारेकास्पियाके नगरोंमें लाल-गारदका पूरी तौरसे संगठन फर्वरी १९१८ ई०में शुरू हुआ, जब कि सोवियत शासनको उखाड़ फेंकनेके लिये उत्तरसे कजाक और दक्षिणमें ईरानसे अंग्रेजोंके भाड़ेके सैनिक सफेद-रूसियोंके मददके लिये आ पहुंचे। चारजूय, तथा दूसरे पारे-कास्पियाके नगरों और स्टेशनोंके मजदूर लाल-गारदमें धड़ाधड़ भर्ती होने लगे, और वह फर्वरीके अन्त (मार्चके मध्य) तक काफी शक्तिशाली हो गये। गारदने क्रांति-विरोधी कजाकोंको दबानेमें बड़ा काम किया। जब विदेशी शक्तियोंका जोर भी इस प्रदेशमें देखा जाने लगा, तो ताशकन्द और दूसरे नगरोंसे भी लाल-गारदके संगठनकर्ता भेज गये। त० कज्लोफके अनुसार पारेकास्पियामें २० (७) दिसम्बर १९१७ ई०को बोल्शेविक पार्टीके सदस्योंको सम्मिलित करके लाल-गारदकी स्थापना हुई। गारदमें यूरोपीय मजदूरोंके अतिरिक्त उज्बेक, तुर्कमान, कजाक आदि स्थानीय (एसियाई) जातियोंके भी मजदूर सम्मिलित थे। जनवरी १९१८ ई०में जब मुल्लोंने शासन हाथमें लेनेका प्रयत्न किया, तो उस समय ताशकन्दके एक लाल-गारदमें केवल उज्बेक स्वयंसेवक सैनिक दो सौ थे। तुर्कमानियाम अवेज बेर्दी कुलियेफ—जैसे बोल्शेविकोंने लाल-गारदके संगठनको आग बढ़ाया, और दिसम्बर १९१७ ई०तक उसमें १७५ सवार तैयार हो गये। ६ दिसम्बर (२३ नवम्बर) १९१८ ई०तक तुर्कमानियाके हर नगर, हर बड़े स्टेशनपर लाल-गारदके संगठन थे। इनका काम था तुर्कमान मजदूरवर्गको हथियारबन्द कर क्रांति-विरोधियोंसे लोहा लेना और पूंजीवादियोंसे मजदूरोंके हितोंकी रक्षा करना। पहलेपहल उन्हें ईरानसे आये क्रांति-विरोधी सैनिकों और खीवाकी ओरसे आये कजाकोंसे मुकाबिला करना पड़ा। लाल-गारद दूतोफके कजाकोंके मनोरथको भी विफल करनेमें सफल हुआ।

१९१८ई०के अन्तमें मध्य-एसियामें बोल्शेविकोंकी अवस्था बहुत खतरनाक हो गई थी। रूससे यातायातका संबंध टूट गया था। उस समय पारे-कास्पियामें (समाजवादी क्रांतिकारी) दलका जोर था और बोल्शेविक निर्बल थे। क्रांति-विरोधियोंके नेता जारशाहीके पुराने सैनिक और असैनिक अफसर थे। खोकन्दके स्वायत्तियोंके खतम कर देनेपर वहां बासमचियों (जहादी डाकुओं)का जोर बढ़ा, जिसके कारण बोल्शेविक उनको दबानेमें लग पड़े, और महीनों कहींसे कोई सहायता नहीं मिली। यहांके कम्युनिस्तोंमें अभी न उतना तजर्बा था, न अनुशासन और उनमें निम्न-मध्यमवर्गके अराजकतावादी भाव ज्यादा दिखाई पड़ते थे। लेकिन तो भी उच्च आदर्शके प्रति प्रेम और सर्वस्व-त्यागका भाव उनमें काम कर रहा था, जिसके बलपर शत्रुके कितने ही शक्तिशाली होनेपर भी वह लड़नेके लिये तैयार थे। १९१८ ई०के अन्तमें मास्कोसे रेडियोग्राम आया, कि सारी पूंजीवादी दुनिया—फ्रांस, इंगलैंड, अमेरिका आदि—ने सफेद (क्रांति-विरोधी)-रूसियोंकी सेनाको सक्रियरूपसे मदद देनेका निश्चय कर लिया है। वह और हथियार ही नहीं देंगे, बल्कि अपनी सेना भी भेजेंगे। इस बेतारके तारने जहां अवस्था-की भीषणताको स्पष्ट करके सामने रख दिया, वहां यह भी बतला दिया, कि पूरी तौरसे अनुशासनकी पाबंदी करते हुये हथियारबन्द होकर लड़ना ही एकमात्र रास्ता रह गया है। उस समय बोल्शेविकोंकी कांग्रेस हो रही थी, जिसने निश्चय किया, कि सफेद-गारदोंसे हमें ऊपरका अनुशासन मानते हुये लड़ना है। अन्नका अभाव था, कारखाने बन्द थे। खैर इसका एक फायदा यह भी था, कि मजदूरोंको काम नहीं करना था। रेलवे लाइनें भी बेकार पड़ी थीं।

३. केर्की-कांड (१९१९ ई०)

मध्य-एसिया पहुंचनेके यातायातके बड़े रास्तोंमें एक स्थल-मार्ग ओरेनबुर्गसे होकर था, और दूसरा बाकूसे जहाज द्वारा कास्पियन पारकर वर्तमान तुर्कमानिस्तान होकर। ओरेनबुर्गको दूतोफ-ने लेकर उधरका रास्ता बन्द कर दिया था, और कास्पियनके पूर्वी और पश्चिमी दोनों तटोंपर अंग्रेज आ गये थे। इस प्रकार मध्य-एसियाके बोल्शेविक केन्द्रसे बिलकुल अलग-अलग अपनी लड़ाई लड़ रहे थे। उनका मुकाबिला भी केवल सफेद (क्रांति-विरोधी) रूसियों और स्थानीय उच्च और मध्यवर्गसे ही नहीं था, बल्कि अन्तर्राष्ट्रीय पूंजीपतियोंकी दुनिया भी उनकी शक्तिकी परीक्षा कर रही थी। बोल्शेविकोंका सबसे ज्यादा बल था—स्थानीय गरीब और मजदूर जनता, जिसके हितोंके लिये वह सब तरहकी कुर्बानियां दे रहे थे। १९१९ ई०के वसन्तके आनेतक अब अमीर-बुखारा भी ज्यादा हिम्मतके साथ क्रांति-विरोधियोंकी सहायता करने लगा था। कास्पियनके पूर्वी तटसे आगे बढ़ते हुये सफेद-रूसियोंने आमू-दरियाके किनारे तथा बुखारासे नातिदूर चारजूयके महत्त्वपूर्ण स्टेशनको अपने हाथमें कर लिया था। लेकिन उनकी हिम्मत नहीं हुई, कि आमू (वक्षु) दरिया पारकर सीधे बोल्शेविकोंपर प्रहार करें। बुखारा राज्यके भीतर बुखारा नगरसे कुछ ही मीलपर कगानका रेलवे-जंकशन जारशाहीने अपने हाथमें कर रक्खा था, जो अब बोल्शेविकोंके हाथमें था। सफेद रूसियोंने सीधे बुखाराकी ओर बढ़नेकी जगह पहले केर्कीको लेनेका निश्चय किया था, जिसके बाद वह बुखाराके अमीरसे मिलकर तुर्किस्तान-प्रदेशसे बोल्शेविकोंको खतम करना चाहते थे। मेर्व (बैराम अली)में कुछ उच्च अमरीकी अधिकारियोंने सफेद रूसियोंसे मिलकर योजना बनाई। १९१९ ई०की मईके मध्यतक उन्होंने अलग-अलग टोलियों-को बनाकर उनके लिये काम निश्चित किया। ऐरापेतोफ एक टोलीका कमांडर नियुक्त किया गया, जिसे केर्कीपर अधिकार करनेका काम दिया गया। वह खर्कोफसे आकर बाकूमें सेनाके साथ शिक्षक-का काम करता रहा। इससे पहले वह जारकी सेनामें अफसर रह चुका था, लेकिन इससे पहले कभी उसने सैनिक अभियानमें नेतृत्व नहीं किया था।

२४-२५ अप्रैलको कप्तान ऐरापेतोफने अपनी सैनिक टुकड़ी संगठित की। पैसेकी कमी थी। पैसे हीके लिये तो क्रांति-विरोधियोंको सिपाही मिल रहे थे। यदि केर्कीपर अधिकार

कर ले, तो अमीर-बुखारा तीस हजार रूबल देनेके लिये तैयार है, कहकर उसने लोभ-लालच दिखला पैंसठ आदमियोंको इकट्ठा किया, जिनमें चार रूसी, तीन ईरानी और कुछ आर्मेनियन भी थे। अंग्रेजोंके दिये हुये हथियारोंकी कमी नहीं थी। उनके साथ दो सौ बन्दूकें, काफी गोली-बारूद भी थी, इनके अतिरिक्त कुछ मशीनगनें भी थीं, लेकिन तोप नहीं थीं।

सैनिक टुकड़ीने संगठित हो जानेके बाद बैराम अलीसे कूच किया। पहले वह ताशके-परी फिर तख्तबाजार पहुंचे। मेर्वसे अफगानिस्तानकी सीमाके पास कुश्कतक आई रूसी रेलवे लाइन पकड़कर वह पहले दक्षिणकी ओर चले। तख्तबाजारसे ८ (२१) मईको, वह उत्तर-पूर्वकी तरफ केर्कीकी ओर बढ़ने लगे। रास्ता रेगिस्तानका था। यदि ऐरापेतोफके सनिकोंको रास्तेके बारेम अच्छी तरह मालूम होता, तो शायद उनमेंसे कितनोंकी हिम्मत टूट जाती, लेकिन एक बार जब रेगिस्तानमें पड़ गये, तो पीछे हटनेका सवाल कहां था? ऐरापेतोफने उन्हें बतलाया था, कि तख्तबाजारसे केर्की दूर नहीं, सिर्फ तीन दिनका रास्ता है। वह नौ दिन बाद १४ (२७) मईको रेगिस्तानी रास्ता खतमकर केर्कीसे चार फर्संखपर एक बागमें ठहरे। कुछ ही समय बाद अमीर-बुखाराका अफसर नूरुद्दीन निराखुर और नासिरुद्दीन कराउलबेगी मिलने आये। केर्कीके बेग (राज्यपाल)ने सौ हथियारबन्द स्थानीय तुर्कमान ऐरापेतोफकी सेनाके लिये भेजे, और जल्दी ही सैनिक कार्रवाई करनेके लिये जोर दिया। रेगिस्तानके रास्तेसे आकर थके-मांदे पड़े ऐरापेतोफके आदमी अभी उसके लिये तैयार नहीं थे। इसपर बुखारी अफसरोंकी सलाहसे ऐरापेतोफ अपने सैनिकोंको लिये केर्कीसे चालीस फर्संख दूर किजिलअयाकमें चला गया। यहां डेढ़ सौ तुर्कमान सवार और आ मिले, इस प्रकार ऐरापेतोफकी सारी सेना अब तीन सौ पैंतालीस थी। केर्कीका बेग बराबर ऐरापेतोफसे लिखा-पढ़ी कर रहा था। कपासका बहुत बड़ा व्यापारी मलिक-कपामेंस समसोन क्रांति-विरोधियोंकी सहायता कर रहा था। फर्वरी (१९१७)ई० क्रांतिके समय वह नगरके आर्थिक कमीशनका अध्यक्ष था, लेकिन अक्तूबरकी क्रांतिके बाद वह बोल्शेविकोंके साथ सहानुभूति पैदा करके अपनेको सोवियत संगठनका सदस्य बनानेमें सफल हुआ। उसने एक पत्र केर्कीके बेगके पत्रके साथ ऐरापेतोफके पास भेजा। पत्र पकड़ा गया, फिर समसोन भी गिरफ्तार कर लिया गया।

केर्की अफगान-सीमाके नातिदूर वक्षु नदीके तटपर व्यापारिक और राजनीतिक महत्त्वका स्थान था, जहां १८८९ ई०में जारशाहीने एक किला बनाया था। इसके व्यापारिक महत्त्वका पता इसीसे लग जायगा, कि १९१० ई०में यहां बाइस लाख रूबलका व्यापार हुआ था। बुखाराके पासके कगान जंक्शनसे करशीको एक रेलवे लाइन लाई गई थी। यह कपासकी बहुत बड़ी मंडी तो थी ही, साथ ही अफगानिस्तानके साथके आयात और निर्यात का भी यह बहुत बड़ा द्वार था। यहांपर दो कपास ओटनेकी मिलें भी थीं। अक्तूबर-क्रांति द्वारा जब ताशकन्दपर सोवियत-शासन कायम हो गया, तो यहांके गैरिसनके सिपाहियोंने भी लाल झंडा फहराया। मजूर और निम्नमध्यम-वर्गके लोग सोवियत-शासनके पक्षमें थे। ऐरापेतोफके आक्रमणसे पहले यहां बोल्शेविक पार्टीके सौ मेम्बर बन चुके थे।

१२ (२५) मईको केर्कीकी सोवियतको खबर मिली, कि सफेद-गारदके तीन हजार सैनिक आठ तोपों और सोलह मशीनगनोंके साथ आ गये हैं। अगले दिन यह भी पता लगा, कि सफेद-गारदका कुछ भाग किजिलअयाकमें पहुंच गया है। इसी दिन शामको सोवियतकी एक खास बैठक हुई, जिसमें प्रतिरक्षाके लिये तैयारी करनेका निश्चय किया गया। इसके लिये एक परिषद् (कलेगियो) बनाई गई, जिसका अध्यक्ष नस्तेरोफ और सदस्योंमें शीरियानेत्स (सोवियत-अध्यक्ष), बबायेफ, वासिलेव्स्की और बर्जानोफ थे। बर्जानोफ युद्धके विशेषज्ञके तौरपर लिया गया। १३ (२६) मईके १० बजे अमीरके पास रहनेवाले सोवियतके रेजीडेंटके पास केर्कीसे शीरियानेत्स, नेस्तेरोफ, और लादोगोने खबर भेजी, कि अश्काबादियोंकी पलटन यहांसे अट्ठाईस वेर्स्तपर आ पहुंची है। हो सकता है, हम आपके साथ यह अन्तिम वार्तालाप कर रहे हैं। जो हो सके, मदद हमारे पास भेजें। आज ही शामको युद्ध शुरू होनेकी संभावना है। बेग और

उसके अफसर उनके साथ हैं। उनकी सेनामें ७५० सैनिक, आठ तोपों और सोलह मशीनगनोंके साथ शामिल हैं। एक अंग्रेज कर्नल सेनाका कमांडर है। इसे कहनेकी अवश्यकता नहीं, कि हम विशेष सहायताकी अवश्यकता है। यदि सहायता न पहुंची, तो हम बच नहीं सकते, तो भी हम अंतिम समयतक लड़ेंगे।

उस समय केर्कीके गैरिसन (छावनी) में किलेके एक सौ पचास सैनिक—सौ सवार थे। इनके अतिरिक्त नगरमें भी करीब अस्सी लाल स्वयंसेवक थे। समासोनोफ स्टेशनमें भी रेलरक्षक पचहत्तर हथियारबन्द सैनिक थे। इस प्रकार सब मिलाकर तीन सौसे कुछ ऊपर आदमी उनके पास थे।

१५ (२८) मईको सफेद-गारदकी ओरसे सोवियतको अल्टिमेटम मिला, जो जेनरल देनिकिनकी सेनाकी ओरसे भेजा गया था: भाईका खून बहानसे परहेज करनके लिये हम चाहते हैं, कि तुम केर्कीको समर्पण कर दो। अल्टिमेटमके बाद दो घंटेतक हम प्रतीक्षा करेंगे। जिसके बाद किलेपर गोलाबारी शुरू हो जायगी। अल्टिमेटमपर निम्न अफसरोंके हस्ताक्षर थे :—

अंग्रेजी सेनाका कमांडर कर्नल लोमकार्ट,
फ्रेंच सैनिक मिशनका अध्यक्ष कर्नल वाल्तेर,
रूसी सनाका संचालक मेजर-जेनरल युदेनिच,
तुर्कमानी सेनाका संचालक कर्नल गर-सरदार।

अल्टिमेटमके हस्ताक्षरों और सफेद गारदकी सेनाकी बढ़ा-चढ़ाकर बतलाई संख्याको देखकर केर्कीकी सोवियतको भारी डर लगता ही था, लेकिन चाहे कुछ भी हो, बोल्शेविक किलेको क्रांति-विरोधियोंके हाथमें देनेके लिये तैयार नहीं थे। परिषद्ने हर तरहसे नगरकी रक्षा करनेका निश्चय किया, और अल्टिमेटमका जवाब देते हुये कहा—"आत्मसमर्पणकी जगह निष्कलुष रूप-से मृत्यु प्राप्त करना बेहतर है।" परिषद्ने शिर्निकोफ और श्वांस्कीके द्वारा पत्र भेजा। सवेरे दूकानें अभी बन्द ही थीं, तभी सोवियतके प्रतिनिधि नगरसे बाहर हो गये। उन्होंने ऐरापेतोफसे कारवांसरायमें मिलने जाते ढाई सौ हथियारबन्द तुर्कमानोंको देखा। किसीने बात करते हुये बतलाया, कि सेना-संचालक लोमकर्ट है। आदमीने प्रतिनिधियोंसे बात करते ऐरापेतोफको बतलाया, कि केर्की घिर गई है, बुखारासे तारका संबंध कट गया है, केर्की और करशीके बीचकी रेलवे लाइन भी काट दी गई है। तेरमिजके ऊपर पांच सौ सैनिक भजे जा चुके हैं। हमारी भारी सेनामें अंग्रेज, तुर्कमानी, रूसी आदि बहुत-सी जातियोंके लोग हैं। जब बातें हो रही थीं, उसी समय किसी आदमीने आकर ऐरापेतोफसे कहा, कि अंग्रेज तोपखाना-अफसर सिगरेट मांग रहा है। ऐरा-पेतोफने प्रतिनिधियोंसे बतलाया, कि सिगरेटका मतलब है सिपाही। इस प्रकार उसने प्रतिनिधियों-पर बहुत रोब डालना चाहा। उसने और बात करनेके लिये अपनी ओरसे स्तेपानोफ, उराल्स्की और मूजातिचको शीर्निकोफके साथ भजा, लेकिन श्वांस्कीको जामिनके तौरपर अपन पास रख लिया। शीर्निकोफन आकर बतलाया, कि सब झाँपड़ी हैं, कहीं तोप-ताप नहीं हैं। हां, अमीर-बुखाराके आदमी उनके साथ हैं। युद्ध-समितिने श्वांस्कीको लौटाने तकके लिए ऐरा-पेतोफके दो प्रतिनिधियोंको रख लिया, फिर अल्टीमेटमका उत्तर दिया—"हम अमर प्रोलेतारियोंके पुत्र, तुम्हें सूचित करते हैं, कि सोवियत रूस और तुर्किस्तानके राज्यके सिवा हम किसी राज्य-को स्वीकार नहीं करते। हम सिर्फ सोवियतकी शक्तिको स्वीकार करते, उसीकी आज्ञा मानते, और उसके लिये हम अपने खूनकी अंतिम बूंदतक देनेके लिये तैयार हैं।

केर्कीके बेगकी बहुत-सी कार्रवाइयां पकड़ी गई थीं, इसलिये १६ (२९) मईकी शामको सवा छ बजे युद्ध-परिषद्ने उसे अल्टीमेटम दे दिये, कि अश्काबादके विद्रोहियोंको तुमने मदद दी है, और शहरके रूसी भाग तथा किलेको उनके हाथमें देनेकी कोशिश करते १५ (२८) मईकी शामको मीर आखुर कादिरकुलोफको पत्र देकर भेजा। दो घंटेका समय देकर बर्जोनोफ-ने तोप चलानेका हुक्म दिया। किलेकी तोपें आग बरसाने लगीं। पुराने नगरपर सत्रह गोले छोड़े गये। इसपर बुखारा राज्यपालने अपने प्रतिनिधि भेजे। तुरन्त दो तोपों, दो मशीनगनों

और तीन सौ रूसी बन्दूकोंको देना स्वीकार किया। फिर भी बेगके किलेपर चार और गोले छोड़े गये, जिसपर उसने अपनी दो तोपों, दो सौ बन्दूकोंको भी बोल्शेविकोंके हाथमें दिया। बाकी हथियारोंके बारेमें उसने कहा, कि लोगोंने डरके मारे आमू-दरियामें फेंक दिया है।

अब स्वयंसेवकोंकी बड़ी तेजीसे भर्ती होने लगी। बेगको स्वतंत्र रखना खतरेकी बात समझ उसे और उसके आदमियोंको गिरफ्तार करनेका निश्चय किया गया। अमीरके बहुतसे अफसर, तथा बड़े-बड़े व्यापारी अपने धन और परिवारको नगरमें ही छोड़ गांवोंकी ओर भागे, जिससे आसपासके तुर्कमानोंको लूटका प्रलोभन हुआ। उन्होंने लूटके लिये अपने दल संगठित करने शुरू किये, जिसमें सबसे पहले चाकिर, तराजा और खोजा हैरान गांवोंके लोग शामिल हुये। उन्होंने १९ मई (१ जून) को लूट-मार शुरू कर दी। रूसी इसे क्यों बर्दाश्त करने लगे, इसपर तुर्कमानों और रूसियोंमें जंग छिड़ गई, जो दो महीनेतक चलती रही। आसपासके गांवोंसे चीजोंका आना-जाना बन्द हो गया, नगरके लोग दिन-पर-दिन भूखे मरने लगे, न बच्चोंके लिये दूध था, न लोगोंके लिये खानेका सामान। तुर्कमानोंने काफी रूसियोंको मारा, और खुद भी उनकी काफी क्षति हुई। ३१ मई (१३ जून) को ३ बजे सबेरे तुर्कमानोंपर आगे बढ़ कर आक्रमण करनेके लिये बोल्शेविकोंकी टुकड़ी भेजी गई, जिसने उनको काफी नुकसान पहुंचाया। अन्तमें १ (१४) जुलाईको सुलह करानेके लिये बुखाराके अमीरने ईशान सदूर तथा दूसरोंके साथ अपने आदमी काजीबेकको बातचीत करनेके वास्ते भेजा, लेकिन उसका कोई परिणाम नहीं निकला। इसके बाद ४, ५, ६ (१७, १८, १९) जुलाईको तुर्कमानोंने आक्रमण करके नगरपर अधिकार करना चाहा, लेकिन सोवियतकी तोपों और मशीनगनोंने उन्हें मार भगाया। जुलाईके मध्य (अन्त) में स्टीमरसे एक दूत-मंडल ताशकन्द भेजा गया, जिसे बुर्दालिक गांवमें तुर्कमानोंने रोक लिया। फिर केर्कीमें बातचीत हुई, अन्तमें तुर्कमानोंने स्टीमरको जाने दिया। अमीर-बुखारा उस समय करमीनामें था। केर्कीमें बोल्शेविकोंके इतने जबर्दस्त प्रतिरोध और तुर्कमानोंकी हानि देखकर अमीर बुखाराके आदमी सुलह करानेके लिये १० जुलाईके १२ बजे दोपहरको केर्की पहुंचे। १२ (२५) जुलाईके ७ बजे सबेरे तुर्कमानोंके साथ संधिकी बातचीत शुरू हुई। इस बातचीतमें बुखाराके प्रतिनिधि थे—तोकसाबा मिर्जा खोजा, मीर अखुर कारी उसमानबेक और कराउलबेगी जाहिरोफ, और तुर्कमानोंके प्रतिनिधि—ईशान सदुर, ईशान उराक, मुल्ला वलीनियाज, मुल्ला बाबा और मुल्ला जूराकुल तोकसाबा। १९ जुलाई (अगस्त) संधिके ऊपर हस्ताक्षर भी हो गया। तुर्कमानोंने केर्कीके घेरेको हटा लिया। ३० जुलाई (१२ अगस्त) को केर्कीका बाजार खुल गया, गांवोंसे सब तरहकी खानेकी चीजें आने लगीं।

इस प्रकार ऐरापेतोफकी बंदर-घुड़कीको खतमकर तुर्कमानोंके खतरेसे भी अपनेको मुक्त करके केर्कीमें बोल्शेविकोंने अपनी शक्ति मजबूत कर ली। २२ सितम्बर (५ अक्तूबर) को स्टीमर द्वारा चारजूयसे नई कम्युनिस्त सेना केर्की आ रही थी, लेकिन केर्कीसे पच्चीस वेर्स्तपर तुर्कमानोंने फिर स्टीमरको रोक लिया। लेकिन चार घंटेके बाद उन्होंने उसे छोड़ देनेमें ही खैरियत समझी। इसी साल ताशकन्दसे कुछ लाल सैनिकोंके साथ तीस लाख रूबल खजाना लेकर लगोदा और शीर्निकोफ आ रहे थे, जिन्हें २५ अक्तूबर (८ नवम्बर) को उसी गांव खोज-म्बाजमें तुर्कमानोंने फिर रोक लिया। उन्होंने हथियार और खजाना छीन बोल्शेविकोंको मौतका दंड दिया। चार दिन इसी स्थितिमें रहे। केर्कीके बेगपर दबाव पड़ा, तो तुर्कमानोंने उन्हें छोड़ दिया। केर्कीकी क्रांतिकारी समितिने इस बातका बहुत विरोध किया, कि ईरानी, जर्मन, अफगान या दूसरे आदमियोंको न रोक तुर्कमान केवल रूसियोंको रोकते हैं।

केर्की-कांड (१९१९ ई०) की तारीखवार घटनायें निम्न प्रकार थीं :—

२४ अप्रैल (७ मई) केर्कीपर चढ़ाईके लिये ऐरापेतोफने सिपाही जमा करने शुरू किये।
५ (१८ ") तख्तबाजारसे ऐरापेतोफकी सेना रवाना हुई।
१२ (२५ ") केर्की-सोवियतको शत्रुके आनेकी सूचना मिली।

१३ (२६ ") युद्ध-परिषद्‌का संगठन, और नगरकी प्रतिरक्षाकी तैयारी।

१४ (२७ ") ऐरापेतोफकी सेना केर्कीके नजदीक पहुंची।

१५ (२८ ") ऐरापेतोफने अल्टीमेटम दिया, श्वांस्की और शिनिकोफ बात करने गये। परिषद्‌ने अल्टीमेटम स्वीकार नहीं किया।

१६ (२९ ") युद्ध-परिषद्‌ने केर्कीबगको हथियार रख देनेके लिये अल्टीमेटम दे पुराने नगरपर गोलाबारी की।

१७ (३० ") पुरान नगरके प्रतिनिधि बात करने आये। बेग और उसके अफसरोंको गिरफ्तार करके पुराने केर्की नगरको बोल्शेविकोंने ले लिया।

१९ मई (१ जून) कगानकी सोवियत सेना समसोनोफ स्टशनपर आई। तुर्कमानोंने केर्कीका मुहासिरा शुरू कर दिया।

२-३ (१५-१६") तुर्कमान नेताओंके साथ प्रथम बातचीत।

३ (१६ ") केर्की-सोवियतने अपनेको खतम करके सारी शक्ति युद्ध-परिषद्‌के हाथमें दे दी।

४-६ (१७-१८") तुकमानोंने आक्रमण करके केर्की नगरको लेना चाहा।

१० (२३ ") बुखारासे बोइस्केविच तथा अमीरके आदमी सुलह करानके लिये केर्की पहुंचे।

१२ (२५ ") तुर्कमानोंके साथ सुलहकी बात शुरू हुई।

१९ जन (२ जुलाई) सुलहनामे पर हस्ताक्षर।

२८ सितम्बर (११ अक्तूबर) अपने अपराधोंके लिये बजोनोफ शिरियानेस्स् और नेतेरोफको गिरफ्तार किया गया।

४. ईरानका दावा

१९०७ ई०में इंगलैंड और जारशाही रूसका जो समझौता हुआ था, उसमें दोनों राज्योंने बीचके थोड़ेसे स्थानको छोड़कर ईरानको अपने प्रभावक्षेत्रमें बांट लिया था, और बहुतसे राजनीतिक और आर्थिक सुभीते अपने लिये प्राप्त किये थे। क्रांतिके बाद सोवियत सरकारने इस तरहके साम्राज्यवादी संधिपत्रोंको फाड़कर फेंक दिया। २६ फर्वरी १९२१ ई०को मास्कोमें ईरानके साथ नये संधिपत्रपर हस्ताक्षर करते हुए सोवियतने ईरानके साथ हुई अन्यायपूर्ण शर्तोंको खतम कर दिया धातु—धुनों, पेट्रोल आदिके संबंधमें जो रियायतें ईरानसे जारशाहीने ली थीं, उन्हें छोड़ दिया। जुल्फा तब्रेज और दूसरी जगहोंमें जारशाहीने जो रेलवे लाइनें बनाई थीं, उन्हें ईरानको दे दिया। उरमिया (रजाइया) महासरोवरमें चलनेवाले रूसी स्टीमरोंको ईरानके हवाले कर दिया। तेलीग्राफ, बिजली-स्टेशन, बैंकोंकी इमारतों आदिपर से भी अपना अधिकार छोड़ दिया। कुल मिलाकर प्रायः सात करोड़ सुवर्ण रूबलकी अपनी संपत्तिको देते रूसियोंके वाह्य-राज्यमें विशेष अधिकारको भी छोड़ दिया। एक ओर रूसके नये शासक इस तरहकी उदारता दिखला रहे थे, दूसरी तरफ बख्तियारी सामन्त समसामुस्सल्तनतके नेतृत्वमें ईरान सरकार मार्च १९१९ ई०में पेरिसके अंतर्राष्ट्रीय कान्फ्रेंसमें कौरोश और दारयोशके समयकी ईरानी सीमाको फिरसे कायम करना चाहती थी। समसामुस्सल्तनत उसी बख्तियारी कबीलेका सरदार था, जिसने १९१६ ई०में इंगलैंडके साथ समझौता करके ईरानके प्रसिद्ध तेल-क्षेत्रको अंग्रेजोंके हवाले किया था। इसीके शासनके समय इंगलैंडने ईरानपर पूरी तौरसे अपना अधिकार जमाया, इसलिये अंग्रेजोंकी सम्मतिके बिना वह ऐसी मांगोंको रखनेकी हिम्मत नहीं कर सकता था। उस समय एक ओर अंग्रेज जेनरल डेन्स्टरविलकी सेना बगदादसे बाकू पहुंची थी, वहां दूसरी सेनाका कर्नल रोलिंसनके अधीन अश्काबाद आई थी। अंग्रेजी सेनाओंके बलपर ईरानकी मांगे यदि लंबी हो जायें, तो आश्चर्य क्या? वस्तुतः यह नई सीमा ईरानकी नहीं, बल्कि अंग्रेजी साम्राज्यकी होती। ईरान सरकारने अपने स्मारक पत्रमें मांग की—बाकू नगरके साथ सारा आजुर्बाइजान, एरेवान, नखचेवान, कराबख आदि नगरोंको साथ रूसी आर्मेनिया, दरबेंदके साथ दागिस्तान (अर्थात् प्रायः सारा काकेशस) ईरानको मिलना

चाहिए। पारे-कास्पियाको लेते हुये ईरानकी सीमा आमू-दरिया, अराल समुद्र और पूर्वी कास्पियन-तट माना जाय, अर्थात् अश्काबाद, मेर्व, ख्रीवा आदिपर ईरानका अधिकार होना चाहिये। कुल मिला पांच लाख सत्तर हजार वर्ग किलोमीतर सोवियतकी भूमिपर ईरानका दावा था। ईराननें बोल्शेविकोंको इतना कमजोर समझा था, और अपने सहायक पश्चिमी साम्राज्यवादियों-को इतना मजबूत, कि उसने सोवियत-शासकोंके सात करोड़ स्वर्ण रूबलके स्वार्थ-त्यागको उनकी कमजोरी समझा ।

लेकिन ईरान और उसकी पीठ ठोंकनेवाले ब्रिटिश साम्राज्यवादियोंके सारे मनसूबोंको मध्य-एसियाके बोल्शेविकों, उनके लाल-गारद और लाल-सेनाने विफल कर दिया। रूसियोंके दांत खट्टे करनेवाले तुर्कमानोंको यह समझनेमें दिक्कत नहीं हुई, कि उनके भाग्यका सितारा बोल्शेविकों के साथ फिर उगनेवाला है। दूसरी जगहोंकी तरह तुर्कमानोंमें भी उच्चवर्ग और मुल्ला क्रांति-विरोधी सफेद-गारदोंके साथ हुये, और अधिकांश गरीब जनता बोल्शेविकोंके साथ । इसी जनशक्ति-के बलपर तुर्कमानियामें १९२४ ई०में किसान-मजदूर-राज्य जातियोंके आत्मनिर्णयके अनुसार एक लाख सतासी हजार वर्गमील भूमिपर कायम हुआ। यद्यपि इस भूमिका अस्सी सैकड़ा कराकुम (कालाबालू)का महारेगिस्तान है, लेकिन तेरह लाखके आबादी के लिये बाकी बीस सैकड़ा भूमि भी कम नहीं है। अब तो वक्षु (आमू-दरया)को कास्पियनसे मिलानेके लिये ग्यारह सौ कलोमीतरकी जो नहर खोदी जा रही है, उसके कारण इस रेगिस्तान- का बहुत बड़ा भाग उर्वर भूमिमें परिणत हो जायगा। तुर्कमान घुमन्तू कबीले, और उनके लूट-पाट और लड़ते-भिड़ते रहनेके जीवनका अंत हो चुका है, उनमें शत-प्रतिशत आधुनिक शिक्षा से शिक्षित नर-नारी हैं। वह जीवनके हर क्षेत्रमें बड़ी तेजीसे आगे बढ़े हैं।

स्रोत-ग्रंथ

१. रेवोल्युत्सिया स्रेद्नेइ आजिइ (ताशकन्द १९२९)
२. History of civil war in USSR. (2 vols., G. F. Alexandrov and others, Moscow 1947)
३. La revolution russe (4 vols., C. Anet, Paris 1918-20)
४. La revolution russe (Al. Ular, Paris 1905)

परिशिष्ट

रूसी भाषा और भारत

१. ऐतिहासिक सिंहावलोकन

सिकन्दर (मृत्यु ३२३ ई० पू०) से पहिलेके भी भारतीय युनानियोंको जानते थे। 'माज्झिम-निकाय'के एक सूत्रमें बुद्धने कंबोज (उत्तरी अफगानिस्तान) और यवन (यूनान) का नाम लिया है। पाणिनि (ई० पू० ४थी शताब्दी)को भी यवनोंका नाम मालूम था। उसके बाद तो बहुत भारी संख्यामें यवन हिन्दुस्तानमें आये, और ईसा-पूर्व दूसरी और तीसरी शताब्दीमें उत्तरी भारतके कितने ही हिस्सोंपर यवनोंका राज्य रहा। ई० पू० पहली शताब्दीसे ईस्वी तीसरी शताब्दीतक उत्तरी भारतका बहुत-सा भाग शकोंके हाथमें था, और पंजाब तो पांचवीं शताब्दीतक शकोंके शासनमें रहा, जब कि इतिहासमें गलतीसे श्वेत-हूणके नामसे प्रसिद्ध किन्तु वस्तुतः शकोंकी ही एक शाखा हेफतालों (तोरमान-मिहिरकुलके वंश)ने उनको हटाकर अपना राज्य स्थापित किया। मिहिरकुलको मालवाके यशोधर्माने भगाया, जिसके साथ अंतिम शकोंका राज्य भारतसे लुप्त हुआ। इसी समय बाह्लीक (बाख्तर या बलख), तुषार और सोग्दको भी उनसे तुर्कोंने छीन लिया। आठ-आठ शताब्दीतक यवनों और शकोंका भारतसे इतना घनिष्ठ संबंध रहा, वे लाखोंकी संख्यामें हमारे देशमें आकर बस गये, और आज वह शाकद्वीपी ब्राह्मण, चौहान, बनाफर-जैसे बहुतसे राजपूतों और जाट-गूजर जैसी जातियोंके रूपमें हिन्दुओंके अभिन्न अंग बन गये। तो भी हमारे यहां इस तरफ ध्यान आकृष्ट नहीं हुआ, कि उनकी भाषाओंका हमारी भाषासे बहुत घनिष्ठ सबंध है, और उससे ऐतिहासिक परिणाम निकाले जा सकते हैं।

१८वीं शताब्दीके अंतमें युरोपके विद्वानोंका ध्यान संस्कृतकी तरफ खास तौरसे आकृष्ट हुआ, जब कि उन्होंने देखा कि संस्कृत और युरोपीय भाषाओंमें आपसमें कितनी ही जगह अद्भुत समानता है। इसका श्रेय जर्मन अध्यापक बॉपको है, जिसने अपने विस्तृत अनुसंधानके बल-पर इस समानताको दिखलाया और हिन्दी-युरोपीय भाषा-तत्त्वकी नींव डाली। अब यह सर्वसम्मत बात है, कि संस्कृत तथा युरोपीय भाषाओंकी समानता आकस्मिक नहीं है, जैसे :—

संस्कृत——ददामि	दास्यमानस्	दातर्
ग्रीक———दिदोमि	दोसोमेनोस्	दोतेर्

इसी तरह :—

संस्कृत——वाक् वाचस् वाचाम् वचस् वाग्भ्यस्

ग्रीक——वोक्स् वोकिस् वोकेम् वोकेस् वोकिबुस्

इन समानताओंने सिद्ध कर दिया कि "हिन्दी-युरोपीय भाषाएं सभी एक ही मूल-भाषाकी संतानें हैं।"*

हिन्दी-युरोपीय भाषाओंकी इस एकताके सिद्धांतको स्वीकार कर लेनेपर रूसी भाषाका भी संबंध संस्कृतसे है, यह मान ही लिया जाता है। किन्तु इससे एक भ्रम पैदा होता है, कि रूसी भाषा भी उतनी ही दूरसे संस्कृतके साथ सम्बन्ध रखती है, जितनी कि ग्रीक और अंग्रेजी भाषा। फारसी भाषा-का भी संस्कृतसे संबंध है, हिन्दी-बंगलाका भी संस्कृतसे संबन्ध है, लेकिन यहां तारतम्य एक समान

---

* अन्थ्रापौलोजी (सर एडवर्ड टेलर) जिल्द १, पृष्ठ ८

नहीं है। फारसी भाषा अंग्रेजीसे तुलना करनेपर संस्कृतकी सगी बहन-भतीजी मालूम होती है, उसी तरह युरोपकी दूसरी भाषाओंसे तुलना करनेपर रूसी और उसकी स्लाव बहनें संस्कृतकी बिलकुल भागिनेयी और प्रभागिनेयी सिद्ध होती है। वस्तुतः रूसी भाषा युरोपीय भाषाओंके वर्गकी नहीं है, बल्कि वह संस्कृत-ईरानी भाषा-वर्गसे संबंध रखती है। १८ वीं सदीके आरंभतक रूसी भी अपने को युरोपसे अलग समझते थे। आज भी उनके मुखसे जब-तब अपनेसे पश्चिमके देशोंको 'युरोपा' कहकर पृथक् करनेकी प्रवृत्ति देखी जाती है।

ईरानियों और हिन्दी-आर्योंका घनिष्ठ संपर्क भाषाके अतिरिक्त उनकी देवावली और पूजा-प्रकारसे भी सिद्ध होता है। रूसी भाषाका संस्कृतसे कितना घनिष्ठ सम्बन्ध है, इसके बारेमें हजारों उदाहरण हम यहां देने जा रहे हैं, इसलिये बहुत लिखनेकी अवश्यकता नहीं है। लेकिन मूल-भाषा और उसके बोलनेवालोंसे इतिहास-श्रृंखला कैसे जुड़ती है, इसे यहां संक्षेपमें दिखलानेकी जरूरत है।

हम आसानीके लिये उस भाषाको "प्राक्‌हिन्दी-युरोपीय भाषा" मान लेते हैं, जिसे भारत और ईरानके आर्यों और रूसी तथा युरोपीय जातियोंके पूर्वज एक कबीला होनेके वक्त बोला करते थे। यहां यह स्पष्ट कर देना आवश्यक है, कि भाषा बोलनेसे यह मतलब नहीं, कि वह अपने पूर्वजोंके विशुद्ध वंशज हैं। मानव-जातियां स्थावर नहीं, जंगम हैं। कभी वह स्वयं दूसरी जातियोंके देशोंमें गईं और कभी दूसरी जातियां उनके देशोंमें आईं। यदि भिन्न-भिन्न भागों-में भारतीय आर्योंके रक्तमें द्राविड़, किरात और मंगोल जातियोंका प्रचुर रुधिर है, तो युरोपकी जातियां भी प्राचीन भूमध्यीय जातियों, और रूसी जाति हूणों, तुर्कों और मंगोलोंके रक्तसे बची नहीं है। हां, यह कहा जा सकता है, कि हिन्दी-युरोपीय-भाषा-भाषी जातियोंमें उनके प्राक्-हिन्दी-युरोपीय पूर्वजोंका रक्त अधिक है, परन्तु पश्चिममें यह बात केवल युरोपमें रहनेवालोंपर ही लागू है।

प्राक्-हिन्दी-युरोपीय जातिके निवास और कालको ढूंढ़ते-ढूंढ़ते हम नवपाषाण-युगतक पहुंचते हैं। उनके आधुनिक वंशधरोंकी शब्दावलीसे तुलना करनेपर इतना पता लगता है, कि अभी वह कृषिको नहीं जानते थे। इसका अर्थ यह भी हुआ, कि वह नवपाषाण-युगके आरंभिक कालमें थे। यह समय ईसा-पूर्व तीसरी-चौथी सहस्राब्दी या कुछ आगे-पीछे हो सकता है। मानव-तत्त्ववेत्ताओं-में इस सम्बन्धमें मतभेद है, कि प्राक्-हिन्दी-युरोपीय जाति एसियाकी रहनेवाली थी या युरोपकी। बहुतसे विद्वान् कहते हैं, कि अंतिम हिम-युगकी समाप्तिके बहुत देर बाद एसियाकी एक जातिने युरोपपर धावा बोला और वही प्राक्-हिन्दी-युरोपीय जाति थी। दूसरी तरफ ऐसे भी विद्वान् हैं, जिनका कहना है कि हिम-युगके बाद जिन जातियोंका युरोपमें पता लगा है, उन्हींकी वंशज यह प्राक्-हिन्दी-युरोपीय जाति थी।* हमें अभी इस विवादमें नहीं पड़ना है। यदि प्राक्-हिन्दी युरोपीय जाति एसिया—मध्य-एसिया—से यूरोपमें गई, तो उसकी पूर्वी शाखा गोबीकी मरुभूमिसे कार्पाथीय पर्वतमालातक फैली हुई थी। पीछे इसके विभाग हुये—आर्य और शक। आसानीके लिये हम पूर्वी शाखाको 'शतं वंश' या 'शकाऽऽर्य' कह लेते हैं। पश्चिमी शाखा 'केन्टं' या पश्चिमी युरोपीय जातियोंके पूर्वज थे। लेकिन यहां हम यह भी स्मरण रखना चाहिये, कि हालकी ख्वारेज्म (निम्नवक्षुनदी) की खोजोंने बतलाया है, कि वहांकी संस्कृति सिन्धु-उपत्यकाकी संस्कृतिसे सम्बद्ध थी, अर्थात् सिन्धु-उपत्यकाकी जाति और प्राक्-हिन्दी-युरोपीय जाति-की सीमा अराल-समुद्र और सिर-दरिया थी।

यदि हम यह मान लें, और जिसकी संभावना भी अधिक है, कि प्राक्-हिन्दी-युरोपीय जाति हिम-युगके बादकी युरोपीय जातियोंसे निकली थी, तो उसके विचरण-स्थानकी सीमा वोल्गा या एम्बा नदी रही होगी, अर्थात् विशाल 'भूखे बयाबान' (कजाकस्तान) से पश्चिम ही। इसी विशाल

---

* 'स्केलेटेन रिमेन्स ऑफ अर्ली मैन' (हरद्‌लिच्‌का), स्मिथसोनियन् मिसलेंनियस् पब्लिकेशन जिल्द ८३ (१९३०) पृष्ठ ३४७-४९

भू-भागके पूर्वीय अंशमें पूर्वी शाखावाले शकार्य रहते थे। शकार्य-काल में भी संस्कृतिके तलमें बहुत अन्तर नहीं पड़ा था। कृषिकी संभावना कम है। शिकारके साथ पशुपालन भी वह करते थे। समाज जन-सत्ताक था, यानी व्यक्तिकी जगह जनकी प्रधानता थी।

शकार्य जातिका सम्मिलित वासस्थान कार्पाथीय पर्वतमालासे पूरब रहा होगा, जिसके पूर्व-में आर्य रहा करते थे और पश्चिममें शक। जनसंख्याकी वृद्धि या प्राकृतिक विपत्तिके कारण शकों और आर्योंमें संघर्ष हुआ। परिणामतः आर्योंको अपना मूल स्थान छोड़ना पड़ा। उनका एक भाग कास्पियनके पश्चिम काकेशस पर्वत-मालासे होते क्षुद्र-एसिया (तुर्की) और उत्तरी ईरानके तरफ बढ़ते असीरियाके सभ्य देशकी सीमापर पहुंचा, और दूसरा भाग कास्पियनसे पूरबकी तरफ अराल समुद्रके किनारे होते ख्वारेज्मकी भूमिमें पहुंच वहांकी सभ्यताके सम्पर्कमें आया। काकेशससे होकर जानेवाले आर्योंका पता हमें ईसा-पूर्व द्वितीय सहस्राब्दीमें बोगजकुई (अंकराके पास)में मितन्नी आर्योंके अभिलेखसे मिलता है। यह भी स्मरण रखना चाहिये, कि इसी सहस्राब्दी में हिन्दी-युरोपीय ग्रीक ग्रीस देशमें दाखिल हुए।

अराल-समुद्र और ख्वारेज्ममें पहुंचे आर्योंका वहांकी संस्कृत जातिसे संघर्ष हुआ होगा, इसमें संदेह नहीं। ख्वारेज्मकी सभ्य जाति उसी तरह घुमन्तू आर्योंके समक्ष नतमस्तक हुई, जिस तरह हजार वर्ष बाद ईसा-पूर्व द्वितीय सहस्राब्दीमें हिन्दी आर्योंके सामने सिन्धु-उपत्यकाकी संस्कृत जाति परास्त हुई, और वहां आर्योंका अधिकार जमा। शकोंसे आर्योंके प्रथम अलग होनेका काल ईसा-पूर्व ३००० वर्षके आसपास था। आगे मध्य-एसियामें आर्य कस्पियनसे पामीर तक फैल गये। वक्षु (ख्वारेज्म) सभ्यताने उन्हें कृषि और संस्कृतिकी दूसरी बातें सिखलाईं। आगेके लिये यह भूमि आर्यों का बीजस्थान (आर्याना बेइजा) बन गई। ईसा-पूर्व २५०० के आसपास आर्योंके भाई—शक संख्या-वृद्धि, दैवी उत्पात या अच्छी चरागाहोंकी भनक पा पूरबकी ओर बढ़े। संभव है, अराल-समुद्र और सिर-दरियाके उत्तरके पशुपाल आर्य-जनोंसे उन्हें लड़ना पड़ा हो। कुछ भी हो, वह धीरे-धीरे पूरब-में बढ़ते त्यानशान् और अल्ताईकी उपत्यकाओंको लेते गोबी और क्विनलुन् पर्वतमालातक पहुंच गये।

ईसा-पूर्व १५०० में तरिम, इली और चूकी समृद्ध उपत्यकायें शकोंके निवासस्थान थे। संभव है, वहां वे कुछ खेती भी करते हों, अल्ताईकी खानोंसे सोना तो वह जरूर निकालते थे। लेकिन शक अपनी जीविकाके लिये मुख्यतया निर्भर थे पशुओंपर——घोड़ा, गाय और भेड़ें उनके मुख्य धन थे, ऊंटों-से उनका प्रेम न था। इस प्रकार ईसा-पूर्व १५ वीं सदीमें गोबीसे कारपाथीय-पर्वतमालातक शक-जातिका वासस्थान था। ईसा-पूर्व ६ठी सदीमें ग्रीक इतिहासकार दुनाइ (डैन्यूब)के उत्तर तथा अराल-तटपर शकों (स्कुथ, सिथ)के होनेकी बात करते हैं। ईसा-पूर्व ६ठी सदीमें ईरानी शाहंशाह कोरोस-को शकोंसे बचनेके लिये दरबन्द (बाकूसे उत्तर)की किलाबंदी करनी पड़ी थी। सिर-दरियाके किनारे भी उसे शकोंसे लड़ना पड़ा था और एक शक योद्धाके हाथ ही घायल होकर उसे मरना पड़ा। ईसा-पूर्व ४थी सदीमें अलिकसुन्दरको दुनाइ और सिरदरियाके तटपर फिर शकोंसे मुकाबला करना पड़ा। इस तरह स्पष्ट है, कि ईसा-पूर्व २००० से अलिकसुन्दर (सिकन्दर)के समयतक कारपाथीय पर्वतमालासे गोबीतककी भूमि शक घुमंतुओंकी विचरण-भूमि रही, और यही महाशक-द्वीप था। यह भी स्मरण रखना चाहिए, कि अराल समुद्रके पास मगेसगेत् (महाशक) नामकी एक शक जाति का वर्णन हेरोदोतने किया है। ई० पू० २०६ में जब कि ग्रीक-बाल्हीक राजा युथिदेमोने सिर-दरियापर चढ़ाई की थी, उस वक्त भी वहां शक लोगों हीका निवास था। कितने ही पश्चिमी विद्वानों-का विचार है, कि वहां (महाशकद्वीपमें) रहनेवाली शक जाति वस्तुतः एक जाति नहीं थी, अर्थात् वह भिन्न-भिन्न भाषाएं बोलते थे, और उनके रक्तमें भी भिन्नता थी। भिन्न-भिन्न भाषाका मतलब यदि यह है, कि उनमें कई बोलियां थीं, शब्दोंके उच्चारणमें कुछ अंतर था, तो इसमें किसीको आपत्ति नहीं। किन्तु यदि इसका यह अर्थ है, कि वहां 'शतम्' वंशकी भाषासे बिलकुल ही अलग, अथवा हिन्दी-युरोपीय भाषासे भी बिलकुल अलग भाषा बोलनेवाले कबीले रहते थे, और रक्तसे भी वे शकार्य या हिन्दी-युरोपीय जातिसे भिन्नता रखते थे; तो इसके लिये कोई आधार नहीं है। वस्तुतः भाषाके

मामूली स्थानीय भेदके साथ भी इस सारे महाशक-द्वीपमें शक जातिका अक्षुण्ण आधिपत्य १७२ ई० पू० तक रहा।

गोबीसे उत्तर, और पूरबमें मंगोल-वंशीय जातियां निवास करती थीं, जिनमें सिन् (चीनी) और हूणका इतिहासमें सबसे पहले नाम आता है। २५० ई० पू०में तूमन् शन्-यूके नेतृत्वमें हूण बहुत प्रबल हुये और चीनको उनके सामने झुकना पड़ा। ये हूण—जिनके ही वंशज पीछे चिंगिज खांके मंगोल थे—आधुनिक मंगोलियामें रहा करते थे। इनके आतंक और आक्रमणोंके मारे चीनी परेशान थे और इसीलिये उनसे बचनेके लिये विश्वविख्यात चीनकी दीवार बनी। हूणोंके पश्चिमी पड़ोसी शक थे। तूमन शन्-यूके बाद उसका पुत्र माउ-दुन् हूणोंका राजा हुआ, और वह १८३ ई० पू०में मौजूद था। इसने चीनको कई बार बुरी तरह परास्त किया, और उससे अपनी शर्ते मनवाईं। इसके समय हूण राज्य पश्चिममें अल्ताईतक पहुंच गया, और पूर्वमें कोरियातक। अल्ताई और बलखाश्से पूर्वके शकों-ने माउ-दुन्की अधीनता स्वीकार की, और शायद इससे पहले ही बापके समयमें ही अल्ताईके उत्तरकी सोनेकी खानें हूणोंके हाथमें चली गई थीं। संभव है, अब भी वहां काम करनेवाले शक ही रहे हों। जो भी हो, माउ-दुन्ने शकद्वीपके कुछ भागपर अधिकार करके भी उसने अपनी तरहके घुमतू शकोंके उच्छेद करनेकी अवश्यकता नहीं समझी। उसके पुत्र ची-युइ (मृत्यु १६२ ई० पू०)ने शकोंके साथ पिता जैसा बर्ताव नहीं करना चाहा और उसने १७२ ई० पू०में शकोंके उच्छेदका काम शुरू किया। उसने तरिम्-उपत्यकामें बस गये शकों (यू-ची)के राजाको मारकर उसकी खोपड़ीका मद्य-चषक बनाया। इस समयसे शकों और हूणोंका संघर्ष शुरू हुआ, और शकद्वीपके पूर्वी भागमें खलबली मच गई। शक अपने पुराने स्थानको छोड़कर दक्खिनकी तरफ भागने लगे। दक्खिनकी तरफ भागनेवालोंमें सबसे पहले थे यू-ची, जिन्होंने ई० पू० १३० में बाख्तर (बलख)में ग्रीक-बाल्हीक राज्यको समाप्त कर अपने राज्यकी स्थापना की, और इस तरह हिंदुकुशतकका भूभाग शकोंके हाथमें चला गया।

हूणोंके दक्षिणी पड़ोसी चीनी उनसे तंग आये हुये थे। हूण उन्हें दुधार गाय समझते थे, और चीनी किसान एवं शिल्पी जो कुछ धन जमा करते, हूण सवार आक्रमण कर लूट ले जाते। जब हूणों-का शकोंसे भी संघर्ष हो गया, तो उनसे मिलकर एक साथ हूणोंपर आक्रमण करनेके लिये चीनने अपने एक सेनापति और महापर्यटक चाङ-क्यान्को १३८ ई० पू०में शकोंके पास दूत बनाकर भेजा। चाङ रास्तेमें हूणोंके हाथमें पड़ गया और दस सालतक उनका बंदी रहा। इस वक्त त्यान्-शाङ और अल्ताई पर्वत-मालाओंके बीच इली-उपत्यकामें वू-सुन् शक रहा करते थे। किन्हीं-किन्हीं विद्वानोंका कहना है, कि वू-सुन् कुषाण शब्द हीका चीनी रूपान्तर है। जब वू-सुनोंने १२८ ई० पू० में हूणोंसे अपनेको स्वतंत्र कर लिया, तो चाङ-क्यान्को मुक्ति मिली और वह फर्गानाके रास्ते सिर-तटपर खोकंद नगरमें पहुंचा। वह पहला चीनी यात्री था, जिसने इन देशों और निवासियोंका सुंदर वर्णन किया, जिसका पीछेके दूसरे चीनी यात्रियोंने अनुकरण किया। चीनने यू-ची सरदारोंसे मिलकर उन्हें चीनके सहयोगसे पश्चिमकी तरफसे हूणोंपर हमला करनेके लिये प्रेरित किया। लेकिन यू-ची इसके लिये तैयार नहीं हुये। उन्हें अपना देश छोड़े ३० सालसे अधिक हो गया था। यद्यपि वह अब भी सोग्द, तुषार और बाख्तरमें घुमंतू जीवन ही बिता रहे थे, लेकिन उनके लिये नगरों और गांवोंके रहने-वाले सोग्दी (ताजिक) सारी भोग-सामग्री जुटाते थे। यद्यपि चाङ शकोंको हूणोंके विरुद्ध नहीं कर सका, तो भी चीनने अपने ही बलपर एक विशाल सेना हूणोंके विरुद्ध १२१ ई० पू०में उनकी भूमि (आधुनिक मंगोलिया)पर भेजी। चीनियोंकी भारी विजय हुई, लेकिन घुमंतू जातियोंपर विजय टिकाऊ नहीं हुआ करती। पीछे फिर हूण लूट-मार करने लगे। लौटते वक्त चाङ-क्यान् फिर एक साल हूणोंका बंदी रहा। उसने चीन-सम्राट्से सारी बात सुनाते हुये जे-चुआनके रास्ते भारतसे संबंध स्था-पित करनेके लिये कहा। चीन-सम्राट्ने फिर उसे इली-उपत्यकाके वू-सुन् शकोंके पास साथ मिलकर हूणोंपर आक्रमण करनेकी बात करनेके लिये १२१ ई० पू०में भेजा।*

*देखो जिल्द १, हूण भी।

साथ-साथ यू-चियोंने भी अंतमें (चाङ-क्यान् की मृत्युके दो वर्ष बाद) चीनकी अधीनता स्वीकार की। यही समय है, जब कि शक-राजाओंने चीनी उपाधि 'देवपुत्र' धारण की।

माउ-दुन्से परास्त यू-चियोंने लोबनोरके तटको छोड़ भागकर बाख्तरके ग्रीक-राज्यको हाथमें ले लिया था, लेकिन वह उतने हीसे संतुष्ट नहीं हुये। सीस्तान (उन्हींके नामसे शकस्तान) और बिलोचिस्तान होते ११० ई० पू०में सिंध पहुंचे, फिर धीरे-धीरे समुद्र-तटके भागपर अधिकार करते ई० पू० ८० में तक्षशिला और गांधारके स्वामी बन गये, और उन्होंने एक शताब्दीसे जड़ जमाये यवन-राज्यका उच्छेद कर दिया। इससे पहले ८७ ई० पू० में यू-ची काबुलको भी ले चुके थे। यु-ची सरदार मोग भारतका प्रथम शक राजा था। ११०-८०ई०तक गुजरातभी शकोंके हाथमें चला गया था। ६० ई० पू०तक मथुरामें भी शक-छत्रपी कायम हो गई। मोग (Maus) की मृत्यु ५८ ई० पू०में हुई, जिसके बाद शकोंके भिन्न-भिन्न कबीलोंमें झगड़ा हो गया और राज्य छिन्न-भिन्न हो गया। तब शकोंके कुषाण कबीलेके यवगू (सरदार) कजुल कद्फिस् I की शक्ति बढ़ी। उसने हिंदुकुश पार हो बाख्तर और तुषारपर भी अधिकार कर लिया। कजुलके पुत्र वीम कद्फिस् द्वितीय (७५-७८ ई०), ने सारे उत्तर भारतको जीता। इसीका पुत्र 'वसीलेउस् वसीलेउन् कनेर् कोस्' (राजाधिराज कनिष्क) हुआ जिसने शक-संवत् चलाया और ७८-१०२ ईसवीतक राज किया। इसके सिक्के अराल-समुद्रसे बिहार तक मिलते हैं। शकोंमें यह सबसे बड़ा राजा था। इसे बौद्ध धर्ममें नये तौरसे दीक्षित होनेकी अवश्यकता नहीं थी, क्योंकि यू-ची शकोंकी मूल-भूमि तरिम्-उपत्यकामें ईसा-पूर्व द्वितीय शताब्दीमें ही बौद्ध धर्म पहुंच चुका था और शक ही नहीं, हूण सामन्तोंमें भी बौद्ध धर्मके माननेवाले थे।

शकोंके भिन्न-भिन्न कबीले ईसा-पूर्व द्वितीय शताब्दीमें इस प्रकार थे—(१) लोब्नोरके आसपास यू-ची, (२) इली-उपत्यकामें वू-सुन्, (३) इस्सिक्कुल् झीलके तटपर सइ-वाङ, (४) ऊपरी तरिम्-उपत्यकामें—जहां आजकल काशगर्-यारकन्द् नगर हैं,—में कस या खश, (५) मध्य सिर-दरिया तटपर शक, (६) सिर-दरियाके मुहाने तथा अरालके पश्चिमी किनारेपर भी मसगेत (महाशक) रहते थे। जान पड़ता है, काशगरवाले कश नामी शकोंका ही एक उपनिवेश काश्मीरमें था, जिससे उसका यह नाम पड़ा। उधर हूण और चीनका द्वन्द्व जारी रहा। अंतमें ईसवी प्रथम शताब्दीके मध्यमें हूण चीनके प्रहारसे जर्जर होकर उसकी अधीनता स्वीकार करनेको मजबूर हुए। इसपर सारा हूण-जन उत्तरी और दक्षिणी दो भागोंमें विभक्त हो गया। यद्यपि विभाजन अधीनता स्वीकार करनेके विरुद्ध ही हुआ था, किन्तु स्वतंत्रतावादियोंके लिए वह बहुत महंगा पड़ा। चीन और अपने भाइयोंकी सम्मिलित शक्तिके सामने अब निर्बल हो गये और ७३ ई०में उत्तरी हूणोंका पश्चिमाभिमुख महा-अभियान आरम्भ हुआ। धीरे-धीरे शकद्वीपसे शकोंको हटाकर वह उनकी जगह लेने लगे, लेकिन सिर-दरियाके दक्खिन उन्होंने हाथ नहीं बढ़ाया। ३७० ई० में अराल और कास्पियन-तटपर रहनेवाले आलानोंका उन्होंने ध्वंस किया—यह भी शकोंका ही एक कबीला था। ३७५ ई०में अपने सरदार वालामेर्के नेतृत्वमें दोन-तटपर पहुंच उन्होंने माओस्त-गत (जाट) को छिन्न-भिन्न किया। फिर दनियेपर पहुंच गाथोंका ध्वंस किया। आगे भी उनका प्रभुत्व बढ़ता ही गया और हूण-सरदार अत्तिला (मृत्यु ४५३ ई०) के समय मध्य-दुनाइ (डैन्यूब) तक हूणों के हाथमें आ गया।

मंगोलियासे आरम्भ हो मध्य-दुनाइतक पहुंच गये पौने पांच सौ सालके इस भयंकर हूण-तूफानने सबसे अधिक क्षति शकोंको पहुंचाई, और वोल्गासे गोबीतकके शकद्वीपको शकोंसे खाली करवा लिया। सबसे आखिरमें शकद्वीप छोड़कर भागनेवाले शक हेफ्ताल थे, जिन्हें गलतीसे भारतमें हूण और पश्चिममें श्वेत-हूण कहा जाता है। ३६० ई०में हूणोंके एक कबीले अवार (ज्वेन्-ज्वेन्)ने शक्ति सम्पन्न हो पश्चिमकी ओर बढ़ना शुरू किया। इन्हींके प्रहारसे उत्पीड़ित हो हेफ्ताल भगे और धीरे-धीरे ४२५ ई०में उन्होंने सारे मध्य-एसियाको सिर-दरियासे हिन्दुकुशतक लेकर अपने पूर्ववर्ती कुषाण-राज्यका उच्छेद किया। इनका संगठन कबीलाशाही था, किन्तु सरदारोंका बहुत प्रभाव था। किदार इनका प्रथम महान् नेता था। इसीके नामसे

हेफ्तालोंका दूसरा नाम किदारीय हूण पड़ा। यहां यह स्पष्ट हो जाता है कि हेफ्तालों (किदारियों) का नाम हूण इसीलिये पड़ा, कि वह हूणोंके शासनमें चिरनिवासके बाद वहांसे भागकर आये थे। किदारका पुत्र ४५५ ई०में श्वेत हूणोंका राजा था। संभवतः इसीका पुत्र तोरमान था, जिसने ग्वालियर और सागर-दमोहतकको जीत लिया था। ५०२ ई०में इसकी मृत्युके बाद इसका पुत्र मिहिरकुल राजा बना। मिहिर मित्र (सूर्य) का ही प्राचीन फारसी रूप है मित्र—मित्र > मिथ्र > मिहिर। पीछे शकद्वीपियोंके प्रयाससे मिहिर भी उसी प्रकार शुद्ध संस्कृत बन गया, जिस प्रकार शकद्वीपीय ब्राह्मण शुद्ध भारतीय ब्राह्मण बन गये। कुल—यह हूणी शब्द गुल या ग्युलका अपभ्रंश है, जिसका अर्थ राजकुमार या दास होता है। तोरमान ने ग्वालियरमें सूर्य-मन्दिर बनवाया था, यह उसके शिलालेखसे पता चलता है। मिहिरकुलने मगधपर आक्रमण किया था, किन्तु मगधराज बालादित्यने उसे बुरी तरह हराया। ५३२-३३ ई०के आसपास मालवाके विजयी राजा यशोधर्मा विक्रमादित्यने मिहिरकुलको हराकर उसे कश्मीरकी ओर खदेड़ दिया। हूण नामसे प्रसिद्ध, किन्तु वस्तुतः शक मिहिरकुल अंतिम शक राजा था; जिसे भारतीय इतिहास जानता है। हेफ्तालोंकी राजधानी बुखाराके पास बरख्शा में थी, जहां हालकी खुदाईमें कितने ही भारतीय शैलीपर बने भित्तिचित्र मिले हैं।

हमने शकोंको ईसा-पूर्व द्वितीय शताब्दीके आरम्भमें गोबीसे कारपाथीय-पर्वतमालातक अपने महाशकद्वीपमें बसे देखा। फिर उनकी एक शाखा यू-चीको मध्य-एसिया, तुषार, सीस्तान, सिन्ध, काबुल, तक्षशिला होते मथुरा और उज्जैनतक फैलते देखा। फिर यू-चीकी एक शाखा कुषाणोंको कनिष्कके रूपमें अराल-समुद्रसे बिहारतक राज करते पाया और अंतमें फिर तोरमान और मिहिरकुलके रूपमें शकद्वीपसे सबसे पश्चात् निकले 'श्वेतहूण' नामधारी शकोंको मगधतक धावा मारते देखा। शकोंके सबसे प्रबल जातीय देवता सूर्य थे। मिहिरकुल (सूर्यदास) का नाम भी इसी बातका परिचायक है।

शकद्वीपीय ब्राह्मणोंके उद्गमके बारेमें यह सर्वमान्य कथा है, कि वह शकद्वीपसे आये और सूर्यपूजा उनका मुख्य कार्य था। शकद्वीप कहां था, इसे ऊपरके वर्णनसे अच्छी तरह समझा जा सकता है—अर्थात् वह गोबीसे वोल्गा और, पश्चिम कारपाथियातक फैला शकोंका-मुख्य निवास था। दक्षिणकी ओर भारततक भागकर आनेवाले शक पूर्वीय-शकद्वीपके थे।

शकद्वीपी ब्राह्मण और सूर्य-पूजाका घनिष्ठ सम्बन्ध है, इससे शक-द्वीपियोंकी सारी परम्परा सहमत है। शकद्वीपी-प्रधानतावाले इलाकोंमें अधिकांश सूर्य-मूर्तियां द्विभुज मिलती हैं। इनके कंधेके ऊपर सिरकी दोनों तरफ सूर्यमुखीके फूल कुछ असाधारणसे जरूर मालूम होते हैं, क्योंकि भारतीय परम्परामें सूर्यमुखी फूलका कोई स्थान नहीं। लेकिन आश्चर्यकी बात तो यह है, कि सूर्यके पैरोंमें दो बूट होते हैं—बूटधारी हिन्दू देवता दूसरा कोई नहीं; और, यह बूट भी घुटनोंतक पहुंचते हैं। इसकी व्याख्या करते पंडित लोग कहते हैं, सूर्यके चरणके दर्शनसे आदमीका अमंगल होता है, इसीलिये सूर्यके पैरोंको ढांक दिया गया है। परन्तु उसे बूटसे ही ढांकनेकी क्या अवश्यकता? और, फिर वही बूट हमें मथुरासे मिली कनिष्क-प्रतिमाके पैरोंमें दिखाई पड़ता है। यहां कनिष्क, शक, सूर्यमूर्ति और सूर्यपूजक शकद्वीपी ब्राह्मणोंका पारस्परिक सम्बन्ध स्पष्ट हो जाता है। साथ ही यह भी जानना कुतूहलजनक होगा, कि आज भी रूसी लोग जाड़ोंमें उसी तरहके घुटनेतकके बूटोंको पहनते हैं, जिन्हें कि हम कनिष्क और सूर्यकी प्रतिमाओंके पैरोंमें देखते हैं।

इस समानताका क्या कारण है? इसके लिये आइये, हम शकद्वीपमें रह गये शकोंकी सुध लें। हूणोंने वोल्गासे पूरबके शकद्वीपको शकोंसे खाली करा लिया और वोल्गासे मध्य-दुनाइ (डैन्यूब) तक भी वह अपनी एक चौड़ी पट्टी खींचते चले गये। इन्हीं हूणोंके वंशज तुर्क, उइगुर और पीछे मंगोल हुए। फिर ५५७ ई०के लगभग तुर्कोंने मध्य-एसियासे अवारों (हेफ्तालों) का राज्य खतमकर वहां अपना अधिकार जमाया और पीछे तो मध्य-एसियामें न शकोंका नाम रहा, न आर्यवंशी सोग्दों (थोड़ेसे ताजिकोंको छोड़कर) का।

लेकिन, वोल्गासे पश्चिमकी कहानी दूसरी है। दोन और द्नियेपर तटपर जिन जातियोंका हूणोंने ध्वंस किया, वह शक-वंशकी थीं। ईसाकी ४थी-५वीं सदीमें मध्य द्नियेपर और क्रिमिया-में शकोंके बहुत-से पुराने नगर-ध्वंस मिले हैं। यद्यपि उत्तरके घने जंगलोंमें अब भी घुमन्तू शक पशुपाल रहा करते थे, लेकिन द्नियेपर और क्रिमियाके तटपर वह गांवों और शहरोंमें रहने लगे थे, और ग्रीक सभ्यतासे बहुत प्रभावित हुए थे। हूणोंने अपनी ध्वंस-लीला मचाकर सभ्यताकी इस प्रगतिमें बाधा डाली। ६ठी सदीमें हम पश्चिमी शकोंके कबीलोंमें वेन्द (वेनेत्), अन्त, स्लाव, और सरमात् नामके कबीले पाते हैं। अकदमिक् देर्झाविनके अनुसार इनमें पहले तीन एक ही जातिके नाम थे, और सरमात् भी शकोंकी ही जाति थी। आगे चलकर पश्चिमी शकद्वीपके ये सारे शक स्लावके नामसे मशहूर हुए।

शकोंकी पुरानी नगरियोंकी खुदाईमें निकली चीजें भी बतलाती हैं, कि आधुनिक स्लाव उन्हींके वंशज हैं। शकोंके रेखाचित्र, दीवार और पात्रोंके अलंकरण अभीतक उक्रइनके गांवोंमें प्रचलित हैं। उनके आभूषण रूसी किसानोंमें तबतक प्रचलित थे, जबतक कि उनमें पश्चिमी सभ्यता भीतरतक नहीं घुस गई। उनके गोखरूवाले सोनेके कुंडल और हंसलियां तो आजके भारतमें भी देखी जाती हैं। लेकिन जैसा कि ऊपर कहा, हूणोंके तूफानने काकेशस और कालासागर तटसे शकोंका संबंध तोड़ दिया। अब वहां हूण कबीले पशु-चारण करने लगे। यही हूण कबीले पीछे पेचेनगा अथवा वोल्गा-तटपर वोल्गार, काकेशसके पास खाजार (काजार) आदि नामसे मशहूर हुए। हूण-उपद्रवके कारण शक अपनी दक्षिणी भूमिसे ही वंचित नहीं हुए, बल्कि उनका उन्मुक्त सभ्यता-प्रवाह भी रुद्ध हो गया, और एक बार फिर वे केवल घुमन्तू-जीवन बितानेपर मजबूर हुए। इतना ही नहीं, इसी परिवर्तनके साथ शक या स्किफ नाम भी इतिहाससे लुप्त हो गया और आगे हम अन्त, वेन्द नामवाले कबीलोंको पाते हैं। अरबोंके प्रभावसे जिस तरह ८वीं शताब्दीमें पहुंचते-पहुंचते सारा ईरान और मध्य-एसिया मुसलमान हो गया, इसी तरह खजार, बुलगार आदि हूण-जातियोंने भी इस्लाम स्वीकार किया (बुल्गार आजकल चुवाश के नामसे पुकारे जाते हैं, उनका आजकलके बुलगारिया देशसे कोई संबंध नहीं। बुलगारियावाले स्लाव हैं, जब कि वोल्गावाले बुल्गार हूण-वंशज)।

अभी भी रूसी ईसाई नहीं हुए थे, और बहुतसे पुराने देवी-देवताओंको मानते थे; जिनमें सूर्य सबसे बड़ा देवता था। सूर्यके एक खास पर्वपर वे लोग घीमें पके लाल चीले उसी तरह खाते थे, जैसे बिहारमें आज भी कार्तिककी सूर्य-षष्ठीके दिन लाल ठकुआ खाया जाता है। आज भी यद्यपि उस दिन रूसी लोग मीठे चीले खाते हैं, पर अब उनमे पुराने धर्मका माननेवाला कोई नहीं है। ९वीं शताब्दीके एक अरब पर्यटकने वोल्गाके किनारे खरीद-बेंचके लिये आये रूसियोंको देखा था। वहां एक रूसी मर गया। लोगोंने लकड़ीकी चिता बनाई और पतिके साथ पत्नी भी सती हो गई।

आगे चलकर इन सभी शक कबीलोंका स्लाव (स्क्लाव <शकल) या श्रव नाम पड़ गया। जिस तरह हमारे यहां उपनिषद्-कालमें सोमश्रवा आदि श्रवान्त नाम बहुत होते थे, उसी तरह स्लावोंमें स्लावांत (स्वेत-स्लाव, व्याचिस्लाव) नाम अब भी होते हैं—मोलोतोफका नाम व्याचिस्लाव है। स्लाव जाति आज दो भागोंमें विभक्त है—(१) पश्चिमी स्लाव जिनमें पोल, चेक और स्लावक हैं, और (२) पूर्वी स्लाव, जो दक्षिणी और उत्तरी दो भागोंमें विभक्त हैं। दक्षिणी स्लावोंमें बुलगर, सर्ब और क्रोवात (क्रोत) सम्मिलित हैं और उत्तरी स्लावोंमें रूसी, उक्रइनी तथा वेलोरूसी हैं। पोल-चेक भाषाओंका रूसीसे उतना ही अंतर है, जितना अवधीका बंगलासे। दोनों एक-दूसरेकी भाषाको कुछ कठिनाईसे समझ सकते हैं। रूसी-उक्रइनी भाषाएं भोजपुरी और मैथिलीकी तरहकी हैं, और रूसी-बुलगारीमें उतना ही अंतर है, जितना मैथिली और अवधीमें। सारे पूर्वी स्लाव एक-दूसरेकी भाषा समझ सकते हैं। पश्चिमी स्लावोंके उच्चारणमें अंतर कुछ अधिक हो गया है, जिससे वे एक-दूसरेकी भाषाको सुगमतासे नहीं समझ सकते।

स्लावोंमें सबसे पहले बुलगारोंने सभ्यतासे संबंध स्थापित किया और ग्रीसके ईसाइयोंके संपर्क में आ ईसाई-धर्मको स्वीकार किया। छठी-सातवीं सदीमें हुंगर या मजार (अत्तिलाके हूणोंके वंशज)

के बलको तोड़नेमें बुलगारोंने बहुत काम किया, और वे बढ़ते-बढ़ते ग्रीसके पड़ोसी बन गये। यद्यपि उन्होंने ग्रीसको सांस लेनेकी फुर्सत दी, किन्तु स्वयं कांटेकी तरह चुभने लगे। लड़ाकू घुमंतुओंको पालतू बनानेके लिय संस्कृतिमें उन्नत धर्म बहुत अच्छे साधन होते हैं। बुलगारोंपर भी ग्रीसने वही शस्त्र चलाया। स्लाव जातियोंका सबसे प्राचीन लिखित साहित्य बुलगारियाकी भाषामें ही मिलता है। उस वक्त पश्चिममें ईसाई-धर्म रोम और ग्रीक दो सम्प्रदायोंमें विभक्त हो चुका था। दोनों सम्प्रदायोंमें जहां क्रिया-कलाप और मतमतांतरका कितना ही अंतर था, वहां दोनोंकी लिपियां भी अलग थीं। लिपिहीन असभ्य जातियां जिस चर्च (सम्प्रदाय)से धर्मकी दीक्षा लेतीं, उसीकी लिपिको स्वीकार करतीं हैं। स्लाव-जातियोंमें पोल, चेक, स्लावक यानी सारे पश्चिमी स्लाव तथा पूर्वी स्लावोंमें क्रोवात रोमन-चर्च द्वारा ईसाई बनाये गये, इसलिये उन्होंने रोमन-लिपि स्वीकार की। बाकीने ग्रीक चर्चका अनुयायी बन ग्रीक-लिपि स्वीकार की।

बुलगारियाके ईसाई होनेका यह मतलब नहीं था, कि सारे पूर्वी स्लाव भी जल्दी ही ईसाई बन गये। स्लावों की मूल भूमिमें अब भी पुराने देवी-देवताओंका जोर था। ये उस समय बहुत लड़ाके भी थे। हूणी कबीलोंका जब-जब प्रहार ग्रीसपर होता, तो वह स्लावोंसे मदद मांगता। क्रिमियामें ग्रीक लोगों की बहुत-सी व्यापारिक बस्तियां थीं और यहां हर वक्त उनका हूण-वंशज पेचेनगोंसे झगड़ा रहता था। अभी इन स्लावोंमें राजा नहीं थे, कबीलाशाहीका जोर था। सारा काम जन-सभा (वेचे) कबीले का जिर्गा करता था। लेकिन जैसे-जैसे बाहरके राज्योंसे लड़ने-भिड़ने और लूट-पाटकी प्रवृत्ति बढ़ती गई, वैसे-ही-वैसे सरदारोंका अधिकार बढ़ा।

९वीं सदीके अन्तमें एक स्वीडिश राजकुमार रूरिक् आकर उनका शासक बन गया। रूरिकके पुत्र ओलेग् (९११ ई०) और ईगर (९११-५७ ई०)ने अपनी लड़ाकू प्रजाको खूब संगठित किया और दूर-दूरतक विजय-यात्राएं कीं। ईगरने काकेशसके खजारोंके खान और ग्रीस (विजन्तीन)के सम्राट् दोनोंको नतमस्तक किया। ग्रीकोंने उसे एक किला और बहुत सा धन क्षतिपूर्तिके तौरपर दिया, साथ ही संधिद्वारा ईगरको वचनबद्ध किया, कि तुर्की घुमंतुओंके आक्रमणके वक्त वह ग्रीक-साम्राज्यकी रक्षा करेगा। ईगरने अपनी शक्ति बहुत बढ़ाई। उसका पड़ोसियोंपर बहुत आतंक रहा। ईगर के पुत्र स्व्यातोस्लाव (९५७-७३ई०)ने पिताकी शक्तिको और आगे बढ़ाया। उसने हूणी बुल्गारोंके बोल्गा-तटवर्ती तथा उनके संबंधी चेर्कासोंके कूबन-तटीय नगरोंको लूटा, और अपने पूर्वज शकोंके खोये काला-सागर-तटपर फिर प्रभुत्व जमाते हुए कियेफको एक शक्तिशाली राज्यकी राजधानीमें परिणत कर दिया। स्व्यातोस्लाव जब विजय-यात्रा करते (९६९-७१-ई०) दुनाइ (डैन्युब)के तटपर पहुंचा, तो ग्रीस-सम्राट् घबड़ा उठा और उसने कालासागरके उत्तरी तटके बयाबानके निवासी पेचेनेगा घुमंतुओं और दुनाइ-तटवर्ती बुलगारोंको मिलाकर स्व्यातोस्लावका मुकाबला करना चाहा। लेकिन ग्रीसको स्व्यातोस्लावके साथ संधि करनेको मजबूर होना पड़ा। स्व्यातोस्लाव अपने समयका महान् विजेता था। ग्रीक ऐतिहासिक उसके आकार-प्रकारके बारेमें कहते हैं—"उसका आकार मझोला, नाक उभड़ी हुई, दाढ़ी भरी और लंबी, शिर बिलकुल नंगा, सिर्फ एक ओर कुछ छुटा बाल (शिखा) था, जो कि कुलीनताका परिचायक था। उसकी गर्दन मोटी, कंधे चौड़े, सर्वांग संतुलित शरीर। उसके एक कानमें दो मोतियों और पद्मराग-जटित सोनेका कुंडल था।" स्व्यातोस्लावने विजयीके तौरपर गर्वके साथ विजन्तिन (ग्रीस)की राजधानी कन्स्तन्तिनोपोलमें प्रवेश किया। लौटनेपर पेचेनेगा घुमन्तुओंने दनियेपरके जल-प्रपातोंके पास धोकेसे उसे मार डा।

स्व्यातोस्लावका पुत्र व्लादिमिर (९७८—१०१५ ई०) पिताकी ही तरह बहादुर निकला और नतमस्तक शत्रुओंको उसने शिर उठानेका मौका नहीं दिया। उसने अपने राज्यका विस्तार पश्चिममें बाल्तिक समुद्रतक किया और पोलों तथा लिथुवानियोंके कितने ही नगरोंको छीन लिया। विजंतिन्का तो वह संरक्षक ही था। जब ग्रीक सेनाने विद्रोह किया, तो सम्राट्की गुहारपर व्लादिमिर ने जाकर उसे दबाया। सम्राट्ने पारितोषिकमें अपनी बहनसे व्लादिमिरका ब्याह कर दिया। विजंतिन् दरबारकी तड़क-भड़क, उसके सामंती विलास, कला, संगीतने व्लादिमिरको मुग्ध कर दिया, और

९८८ ई०में उसने ईसाई-धर्म स्वीकार करनेका निश्चय किया। उसने अपनी प्रजाको हुक्म दिया, कि कल दुनियेपरजो धर्माभि-षेक (बप्तिस्मा)के लिये नहीं पहुंचेगा, वह मेरी कृपाका पात्र नहीं होगा। किसकी मजाल थी, राजाकी कृपाका अभाजन हो। इस तरह प्राय: सारी राजधानी एक दिनमें ईसाई बन गई। ईसाई-पुरोहितोंने परामर्श दिया और व्लादिमिरकी आज्ञासे कियेफके सारे देवालय स्लावोंके पुराने देवताओंसे खाली हो गये। लेकिन इसका यह अर्थ नहीं, कि लोगोंने अपने हजारों वर्षोंसे चले आये धर्म और देवताओंको आसानीसे छोड़ दिया। उसके लिये कितनी ही जगह विद्रोह हुए।

कियेफके रूसोंने इस तरह अपनी प्राचीन संस्कृतिकी बहुतसी निधियोंको खोया। पुराने देवताओं-की मूर्तियों और पूजा-प्रकारोंके साथ उनके हजारों शब्द भी लुप्त हो गये। लेकिन अब उसकी जगह उन्हें एक उन्नत संस्कृतिसे संपर्क स्थापित करनेका मौका मिला, अपनी भाषाके लिए लिपि मिली, ग्रीक-साहित्य, ग्रीक-कलाके सीखनेका रास्ता खुल गया।

१०१५ ई०में व्लादिमिरके मरनेपर उसके लड़कोंमें झगड़ा हो गया और तीन पुश्तोंके परिश्रमसे एकताबद्ध कियेफ-रूस-राज्य छिन्न-भिन्न होने लगा। इसमें संदेह नहीं, कि प्राचीन परम्परासे अत्यंत विच्छेद होना भी इसका एक कारण हुआ। ग्यारहवीं सदीसे रूस बहुतसे राजुलोंमें विभक्त हो गया। तेरहवीं सदीके मध्यमें पहुंचनेतक छिङ्गिस् खानके मंगोल उसके पौत्र बातूखानके नेतृत्वमें पहुंचे और फिर प्राय: डेढ़ सौ वर्षोंतक रूसियोंको शिर उठानेका मौका नहीं मिला। हां, मंगोलोंके शक्तिशाली शासनसे लाभ उठाकर मास्कोके राजुलने अपने प्रभावको बढ़ाया—मंगोलखानके कृपापात्रके तौरपर ही। तैमूरने दिल्ली लूटने (१३९८ई०)से तीन साल पहले जब (१३९५ई०) मास्कोके पास तकका धावा करके मंगोल-खान तोक्तामिश्की शक्तिको क्षीण कर दिया, तो मास्कोके महाराजुलोंको रूसको एकताबद्ध करनेका मौका मिला। यह काम वासिली प्रथम (१३८९-१४२५ई०)के कालमें आरम्भ हुआ, और उसे पांचवें उत्तराधिकारी तथा प्रपौत्र महाराजुल (पीछे जार) क्रूर ईवान चतुर्थ (१५३३-ई०) ने पूर्णताको पहुंचाया। उसके पुत्र फेदोर (१५८४-९८ई०) के साथ रुरिक-वंशकी समाप्ति हो जाती है। लेकिन, वह अपने कर्तव्यको पूरा कर चुका था। अब रूसी रियासतें मिलकर एक ही नहीं हो गई थीं, बल्कि रूसी राज्य कास्पियनके तटपर पहुंचकर वोल्गा और उरालसे भी पूरबकी तरफ पैर बढ़ा चुका था। यह अकबरका समय था, जबकि भारतने भी देशकी एकतामें कम सफलता नहीं प्राप्त की थी।

हमने देखा, हूणोंके प्रहारके बावजूद भी पश्चिमी शक-द्वीपके रहनेवाले शक एक बार जंगलों की तरफ भागे। फिर स्लावोंके रूपमें प्रगट हो अंतमें आधुनिक रूसियों और दूसरी स्लाव जातियोंकी शक्लमें अस्तित्वमें आये, और आज भी मौजूद हैं। शकद्वीपसे भागकर पूर्वी शक दूसरे कितने ही देशोंमें बिखरने भारतके शकद्वीपी ब्राह्मणों, कितने ही राजपूतों, गूजरों, जाटों आदिके रूपमें हिन्दुओंमें मिल गये। इस सारे इतिहासपर गौर करनेसे स्पष्ट हो जायेगा, कि क्यों रूसी भाषासे संस्कृतका इतना घनिष्ठ संबंध है। यह इसीलिए कि रूसी उन्हीं शकोंके वंशज हैं, जिनके भाई-बंद आर्य पुराने कालमें आकर हिन्दुस्तान और ईरानमें बस गये, और उनका पारस्परिक संबंध वहीं नहीं टूट गया, बल्कि सहस्राब्दियां बीतनेपर फिर बहुतसे शक हिन्दुस्तानमें आये। संस्कृत और रूसी भाषाओंमें जो घनिष्ठ संबंध मालूम होता है, वह उसी पुराने संबंध ही के कारण।

स्लाव भाषा—रूसी भाषाकी संस्कृतसे कितनी समीपता है, इसके लिये शब्दकोष और शब्द-विश्लेषणको देनेसे पहिले यहां दो शब्द कहनेकी अवश्यकता है। यह एक मान्यता बन गई है, कि लिथुवानी भाषा संस्कृतके बहुत समीप है। रामानंद और कबीरके समयतक लिथुवानी लोग ईसाई धर्ममें दीक्षित न हो अपने प्राचीन धर्मपर आरूढ़ थे, उनके कितने ही देवता वैदिक देवताओंमेंसे थे। उनकी भाषाका विकास भी बहुत मंद गतिसे हुआ था। किन्तु इसका यह अर्थ नहीं, कि लिथुवानी भाषा रूसीकी अपेक्षा संस्कृतके बहुत समीप है। हिन्दी-युरोपीय भाषाओंके 'शतम्' और 'केन्तम्' दोनों भाषा-समुदायोंमें स्लाव-भाषायें संस्कृत और ईरानीके साथ 'शतम्' वंशकी हैं, जब कि लिथुवानीकी समीपता 'केन्तम्'

से ह। उच्चारण भी उसके रूसीकी अपेक्षा संस्कृतसे कितन दूर हैं, इसे निम्न तालिका में देखिये :—

लिथुवानी	प्राचीन स्लाव	रूसी	संस्कृत
केतुरि	चेतुरे	चेतीरे	चतुर्
केत्विर्तस्	चेत्वरेते	चेत्वेर्त	चतुर्थ
ब्रोतेरेलिस्	ब्राते	ब्रात्	मातृ
मोते	माति	मात्	मातृ
गुवस्	झिवे्	झिव्	जीव

रूसी भाषा स्लाव-भाषा-वंशकी पूर्वी शाखाकी एक भाषा है। पूर्वी स्लाव-भाषायें हैं—रूसी, बोल्गारी और सेर्बी। उक्रइनी और वेलोरूसी भाषायें यद्यपि अब स्वतंत्र साहित्यिक भाषायें हैं, किन्तु वह रूसीके अत्यंत समीप हैं। इसलिये तालिकामें उनके शब्द पृथक् नहीं दिये जा रहे हैं। पूर्वी और पश्चिमी स्लाव-भाषाओंका आपसका सम्बन्ध निम्न तालिकासे मालूम होगा —

पूर्वी स्लाव				पश्चिमी स्लाव		
प्राचीन स्लाव	रूसी	बोल्गारी	सेर्बी	स्लोवानी	चेकी	पोली
बेल् (था)	बिल्	बिल्	बियेल्	बेल्	बेलु	इयलु
दिम् (धूम)	दिम्	दिम्	दिम्	दिम्	दूम्	दूम्
द्न्. (दिन)	देन्	देन्	दन	दन	देन्	ज़िएन्
स्न (सूनु)	सोन,सिन्	सन्	सन	सन्ज	सेन्	सेन्
म्लेको (दूध)	मोलोको	म्लाकु	म्यिेको	म्लेको	म्लेको	म्लेको
ग्लवा (गल)	गोलोवा	ग्लवा	ग्लवा	ग्लव	ग्लव	ग्लोवा
स्म्रत् (मृत्यु)	स्मेर्त्	स्म्रत्	स्म्रत्	स्म्र्त	स्म्र्त्	श्मिएरे
मृत्व (मृत्यु)	मेर्त्विइ	म्रत्व्	म्रत्	म्रतेव	म्रत्वु	मर्त्वु
प्ल.न् (पूर्ण)	पोल्न	प्लन्	पुन्	पोल्न	[illegible]	पेल्नु
पत् (पंच)	प्यत्	पेत्	पेत्	पेत्	[illegible]	पिएत्स
रउका (कर)	रुका	(रका)	रुका	रोका	रुका	रेका
मेझ्दा (मध्य)	मेझ़ा	मे झ्दा	मेह	मेया	मेज़े	झ़िएउजा
ज़ेम्ल्यु (ज्मा)	ज़ेम्ल्या	ज़ेम्या	ज़ेम्ला.	ज़ेम्ल्या	ज़ेमे	ज़िएमिए

हम रूसी शब्दों* को नागरी अक्षरमें दे रहे हैं, जिसमें कुछ नये संकेतोंकी अवश्यकता है। ओ का उच्चारण रूसीमें कभी ओ और कभी अ होता है, किन्तु सन्देह उत्पन्न हो जानेके डर से हमने यहां उच्चारणका विचार न कर लिखे जानेवाले अक्षर (ओ)का ध्यान रखा है। रूसी स्वरोंका ह्रस्व-दीर्घ उच्चारण ऐच्छिक है, इसलिए नागरी स्वरोंमें ह्रस्व-दीर्घको ध्रुव नहीं समझना चाहिये। रूसीमें उदात्त संकेत लगानेकी प्रथा है, जिससे उच्चारणमें ही अन्तर नहीं हो जाता, बल्कि अर्थमें भी भेद हो जाता है। हम यहां उदात्त संकेतको विस्तार और दुरूहताके कारण नहीं दे सके।

*रूसी शब्दोंके संग्रहमें हमने ब. क. म्युलर, स. क. बोयानुस्के कोश (रुस्को-आंग्लिइ-स्किइ स्लोवार, मास्को १९३५) के ६०,००० शब्द, तथा ब. फ. रोतश्ताइन्के कोश (मास्को १९३८)का उपयोग किया है।

रूसी शब्द-कोश

(१) शब्द

अ—अ (निधार्थ)
अजर्त—आज्वालः, ताप
आ—आह !
बेग्—वेग (दौड़)
बेगत्.—वेजति (दौड़ना)
बेग्लेत्स—वेगक (भगेलू)
बेग्स्त्व—वेगकत्व (भगेलुत्व)
बेगून्— वेगकत्व (भागून, भग्गू)
बेजात्.—वेजति (भागना)
बेज्—विना (विना)
बेज्-बोज्निक्—वि-भगक (आनीश्वरवादी)
बेज्-वेत्रेन्निइ—वि-बातीय (बिना (वायुका)
बेज्-बोलोसिइ—वि-बाल, (केशरहित)
बेज्-गलविइ—वि-गल (शिर बिना)
बेज्-गोलोविइ-वि-ग्रीव (शिर बिना)
बेज्-दोज्दिए—विदुह (वर्षा बिना)
बेज्-दिम्निइ—वि-धूम (धूम-रहित)
बेज्-ज़िज्नेविइ—वि-जीवन (जीव बिना)
बेज्-नोसिइ—वि-नास, (नासिका बिना)
बेज़ो—वि (बिना)
बेज्-रोगिइ—विश्रृंग (श्रृंग बिना)
बेर्योजा—भुर्ज (वृक्ष)
बेस्—वि (बिना)
बेस्-प्रि-मेस्नि—वि-प्र-मिश्रण (मिश्रण-रहित)

बेस्-सेर्देच्नोस्त्.—वि-हृदयत्व (हृदयहीनता, श्रद्-हीनत्व)
बेस्-स्लावियि—वि-श्रवी (कीर्त्तिहीन)
बेस्-स्लावेस्निइ—वि-श्रवणक (वाणी-हीन)
बेस्-स्मेर्तिये—वि-मर्त्यता (अमरत्व)
बेस्-स्नेज्निइ—वि-स्नेही (हिम-हीन), स्नेह-स्नेज्ञ (बर्फ़)
बेस्-सो-ज्नातेल्-निइ—वि-सं-ज्ञातर् (चेतना-हीन)
बेस्-सोन्नित्सा—वि-स्वप्नता (निद्राहीनता)
बेस्-स्त्रास्निइ—वि-त्रास्नु (त्रास-हीनता)
बिर्युक—वृक (भेड़िया)
बिस्—द्विस् (फिरसे)
बित्.—भिद् (तोड़ना, ताड़ना)
बित्.स्या—भिद् (ताड़ना, भिड़ना)
बत्.यों—भिद् (तोड़ना, भिड़ना)
ब्लागो—भर्ग (अच्छा, आशीः)
ब्लागो-दात्.—भर्गदाति (आशी-र्दान)
ब्लागो-देतेल्.—भर्गदात. (उपकारक)
ब्लागो-देयानिये—भर्ग दान (आशीदान)
ब्लागोइ——भर्ग (अच्छा, सुखी, उपयोगी)
ब्लागो-प्रियात्निइ——भर्गप्रियत्नु, (प्रिय)
ब्लागो—रोद्निइ——भर्ग रोध्नु (सुजात)

ब्लागो-स्लोवेनिये——र्गभ-श्रवण। (मंगल सुनना, आशीर्वचन)
ब्लागो-त्वोरीतेल्—भर्गत्वष्टर् (उपकारक)
बोग्—भग (भगवान्)
बोगातेइ—भगत (धनी पुरुष)
बोगात्स्त्वो—भगत्व (धनाढ्-यता)
बोगाच्—भगक (धनाढ्य)
बोगी-निया—भगिनी (भगवती)
बोगो-मातेर्.—भगमातर् (भगवान्की मां, मरियम)
बोगो-पोची-नियेभग-पूजा
बोगो-रोदित्सा—भग-रोहिणी (मरियम)
बोगो-स्लाविये—भगश्रवणा (भगवान्की भक्ति, धर्म-शास्त्र)
बोगो-स्लुज़ेनिये—भगश्रूषणा (भगवान्की सेवा)
बोज़े मोइ—भग मे ! (मेरे भग वान्)
बोज़ेस्त्वो—भगत्व (भगवत्-तत्त्व)
बोक्—पक्ष, वक्षशरीर-पार्श्व)
बोकोवाइ—पक्षतः (शरीर-पार्श्वसे)
बोकोम्—पक्षेण (शरीरपार्श्वसे)
बोले—भूरि (बहु, अधिक)
बोलेये—भूरि (बहु अधिक)
बोल्लात्.—बोल्लति (बोलना)
बोल्तोव्न्या—बोल्लति (बोलना)
बोल्तिइ—बोल्लन्त (बोलक्कड़)
बोल्तून्—बोलतू (बोलक्कड़)
बोल्शे—भरिशः (बहुत—सा) कुस्क्या
बोल्शेविक—भरिक (बहुमतिक)

बोल्शिइ.—भूरिशः (अधिकतर)
बोल्.शे—भूरिशः (अधिकतर)
बोल्. शिन्स्त्वो—भूरित्व (बहुमत)
बोल्. शोइ—भूरिशः (बहुतर)
बोयाज्न.—भयान (भय, आतंक)
ब्रात्—भातृ
ब्रातानिये—भ्रातृना (भाई बनना)
ब्रात्वा—भ्रातृक (भैयवा)
ब्रात्स्किइ—भ्रातृकीय (भाई-चारा)
ब्रात्.—भरति, हरति (लेजाना)
ब्रात्. स्या—भ (ह) रति (ले जाया जाना)
ब्रेम्या—भर (भार)
ब्रोवि—भ्रू (भौं)
ब्रोव्.—भ्रू (भौं)
ब्रोदित—बर्धतिः (उठना, हटाना)
ब्रोस (सि) त्. (स्या)—भ्रंशति (फेंकना, फिंकाना)
बुदुचि—भूतिः (होना)
बुदुश्चिइ—भविष्यतिः (होने वाला)
बुद्.-भूतिः (हो सकना)
बिवात्.—भवति (हो जाना)
बिक्—वृष (बैल)
बिलो—भूतः (भइल, भोजपुरी)
बित्.—भूतिः (होना)
वाम्—वां (तुमको)
वामि—वां (तुम्हारे द्वारा)
वस्—वः (तुम, तुम्हारा)
वश्—वः
व्-वेगात्.—वि-वेजतिः (भीतर भागना)
व्-वेदेनिये—वि-वेदना (निवेदना, भूमिका)
व्-वेस्ति—विविशति (भीतर लाना)
व्-व्यज़गात्.-वि-वंधति (भीतर बांधना)
व-ग्लुबद्—वि-गर्भ (हृदयमें)
व-दलेके—विदीर्घ (दूर)
व्-द्वोये—द्विः (दो बार)
व्दोवो—विधवा
व्दोव्स्त्वो—विधवात्व
वेदत्.—वेत्तिः (जनाना)
वेदेनिये—वेदना (जाना, विद्या)
वेलीकान्—वरक (बड़का)
वेलीकिइ—वरक (बड़ा)
वेलिचाइशिइ—वरेण्य (सबसे बड़ा)
वेर्नुत्—वर्तयति (लौटाना)
वेर्तेत्.—वर्तयतिः (घुमाना)
वेर्तुश्का—वर्तुक, (लट्टू, परेता)
वेसेन्निइ—वासंतिक
वेस्ना—वसंत
वेस्.—स्वे (सारे)
वेतेर्—वात (हवा)
वेतेरोक्—बातक (हवा)
व्ज्-वेगात्—विवेजति (दौड़ जाना)
वेशात्.—विशति (लटकना)
वयात्—वयति (फूंक लगाना, फटकना, बुनना)
विवात्.—भवति (वो, दीर्घ जीयो)
विद्—विदि (देखना, प्रकट होना)
विदेनिये—वेदना (दर्शन)
वीदेत्.—वेत्ति (देखना)
विद्नेत्.स्या—वेद.ते (दिखाई देना)
व्-लेतात्.—वि-डयति (उड़ना)
व्-ल्युवित्.—वि-लोभति (प्रेम में पड़ना)
व्-ल्युबन्योन्नोस्त्—विलोभित्व (प्रेम-परायणता)
व्-ल्युब्ल्यत्—बिलोभति (प्रेम करना)
व्-ल्यपत्.स्या—वि-लिंपति (चिपकाना)
व्-माज़त्—विमाषति (चिपकाना)
व्-मेशातेल—विमिश्रयितर् (बीचमें पड़नेवाला)
व्-मेशिवात्.—विमिश्रति (मिलाना)
व्-नीज़—वि-नीचैः (नीचे)
व्-नीज़ु—नीचैस् (नीचेकी जगह)
व्-निकात्- (निगाह करना)
व्-नोवे - वि-नव (नया)
व्-नोसित्.—वि-नेषति (भीतर लाना)
व्-नुत्रि—अन्तरीय (भीतरमें)
वोदा—उद (पानी)
वोदापाद्—उदपात
वोद्निक—उदनिक (जलकल)
वोज़्—वाह (गाड़ीका बोझ)
वोज़्.—बुदित्. | वि-बोधिति
वोज़्-बुज़दात्. | (जगाना, तेज करना, बढ़ाना)
वोज़्-वेदेनिये—विबोधना (यशोगान करना)
वोज़्-ब्रात्.—वर्तति (लौटाना)
वोज़्-विसित्—वि-विशति (उठाना)
वोज़ित्—बहति, वोहितः (लेजाना)
वोज़्का—वाहक (गाड़ी ढोना)
वोज़ोक्—वाहक (ढोनेवाले)
वोज़ोपित्.—वि-ह्वति (पुकारना)
वोज़्-राशेवात्.स्या—वि-राधति (आनन्द मनाना)
वोल्—बैल (बैल)
वोल्क—वृक (भेड़िया)
वोलोस्—वाल (केश)
वोलचोनोक—वृक शाव (भेड़ियेका बच्चा)
वोप्रोस्—वि-प्रश्न (प्रश्न)
वो-प्रोसित्. | वि-पृच्छति
वो-प्रोसात्. | (पूछना)
वोर—ह्वार (चोर)
वोसेम्.—अष्ट (आठ)
वोसेम-न-देस्यत्—अष्टादश (अठारह)
वोसेम.-देस्यत—अशीतिः (अस्सी)

वोस्-पोल्नित्—विपूर्णयतिः (अंदर भरना)
वोस्-सेदात्.—वि-सीदतिः (बैठना)
वोस्-स्तवात्—वि-स्थातिः (विद्रोह में उठ खड़ा होना)
वोस्-ख्वलेनिये—वि-स्वरतिः (प्रशंसा करना)
वोत्—वत् (यहां, हां)
व्-पदात्.—विपततिः (गिरना)
व्-पिवत्.—विपिवति (पीना)
व्-प्लाव्. - वि-प्लाव (तैरना)
व्-प्लिवात्.-वि-प्लवति; (भीतर तैरना, नौयात्रा करना)
व्-पोल्ने-वि-पूर्ण (पूर्णतया, सारा)
व्रात्.—भ(ह)रति (लेटना)
व्-रेज़ात्.—विरेजतिः (रेज़ीदन्-फ़ारसी)
व्-रेज़क-वि-रेजक (काटना, भीतरी काट)
व्-सदीत्—विशातयतिः (भीतर कुतरना)
व्-साद्निक—वि-सादनिक (घोड़े पर बैठने वाला, सवार)
व्स्यो—स्वे (सारे)
व्स्-क्रिचात्.—वि-क्रोशतिः (चिल्लाना)
व्-स्लुख्—वि-श्रू (जोरसे बोलना)
व्-स्लूश्(इव)त्.स्या—वि-श्रूषतिः (सुनना)
व्स् -पाचेइवात्—विपाययति
व्स्-पोइत् (पिलाना)
व्स्-प्लि (वा) त्.—विप्लवति (उतराना, तिरना)
व्स्-पो-म्नित्.—विप्र-मनुति (सोचना, स्मरण करना)
व्—स्तवानिये-स्थापना (उठना)
व्-स्तावका—वि-स्थापका (अंदर रखना)

व-स्तव्ल्यात्—वि-स्थापयति (भीतर डालना)
व्स्-क्याखिवात्.—वि-त्रासयति (हिलाना)
व्-तिकात्.—वि-टीकति (टिकाना भीतर डालना)
व्-शि(वा) त्—वि-सीव्यति (सीना)
वि—वः (तुम
वि-बेगात् वि-वेजति (दौड़ना)
वि-वेज़ात्
वि-बिवात्.—वि-भवति (मार गिराना)
वि-बिरात्.—वि-वरति (चुनना)
वि-बोर—वि-वर (चुनाव)
वि-बोर्का -विवरका (चुनना)
वि-ब्रासिवात्—वि-भ्रंशयति (फेंक देना)
वि-ब्रोसित्—वि-भ्रंशति (फेंक देना)
वि-वारिवात्. -वि-बालति (उबालना)
वि-वेदिवात्.—वि-विंदति (पा-जाना)
वि-वेज़ित } —वि-वहति (बाहर
वि-वोज़ित् } ले जाना)
वि-व्यज़ात्.—वि-बंधति (बांधना, गूंथना)
वि-इग्रात्.—वि-क्रीडति (जोतना, खेलना)
वि-गोवारिवात्.—वि-गवति (बोलना)
वि-दबित्.—वि-दाबति (दाबना)
वि-दिरात्.—वि-दारयति (बिदारना, फाड़ना)
वि-ज़िनात्.—वि-छिनत्ति (काटना)
वि-ज़ौव्.—वि-हवि (पुकारना)
वि-कज़ात्.—वि-काशवति (खिलाना)
वि.-कपिवात्—वि-कल्पि (खोदना)
वि-किलकात्.—वि-किलकति (चिल्लाना)

वि-मिरानिये.—वि-मरण (मरना)
वि-नुदित्.—विनोदयति (जोर-डालना)
वि-पाद्—वि-पात (भीतर डालना घुसेड़ना)
वि-पदेनिये—वि-पतना (गिरना)
वि-पिलिवानिये—वि-पीडना (चीरना)
वि-पिसात्—वि-पिंशति
वि-पिसिवात्— ,, (लिखना)
वि-पोल्नेनिये—वि-पूर्णना (पूरना)
वि-रेज़ेनिये—वि-राजना (प्रकाशन)
वि-रुगात्.—(रिगाना, गाली-देना, चिढ़ाना)
वि-स्लुशात्.—वि-श्रूषति (खूब सुनना)
वि-स्तवका-वि. स्थापका (प्रदर्शन)
वि-स्तुपात्.—विस्तोति (बोलना)
वि-सुशिवात्—वि-शुष्यति (सुखाना)
वि-सिपात्.स्या—वि-स्वपिति (खूब सोना)
वि-सिखात्.—वि-शुष्यति (सूखना)
वि-तिरात्.—वि-तिरति (झाड़ना पोंछना)
वि-त्योचिपात्—वि-तक्षति (आकार काटना)
वि-तोपित्-वितपति (गर्मकरना)
वि-त्यसात्-वि त्रासयति (हिला देना)
वि- त्रिखात्—तृष
वित्.—भिद् (काट गिराना)
वि-त्यनुत्स्या—वि-तनोति (फैलाना)
वि-व्वेनिक्—त्रि.-त्रावनिक'
वि-उचात् (शिक्षित)

वि-चितात्.—वि-चितयति (पढ़ना)
वि-श्चुपात्.—वि-छुवति (छूना)
व्यज् नूका—बधका (बोझबांधना)
व्यजात्.—बंधति (बांधना)
गदाल्का—गदका (भाग्य भाखना)
गदानिये—गदना (भाग्यभाखना)
गलेरा } -(गली, गलियारा)
गलेर्का }
गर्.—ज्वर (जलन)
गल्-स्तुक्—गल-बंधनी (टाई)
ग्दे—कुत्र (कहां)
गेइ—हे (संबोधनार्थ)
गिर्या-गुरु (भार)
ग्लवा-गल (शिर)
ग्लवाख्—गलक (सरदार)
ग्लोतात्.—गिलति (निगलना)
ग्लोत्का—गल (कंठ)
ग्लुबीना—गर्भीणा (गहराई)
ग्लुबोकिइ—गर्भिक, गंभीरक (गहरा)
गोवोर् (गवार्)—गवति (बोलना)
गोवोरित्. (गवरित्)—गवति (बोलना)
गोव्यादिना (गव्यादिना)—गव्यादनीय (गोमांस)
गोलोवा (गलवा)—गल (शिर)
गोलोस्-गलक—(स्वर)
गोलिइ—नग्न (नंगल)
गोरा (गरा)—गिरि (पहाड़)
गोरेल्का-ज्वरक (ज्वालक, बर्नर)
गोरेनिये (गरेनिये)—ज्वरणा (जलना)
गोर्लो (गर्लो)—गल (कंठ)
गोर्किइ (गर्की)—ज्वर (जलन-वाला, कड़आ)
गोर्युचिये (गर्युचिये) ज्वरक (जारन, ईंधन)
गोर्याचिइ (गर्याची)—ज्वलक (गर्म)
ग्ब्योज्—ग्राभ (ह) क (लूटनेवाला)
ग्रबीतेल्—गृभी (ही) तर् (लुंठक)
ग्रेत्.—ज्वलन (गर्माना, तपाना
ग्रीवा-ग्रीवा (गर्दन)
ग्रोजित्.—कुप्यति (धमकाना)
गुबा.—जिह्वा (ओंठ)
गुबित्.—क्षुभति (नष्ट करना)
दवात्.—दाति (देना)
दविलो... (दाबल, भार, दबाव)
दवित्.—... (दावत, दबाना)
दव्का—दाबक (दबाव)
दालेये—दूर
दाल्योकिइ—दीर्घक (दूरका)
दालेको—दीर्घक (दूरका)
दाल्.—दीर्घ (दूर)
दाल्.नि—दीर्घ (दूर)
दाल्नो-विदेनिये—दीर्घवेदना (दूरदर्शक)
दाम्का—दामा (राजा, रुद्र-दामा)
दन्निइ—दान (भेंट, दिया)
दात्.—दान (भेंट)
दार्—दान
दरेनिये—दान (दान देना)
दरोवानिये—दान (दान देना)
दरोवोइ—दान (भेंट)
दात्.—दाति (देन)
दावा—दान
दयानिये—देय
द्वा—द्वौ (दो)
द्व-द्त्सत्.—द्वाविंशति (बीस)
द्वाज्दि—द्विः (दोबार)
द्वे-ना-द्त्सत्.—द्वादश (बारह)
द्वेर्नोइ—द्वारीय (द्वार)
द्वेर्.—द्वार
द्वे-स्ति—द्विशत (दो सौ)
द्विगात्.—वेगति (चलना)
द्वोये—द्वौ (दो)
द्वोइत्.—द्वितयति (दूना करना)
द्वोइका—द्विक (जोड़ा)
द्वोर्—द्वार (आंगन)
द्वोरेत्स—द्वारक (महल, दर्बार)
द्वो्र्यानि—द्वारीय (राजाबाबू)
द्वोयु-रोद्निइ—द्विरोधनीय (चचेरा भाई)
देवेर्—देवर
देवा—देवी (कुमारी)
देवित्सा—देविका (कन्या, चेरी)
देव्का—देविका (कन्या, षोडशी, श्यामा)
देवोमातेर्.—देवमातर् (कुमारी मरियम्)
देवोच्का—देविका (बच्ची)
देवस्त्वेन्निक्—देवत्विक (ब्रम्ह चारी)
देव्चंका—देविका (कन्या)
देवुश्का—देविका (कन्या, कुमारी)
देव्चाता—देविका (कन्या, कुमारी)
देद्—पितामह (दादा)
देद्,-प्रे-,—प्रपितामह (परदादा)
देदुश्का—पितामह (दादा)
देदुश्का,-प्रे-,—प्रपितामह (परदादा)
देका-द्निक—दश-दिनक
देलत्.—दारयति (करना)
देलित्.—दरति (विभाजित करना)
देलो—दर, घर, धर्म (काम)
देन्.—दिन
देरेवा—दारु (वृक्ष)
देरेवत्सो—दारुक (छोटा वृक्ष)
देर्झाव्—दृंहति (शक्ति)
देर्झानिये—दृंहना (रोकना, थामना)
देर्झातेल्.—दृंहितर् (थामने-वाला)
देर्झात्.—दृंहति (थामना)
देस्यत्.—दश (दस)
देस्यातिइ—दशम (दसवां)
देस्यत्का—दशक (दस)
दे (वा) त्.—धाति (रखना)
देयातेल्.—धातर् (कर्त्ती, चाकर)
द्लिन्ना—दीर्घ (लंबाई)
द्लिन्निइ—दीर्घ (लंबा)

दनेव्निक्—दैनिक (डायरी)
दो—तावत् (तक)
दो-वावित्.—तावद् भवति (जोड़ना)
दो-बूदित्.—तावद्-बुध्यति (जागना)
दो-गोवोर् (दगवार्)—(समझौता)
दोदात्.—ददाति (जोड़ना, बढ़ाना)
दो-एदात्.—तावद् अत्ति (खा डालना)
दोएनिये—दुहति (दूहना)
दोझ्द—दुहति (बरसना)
दो-झि (वा) त्.—तावद् जीवति (तबतक जीना)
दो-ज्वोनित्.स्या—तावद् ध्वनति (द्वार पर ध्वनि करना)
दो-पन (वा) त्स्या.—तावद् जानाति (जानना, चाहना)
दोइत्.—दु हति (दूहना)
दोइनिक्—दुहनिक (दूहनीबर्तन)
दो-कज़ात्.—तावत् काशति (प्रकाशना)
दो-कुदा—कुत्र यावत् (कहांतक)
दोल्गिइ—दीर्घ (दूर)
दोलेये—द्राघीय (दीर्घतर)
दोलिना (दलिना)—द्रोणी, (उपत्यका, दून)
दोल्-शे—द्राघीयस् (दूरतर)
दोम्—दम (घर)
दोम्ना—धूमक (भट्ठा)
दोच्.(का)—दुहितर् (पुत्री)
द्राज़्नित्—त्रासयति (चिढ़ाना)
दात्.—दरति (चीरना)
द्रात्.स्या—दरति (लड़ना)
द्रोवा—दारु (ईंधन, लकड़ी)
दुनुत्.—धुनोति (फूंकना, हवा देना)
दुर्नेत.—दुर् नीति (कुरूप होना)
दुर्-नोइ—दुर् (बुरा)

दिम्—धूम (धुआं)
दिरा—दरी (छिद्र, चीर)
द्याद्या—दादा (चाचा, मामा)
द्यादेन्.का—(चाचा, मामा)
एदा—अद (भोजन)
एदोक् (एदक्)—आदक (भक्षक)
एझे-गोदनिक्—एकवार्षिक (वर्षपत्र)
एझे-देकादनो—एकैकदशदिन (प्रतिदशाह)
एझे-नेदेल्.निक्—एकैकसप्ताह (साप्ताहिक)
एस्त्.—अस्ति (है)
एस्त्—अश्नोति (खाना)
एस्म्.—अस्मि (मैं हूं)
एस्तेस्त्वो—अस्तित्व, (स्वभाव,) द्रव्य)
एस्त्.—अत्ति (खाना)
एखात्. -एधति (हटाना, चढ़ना, जाना)
झार—ज्वल (जलन, तपन)
झारा—ज्वाला (तपन, गर्म)
झरेनिये—ज्वलन (जारना, भूंजना, तलना)
झरेन्निइ—ज्वलित (जारी, भुनी, तली)
झार्किइ—ज्वालक (गरम, मुस्तैद)
झे—हि (किंतु, और)
झेवानिये—चर्वणा (चबाना, जेंवना)
झ्योल्तेन्किइ—हरितक (पीला-सा)
झेल्तेत्—हरितामति (पीला करना)
झेल्तोक्—हरितक (अंडे का पीला)
झेल्तिइ—हरित (पीला, जर्द)
झेना—जनि (स्त्री)
झेनित्.(स्या)—जनीयति (व्याहना)
झेनित्बा.—जनितव्य (व्याह)
झेनिख्—जनिक (वर)
झेयोन्का—जनिका (वधू)

झेनोल्युबिविइ—जनिलोभी (स्त्रीप्रेमी)
झेन्स्किइ—जनिका (स्त्री)
झेनुश्का—जनिका (मेहरिया)
झेन्श्चिना—जनि (स्त्री)
झेर्त्वा—ज्वलत्व (यज्ञ)
झेच्.—दह, धक्ष, दाग (जलाना)
झिव्—जीव (जीता, जिंदा),
झिवितेल्.निइ—जीवयितर् (जीता)
झिवोइ—जीव (सजीव)
झिवोनये—जीवन्त (प्राणी, पशु),
झिवुश्चिइ—जीवक (जीता)
झिव्चिक्—जीवन (जीवटवाला)
झिव्-योम—जीवक (जीता)
झिज़न—जीवन (जिंदगी)
झिलिश्चे—जीवस्थ (निवास-स्थान)
झिलोइ—जीवल (बसल, बसा)
झितेल्—जीवितर् (रहनेवाला)
झितिये—जीवन (जीवन-चरित्र, जीवन)
झित्.—जीवति-(जीना, रहना)
ज़ा—पश्चात्, आ, ता (बाद, आगे)
ज़ा-बिरात्.—आ-भ (ह) रति (ले जाना)
ज़ा-बोल्तात्.—आ-बोल्लति (बहुत बोलना)
ज़ा-ब्रसिवात्.—आ-भ्रंशति (फेंकना)
ज़ा-ब्रात् (स्या)—आभ (ह) रति (ले जाना)
ज़ा-बोसत्.—आ-भ्रशंति (फेंकना)
ज़ा-बिवात् आ—भवति (भूलना)
ज़ा-वर्नोइ—आ-वारित (उबाला)
ज़ा-वेदेनये—आ-वेदना (उच्च-शिक्षणालय)
ज़ा-वेर्तेत्.(स्या)—आवर्तति (घूमना, फिरकना)
ज़ा-विदेत्.—आ-विदति (देखना)
ज़ा-वाज़ित्—आ-वहति (लेजाना, खींच ले जाना)

जा-व्यज़्का—आ-बंधक (बंधन)
जा-व्यज़िबात्.—आ-बंधति (बांधना)
ज़ा-गार्—आ-ज्वल (धूपमें जला)
ज़ा-ग्लाविये—आ-गल (उपाधि, पदवी)
ज़ा-गोरानिये—आ-ज्वालन (आतपतप्त, भूरा)
ज़ा-गोरेन्निइ—आ-ज्वल (धूपमें जला)
ज़ा-दाचा—आ-दान (समस्या)
ज़ा-दोतोक्—आदत्त, आधत्त (रखना, निधि)
जा-द्रात्—आ-दरति (भेडियेका भेड़ खा जाना)
जा-एदात्.—पश्चाद् अत्ति (पीछे खाना)
जा-झिवानिये—पश्चाद् जीवन (धाव पूरना)
ज़ा-झिवो—यावद्जीवं (जीवन-भर)
जा-झिगाल्का—जाज्वलक (सिगरेट जलावक)
जा-काज्—आ-काश (आशा)
ज़ा-कोनो-दातेल्.—०धातर्—दातर् (विधाता, दाता, कर्ता)
जाल्—शाल, हाल
जाला—शाला
ज़ा-लिज़ात्.—आलिहति (चाटना)
ज़ानिमात्.—आ-जानाति (पढ़ना)
जा-मेर्न—मृत (मरा)
जा-मोरित्.—मरति (भूखा मरना)
ज़ा-ओब्लाच्निइ—आ-अभ्रक (बादलोंसे परे)
जा-पद्—पश्चात्-पद (पश्चिम)
जापिस्.—आपिश (अभिलेख)
जा-पो-वेद्—आ-प्र-वेद (आज्ञा, विधि)
ज़ा-प्रोस्—आपृच्छ (पूंछना)
ज़ा-रेज़ (इब) ात्.—आ-रिहति, आ-रेतति (हनन करना)
ज़ा-रेकात्.स्या—आ-रेचति (त्यागना)
ज़ा-रुबात्.—आ-रुंभति (कुठार से गढ़ना)
ज़ा-सद्का—आ-सीदना (बैठाना, बीज बोना)
ज़ा-स्वेतित्.—आ-श्वेतति (प्रकाश करना)
ज़ा-सुख़ा—सूखा (जल-अकाल, सूखापन)
ज़ा-सुशेन्नेइ—सुखान (सूख गया)
ज़ा-सिखात्.—आ-शोषयति (सूख जाना)
ज़ा-तप्लिवात्.—आतपति (आग जलाना)
ज़ा-तेम्नेनिये—आ-तमना (अंधकार करना)
ज़ा-तिखात्.—आतुष्यति (शांत होना)
ज़ा-तोपित्.—तोपना (जहाज डुबाना)
ज़ा-तुमानित्.स्या—आ-धूमति (अंधेरा होना)
ज़ा तुखानिये—आ-तोषयति: (बुझाना)
ज़ा-शिपेत्.—आ-शपति (सिसकारना)
ज़्वानिइ—ध्वनीय (पुकारा गया)
ज़्वेनेत्. / ज़्वोनित्. } —ध्वनति (घंटी बजाना)
ज़्वोनोक्—ध्वनक (घंटी)
ज़ेवात्.—जंभति (जम्हाई लेना)
ज़ेलेनेत्.—हरितायति (हरित होना)
ज़ेलेन्नोइ—हिरण्य (हरा)
ज़ेल्योनिइ—हरित (हरा)
ज़ेलेन्.—हरित (जर्द, हरा)
ज़ेम्लेवेदेनिये—ज्मावेदना (भूविद्या, भू-गोल)
ज़ेम्ल्या—ज्मा (भूमि)
ज़ेम्ल्याक—ज्माक (देश-भाई)
ज़ेम्ल्यानिका / ज़ेम्ल्यान्का } —ज्मालिका (स्ट्राबरी)
ज़ेम्नोवोद्निइ—ज्मोदकीय (जल-थलका जीव)
ज़ेम्नोइ—ज्मानीय (भूमीय)
ज़िमा—हिम (जाड़ाऋतु)
ज़िमोवानिये / ज़िमोव्का } —हिमानना (जाड़ा बिताना)
ज़िमोइ- हिमीय (जाड़ा, हेमन्त)
ज़्लातो—हरित (सोना)
ज़्लित्.—हेति: (सिहराना, चिढ़ना)
ज़्नाकवात्.—जानाति (जानना)
ज़्नाक—ज्ञानक (चिह्न)
ज़्नाकोमित्.—जानापेति (परिचय करना)
ज़्नाकोमस्त्वो—जानकत्व (परिचय, ज्ञान)
ज़्नाकोमया—जानक (परिचय)
ज़्नामेनिये—जानना (चिह्न)
ज़्नामेनितोस्त्—ज्ञानित्व (प्रसिद्धि)
ज़्नामेनोवात्.—जानापेति (दिखलाना, सिद्ध करना)
ज़्नात् निइ—ज्ञान (प्रसिद्ध)
ज़्नात्नोस्त्.—ज्ञातीयत्व (कुलीनता, सामन्तता)
ज़्नातोक्—ज्ञाता (जज, विशेषज्ञ)
ज़्नात्.—जानाति (जानना)
ज़्नाचेनिय—जानना (महत्त्व, अर्थ)
ज़्नाचितेल्.—ज्ञातर् (जाननेवाला)
ज़्नाचितेल्.नोस्त्.—ज्ञातृत्व (महत्त्व)
ज़्नाचित्.—जानाति (जानना, अर्थ लेना)
ज़ोव्—हव (पुकार, निमंत्रण)
ज़ोलोता—हरित, जर्द (सोना)
ज़ोलोतोइ—हरितीय (स्वर्ण-मुद्रा)
ज़ुब्—जिह्वा, जबान (दांत)
ज़ुबोक्—जिअक (छोटा दांत)
ज़्यात्.—जामाता, दामाद

इ–च, अ (और, अपि)
इबो–इव (जैसे, लिये)
इगो–युग (जुआ)
इद्‌ति-एति (जाना, आना)
इज़–अत्, अज़् (से)
इज़् ब्रानिये–आ वरणा (चुनाव)
इज़् ब्रात्.–आवरति (चुनना)
इज़्-दवात्.–··· (प्रकाशन)
इज़् दानिये–(संस्करण)
इकात्.–हिक्कति (हिचकियाना)
इस्-पोल्नेनिये–आपूर्णना (पूरा करना)
इस्-पोल्नितेल्.–आ-पूर्णयितर् (पूरा करनेवाला)
इस्-प्राझ् निये–अपराजयना (दोष, खाली करना)
इस्-प्राशिवात्.–आपृच्छति (मांगना, पूछना)
इस्-स्यकात्.–··· (सेंकना, सुखा देना)
इस्-तोपित्.–··· (तोपना)
इतक्-इतिक (ऐसे, तैसे, और)
इत्ति–एति (जाना, चलना)
इख्–... (इसका)
क– को, से, लिये, प्रति)
कज़ात्.स्या-काश्यते (प्रकाशित होना, दिखाई पड़ना)
काक्-कथं (कैसे, जैसे, यथा)
ककोइ–कथं (किस भांतिका)
कनोव–खनुवा, कंदन् (खाई)
करात्.–कारयति (दंड देना, सासत देना)
केमु–केन (किसके द्वारा)
कोये–कहां (कहींपर)
कोज़ा–कोश (चमड़ा)
कोइ–कः (कौन)
कोमु (कमु)–कम् (किसको)
कोलेसो–चक्र, चर्ख (पहिया)
कपानिये–कापना (खोदना)
कोपित्. (कपित्)–गोपायति (रक्षा)
कोरोचे–क्षुद्र, खुर्द (जटा)
कोचान्–गुच्छ (गोभी फूल)
कसित्–कृषति (अलंकार करना, रंगना, चित्रित करना)
क्रस्नेत्.–कृष्णोति (लाल करना)
क्रस्त्.–ग्रसति (चुराना)
क्रिचात्.–क्रोशति (चिल्लाना)
क्रोव्.–कुभा (गुहा, छत, घर)
क्रोव्–क्रव्य (रुधिर)
क्रोइका–कृन्तन (काट डालना)
क्रोइत्.–कृत् (कटाना)
क्रुग्–चक्र (चर्ख–फ़ारसी), गोल
क्रुजित्.स्या–वक्रीयते (चक्कर काटना)
क्रुझोक्–चक्रक (वृत्त)
क्रित्–कृती (ढांकना)
क्तो–कतर (कौन)
कुब्नोक–कुंभक, कुप्पक (प्याला, गिलास)
कुवशिइ–कूपिका (लोटा)
कुदा–कदा (कहां)
कुरीका–कुरी
कुसात्.–कुस (काटना)
कुचा–गुच्छा (समूह, ढेर)
कुचका–गुच्छक (छोटी ढेरी)
कुशात्.–ग्रसति, घसति (खाना)
लज़ित्.–लंघति (लांघना)
ल्योग्किइ–लघुक (हल्का, आसान)
लेग्को–लघुक (हल्का, आसान)
लेग्चे–लघीयस् (आसानतर)
लेझात्–लेटना
लेन्त्यइका–लेटक (आलसी)
ल्योत्–डयन (उड़न)
लेतात्.–डयति (उड़ना)
लेतो–ऋतु (ग्रीष्म)
लिज़ानिये–(चाटना)
लिज़ात्.–लिहना (चाटना)
लिप् किइ–लेपकी (चिपकना, उलझना)
लिप्नुत्–लिंपति (लगाना, चिपकाना)
लोब्ज़ानिये–लोभना (चूमना)
लोबिज़ात्–लोभति (चूमना)
लोवित्.(लवित्) –लोभति (लुब्धक, फंसाना, शिकार करना)
लोव्ल्या–लोभाना (शिकार करना)
लोवुश्का–लोभका (जाल, फंसाव)
लोव्चिइ–लोभिक, लुब्धक (शिकारी)
लोड्का–रोधका (नाव)
लोदि रुद्र (लदमेसर, आलसी)
लोझित्. स्या–लोटत (लोटना, गिरना)
लोपत्स्या (लोप्नुत्.)–लोपत (तोड़ना, फोड़ना)
लुच्–रोचिः (किरण)
लुच्शे–रोचीयः (बेहतर)
ल्युबितेल्–लोभितर् (कुत्ता शिकारी)
ल्युबित्.–लोभति (प्यार करना)
ल्युबोव्–लोभ, लभ (प्यार)
ल्युबोव्निक्–लोभिक (प्रिय, प्रेमी)
ल्युब्याश्चिइ–लोभीय (प्रेमी)
ल्युद्–रोध (लोग, जनता)
माज़त् (माज़ुत्.)–माषत (माखना, मांजना)
मज़्या–माषना (तेल माखना, माजना)
मज़्.–माष (माखना, मांजना)
मस्लो–मसका (मक्खन)
मात्का–मातृका (माता)
मातुश्का–मातृका (माता)

मात्.—मातृ (माता)
मखात्.—मंहति, म्हिति (माखन, हिलाना)
म्योद्—मधु (शहद)
म्योद्वेद्—मध्वद (भालू)
मेद्निइ—(तांबेका)
मेवोव्निक्—माध्वीक (अमृतीय, मधुर)
मेदोक्—मधूक (अमृत, मदिरा)
मेद्.—मधु (तांबा)
मेझ्. } —मध्य (बीचमें)
मेझ्.दु }
मेन्या—मे (मुझे)
मेरेत्.—मरति (मरना)
म्योर्-त्विइ—मृत (मरा)
मेस्यत्स—मास (महीना, चंद्र)
मेतित्.—मति (चिह्न करना, लक्ष्य करना)
मेशात्.—मिश्रयति (मिश्रित करना)
मिगानिये—मलकाना
मीलोस्त्.—मेल (कृपा, अनुकंपा)
मीलोच्का—मिलक (मेली, प्रिय)
मीलिइ—मेली (मधुर, दयालु)
मने—मे (मुझे)
मनेनिये—मनन (विचार, मनन)
म्नित्.—मनुते (सोचना)
म्नोगो—महा (बहुत, बड़ा)
मनोइ, मनोयु—मया (मेरे द्वारा)
मोगूचेस्त्.—महत्व, मंहिष्ट (शक्ति)
मोगूचिइ—महान् (शक्तिशाली)
मोयों, मोइ—मे (मेरा)
मोइका—मोइत (भोजपुरी) (धोना)
मोल्निया (मल्निया)—विद्युत् (मेघकी)
मोलोत्.—मर्दति (पीसना)
मोलोत्बा—मर्दन (दाबना)
मोरित्.—मरत (भूखे मरना, मारना)
मोचा—मुच (पेशाब)
मोचित्.—मेहति (भिगोना, नम करना)
मूझ्.—(मनुष्य, पति)
मुराव्.येद्—मूर (फारसी), चींटी भक्षक
मुखा—मक्षी, मगस् (फा०) (मक्खी)
मुश्का—मगस (मक्खी)
मी—हम
मित्.—मोइत् (धोना)
मिश्का—मूषक (चूहा)
मिश्.—मूषक (चूहा)
म्यासो (म्यास)—मांस
म्यत्.—मंथति (मथना)
न—नि, परि (ऊपर, द्वार)
न-बेग्—निवेग (दौड़, आक्रमण)
न-बेलो—न-अविल (परिशुद्ध साफ)
न-वोर—नि-हार (एकत्रित करना)
न-वेश् (इवात्)—नि-वेशयति (टांगना)
न-विसात्.—निवेशयति (टांगना)
न-वोज़ित्.—नि.वहति (ले आना ले जाना)
न-व्यज् (इव) ात्.—निबंधति (बांधना)
नगिशोम् } —नग्न (नंगा)
नगोइ }
नगोलो—नग्नल (नंगा)
न-गोवत् (रेत).—नि-ज्वलति (जलना)
न-रेगो—नि-गिरि (गिरि पर.)
न-ग्रबित्.—नि-गृभीति (लूट लेना)
नाद्—परि, उपरि (ऊपर)
ना-दोल्गो—नि-दीर्घ (चिर-कालसे)
ना-एखात्.—नि-एषति (आना)
न-झिनात्.—नि-छिनत्ति (फसल काटना)
न-काज्—नि-काश (शासन-पत्र, आज्ञा)
न-लगात्.—नि-लगत (ऊपर रखना, लागू करना)
न-लैगात्.—निलगत (आश्रित होना)
न-लेपित्.—निलिंपति (चिपकाना, लेपना)
नामि—नः (हमारे द्वारा)
न-पदेनिये—निपातना (आक्रमण करना)
न-पेकात्.—नि-पचति (पकाना, भूनना)
न-पिवात्.स्या—नि-पिवति (पीना)
न-पिरात्.—नि-पीडयति (दबाना)
ना-पितोक—निपीतक (पान)
न-पोकाज़—नि-प्रकाश (दिखाने के लिये)
न-पोल्नेनिये—नि-पूर्णना (पूरा करना)
न-पोस्लेदोक् (न-पस्लेदक्) —नि-पश्चात्तन (पीछे, अंतमें)
न-रोद्—नि-रोध (जनता)
नोस् (नस्)—नासिका, नासा
न-सादित्.—नि-सादयति (रोपना)
न-झदात्.—नि-सादयति (रोपना)
न-सेदानिये—निषीदका (बहु-संख्यकोंका बैठना)
न-सेद्का—निषीदका (बैठकी)
न-स्लिश्का—नि-श्रूषका (सुनना)
न-स्मेखात्.स्या—निस्मयति (हंसना)
न-स्तावित्.—नि-स्थापयति (रखना)
ना-सुख—नि-शुष्क (सूखा)
नश्—नः (हमारा)

ने—न (नहीं)
ने-ब्लागो-प्रियत्निइ—न-भर्ग-प्रियत्न् (अशुभ, अननुकूल)
ने-वेदेनिये—न-वेदना (अविद्या, अज्ञान)
ने-वीदल्.—न-वित्त (अनदेखा, अद्भुत)
ने-ग्दा—नकुत्र (कहीं नहीं)
ने-पोच्तेनिये—न-पूजना (असम्मान)
ने-प्रियातेल्—नप्रियतर् (शत्रु, अमित्र)
नें-प्रियत्न—न-प्रिय (अप्रिय)
ने-प्रोबद्निक्—न-प्रबोधक (बिजली-रोधक)
ने-प्रोशेन्निइ—न-प्रश्नीय (बिना पूछा)
ने-स-वेदुश्चिइ—न-संवेदीय (अज्ञ)
ने-सो-ज्नातेल्.—न-सं-ज्ञातर् (अचेतन, अनभिज्ञ)
नेस्ति—नेषति (लेजाना, ढोना)
नेत्. / नेत्तो } —नेति (नहीं)
ने-उच्—अन्—अनूचान (अपठित)
ने-चेगो—न-किं (कुछ नहीं)
ने-याव्का—न-आयान (अप्रकाशन)
नि—न (नहीं)
नि-ग्दे—नकुत्र (कहीं नहीं)
निझइशिइ—नीचीयस् (बहुत छोटा, बहुत नीच)
निझे—नीचैस् (नीचे)
निझ्—नीच (सबसे नीचे)
निझ किइ—नीच (नीचे)
झनि निइ—नीचीय (नीचेका)
निज्—नीच (सबसे नीचे)
निझात्.—नहति (बांधना)
निझीना—नीचीय (निम्नस्थान, नीचा)
निझ्किइ—नीचक (नीचा, छोटा, तुच्छ)
निझोस्त्.—नीचत्व (नीचता)
निझ्शिइ—नीचीयस् (बहुत नीचा)
नि-काक्—न कथं (किसी तरह नहीं)
नि-ककोइ—न कः (कोई नहीं)
नि-कोग्दा—न कदा (कभी नहीं)
नि-क्तो—न कः (कोई नहीं)
नि-कुदा—न कुत्र (कहीं नहीं)
निस्—निस् (नहीं)
निस्-पदात्.—नि-पतति (गिरना)
नो—नु (किंतु)
नोवेइशिइ—नवीयस् (नवीनतम)
नोवो (नवो)—नव (आधुनिक)
नोवोस्त्.—नवत्व (समाचार)
नोगोत्.—नख (नर)
नोस् (नस्)—नासा (नाक)
नोसिक—नासिका (नाक)
नोसितेल्—नेष्टर् (ले जानेवाला)
नोसित्.—नेषति (लेजाना, ढोना)
नोसो-रोग—नासा-शृंग (गैंडा)
नोचेव्का—निशीयिका (रात को रहना)
नोच्.—निशा (रात)
नु—नु (सचमुच, हां, क्यों ?)
नुत्री—अन्तर, अंदर (फारसी) (भीतर)
ओ—अ (निषेध)
ओबा—उभौ (दोनों), अभि (उपसर्ग)
ओब्-वि-नितेल्—अभि-वि-नेतर् (अपराध लगानेवाला)
ओब्-वि-नित्.—अभि-वि-नेति (दोषारोपण करने वाला)
ओव-विसात्.—अभि विशति (लटकाना)
ओबे—उभे (दोनों)
ओब्-एद्—अभि-अद (भोजन)
ओब्-झिगानिये—अभिजागरण (जगाना, बालना)
ओब्लक—अभ्रक, अब्र (फारसी) (बादल)
ओबो-रोना—अभि-रग (रक्षार्थ युद्ध)
ओबो-रोन्यत्.—अभि-रुजति (फटकारना, रिगाना, गाली देना)
ओब्-रुगात्.—अभि-रुजति (रिगाना)
ओब्-ससिवात्—अभि-चूषति (स्तन पीना)
ओब्-स्लुझिवात्—अभि-श्रूषति (सेवा करना)
ओवेन्—अवि (मेष, भेड़)
ओवचिइ—अविक (भेड़क)
ओव्का—अविका (भेड़ी)
ओग्ने—अग्नि (आग)
ओग्ने-विद्निइ—अग्निविध (आग-जैसा)
ओग्ने-स्लुझ्नियें—अग्नि-भूषण (अग्नि-पूजा)
ओग्ने-तुशीतेल्.—अग्नि-तोष्टर् (आग-बुझावक)
ओगो—अहो!
ओगोन्योक्—अग्निक (प्रकाश)
ओदिन् (अदिन्)—(एक)
ओद्नो—आदि (एक बार)
ओ-झिवात्—आ-जीवति (फिर जिलाना)
ओ-झोग्—आ-ज्योति (जलन)
ओझोर—आज्वर, अंजोर (जलाना)
ओको—अक्षि (आंख)
ओलेंन्.—हरिण
ओन्—एषत् / ओना—एषा / ओनो—एनत् } यह
ओ-पिवात्.स्या—आ-पीयते (पी-पीकर अपनेको मारना)
ओप्यत् (अपेत्)—अपि

ओ-प्.यामेनिये—आ-पीवना (शराब पीना)
ओसादा—आ-साद (दुर्गबद्ध करना)
ओ-स्वेतित्.—आ-श्वेतति (प्रकाश करना)
ओ-स्लुशानिये—अवश्रूषणा (आज्ञा न मानना)
ओ-स्लिशात्.स्या—अवश्रूवति (ठीक न सुनना)
ओ-स्मेनिवात्.—आ-स्मयत (परिहास करना)
ओस्—अक्ष (धुरा)
ओस्मि-नोग्—अष्टनख (अठपैरा)
ओत्—आत् (से)
अत्-वेचात्.—उद्-वचति (उत्तर देना)
ओत्-व्यज़ात्.—उद्-बंधति (बंधन खोलना)
ओत्-दानिये—उद्-दान (प्रति-दान)
ओ-त्योसिवात्—आ-तक्षति (गढ़ना, पत्थर छांटना)
ओत्-झिवात्.—अ-जीवति (मरजाना)
ओत्-कज़ात्.—प्रति-कथयति (इन्कार करना)
ओत्-कुदा (अत्-कुदा)—कुतः (कहांसे)
ओत्-मिरानिये—उत्-मरण (मर जाना)
ओतो—आत् (से)
ओत्-पदात्.—आ-पतति (गिर जाना)
ओत्-रज़ात्.—आ-राजते (प्रतिबिंबन करना)
ओत्.तोचित्.—उत्-तीक्ष्णति (तेज करना)
ओत्-तुदा—ततः (वहांसे)
ओख्—आह !
ओखोता—आखेट (शिकार)
ओचरोवानिये—आश्चर्य करना, जादूमें होना
ओचि—अक्षि (आंख)
पा—पाद (पग)
पदात्.—पतति (गिरना)
पदेनिये—पतना (गिरावट)
पाइ—पाद (भाग)
पल्का—फलक (डंडा)
पार—वाष्पर (भाप)
परेनिये—परायणा (पलाना)
पास्तुख़—पातुक (मेषपाल, चरवाहा)
पतेर्—पितर् (पिता)
पख़ात्—(जुती भूमि)
पेना—फेन
पेर्विइ—पूर्व (पहिला)
पेरे—प्र, परि, प्राग्
पेरे-विरा(त्रा)त्.—परि-भ (ह) रति (हटाना)
पेरे-वोज़ित्.—परिवहति
पेरे-व्यज़्का—परिबंध
पेरे-ग्रिज़ात्.—परि-ग्रसति (काट डालना)
पेरे-देल्—परिदार (पुनर्विभाजन)
पेरे-एदात्.—प्र-अत्ति (बहुत खाना)
पेरे-ज़िवानिये—परि-जीवना (अनुभव)
पेरे-झोग्—प्रजाग (बहुत गरमाना, दीप संजोना)
पेरे-लेज़ात्.—प्र-लंघते (ऊपर चढ़ना)
पेरे-पइवात्.—प्र-पिवति (पान-मत्त होना)
पेरे-पिवात्.—प्र-पिवति (पान-मत्त होना)
पेरे-प्लिवात्.—परि-प्लवति (तैर जाना)
पेरे-पोइत्.—प्र-पिवति (पान-मत्त होना)
पेरे-पुत्.ये—प्रपथ (चौरस्ता)
पेरे-रोदित्.—प्र-रोहति (पुन-रुज्जीवन करना)
पेरे-रुबात्—प्र-रुंभति (मारना, काटना)
पेरे-सीदेत्.—प्रसीदति (बैठ जाना)
पेरो—पक्ष, पर (फारसी), पंख (लेखनी)
पेचेनि(न्.)ये—पचना (पकाना)
पेच्का—पचक (चूल्हा)
पेचुर्का—पचक (छोटा चूल्हा)
पेच्.—पच (भूनना, तलना, झुलसना)
पिव्नया—पिवनिया (मद्यशाला)
पीवा—पान (हलकी शराब)
पीला—पीडा (आरा)
पीलित्.—पीडयति (चीरना)
पिसानिये—पिशना (लिखना)
पिसातेल्—पिशयितर् (लेखक)
पिसात्—पिशति (लिखना)
पित्.—पीति (पीना)
प्लवानिये—प्लवना (तैराकी)
प्लाव(वि)त्.—प्लवति (तैरना)
प्लावेत्स्—प्लावक (तैराक)
प्लोद—फल (संतान)
पो—प्र, परि (द्वारा, ऊपर, भीतर, को)
पो-बेग—प्र-वेग (भागना)
पो-बेझात्.—प्रवेजति (भागना)
पो-ब्(वि)रात्.—प्रभ (ह) रति (ले जाना)
पो-बुदीतेल्—प्र-बोधितर (भड़कानेवाला)
पो-बुदीत्.—प्र-बोधति (भड़-काना, उठाना, उत्तेजित करना)
पो-वेदेनिये—प्र-वेदना (प्रवृत्ति, चाल-चलन)
पो-वेसित्.—प्रविशति
पो-व्योर्तिवानिये—प्र-वर्त्तना (घुमाना)
पो-वोज़्का—प्रवहका (प्रवहण, यान)
पो-व्यज़्का—प्र-बंधक (सिर बंद)

पो-गोलोव्निइ—प्र-गल (सरदार जेनरल)
पोद्—पद (अन्तर, नीचे)
पो-दवात्.—प्रदाति (देना, भेंट देना)
पो-दारित्.—प्रदाति (देना, भेंट देना)
पो-दारोक—प्रदारक (भेंट)
पो-दात्.—प्रदाति (कर देना)
पो-दाचा—प्रदाक (देना, सेवा)
पोद्—वोद्नया—पद्-उदीय
पोद्-व्यज़्का—पद्-बंधक
पोद्-झ़ारित्.—पजारत (तलना)
पो-दिरात्—प्र-दरति (चीरना, फाड़ना)
पोद्-तचिवात्.—प्र-तीक्ष्णति (तेज करना, धार लगाना)
पो-दुर्नेत्.—प्रदुर्नेति (कुरूप होना)
पो-एज़्द्—प्र-एत् (ट्रेन)
पो-एज़्दित्.—प्र-एति (चलना, फिरना)
पो-झ़ार—प्रज्वार (आग लगना)
पो-झ़ार्निइ—प्रज्वारनिक (आग-बुझावक)
पो-झ़िरात्.—प्र-जीर्यति (खा डालना)
पो-ज्योविवात्—प्र-जम्भति (जम्हाई लेते रहना)
पोज़्झे—प्रहि
पो-ज़्न (वा) निये—प्रजानना (ज्ञान, प्रज्ञान)
पोइत्.—पिबति (पीना)
पो-इती—प्र-एति (जाना)
पो-काज़्—प्रकाश (दिखलाना)
पो-कज़ानिये—प्रकाशना (गवाही)
पो-कुशात्.—कोशीदन् (फारसी—कोशिश करना, यत्न करना)
पोल्नेत्.—पूर्णति (भरना, पूरा करना)
पोल्नो—पूर्ण (पूर्णतया, भरा)
पोल्नो-वोद्निइ—पूर्णोदिनी (गहरी नदी)
पोल्नोस्त्.यु—पूर्णत्व (पूर्णता)
पोल्नोता—पूर्णता
पो-मज़ात्.—प्र-माखत (तेल लगाना)
पो-माज़ोक्—प्र-मार्जक (झाड़, ब्रुश)
पो-मेस्यच्नो—प्रतिमास
पो-नीझ़े—प्र-नीचैः (कुछ नीचे)
पो-पदानिये—प्र-पतना (गिरना)
पो-प्लवोक्—प्रप्लावक (तिरनेवाला, काग)
पो-पोइत्.—प्र-पाययति (घोड़ों को पिलाना)
पो-पोइका—प्रपायिका (प्रपा, नौका)
पो-प्रोसित्.—प्र-पृच्छति (पूछना)
पो-राझ़े नियें—पराजयना (पराजय)
पो-रझ़ात्.—पराजयत
पो-रेज़्—प्र-रिंह, रेज (फारसी-काटना, घायल करना)
पो-रोदा—प्ररोह (संतान, जाति, रुधिर)
पो-रोझ़् दात्.—प्र-रोहति (जन्म देना)
पो-सादित्.—प्र-सादयति (बैठाना)
पो-सीदेत्.—प्र-सीदति (थोड़ा बैठना)
पोस्ले—पश्चात्, पस् (फारसी)
पोस्लेद्निइ—पाश्चात्तन (पिछला)
पोस्ले-दोवातेल्.—पश्चाद्-धावितर् (अनुगामी)
पो-स्लुशानिये—प्रश्रूषणा (आज्ञाकारिता, तपस्या)
पोस्-मेर्त् निइ—पश्चात्-मृत्यु (पोस्टमार्टम्)
पो-स्मेशित्—प्र-स्मयत (हंसाना)
पो-स्पात्.—प्र-स्वपिति (थोड़ा सोना)
पो-स्तावित्—प्रस्तावयति (रखना, उपस्थित करना)
पो-सुखु—प्र-शुष्क, खुश्क (फारसी,-सूखे मार्गसे)
पो-तुखानिये—प्र-तोषण (बुझाना)
पो-तुशित्—प्र-तुषति (बुझाना)
पोचितात्.—पूजति (सम्मान करना)
पो-चिनित्.—प्रचिनोति (मरम्मत करना)
पोच्तेन्निइ—पूजनीय (माननीय)
पो-शिव्का—प्र-सीव्यक (सिलाई)
प्र—प्र
प्र— प्र (महा)
प्राविलो—प्रभूत
प्रावितेल्.—प्र-भवितरः (शासक)
प्रावितेल्.स्त्वो—प्र-भवितृत्व (सरकार, राज्य)
प्रावो—प्रभु (कानून, अधिकार)
प्रावो-वेद—प्रभु-वेद (कानूनदां)
प्र-देद्, प्र-देदुच्का —परदादा
प्र-मातेर्.—प्र-मातर् (जगन्माता)
प्र-रोदितेल्.—प्र-रोधितर् (पुरखा), वंश-पिता,
प्रेदो—प्रति (सामने, सम्मुखे)
प्रेद् (पेरेद्)—प्रति, प्राग् (सम्मुख, सामने)
प्रे-दातेल्.—प्रति-धातर् (विश्वासघाती, देशद्रोही)
प्रेद्-वे (वि) देनिये—प्राग्वेदना (पहिले जानना, भविष्यदर्शिता)
प्रेद्-गोर्.ये—प्रति-गिरि (पहाड़को जड़, सानु)
प्रेद्-सेदातेल्—प्र-सीदितर् (प्रेसीडेंट, प्रसीदन्त)

प्रेद्-स्कजानिये—प्राक्-कथना (भविष्यद्-वाणी)
प्रेद्-गदात्—प्राग्-गदति (भाखना, दूर-दर्शिता)
प्रेभ्रूदे—प्रागुदा (पूर्वतः)
प्रि—प्र
प्रि-बेगात्—प्र-वेजति (लेजाना, करने जाना)
प्रि-बेझात्—प्र-वेजति (दौड़ना)
प्रि-वोज्—प्र-वह (लाना)
प्रि—ज्नाक—प्र-ज्ञक (चिह्न, सूचन)
प्र-ज्नानिये—प्र-जानना (स्वीकारना)
प्रि—काज्—प्र-कथ (आज्ञा)
प्रि-नुदित्—प्र-नुदति
प्रि-न्यातिये—प्र-नीति (स्वीकार, स्वागत)
प्रि-पादोक्—प्र-पातक (आक्रमण)
प्रि-रोद—प्र-रोह (प्रकृति)
प्रि-रोस्त्—प्र-रोह (उगना, बढ़ना)
प्रि-रुचात्—प्र-रोचति (पालतू बनाना)
प्रि-सोस्का—प्र-चू (शो)षक (चूसनेवाला)
प्रिसिलात्—प्रेषयति
प्रि-त्यनुत्—प्र-तनोति (तानना)
प्रि-चितानिये—प्र-चिंतना (शोक करना)
प्रियातेल्—प्रियतर् (मित्र)
प्रियत्लिइ—प्रियत्लु (प्रिय)
प्रो—प्र (लिये, के)
प्रोबेग्—प्रवेग (दौड़ना)
प्रो-ब्लेस्क—प्र-भ्राज (प्रकाश)
प्रो-बुदित्—प्र-बुध्यति (जागना, उठाना)
प्रो-वोज्—प्र-वह (शकट, ढोने का साधन)
प्रो-दवात्—प्र-दापयति (बेंचना)
प्रो-दाझ—प्र-दाक (बेंची, विक्रय)
प्रो-दाश्निइ—प्रदत्त (बिका)
प्रो-दिरात्—प्र-दरति (चीरना)
प्रो-प्रो-वेदिनक—प्र-प्र-वेदनिक (उपदेशक)
प्रोसित्—पृच्छति (पूछना, मांगना)
प्रो-सिपात्.स्या—प्र-स्वपिति (जगाना)
प्रो-स्पात्—प्र-स्वपिति (सो जाना)
प्रोस्.बा—प्र-श्न (मांगना)
प्रोतिव्—प्रतीप (विरुद्ध)
प्रो-चितात्.प्र-चितयति (पढ़ना)
प्रांच्—प्राच् (दूर, दूर जाना)
प्रो-शि(वा)त्—प्र-सीव्यति (सीना, टांकना)
प्रोश्लोये—पश्चा (पिछला)
पुत्निक—पथिक (यात्री)
पुत्योव्का—पथीयिका (यात्रा)
पुतेशेस्त्वये—पथिकत्व (यात्रा)
पुत्—पथ (मार्ग, सड़क)
पुन्.यानित्सा—पानका (मदिरामत्ता)
प्.यानिस्त्वो—पानकत्व (मत्तता)
पिशात्—पिंशति (प्रकाशना)
प्यातोक्—पंचक (पांच)
प्यत्-ना-द्त्सत्—पंच-दश (पांच ऊपर दस)
प्यातो—पंच (पांच)
प्यातया—पंचतय (पांचवां)
प्यत्—पंच (पांच)
प्यत्-देस्यत्—पंचाशद् (पांच-दस, पंचास)
राब्—लाभ (दास)
रबोता—लाभता (काम, श्रम)
राद्—राध, ह्लाद (प्रसन्न, खुश)
रादोवात्—ह्लादति (हर्षित होना)
रादोस्त्—ह्लादित्व (खुशी)
राझ्—राग (क्रोध)
राज्. } —प्रति, —वि! (बिना,
रास् } दूर)
रज्-बेग्—वेग (दौड़ना)
रज्-बोर—वर (चुनना, बांटना)
रज्-बुदित्—बुध्यति (जागना)
रज्-वेद्का—वेदका (खोजना)
रज़्-वेद्-चिक्—वेदक (ढूंढने वाला, स्काउट)
रइ—रै (स्वर्ग)
रन्—रण (घाव)
रस्ति—रोहति (उगना, बढ़ना)
रत्-निक्—राति (योद्धा)
रत्—व्रात (सेना)
र्देनिये—रोहणता (लालपन)
रेब्योनक्—ऋभुक (लड़का)
र्योव्—रव (शोर, गर्जन)
रेवेत्—रवति (शोर करना)
रेजत्—रिहति, रेतति (काटना)
रेज़्निक—रेतक, रिहक (कसाई)
रेका—रेखा, लेखा (नदी)
रेच्—ऋक् (भाषण)
रिसोव्का—लेख, रेख (रेखांकन)
रोग्—शृंग (सींग)
रोद्—रोध (परिवार, वंश)
रोदिना—रोधिनी, रोहिणी (जन्मभूमि)
रोदितेलि—रोदितर (माता-पिता)
रोदित्—रोहति (पैदा करना, जन्म देना, फारसी, रोईदन्)
रोझात्. } —रोधति
रोझ्.दात्. } (प्रसव
रोदित्.स्या— } करना)
रोझ्.देनिये—रोहणा (जन्म)
रोझोक्—शृंगक (छोटी सींग)
रोस्त्—रोह (वृद्धि)
रुब्का—रुंभका (काटना)

रुगात्.—(रिगाना, गालीदेना, शाप देना, चिढ़ना)

रुगान्.—(गाली देना, शाप देना, चिढ़ना)

रुसिइ—ऋषि (पिंगल, श्वेत)

रिदात्.—रोदति (रोना-सिसकना)

रिझिइ—रोह, लोह (लाल)

रिचात्.—ऋचति (शोर करना, चिल्लाना)

स्—स, सम् (सह, लिये, से, ऊपर)

सद्—सद् (उद्यान)

सदित्.स्या
सझात्. } —सीदति (बैठना)

साम्—स्वयं

सामो—वार्-स्त्र वाल (समावार चूल्हा)

सामो-लेत्—स्वयंडयन (विमान)

सामिइ—स्वयं

साखर—शर्करा

स्-बेगात्.—सं-वेगति (दौड़जाना)

स्-बोर—सं-वर, सं-भर (सभा)

स्-वेदेनिये—संवेदना (ज्ञात, सूचना)

स्-वेदुश्चिइ—सं-विद्वस्, (विद्वान्, निपुण)

स्व्योकोर— श्वशुर (ससुर)

स्वेक्रोवि—श्वश्रू (सास)

स्-वेर्ख—स्वर्ग (ऊपर)

स्वेत्—श्वेत (सफेद, संसार, प्रकाश)

स्वेतत्.
स्वेतित्. } —श्वेतति (प्रकाशना)

स्वेत्लो—श्वेतल (प्रकाशमान)

स्वेतोच्—श्वेतक (मशाल, दीपक)

स्-विदानिये—सं-विदना (मिलना)

स्-विदेतेल्.—सं-वेत्तर् (गवाह)

स्वोयो
स्वोइ } —स्वीय (अपना)

स्वोइस्त्वो— स्वीयत्व (गुण)

स्वोयाक्—स्वीयक (बहनोई)

स्-व्यज्का—सं-बंधक (मुट्ठा)

स-व्यज्.—सं-बंध (बंधन)

स्—देर्झात्.—स-दृहति (पकड़ना)

सेबे
सेवे
सेब्या } —स्वीये (अपने लिये)

सेगो-द्नया—स्वक-दिन (आज)

सेदेत्.—श्वेतति (बाल सफेद होना)

सेदोइ—श्वेत (सफेद बालवाला)

सेइ
सिया
सिओ } —स (यह)

सेमि-सोतिइ—सप्त-शती (सात सौ)

सेम्-ना-द्त्सत्.—सप्त-दश (सात ऊपर दस, सत्रह)

सेम्—सप्त (सात)

सेम्—देस्यत्—सप्त—दशन् (सत्तासी)

सेम्-सोत्—सप्त-शत (सात सौ)

सेर्द्त्से—श्रद, हृत् (हृदय)

सेस्त्रा—स्वसर् (बहिन)

सेस्त्.—सीदति (बैठना)

सिदेन्.—सीदना (घर बैठना)

सिदेत्.—सीदति (बैठना)

सीला—शील (बल)

स्-कज्—सं-कथा (कहानी)

स्-कजात्.—सं-कथयति (कहना)

स्-कज्का—सं-कथका (कहानी)

स्-कुचात्.—सं-कुचति (उदास होना)

स्लवा—श्रव (यश)

स्लावित्.—श्रवति (यश बखानना, श्लोक करना)

स्लाव्निइ—श्रवणीय (यशस्वी)

स्लेग्का—सं-लघुक (हल्का)

स्लुगा—श्रूषक (सेवक)

स्लुझान्का—श्रूषणिका (सेविका)

स्लुझ्बा—श्रूषा (सेवा)

स्लुझेनिये—श्रूषणा (सेवा करना, काम करना)

स्लुझित्.—श्रूषति (सेवना, काम करना)

स्लुख्—श्रूषा (सुनना, कान)

स्लुशानिये—श्रूषणा (सुनना)

स्लु (स्लि) शात्.—श्रूषति (सुनना)

स्-मेझा (झि) त्.—सं-मेचति (आंख मीचना)

स्-मेर्त्.—सं-मर्त (मृत्यु)

स्-मेस्—सं-मिश् (मिश्रण करना)

स्मेख्—स्मय (हंसना)

स्मेयात्.स्या—स्मयति (हंसना, मुसकराना)

स्नेग्—स्नेह (हिम, बर्फ)

स्नोवा—सं-नव (नया, ताजा)

स्नोखा—स्नुषा (नोह, पुत्रवधू)

सो—सम्, स

सोबाका—श्वक (कुत्ता)

सो-विरानिये—सं-हरणा (सभा एकत्रित होना)

सो-विरात्.—सं-हरति (एकत्रित करना)

सो-वेत्—संवेत (सभा, मंत्रणा)

सोवेत्निक्—संवेतक (कौंसलर, परामर्शदाता)

सोव्-पदत्.—सं-पतति (संपात, एक साथ पड़ना)

सो-ज्नानिये—संजानना (चेतना, ज्ञान, स्वीकार)

सो-ज्नातेल्.—सं-ज्ञातर् (जानने वाला)

सो-इति—सं-एति (जाना)

सोल्न्त्से—सूर्य

सो-म्नेनिये—सं-मनना (संदेह)
सोन्—स्वप्न
सोम्निक्—स्वप्नक (स्वप्न, जोतिसी)
सो-रात्निक्—सं-अरातिक (सह-योद्धा)
सोसानिये—चूषणा (चूसना)
सो-सेद्—सं-सद् (पड़ोसी, फारसी—हम्सद)
सोसोक्—चूषक ((स्तनमुख)
सो-स्ताव्—सं-स्ताव (जोड़ना, गुंफना)
सो-स्तोयानिये—सं-स्थाना (स्थिति, अवस्था)
सोसून् (रोक्)—चूषण (चूसना, स्तन पीना)
सोत्—शत (सौ)
सोतिया—शती (सौ)
सोतिइ—शतीय (सौवां)
सोखनुत्.—शुष्णतिः (सूखना)
स्-पदानिये—सं-पतना (गिरावट, पतन)
स्-पोइवात्.—सं-पाययति (मदिरामत्त बनाना)
स्पाल्.न्या—स्वापालय (शयन-गृह, शयन-यान)
स्पानियो—स्वपना (सुलाई)
स्पात्.—स्वपिति (सोना)
स्प्यच्का—स्वपका (नींद)
स्रम्—(शर्म फारसी, लज्जा)
स्रेदे—श्रद्, हृद् (मध्य)
स्रेद्स्त्वो—हृत्व (मध्यता)
स्तवित्.—स्थापयति (रखना)
स्तान्—स्थान (कैंप, आकार)
स्तानोवित्.—स्थानयति (रखना)
स्तानोक्—स्थानक (बेंच)
स्तानित्स्या—स्थानका (स्टेशन)
स्-त्योसिवात्.—सं-तक्षति (काटना)
स्तो—शत (सौ)
स्तोइत्.—स्थिति (ठहरना)
स्तोइ—स्थाहि (ठहर)
स्तोइकिइ—स्थायुकीय (दृढ़)
स्तोल्—(टेबुल)
स्तोल्.—स्थाल (स्थाणु, खम्भा)
स्तोयानियो.—स्थानि (खड़ा होना)
स्तोयात्.—स्थायति (खड़ा होना)
स्-त्राख्—सं-त्रास (भय, लड़ाई)
स्-त्राशित्.—सं-त्रस्यति (भय-खाना, आतंकित होना)
स्-त्रशानिये—सं-त्रासना (डराना)
सु-दार्.न्या—सु-दाना (महिला)
सु-दर्.—सु-दान (भद्र पुरुष)
सुत्.—सत् (सत्त, सार)
सुखो—शुष्क (सूखा)
सुखोवेइ—शुष्कीय (सूखा, सूखी हवा)
सुखो-पुत्निइ—शुष्क-पथ (खुश्की का मार्ग, स्थल-पथ)
सुखोस्त्.—शुष्कत्व (सूखाई, सूखा-सा)
सुशा—शुष्क (सूखी भूमि)
सुशे—शुष्कीयस् (अधिकतर सूखा)
सुशेनिये—शोषणा (सुखाई)
सुशित्.—शुष्यति (सूखना)
सुश्का—शुष्का (सूखना)
सूप्—सूप (मांस-रस)
स्-चितात्.—सं-चितति (गिनना)
सिन्—सूनु (पुत्र)
स्-युदा—इह (पाली— इध, यहां)
स्-यक—एतादृक् (ऐसा)
स्-यम्—तत्र (यहां)
ता—सा (वह)
तोत्—स (वह)
तो—तद् (वह)
तइत्.—तायति (छिपाना, शरण देना)
तइना—तायना (रहस्य, भेद)
ताक्—तादृक् (ऐसा)
ताक्-झे—तादृक हि (भी, ही)
त्वोइ, त्वोया, त्वोयो —त्वदीय (तेरा)
तेम्नेत्.—तमस्यति (अंधेरा करना)
तेम्नो—तमस् (अंधेरा, अस्पष्ट)
तेप्लेत्.—तप (ल) ति (गर्म होना)
तेप्लो—तपल (गर्म)
तेप्लोता—तपलता (फैलती आंच)
तेर्ज़ानिये—तर्जना (सताना, चीरना)
तेर्ज़ात्.—तर्जति (चीरना, छिन्न करना)
तेसानिये—तक्षणा (काटना, फाड़ना)
तेसात्.—तक्षति (काटना)
तेस्नित्.—तीक्ष्णोति (दबाना, गारना)
तेतिवा—तंतुव (धनुषकी ज्या)
त्योत्का—ताती (चाची, बुआ)
त्योत्या—ताती (चाची, बुआ)
तिखिइ—तुषी (शांत, नीरव)
तो—तद् (वह, नपुंसक)
तोग्दा—तदा (तब)
तो-एस्त्.—स अस्ति (वह है, अर्थात्)
तोनिन्का, तोन्किइ —तनुका, तन्वी (पतली)
तोपित्.—तपति (तपाना, पिघलाना)
तोप्का—तपका (लालटेन की बत्ती, गर्माना)
तोत्—स (वह, पुंल्लिंग)
तोचेनिये—तक्षणा, तीक्ष्णना (घिसना, तेज करना)
तोच्योनिइ—तीक्ष्ण (छेनी किया)
तोचिल्का—तक्षलिका (घिसने का पत्थर)

तोचिल्नया—तक्षलका (घिसने की चक्की)
तोचित्.—तक्षति (घिसना, तेज करना)
त्रवा—दूर्वा, तृण (घास, बूटी)
त्राव्का—दूर्वका (पत्ती, घास)
त्रेतिइ } —तृतीय (तीसरा)
त्रेत्. }
त्र्योख्—त्रिक (तिन-)
त्रिअदा—त्रिधा (त्रिप्रकार)
त्रि-द्त्सत्.—त्रि-शत् (तीस)
त्रिझ्दि—त्रिधा (तीन बार)
त्रि-ना-द्त्सत्.—त्रयोदश (तीन ऊपर दस, तेरह)
त्रि-स्ता—त्रि-शत (तीन सौ)
त्रोइका—त्रिका (तीनवाली)
त्रुसित्.—त्रस्यति (भय खाना)
त्र्यसेनिये—त्रसना (कांपना, हिलना)
त्र्यस्ति—त्रस्यति (कांपना, डोलना)
तुदा—तत्र (वहां)
तुमान्—धूमन् (भाप, कुहरा, धुआं; फारसी—दूदमान्)
तुशित्.—तुषति (बुझाना)
ति—ते (तू)
त्.मा—तम (अंधकार)
त्.फु—थू (थूकना)
त्यानुत्.—तनोति (तानना, खींचना)
उ—उद्, अव, वि
उ-बेगात्.—उद्-वेजति (भाग जाना)
उ-वेदित्.—उद्-वेदयति (समझाना)
उ-बित्—उद्-भिदति (मार डालना)
उ-वितोक्—उद्-भित्क (क्षति, हानि)
उ-वझात्.—उद्-भजति (सम्मान करना)
उगोल्.—इंगाल, अंगार (कोयला)
उ-दाल्.—उद्-दार (साहस)
उ-दार—उद्-दार, विदार (चोट, आघात; फारसी—दरीदन्)
उ-दारित्.—उद्-दारयति (मारना, चोट करना)
उ-झे—उद्हि (पहिले ही)
उ-इति—एति (जाता है)
उ-काज—उत्-कथ (आज्ञा)
उ-लेतात्.—उद्-डयति (उड़ता है)
उ-निझ् निया—अव-नीचना (नीचा दिखाना)
उस्त—उत्स (मुंह, ओठ)
उस्त्.यें—ओष्ठ (मुंह, ओठ)
उख्—(उंह, ओह, आह)
उचेनिये—ऊचना (पढ़ाना, सिखाना)
उचीतल—ऊचितर् (शिक्षक)
उचित्.—ऊचति, वक्ति (सीखना, सिखाना)
फ़ु (इ)—थू (धिक्कारना)
ख्वाला—स्वर (प्रशंसा,)
ख्वालित्.—स्वरति (प्रशंसा करना)
खोलोद्—शरद (सर्दी)
खुदेनिये—क्षुद्रणा (पतला होना)
खुदोइ—क्षुद्र (बुरा)
खुदिश्का—क्षुद्रिका (पतली तरुणी)
त्स्वेत्—श्वेत (रंग, फूल)
त्सेलो—सकल (सारा, सियल)
त्सेन्त्र—केन्द्र
चशा—चष (प्याला)
चशेच्का—चषक (प्याली)
चश्का—चषक (प्याली)
चेइ—कस्य (किसका, जिसका)
चेरेप्—कर्प (र) (खोपड़ी)
चेत्वेरो—चत्वारि (चार)
चेत्वेर्.—चतुर्थ (चौथाई)
चेतिर्—चत्वारि (चार)
चेतिरेझ्.द्.—चतुर्धा (चार बार)
चेतिरे-स्त—चतुःशत (चार सौ)
चेतिर्-ना-द्त्सत्.—चतुर्दश (चौदह)
चिनित्.—चिनोति (मरम्मत करना, पेबंद लगाना)
चितातेल्—चितयितर् (पाठक)
चितात्.—चितयति (पढ़ना)
चिखानिये—छिक्करणा (छींकना)
चिखात्—छिक्कति (छींकना)
च्मोकात्.—चुंबति (चूमना)
च्तो—कति (किं) (क्या; फारसी, चि)
शकाल्—शृगाल (गीदड़; फारसी, शग़ाल)
शेप्तात्.—शपति (पुकारना)
शेस्ति-द्नेव्का—षट्-दिनक (षडह)
शेस्तोइ—षष्ट (छठा)
शेस्त्—षट् (छ)
एइ—अयि
एता—एता (यह, वह)
एतत्—एष (यह, पुंल्लिग)
युनोस्त्—युवत्व (जवानी)
युनिइ—यून (जवान)
यावित्. } —आयाति (दिखलाना)
याव्ल्यात्. }
याव्का—(आवक, वर्तमान)
याव्लेनिये—(आवना, प्रकट होना)

(२) शब्दानुकरण

मर्गात्.—आंख मलकाना
आख्—आह
खाखा—हाहा
चप्कात्.—चप्चप् (खाना)
इकात्.—हिक्कति (हिचकी लेना)
चिखात्—छिक्कति (छींकना)
त्.फु—थू
फु—फू
कश्.ल्यात्—खांसना
गेइ—हे (संबोधन)

(३) उपसर्ग

रूसी भाषामें उपसर्गोंका महत्त्व बहुत अधिक है। समाजके विकासके साथ नये शब्दोंकी अवश्यकता होती है। नये शब्दोंके निर्माणमें उपसर्गोंको जोड़नेका जितना अधिक प्रयोग रूसी भाषामें हुआ है, उतना किसी दूसरी हिन्दी-यूरोपीय भाषामें नहीं देखा जाता। वैसे संस्कृतमें भी माना गया है—"उपसर्गेण धात्वर्थो बलादन्यत्र नीयते। प्रहाराहार-संहार-विहार-परिहार-वत।" किन्तु इस बारेमें रूसी भाषा बहुत दूरतक गई है।

रूसी उपसर्ग (अव्यय भी)

अ—अ (निषेधार्थ)
बेज़, बेज़ो, बेस्—वि (विना)
व्—(अन्तर्)
वो, वोज, वोस्, वि—वि
दो—तावत् (फारसी—ता, तक)
दुर् (नोइ)—दुर् (बुरा)
ज़ा—आ, पश्चा (पीछे, परे)
इज़, इस्—अत्, आ (से; फारसी-अज़्)
क्—(के, लिये, प्रति)
ना—नि (ऊपर, द्वार)
ने, नि—निर्, न (निषेधार्थ)
निस्—निस् (निषेधार्थ)
ओ—आ, अ (निषेधार्थ), अव
ओब्—अभि (चारों ओर)
ओबेज़्, ओबेस्—वि (विना)
ओत्—आ, आत्, उत् (से, के, परे, लिये)
ओतो—अत्
पेरे—प्र, परि, प्राग्, पुनर्
पो—परि, प्र (ऊपर, द्वारा, अंतर्, को)
पोद्—पद (नीचे)
पोरा—परा (पोराझेनिये-पराजय)
पोस्ले—पश्चात् (फारसी—पस्)
प्रा—प्र (बड़ा)
प्रे—प्र
प्रेद्, प्रेदो—प्रति, प्राक् (सामने)
प्रि, प्रो—प्र
राज़्, रास्—(प्रति, पुनर्, वि, दुर्, अभाव, विकार)
स, सो—म, सं (द्वारा, लिये, से, ऊपर; फ़ारसी—हम्)
उ—उत्, अव

(४) रूसी धातु

पसावेत्.,पो,—प्रभवति (जोड़ना)
वेदित्.,उ-; बेश्दात्.-उ-;—वेदयति (जतलाना)
वेगत्.—, वेगत., उ-—वेगति (भागना)
विवात्.,दो—भवति, तावद् (मारना)
विरात्.—चुनना,
विरात्.,वि-;—चुनना,
विरात्.इज़्-;—चुनना,
विरत्.,ज़ा-; —भ(ह)रति, फ़यीमक् (लेजाना)
विरात्.,ना-;—हरति, नी—(संचय करना)
विरात्.-,सो;—हरति, सं—(संचय करना)
विरात्.,उ-;—हरति, अव—(हटाना)
वित्.—भिद् (मारना)
वित्.,उ-; —√भिद्, उद् (मार डालना)
बीवात्., प्री-; —प्रभवति—(परीक्षण करना, जांचना)
बोल्तात्.—बोल्लति (बोलना)
बोयात्.स्या—भय (डरना)
ब्रसि (वा) त्.—भ्रंश (फेंकना)
ब्रसि, वि.—वि + √भ्रंश (फेंकना)
ब्रात्.स्या—भर्, √हर (लेजाना)
ब्रदित्.— √वर्ध (उठना, उभड़ना)
ब्रोस (सिवा) त्.(स्या)—√भ्रंश (फेंकना)
बुदित्., बुदित्.,वोज़्-;, बुदित्.,पो-;—वि + √बुध (उत्तेजित करना, भड़काना: (प्र √बुध् (भड़काना)
बश्.दात्.विज़्-;—वि + √बुध (भड़काना)
विवात्.—√भव (आना)
वित्.—√भव (होना)
वश्रत्., उ;—प्र + √भज (भजन करना, सम्मान करना)
वरित्.—√वल् (उबालना, पकाना)
वरित्., प्रद्-;—प्रति + √वल् (खबरदार करना)
वेदि (व) त्.—√विद् (जानना)
वेदि; वि—√ विद् (पाना, ढूंढ़ना)
वेदोमित्., उ-; —अव + √विद

णिज् (सूचित करना)
वेर्ग्नियेे, ओत्-; –अव + √वर्ज (अस्वीकार करना, फेंक देना)
वेर्तत्.– √वृत् (मोड़ना, लौटना)
वेशिवात्., प्रे-; –प्र + √विश् (जोड़ना, लटकाना)
विवात्–√भव् (होना, दीर्घ-जीवी होना)
विदत्., प-; –प्र + √विद् (देखना)
विदेत्.– √विद् (देखना)
विद्नेत्.स्या–√विद्+य (दिखाई देना)
विनित्., ओब्-; –अव + √नी (अपराध लगाना)
विसत्.,पो-; – प + √ विश् (लटकाना)
वोज़ित्.–√वह (ढोना, लेजाना)
वोज़ित्.,ना-; – नि + √ वह (लेजाना)
वोचत्.,ओत्-; –उत् + √वच् (उत्तर देना)
व्रतित्.,प्रो-; –प्र + √ वर्त (लौटाना)
व्रात्.–√हर, भर (रखना)
व्रात्.,व्रोज.; वि + √वर्त (काटना)
विसित्.,प्रो-; –प्र + √विश् (उठाना)
व्यज़ात्.–√बंध (बांधना)
गोवोरित्.– √गो (बोलना, फारसी–गोईदन्)
गोरत्.,वि-; –वि+√गर् (जलाना)
गोरत्.,ना-; – नि + √ गर, नि + √ज्वल } जलना, गर्म करना
गोरेत्.–√गर, √ज्वल (जलाना)
ग्रेत्–√गर, √ज्वर (गर्म करना)
ग्रोबित्– √गृभ
ग्रोबित्, उ-; –उद् + √गृभ (गार डालना, नष्ट करना)
ग्रोझात्., उ-; –उद्+ √गर्ह (धम-काना, खतरेमें डालना)
ग्रिज़ात्., वि-; –वि + √ग्रस् (छिकोड़ खाना, चबाना)
ग्रिज़ात्., पेरे; –परि + √ग्रस (फाड़खाना)
गुबित्.– √क्षुभ, √ खुभ (खोभना, नष्ट करना)
दवात्.– √ दा (देना)
दवात्.,ज़ा-; –आ + √ धा (रखना, सवाल पूछना).
दवात्., प्रो-; –प्र + √दा (बेचना)
दावित्.– √ दाब (दाबना)
दावित्., ज़ा-; –आ + √ दाब (चढ़ दौड़ना, चूर्ण करना, आ दाबना)
दावित्., प्रो.-; –प्र + √ दाब (दबाना)
दारित्.,पो.-; –प्र + √ दार (देना)
दारित्. स्या,उ-; –उद् + √दार (मारना, प्रहार करना)
दात्.,– √ दा (देना)
दात्.,पो-; –प्र + √ दा (भेंट देना)
दात्. (स्या), ज़ा-; –पा + √धा (रखना)
दे (वा) त्.– √ धा (रखना)
देलत्. (स्या)– √ दर् (करना)
देलित्.– √ दार् (बांटना)
देलयत्., ओत्-; –उद् + √दार (बांटना, अलग करना)
देर्झात्.– √ दृंह (थाम्हना, रोकना)
दिरत्., वि-; –वि + √ दर् (चीरना, फाड़ना)
दिरत्., प्रो-; –प्र + √ दर् (चीरना, जीर्ण करना)
दोझ्दत्.स्या– √ दुह् (पाना)
दोझ्दित्.– √ दुह (बरसना)
दोइत्.– √ दुह (दूध दूहना)
द्रात्. (स्या)– √ दर् (चीरना, लड़ना)]
द्रात्.,ज़ा–; आ + √दर (फाड़कर खाना)
दुवात्.-वि,–; –वि + √ धूम (धौंकना, फूंकना)
दुनुत्.–वि + √ धुन् (धौंकना)
येदत्.,–वि–,वि + √अद् (खा डालना)
येत्त्.– √ अष (खाना
येत्त्.– √ अस् (होना, है)
येखात्.–√एष (हांकना, चढ़ाना, जाना)
झरित्., – √ ज्वर (जारना, तलना)
झेवत्.–√ चर्व (चीभना, कूंचना जीमना)
झेल्तेत्.– √ हरित (पीला करना; फारसी–ज़र्दीदन्)
झ् नियेे., परा-; –परा + √जिन (हराना, पराजय करना)
झेनित्. (स्या) – √ जनी (व्याह करना)
झ्च्.–√ धक्ष (जलाना)
झीवित्,ओत्–अव √ जीव (मर जाना)
झीवित्.–√ जीव (जिलाना)
झिगात्, ओव्– √ अभि
झिगात्., पेरे-; –प्र √ जग (जलाना)
झिनेत्., वि-; –वि √ छिद (फसल काटना)
झितत्. न; – नि √ छिद (फसल काटना)
झित्.–√ जीव (बसना, रहना)
झित्.,– ओत्-; –अव √ जीव (मर जाना)
ज़्वइवात्, वि.; –वि √ ध्वन (घंटी बजाना)
ज़्वत्.– √ ह्व (पुकारना, – बुलाना)
ज़्वेनेत्– √ ध्वन (घंटी

बजाना)
ज़्योमित्—v घंटी बजाना)
ज़्वेवत्.— v जृंभ (जंभाई लेना)
ज़्वेवत्. पो; ओ —प्र v जह (त्यागना, छोड़ देना)
ज़्योविवात्., पो-;— प्र v जृंभ (जंभाई लेते रहना)
ज़ेलेनेत्.— v हरित (हरा होना)
ज्नात्. } v ज्ञा (जानना
ज्नवात्. }
ज्नवात्. सो-;—सं v ज्ञा (पहिचानाना, स्वीकार करना)
ज्नाकोमित्.— v ज्ञाप् (परिचय कराना)
ज्नामेनोवात्.— v ज्ञाप् (दिखलाना, सिद्ध करना)
ज्नोचित्.—v ज्ञा (समझना, नेमिक, जताना)
ज़ालोतित्. वि.,—वि-; v हरित (सोना लगाना, मुलम्मा करना)
जयन्नुत्.-इज्.-आ.; v हिम (बर्फ बनना, ठिठुरना)
इद्ति—v एत् (जाना, आना)
इकात्.— v हिक्क (हिचकी लेना)
इत्ति—v एत (आना, जाना, टहलना)
कज़ात् (स्या)—v काश (प्रकट होना, जान पड़ना)
कज़ात्. विस्-,—वि v कथ }
वि v काश }
(प्रकट करा)
कज़ात्.स्—सं v कथ (कहना)
कजिवात्—कथ,

कहना, दिखलाना, इंगित करना)
कज़त्, ना:—नि v कथ (काश) (इंगित करना)
कज़ात्, प्रि,—प्र vकथ (काश) इंगित करना
क्लिकात्., वि-;—दि vकिलक (क्रुश) (पुकारना)
क्लिक्नुत्.—वि v क्लिक क्रुश (पुकारना)
करत्.— v कार (दंड देना)
क्रसी (शी) वत्.,प्रिज़ क्रुष (पुनः रंगना, मोमियाना)
क्रसित्.,पेरे-;—परि v कर्ष (पुनः रंगना)
क्रशात्., उ-;—उत् v कर्ष (सजाना, अलंकृत करना)
क्रिकिवात्.,व्स्-;—वि v क्रुश् (चिल्लाना, हल्ला करना)
क्रिसात्., व्स्-;—वि v क्रुश (चिल्ला उठना)
कोपात्.— v कल्प (कांपना, खोदना)
क्रोइत्.—v कृत् (काटना)
क्रुशात्.,स्-;— सं v क्रुष (तोड़ना, विचूर्ण करना)
क्रित्.—v कृत (ढांकना)
कुचात्.,स्-.—सं v कुच (थूकना)
कुचित्, प्रिस्-;— प्र v कुंच् (थूकना)
कुशात्. पो-;—प्र v कुश (कोशिश करना)
लगात्.,ना-;—नि v लग (लगाना)
लदत्, स्-; सं v ह्लद (ह्लादित होना)
ल्गात्.—v लग (लेजाना)
लेगात्.-ना,—नि vलग (लेजाना)

लेझात्— v लेट (लेटना, विश्राम करना)
लेज़ात्—v लंघ (१) चढ़ना,
लेज़ात्-, पेरे.—परि लंघ v (चढ़ जाना)
लेपित् वि.,—वि v लिंप (लेपना, चिपकाना)
,, , जा;—आ v लिंप (चिपकाना)
लेतात्.— v डय (उड़ना)
लिज़ात्.— v लिह् (चाटना)
लिपात्.— v लिप् (चिपकाना)
लोबिज़ात्.— v लुभ (चूमना)
लोवित्.—v लुभ् (लुब्धकी करना, फंसाना, आहत करना)
लोगत्., पो-;—प्र v लग् (रखना, लगाना)
लोझित्. (स्या)— v लोट (लेटना, गिरना)
लोपत्.स्या—v लोप (फटना, टूटना)
लुपित्.,ओत्-; उत् v लोप् (मारना)
लुचत्., इज़-;—आ v रोच् (प्रकाशित होना)
लुचत्., ओत्—अव v रोच् (बहिष्कृत करना)
लुच्शात्.,उस-;—उद् रोच् (धारना, बेहतर बनाना)
ल्युवित्.— v लोभ (प्यार करना)
ल्युवित्., रज़-;—वि vलोभ (प्यार करना)
मज़ात्., मज़्नुत्.— v माष् (माखना, चुपड़ना लगाना)
मज़ात्., वू-;—वि v माष (चाटना)
मज़ात्., पो-;—प्र v माष (तेल लगाना)

मज़ोक., पो-; —प्रvमार्ज (झाड़ना)
मरत्., वि-; —विvमर (घात करना)
मचिवात्., ज्ञा-; —vमिह (भिगोना)
मेक्ष (क्षि)त्., स्-; —संv मिष (आंख मींचना)
मेरेत्.—vमर (मरना)
मेरेत्. वि-; —विvमर् (मर जाना)
मेरित्.—vमा (नापना)
मेतत्.—vमथ (ढकेलना)
मेशिवत्. व्-; —विvमिश्र (मिश्रण करना)
मीलोस्त्—vमिल (मेल करना, कृपा करना)
मितात्.—vमिष (आंख मलकाना)
मिगनुत्.—vमिष (आंख मलकाना)
मिरत्.,वि-; —विvमर (मर जाना)
मृनुत्.—vमनु (सोचना, मनन करना)
मोकात्. वि-; —बिvमुच् (निकल जाना)
मोल्तोत्.—vमर्द (घिसना, मलना)
मोरित्.—vमर (हत्या करना, भूखा मरना)
मोचित्.—vमेह (भिगोना)
मि(वा) त्.—vमोना (धोना)
नामेकात्.—vनाम (इंगित करना)
नशिवात् ज्ञा-; —आvनश्(जीर्ण करना)
निज़ात्—vनह (बांधना, सूत पिरोना)

निज़ि (क्षि) त्., उ-; —अवv नीच (अपमानित करना)
निमात्., वि-; —विvनय (ले जाना)
नित्., ओव-,वि-; —अभि-विvनय (अपराध लगना)
निच्तोक्षित्., उ-; —उद्vछिद् (नष्ट करना, बंद करना)
नोस्त्.—v नेष (ले जाना, ढोना) (तेल्.)
नोस्ति्., ज्ञा-; —आvनेष (लिख छोड़ना)
नोचिवात्.—vनिश् (रात बिताना)
नुदित्., वि-; —विv नुद (बाध्य करना)
नु क्ष्दात्.,-वि-,—विvतुद (बाध्य करना)
पदत्.—vपत (गिरना)
पदत्., नस्-; —निस्vपत् (गिरना)
पदत्. व्स-; —संvपत (एक समय एक स्थान में होना)
पइवात्. व्स्-; —विvपा य (पिलाना, पोषण करना)
पेइवात् पेरे-; —परिvपाय (मद्यपान में अति करना)
पेरेनिये—पलायना (भागना)
पास्त्.—vपा (पास्तुख् मेषपाल)
पास्त्.—vपत (गिरना)
पेकात्., दो-; —आvपच् (पकाना)
पेच्.—vपच् (पकाना, तलना, भूंजना)
पिवात्. ज्ञा-; —आvपिव् (पीना)
पिवात् वि-; —विvपिव (पीना)

पिलित्.—v पीड (चीरना)
पिलिवात्.—v पीड (चीरना)
पिसात्.—v पिश (लिखना)
पिसिवोत्.—पिश (लिखना)
पित्.—v पिव (पीना)
प्लवात्—v प्लव (तैरना)
प्लवित्., वि-; —विvप्लव (पिघलना)
प्लिवात्., व्-; — विvप्लव (तैरना, नावपर चलना)
पोइत्.—vपिव (मद्यप बनना)
पोल्नोत्.—vपूर्ण (भरा पूरा होना)
पोल्नोत्., निस्-; —विv पूर्ण (भरना)
पोल्नित्., वि-; —विvपूर्ण (पूरा करना)
पोतेत्., व्-; —विvपोन (पसीने में नहाना विvस्विद्)
पोचितात्.—vपूज (संमान करना)
प्रशिवात्., वि-; —विv पृच्छ (पूछना)
प्रियुतित्. (स्या)—v प्रिय (?) (शरण देना व पाना)
प्रोसित—v पृच्छ (पूछना, मांगना)
प्रोप्तत्., वो-; —विvपृच्छ (पूछना)
पुखात्., ना-; —निvपुष् (फूल जाना)
पुखात्., प्रि-; —प्रvपुष् (फूल जाना
पिशात्.—v पिश (दहकना)
राद्दोवात्.—vलाद (आदादित होना)
रादोवात्. स्या, वेज्-; —विv ह्लाद
रज्ञात्., ओत्-; —आ v राज

दर्पणमें प्रतिबिंबित होना)
रनत्.–√ रण (घायल करना)
रस्ति–√ रोह (रोहण करना, बढ़ना, फारसी-रोईदन)
रेवेत्.–√ रव (शोर करना)
रेजत्., रेजिवात्.–√ रिह (काटना, फ़ारसी रेजीदन्)
रेजिवात्, प्रि–प्र√रिह (मारना, जोड़ना)
रेखात्. स्या, जा-; आ√रेच (तोड़ना)
रोदित्. स्या–√रोध, रोह (जन्माना)
रोझात्.–√रोध, रोह (जन्माना)
रोझदात्.–√रोध, रोह (जन्माना)
रोझित्.–√रोह (जन्माना)
रुगात्., वि-; –वि√रिग- (रिगाना, फटकारना)
रुगात्. ओव्-; अभि√रिग (रिगाना, फटकारना)
रुबात् जा-; –आ√रुभ,√ लंभ (कुल्हाड़ेसे गढ़ना काटना)
रुबात्., पेरे-; –परि√लंभ (काटना, मारना)
रुबात्. पो; –प्र√सभ (चीर डालना)
रिवात्.-नज्–√रुद (सिसकी भरना)
सदित्.––√सीद् (बैठना, सादी=असवार)
सदित्.व्; ––वि√सीद (भीतर घाव करना)
स्वेतत्.––√श्वेत (प्रकाशित होना)
,, , ओ–; ––आ√श्वेत (प्रकाशित करना)
स्वेतित्.- –√श्वेत (प्रकाशित करना)
सेदेत्. –– √श्वेत (बाल सफेद होना)
सिदेत्.–– √सीद (बैठना)
स्लवित्..–– √श्रव (यश गाना)
स्लुझित्.––√श्रूष (सेवा करना, काम करना)
स्लुशत्.––√श्रूष (काम करना)
स्मेनिवात्. ओ–; ––आ √ स्मय (परिहास करना)
स्मेखात्स्या, ना ; –– न √ स्मय (परिहास करना)
स्मेशित्., पो–; ––प्र√ स्मय (हंसाना)
स्मेयात्. स्या––√स्मय (हंसना)
सोसात्.–– √चूष (चूसना)
सोखनुत्.–– √शुष (सूखना)
स्नात्. पो–; ––प्र√स्वप (थोड़ा सोना)
स्तावित्., पो–; –प्र√स्थाप (रखना, स्थापित करना)
स्तानोवित्.––√स्थान (रखना, स्थापित करना)
स्तोइत्.––√स्था (आना)
स्तोयात्. ,पो–; –प्र√स्था (खड़ा होना)
सुखनुत्.,–पो–; ––प्र√ शुष (सूखना, पो–सुखी –स्थल से)
सुशात्., इस्–; –आ√शुष (सुखाना)
सुशि (वा) त.–– √शुष (सुखाना)
सुशि , पेरे–; –प्र √शुष (बहुत सूखना)
सिपात्., पो–; –प्र√स्वप (पूरा सोना)
सिखात्., वि–; –वि√ शुष (अति सूखना)
स्यकात्.–– √सेंक (सूख जाना)
सइ (वा) त्. ––√ताय (छिपाना, त्राण देना)
तल्किवात्. –– √तर्क (हिलाना)
तल्किवात्., प्रो–; –प्र √तर्क (ढकेलना).
तेम्नेत्. √तम्– (अंधकार करना). –√
तेप्लेत्. √तप (गर्म होना)
तेजत्.––√तर्ज (चीरना, खंडन करना)
तेरेत्.स्या, वि–; ––वि–√तिर (खतम करना, सुखाना)
तेस्त्.–– √तक्ष (काटना)
तेम्नित्.––√तीक्ष्ण (दबाना, गालना)
त्योसिवात्,. वि–; – वि√ तक्ष (आकार गढ़ना)
तिरात्,. वि–; –वि √तीर (पोंछना, सुखाना)
तिरत्, स्या, स, ––सं तीर (भाग जाना)
तिखात्. स्–; ––सं√तुष् (शांत होना)
तोपित्.––√तप (गर्म करना, पिघलाना)
तोपित्., जा–; –आ √तोप (जहाज डुबाना)
तोप् (तिव) त्. वि–; –वि√ दब (दाबना, रौंदना)
तोपित्.–– √तक्ष (घिसना तेज करना)
त्रशित्., सं–; ––स√त्रस (डराना, खतरा मानना)
त्रिगत., सोस् –; सं √ तृंह (काटना)
त्रुसित्.–– √त्रस (भय खाना)
त्र्यसत्.,–– वि–; –वि √त्रस (हिलाना)

श्यत्, पो–; –वञस्
(हिलाना)
श्यस्ति— vत्रस (हिलाना,
डुलाना)
श्यख (खिवा), त्,.; _–; –वि
v त्रास् (हिला डालना)
श्यख , पो–; –प्रvत्रास्
(हिला डालना)
तुमेनित्.स्या, जा–आvतम
(मध्यम पड़ना,
भोथा होना, मंद पड़ना)
तुपित्., पो-; –प्रvतुप्
(गिरना)
तुपित्, प्रि-; –प्रvतुप्
(गिरना)
तुशित्., -जा–आvतुष्
(बुझना, शनैः चला जाना)
तुसित्.पो-; –प्र-vतुप्
(बुझाना ,शनैः चला जाना
तिकात्.—(टिक,vटिकना,
घुसेड़ना)
त्वनुत्.–vतनु (खींचना,
तानना)
उचित्.–v वच (सीखना,
सिखाना)
स्वलित्.–v स्वर् (प्रशंसा
करना,)
खोदित्.-; –विvसिद्
(चला जाना)
च्नोत्., नेपेरे-; –नि प्रv
चित (गिनना, बतलाना)
चिनित्.–v चिन् (मरम्मत
करना, पेबंद लगाना)
चितात्.–vचित (पढ़ना)
चितात्.,पो-; –प्र v चित
(पढ़ना)
चिनिवात्. व्स-; –विसंv
चित (गिनना)
चिखात्.–v छिक्क (छींकना)
च्मकात्.–v चुम्ब (चूमना)

शेतात्.–v शप (फुसफुसाना)
शिवात्., वून-; –वि v सीव
(सीना)
शित्., व्-; –वि v सीव
(सीना)
श्चुपात्., वि-; –वि v छुप
(छूना) स्पर्श करना,
श्चुपात्., ना-; – नि v छुप्
(छूकर पता लगाना,
चिकोटी काटना)
युमित्., वि-; – वि v युज
(लादना)

(५) प्रत्यय-सूची

अत्— ति (बेगत्.)
अवत्.— ति (दवात्.)
इइ—इन् (बेज़रोगिइ)
इक्.—इक (स्तोलिक्)
इकिई—इक (वेलिइकिइ)
इको—इक (लिचिको)
इज़न—(क्रिविज़न)
इच्क—इक (प्तिच्का)
इत—थ (स्कज़ीते)
इत्—ति (बित्)
इत्सा—ता (बेस्-सोन्नि-
त्सा = निःस्वप्नता)
इत्सा—इका (वनित्सा-
मंदिर निर्माणागार)
इत्सा—इक (देवित्सा = देविका)
इत्सा—इक (वोदित्सा)
इना—इनी (ग्लुबीना = गंभी-
रिणी, ज़्वेरिना)
इन्या—इनी (बोगिन्या =
भगिनी, भगवती)
इम्—म (वीदिम्, विद्म)
इये—ईय (वेस्स्लाविये)
इवत्—ति (पिलिवत् = पीड-
यति)
इवोस्त्.—त्व (इग्रिवोस्त् =
क्रीडित्व)

इशिइ—ईयस् (निझाइ
शिइ = नीचीयस्)
इश्—सि, से (वीदिश् =
वीक्षसे)
इश्चा—इका (रुचिश्चा,अंगु-
लिका)
इश्चे—इक (दोमिश्चेद्मिक)
इश्चे—(झिलिश्चे = जीव,
वास-गृह)
ईइ—इन् (वेज़्-ग्लाविइ =
वि-ग्रीवी)
ईइ—ईय (ज़्वनिइ = ध्वनीय)
ईत्—त (बित्.)
ईन्का—इनिका (प्रोस्तिन्का)
ईलो—(बिलो = भइल)
ईवत्.— ति (बिवत्.)
ईश्को—इक (पेरिश्को)
उ—मि-(बुदु = भवामि)
उत्—न्ति (इदुत् = यन्ति)
उत्.—(नावेर्नुत्.)
उन्—आन (बेगुन्)
उश्का—उका (वेतुश्का =
वर्तुका, चकरी)
देवुश्का = देविका, बच्ची)
(देरेवुश्का)
उश्चिइ—इष्य (बुदुश्चिइ =
भविष्य)
उश्चिइ—न्त् (झिवश्चिइ,जीवन्
उश्चिइ—वान् (वेतुश्चिइ, =
विद्वान्)
ओइ—ईय (ज़ेम्नोइ, मीय
ओक्—क (वेतेरोक् = वातक)
(वोज़ोक् = वाहक, गाड़ी)
ओक्.—क (गोलोसोक्.)
ओचेक्—(ओगोन्योचेक्. =
अगिया)
ओच्का—का (त्सेपोच्का =
टोपियां, देवोच्का, देविका =
कुमारी)
ओता—इमा, ता (चेर्नोता =
कालिमा)

ओत्न्या—त्नु, (बेगोत्न्या)
ओनोक्—क (वोब्चोनोक्= वृकक)
ओवानिये ना (जिमोवानिये, हिमना)
ओव्—ईय (इवानोव, इवानीय)
ओन्नया—नीय (बोल्तोन्न्या)
ओस्त्.—त्व (स्वेझ् ास्त्., ज्नामेनिमोस्त्.=ज्ञातत्व)
किइ—कीय (ब्रात्स्किई= भ्रातीय)
(गोर.किइ्=कटुकीय)
का—का (वोज़्का=वाहक, ढोना) (गोदाल्का—गदका, जोतिस) (ओब्शिव्का—भूल) (ब्ल्यश्का)
को—क (उश्को=कनवा)
गा—षा (विस्लुगा=विश्रूषा, सेवा)
ग्दा—दा (क्सेग्दा=सदा)
चा—य (दाचा=देय)
चिइ—(गोर्याचिइ=गरम)
च्—क (बोगाच्=भगक, धनी)
चिक्—क (झ् व्चिक=जीवक, जीव)
ंचिक्—क (म्लादेन्चिक्.)
चाता—ता (देव्चाता =देवता, तरुणी)
ज्न्—आलु (बोदाज्न्= भयालु)
झ् दि—धा (द्वाझ् दि=द्विधा)
ता—ता (पोल्नोता=पूर्णता)
ति—ति (इद्ति=एति)
तिये—ता (वेस्-मेंतिये= विमृत्युता)
तिई—तीय (बोल्तिई= बोल्लतीय, बोलक्कड़)
तून्— (बोल्तून्— बोल-क्कड़)
तेई—तीय (बोगातेई=भगीतीय धनी)
तेल्—तर् (बेस्सोज्नोतेल् वि= विसंज्ञातर्, अज्ञानी)
त्—ति (इकात्=हिक्कति, हिचकी मारता है)
त्लिइ—त्नु (प्रियत्लिइ=प्रिय-त्नु प्रिय)
त्नोये—त्नु (झिवोत्नोय= जीवत्नु जीव)
त्से—इक (ब्ल्युद्-त्से)
त्सो—व (पिस्. मेत्सो) (ओज़ोर्त्सो) (देरेवृत्सो)
निक्—इक् (वोद्निक=उद-किक)
(स्वाद्निक=सादिन्)
(द्वोनिक=दौवारिक)
(ज़ेम्ल्यानिका=ज्मालिका)
नो—(स्त्याज्नो)
नोइ—(द्वेनोइ)
नोस्प्—(चेस्त नोस्त्.)
न्—न (दान्.=दान, भेंट; (पोल्न=पूर्ण)
न्का—क (ज़ेम्ल्यान्का)
न्या.—(रेज़्न्या)
बा—(प्लूबा) (खुदोबा)
मोस्त्.— (द्विझिमोस्त्., = वेजनीय)
(ज्नामेनिमोस्त्.=ज्ञातत्व)
यात्.—ति (देल्यात्.,=दारयति)
यानि—इन् (द्वोर्यानि,= द्वारिन्, बाबू)
यानिये—ईय (दयानिये दानीय)
युत्—न्ति
येचुक्—इका (दोश्च्का= छोटी मेज)
येच्को—इका (कोल्येच्को= कुइयां, कूपिका)
ते—थ (स्कजीते=कथयथ)
येत्र्.—(वेग्लेत्स्)
येत्स्.—(उरोदेत्स्.)
येत्सो—(पिस्-मेत्सो)
येद्—(मेद्वेद्=मध्वद)
येनिक्—इक (उचेनिक्=वाचक)
येनिये—(स्लुझे नियें=श्रूषणा)
यम्—आम
येल्—इल (नाबेलो=नाविल)
येश्—सि (देलयेश्)
येत्.—त्व (स्वेझ् येस्त्.)
योक्—क (ओगोन्योक् अग्निक)
योझ् —क (ग्रब्योझ् =ग्राभक, लुटेरा)
र्—र (ग्लवार्=ग्रीवार, नेता)
र्—न (दार=दान)
लो—न (नगोलो=नग्न)
ल्या—ना (लोव्ल्या=लोभना), आखेट)
वा—का (ऋनावा खनुवा=खांड)
वानिये—ना (झिमोवानिये= हिमना)
विइ—वीक (मेदोविइ=माध्वीक, अमृत-जैसा)
वोस्त्.—(लुकावोस्त्.)
शिइं—शः (बोल्. शिइं=भूरिश)
शे—शः (बोल्शे=भूरिशः, बेहतर)
शोइ—शः (बोल्शोइ=भूरिशः)
शोन—ईयः (नगिशोन=नग्नीयः, अतिनग्न)
स्त्विये—त्व (देइस्त्विये)
स्त्वो—त्व (बेग्स्त्वो=भगेलुत्व)
स्या—य (आत्मनेपदी, भावार्थ)

(६) उच्चारण-परिवर्त्तन

संस्कृत—रूसी उदाहरण
अ अ, (निषेधार्थ)
अ ओ, ओस्. (अक्ष) ओगोन्
आ जा, जाशिवात्==आसी-श्यति
या यावविट्. स्या
उ वो,वोदा—उद
ओ ओबे—उभे
(ऋ आल्) शकाल—श्रृगाल,
ओल् वोल्क—वृक थर् क
येर् देर्झात—द् ंहति
येल् झितेल्—जीवितृ
योर् म्योर्त्विइ—मृत्यु
र् ग्रबित्—गृभीति
रि क्रित्—कृत्ति
रु रुसिइ—ऋषि, ऋचि
स्त्रुन—तृण
रे रेब्योनोक्—ऋभुक छक्र
रो प्रोसित्.—पृच्छति
क को कोग्दा—कदा
क तोरिह्—कतर
ग क, शकाल—श्रृगाल
झ्योजित्.—कुध्यति
क चेरेप्—कर्प
क्ष स, ओस्.—अक्ष
च, झेच्—धक्ष
क्षु खु, खुदेत्.—क्षुदति
खुदोइ—क्षुद्र
ख क, कुसात्.—खुसति
स, रिसोवात्.—लिखति
ग क, क्रस्त्.—ग्रसति
ग ग्रिवा—ग्रीवा
ग्लोतात्.—गिलति
नगोइ—नग्न
झ् वेझात्—वेग
दोझ्द.—दोग्धि
द् प्रेद्—प्राग्
घ ग दोल्गिइ—दीर्घ
ज लजित्.—लंघति
च क प्रेद्की—प्राच् (पूर्वज)
च पोचितात्—पूजति
ज निजु—नीचे येठक्र
झ् निझे—नीचै
निझात्.—नीचयति
स प्रिपासी—प्रपाच
(भोजन-सामग्री)
सोरोक—चत्वारिंश
छ च कुचा—गुच्छ
झ् झेवात्—छीवति
(चबाना)
श प्रशिवात्.—पृच्छति
स प्रोसित्.—पृच्छति
ज गद्वेग—वेज
गोरात्.—ज्वलति
ज वेर्योझा—भृर्ज
प्रिज्नाक—प्रिज्ञानक
ज़ेम्ल्या—ज्मला
झ झार—ज्वर
पोझार—प्रज्वाल
झेना—जनि
द पोबेदा—प्रविजय
ट झ लेझात्.—लेटति
पोलझित्.—प्र-लेट
ड ल, लेतात्—डयति
पीला—पीडा (आरा)
ढ ल पोलोत्.—(लोढ़ना)
ण न पोल्नो—पूर्ण
त त स्त्राख—त्रास
द पदात्.—पतति
न ज़ेलेन्—हरति
ज इज्—अत्
द झ, झेच्—दह
सझात्—सादयति
द द्रोवा—दारु शिझ
दोल्शी—द्राघीय
दोलिना—द्रोणी
ध ज, ज्वान्—ध्वन
झ मेझ्दु—मध्य
रोझात्.—रोधति
द व्दोवा—विधवा
देयातेल्.- धातर
(नेता)
न न, तोन्किइ—तनुक।
प्रेस बा—प्रश्न
प प, पतात्.—पतति
पास्तुख्—पातुक
पिसात्.—पिंशति
फ प पल्का—फलक
(लकड़ी)
ब व
भ ब बोल्-शोइ—भूरिशः
अब्लका—अभ्रक
ब्रात्—भ्रात्
ब्रोवि—भ्रू
म म, म्यासो—मांस
य य युनोस्त्.—युवन्
र र, ब्रात्—भ्रात
ल लुच्—रोचिष्
पोल्नो—पूर्ण
व ब, इबा—इव
ओबोरोत्—अवबर्त
बेज्—वि (विना)
व वोज—वह
श च, नोच्.—निश्
श ख, खोलोदे—शरद
श शकाल—श्रृगाल
च मेशात्—मिश्रयति
स देस्यत्—दश न् (दस)
मुखात्—शुष्यति
सोबाक—श्वक
स्वेकोर—श्वसुर
ख सिखात्.—शुष्यति
सुखोइ—शुष्क (सूखा)
ज,
झ् कीझां—कोष (चर्म)
श स्लुशत्.—श्रूषति
स स सझ्दात्—सदयति
सेब्या—स्वीय

ह शिवात्—सीव्यति
नश्—नस्
ह्र ओ, ओलेन्—हरिण फो
ख स्मेखात्—मेहति

ह ग, स्नेग्—स्नेह
ज़ जिमा—हिम
वोज़्—वह

झ़ देर्ज़्हात्—दंहति
झ़—हि
द पोरोदो—प्ररोह (ध)

(७) सामाजिक विश्लेषण

संस्कृत रूसी उभयभाषाओं में एक से मिलनेवालेशब्दों के तुलनात्मक विश्लेषण से तत्कालीन सामाजिक विकास पर भी बहुत प्रकाश पड़ता है। "बील्तात्" (बोलना), "दवल्यात्" (दावना)-जैसे शब्द बतलाते हैं, कि कितने ही संस्कृतमें अप्रसिद्ध किंतु प्राकृत, अपभ्रंश तथा आधुनिक भाषाओंमें प्रचलित शब्द अपनी जड़ बहुत दूर आर्य-शक कालमें रखते हैं। इसी तरह छींकना-खांसना जैसे अनुकरणात्मक शब्द उसी समयमें पहुंचते हैं। यहां हम इन शब्दोंके आधारपर यह बतलाना चाहते हैं, कि उस कालमें जबकि आर्य और "शक" अपने मूल-निवाससे अलग-अलग हुए, उनका सामाजिक विकास कहां तक हुआ था। इसके लिए हम शब्दोंका यहां वर्गीकरण करते हैं।

भूमि वर्ग

ज़ेम्ल्या—ज्मा (भूमि)
पुत्.—पथ (मार्ग)
गोरा (गरा)—गिरि
दोलिना (दलिना)—द्रोणी (दून)
कामेन्—अश्मन् (पत्थर)

उदक वर्ग

वोदा (वदा)—उद (पानी)
वोद्का—उदक (शराब)
पेना—फेन
स्नेग्—स्नेह (हिम)
ल्योद्—रोधस् (वर्फ़, फारसी—रूद नदी)

अग्नि वर्ग

ओगोन्—अग्नि
उगार्—अंगार
उगोल्.—अंगार
झ़ार—ज्वाल (ताप)
झ़ारा—ज्वाल
तेम्नो—तम (अंधेरा)
तुमान्—धूम (धुंआ, कुहरा)
दिम्—धूम

वायु-वर्ग

वेतेर्—वात (फ़ारसी, बाद)

नभ-वर्ग

स्वेर्ख—स्वर्ग (ऊपर)
नेबो—नभस् (आकाश)
ओब्लका—अभ्र (बादल)
सोल्न्त्से—सूर्य
मोल्निया—मालिनी (बिजली)

काल-वर्ग

देन्—दिन
नोच्—निशा
मेस्यत्स्—मास
लेत्—ऋतु (वर्ष)
वेस्ना—वसंत
ज़िमा—हिम (हेमंत)

वृक्ष वर्ग

देरेवो—दारु (वृक्ष)
द्रोवा—दारु (ईंधन)
बेर्योज़ा—भुर्ज (भोजपत्र वृक्ष)
त्रवा—तृण

पशु-वर्ग

झ़िवोत्नोये—जीवत्नु, जंतु (प्राणी)
पेस्.—पशु
रोग्—शृंग
सोवाका—श्वक (कुत्ता)
ओलेन्—हरिण
शकाल—शृगाल
मेद्वेद्—मध्वद (भालू)
मिश्—मूष
ओखोता—आखेट
ओवेन्—ओव्का, अवि (भेड़)
गोव्य—(दन्या)—गो (अदनीय)
वोल्—बैल
वोल्क—वृक (भेड़िया)

शस्त्र-वर्ग

पाल्का—पलक (डंडा)
ओस्.—अक्ष (धुरा)
इगो—युग (जुआ)

पात्र-वर्ग

कुबोक्—कूपक (प्याला)
कुव्शिङ—कूपिका (लोटा)
चश—चषक (प्याला)
चश्का—चषक (प्याला)

आहार-वर्ग

एदा—अद (भोजन)
एदोक्—अत्ता (भक्षक)
सूप—सूप (मांसरस)
म्यासो—मांस
क्रोव्.—क्रव्य (रुधिर)
म्योद्—मधु (शहद)

पीवो–(पीवा)—पेय
(हल्की शराब)

वस्त्रवर्ग

कोझा–कोष (चमड़ा)
नगोइ—नग्न (नंगा)
नगोला—नग्नल (नंगा)
शिवात्.—सीवन
शित्.–सीवन
ओदेवात्.स्या—अधिवास
(पहनना)

शरीरांग-वर्ग

ग्रिवा–ग्रीवा (गर्दन)
गल–गल
गोलोवा–गाल (शिर)
गोर्लो–गल (कंठ)
ग्लवा–गल (शिर)
ग्लोत्का—गल (शिर)
चरेप्–कर्पर (कपाल)
वोलोस्–बाल (केश)
ब्रोवि–भ्रू (भौं)
नोस्–नासा (नाक)
जुब्–जिह्वा (दांत)
ओचे–अक्षि (आंख)
पा–पाद (चरण)
पाद–पाद (भाग)
पोद् (व्यज्का)—पाद-
(-बंधक)
बोक्–वक्ष (पार्श्व)
सेर्दत्स–हृद् (हृदय)
क्रोव्.–क्रव्य (रुधिर)
पेरो–पक्ष (फारसी, पर)
रेच्–ऋक् (भाषा)

संबंधि वर्ग

मात्–मातृ (मा)
ब्रात्–भ्रातृ (भाई)
सेस्त्रा–स्वसृ (बहिन)
सिन्–सूनु (पुत्र)
दोच्–दुहितृ (बेटी)
देवा–देवी (कुमारी)
देव्का–देवी (कुमारी)
देवोच्का–देविका (बालिका)
देवुश्का–देविका (कुमारी)
ज्यात्–जामात्
स्नोखा–स्नुषा (पुत्र-वधू)
स्वेकोर–श्वशुर (ससुर)
स्वेक्रोवि–श्वश्रू (सास)
झेना–जनि (स्त्री)
व्दोवा–विधवा
देवेर्–देवर
द्याद्या–दादा (चचा)
देद्–दादा (पितामह)
प्रेदेद्–परदादा
प्रियातेल्–प्रिय (मित्र)

व्यवसाय-वर्ग

ओखोता–आखेट
लोवुश्चा–लुब्धका (जालक)
लोव्चिइ–लुब्धक (शिकारी)
राना–रण (घाव)
पस्तुख–पातुक (मेषपाल)

वर्ण और धातु

ज्लातो–हरित (सोना)
ज़ोलोता–हरित (सोना)
ज़ेल्योनिइ–हिरण्य (हरा)
ज़ेलेन.–हरित (=हार)

ज्योल्तिइ–हरित (पीला,
फारसी-ज़र्द)
स्वेत–श्वेत (प्रकाश)
सेदोइ–श्वेत (सफेद बाल)
त्स्वेत्–श्वेत (रंग)

धर्म-वर्ग

बोग्–भग (भगवान)
बोगिनिया–भगिनी (भगवती)
पोचितिये–पूजा (पूजना)

संख्या-वर्ग

एझे–एक =एझे (गोद नि,
एकवार्षिकी)
द्वा–दो
त्रि–त्रीणि (तीन)
चेतिरे–चत्वारि (चार)
प्येत्.–पंच
शेस्–षष् (छ)
सम्–सप्त (सात)
वोसेम्–अष्ट (आठ)
देस्यत्–दश (दस)
सोत्–शत (सौ)
स्तो–शत (सौ)

गृह-वर्ग

दिरा–दरि (छेद, गड्ढा)
दोम् (दम)–दम (गृह)
द्वेर्.–द्वार
द्वोर्–द्वार (आंगन)
ज़ाल–शाल
ज़ाला–शाला
शलश्–शाला

उस समय के शब्दकोशमें किसी अनाजका नाम नहीं आया है, न कृषि-संबंधी ही कोई शब्द है–इगो (युग) है, किंतु वह आरंभमें जोड़े (युगल) के अर्थमें रहा। इससे सूचित होता है, कि अभी लोग कृषिकी अवस्थामें नहीं पहुंचे थे। हिंदी और ईरानी आर्य एक जनके रूपमें रहते समय कृषि से परिचित थे, क्योंकि जौ, गोधूम, माष (उड़द)–जैसे धान्यवाची शब्द दोनोंके शब्दकोशोंमें मौजूद हैं। गाय, भेड़ (अवि)–जैसे शब्द आर्य-शक शब्दावली के हैं, किंतु दूधके लिए समान शब्दका अभाव है, हालांकि आर्य-शब्दावलीमें क्षीर (संस्कृत), शीर (फारसी) मौजूद है। इससे जान पड़ता है, कि यदि वे पशुपालक थे तो भी कम-से-कम क्षीरके उपयोगके लिये पशुओंका पालन आरंभ नहीं हुआ था।

धातुओं और वर्णोंके वाचक शब्दोंकी जिस प्रकारकी अनिश्चितता और व्यवस्था है, उससे जान पड़ता है, कि अभी धातुओंसे उनका परिचय न था।

हथियारोंपर विचारनेसे जान पड़ता है, उनके पास काष्ट और पाषाणके हथियार थे, और ऐसे हथियारोंके गढ़नेके लिये "तक्ष" धातुका प्रयोग होता था। पीछे हम "तक्ष" को संस्कृतमें जहां काठ गढ़नेके लिये रूढ़ पाते हैं, वहां रूसी "तेसात्" और "त्योसिवात्" पत्थरके गढ़नेमें रूढ़ पाया जाता है।

सब देखनेसे पता लगता है, कि जिस समय आर्य और शक पृथक् जन (कबीले) के रूपमें परिणत हुए, उस समय वह अभी कृषि और धातु से अपरिचित थे। शिकार (आखेट) के अतिरिक्त वह पशु पालन शायद ही जानते थे; जिसमें श्वक (कुत्ता) उनका अवश्य सहायक था। यह युग मध्य पीषाण या आरंभिक नवपाषाण- युग रहा होगा। वह अपने निवासस्थानों को दम (दोम) कहते थे, जो प्राय: पर्वत की दरि (गुह) हुआ करते थे। द्वार गुहाके द्वार और आंगन दोनोंके लिये प्रयुक्त होता था। दारु, अश्म और अस्थि के हथियारों वाले इन दरी-निवासियों को अग्निकी सहायता मिल चुकी थी, और इसकी मददसे अपना त्राण और भक्षण प्राप्त करते थे। सरदीसे बचनेके लिये अभी वह सलोम चमड़े (कोशा) का व्यवहार करते थे, जिसे हड्डीकी सूइयोंसे सी भी लेते थे---ऊनी कपड़ा अभी उन्हें मालम न था। मांस उनका प्रधान भोजन था, जिसका वह पचन करके सूप भी बनाते थे, जिसकाअर्थ है, किसी प्रकारका मिट्टी का बर्तन वह बना सकते थे। जंगली मधु उनका प्रिय भोजन था।

रुधिर-संबंधियोंमें नाता दूरतक चला गया था। मां, भाई-बहिन, बेटा-बेटी, देवर और विधवा ही नहीं स्नुषा (पुत्रवधू), ससुर और सास से भी परिचित थे; इससे यह भी स्पष्ट है, कि समाज मातसत्ताक नहीं पितृसत्ताक था। दम केवल घरके लिए ही नहीं परिवार और जनके लिए भी प्रयुक्त होता था, जिसका अधिपति दमक (दाश्का) भी कहा जाता था। यही राजवाची शब्द दामाके नामसे पीछे के शकों में राजाके लिये व्यवहृत होने लगा था।

आर्य-शक जनमें देवता (भग) का विचार आ चुका था। यह देवता अधिकतर सूर्य, अग्नि, जैसे प्रत्यक्ष देवता थे।

परिशिष्ट २

स्रोत ग्रंथ (१)

(भाग १ से भाग २ तककी छूट)

भाग १ अध्याय २

१. जामेउत्तवारीख : रशीदुद्दीन (१२४७–१३१७ ई०)
२. स्बोर्निक मतेरिअलोफ अत्नोस्यश्चिक्स्या क् इस्तोरिइ झोल्तोइ ओर्दी (लेनिनग्राद १९४१)
३. History of Mangols, 3 Vols : H. H. Howarth (London 1876-88)
४. जुब्दतुल्-तवारीख : हाफिज अबरू (१२२६–८३ई०, अनुवादक के० एम० मैत्रा, लाहौर)
५. तारीख जहांगुशा : अलाउद्दीन अता मेलिक जुवैनी
६. तबकाते-नासिरी : अबू-उमर मिनहाजुद्दीन उस्मान जुजजानी (११९३–१२०० ई०)
७. युआन् चाउ बि. शि. (१२४० ई०, संपादक ग० अ० कोजिन, लेनिनग्राद-१९४१)
८. सल्जूकनामा : नासिरुद्दीन यहिया इब्न बीबी (१२८२–८५ ई०)
९. जफरनामा : निजामुद्दीन शामी (१३९२–१४०० ई०)
१०. शजरतुल्-अतराक
११. जोलोतया ओर्दा : अ० यु० याकुबोव्स्की
१२. Geschichte des goldeners Horde in Kiptchak : Hammer-Purgstall (Budapest 1840)

भाग १ अध्याय ३

१. जामेउत-तवारीख : रशीदुद्दीन (१२४७–१३१७ ई०)
२ History of Mangols : H. H. Howarth
३. असहुल्तुल्-तवारीख : अनोनेम इस्कंदर
४. तवारीख जहांगुशा : जुवैनी

भाग १ अध्याय ४

क. सिथ और स्लाव

१. एलिलन्स्त्वो इ इरान्स्त्वो ना युगे रोस्सिइ : म० इ० रोस्तोव्त्सेफ (पेत्रोग्राद १९१८)
२. Les Sycthes : F. Bergmann (Halles 1860)
३. ओब्रजोवानिये द्रेव्ने रुस्स्कओ गसुदारस्त्वा : व० ग० माव्रोदिन (लेनिनग्राद १९४५)
४. स्लाव्याने द्रव्नोस्ती : न० स० दे. रझाविन (मास्को १९४५)
५. On the Origin of the Antae : George Bernadsky (Journal of American Oriental Society Vol. 59, PP. 56-64

ख. सिथ सरमात

१. प्लेमैना येव्ररोपेइस्कोइ सरमातिइ : अ० द० उदाल्त्सोफे, सोवियेत्स्कया एत्नाग्राफिया १९४६।२ पृ० ४१–५०

७. मतेरिअली क् व्से सौ युज्नोमु अर्खेआलोगिचेस्केम सोवेश्चन्यो (मास्को १९४५)
८. स्लाव्यान्स्कोये यजीकोज्नानिये : अ० म० सेलिश्चेफ (लेनिन० १९४१)
९. इस्तोरिया वोल्गाइरिइ : न० स० देर्झाविन् (लेनिन० १९४६)
१०. इस्तोरिचेस्कया ग्योग्राफिया : स० म० सेरेदोन (पीतरबुर्ग १९२६)
११. एन्त्सिक्लोपेदिया स्लाव्यान्स्कोइ फिलोलोगिया : द्र० व० यागिचा (पीतरबुर्ग १९०९)

ग. कियेफ रूस

१२ कियेव्स्कया रूस : व० अ० ग्रेकोफ (मास्को १९४४)
१३. प्रोइस्खोझदेनिये रुस्स्कओ नरोदा : न० स० देर्झाविन् (मास्को १९४४)
१४. बोर्वा रुसि जा सोज्दानिये वयेवो गसुदारस्त्वां व० अ० ग्रेकोफ (मास्को १९४५
१५. इस्तोरिया रोस्सिइ (चित्रमय)
१६. इस्तोरिया रुस्स्कोइ लितेरातुरी (लेनिनग्राद १९४१)
१७. Histoire de Russie : N. Brian Chamnor (Paris 1929)
१८. स्लवो ओ पोल्कु इगोरयेवे (व्याख्या) : अ० स० ओर्लोफ (मास्को १९४६)
१९. „ „ (मूल) लेनिनग्राद १९४५)
२०. La Lithuanie : Michel Pietiewicz (Bruxelles 1832)
२१. History of U. S. S. R. 3 Vols (Moscow)
२२. Histoire de l' Empire Byzantin : Ch. Dihl (Paris 1919)
२३. कियेव्स्कया रूस : एम्० सी० गुशेव्स्की
२४. द्रेव्नेइशेये अरब्स्कीये इज्वेस्तिये ओ कियेवे : अ० य० गर्कावी
२५. इज्वेस्तिया ओ खजाराख बुर्तासाख' बोलगराख, मद्याराख, स्लाव्यानाख इ रुस्साख: अबूअली अहमद बिन्-उमर इब्न-दस्त:

भाग २ अध्याय १

१. जामेउत्-तवारीख : रशीदुद्दीन (१२४७—१३१७ ई०)
२. तवारीख वस्साफ : शिहाबुद्दीन, अब्दुल्ला वस्साफ हजरत (१३००—२४ ई०)
३. History of Bokhara : Arminus Vambery (London 1873)
४. Heart of Asiea : E. D. Ross (London 1899)
५. History Mongol : H. H. Howarth
६. ओचेर्क स्तोरिइ सेमिरेच्या : व. बर्तोल्द (वेर्नी १८९८)
७. तारीख रशीदी : मिर्जा मुहम्मद हैदर दुगलत, अनुवाद (London 1888)
७. History of U. S. S. R. 3 Vols (Mascow)
९. इस्स्कुस्त्वो स्रेद्निइ आजिइ : व० व० वेइमार्ना
१०. ,,, ,, ,, व० व० दनिके, १९२७
११. समरकंद प्रि० तिमूरे इ तिमूरिदाख अ० यु० याकूबोव्स्की (लेनिनग्राद, १९३३)
१२. Exploration in Turkistan, 2 Vols : R. Pumpelly (Washington 1808)
१३. इस्तोरिया कुल्तुर्नोइ झिज्नि तुर्कस्ताना : व० व० बर्तोल्द (लेनिनग्राद, १९२७)
१४. इस्कुस्त्वो सोवेत्स्कओ उज्बेकिस्ताना : व० व० चेपेलेफ (लेनिनग्राद १९३५)
१५. Voyages d' ibna. Batoutah

भाग २ अध्याय २

१. जामेउत्-तवारीख : रशीदुद्दीन

२. „ इस्तोरिइ जोलोतोइ ओर्दी (लेनिनग्राद, १९४१)
३. तवारीख वस्साफ : वस्साफ (–३००–२८–)
४. तारीख-गुजीदा : हम्दुल्ला कजवीनी (१२८१–१३२९–)
५. तारीख जहांगुशा : अलाउद्दीन जुवैनी (१२२६–८३)
६. History of Mangol : H. H. Howarth
७. History of U. S. S. R. 3 Vols
८. वोस्तोच्नो-इरान्स्किइ वोप्रोस : व० व० बर्तोल्द (इज्वेस्तिया रोस्सिस्कोइ अकदमिइ इस्तोरिइ मतेरिअल्नोइ कुल्तुरी तोम II (पेत्रोग्राद., १९२२)

भाग २ अध्याय ३

१. जफ़रनामा : निजामुद्दीन शामी (–१३९२–१४००–)
२. मत्ला सादैन व मज्मा बहैरन : अब्दुर्रज्जाक समरकंदी (१४१३–८२)
३. History of Bokhara : A. Vambery
४. Heart of Asia : E. D. Ross
५. History of Mangol : H. H. Howarth
६. अलीशेर नवाई : अ० क० बरोव्कोफ आदि, मास्को, १९४६,
७. Memoire de Baber (बाबरनामा) : बाबर (संपादक : A. Beveridge)
८. खुलासतुल्. अखबार : खोंदमीर
९. The Miniature Painting and Painters of Persia, India and Turkey (London, 1912
१०. The Persion Miniature Paintings (London 1933)
११. गिरात्स्केओ इस्कुस्स्त्वो व् एपोखु अलीशेरा नवाई : अ० अ० सेमेनोफ
१२. सफरनामा : नासिर खुसरो
१३. मशारेउल्-उश्शाक
१४. नवाई इ निजामी : ये० ए० बेर्तेल्स, अलीशेर नवाई पृ ६८–९१
१५. खम्सा अलीशेर नवाई (ताशकंद, १९०५)
१६. बाबरनामा—संपादक न० इल्मिन्स्की, कजान, १८५७
१७. Histoire des Mongols et des Tatars (Peterburg, 1871)
१८. The Mobaiel-lughat : Mirza Mehdi Khan (Calcbtta, 1910)
१९. Literary History of Persia : E. Browne (London, 1919)
२०. Le Meteriel du miniaturiste de l' enlumineur Iranien : (Behzaad Taberzadeh)
२१ Musalmanic Painting XIIth–XVIIIth centbry : E. Blochet. Tran. M. Binijon (London, 1929)
२२. Painting in Islam : Th. Arnold (Oxford, 1924)
२३. Manuel de' Art Musalman : G. Migeons (Paris, 1907)
२४. मोंनेती उलुगबेका, व० व० बर्तोल्द, इज्वे० रो० अकद० इस्त० म० कुन्तुरी तोम II
२५. तारीख रशीदी : मिर्जा मुहम्मद हैदर दुगलत (लंदन १८८८)
२६. रौजतुस्सफा: खोंदमीर (बंबई)
२७. इस्कुस्स्त्वो स्रेद्नेइ आजिइ : ब० प० वेइमार्न (मास्को १९४०)
२८. तैमूर अभिलेख (वोस्तोकोवेदेनिया १९४०–४५)
२९. इरान्स्कोये इस्कुस्स्त्वो इ ओर्खेआलोगिया (लेनिनग्राद, १९३९)
२९. उलुगबेक इ येओ व्रेम्या : व० व० बर्तोल्द (१९१८)

३०. र्युन गोज्देस् दे क्लावियो
३१ सोबोर्नया मेचेत् तिमूरा : बीबी खानम, म० मे० मस्सोन् (ताशकंद, १९२६)

भाग २ अध्याय ४

१ शैबानीनामा: मुहम्मद सालेह
२. Heart of Asia : E. D. Ross
३. History of Mangol : H H. Howarfh
४ तारीख रशीदी : मिर्जा हैदर
५. History of Bokhara : A. Vambery

भाग २अध्याय ५

१. History of Bokhara : A. Vambery
२. Heart of Asia : E.D. Ross
३. History of Mongol : H.H. Howarth
४. ओ.चेत् ओ कोमन्दिरोव्के व तुर्केस्ताने : व० व० बेर्तोल्द (इज्वेस्तिया रोस्सिस्कोइ अकदमिइ इस्तोरिइ मतेरिअल्नोइ कुल्तुरी, तोम II)

भाग २ अध्याय ६

१. किताबुल्. हिंद : अबूरेहां अल्बेरूनी, अनुवादक सैयद असगरअली (अंजुमन तरक्की उर्दू, दिल्ली, १९४१)

स्रोत ग्रंथ (२)

अबरू, हाफिज : जुब्दुतुत्-तवारीख (अनुवादक: के० एम० मैत्र, लाहौर)
अलक्सन्द्रोफ, व० अ० : तुर्कमेनिया इ येये कुरोत् निये वगास्त्वी (मास्को, १९३०)
अल्बेरूनी, अबूरेहां : किताबुल् हिंद (अनुवादक : सैयद असगर अली, अंजुमन तरक्की उर्दू, दिल्ली १९४१)
इब्नदस्ता, अबूअली अहमद बिन्-उमर : इज्वेस्तिया ओ खजाराख, बुर्तासाख. बोल्गाराख, मद्याराख, स्लाव्यानाख इ रुस्साख
इब्नबीबी, नासिरुद्दीन यहिया : सल्जूकनामा (१२८२–८५ ई०)
इस्कन्दर , अनोनेम् : असहृ-तवारीख
उदाल्त्सोफ, अ० द० : प्लेमेना येव्रोपइस्किइ सरमातिइ (सोवियेत्स्कया एत्नोग्राफिया, १९४६/२)
ऐनी, सदरुद्दीन : गुलामान (जो दास थे, अनुवादक राहुल सांकृत्यायन, पटना, १९४९)
,, ,, : दाखुन्दा ,, ,, प्रयाग, १९४९
,, ,, : बुखारा (अनुवादक—स. बोरोदिन, (मास्को, १९५२)
ओर्लोफ, अ० स० : स्लवा ओ पोल्कु इगोरयेवे- व्याख्या (मास्को, १९४६)
ओस्त्रियालोफ : इस्तोरिया त्सात्वर्वोवानिया पेत्रा वेलीकओ, (तोम् ५ पीतरबुर्ग, १९१५–७१ ई०)

कजवीनी, हम्दुल्ला : तारीख गुजीदा (१२८१–१३२९)
कुबेर, अ : आजियात्स्कया रोस्सिया (मास्को, १९१०)
कलाविवो, रुइन् गोन्ज़ेस्
खान, मिर्जा मेहदी : मबूनिउल्–लुगात (कलकत्ता, १९१०)
खुसरो, नासिर : सफरनामा
खोंदमीर : रौजतुस्सफा (बंबई)
गर्कावी, अ० य० : ट्रेस्नेइशेये अरव्स्कोये इज्वेस्तिये ओ कियेवे ।
भ्रम. गृझिमाइलो, ग. ये. म. ये. : पुतेशेस्त्विये ए जापद्निइ किताइ (पीतरबुर्ग, १९०१)
ग्रुशेव्स्की. म० म० : कियेव्स्कया रूस
ग्रेकोफ् , ब० ,अ० : कियेव्स्कया रूस (मास्को १९४४)
,, ,, : वोर्बा रूसि ज़ा मोश्दानियें स्वेयवो गसुदास्त्वी (मास्को, १९४५)
जाखविन्, इ० इ० : गनेऊनिये समरस्कन्दस्कोइ ओब्लास्ति (लेनिनग्राद, १९२६)
जुजानी, मिन्हाजुद्दीन उस्मान (११९३–१२०० ई०) तबकातेनासिरी
जुवैनी, अलाउद्दीन अता-मैलिक : तारीख जहांगुंशा
टेलर, अर्थर : अन्थ्रपोलोजी
त्रेवर, क. व. कोवूरा इज् नोइनउला (लेनिग्राद, १९४७)
देनिके, ब. प. : इस्स्कुस्त्वो रेद्नेइ आजिइ (१९२७).
द्मित्रियेफ् -कव्काज्स्की : पो स्रेद्नेइ आजिइ (पीतरबुर्ग, १८९४)
देर्झाविन, न. स. : इस्तोरिया बोल्गारिइ (लेनिनग्राद, १९४६)
" " : पोइस्खोश्देनिये रुस्कओ नरोदा (मास्को. १९४४)
" " : स्लाव्याने व् द्रेव्नोस्ती (मास्को, १९४५)
नवई, अलीशेर : खम्सा अलीशेर नवाई (ताशकंद १९०५)
पोतेम्किन् ब. प. : इस्तोरिया दिप्लोमातिइ तोम (लेनिनग्राद, १९४५)
पोलोस्त्स्कया, न : क् वप्रोसु ओ खिस्तियान्स्त्वे ना रुसि दो व्लादिमीरा (१९१७)
फेदोरोव्स्की, न. म : पो गरामि पुस्तिन्याम् स्रेद्नेइ आजिइ (मास्को, १९३७)
बरोव्कोफ. अ. क. : अलीशेर नवाई (मास्को, १९४६)
बर्तोल्द, ब. प. : इस्तोरिया कुल्तुर्नोइ झिज्नि तुर्किस्तान (लेनिनग्राद, १९२७)
" " : उलुगबेक इ येओ व्रेम्या (१९१८)
" " : ओचेर्क इस्तोरिइ नरोदा (१९२८)
" " : ओचेर्क इस्तोरिइ सेमिरे च्या (वेर्नी, १८९८)
" " : ओत्चेत् ओ कोमन्दिरोव्के व् तुर्किस्तान (इज्वेश्तिया रोस्सिइस्कोइ अकदेमइ इस्तोरिइ मतेरिअल्नोइ कुल्तुरि, तोम् २, द० १–२२)
बर्तोल्द, ब. ब. : मोनेती उलुगबेका (इज्वे. रो. अ. इ. ह. म. कु. तोम् २, पृ०१९०–२)
" " : वोस्तोच्नो-इरान्स्किइ वोप्रोस (,, १९२२ तोम् २. पृ० ३६१–८४)
बाबर : बाबरनामा. Memoire de Babar, (edit. A. Beveridge)
" : संपादक न इल्मिन्स्की (कजान १८५७ ई०)
बिल्बस्सोफ : इस्तोरिया एकातेरीनि व्तरोय (बर्लिन १९९०० ई०)
Bourgeois, E. : Manuel historique de politiqe etrangere (Paris, 1927)
Bergmann, F. G. : Les Scythes (Halles 1860)

बेर्तल्स, ये. ए. : नवाई इ निजामी अली शेर नवाई, पृ० ६८-९१ (लेनिनग्राद)

Browne, E. : Literary History of Persia (London, 1919)

Blochet., E. : Musalmanic Painting XII—XVIII century (Tran. M.Binijon, London, 1929)

मस्सोन, म. ये. : रेगिस्तान इ येओ मेद्रेसे (ताशकंद, १९२६)

" " : सोबोर्नया मेचेत् तिमूरा बीबी खानिम् (ताशकंद, १९२६)

माय्रोदिन, व. व. : ओच्रकी ओब्रानिये द्रेव्ने रुस्सकओ गसुदास्त्वा, (लेनिनग्राद, १९४५)

यागिचा, इ. व. : एन्तिसक्लोपेदिया स्लाव्यान्स्कोइ फिलोलोगिया (पीतरबुर्ग, १९०९)

याकुबोव्स्की, अ. यु: ज़ोलोतया ओर्दा

समरकंद प्रि-तिमूरे इ तिमूरिदाख़ (लेनिनग्राद, १९३३)

रशीदुद्दीन (१२४७–१३१७ ई०) : जामेउत् तवारीख़

Rouire, A.M.F. : La rivalite anglo-russean XIX Siecle en Asie (Paris 1908)

Robzianko, : Le regne de Rasputine (Paris, 1928)

Ross., E.D. : Heart of Asia (London, 1899)

रोस्तोव्त्सेफ, म. इ. : एल्लिन्स्त्वो इ इरान्स्त्वो ना युगे रोस्सिइ (पेत्रोग्राद, १९१८)

रुवदोनिकस, व. इ. : इस्तोरिया सससर ४ तोम्

लेस्नेइ, ल. व. : वोस्तानिये १९१६, गदा व् किर्गिजस्ताने (मास्कों, १९३७)

लोगोफेत्, द. न. : ना ग्रानित्साख़ स्रेद्नेइ आजिइ (पीतरबुग, १९०९)

वस्साफ, शहाबुद्दीन अब्दुल्ला : तवारीख़ वस्साफ़ (१३००–२८ ई०)

वित्कोविच् व. : किर्गिज़िया (१९३८)

विलिंस्की, स. ग. : यजीकोज्नानिये इ इस्तोरिया लितेरातुरि (मास्को, १९१४)

वेइमार्न, व. व. : इस्स्कुस्त्वो स्रेद्निइ आजिइ

Vernadsky, G. : on the Origines of the Antae (Am. G. D. S., Vol. II L, pp. 56-64)

वोल्खोन्स्की, स. : आ देकाब्रिस्ताख़ पो सेमेइनिम् वोस्पोमिनानियाम्

शामी, निजामुद्दीन : ज़फ़रनामा (१३९२–१४०० ई०)

समरकन्दी, अब्दुर्रज्जाक (१४१३–८२ ई०) : मत्ला-सादैन व मज्मा-बहरैन

सालेह. महम्मद : शैबानीनामा

सिदिकबेकोफ, तुगेलबाइ : तेमिर (उपन्यास, अनुवादक व. रोज़्देस्त्वेन्स्की, लेनिनग्राद, १९४७)

सेमेनोफ़, अ. अ. : गिरात्स्कओ इस्कुस्स्त्वो व् एपोख़, अलीशेर नवाई

सेरेदोन, स. म. : इस्तोरिचेस्कया ग्योग्राफिया (पीतरबुर्ग, १९२६)

सेलिश्चेफ, अ. म. : स्लाव्यान्स्कोये यजीकोज्नानिये (लेनिनग्राद १९४१)

सोलोवियेफ़, स. : इस्तोरिया रोस्सिइ २९ तोम् (१८७९–८५)

Hanson, G.F. : Europe and China (London 1931)

Hammer. Purgstall : Geschichte des goldenen Horde in Kiptchaka (Budapest, 1840)

Hardlicka : Scaleten remains of Early mecn (Smithsonian M S : Pub. Vol. LXXIII, pp. 34,-49)

Howarth H. H. : History of Mongol, 3 Vols (London, 1876-88)

० : इरान्स्कोये इस्कुस्स्त्वो इ अर्खेलोगिया (लेनिनग्राद, १९३९)

० : इस्तोरिया रुस्स्कोइ लितेरातुरी (लेनिनग्राद, १९४१)
० : इस्तोरिया रोस्सिइ (चित्रमय)
० : ओचेर्क पो इस्तोरिइ कलोनिज़ात्सिइ सिबिरि १७ वीं-१८ वीं शती (मास्को, १९४६)
० : किर्गिजिया, त्रुदी पेर्वोइ कान्फ्रेन्त्सिइ (लेनिनग्राद, १९३४)
० : तुर्केस्तान्स्कओ वोयेन्नओ ओक्रुग् ३ तोम् (१८८०)
० : तैमूरी अभिलेख (वोस्तोकोवेदेनिया, १९४०, १९४५)
० : त्रुदी ताजिकिस्तान्स्कोइ बाज़ी इस्तोरिया यज़ीक-लितेरातुरा (लेनिनग्राद, १९४०)
० : द्वाद्त्सत् लेत् कजाकस्ताना (लेनिनग्राद, १९४०)
० : Persian miniature Paintings (London, 1933)
० : मतेरिअली क् वसेसोयुज़नोमु अर्खेआलोगिचेस्कोमु सोवेश्चन्यो (मास्को, १९४५)
० : मशारेउल्-उश्शाक
० : युआन्, चाउ. चि. शि (संपादक ग. अ. कोज़िन् लेनिनग्राद, १९४१ ई०)
० : रेवोल्युत्सिया व् स्रेद्नेइ आज़िइ (ताशकंद, १९२९)
० : वोस्तोकोवेदेनिया (लेनिनग्राद, १९४५)
० : "शजरतुल् अतराक"
० : सोवियत्स्कया एत्नोग्राफिया (१८३६/६-पृ० ११)
० : स्बोर्निक मतेरिअलोफ अत्नोस्यश्चिरुस्या क् इस्तोरिइ ज़ोल्तोइ ओर्दी (लेनिनग्राद, १९४१ ई०)
Histoir edes Mongolse t lest atares .. (Petersburg 1871)
History of Civil War in U S S R.
History of U S S R. 3 Vols (Moscow)

स्रोत ग्रंथ (३)

१. पमपेली, रा : एक्सप्लोरेशन इन तुर्किस्तान, २. जिल्द
२. स्वेन्-चाङ : यात्रा २. जिल्द
३. स्किन, एफ० एच०, और रास, ई० डी० : हार्ट आफ एसिया (१८९९ ई०)
४. बरतोल्द, वी : तुर्किस्तान डौन टु द मंगोल इन्वेजन (१९०० ई०)
५. होवर्थ एच० एस० : हिस्ट्री आफ मंगोल, ३ जिल्द (लंदन, १८८० ई०)
६. पारकर, ई० एच० : ए थौजंड यर्स आफ दी टारटर्स (शांघाई, १८९५ ई०)
७. लेम्ब, हेराल्ड : जिंगिज खान (लंदन, १९२८ ई०)
८. कार्पिनी, जौन आफ प्लानो : ट्रेवल, (हक लइट सोसाइटी लंदन १९००)
९. इब्न-बतूता, : ट्रेवल, अनुवादक—दर्फे मेरी और सांकी नेती, (पेरिस, १९५३ ई०)
१०. मार्को पोलो : ट्रेवल, अनुवादक हेनरी यूल (लंदन, १९२१ ई०)
११. रूबरिक, विलियम : ट्रेवल टू दी ईस्टर्न पार्टस आफ दी वर्ल्ड (हकलूइट सोसाइटी लंदन, १९००)

१२. ईनोस्त्रान्तोफ, क : खुन्नी ई गुन्नी (लेनिनग्राद, १९२६ ई०)
१३. बाम्बेरी अर्मिनस, हिस्ट्री आफ बुखारा (लंदन, १८६३ ई०)
१४. बारतॅलिद, व. : ओचेर्क इस्तोरिइ सेमीरेच्या (लेनिनग्रा, १९२८ ई०)
१५. रियाल गिरार्द दे मेम्बार सुर ला आजी सांत्राल (पेरिस, १८७५ ई०)
१६. हैदर, मिर्जा : तारीख रशीदी-ए हिस्ट्री आफ द मोगल आफ सेंट्रल एसिया, अनुवादक एलियस और रास ई. दी. (लंदन, १९९५ ई०')
१७. बरतॉल्द, व. व. : ओचेर्क इस्तॉरिइ तुर्कमन्स्कओ नरोद (१९२८ ई०)
१८. बेर्गमान, एफ० जी०, ले सित, (हाल्स, १८६० ई०)
१९. ए हिस्ट्री आफ दी यू० एस० एस० आर० ३ जिल्द (मास्को, १९४८ ई०)
२०. दमोर्गन जेक, : लु' मानिते प्री-इस्तरिक (पेरिस, १९२४ ई०)
२१. मापेरो, जी. : इस्त्वार आंसियान दे प्यूप्ल दे लोरियां (पेरिस, १९०५ ई०)
२२. तार्न, डब्ल्यू, डब्ल्यू, : द ग्रीक्स इन बैक्ट्रिया एंड इंडिया (कैम्ब्रिज, १९३८ ई०)
२३. पीगुलेवस्कया न. : सिरिइस्किये इस्तोचनिकी प' इस्तोरिइ नरोदोफ एस० एस० एस० एर० (मस्क्वा, १९४१ ई०)
२४. त्रेवेर, क. व. : पाम्यातनिकी ग्रीको-बाखत्रिइस्कवो इस्कुस्त्वा (मस्क्वा, १९४० ई०)
२५. त्रेवेर. कमीला : टेराकोटाज फ्राम अफ्रासियाब, (मास्को, १९३४ ई०)
२६. ई. अ. ओर्बेली, ई० अ०, और त्रेवेर क. व. : सासानिद् स्किई मेतल (मस्क्वा, १९३५)
२७. ईरान्स्कये इस्कुस्त्वा इ आर्खेओलोगिआ (मस्क्वा, १९३९ ई०)
२८. सत्यश्रवा, : द शकाज इन इंडिया (लाहौर १९४७ ई०)
२९. पीगुलेवस्कया न. व. : बिजन्तिया इ ईरान (मस्क्वा, १९४६ ई०)
३०. रोस्तोव्त्सेफ, म० ई०. : एलिन्स्त्व इ ईरान्स्त्व ना युग रोसिइ (पेत्रोग्राद, १९१८)
३१. ईरान्स्किये यजीकि, (अकदमिइ नावुक मस्क्वा, १९४५ ई०)
३२. चाइल्ड, गोर्डन : द ब्रौंज एज (कैम्ब्रिज, १९३० ई०)
३३. चाइल्ड, गोर्डन, : प्रोग्रेस एंड आर्केआलोजी (लंदन, १९४१ ई०)
३४. हैडन, ए० सी०, : हिस्ट्री आफ अन्थ्रापोलोजी (लंदन, १९४५ ई०)
३५. टेलर, ई० बी०, : अन्थ्रापोलोजी, २ जिल्द (लंदन, १९४६ ई०)
३६. मार, न. य. : यजीक इ इस्तोरिया (लेनिनग्राद, १९३६ ई०)
३७. योवान चाउ बी. सी., अनुवादक कोजिन, स. अ. (मस्क्वा, १९४१ ई०)
३८. वेईमार्न ब. व. इस्कुस्त्व स्रेदनेइ आजिइ (मस्क्वा, १९४० ई०)
३९. गिन्जबुर्ग, ब. व. : गोर्निये ताजिकी (मस्क्वा १९३७, ई०)
४०. इस्तोरिय दिप्लोमातिइ, ३ जिल्द (मस्क्वा, १९४५ ई०)
४१. शुनकोफ, ब. ई. : ओचेर्क प. इस्तोरिइ कलोनिजात्सिइ सिबिर (मस्क्वा, १९४६ ई०)
४२. सेरेदोनिन, स. म. : इस्तोरि चस्कया ग्योगराफिया (पेत्रोग्राद, १८१६ ई०)
४३. द्मित्रीयेफ-कफकाजस्की ल. ई, : प स्रेद्नेइ आजिआ जापिस्की खुरोजनिका (पीतरबुर्ग, १८९४ ई०
४४. इस्तोरिआ रुस्कइ लितेरातुरि, अकदमी नाउक (मस्क्वा, १९४१ ई०)
४५. यागिच. ई. व., : एन्स्किलोपेदिया स्लाव्यान्स्कोइ फिललोगिया, (सां पेतेरबुर्ग, १९०९) ई०
४६. यजीकोज्न निये इ इस्तोरिया लितेरातुरि (मस्क्वा, १९१४ ई०)
४७. ग्रुम ग्रजीमाइलो, : पुतेशस्त्वये व् जापद्निइ किताई (पीतरबुर्ग, १९०१ ई०)
४८. प्रजेवाल्स्की, न० म० : मंगोलिया इ स्त्राना तुंगतोफ (मस्क्वा. १९४६, ई०)
४९. आजीआत्स्कया रोसिया (मस्क्वा, १९१० ई०)

५०. ग्रकोफ, ब० द० : कियेफ्स्कया रूस (मस्क्वा, १९४४ ई०)
५१. मावरोदिन, व० ब०, : ओबराजोवानिये द्रेव्न-रुस्कवो गसुदास्त्वं (लेनिनग्राद, १९४५ ई०)
५२. देर्झाविन, न० स० : इस्तोरिया बोल्गारिइ, (मस्क्वा १९४६ ई०)
५३. देर्झाविन, न० स०, : स्लाव्यिाने व् द्रेवनोस्ति (मस्क्वा, १९४५ ई०
५४. स्वं.निर्क मातेरियालोफ क-इस्तोरिइ जोलोतोइ ओर्दि, जिल्द २ (मस्क्वा, १९४१) ई०
५५. बोरोफकोफ, अ० क०, संपादक : अलीशेर नवाई (मस्क्वा, १९४६ ई०)
५६. हिस्ट्री आफ दी सिविल वार इन दी यू. एस. एस० आर. २ जिल्द (मास्को १९४६ ई०)
५७. बोआस, फ्रांज और दूसरे, : जेनरल अन्थ्रापोलोजी (न्यूयार्क, १९३८ ई०)
५८. बर्किट, एम० सी० : आवर अर्ली एन्सेस्टर्स (कैम्ब्रिज, १९२९ ई०)
५९. त्रेवेर कमीला, : एक्सकवेशन्स इन नार्दर्न मंगोलिया (लेनिनग्राद, १९३२ ई० १)
६०. इस्तोरिया रसिइ, चित्रमय (पीतरबुर्ग, १९०४ ई०)
६१. केन-शेन-वेग, : रसो चाइनिज डिप्लोमेसी (शांघाई, १९२८ ई०)
६२. चूइमची : ए शार्ट हिस्ट्री आफ् चाइनिज सिविलिजेशन (लंदन १९४५ ई०)
६३. रिस्कुलोफ, तु. र : वोस्तानिये १९१६ ग० व०, किर्गिजिस्ताने
६४. बेर्नस्ताम अ. , : तुरोक (मस्क्वा १९४६ ई०)
६५ ग्रेकोफ, ब० द० : बोर्बा रोसी जा सोज्दानिये स्वोयेवो गसुदार्स्त्व (मस्क्वा, १९४५ ई०)
६६. देर्झाविन, न० स० : प्रोइस्खोज्दानिये रुस्कवो नरोदा (मस्क्वा, १९४४ ई०)
६७. लोगोफेत. द० न० : ना ग्रानित्साख् स्रेदनेइ अजीइ (पेतेरबुर्ग, १९०९ ई०)
६८. एफीमेन्को, प० प० : पेर्वोबित्नीवे ओव् शेस्त्वा (लेनिनग्राद, १९३८ ई०)
६९. स्त्रूवे, व० व० : इस्तोरिया द्रेव्नेओ वोस्तोका (लेनिनग्राद, १९४१ ई०)
७०. शचनित्सर, या० ब० : इस्तोरिया पिस्मेन (पीतरबुर्ग, १९०३ ई०)
७१. बाचिन्स्की, न० म० : आर्खित्रोक्तुर्निय पामेत्निकि तुर्कमेनिइ (मस्क्वा, १९३९ ई०)
७२. अलेक्सन्द्रोफ, ब० अ० : तुर्कमनिया इ येवो कूरोर्तनिये बगातृस्त्व (मस्क्वा, १९३० ई०)
७३. वेइमार्न, ब० ब० : इस्कुस्त्व स्रेद्नेइ आज़िइ (मस्क्वा, १९४० ई०)

संग्रह और अनुसंधान-पत्रिकायें

१. सोव्येत्स्कये वोस्तोको-वेदनिये जिल्द I—III
२. सोव्येत्स्कया आर्खओलोगिया
३. सोवेत्स्कया एत्नोग्राफ़िया
४. वस्तनिक द्रेव्नेइ इस्तोरिइ
५. मतरियलि इ इस्स्लेदोवानिया प. आर्खेओलोगिइ एस० एस० एस० एर०.
६. क्रत्किये सोओब्श्चनिया.
७. ताजिक्स्कया कम्प्लेक्सनया एक्सपेदित्सिया १९३२ ई०
८. ताजिक्स्को-पामिर्स्कया एक्सपेदित्सिया १९३५ ई०
९. कराकल्पकिया
१०. इस्तोरिचेस्किये जापिस्की
११. ओजेरो इस्सिक्कुल (मस्क्वा, १९३५ ई०),
१२. किर्गिजिया, अकदमि नाउक (लेनिनग्राद, १९३४ ई०)
१३. इजवेस्तिया रोसिइस्कोइ अकदेमिया (पीतरबर्ग, १९२२ ई०)

१४. नाउचुनये इतोगी ताजिक्स्को—पामिर्स्कोइ एक्सपदिति (मस्क्वा, १९३६ ई०)
१५. उज्वेकिस्तान : त्रदि इ मातरियलि पर्वोइ कन्फरन्सिइ प. इजुचनियू प्रोएजवोदित्नीख सील उज्व-किस्ताना देकाब्र्या १९३२ (लेनिनग्राद, १९३४ ई०)
१६. मातेरियलि क. व्सेसोयुज्नोमु आर्खेओलोगिचेस्कोमू सोवशचेनीयु (मस्क्वा, १९४५ ई०)
१७. नासलनिये समरकंदस्कोइ ओबलास्ति (लनिनग्राद, १९२६ ई०)
१८. एपिग्राफिका वोस्तोका

परिशिष्ट ३

नामानुक्रमणी